骨折・脱臼

FRACTURES & DISLOCATIONS 5th Edition

改訂5版

冨士川恭輔　編
鳥巣岳彦

南山堂

編　集

冨士川恭輔　　元 防衛医科大学校 教授

鳥 巣 岳 彦　　大分大学 名誉教授/九州労災病院 名誉院長

執　筆　（執筆順）

萩 野　　浩　　鳥取大学 名誉教授/山陰労災病院 副院長

鳥 巣 岳 彦　　大分大学 名誉教授/九州労災病院 名誉院長

神宮司誠也　　九州鉄道記念病院 副院長

松 末 吉 隆　　医仁会武田総合病院 リハビリセンター長/
　　　　　　　　滋賀医科大学 名誉教授

占 部　　憲　　北里大学メディカルセンター 教授

澤 口　　毅　　福島県立医科大学 教授/
　　　　　　　　新百合ヶ丘総合病院外傷再建センター 部長

冨士川恭輔　　元 防衛医科大学校 教授

池 上 博 泰　　東邦大学 教授

岩 部 昌 平　　済生会宇都宮病院 主任診療科長

谷 口　　晃　　奈良県立医科大学 准教授

大 関　　覚　　レイクタウン整形外科病院 名誉院長/昭和大学 客員教授

麻 生 邦 一　　麻生整形外科クリニック 院長

石 毛 徳 之　　松戸整形外科病院 院長

中 村 俊 康　　国際医療福祉大学 教授

田 嶋　　光　　熊本整形外科病院 顧問

酒 井 昭 典　　産業医科大学 教授/医学部長

吉 田　　篤	国立病院機構埼玉病院　医長	
前 田　　健	総合せき損センター　院長	
石 井　　賢	慶應義塾大学　特任教授	
船 尾 陽 生	国際医療福祉大学　准教授	
笹 生　　豊	国際医療福祉大学　病院教授	
磯 貝 宜 広	国際医療福祉大学　病院講師	
江 幡 重 人	国際医療福祉大学　教授	
前　　隆 男	佐賀県医療センター好生館　副館長	
徳 永 真 巳	福岡整形外科病院　副院長/診療部長	
佐 藤　　徹	国立病院機構岡山医療センター　主任診療部長	
仁 木 久 照	聖マリアンナ医科大学　主任教授	

歴代執筆者　（五十音順）

石 井 良 章	芝　啓一郎	中 林 幹 冶
伊 藤 恵 康	下 崎 英 二	蜂 谷 裕 道
小 川 清 久	高 倉 義 典	二 見 俊 郎
小 島 哲 夫	玉 井 和 哉	松 原　　統
小 松　　幹	豊 島 良 太	水 野 耕 作
佐 藤 栄 修	徳 永 純 一	山 路 哲 生
須 田 浩 太	中 野 哲 雄	山 本 晴 康

改訂5版の序

　骨折・脱臼は整形外科医が最も遭遇する機会の多い疾患の一つであるため，海外では古くから多くの優れた骨折・脱臼に関する書が出版されており，我々はそれを学び，さらに我々独自の基礎的研究，臨床的研究そして臨床経験を積んだ結果，わが国でも優れた骨折・脱臼に関する書が出版されております．

　本書は編集者と南山堂編集部が，単に海外の業績の翻訳，引用するようなものではなく，わが国独自の知見に基づく骨折・脱臼の書を著すことを目的に，わが国の最先端でご活躍されている先生方に御協力を頂き，「ご自身の基礎的研究，臨床的研究そして臨床経験による知見に基づき，さらに海外の優れた知見を参考に加味する書を著す」という理念でご執筆頂きました．また骨折，脱臼の治療には基礎的知識が不可欠であるという編集者の考えから，基礎的分野にも多くの頁を割いております．

　2000年に初版を上梓して以来早くも23年が経ちました．この間，次々と得られる新しい知見を加えながら，またお読み頂いた先生方のご指摘を検討しながら2005年に第2版，2012年に第3版，さらに2018年に第4版と改訂を重ね，今般改訂第5版を発刊する運びとなりました．

　版を重ねる度に一部執筆者が入れ替わりましたが，「わが国独自の基礎的，臨床的研究，臨床経験に基づく」という基本理念を守り，少しずつ成長してまいりました．編集者は初版以来，常に読者の目線に立ち，ご執筆頂いた原稿と図表を何度も読み直し，各章の構成，文章，表現法，用語などを統一し，全編を通して違和感なく矛盾を感じることなく読めるよう，ご執筆頂いた先生方に何度も校正をお願い致しました．

　また本書を読まれた先生方から改善，訂正すべき点などの貴重なご意見を頂き，改訂の度に参考にさせて頂きました．そして"教科書というのは編集者，執筆者，読者そして出版社編集部が一体となって成長させる"ということを実感致しました．以前，すでに海外の定番となっている教科書の1章を担当させて頂いた時に，内容に関して編集者と激しい議論を繰り返し，最後に編集者に「これは私の本だ」と言われ，「いや読者の本．読者には正しい知見を伝えるべきだ」と反論し自分の知見を守った経験から定番に成長していく書のあり方を学びました．

　この度第5版の改訂でも編集者とご執筆頂いた先生方の間で，度重なる意見の交換があり，校正を繰り返して頂きました．ご多忙にも拘わらずその都度対応してくださった先生方に心より御礼申し上げます．特に編集者とご執筆頂いた先生方の間に立ち，調整頂いた南山堂編集部の萩川氏をはじめ編集部の皆様方のご尽力・ご苦労に心より感謝申し上げます．

　皆様方の力を合わせ，本書がいわゆる「定番」に一歩一歩近づくことを目指しております．

　2023年3月

冨士川恭輔

鳥巣岳彦

初版の序

　骨折・脱臼は整形外科医が日常臨床で最も頻繁に遭遇する疾患です．骨折・脱臼に関する教科書は，国の内外を問わず枚挙にいとまがないほど出版されています．しかし，骨折・脱臼およびその周辺のことに関して痒いところに手が届くように記載されている教科書はそう多くはないように思えます．

　5年ほど前に南山堂から出版のお誘いを受けて，私たちは大分と埼玉と大変距離が離れておりますが，それなら自分たちが日本の骨折・脱臼の「定番」となるような教科書を作るという意気込みで企画・編集をはじめました．この意気込みは本書が上梓されるまで衰えるどころか益々高揚しました．

　現在，第一線でご活躍の各分野の専門の先生にお書きいただいた原稿を，さらに何度も推敲していただきました．また全編を通して文章や記載法をできるだけ統一し，読みやすくするとともに，読者の理解を助けるために編集者が細かく筆を入れた部分もありますが，これをお許し下さった執筆の先生方に感謝いたします．

　通常の教科書に記載されていないが，読者が知りたいであろうと思われることは，附）として本文とは別に記載しました．編集中に興味深い附）の原稿をついつい読みふけり，作業が進まないこともあったほどです．お陰様で納得のいく骨折・脱臼の本がここに完成いたしました．是非，座右に置いて臨床の場でご活用いただきたいと思います．

　日本にも何年かに1度改訂しながら長期間にわたり愛読されている「定番」と呼ばれる教科書がありますが，本書も是非その仲間入りをさせたいと願っています．

　読者の皆様からの多数のご批判やご助言をお待ちいたしております．終りに臨み，途中で色々なことがあり，企画から上梓まで本当に長い時間がかかったことを，まず執筆して下さった先生方にお詫びしたいと思います．また本書の完成まで，根気よく付き合って下さった南山堂のみなさまにも心から感謝致します．

　　1999 年 11 月

冨士川恭輔

鳥巣岳彦

CONTENTS

総　論

第1章　骨の構造と機能　　　　　　　　　　　　　　（萩野　浩）

1 骨の構造と分類 ———————— 3
- a. 骨の構造 ———————— 3
  - 1) 骨　膜 ———————— 3
  - 2) 緻密骨 ———————— 3
  - 3) 海綿骨 ———————— 6
- 附-1 栄養孔 ———————— 8
- 附-2 関節軟骨 ———————— 8
- 附-3 骨密度 ———————— 8
- b. 骨の形態による分類 ———————— 9
  - 1) 長　骨 ———————— 9
  - 2) 短　骨 ———————— 10
  - 3) 扁平骨 ———————— 10
  - 4) 混合骨 ———————— 10
  - 5) 含気骨 ———————— 10

2 骨の組織学 ———————— 11
- a. 骨　膜 ———————— 11
- b. 骨の細胞 ———————— 12
  - 1) 骨芽細胞 ———————— 13
  - 2) 骨細胞 ———————— 14
  - 3) 破骨細胞 ———————— 15
- 附-4 骨のリモデリング（再造形 remodeling）
  とモデリング（造形 modeling）———————— 17
- c. 骨の血管 ———————— 18
- d. 骨の神経 ———————— 20

3 骨の発生・成長 ———————— 20
- a. 結合織内骨化 ———————— 21
- 附-5 付加成長と間質内成長 ———————— 21
- b. 軟骨内骨化 ———————— 21
- c. 骨の長径成長 ———————— 23
  - 1) 静止層（胚芽層）———————— 23
  - 2) 増殖（細胞）層 ———————— 23
  - 3) 肥大（細胞）層 ———————— 23
  - 4) 石灰化層 ———————— 24
- d. 骨の横径成長 ———————— 24

4 骨の生化学，骨の代謝 ———————— 26
- a. 骨の細胞外基質 ———————— 26
  - 1) 有機基質 ———————— 26
  - 2) 無機塩 ———————— 27
- b. 骨　代　謝 ———————— 27
  - 1) カルシウム代謝 ———————— 28
  - 2) リン代謝 ———————— 28
  - 3) ビタミン D ———————— 28
  - 4) 副甲状腺ホルモン ———————— 29
  - 5) カルシトニン ———————— 29
  - 6) エストロゲン ———————— 29
  - 7) 線維芽細胞増殖因子 23 ———————— 29
- 附-6 骨粗鬆症と骨萎縮 ———————— 29

5 骨の再生医療 ———————— 30

第2章　骨折の定義（用語）と分類

（鳥巣岳彦）

1　骨折の定義（用語） —— *33*

2　骨折の分類 —— *35*
- a. 外力の強さによる分類 ·········· *36*
  - 1）外傷性骨折 ·················· *36*
  - 2）疲労骨折（過労性骨障害）···· *36*
- b. 骨質による分類 ················ *37*
  - 1）病的骨折 ···················· *37*
  - 2）脆弱性骨折 ·················· *37*
  - 附-1 神経病性関節症での病的骨折 ···· *37*
  - c. 外界との交通の有無による分類 *38*
  - 1）皮下骨折，閉鎖骨折 ·········· *38*
  - 2）開放骨折 ···················· *38*
  - 附-2 単純骨折と複雑骨折 ·········· *39*
  - 附-3 射創骨折 ···················· *39*
- d. 骨の連続性の有無による分類 ·· *40*
  - 1）完全骨折 ···················· *40*
  - 2）不完全骨折 ·················· *40*
  - 3）不顕性骨折 ·················· *40*
- e. 骨折の部位による分類 ·········· *40*
  - 1）骨端骨折 ···················· *40*
  - 2）骨幹端骨折 ·················· *40*
  - 3）骨幹部骨折 ·················· *41*
- f. 関節内・外による分類 ·········· *41*
  - 1）関節内骨折 ·················· *41*
  - 2）関節外骨折 ·················· *41*
- g. 骨折の数による分類 ············ *41*
  - 1）単発骨折 ···················· *41*
  - 2）二重骨折 ···················· *41*
  - 3）多発骨折 ···················· *42*
- h. 骨折線の走行による分類 ········ *42*
  - 1）横骨折 ······················ *42*
  - 2）縦骨折 ······················ *42*
  - 3）斜骨折 ······················ *42*
  - 4）螺旋骨折 ···················· *42*
- 附-4 Ｔ字骨折，Ｙ字骨折，亀裂骨折 ···· *42*
- i. 骨片の転位による分類 ·········· *42*
- j. 骨折の発生機転による分類 ······ *43*
  - 1）裂離（剥離）骨折 ············ *43*
  - 2）捻転骨折 ···················· *43*
  - 3）圧迫骨折 ···················· *43*
  - 4）屈曲骨折 ···················· *43*
  - 5）剪断骨折 ···················· *43*
  - 6）多骨片骨折 ·················· *43*
  - 7）破裂骨折 ···················· *43*
- k. AO/OTA 分類 ·················· *44*
- l. 骨折に伴う軟部組織損傷の程度による分類 ·················· *45*
  - 1）皮下骨折での軟部組織損傷の分類 ····· *45*
  - 2）開放骨折に伴う軟部組織損傷の分類 ··· *45*
- m. CT による骨折分類 ············ *49*
- n. MRI による疲労骨折（脆弱性骨折）分類 ········· *49*
- o. 人工関節周囲骨折の分類 ········ *49*
- p. 骨端線損傷の分類 ·············· *50*

3　遷延治癒，偽関節（骨癒合不全）の定義（用語） —— *50*

4　偽関節の分類 —— *51*
- a. 単純 X 線写真による分類 ······ *51*
  - 1）生物学的反応残存型偽関節 ···· *51*
  - 2）生物学的反応消失型偽関節 ···· *52*
- b. 偽関節腔の有無による分類 ······ *53*
- c. 骨シンチグラフィーによる偽関節（遷延治癒）分類 ·········· *53*
- d. 感染の有無による分類 ·········· *54*
  - 1）非感染性偽関節 ·············· *54*
  - 2）感染性偽関節 ················ *55*

5　脱臼の定義（用語）と分類 —————— 56

第3章　骨折の治癒過程

（神宮司誠也）

1　骨折治癒過程の種類 —————— 61
　　a. 皮質骨を主体とする長管骨骨幹部に
　　　　おける骨折治癒過程 ················· 61
　　b. 海綿骨を主体とする骨における
　　　　骨折治癒過程 ······················· 63

2　骨折治癒過程の病理組織像 ————— 64
　　a. 時期別治癒過程 ····················· 64
　　b. 細胞反応別治癒過程 ················· 65
　　c. 2細胞現象理論 ····················· 65

3　仮骨形成のきっかけ ————— 68

4　仮骨形成にかかわる細胞の由来 —— 69

5　仮骨形成における細胞増殖と
　　細胞分化 ——————————— 69
　　a. 細胞増殖の分布と推移 ············· 69
　　b. 細胞分化の推移 ··················· 69
　　附-1　異所性骨化の発生機序 ············· 71

6　治癒過程における血行回復 ———— 71

7　治癒過程における強度回復 ———— 71

8　治癒過程に影響する因子 ————— 72
　　a. 全身性因子 ······················· 72
　　附-2　糖尿病は骨代謝に影響を与えるか？ ······ 73
　　b. 局所性因子 ······················· 73
　　附-3　NSAIDs 投与は骨折治療を抑制するか？ ··· 74

9　細胞レベルにおいて治癒過程を
　　制御する因子 ———————— 74
　　a. 全身性制御因子 ··················· 74
　　b. 局所性制御因子 ··················· 75

10　骨折に対する積極的保存療法 —— 76
　　a. 低出力超音波パルス ··············· 76
　　b. 副甲状腺ホルモン ················· 77

第4章　骨折に用いる内固定材料

（松末吉隆）

1　骨折に用いる内固定材料の歴史 —— 81

2　金属製内固定材料の素材 ———— 82
　　a. ステンレス鋼 ····················· 82
　　b. コバルト・クローム（Co-Cr-Mo）
　　　　合金（バイタリウム） ············· 83
　　c. 純チタン（Ti）およびチタン合金 ··· 83

　　附-1　抗菌素材 ························· 84
　　附-2　新規生体材料 ····················· 85

3　金属製内固定材料の種類 ———— 85
　　a. ワイヤー（鋼線） ················· 86
　　　1）Kirschner 鋼線 ················· 86
　　　2）締結鋼線 ····················· 86

附-3 ファイバーワイヤー …………… 86

附-4 ネスプロンケーブルシステム ………… 86

b. スクリュー ………………………… 87

1) 海綿骨スクリュー ………………… 87

2) 皮質骨スクリュー ………………… 88

3) ラグスクリュー …………………… 88

4) 干渉スクリュー …………………… 88

c. プレート …………………………… 89

1) 形状による分類 …………………… 90

附-5 ダイナミックコンプレッションプレート … 93

附-6 ロッキングコンプレッションプレート … 93

2) 機能による分類 …………………… 98

附-7 プラスチック性内固定材料 ………… 98

附-8 カーボン線維強化プレート ………… 98

d. ステープル ………………………… 98

e. 髄 内 釘 …………………………… 99

1) 中空型髄内釘 ……………………… 99

2) 中実型髄内釘 …………………… 100

3) インターロッキングネイル ……… 100

4) ガンマネイル …………………… 101

5) Hansson ピン …………………… 101

6) Steinmann ピン ………………… 102

7) Rush ピン ……………………… 102

8) Ender ピン ……………………… 103

9) NODE アンカリングシステム ……… 103

10) BEST Sprout ピンシステム ……… 103

附-9 骨セメント補強 ………………… 105

4 金属製内固定材料の問題点 ——— 106

a. 腐 食 …………………………… 106

1) 孔 食 …………………………… 106

2) 隙間腐食 ………………………… 107

3) 電 食 …………………………… 107

4) フレッティング腐食 …………… 107

b. 金属疲労 ………………………… 107

c. 生体適合性 ……………………… 111

d. 毒性・発がん性 ………………… 111

e. 骨粗鬆化 ………………………… 112

f. 金属アレルギー ………………… 112

1) 頻 度 …………………………… 113

2) 症 候 …………………………… 113

3) パッチテスト …………………… 113

4) LTT (lymphocyte transformation test)

………………………………… 113

5) 治 療 …………………………… 114

5 吸収性内固定材料 ——————— 114

a. 歴 史 …………………………… 114

b. 種 類 …………………………… 115

1) ポリ-L-乳酸 (PLLA) …………… 115

2) ポリグリコール酸 (PGA) ……… 117

3) ポリジオキサノン (PDS) ……… 117

4) ハイドロキシアパタイト/ポリ乳酸

(HA/PLLA) 複合材料 ………… 118

c. 適 応 …………………………… 120

1) PLLA および HA/PLLA 複合体 …… 120

2) ポリグリコール酸 (PGA) ……… 122

3) ポリジオキサノン (PDS) ……… 122

d. 使用上の注意 (PLLA および HA/PLLA)

………………………………… 122

1) スクリュー・ピンによる固定 …… 122

2) X 線透過性 ……………………… 122

3) その他 …………………………… 122

e. 合 併 症 ………………………… 122

1) 折 損 …………………………… 122

2) 癒合不良 ………………………… 122

3) 骨吸収 …………………………… 122

4) 遅発性無菌性腫脹 ……………… 123

6 その他の内固定材料 (骨充填剤) — 123

a. リン酸カルシウム系アパタイト …… 123

1) ハイドロキシアパタイト

(水酸アパタイト) (HA) ……… 123

2) リン酸三カルシウム (α, β-TCP) … 124

附-10 β-TCP 配向連通多孔体 ……………… 124

3) リン酸カルシウム系セメント …… 124

附-11 コラーゲンハイブリッド人工骨 ……… 126	a. 創外固定 ……………………………… 130
附-12 ヒト脱灰骨基質（DBM）…………… 127	1）歴　史 ……………………………… 130
b. PMMA 骨セメント ………………… 127	2）分　類 ……………………………… 130
附-13 抗菌縫合糸 …………………………… 128	3）創外固定法の長所と短所 ………… 131
附-14 抗菌薬含有骨セメント ……………… 128	4）適　応 ……………………………… 131
附-15 抗菌薬含有人工骨 …………………… 129	附-17 Hoffmann 創外固定法 …………… 132
附-16 生体活性骨補填材料の使用実態調査	附-18 Orthofix 創外固定法 …………… 133
（平成 14 年度）からの問題点 ………… 129	附-19 Ace-Fischer 創外固定法 ……… 133
	附-20 Ilizarov 創外固定法 …………… 133
7　創外固定法 ——————————— 130	附-21 レジン創外固定法 ……………… 133

第5章　骨　移　植

（神宮司誠也）

1　骨折治療における骨移植の目的 — 139
- a. 骨欠損の補填 ……………………… 139
- b. 骨癒合の促進 ……………………… 140
- c. 支持性の確保 ……………………… 140

2　移植材料（移植骨）の機能 ——— 141
- a. 骨　形　成 ………………………… 141
- b. 骨　誘　導 ………………………… 141
- c. 骨　伝　導 ………………………… 141
- d. 力学的支持 ………………………… 141

3　移植骨の種類 ———————— 142
- a. 移植材料の種類 …………………… 142
  - 1）自家骨移植（新鮮）…………… 142
  - 2）同種骨移植 ……………………… 142
  - 3）人工骨移植 ……………………… 143
- b. 移植骨の血行の有無による種類 … 144
  - 1）遊離骨移植 ……………………… 144
  - 2）血管柄付きあるいは筋弁付き骨移植 … 144
  - 附-1 Masquelet technique ……………… 145

4　移植骨の自然経過 ————— 145

5　自家骨組織採取方法 ——————— 146
- a. 腸骨からの採取 …………………… 146
- b. 脛骨からの採取 …………………… 147
- c. 腓骨からの採取 …………………… 147
- d. 髄腔からの採取　RIA（リーマー イリ
　ゲーション アスピレーション）…… 147
- e. その他の部位からの採取 ………… 147
- f. 採取部の合併症 …………………… 147

6　骨移植の形状の種類 ——————— 148
- a. 細片移植 …………………………… 148
- b. 骨板移植 …………………………… 148
  - 1）上のせ移植 ……………………… 148
  - 2）埋め込み移植 …………………… 149
- c. 塊状移植 …………………………… 149
- d. 複合移植 …………………………… 149

7　骨バンク
——————————（占部　憲）149
- a. 骨バンク（骨銀行・bone bank）とは … 149
- b. 同種骨移植に関する法的基盤 …… 149
- c. 骨バンクの運営 …………………… 150
  - 1）地域骨バンクの運営 …………… 150

2）施設内骨バンクの運営 ·················· 151
d. 非生体ドナーから採取した
　　同種骨移植の保険点数 ···················· 151

e. 骨移植の現状 ····························· 153
f. 骨バンクの整備 ··························· 154

第6章　骨折の症候

（鳥巣岳彦）

1　全身症候 ———————————— 158
　a. 出血性ショックの症候 ················· 158
　附-1　多発外傷 ····························· 160

2　局所症候 ———————————— 160
　a. 疼痛と圧痛 ····························· 160

　b. 創，腫脹，皮下出血 ··················· 161
　c. 肢位（体位）の異常，変形 ············· 161
　d. 局所循環障害 ··························· 163
　e. 異常可動性と軋音 ····················· 164
　f. 関節血症 ······························· 165
　g. 感覚障害と運動機能障害 ··············· 165

第7章　骨折の診断

（鳥巣岳彦）

1　病歴聴取 ———————————— 167

2　診　　察 ———————————— 168
　a. 全身の診察 ····························· 168
　b. 局所の診察 ····························· 168

3　画像診断 ———————————— 170
　a. 単純X線写真 ··························· 170
　附-1　小児の肘関節周辺の骨折・脱臼診断の
　　　　落とし穴 ··························· 173
　附-2　外傷患者の単純X線写真検査における
　　　　心得 ······························· 173
　b. X線透視法 ····························· 173

　c. X線断層撮影検査 ····················· 175
　d. CT ···································· 176
　e. 超音波検査 ····························· 177
　f. 磁気共鳴画像（MRI） ················· 179
　g. 骨シンチグラフィー ··················· 181
　h. PET/PET-CT ························· 182
　i. 血管造影検査 ························· 183

4　遷延治癒，偽関節（骨癒合不全）の
　　診断 ———————————— 184
　附-3　診療録と後遺障害診断書 ··········· 186
　附-4　救急医療と酒気帯び診察 ··········· 186

第8章　骨折の合併症

(鳥巣岳彦)

1　急性期合併症 ─── 189

A 全身的合併症 ─── 189
- a. 脂肪塞栓症候群（FES）─── 189
- b. 圧挫症候群・挫滅症候群 ─── 191
- c. 急性肺〔血栓〕塞栓症，急性下腿静脈血栓症 ─── 192

B 局所的合併症 ─── 193
- a. 皮膚，筋肉の損傷 ─── 193
- b. 血管損傷と循環障害 ─── 193
- c. 急性区画症候群，急性コンパートメント症候群（ACS）─── 195
  - 附-1 多発肋骨骨折に伴う血気胸 ─── 197
  - 附-2 後腹膜血腫 ─── 197
- d. 神経の損傷 ─── 198
- e. 骨幹部骨折と靱帯損傷の合併 ─── 199

- f. 尿路損傷 ─── 200
- g. 皮下気腫 ─── 200
- h. 術中骨折 ─── 200

2　遅発性合併症 ─── 201
- a. 関節拘縮・強直 ─── 201
- b. 異所性骨化 ─── 202
- c. 内固定材料の折損や移動，カットアウト ─── 202
- d. インピンジメント症候群 ─── 204
- e. 遅発性腱断裂 ─── 204
- f. 感　染 ─── 204
- g. 複合性局所疼痛症候群（CRPS），Sudeck 骨萎縮 ─── 205
- h. 無腐性骨壊死 ─── 205
- i. 外傷性変形性関節症 ─── 206
  - 附-3 止血帯麻痺 ─── 207

第9章　人工関節置換術後の関節周囲骨折

1　股関節
(澤口　毅) 211
- a. 概　要 ─── 211
- b. 大腿骨骨折（ステム周囲骨折）─── 211
  - 1）分　類 ─── 211
  - 2）治　療 ─── 212
  - 3）予　後 ─── 216

2　膝関節
(冨士川恭輔) 218
- a. 概　要 ─── 218
- b. 大腿骨遠位部骨萎縮部位と骨折の発生 ─── 218

- c. 大腿骨遠位部骨折 ─── 219
  - 1）分　類 ─── 219
  - 2）治　療 ─── 219
- d. 脛骨近位部骨折 ─── 220
  - 1）分　類 ─── 220
  - 2）治　療 ─── 221
- e. 膝蓋骨骨折 ─── 221
  - 1）分　類 ─── 221
  - 2）治　療 ─── 221

3　肩関節
(池上博泰) 222
- a. 概　要 ─── 222

b. 上腕骨骨折 ……………………… 222

　　1）分　類 …………………………… 222

　　2）治　療 …………………………… 222

c. 肩甲骨骨折 …………………………… 225

　　1）分　類 …………………………… 225

　　2）治　療 …………………………… 225

4　肘 関 節

――――――――――――（岩部昌平）226

a. 概　要 ……………………………… 226

b. 上腕骨遠位部，尺骨近位部骨折 ……… 226

　　1）分　類 …………………………… 226

　　2）治　療 …………………………… 226

5　足 関 節

――――――――――――（谷口　晃）227

a. 概　要 ……………………………… 227

b. 足関節内果骨折 …………………… 227

　　1）治　療 …………………………… 227

第10章　骨折の治療原則

（鳥巣岳彦）

1　骨折治療史概説 ―――――― 233

附-1　DCO（damage control orthopaedics）

……………………………………… 235

2　新鮮骨折患者の全身管理 ――― 235

附-2　患者の搬送や移動 ……………… 236

3　出血性ショックの処置 ――――― 237

附-3　血・気胸に対する胸腔ドレナージ ……… 238

附-4　救急外来での局所出血の対策 ……… 238

附-5　脂肪塞栓症候群の予防と治療 ……… 239

4　新鮮皮下骨折の治療 ――――― 240

A 保存療法 ……………………………… 240

a. 三角巾固定法，包帯固定法，

　　アームスリング ………………… 240

b. 絆創膏固定法，テーピング ……… 241

c. 固定用バンド …………………… 242

d. 副子固定法 ……………………… 242

e. キャスト固定法 ………………… 243

附-6　プラスチックキャスト ………… 246

f. 徒手整復法 ……………………… 246

g. 牽引療法 ………………………… 246

　　1）牽引法の種類 …………………… 247

　　2）牽引療法の適用と注意事項 ……… 248

h.〔機能〕装具療法 ………………… 248

i. 動的副子 ………………………… 250

B 手術療法 ……………………………… 251

附-7　外来小手術における注意点 ……… 251

附-8　冠動脈ステント留置患者や大動脈内ステ

　　　ントグラフトを受けている患者の大腿

　　　骨近位部骨折の手術は，術前に内服中

　　　の抗血小板薬を一時休薬すべきか？… 252

a. 局所麻酔法，神経ブロック，

　　多角的鎮痛法 …………………… 252

　　1）静脈内局所麻酔法 ……………… 253

　　2）指神経ブロック（Oberst 麻酔法）…… 253

　　3）神経ブロック ………………… 253

　　4）急性局所麻酔薬中毒 …………… 255

b. 経皮的鋼線（ピン）固定術 ……… 255

c. 創外固定術 ……………………… 255

d. 内固定術 ………………………… 255

附-9　電磁波誘導システムを用いた

　　　横止め式髄内釘 ……………… 258

附-10　引き寄せ鋼線締結法（Zuggurtung 法）… 258

e. 皮下骨折患者の周術期管理の要点 ···· 259

1) 抗菌薬の予防的投与 ···············259

2) 術後の鎮痛・鎮静 ···············260

3) 深部静脈血栓症 (静脈血栓塞栓症) の
予防 ·······························262

4) 新鮮皮下骨折患者の手術創管理 ·······264

5 新鮮開放骨折の治療 ——— 265

a. 緊急手術待機中の対応 ··········265

b. 創の洗浄とデブリドマン ··········266

c. 骨折部の安定化 ·················267

d. 血管, 神経, 腱の処置 ···········268

e. 創の被覆と閉鎖 ·················269

1) 創の閉鎖 ·······················269

附-11 植皮術 ···························270

f. 抗菌薬の投与方法 ···············271

g. 患肢温存か切断術かの選択 ·······271

附-12 爪損傷の処置 ·····················272

附-13 高圧酸素療法 ·····················273

附-14 開放骨折に合併する重篤な創傷感染症の
治療と予防 ·························274

附-15 切断肢再接着 ·····················276

6 変形癒合の治療 ——— 277

a. 治療適応 ·······················277

b. 治 療 法 ·······················277

7 遷延治癒と偽関節 (骨癒合不全) の
治療 ——— 278

a. 保存療法 ·······················280

1) 骨折治療促進薬 ·················280

2) 低出力超音波パルス療法 ·········280

3) 電気刺激療法 ·················282

b. 手術療法 ·······················283

1) 骨穿孔術 ·······················283

2) 骨細片術 ·······················284

3) 骨切り術 ·······················284

4) 骨髄内リーミング ···············284

5) 軸圧負荷術 ·····················286

6) 皮質むき手術 ·················286

7) 骨移植と骨接合術 ···············286

附-16 逆行性髄内釘固定法 ···············287

8) 欠損偽関節の治療 ···············287

9) 感染性偽関節の治療 ·············289

附-17 複合性局所疼痛症候群の治療 ···········291

8 創外固定の歴史
——————(大関 覚) 292

a. 黎 明 期 ·······················292

b. 創外固定法の確立 ···············293

c. 牽引性組織誘導の発見と応用 ·······294

d. コンピュータ支援による
変形矯正の時代 ·················296

e. ワイヤーやピンの進歩とピン刺入部の
管理 ·····························297

f. 快適性の改善と応用部位の拡大 ·······299

第11章 小児の骨折と骨端線損傷 　(麻生邦一)

A. 小児の骨折 ———

1 小児の骨の特徴と骨折様式 ——— 309

a. 骨端線 (成長軟骨板) ···············309

b. 骨 膜 ···············309

c. 骨の力学的特性と骨折の病態 ··········310

1) 若木骨折 ·······················310

2) 膨隆骨折 ·······················310

3) 塑性弯曲 [骨折] ···············310

d. 自家矯正 ·······················310

1）年　　齢 ……………………… 311
2）骨折の部位 …………………… 312
3）転位の程度 …………………… 312
4）転位の方向 …………………… 312
附-1　Wolff の法則 ……………… 312
附-2　Hüter-Volkmann の法則 …… 312
附-3　分娩骨折 …………………… 312
附-4　sleeve fracture …………… 314
附-5　Hume 骨折 ………………… 315

2　小児骨折の統計 ―――――――― 316
a. 発　生　率 …………………… 316
b. 年　齢　別 …………………… 316
c. 性　　　別 …………………… 316
d. 月別発生頻度 ………………… 316
e. 部位別頻度 …………………… 318
f. 受傷原因と受傷機転 ………… 319
附-5　乳・幼児の骨折 …………… 319

3　診　　断 ―――――――――――― 320
a. 病　　歴 ……………………… 320
b. 臨床症状, 所見 ……………… 320
附-6　Waddell の三徴 …………… 321
附-7　被虐待児症候群 …………… 322
c. 単純 X 線写真 ……………… 323
附-8　脂肪体徴候 ………………… 324
d. ストレス X 線写真 ………… 325
e. 断層 X 線写真 ……………… 325
f. 関節造影 ……………………… 325
g. 超音波検査 …………………… 325
h. CT ……………………………… 326
i. MRI …………………………… 326
j. 骨シンチグラフィー ………… 326
k. 小児骨折診断の落とし穴 …… 327

4　治　　療 ―――――――――――― 330
a. 保存療法 ……………………… 330
1）徒手整復, 外固定 ………… 330

2）持続牽引 ……………………… 330
b. 手術療法 ……………………… 331
1）適　　応 ……………………… 331
2）手術適応となりやすい小児骨折 …… 332
附-9　短骨の骨折 ………………… 333
附-10　骨折治癒過程における過成長 … 333
附-11　小児の疲労骨折 …………… 333

B. 骨端線損傷 ――――――――――

1　骨端線の形態と機能 ――――― 338
a. 骨端線の組織学的構造 ……… 338
b. 骨端・骨幹端部の血行 ……… 339
c. 骨端線の機能 ………………… 339

2　病　　態 ―――――――――――― 340

3　骨端線損傷の統計 ―――――― 341
附-12　apophyseal fracture,
apophyseal avulsion fracture …… 343

4　分　　類 ―――――――――――― 345
a. Salter-Harris 分類 …………… 345
b. Rang 分類 …………………… 347
c. Ogden 分類 ………………… 347
d. Peterson 分類 ……………… 349
e. AO/OTA 分類 ……………… 349

5　診　　断 ―――――――――――― 351
附-13　Salter-Harris V型の MRI, CT 診断 … 352

6　治　　療 ―――――――――――― 352
a. 新鮮損傷 ……………………… 353
1）徒手整復, 外固定 ………… 353
2）手術による整復, 内固定 …… 353
附-14　Kirschner 鋼線刺入の注意点 … 354
b. 陳旧損傷 ……………………… 355
1）Langenskiöld 法 …………… 355
2）骨延長法 ……………………… 355

3）矯正骨切り術 ……………… 356

4）骨端線固定術 ……………… 357

5）骨短縮術 …………………… 358

c. 骨端線障害（骨端線早期閉鎖）358

1）骨端線損傷 ………………… 358

2）骨幹端骨折 ………………… 359

3）stress-related …………… 359

4）血行障害 …………………… 359

5）腫　瘍 ……………………… 359

6）感　染 ……………………… 359

7）熱傷，凍傷，電撃傷，レーザー損傷 … 359

8）放射線 ……………………… 361

9）特発性，先天性 …………… 361

10）医原性 …………………… 361

附-15 骨癒合不全 ……………… 361

附-16 骨端の無腐性壊死 ……… 363

第12章　高齢者骨折の特殊性

（萩野　浩）

1 骨折の好発部位 ——— 367

附-1 脆弱性骨折 …………… 367

2 高齢者骨折の特殊性（病態と病因）

——— 368

a. 骨量の減少 ………………… 368

1）最大骨量（peak bone mass）の影響 - 368

2）骨リモデリングの亢進 …… 368

3）機械的刺激（メカニカルストレス）の

低下 ……………………… 368

b. 骨質の劣化 ………………… 369

c. 転倒・転落の原因 ………… 369

d. 全身疾患との関連 ………… 371

3 高齢者骨折の疫学 ——— 371

a. 椎体骨折 …………………… 371

b. 上腕骨近位部骨折 ………… 372

c. 橈骨遠位端骨折 …………… 372

d. 大腿骨近位部骨折 ………… 373

e. 骨盤骨折 …………………… 375

4 保存療法か手術療法かの選択基準，その利点と欠点 ——— 375

5 人工関節周囲骨折 ——— 376

6 リハビリテーション ——— 376

a. 保存療法を選択した場合 … 376

b. 手術療法を選択した場合 … 376

1）術直後の運動療法 ………… 376

2）術後早期の運動療法 ……… 377

c. 地域医療連携 ……………… 377

d. 骨折リエゾンサービス …… 377

7 骨折・再骨折の予防対策（運動器不安定症対策，ロコモ対策）—— 378

a. 骨折後の再骨折危険性上昇 … 378

b. 骨折・再骨折の予防 ……… 379

1）薬物療法 …………………… 379

2）転倒防止 …………………… 379

3）ヒッププロテクター ……… 379

c. 整形外科医の役割 ………… 380

d. 転倒予防教室 ……………… 380

8 高齢者骨折での死因，死亡率 —— 381

a. 上肢骨折と下肢・脊椎骨折で死亡率が異なる ……………… 381

b. 大腿骨近位部骨折 ………… 381

c. 脊椎骨折 …………………… 381

各　論

第13章　上肢の骨折

1　上腕骨近位部骨折
──────────（池上博泰）*389*
- a. 解剖・機能解剖 ································· *389*
- b. 受傷機転 ······································· *391*
- c. 骨折の形態・分類 ························· *392*
  - 1）Neer 分類 ································· *392*
  - 2）AO/OTA 分類 ·························· *393*
- d. 診　　断 ······································· *394*
- e. 治　　療 ······································· *395*
  - 1）治療の原則 ······························ *396*
  - 2）骨折型別の治療法 ··················· *396*
  - 3）手術療法の進入路 ··················· *404*
- 附-1 石黒による上腕骨近位部骨折に対する
  積極的保存治療 ···························· *405*
- f. 後　療　法 ····································· *405*
- g. 治療成績を左右する因子 ··············· *405*

2　肩関節脱臼・脱臼骨折
──────────（石毛徳之）*408*
- a. 受傷原因・受傷機転・形態 ············ *408*
- b. 診　　断 ······································· *409*
- c. 治　　療 ······································· *410*
  - 1）保存療法 ································· *410*
- 附-2 自己整復法 ····························· *414*
- 附-3 反復性肩関節脱臼・習慣性肩関節脱臼 ··· *414*
  - 2）手術療法 ································· *414*
- d. 後　療　法 ····································· *418*
- e. 治療成績を左右する因子 ··············· *419*
- 附-4 外傷性肩関節拘縮の治療 ············ *419*

3　上腕骨・骨幹部骨折
──────────（石毛徳之）*422*
- a. 解剖・機能解剖 ···························· *422*
- b. 受傷機転 ······································· *423*
- c. 骨折の形態・分類 ························· *423*
- d. 診　　断 ······································· *424*
- e. 治　　療 ······································· *424*
  - 1）保存療法 ································· *425*
  - 2）手術療法 ································· *427*
- f. 後　療　法 ····································· *431*
- g. 治療成績を左右する因子 ··············· *432*

4　上腕骨遠位部・前腕骨近位部骨折
──────────（岩部昌平）*435*
- **A** 総括的事項 ································· *435*
- a. 解剖・機能解剖 ···························· *435*
  - 1）骨　　格 ································· *435*
  - 2）靱　　帯 ································· *438*
  - 3）筋・神経 ································· *440*
  - 4）血　　管 ································· *443*
  - 5）肘関節の運動 ························· *443*
- b. 小児肘関節部骨折・脱臼の
  特徴と注意点 ······························ *445*
  - 1）骨端核の出現と癒合の時期 ······ *445*
  - 2）肘関節診察上の目印 ··············· *445*
  - 3）単純 X 線写真読影上の注意 ······ *446*
  - 4）内・外反角の計測 ··················· *447*
  - 5）関節造影，MRI，超音波画像 ····· *448*
- c. 肘関節部の手術進入路 ················· *450*
  - 1）皮膚切開 ································· *450*
  - 2）後方進入路 ···························· *450*

3) 外側進入路 ……………… 453
4) 前方進入路 ……………… 456
5) 内側進入路 ……………… 458

B 小児上腕骨遠位部骨折 ……………… 460

小児上腕骨顆上骨折 ……………… 460
　a. 受傷機転 ……………… 460
　b. 骨折の形態・分類 ……………… 462
　　1) 転位の程度による分類 ……………… 463
　　2) 骨折線の高位と走行による分類 ……… 464
　c. 診　　断 ……………… 465
　d. 治　　療 ……………… 467
　　1) プラスチックキャスト副子固定 …… 467
　　2) 牽引療法 ……………… 468
　　3) 徒手整復経皮的鋼線固定法 ……… 470
　　4) 観血的整復固定法 ……………… 474
　　5) 創外固定法 ……………… 475
　　6) 転位の許容範囲 ……………… 476
　　7) 後療法 ……………… 476
　e. 合　併　症 ……………… 477
　　1) 神経損傷 ……………… 477
　　2) 循環障害 ……………… 477
　　3) 内反肘 ……………… 480
　　4) 異所性骨化 ……………… 483
　　附-5 小児上腕骨顆上骨折屈曲型 …… 484

小児上腕骨遠位骨端離開 ……………… 484
　a. 病　　態 ……………… 484
　b. 分　　類 ……………… 485
　c. 診　　断 ……………… 486
　d. 治　　療 ……………… 487
　e. 予　　後 ……………… 489

小児上腕骨外側顆骨折 ……………… 489
　a. 受傷機転 ……………… 489
　b. 骨折の形態・分類 ……………… 489
　c. 診　　断 ……………… 491
　d. 治　　療 ……………… 492
　　1) 保存療法 ……………… 492
　　2) 手術療法 ……………… 495

　e. 合　併　症 ……………… 497
　　1) 外反肘と内反肘 ……………… 497
　　2) その他の成長障害 ……………… 498
　　3) 遅発性尺骨神経麻痺 ……………… 498
　　4) 偽関節 ……………… 499
　　5) 上腕骨外側顆偽関節の分類と手術法
　　　 ……………… 499

小児上腕骨内側顆骨折 ……………… 501
　a. 病　　態 ……………… 501
　b. 受傷機転と骨折の形態・分類 …… 501
　c. 診　　断 ……………… 502
　d. 治　　療 ……………… 503
　e. 予　　後 ……………… 504

小児上腕骨内側上顆骨折 ……………… 505
　a. 病　　態 ……………… 505
　b. 受傷機転 ……………… 505
　c. 診　　断 ……………… 507
　d. 治　　療 ……………… 507
　　1) 手術適応 ……………… 507
　　2) 手術療法 ……………… 508
　e. 予　　後 ……………… 509
　　附-6 小児上腕骨外側上顆骨折と
　　　　 sleeve fracture ……………… 511

C 成人上腕骨遠位部骨折 ……………… 515

上腕骨顆上骨折と通顆骨折 ……………… 515
　a. 病　　態 ……………… 515
　b. 治　　療 ……………… 515

上腕骨遠位部完全関節面骨折 ……………… 519
　a. 骨折の形態・分類 ……………… 519
　b. 治　　療 ……………… 519
　　1) 保存療法 ……………… 520
　　2) 手術療法 ……………… 520
　c. 後　療　法 ……………… 525
　d. 合　併　症 ……………… 525
　e. 治療成績を左右する因子 ……… 525

上腕骨内側顆・外側顆骨折 ……………… 526

上腕骨滑車・小頭骨折 ················· 526
   a. 受傷機転 ································ 527
   b. 骨折の形態・分類 ················· 527
   c. 診　　断 ······························ 529
   d. 治　　療 ······························ 529

D 橈骨近位部骨折 ························ 533

小児橈骨頚部骨折，頭部骨折 ······ 533
   a. 分　　類 ······························ 533
   b. 診　　断 ······························ 534
   c. 治　　療 ······························ 535
     1）徒手整復法 ······················ 537
     2）経皮的整復法 ···················· 537
     3）観血的整復法 ···················· 537
   d. 予　　後 ······························ 538

成人橈骨頭骨折，頚部骨折 ········· 538
   a. 分　　類 ······························ 539
   b. 治　　療 ······························ 539
     1）保存療法 ························· 541
     2）観血的整復固定法 ··············· 541
     3）人工骨頭置換術 ·················· 544
   c. 予　　後 ······························ 544
    附-7 関節鏡下骨接合術 ··············· 544

E 尺骨近位部骨折 ························ 547

肘頭骨折 ································ 547
   a. 受傷機転 ······························ 547
   b. 骨折の形態・分類 ················· 547
   c. 診　　断 ······························ 547
   d. 治　　療 ······························ 549
     1）保存療法 ························· 550
     2）手術療法 ························· 550
   e. 予　　後 ······························ 554
    附-8 スポーツ障害としての肘頭骨端線閉鎖不全
    ······························ 554

尺骨鉤状突起骨折 ···················· 555
   a. 分　　類 ······························ 555
   b. 診　　断 ······························ 557

   c. 治　　療 ······························ 557
     1）手術適応 ························· 557
     2）手術法 ··························· 559
   d. 予　　後 ······························ 559
    附-9 complex elbow instability ·········· 561

F 肘関節脱臼（脱臼骨折） ············· 567
   a. 肘関節脱臼の分類と頻度 ········· 568
   b. 発生機序と損傷形態 ·············· 568
   c. 合併損傷 ······························ 572
   d. 診　　断 ······························ 572
   e. 治　　療 ······························ 573
     1）脱臼の整復 ······················ 573
     2）保存療法 ························· 573
     3）手術療法 ························· 573
    附-10 靱帯損傷 ························ 574
    附-11 外傷性肘関節拘縮 ··············· 578

Monteggia 骨折 ························ 580
   a. 受傷機転と骨折形の分類 ········· 581
     1）Bado 分類 ······················ 581
     2）Letts の小児 Monteggia 骨折の分類 585
   b. 診　　断 ······························ 585
   c. 治　　療 ······························ 586
     1）保存療法 ························· 586
     2）手術療法 ························· 587
   d. 合　併　症 ···························· 587
   e. 治療成績を左右する因子 ········· 588
   f. 陳旧性 Monteggia 骨折 ············ 588
     1）手術適応 ························· 589
     2）手術法 ··························· 589

橈骨頭脱臼 ···························· 591
   a. 受傷機転 ······························ 592
   b. 治　　療 ······························ 592
    附-12 Essex-Lopresti 脱臼骨折 ·········· 592
    附-13 小児肘内障 ···················· 594

5 前腕骨（橈骨・尺骨）骨幹部骨折

――――――（中村俊康） 599

a. 解剖・機能解剖 ……………………… 599

b. 受傷機転 …………………………… 601

c. 分　類 ……………………………… 601

d. 臨床症状 …………………………… 602

e. 診　断 ……………………………… 604

f. 合併損傷 …………………………… 604

 1) Monteggia 骨折 ………………… 604

 2) Galeazzi 骨折 …………………… 605

 3) 神経・血管損傷 ………………… 605

 4) 急性区画症候群 ………………… 605

g. 治　療 ……………………………… 606

 1) 保存療法 ………………………… 606

 2) 手術療法 ………………………… 607

附-14　橈骨骨幹部単独骨折 …………… 609

附-15　尺骨骨幹部単独骨折 …………… 609

附-16　橈尺骨癒合症 …………………… 609

6 橈骨遠位端骨折

――――――（田嶋　光） 612

a. 解剖・機能解剖 ……………………… 612

附-17　橈骨遠位端骨折の冠名 ………… 613

b. 受傷機転 …………………………… 613

c. 診　断 ……………………………… 614

 1) 単純 X 線撮影 …………………… 614

 2) 断層 X 線撮影 …………………… 614

 3) CT，helical CT 撮影による multiple
  planer reconstruction-CT（MPR-CT）
  ………………………………………… 614

 4) MRI ……………………………… 615

d. 分　類 ……………………………… 615

 1) Gartland 分類 …………………… 615

 2) Frykman 分類 …………………… 615

 3) Melone 分類 …………………… 615

 4) 斎藤分類 ………………………… 616

 5) AO/OTA 分類 …………………… 616

 6) Thomas 分類 …………………… 616

附-18　小児の橈骨遠位端骨折 ………… 617

附-19　その他の橈骨遠位端骨折の特徴 …… 618

e. 治　療 ……………………………… 619

 1) 保存療法 ………………………… 619

附-20　橈骨遠位端骨折に対する局所麻酔法 … 621

 2) 経皮的鋼線固定法
  （特に叉状鋼線固定法）………… 621

 3) 経皮的スクリュー固定法 ……… 622

 4) Kapandji 法（intrafocal pinning 法）· 623

 5) 小切開整復法 …………………… 623

 6) 鋼線固定とプラスチックキャスト併用法
  ………………………………………… 625

 7) 創外固定法 ……………………… 626

 8) 手術療法（骨折部展開による整復・
  内固定法）………………………… 628

附-21　骨移植の適応 …………………… 636

f. 後療法 ……………………………… 637

g. 合併症 ……………………………… 639

 1) 循環障害 ………………………… 639

 2) 正中神経損傷 …………………… 640

 3) 手根管症候群 …………………… 640

 4) 腱皮下断裂 ……………………… 640

 5) 尺骨茎状突起骨折 ……………… 642

 6) 尺骨頚部骨折 …………………… 642

 7) 橈骨遠位端骨折に合併した TFCC 損傷
  ………………………………………… 642

 8) 遠位橈尺関節脱臼 ……………… 643

 9) 拘　縮 …………………………… 643

 10) 反射性交感神経性ジストロフィー
  （CRPS Type I）………………… 644

 11) アライメント異常・不安定症 ……… 644

 12) 弾発指 …………………………… 645

h. 予　後 ……………………………… 645

 1) 変形癒合 ………………………… 645

附-22　骨端離開による成長障害 ……… 649

i. 治療成績 …………………………… 649

附-23　遠位橈尺関節脱臼 ……………… 650

附-24　尺骨茎状突起骨折 ……………… 658

7 手根骨骨折

――――――――（酒井昭典）*664*

a. 解剖・機能解剖 ……………………… *664*
- 1) 手根骨と手根骨運動単位 …………… *664*
- 2) 手根靱帯 …………………………… *666*
- 3) 運動学 ……………………………… *667*

A 舟状骨骨折 ……………………………… *668*
a. 受傷機転 ………………………………… *668*
b. 分　類 …………………………………… *669*
c. 診　断 …………………………………… *669*
d. 治　療 …………………………………… *671*

B 大菱形骨骨折 …………………………… *677*
a. 受傷機転 ………………………………… *677*
b. 診　断 …………………………………… *677*
c. 治　療 …………………………………… *678*

C 有鉤骨鉤骨折 …………………………… *679*
a. 受傷機転 ………………………………… *679*
b. 症状および診断 ………………………… *680*
c. 治　療 …………………………………… *680*

D 月状骨骨折 ……………………………… *681*

E 豆状骨骨折 ……………………………… *682*

F その他の手根骨骨折 …………………… *682*
附-25　手根骨脱臼 ………………………… *683*
- 1) 月状骨周囲脱臼 …………………… *684*
- 2) 月状骨脱臼 ………………………… *684*
- 3) その他の手根骨脱臼 ……………… *685*

附-26　手根不安定症 ……………………… *686*
- 4) 手根骨の尺側偏位 ………………… *687*
- 5) その他の手根不安定症 …………… *687*

8 中手骨・手指骨骨折

――――――――（酒井昭典）*690*

A 中手骨骨折 ……………………………… *690*
a. 解剖・機能解剖 ………………………… *690*
b. 分　類 …………………………………… *691*

中手骨骨幹部（骨幹端）骨折 …………… *691*
a. 受傷機転 ………………………………… *691*
b. 病態・症候 ……………………………… *691*
c. 治　療 …………………………………… *691*
- 1) 保存療法 …………………………… *691*
- 2) 手術療法 …………………………… *692*

中手骨骨頭骨折 …………………………… *696*

中手骨頚部骨折 …………………………… *696*
a. 受傷機転・病態 ………………………… *696*
b. 治　療 …………………………………… *697*
- 1) 保存療法 …………………………… *697*
- 2) 手術療法 …………………………… *697*

中手骨基部骨折 …………………………… *698*

第 1 CM 関節脱臼骨折（Bennett 骨折）…… *698*
a. 受傷機転・病態 ………………………… *699*
b. 治　療 …………………………………… *699*
- 1) 保存療法 …………………………… *699*
- 2) 手術療法 …………………………… *699*

Roland 骨折 ……………………………… *700*

第 5 CM 関節脱臼骨折 …………………… *701*
a. 受傷機転・病態 ………………………… *701*
b. 治　療 …………………………………… *701*
- 1) 保存療法 …………………………… *701*
- 2) 手術療法 …………………………… *701*

他の CM 関節脱臼骨折 …………………… *702*
a. 受傷機転・病態 ………………………… *702*
b. 治　療 …………………………………… *702*
- 1) 保存療法 …………………………… *702*
- 2) 手術療法 …………………………… *702*

附-27　徒手整復が困難な MP 関節の
ロッキングと脱臼 ………………… *702*

B 基節骨・中節骨骨折 ……………………… 705

基節骨骨幹部骨折 ……………………… 705

 a. 受傷機転・病態 ……………………… 705

 b. 治　　療 ……………………………… 706

  1) 保存療法 …………………………… 706

  2) 手術療法 …………………………… 706

基節骨基部骨折 ………………………… 709

 a. 受傷機転・病態 ……………………… 709

 b. 治　　療 ……………………………… 710

 附-28 PIP 関節脱臼骨折 ……………… 710

 附-29 PIP 関節掌側脱臼 ……………… 716

 附-30 母指 MP 関節靱帯損傷 ………… 716

基節骨・中節骨頚部骨折（骨頭回転型） … 719

 a. 受傷機転・病態 ……………………… 719

 b. 治　　療 ……………………………… 719

C 末節骨骨折 ………………………………… 721

末節骨基部背側骨折（槌指） …………… 721

 a. 受傷機転・病態 ……………………… 721

 b. 治　　療 ……………………………… 721

  1) 保存療法 …………………………… 721

  2) 手術療法 …………………………… 721

 附-31 腱性槌指 ……………………… 721

末節骨基部掌側骨折 …………………… 724

末節骨粗面骨折 ………………………… 725

 a. 受傷機転・病態 ……………………… 725

 b. 治　　療 ……………………………… 725

末節骨開放骨折 ………………………… 725

第14章 肩甲帯・胸郭部の骨折

（吉田　篤）

1 肩甲骨骨折 ——————————— 729

 a. 解剖・機能解剖 ……………………… 729

 b. 受傷機転 ……………………………… 731

 c. 骨折の分類 …………………………… 732

 附-1 肩峰骨 …………………………… 733

 d. 臨床所見・診断 ……………………… 733

 e. 治　　療 ……………………………… 736

 附-2 上腕骨を懸垂する鎖骨と肩甲骨の

   複合体（SSSC）の損傷 ……… 738

  1) 保存療法 …………………………… 740

  2) 手術療法 …………………………… 740

 f. 治療成績を左右する因子 …………… 745

 附-3 肩甲胸郭解離 …………………… 747

2 肩鎖関節脱臼 ——————————— 749

 a. 解剖・機能解剖 ……………………… 749

 b. 受傷機転 ……………………………… 750

 c. 脱臼の形態・分類 …………………… 750

 d. 臨床所見・診断 ……………………… 751

 e. 治　　療 ……………………………… 753

 f. 治療成績と合併症 …………………… 758

 附-4 Kirschner 鋼線の遊走 ………… 758

3 鎖骨骨折 ——————————————— 760

 a. 解剖・機能解剖 ……………………… 760

 b. 受傷機転 ……………………………… 761

 c. 骨折の形態・分類 …………………… 762

 d. 臨床所見・診断 ……………………… 764

 e. 治　　療 ……………………………… 766

  1) 保存療法 …………………………… 768

  2) 手術療法 …………………………… 768

 附-5 小児鎖骨骨折・骨端離開 ……… 771

 附-6 鎖骨骨折後の偽関節 …………… 772

 附-7 鎖骨骨折の変形癒合 …………… 774

 f. 治療成績を左右する因子 …………… 774

 附-8 胸鎖関節脱臼 …………………… 775

附-9 鎖骨遠位端骨溶解症 ……………… 779

4 胸骨骨折 ———————— 783
a. 解剖・機能解剖 ……………………… 783
b. 受傷機転 …………………………… 784
c. 骨折の形態・分類 ………………… 784
d. 臨床所見・診断 …………………… 784
e. 治　　療 …………………………… 785

5 肋骨骨折 ———————— 788
a. 解剖・機能解剖 …………………… 788
b. 受傷機転 …………………………… 789
c. 骨折の形態・分類 ………………… 790
d. 臨床所見・診断 …………………… 791
e. 治　　療 …………………………… 792
f. 治療成績を左右する因子 ………… 793

第15章　脊椎骨折

1 頚椎骨折
————————（前田　健）795
a. 解剖・機能解剖 …………………… 795
　1) 後頭骨・環椎・軸椎の解剖・機能解剖
　……………………………………… 795
　2) 下位頚椎の解剖・機能解剖 …… 796
　3) 椎骨動脈 ……………………… 796
　4) 頚髄の内部構造 ……………… 797
附-1 ヘリコプター救急 ……………… 798
b. 受傷原因・受傷機転 ……………… 799
c. 骨折の形態・分類 ………………… 799
　1) 上位頚椎損傷 ………………… 799
附-2 環軸関節脱臼 …………………… 800
附-3 頚椎動態撮影の必要性 ………… 802
附-4 環軸関節回旋位固定 …………… 803
　2) 下位頚椎損傷 ………………… 804
　3) その他の骨折 ………………… 807
d. 診　　断 …………………………… 809
　1) 画像診断 ……………………… 809
　2) 損傷型と画像診断 …………… 811
e. 臨床所見 …………………………… 817
f. 治　　療 …………………………… 819
　1) 保存療法 ……………………… 819
附-5 脊髄損傷に対する再生医療 …… 821
　2) 手術療法 ……………………… 824

附-6 ナビゲーション手術について ……… 836
g. 小児頚椎・頚髄損傷の特異性と
　治療上の問題 ……………………… 836
　1) 解剖・機能解剖 ……………… 837
　2) 小児の頚椎損傷の特徴 ……… 837
　3) 損傷の型・分類・診断・治療 … 840

2 胸椎・腰椎骨折
——（石井　賢／船尾陽生／笹生　豊）846
a. 解　　剖 …………………………… 846
　1) 椎　　骨 ……………………… 846
　2) 椎間板 ………………………… 847
　3) 脊柱支持靱帯 ………………… 847
　4) 体幹支持筋群 ………………… 848
　5) 脊髄および馬尾 ……………… 849
　6) 自律神経系 …………………… 851
　7) 脊椎・脊髄の血行 …………… 851
b. 機能解剖 …………………………… 854
　1) 脊柱の機能単位と運動 ……… 854
c. 受傷機転 …………………………… 856
d. 胸椎・腰椎骨折の分類と歴史 …… 857
　1) Denis 分類 …………………… 858
附-7 脊椎不安定性の概念 …………… 861
　2) 荷重分担分類（load sharing 分類）… 861
　3) AO 分類（包括的 Magerl 分類）……… 861

4）Thoracolumbar Injury Classification and Severity Score（TLICS），Thoracolumbar AO Spine Injury Score（TL AOSIS）……… 863

附-8 強直性脊椎炎・びまん性特発性骨増殖症に合併した椎体骨折 ……… 867

附-9 骨粗鬆症性椎体骨折に関する最近のトピックス ……… 868

附-10 脱臼骨折 ……… 869

e. 臨床所見 ……… 870

　1）高エネルギー外傷による胸腰椎椎体骨折 ……… 871

　2）脆弱性胸腰椎椎体骨折 ……… 871

附-11 胸椎・腰椎骨折，脱臼に合併する脊髄損傷 ……… 871

附-12 遅発性神経麻痺 ……… 874

f. 診　断 ……… 875

　1）単純 X 線写真 ……… 875

　2）CT ……… 876

　3）MRI ……… 877

　4）脊髄造影 ……… 877

g. 治　療 ……… 877

　1）保存療法 ……… 879

　2）手術療法 ……… 880

附-13 脱臼骨折の非観血的整復 ……… 885

附-14 胸椎高位の経皮的椎弓根スクリューの挿入法：GET（groove entry technique）法 ……… 885

附-15 AS・DISH に対する椎体終板を貫通させるスクリュー挿入法 ……… 885

附-16 前方手術の合併症とその対策 ……… 886

附-17 後方手術の合併症とその対策 ……… 887

附-18 術者の放射線被曝について ……… 887

3 仙骨・尾骨骨折

―――――――――（磯貝宜広／江幡重人） 890

a. 解剖・機能解剖 ……… 890

b. 受傷機転 ……… 892

c. 骨折の分類 ……… 893

　1）仙骨骨折 ……… 893

　2）尾骨骨折 ……… 895

d. 診　断 ……… 895

　1）画像診断 ……… 895

e. 臨床所見 ……… 897

　1）高エネルギー外傷による仙骨骨折 …… 897

　2）脆弱性仙骨骨折 ……… 898

　3）尾骨骨折 ……… 898

f. 治　療 ……… 898

　1）高エネルギー外傷による仙骨骨折 …… 898

　2）脆弱性仙骨骨折 ……… 900

　3）尾骨骨折 ……… 901

第 16 章　骨盤・股関節骨折

（澤口　毅）

1 骨盤骨折 ――――――――― 903

a. 骨盤の解剖・機能解剖 ……… 903

附-1 荷重伝達経路 ……… 905

　1）骨盤腔内の血管 ……… 905

　2）骨盤腔内の神経 ……… 906

附-2 大坐骨切痕と小坐骨孔 ……… 906

b. 受傷機転 ……… 907

c. 骨折の分類 ……… 907

　1）AO/OTA 分類 ……… 907

　2）Young-Burgess 分類 ……… 909

附-3 Malgaigne 骨折 ……… 909

d. 診　断 ……… 911

　1）現病歴 ……… 911

　2）身体所見 ……… 911

3）画像診断 ･･････････････････････････････ 911

附-4　新鮮骨盤骨折の合併症の診断と治療の

進め方 ･･････････････････････････ 913

e. 治　　療 ････････････････････････････････ 916

1）保存療法と手術療法の適応 ･････ 916

2）受傷初期 ･････････････････････････ 916

附-5　骨盤骨折に対する創外固定法 ･･････ 916

附-6　恥骨・坐骨骨折の保存療法 ･･･････ 918

3）回復期 ･･･････････････････････････ 918

f. 治療を左右する因子 ･････････････････ 923

附-7　スポーツ損傷と裂離骨折 ･････････ 923

附-8　小児骨盤骨折 ･････････････････････ 926

附-9　骨脆弱性骨盤骨折 ･････････････････ 926

附-10　妊婦の骨盤骨折での問題点 ･･･････ 928

附-11　meralgia paresthetica

（異常感覚性大腿痛症）････････････ 930

2　寛骨臼骨折 ──────────── 931

a. 解剖・機能解剖 ･･･････････････････････ 931

b. 受傷機転 ･･････････････････････････････ 932

c. 分　　類 ････････････････････････････････ 932

附-12　股関節中心性脱臼 ･･･････････････ 934

d. 診　　断 ････････････････････････････････ 934

1）現病歴 ･･･････････････････････････ 934

2）臨床所見 ･････････････････････････ 934

3）画像診断 ･･････････････････････････ 934

附-13　spur sign ･･････････････････････ 935

附-14　gull sign ･･･････････････････････ 936

e. 治　　療 ････････････････････････････････ 937

1）保存療法 ･････････････････････････ 937

2）手術療法 ･････････････････････････ 939

附-15　異所性骨化 ･･････････････････････ 953

附-16　一期的人工股関節全置換術 ･･･････ 953

3　外傷性股関節脱臼 ──────── 955

a. 受傷機転 ･･････････････････････････････ 955

b. 分　　類 ････････････････････････････････ 955

c. 診　　断 ････････････････････････････････ 955

1）臨床所見 ･････････････････････････ 955

2）画像診断 ･････････････････････････ 956

d. 治　　療 ････････････････････････････････ 958

1）徒手整復法 ･･････････････････････ 958

附-17　整復の確認 ･･････････････････････ 959

附-18　徒手整復後の後療法 ･･･････････････ 959

2）手術療法 ･････････････････････････ 962

e. 合併症と予後 ･････････････････････････ 964

1）坐骨神経麻痺 ･･･････････････････ 964

2）大腿骨頭壊死 ･･･････････････････ 964

3）二次性変形性関節症 ･････････････ 965

附-19　外傷性関節唇損傷 ･･･････････････ 965

第17章　下肢の骨折

1　大腿骨近位部骨折

────────（前　隆男）967

A 疾患概念 ･･････････････････････････････ 967

a. 解　　剖 ････････････････････････････････ 968

1）大腿骨近位部の構造と機能・機能解剖

････････････････････････････････ 968

2）関節包・靱帯 ･･････････････････ 970

附-1　Weitbrecht 支帯 ･･････････････････ 971

3）栄養血管 ･････････････････････････ 972

4）筋　　肉 ････････････････････････････ 972

B 大腿骨頭骨折 ･････････････････････････ 974

a. 疾患概念 ･･････････････････････････････ 974

b. 受傷機転 ･･････････････････････････････ 974

c. 分類（Pipkin 分類）･････････････････ 974

d. 臨床症状と所見 ･･･････････････････････ 975

e. 診　　断 ……………………… 975

f. 治　　療 ……………………… 975

g. 合　併　症 …………………… 977

附-2　大腿骨頭軟骨下脆弱性骨折 …… 977

C 大腿骨頚部骨折 ……………………… 979

a. 疾患概念 ……………………… 979

b. 分　　類 ……………………… 979

1) Garden 分類 ………………… 979

附-3　三次元 CT を用いた Garden 分類 … 979

2) AO/OTA 分類 ……………… 981

3) Pauwels 分類 ……………… 981

c. 受傷機転・臨床症状と所見・診断 … 982

d. 治　　療 ……………………… 982

1) 保存療法 …………………… 983

2) 手術療法 …………………… 983

e. 後　療　法 …………………… 989

f. 局所合併症 …………………… 989

1) late segmental collapse：LSC
遅発性骨頭圧潰 ……………… 989

2) 偽関節 ……………………… 990

3) 内固定材料周辺骨折 ……… 990

附-4　大腿骨頚部骨折の pit fall …… 990

D 大腿骨頚基部骨折 …………………… 990

a. 疾患概念 ……………………… 990

附-5　中野の大腿骨頚基部骨折定義 …… 991

b. 分　　類 ……………………… 991

c. 受傷機転, 臨床症状と所見 …… 992

d. 診　　断 ……………………… 992

附-6　大腿骨頚部骨折, 頚基部骨折, 転子部骨折の
安定性の違い (靱帯付着と骨折線の関係)
…………………………………… 992

e. 治　　療 ……………………… 992

E 大腿骨転子部骨折 …………………… 994

a. 疾患概念 ……………………… 994

b. 分　　類 ……………………… 994

1) Evans 分類 ………………… 994

2) Jensen 分類 ………………… 994

3) AO/OTA 分類 ……………… 994

4) 生田分類 …………………… 996

5) 宇都宮分類 ………………… 996

6) 3D-CT 分類 (中野分類) …… 996

c. 受傷機転・臨床症状と所見 …… 997

附-7　転子部骨折と関節包との関係 …… 998

d. 診　　断 ……………………… 998

e. 治　　療 ……………………… 998

1) 保存療法 …………………… 998

2) 手術療法 …………………… 999

f. 合　併　症 …………………… 1004

g. 後　療　法 …………………… 1005

h. 予　　後 ……………………… 1005

F 大腿骨転子下骨折 …………………… 1006

a. 疾患概念と受傷機転 ………… 1006

b. 分　　類 ……………………… 1006

c. 臨床症状と所見 ……………… 1006

d. 診　　断 ……………………… 1006

e. 治　　療 ……………………… 1008

f. 後　療　法 …………………… 1008

附-8　大腿骨転子下の非定型骨折 …… 1009

G 小児大腿骨近位部骨折 ……………… 1009

a. 疾患概念 ……………………… 1009

b. 受傷機転 ……………………… 1009

c. 分　　類 ……………………… 1009

d. 臨床症状と所見 ……………… 1010

e. 診　　断 ……………………… 1010

f. 治　　療 ……………………… 1010

g. 予　　後 ……………………… 1011

2　大腿骨・骨幹部骨折

―――――――――――（徳永真巳）　1015

a. 解剖・機能解剖 ……………… 1016

附-9　長管骨の血流 ………………… 1018

b. 受傷機転 ……………………………… 1018

c. 骨折の分類 …………………………… 1018

   1）AO/OTA 分類 ……………………… 1018

   2）Winquist-Hansen 分類 …………… 1018

   3）青柳分類 …………………………… 1019

   4）Park 分類 …………………………… 1020

附-10　infra-isthmal fracture ……………… 1021

d. 治　　療 ……………………………… 1021

   1）保存療法と治療法の変遷 ………… 1021

   2）手術療法

     a）髄内釘固定法 …………………… 1022

附-11　軸圧負荷 dynamization の考え方 … 1035

     b）Ender ピンによる髄内固定法 …… 1037

     c）プレート固定法

     …………………………（佐藤　徹　1038

   3）合併症 ……………………………… 1043

附-12　持続的局所抗生物質潅流法 ………… 1045

附-13　折損髄内釘の抜去法 ………………… 1045

附-14　大腿骨頚部骨折の合併 ……………… 1046

附-15　非定型大腿骨骨折 …………………… 1047

附-16　がん転移による病的骨折 …………… 1050

附-17　大腿部の急性区画症候群 …………… 1051

3　大腿骨遠位部骨折

                （佐藤　徹）　1056

附-18　大腿骨遠位部 ………………………… 1056

a. 解剖・機能解剖 ……………………… 1056

b. 受傷機転 ……………………………… 1058

c. 骨折の分類 …………………………… 1059

   1）Neer 分類 …………………………… 1059

   2）AO/OTA 分類 ……………………… 1059

d. 診　　断 ……………………………… 1060

e. 治　　療 ……………………………… 1061

   1）保存療法 …………………………… 1061

   2）手術療法 …………………………… 1062

附-19　AO/OTA 分類での

     大腿骨遠位部骨折型別治療法 …… 1069

附-20　大腿骨単顆冠状骨折

     （Hoffa 骨折, coronal fracture） …… 1074

f. 合　併　症 …………………………… 1074

   1）開放創 ……………………………… 1074

   2）靱帯損傷 …………………………… 1075

   3）血管損傷 …………………………… 1075

   4）変形癒合 …………………………… 1075

   5）二次性変形性膝関節症 …………… 1075

   6）遷延治癒・偽関節 ………………… 1076

   7）膝関節拘縮 ………………………… 1078

附-21　人工膝関節置換術後の大腿骨遠位部骨折

     …………………………………… 1078

4　膝蓋骨骨折

              （冨士川恭輔）　1081

a. 解剖・機能解剖 ……………………… 1081

b. 受傷機転 ……………………………… 1083

c. 骨折の分類 …………………………… 1084

附-22　小児膝蓋骨下極の裂離骨折 ………… 1084

附-23　膝蓋骨上極裂離骨折 ………………… 1085

d. 臨床症状 ……………………………… 1086

e. 診　　断 ……………………………… 1086

f. 治　　療 ……………………………… 1086

   1）保存療法 …………………………… 1086

   2）手術療法 …………………………… 1086

附-24　膝蓋骨骨折に対する最小侵襲手術 … 1089

g. 後　療　法 …………………………… 1090

h. 術後成績を左右する因子 …………… 1090

附-25　膝蓋骨骨折偽関節 …………………… 1091

附-26　二次性膝蓋大腿関節症 ……………… 1091

附-27　膝蓋骨摘出術 ………………………… 1091

5　膝蓋骨脱臼

              （冨士川恭輔）　1093

a. 受傷機転 ……………………………… 1093

b. 分　　類 ……………………………… 1093

c. 臨床症状 ……………………………… 1094

d. 治　　療 ……………………………… 1094

6 脛骨近位部骨折

――――――――（冨士川恭輔）*1096*

A 脛骨顆部骨折 ……………………………… *1096*
- a. 解剖・機能解剖 ………………………… *1096*
- b. 受傷機転 ………………………………… *1100*
  - 1）外側顆骨折 …………………………… *1100*
  - 2）内側顆骨折 …………………………… *1101*
- c. 骨折の分類 ……………………………… *1101*
  - 1）Hohl 分類 …………………………… *1103*
  - 2）Rasmussen 分類 ……………………… *1104*
  - 3）Schatzker 分類 ……………………… *1105*
  - 4）Moore 分類 …………………………… *1107*
  - 5）AO/OTA 分類 ………………………… *1109*
  - 附-28 Luo の three column classification ···· *1109*
- d. 臨床症状 ………………………………… *1109*
- e. 診 断 …………………………………… *1110*
  - 1）単純 X 線写真 ………………………… *1110*
  - 2）断層 X 線写真 ………………………… *1110*
  - 3）CT/MRI/三次元 CT/三次元 MRI ··· *1110*
  - 4）関節鏡 ………………………………… *1110*
- f. 治 療 …………………………………… *1110*
  - 1）undisplaced 型骨折 ………………… *1111*
  - 2）displaced 型骨折 …………………… *1113*
  - 附-29 rafting technique ……………………… *1116*
  - 附-30 脛骨顆部後方部骨折に対する「投げ出し
    Burks approach」 ……………… *1121*
  - 附-31 脛骨プラトー陥没骨折に対する石黒法
    ……………………………………… *1122*
  - 附-32 rim（関節面辺縁）型骨折 ………… *1123*
  - 附-33 Segond 骨折 ……………………… *1123*
  - 附-34 脛骨顆間隆起・結節骨折 ………… *1123*
  - 附-35 後十字靱帯付着部剝離骨折 ……… *1125*
  - 附-36 骨挫傷 ……………………………… *1126*
  - 附-37 ファベラ骨折 ……………………… *1126*
  - 附-38 脛骨顆部脆弱性骨折 ……………… *1126*

B 脛骨粗面骨折 ………………………………… *1127*

- a. 分 類 …………………………………… *1128*
- b. 治 療 …………………………………… *1129*
- c. 予後と合併症 …………………………… *1130*

7 膝関節脱臼

――――――――（冨士川恭輔）*1130*

- a. 分 類 …………………………………… *1130*
  - 1）前方脱臼 ……………………………… *1130*
  - 2）後方脱臼 ……………………………… *1130*
  - 3）外方脱臼 ……………………………… *1130*
  - 4）内方脱臼 ……………………………… *1130*
  - 5）回旋脱臼 ……………………………… *1130*
- b. 診 断 …………………………………… *1131*
- c. 臨床症状 ………………………………… *1131*
  - 1）腫 脹 ………………………………… *1131*
  - 2）変 形 ………………………………… *1131*
  - 3）不安定性 ……………………………… *1131*
  - 4）合併症 ………………………………… *1132*
- d. 治 療 …………………………………… *1133*

8 腓骨頭骨折

――――――――（冨士川恭輔）*1138*

- 附-39 近位脛腓関節脱臼 ………………… *1138*

9 脛骨骨幹部骨折

――――――――（徳永真巳）*1143*

- a. 解剖・機能解剖 ………………………… *1144*
- b. 受傷機転 ………………………………… *1145*
- c. 骨折の分類 ……………………………… *1145*
  - 1）Johner-Wruhs 分類 ………………… *1145*
  - 2）AO/OTA 分類 ………………………… *1146*
- d. 診 断 …………………………………… *1146*
- e. 治 療 …………………………………… *1147*
  - 1）新鮮皮下骨折 ………………………… *1147*
    - ① 閉鎖性髄内釘固定法 ……………… *1148*
    - ② 従来のプレート固定法 …………… *1157*
    - ③ ロッキングプレート固定法
      ………………………（佐藤 徹）*1158*

2）開放骨折 ……………………… 1161

附-40 軟部組織の損傷 ……………… 1164

f. 合 併 症 ……………………………… 1165
  1）急性区画症候群 ………………… 1165
  2）変形癒合 ………………………… 1165
  3）遷延治癒・偽関節 ……………… 1165

10 腓骨骨幹部骨折
——————————（徳永真巳）1170

a. 解剖・機能解剖 ………………… 1170
b. 骨折の分類 ……………………… 1170
  1）AO/OTA 分類 ………………… 1170
c. 治 療 ……………………………… 1170
  1）単独骨折 ………………………… 1170
  2）骨幹部骨折と遠位脛腓骨靱帯結合離開の
    合併 …………………………… 1171
  3）腓骨骨幹部骨折と脛骨骨幹部骨折の
    合併 …………………………… 1174
  4）疲労骨折 ………………………… 1174

11 足関節部骨折（脱臼）
——————————（仁木久照）1177

a. 解 剖 ……………………………… 1177
  1）骨・靱帯 ………………………… 1177
  2）筋・腱 …………………………… 1178
  3）血 管 …………………………… 1179
  4）神 経 …………………………… 1179
b. 機能解剖 ………………………… 1179

A 足関節果部骨折 ……………………… 1183

a. 分 類 ……………………………… 1183
  1）Lauge-Hansen（L-H）分類 ……… 1183
  2）Danis-Weber 分類（AO/OTA 分類）
    …………………………………… 1186

附-41 受傷機転および骨折型分類に関する新た
    な知見 ………………………… 1187

附-42 人名のついた骨折 ……………… 1187

b. 臨床所見と症状 ………………… 1188

c. 診 断 ……………………………… 1189
  1）単純 X 線写真 ………………… 1189
  2）ストレス X 線写真 …………… 1189
  3）関節造影 ………………………… 1189
  4）CT ……………………………… 1190
  5）MRI ……………………………… 1190

附-43 脛腓間距離の計測 ……………… 1191

附-44 CT 水平断による後果骨折の分類 … 1191

d. 治 療 ……………………………… 1192
  1）保存療法 ………………………… 1192
  2）手術療法 ………………………… 1192

附-45 三角靱帯断裂 …………………… 1194

附-46 脛腓骨靱帯結合離開 …………… 1194

e. 後 療 法 …………………………… 1198
f. 合 併 症 …………………………… 1199
  1）骨粗鬆症 ………………………… 1199
  2）糖尿病，末梢血管障害 ………… 1199
  3）その他 …………………………… 1199
g. 治療成績の評価 ………………… 1199
  1）治療成績評価 …………………… 1199
  2）単純 X 線写真評価 …………… 1200
  3）CT による評価 ………………… 1200
h. 治療成績を左右する因子 ……… 1200
  1）骨折型による影響 ……………… 1200
  2）腓骨の転位による足関節への影響 … 1203
  3）関節軟骨損傷の合併 …………… 1204
  4）早期運動訓練の効果 …………… 1205
  5）再手術について ………………… 1205

B 脛骨天蓋骨折 ……………………… 1206

a. 骨折の分類 ……………………… 1206
  1）AO/OTA 分類 ………………… 1206
  2）Rüedi 分類 …………………… 1206

附-47 pilon（ピロン）骨折 …………… 1207

附-48 骨折に伴う軟部組織損傷の分類 …… 1207

b. 受傷機転と頻度 ………………… 1208
c. 診 断 ……………………………… 1208
  1）単純 X 線写真 ………………… 1208

2）CT，三次元CT ················ *1208*

d. 治　　療 ······························ *1208*

　1）保存療法 ························ *1208*

　2）手術療法 ························ *1208*

　附-49　MATILDA法 ··········· *1213*

e. 合　併　症 ······················· *1214*

f. 予　　後 ···························· *1214*

　附-50　小児の足関節部骨折 ······· *1214*

C 足関節脱臼 ························· *1216*

12　足部骨折

──────────（谷口　晃）*1224*

a. 解　　剖 ···························· *1224*

　1）骨・関節 ························ *1224*

　2）靱　　帯 ························ *1225*

　3）筋・腱 ·························· *1226*

　4）神経・血管 ···················· *1227*

b. 機能解剖 ···························· *1228*

　1）足　　部 ························ *1228*

　2）距骨下関節 ···················· *1230*

　3）Chopart関節 ················· *1230*

　4）Lisfranc関節 ················· *1231*

　5）中足趾節間関節（MTP関節），

　　　趾節間関節（IP関節）······ *1231*

A 距骨骨折 ··························· *1231*

a. 解　　剖 ···························· *1231*

b. 受傷機転 ···························· *1232*

　1）距骨頚部骨折 ·················· *1232*

　2）距骨体部骨折 ·················· *1232*

　3）距骨滑車骨軟骨骨折 ············ *1234*

c. 分　　類 ···························· *1234*

　1）距骨頚部骨折：Hawkins分類 ······ *1235*

　2）距骨体部骨折：Mann分類 ······ *1235*

　3）距骨滑車骨軟骨骨折：

　　　Berndt-Harty分類 ········· *1236*

d. 診　　断 ···························· *1237*

1）臨床所見 ························ *1237*

2）画像診断 ························ *1237*

e. 治　　療 ···························· *1237*

　1）距骨頚部骨折 ·················· *1237*

　2）距骨体部骨折 ·················· *1240*

　3）距骨滑車骨軟骨骨折 ············ *1240*

f. 後　療　法 ························· *1240*

g. 治療成績を左右する因子 ········· *1241*

　1）骨折部位 ························ *1241*

　2）整復操作 ························ *1241*

　3）骨　壊　死 ···················· *1241*

　4）二次性変形性関節症 ············ *1242*

　5）距骨下関節脱臼 ················ *1243*

B 踵骨骨折 ··························· *1243*

a. 解剖・機能解剖 ··················· *1243*

b. 受傷機転 ···························· *1243*

c. 分　　類 ···························· *1245*

　1）Essex-Lopresti分類 ········· *1246*

　2）Böhler分類 ··················· *1248*

　3）Watoson-Jones分類 ········· *1248*

　4）Sanders分類 ················· *1248*

d. 診　　断 ···························· *1248*

　1）受傷機転・臨床所見 ············ *1248*

　2）画像診断 ······················ *1249*

e. 治　　療 ···························· *1251*

　1）関節外骨折 ···················· *1252*

　2）関節内骨折 ···················· *1252*

　1）拡大L字状皮切を用いた

　　　観血的整復固定術 ············ *1254*

　2）足根洞アプローチを用いた

　　　観血的整復固定術 ············ *1255*

f. 後　療　法 ························· *1257*

g. 治療成績を左右する因子 ········· *1258*

　1）骨折型 ·························· *1258*

　2）整復状態 ······················ *1258*

　3）術後プラスチックキャストや

　　　副子による外固定期間 ········ *1258*

4）後療法 ·········· 1258
5）術後皮膚壊死 ·········· 1259
附-51 距踵関節固定術 ·········· 1259
附-52 踵骨骨折後の CRPS（Sudeck 骨萎縮）··· 1260

C 足根骨脱臼骨折 ·········· 1261
Chopart 関節脱臼骨折 ·········· 1261
　a. 解剖・機能解剖 ·········· 1261
　b. 受傷機転 ·········· 1261
　c. 分　類 ·········· 1261
　　1）内側型 ·········· 1261
　　2）軸圧型 ·········· 1261
　　3）外側型 ·········· 1262
　　4）底屈型 ·········· 1262
　　5）粉砕型 ·········· 1262
　d. 診　断 ·········· 1262
　e. 治　療 ·········· 1263
　　1）保存療法 ·········· 1263
　　2）手術療法 ·········· 1263
　f. 後　療　法 ·········· 1264
　g. 治療成績を左右する因子 ·········· 1264
Lisfranc 関節脱臼骨折 ·········· 1264
　a. 解剖・機能解剖 ·········· 1264
　b. 受傷機転 ·········· 1265
　c. 分　類 ·········· 1265
　　1）全　型 ·········· 1265
　　2）部分型 ·········· 1265
　　3）分岐型 ·········· 1265
　d. 診　断 ·········· 1265
　e. 治　療 ·········· 1265
　　1）保存療法 ·········· 1265
　　2）手術療法 ·········· 1265
　f. 後　療　法 ·········· 1268

　g. 治療成績を左右する因子 ·········· 1268
その他の足根骨脱臼骨折 ·········· 1269
　a. 解剖・機能解剖 ·········· 1269
　b. 受傷機転 ·········· 1269
　c. 分　類 ·········· 1270
　　1）内側型 ·········· 1270
　　2）底側型 ·········· 1270
　　3）背側型 ·········· 1270
　d. 診　断 ·········· 1270
　e. 治　療 ·········· 1271
　　1）保存療法 ·········· 1271
　　2）手術療法 ·········· 1271
　f. 後　療　法 ·········· 1271
　g. 治療成績を左右する因子 ·········· 1271
附-53 足根骨骨折 ·········· 1271

D 中足骨骨折 ·········· 1272
　a. 解剖・機能解剖 ·········· 1272
　b. 受傷機転 ·········· 1272
　c. 分　類 ·········· 1272
　d. 診　断 ·········· 1272
　e. 治　療 ·········· 1272
　　1）保存療法 ·········· 1272
　　2）手術療法 ·········· 1272
　f. 後　療　法 ·········· 1273
　g. 治療成績を左右する因子 ·········· 1274
附-54 疲労骨折と脆弱性骨折 ·········· 1274
附-55 第 5 中足骨基部骨折 ·········· 1275
附-56 種子骨骨折 ·········· 1276

E 趾骨骨折 ·········· 1276
　a. 解剖・機能解剖 ·········· 1276
　b. 診断・治療 ·········· 1276

日本語索引 ·········· 1281
外国語索引 ·········· 1305
略語索引 ·········· 1321

総論

第1章

骨の構造と機能

　骨はいまだ謎が多い不思議な臓器である．ヒトは生まれ落ちたときに約30 gのカルシウムを母体から授かり，その後は急速に骨にカルシウムを貯蔵し，20歳代で人生最大の骨量に達する．その後，閉経，加齢，不動などにより，何人も骨量の減少を免れることはできない．骨はその間にミクロからマクロまでの構造をダイナミックに変化させる．

　骨には，個体を支える大黒柱や臓器を守る鎧としての役割とともに，全身の細胞の要求に応じて骨に蓄積したカルシウムを放出して生命を維持する．強度を維持すると同時に自らのミネラルを供給するという巧妙な仕組みについては不明な点が多かった．近年，骨の細胞間のシグナル伝達の解明が進み，骨内のネットワークと同時に，骨から分泌されたホルモンは全身の臓器の代謝に影響することがわかってきた．

1 骨の構造と分類

a 骨の構造

　骨は骨膜，骨質，骨質の中や表面に存在する細胞，血管・神経系，骨髄から構成されている．

1) 骨　膜 periosteum

　骨膜は関節軟骨におおわれる部分と筋腱付着部を除いた骨の全表面を包む結合織性被膜である（図 1-1-1a, b）．小児の骨膜は成人の骨膜に比べて厚く血行に富み，張力に対して高い抵抗性を持つ．また，小児の骨膜は緻密骨から容易に剥離することができるが，成人ではその結合は強固である．骨膜は血管と神経に富み，骨の成長や骨折の修復に関与する重要な組織である．成長期にはこの骨膜の骨原性細胞層で生じる結合織内骨化 intramembranous ossification（p. 21 参照）によって外側から骨の太さが増大する．

2) 緻 密 骨 compact bone

　骨は形態的特徴から緻密骨と海綿骨に分類される．緻密骨は皮質骨 cortical bone とも呼ばれ，全身の骨重量の約80％を占める．その構造は栄養血管を入れた管（ハバース管 Haversian canal）の周りに規則的に同心円状に配列した骨層板 bone lamella からなり，全体として円柱をつくっている（図 1-1-1b）．この円柱は骨構造の基本的単位で，1691年に緻密骨の構造をはじめて明らかにした Havers の名前にちなんでハバー

-3-

4 総論 第1章 骨の構造と機能

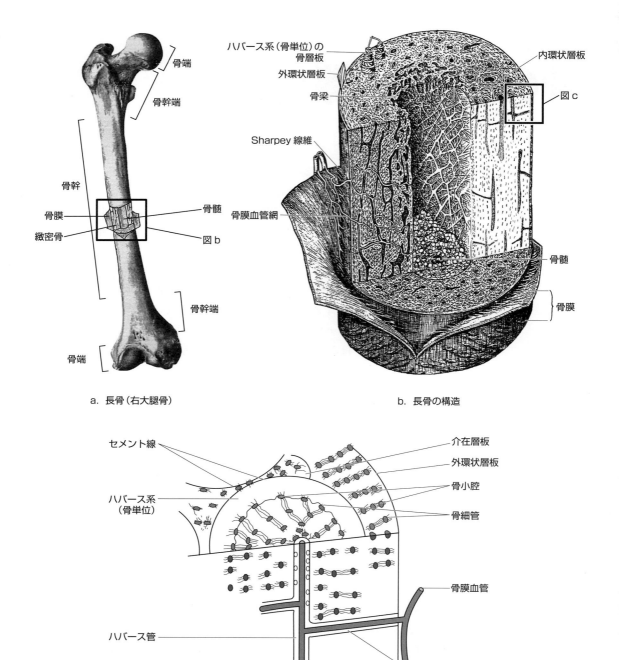

図 1-1-1 長骨骨幹の模式図
（金子丑之助：骨学．日本人体解剖学第1巻（第13版），38，図13，南山堂，1969 より一部改変）

ス系 Haversian system または骨単位 osteon と呼ぶ（図 1-1-1b, c, 2）．ハバース系は中心となる血管の走向に相応して枝分かれしたり吻合したりしながら骨の長軸に沿って並ぶが，隣接するハバース系との間には細胞性の連結はない．それゆえ緻密骨の横

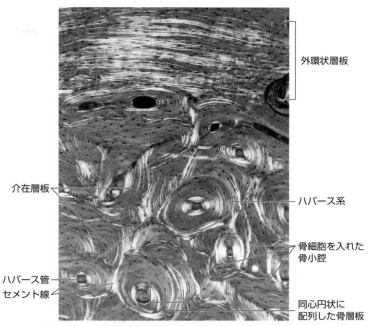

図 1-1-2　緻密骨横断面（成人腓骨，偏光顕微鏡像）

断面では小さな丸い開口と円周性の骨層板がみられる．ハバース系の間にハバース管を持たない不完全な骨層板がみられる．これは介在層板 interstitial lamella と呼ばれ，ハバース系とはセメント線 cement line によって境界される（図 1-1-1c, 2）．介在層板は骨吸収によりその一部が失われた古いハバース系である（附-4 骨のリモデリングとモデリング p. 17 参照）．骨層板の中の骨小腔 lacuna に骨細胞 osteocyte が埋まっている（図 1-1-1c, 2）．骨小腔から骨細管 bone canaliculus の枝が主に骨層板に垂直方向に広がり，隣接する骨小腔の骨細管同士はつながっている（図 1-1-1c）．ハバース系の層板のコラーゲンの配列はさまざまで，隣り合う層板の線維の配列方向は異なり，張力，圧縮力，曲げ応力に対して十分抵抗できる構造となっている（図 1-1-1b）．

緻密骨の外側面と内側面は，骨髄に対して円周状に配列した層板（外，内環状層板 outer, inner circumferential lamella，図 1-1-1, 2）からなる．環状層板を骨膜側と骨髄側から骨の横断方向に貫き，ハバース管に連結する管を Volkmann 管と呼ぶ（図 1-1-1c, 3）．この管内を血管が通りハバース管内の血管とつながる．Volkmann 管はハバース管とは異なり同心円状の層板によって囲まれてはいない．

このように緻密骨は主に縦方向に配列したハバース系から構成されているため，縦方向の応力に対する強度（strength：壊れにくさ）と剛性（stiffness：変形の起こりにくさ）は高い．なかでも張力負荷より圧縮負荷に対する強度が高い．しかし，骨軸の捻れで発生する剪断力に対しては弱く，圧縮力に対する強度の約 1/3 である．このように緻密骨は異方性 anisotropy（外力の方向に応じて力学的特性が変化する材料特性）を持つ．

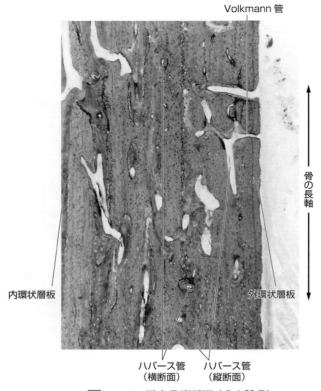

図 1-1-3 緻密骨縦断面（成人腓骨）

また，緻密骨は曲げ応力を加えられたとき電気分極を起こす性質を持つ．凸側は（＋）に凹側は（−）に分極し，圧電気現象 piezoelectricity と呼ばれる．

3) 海綿骨 spongy bone

海綿骨は数層から十数層の層板からなる骨梁によって形成され，棒状 rod ないし板状 plate の骨梁が互いに連結し網状構造を呈している（図 1-1-4, 5）．このため海綿骨は単位体積当たり緻密骨の約 8 倍の表面積を持つ．したがって，海綿骨は全身の骨重量の約 20％で，緻密骨の 1/4 であるにもかかわらずその全表面積は緻密骨のそれの約 2 倍となる．なお海綿骨の骨梁を組織切片でみると，波状のセメント線に囲まれ，周囲と異なる層板で形成された厚さ 50〜70 μm の三日月形の層板骨がある．これをパケット packet と呼ぶ（図 1-1-6）．緻密骨の骨単位に相当する．

海綿骨は緻密骨と同様に異方性の材料特性を持つ．骨梁は最小の容積で最大の強度をもたらすように配列されており，最大圧縮力または張力のかかる方向に平行に走行している．この構造は，椎体，下肢長骨の骨端，下肢の短骨など大きな荷重を受ける部分にみられる（図 1-1-4）．

海綿骨と緻密骨は多孔度（液体を含有する多孔性材料における液体の占める体積率のことで，多孔度が大きいと剛性は低い）が大きく異なる．緻密骨の多孔度は 5〜30％で，海綿骨のそれは 30〜90％以上とされ，海綿骨の剛性は緻密骨よりはるかに低い（図 1-1-4）．このことは海綿骨は緻密骨に比べ応力によって大きく歪みやすい

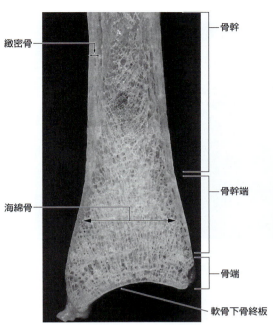

図 1-1-4　成人の脛骨遠位部の矢状断面肉眼像
NaOCl 処理で関節軟骨，骨膜，骨髄，軟部組織を除いた標本

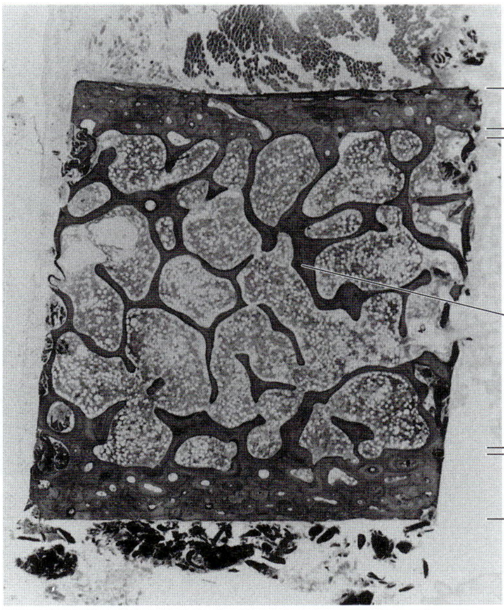

図 1-1-5　成人の腸骨全層

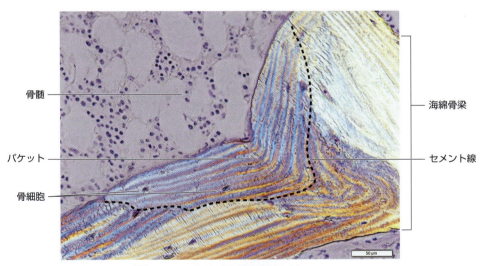

図 1-1-6　腸骨の海綿骨梁とパケット
（偏光顕微鏡像，伊藤骨形態計測研究所 伊藤明美氏撮影）

ことを示しており，実験的に緻密骨は 2% の歪みで骨折を起こすのに対して，海綿骨は 7% を超えるまで骨折が発生しないといわれる．当然のことながら，多孔度の対義語である骨密度（単位体積当たりの骨量）も骨の力学的特性に大きく影響を与える．骨の圧縮強度は骨密度の 2 乗に比例し，剛性は 3 乗に比例するといわれる．このためわずかな骨密度の変化により骨の強度と剛性は大きく変化する．成人の緻密骨と海綿骨の骨密度はそれぞれ 1.8 g/cm^3，$0.1 \sim 1.0 \text{ g/cm}^3$ で，緻密骨の単位体積当たりの圧

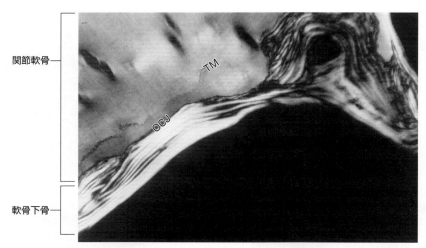

図 1-1-7　関節軟骨と軟骨下骨（成人大腿骨頭，偏光顕微鏡像）
OCJ：骨軟骨移行部，TM：tidemark

縮強度は海綿骨の約4〜400倍で，剛性は約8〜8,000倍と考えられている．ヤング率は緻密骨が17.9 GPaであるのに対して海綿骨は0.076 GPaである．

附-1　栄養孔 nutrient foramen

　　大腿骨や脛骨の表面には1個ないし複数の栄養孔がある．この孔は緻密骨を貫き，栄養動脈，栄養静脈，神経を髄腔に導く．どの骨においてもこの孔の位置はほぼ一定している．栄養孔と髄腔の間に距離がある場合，この連絡路を栄養管 nutrient canal と呼ぶ．栄養管は緻密骨の厚い長骨にみられ，骨により栄養管の方向は一定である．すなわち，いずれの骨でも栄養孔は骨幹部のほぼ中央に位置し，大腿骨，橈骨，尺骨では近位側に向かって斜めに上腕骨と脛骨，腓骨では遠位側へ向かい斜めに走行している．

附-2　関節軟骨 articular cartilage

　　骨の関節腔に面する部分は関節軟骨におおわれる．関節軟骨は組織学的には硝子軟骨で薄い緻密骨の軟骨下骨 subchondral bone をおおった形をとり，骨とは直接的な線維性の連結はない（図1-1-7）．関節軟骨は粘弾性があり関節表面における潤滑と荷重緩衝という機能的特性を持つ．正常では関節への圧迫応力は関節軟骨で多少軽減された後，軟骨下骨から海綿骨梁へ伝達される．損傷によって関節軟骨の変性が進行し細胞外基質の破壊が生じると，水分保持力は減弱し特有の粘弾性は失われる．その結果，局所的に大きな応力が加わるため軟骨下骨髄の骨芽細胞が刺激され，骨形成が促進される（軟骨下骨硬化）．
　　成人の関節軟骨は自己修復能に乏しい組織であり，損傷を受けた軟骨が元の硝子軟骨に修復されることはない．これは関節軟骨が血管，神経，リンパ系組織を欠くという特異的な組織であるため，通常の組織修復治癒過程で生じる炎症過程を欠くことや損傷部への細胞誘導の妨げとなる豊富な細胞外基質の存在によると考えられている．

附-3　骨密度 bone mineral density

　　単位体積当たりの骨量を骨密度という．非侵襲的にこれを測定する方法はなく，臨床では二重X線吸収法（DXA）や定量的CT測定法（QCT）などの方法で得られた面積当

たりの骨量値を骨密度 bone mineral density（BMD）と称して使うことが多い．測定方法や部位によって値が異なるため基準値も異なる．DXA による腰椎の測定が一般的であるが，方法と測定部位に応じて日本人の若年成人平均値 young adult mean（YAM）が設定されている．

脆弱性骨折がない場合には BMD が YAM の 70%以下または－2.5 標準偏差（SD）以下を骨粗鬆症 osteoporosis と評価する．椎体骨折または大腿骨近位部骨折がある場合には BMD にかかわらず骨粗鬆症と評価され，これらの骨折以外の脆弱性骨折の既往がある場合には BMD が YAM の 80%未満の場合に骨粗鬆症と評価される．なお BMD が YAM の－2.5 標準偏差（SD）より大きく－1.0 SD 未満の場合を骨量減少 osteopenia という．

b 骨の形態による分類

成人の骨格 skeleton は種子骨 sesamoid bone のひとつである膝蓋骨と 6 個の耳小骨を加えて，206 個の骨より構成される．体の中心にある頭蓋骨，脊柱，肋骨，胸骨を軸骨格 axial skeleton，上肢骨，下肢骨を附属骨格 appendicular skeleton と呼ぶ．

骨は肉眼的な形態から，長骨，短骨，扁平骨，混合骨，含気骨に分類される．

1) 長　骨 long bone

長管〔状〕骨とも呼ばれる．長骨の基本的な形状は両端が膨大した円柱型である．中央の円柱部分を骨幹 diaphysis，膨大した両端を骨端 epiphysis，骨端から骨幹への漏斗状の移行部を骨幹端 metaphysis と呼ぶ．骨幹端と骨幹の境界は明瞭に区別されない（図 1-1-1a, 4）．

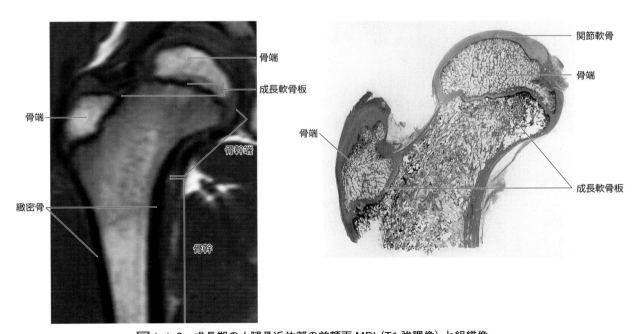

図 1-1-8　成長期の大腿骨近位部の前額面 MRI（T1 強調像）と組織像
骨端（epiphysis, apophysis）と骨幹端を分離する成長軟骨板が明瞭にみられる．組織学的に骨端全体が関節軟骨におおわれている．この所見は成人（図 1-1-9）にも共通している．

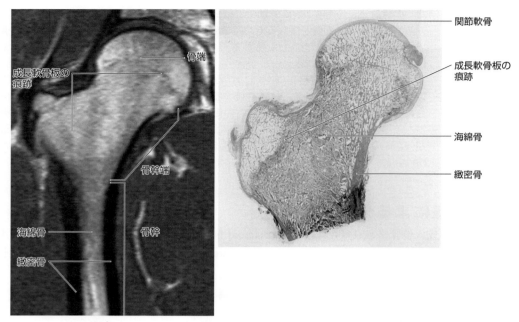

図 1-1-9 成人の大腿骨近位部の前額面 MRI（T1 強調像）と組織像
MRI では緻密骨は無信号で，骨端や骨幹端の海綿骨領域は骨梁間の骨髄を反映して高信号である．組織学的には骨幹端と骨端は緻密骨の薄い外殻と海綿骨から構成されている．

　成長期の長骨には骨端と骨幹端を分離する成長軟骨板（growth plate, epiphyseal plate, physis）が存在する（図 1-1-8）．また，筋腱付着部にも成長軟骨板によって分離された骨端 apophysis がある．本来の骨端が関節面で圧迫力を受けるため pressure epiphysis と呼ばれるのに対して，筋腱付着部は牽引力が働くため traction epiphysis とも呼ばれる．
　骨幹は髄腔 medullary cavity を囲む円筒状の緻密骨 compact bone からなる．円筒状の緻密骨は区画及び曲げ応力に抗しており，応力の集中する骨幹の中央部が最も厚い．
　骨端に向かうにつれて緻密骨は厚さを減少し，骨端では薄い殻状となり関節面は関節軟骨でおおわれている．海綿骨は逆に骨幹端から骨端でその密度を増し，骨端の髄腔は海綿骨の網状の骨梁で満たされる（図 1-1-4, 9）．

2）短骨 small bone
　短骨は海綿骨とこれを囲む薄い緻密骨の外壁からなる．海綿骨が容積の大部分を占め，その割合は踵骨では 95％といわれる．手根骨や足根骨などがこれに該当する．

3）扁平骨 flat bone
　扁平骨は海綿骨を入れる板間層 diploe とこれを挟むように囲む内・外の緻密層からなる平板状の骨である（図 1-1-5）．頭蓋骨や腸骨がこれにあたる．

4）混合骨 mixed or irregular bone
　肩甲骨，椎体のようにひとつの骨で数種の骨の構造を持つ骨である．

5）含気骨 pneumatic bone
　骨中に空気を含む洞 sinus を持つ骨で，上顎骨や蝶形骨などが該当する．

2 骨の組織学

a 骨膜 periosteum

　骨膜は厚いコラーゲン線維束からなり，シャーピー線維 Sharpey fiber により緻密骨の外環状層板に強く結合している．特に腱や筋肉の付着部，大血管が骨に入る部分，長骨の骨幹端と骨端の連結部分ではシャーピー線維の密度は高く，骨膜と緻密骨の結合は強くなっている．成長期では骨膜は成長軟骨板の周囲環 perichondrial ring と強固に連結し，成長軟骨板と骨幹端の結合を強化している．

　組織学的に骨膜は境界が比較的不明瞭な2層からなる．外層を線維層 fibrous layer, 骨表面に接した内層を骨原性細胞層または胚芽層 osteogenic or cambium layer と呼ぶ（図 1-2-1）．外側の線維層は薄い層で，不規則に配列した点在する線維芽細胞を含む結合組織の層である．内側の骨原性細胞層は骨芽細胞 osteoblast に分化する能力を持つ紡錘形細胞を含む層である．成長期では骨原性細胞層から骨芽細胞が豊富に供給され，付加成長 appositional growth により骨の横径成長がもたらされる．この骨原性細胞層の紡錘形細胞は線維芽細胞で骨芽細胞へ化生 metaplasia するとの考えもあるが，未分化な間葉系細胞で骨芽細胞の前駆細胞と考えるのが一般的である．機械的に緻密骨より剥がされた骨膜下に骨形成がみられる骨膜反応は，成人でもみられるが小児で顕著である．

　内骨膜 endosteum は線維性被膜である骨膜とは異なり，骨の髄腔側の表面をおおう細胞層（bone lining cells とも呼ばれる）を指す（図 1-2-2, 3）．このため，骨膜を内骨膜に対して外骨膜と呼称する場合もある．

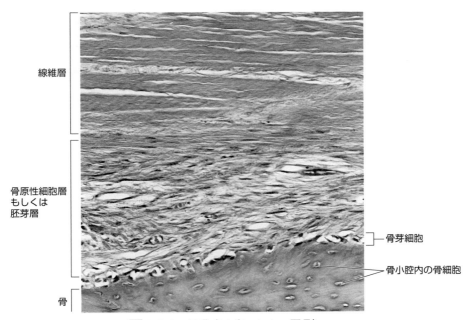

図 1-2-1　骨膜（14歳，ヒト，脛骨）

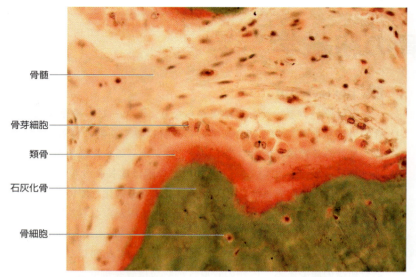

図1-2-2 骨表面に上皮細胞様に並んだ骨芽細胞（ヒト，腸骨）

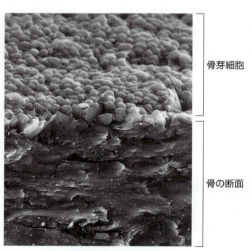

図1-2-3 骨表面の骨芽細胞（ラット，走査電顕像 ×350）

図1-2-4 敷石状に骨表面をおおう骨芽細胞（ラット，走査電顕像 ×2,500）

b 骨の細胞

　骨は細胞外基質が大きな比率を占め，細胞成分の占める割合が小さい組織である．骨の形成，吸収に関与する細胞は骨芽細胞，骨細胞，破骨細胞で，ほかにこれらの前駆細胞や細網細胞 reticular cell などが存在する．成長期には軟骨細胞 chondrocyte，破軟骨細胞 chondroclast がこれに加わる．

　骨はホルモンを分泌してほかの臓器の代謝に影響すると同時に，中枢神経が骨代謝に及ぼす影響も解明されてきている．

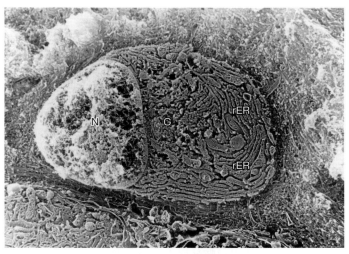

図 1-2-5 骨芽細胞（走査電顕像 ×6,000）
合成した類骨に埋まりつつある骨芽細胞．
N：核，rER：粗面小胞体，G：ゴルジ装置
（林 寛一：骨細胞のための走査電顕試料作製法とその応用．米子医学雑誌 38：392, 1987 より）

1）骨芽細胞 osteoblast

　骨芽細胞は成長しつつある骨表面に並び，ヘマトキシリン・エオジン染色で青染される豊富な細胞質により特徴づけられる単核の細胞である（図 1-2-2〜4）．直径 15〜20 μm の比較的大型の細胞で，機能活性に応じて立方形，球形，紡錘形など多様な形に変化する．基質形成の活発な形成期の細胞（形成期骨芽細胞）は球形ないし立方形で，不活発な細胞（休止期骨芽細胞）は紡錘形となり線維芽細胞様の外観を呈する．細胞質はアニリン染料で強く染色され，有機物質を合成する役目を持つ粗面小胞体がよく発達していることを示している．核は大きく 1〜3 個の核小体を持ち，分裂像は決してみられない．また，組織化学的には細胞膜に骨型のアルカリフォスファターゼが多量に存在することが証明されており，石灰化との関連が示唆されているが詳細はなお不明である．

　骨芽細胞はⅠ型コラーゲン，プロテオグリカン，アルカリフォスファターゼ，オステオカルシンそして骨塩 hydroxyapatite などを産生分泌し，骨を熟成させる機能を有する．電顕像では核は偏在し，細胞質によく発達した粗面小胞体とゴルジ装置 Golgi apparatus が存在する所見が特徴的で，プロコラーゲンの細線維がゴルジ小胞 Golgi vesicle 内の分泌顆粒にみられることがある（図 1-2-5）．

　骨芽細胞の機能は，全身的には主にカルシウム代謝調節ホルモンである parathyroid hormone PTH と $1\alpha, 25$-dihydroxycholecalciferol によって調節されていると考えられている．前者は細胞内の cAMP の産生を促進し，コラーゲン合成を制御していることが，また後者はアルカリフォスファターゼ活性やコラーゲン合成に促進的に働くと報告されているが，これらのホルモンの骨芽細胞に対する直接作用についてはなお一定の見解は得られていない．全身性ホルモンによる調節機序のほかに，骨基質中

に骨芽細胞が分泌，沈着した成長因子（transforming growth factor β（TGFβ），bone morphogenetic protein（BMP），insulin-like growth factor I and II（IGF I, II），platelet-derived growth factor（PGF），fibroblast growth factor（FGF）など）が骨吸収によって遊離され，骨芽細胞の分化ならびに骨芽細胞自身を再刺激し増殖を促すというオートクリン autocrine 作用による機序も考えられている．

骨芽細胞が産生する骨基質タンパクの osteocalcin はホルモンとして血中に分泌され，膵β細胞に作用して insulin 分泌を促進したり，精巣からの testosterone を分泌したりする．また交感神経系は骨芽細胞に存在する交感神経 β_2 受容体を介して，骨形成を抑制し，骨吸収を抑制する．

骨芽細胞は間葉系幹細胞に由来するとされ，その分化過程においては骨形成蛋白質（BMP）が重要な役割を担っている．BMP が未分化間葉系幹細胞膜上に存在する BMP 受容体に結合すると，そのシグナルは Smad を介して伝達され，最終的に骨芽細胞分化に必須の転写因子である Runx2（runt-related gene 2）（Cbfa1（core binding factor 1）とも呼ばれる）が活性化されることで骨芽細胞が誘導される．近年，遺伝子組換え技術で作製された recombinant BMP を骨折局所に導入することにより骨形成を促す治療が試みられている．

2）骨細胞 osteocyte

骨芽細胞は骨の細胞の90％以上を占め，生存期間が骨の細胞の中で最も長い．骨芽細胞が骨形成に際して自分自身を取り囲むように骨基質を合成し，やがて骨基質に埋まり，骨芽細胞様骨細胞，類骨骨細胞，成熟骨細胞となる．しかし，すべての骨芽細胞が骨細胞になるわけではなく，一部は骨表面にとどまるといわれる．骨細胞は細胞突起とわずかに塩基性の細胞質を持ち，その核は大きな楕円形で1個ないし数個の核小体を含む．電顕的には骨芽細胞に比べて細胞質の容積は少なく粗面小胞体の発達も劣る（図1-2-6）．特徴的なことは多くの細胞突起を備えている点で，細胞突起は

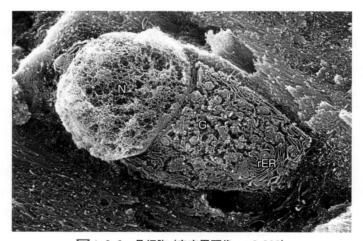

図1-2-6　骨細胞（走査電顕像　×6,000）
N：核，rER：粗面小胞体，G：ゴルジ装置
（鳥取大学　林　寛一氏撮影）

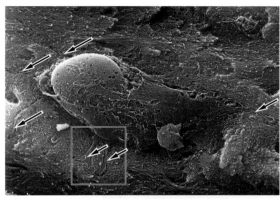 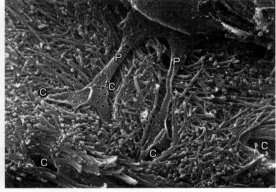

a. 骨細管内へ伸びる細胞突起（矢印 ×4,000）　　b. 図aの□部の拡大（c：骨細管, p：細胞突起 ×14,000）

図 1-2-7　骨細胞（走査電顕像）
（林　寛一：骨細胞のための走査電顕試料作製法とその応用. 米子医学雑誌 38：394, 1987 より）

　小胞体から周囲の骨細管 bone canaliculus へ伸びている（図 1-2-7）. 骨細胞の細胞突起は骨小腔 lacuna から四方に分枝し, 隣接する骨細胞や骨芽細胞の細胞突起とギャップ結合（2 つの細胞間の結合で, この結合を通して微小分子の移動が行われる）を介して連絡し, ネットワークを形成している. 骨細胞と細胞突起は骨小腔と骨細管の容積のすべてを占有しているわけではなく, 細胞膜と石灰化骨との間にわずかな間隙が存在する. この間隙には細胞外液が流れ, 骨細胞の栄養経路であると同時に細胞の産生した物質を拡散する経路となっている.

　骨細胞は骨基質中に存在し, 力学的負荷のセンサーとして働く. 力学的な環境変化による細胞外液の変化を感知し, 力学的負荷が低下すると骨形成阻害因子の sclerostin の発現が高まり, 力学的負荷が増加するとその発現が低下する. また骨細胞は fibroblast growth factor 23（FGF23）の産生によってリン代謝を制御している.

3）破骨細胞　osteoclast

　破骨細胞は多核の巨細胞である（図 1-2-8）. 細胞の大きさと形状は多様で, 時にその長径は 100 μm にも達する. 核の数も一定ではなく, 平均的には 10〜20 個である. 破骨細胞は類骨の表面にはみられず, 必ず石灰化した骨面に存在し, その分裂像はこれまでに捉えられていない. 細胞質はヘマトキシリン・エオジン染色で赤く染まり, 核はクロマチンに乏しいが発達した核小体を持つ. 電顕的には細胞質に大量のミトコンドリアが認められ, 旺盛なエネルギー代謝を営んでいることが示唆される. 骨に面する細胞膜に無数の絨毛様突起がみられることは特徴的所見である（図 1-2-9）. この構造は波状縁 ruffled border と呼ばれる. この部分で骨吸収が起こり, 吸収されつつある骨のくぼみは Howship 窩 Howship lacuna と呼ばれる. 波状縁部の細胞質には多数の空胞がみられる. その空胞の中や微絨毛間に針状結晶や有機基質の破片がみられ, 消化・吸収中の骨基質と考えられている. 吸収のメカニズムについては次のように考えられている. 破骨細胞はプロトン（H^+）を産生し, 波状縁に局在する液胞型プロトンポンプを介して H^+ を細胞外へ分泌する. 波状縁の周りの細胞内小器官を含まない細胞質である明帯 clear zone は, アクチンフィラメント actin filament を含み

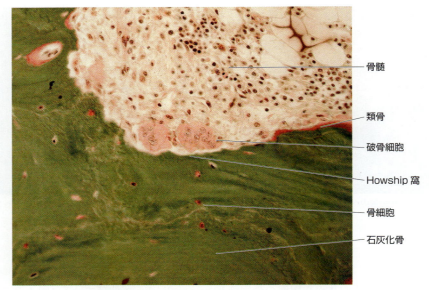

図 1-2-8 破骨細胞と Howship 窩（ヒト，腸骨）

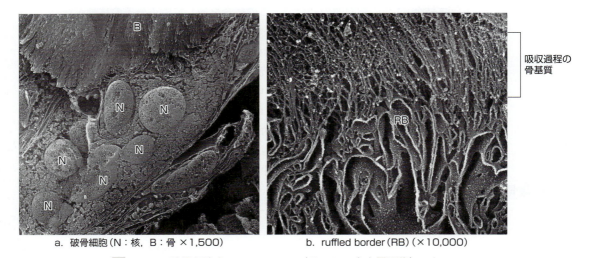

a. 破骨細胞（N：核，B：骨 ×1,500）　　b. ruffled border（RB）（×10,000）

図 1-2-9 破骨細胞と ruffled border（ラット，走査電顕像）

（鳥取大学　林　寛一氏撮影）

波状縁を骨面に物理的に固定しており，H^+はこの明帯によって閉鎖された Howship 窩の中に分泌されるので，吸収窩の中は酸性となり骨の無機塩の溶解が起こる．また破骨細胞は骨有機基質（主として I 型コラーゲン）を酸性条件下で分解するリソソーム酵素 lysosomal enzyme（カテプシン K など）を分泌し吸収する．

破骨細胞は単球 monocyte や大食細胞 macrophage と同様に，骨髄の macrophage-colony 形成細胞に由来する．未分化細胞が成熟破骨細胞に分化するためには，骨芽細胞などの破骨細胞支持細胞が発現する M-CSF（macrophage-colonystimulating factor）と RANKL（receptor activator of NF-kappa B ligand）の 2 つの因子が必須で

ある．特に RANKL は破骨細胞への分化を最終的に決定づけるサイトカインであるとされる．すなわち RANKL と破骨細胞前駆細胞上に発現するレセプターである RANK が結合すると，そのシグナルは TRAF (TNF receptor associate factor) を介して伝達され，NF-kappa B や JNK (c-Jun N-terminal kinase) などの転写因子を活性化することで，破骨細胞への分化を促すと考えられている．また 1α, 25-dihydroxycholecalciferol, 上皮小体ホルモン，interleukin (IL)-11 などは骨芽細胞に作用し RANKL の発現を促すことで破骨細胞形成を誘導する．一方，tumor necrosis factor (TNF)-α は破骨細胞の分化を，IL-1 は破骨細胞の活性化をいずれも RANKL 非依存性に導くとの報告もあり未解明の問題も多い．

附-4 骨のリモデリング（再造形 remodeling）とモデリング（造形 modeling）

成人の骨は外見的な形状は変わらずほぼ一定であるが，細胞レベルでは骨の表面-ハバース管面，内骨膜面（皮質骨内膜面と海綿骨内膜面）-は，骨が吸収されているか（骨吸収面），形成されているか（骨形成面），あるいは吸収も形成もなく休止しているか（休止面）のいずれかの状態にあり，たえず変化している．休止面に力学的変化や生化学的刺激がもたらされると，ここに誘導された破骨細胞が骨吸収を行い，これに続いて骨芽細胞が吸収された部分に骨を形成し，やがて再び休止面となる．この一連の現象（連鎖 sequence）を骨のリモデリングと呼ぶ（図 1-2-10, 11）．成人の骨幹の緻密骨では年間その 2〜5% がリモデリングされ，海綿骨では表面積が大きいため緻密骨の 5〜10 倍の量の骨がリモデリングされる．青・壮年期には形成と吸収の量は同一でバランスがとれており，身体全体の骨量に変化をきたさない．閉経や加齢はバランスに変調をもたらし，吸収が形成を上回るため骨量が減り，骨減少〔症〕osteopenia さらには骨粗鬆症 osteoporosis をきたす．リモデリングは PTH やビタミン D などのカルシウム代謝調節ホルモンやサイトカイン，力学的因子などにより調節されている．

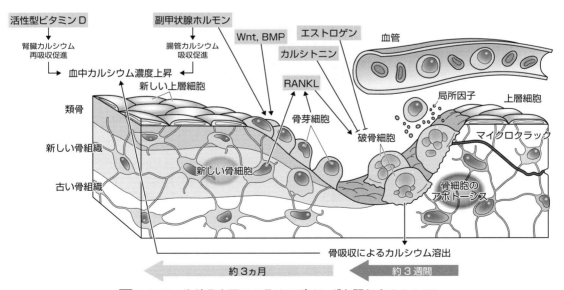

図 1-2-10　海綿骨表面での骨リモデリングと関与するホルモン
古い骨組織にマイクロクラックが生じると骨細胞のアポトーシスが生じ，局所因子が分泌されることによって破骨細胞の分化・活性化を誘導する．破骨細胞による骨吸収ののちに骨芽細胞が分化し，骨基質の産生と石灰化を誘導する．

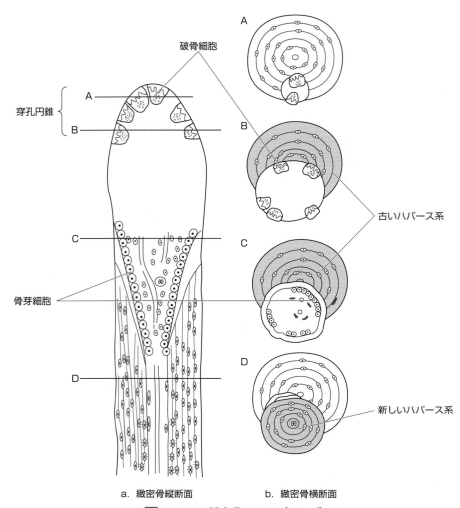

図 1-2-11 緻密骨のリモデリング
縦断面で cutting cone（穿孔円錐）の先端で破骨細胞による骨吸収が下から上へ進み，横断面で示すように既存の古いハバース系が次第に吸収されていく（b-A～B）．吸収された面には骨芽細胞が骨を形成していく．横断面では，吸収された面の周辺から中心に向かって類骨，骨が形成され（b-C），新たなハバース系が形成される（b-D）．
（高橋栄明：骨のリモデリング．骨の科学，180-199，医歯薬出版，1985 より一部改変）

　一方，モデリングは発育期の骨格にみられる現象で外見的な形状変化を伴う．骨折後の変形の自家矯正もこの例である．角状に変形癒合した骨では，凸部には骨吸収が，凹部には骨形成が生じ矯正される．発育期のモデリングは遺伝的因子に大きく影響される．成長終了後にも力学的環境の変化でモデリングによる骨形成が行われる．

c 骨の血管

　骨における血流は骨湿重量 100 g 当たり 5～20 mL/min で，全身の骨で安静時の心臓の拍出量のほぼ 4～10％に相当する．
　長骨では通常 1 本の栄養動脈（nutrient artery，大腿骨では上・下大腿栄養動脈の 2 本が存在する）と複数の骨幹端動脈 metaphyseal artery，骨端動脈 epiphyseal artery，

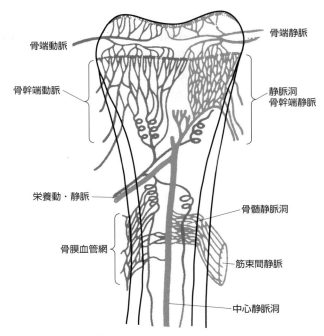

図 1-2-12 成人長骨の血行
(Rhinelander FW：Circulation of bone. The Biochemistry and Physiology of Bone Vol.2 (2nd ed.), ed. by Bourne GH, 1-77, Fig 2, Academic Press, New York, 1972 より一部改変)

骨膜血管網 periosteal capillary network によって部位別に血液が供給されている（図1-2-12）.

　骨幹のほぼ中央の栄養孔より進入した栄養動脈は髄腔に入ると上下に分かれ，さらに小動脈に分枝して骨髄腔の栄養血管系をつくる．そして骨幹の緻密骨の内側のほぼ2/3と上下の骨幹端の1/3の血液供給を受け持つ．残る骨幹の緻密骨の外側1/3と骨幹端の2/3の血液供給は骨膜血管網と骨幹端動脈から受ける．髄内釘の刺入のため髄内リーミングを行った場合には骨髄内の血管系が損傷されるため，緻密骨の血液供給は骨髄栄養血管系の修復まで骨膜血管網によって代償される．

　成人の骨端では骨幹端からの骨髄栄養血管系との吻合がみられるが，多くは骨端動脈，骨膜血管網から供給される．成長期では骨端は成長軟骨板により骨幹端から分離されており，その血液供給のほとんどを骨端動脈に依存している．骨端動脈は通常関節軟骨におおわれていない骨端の周辺部から進入するが，大腿骨頭のように全体が関節軟骨におおわれた骨端では，血管は頚部（骨幹端）をおおう反転した滑膜下を走行し骨頭下で骨内に進入している．このため大腿骨頚部内側骨折や大腿骨頭すべり症では骨頭への栄養血管が損傷されやすいので無腐性壊死を合併する危険性が高い．

　成長期の骨幹端部の血管網は特異的な形態を示す．骨髄栄養血管系と骨端動脈からの小動脈は成長軟骨板直下の一次骨髄で静脈洞 sinusoid を経て静脈に移行する（図1-3-1参照）．すなわち，小動脈は骨の長軸に平行な一次骨梁の間を成長軟骨板に向かって上行し，成長軟骨板直下で静脈洞となりヘアピン様に180°方向を変えて骨幹

部に向かう．この特異的な構造は血管輪 vascular loop と呼ばれる．静脈洞では血管腔は拡大し血流は方向を転換するため，血流速度はこの部位で著しく低下する．それゆえ，この部位に細菌塞栓が形成されやすく，成長期の血行性骨髄炎は骨幹端部で初発すると考えられている．

血液還流の多くは，静脈洞 sinusoid（骨髄静脈洞 medullary sinusoid，中心静脈洞 central sinusoid）を介して細静脈，栄養静脈 nutrient vein を経て骨外へ出る．

緻密骨の血管構築は基本的にハバース系の構築に依存している．ハバース系は血行によって運ばれた骨原性細胞が血管周囲で骨芽細胞となり，血管を囲むように円周状に骨をつくることによって形成される．このため血管はハバース系の中心のハバース管内にある．ハバース管内の血管はこれ以上に細かく分枝することはないので，層板内の骨細管に血管は分布していない．ハバース管内の血管は Volkmann 管を介して骨膜血管網，骨髄栄養血管系とつながり，縦横に吻合あるいは分枝した複雑なネットワークを形成する．

海綿骨への血液供給は緻密骨と異なり，海綿骨梁内に血管が存在することはまれで，骨梁を囲む小血管網に依存している．

短骨では複数の栄養動脈によって血液が供給されている．栄養動脈は長骨の骨端と同様に関節軟骨におおわれていない面より進入する．短骨は関節面の面積の占める割合が高いため，骨内の血管吻合が豊富で骨壊死の発生を防いでいる．しかし手舟状骨では主栄養動脈である背側枝と掌側枝との吻合は乏しく，前者の途絶で近位側が容易に血行不全に陥る．

血液循環は血管に随伴する交感・副交感神経によって調節される．局所の代謝物，炭酸ガス分圧，骨周囲の筋肉の収縮・弛緩によっても影響される．

d 骨の神経

骨には細かい有髄・無髄神経線維がみられる．その分布状態は栄養動脈，骨膜血管と関連が深い．骨髄への神経は栄養動脈に随伴し栄養孔から入り脈管系の分枝とともに枝分かれをして，有髄線維は海綿骨の骨梁を巻くように包んで骨端の関節軟骨の下面まで広がる．また，内骨膜面からハバース管に入る血管に伴走する無髄神経線維もみられる．骨髄内に分布する神経の終末については定まった見解はなく，遊離終末，結節状の終末を呈し，骨髄の造血能の調節，感覚に関与するといわれている．

一方，骨膜には神経線維が豊富に分布している．その一部の細い無髄神経線維が血管とともに緻密骨に入り込んでいる．層板間には神経線維は証明されていない．

3 骨の発生・成長

骨は中胚葉 mesoderm から発生する．中胚葉の間葉系細胞 mesenchymal cell は間葉 mesenchyme と呼ばれる胚性疎性結合組織を形成する．胚子期 4 週中に将来骨となる

部分は間葉系細胞の密集体（肢芽 limb bud, 間葉性脊椎 mesenchymal vertebrae）として出現する. 間葉系細胞は線維芽細胞, 軟骨芽細胞, 骨芽細胞などに分化する能力を持ち, 間葉内で直接骨を形成する様式（結合織内骨化）と, 骨の基本形となる軟骨原基をいったん形成した後に骨を形成する様式（軟骨内骨化）という異なる2種の機序によって骨形成を行う. しかし, いずれの骨形成様式においても, 骨芽細胞が骨の有機基質を産生し, これに骨塩が沈着するという過程に相違はなく, 基本的には同一の機序と考えてよい.

a 結合織内骨化 intramembranous ossification

結合織内骨化（膜性骨化）は, 密集した間葉内で間葉系細胞が骨芽細胞に分化し, 軟骨の過程を経ることなく直接骨が形成される機序をいう. 頭蓋底を除く頭蓋骨, 顔面骨, 腸骨などの扁平骨の骨化などがこの骨化機序をとる. 結合織内骨化は間葉系細胞が血管に富む無定形な液体成分と細線維からなるまばらな結合組織内に集まることから始まる. 間葉系細胞は骨芽細胞に分化し, 骨芽細胞は骨有機基質を形成し, 続いてその石灰化をもたらしやがて骨が形成される. 骨芽細胞は離ればなれで小さい細胞質突起で互いに接触するのみで, 骨基質内に閉じ込められやがて骨細胞となる. この時期に骨表面には破骨細胞が存在する. さらに, 周囲の間葉系細胞が新たに骨芽細胞に分化し, 放射状に周辺に骨が形成されると同時に, 結合組織の外表面は骨膜となる. 最初に形成された骨はそのコラーゲン線維の方向に規則性はない線維性骨 woven bone でリモデリングにより層板構造を持つ骨梁となり, 表面では骨膜からの付加成長により緻密骨からなる内外の板が形成される（図 1-1-5 参照）.

附-5 付加成長 appositional growth と間質内成長 interstitial growth

付加成長は組織外から分化した細胞の供給を受け組織が増大する成長様式をいう. 骨膜による骨の外側面への新たな骨形成はこの成長様式である. 対義語である間質内成長は, 組織の細胞の分裂や細胞外基質の産生によって組織が増大する成長様式をいう.

b 軟骨内骨化 en[do]chondral ossification

胎生期における長骨骨幹の骨化（一次骨化核）や脊椎, 肋骨, 胸骨, 頭蓋底骨の骨化, そして出生後の骨端部の骨化（二次骨化核）や短骨の骨化の様式である. 成長期の成長軟骨板から一次骨髄 primary spongiosa にかけてみられる軟骨細胞の増殖, 軟骨基質の石灰化, 石灰化基質への骨の添加の一連の現象もこの骨化様式である（図 1-3-1）.

胚子期に間葉系細胞が増殖, 密集し将来骨となる輪郭を形成する. 間葉系細胞はまもなく軟骨芽細胞に分化しやがて軟骨細胞となり, 軟骨原基 cartilagenous anlage が形成される（図 1-3-1A）. 軟骨原基を囲む間葉系細胞は軟骨膜 perichondrium となる. 軟骨原基は間質内成長により長軸方向に成長し, また, 軟骨膜からの付加成長によって横軸方向に成長し太さを増す. 周辺の軟骨膜内では血管進入が起こり, 膜内の間葉系細胞の分化に変化をもたらし, これらの細胞は骨芽細胞に分化する. そしてまもなく原基の周囲に薄い層状の骨が形成される（結合織内骨化, 図 1-3-1B）. この時点で

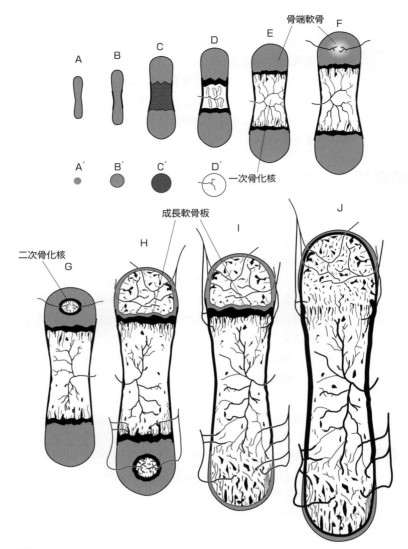

図 1-3-1　長骨の発生・成長の模式図
（A～J は縦断面で，A′～D′ は各縦断面中央の横断面を示す）

A：骨の輪郭の軟骨原基．B：周りの薄い層状の骨の形成．C：軟骨基質の石灰化．D：石灰化軟骨への血管の進入と骨原性細胞の供給．E：軟骨の吸収と骨の形成（一次骨化核）．F～H：骨端軟骨への血管進入と近位・遠位の二次骨化核の形成．I～J：骨の長径成長の停止（成長軟骨板の軟骨細胞の分裂の停止）と成長軟骨板の吸収消失．

（Bloom W, et al：A Textbook of Histology（10th ed）. 264-268, WB Saunders, Philadelphia, 1975 より）

は原基を囲む膜は骨膜の特徴を備えている．

　一方，原基の中心の軟骨細胞は成熟膨化し，細胞外基質は石灰化する（図 1-3-1C）．石灰化のために栄養の拡散が障害され膨化した軟骨細胞は変性，死滅する．その後骨膜から血管性の組織が軟骨原基へ進入する．この血管を介して供給された骨原性細胞から分化した骨芽細胞が，石灰化軟骨を囲みその表面に骨を沈着し海綿骨が形

表 1-3-1　手部の骨端核の出現年齢

骨の種類	1	2	3	4	5	6	7	8	9	10	11	12 歳
有頭骨，有鉤骨	▓											
橈骨，指骨，中手骨		▓										
三角骨			▓									
尺骨							▓					
豆状骨										▓		
母指 MP 関節種子骨												▓

（女子は男子より早く出現する）　　　　（浜田良機ら：骨の成長．村上寶久編，アトラス小児整形外科 1，6，金原出版，1988 より）

成される（図 1-3-1D, E）．このように骨幹中央の骨化核がつくられていく過程を軟骨内骨化と呼ぶ．軟骨原基の両端では，間質内成長が続き原基の長さが増す．しかし，ある時点で骨化と軟骨合成の量が同調し，原基における軟骨の量は一定となる．原基は骨原性細胞によって骨表面に新たに骨が付加し太さが増し，強い緻密骨の壁が形成される．中央の海綿骨は吸収され骨髄組織に置換される．

　長骨では出生後に二次骨化核が一次骨化核と同じ機序によって軟骨性骨端に形成される（図 1-3-1F～H）．二次骨化核は，一次骨化核と異なり周辺に軟骨（関節軟骨）をわずかに残し，骨化過程は停止する．

　長骨の二次骨化核と短骨の骨化核の単純 X 線写真上の出現と成熟過程は，性別で骨に応じて一定であり，骨年齢 bone age として骨の発育，成長の指標として使われる．出現から成人の骨格に成熟するまでの段階を点数化して評価する方法は日常診療には煩雑で，出現の有無による判定が簡便である．判定はいずれの骨格においても可能であるが，手部が多用される（表 1-3-1）．

c　骨の長径成長 longitudinal growth of the long bone

　成長軟骨板 growth plate，epiphyseal plate の軟骨細胞の有糸分裂が骨幹の長径成長をつかさどる．成長軟骨板は骨の長軸に平行な柱状に配列した軟骨細胞から構成され，細胞の形態と基質の性状によって骨端側から骨幹側に向かって次の 4 層に分けられる（図 1-3-2, 3a）．

1) 静止層 zone of resting cartilage（胚芽層）
　骨端に接する層で，軟骨細胞は小型で基質にまばらに存在する．骨の成長に直接関与していない．胚芽層ともいう．

2) 増殖（細胞）層 zone of proliferating cartilage
　扁平な細胞が重なって柱状に配列する．この層の細胞は粗面小胞体とゴルジ装置が発達しており，基質の産生が盛んであるとともに旺盛な分裂増殖を繰り返し，骨端を持ち上げ骨幹から遠ざけるように骨が長軸方向に成長する．

3) 肥大（細胞）層 zone of hypertrophic cartilage
　細胞は次第に成熟・膨化し，グリコーゲンとアルカリフォスファターゼを胞体内に集積する．縦走基質には 30 nm～1 μm 径の膜構造を持つ基質小胞 matrix vesicle が

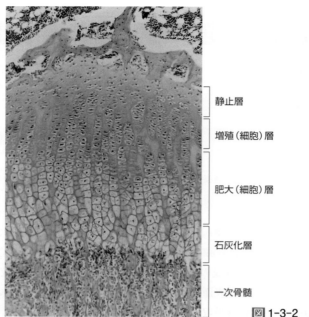

図1-3-2 成長軟骨板（ラット，脛骨近位）

出現する（図1-3-3b）．電顕的に小胞内にハイドロキシアパタイト結晶が認められ，初期石灰化に重要な役割を果たすことが証明されている．小胞の石灰化機序については，小胞内の高濃度のアルカリフォスファターゼ，ATPaseが能動的に小胞内のカルシウム，リン濃度を押し上げ，ハイドロキシアパタイト結晶を析出すると考えられている．そして小胞内で成長した結晶が小胞の膜を破り基質に放出される．この層から石灰化層にかけて，縦走基質は急速に石灰化する（図1-3-3c）．

この層では細胞の膨化により縦走基質が菲薄化するとともに，非石灰化基質と石灰化基質の境界で基質の性状に大きな違いがあるため，構築学的に成長軟骨板のほかの部分より脆弱である．このため外傷性の骨端離開は通常この層に発生する．脆弱性を補う目的で成長軟骨板は軟骨膜・骨膜で骨幹端に強固に係留されている．

4）石灰化層 zone of calcified cartilage

数層の細胞からなる薄い層で，縦走基質は高度に石灰化している．石灰化層は骨幹端の一次骨髄に移行するが，細胞は変性が著しく壊死性である．一次骨髄では成長軟骨板の横走基質はすべて破軟骨細胞によって吸収され，石灰化した縦走基質の一部が残る．この残った石灰化縦走基質の表面に骨芽細胞が骨を形成する．この結果骨幹端では石灰化軟骨を核とした骨梁（一次骨梁）が形成される．石灰化軟骨の核は成長軟骨板の縦走基質と連続しているため，一次海綿骨梁と骨端軟骨は機械的に強く結合した状態にある（図1-3-4）．

d 骨の横径成長 transverse growth of the long bone

成長期に長骨は長径とともに横径（太さ）も増す．横径の拡大は結合織内骨化機序による．すなわち，横径成長は骨の外周面に存在する骨膜の骨原性細胞層（図1-2-1参照）から供給された骨芽細胞による付加成長（附-5，p.21）によってもたらされる．

3 骨の発生・成長　25

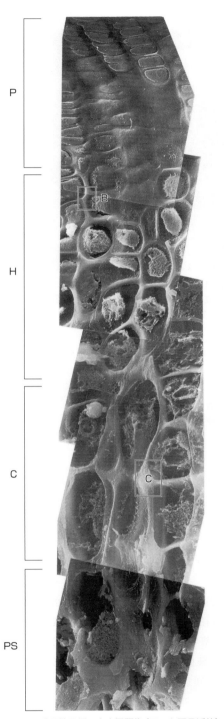

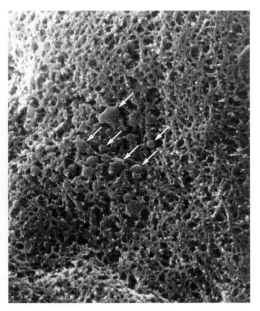

b. 基質小胞（図aの□Bの拡大 ×30,000）
コラーゲン細線維間に基質小胞（矢印）がみられる

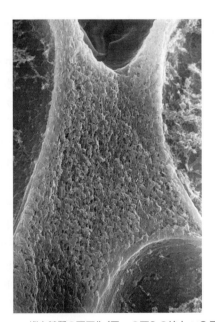

a. 成長軟骨板の走査電顕像（ラット脛骨近位）
P：増殖（細胞）層，H：肥大（細胞）層，
C：石灰化層，PS：一次骨髄

c. 縦走基質の石灰化（図aの□Cの拡大 ×2,500）
ハイドロキシアパタイトの結晶塊（0.7μm 直径）
によって基質が埋められる

図 1-3-3　成長軟骨板の微細構造

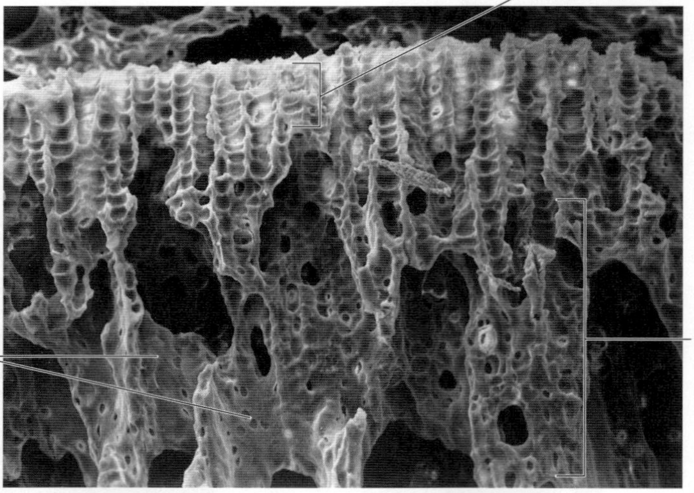

図 1-3-4　成長軟骨板石灰化層から一次骨髄の構造
（ラット脛骨近位，NaOCl 処理標本の走査電顕像）
成長軟骨板の石灰化基質と一次海綿骨梁がつながる．

4 骨の生化学，骨の代謝

a 骨の細胞外基質 extracellular matrix of the bone

骨の基質は有機基質と無機塩と水からなる．成人の骨の比率は重量％で有機基質が 25％，無機塩が 70％，水が 5％である．

1）有機基質 organic matrix

コラーゲン，プロテオグリカン，糖蛋白，シアロ蛋白，酵素，ホルモン，成長因子などが有機基質として存在し，骨代謝に関与している．

a）コラーゲン collagen

骨コラーゲンはすべて I 型コラーゲンで，有機基質の大部分（90〜95％）を占める．約 1,000 のアミノ酸のポリペプチド鎖（α鎖）の 3 本が絡み合って形成されるトロポコラーゲン tropocollagen がコラーゲンの基本分子で，この可溶性の分子はハイドロキシリシン hydroxylysine，リシン lysine の架橋 cross-linking によって安定化され非可溶性となる．トロポコラーゲンが平行に配列しコラーゲン細線維 collagen fibrils がつくられる．コラーゲン細線維間には hole zone と呼ばれる間隙があり，この間隙に存在する非コラーゲン性蛋白が石灰化の誘導を行っていると考えられている．コラーゲン細線維はさらに集積し，成熟したコラーゲン線維が形成される．

b）プロテオグリカン proteoglycan

硝子軟骨のプロテオグリカンと構造は基本的に同じであるが，その量は軟骨に比べてごく少ない．骨における役割はなお不明である．

c) オステオネクチン osteonectin

　　骨の糖蛋白のひとつで，ハイドロキシアパタイトの形成に触媒的な役割を果たしていると考えられている．

d) オステオカルシン osteocalcin

　　カルシウム結合能を持つγ-carboxyglutamate（Gla）を 3 残基含む 49 個のアミノ酸からなる分子量約 6,000 の蛋白で，骨芽細胞によって産生される．類骨の石灰化過程に関与すると考えられ，血清中のオステオカルシンの量は全身骨格の骨形成活性を反映すると考えられている．骨グラ蛋白 bone Gla protein（BGP）とも呼ばれる．

e) 骨形成蛋白質 bone morphogenetic protein (BMP)

　　骨のみならず象牙質あるいは骨肉腫組織より抽出される蛋白性因子で，*in vivo* において未分化間葉系細胞に作用し，これを軟骨細胞，骨芽細胞に分化誘導し，軟骨，骨の形成を誘導する物質である．最近，BMP の cDNA がクローニングされその構造も明らかとなり，骨疾患との関連性，骨形成能を期待した臨床応用も進められている．

2) 無機塩 inorganic matrix

　　無機塩は大部分がハイドロキシアパタイト hydroxyapatite の結晶からなる．板状の長さ 20～80 nm，幅 2～5 nm の結晶で，電子顕微鏡によってのみ観察される．おおよその分子構造は $Ca_{10}(PO_4)_6(OH)_2$ であるが，Mg^+ や Na^+ のような陽イオンや，炭酸塩，酢酸，フッ素などの陰イオンが結晶格子の中や表面に存在する．結晶の成熟の過程では，非結晶性アパタイト amorphous calcium phosphate や octacalcium phosphate（$Ca_8 H_2(PO_4)_6 5H_2O$）が存在し，これらは大きな表面積を持つため細胞外液とのカルシウム，リンの交換に重要な役割を演じていると考えられている．

　　無機塩は成人の乾燥骨の約 75％ を構成しているが，骨軟化症では 30～35％ に減少する．

　　水はハバース系の骨細管やコラーゲン細線維の分子集合内の超微的な間隙を満たしている．

b 骨代謝 bone metabolism

　　骨はミネラルの貯蔵庫としての役割を果たしている．カルシウムは体内に成人で約 1 kg 存在するがその 99％ は骨にあり，リンは体内に約 600 g あるがその 85％ は骨に存在する．これらの元素のほかに，酵素の触媒的作用や神経，筋の興奮性の制御に補助的役割を果たすマグネシウムは体内に約 25 g 存在するがその 65％ が骨に含有されている．

　　生体にとって細胞外液のカルシウムは，神経伝導，筋収縮，血液凝固機序などの生命維持に重要な役割を果たしている．リンはリン脂質，リン酸糖，リン蛋白質，アデノシン-3-リン酸などの形で体内に普遍的に存在し，エネルギー代謝や体液緩衝などの重要な役割を果たしている．

　　血清中のカルシウム，リンは，活性型ビタミン D，PTH，カルシトニン，エストロゲン，FGF23 などの各種カルシウム代謝調節ホルモンによって，これらの標的臓器である骨，腸管，腎を介して調節され恒常化されている．

1) カルシウム代謝 Ca metabolism

血清には約 0.3 g のカルシウムが存在し，血清カルシウムの正常値は約 8.5〜10.5 mg/dL である．その 50％がイオン化カルシウムで，40％が血清蛋白に結合したカルシウム，そして 10％がクエン酸，リン酸塩と結合したカルシウムである．生理学的に意味を持つのはイオン化カルシウムのみである．血清カルシウムの 0.1 mg/dL 以下のわずかな変動でも，カルシウム代謝調節ホルモンの働きによって補正される．上皮小体ホルモンによる遠位尿細管での再吸収と骨吸収の調節，活性型ビタミン D による小腸からの吸収が重要である．

食餌中のカルシウムが胃酸によってイオン化カルシウムとなり，小腸で吸収される．成人の摂取必要量は 1 g/日であるが，この約 10％が小腸で吸収される．この吸収は活性型ビタミン D，上皮小体ホルモン（ビタミン D の活性化を介する二次的作用）によって促進される．

カルシウムの排泄は一部消化液として腸管に分泌されるが，主に腎で行われる．糸球体で 10 g のカルシウムが濾過され，遠位尿細管でその 98〜99％が再吸収される．遠位尿細管での再吸収と骨における出納がカルシウムの恒常性の最も重要な調節機能と考えられている．骨のカルシウムの 1％が易交換性で，上皮小体ホルモン，活性型ビタミン D により，破骨細胞，骨細胞の吸収活性が微妙に調節される．

2) リン代謝 P metabolism

血清中では，無機リン，リン脂質，イオンの形で存在する．血清の正常値は無機リン酸塩またはエステルとして計測され，成人で 3〜4.5 mg/dL であるが，カルシウムほど正確な恒常性はなく，年齢で異なり小児では高値を示す．

リンの吸収機序の詳細はなお不明であるが，カルシウムと同様に小腸で吸収される．水酸化アルミニウムはリンの吸収を抑制する．

排泄はすべて腎で行われ，糸球体で濾過され約 90％が近位曲尿細管と遠位尿細管で再吸収される．FGF23 は近位尿細管でのリン再吸収を抑制してリン排泄を増加させる．PTH はリンの糸球体濾過量を増し，尿細管での再吸収を減らすため全体としてリンの排泄を増加させる．

3) ビタミン D vitamin D

前駆物質の ergosterol，7-dehydrocholesterol が皮膚で紫外線によりビタミン D_3（cholecalciferol）となり，肝臓で 25 位の水酸化を受け，次いで腎臓で 1α 位が水酸化され，最も活性の高い $1\alpha, 25$-dihydroxycholecalciferol（$1\alpha, 25(OH)_2D_3$）となる．しかし，腎で 24 位が水酸化され，活性のない 24, 25-dihydroxycholecalciferol が合成されることもある．腎での水酸化は血清カルシウム，リン濃度と上皮小体ホルモンによって調節される．1α 位の水酸化は血清中のカルシウムまたはリンの濃度の低下，上皮小体ホルモンの上昇によって亢進する．

$1\alpha, 25(OH)_2D_3$ の作用は，小腸からのカルシウムの吸収と骨での骨吸収の亢進によって血清カルシウムを上昇させることである．腎では尿細管からのカルシウムの再吸収を増加させる．

ビタミン D の充足状態は蓄積型の血中 25 (OH) D の値で評価される．血中ビタミン D の欠乏は，成長期には成長軟骨板の石灰化不全をもたらし，くる病 rickets を発

症させる．成人では類骨組織に石灰化が起こらないため骨軟化症 osteomalacia が発症する．

4）副甲状腺ホルモン parathyroid hormone (PTH)

副甲状腺で形成される 84 個のアミノ酸からなるポリペプチドホルモンである．分泌は血清イオン化カルシウムの値によって調節されており，カルシウムの低値で分泌は亢進し高値で低下する．血清リン値はこのホルモンの分泌に影響しない．

PTH は破骨細胞，骨細胞性の骨吸収を刺激し，腎での 25-hydroxycholecalciferol の 1α 位の水酸化を促進する．腎ではリン酸の再吸収を抑制し排泄を亢進させている．また骨細胞での sclerostin の産生を抑制する．

5）カルシトニン calcitonin

甲状腺の傍濾胞細胞（C 細胞）から分泌される 32 個のアミノ酸からなるポリペプチドホルモンである．

このホルモンの主な作用は破骨細胞性骨吸収の抑制である．このほか骨芽細胞の分化を促進し，骨形成的に働くと報告されている．腎ではリンの直接的な排泄促進作用が報告されている．

6）エストロゲン estrogen

エストロン，エストラジオール，エストリオールの 3 種類からなるステロイドホルモンの一種で，エストロゲン受容体 estrogen receptor（ER）に結合し機能を発揮する．主な作用は破骨細胞性骨吸収の抑制で，破骨細胞に直接働いたり，骨芽細胞を介して破骨細胞のアポトーシスを亢進する．

7）線維芽細胞増殖因子 23 fibroblast growth factor 23 (FGF23)

主に骨細胞で産生され，腎尿細管でのリン再吸収を抑制する．また腎近位尿細管での $1\alpha, 25(OH)_2D_3$ 産生を担う酵素の発現を低下させて，腸管からのリン吸収を抑制する．過剰な FGF23 活性は X 連鎖性低リン血症性くる病，常染色体優性低リン血症性くる病，腫瘍性くる病・骨軟化症の原因となる．

附-6　骨粗鬆症 osteoporosis と骨萎縮 bone atrophy

いずれも骨吸収が骨形成を上回った状態が続いたため生じる骨組織の量が減少した病態である．閉経，加齢，内分泌異常，薬剤などによって発生する全身的な病態を骨粗鬆症（原発性，続発性）と呼ぶ．局所的な不動，非荷重，炎症によって発生する局所性の病態を骨萎縮と呼ぶ．骨折治療におけるプラスチックキャスト固定や非荷重による廃用性骨萎縮 disuse bone atrophy は代表例である．

5 骨の再生医療 regenerative medicine

　骨腫瘍や重度外傷，感染によって骨欠損を生じた際には，自己修復能力を超えた骨の修復が必要となる．そのような自己治癒の見込めない骨欠損に対して，細胞の増殖・分化能に基づく自然治癒力を高めることで再生修復を促す「骨の再生医療」が注目されている．骨の再生医療では，骨組織の欠落した部位に骨形成細胞を分化・誘導させる骨誘導能を有する細胞やサイトカインを移植する方法と，骨伝導能を有する移植材料を用いる方法，そしてその両者の組み合わせがある．

　細胞による治療では増殖分化能力の高い幹細胞移植がこれまで大きな役割を果たしてきた．骨髄由来間葉系幹細胞 bone marrow stem cell（BMSCs）を経皮的に骨欠損部に注入したり，サイトカインと組み合わせて使用される（1）．脂肪組織の中の多分化能を有する脂肪由来幹細胞 adipose derived stem cells（ADSCs）も用いられ，BMSCsに比べて採取が容易であることから骨再生への応用が試みられている．人工多能性幹細胞 induced pluripotent stem cell（iPS 細胞）の培養系が確立され，すでに疾患治療に応用されている．iPS 細胞は無限に増やすことができ，多量の組織を作ることから，骨の再生医療分野での応用が期待されているが，いまだ課題が多く，臨床応用には至っていない．

　サイトカイン治療では bone morphogenic protein（BMP）をはじめとする骨形成因子が用いられる．BMP-2，BMP-7 はすでに臨床応用されているが，惹起される炎症による合併症が問題となっていて，適応は制限される．このほか transforming growth factor-beta（TGF-b），線維芽細胞増殖因子 fibroblast growth factor（FGFs），副甲状腺ホルモン parathyroid hormone（PTH），Wnt，血小板由来増殖因子 platelet-derived growth factors（PDGFs），インスリン様成長因子 1 insulin-like growth factor 1（IGF-1）を用いた骨再生の研究が進められている．さらにウイルスベクターを用いた BMP，PDGF，IGF11 などの遺伝子導入治療についても研究されているが，発がんリスクなど超えなければならない課題がある．

　細胞治療やサイトカイン治療では細胞やサイトカインの足場（scaffold）が必要となる．ハイドロキシアパタイト（HAp），βリン酸三カルシウム（βTCP）のほか，ポリマーや金属が足場として用いられる．これらのバイオマテリアルでは体内細胞や移植した細胞の環境を最適化し骨吸収を誘導するために，マクロ・ミクロの気孔が作成されているものが多い．さらにナノファイバーや 3D プリンティングなどの新しい技術を用いた scaffold の作成が試みられ，より多くの骨新生を得るための検討が続けられている．

参考文献

1) Bloom W et al：Histogenesis of bone. A Textbook of Histology (10th ed.), 262-268, WBSaunders, Philadelphia, 1975.

2) Bonewald LF：Osteocytes. Primer on the Metabolic Bone Diseases and Disorders of Mineral Metabolism (7th ed.), ed by Rosen CJ, 22-27, American Society for Bone and Mineral Research, Washington DC, 2008.

3) Broadus AE：Physiological functions of calcium, magnesium, and phosphorus and mineral ion balance. Primer on the Metabolic Bone Diseases and Disorders of Mineral Metabolism (2nd ed.), ed. by Favus MJ, 41-45, Raven Press, New York, 1993.

4) Brookes M et al：The vascularization of the rabbit femur and tibiofibula. J Anat **91**：61-74, 1957.

5) Corsi KA et al：Regenerative medicine in orthopaedic surgery. J Orthop Res **25**：1261-1268, 2007.

6) Csobonyeiova M, Polak S, Zamborsky R et al：iPS cell technologies and their prospect for bone regeneration and disease modeling：A mini review. J Adv Res 8：321-327, 2017.

7) Frankel VH, et al：骨格系の組織および構造物のバイオメカニクス．整形外科バイオメカニクス入門 (山本　真ら監訳), 13-53, 南江堂, 1983.

8) 藤田尚男ら：骨組織．標準組織学総論 (第 2 版), 145-165, 医学書院, 1981.

9) 浜田良機ら：骨の成長．アトラス小児整形外科 I, 村上寶久編, 6-19, 金原出版, 1988.

10) 林　寛一：骨細胞のための走査電顕試料作製法とその応用．米子医学雑誌 **38**：387-399, 1987.

11) Hooper G：Bone as a tissue. In Orthopaedics, ed. by Hughes SPF et al, 3-14, Churchill Livingstone, Edinburgh, 1987.

12) Hooper G：Growth and metabolism. In Orthopaedics, ed. by Hughes SPF et al, 21-36, Churchill Livingstone, Edinburgh, 1987.

13) Ho-Shui-Ling A, Bolander J, Rustom LE et al：Bone regeneration strategies：Engineered scaffolds, bioactive molecules and stem cells current stage and future perspectives. Biomaterials **180**：143-162, 2018.

14) 金子丑之助：骨学．日本人体解剖学第 1 巻 (第 13 版), 33-41, 南山堂, 1969.

15) Kerr AWS：Embryology and development of bone. In Orthopaedics, ed. by Hughes SPF et al, 15-20, Churchill Livingstone, Edinburgh, 1987.

16) Krause C：Signal transduction cascades controlling osteoblast differentiation. Primer on the Metabolic Bone Diseases and Disorders of Mineral Metabolism (7th ed.), ed. by Rosen CJ, 10-15, American Society for Bone and Mineral Research, Washington DC, 2008.

17) Leng Q, Chen L, Lv Y：RNA-based scaffolds for bone regeneration：application and mechanisms of mRNA, miRNA and siRNA. Theranostics 10：3190-3205, 2020.

18) Kurpas A et al：FGF23：A Review of Its Role in Mineral Metabolism and Renal and Cardiovascular Disease. Dis Markers 2021：8821292, 2021.

19) 松本佳久ら：骨への分化誘導．ES・iPS 細胞実験スタンダード, 中辻憲夫監修, 末盛博文編, 246-257, 羊土社, 2014.

20) Moore KL：Moore 人体発生学．第 3 版 (星野一正訳), 348-364, 医歯薬出版, 1986.

21) 大庭伸介ら：多能性幹細胞を使った骨再生．再生医療叢書 6 骨格系, 日本再生医療学会監修, 脇谷滋之ら編, 128-140, 朝倉書店, 2012.

22) 小澤英浩：骨の構造，骨の細胞．骨の科学, 30-64, 医歯薬出版, 1985.

23) Pereira HF, Cengiz IF, Silva FS et al：Scaffolds and coatings for bone regeneration. J Mater Sci Mater Med 31：27, 2020.

24) Rhinelander FW：Circulation of bone. The Biochemistry and Physiology of Bone Vol.2 (2nd ed.), ed. by Bourne GH, 1-77, Academic Press, New York, 1972.

25) Rodeo SA et al：What's new in orthopaedic Research. J Bone Joint Surg **92**-A：2491-2501, 2010.

26) Ross FP：Osteoclast biology and bone resorption. Primer on the Metabolic Bone Diseases and Disorders of Mineral Metabolism (7th ed.), ed by Rosen CJ, 16-22, American Society for Bone

and Mineral Research, Washington DC, 2008.
27) Rubin CT et al：Biology, physiology, and morphology of bone. Textbook of Rheumatology (4th ed.), ed. by Kelley WN et al, 58-80, WBSaunders, Philadelphia, 1993.
28) Salter RB et al：Injuries involving the epiphyseal plate. J Bone Joint Surg **45-A**：587-622, 1963.
29) Smakaj A, De Mauro D, Rovere G et al：Clinical application of adipose derived stem cells for the treatment of aseptic non-unions：current stage and future perspectives-systematic review. Int J Mol Sci 23, 2022.
30) 宗圓　聰ら：原発性骨粗鬆症の診断基準（2012年度改訂版）．Osteoporosis Japan **21**：9-21, 2013.
31) 杉浦保夫：日本人の骨年齢．中外医学社，1985.
32) 高橋栄明：骨のリモデリング．骨の科学，180-199，医歯薬出版，1985.
33) Termine JD：Bone matrix proteins and the mineralization process. Primer on the Metabolic Bone Diseases and Disorders of Mineral Metabolism (2nd ed.), ed. by Favus MJ, 21-24, Raven Press, New York, 1993.
34) Teshima R：Studies on calcification in the epiphyseal growth cartilage plate by field emission scanning electron microscope. Yonago Acta medica **21**：152-162, 1978.
35) 徳永純一：骨の血管供給と神経支配．神中整形外科学（第21版），天児民和編，192-197，南山堂，1989.
36) Turek SL：Histology and histopathology of bone. Orthopaedics (4th ed.), 30-100, JBLippincott, London, 1984.
37) Wang Z, Wang Y, Yan J et al：Pharmaceutical electrospinning and 3D printing scaffold design for bone regeneration. Adv Drug Deliv Rev 174：504-534, 2021.
38) Wolff J：The Law of Bone Remodelling. Translated by Maquet P et al, Springer-Verlag, Berlin, 1986.
39) 山形健治ら：ラット新生仔のendosteal surfaceの微細構造．整形外科基礎科学 **8**：293-297, 1981.
40) 保田岩夫ら：力学的仮骨と電気的仮骨．日整会誌 **28**：264-268, 1954.

第2章

骨折の定義（用語）と分類

1 骨折の定義（用語）

　骨折 fracture とは，直達外力もしくは介達外力によって骨（組織）が部分的あるいは完全に解剖学的連続性を断たれた状態をいう．直達外力とは損傷部位に直接作用する外力であり，介達外力とは筋肉，腱，靱帯などを介してまたは軸圧により間接的に作用する外力をいう（尻もちをついて胸腰椎移行部で椎体の圧迫骨折が生じるなど）．骨とともに関節軟骨が連続性を断たれた状態を骨軟骨骨折 osteochondral fracture，小児で成長軟骨板 growth plate が損傷された状態を骨端線損傷 epiphyseal injury，または骨端離開 epiphyseolysis という．骨端部のみの骨折は骨端骨折 epiphyseal fracture である．骨折に関節の脱臼を伴う場合を脱臼骨折 fracture dislocation という．転倒して地面に手を突いて生じる上肢の骨折や脱臼は FOOSH（fall on an outstretched hand）injury とも呼ばれる．

　なお，冠名用語は減少の傾向にあるが，Pott 骨折（1768 年）や Colles 骨折（1814 年）など整形外科学用語集や骨折の専門学会誌に登場する冠名用語は可能な限り収載した．

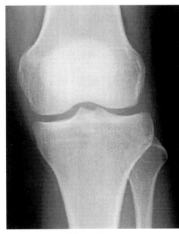
単純 X 線写真

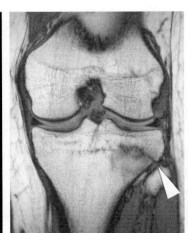
T1 強調画像

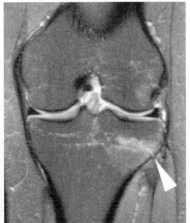
脂肪抑制画像

図 2-1-1　不顕性骨折の MRI
単純 X 線写真では明らかな骨折は認められないが，MRI で脛骨外側顆に骨皮質の亀裂と骨髄内の骨折線が確認された（矢印）．

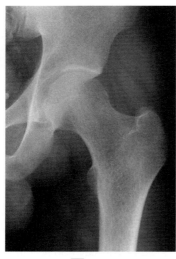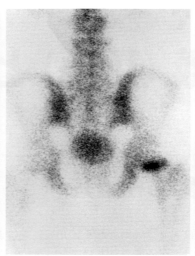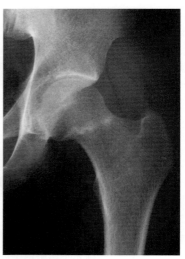

図 2-1-2 不顕性骨折の骨シンチグラフィー（26歳，健康な男性．受傷後7日目）
重量物を持ち上げたとき左股関節部に疼痛が生じた．翌日の単純X線写真では骨折線は確認できない．受傷後7日目の骨シンチグラフィーでは左大腿骨頸部に異常集積像が認められた．骨折治癒の進展とともに1ヵ月後に単純X線写真で骨折線が明瞭となった．

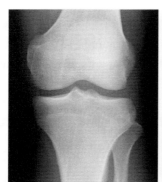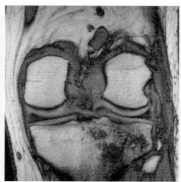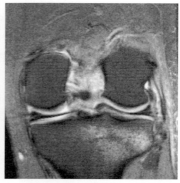

　　　　　　　　　　　　　　　T1強調画像　　　　　　　　脂肪抑制画像
図 2-1-3 骨挫傷
単純X線写真で骨折は認めない．MRIでも骨皮質や関節軟骨の亀裂はないが，脛骨顆部の骨髄内に輝度変化が認められる．

　明らかな外傷の既往と愁訴があるが，従来の単純X線写真では骨折が認めにくく，MRIや骨シンチグラフィーで骨皮質や骨髄の亀裂あるいは関節面の不連続性などの異常所見が描出できる骨折を不顕性骨折 occult fracture という（図 2-1-1）．不顕性骨折は骨折治癒の進展とともに，形成された仮骨の陰影を認めて初めて単純X線写真で確認できる（図 2-1-2）．
　Yaoら（1988）やMinkら（1989）は単純X線写真で明らかな骨折はないと診断された膝関節外傷患者のMRIで異常所見が認められる骨損傷の中に，骨軟骨骨折や顆部骨折とは異なり，骨髄のみに異常所見を示す症例があることを明らかにした（図 2-1-3）．これはMRIでのみ診断できる骨髄の骨傷であり，Yaoらはこれを骨内骨折 occult intraosseous fracture，Minkらはこれを骨挫傷 bone bruise と定義している．

表 2-1-1　通常の骨折，不顕性骨折，骨挫傷（骨内骨折）の画像鑑別

	単純 X 線所見あり	MRI 所見	MRI 所見	経過を追った X 線所見
	転位や骨折線	骨髄浮腫・出血あり 皮質骨に骨折線あり	骨髄浮腫・出血あり 皮質骨に骨折線なし	骨膜反応や線状硬化像の出現
通常の骨折 fracture	○	○	×	○
不顕性骨折 occult fracture	×	○	×	○
骨挫傷 bone bruise（Mink）（骨内骨折，Yao）	×	×	○	×

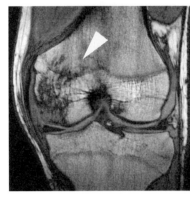 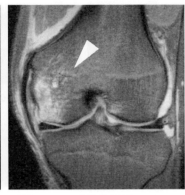 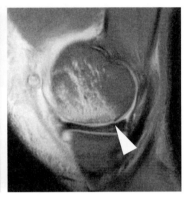

図 2-1-4　骨軟骨骨折の MRI
骨髄内の輝度変化と関節軟骨下の骨皮質に平坦化と亀裂が認められる．

この MRI の異常所見は骨髄内の骨梁の微小骨折 microfracture，出血，浮腫を現す．好発部位はほとんどが骨端部で一部は骨幹端部にまで及ぶ．T1 強調画像で低信号，T2 強調画像で高信号に描出され，軟骨下骨板と連続したあるいはやや離れた部位の地図状陰影（帯状陰影も含まれる）として観察できる．Yao と Mink は関節軟骨は損傷されていないと記載しており，関節鏡検査でも関節軟骨には異常がないことが確認されている（表 2-1-1）．したがって骨挫傷（骨内骨折）は MRI が一般化する以前は臨床的には打撲傷と診断されていたものである．関節軟骨に亀裂や平坦化が認められる骨軟骨骨折とは鑑別すべきである（図 2-1-4）．

2 骨折の分類

　骨折の分類は，適切な治療法の選択や治療成績の予測に役立つのみならず，臨床医の間での共通の言語として情報交換に有用である．それぞれの解剖学的部位ごとに繁用される特殊な分類は各論に譲り，ここでは概念的な分類を記載する．
　骨折の分類は通常，症候と単純 X 線写真をもとに行われる．外力の強さ，骨質，受傷機転，骨片の数や転位，長管骨における骨折部位，関節内か関節外かなどに基づいて分類される．正しく評価するには，まず鮮明な単純 X 線写真が不可欠であり，

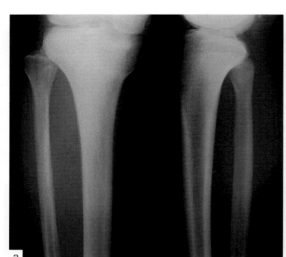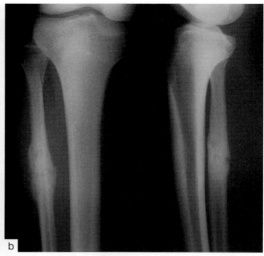

図 2-2-1　陸上競技部の選手に発生した腓骨の疲労骨折
a. 疼痛が生じた 1 週後の単純 X 線写真は正常である．
b. その 2 ヵ月後の単純 X 線写真では著明な仮骨形成が認められた．この時点で当科外来を受診した．骨腫瘍との鑑別のため血管造影も行われたが，血管新生は認められなかった．走者骨折ともいう．

　骨折線や転位を正確に把握するためには三次元的なアプローチが重要である．前後像では転位がないようにみえても側面像では転位が確認できることもあり，関節内への骨折線が斜位像や軸射像ではじめて描出できることもある．単純 X 線写真の読影には，十分な解剖学的知識，受傷機転の詳しい問診や分析，さらには入念な局所所見が要求される．

　前回の改訂では，皮下骨折に伴う軟部組織損傷の範囲や重症度の分類，骨折に合併する開放創の程度分類，CT 画像分類を追加したが，今回は MRI による疲労骨折（脆弱性骨折）分類や骨シンチグラフィーによる偽関節分類も記載した．

a 外力の強さによる分類

1）外傷性骨折 traumatic fracture
　　正常な骨に 1 回の強力な外力が作用して生じる骨折をいう．

2）疲労骨折（過労性骨障害）stress fracture, fatigue fracture
　　正常な骨に 1 回の作用では骨折が起きないような小さな外力が繰り返し限局的に加わり生じる骨折をいう．長距離走者の腓骨や脛骨に起こりやすい走者骨折 runner's fracture や行軍，行進など長時間の歩行により起こる中足骨の行軍骨折 march fracture は疲労骨折の典型である（図 2-2-1）．使いすぎ症候群 overuse syndrome の範疇に属する．

　　疲労骨折は比較的若年者に発生し，疼痛を訴えるにもかかわらず初期には単純 X 線写真で骨折の所見は明らかではなく，2〜3 週後に骨皮質に骨膜反応や骨髄内に帯状の硬化像が出現しはじめて骨折と診断されることが多い．好発部位は骨幹部もしくは骨幹端部である．治癒過程で生じる紡錘状の仮骨形成の単純 X 線写真所見は類骨骨腫，骨肉腫，Garré 硬化性骨髄炎と誤診されることもある．早期の画像診断には

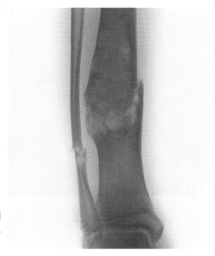

図 2-2-2 病的骨折（13歳）
バスケットボール練習中，ほかの選手と接触して転倒し受傷した．骨折部位は線維性骨異形成症で侵蝕され脆弱となり，骨折しやすい状態にあったと考えられる．

MRIや骨シンチグラフィーが有用である．

b 骨質による分類

1) 病的骨折 pathologic [al] fracture

全身的あるいは局所的疾患で骨が病的状態となり，正常な骨組織の強度が失われ通常では骨折を起こし得ない程度の軽微な外力で生じた骨折を病的骨折と呼ぶ（図2-2-2）．全身的疾患としては，骨形成不全症，骨 Paget 病などの代謝性骨疾患，多発性骨髄腫，アミロイドーシスで骨折が起こることもある．局所的疾患としては，内軟骨腫，骨囊胞，線維性骨異形成症，骨肉腫，がんの骨転移 metastasis など骨腫瘍が主である．衝突や転倒など明らかな外力で骨折し，診察を受けてはじめて骨囊胞やがん転移などの骨腫瘍の存在が明らかになることもまれではない．過去には病的骨折は特発骨折 spontaneous fracture と呼ばれたこともある．

2) 脆弱性骨折 insufficiency fracture, fragility fracture

正常な骨より強度が全身的に低下している骨に，日常生活動作程度のわずかな外力負荷によって生じる骨折をいう．骨粗鬆症を有する高齢者，関節リウマチ，糖尿病，腎透析患者などにみられ，椎体，骨盤，大腿骨近位部，脛骨顆部に好発する（図2-2-3）．骨粗鬆症性の椎体骨折（osteoporotic vertebral fracture）は年々増加の傾向にある．MRIや骨シンチグラフィーが早期診断に有用である．

附-1 神経病性関節症 neuropathic arthropathy での病的骨折

糖尿病性神経障害 diabetic neuropathy，脊髄空洞症 syringomyelia，先天性無痛覚症 congenital analgesia，脊髄瘻，などで生じる神経病性関節症にはしばしば関節内骨折が認められる．固有感覚受容器の障害で，日常生活動作などのわずかな動作が負荷となるため，この骨折も病的骨折と呼ばれる（図2-2-4）．関節内にステロイド注射を繰り返して生じるステロイド関節症 steroid arthropathy でも同様の病的骨折が認められる（図2-2-5）．ステロイド関節症の病態は関節構成体の固有感覚器障害と病的骨折である．

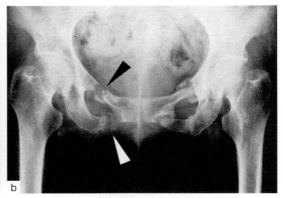

図 2-2-3 脆弱性骨折（66歳，関節リウマチ）
a. 歩行痛を訴えて3週目．左側恥骨枝と坐骨枝に漠然とした線状の骨吸収像出現
b. その11ヵ月後．反対側である右側恥骨枝と坐骨枝にも同様の骨折が出現

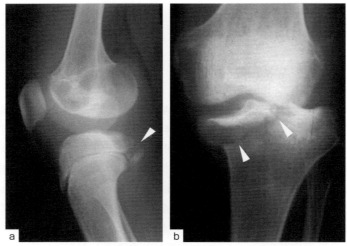

図 2-2-4 神経病性関節症に認められた病的骨折
a. 先天性無痛覚症（13歳），b. 糖尿病性神経障害

c 外界との交通の有無による分類

1）皮下骨折，閉鎖骨折 closed fracture

骨折部に開放創がなく，骨折部が外界と交通しない骨折を皮下骨折または閉鎖骨折と呼ぶ．皮膚に擦過傷や水疱 blister 程度はあってもよい．過去においては単純骨折 simple fracture と呼ばれたこともあるが，皮下骨折の形態は単純ではなく粉砕状となることもあるので表現が誤解を招きやすいと指摘されていた．現在では開放骨折と対比する意味での単純骨折という用語は用いられなくなった．

2）開放骨折 open (compound) fracture

骨折部に創があり，骨折部が外界と交通している骨折をいう．開放骨折は強力な外力で発生し，骨が外界に曝され汚染されることが多く，骨欠損や広範な皮膚欠損を伴

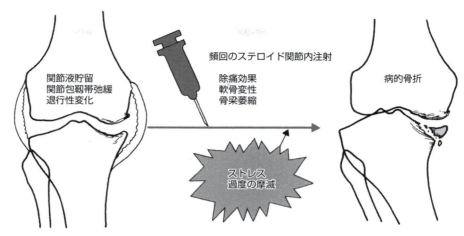

a：ステロイド関節症の発生機序

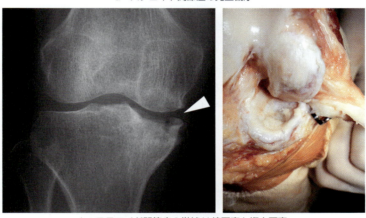

b：ステロイド関節症の単純X線写真と術中写真

図 2-2-5　ステロイド関節内注射で生じた病的骨折

うこともある．感染を合併することが多く骨折治癒が遷延しやすい．以前は単純骨折に対応して複雑骨折と呼ばれたこともあった．

附-2　単純骨折と複雑骨折

　　単純骨折とは皮下骨折のことである．複雑骨折とは開放骨折のことで「骨折形態が粉砕状で複雑である」という意味ではない．最近では混乱をさけるために，これらの和語はほとんど使用されていない．「整形外科学用語集（日本整形外科学会編）」にもこれらの掲載はない．

附-3　射創骨折　gunshot fracture

　　特殊な開放骨折で，弾丸の射入口の創は小さく，貫通した場合は皮膚の出口はより大きい．弾丸が通過した射創管周囲の軟部組織は空洞状となり広範に挫滅され，骨は大小多数の骨片に粉砕される．弾丸の破片が体内に残留することもしばしばである．弾丸の速度が速いほど損傷は大きく，皮膚にある創傷口からは深部の損傷程度を判定することが難しい．

d 骨の連続性の有無による分類

1) 完全骨折 complete fracture

骨の連続性が完全に断たれた骨折をいう.

2) 不完全骨折 incomplete fracture

骨の連続性が一部でも残っている骨折を不完全骨折という. 不完全骨折は小児に多く, 若木骨折 greenstick fracture, 竹節状の膨隆骨折 buckle fracture, torus fracture などとも呼称される. 単純 X 線写真で骨折線は認められないが, 軸異常が生じた小児の急性塑性弯曲 acute plastic bowing も不完全骨折に属する (**図 11-A1-4**, p. 311 参照). ビスフォスフォネート内服中の非定型大腿骨骨折 AFF では単純 X 線写真ではしばしば不完全骨折の像を示し, 肥厚した骨皮質のくちばし状の骨膜肥厚 beaking が特徴的である (**図 17-2-37** 参照).

3) 不顕性骨折 occult fracture

不顕性骨折とは骨の連続性が部分的に断たれながら, 単純 X 線写真では骨折線が描出されない骨折をいう. 過去においては治癒機転としての石灰化や骨化が始まってはじめて診断可能であった. しかし最近では診断技術が進歩し CT や MRI で不顕性骨折やきわめて軽微な亀裂骨折が鮮明に描出できる. 骨シンチグラフィーも早期診断に有用である (**図 2-1-1**, **2** 参照). 杉山ら (2002) は大腿骨頚部不顕性骨折の 27% は股関節痛があっても歩行可能であったと報告し, 臨床症状が軽微で単純 X 線写真で骨折線が認められなくても, 不顕性骨折の可能性を常に念頭におき早期診断の目的で MRI を追加することを勧めている. 高齢者で転倒など受傷機転があり限局性の股関節部痛を訴える場合は, 全荷重歩行が可能で初診時の単純 X 線写真上の骨折線が明らかでなくても慎重に経過をみる必要がある. 小児では成長軟骨板損傷でも同様の報告がある.

骨接合術中に, 内固定材料を打ち込み固定する場合やセメントレス人工股関節を打ち込み固定する際に, 寛骨臼底や大腿骨近位部に亀裂が生じることがある. 長谷川ら (2015) はセメントレスカップ挿入中に生じた骨折で単純 X 線写真での亀裂確認はわずかに 2/455 関節 (0.4%) であったが, CT で精査したところ不顕性骨折が 41/455 関節 (9.0%) に発生していたと報告している.

e 骨折の部位による分類

長管骨の骨折に用いられる分類である.

1) 骨端骨折 epiphyseal fracture

骨端は長管骨の両端にあり, 横径が最も広く, 端部は関節軟骨でおおわれている. この部位の骨折を骨端骨折という.

2) 骨幹端骨折 metaphyseal fracture

長管骨の骨端と骨幹との移行部で, 円錐状の形状をした部位の骨折をいう. 小児期には骨端と骨幹端との境界に成長軟骨板 (骨端線) があり, この部位の損傷を骨端線損傷と呼ぶ.

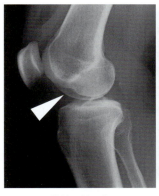 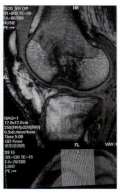 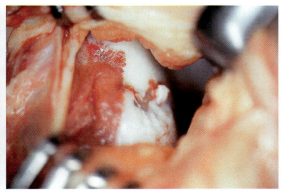

単純X線写真　　　　　　　　MRI　　　　　　　　　　術中所見

図 2-2-6　notch sign
介達外力による前十字靱帯断裂の単純X線写真でしばしば認められる大腿骨外側顆関節面の限局性の陥凹．圧迫骨折であり，MRIでは周辺に骨挫傷像もみられる．衝撃が強いと関節軟骨にも亀裂が生じる．

3) 骨幹部骨折　diaphyseal fracture
長管骨の中央部（骨幹）で厚い骨皮質に囲まれた筒状の部位の骨折をいう．

f 関節内・外による分類

1) 関節内骨折　intra-capsular fracture
骨折線が関節包内にある骨折を関節内骨折という．関節内骨折では関節軟骨が骨端の骨組織とともに裂離した場合は骨軟骨骨折 osteochondral fracture と呼ぶ．関節が脱臼するときに骨軟骨骨折を合併しやすい．圧迫力で関節面が陥凹したものを陥没骨折 depressed fracture という．関節内靱帯の骨付着部が靱帯とともに剥離する裂離骨折は膝関節内に多く発生する．介達外力による前十字靱帯損傷患者にしばしば認められる単純X線写真での大腿骨外側顆関節面の限局性の凹みは notch sign と呼ばれ，陥没骨折を表している（図 2-2-6）．関節内骨折は骨片の壊死や骨癒合不全を起こしやすく，関節拘縮や関節面の変形治癒による二次性変形性関節症を生じやすい．

2) 関節外骨折　extra-articular/extra-capsular fracture
骨折線が関節包外にある骨折を関節外骨折という．大腿骨頚基部骨折 basal femoral neck fracture は関節内と関節外にまたがる骨折の代表例である．

g 骨折の数による分類

1) 単発骨折　single fracture
ひとつの骨に骨折が1ヵ所あるものをいう．

2) 二重骨折　double fracture
ひとつの骨に骨折が2ヵ所あるものをいう．分節骨折 segmental fracture ということもある（図 17-2-26 参照）．

3）多発骨折 multiple fracture

ひとつの骨の 3 ヵ所以上に骨折があるもの（**図 17-2-10**），または複数の骨に同時に骨折が発生したものを多発骨折という（**図 7-3-9a 参照**）．肋骨が何本も折れた状態を多発肋骨骨折と表現することはあるが，手関節損傷で橈骨遠位端骨折と尺骨茎状突起骨折と手根骨骨折が合併していても多発骨折とは言わないなどの矛盾はある．なお 1 ヵ所の骨折部分が多数の骨片に分かれているものは粉砕骨折 comminuted fracture と呼ばれていたが，AO/OTA 会議（2018 年）で多骨片骨折 multifragmentary fracture と呼称が変更された．外傷で同側の上腕骨と前腕が骨折し肘関節の連続性が断たれた状態を浮遊肘関節 floating elbow fracture，大腿骨と脛骨が骨折し膝関節との連続性が断たれた状態を浮遊膝関節 floating knee fracture と呼ぶ．

h 骨折線の走行による分類

骨折線の走行による分類法で，単純 X 線写真の所見で分類される．主として長管骨が対象になる．

1）横骨折 transverse fracture

骨折線が横走する骨折で，直達外力が長管骨に対して直角に加わった場合，また伸張力や牽引力が加わると起こりやすい．非定型大腿骨骨折 AFF では外側骨皮質に横走する骨折線が認められ，内側骨皮質では斜骨折（内側スパイク）となる．かなり特徴的な骨折線を示す（p. 1009 参照）．

2）縦骨折 longitudinal fracture

骨折線が縦走する骨折．

3）斜骨折 oblique fracture

骨折線が斜走する骨折．圧迫力が作用した場合に生じることが多い．

4）螺旋骨折 spiral fracture

骨折線が螺旋状に走る骨折．捻れ外力が作用して起こる．

附-4 T 字骨折，Y 字骨折，亀裂骨折

上腕骨，大腿骨，脛骨などの顆部の骨折では，骨折線が 2 本以上入ることがあり，その走行形態により T 字骨折，Y 字骨折，逆 Y 字骨折と呼ばれる．肩甲骨，腸骨などの扁平骨ではしばしば亀甲のごとく骨折線が走行するが，これを亀裂骨折 fissure fracture という．

---

i 骨片の転位による分類

骨折部で骨片間に移動が生じ解剖学的形状が失われた状態を転位という．外力が作用した段階で一次的な転位が生じ，その後，荷重や体動に伴う筋肉の作用で二次的転位が発生する．転位の状態は，側方転位，屈曲転位，回旋転位，長軸転位（短縮と離開がある），嵌入転位，騎乗転位に分類できるが（**図 2-2-7**），実際にはいくつかの転位が組み合わされている場合が多い．

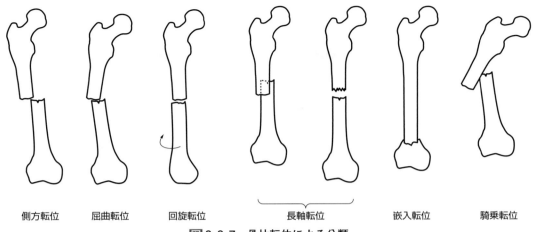

側方転位　屈曲転位　回旋転位　長軸転位　嵌入転位　騎乗転位

図2-2-7　骨片転位による分類

j 骨折の発生機転による分類 (図2-2-8)

1) 裂離 (剥離) 骨折　avulsion fracture

筋肉，腱，靱帯，関節包などの起始部や付着部に強力な牽引力が作用しその張力で起始 (付着) 部が裂離する骨折をいう．上腕骨大結節，肘頭，上前腸骨棘，坐骨結節，脛骨顆間隆起，脛骨顆部，脛骨粗面，脛骨内果，腓骨外果などに好発する．

2) 捻転骨折　torsion fracture

長管骨に捻転力が作用した場合に起こり骨折線は螺旋状になる．上腕骨骨幹部に生ずる投球骨折 throwing fracture が代表的である．

3) 圧迫骨折　compression fracture

骨の長軸方向に圧迫力が加わり圧縮されて起こる骨折で，椎体，踵骨，脛骨プラトーなどが好発部位である．

4) 屈曲骨折　bending fracture

長管骨に撓屈力が作用して起こる骨折である．通常凸側には横の，凹側に斜線状の骨折線が走る．凹側にはしばしば三角形の第三骨片が生じる．

5) 剪断骨折　shearing fracture

長管骨の限局した部位に剪断力が作用した場合に生ずる骨折で横骨折となる．大腿骨顆部関節面の剪断性骨軟骨骨折 tangential osteochondral fracture が代表的である．

6) 多骨片骨折　multifragmentary fracture

骨折部が粉砕され大小多数の骨片に分かれている骨折をいう．強力な外力が作用して生じる．骨片が複数あって複雑な形状をしている骨折は，間違って複雑骨折と表現されることがあるが，本来，複雑骨折とは骨折部が外界と交通性がある開放骨折 open (compound) fracture を示す用語である．

7) 破裂骨折　burst [ing] fracture

高エネルギー損傷で生じる．脊柱に長軸方向の圧迫力が加わって破裂を生じた環椎の Jefferson 骨折はその代表例である．破裂骨折が胸椎や腰椎に生じた場合には，椎体のほぼ中央に加わった垂直方向の外力で，椎体が圧壊し，粉砕した椎体後壁の骨片

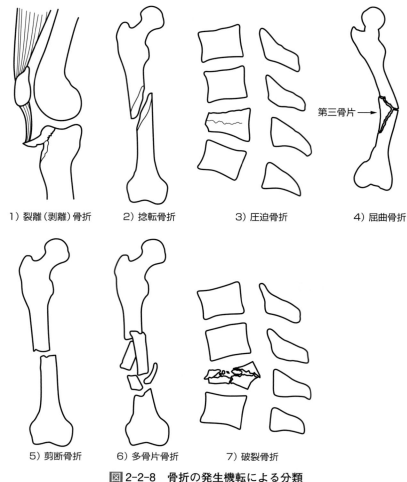

1) 裂離（剥離）骨折　2) 捻転骨折　3) 圧迫骨折　4) 屈曲骨折
5) 剪断骨折　6) 多骨片骨折　7) 破裂骨折

図 2-2-8　骨折の発生機転による分類

が脊柱管内に転位する．椎体破裂骨折の証として単純 X 線写真前後像で椎弓根間距離の拡大が認められる．しかし椎体後方の靭帯組織は断裂せずに残るため，支持性は比較的安定している．骨片の脊柱管への転位で脊髄損傷を伴うことがある．破裂骨折の用語は骨盤や頭蓋骨にも用いられる．

k AO/OTA 分類

　　骨折の系統的分類が必要であるとの認識のもとに Müller の指導で 1970 年より作業が始められ AO（Arbeitgemeinschaft für Osteosynthesefragen）分類としてまとめられた．多数の臨床例の解析をもとに作成されたもので，論理的で概念が理解しやすく，重症度も十分に反映されており，治療法の選択や予後評価にも利用できる点が優れていた．この AO 分類が，米国整形外科外傷学会（OTA）で審議され採択されて J Orthop Trauma（1996）に発表された．以後 AO/OTA 分類と呼ばれるようになった．骨格を構成する骨には番号が付され，文字や数字でコード化されているためコンピュータ解析が可能である．AO/OTA 分類は 2018 年に大幅な改訂が行われた．

骨格の番号は上腕骨が 1，橈骨と尺骨が 2，大腿骨が 3，下腿骨が 4，脊椎が 5，骨盤が 6 と改訂前と同じであるが，橈骨，尺骨，腓骨，手や足は**図 2-2-9a** のごとく番号が変更されコード化された．骨折の頻度が多い果部にはコード番号 44 が新設された．

次いで長管骨であればその骨のどの部位に骨折があるかによって，近位端が 1，骨幹部が 2，遠位端が 3 と部位番号が表記される．したがって橈骨近位端骨折は 2R1，尺骨遠位端骨折は 2U3 となる．

なお近位（遠位）端の範囲は単純 X 線写真前後像の近位（遠位）端の最大横径を一辺とする正方形に含まれる部分と定義されている（**図 2-2-9b**）．ただし 2 つの例外があり，大腿骨近位部と脛骨果部は各論の項を参照のこと．

骨折部位の次は骨折を 3 つの Type に分類し評価する（**図 2-2-9c**）．長管骨骨幹部骨折の Type A は横骨折や斜骨折などの単純な骨折，Type B は大きな楔型の骨片がある骨折，Type C は分節骨折または多骨片骨折である（**図 2-2-9c**）．Type はさらに 3 つの Group，ついでそれぞれが 3 つの Subgroup に分類される．一方，近位（遠位）端骨折は Type A　関節外型，Type B　一部の骨折線が関節面に及ぶ部分関節内型，Type C　関節面が破壊された完全関節内型に分けられる．

なお日常の臨床では骨幹端・関節内骨折の分類は部位によって，Neer 分類（上腕骨近位部），斎藤分類（橈骨遠位端），Garden の Stage 分類（大腿骨頚部），Evans 分類（大腿骨転子部），Hohl 分類（脛骨近位部），Lauge-Hansen 分類（足関節部）などが依然として繁用されている．

l 骨折に伴う軟部組織損傷の程度による分類

外力の強さは軟部組織損傷の程度としばしば一致する．単純 X 線写真で粉砕骨折や高度な転位が確認されれば，皮膚より骨にいたる軟部組織の損傷が必ずあると判断し循環状態，感覚・運動麻痺の有無や程度を診察する必要がある．血管内皮損傷による動脈塞栓形成や急性区画症候群などの症候は，初期には認められなくても経時的に発症することを認識して対応することが大切である．

1) 皮下骨折での軟部組織損傷の分類

皮下骨折でも周囲の軟部組織は大なり小なり損傷を受ける．Tscherne 分類はこの点に配慮した 4 段階分類である（**図 2-2-10**）．Grade 0 は単純な皮下骨折で軟部組織の損傷がほとんどないもの．Grade I は皮膚や皮下に擦過傷 abrasion，打撲傷 contusion の痕があり，単一箇所の骨折で軽度の骨片転位を伴うもの．Grade II は限局性に皮膚の圧挫を伴い軟部組織の打撲が著明な皮下骨折．Grade III は広範囲の軟部組織皮下損傷があり，主要血管損傷や急性区画症候群が認められるものである．

この分類は皮下にある軟部組織も外力の程度に応じて損傷されるとの認識を深めるのに役立ったといえる．

AO 分類は皮下骨折での軟部組織損傷を，皮膚（外皮），筋腱，神経血管に区分しその重症度を 5 段階に評価したものである．

2) 開放骨折に伴う軟部組織損傷の分類

Gustilo-Anderson 開放骨折分類（1976）は，開放創と軟部組織損傷の大きさや汚染

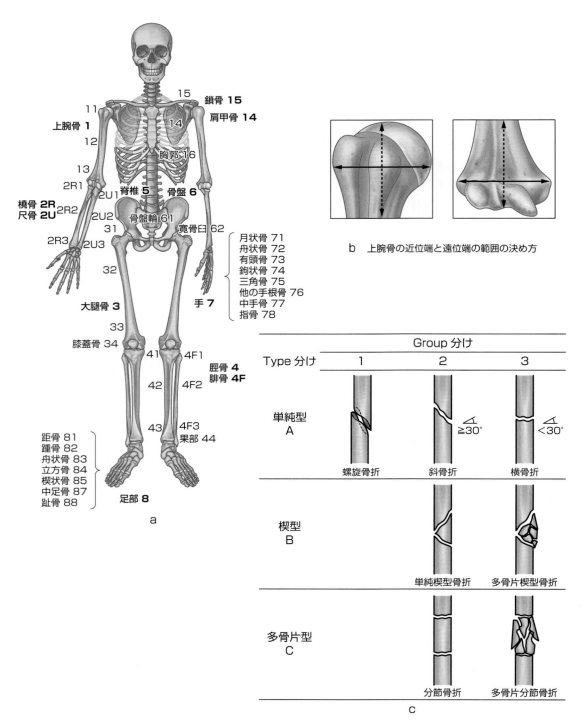

図 2-2-9 AO/OTA 分類
a. 番号で表された骨や骨折部位
b. 上腕骨の近位端と遠位端の範囲の決め方
c. 長管骨骨幹部骨折の 3 つの Type（A，B，C）とその Group 分け

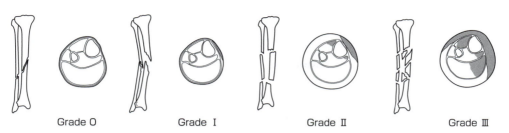

図 2-2-10　皮下骨折に合併する軟部組織損傷の Tscherne 分類

表 2-2-1　開放骨折の Gustilo 分類
（Gustilo が Gustilo-Anderson 分類の Type Ⅲ を 3 つに分けた分類）

Type Ⅰ	骨折端が皮膚を突き刺した程度で開放創は長さが 1 cm 以下である．軟部組織損傷や創の汚染はほとんどない．
Type Ⅱ	長さが 1 cm 以上の裂創があり，軽度もしくは中等度の軟部組織損傷や汚染を認める開放骨折．
Type Ⅲ	高エネルギー損傷による開放骨折．
A.	広範囲の軟部組織や皮膚の圧挫や汚染を伴う．ただしデブリドマン後に骨折部を軟部組織で被覆可能である．
B.	広範な軟部組織損傷と高度な汚染があり，創より骨が露出し骨膜の剥離を伴う．デブリドマン後に骨折部を軟部組織で被覆できない（皮弁移植などが必要）
C.	主要動脈が損傷された開放骨折．患肢温存のため血管修復が必要．

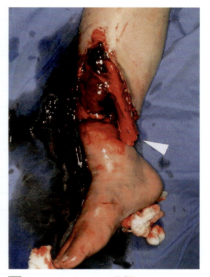

図 2-2-11　Gustilo 分類 Type Ⅲ-B の開放骨折
粉砕された脛骨骨片が創外に露出している（矢印）．

の程度に基づく分類である（表 2-2-1，図 2-2-11）．特に軟部組織におおわれることが少ない脛骨骨折では，骨髄炎の危険性を予測するのに有用であるとも報告されている．Type Ⅰ は尖った骨片が皮膚を穿孔した 1 cm 以下の小さな創で，軟部組織の損傷がわずかで皮膚の挫滅がないもの．骨折型としては単純な斜骨折や横骨折が多い．Type Ⅱ は 1 cm 以上の裂創（通常 10 cm 以内）があるが軟部組織損傷は広範ではなく汚染も中等度のもの．Type Ⅲ は皮膚の挫滅を伴う大きな開放創がある骨折で，軟部組織損傷も広範で汚染が著しいもので高エネルギー損傷による．

　Gustilo ら（1984）はこの開放骨折分類の Type Ⅲ をさらに 3 つに細分化している（表 2-2-1，図 2-2-11）．

　Ⅲ-A は軟部組織の圧挫や汚染を伴うが，デブリドマン後に骨折部が軟部組織で被覆可能なもの．骨折型は分節骨折や粉砕骨折であることが多い．Ⅲ-B は同じような開放骨折であるが，骨が露出し骨膜の剥離を伴い，デブリドマン後に骨折部を軟部組織で被覆できず皮弁移植などが必要．Ⅲ-C は修復しなければならない主要血管損傷がある開放創を伴うすべての骨折である（ただし，前腕や下腿では主要動脈が 2 本存

表 2-2-2　Hannover 骨折分類 '98

1）骨欠損	点数	5）骨膜剥離	点数
なし	0	なし	0
＜2cm	1	あり	1
＞2cm	2	6）局所循環	
2）皮膚損傷		脈拍正常	0
なし	0	先端の色の変調	1
全周の 1/4 未満	1	阻血状態＜4hr	2
全周の 1/4〜1/2	2	阻血状態＜4〜8hr	3
全周の 1/2〜3/4	3	阻血状態＞8hr	4
全周の 3/4 以上	4	7）血圧（収縮期 mmHg）	
3）筋肉損傷		常に　＞100	0
なし	0	入院時までに　＜100	1
全周の 1/4 未満	1	手術時までに　＜100	2
全周の 1/4〜1/2	2	常に　＜100	3
全周の 1/2〜3/4	3	8）神経損傷	
全周の 3/4 以上	4	手掌・足底の感覚　正常	0
4）創汚染の程度		異常	1
なし	0	指・趾の動き　あり	0
部分的	1	なし	1
広範囲	2		

在するためどちらか 1 本切断されても再建術は必要ではなく，その場合は Type I か II に振り分けられる）．

　高エネルギー損傷では皮膚にある創傷の大きさと深部組織の損傷程度とは必ずしも一致しない．その観点より，患肢の損傷部位を 3 つの組織（皮膚，骨と関節，筋腱と神経）で別々に損傷程度を点数化した評価表が GHOIS（Ganga Hospital Open Injury Score, 2005）である（**表 10-5-1**，p. 273 参照）．予後に影響する患者の全身状態も考慮されている．再建術か切断術か，治療法の選択にきわめて重要な判断を迫られたときの基準として納得のいく評価表であるといえる．総点が 14 点以上で切断術が適応とされている．

　Hannover 骨折分類（1998）は，骨欠損，皮膚損傷，筋肉損傷，創汚染の程度，骨膜剥離，局所循環，血圧，神経損傷の項目で評価し，その程度が点数化された分類で，患肢を温存するか切断するかの判断基準として活用できる（**表 2-2-2**）．外傷の程度は最悪の状態で総数 22 点で，11 点以上が切断術の一応の目安になる．低血圧の程度が切断術の適応決定に影響する危険性は残る．

　このほかショック状態と局所所見とを合わせて点数化した MESS（Mangled Extremity Severity Score, 1990），神経損傷も評価に加えた NISSA（Nerve injury, Ischemia Soft tissue injury, Skeletal injury, Shock and Age of patient score, 1994）などが報告されている．

　AO/OTA の開放骨折分類（2010）は皮膚，筋腱，神経血管束の損傷，汚染の有無や程度，骨欠損の有無や程度をそれぞれ 3 段階に分け評価する仕組みになっている．

m CT による骨折分類

　脊椎，肩甲骨，骨盤など損傷部位によっては単純 X 線写真に CT を併用すると骨折の有無の確認がより確かなものとなる．CT はまた関節周囲の骨折線や骨片転位の描出に優れ必須の画像診断法である．CT による解析は，治療するうえで牽引方向や内固定材料の選択や手術操作にも有用である．CT を用いた骨折分類では，踵骨骨折の Sanders 分類（図 17-12-26 参照）や大腿骨転子部骨折の中野三次元 CT（3D-CT）分類（図 17-1-34 参照）は臨床医の間で一定の評価が得られている．

n MRI による疲労骨折（脆弱性骨折）分類

　疲労骨折 stress fracture や脆弱性骨折 insufficiency fracture，fragility fracture は疼痛を訴えても初期の単純 X 線写真では骨折線が明確でないことが多い．骨膜反応が認められても骨折，炎症，骨腫瘍の鑑別に苦慮する．MRI が早期診断に有用である．

　Fredericson ら（1995）はランナーの脛骨疲労骨折を MRI の撮影時期で解析し，5 段階の分類を報告している（表 2-2-3）．Grade 0 はコントロールとして撮影された全く疼痛を訴えないランナーの MRI で「異常所見なし」，Grade 1 は「骨膜浮腫 periosteal edema が認められる」，Grade 2 は「骨膜浮腫に加えて T1 強調画像で骨髄浮腫が認められる」，Grade 3 は「骨膜浮腫と T1 と T2 強調画像でともに骨髄浮腫が認められる」，Grade 4 は「骨折線が確認できる」となっている．この Grade 分類は一人の患者を例えば 1 週間おきに経過を追って MRI 撮影すると，上記の所見が出現するとの意味が含まれている．ただこの分類は簡潔に使いやすく仕上げたためか，出血に伴う軟部組織浮腫 soft tissue edema や骨皮質の肥厚の所見は盛り込まれていない．筆者が経験した発症後 8 日目に撮影された中足骨の脆弱性骨折の MRI では軟部組織浮腫が著明であった（図 7-3-11，12，p. 180 参照）．

　Woods ら（2008）はこの Fredericson らの MRI による Grade 分類を腓骨の疲労骨折に応用している．

o 人工関節周囲骨折の分類

　高齢者人口の増加で人工関節手術が増加し，不慣れな術者による術中の縦割れ骨折や術後の転倒による人工関節周囲骨折も増える傾向にある．単純 X 線写真では関節部位ごとに骨折線の走行，骨片転位に一定の共通した所見が認められるため，いくつかの分類が提案されている．詳細は人工関節周囲骨折の章（p. 211）を参照のこと．

表 2-2-3　疲労骨折の MRI 分類（Fredericson）

Grade 0	異常所見なし
Grade 1	骨膜浮腫，骨髄輝度変化なし
Grade 2	骨膜浮腫，骨髄浮腫（T2）
Grade 3	骨膜浮腫，骨髄浮腫（T1, T2）
Grade 4	骨膜浮腫，骨髄浮腫，骨折線

p 骨端線損傷の分類 **epiphyseal injury**
小児骨折の章（p. 345）を参照のこと.

3 遷延治癒, 偽関節（骨癒合不全）の定義（用語）

　元来「いつ骨折が癒合したと判断したらよいのか」の臨床的判定基準が明確ではない. 通常日常生活動作で疼痛を訴えず, 触診で骨折局所に限局した圧痛がなく, 単純 X 線写真で十分な橋渡し仮骨形成 bridging callus, 骨折線消失, 骨皮質の連続性回復が認められた時点で骨癒合の臨床的完了と判定される. しかし客観的と思われる単純 X 線写真の判定ですら微妙に評価が分かれる. Kooistra ら（2010）は脛骨骨幹部骨折の 2 方向単純 X 線写真で前後左右 4 ヵ所の皮質骨の橋渡し仮骨形成の有無と骨折線が見えるか見えないかを点数で表し, 骨癒合状態を判定する RUST 指数（**表 2-3-1**）を提案している. 骨癒合状態の進展を経時的に点数化できる利点があり, 脛骨だけでなく他の長管骨にも応用できる段階指数であるとして, 一定の評価が得られている. 橋渡し仮骨形成の成熟は骨強度の回復とも相関するといわれるが, 仮骨形成量は骨折部位や治療法などで異なる点をどのように点数化できるかは今後の課題である. 「骨癒合の定義やどの時点で骨折治療終了 endpoint と判定するのか」の検討は, 現在も継続中である.

　神中（1940）は遷延治癒 delayed union を, 「骨折の癒合に要する通常の日数を経過しても, 仮骨形成の量が少なく, あるいは線維性仮骨の仮骨機転が緩慢なものがある. かかる状態は骨の再生機転が量的に少なくまた著しく緩慢に進行し, 組織再生反応が全然消失しているのではないから, 再生機転を障害せぬよう適切な治療法（たとえば強固な固定）を施せば骨性癒合をなし得る性質をもつ. これを遷延治癒骨折という」と定義している. これに対し偽関節 nonunion は, 「いつまでも骨性癒合が起こらず, 局所に異常可動性が証明され, 骨折部にいったん惹起された組織の反応機転はすべて鎮静に帰し, 両骨片は結合織にて隔離せられ, 骨折端がすべて離れて先端が萎縮して細くなっているものもある. かかるものを偽関節という」と定義している. 一方

表 2-3-1　骨癒合状態を評価する RUST 指数

1 箇所の骨皮質の評価点 *	仮骨形成	骨折線
1 点	不良	見える
2 点	あり	見える
3 点	橋渡し仮骨	消失

＊2 方向の単純 X 線写真で骨癒合状態を点数化し, 前後左右 4 箇所の骨皮質の評価点を合計する. 総合点数が 4 点以下はまったくの骨癒合不全, 12 点で骨癒合は確実に完了と判定
（Kooistra BW, et al：The radiographic union scale in tibial fractures：reliability and validity. J Orthop Trauma **24**：S81–S86, 2010）

Urist（1954）は 18 ヵ月経過後も骨折部に異常可動性が残存するものを偽関節と定義し，Müller（1958）は 8 ヵ月経過しても骨癒合が得られないものを臨床的偽関節としている．また Johnson（1987）は脛骨では 9 ヵ月を過ぎても癒合が認められない場合は偽関節と呼ぶと述べている．Bhandari ら（2002）の遷延治癒や偽関節の判定時期に関するアンケートに答えた米国とカナダの専門医 444 名の判断は，遷延治癒が平均すると 3.5 ヵ月で，偽関節判定は 5 ヵ月との答えが最も多かった．

　定義（用語）は明確であっても，骨癒合には骨欠損の範囲や感染の有無などが考慮されねばならず，10 ヵ月を経過した骨膜反応が乏しい萎縮型の症例でも骨シンチグラフィーでは一塊とした集積像が認められることもあり（図 7-3-13，p. 182 参照），臨床的には遷延治癒と偽関節を鑑別することは困難なことが多い．「形外科用語集（日本整形外科学会編）」で偽関節の欧語には nonunion と同じく pseudoarthrosis が掲載されているが，現在では nonunion が頻用されており，本書では nonunion を採用した．なお偽関節の中で，単純 X 線写真で両骨折端に間隙があり，穿刺で関節液様の粘液性組織液が認められるか，または MRI で液体の貯留が確認されたものを滑膜性偽関節 synovial pseudoarthrosis と呼ぶ（滑膜性偽関節は骨折部の異常運動が認められるため新関節 neoarthrosis と表現されることもある）．滑膜性偽関節が存在すれば偽関節と明らかに診断することができるが，この型は偽関節の中ではまれである．

4 偽関節の分類

a 単純 X 線写真による分類

　骨折の治癒過程で形成される仮骨 callus の出来具合を判定する単純 X 線写真による分類である．Weber ら（1976）は長管骨の偽関節を骨癒合能力が残存しているか否かを加味して単純 X 線写真で分類している（図 2-4-1）．この分類法は治療に骨移植が必要か否かを判断するうえでも有用である．

1）生物学的反応残存型偽関節

　外骨膜性に生じた仮骨の量による分類である．

a）外骨膜性仮骨異常増殖型（象の足型 elephant's foot type）

　骨折部に多量の外骨膜性に生じた仮骨を認めるが，骨折部には間隙が見え，骨折端は硬化し骨髄腔は閉鎖しているもの．骨折部に異常な動きがたえず作用している場合に生じやすい．

b）外骨膜性仮骨軽度型（馬の足型 horse foot type）

　外骨膜性仮骨は象の足型ほど著明ではない．骨の横径で骨折端がやや膨らんで見える程度に外骨膜性仮骨が存在するもの．

c）外骨膜性仮骨欠損型（無仮骨型 oligotrophic type）

　仮骨形成や骨折端の骨硬化が認められず骨折端の膨らみがまったく存在しないもの．骨折端はすりこぎ棒の先端に似た丸みを帯びて見えることが多い．

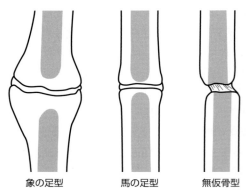
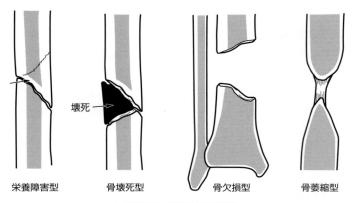

図 2-4-1　Weber らの偽関節分類
生物学的反応残存型偽関節は非感染性であるが，生物学的反応消失型偽関節では活動性の骨髄炎や潜在性感染がしばしば確認される．

2) 生物学的反応消失型偽関節

外骨膜性仮骨のみならず，骨折間の線維性膜様物の骨化も障害された偽関節分類．

a) 栄養障害型
第三骨片の一側だけが癒合し，他側が癒合していないもの．

b) 骨壊死型
粉砕骨折や第三骨片がある骨折に起こりやすく，粉砕された骨片や第三骨片が完全に壊死に陥っているもの．

c) 骨欠損型
開放骨折で露出した粉砕骨片を摘出した場合や骨髄炎を併発し骨端を切除した場合などに認められるもの．未治療の上腕骨外科頚骨折などでは経過とともに骨折端が自然に吸収されて大きな骨欠損を生じることがある（図 2-4-2）．

d) 骨萎縮型
骨折端が先細りの状態にあり骨皮質も菲薄化しているもの．

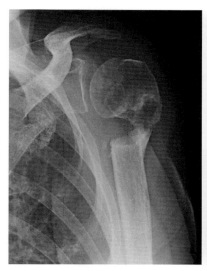
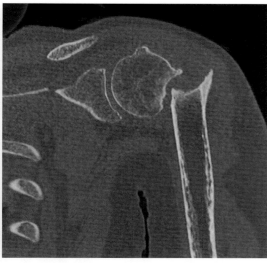

a. 立位での単純 X 線写真　　　　　b. 臥位での CT

図 2-4-2　骨欠損型偽関節（80 歳，女性）

どの程度の骨欠損があれば欠損偽関節と呼ぶのかの定義はない．この症例は転倒後ほとんど未治療で 10 ヵ月が経過している（立位での単純 X 線写真で骨折端間の間隙は，2.8 cm であったが健側の上腕骨と比較すると 3.8 cm の骨欠損があることが判明した）．

（うちのう整形外科　出口 力先生の症例）

b 偽関節腔の有無による分類

　Müller は偽関節のうちで骨折端が閉鎖し骨片間に滑膜様組織で被覆された腔が存在し，関節液様の液体が貯留しているものを特に synovial pseudoarthrosis と定義している（図 7-4-2 参照）．仮骨過剰形成型の偽関節に認められる．

c 骨シンチグラフィーによる偽関節（遷延治癒）分類

　単純 X 線写真や CT で骨折端部に間隙が認められても骨折癒合能の判定は困難である．単純 X 線写真での骨増殖型は骨融合能が旺盛であることは確かであるが，骨萎縮型が骨癒合能に劣るとは必ずしもいえない．治療中に骨折癒合が遷延している場合，局所に骨癒合能が残存しているか否かは治療法の選択に重要であり，その判定には骨シンチグラフィーが有用である．

　Desai ら（1980）は骨シンチグラフィーの集積像を 3 つに分類し，I 型は強い一塊の集積像があるもの，II 型は集積像に線状の陰影欠損を認めるもの，III 型は I 型にも II 型にも分類できないもので中間型としている．Niikura ら（2014）は 48 例の偽関節の単純 X 線写真と骨シンチグラフィーを比較検討した結果，単純 X 線写真での骨増殖型はすべて I 型に分類されるが，骨萎縮型の半数も I 型であったと報告し，仮骨形成が乏しい偽関節でも生物学的活性は半数に残存しており，この画像診断が治療法の選択に有用であると強調している．さらに Niikura らは Desai らの分類の II 型の集積欠損を完全なもの（II-A）と，一部で連続性のあるもの（II-B）に細分している（表 2-4-1，図 2-4-3）．

表 2-4-1　偽関節の骨シンチグラフィー集積像の型分類（Niikura 分類）

Type I	骨折部に強い集積像があり，一塊となって見えるもの
Type II-A	骨折端部の集積像に明らかな間隙 cleft が存在するもの
Type II-B	骨折端部の集積像に間隙 cleft が見えるが，一部で連続している
Type III	骨折部の集積像が不均一に分布しているもの

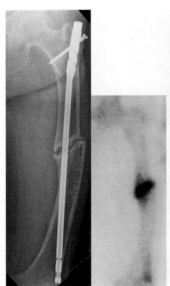
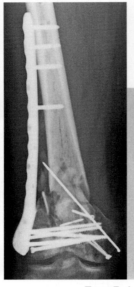

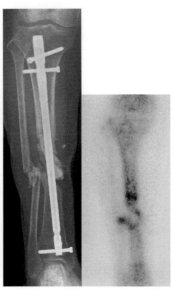

Type I　　　　　　　　　Type II-A　　　　　　　　　Type III

図 2-4-3　偽関節の単純 X 線写真と骨シンチグラフィー集積像の対比

（神戸大学　新倉隆宏先生の症例）

　撮影肢位より偽関節部の集積像の不連続性が確認できないことが分類上の問題点である．また，骨シンチグラフィーでの集積欠損の有無だけでは滑膜性偽関節 synovial pseudoarthrosis との断定は難しく，MRI による液体貯留の確認が必要である（図 7-4-2, p. 186 参照）．

d 感染の有無による分類

　感染の有無による偽関節分類である．局所の瘻孔より排膿が持続している症例もあるが，局所に熱感などの炎症所見がなく細菌培養も陰性で病理組織像でのみ確定診断できることが多い．感染の有無は遷延治癒や偽関節の治療法の選択にも重要な意味を持つ．

1）非感染性偽関節

a）増殖性偽関節　hypertrophic nonunion

　骨折端の血行が豊富で，仮骨は形成されているが骨癒合が得られていない骨折である．局所の異常可動性の程度に比例して仮骨量が決まる．象の足型偽関節とも表現される．組織学的には骨組織の生物学的骨形成能は衰えていないので，固定性を確保で

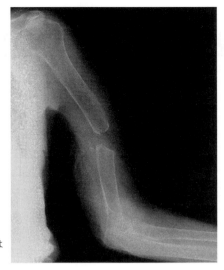

図 2-4-4　萎縮性偽関節
仮骨形成はまったく認められず骨折端は閉鎖し先細りの状態にある．

きれば骨移植や皮質むき手術 décortication を行うことなく骨癒合が得られる可能性が高い．

b) 萎縮性偽関節 atrophic nonunion

　　開放骨折や手術を受けた症例によくみられる（図 2-4-4）．血行に乏しく骨折端間には線維組織が介在し，仮骨はほとんど認められない．局所の固定性を確保しただけでは不十分で，骨移植や皮質むき手術などで減弱した生物学的な治癒機転を刺激する必要がある．

c) 欠損偽関節 defect nonunion

　　どの程度の骨欠損 bone loss があれば欠損偽関節に分類するかに関して専門学会での定義がない．しかし学術論文や専門書では，遊離した粉砕骨片が摘出された開放骨折で，長管骨の骨折部に通常 2 cm 以上の間隙 gap が存在し自然治癒が望めない症例に欠損偽関節との用語が用いられることが多い．上腕骨は 2 cm の骨欠損であれば端端骨接合が許される臨床現場での治療実態を勘案すると妥当な見解であるといえる．

　　図 2-4-2 に示す上腕骨の欠損偽関節の症例は立位で撮影された単純 X 線写真であるが計測すると 2.8 cm の間隙が認められた．しかし健側の上腕骨の長さと比較すると骨欠損は 3.8 cm であった．実際の骨欠損量の計測には健側全骨長との比較が必要である．

2) 感染性偽関節 infected nonunion

　　開放骨折や手術後の二次感染に起因する．

a) 非排膿型

　　3 ヵ月以上排膿がなく創は鎮静した状態にある静止感染型と，排膿は 3 ヵ月以上認めないが，ときに腫脹，発赤，熱感，圧痛などがあり潜在性感染が存在するもの．

b) 排膿型

　　瘻孔 fistula, sinus が存在し排膿が認められるもの．

5 脱臼の定義（用語）と分類

　可動関節 diarthrodial joint において関節を構成する骨端または関節面の解剖学的位置関係が失われた状態を脱臼と定義する．脱臼は基本的に先天性脱臼 congenital dislocation と後天性脱臼 acquired dislocation とに分類できる．先天性脱臼と後天性脱臼に属する病的脱臼では関節包や靱帯の断裂はない．

　外傷性脱臼 traumatic dislocation とは，外力により可動関節を構成する骨端または関節面の一部または全部が関節包や靱帯を破って逸脱し，関節の解剖学的位置関係が失われた状態をいう．外傷性脱臼で骨頭が関節包を破って関節外に逸脱すると関節包に頚部がはさまって整復できず，整復を試みるとバネ様の抵抗（弾発抵抗）があり，整復位を得ても手を離すとまた脱臼位に戻ることがある．これを弾性固定 elastic fixation と呼ぶ．外傷性脱臼に骨折が合併したものを外傷性脱臼骨折 traumatic fracture dislocation という．関節内骨折で関節面を構成する骨片が転位したまま変形癒合して骨性の不安定性があり，同時に損傷された関節周囲の軟部支持組織（関節包や靱帯）も弛緩している状態を複合性不安定症 complex instability と呼ぶ．転倒，転落して手をつき同側の手関節と肘関節が同時に損傷されて脱臼もしくは脱臼骨折を生じた場合に前腕双極損傷 bipolar injury との用語が用いられる．bipolar dislocation of the forearm ともいう．きわめてまれな損傷である．離開脱臼（分散脱臼）divergent dislocation とは，腕橈関節，腕尺関節，近位橈尺関節がすべて脱臼した状態をいう（単純 X 線写真では見落とされやすく，三次元 CT 画像で正確な診断が可能になる）．

　病的脱臼 pathological dislocation とは明らかな外傷がなく，関節病変，痙性麻痺，弛緩性麻痺などが原因で脱臼したものを指す．後天性脱臼に分類される．

　脱臼の程度に関しては，関節面が逸脱してもなお一部で対向を保っている場合を亜脱臼 subluxation, incomplete dislocation，関節面の対向を完全に失った場合を完全脱臼 complete dislocation という（図 2-5-1）．Noyes は動物実験に基づき速い速度の

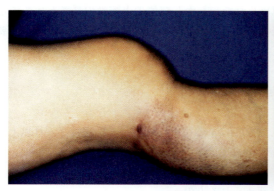
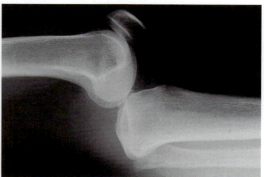

図 2-5-1　膝関節の閉鎖後方完全脱臼
近位側の大腿骨に対し遠位側の脛骨が完全に後方に転位している．

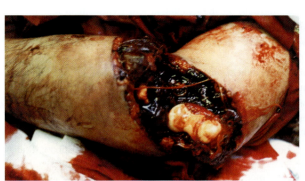
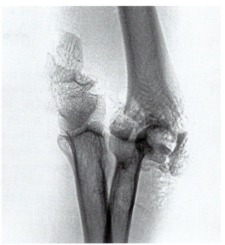

図 2-5-2　肘関節の開放脱臼骨折

外力では脱臼が生じやすく，やや遅い速度の外力では脱臼骨折が生じやすいと報告している．脱臼はしばしば関節内骨折を伴う．Moore は典型的な脱臼に比較して脱臼骨折では神経血管損傷が少ないと報告している．

　新鮮な外傷性脱臼が一度生じると，整復された後もわずかな外力やある一定の動作で容易に再脱臼を生じることがあり，2 回以上脱臼を繰り返した場合を反復性脱臼 recurrent dislocation と呼ぶ．これに対し自分の意思で容易に脱臼する場合を随意性脱臼 voluntary dislocation, 関節肢位がある角度に達すると脱臼し，脱臼と整復を繰り返す場合を習慣性脱臼 habitual dislocation と呼称する．外傷性脱臼が整復されずに放置されたものを陳旧性脱臼 old dislocation という．外傷性脱臼が開放創を伴い外界と交通する場合を開放脱臼 open dislocation（図 2-5-2），外界との交通性がない場合を閉鎖脱臼 closed dislocation という．通常，単に脱臼という場合は開放創がない閉鎖脱臼を意味する．外傷性脱臼は，近位側の骨に対する遠位側の骨の転位方向により前方，後方，側方，中心性などと脱臼を分類する．高所よりの転落事故や交通事故などの高エネルギー損傷では，開放脱臼は骨折を伴わない開放脱臼骨折 open fracture dislocation になりやすい．

　恒久性脱臼 permanent dislocation は常に脱臼位にあるもので，「外傷性脱臼がそのまま経過したもので膝蓋骨が常に脱臼位を保持するものに與へられた名称である」と神中整形外科学初版にある．先天性脱臼との区別は，ときとして困難であるとも記載されている．臨床上，最も経験する先天性恒久性膝蓋骨脱臼は外反膝，膝蓋骨形成不全，大腿骨顆部形成不全，膝蓋骨支持組織の弛緩などの先天性素因を伴うことが多い．

参考文献
1) 麻生邦一：X 線検査による骨折診断の工夫．見逃された骨折，不顕性骨折の症例を中心にして．別冊整形外科 **1**：7-11, 2002.
2) Bhandari M et al：A lack of consensus in the assessment of Fracture Healing among orthopaedic surgeons. J Orthop Trauma **16**：562-566, 2002.

3) Bhattacharyya T：The accuracy of computed tomography for the diagnosis of tibila nonunion. J Bone Joint Surg **88-A**：692-697, 2006.

4) Buckley RE et al：AO principles of fracture management. Third Edition. Thieme Verlag, New York, 2017.

5) Desai A et al：Role of bone scintigraphy in the evaluation and treatment of nonunited fractures：Concise comminucation. J Nucl Med **21**：931-934, 1980.

6) 土井　武，多田圭太郎：開放骨折の分類・評価表-Gustilo 分類・AO 分類・OTA 分類の特徴と問題点．関節外科 **33**：592-597，2014.

7) Doornberg J et al：Two and three-dimensional computed tomography for the classification and management of distal humeral fractures. J Bone Joint Surg **88-A**：1795-1801, 2006.

8) Fracture and dislocation compendium (Orthopaedic Trauma Association Committee for Coding and Classification). J Orthop Trauma **10**：Suppl 1-155, 1996.

9) Fredericson M et al：Tibial stress reaction in runners. Am J Sports Med **23**：472-481, 1995.

10) Geslien GE et al：Early detection of stress fracture using 99m Tc-polyphosphate. Radiology **121**：683-687, 1976.

11) Gustilo RB et al：Prediction of infection in the treatment of 1025 open fractures in long bone. J Bone Joint Surg 58-A：453-458, 1976.

12) Gustilo RB et al：Problems in the management of Type Ⅲ (severe) open fractures：a new classification of type Ⅲ open fractures. J Trauma **24**：415-421, 1984.

13) Gustilo RB et al：The fracture classification manual. Mosby Year Book, St. Louis, 1991.

14) 長谷川和宏ら：人工股関節置換術中に発生する臼蓋側インプラント周囲の occult fracture の検討．日関病誌 **34**：141-151，2015.

15) Helfet DL et al：Limb salvage versus amputation：preliminary results of the Mangled Extremity Severity Score. Clin Orthop **256**：80-86, 1990.

16) Heppenstall RB et al：Synovial pseudoarthrosis：A clinical, roentgenographic-scintigraphic, and pathologic study. J Trauma **27**：463-470, 1987.

17) Humphrey CA et al：Interobserver reliability of a CT-based fracture classification system. J Orthop Trauma **9**：616-622, 2005.

18) 飯野三郎：骨折，脱臼，捻挫総論．日本外科全書 **1**：145-212，金原出版，1958.

19) Ibrahim DA et al：Classification In Brief：The Tscherne Classification of Soft Tissue Injury. Clin Orthop Relat Res **475**：560-564, 2017.

20) 糸満盛憲：骨折分類に関するアンケート調査結果の報告．日本骨折治療学会骨折の分類評価委員会，骨折 **15**：1-6，1993.

21) Johnson KD：Management of malunion and nonunion of the tibia. Orthop Clin North Am **18**：157-171, 1987.

22) 神中正一：神中整形外科学．初版，105-107，南山堂，1940.

23) 唐沢善幸：開放骨折の評価・分類の注意　整・災外 **51**：1641-1647，2008.

24) 小林龍生ら：脛骨内側顆不全骨折の 2 例．整形外科 **44**：1354-1357，1993.

25) 小林由香ら：Gustilo 分類 Type ⅢB 下腿開放骨折における有茎筋皮弁の治療経験．日外傷会誌 **32**：1-8，2018.

26) Kooistra BW et al：The radiographic union scale in tibial fractures：reliability and validity. J Orthop Trauma **24**：S81-S86, 2010.

27) Krettek C et al：Hannover Fracture Scale '98：re-evaluation and new perspectives of an established extremity salvage score. Injury **32**：317-328, 2001.

28) Marsh JL et al：Fracture and dislocation classification compendium-2007. Orthopaedic Trauma Association Classification, Database and Outcomes Committee. J Orthop Trauma **21** (suppl)：S1-S133, 2007.

29) McNamara HR Jr et al：Severe open fracture of the lower extremity：a retrospective evaluation of the Mangled Extremity Severity Score (MESS). J Orthop Trauma **8**：81-87, 1994.

30) Meinberg EG et al：Fracture and Dislocation Classification Compendium. J Orthop Trauma **32** (Suppl 1)：S1-S10, 2018.

31）Metsemakers W：Nonsteroidal anti-inflammatory drugs and fracture nonunion：An ongoing debate. J Bone Joint Surg **102**：e82 (1-2), 2020.

32）Mink JH et al：Occult cartilage and bone injuries of the knee；detection, classification, and assessment with MR imaging. Radiology **170**：823-829, 1989.

33）宮城　亮ら：銃創のメカニズムと治療．整形外科 **63**：661-667，2012.

34）Müller ME andere：Zur Behandelung der Pseudarthrose. Helv Chir Acta **25**：253-262, 1958.

35）Müller ME et al：The comprehensive classification of fractures of long bones. Springer-Verlag, Berlin, 1990.

36）Naimark A et al：Nonunion. Skeletal Rad **6**：21-25, 1981.

37）小原由紀彦ら：長軸力優位型前腕双極損傷の1例．整形外科 **66**：1358-1361，2015.

38）日本整形外科学会骨粗鬆症委員会：非定型大腿骨骨折診療マニュアル．日整会誌 **89**：959-973，2015.

39）Niikura T et al：Comparison of radiographic appearance and bone scintigraphy in fracture nonunions. Orthopedics **37**：e44-50, 2014.

40）Oka M et al：Prevalence and patterns of occult hip fractures and mimics revealed by MRI. Am J Roentgenol **182**：283-288, 2004.

41）Orthopaedic Trauma Association：Open Fracture Study Group. A new classification scheme for open fracture. J Orthop Traum **24**：457-464, 2010.

42）Özkan S et al：Diagnosis and management of long-bone non-unions：A nationwide survey. Eur Trauma Emerg Surg **45**：3-11, 2019

43）Rajasekaran S et al：A score for predicting salvage and outcome in Gustilo type-ⅢA and type-ⅢB open tibial fractures. J Bone Joint Surg **88-B**：1351-1360, 2006.

44）Saunders R：Current concepts review, Displaced intra-articular fractures of the calcaneus. J Bone Joint Surg **82-A**：225-250, 2002.

45）Sferopoulos NK et al：Bone bruising of the distal forearm with wrist in children. Injury **40**：631-637, 2009.

46）Silber JS et al：Role of computed tomography in the classification and management of pediatric pelvic fractures. J Pediatr Orthop **21**：148-151, 2001.

47）杉山誠一ら：MRIによる大腿骨脛部不顕性骨折の早期診断．別冊整形外科 **41**：17-21，2002.

48）飛田正敏ら：小児肘関節分散脱臼の2例．臨整外 **52**：95-99，2017.

49）鳥巣岳彦：ステロイド関節内注射．日本医事新報 **4109**：1-5，2003.

50）Tshchie H et al：Insufficiency fractures of bilateral tibias. J Orthop Science **15**：678-681, 2010.

51）Tscherne H, Oestern HJ：Die Klassifizierung des Weichteilschadens bei offenen und geschlossenen Frakturen. Unfallheilkunde **85**：111-115, 1982.

52）Urist M：Pathogenesis and treatment of delayed union and non-union. J Bone Joint Surg **36-A**：931-968, 1954.

53）Volgas DA（eds）：Manual of Soft-Tissue Management in Orthopaedic Trauma. New York, George Thieme Verlag. pp66-69, 2011.

54）Weber BG, Cech O：Pseudoarthrosis. Pathophysiology, Biomechanics, Therapy. Hans Huber Pub, Bern, 1976.

55）Whelan DB et al：Development of the radiographic union score for tibial fractures for the assessment of tibial fracture healing after intramedullary fixation. J Trauma **68**：629-632, 2010.

56）Woods M et al：Magnetic resonance imaging findings in patients with fibular stress fracture. Skeletal Radiol **37**：835-841, 2008.

57）Yao L et al：Occult intraosseous fracture：Detection with MR imaging. Radiology **167**：749-751, 1988.

58）横山一彦ら：Hannover fracture Scale '98 は感染発症の指標となるか？ 脛骨開放骨折における検討．骨折 **27**：6-10，2005.

59）Yokoyama K et al：New scoring system predicting the occurrence of deep infection in open tibial fracture：preliminary report. J Trauma **63**：108-112, 2007.

第3章

骨折の治癒過程

　　骨折治療の基本は骨折部の解剖学的整復と固定である．ただし，骨癒合は固定後に生体内で起こる治癒反応に依存する．したがって，治癒反応の過程を理解することは適切な骨折治療を行ううえで必要である．近年ではこの治癒反応を，待機するだけでなく積極的に促進する手段が臨床に少しずつ取り入れられるようになった．著者が『骨折に対する積極的保存療法』と呼んでいるものであり，それらを十分に活用するためにも骨折治癒過程で何が起こっているのか，どのように制御されているかを理解しておくことが重要である．

　　後述するが，骨折治癒過程では骨やその周辺に起こるほとんどの細胞反応が観察される．したがって，"骨折治癒過程を理解すること"は"骨を理解すること"につながり，さまざまな整形外科疾患治療の一助になる．

　　骨折の治癒過程は単純X線写真や，手術中に観察される肉眼的所見だけで理解しがちである．組織学的にどのように推移していくのか，細胞はどのように機能しているのかを知ることで骨折治癒過程の理解が深まる．単純X線写真の視点だけでなく，組織学的な視点や細胞レベルでの理解を養うことが本章の目的である．

1 骨折治癒過程の種類

　　骨折治癒過程は損傷を受けた骨の種類によって異なる（**図3-1-1**）．一般的に教科書に記載されているのは長管骨骨幹部骨折後の治癒過程についてであるが，これは主に皮質骨損傷の治癒過程である．長管骨の骨端部や骨幹端部，また短骨には海綿骨が多く存在し，皮質骨が主体となる骨幹部の治癒過程とは異なる様相を呈する．

a 皮質骨を主体とする長管骨骨幹部における骨折治癒過程（図3-1-2）

　　長管骨骨幹部骨折部を中心に豊富な外仮骨形成が認められる．本来の皮質骨癒合の前に，骨折部に形成された外仮骨が骨折部を架橋するように癒合する．このために外仮骨のことを橋渡し仮骨 bridging callus とも呼ぶ．その途中から，仮骨の土台となった骨折部周囲の皮質骨とともにリモデリングによって，次第に本来の連続した骨に復元する．一方，骨折部の整復が完全で固定性が強固な場合は，外仮骨形成がほとんど見られず，両骨折端から新たなハバース管 Haversian canal が延び，皮質骨骨折部を直接癒合するように骨が形成される．単純X線写真では骨折線が次第に不鮮明化する．

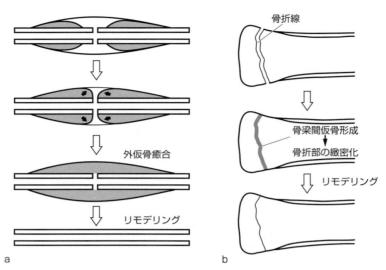

図 3-1-1 骨折治癒過程の種類
a. 皮質骨の骨折治癒過程．まず橋渡し仮骨 bridging callus による癒合が起こり，その後皮質骨の連続性を回復していく．
b. 海綿骨の骨折治癒過程．骨梁間を橋渡しする仮骨形成が起こり，単純X線写真では骨折部の緻密化が認められる．その後リモデリングにより骨折前のような骨梁構造を回復する．

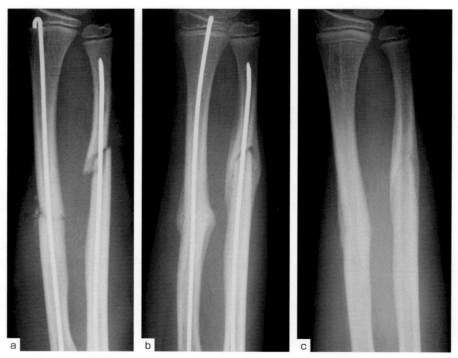

図 3-1-2 前腕骨骨幹部骨折の治癒過程（主に皮質骨の骨折治癒）（10歳，男児）
a. 術直後，b. 術後2ヵ月，c. 術後4ヵ月．術後2ヵ月では外仮骨癒合が認められる．術後4ヵ月では，リモデリングにより皮質骨の連続性が回復しつつあり，また原型に戻りつつある．

これを一次性骨癒合 primary bone healing と呼ぶ．しかし骨強度が不十分なことが多く臨床的には望ましい治癒過程ではない．

b 海綿骨を主体とする骨における骨折治癒過程（図3-1-3）

　長管骨骨端部や骨幹端部，また椎体などの短骨のように海綿骨が豊富な骨における骨折治癒過程は，皮質骨を主体とする治癒過程と異なり外仮骨形成は少なく主に骨梁 bone trabeculae 間での癒合が起こる．海綿骨骨折端の骨梁の間で添加骨形成により骨折部をまたぐような骨癒合が起き骨の連続性を回復する（図3-1-4）．太くなった癒合部骨梁は，リモデリングによって本来の連続した骨梁形態へ回復する．海綿骨では圧潰を伴う骨折が多く，単純X線写真では骨折間隙が認められにくい場合がある．

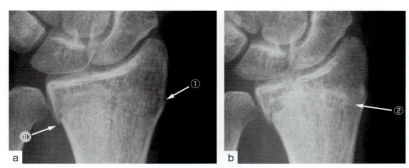

図3-1-3　橈骨骨端部骨折（主に海綿骨の骨折治癒）（68歳，女性）
a. 受傷時（矢印①：骨折線），b. 1ヵ月後．海綿骨内に骨梁間仮骨形成による緻密化が認められる（矢印②）．

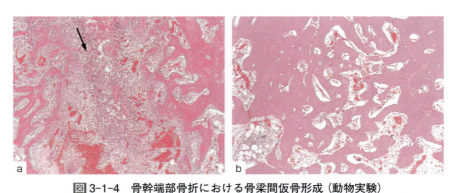

図3-1-4　骨幹端部骨折における骨梁間仮骨形成（動物実験）
a. ウサギ脛骨骨幹端部骨切り後，骨切り部（矢印）には間葉系細胞と新生毛細血管が認められる．b. 後に同部には結合織内骨化により密に骨梁間仮骨組織が形成され，骨梁レベルにおいて骨癒合が認められるようになる．

2 骨折治癒過程の病理組織像

主に皮質骨における骨折治癒過程について述べる．海綿骨における骨折治癒過程に共通することが少なくない．

a 時期別治癒過程

骨折治癒過程は炎症期 inflammatory phase，修復期 reparative phase，リモデリング期 bone remodeling phase の3つの時期に分けられるといわれてきた（図3-2-1）．これらの時期はそれぞれ少しずつ重なっており，その時期には長短があるとされている．短い炎症期の後に修復期が起こり，その途中から長いリモデリング期へと移行する．これは多くの骨折仮骨組織像を検討し，3つに分類したことから提唱されたものである．どの時期にも分類しがたい組織像を呈するものもあり，これは少しずつ時期が重なっているためと説明されてきた（図3-2-2）．

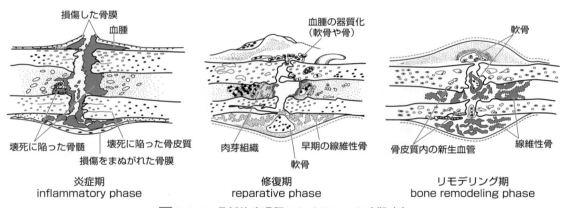

図3-2-1 骨折治癒過程における3つの時期（1）
（Rockwood, et al：Fractures in adults. 3rd ed, 1. 188, Fig 2-4, 2-5, 2-6, JB Lippincott, 1975 より一部改変）

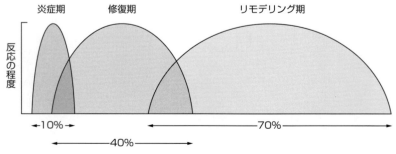

図3-2-2 骨折治癒過程における3つの時期（2）
骨折直後の短い炎症期，次に修復期，そして長いリモデリング期を経過する．
（Buckwalter, et al：Healing of the musculoskeletal tissues. Rockwood, et al. ed. Rockwood and Green's Fractures in adults. 3rd ed. 1. 187, Fig 2-3, JB Lippincott, 1975 より一部改変）

ヒトの骨折部組織を同一個体の同一部位から度々採取することは難しく，臨床症例で治癒過程の組織学的経過を検討することはできない．そこで，一定の条件で実験的に動物を用いて骨折モデルを作成し，異なる時期に採取した組織標本を観察することにより，骨折部に起きている骨折治癒過程を組織学的に詳細に観察することが可能となる．これにより骨折治癒過程はさまざまな細胞反応が連続的に起きたり，また同時に，何らかの関連性を持って起きたりしていることが明らかになった．すなわち，ある時期から次の時期に移るという考え方では，骨折治癒過程を十分には理解しがたい．次に詳細を述べる．

b 細胞反応別治癒過程（図3-2-3, 4）

骨折直後に骨折部には主に骨髄からの出血により血腫が形成される．血腫の周囲にはマクロファージを含む炎症性細胞が浸潤し，同時に毛細血管が新生し，その周囲には間葉系細胞や炎症性細胞が出現する．骨折後に，骨折部を中心に跨ぐように現れる組織を仮骨と呼び，次第に周囲の軟部組織との境界が明瞭になり輪郭が形成されてくる．骨折部の両側近傍の骨膜組織は，主に深層の骨膜細胞増殖により肥厚し，同部に幼弱な線維性骨組織 woven bone が形成される（骨膜反応）．最初は石灰化を伴わない未熟な骨梁骨組織となり，次第に石灰化，成熟化しながら骨折部両脇で盛り上がるように厚くなる．この骨化を結合織内骨化 membranous ossification（膜内骨化 intram-embranous ossification）と呼ぶ．さらに結合織内骨化開始に少し遅れて，同骨化で形成された骨梁骨組織に沿うように軟骨組織形成が観察される．仮骨組織は全体として厚みを増しながら成熟していき，軟骨組織とその周囲の骨組織によって構成されるようになる．その後，骨梁骨組織と軟骨組織の境界（図3-2-3）で，新たに軟骨組織が骨組織に置き換わる軟骨内骨化 endochondral ossification が起こる．骨折部両端の軟骨内骨化が進行すると扇を閉じるように骨組織が接して，最終的には仮骨癒合，すなわち骨組織の連続性が回復する．結合織内骨化や軟骨内骨化によって形成された新生骨梁骨組織は，リモデリング bone remodeling（骨改変）によって成熟し，その内部には骨髄が形成される．リモデリングは仮骨下の皮質骨にも及び，次第に仮骨組織との境が不明瞭になる．さらにリモデリングが進むと，次第に本来の構造と形態を有した骨組織に復元する．このように骨折治癒過程では血腫形成，炎症反応，結合織内骨化，軟骨形成，軟骨内骨化，リモデリングとさまざまな細胞反応が同時にまた連続的に，互いに関連性を持ちながら進行する．

c 2 細胞現象理論（図3-2-5）

実験動物を用いた骨折モデルで示したように，骨折治癒過程はしばしばさまざまな細胞現象が同時にまたは異なったタイミングで進行する．前述した骨折治癒過程は3つの時期からなるという考え方に加えて，仮骨形成期を軟性仮骨期と硬性仮骨期の2つに細分し，4つの時期からなるという考え方も提唱されている．しかし，実際の骨折治癒過程は，ある時期から次の時期というような明確に分けられる段階的な反応ではない．大局的にみれば，仮骨形成と，少し遅れて始まるリモデリングという2つの細胞現象によって起こっている．仮骨形成では強度が異なる組織の連続性が段階的に

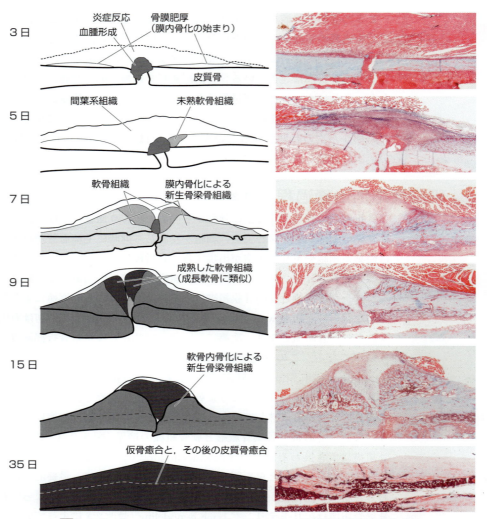

図 3-2-3　ラット大腿骨骨折モデルにおける，骨折治癒過程の細胞反応

骨折部の組織像（大腿骨骨折部の縦断面を示している）と，その時期に起こっている細胞反応のイラストを示している．7日以後の骨組織ではリモデリング（骨改変）が盛んになっており，その程度を濃淡で示している．

骨折後3日後では骨折部に血腫形成，周囲には炎症反応が起こり，骨折近傍の骨膜は肥厚し膜内骨化が始まる．

5日後になると骨折部を中心に間葉系組織が形成され，未熟な軟骨組織も認められるようになる．

7日後に骨折部の近傍では膜内骨化による新生骨梁骨組織が形成され，骨折部の軟骨組織も大きくなり，新生骨梁骨組織には一部ですでにリモデリングが始まっている．

9日後には軟骨組織は成熟し，新生骨梁骨組織をベースとした成長軟骨に類似した組織となる．15日後はそれらの境界で軟骨内骨化による新たな新生骨梁骨組織形成が認められ，さらにその後その形成は両側から扇を閉じるように進行して仮骨癒合に至る．この時期，骨改変も広い範囲で認められ，最終的には仮骨組織と既存の皮質骨の境が不明瞭となり，皮質骨が癒合し元の形態に復元する．

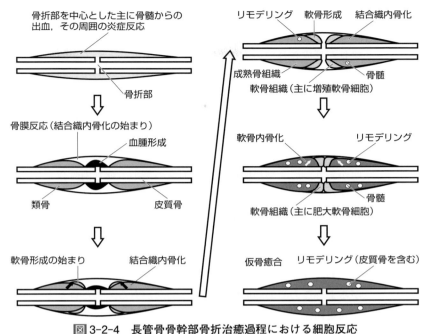

図 3-2-4 長管骨骨幹部骨折治癒過程における細胞反応
（神宮司誠也：骨折総論．整形外科・外傷学．文光堂，2004 より）

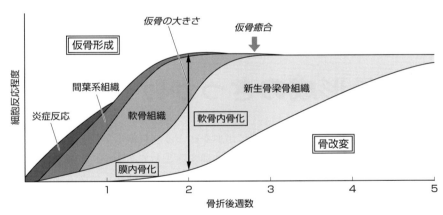

図 3-2-5 骨折治癒過程の 2 細胞現象理論
ラット大腿骨骨折モデルにおける組織像から起こってくる細胞反応の経過を示している．横軸は骨折後週数，縦軸は細胞反応程度を表す．双方向矢印で示した範囲は仮骨の大きさを表す．仮骨形成により組織の連続性を回復しながら仮骨組織は増大していく．途中から一部でリモデリングが起こり，仮骨癒合前後からリモデリングは全体に広がり仮骨組織は縮小し，元の形や強度を回復していく．

回復していく．まず間葉系組織，次に軟骨組織による連続性が回復し，最終的に新生骨梁骨組織の癒合により骨の連続性が達成される．一方，リモデリングは仮骨形成の途中から一部の新生骨梁骨に始まり，次第に仮骨全体に広がりながら皮質骨とも一体となり，本来の形態と強度を回復させる細胞現象である．

この2細胞現象理論に沿って，臨床における単純X線写真を含む画像所見を観察すると骨癒合の評価や理解が得られやすい．仮骨形成は既存の皮質骨の上に新たに骨梁骨が形成されていく経過として観察することができる．骨折部で両骨折端が新生骨梁によって癒合することが仮骨癒合であり，その後に起こる皮質骨連続性の回復が複数箇所で観察されるとは臨床的に骨癒合として評価されている．一方，リモデリングは新生骨梁骨組織と既存の皮質骨との境界が不明瞭化していくことや，仮骨組織の大きさの変化によって評価することができる．

例えば萎縮性偽関節は仮骨形成が不良な状態であり，特にその前半の細胞増殖に問題があり，肥大型偽関節は仮骨形成の後半の軟骨内骨化過程における仮骨癒合の段階に何らかの障害があると考えられる．糖尿病における骨折治癒不全については軟骨形成など仮骨形成に問題があると指摘されている．また，ビスフォスフォネート製剤は破骨細胞の機能を阻害することが知られているが，動物骨折モデルにおいて骨癒合に影響しないと報告されている．しかし仮骨癒合は起きても破骨細胞の機能が抑えられるためにリモデリングが抑制され，仮骨が大きいままで残るために非定型骨折につながるような力学的脆弱性が生じる懸念がある．またロッキングプレートのような強固な固定に伴うストレスシールディングにより骨折部の新生骨組織に十分な荷重がかからず，リモデリング過程で過度な骨吸収が生じる可能性がある．このように骨折治癒が仮骨形成と骨改変の2つの細胞現象であると理解することにより，治療中に発生するいろいろな問題に対しても適切な対応を検討しやすくなると思われる．

3 仮骨形成のきっかけ

骨折直後には骨折部に出血が起こる．組織損傷後まず出血が起こることはどのような創傷治癒過程においても共通することであるが，組織によってその後の反応が異なる．出血により骨髄内から骨髄細胞が，血管から血液内細胞が局所に播種される．出血後血腫が形成され血小板内に貯蔵されていた transforming growth factor beta（TGFβ）や platelet derived growth factor（PDGF）などの成長因子が放出される．血行が途絶えた骨折部は酸性に傾くことが予想され，これらの成長因子の活性化を助ける．TGFβや PDGF は細胞の局所への遊走，増殖，分化に働き骨形成や軟骨形成に関与していることが示されている．また血管新生も誘導する．骨折を起こしていない骨の骨膜に血小板から精製した TGFβ を投与すると仮骨様組織を誘導することも示されている．さらに血小板のこれらの作用に注目し，濃縮自家血小板を骨誘導に用いる試みも行われている．すなわち，血腫から放出された成長因子が骨折近傍の骨膜細胞に働き，仮骨形成のきっかけとなっていると考えられる．骨折治療における「骨折部の新鮮化」といわれる処置は，新たな血腫を骨折部に起こすことにより治癒過程を再開させることを目的としていることになる．

4 仮骨形成にかかわる細胞の由来

　長管骨骨幹部骨折後に骨折部では軟骨形成と骨形成が起こる．それらを司さどる細胞，すなわち軟骨細胞と骨芽細胞は間葉系幹細胞から分化する．骨折部周囲における間葉系幹細胞の由来元の候補には，骨膜，筋組織そして骨髄がある．したがって，軟骨細胞や骨芽細胞はこれらの組織由来であると考えられる．前述したように骨折部における骨形成には結合織内骨化と軟骨内骨化の2つの機序がある．結合織内骨化は組織学的に骨折部近傍の骨膜細胞の増殖，そして一次海綿骨形成から始まり成長していく骨形成である．骨折部に起こる軟骨形成に関わる細胞は骨膜，筋組織，骨髄のすべての組織由来が考えられる．

5 仮骨形成における細胞増殖と細胞分化

　骨折治癒過程における前半は仮骨形成，すなわち骨組織や軟骨組織が新たに形成される時期である．それらを構成する細胞が増殖し，さらに分化しさまざまな基質蛋白質を産生・分泌し基質が形成される．細胞増殖は細胞分化に先立って起こってくる．このような骨折治癒過程における細胞レベルにおける詳細な研究は動物モデルによって行われている．時間のスケールは異なるが，ヒトの骨折でも同じ治癒過程が起こっているものと考えられる．以下に説明する細胞増殖と細胞分化の推移はラット大腿骨骨折モデルによるものである．

a 細胞増殖の分布と推移（図3-5-1）

　骨折後36時間で骨折部付近の細胞および骨折部近傍の骨膜の細胞に増殖が認められる．骨折後3日までは骨折部を中心に広く増殖期細胞が認められるが，7日になり骨組織や軟骨組織が次第に形成されてくると，細胞増殖は仮骨表層のみに限られ，その程度も骨折直後と比べ半分程度となる．骨折後2週間頃から一次海綿骨組織と軟骨組織の境界で軟骨内骨化が始まると，同部に新たな細胞増殖が始まる．このように細胞増殖の程度は骨折直後が最も強いが，単純に減衰していくわけではなく部位によって異なり途中で新たに起こってくる場合もある．

b 細胞分化の推移（図3-5-2）

　再現性の高いラット大腿骨骨折モデルは，骨幹部中央に閉鎖性単純骨折の骨折治癒過程を検討するうえで標準的モデルとなりうる．このような骨折モデルでは，仮骨組織を骨組織とそれ以外の部分に分けることができる．前者を硬性仮骨，それ以外を軟性仮骨と定義した．組織学的には硬性仮骨では骨形成，軟性仮骨では軟骨形成が観察

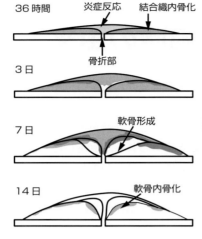

図 3-5-1 仮骨内の細胞増殖分布
骨折後36時間，3日，7日，14日の仮骨内における増殖期細胞の分布を示している．より濃い部分ほど増殖期細胞の割合が高いことを表している．骨折後早い時期では骨折部全体に多くの増殖期細胞が存在している．次第に表層に限られてくるが，14日では軟骨内骨化の部位に新たな細胞増殖が観察される．

(Iwaki A, et al：J Bone Miner Res 12：96-102, 1997 より)

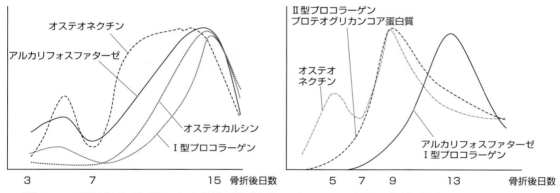

図 3-5-2 硬性仮骨（左グラフ）と軟性仮骨（右グラフ）における基質蛋白質に対する遺伝子発現の経過
縦軸は相対的遺伝子発現量を，横軸は骨折後日数を示す．硬性仮骨では2つのピークがあり，早いピークは結合織内骨化 intramembranous ossification と，遅いピークは軟骨内骨化 endochondral ossification と一致していた．軟性仮骨ではⅡ型プロコラーゲン Type II pro-collagen，プロテオグリカンコア蛋白質 proteoglycan core protein の発現量は骨折後9日でピークとなり，13日になると代わってアルカリフォスファターゼ alkaline phosphatase（ALP）やⅠ型プロコラーゲン Type I pro-collagen の発現量がピークとなった．各々，軟骨組織中の細胞は，9日では増殖軟骨細胞 proliferating chondrocytes，13日では肥大軟骨細胞 hypertrophic chondrocytes が多く，遺伝子発現量の変化は軟骨細胞の分化が進んでいることを示している． (Jingushi S, et al：J Bone Miner Res 7：1045-1055, 1992 より一部引用)

され，それぞれの組織における基質蛋白遺伝子経過と比較検討することで細胞分化の推移が理解できる．硬性仮骨では主に骨芽細胞の分化，軟性仮骨では主に軟骨細胞の分化を反映している．硬性仮骨ではⅠ型プロコラーゲン，オステオネクチン，アルカリフォスファターゼなどが発現しており，組織学的変化と比べると結合織内骨化と軟骨内骨化の時期に一致して2つのピークが認められる．一方，軟性仮骨では早い時期にはⅡ型プロコラーゲンやプロテオグリカンの発現が認められ，組織学的に軟骨細胞が分化し肥大化していくにつれ，アルカリフォスファターゼやⅠ型プロコラーゲンの遺伝子発現が強くなる．興味深いことに硬性仮骨と軟性仮骨におけるこれらの基質蛋白に対する遺伝子発現の変化時期が異なっており，仮骨組織の部位によって別々に細

胞分化が進んでいることになる．血行性による全身性因子による制御では説明できないので，各々の部位で発現される局所性制御因子により制御を受けていることが考えられる．実際に仮骨内に異なるタイミングでいくつかの成長因子の発現が観察されている．

附-1 異所性骨化 ectopic ossification の発生機序

異所性骨化とは骨以外の軟部組織に骨形成がみられることである．一般には外傷部周囲に起こる．発生には骨化を起こしうる成長因子などの制御分子が存在すること，骨芽細胞に分化しうる間葉系幹細胞が存在すること，骨形成が起こりやすい環境（例えば局所の pH 変化や酵素濃度など）の 3 つの条件が必要だといわれている．肘関節周囲は特に発生頻度が高く，Foruria ら（2013）によると近位橈骨尺骨骨折術後は 37%，上腕骨遠位部骨折後は 42% に異所性骨化が発生すると報告されている．後者では，頭部外傷合併，内固定時期遅延，内固定材料として用いたプレートが 2 本以上，骨移植や人工骨材料使用した症例に発生しやすく，高齢や外傷程度とは統計学的に関連が認められていない．

6 治癒過程における血行回復

Rhinelander らがイヌの骨折モデルを用いて骨折後の血行回復について詳細に報告している．骨折後 1 日には骨折部を中心に髄内血管が拡張する．骨折 3〜5 日後に骨折部の周囲および髄内に新たな血管網が形成され，その後，仮骨形成に伴って血管網が広がっていく．仮骨癒合が起きリモデリングの時期になると，次第に骨折部の血管網は減少していく．治癒過程が収まった時期ではもとのような血行に戻っている．これらの局所血行の回復については TGFβ，PDGF，fibroblast growth factors（FGFs），vascular endothelial growth factor（VEGF）などの血管新生因子が関与していることが考えられる．TGFβ や PDGF は骨折後最初に骨折部に放出される成長因子である．また FGFs や VEGF は早い時期に血管内皮細胞や骨芽細胞に発現し血管新生を誘導していると考えられる．

7 治癒過程における強度回復

骨折部の強度 strength 回復の評価は治療を行ううえできわめて重要であるが，実際の強度を臨床で簡便にモニターする方法はない．通常は単純 X 線写真による骨癒合所見と荷重時痛や局所の圧痛などを参考にして評価せざるを得ない．動物実験モデルで単純 X 線写真におけるさまざまな指標と骨強度との相関を調べた報告がある．そ

72 総論 第3章 骨折の治癒過程

の中で最も強い相関が得られたのは2方向単純X線写真における皮質骨連続性の有無である．これは臨床における骨癒合評価に用いられている指標でもある．次に高いのは骨折部転位の程度と骨折部をまたぐ仮骨（bridging callus）の長軸方向の長さである．これらを同時にかつ総合的に評価することで強度回復の程度が推定される．

8 治癒過程に影響する因子

全身性因子と局所性因子がある（表3-8-1）．

a 全身性因子

成長終了前の若年者では骨折治癒過程が早く進行することはよく知られている．骨癒合後の変形の自家矯正力も旺盛である．一方，高齢者では骨折治癒にかかわる細胞，特に骨芽細胞や軟骨細胞へと分化しうる間葉系幹細胞の減少や分化する能力が低いと考えられるが，一般に比較的若い成人と比べて明らかな治癒遷延は認められない．合併症によっても治癒過程は影響される．多くは合併する疾患に伴う全身性制御因子の異常が治癒過程に影響を及ぼしていると思われる．糖尿病では骨形成や軟骨形成を刺激する全身性因子のひとつであるインスリンが欠乏する．仮骨組織内のコラーゲン，特にX型コラーゲン産生量が減少し，骨癒合が遅延し，力学的強度の回復も遅れる．糖尿病モデル動物の実験でインスリン治療により治癒過程が正常化することも明らかになっている．骨基質蛋白質の遺伝子異常を伴う疾患は治癒過程に影響することが考えられる．I型コラーゲン蛋白質の遺伝子異常を持つ骨形成不全症は易骨折性が特徴であるが，治癒過程は正常といわれる．しかし，時に過剰仮骨形成や逆に遷延治癒，偽関節が認められる．また，骨折治療時に合併症治療に用いられている薬剤

表3-8-1　骨折治癒過程に影響を与える因子

I．全身性因子
　① 年齢
　② 栄養状態
　③ 合併疾患（糖尿病，貧血，腎不全，骨粗鬆症，甲状腺機能低下症，遺伝性疾患，くる病，脱神経など）
　④ 薬剤（抗凝固薬，ステロイド，非ステロイド性抗炎症薬など）
　⑤ 高気圧酸素治療
II．局所性因子
　① 骨折タイプ
　② 外傷の程度
　③ 手術侵襲
　④ 開放性/閉鎖性
　⑤ 損傷骨組織の種類と部位（皮質骨，海綿骨，関節内など）
　⑥ 局所病変（感染，腫瘍，壊死など）の有無
　⑦ 固定性

によっても治癒過程は影響を受ける．抗凝固薬は出血量を増加させ仮骨形成が大きくなるという報告がある．また，ステロイド薬や非ステロイド性抗炎症薬によって炎症反応におけるサイトカインの働きが抑制され，長期間治癒過程に影響を及ぼすほどではないが初期の反応が遅延する．ステロイド薬投与は骨芽細胞のファイブロネクチンやインテグリン産生が低下し，骨芽細胞の基質への接着が阻害されることで骨形成に抑制的に働くことも知られている．また高気圧酸素治療による骨形成促進作用も報告されている．

附-2 糖尿病は骨代謝に影響を与えるか？

糖尿病患者は骨折治療上さまざまなリスクを持つ．感染症合併や損傷を受けた軟部組織の治癒遅延に加えて，骨折のリスクのみならず遷延治癒，偽関節のリスクも高い．骨粗鬆症は2型糖尿病に多い．糖尿病による神経性疾患が原因で転倒しやすく，股関節部骨折の頻度が高くなるといわれている．糖尿病を誘発させた動物骨折モデルでは力学的強度の回復が遅く，インスリン投与により正常化する．最近糖尿病ラットに骨折を起こすと，炎症期において TNFα 産生が増加することが報告されている．また骨芽細胞や軟骨細胞に分化していく間葉系幹細胞が TNFα によってアポトーシス（細胞死）を起こし，治癒過程が遅延することが示されている．

b 局所性因子

骨折の治癒はその形状により影響される．粉砕骨折では仮骨形成が起こりやすい．外傷の程度によって周囲の軟部組織損傷の程度が異なるが骨折治癒にかかわる細胞のソースとしても，また血行回復のためにも軟部組織の損傷が少ないほど治癒過程は良好である．骨膜や筋組織の損傷は内固定を行う手術方法や手技によっても異なる．たとえばロッキングプレートは通常のプレートより外骨膜損傷が少ない固定材料で骨癒合には有利である．一般に開放骨折は閉鎖骨折に比べ軟部組織の損傷程度は高度で，また感染症を合併すると治癒過程を妨げることが多い．骨折が主に皮質骨か海綿骨に発生したかによって治癒過程が異なる．関節内骨折は治癒のきっかけとなる血腫形成が起こりにくく治癒を遅延させる因子となりうる．感染症，悪性腫瘍また局所に壊死骨が広く存在する場合は治癒を妨げる．

骨折治癒には力学的因子が影響する．骨折部の固定力により仮骨組織内の細胞分化が変化し，固定力が強いと軟骨細胞への分化が抑制されることが報告されている．逆に固定力が弱いと軟骨形成に傾き治癒を遷延させる．非常に強固に固定された場合は外仮骨形成がほとんど見られない一次性骨癒合が起こる．また，軸圧負荷 dynamization によって骨形成が促進するといわれる．長管骨骨幹部骨折対する横止め髄内釘固定後に，外仮骨癒合が得られ始めた時期に一部の横止め釘を抜去するのはこの理由による．同じ理由で引き寄せ鋼線締結法は骨癒合に有利な締結方法である．一方，ねじれ方向の負荷は骨癒合を阻害する．

骨折治癒と力学的因子の関係については Wolff の法則が有名である．骨に起こる電気現象によるものであることが明らかとなり骨折治療に応用されている．しかし癒合が得られていない治癒過程途上では，力学的ストレスを主に受けるのは仮骨組織で，特に骨組織となっていない軟性仮骨の部分である．骨折治癒過程で Wolff の法則が働

くのは癒合に至る過程ではなく，いったん癒合した後にもとの形態に復すリモデリングの時期であると考えられる．また低出力超音波パルスが遷延治癒骨折や偽関節に対して使われているが，超音波による力学的刺激が骨芽細胞，軟骨細胞，血管内皮細胞に直接影響を与え，骨折治癒過程における結合織内骨化や軟骨内骨化を促進し癒合を早めることにつながる．

附-3 NSAIDs 投与は骨折治癒を抑制するか？

プロスタグランジンは生体のさまざまな機能に関与するが，骨芽細胞を産生し，骨形成や骨吸収を刺激する．以前よりプロスタグランジン産生を抑制する NSAIDs は実験的骨折モデルで治癒を抑制したり，臨床で異所性骨化を抑制したりすることが知られている．最近プロスタグランジン産生酵素の一つである cyclooxygenase-2（Cox-2）が骨折治癒に必須であることが明らかになった．さらに Cox-2 遺伝子欠損動物においても骨折治癒が正常に進行しないことが示された．臨床でどの程度の影響があるかは十分には明らかになっていないが，骨折患者に対する疼痛管理において，NSAIDs の骨折治癒に対する影響の理解が必要である．本章 2 で述べたように，骨折後の炎症反応は仮骨形成の始まりであり，NSAIDs やステロイドのようなこの反応を抑制する薬剤は仮骨形成を抑制する可能性がある．

9 細胞レベルにおいて治癒過程を制御する因子

骨折治癒過程を直接に司さどるのは細胞である．前述した治癒過程に影響を与える因子も細胞の作用にかかわることで治癒過程に影響を及ぼし得る．治癒過程における制御のしくみを理解するためには，細胞の働きを直接に制御している因子を知る必要がある．大きく分けると血行を介して局所に運ばれてくる全身性制御因子と局所の細胞が産生，分泌して作用する局所性制御因子がある（**表3-9-1**）．さらに局所性因子としては細胞が分泌する生物学的因子のみならず，力学的因子も直接細胞に影響を与えることがわかってきた．

a 全身性制御因子

成長ホルモン，甲状腺ホルモン，カルシトニン，インスリン，ビタミン A，ビタミ

表 3-9-1　骨折治癒過程の制御因子

Ⅰ. 全身性制御因子 　　成長ホルモン，甲状腺ホルモン，カルシトニン，インスリン，ビタミン A， 　　ビタミン D，ステロイドなど Ⅱ. 局所性制御因子 　　① サイトカイン 　　　　MCSF，IL-1，IL-6，IL-11，TNF-α など 　　② 成長因子 　　　　TGFβ，PDGF，BMP-2，BMP-4，acidic FGF，basic FGF，IGF-1， 　　　　activin-A，VEGF など

ン D，ステロイドなどが骨折の治癒過程に影響を与えるといわれている．成長ホルモンは主に肝臓でソマトメジン（insulin-like growth factor 1，IGF-1）の産生を促し，ソマトメジンが直接に作用する．このソマトメジンに対するレセプターや活性型ビタミン D に対するレセプターは仮骨内の細胞で発現されており，これらの因子が治癒過程にかかわっていることを示している．甲状腺ホルモンやカルシトニンはリモデリングに影響を与え得る．ビタミン A（retinoic acid）は軟骨細胞の分化に働き，また骨芽細胞の形成や石灰化能，破骨細胞の形成や活性化にも関与している．

b 局所性制御因子

　治癒過程におけるさまざまな成長因子の発現が報告されている．成長因子は生体の中で細胞が産生し，細胞増殖や分化を主に局所で制御している分子量数万の小さな蛋白である．細胞同士が互いにコミュニケーションをとって組織を形成していくときに使われるいわば言葉のようなものであり，骨形成や軟骨形成の制御にも関与していることが示されている．骨折治癒過程において成長因子は主に2つのパターンにかかわっている．ひとつは骨折直後，血腫形成時に血小板に貯蔵されていた成長因子が，骨折部局所に放出され治癒過程のきっかけとして働く場合，他のひとつは骨折治癒過程で出現する細胞が局所で産生し，自分の細胞や近傍の細胞に働く場合（autocrine，paracrine）である．これまでに TGFβ，FGFs，PDGF，bone morphogenetic protein-4（BMP-4），IGF-1，activin-A，parathyroid hormone related peptide（PTHrP）などが骨折仮骨において発現することが知られている．骨芽細胞や軟骨細胞だけではなく，血管内皮細胞も成長因子によって制御されており，いったん血管が損傷された骨折部に新たに血行を回復させることにも VEGF などの血管新生成長因子が働いている．複数の成長因子が同時に，ほぼ同じ部位に産生されていることもあり，複数の成長因子がさまざまな細胞反応を共同で操っているものと考えられる．これらの成長因子が治癒過程に重要な役割を果たしていることは，外から単独の成長因子を投与することにより治癒過程が変化し得ることからも理解できる．また，このことは治癒過程に対する成長因子の促進効果として臨床応用が試みられている．

　interleukin-1（IL-1），interleukin-6（IL-6），macrophage colony stimulating factor（MCSF）などの造血細胞や免疫担当細胞に働く炎症性サイトカインが骨折後早い時期に現れ，その後の仮骨形成につながっていく反応であることが示されている．このような骨折後の炎症を非ステロイド性抗炎症薬を投与することにより抑制すると，骨折の初期の治療反応が遅れることが報告されている．

　局所の酸素濃度により細胞分化が制御される．骨折直後は血行が途絶され局所の酸素濃度が下がっていることが考えられるが，酸素濃度が低いと骨芽細胞ではなく軟骨細胞へと分化が進むことが知られている．

10 骨折に対する積極的保存療法

　骨折治療の原則は整復と固定である．以前はその後に生体内で起こってくる治癒反応は期待するだけであった．近年，積極的に治癒反応を促進させる治療オプションが臨床で使えるようになっている．しかも非侵襲性の保存的（非観血的）療法であり，「骨折に対する積極的保存療法」と称している．

　前述したように骨折治癒過程では仮骨形成に骨芽細胞や軟骨細胞がかかわる．それらの細胞増殖や細胞分化を刺激することは治癒過程を促進することにつながる．細胞増殖を刺激するものは停止した治癒過程を開始させる（initiation effects）可能性があり，細胞分化を刺激するものは治癒を促進させ，同期間短縮（acceleration effects）の可能性がある．細胞増殖を刺激するものは，悪性腫瘍細胞をも刺激する恐れがあるので，適応に注意が必要となる．

　保険診療で難治性骨折治癒促進に適応が認められているのは，電磁波電気治療法と超音波骨折治療法である．本来副甲状腺ホルモン製剤は骨折の危険が高い骨粗鬆症に適応があるが，脆弱性骨折治癒にも効果が期待されている．現在頻用されているのは低出力超音波パルスと副甲状腺ホルモンである．

a 低出力超音波パルス low-intensity pulsed ultrasound：LIPUS

　低出力超音波パルス照射は骨折部の細胞に物理学的刺激を与え，それを毎日欠かさず繰り返すことで治癒過程を促進する．照射しても熱は発生せず，なにも感じない程度の「低出力」の超音波である．温熱効果を目的にして理学療法に用いられている超音波療法とは出力の程度だけでなく，「パルス」照射ということでも異なるものである．

　1983 年に Duarte が動物モデルで低出力超音波パルス照射の効果を初めて示した．同年に，Xavier と Duarte が骨折癒合不全例に対する最初の臨床報告を行ったが，エビデンスレベルの低いものであった．1990 年代になって，多施設，前向き，ランダム化，プラセボコントロール，二重盲検というエビデンスレベルの高い 2 つの臨床研究が報告された．すなわち脛骨骨幹部骨折および橈骨遠位端骨折に対する LIPUS 照射による治癒促進効果が示された．わが国においても動物骨折モデルを用いた実験によって，力学的強度の早期回復を含めた再現性の高い効果が認められ，1997 年に医療用具として承認を受けた．それを機に多施設臨床試験が行われ，後に新たな観点で再解析され国際的にも情報発信されている．

　動物骨折モデルでは，骨折部への照射により仮骨の大きさは変わらないものの，骨折部の骨塩量が増加し骨折部強度も早く回復した．多くの細胞培養実験では，軟骨細胞や骨芽細胞に対する LIPUS 照射効果は，基質蛋白発現増加による細胞分化促進効果と考えられている．すなわち，LIPUS 照射は骨折治癒過程における軟骨細胞や骨芽細胞の細胞分化を促進することで，仮骨癒合による骨性連続性を早期回復させる効果があると考えられている．

　臨床における新鮮骨折への効果は，先に述べたエビデンスレベルの高い 2 つの報告

が有名である．Heckman らは脛骨骨幹部骨折例で臨床的評価と単純 X 線写真における骨癒合評価を行い，対照群と比較して 4 割弱治癒期間が短縮したと報告した．Kristiansen らの研究では，橈骨遠位端骨折症例で同程度の治癒期間短縮が認められ，さらに変形などの合併症も少なかった．

　骨折癒合不全症例では，偽関節例より遷延治癒例のほうが癒合率が高かった．また照射開始後，単純 X 線写真による改善が認められるまでの期間が短いほど癒合率が高かった．癒合率と最も関連性が高かったのは，術後から治療開始時期までの期間，あるいは骨折後からの期間であり，より早く開始するほど癒合率が高かった．また偽関節例と遷延癒合例とを別々に調べても同様な結果であった．骨折後 6 ヵ月以内に LIPUS 治療開始した例で，単純 X 線写真にて改善が認められた時期と癒合率について調べると，4 ヵ月までに改善が認められた例は，その後治療を継続することによって全例癒合が得られた．すなわち早期に治療を開始するほど治療効果が高いことがわかっている．

b 副甲状腺ホルモン parathyroid hormone (PTH)

　副甲状腺ホルモンは血中カルシウム調節に働くホルモンであり，血清カルシウム値低下に反応して分泌され，骨組織に対してはカルシウムを血中に放出させる働きがある．したがって，副甲状腺機能亢進症で上皮小体腫瘍から持続的に副甲状腺ホルモンが過剰分泌されると骨吸収亢進によって骨量が減少する．一方動物を用いた副甲状腺ホルモンの投与実験が繰り返し行われ，むしろ骨組織が増加することが以前からよく知られていた．副甲状腺ホルモンレセプターは骨芽細胞にあり，副甲状腺ホルモンの作用は骨芽細胞を介して破骨細胞分化を促進するだけでなく，骨芽細胞自体の細胞増殖を刺激するからである．動物実験において副甲状腺ホルモンを投与しても血中副甲状腺ホルモン濃度は持続的に増加せず，結果的に副甲状腺ホルモン増加の"パルス"的刺激が骨形成優位な高回転代謝を誘導したものではないかと考えられる．この現象が骨粗鬆症治療に利用されるようになった．

　したがって，副甲状腺ホルモン投与による細胞レベルでの骨代謝に対する影響は，主に骨芽細胞の細胞増殖亢進である．骨粗鬆症治療において悪性疾患合併例に対する使用が制限されている理由でもある．動物骨折モデルでは仮骨が大きくなり，力学的強度も強くなる．治癒期間が短縮するというよりは骨癒合をより確実にする効果である．骨芽細胞の基質蛋白産生への影響も報告されており，細胞分化にも効果があるかもしれない．軟骨細胞も副甲状腺ホルモンに対するレセプターを有しており，その効果に関与している可能性がある．臨床研究においても副甲状腺ホルモン投与が仮骨形成を増大させることが報告されている．

　ビスフォスフォネート製剤投与は骨折の骨癒合に影響ないという報告があるが，骨折治癒過程の 2 細胞現象理論で述べたように，骨性連続性回復には影響がなくても骨強度回復に重要なリモデリングを阻害することは考えられる．長期間の同剤投与により通常の骨折とは異なる非定型大腿骨骨折（atypical femoral fracture：AFF）が起こることが知られている．さらに本骨折は治癒過程が遷延する傾向がある．ビスフォスフォネート製剤投与によって骨吸収が抑制される結果，異常に緻密化した骨組織に

なっていることや，基質に残った同製剤の影響もあると考えられる．非定型大腿骨骨折症例に対して副甲状腺ホルモン剤投与効果の報告がある．骨形成優位な高回転代謝を誘導することで骨折治癒過程が改善されるものと思われる．同様に，ビスフォスフォネート治療中に骨折を起こした骨粗鬆症例に対して，同剤を中止し副甲状腺ホルモン製剤に変換させることは適切な対応である．

テリパラチドはヒト副甲状腺ホルモンの34個のアミノ酸からなるN末端フラグメントの遺伝子組み換え蛋白である．最近，副甲状腺ホルモン関連ペプチド（PTHrP）の誘導体であるアバロパラチドが骨粗鬆症薬として承認されている．動物骨折モデルで骨梁骨組織増加によって仮骨肥大することが示されており，テリパラチドと同様に骨折治癒促進作用が期待される．

参考文献

1) Andreassen TT et al：Intermittent parathyroid hormone（1-34）treatment increases callus formation and mechanical strength of healing rat fractures. J Bone Miner Res **14**：960-968, 1999.

2) Aspenberg P et al：Teriparatide for acceleration of fracture repair in humans：A prospective, randomized, double-blind study of 102 postmenopausal women with distal radial fractures. J Bone Miner Res **25**：404-414, 2010.

3) Azuma Y et al：Low- intensity pulsed ultrasound accelerates rat femoral fracture healing by acting on the various cellular reactions in the fracture callus. J Bone Miner Res **16**：671-680, 2001.

4) Bassett CAL：Current concepts of bone formation. J Bone Joint Surg **44-A**：1217-1244, 1962.

5) Bidner SM et al：Evidence for a humoral mechanism for enhanced osteogenesis after head injury. J Bone Joint Surg **72-A**：1144-1149, 1990.

6) Brown KM et al：Effect of COX-2-specific inhibition on fracture healing in the rat femur. J Bone Joint Surg **86-A**：116-122, 2004.

7) Buckwalter et al：Healing of the musculoskeletal tissues. Rockwood, et al. ed. Rockwood and Green's Fractures in adults. 3rd ed. 1. 187, JB Lippincott, 1975.

8) Charnley J et al：Compression arthrodesis of the knee. A clinical and histological study. J Bone Joint Surg **34-B**：187-199, 1952.

9) Chiang CY et al：Teriparatide improves bone quality and healing of atypical femoral fractures associated with bisphosphonate therapy. Bone **52**：360-365, 2013.

10) Cruess RL：Healing of Bone, Tendon, and Ligament. 147-155, In Rockwood CA, Jr. and Green DP, (eds.)：Fractures in adult. JB Lippincott, Philadelphia, 1975.

11) Cullinance DM et al：Induction of a neoarthrosis by precisely controlled motion in an experimental mid-femoral defect. J Orthop Res **20**：579-586, 2002.

12) Cunningham BP et al：Fracture healing：A review of clinical, imaging and laboratory diagnostic options. Injury **48**：69-75, 2017.

13) Dietz UH et al：Cloning of a retinoic acid-sensitive mRNA expressed in cartilage and during chondrogenesis. J Biol Chem **271**：3311-3316, 1996.

14) Duarte LR：The stimulation of bone growth by ultrasound. Arch Orthop Trauma Surg **101**：153-159, 1983.

15) Einhorn TA：Do inhibitors of cyclooxygenase-2 impair bone healing？ J Bone Miner Res **17**：977-978, 2002.

16) Einhorn TA et al：The expression of cytokine activity by fracture callus. J Bone Miner Res **10**：1272-1281, 1995.

17) Foruria AM et al：Heterotopic ossification after surgery for distal humeral fractures. Bone Joint J **96-B**：1681-1687, 2014.

18) Foruria AM et al：Heterotopic ossification after surgery for fractures and fracture-dislocations involving the proximal aspect of the radius or ulna. J Bone Joint Surg **95-A**：e66（1-7）, 2013.

19) Gerstenfeld LC et al：Differential inhibition of fracture healing by non-selective and cyclooxy-genase-2 selective non-steroidal anti-inflammatory drugs. J Orthop Res **21**：670-675, 2003.

20) Giannoudis PV et al：Nonunion of the femoral diaphysis. The influence of reaming and non-steroidal anti-inflammatory drugs. J Bone Joint Surg **82-B**：655-658, 2000.

21) Green AC et al：The role of vitamin A and retinoic acid receptor signaling in post-natal maintenance of bone. J Steroid Biochem Mol Biol **155**：135-146, 2016.

22) Heckman JD et al：Acceleration of tibial fracture-healing by non-invasive, low-intensity pulsed ultrasound. J Bone Joint Surg **76-A**：26-34, 1994.

23) 井上　治：高気圧酸素治療による骨形成促進作用. 臨整外 **51**：931-937, 2016.

24) Iwaki A et al：Localization and quantification of proliferating cells during rat fracture repair. detection of proliferating cell nuclear antigen by immunohistochemistry. J Bone Miner Res **12**：96-102, 1997.

25) Jingushi S et al：Acidic fibroblast growth factor injection stimulates cartilage enlargement and inhibits cartilage gene expression in rat fracture healing. J Orthop Res **8**：364-371, 1990.

26) Jingushi S et al：Genetic expression of extracellular matrix proteins correlates with histologic changes during fracture repair. J Bone Miner Res **7**：1045-1055, 1992.

27) Jingushi S et al：Low-intensity pulsed ultrasound treatment for postoperative delayed union or nonunion of long bone fractures. J Orthop Sci **12**：35-41, 2007.

28) Jingushi S et al：Serum 1alpha, 25-dihydroxyvitamin D3 accumulates into the fracture callus during rat femoral fracture healing. Endocrinology **139**：1467-1473, 1998.

29) 神宮司誠也：骨折総論. 整形外科・外傷学, 文光堂, 2004.

30) 神宮司誠也：骨折治癒と成長因子. 骨折治療学 1, 水野耕作ら編, 61-69, 南江堂, 2000.

31) 神宮司誠也：骨折癒合不全―低出力超音波パルスによる治療. 関節外科 **22**：22-26, 2003.

32) 神宮司誠也：これまでの基礎研究の概略. 骨折に対する低出力超音波パルス治療の基礎と臨床, 神宮司誠也ら編, 43-50, メディカルレビュー社, 2008.

33) 神宮司誠也：低出力超音波パルス―骨折に対する積極的保存療法―. 骨・関節・靱帯 **13**：443-447, 2000.

34) 神宮司誠也：低出力超音波パルスによる骨折治療の基礎と臨床. 整形外科 **51**：1471-1477, 2000.

35) 神宮司誠也ら：ラット大腿骨骨折治癒への低出力超音波パルス照射の効果. 骨折 **21**：655-658, 1999.

36) Joyce ME et al：Transforming growth factor-beta in the regulation of fracture repair. Orthop Clin North Am **21**：199-209, 1990.

37) Kagel EM et al：Effects of diabetes and steroids on fracture healing. Curr Opin Orthop **6**：7-13, 1995.

38) 川口　浩：2020 ASBMR（米国骨代謝学会）―骨粗鬆症治療・骨代謝研究の最新情報 整形外科 **72**：287-289, 2021.

39) Khazai NB et al：Diabetes and fractures：an overshadowed association. Curr Opin Endocrinol Diabetes Obes **16**：435-445, 2009.

40) Ko KI et al：Diabetes reduces mesenchymal stem cells in fracture healing through a TNFα-mediated mechanism. Diabetologia **58**：633-642, 2015.

41) Kristiansen TK et al：Accelerated healing of distal radial fractures with the use of specific, low-intensity ultrasound. Amulticenter, prospective, randomized, double-blind, placebo-controlled study. J Bone Joint Surg **79-A**：961-973, 1997.

42) Lanske B et al：Abaloparatide, a PTH receptor agonist with homology to PTHrP, enhances callus bridging and biomechanical properties in rats with femoral fracture. J Orthop Res **37**：812-820, 2019.

43) Le AX et al：Molecular aspects of healing in stabilized and non-stabilized fractures. J Orthop Res **19**：78-84, 2001.

44) Macey LR et al：Defects of early fracture-healing in experimental diabetes. J Bone Joint Surg **71-A**：722-733, 1989.
45) Miyakoshi N et al：Healing of bisphosphonate-associated atypical femoral fractures in patients with osteoporosis：a comparison between treatment with and without teriparatide. J Bone Miner Metab **33**：553-559, 2015.
46) 水野耕作ら：超音波骨折治療器の遷延癒合・偽関節に対する多施設臨床試験．整・災外 **46**：757-765, 2003.
47) Nakajima A et al：Mechanisms for the enhancement of fracture healing in rats treated with intermittent low-dose human parathyroid hormone (1-34). J Bone Miner Res **17**：2038-2047, 2002.
48) Panjabi MM et al：Correlations of radiographic analysis of healing fractures with strength：A statistical analysis of experimental osteotomies. J Orthop Res **3**：212-218, 1985.
49) Pape HC et al：Current concepts in the development of heterotopic ossification. J Bone Joint Surg **86-B**：783-787, 2004.
50) Rhinelander FW et al：Microangiography in bone healing I. Undisplaced closed fractures. J Bone Joint Surg **44-A**：1273-1298, 1962.
51) Roberts JB et al：The surgical treatment of heterotopic ossification at the elbow following long-term coma. J Bone Joint Surg **61-A**：760-763, 1979.
52) Rockwood et al：Fractures in adults. 3rd ed, 1. 188, JB Lippincott, 1975.
53) Rokkannen P et al：The repair of experimental fractures during long-term anticoagulant treatment. An experimented study on rats. Acta Orthop Scandinav **34**：21-38, 1964.
54) Russell：General principles of fracture treatment. Campbell's Operative Orthopaedics, 8th ed, 732, Mosby Year Book, 1992.
55) Simon AM et al：Cyclo-oxygenase 2 function is essential for bone fracture healing. J Bone Miner Res **17**：963-976, 2002.
56) Thompson RN et al：Atypical femoral fractures and bisphosphonate treatment：experience in two large United Kingdom teaching hospitals. J Bone Joint Surg **94-B**：385-390, 2012.
57) Uchida S et al：Vascular endothelial growth factor is expressed along with its receptors after drill-hole injury in rats. Bone **32**：491-501, 2003.
58) Xavier CAM et al：Stimulation of bone callus by ultrasound (Portuguese). Rev Brasil Ortop **18**：73-80, 1983.

第4章

骨折に用いる内固定材料

1 骨折に用いる内固定材料の歴史

　古く紀元前2500年頃フェニキア人たちは歯の治療に金を使用していたといわれ，ローマ時代には金の入れ歯や骨折の治療に金のワイヤーが使用されている．

　整形外科領域において金属材料を骨折の内固定材料に用いるようになったのは，1860年代にListerにより無菌手術法が施行された後である．Hansmannは1886年にニッケルメッキした鉄板とネジを用いて骨折の内固定を行った．英国のLaneは高炭素鋼の表面を金や銀でメッキした金属プレートとネジを作製し臨床に用いた．しかし，メッキ層と下層の異種金属の間で電池を形成し腐食，折損が多く発生した．その後，Shermanは形状を改良し素材として高炭素バナジウム鋼を用いて，これが一時世界的に広まった．

　内固定材料としての必要条件には，① 十分な力学的強度と耐久性，② 生体内における耐腐食性，③ 良好な生体適合性，④ 経済性が挙げられるが，これらを兼ね備えたものとして脚光を浴びたのがステンレス鋼である．ステンレス鋼は1913年Brealeyにより作製されたクローム，炭素，鉄からなる合金で，外気中でさびないことから刃物や武器に用いられた．ドイツのStraussはクローム20%，ニッケル7%を含んだ18-8系ステンレス鋼のV2Aを開発し，これにより作られたLambotte鋼線は鋼線締結法として広く用いられている．V2Aは日本に導入された初めてのステンレス鋼である．さらに，1940年Shermanによりモリブデンを加えた18-8-Mo系のステンレス鋼が開発され，より生体適合性に優れ現在に引き継がれている．

　Steinmannはスイスの外科医で，骨折部の遠位骨片に刺入し骨牽引ができるピンを考案し1907年に報告した．Kirschner鋼線はドイツの外科医Martin Kirschnerにより1909年開発された鋼線で，鋭い先端と滑らかな表面を持ち現在まで経皮的髄内ピン固定やIlizarov創外固定に用いられている．1937年RushはSteinmannピンの挿入部位の形状を変更し臨床応用を開始した．このRushピンの近位端はハンドドリルのクランプに適合するように三面が平らとなり，そのすぐ遠位には骨内へのピンの埋入を防ぐためのカラーがある．シャフトと遠位端はSteinmannピンの形状と同一である．1970年Enderにより開発されたEnderピンは細い先端が弯曲した可撓性のあるピンで，大腿骨転子部骨折に対する内固定材料として広まった．

　一方，ステンレス鋼とは別にコバルト65%，クローム30%，モリブデン5%からなるいわゆるCo-Cr-Mo合金であるバイタリウムVitalliumが開発され，1936年初め

82 総論 第4章 骨折に用いる内固定材料

表4-1-1 金属製内固定材料の歴史

1886年	ニッケルメッキ鋼材による骨プレートとネジ（Hansmann）
1893年	金・銀メッキの炭素鋼製のプレートとネジ（Lane）
1912年	高炭素バナジウム鋼製のプレートとネジ（Sherman）
1913年	クローム系ステンレス鋼の内固定材料（Brealey）
1926年	18-8ステンレス鋼製の内固定材料（Strauss）
1936年	バイタリウム（Co-Cr-Mo合金）製の内固定材料
1940年	18-8-Mo系ステンレス鋼（SS 316）の内固定材料（Sherman）
1943年	SS 316系ステンレス鋼を骨折内固定材料として公認（American Colleague of Surgeons）
1951年	チタンの動物実験（Leventhal）
1960年代	チタン製内固定材料の臨床使用
	COP合金内固定材料の臨床応用

てヒトの骨折の治療に用いられた．これは鉄を含まず，生体内で腐食などに対し安定であり，18-8-Mo系ステンレス鋼とともに骨折内固定材料として現在まで使用されている．

　近年，生体適合性に優れ軽量であるチタン合金が注目されているが，この開発は1951年Leventhalらの研究にさかのぼる．1960年代よりチタン合金に関する研究が進み骨折内固定用のプレート，スクリューなどに広く利用されてきている．また，わが国で開発された析出硬化型のステンレス合金であるCOP合金が臨床に使用され，その力学的特性も優れていることが知られている（**表4-1-1**）．

2 金属製内固定材料の素材

　生体内で骨折治療のための内固定材料として使用されるためには，前述の4条件を満足するものでなくてはならない．

　現在，主に内固定材料として用いられているのは，ステンレス鋼，コバルト・クローム（Co-Cr-Mo）合金，純チタンおよびチタン合金である．これらの代表的な金属材料の化学組成，力学的性質，生体適合性などについて概説する．各種金属製内固定材料の化学組成を**表4-2-1**に示す．

a ステンレス鋼

　現在まで最もよく用いられてきた内固定材料は，鉄を主成分としクローム，ニッケル，モリブデン，マンガンなどから構成される合金である．加工性がよく安価であるが耐腐食性に問題がある．プレートとスクリューヘッドとの間で隙間腐食や擦過腐食

表4-2-1　各種金属製内固定材料の化学組成

1. ステンレス鋼（ステンレス系：Grade 1 の場合，ASTM F139-92 の規格に基づく）　　（単位：%）

C	Mn	P	S	Si	Cr	Ni	Mo	N	Cu	Fe
0.08 以下	2.00 以下	0.025 以下	0.01 以下	0.75 以下	17.00 〜19.00	13.00 〜15.50	2.00 〜3.00	0.1 以下	0.5 以下	残

2. Co-Cr-Mo 合金（ASTM F75-92 の規格に基づく）　　（単位：%）

C	Mn	Si	Cr	Ni	Mo	Fe	Co
0.35 以下	1.00 以下	1.00 以下	27.00 〜30.00	1.00 以下	5.00 〜7.00	0.75 以下	残

3. チタン（Grade 2 で Bar，Billet の場合，ASTM F67-89 の規格に基づく）　　（単位：%）

C	N	H	Fe	O	Ti
0.10 以下	0.03 以下	0.0125 以下	0.30 以下	0.25 以下	残

4. チタン合金（6Al-4V）（ASTM F136-92 の規格に基づく）　　（単位：%）

C	N	H	Fe	O	Al	V	Ti
0.08 以下	0.05 以下	0.012 以下	0.25 以下	0.13 以下	5.50 〜6.50	3.50 〜4.50	残

を生じやすく，生体内に長期に埋入されると疲労をきたすため折損例の報告が散見される．

b コバルト・クローム（Co-Cr-Mo）合金（バイタリウム）

　　コバルト 60%，クローム 28%，モリブデン 6%と少量のニッケルを含む合金である．鋳造用と加工用があり，鋳造用は Vitallium，Zimalloy などの商品名で呼ばれている．鋳造用の Co-Cr-Mo 合金は強度が不足するので，加工用 Co-Cr-Mo 合金が開発されているが，後者はニッケルを多く含んでいる．生体内でニッケルイオンが発がん性を示すので，ニッケルイオンを多く含む強度の高い加工用 Co-Cr-Mo 合金は内固定材料には用いられていない．バイタリウムはステンレス鋼に比較して力学的特性も高く耐腐食性に優れているので，人工関節摺動部，脊椎内固定材としてステンレス鋼に代わって広く用いられている．

c 純チタン（Ti）およびチタン合金

　　純チタンおよびチタン合金は軽量で，前 2 者に比べて耐腐食性にきわめて優れている．この理由は Ti 自体はきわめて活性な金属であるが，不動態化（表面にごく薄い数 nmm の厚みのチタン酸化物（不動態化皮膜）を形成すること．これにより腐食しにくい）しやすく，形成された不動態皮膜は強固でクロールイオンによる不動態破壊作用に対して強い抵抗性を有するためである．純チタンおよびチタン合金は，加工性の問題や歩留まりの悪さからの高コストのため過去には普及しにくかったが，近年それらの問題も次第に解決され急速に普及しつつある．

　　純チタンは力学的強度が低いので折損が問題になり，関節摺動部では摩耗粉による金属症 metallosis を生じる欠点があるため，最近はもっぱらチタン合金（Ti-6Al-4V

など）が用いられている．Ti-6Al-4V 合金は力学的強度も非常に高く，骨接合材のみならず人工関節のステムに広く用いられている．Ti-6Al-4V 合金の欠点は耐摩耗性の低さで，人工関節の摺動面での使用は不適当である．さらに疲労強度が切欠きの影響を受けやすいことが問題点である．したがって骨接合用プレートなど孔があいている場合は，疲労強度が約半分に低下する．またチタン合金は弾性率が前 2 者の約半分と低く，骨の弾性率に近似するので有利とされるが，これが骨の粗鬆化を防ぎ得るか否かは不明である．また，純チタンおよびチタン合金は生体適合性がきわめてよく，骨髄内に埋入した場合，界面にステンレス鋼のように線維性組織をほとんど生じない．近年チタンが直接骨と結合するという報告もされている．

附-1 抗菌素材

1) 抗菌薬含有骨セメント髄内釘（含むロッド）

　骨折内固定後や開放性骨折後の感染を伴う骨接合術に対しては，骨折の治療と同時に感染の治療を行う必要がある．骨折内固定後の感染は，局所の腐骨や不良肉芽に伴った血流障害，骨吸収や病巣掻爬後の死腔の存在，内固定材を抜去せざるを得ない場合は骨折部の不安定性などの問題が生じる．

　感染の治療は，徹底した局所の郭清・掻爬後に適切な抗菌薬を投与することに加え，死腔の閉鎖と骨折部の固定が必要である．血流の悪い局所に対しては，抗菌薬含有セメントビーズの充填が行われてきたが，同時に創外固定や外固定を要する．抗菌薬含有髄内釘やロッドは，感染の治療と骨折部の固定を同時に行えるので，難治性の感染を伴う骨折や偽関節の治療手段として有用である．

　抗菌薬含有髄内釘またはロッドの作製は，まず適当な太さのプラスチックかゴム製の筒の中に抗菌薬を含有させた骨セメントを注入する．さらに骨セメントの中心部に髄内釘，Kirschner 鋼線，Ender 釘などを挿入し，骨セメント硬化後に筒を切除する．

　セメントからの抗菌薬の溶出量は，抗菌薬の含有量，表面積，セメント層の厚さに依存しているが比較的長期間（2〜数ヵ月）続き，約 1 ヵ月間は最小発育阻止濃度（MIC）を上回っている．再燃がある場合には再度入れ替え手術が必要となる．髄内釘周囲に付着するセメント層の厚さは，2 mm 程度が弾性限界およびセメント破損時の加重（強度）の点で優れている．

2) ヨード担持チタン製内固定材料

　骨折手術だけでなく人工関節置換術や脊椎固定術など整形外科手術では，周術期の感染予防や感染時にはその治療が重要な課題として存在する．インプラント表面に抗菌作用のある銀を加工する方法が報告され，銀コーティング腫瘍用人工関節の臨床応用で術後感染率の低下が示された．一方，銀には人体毒性があるとの報告があり，今後の検討が注目される．また，チタンの酸化により表面にナノチューブを形成させ，それにゲンタマイシンを含浸させる技術が報告されている．

　チタン表面に特殊な方法で小さな多数の孔が開いたポーラス構造となっている酸化皮膜を作製して，その被膜にポビドンヨードを担持させる技術がわが国で開発された．ヨードはもともと消毒薬として用いられ，広範囲の抗菌スペクトルを有し，抗菌薬と異なり耐性菌を作らない特徴がある．ヨードは元来体内にある必須元素でインプラントからの溶出も緩徐であれば体内での毒性はないと考えられている．また，創外固定用ピンに用いて，緩みを生じにくく生体親和性に優れていることが確認されている．術後感染例や易感染例に対するヨード担持チタン製内固定材料を用いる臨床試験が行われ，プレートや髄内釘，スクリューを使用して骨接合術を行った 144 例（開放骨折など感染の予防目的での使用例が 129 例，術後感染の治療目的が 15 例）で，全例感染を合併することなくまた感染例は鎮静し治癒した．抜去したヨード担持チタン内固定材料の

1年後のヨードの残存量は約30～40%で抗菌効果が発揮できる含有量であった．ヨード担持チタン製内固定材料は，開放骨折など感染が危惧される症例にも一期的に使用可能で，遅発性感染も予防できる有用性の高い内固定材料である．

附-2 新規生体材料

1）金属製内固定材料への生体活性の賦与

a）アルカリ加熱処理生体活性化チタン合金

金属表面にハイドロキシアパタイト（HA）などをコーティングする方法が考案されてきたが，コーティング層の脱落や吸収の問題があった．これを克服するために金属製材料そのものを生体活性化する方法が開発され臨床応用されている．純チタンやチタン合金を水酸化ナトリウム液に浸漬した後に加温処理することにより，表面にチタン酸ナトリウムを含む薄層が形成され，アパタイト形成能を有するようになる．表面の処理層は約1 μmと薄く網目状で傾斜構造をとっているため，引きはがし試験でも安定している．早期に骨と直接結合（骨伝導能）し，骨誘導能も有している．複雑な形状を有する多孔体チタンの多孔構造を維持したまま処理できるので，人工関節のポーラス部分をアルカリ加熱処理をしたセメントレス人工関節が臨床応用されている．また脊椎外科領域で椎体固定用内固定材料が開発されている．

b）ハイドロキシアパタイト/コラーゲン複合（Hap/Col）コーティングチタン

表面にハイドロキシアパタイト/コラーゲン複合体をコーティング加工することにより骨と結合する金属製材料が開発されている．しかし結合には数ヵ月という長期間を要する．高久田らは動物実験によりチタン表面にハイドロキシアパタイト/コラーゲン複合体をコーティングするとハイドロキシアパタイト単独コーティングのものより骨と結合する面積や結合強度が有意に大きいという結果を得ている．この内固定材料は歯科矯正用アンカースクリューを代替する骨膜下内固定材料や，骨が薄くスクリュー固定が困難な場合の内固定材料として，歯科口腔外科領域で応用が検討されている．

2）弾性率可変型チタン合金

ロッド，プレートをはじめとする金属製内固定材料は，骨組織よりはるかに低い弾性率を有するため，ストレスシールディングによる骨粗鬆化が問題となる．そのため高弾性率の金属製材料が開発されてきた．β型チタン合金はその代表であるが，脊椎外科領域で術中に変形を矯正した角度で固定するため内固定材料を曲げる必要があり，その際のスプリングバックを抑制するためには高弾性率の内固定材料が求められる．低弾性率を維持しながら必要に応じて部分的に高い弾性率を得るために，変形誘起相変態を利用することにより，矯正部以外は低弾性率が保持され，矯正部のみに弾性率が高くなる弾性率可変型生体用チタン合金が開発された．変形誘起オメガ相変態を利用して局所的に高度の弾性率を保てることが明らかにされた．

3 金属製内固定材料の種類

通常，骨折内固定に用いられる固定材料は，髄内釘，各種プレート，スクリュー，各種鋼線などの内固定材料と，創外固定などの外固定材料に分けられる．

近代の骨折治療学の進歩に大きく貢献し，今も大きな影響力を持っているのは，ドイツのKüntscherにより始められた髄内釘固定法の理論とスイスのAOグループによ

86 総論 第4章 骨折に用いる内固定材料

る圧迫骨接合術であろう。1958年スイスで結成された骨接合問題に関する共同研究グループ（Arbetsgemeinschaft für Osteosynthesefragen）は，洗練された手術器械，強固な内固定材料を用いた理論的な骨接合術を開発し，この方法は短期間に全世界に広まった。

AO法の目的は受傷肢の早期の機能回復であり，そのためには① 骨折部の解剖学的整復，② 骨折間を圧迫する強固な安定した内固定，③ 血行の維持，④ 無痛性の早期自動運動などを確保し，原則として外固定を不要とすることである。これにより得られる骨癒合は，外骨膜性仮骨のない一次性骨癒合の組織像を示す。

また骨片間圧迫固定は骨片間に作用する摩擦力を増加させ，内固定の安定性を増すことである。圧迫固定法には lag screw や圧迫プレートなどによる静的圧迫固定と，引き寄せ鋼線締結法などによる動的圧迫固定がある。

a ワイヤー（鋼線）wire

代表的なものに Kirschner 鋼線と締結用鋼線がある。

1）Kirschner 鋼線

優れた弾力性と抗張力があり，容易に折れないのが長所である。髄内釘として固定，骨片の仮固定や経皮的整復・固定に広く用いられている。目的達成後は抜去することを原則とする。

2）締結鋼線 cerclage wire

特長は優れた抗張力にある。鋼線を深く体内に埋没し抜去しない場合も多いので，磁性を帯びないように作製する必要がある。斜骨折の仮固定や人工股関節置換手術時の亀裂骨折の固定にも用いられる。最も代表的な使用法は引き寄せ鋼線締結法 tension band wiring である。引き寄せ鋼線締結法の原理は，内固定材料により張力を吸収し，骨片間に圧迫力を生じさせることである。適応は膝蓋骨骨折，足関節果部骨折，肘頭骨折，鎖骨遠位部骨折，大転子骨折などである。骨折面に垂直に Kirschner 鋼線を平行に2本刺入し，Kirschner 鋼線にワイヤーを直接かけて引き寄せ締結を行う。これにより骨折面の圧迫力のみならず骨片の回旋を制御することができる。さらに靱帯，腱などを損傷しないという利点もある。膝蓋骨骨折では前面に締結されたワイヤーにより膝屈曲時に骨折部に圧迫力が作用し張力は吸収される（図4-3-1）。

附-3 ファイバーワイヤー fiber wire

より合わせた超高分子量ポリエチレン糸を芯として，ポリエステルと超高分子量ポリエチレン糸を編み込み外側を被覆するように作製されている。その特徴として，① 同じサイズのポリエステル糸に比べて格段に高い抗張力を有し，結紮の緩みや縫合糸の伸びが低減する，② 骨や骨孔のエッジなどでの耐摩耗性に優れている，③ しなやかな手触りや結紮能力を有し結紮の大きさを小さくでき，結紮部の破断強度が高いなどが挙げられ，関節鏡視下手術に適している。

金属製のワイヤーの代わりに骨片の接合，腱板修復術，アキレス腱縫合術に用いられる。

附-4 ネスプロンケーブルシステム NESPLON Cable System

本システムは超高分子ポリエチレン繊維をテープ状に編み組みした非吸収性のケーブ

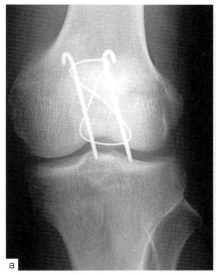
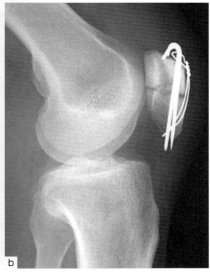

図 4-3-1　引き寄せ鋼線締結法による膝蓋骨骨折の内固定
a. 単純 X 線写真正面像
b. 単純 X 線写真側面像

ルで以下の特長がある．
　1）高い力学的強度と伸びにくい特性を有し生体内で長期的に安定している，2）ケーブルは柔軟で術中，術後の軟部組織損傷のリスクを軽減する，3）金属によるアーチファクトがなくX線透過性である，4）専用締結器でシンプルに固定できる，ダブルスライディングノットを使用することでケーブルの仮固定，増し締め操作が容易にできる．
　適応症は，大転子固定，人工股関節置換術後に合併する大腿骨骨幹部斜骨折，膝蓋骨骨折，脊椎固定術である．

b　スクリュー　screw

　スクリューの強度は基本的に軸径に比例する．スクリューによる固定力は，初期には十分得られるが，周囲の皮質骨は圧迫壊死に陥るので，術後2〜3週で固定力が弱くなることを念頭に置かなければならない．
　スクリューには大きく分けて海綿骨スクリュー cancellous screw と皮質骨スクリュー cortical screw がある（**図 4-3-2**）．
〈スクリューヘッド〉
・通常ヘッド：楕円形のヘッドは，境界面の圧迫によりプレート下面と骨表面の間もしくは骨表面とスクリューヘッドの間に摩擦力を発生させて固定する．
・ロッキングスクリュー・ヘッド：ロッキングプレート用のスクリューヘッドは，直接プレート孔にねじ切りで固定されるので，プレートが骨を圧迫することなく固定できる．負荷がプレートシステム全体に分散され固定器のように働く．

1）海綿骨スクリュー

　比較的細いシャフト部と先端の幅の広いネジ山部からなる．骨片間の圧迫固定を目的に作製されている．骨皮質で使用した場合（スクリューの先端が骨皮質にかかっている場合）は，骨折の癒合に伴いシャフトの周囲に骨が形成され，スクリューの抜去

海綿骨スクリュー　　　　　　　　皮質骨スクリュー

図 4-3-2　スクリューの種類

が困難になることがある．またスクリュー部が必ず骨折線を越えるようにしないと，骨折部に圧迫力がかからない．タップは最初の1 cmだけ行うほうが海綿骨内での固定がよい．

　本スクリューの適応部位は，骨端部の骨折，関節近傍の靱帯を付着した骨片の固定など関節周囲で広く使用される．果部用スクリューは先端が尖っていてタップを必要としない．主に足関節果部骨折，上腕骨顆部骨折に使用される．

2) 皮質骨スクリュー

　全長にネジが切られたスクリューで，主に皮質骨部の骨片の固定に使用される．ネジ山の形は製作メーカーにより異なるが，AOタイプはネジ山が幅広く，軸に対しほぼ直角に近いので引き抜き力に強い抵抗力を持つ．したがって，皮質骨スクリューは必ずタッパーでネジ山を作製する必要がある．斜骨折に対しスクリューだけで固定する方法は，骨折線の長さが骨の直径の2倍以上の場合に適応される．通常，スクリューは骨折線に対し直角にでなく骨軸に直角に挿入する．第三骨片がある場合は，第三骨片を別のスクリューで固定し2つの骨片とした後に，骨軸に直角な線と骨折線に直角な線とのなす角を2等分する角度で主骨片を固定するスクリューを挿入する．皮質骨スクリューによる固定の適応は皮質骨部の骨片の内固定であるが，単独で用いるよりも中和プレートとの併用や圧迫プレートの固定用スクリューとして用いられることが多い．

3) ラグスクリュー（lag screw）

　骨折部を圧迫のみで安定化させる内固定材料で，対側の皮質骨を捉え両骨片の皮質骨同士の圧迫を生じる．スクリューは，皮質骨スクリュー，海綿骨スクリューいずれも使用できる．皮質骨スクリューをラグスクリューとして使用する場合は，近位側の穴（滑り孔 gliding hole）はねじ山の直径以上の大きさに開ける．次いで対側に作成した穴（thread hole）にねじ山を固定することにより骨片間に圧迫力を働かせることができる．海綿骨スクリューを使用する場合は，ねじ山部分が対側の皮質骨や海綿骨を噛み込み手前のなめらかな部分は滑り孔として機能するので，スクリューヘッドが手前の皮質骨を圧迫し，骨片間圧迫を生じる．

　ラグスクリューは，大腿骨転子部骨折でガンマネイルとして髄内釘と組み合わせて用いられている．先端部にスクリュー構造を有し骨折の整復部位に適度な圧迫をかけて骨癒合を促す役割をしている（図4-3-14参照）．

4) 干渉スクリュー（interference screw）

　膝関節十字靱帯再建時に用いられるスクリューで骨付き膝蓋腱や移植腱と骨孔の間に挿入することにより再建材料を固定することができる．骨孔内に挿入するのでポリ乳酸製などの吸収性やチタン製のものが用いられる．再建材料に腱を用いる場合は損傷をさけるためにねじ山は鈍である．

c プレート plate

プレートによる骨折の固定法は，1895 年に英国の外科医の Lane WA が初めて導入し数多くの例に使用されたが，内固定材料の腐食（錆）の問題により使用されなくなった．1909 年に Lambotte A は，金属学の進歩により腐食耐性を向上させた改良品を導入したが，強度が不十分なため用いられなくなった．1948 年に Eggers により開発されたプレートは 2 つの長いスロットがあり，スクリューヘッドがスライドして骨折部における骨片どうしの圧迫が緩衝されるので骨折端部の骨吸収を防止するものであった．1949 年，Danis R は骨片間の圧迫の必要性を認識し "coapteur" と称されるプレートを考案した．一方の側のスクリューを締めることにより骨片間に圧迫が加わり，固定後の骨片間の動きを抑制し安定性を増加させた．骨折の「一次性治癒 primary healing」として知られる過程をもたらし，その革命的概念は後に開発されるプレートデザインに影響を与えた．

Danis の下で骨片間圧迫固定法を学んだスイスの Müller らは，1965 年テンショナーを用いて骨片間に圧迫をかける新しいデザインのプレートを開発した．強固なプレート固定は，骨膜性仮骨形成の欠如として特徴付けられる骨癒合をもたらし，骨膜性仮骨の出現はむしろ骨折部の不安定性の指標として見なされた．これは「AO 法」としてその基本概念と固定法が進化していく端緒となった．強固なプレートと圧迫固定法により外固定が不要となり術後早期のリハビリテーションが可能となり骨折治療の成績は著しく向上した．そのデザインは正円孔プレート（round hole plate）から円筒型プレート（semitubular plate），そしてダイナミックコンプレッションプレート（DCP）へと変遷していった．1970 年代に入り「解剖学的整復」と「強固な内固定」が第一とされ，骨折部位の大きな展開による骨膜の過度の剥離の結果，外骨膜性仮骨形成が障害され癒合不全，感染，プレート抜去後の再骨折などの問題が生じた．このためプレート固定法の低侵襲化や軟部組織や血流を温存することを目的とした「生物学的固定」の概念が生まれ，新しいデザインや固定法が急速に進化した．つまり AO 法のコンセプトである「解剖学的整復・固定」から「生物学的固定」へと変遷した．プレートデザインは，LC（limited contact）-DCP（dynamic compression plate）から PC-Fix（point contact fixator），LISS（低侵襲固定システム less invasive stabilization system）を経て，LCP（ロッキングコンプレッションプレート locking compression plate）へと進化していった．LCP は後述するように従来のスクリュー固定も使用できるので，圧迫プレートとしての強固な固定とともに架橋プレートとして早期に間接的骨癒合（仮骨を介した骨癒合）を得ることができる特徴を有している．スクリューとプレートのロッキング機構により荷重時での固定性が高まる．骨粗鬆症など骨質が弱い場合も固定性を維持できる．スクリューの緩みや逸脱を防ぐことができるなどの長所を有し，さらにプレートを骨に圧着する必要がないので骨膜の血流が温存できることも大きな利点である．

プレートの幅は広いほうが固定力は強いが，長管骨の直径の 1/3 を超えると外骨膜性仮骨形成を障害し骨癒合が遷延する．また力学的強度は一般に厚みの 2 乗，幅の 1 乗で増加するので厚いものが強い．骨折に用いられるプレートの長さは骨径の約

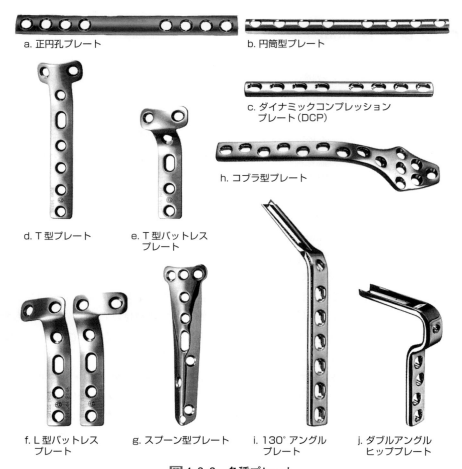

図 4-3-3　各種プレート
直プレート（a, b, c），特殊プレート（d, e, f, g, h），有角プレート（i, j）

5倍の長さが必要であるとされる．プレートによる骨折の固定力はスクリューによる固定力に依存しているので，術後3週頃には手術直後に比べて低下している．

　プレート抜去は，骨折部の骨の構造が正常化し，十分な力学的強度を回復するまでは行うべきではない．通常，脛骨で術後1年以上，大腿骨で2年以上が目安である．また抜去後は再骨折の危険があるので，運動は最低3ヵ月は禁止する（Müller ME, 1988）．double plates を用いた例や，第三骨片をスクリューで固定した例では，特に再骨折に注意が必要である．一方ロッキングプレートは，長期埋入後はスクリュー抜去困難となるので骨癒合後早めに抜去する必要がある．

1）形状による分類

プレートは形状から直プレート，特殊プレート，有角プレートの3種に大別される（図4-3-3）．

a）直プレート straight plate

主に骨幹部骨折に使用されるプレートである．

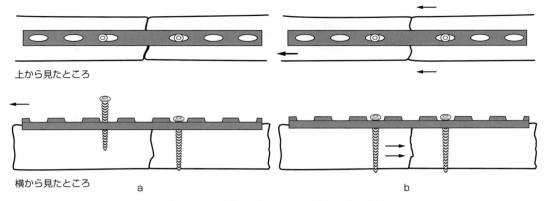

図 4-3-4　円筒型プレートによる圧迫固定法
a. 単鉤にてプレートに張力を加えたのち，骨折部より離れて偏心位に穿孔する．
b. スクリューを固く締めると，プレートはスクリューヘッドの円錐形の部分だけ移動して圧迫固定される．プレートは，左の方向に移動力が加わり骨片間にはbのように右の方向の圧迫力が加わる．
（Müller M, et al：骨折手術法マニュアル，AO法の実際．シュプリンガー・フェアラーク東京，1988 より改変）

① 正円孔プレート　round hole plate

　　dynamic compression plate (DCP) が登場するまで，AO システムの中では圧迫固定器を用いて強固な圧迫固定を行える標準的なプレートとして使用されてきた．またスクリュー孔はプレートに対して 20°までスクリューを傾けて刺入できるように設計されている．偽関節部の変形の矯正に引き寄せ鋼線締結法の原理を利用してこのプレートが用いられることがある．本プレートの適応は四肢の骨幹部の横骨折，横骨折に近い斜骨折である．現在，髄内釘の普及により下肢の骨幹部骨折の適応はかなり少なくなっており上腕骨骨折に用いられることがある．大腿骨骨幹部骨折には圧迫プレートとして単独では適応されない．また脛骨骨折では圧迫スクリューとの併用により中和プレートとして用いられる．

② 円筒型プレート　semitubular plate

　　断面が円筒を 2 分，3 分した形態をとり，両辺縁が骨に食い込むように薄く作られているので回旋に対する固定力に優れている．欠点はスクリューヘッドがスクリュー孔から大きくはみ出すので骨皮質を損傷する可能性があることである．

　　スクリュー孔は楕円形で，スクリュー孔に偏心的にスクリューを挿入し締めると骨折面に圧迫が加わる（**図 4-3-4**）．橈骨，尺骨，中手骨，腓骨，中足骨などの骨の接合に適している．また脛骨遠位部骨折（boot top 骨折）で脛骨遠位部の前方と後内側に用いられる．

③ Eggers 型プレート

　　1948 年 Eggers により発表された sliding slot を有するプレートで，現在も部位・骨折型を問わず使用可能なプレートである．天児式プレートはこの範疇に入る．スクリュー孔が固定されず術後に生理的な圧迫力が得られる（**図 4-3-5**）．

④ PC-Fix（point contact fixator）

　　強固なプレート（DCP）による内固定は仮骨を生じない一次性骨癒合が得られるが，

図 4-3-5　Eggers 型プレート

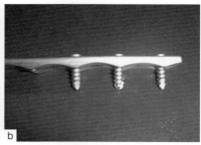

図 4-3-6　PC-Fix（point contact fixator）
a. 裏面．骨膜と接触する所が少なくなっている．
b. スクリューがプレートと強固に固定される．

同時に癒合した骨皮質の菲薄化（骨粗鬆化）を生じ，抜釘後の再骨折の危険が大きくなる．これは金属製プレートの大きな剛性により，応力遮蔽 stress shielding が生じるためと考えられてきたが，スクリューによりプレートが骨表面を圧迫した結果，皮質骨内の血流障害が原因になっていると考えられるようになった．そのため，骨皮質との接触がきわめて少なく血流を温存しながら内固定する方法が開発された．つまり，プレートのスクリュー孔に強固にロックするスクリューを片側皮質にセルフタップで挿入・固定し，安定した内固定を得る方法であり，たとえば皮下や筋肉内に挿入された創外固定器のように働き，従来のプレートとまったく異なる原理で骨接合を行うものである．

PC-Fix はこの原理の下に前腕骨用に開発されたナロープレートで，裏面が小さな点で骨と接触するようにデザインされている．プレート設置側の皮質のみ固定するスクリューがプレートのスレッドにより強固に固定される生物学的プレート固定法である．ただし骨折部はあらかじめ整復され，アライメントも矯正されていなければならない（図 4-3-6）．

⑤ **低侵襲固定システム** less invasive stabilization system (LISS)

大腿骨遠位部や脛骨近位部などの骨の解剖学的形態に合わせて作られたプレートで，片側皮質骨用のセルフタッピングのロッキングスクリューを用い，一定の角度で固定する．プレートは小皮切で皮下または筋肉下に挿入し，専用の器具で別の小切開からスクリューを挿入固定する．骨への血流が温存される，感染に対する抵抗性が高い，小侵襲で挿入固定できる，などの利点を有する．

3 金属製内固定材料の種類 **93**

附-5 ダイナミックコンプレッションプレート dynamic compression plate（DCP）

　　正円孔プレートのスクリュー孔に傾斜をつけてスクリューの固定とともに骨折部に圧迫力がかかるように作られたプレートで，特殊な器具を要せず狭い術野でも簡単に操作できるので広く用いられている．傾斜した円柱内を玉を転がすと水平に移動するという原理を応用したものである．半球状の頭を持ったスクリューを傾斜したスクリュー孔に挿入し締めると，スクリューと骨片はプレートに沿って水平移動し骨折面に圧迫力が作用する．その移動距離と圧迫力はスクリュー孔の傾斜角度により多少調整できるが限界がある．大きな移動を要する場合や強い圧迫力をかける場合は，専用の圧迫器を用いる必要がある．

　　斜骨折に対してもスクリューをかなり斜めにして骨片の圧迫固定を行える利点がある．このプレートは単に静的圧迫プレートとしてでなく，動的圧迫プレート，中和プレート，支持プレートとしての機能も併せ持っている．したがって，適応部位は多くの骨幹部骨折だけでなく，骨幹端部の骨折で中和プレート，支持プレートとして使用される．

附-6 ロッキングコンプレッションプレート locking compression plate（LCP）

1）LCP の概念

　　PC-Fix の流れをさらに発展させ，多くの長管骨骨折（特に骨幹端部骨折）に応用できるようにデザインされたものである．プレートの形状は大きく変わっていないが，スクリュー孔が画期的に変更されている．

　　このプレートの新しい形状のスクリュー孔は，従来のラグスクリューを含む古典的なスクリューも使用できる孔と，新しい角度安定性を与えるロッキングヘッドスクリューlocking head screw（LHS）用の円錐形の溝で構成された「コンビネーション孔」が特徴である．前者の孔は従来のスクリューにより軸圧迫をかけることができるコンプレッション孔であり，ラグスクリューで骨片の引き寄せ・整復を行うこともできる．後者のもうひとつの孔は円錐形で溝があり，LHS が使用できる（**図 4-3-7a, b, c**）．

2）LCP の特徴

　　LHS がプレートに強固に固定され一体化するため，プレートとスクリューの角度安定性 angular stability により骨組織を支持する．プレートを骨に合わせて曲げる必要がなく，骨膜や骨への血流が温存される．スクリューは片側皮質用と両側皮質用があるが，片側皮質用だけでも十分な固定性が得られる．LCP のコンビネーション孔の利用により骨片の整復，固定性の向上など多くの選択と多様性が可能になった（**図 4-3-7d**）．

　　その力学的特徴は従来のプレートに比べて可撓性があるので仮骨形成が多い，固定強度が 4 倍程度強い，軸圧を圧迫力に変えるなどがあげられる．そのため骨粗鬆症性骨折，粉砕された不安定骨折，人工関節周囲骨折などに適応が広がっている．さらに高位脛骨骨切り術の楔開き骨切り術 open wedge osteotomy への応用（Tomofix™）により術後早期の荷重が可能になっている（**図 4-3-8**）．

3）LCP システムの使用方法

a）従来の DCP（dynamic compression plate）としての使用

　　ラグスクリューなどを用いた整復後に，偏心性のドリルガイドを用いて軸圧をかけることができる．整復が容易な骨折に適応がある．

b）ロッキングスクリューのみによる強固な内固定材料としての利用

　　PC-Fix や LISS の原理と同様にロッキングスクリューだけで骨折を固定する方法で，粉砕骨折などで骨折部を展開せず架橋して固定する．アライメントの整復は必要であるが，プレートを成形する必要はなく外仮骨形成による二次的骨癒合が得られる．

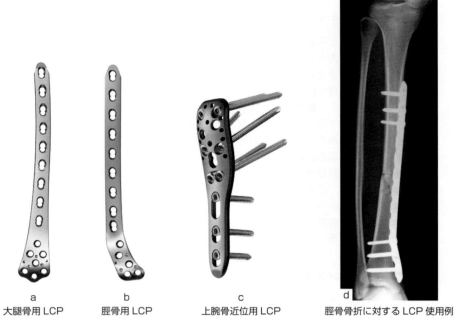

a 大腿骨用 LCP　　b 脛骨用 LCP　　c 上腕骨近位用 LCP　　d 脛骨骨折に対する LCP 使用例

図 4-3-7　各種のロッキングコンプレッションプレート（LCP）

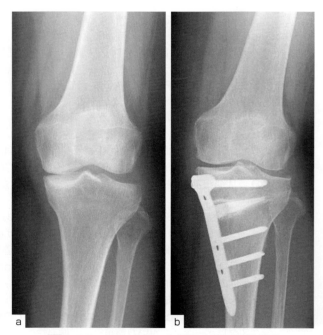

図 4-3-8　LCP を用いた楔開き骨切り術症例
a. 内側型変形性膝関節症例（術前）
b. ハイドロキシアパタイト（HA）を併用した LCP による内固定後（術後 8 ヵ月）

c) ロッキングスクリューと従来のラグスクリューの両者を組み合わせた利用

　　ラグスクリューを用いてあらかじめ大きく転位した骨片を整復したり，関節部や骨幹端部の骨折の転位した骨片を整復したのちに LHS により固定し，角度安定性を与えることにより不安定な骨折部の安定化を図ることができる．

d) 理想的なプレートの長さ，スクリューの本数

　　応力集中を避けるためには，骨折型に応じた適切な長さのロッキングプレートとロッキングスクリューの本数を決定する必要がある．従来の固定法はプレートの骨把持力を高めるためにできるだけ多くのスクリューを挿入したが，これはかえって応力集中をきたし，プレート自体の破損を招く症例が散見された．プレートの長さについては粉砕骨折では骨折部の長さの 2〜3 倍以上，単純骨折では 8〜10 倍以上の長さが望ましい．プレートのホール数に対するスクリュー挿入本数の比は，応力集中の観点から粉砕骨折では 0.5〜0.4 以下が，単純骨折では 0.4 以下が望ましい．

4) LCP 使用上の注意点と合併症

a) ロッキングスクリューの折損

　　プレート・スクリューシステムに過度の負荷がかかった場合に折損が生じる可能性がある．同一骨片にスタンダードスクリューを使用する場合，先にスタンダードスクリューを使用し，その後ロッキングスクリューを使用することが肝要である．逆に行うとロッキングスクリューに過度の負荷がかかって折損する危険がある．

b) プレートの折損

　　骨の大きさや骨折状態に応じた十分な大きさのプレートを選択する必要がある．プレートを架橋プレートとして使用する場合，プレートにかかる応力集中を避けストレスを分散するように設置，固定を考慮する．また骨癒合が不十分な状態で荷重すると折損の可能性が生じる．骨癒合が遷延していれば骨移植などのさらなる処置を追加するのがよい．

c) スクリューの逸脱

　　スクリューが逸脱することがある．

① スクリュー挿入はドリルスリーブやガイディングブロックを使用して正しい方向に挿入する．

② スクリューは手回しで挿入するよりパワードライバーを使用してぶれない挿入が良好な固定性を得る．

③ スクリューの挿入部位や方向がずれるとスクリューが皮質骨の中心を通らず十分な固定性が得られない．プレートを骨軸の中心に沿って設置することが肝要である．

④ 片側皮質用スクリューの先端が対側皮質に干渉するとスクリューが空回りし，手前の皮質骨の固定性が損なわれる．また骨粗鬆症で骨皮質が脆弱な場合，スクリューによる固定性が劣るので注意が必要である．人工関節周囲部骨折では人工関節と干渉するため，片側皮質用スクリューでしか固定できない場合があるが，固定性が不十分となりやすいので，最近はワイヤリングを併用する専用のプレートシステムが使用されている．ロッキングプレートは必ずしも骨皮質と接して設置するものではないが，あまり皮質から離れていると力学的に固定性が劣る．皮質面から 5 mm 以内のプレート設置が望ましい．

d) 遷延治癒・偽関節

　　骨欠損が大きかったり，対側皮質に間隙のある症例で骨形成が不良で遷延していれば，荷重を制限するか，場合により骨移植を考慮する必要がある．

e) 皮膚刺激症状

　　ロッキングプレートは通常骨形態に合わせて曲げる必要はないが，膝関節周囲や下腿で皮下組織が薄い所では，術後腫脹の軽減とともに皮下にプレートが突出し，皮膚刺激症状や潰瘍を生じることがある．プレートを適度に曲げることや癒合次第抜釘するのがよい．

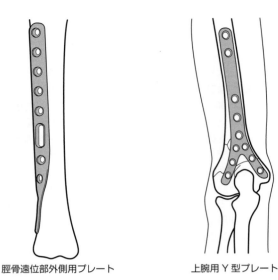

脛骨遠位部外側用プレート　　　上腕用Y型プレート

図 4-3-9 May anatomical bone plate

f) 内固定材料（スクリュー）抜去困難
① スクリュー挿入時：正確な方向に挿入するためドリルスリーブやガイディングブロックを使用する．スクリューヘッドに合ったドライバーを使用しヘッドを傷めないようにする．最終締結時は必ずトルクリミティングドライバーを使用する．
② スクリュー抜去時：先端が摩耗したドライバーは使用しないことや，ドライバーをヘッド孔に正しく密着させて回すように留意する．スクリューヘッドとドライバーとが一体化して回るように慎重に操作する．万一，抜去困難になることを想定して摘出用スクリュー，ドリル先，スクリューヘッド切除用カーバイドドリル，リーマーチューブ，摘出用ボルトなどを準備しておくとよい．

b) 特殊プレート
　　骨幹端部や骨端部に使用するプレートである．
① T 型プレート　T-shaped plate
　　脛骨内側プラトー骨折，上腕骨近位部骨折に適応がある．指用 T 型プレートは中手骨，中足骨に用いられる．
② バットレスプレート（支えプレート）buttress plate
　　2 段の弯曲のついた支持プレートで T 型と L 型があり，脛骨外側プラトー骨折に使用される．
③ スプーン型プレート　spoon plate
　　脛骨遠位部骨折で足関節に及ぶ骨折に用いられる．
④ コブラ型プレート　cobra plate
　　股関節固定用に用いられ，通常外固定を要しない．
⑤ May anatomical bone plate
　　骨の微妙な弯曲に沿った解剖学的特徴を持ち，骨幹端部の骨折によく適合する新しいタイプのプレートである（**図 4-3-9**）．大腿骨，下腿骨，上腕骨の骨幹端部の骨折に適応がある．

図 4-3-10　橈骨遠位端骨折用ロッキングプレート

⑥ **解剖学的プレート** anatomical plate

　　種族，性，年齢，BMI などの違いにより用いられる整形外科内固定材料の適合性が異なる．骨折内固定材料は種々の患者年代から膨大な解剖学的データ（主として CT）を収集・活用して骨形態にマッチしたプレートデザインが開発され，市販されている．部位として，鎖骨，上腕骨近位・遠位，肘頭，橈骨頭，橈骨遠位，大腿骨遠位，脛骨近位・遠位，腓骨遠位，距骨，踵骨，中足骨など四肢骨の多くの所に対応されている．

⑦ **橈骨遠位端骨折用ロッキングプレート**

　　Obay JL により開発された掌側ロッキングプレート固定法は，その角度安定性により優れた初期固定性を有し，本骨折の手術法の第一選択となった．その掌側ロッキングプレートのデザインは多様に変化している．遠位骨片に挿入するスクリューは 2.0〜2.7 mm 径と細く，本数は 6〜8 本と多くなっている．またその配列も 2 列のものが主流となり，1 列目のスクリューで関節面中央を，2 列目のスクリューで関節面背側を支えるような，多軸で関節面を支えるものも出現している．さらに合併症回避のために，プレートの形状はより骨の解剖学的形態に合わせたものへと変遷し，加えてロッキング様式にもプレートとスクリューの固定角度が一定である fixed angle type と，スクリューの挿入方向に自由度を有する variable angle type がある．またこれら両者の機能を有するハイブリッド型掌側ロッキングプレートも開発されている（図 4-3-10）．

c) **有角プレート** angle plate

　　大腿骨近位および遠位部 1/3 の骨折や骨切りの固定に用いられる．U 字型のブレードの部分とプレート部が一体化しているため手術手技がやや難しい．術前の綿密な作図が必要である．動的圧迫プレートと中和プレートの機能がある．

① **コンディラープレート** condylar plate

　　ブレードとプレートのなす角度が 95° で，主として大腿骨遠位部骨折に用いられる．大腿骨近位部骨折にも頸部内側部の支持が得られている場合には有効である．

98 総論 第4章 骨折に用いる内固定材料

② **130°アングルプレート** 130° angle plate

大腿骨骨頭下骨折，大腿骨転子部骨折に使用される．

③ **120°ヒッププレート** 120° hip plate

大腿骨転子部骨切り術固定用に，90°アングルプレート，コンディラープレートとともに用いられる．

④ **大腿骨転子部骨切り術用ダブルアングルヒッププレート** double angle hip plate

大腿骨転子部骨切り術での内固定用に用いられる．

2) 機能による分類

a) 静的圧迫プレート

プレートにあらかじめ張力をかけることにより，骨折部に軸圧をかける機能を有する．上腕骨骨折骨幹部横骨折で使用されることが多い．

b) 動的圧迫プレート

張力のかかる側にプレートを設置することにより，張力を圧迫力に変える機能を有する．偽関節部，骨切り部，関節固定部などで適用される．

c) 中和プレート

最も一般的なプレートの機能で，骨片間を固定したスクリューと併用するもので中枢骨片と末梢骨片を架橋し，骨折部に作用する回旋力や屈曲力など骨癒合に不利な力を中和する役割を持つ．必ず骨折線を貫通，固定するスクリューを併用する必要があり，横骨折を除いた脛骨骨折が適応となる．

d) 支持プレート

皮質が薄く脆弱な骨端部や移植骨を固定するために用いられる．脛骨近位部の陥没骨折などでは弱い骨が支持され，徐々に起きる転位が予防される．また骨端部の大きな骨欠損に対し移植した骨片が癒合するまでの間，架橋として機能する．

附-7 プラスチック性内固定材料

ステンレス性プレートはその高い剛性のため，プレート下面で骨粗鬆化をきたすことが知られており，これを防止するためにより剛性の低いプラスチック性プレートに関する実験的研究がなされ，一部は臨床に応用されている．

附-8 カーボン線維強化プレート carbon fiber reinforced plate（CFRP）

Ali MS らはカーボン線維で強化したエポキシレジン性のプレートを作製し，脛骨骨折や前腕骨折に臨床応用した．破断強度はステンレス鋼に比べて劣るものの，疲労特性に優れている（図4-3-11）．前腕骨折症例では全例に良好な骨癒合が早期に得られ，架橋仮骨の形成も良好で骨粗鬆化を認めなかった．しかし金属製スクリューとプレート間の腐食 fretting corrosion の問題もあり，今後の展開をみる必要がある．

d ステープル staple

単独で骨折の内固定に用いることはほとんどない．靱帯の骨への錨着に用いられることが多い．また骨端線閉鎖術に使用される．高位脛骨骨切り術の内固定にも用いられる．

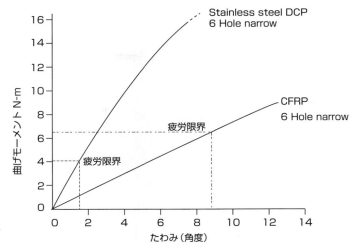

図4-3-11 ステンレスとカーボン強化プレートの疲労限界
(Ali MS, et al：J Bone Joint Surg 72-B：587, Fig2, 1990 より)

e 髄内釘 intramedullary rod

　長管骨骨幹部骨折に対して髄内に釘（釘，ピン，ロッド）を挿入して内固定を行うもので，1937年Rushピン，1939年Küntscher髄内釘が臨床応用されたのに始まる．種々の形状のものが作製されているが，狭義の髄内釘固定法は，断面がクローバ型で中空の髄内釘を用いるKüntscher原法をいう．この方法は手術操作により外骨膜を損傷しないため骨癒合に有利に働くことから，プレートとともに広く用いられている．1954年にはKüntscherは牽引手術台を用いて骨折部を展開せずにpilot nailを通した後フレキシブルリーマーを用いて髄内をリーミングする方法を発表し，これが現在一般に広く行われている閉鎖性髄内釘固定法 closed intramedullary nailing である．閉鎖性髄内釘法は，外骨膜や軟部組織が温存され，リーミングにより生じた骨屑が局所にたまるので早期に良好な仮骨を生じ，骨癒合が早く得られる長所がある．骨折部を展開して行う開放性髄内釘固定法 open intramedullary nailing は閉鎖的には整復が困難など特殊な例に限って行われるにすぎなくなっている．一方髄内リーミングによる髄内血行の障害，骨屑による感染の危険の増加などの問題点が指摘されているが，リーミングによる閉鎖式髄内釘法の多くの良好な皮下骨折の治療成績からこれらの点は，臨床的にはそれほど問題にならない．一方髄内血行を妨げるリーミングをしないで内固定を行う髄内釘法も広く行われている．

1) 中空型髄内釘

　Küntscher髄内釘，AO髄内釘をはじめ，各社からこの原理で作られた髄内釘が出されている．軽量で弾力性に富み，細い縦の裂け目を持ち中空で，クローバ型の断面を持つ．リーミングにより骨髄腔を拡大し打ち込むと刺入部，髄腔峡部，先端部の3面で骨と接触するために強固な固定性が得られる．リーミングの大きさは通常使用する釘の直径と同じであるがメーカーにより多少異なる．脛骨用，大腿骨用それぞれ異なる弯曲を持った釘が市販されている．本法の欠点は，釘が細すぎたり髄腔が広がりすぎていると，回旋に対する固定性が得られないことである．頻繁に回旋が起こると

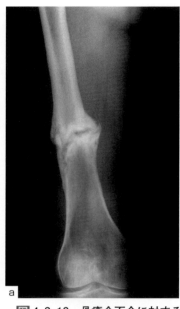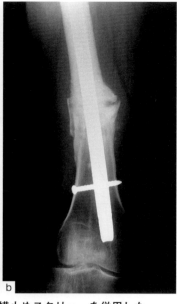 

図 4-3-12 骨癒合不全に対する横止めスクリューを併用した髄内釘固定法
a. 大腿骨骨折に対する Ender ピン固定術後（ピン抜去）骨癒合不全を認める．
b. 横止めスクリューを併用した髄内釘固定法を行った．

図 4-3-13　interlocking nail
Russell-Taylor 髄内釘

骨折部は偽関節となりやすいので注意を要する．

適応は大腿骨骨幹部および脛骨下中 1/3 部の横骨折または軽度の斜骨折である．すなわち髄腔と釘が 3 cm 以上の長さにわたって接触する部位の骨折である．上腕骨，橈骨，尺骨骨折にも使用できるが，刺入部の関節部の障害をきたすことがあるので注意を要する．髄内釘の近位または遠位に作製された横穴にスクリューで固定すれば，より近位または遠位部の骨折にも使用可能である．また遷延治癒骨折や偽関節も髄内釘のよい適応である（図 4-3-12）．アライメントが比較的よく，閉鎖性に刺入できれば骨移植なしで良好な骨癒合が期待できる．

2) 中実型髄内釘

Kirschner 鋼線，Rush ピン，Ender ピン，diamond nail，fluted nail，Zickel nail など多くがある．髄内ピンニング法は可撓性（flexible）内固定材料として後述する．

3) インターロッキングネイル interlocking nail

Küntscher 髄内釘固定における骨片の回旋，骨折部の短縮という 2 つの問題を解消するために考案された髄内釘で，近位と遠位に回旋防止用のスクリュー固定用の穴を有する（図 4-3-13）．

a) Grosse & Kempf 髄内釘

肉厚（1.5 mm の厚さ）で溝（スリット）を有し，近位と遠位部に回旋と沈下を防止するスクリュー固定用の横穴を持つ髄内釘である．欠点は近位，遠位両方をスクリュー固定した場合，いずれか一方のスクリューを抜去しないと全荷重できないこ

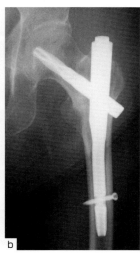

図 4-3-14 ガンマネイルによる大腿骨転子部骨折の内固定
a. ガンマネイル
b. ガンマネイルを用いて固定した大腿骨転子部骨折例

と，スクリュー挿入時にX線被曝をすることである．長管骨近位 1/3 から遠位 1/3 の骨折，粉砕骨折，螺旋骨折，骨欠損を伴う骨折，病的骨折さらに脚延長術などに適応がある．

b) **Russell-Taylor 髄内釘**

円筒状で溝（スリット）がないので，捻れ・曲げに対する強度が高い点が Grosse & Kempf 髄内釘と異なる．北里大学式シリンダー釘もこの範疇に入る髄内釘である．適応は Grosse & Kempf 髄内釘とほぼ同じであるが，上腕骨用や大腿骨顆上骨折用の釘もある．またリーミングを行わずに挿入・固定することも可能である．

c) **Brooker Tibial System**

髄内釘の先端から回旋防止用の翼を出す特殊なシステムで，ほかのロッキングネイルと異なり遠位部に横止め用のスクリューを挿入する皮切を要しない，術中のX線被曝が少ないなどの利点を有する．遠位部の翼による回旋に対する固定力がスクリュー固定に比べてやや弱い欠点がある．

4) ガンマネイル γ-nail

ガンマネイルは 1988 年髄内釘とスライディング・ラグスクリューの利点を併せ持つ大腿骨転子部骨折内固定材料として開発され，Ender ピンに代わり同部の骨折の治療に広く用いられている．原理は 1969 年英国 Glasgow で始められた Küntscher 釘にネイルを組み合わせた Y-nail と同様である．低侵襲，早期荷重可能，手術時間が短いなどの利点を有している．ネイル挿入部近くに骨折線がある骨折，大腿骨頸部基部に近い骨折，近位骨片が回旋または前方回転する骨折では，ラグスクリューのカットアウトの危険性があり，手術手技に注意が必要である．reverse type を含めたそのほかの大腿骨転子部骨折において適応がある（**図 4-3-14**）．

5) Hansson ピン

Hansson ピンはスウェーデンの Hansson が 1975 年小児の大腿骨頭すべり症の治療に開発したものが 1982 年に大腿骨頸部骨折の治療に適応拡大され，日本には 1997 年に導入された．Hansson ピンは先端横に開口部を持つアウターピンと先端に約 1 cm の

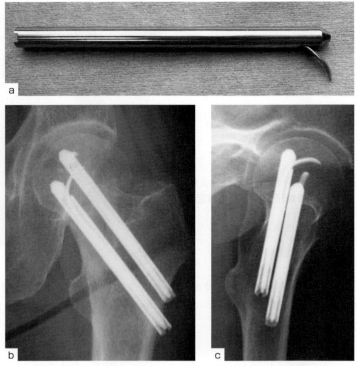

図 4-3-15　Hansson ピンによる大腿骨頚部骨折内固定例
　a. Hansson ピン
　b. Hansson ピンにて固定した大腿骨頚部骨折例（前後像）
　c. 同上（側面像）

フックを有するインナーピンの二重構造になっている．インナーピンを専用の器具によりアウターピンの開口部から押し出し骨頭内に固定されるのが特徴である．遠位と近位に平行にそれぞれピンを1本ずつ挿入し，皮質の3ヵ所に接することにより大きな安定性が得られる．近位のピンは大腿骨頭の内反転位を，遠位のピンは骨頭の後方転位を防止し，相互に作用することにより骨頭の回旋を防止する機能がある．骨頭内に刺入された2本のピンと骨頭が一体となって固定された状態でスライドするので，骨折部に持続的なダイナミゼーションが加わり骨癒合が促進するとされている．小皮切で挿入可能で骨頭内の血流障害や骨片間分離の可能性を少なくできる利点もある（図 4-3-15）．

6) Steinmann ピン

1907年スイスの外科医 Steinmann が考案した骨折部の遠位骨片に刺入し直達牽引ができるピンで，近年まで用いられている最も歴史のあるピンである．単純でまっすぐな形状で中・小の長管骨の髄内固定に用いられている（図 4-3-16a）．

7) Rush ピン

1936年 Rush が Steinmann ピンを改良して作製したピンで，Monteggia 骨折に用いたのが最初である．中央実質部の形状は円形で Steinmann ピンと同じであるが，遠位部にソリを付け，近位部は当初ストッパーとしてカラーを有していたが，その後

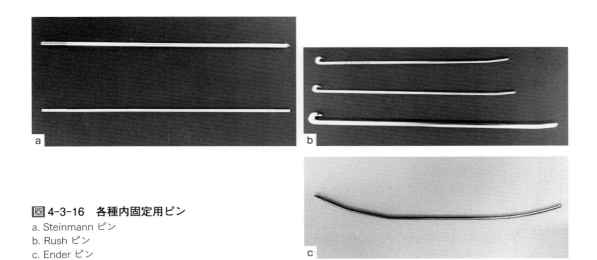

図 4-3-16 各種内固定用ピン
a. Steinmann ピン
b. Rush ピン
c. Ender ピン

フック状に丸く弯曲させ，骨髄腔内への落ち込みと皮下の軟部組織の刺激を避ける形状になっている．上腕骨，前腕骨，脛骨など長管骨の髄内固定に用いられている（**図 4-3-16b**）．

8) Ender ピン

1970 年 Ender らが大腿骨頚部外側骨折に対して 3 本の細い先端の弯曲した可撓性のあるピンを大腿骨顆上部内側より刺入し，内固定する方法を発表して以来，それまで行われていた先端の弯曲した 1 本の Küntscher 髄内釘による固定（condylo-cephalic nail fixation）に代わって広まった（**図 4-3-16c**）．1974 年に釘の形状に画期的な改良が加えられ，3 本以上のピンによる flexible な大腿骨頭の固定は，高齢者の頚部外側骨折の治療法となった（**図 4-3-17**）．本法は主に大腿骨頚部外側骨折に適応があり，出血量が少ない，手術時間が短いなどの長所があるが，アングルプレートと比べて，大腿骨の回旋変形やピンが遠位に逸脱しやすいので膝の痛みや可動域制限を残しやすいなどの欠点がある．本法は Rush ピン固定法とともに，大腿骨骨幹部骨折や脛骨骨幹部骨折などほかの部位の骨折にも応用されている（**図 4-3-18**）．最近は使用頻度は著しく減少している．

9) NODE アンカリングシステム

橈骨遠位端骨折用に作られた経皮的髄内ピンで，岡山大学の橋詰，名越らにより開発された．従来の経皮的ピン固定法に比べて支持部が骨の脆弱性の影響を受けにくく，特に骨粗鬆症患者の橈骨遠位端骨折に適応される．上腕骨近位部骨折，中手骨，中足骨などの関節近傍の骨折へも利用される．システムは直径 1.4～2.5 mm の C 字型と S 字型のピンとクサビ（ストッパー）からなる．ピンの先端は丸く大きくなっていてピンの関節面への突出と橈骨の短縮を防ぐ．クサビは刺入部に打ち込むが，ピンが中枢側に逸脱するのを防ぐ．関節部周囲にピン先端が出ないので関節可動域訓練を妨げない利点がある低侵襲治療法である（**図 4-3-19a, b**）．

10) BEST Sprout ピンシステム

高齢者の上腕骨外科頚骨折（2 part）に対する髄内固定に用いられる．公立玉名病院

図 4-3-17　Ender ピン髄内固定法
大腿骨転子間骨折

図 4-3-18　Ender ピン髄内固定法
脛骨骨幹部骨折

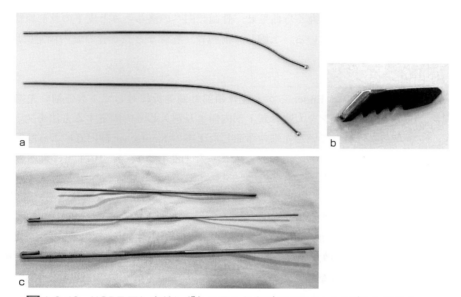

図 4-3-19　NODE アンカリングシステムおよび BEST Sprout ピンシステム
a. NODE アンカリングシステム（S 字型と C 字型のピン）
b. 同上（クサビ）
c. BEST Sprout ピンシステム

の中野らにより開発され，上腕骨三角筋粗面から近位に骨頭内にピンを挿入し固定する．このシステムは，先端をヘアピン状に折り返し，軽度の反りをつけ中ほどにバックアウト用のネジ切りがしてあるものと，先端が鋭になったブロッカーピンからなる．数本のピンを骨頭内に挿入してからブロッカーピンを挿入固定する．比較的小さな侵襲でピンのバックアウトや骨頭穿孔の可能性が少なく，固定性が比較的強い方法である（**図 4-3-19c**）．

3 金属製内固定材料の種類　**105**

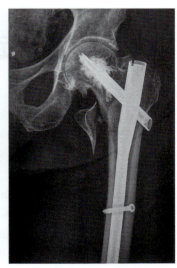

a. ヘリカルブレード
　（ラグスクリューとの相違）
左側：ヘリカルブレード
右側：ラグスクリュー

b. PFNA システム
ブレード先端の孔から骨
セメントが流出している

c. PFNA システム使用後の X 線写真
大腿骨頭内に骨セメントが注入されて
いる

図 4-3-20　PFNA システム

附-9　骨セメント補強 PFNA（Proximal Femoral Nail Antirotation）

　　　　大腿骨近位部骨折の内固定には髄内釘システムが汎用されているが，カットアウトが数パーセントの割合で発生し，再手術を余儀なくされることがしばしばある．PFNA システムでは，ラグスクリューの代わりにヘリカルブレードを使用することにより固定力が向上し，カットアウトのリスクを低減する．ヘリカルブレードは大きなフィンのように作用し大腿骨頭の回旋安定性が得られ，骨頭内反による整復位喪失のリスクの低減が期待できる（**図 4-3-20a**）．

　　　　近年，大腿骨近位部骨折の患者の高齢化が進み，高度な骨粗鬆症を伴い大腿骨頭内の固定性が不良となる症例が増えてきている．PFNA システムを使用して骨セメント（PMMA）をブレード先端から骨頭内に注入し固定力を増強し，カットアウトの合併症を減少させる方法もある．（**図 4-3-20b, c**）．

　　　　骨粗鬆症が高度で不安定な大腿骨転子間骨折に適応される．手術時の不適切な内固定材料設置や整復が不十分な場合も，骨セメント注入で固定力を補強できる利点がある．ブレード側孔から骨セメントが 1〜2 mL 流出すると固定力が向上し，6 mL を超えない量とする．骨セメントの発熱による骨壊死の懸念については問題ないことが示されている．多施設研究の結果からは，骨壊死症例はなくカットアウトやブレードの移動を認めず良好な成績が報告されている．また内固定後の再手術において本システムを使用することにより大腿骨頭温存を図ることが可能である．

4 金属製内固定材料の問題点

a 腐　食 corrosion

　金属腐食とは固体の金属元素がイオン化し，取り囲む環境と化学的あるいは電気化学的反応を起こして損傷することである．水分が関与するか否かによって，乾食 dry corrosion と湿食 wet corrosion に大別される．生体内は当然水分の関与する湿食である．

　また腐食は孔食 pitting corrosion，隙間腐食 crevice corrosion，電食 galvanic corrosion，フレッティング腐食 fretting corrosion などに分類され，生体は塩素イオンを高濃度に含んでおり，体液は電解質としての性質を持つため腐食が促進される．また生体内の pH も感染により著しくアルカリ性側に傾いたり，外傷や手術などの影響で pH 4 以下の酸性に変化したりする．その他金属表面の機械的（磨擦），応力の作用，細菌がもつ酵素の作用など金属にとって生体内は厳しい腐食環境であるといえる．

1) 孔　食

　金属に一定の電位が生じ孔食電位を超えると孔食が起こる．金属表面の酸化膜の一部に微細な破断 pit を生じ，この部分を陰極として腐食が生じる．腐食破断内では pH が低下する腐食破断先端に応力が集中し，亀裂を発生し，それが徐々に進行する．図 4-4-1 にステンレス鋼（SUS），コバルト・クローム合金（Co-Cr-Mo），チタンおよびチタン合金（Ti-6Al-4V）の陽極分極曲線を示す．この 3 種類の金属製内固定材

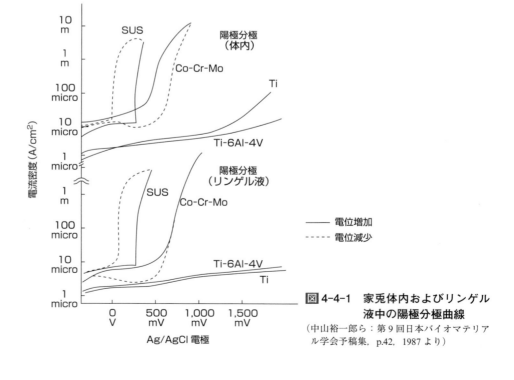

図 4-4-1　家兎体内およびリンゲル液中の陽極分極曲線
（中山裕一郎ら：第 9 回日本バイオマテリアル学会予稿集，p.42，1987 より）

料の耐腐食性の順位は，チタンおよびチタン合金，コバルト・クローム合金，ステンレス鋼となり，ステンレス鋼は最も耐腐食性が劣る．

2）隙間腐食

2つの金属の隙間や金属表面の微細な割れ目に生じる腐食である．孔食と類似しているが，隙間腐食を発生する電位は孔食を発生する電位より低いため，隙間腐食は孔食よりも発生しやすい．内固定に用いたプレートとスクリューヘッドの間でよくみられる．

3）電　食

2つの異なった電導性の金属材料を生体内で接触させて使用する場合は，電流が形成され，一方が著しく腐食するので注意を要する．

4）フレッティング腐食

フレッティング fretting とは，結合部が微少なすべりの繰り返しによって表面損傷を生じることをいう．すべての繰り返しは不動態膜（金属の保護酸化膜）の再形成が物理的に著しく阻害されるため腐食の進行は速い．ステンレス鋼はこの腐食に起こりやすいが，不動態膜の再形成の速いチタン合金では腐食に対する抵抗性が強い．

b 金属疲労 metal fatigue

金属疲労とは，繰り返し加えられた応力により本来持っている金属の破断強度より弱い強度で破断が生じる現象をいう．

疲労強度は試験片に一定周期で変化する応力を加えて破断までの回数を測り，10^6 回以上の応力を加えても破断しない最小の応力をもってその疲労強度とする．疲労強度は環境（温度，腐食性），試験片の寸法，表面の性状，荷重条件，運転条件（サイクル数やストレス強度）などに左右され，個々の条件によりばらつきが大きい．大まかに疲労強度を推定する場合は引っ張り強度の約35〜45％と概算される（図 4-4-2）．図 4-4-3 にヒト脛骨に用いられ疲労破断したチタンプレートの症例を示す．

1996 年度における日本整形外科学会インプラント委員会による全国日整会認定病院 2,220 施設でのアンケートの結果を示す．回答のあった 669 施設のうち 145 施設で 260 件の内固定材料破損が報告されている．最も多いのが人工関節，人工骨頭で 119 件，次いで内固定材料の破損で 103 件，そして脊椎固定材料 33 件が続いている（表 4-4-1）．内固定材料の破損例の内訳をみると，髄内釘が最も多く次いでスクリューやプレート，ヒップスクリューなどで，創外固定材料の破損数は最も少なかった（表 4-4-2）．内固定材料全体の折損部位は下肢全体が 75.8％と上肢の 8 倍多く，より大きな荷重のかかる下肢に内固定材料の破損が多くみられ，膝関節部，股関節周囲部，大腿骨の順で多く，この 3 部位で全体の 65.8％を占めていた（図 4-4-4）．内固定材料の部位別破損頻度では下肢に多く，大腿骨が 31 件と最も多く，次いで下腿骨の 20 件であった（表 4-4-3）．折損までの平均の期間は，内固定材料は 10 ヵ月，髄内釘は 1 年 3 ヵ月であった．内固定材料の破損の原因と問題点に関しては，スクリュー，プレート，髄内釘，ヒップスクリューの構造や材質など内固定材料自体に問題があったと思われるもの，適応や手技に問題があったと思われるものが表 4-4-4〜7 に示されている．髄内釘では後療法に問題があったとの回答が 8 件と比較的多かった．

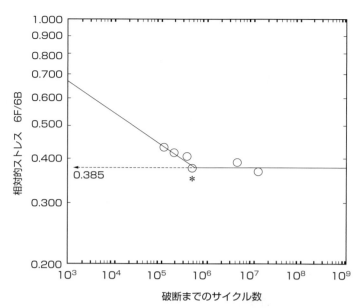

図 4-4-2　引っ張り強度と疲労強度の関係
サンプルはマルテンサイト系ステンレス鋼
6F：疲労強度，6B：引っ張り強度
＊：折れ点：この点以下の応力では破断はなく水平な線となる．

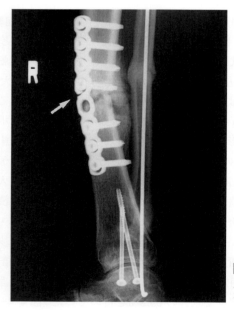

図 4-4-3　疲労破断したチタン製プレート
脛骨骨折に対して用いられたプレートが矢印部で破損している．

　この10数年間では骨折内固定材のまとまった報告は渉猟しえた範囲では見当たらないが，日本骨折治療学会からの2002年度の報告では，破損の原因の分類と詳細な調査が示され，内固定材料の破損の原因は次の4点に集約している．
　① 骨癒合不良例に対する対応の遅れ：最近の早期荷重で治療期間短縮傾向のなか，十分な仮骨が形成される前に荷重を開始したことなどがあげられる．

4 金属製内固定材料の問題点

表 4-4-1 主な材料別の破損

	破損件数
人工関節・骨頭	119
内固定材料	103
脊椎固定材料	33

表 4-4-2 内固定材料の種類別にみた破損（103件）

	破損件数
スクリュー	18
プレート	23
鋼線	15
髄内釘	35
（横止め）	(28)
（Ender）	(1)
（その他）	(6)
ヒップスクリュー	8
創外固定	4
合　計	103

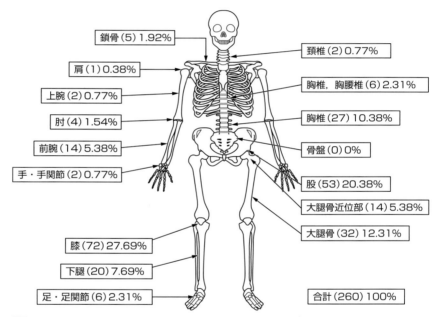

図 4-4-4　部位別にみたインプラント全体での破損（日本整形外科学会インプラント委員会　1996年度）

② 挿入，抜去に伴うトラブル：穴あきスクリュー挿入のためのガイドワイヤーの折損も比較的多いが，挿入方向を一致させる必要がある．抜去時のヘッドのねじ切れはチタン製スクリューに多く，穴あきスクリューや小さな海綿骨スクリューでは注意を要する．ケーブルワイヤー，Lag screw（大腿骨頸部骨折用），髄内釘の一部や長期埋入例で抜去不能となることがある．抜去にあたっては，抜去不能の可能性があることを術前に十分なインフォームド・コンセントを行うことが重要である．

③ 内固定材料の不適切な選択：本来適応でない骨への内固定材料の使用が原因として最も多く，特に前腕骨骨折に 1/3 円プレートや reconstruction plate を使用した折損が折損例の半数あった．また細すぎる髄内釘使用で変形した症例があった．

表4-4-3　内固定材料の使用部位別破損頻度

使用部位	破損件数
肩関節	1
手関節	2
股関節	6
膝関節（関節内骨折）	4
足関節	6
上腕	2
前腕	13
大腿骨頚部	10
大腿骨（関節外骨折）	31
下腿骨（関節外骨折）	20
その他	8
合　計	103

表4-4-4　スクリュー破損の件数と主な原因

	構造	材質	適応	手技	合併症	後療法	その他
折損（19件）	4	6		4	1	5	
破損（3件）	2						1

術後平均1年9ヵ月で破損，4例に手術的に対応した．

表4-4-5　プレート破損の件数と主な原因

	構造	材質	適応	手技	合併症	後療法	その他
折損（19件）	1	2	4	3	1		
破損（2件）	1		1			1	
弯曲（2件）	2		2				

術後平均1年9ヵ月で破損，4例に手術的に対応した．

表4-4-6　髄内釘破損の件数と主な原因

	構造	材質	適応	手技	合併症	後療法	その他
折損（25件）	8	5		1	5	8	
破損（5件）			1		2	1	1
弯曲（4件）						1	3

術後平均1年で破損，4例に手術的に対応した．

表4-4-7　ヒップスクリュー破損の件数と主な原因

	構造	材質	適応	手技	合併症	後療法	その他
折損（19件）	2					1	1
破損（2件）	1						
弯曲（2件）						1	3

術後平均9ヵ月で破損，1例に手術的に対応した．

④ 内固定材料の不適切な使用：遠位脛腓関節固定の固定用スクリューの折損で荷重前に抜去すべきものであった．また術前の単純 X 線写真の読影不足と手術計画の甘さが原因のものがあった．

腐食環境下（生体内）では金属が繰り返し応力を受けるとき，疲労強度の低下が著しく空気中での疲労現象と異なった挙動を示す．これを疲労腐食という．疲労腐食の特徴は初期に亀裂が発生し徐々に進行することにある．前述の孔食や隙間腐食は主に疲労腐食に関与し，亀裂の進展に及ぼす腐食環境の影響は電気化学的効果と力学的効果に大別される．電気化学的効果は亀裂先端のアノード溶解速度の増加をもたらし亀裂の進展を加速する．一方力学的影響は亀裂進展を加速する場合のみならず減速する場合もある．またステンレス鋼は海水中など強い腐食環境では大きな影響を受ける．腐食液中では酸素含有量が腐食疲労強度に大きく影響する．

応力腐食割れ stress corrosion cracking は引っ張り応力と腐食作用の両因子で起こる割れ状の腐食で，環境と材料が特定の組み合わせのときに発生する現象である．

c 生体適合性 biocompatibility

材料を皮下または筋肉内に埋め込むと線維性の皮膜でおおわれる．この皮膜の厚さで材料の生体適合性を調べる方法がある．アルミナセラミックは被膜の厚さが数十ミクロンであるが，ステンレス鋼は数百ミクロンに達する．しかしこの差は小さいのでこの方法は感度のよい方法とはいえない．また金属製内固定材料を骨内に埋没しても同様に線維性皮膜でおおわれ，さらにその周囲に介在する骨でおおわれる（介在性骨形成）．耐腐食性に優れた材料ほどこの皮膜の厚さは薄く，チタン合金は埋入後 1 年経過すると直接骨と接するようになる．

d 毒性・発がん性 toxicity・carcinogenicity

生物に特に有害な金属としては，ヒ素，ベリリウム，カドミウム，ニッケル，クロム，鉛，水銀などがあげられる．骨接合用に用いられている金属製内固定材料で，チタン以外のステンレス鋼やバイタリウムはニッケル，クロムを含んでいる．クロムの急性中毒には腎の尿細管壊死があり，慢性障害には肺がんがあげられている．ニッケルに発がん性があることは以前から広く知られている．培養細胞系でもニッケルは容量依存性に細胞毒性を示す．過去の報告ではステンレス鋼やバイタリウムを体内に長期間埋入した後に悪性腫瘍を発生した例が散見される．もちろん，コントロールと比較してこれらの金属製内固定材料が有意に高い悪性腫瘍の発生率を示す統計学的な根拠はないが，少量でもニッケルイオンが流出する以上，長期に生体内に放置した場合に悪性腫瘍が発生するかもしれないという懸念はぬぐい去ることはできない．大腿骨骨折手術後約 50 年経過し，腐食した金属プレート周囲から軟骨肉腫を発生した 1 例を呈示する（図 4-4-5）．また最近，形状記憶合金 shape-memory alloy としてチタン・ニッケルを各々 50％ずつ含有した Nitinol という合金が登場しているが，わずかでもニッケルイオンが流出する可能性があるので，長期に生体内に埋入することは避けるべきであろう．

112 総論 第4章 骨折に用いる内固定材料

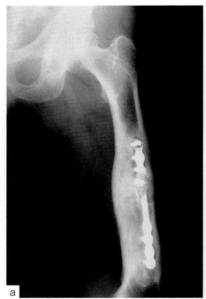
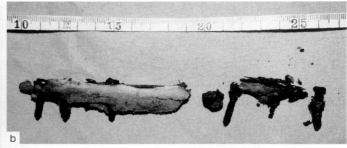
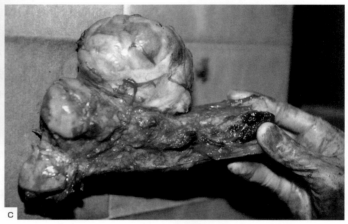

図4-4-5　プレート近傍より悪性腫瘍を生じた症例
a. 大腿骨骨折に用いられた金属製内固定材料（プレート）．50年前に手術された症例でプレートの折損，局所的な骨吸収を認める．
b. 摘出したプレートの一部．腐食しばらばらになっている．
c. プレート近傍より発生した軟骨肉腫

（日赤和歌山医療センター　百名克文先生の症例）

e 骨粗鬆化 osteoporotic change

　ステンレス製内固定材料（プレート）はその剛性が約200 GPaと，ヒト皮質骨の曲げ弾性率約18 GPaに比べて格段に大きく，ヒトの骨幹部骨折にステンレス製プレートを用いて固定した場合，プレート下面の骨粗鬆化や骨皮質の菲薄化のためにプレート抜去後に再骨折を生じることがある．したがって抜去後しばらくは再骨折防止のため，過度の力学的ストレスを避け転倒に注意が必要である．特に第三骨片をラグスクリューで内固定したあとでは，しばしば再骨折を生じることからスクリューの抜去には慎重を要する．

f 金属アレルギー metal allergy

　金属アレルギーとは，金属と自己の蛋白質との反応により生じた抗原決定基に対する免疫反応がもたらす組織障害性の過敏症である．金属は生体内で腐食し，電気化学的過程により金属イオンを形成する．これが内因性蛋白複合体を形成することにより免疫システムを賦活化する，いわゆるハプテンアレルギーの一種である．金属アレルギーは一般にはネックレス，腕時計バンド，ピアスなど装飾具や歯科口腔外科用の金

属性内固定材料，食物や食器由来の金属，外科手術時のクリップ，金属製内固定材料，人工関節などに起因することが知られている．

装飾具によるものは，接触部に湿疹として生じる金属アレルギー性の接触性皮膚炎である．歯科用金属によるものは，口腔内に直接接触して生じる扁平苔癬または吸収されて手足の皮膚炎として金属疹を生じるものがある．また吸収されてアレルゲンとして血行性に皮膚に達し全身性の皮膚炎をきたすものがあるが，これには経口金属摂取や内固定材料も原因になるとされる．

金属製内固定材料による金属アレルギーは，1966年FoussereauとLaugierにより初めてニッケルが過敏性反応に関与していることが示された．翌年McKenzieらは，Smith-Petersenの三翼釘で皮膚症状を呈した症例を報告している．その後数多くの金属製内固定材料による過敏性の症例が報告されている．アレルゲンとなる金属は，ニッケル，コバルト，クロームの順に多く，ベリリウム，チタン，タンタルも報告されている．

1) 頻　　度

金属製内固定材料によるものはまれで，発生頻度の報告は明らかでない．人工関節による金属アレルギーの報告は多くはないが，金属アレルギーの発生頻度は，人工関節が緩みなく機能している場合は一般コントロールの約10％に比べて2倍以上の約25％，人工関節に緩みが生じた状態では数10％に達し，それほどまれではない．

2) 症　　候

金属製内固定材料や人工関節などによる金属アレルギーの症状は，術前になかった部位に皮膚炎を生じ，治療に抵抗する場合が多い．皮疹の生じる部位は人工関節を埋入した部位の近くに生じる例が多いが，手足や全身性に遠隔部に皮疹を生じる場合もある．また手術部付近の感染を疑わせるような腫脹，疼痛を生じ，人工関節の抜去により治癒した症例も報告されている．

診断基準としてRostockerらは，① 皮膚炎が金属埋入後に生じる，② ほかに明らかな原因がない，③ 慢性である，④ 抜去後2ヵ月以内に治癒する，⑤ 肉眼的には明らかでないが金属の腐食がある，などの5項目をあげている．また岡田らは，① 術前にアレルギーの既往がない，② 皮膚症状が遷延し治療に抵抗する，③ 金属抜去後速やかに症状が消退する，④ 金属成分によるパッチテストが陽性である，⑤ 末梢血に好酸球増多のみられることがある，などの5項目をあげている．

3) パッチテスト

一般に市販のキットが使用されているが，チタンにはないので金属粉末を用いて行う．キットに入った抗原を皮膚にパッドで貼付し，2〜4日後に判定する（**図4-4-6**）．本テストは必ずしも陽性に出ない症例があり，金属製内固定材料または人工関節を抜去してはじめて診断がついた症例もあるので注意が必要である．

4) LTT (lymphocyte transformation test)

リンパ球に感作する抗原を加えてその増殖を3H-thymidineの取り込みで調べる方法で，パッチテストに比べ一般的ではないが，全身性アレルギーの検出に有用である．

114　総論　第4章　骨折に用いる内固定材料

コントロール（陰性）

硫酸クローム（陽性）

硫酸ニッケル（疑陽性）

図4-4-6　パッチテスト（クローム，ニッケル）

5）治　療

　金属製内固定材料の場合は抜去が不可欠である．これにより症状が速やかに消退する．問題は人工関節によるアレルギーで，治療に抵抗する皮膚炎とパッチテスト陽性などで本症が疑われた場合は，アレルギーをきたさない金属やセラミック製人工関節を用いて再置換を考慮することもある．また徐々に脱感作することもある．

5 吸収性内固定材料

　一般に骨折の内固定に用いられている金属製内固定材料は，前述のような種々の問題点を有している．特に人工関節置換術で摺動部付近に金属が使用されている場合には金属症 metallosis の危惧がある（Matsuda Y, 1992）．さらに関節内骨折で関節面に使用した場合は，将来内固定材と反対側の関節軟骨損傷を生じる危険性がある．

a 歴　史

　これらの問題点を克服するため，吸収性内固定材料の研究開発が行われてきた．ポリ乳酸 polylactic acid（PLA）に関しては1970年代初めから口腔外科領域を中心にプレートやスクリューによる動物実験が行われ，オランダのグループがヒトの頬骨に吸収性プレートとスクリューを臨床使用している．PLA は強度は低いが，顔面骨などでは骨癒合が早く，荷重のかからない部位では使用できる．遅発性の腫脹の副作用が報告されている一方，米国で足関節内果骨折に使用され良好な臨床成績が報告された．

　一方フィンランドでは1988年 Dexon 線維で強化した Poly-glycolic acid（PGA）ロッド（self-reinforced rod：SR-PGA rod）が開発され，北欧を中心に足関節部骨折など多くの臨床例に用いられた．Böstman は数100例の臨床に用いた結果，感染率に関しては金属製材料と有意差はないが，約8％に遅発性の無菌性腫脹（組織反応）を生

5 吸収性内固定材料

表4-5-1 金属製内固定材料と吸収性内固定材料の力学的特性の比較

材 料	抗張力 （MPa）	曲げ強度 （MPa）	曲げ弾性率 （GPa）	剪断強度 （MPa）
ステンレス鋼（SS 316）	600～1,000	280	200	―
チタン	560～620	―	100	―
延伸 PLLA（Fixsorb™）	120～200	200～260	12～15	―
HA/PLLA（Super-Fixsorb™）	―	250～270	7～12	126～143
SR-PGA（Biofix™）	―	360	12	220
PDS（Orthosorb™）	―	2.6	0.3	11.3
ヒト皮質骨	80～120	100～200	10～17	―

じ，時には抜去を要する場合があったと述べている．これは PGA は分解が速く周囲
の細胞が処理できなくなるほどの多量の分解物が出るためと推測されている．また
SR-PGA は，層間剥離 delamination により生じた大きな結晶粒子が，マクロファー
ジや多核巨細胞による貪食反応を促進すると考えられる．したがって臨床では分解が
緩徐なポリ-L-乳酸 poly-L-lactic acid（PLLA）を用いる症例が増えている．近年わが
国では骨伝導能のあるハイドロキシアパタイト（HA）を含有した HA/PLLA 複合体
が多く用いられている．

b 種　類

現在臨床応用されている吸収性内固定材料は4種類である．これらの内固定材料の
物性について**表4-5-1**に示す．

1）ポリ-L-乳酸　poly-L-lactic acid（PLLA）

北欧では SR-PLLA 製の内固定材料（Biofix™：Bioscience；Finland）が，わが国で
は延伸 PLLA 製の内固定材料（Fixsorb™：Johnson & Johnson Medical；Japan）が，
関節部の骨接合材料として用いられてきた．

整形外科用 Fixsorb™ にはスクリュー，ピン（ロッド），釘があり，スクリューは
AO タイプに準じて皮質骨用，海綿骨用，顆部用の3種類がある．ピン（ロッド）は，
直径 1.25～4.5 mm，長さ 7 cm までのものがある（**図4-5-1**）．

a）製造方法

高強度を有する骨接合用 PLLA には，①マトリックスを PLLA 線維で自己強化した
複合体（self-reinforced composite：SR-PLLA），②高分子量の重合体をそのまま形状
物に切り出す（as-polymerized PLLA），③線維化しない程度に一軸延伸してから切削
加工する（延伸 PLLA）の3つの製造法がある．以下に延伸 PLLA である Fixsorb™
の強度，分解・吸収，組織反応について述べる．

b）強　度

Fixsorb™ の曲げ強度はステンレス鋼のそれとほとんど変わらない（**表4-5-1**）．こ
の延伸 PLLA は線維で補強しない PLA の中では最も強度が高く均質であり，層間剥
離を起こさない利点を有している．

c）分解・吸収

PLLA は主に酵素を触媒とせず，酸・アルカリを触媒とする通常の加水分解により

116　総論　第4章　骨折に用いる内固定材料

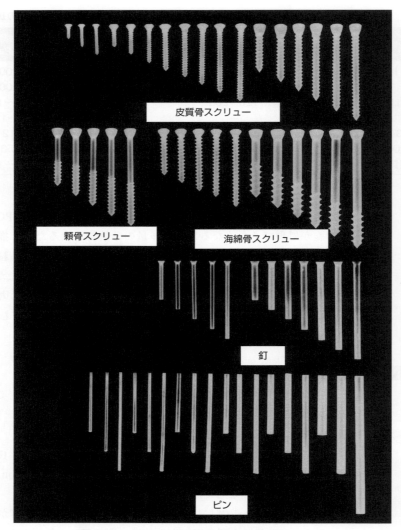

図4-5-1　ポリ-L-乳酸製骨接合材料（Fixsorb™）

分解される．分解は体液と接触する材料表面から加水分解され，浸蝕により多孔質になり順次内部まで分解が進行する．図4-5-2に家兎の皮下，大腿骨髄内に埋没した場合とin vitro（水中での加水分解）の曲げ強度の経時的変化を示す．骨髄内での強度の低下が12週以降やや大きい傾向があるが有意差はなく3者とも同様の傾向である．8週後に初期強度の約10％を，12週後に約40％を失う．また直径の大きいロッドのほうが，小さいものより曲げ強度の維持がよい．骨髄内での重量の減少は緩徐であり，25週後で約5％，52週後で22％で，その後やや加速し78週後で約70％である．

d）組織反応

　家兎骨髄内における組織反応は，PLLA埋没8週後より反応性に増殖した骨組織によりおおわれ，反応骨とPLLAの間には厚さ十数μmの線維性組織が介在した（介在性骨形成）．1年後頃よりPLLA周囲に介在する線維性組織中にPLLAの結晶細片を貪食する組織球が現れ始めた．この組織球による反応は2〜3年後まで比較的長く持

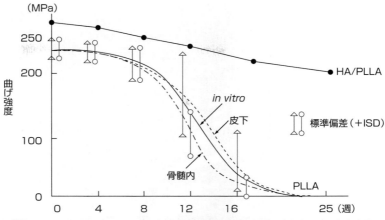

図 4-5-2　延伸 PLLA および HA/PLLA ロッドの曲げ強度の経時的変化

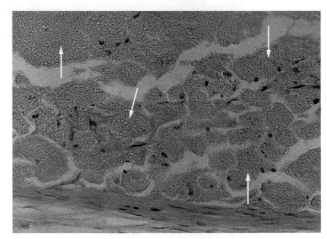

図 4-5-3　骨内での PLLA ロッドに対する組織反応
（埋没 41 ヵ月，HE 染色，× 400）
数層の組織球が分解した PLLA の微細片を貪食している（矢印）．

続するが緩やかで，大きい結晶片を貪食している巨細胞はほとんどみられなかった（図 4-5-3）．最終的には約 5 年後以降に材料は完全に吸収され消失し，わずかに名残りを示す瘢痕組織がみられるのみであった．

2) ポリグリコール酸（PGA）

PGA より作製された Dexon の線維を同じ PGA の基質で焼結 sintering 法で固めてロッド・スクリューを作製する．初期強度は最も高いが分解は速く 1 ヵ月で初期強度の大半を失う（Biofix™）．

3) ポリジオキサノン（PDS）

エチレングリコールとグリコール酸の重合体であり，ガラス転移点が −16℃ と低く，PLA や PGA と比較して非常に軟らかい．体内ではゴム様の軟らかさを示し，曲げ弾性率は 1〜2 GPa と低く，吸収性のモノフィラメントの糸としての使用に適している（OrthoSorb™：Johnson & Johnson Orthopaedics）．

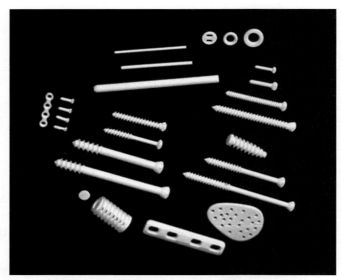

図 4-5-4　高強度 HA/PLLA 複合体による内固定材料

4) ハイドロキシアパタイト/ポリ乳酸 (HA/PLLA) 複合材料

a) 開発の経緯

ポリ-L-乳酸 (PLLA) 製を代表とする生体内吸収性内固定材料は, わが国ですでに多くの臨床応用がなされてきたが, 関節内に用いた場合の関節炎の報告や長期経過例の MRI による観察では骨組織に置換されにくいなどの問題が残されていた. またピンとして使用した場合に緩みを生じ逸脱してくる欠点があった. ハイドロキシアパタイト hydroxyapatite (HA) との複合化を図ることにより PLLA の強度をさらに向上させ, 骨と結合する新しい吸収性内固定材料 (HA/PLLA 複合材料) が開発され, 2003 年秋からわが国で市販が開始された.

b) 製作方法と物性

HA/PLLA 複合材料は生体内吸収性高分子である PLLA とバイオセラミックスで生体活性を有する HA との均一溶融混合体を特殊な方法 (forging) で圧縮成形して得られたロッドを機械加工したものである. HA は平均粒子径 3 ミクロンの未焼結のものを用いるが, これは空気の混入や亀裂のほとんどない緻密な材料である. HA 含有量は 20〜50 wt% で調節可能であり, 初期曲げ強度は約 270 MPa, 曲げ弾性率は 7〜12 Gpa, 圧縮強度は約 110 MPa である. PLLA 製内固定材料に比べ特に剛性に優れ, 総合的に高い強度を有している. AO タイプに準じて各種のスクリュー, ピンが作製されている (Super-Fixsorb™). ほかにプレートや ACL 再建用の interference screw, ワッシャー, 人工椎体, メッシュゲージなどが作製されている (図 4-5-4).

c) 分解・吸収

加水分解は PLLA 単独の場合とほぼ同様の強度劣化パターンを示し, 25 週後においてもヒトの骨皮質の曲げ強度を上回る力学的強度を有している. 病理組織学的には骨髄内で線維性組織を介さずに骨と直接接触している部分の割合が, 術後 4 週では 20〜40% と PLLA 単独群より有意に高い値を示し, 早期からの生体活性が確認され

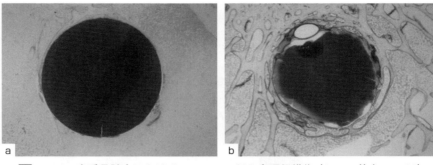

図 4-5-5　家兎骨髄内における PLLA ロッドの病理組織像（Gimsa 染色，×20）
術後 4 年でロッドは縮小し，辺縁から組織置換が進行している．
a. 術後 4 週，b. 術後 4 年

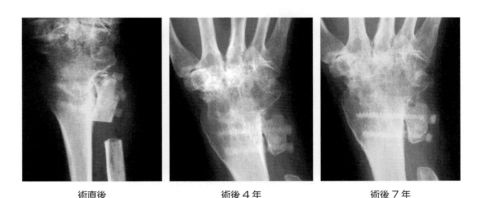

術直後　　　　　　　術後 4 年　　　　　　　術後 7 年

図 4-5-6　関節リウマチに対する HA/PLLA スクリューを用いた Saubé-Kapandji 法
術直後は骨密度が高いので，骨と近い X 線透過性の HA/PLLA スクリューはみえにくい．
術後 7 年でスクリューの部分的吸収像を認める．

ている．埋没 3 年以後にマクロファージによる貪食反応と材料の吸収，縮小が認められ，4 年では材料の崩壊と辺縁から一部骨組織に置換されている所見が認められた（図 4-5-5）．

d）臨床試験

　1996～1997 年に手術された 30 例（男性 9 例，女性 21 例）の短期（平均 1 年 5 ヵ月）成績は満足すべき結果を得た．内固定材料はほとんどの例で単純 X 線写真上不透明な陰影として描出され，経時的に陰影濃度が低下する傾向を示した．遅発性無腐性腫脹（PLLA 骨接合材料周囲に生ずる一過性の腫脹）などの内固定材料に起因する副作用はみられず，内固定材料としてきわめて有用であった．また術後 3 年すぎから内固定材料の陰影の不整，菲薄化を認め，5 年後以降は菲薄化はいっそう進行し細片化や縮小が観察された（図 4-5-6）．この結果から HA/PLLA 複合体は生体内で術後数年以上経過すると吸収されることが予想され，実際に 10 年までの経過観察で完全な吸収と骨の置換が確認されている．

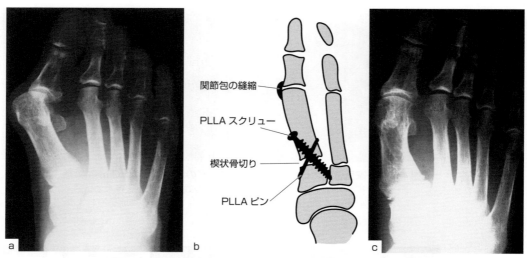

図 4-5-7 PLLA スクリューとピンを用いた外反母趾骨切り術
a. 外反母趾症例（術前）
b. Man 変法による外反母趾手術法
c. 良好な骨癒合と矯正が得られ，PLLA スクリューの刺入孔は骨硬化を伴った骨透亮陰影としてみえる（術後 2 年）．

e）利点と問題点

　　HA/PLLA は単純 X 線写真で捉えられるので，内固定材料の位置と分解・吸収過程を推定できる利点がある．臨床例では遅発性無腐性腫脹は認められず，関節内に用いた例でも関節炎を生じていない．臨床に用いた内固定材料は PLLA の含有量が PLLA 単独のものより 30 wt%だけ少なく，この点においても HA/PLLA は遅発性炎症などの副作用の発生を抑制し，分解吸収も速まる可能性が高いと考えられる．また吸収性の HA を含んでいるので骨組織への置換が起こり得るとされる．問題点は高強度ではあるが金属に比べて強度は劣るので，強いトルクをかけるような無理な操作や強い荷重のかかる部位に使用すると折損をきたす可能性があることである．

C 適　　応

1) PLLA および HA/PLLA 複合体

　　この両者の適応はほぼ同じで，骨癒合が比較的早く得られる関節周囲，関節内骨折，骨切り術における骨片の内固定，移植骨の固定などに使用が可能である．

a) 関節内および関節周囲骨折

　　最もよい適応は肩，肘，手，股，膝，足関節などの関節内骨折，関節周囲骨折さらに離断性骨軟骨炎などである．3 ヵ月以内に確実に骨癒合が得られる部位に使用する．

b) 移植骨の固定

　　人工股関節置換術時の骨移植，偽関節手術や頸椎前方固定術時の移植骨片の固定，舟状骨骨折の移植骨片の固定などが適応となる．肩関節不安定症や股関節臼蓋形成不全の移植骨片の固定も適応となる．

5 吸収性内固定材料　*121*

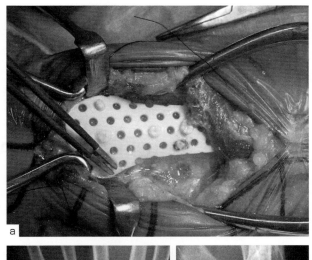
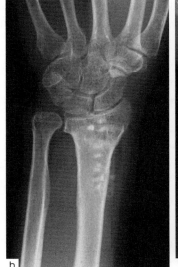
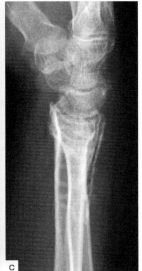

図 4-5-8　HA/PLLA 製メッシュ状プレートによる橈骨遠位端骨折の内固定
a. 術中写真．HA/PLLA 製メッシュ状プレートと HA/PLLA 製スクリューで内固定した．
b. 術後単純 X 線写真前後像．HA/PLLA 製スクリューが薄く同定できる．
c. 術後単純 X 線写真側面像

c) 骨切り術時の骨片の固定

　寛骨臼回転骨切り術，外反母趾骨切り術，指の関節固定術における骨片の固定が適応となる（**図 4-5-7**）．しかし脛骨粗面内方移行術や肩のブリストー手術のように術後骨片固定部位へ強い力学的負荷のかかる場合は慎重な使用が望ましい．

　HA/PLLA 複合体は力学的強度，曲げ弾性率，剪断強度は PLLA 単独の吸収性内固定材料よりも高く，従来適応されていた部位の骨接合術のみならず，プレートシステムとして用いた場合も固定部位の安定性が得られることが期待される．特にプレートは，室温で自由にあらゆる方向にくり返し曲げることができるので，顔面，上肢，骨盤の手術への応用が有望である．しかも疲労特性がチタン性プレートよりもはるかに優れている．最近，メッシュ形状で温水中で骨形状に合わせて変形させられるプレートシステムが臨床応用されている．手指の骨折，橈骨遠位部骨折，小骨の骨切り術の固定に用いられている（**図 4-5-8**）．

2) ポリグリコール酸（PGA）

足関節部の骨折，外反母趾手術の骨片の固定などに適応される．

初期強度は高いが分解も速く，1ヵ月で初期強度の大半を失う．

3) ポリジオキサノン（PDS）

曲げ強度は低いが剪断強度は比較的高く，ピンとして関節内の骨軟骨片の固定に用いられている．

d 使用上の注意（PLLA および HA/PLLA）

1) スクリュー・ピンによる固定

吸収性内固定材料として高強度であるが，金属の強度にはとても及ばない．したがって挿入固定時に金属製スクリューと同じように扱ってはいけない．専用のタップを用い，スクリューを挿入し過度のトルクをかけないようにする．また軋轢音が強くなったり固定時にスクリューに捻れを感じた場合は，それ以上の挿入操作を中止する必要がある．関節軟骨面で使用する場合は，必ずピンの頭を軟骨面より1～2 mm埋没させる．

いずれの吸収性内固定材料も突出した先端による皮下組織，腱，神経，軟骨などへの機械的刺激を避けるために，先端をペンチ，リュウエル鉗子，エアートームなどで簡単に切除することができる．これは金属製スクリューにない利点である．

2) X線透過性

HA/PLLAは骨と同程度の透過性があるので，単純X線写真上である程度の確認は可能であるが，PLLAはX線透過性のため，先端の位置を確認することはできない．したがって吸収性といえどもゲージにより長さを正確に測定し適切な長さのものを使用する必要がある．

3) その他

骨接合に必要最少本数を使用することが望ましい．また術中固定性に不安がある場合にはプラスチックキャストなどによる外固定を併用したり，ほかの固定材料を併用することも必要である．

e 合併症

1) 折損

折損を避けるためには術中の慎重な操作が不可欠である．

2) 癒合不良

同種骨や人工骨の固定，筋腱を付着した骨片の固定，早期に大きな力学的ストレスのかかる部位での使用は慎重にすべきである．

3) 骨吸収

BöstmanはPGAを用いた例の約半数にロッド周囲に骨吸収を認めたが，1年後には回復していたと報告している．術後約1年より周囲に多少の吸収が出現する例もあるが，3年以後徐々に修復される．HA/PLLAでは材料周囲に骨硬化はみられるが骨吸収は少ない．

4）遅発性無菌性腫脹

　　手や足の浅い部位に PLLA 骨接合材料を用いた場合に頻度は少ないが一過性に腫脹を生じることがある．関節部では材料が突出しないよう十分に骨軟骨内に埋没することが大切である．また局所に生体のクリアランス能力を超えた多量の材料を使用することは，副作用防止上からも避けるべきである．さらに血流の悪い骨癒合の遷延している部位では，材料の吸収の遅延や炎症反応の頻度が高くなると考えられる．HA/PLLA による遅発性無菌性腫脹の報告はほとんどない．

6 その他の内固定材料（骨充填剤）

　　骨腫瘍切除後，脊椎再建術，関節手術において骨欠損部の補填に用いる人工骨の開発が以前から行われてきた．セラミックスはその代表で，ガラス，陶器，セメントなどのオールドセラミックスに対して，工学的に合成されたニューセラミックス（ファインセラミックス）は生体材料としても使用されている．セラミックスは一般的に圧縮に強く硬いが，引っ張りに弱く脆い性質を持っている．アルミナ，ジルコニアなどの高強度のセラミックスは，生体親和性は優れているが，生体活性（線維性被膜を形成せず直接骨と結合する性質）を有していないので，人工関節の摺動面に用いられてきた．一方骨欠損部の補填には，骨と結合するか骨に置換される生体活性を持つセラミックスが求められる．骨は無機の水酸アパタイトの微結晶が有機のコラーゲンの上に配列し巧みな三次元構造を作り，水酸アパタイトが重量比 70％，体積比 50％を占めている．そのため生体活性を有し骨に近い材料であるリン酸カルシウム系アパタイトは，骨欠損部補填材として適している．

　　骨補填材は気孔の大きさから緻密体と多孔体に分けられ，形状からブロック体と顆粒体に分けられる．一方骨セメントとして使用する場合には，粉体と液体を混和させてペースト状のものとし骨欠損部に充填するものがある．骨セメントには，骨欠損部補填材として使用される生体活性を有するリン酸カルシウム系セメント，人工関節の固定などに用いられる PMMA 骨セメントがある．

a リン酸カルシウム系アパタイト

1）ハイドロキシアパタイト（水酸アパタイト）hydroxyapatite (HA)

　　$Ca_{10}(PO_4)_6(OH)_2$ で表される骨の無機成分にきわめて近い組成を持つ骨欠損部補填材である．その特徴は生体適合性に非常に優れ，良好な骨伝導性 osteoconduction を有していることである．すなわち骨内に埋没された場合，その周囲に旺盛な新生骨の形成を認め，骨とは線維性組織を介せず直接結合する（結合性骨形成）．吸収はきわめて緩徐である．各社から成分，焼成温度，焼成時間，大きさ，形状の異なる製品が市販されている（図4-6-1）．形状には緻密体と多孔体があるが，多孔体は骨伝導能に優れ，荷重のあまりかからない部位の骨欠損の補填に有用である．気孔率，組成，

図 4-6-1　各種形状のハイドロキシアパタイト

焼成温度などが異なるので，使用した材料の種類を明らかにしておく必要がある．緻密体でも強度のかかる部位での単独での使用は避けるべきである．骨腫瘍切除後の骨欠損部に対する骨充填材料として最もよく用いられている．骨折治療では関節近傍の骨折や脊椎圧迫骨折による骨欠損部の補填材料として用いられ，骨切り術後の欠損部のスペーサーとしても用いられている（図 4-3-8 参照）．

2）リン酸三カルシウム　tricalcium phosphate（α, β-TCP）

$Ca_3(PO_4)_2$ で表される生体活性セラミックで，HA と物理的・化学的性質がよく似ている．強度は HA と同程度であるが，一般に吸収性とされ，吸収は α-TCP は β-TCP の数倍速いとされる．骨形成能は HA とほぼ同程度であるが，より骨組織への置換を期待する部位で使用される．したがって吸収後に骨置換されのちに強度が向上することが期待されるセラミックである．比較的強度を必要としない骨腫瘍切除後や骨折整復後の骨欠損部の充填に使用される．

附-10　β-TCP 配向連通多孔体（アフィノス®）

最近では吸収性セラミックの代表である β-TCP も，生体骨に類似した異方性構造を持ち，連通性（貫通性）のある気孔を特定の方向に配列させた構造の多孔体が市販されている．組織侵入を容易にして骨伝導をできるだけ良好にし，骨強度の早期回復を図るようになってきている（図 4-6-2）．

3）リン酸カルシウム系セメント

吸収性の骨セメントとして臨床応用されているのはリン酸カルシウム系の生体内吸収性セメントである．これは α-TCP を主体としたリン酸カルシウム系セラミックスの粉体とコンドロイチン硫酸ナトリウム，コハク酸ナトリウムを含む水溶液を混和，硬化させセメント状にして用いるものである．硬化後，圧縮強度は 3 日目に 70〜80 Mpa の最高強度に達する．生体内で水和反応により徐々に HA に変化するので，優れた骨伝導性と生体適合性を有している．脊椎圧迫骨折後骨欠損部に対する小侵襲

6 その他の内固定材料（骨充填剤） 125

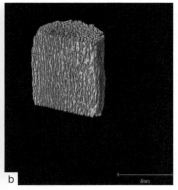

図 4-6-2　β-TCP 配向連通多孔体（アフィノス®）
a. β-TCP 配向連通多孔体
b. マイクロ CT 像，連通性をもつ気孔が特定の方向に配列している．

（株式会社クラレより提供）

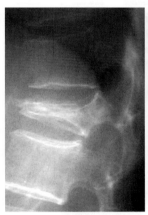
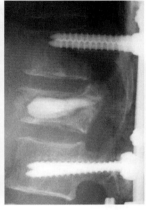
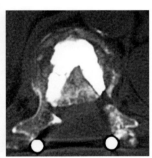

　　術前単純 X 線写真側面像　　　術後単純 X 線写真側面像　　　　術後 CT

図 4-6-3　脊椎圧迫骨折に対する吸収性骨セメント（バイオペックス™）注入法
圧壊した椎体を整復し，その空隙に椎弓根部から吸収性骨セメントを注入し，pedicle screw システムで保持固定する．
椎体からの骨セメントが脊柱管や椎間孔内に漏洩すると術後神経合併症をきたす可能性がある．これを防ぐためには，X 線透視下に観察しながら少量ずつ注入することが肝要である．また，BKP（balloon kyphoplasty）では，脆弱な椎体壁や終板欠損部をバルーン拡張により充填母床を作成してセメントを充填することで漏洩を回避する．

注入・補填療法，関節周囲部骨折整復後骨欠損部，骨腫瘍切除後や骨採取後の骨欠損部の補填，金属製スクリューなどの人工材料の補強・固定，セメントレス人工関節と骨母床間の間隙の充填などに用いられており（**図 4-6-3, 4**），生体内で徐々に吸収され，骨に置換されると報告されている．いずれにしてもリン酸カルシウム系セラミックスは優れた生体適合性，骨伝導能を有するが，チタンや AW-ガラスセラミックスなどの生体活性セラミックスに比べて力学的強度が著しく劣るので，単独では荷重の強くかかる部位に使用することはできない．

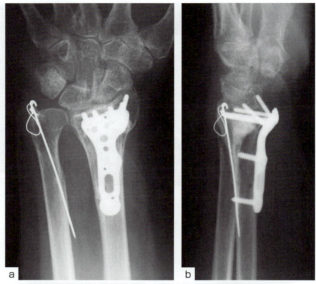

図 4-6-4 橈骨遠位端骨折におけるリン酸カルシウム系セメントの応用
（骨欠損部にセメントが注入されている）
a. 術後単純 X 線写真前後像，b. 術後単純 X 線写真側面像

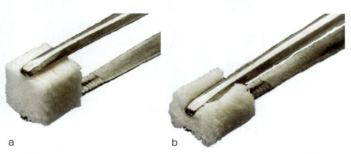

図 4-6-5 コラーゲンハイブリッド人工骨（リフィット®）
a. スポンジのような弾力性のある人工骨
b. 湿潤時，容易に変形する．

附-11 コラーゲンハイブリッド人工骨（リフィット®）

　未焼結ハイドロキシアパタイト（HA）とブタ真皮由来のコラーゲンを使用したハイブリッドの人工骨で前者80％，後者20％の組成比で構成され，骨組織にナノレベルまで近づけた構造を有している．スポンジのような人工骨で，フレキシブルな操作が可能であり，吸収性が高く，骨組織に置換されることが特徴である（図4-6-5）．β-TCPとの比較試験で優位に良好な骨形成を示している．

　適応は，①骨欠損における骨再生の促進として，骨腫瘍などの治療により生じた骨欠損，骨折など外傷により生じた骨欠損，自家骨採取により生じた骨欠損部の充填，②自家骨移植の補助/代替として用いられる．

図 4-6-6　ヒト脱灰骨基質（DBM）
（グラフトン™）
a. パテ状のもの
b. ボックス状のもの
c. ストリップ状のもの

附-12　ヒト脱灰骨基質（DBM）（グラフトン™）

　　ドナーから提供されたヒト同種骨（皮質骨）を脱灰処理して精製した製品で，骨誘導能を有する．厳重なドナースクリーニングを行い，ガンマ線処理，塩酸処理およびアルコール処理で病原体の不活化を図るので，HIV など感染伝播のリスクはほぼゼロである．脱灰処理によりヒト骨組織の無機成分や細胞基質は除去され有機成分（コラーゲンや微量の成長因子）が残存するため骨誘導能を有している．また精製過程で骨を繊維状の構造に加工しているので，骨芽細胞の足場として機能し良好な骨伝導能も有している．パテ状，ストリップ状，ボックス型のものがあり，主に脊椎固定術で自家骨と併用される．パテ状のものは腸骨採取部や骨欠損部，関節固定術にも適応される（図 4-6-6）．

b　PMMA 骨セメント

　　いわゆる骨セメントとして使用されている acrylic cement は，優れた固定性と生体に及ぼす影響が少ないことから Charnley の人工股関節置換術への使用以来広く用いられるようになった．1951 年英国の McKnee が金属対金属の人工関節を開発し，骨セメントを用いて骨に固定した．methylmethacrylate の粉末状のポリマーと液体状のモノマーとを混合し，触媒の作用で重合反応を起こさせる．その際約 85℃ の発熱をきたすことや，3〜4% 程度残留するモノマーの化学的刺激により，骨組織は接触面より約 0.5 mm の深さまで壊死に陥る．また骨セメント注入 1〜2 分後に一過性の血圧低下をきたすことが知られているが，これはモノマーの循環器系への作用によるもので，5 分以上経過後も継続する血圧低下は脂肪塞栓症を疑う必要がある．壊死骨は徐々に線維組織に置換され組織反応は軽度である．骨との固定は化学的なものでなく力学的な錨着による．

　　圧縮強度は約 1,050 kg/cm^2 でリン酸カルシウム系セメントに比べて格段に高く，数分程度で硬化するので早期離床，荷重が可能である．骨巨細胞腫など骨腫瘍切除後の骨欠損部の補填や骨粗鬆症性椎体圧迫骨折に対する椎体形成術に用いられる．骨セ

128 　総論　第4章　骨折に用いる内固定材料

メントによる椎体形成術は経皮的あるいは小侵襲での治療が可能で早期離床，早期退院の利点がある．しかし呼吸・循環器系への影響，脊柱管内へのセメントの漏出による神経組織の損傷などの問題もあり，また骨セメントと周囲骨との力学的性状の差から長期的な安定性に問題がある．

附-13　抗菌縫合糸

　　抗菌性を有する縫合糸としては，わが国では Vicryl および PDS がそれぞれ 2009 年から VICRYL PLUS® として，2011 年から PDS PLUS® として ETHICON 社から市販されている．抗菌性を有する縫合糸としては国内外ともに ETHICON 社製が専ら使用されている現状である．

　　縫合糸を始め人工物が体内に存在するとそれを足場として細菌が増殖し，バイオフィルムを形成して縫合糸膿瘍が生じると感染に発展していく．VICRYL PLUS® と PDS PLUS® は抗菌薬のトリクロサンをコーティングしたもので，細菌の縫合糸表面におけるコロニー形成や増殖を阻害することにより抗菌作用を発揮する．ともに MRSA や MRSE を含む黄色ブドウ球菌および表皮ブドウ球菌に抗菌性があり，PDS PLUS® は大腸菌，肺炎球菌にも有効である．

附-14　抗菌薬含有骨セメント

　　抗菌薬を含有させた骨セメントは，人工関節置換術時の固定（特に再置換や感染例）やインプラント感染時の治療に臨床で広く用いられている．海外では以前より製品化された抗菌薬入り骨セメントが一般に用いられてきたが，わが国では 2014 年に市販されるまでは手術現場で抗菌薬を骨セメントに混入して用いてきた．日本整形外科学会の調査では，耐熱性に強いアミノグリコシド系の抗菌薬が多く用いられ，使用量も 0.05 〜2.0 g と施設によりさまざまであった．

　　混入された抗菌薬は，早期（4 時間以内）に約 1/3 が溶出するが，その後徐々に長期にわたり放出される．したがって，抗菌薬の全身投与に比べて局所の細菌の有効 MIC を超える濃度を比較的長く維持できる利点を有している．徐放に影響を与える因子として，抗菌薬の種類，セメント基剤，混入方法，粒度，抗菌薬の製剤方法や添加物の違いなどが報告されている．また力学的強度は，抗菌薬を混入することで低下する懸念がある．混入により生じる気孔率が大きいと機械的強度が低下するが，液体の抗菌薬はパウダーよりも気孔形成が多く強度が低下する．真空吸引下での抗菌薬混入により気孔形成を防ぐと強度低下を予防し得る．混入する抗菌薬の容量も強度低下に影響するので，アミノグリコシド系抗菌薬で 10% 以内，一般的にはバンコマイシンを用い 5% 以内が望ましい．

　　あらかじめ抗菌薬を含有させた骨セメントは，海外では Stryker 社製 Simplex® P Bone Cement，Biomet 社製 PALACOS®，DePuy 社製 CMW™ Antibiotic Loaded Cement などがある．しかしわが国では最近になり市販され，3 種類〔Simplex® P with Tobramycin（トブラマイシン混入）と Refobacin® Bone Cement R（ゲンタマイシン混入）および PALACOS®R+G（ゲンタマイシン混入）〕がある．これらの抗菌薬は熱耐性がありブドウ球菌や緑膿菌に感受性を有している．人工関節置換術後感染例に対して感染鎮静後に再置換術を行う際の固定材料として使用する．

附-15　抗菌薬含有人工骨

　感染人工関節やインプラント感染，骨髄炎の治療に抗菌薬入り骨セメントが広く用いられているが，薬剤徐放効率が低い，重合熱による薬剤活性の低下，留置後に抜去を要するなどの欠点がある．生体活性を有する人工骨に抗菌薬を含有させる方法は臨床的に良い結果が得られている．人工骨としてβ-リン酸三カルシウムやハイドロキシアパタイト（以下 HA）が用いられているが，生体内で安定していて広く用いられている HA について紹介する．

＊抗菌薬含有 HA

　HA は優れた生体親和性を有し生体内の吸収はきわめて緩徐で安定しているので，多孔体は抗菌薬の徐放の担体として適している．HA は骨セメントと比較して薬剤徐放効率が高い，使用できる抗菌薬に制限がない，液体の抗菌薬でも使用できる，重合熱による薬剤活性の低下がない，抜去のための手術の必要性がないなどの利点を有する．

　HA からの抗菌薬の溶出は HA の気孔率や溶解性が関与するが，骨セメントより徐放期間も長く局所濃度も高い．生体内留置後 90 日間で含有量の 70% が溶出すると報告されている．HA に抗菌薬を含有させる方法として，封入法と含浸法があるが，封入法の方がより簡便で，中央に穴の空いた HA を用い中に粉末の抗菌薬を封入後，蓋をして使用する．市販されているボーンセラム P（オリンパス テルモ バイオマテリアル株式会社）は中心に穴の空いた状態で滅菌されている．含浸法は，減圧法を用いて HA ブロックの気孔内に含浸させる方法で，実際には骨セメントミキサーを使用して抗菌薬溶液内に入れた HA ブロックに対して減圧を行う．

　これまで感染人工関節の感染制御や再置換術時の骨欠損充填，骨髄炎や骨折内固定材料感染の治療などに用いられている．抗菌薬を含有した人工骨は，術中に比較的容易に作成し得るので各施設で工夫して使用されているが，渉猟し得た範囲では国内外ともに市販されているものはない．

附-16　生体活性骨補填材料の使用実態調査（平成 14 年度）からの問題点

　調査された骨補填材料は，リン酸カルシウム系セラミック（HA，リン酸三カルシウムなど）と生体活性骨セメントである．558 施設，約 8,000 症例中 34 例に問題が報告されている．生じた問題は，自家骨採取部位に補填後の転位・逸脱，脊椎手術使用例における転位・逸脱・破損，骨ペーストの流出，破損，局所刺激症状などに分類された．骨ペーストの問題は使用例の 0.7%（15 例）に報告があり，脊椎例の椎体外への漏出，骨腫瘍例での局所の腫脹，骨折例の漏出，破損，癒合不全，骨採取部の使用例で皮下への漏出による蜂窩織炎様炎症などがあげられている．HA（顆粒とスティック）は使用例の 0.2%（5 例）に問題があり，転位・逸脱，癒着，関節腔との交通による膝滑膜炎の例があげられている．HA（ブロックとスペーサー）は使用例の 0.2%（14 例）に問題の報告があり，その内 85%（12 例）は転位・逸脱であった．重篤なものでは椎弓形成術に用いた椎弓スペーサーの逸脱により頚髄圧迫をきたした例があった．問題点を少なくするためには，手術に際しての初期固定性の確保，材料の力学的強度と局所の力学的強度との整合性，逸脱を防止する確実な手術・手技が求められる．

7 創外固定法

a 創外固定 external fixation

骨折等により分断された上下の骨片にピン，スクリューなどを体外より経皮的刺入し，その端を体外に出しこれを種々の材料を用いて結合・固定する方法である．

1) 歴　史

1853年 Malgaigne が爪型の創外固定器を考案し，膝蓋骨骨折の骨片を皮膚外から圧迫固定に使用したのが最初である．1907年に考案された Lambotte の創外固定法は現在のハーフピンで固定する創外固定法の原型である優れた方法であった．現在につながる創外固定は，1934年フランスの Judet と 1938年スイスの Hoffmann が考案し，臨床応用した方法である．Hoffmann の創外固定法は Vidal らにより改良され世界的に普及した（図 4-7-1）．

しかし，ステンレス鋼やバイタリウムによる内固定法の進歩の陰で，創外固定法は感染の危険性があるため長い間実際に使用されることは少なくなった．抗菌薬の開発によるピン刺入部の感染の減少や，種々の優れた創外固定法の開発により，また高エネルギー外傷による高度粉砕骨折や開放骨折の増加の結果，創外固定法は急速に普及した．さらに脚延長用の器具として不可欠のものとなっている．

2) 分　類

ピンを固定するフレームの数・形状から数種類に分類される．

a) unilateral 型

一側よりハーフピンを刺入し，一側のみを創外固定器のフレームで固定する．Orthofix 創外固定法，Ace-Fischer の簡易型などがある．

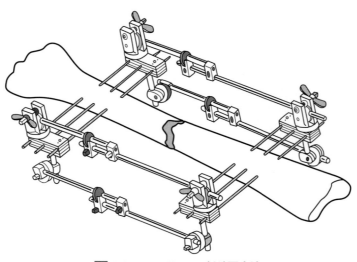

図 4-7-1　Hoffmann 創外固定法

b) bilateral 型

貫通ピンを使用し，ピンの両側を創外固定器のフレームに固定する方法である．Hoffmann 創外固定法や AO 創外固定法がある．

c) quadrilateral 型

bilateral 型のフレームを 2 本ずつにして立体構造をもたせたものである．Hoffmann 創外固定法が有名である．

d) triangular 型

bilateral 型の間に別方向からハーフピンを刺入し，三角形のフレームにより固定力を強化したものである．AO 創外固定器がある．

e) semi-circular 型

フレーム自体の形状が半円形で，貫通ピンとハーフピンとを組み合わせてフレームに固定するものである．Ace-Fischer 創外固定法が代表的である．

f) circular 型

円形のフレームに貫通ピン，ハーフピンを固定する方法で Ilizarov 創外固定法が最も有名である．

g) その他

1971 年に井上らは固定に用いるスクリュー，ピンを歯科用のレジンを用いて外固定する方法を発表した．

3) 創外固定法の長所と短所

a) 長 所

① 軟部組織を損傷せずに，小さな侵襲（皮切）で固定できる．
② 開放創に対する創処置が容易である．
③ 外固定に比較して固定力が強固である．
④ 骨折部に異物を留置しないので，感染の危険のある部位に有効である．
⑤ 緊急時に比較的簡単に装着でき，術後の患者のケアが容易になる．
⑥ 装着後にアライメントの変更や整復操作が可能である．
⑦ 骨延長や電気刺激が行える．
⑧ 抜釘が簡単である．

b) 短 所

① ピン刺入部の感染の危険が常に存在する．
② ピン刺入部の創処理が必要で，固定中は入浴できないので患者のストレス，負担が大きい．
③ 長期間の装着が困難である．
④ 関節部の運動を妨げる場合がある．
⑤ 内固定材料に比べてコストが高い．

4) 適 応

① 感染の危険性の高い開放骨折
② 感染性偽関節
③ 内固定が困難な高度粉砕骨折，骨欠損の大きい骨折，骨盤骨折
④ 関節固定，骨切り術の固定

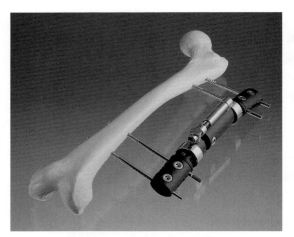

図 4-7-2　Orthofix 創外固定法

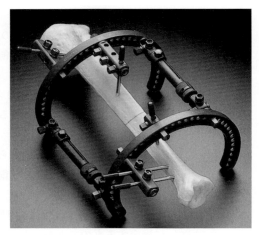

図 4-7-3　Ace-Fischer 創外固定法

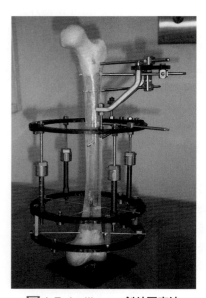

図 4-7-4　Ilizarov 創外固定法

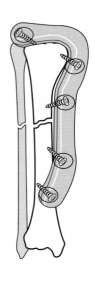

図 4-7-5　レジン創外固定法

⑤ 骨延長や変形の矯正
⑥ 小児の骨折
⑦ 顔面骨折
⑧ 下腿交差 cross leg 法での固定

附-17　Hoffmann 創外固定法

　　長い歴史を有する創外固定法で，器具の扱いがほかの創外固定器と比べて簡便である．基本的には unilateral frame 構造であるが，ジョイントとロッドを組み合わせることで容易にフレームを拡張でき，quadrilateral frame を構築できる（図 4-7-1）．

7 創外固定法　　*133*

附-18　Orthofix 創外固定法

　　De Bastiani により開発された創外固定法で，フレームの体部が二重構造でスライドすることができるので，骨折部に動的な軸圧 dynamic axial compression をかけることができるのが大きな特徴である．片側性のフレームでパーツも少なく操作が簡便で使いやすい利点がある（**図 4-7-2**）．

附-19　Ace-Fischer 創外固定法

　　固定用ピンとして太めのピンを使用しているが，引き寄せ締結法用の器具も付属している．ユニバーサルジョイントですべての平面での調節が簡単にできる（**図 4-7-3**）．

附-20　Ilizarov 創外固定法

　　1950 年代はじめに旧ソ連の Ilizarov により開発された創外固定法で，ワイヤーに緊張を与えて円柱形のフレームに固定する方法である．ワイヤーの直径が小さいので神経・血管系の損傷が少なく，ワイヤーの張力により骨軸方向に均一な負荷が作用し，骨癒合に有利に働くなどの特長を持っている（**図 4-7-4**）．

附-21　レジン創外固定法

　　骨固定用のピンとしてあらゆる種類のスクリューやピンが使用できる，刺入方向や刺入範囲が自由に決められる，サイズが選択できるのでコンパクトで軽量である，X 線透過性である，簡便で安価であるなどの利点を有している（**図 4-7-5**）．

参考文献

1）Ali MS et al：Carbon fibre composite bone plates. Development, evaluation, and early clinical experience. J Bone Joint Surg **72-B**：586-591, 1990.

2）Bos RRM et al：Resorbable poly (l-lactide) plates and screws for the fixation of zygomatic fractures. J Oral Maxillofac Surg **45**：751-753, 1987.

3）Böstman OM：Current concept review；Absorbable implants for the fixation of fractures. J Bone Joint Surg **73-A**：148-153, 1991.

4）Böstman OM：Osteolytic change accompanying degradation of absorbable fracture fixation implants. J Bone Joint Surg **73-B**：679-682, 1991.

5）Bucholz RW et al：Fixation with bioabsorbable screws for the treatment of fractures of the ankle. J Bone Joint Surg **76-A**：319-324, 1994.

6）Cuthbert H et al：The use of the Küntscher Y nail in the treatment of intertrochanteric and subtrochanteric fractures of the femur. Injury **8**：135-142, 1977.

7）Cutright DE et al：Fracture reduction using a biodegradable material polylactic acid. J Oral Surg **29**：393-397, 1971.

8）Danis R：Théorie et pratique de l' ostéosynthèse. Masson (Paris), 1949.

9）土肥恒夫ら：主な創外固定器の使い方—Hoffmann 創外固定器．OS NOW，整形外科基本手術の進歩 **No.6**：70-77，1992.

10）Edwards JT et al：Osteoinduction of human demineralized bone：Characterization in a rat model. Clin Orthop Relat Res **357**：219-228, 1998.

11）Eggers GWN：Internal contact splint. J Bone Joint Surg **30-A**：40-52, 1948.

12）Eisenbarth E et al：Biocompatibility of β-stabilizing elements of titanium alloys. Biomaterials **25**：5705-5713, 2004.

13) Foussereau J et al：Allergic eczemas from metallic foreign bodies. Trans St Johns Hosp Dermatol Soc **52**：220-225, 1966.

14) Furukawa T et al：Bone bonding ability of a new biodegradable composite for internal fixation of bone fractures. Clin Orthop **379**：247-258, 2000.

15) Gautier E et al：Guidelines for the clinical application of the LCP. Injury **34**：63-76, 2003.

16) Hallab N et al：Metal sensitivity in patients with orthopaedic implants. J Bone Joint Surg **83-A**：428-436, 2001.

17) 浜中人士：医学および歯学の分野における金属材料の進歩．日本金属学会会報 **23**：238-244, 1984.

18) Hanafusa Y et al：Biodegradable plate fixation of rabbit femoral shaft osteotomies. A comparative study. Clin Orthop **315**：262-271, 1995.

19) Hapa O et al：Biomechanical comparison of tibial eminence fracture fixation with high-strength suture, EndoButton, and suture anchor. Arthroscopy **28**：681-687, 2012.

20) 長谷川正裕ら：焼結炭酸含有アパタイトの基礎的研究．骨・関節・靱帯 **17**：1217-1222, 2004.

21) 長谷川正義：材料の基礎．ステンレス鋼便覧（第三版），ステンレス協会編，289-292, 日刊工業新聞社，1994.

22) 橋詰博行ら：橈骨遠位端骨折に対する髄内固定法．関節外科 **17**：37-41, 1998.

23) 林　和生：表面加工金属—この 10 年の進歩．骨・関節・靱帯 **17**：1235-1241, 2004.

24) Heini PF et al：Bone substitutes in vertebroplasty. Eur Spine J **10**：205-213, 2001.

25) 平野昌弘ら：ペースト状リン酸カルシウム人工骨「バイオペックス」の開発．バイオマテリアル **21**：24-29, 2003.

26) 堀田裕司：骨侵入に優れた一方向性多孔体人工骨の開発．セラミックス **46**：761-764, 2011.

27) 飯田　勝：新しく改良を加えた Bone Cement（MMA-TB）．臨整外 **8**：17-25, 1973.

28) 筏　義人：生体内分解性高分子—特にポリラクチッドを中心に—．高分子加工 **30**：208-219, 1981.

29) Ikeuchi M et al：Mechanical augmentation of the vertebral body by calcium phosphate injection. J Orthop Sci **6**：39-45, 2001.

30) 池澤義郎ら：金属アレルギーの発症機序．皮膚 **34**：59-65, 1992.

31) 稲田　充：抗生剤混入骨セメント髄内釘による長管骨骨髄炎の治療—その基礎的，臨床的研究．中部整形災誌 **44**：227-239, 2001.

32) 井上尚美：大腿骨転子部骨折の治療—Intramedillary nail 固定の利点と限界—．整・災外 **53**：941-951, 2010.

33) 井上四郎：脛骨骨端部骨折に対するレジン創外固定の応用．別冊整形外科 **19**：41-45, 南江堂，1991.

34) 井上四郎：創外固定の歴史，種類，特長および適応．別冊整形外科 **19**：2-6, 南江堂，1991.

35) Ishii S et al：Long-term study of high-strength hydroxyapatite/poly（L-lactide）composite rods for the internal fixation of bone fractures：a 2-4-year follow-up study in rabbits. J Biomed Mater Res **66-B**：539-547, 2003.

36) 石川英二郎：整形外科医のための金属学．骨折 **4**：93-101, 1982.

37) 岩城啓好ら：ALAC の基礎—抗菌剤の徐放特性—．整・災外 **53**：523-530, 2010.

38) Kammerlander C et al：Long-term results of the augmented PFNA；a prospective multi-center trial. Arch Orthop Trauma Surg **134**：343-349, 2014.

39) Kang J et al：Grafton and local bone have comparable outcomes to iliac crest bone in instrumented single-level lumbar fusions. Spine **37**：1083-1091, 2012.

40) 柏木大治ら：骨折内固定材料の吟味．外科治療 **16**：38-45, 1967.

41) 柏木大治：骨接合術に用いられる金属の変遷と進歩について．整・災外 **32**：1151-1161, 1989.

42) Kenny SM et al：Bone cements and fillaers；a review. J Mater Aci Mater Med **14**：923-938, 2003.

43) Kikuchi M et al：Self-organization mechanism in a bone-like hydroxyapatite/collagen nanocomposite synthesized in vitro and its biological reaction in vivo. Biomaterials **22**：1705-1711, 2001.

44) Kokubo T et al：Spontaneous formation of bonelike apatite layer on chemically treated titanium metals. J Am Ceram Soc **79**：1127-1129, 1996.

45) Korkusuz F et al：Experimental implant-related osteomyelitis treated by antibiotic-calcium hydroxyapatite ceramic composites. J Bone Joint Surg **75-B**：111-114, 1993.

46) Küntscher G：The Küntscher method of intramedullary fixation. J Bone Joint Surg **40-A**：17-26, 1958.

47) 黒田大介ら：新しい生体用β型チタン合金の設計とその機械的特性および細胞毒性. 鉄と鋼 **86**：602-609, 2000.

48) Lambotte A：Technique et indication des prothèse dans le traitement des fractures. Presse Med **17**：321, 1909.

49) Larsson A et al：Use of injectable calcium phosphate cement for fracture fixation：a review. Clin Orthop **395**：23-32, 2002.

50) Leaper DJ et al：Meta-analysis of the potential economic impact following introduction of absorbable antimicrobial sutures. Br J Surg **104**：e134-144, 2017.

51) Levy RN et al：Complications of Ender pin fixation in basicervical, intertrochanteric, and subtrochanteric fractures of the hip. J Bone Joint Surg **65-A**：66-69, 1983.

52) Liu H et al：β-type titanium alloys for spinal fixation surgery with high Young's modulus variability and good mechanical properties. Acta Biomater **24**：361-369, 2015.

53) 前原克彦：バナジウム・フリー・チタン合金とその臨床応用. 骨・関節・靱帯 **17**：1223-1233, 2004.

54) Martin Jr GJ et al：New formulations of demineralized bone matrix as a more effective graft alternative in experimental posterolateral lumbar spine arthrodesis. Spine **24**：637-645, 1999.

55) 松村福広：骨折治療におけるプレート固定・髄内釘・創外固定—それぞれのよさと使い分け—. 整形外科 **68**：1295-1302, 2017.

56) Matsuda Y et al：Severe metallosis due to abnormal abrasion of the femoral head in a dual bearing hip prosthesis. A case report. J Arthroplasty **7**：439-445, 1992.

57) 松下　隆ら：日本骨折治療学会インプラント破損調査委員会報告. 骨折 **24**：26-34, 2002.

58) Matsusue Y et al：Biodegradable screw fixation of rabbit tibia proximal osteotomies. J Appl Biomater **2**：1-12, 1991.

59) 松末吉隆ら：ポリ-L-乳酸成形体. 整形外科医用材料マニュアル, 171-175, 金原出版, 1992.

60) Matsusue Y et al：In vitro and in vivo studies on bioabsorbable ultra-high-strength poly（l-lactide）rods. J Biomed Mater Res **26**：1553-1567, 1992.

61) 松末吉隆：生体内吸収性骨接合材—高強度ポリ-L-乳酸製骨接合材を中心に—. 整形外科 **46**：269-276, 1995.

62) Matsusue Y et al：Tissue reaction of biodegradable ultra high strength poly（l-lactide）rods. A long-term study in rabbits. Clin Orthop **317**：246-253, 1995.

63) Matsusue Y et al：Biodegradable pin fixation of osteochondral fragments of the knee. Clin Orthop **322**：166-173, 1996.

64) Matsusue Y et al：A long-term clinical stugy on drawn poly-L-lactide implants in orthopaedic surgery. J Long-term Effect Med Implant **7**：119-137, 1997.

65) 松末吉隆ら：生体内吸収性高強度 HA/PLLA 複合体による骨接合術；整形外科 **50**：1405-1411, 1999.

66) 松末吉隆：生体内吸収性ポリ乳酸材料. 骨・関節・靱帯 **17**：1243-1251, 2004.

67) McKenzie AM et al：Urticaria after insertion of Smith-Petersen vitallium. BMJ **4**：36, 1967.

68) Miller DL et al：A review of locking compression plate biomechanics and their advantages as internal fixators in fracture healing. Clin Biomechanics **22**：1049-1052, 2007.

69) Miller ME et al：Treatment of infected nonunion and delayed union of tibia fractures with locking intramedullary nails. Clin Orthop Relat Res **245**：233-238, 1989.

70) Mizobuchi H et al：Mechanical properties of the femur filled with calcium phosphate cement under forsional loading. A model in rabbits. J Orthop Sci **7**：562-569, 2002.

71) 森　英吾：骨折. 伊藤鉄夫編, 整形外科学総論, 859-894, 金原出版, 1986.

72) Müller M et al：骨折手術法マニュアル. AO 法の実際. 山内裕雄ら訳, シュプリンガー・フェアラーク東京, 1988.

73) Müller ME et al：Technique of internal fixation of fractures. Compression fixation with plates 47-51, Springer (Berlin), 1965.

74) 名井　陽ら：連通多孔体ハイドロキシアパタイトの開発と再生医療への展開. 骨・関節・靱帯 **17**：1205-1215, 2004.

75) 中房淳司ら：医療用金属による難治性下腿潰瘍. 皮膚病診療 **16**：117-120, 1994.

76) 中村耕三ら：主な創外固定器の使い方—Orthofix 創外固定器. OS NOW (整形外科基本手術の進歩), **No.6**：62-69, 1992.

77) 中村誠也：抗菌剤含有骨セメント髄内釘. 整・災外 **53**：655-659, 2010.

78) Nakamura S et al：Polylactide screws in acetabular osteotomy. Acta Orthop Scand **64**：301-302, 1993.

79) 中村孝志ら：アルカリ加熱処理生体活性化チタン合金人工関節の実用化. 人工臓器 **40**：62-65, 2011.

80) 中野哲雄ら：上腕骨外科. 脛の 2 part 骨折に対する髄内固定法—スプラウトピンによる骨接合—. 骨折 **22**：487-490, 2000.

81) 中山裕一郎ら：第 9 回日本バイオマテリアル学会予稿集, p.42, 1987.

82) 中山裕一郎：整形外科で用いられる金属材料. 図説整形外科 (15. 人工関節・バイオマテリアル), 室田景久ら編, メジカルビュー社, 1990.

83) 成田哲也ら：Brooker Tibial System による脛骨骨幹部骨折の治療—本システムの特徴・問題点を中心に—. 骨・関節・靱帯 **11**：1459-1464, 1995.

84) Neuerburg C et al：Trochanteric fragility fractures：Treatment using the cement-augmented proximal femoral nail antirotation. Oper Orthop Traumatol **28**：164-176, 2016.

85) 日本整形外科学会インプラント委員会：インプラント調査結果報告書. 日整会誌 **74**：525-534, 2000.

86) 日本整形外科学会インプラント委員会：抗菌剤入り骨セメントのアンケート結果について. 日整会誌 **78**：957-961, 2004.

87) 日本整形外科学会インプラント委員会：生体活性骨補填材使用実態調査結果報告. 日整会誌 **77**：391-400, 2003.

88) 丹羽滋郎ら：骨修復におけるリン酸カルシウムペーストの役割. 関節外科 **21**：73-82, 2002.

89) 野々宮廣章：高齢者大腿骨脛部 (内側) 骨折に対するハンソンピン固定術. MB Orthop **19**：21-29, 2006.

90) Ohtsuka H et al：Use of antibiotic-impregnated bone cement nail to treat septic nonunion after open tibial fracture. J Trauma **52**：364-366, 2002.

91) 岡田恭司ら：骨接合用金属によるアレルギー症状を呈した脛骨骨折例. 整形外科 **36**：551-556, 1985.

92) 小澤正宏：高純度 β-tricalcium phosphate 受孔体の特徴と臨床応用. 骨・関節・靱帯 **17**：1195-1202, 2004.

93) Perren SM：Evolution on the internal fixation of long bone fractures. The scientific basis of biological internal fixation：choosing a new balance between stability and biology. J Bone Joint Surg **84-B**：1093-1110, 2002.

94) Perren SM：Physical and biological aspects of fracture healing with special reference to internal fixation. Clin Orthop **138**：175-196, 1979.

95) Perren SM：Point contact fixator：part I. Scientific background, design and application. Injury **22**：1-10, 1995.

96) Petersik A et al：A numeric approach for anatomic plate design. Injury **49**：96-101, 2018.

97) Pihläjamäki H et al：Absorbable pins of self-reinforced poly-l-lactic acid for fixation of fractures and osteotomies. J Bone Joint Surg **74-B**：853-857, 1992.

98) Rostocker G et al：Dermatitis due to orthopaedic implants. J Bone Joint Surg **69-A**：1408-1412, 1987.

99) Rush LV：Dynamic intramedullary fracture-fixation of the femur. Refelctions on the use of the round rod after 30 years. Clin Orthop **60**：21-27, 1968.

100) Rush LV et al：Evolution of medullary fixation of fractures by the longituidinal pin. Am J Surg **75**：324-333, 1949.

101) Rush LV et al：Technique for longitudinal pin fixation of certain fractures of the ulna and the femur. J Bone Joint Surg **21**：619, 1939.

102) 澤井一彦：内固定用金属材料. 整形外科医用材料マニュアル, 171-175, 金原出版, 1992.

103) Schmidt W et al：Stryker Orthopaedic Modeling and Analysis（SOMA）：A Review. Surg Technol Int **32**：315-324, 2018.

104) Scola A et al：The PFNA® Augmented in Revision Surgery of Proximal Femur Fractures. Open Orthop J **8**：232-236, 2014.

105) Shikinami Y et al：Bioresorbable devices made of forged composites of hydroxyapatite（HA）particles/poly-L-lactide（PLLA）：Part I. Basic characteristics. Biomaterials **20**：859-877, 1998.

106) Shikinami Y et al：Bioresorbable devices made of forged composites of hydroxyapatite（HA）particles and poly L-lactide（PLLA）. Part II：practical properties of miniscrews and miniplates. Biomaterials **22**：3197-3211, 2001.

107) 四宮謙一ら：第Ⅲ相多施設共同無作為割付け並行群間比較試験：自己組織化したハイドロキシアパタイト/コラーゲン複合体vsβ-リン酸三カルシウム. 整形外科 **63**：921-926, 2012.

108) 白井久也ら：抗生剤混入骨セメントロッドによる感染性偽関節の治療経験. 中部整災誌 **43**：215-216, 2000.

109) 白井寿治ら：抗菌作用を有するヨード担持チタン創外固定ピンの開発. 整形外科 **62**：54, 2011.

110) 須藤啓広：抗菌剤含有ハイドロキシアパタイト・セラミックス. 整・災外 **53**：547-554, 2010.

111) 高畠一雄：骨セメントを用いた経皮的椎体形成. 整形外科最小侵襲手術ジャーナル **33**：55-63, 2004.

112) 武政龍一ら：われわれの使用経験からみたリン酸カルシウム骨セメントの評価. 骨・関節・靱帯 **17**：1185-1194, 2004.

113) 田中　正ら：ロッキングプレートの合併症. 関節外科 **29**：100-107, 2010.

114) Tayton K et al：The use of semi-rigid carbon-fibre-reinforced plastic plates for fixation of human fractures. J Bone Joint Surg **64-B**：105-111, 1982.

115) Tonino AJ et al：Protection from stress in bone and its effects. Experiments with stainless steel and plastic plates in dog. J Bone Joint Surg **58-B**：107-113, 1976.

116) Törmälä P et al：Ultra-high-strength absorbable self-reinforced polyglycolide（SR-PGA）composite rods for internal fixation of bone fractures：In vitro and in vivo study. J Biomed Mater Res **25**：1-22, 1991.

117) Tsuchiya H et al：Innovative antimicrobial coating of titanium implants with iodine. J Orthop Sci **17**：595-604, 2012.

118) 土屋弘之ら：感染症根絶に向けたチタン表面ヨード担持技術の開発. 整・災外 **53**：1175-1180, 2010.

119) 辻　栄治：生体用金属材料. 生体材料 **8**：159-167, 1990.

120) Uezono M et al：Hydroxyapatite/collagen nanocomposite-coated titanium rod for achieving rapid osseointegration onto bone surface. J Biomed Mater Res B Appl Biomater **101**：1031-1038, 2013.

121) Uhtoff HK et al：Internal plate fixation of fractures：short history and recent developments. J Orthop Sci **11**：118-126, 2006.

122) 靖川　洋：セラミック系材料の開発とその臨床応用. 整形外科医用材料臨床応用実践マニュアル, 黒木良克編, 41-50, 金原出版, 1995.

123) 和田孝彦ら：ALAC のセメント強度への影響. 整・災外 **53**：531-537, 2010.

124) Wright PB et al：Fiber Wire is superior in strength to stainless steel wire for tension band fixation of transverse patellar fractures. Injury **40**：1200-1203, 2009.

125) 山本　真：髄内釘による骨折手術（理論と実際）．南江堂，1989.
126) Yamamuro T et al：Clinical study on bioabsorbable osteosynthetic implants made of ultra-high-strength poly-l-lactide. Int Orthop **18**：332-340, 1994.
127) 山室隆夫：整形外科用生体材料研究の現況と今後の展望．整・災外 **30**：1129-1138，1987.
128) 山室隆夫ら：生体内吸収性ポリ-L-乳酸骨接合材の臨床成績．臨整外 **28**：225-233，1993.
129) Yokoyama K et al：Immediate internal fixation for open fractures of the long bones of the upper and lower extremities. J Trauma **37**：230-236, 1994.
130) 米倉暁彦ら：抗菌薬含有骨セメント，ハイドロキシアパタイト．関節外科 **26**：170-172，2007.

第5章

骨移植

　一般に骨移植 bone graft は組織移植であり，肝臓，腎臓あるいは心臓などの器官を生かしたまま移植する臓器移植とは異なる．臓器移植と同様に血管をつないで移植する場合もあるが，ほとんどは遊離自家骨移植である．細胞を伴って移植される場合も現在のところ新鮮自家骨移植に限られる．したがって，免疫抑制薬を必要とするような術後の拒絶反応に対する注意は一般的には必要ない．一部の人工骨を除いて移植された材料は生きた自分の骨組織に置換されていく．その過程でいったんは吸収されるので，移植骨の支持性が弱くなることに注意が必要である．移植材料の違いによってあるいは移植の方法によって効果が異なるので，良好な臨床効果を得るためにはそれらを十分に理解したうえで行う必要がある．

1 骨折治療における骨移植の目的

　骨折治療の目的は整復と癒合，すなわち骨組織の連続性強度の回復と損傷を受けた骨組織の形と大きさを可及的にもと通りに回復することである．これらが達成できてはじめて本来の骨組織の支持機能を回復できる．この骨折治療における骨移植の目的は，骨欠損の補填と骨癒合促進である．移植材料によっては支持性も期待できる場合がある．

a 骨欠損の補填

　骨移植の部位に新たな骨形成が起こることにより骨欠損が補われる．骨移植材料によって，また移植部位の血行によって，さらには生存したまま移植された骨芽細胞や骨芽細胞になり得る間葉系幹細胞がどの程度存在するかによって，移植部位に生じる骨形成の範囲と程度が異なる．

　特に骨幹端部や骨端部の海綿骨組織が多い部位での新鮮骨折では骨折時の海綿骨組織圧潰のために整復後に骨欠損を生じることがある．これを fracture void と称し，しばしば骨移植を要する（**図5-1-1**）．開放骨折では，汚染された骨片を摘出することにより整復後に骨欠損を残すことがある．小さな骨欠損は治癒過程において修復されるが，骨欠損が大きくなるともとの形態や骨の連続性を回復するには骨移植が必要となる．感染治療では壊死骨や腐骨の摘出によりしばしば大きな骨欠損を生じ，多くは偽関節を伴う．この場合は骨欠損補填と骨癒合の両者を目的として骨移植が行われる．

－139－

140 　総論　第5章　骨移植

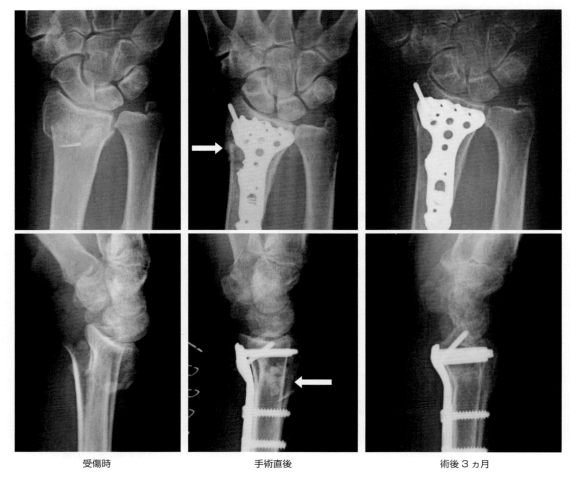

受傷時　　　　　　　　手術直後　　　　　　　術後3ヵ月

図 5-1-1　人工骨移植併用骨接合術（72歳，女性）
橈骨遠位端骨折．整復後掌側ロッキングプレートにより固定し，骨幹端部に生じた fracture void に人工骨（β-TCP）を移植（矢印）．術後3ヵ月にて骨癒合が得られ欠損部は修復されている．

b 骨癒合の促進

　　　骨折部間隙に骨移植を行い骨形成が起こると，骨折部間隙に橋渡し仮骨 bridging callus が生じる．移植骨には後述するような骨形成にかかわるいくつかの機能があるが，周囲の骨膜を含む軟部組織中の仮骨形成をつかさどる細胞を十分に刺激するほどの効果は得がたい．したがって偽関節の場合は血行不良，反応する細胞の欠除のため，治癒過程を再開させるには骨折部の新鮮化処置を行ったうえで骨移植することが重要である．

c 支持性の確保

　　　橈骨遠位端骨折（図 5-1-1）や脛骨プラトー骨折における整復後の fracture void などのように関節面に近接する骨欠損部では，一時的な支持性も期待して骨移植が行われる．
　　　移植された骨はいったん吸収され新たな骨組織に置換される．この置換が起こりに

くい骨移植材料ほど吸収されるまでに時間がかかるが，支持能には優れていることになる．支持能に優れた骨移植の最もよい例は大きな塊状の同種骨組織を用いる場合である．一方で置換されやすい新鮮自家骨組織は塊状のものでも支持性が失われやすく，特に荷重がかかる部位では圧潰することがある．

2 移植材料（移植骨）の機能

移植材料によって機能が異なる（表 5-2-1）．適切な移植材料を選択するには，それらの機能の違いを理解する必要がある．

a 骨 形 成 osteogenesis

移植材料に含まれている骨芽細胞の機能である．生きた骨芽細胞が含まれていれば移植骨組織自体も骨形成を起こす機能を持つ．

b 骨 誘 導 osteoinduction

骨基質には骨形成蛋白質 bone morphogenetic protein（BMP）などさまざまな骨形成を誘導する成長因子が含まれている．移植後これらの成長因子が放出され，周囲の細胞に働き骨形成を誘導することを骨誘導という．

c 骨 伝 導 osteoconduction

骨形成が起こるためには骨芽細胞が機能するための土台が必要であり，骨基質がその土台となる．人工骨では材質や形によって土台となりやすいものがある．この土台の中へ細胞が血管とともに進入していくことを骨伝導という．

d 力学的支持

硬い移植材料や吸収かつ生体骨組織への置換が起こりにくいものはその反面，力学的支持が期待される（表 5-2-1）．吸収や置換にかかる時間により支持能が定まる．吸収や置換が早く起こりやすいものは移植材料が着生しやすい反面，その過程において脆弱化するので支持性が必要な部位には使用が限られる．

表 5-2-1　移植材料と機能の違い

	骨形成能	骨誘導能	骨伝導能	力学的支持能
遊離新鮮自家骨	○	○	○	△
同種骨	×	○	○	△*
人工骨（吸収あり）	×	×	○	△
人工骨（吸収なし）	×	×	△ or×	○
血管柄付き自家骨	○	○	○	○

*塊状皮質骨同種骨では力学的支持を期待できる場合がある（図 5-3-1）．

3 移植骨の種類

移植骨の種類によってその効果が異なる．適切な骨移植を行うにはその違いを理解しておく必要がある．

a 移植材料の種類

1）自家骨移植（新鮮）autograft

ホストとドナーが同一個体の移植方法で最も頻度の高い移植である．通常は移植を行う直前に採取されるので新鮮である．新鮮であるとは骨形成にかかわる細胞が移植骨内に生存していることであり，移植後にそれらの細胞が機能することが期待される．さらに基質内に含まれる骨形成にかかわる骨形成蛋白 bone morphogenetic proteins（BMPs）などの成長因子もよく保たれている．これらは自家骨移植が優れた方法である大きな理由である．さらに骨基質を含めて免疫拒絶やアレルギーの可能性がまったくない．

欠点は骨採取によりホストに骨欠損を生じることである．さらに採取部位や採取量が限られており，形や大きさに制限があることである．これらの理由により大きな骨欠損に対して単独では使えない．また細胞や成長因子がよく保たれていることなどから骨形成能に優れているが，そのために吸収や置換が比較的早い時期に起こる．したがって支持性には劣っており，荷重部に広く遊離骨移植を広く行うと圧潰することがある．

自家骨移植の欠点を補う方法として，reamer-irrigator-aspirator（RIA）を用いて偽関節部の髄腔をリーミングして採取する方法が使われている．腸骨稜から採取するより，痛みが少なく，多くの移植組織が採取でき，しかも癒合率が変わらないと報告されている．

2）同種骨移植 allograft

ホストとドナーが異なる個体の移植法で，通常は冷凍保存して用いるので量の制限が少ない．わが国ではほとんど人工股関節置換術時に切除した大腿骨頭を保存して同種骨移植に用いている．屍体骨から採取する同種骨はさまざまな大きさや形のものが利用でき臨床に大変有用である（図5-3-1）が，同種骨を保存する地域骨銀行（骨バンク）bone bank はきわめて少ないので実際の使用は限られている．

基質内の成長因子は自家骨組織とほとんど変わらない程度に保たれている．しかし特に骨組織に含まれている骨髄細胞は死滅していても，細胞膜に免疫拒絶の直接の対象となる組織適合性蛋白があるので移植前によく洗浄することが必要である．また感染伝搬の可能性もあり，十分なドナー感染症検査や使用前の加熱処理などが必要である．さらにこれら処理が適切に行われることを施設内倫理委員会にて認可を受ける必要がある．また施設内に小規模な骨銀行に類似する設備を設置する場合は，管理運営の手間と費用がかかる．同種骨の採取，保存，管理，使用については日本整形外科学会のマニュアルを遵守する必要がある．

3 移植骨の種類   143

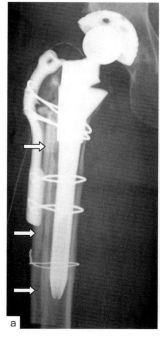
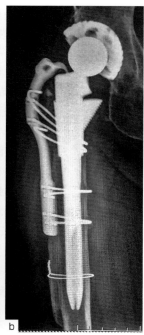

図 5-3-1　同種骨移植を併用した人工股関節再置換術
大腿骨近位外側皮質骨欠損を伴う症例に対する再置換術症例
a：骨欠損修復と固定性補助を目的に，屍体より採取した長い皮質骨同種骨組織を菲薄化した外側皮質骨をおおうようにあて（塊状上のせ移植），ケーブルなどで固定（矢印）
b：移植後10年．大腿骨外側に移植した同種骨組織と外側皮質骨との境界が不明瞭となっている．良好なリモデリングにより，既存の皮質骨と一体化し，インプラントの固定に役立っている．

3) 人工骨移植　artificial bone graft

人工的に作られた移植材料を用いた移植法で，細胞も成長因子も含まれない．移植部位に必要な量や形はある程度対応可能である．免疫拒絶や感染伝搬の危惧はまったくない．人工骨 artificial bone の種類によって支持性を含めた効果に違いがある．ほかの移植材料に比べて高価である．

人工骨の種類

AW ガラスセラミックや焼成ハイドロキシアパタイト（HA）などの非吸収置換性材料と β-TCP，リン酸カルシウム骨セメント（ペースト）などの吸収置換性材料がある．

a) AW ガラスセラミック　apatite wollastonite glass ceramics

単独で荷重部に使用できる強度を持つ緻密体であるが，骨伝導能はなく長期的には破損の可能性もある．

b) 焼成ハイドロキシアパタイト　hydroxyapatite (HA)

骨伝導能を有して多孔体の気孔内に骨形成を促し得るが吸収されることはない．

c) β-TCP（β-tricalcium phosphate）

骨伝導能がありさらに吸収性に優れ，移植後徐々に骨に置換されていく（図 5-1-1 参照）．骨形成と吸収性の特徴を生かすための気孔構造を持ち焼成温度で製造されているため，ほかの骨補填材料に比べて初期の力学的強度は低い．

d) リン酸カルシウム骨セメント　calcium phosphate cement (CPC)

α-TCP を主体とする粉体と溶解液を錬和することによりペースト状となり，時間とともに硬化する．使用時はペースト状のため注射器による骨欠損部への注入が可能で骨欠損細部まで補填ができる．また硬化後の圧縮強度はCPCの種類にもよるが24時間で 50 MPa，3日で 80 MPa となる．この圧縮強度は海綿骨より高いが皮質骨に

は及ばないので，力学的補強効果が期待できるのは海綿骨部分の補填に限られる．また圧縮強度は高いものの曲げや捻りの強度は十分でないため，使用部位によってはその力学的環境を十分考慮することが大切である．CPCの硬化体はHAであるので周囲骨組織とは直接結合し，骨伝導能によって新生骨を形成する．さらに焼成HAと比べてその結晶性は低いため，吸収を受けやすく経時的に骨に置換されることが特徴である．

このようにCPCは有用な骨補填材ではあるが，以下に述べるような問題点もあり使用においては十分な注意を払うべきである．

1）高粉液比のCPCは流動性が低いため，注射器での注入が困難なことがあるが，骨外流出の危険性は少なく硬化後の圧縮強度も高く保たれる．一方，低粉液比のCPCは流動性が増すため細部充填には適しているが，自己硬化能が減弱し骨外漏出の危険性が高まる．また硬化後もその圧縮強度は低下する．このためCPCを用いる場合にはその使用部位や用途に応じて粉液比を使い分けることが必要となる．

2）CPCを骨欠損部に充填する場合は血液の混入を防ぐことが大切である．血液の混入によってCPCの自己硬化能が低下して硬化しないことがあり，硬化しても十分な圧縮強度が得られないことがある．

3）CPC注入時に骨内圧を上昇させると，静脈系を介したCPCの骨外漏出を生じて肺塞栓を生じることがある．また骨欠損部からの骨外漏出により，CPCが関節内や椎体外などに漏れて障害を起こすことがある．このため注入に際しては十分な注入スペースを確保し，さらに圧の上昇を起こさないような工夫をすることが大切である．

b 移植骨の血行の有無による種類

一般には自家骨移植である．例外的に四肢，手指や足趾を同種骨組織を含めた複合組織として，血管吻合して移植することがある．

1）遊離骨移植 free bone graft

採取部位から完全に遊離して移植する通常の自家骨移植である．採取後は移植骨が乾燥しないように，血液や生理食塩水を浸したガーゼで包んだり，移植までの時間を空けないようにすれば移植骨内の細胞は2週間程度生存する．

2）血管柄付きあるいは筋弁付き骨移植 (図5-3-2) vascular (muscular) pedicle bone graft

移植骨組織の主要血管を母床骨の血管に吻合したり，周囲の筋組織をつけたまま移植し，生きたままの骨組織を移植する方法である．理論的には骨吸収の過程を経ることがないので荷重部に使えるほど支持能に優れる．また周囲骨組織との癒合にも優れている．さらに正常な骨組織と同様に荷重に応えて形を変え，次第に太くなることがある．

筋弁付き骨移植は移植骨片の移動距離や採取部位に大きな制限がある．血管柄付きの場合は採取部位に制限があるが，移植部位は比較的自由である．しかし習熟を要する血管吻合の手技が必要となる．

附-1 Masquelet technique (biological chamber, induced membrane)

Masqueletらが開発した長管骨の比較的大きな骨欠損を修復する方法である．2段階の手術からなる．最初の手術で移植部の広範なデブリドマンを行い，骨欠損部にセメ

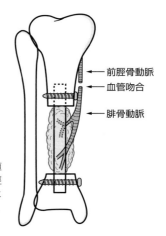

図 5-3-2　血管柄付き骨移植
この図では反対側腓骨組織を脛骨骨欠損部を橋渡しするように移植し固定してある．移植骨組織の主要栄養血管である腓骨動脈を前脛骨動脈に吻合する．母床骨との固定性がよければ，あるいは癒合により強固となっていけば，荷重を支えられる骨組織となっていく．また，荷重をかけることにより太くなっていく場合さえある．

ントスペーサーを留置する．通常は創外固定で同部を固定し 6〜8 週後に，周囲に形成された膜を温存してセメントスペーサーのみを取り除き，細かい海綿骨自家骨組織（morcellized cancellous bone autograft）を充填し，主にプレートにて橋渡し固定を行い，局所での骨形成を待機する方法である．感染性偽関節にも良好な成績が報告されている．多くの動物実験から，誘導された膜は血行が豊富であり，さまざまな骨誘導成長因子を分泌していることも示されている．

　手術手技上の注意点として以下のことが示されている．第一段階の手術では，徹底したデブリドマンと洗浄が必須である．特に感染が欠損の原因である場合には十分な処置が必要である．欠損部両端の骨組織断端は健常な骨組織で十分な血行を有している必要がある．骨欠損部の安定性が望ましく，通常は外固定を行う．外固定のピン刺入部は清潔に注意する．セメントは両端の髄腔内および骨端表面まで十分におおうことが良好な膜形成誘導に必要となる．感染がある場合には抗菌薬含有セメントを使う．周囲の軟部組織は血行良好であることが条件であり，閉創にあたっては皮膚が緊張しないようにする．必要に応じて皮弁などが必要になることもある．2 段階目の手術では骨折部の固定性が重要であり，通常はプレート固定を行う．この手術においても閉創にあたっては皮膚が緊張しないよう注意する．

4 移植骨の自然経過

　新鮮自家骨組織は骨移植後母床骨側から侵入する細胞や毛細血管によって，移植骨が吸収されると同時に新たな骨組織へと置換されていく．同種骨や吸収される人工骨でも同様な過程をたどると思われる．

　移植後 1〜2 週は移植骨周囲に炎症反応が起きる．2〜3 週後に血管が進入し，血行再開 revascularization され，すでに壊死した移植骨組織は吸収され，同時に骨誘導，骨伝導により新たな骨形成が開始する．その後の経過は移植材料の形，種類，大きさによって異なるが，チップ状の海綿骨では半年程度，塊状の皮質骨では数年以上かかって骨吸収と骨形成の造形 modeling が起こり，次第に母床骨の一部となっていく．

5 自家骨組織採取方法

　移植骨を採取する部位は，必要とする骨の大きさ，量，形状などによって決定される．腸骨からの採取が最もよく行われるが，脛骨，腓骨，尺骨，大腿骨顆部，大転子部などから採取することもある．
　骨採取に際しては自家骨の有する骨形成能をできるだけ温存するために，以下のような注意が必要である．自家骨採取後，短期間は骨片内の細胞は生存しており，採取してから移植するまでの時間は短いほどよい．採骨の際にエアドリルや気（電）動鋸を用いると摩擦熱が発生するので，使用する場合は生理食塩水を散布し冷却しながら行う．

a 腸骨からの採取（図5-5-1）

　種々の目的に合った移植骨が採取でき，また採骨後の機能障害も少ないので利用頻度が高い採骨部である．用途に合わせて全層骨，半層骨，海綿骨を採取する．

全層骨：腸骨稜から腸骨の外板と内板およびこれらにはさまれた海綿骨を一塊として採取する．

半層骨：腸骨外板または内板のどちらか一方とこれに接する海綿骨を採取する．

海綿骨：腸骨外板または内板を開窓して中にある海綿骨を採取する．通常は腸骨翼前方から採取するが，大量の海綿骨が必要な場合は腸骨翼後方から採取する．

　腸骨から採骨する際の注意点として，小児では腸骨稜の成長軟骨板を温存することが大切である．成人でもできるかぎり腸骨稜を残して採骨し，採骨後の骨欠損による変形を避ける方法が望ましい．また上前腸骨棘に近接して採骨すると骨折が生じやすく，不必要な変形や疼痛を残すことがある．大腿外側皮神経の損傷にも注意が必要である．

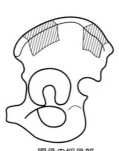
腸骨の採骨部
腸骨翼前方または後方から採骨する

全層移植骨の採取

半層移植骨の採取

海綿骨の採取

図5-5-1　腸骨からの自家骨採取方法
前方もしくは後方の腸骨稜から採取する．採取後骨折を避けるために腸骨棘から離れた部位から採取する．必要に応じて全層移植骨，半層移植骨，海綿骨を採取できる．

b 脛骨からの採取

脛骨内側部からは比較的長い皮質骨が得られる．骨折を避けるために，採骨には生食水で冷却しながら気（電）動鋸を用いることが推奨される．ノミを用いる場合はあらかじめ細いドリルで採骨線に沿って多数の小孔を開けておく．比較的少量の海綿骨が必要な場合には脛骨近位部から採取する．

c 腓骨からの採取

一般的には腓骨の中 1/3 を中心に必要な長さの移植骨片を採取する．骨膜下に操作し，腓骨神経や腓骨筋を損傷しないように注意する．また遠位 1/4 以下の採骨は遠位脛腓結合の不安定性が生じたり，小児においては足部の外反変形をきたすことがあるので避けるべきである．腓骨からの移植骨は，支持性を要求される場合に用いられる．

d 髄腔からの採取　RIA（リーマー イリゲーション アスピレーション）

the reamer/irrigator/aspirator（RIA）system（デピューシンセス社）は，本来，長管骨骨折に対する髄内釘固定に際して，髄腔内圧や熱を下げる，手術時間の短縮，脂肪塞栓の予防などの目的で作られた．髄腔リーミングと同時に掘削した海綿骨骨髄を回収することができ，回収した骨組織を自家骨移植に利用することが可能である．腸骨からの自家骨移植に比べて量は同等以上であり，採取後の合併症が少ないといわれている．骨形成を促す成長因子が豊富に存在することも示されている．再利用できない部品と専用器械とを必要とするので費用がかかることが欠点となっている．

e その他の部位からの採取

指骨に対する骨移植などで少量の移植骨でよい場合は尺骨稜や橈骨遠位端から採骨する．

f 採取部の合併症

主に腸骨や腓骨から骨を採取する場合にさまざまな合併症が報告されている．採取部疼痛残存，神経血管損傷，剥離骨折，血腫，感染，腹部ヘルニアが起こることもある．メタアナリシスによると髄腔内から採取する RIA システム（前述の項目 d 参照）では 6 %，腸骨翼からの採取では約 19 %の合併症が起きており，RIA システムは合併症が少ない．また腸骨採取部位では前方部が後方部に比べて感染，血腫，瘢痕増大のリスクが高いが，疼痛残存や感覚障害は少ない予防には，止血や洗浄を徹底すること，腸骨翼からの全層骨採取では腸骨棘から少なくとも 3 cm 以上離した位置から採取するなど注意が必要である．

腸骨稜から全層骨を採取した後の骨欠損部には，腸骨稜と同型の人工骨を移植し変形などの合併症を防止することが多い．

6 骨移植の形状の種類

移植部位や骨欠損の形，また使用する移植骨の形状を決める．

a 細片移植 chip graft, morselized graft（図5-6-1）

採取した骨片や骨髄を細片にして用いる．特に海綿骨の細片骨組織は吸収置換されやすく，空洞状の骨欠損部や偽関節部周囲に移植される．

b 骨板移植 plate (rod) graft（図5-6-2）

1）上のせ移植 onlay graft

皮質骨を伴う全層骨や半層骨を板状に形成し，骨折部に橋をかけるように移植母床骨に移植する方法である．骨形成による癒合だけではなく，局所固定性を期待する場合がある．

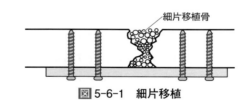

図5-6-1 細片移植

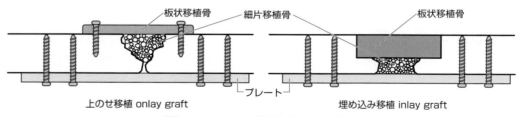

図5-6-2 上のせ移植と埋め込み移植

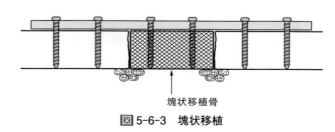

図5-6-3 塊状移植

2）埋め込み移植　inlay graft

母床骨の骨皮質を骨髄まで溝状に掘って骨溝を形成し，板状の移植骨をこの骨溝に埋め込んで移植する方法である．上のせ移植に比べて骨癒合が速いといわれている．

c 塊状移植　block graft

骨折による大きな骨欠損や欠損性偽関節に対して行う（図5-6-3）．腸骨全層や腓骨などを用いて骨欠損部を補填する．十分な生着が得られるまでに時間がかかる．

d 複合移植　composite graft

2種類以上の組織からなる移植片を用いる移植である．整形外科領域では皮膚や骨組織等を含む母趾を手指に移植する場合などである．切断指の再接着のこともいう．

7 骨バンク

a 骨バンク（骨銀行・bone bank）とは

骨バンクとはヒトの骨を採取・処理・保存し供給する施設である．歴史的には1942年にInclanがクエン酸を添加した血液やRinger液に浸漬した同種骨を冷蔵庫に保存し，臨床応用したのが骨バンクの始まりといわれている．わが国では1953年に天児が九州大学で−18℃の冷凍庫を使用して始めた冷凍骨銀行が最初の骨バンクである．その後各大学で骨バンクが設立された．1971年に北里大学病院骨バンクが開設され，1974年に非生体ドナー（屍体ドナー）から採取した骨を保存した．

骨バンクには，人工骨頭置換術や人工股関節全置換術の際に得られる大腿骨頭や人工膝関節全置換術で得られる脛骨プラトーなどの骨組織を自施設で処理・保存し，自施設で使用する施設内骨バンク（institutional bone bank）と，屍体から採取・処理した骨や腱・靱帯などを保存し，他施設に供給する地域骨バンク（regional bone bank）がある．

日本整形外科学会移植・再生医療委員会が5年に1度行っている整形外科移植における調査では，2015年の時点で164の施設内骨バンクが存在している．一方2021年現在，非生体ドナーから採取した骨を供給している地域骨バンクは北里大学病院骨バンク＊と東海骨バンク＊＊の2施設のみである．

b 同種骨移植に関する法的基盤

臓器移植には1997年7月16日に公布され，1997年10月16日に施行された「臓器の移植に関する法律」（法律第104号，官報2181号），およびそれを運用する細則を定めた「臓器移植に関する法律施行規則」（厚生省令第78号，官報号外第204号）がある．一方同種骨移植は組織移植であり，わが国には組織移植に関する国が定めた法的基盤が存在しない．組織の摘出に関してのみ「組織の摘出に際しては，組織の提供者に係

る遺族等の書面による承諾を得ることが最低限必要であり，遺族等に対して摘出する組織の種類やその目的等について十分な説明を行うことが運用上適切である」と「臓器移植に関する法律」の運用に関する指針（ガイドライン健医発第 1371 号，2017 年 12 月 26 日一部改正　健発 1226 第 2 号）に明示されているのみである．そのため組織移植は日本組織移植学会が定めた「ヒト組織を利用する医療行為の倫理的問題に関するガイドライン」，「ヒト組織を利用する医療行為の安全性確保・保存・使用に関するガイドライン」，「ヒト組織バンク開設における指針」を遵守して行われている．そこで日本整形外科学会は 1991 年に策定した「整形外科移植に関するガイドライン」と「冷凍ボーンバンクマニュアル」を 2007 年に日本組織移植学会の 2 つのガイドラインおよび指針を遵守できるように改訂した．その後日本組織移植学会が定めた 2 つのガイドラインが改訂されたため，2021 年に「整形外科移植に関するガイドライン」と「冷凍ボーンバンクマニュアル」を改定した．整形外科医はこれらのガイドラインとマニュアルを厳密に遵守して同種骨移植を行う必要がある．

c 骨バンクの運営

1）地域骨バンクの運営

2005 年に日本組織移植学会は厚生労働省の委託を受け組織バンクの認定制度を発足させた．認定組織バンクには 3 つのカテゴリーがある．カテゴリーⅠは採取・保存した組織を他施設へも供給できるバンク，カテゴリーⅡは採取・保存した組織を自施設にのみ供給するバンク，カテゴリーⅢは採取して一時保存した組織を保存・供給のために他の組織バンクへ移送するバンクである．北里大学病院骨バンクと東海骨バンクはカテゴリーⅠの日本組織移植学会認定組織バンクで，日本組織移植学会が作成した上記の 2 つのガイドラインと 1 つの指針を遵守して骨バンクを運営している．

以下に非生体ドナーからの組織採取・処理・保存・供給の流れを示す．

〔非生体ドナーからの組織採取・処理・保存・供給〕

① 非生体ドナー情報の連絡

東西組織移植ネットワークから骨バンクのコーディネータが非生体ドナーの情報を受け取る．コーディネータは骨組織が採取可能であるドナーであるかを判断するための情報を収集・整理し，骨バンクのメディカルディレクタに適応の判断を仰ぐ．適応があれば，現地でご遺族に対応しているコーディネータに骨採取のインフォームドコンセントを依頼する．同意が得られれば出動する．

② 骨採取チームの出動と組織採取・保存

24 時間出動体制をとっている医師 3 名，コーディネータ 1 名からなる骨採取チームが，骨採取のための器材を持って骨バンクから出動する．ドナーの死後 12 時間以内に現地に到着し，実際の手術と同様の環境下で骨組織を採取する（冷凍ボーンバンクマニュアル参照）．採取した骨組織を滅菌シーツなどで包み，冷却ボックスに入れて骨バンクに持ち帰り，－80℃の一次保管庫に凍結・保存する．培養による細菌検査や感染症検査などの結果から移植の適応がある骨組織であることが確認されたら，処理に移行する．

③ 骨組織の処理・保存

骨組織の処理は手術室のクリーンルームと同等の空気清浄度環境で行われる。室内は「クラス10,000」，クリーンベンチ内は「クラス100」である（図5-7-1a）．滅菌したガウンを着用し手術と同様に組織の処理を行う（図5-7-1b）．クリーンベンチ内で，凍結している骨組織を滅菌精製水で解凍し，骨に付着している不要な軟部組織を除去する（図5-7-2）．骨を汎用性の高い形状に骨鋸を用いて裁断する．裁断した骨組織を加温水槽に入れ，60℃に温度調節した滅菌精製水を流し10時間オーバーフローさせ洗浄する（図5-7-3a）．加温処理中に超音波処理を行い，より効率的に細胞成分や脂質成分を除去する．処理後骨表面の細菌培養検査を行う．製品番号を入れ3重に真空包装し（図5-7-3b），－80℃の二次保管庫に保存する．

④ 骨組織の供給

移植の公平性を担保するため，すべての施設からの依頼に対応している．必要な書類を骨バンクに送り，骨バンクのシッピング委員会で移植の適性を判断する．事務レベルで移植後の保険点数に関する契約を行う．骨組織は骨バンクで移植を行う施設の医師に直接渡す．

⑤ 骨移植後の調査

骨移植をした施設は移植後定期的に報告書を提出する必要がある．

2) 施設内骨バンクの運営

2015年の調査においてわが国では164の施設内骨バンクが運営されていたが，現在日本組織移植学会のカテゴリーIIの認定骨バンクは東大組織バンクの1施設のみである．日本組織移植学会は「ヒト組織バンク開設における指針」を示している．施設内骨バンクはこれを遵守する必要があり，認定を獲得することが望まれる．

d 非生体ドナーから採取した同種骨移植の保険点数

2000年の健康保険法の改訂で，骨移植術に自家骨移植術以外の項目も追加され，同種骨移植術にも保険点数が認められた．しかしこの点数は手術手技料であり，同種骨の採取・処理・保存にかかる費用は含まれていなかった．そこで2007年に北里大学整形外科学教室から「非生体ドナーから採取された凍結保存同種骨・靱帯組織移植手術」という医療が先進医療専門家会議に提出され先進医療として認められた．この先進医療は非生体からの同種骨の採取・処理・保存に要する費用を保険点数とは別に患者に直接請求するものであり，1回の同種骨移植術で282,588円となった．この先進医療は2016年の診療報酬改定の際にK059-3-イ（骨移植術　同種骨移植術（非生体・特殊なもの）24,370点）として保険収載された．しかし手術手技料とまとめての算定となったため，同種骨の採取・処理・保存に要する費用は6,000点で，骨バンク運営には十分な費用とならなかった．しかしその後日本組織移植学会の活動によって，2018年には39,720点に増額された．他施設に同種骨を供給する場合でも，その医療機関と契約を結ぶことによって，採取・処理・保存・供給に要する費用をその施設に請求することが可能となった．

152 総論 第5章 骨移植

図 5-7-1 組織処理室と処理光景

図 5-7-2 軟部組織の除去

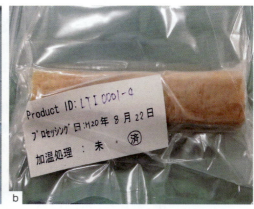

図 5-7-3 加温処理とパッキング
a. 加温処理するために裁断された同種骨
b. 3重真空包装された同種骨

a. 術中写真

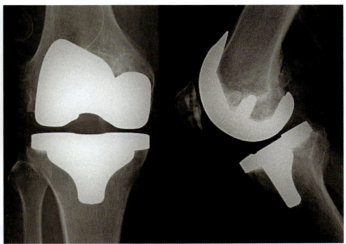
b. 術後の単純X線写真

図 5-7-4　人工膝関節全置換術の術中に行われた広範囲骨欠損に対する同種骨移植

 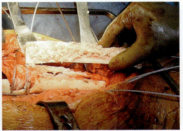 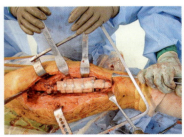

図 5-7-5　人工股関節再置換術における同種骨の利用

(第4版 蜂谷裕道先生のご厚意により)

e 骨移植の現状

　日本整形外科学会は2010～2014年に日本整形外科学会認定研修施設2,022施設を対象に組織移植のアンケート調査を行った．この調査ではアンケートに回答したのは841施設(42%)で，そのうち移植ありが526施設(63%)であった．全対象期間における組織移植数は165,033例で，経年的に増加する傾向があった．組織別では，骨140,526例(85.0%)，腱・靱帯22,126例(13.4%)，軟骨(軟骨細胞移植を含む)1,702例(1.0%)，筋膜369例(0.2%)，神経257例(0.2%)，その他53例(0.1%)であった．
　移植された骨の種類は自家骨74,899例(54%)，人工骨59,258例(43%)，同種骨4,886例(4%)であった．
　保存同種骨移植の使用目的は，2005～2009年の調査では人工関節手術(図5-7-4, 5)45%，脊椎手術(図5-7-6)33%，骨欠損7%，偽関節5%，その他の関節疾患4%，固定術4%，良性骨腫瘍3%，悪性骨腫瘍0.4%の順であった．2010～2014年の調査では人工関節手術44%，脊椎手術38%，骨欠損6%，偽関節4%，固定術3%，その他の関節疾患3%，良性骨腫瘍1%，悪性腫瘍1%と脊椎疾患の割合が増加した．

図 5-7-6　同種海綿骨の morselized bone を用いた脊柱固定術

図 5-7-7　同種脱灰処理骨

　2019 年に同種骨としてメドトロニック社から脊椎固定術の際に使用可能な同種脱灰処理骨グラフトン®（図 5-7-7）が市販され，今後需要の増加が見込まれる．

f 骨バンクの整備

　人口の高齢化による人工関節置換術，人工関節再置換術の増加，脊椎疾患における広範囲脊椎固定術の増加に伴い，今後同種骨の需要はますます増加すると予想される．大腿骨頭，骨端部，骨幹部（図 5-7-3）や海綿骨（図 5-7-6）などさまざまな種類の同種骨をより多く供給できるようになるには，より多くの非生体ドナーが必要となる．しかし非生体ドナーからの採取は死後 12 時間以内に行う必要があるため，非生体ドナーからの採取を行っている現在の 2 つの骨バンクでは採取可能な地域が限られている状況である．今後は各地域で非生体ドナーから採取した骨を一次的に保存できるカテゴリーⅢの認定バンクをできるだけ多く設立し，採取した骨を 2 つの地域骨バンクに送って処理・保存・供給することができる仕組みを早急に構築することが望まれる．

〔関連施設連絡先〕

北里大学病院骨バンク＊	東海骨バンク＊＊
事務局：〒252-0374 神奈川県相模原市南区北里 　　　　1-15-1　北里大学病院内 連絡先：TEL：042-778-9857（直通） 　　　　FAX：042-778-5850 Email：kubb@kitasato-u.ac.jp	事務局：〒464-0821 愛知県名古屋市千種区末盛通 　　　　2-4（はちや整形外科病院内） 連絡先：TEL：052-751-8188 　　　　FAX：052-751-8178 Email：trtb@tokai-tissuebank.jp

参考文献

1. 骨折治療における骨移植の目的〜6. 骨移植の形状の種類
    1) Belthur MV et al：Bone Graft Harvest Using a New Intramedullary System. Clin Orthop Relat Res **466**：2973-2980, 2008.
    2) Dawson J et al：The reamer-irrigator-aspirator as a device for harvesting bone graft compared with iliac crest bone graft：union rates and complications. J Orthop Trauma **28**：584-590, 2014.
    3) Dimitriou R et al：Complications following autologous bone graft harvesting from the iliac crest and using the RIA：A systematic review. Injury **42**：S3-S15, 2011.
    4) Ebraheim NA et al：Bone-graft harvesting from iliac and fibular donor sites：techniques and complications. J Am Acad Ortho Surg **9**：210-218, 2001.
    5) Giannoudis PV et al：Masquelet technique for the treatment of bone defects：Tips-tricks and future directions. Injury **42**：591-598, 2011.
    6) Hauschka PV et al：Growth factors in bone matrix. J Biol Chem **261**：12665-12674, 1986.
    7) Masquelet AC et al：The Concept of induced membrane for reconstruction of long bone defects. Orthop Clin North Am **41**：27-37, 2010.
    8) 日本整形外科学会整形外科移植問題等検討委員会：「整形外科移植に関するガイドライン」および「冷凍ボーンバンクマニュアル」の改訂．日整会誌 **73**：113-143, 1999.
    9) Pelissier P et al：Induced membranes secrete growth factors including vascular and osteoinductive factors and could stimulate bone regeneration. J Orthop Res **22**：73-79, 2004.
    10) Schmidmaier G et al：Quantitative assessment of growth factors in reaming aspirate, iliac crest, and platelet preparation. Bone **39**：1156-1163, 2006.
    11) 占部　憲：同種骨移植．整形外科 **68**：414, 2017.
    12) Urist MR：Bone：formation by autoinduction. Science **150**：893, 1965.

7. 骨バンク
    1) ヒト組織バンク開設における指針．
        http://www.jstt.org/htm/guideline/sisetu.pdf
    2) ヒト組織を利用する医療行為の安全性確保・保存・使用に関するガイドライン．
        http://www.jstt.org/htm/guideline/anzen_guideline_Ver3-3.pdf
    3) ヒト組織を利用する医療行為の倫理的問題に関するガイドライン．
        http://www.jstt.org/htm/guideline/rinri_guideline_Ver3-3.pdf
    4) Inclan A：The use of preserved bone graft in orthopaedic surgery. J Bone Joint Surg **24**：81-96, 1942.
    5) 井上　玄：同種骨移植の過去・現在・未来—安全な骨バンク運営のために知って頂きたいことを含めて—．日整会誌 **95**：16-20, 2021.
    6) 日本整形外科学会移植・再生医療委員会：「整形外科移植に関するガイドライン」および「冷凍ボーンバンクマニュアル」の改訂について．日整会誌 **94**：1186-1224, 2020.

156 　総論　第5章　骨移植

7) 日本整形外科学会移植・再生医療委員会：整形外科における組織移植の現状（2005-2009年）
　　—日本整形外科学会認定研修施設を対象としたアンケート集計結果—．日整会誌 85：458-
　　465，2011.
8) 日本整形外科学会移植・再生医療委員会：整形外科における組織移植の現状（2010-2014年）
　　—日本整形外科学会認定研修施設を対象としたアンケート集計結果—．日整会誌 90：526-
　　531，2011.
9) Urabe K et al：The expense for one implantation of a banked bone allograft from a cadaveric
　　donor and the issues affecting current advanced medical treatment in the Japanese orthopae-
　　dic field. Cell Tissue Bank 10：259-266, 2009.

第6章

骨折の症候

　開放創がある患者が搬送されてきても局所に目を奪われることなく，まず生命維持に重要な頭部，胸部，腹部臓器の損傷（多発外傷 multiple injury）の有無に注意を払わなければならない．生命徴候 vital sign を瞬時に評価し，対処し，全身状態が安定していることを確認した後，複数箇所での骨折（多発骨折）を念頭に局所の診察に移る（図6-1-1）．

　各地に救命救急センターが設けられているが，骨盤損傷，脊椎・脊髄損傷，開放骨折，四肢切断など，初期治療が予後を大きく左右する高エネルギー運動器外傷を診察できる常勤医がほとんど不在であり，その観点から救急患者受け入れ体制の整備と重度の開放骨折や多発骨折を診察し治療できる運動器外傷整形外科医の育成は喫緊の課題であるといえる．

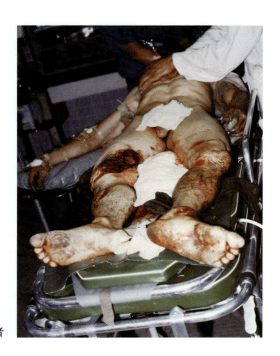

図6-1-1
ショック状態で搬送された多発骨折患者

1 全身症候

　多発骨折患者は全身症候として，顔面蒼白，意識混濁，冷汗，チアノーゼ，嘔吐，血圧低下などのショック症候を示すことがある．ただし意識がもうろうとした状態でも頭部外傷とは限らず，ショック症候があっても出血性ショックであるとは限らない．外傷で生じる生命維持機構の破綻は生命徴候に反映されるため，まずこの生命徴候の異常を瞬時に評価することが求められる．

　脂肪塞栓症候群や圧挫された骨格筋組織からミオグロビンが遊離し腎機能障害を起こす圧挫症候群などは合併症に記載する（第8章参照）．

a 出血性ショックの症候

　出血性ショック hemorrhagic shock は循環血液量減少性ショック hypovolemic shock と同じであると多くの著書や教科書に記載されているが，必ずしも同一ではない．後者の病態には体液喪失（脱水）も含まれ，熱傷や熱中症でのショックは後者に属する．程度にもよるが，出血性ショックではヘモグロビン値は低下もしくは正常，体液喪失によるショックでは上昇するなどの病態の違いがある．開放創を伴う重度外傷患者にみられるショックは，多くが外出血や内出血による出血性ショックであるといえるが，頭部外傷や脊髄損傷を合併したり，緊張性気胸 tension pneumothorax や心タンポナーデ cardiac tamponade などの胸腔内臓器損傷を合併している場合には，ショックの病態は当然複雑となる．

　出血性ショックの臨床症候は，貧血と循環障害のために無表情，無反応，虚脱，顔面蒼白などがみられる．四肢は皮膚温が低下しているにもかかわらず交感神経系の過緊張により冷汗が認められる．著しい低酸素血症のために呼吸促迫や過呼吸などの呼吸不全状態を呈する．また収縮期血圧が低下する．血圧低下に対し生体は末梢血管抵抗を上昇させて血流量を保とうとするため頻脈（心拍数が100/分以上）となり，血中カテコールアミン値が上昇する．さらに乏尿または無尿なども出血性ショックの診断に重要な所見である．

　出血性ショックは，出血量と症候の変動を把握することが基本である．臨床症候より大体の出血量を推定できるので，呼吸状態や意識，血圧，脈拍，尿量，などの臨床症候の把握は治療上重要である（**表6-1-1**）．出血に伴うショックではヘマトクリット（Hct）値も参考になる．Hct値が30％以下の場合は相当の出血があったと判断してよい．しかし受傷後短時間で搬送され，収縮期血圧が50〜60 mmHg程度の重症出血性ショックの場合にはHct値が低下していないことがある．これは循環血液量の絶対的減少が起きていても間質液の血管内への移行がまだ発生していないためである．

　意識障害は出血性ショックのみでなく，頭部外傷でも起こり得る．出血性ショックで意識が混濁するほどの重症例ではチアノーゼ cyanosis が認められることが多い．チアノーゼは動脈血中の酸素が欠乏し，還元ヘモグロビンが5 g/dLを超える場合，

1 全身症候 159

表 6-1-1　出血量と臨床症候

		重症度（class）		
	I	II	III	IV
出血量（mL）	<750 mL	750～1,500 mL	1,500～2,000 mL	>2,000 mL
出血量（%循環血液量）	<15%	15～30%	30～40%	>40%
脈拍数（/分）	<100	100～120	120～140	>140 または徐脈
収縮期血圧	不変	不変	低下	低下
拡張期血圧	不変	上昇	低下	低下
脈圧	不変	低下	低下	低下
呼吸数（/分）	14～20	20～30	30～40	>40 または無呼吸
尿量	正常	減少傾向	乏尿	無尿
意識レベル	軽度の不安	不安	不安，昏迷	昏迷，昏睡
体表所見	軽度の発汗および冷感	発汗および冷感	強い四肢冷感・皮膚蒼白	極度の皮膚蒼白・四肢末端のチアノーゼ
CRT（capillary refilling time）	正常～軽度延長	軽度延長	延長	極度の延長
shock index	<1.0	1.0	1.5	2.0
輸液・輸血	リンゲル・生食	リンゲル・生食	リンゲル・生食＋輸血	リンゲル・生食＋輸血
中心静脈圧	正常	軽度低下	著明な低下	ほとんどゼロ

体重 70kg で換算.　　　　　　　　　（松原全宏：今日の整形外科治療指針 第 6 版. 表 2-1, p.52, 医学書院, 2010 より）

表 6-1-2　小川のショックスコア

項 目　　　スコア	0	1	2	3
収縮期血圧（BP）（mmHg）	100≦BP	80≦BP<100	60≦BP<80	BP<60
脈拍数（PR）（回/min）	PR≦100	100<PR≦120	120<PR≦140	140<PR
base excess（BE）(mEq/L)	−5≦BE≦+5	±5<BE≦±10	±10<BE≦±15	±15<BE
尿 量（UV）（mL/hr）	50≦UV	25≦UV<50	0<UV<25	0
意識状態	清　明	興奮から軽度の応答の遅延	著明な応答の遅延	昏　睡

（小川　龍：ショックの重症度判定法. 救急医学 14：1332-1334, 1990 より）

あるいは動脈血の酸素飽和度が 85% 以下で出現する．血液ガス分析 blood gas analysis（BGA）による肺胞内酸素分圧や二酸化炭素分圧は呼吸状態を知るうえでの指標になる．酸塩基平衡のうちで代謝性の因子の状態を示す指標のひとつである塩基過剰 base excess（正常値 −2.2～＋1.2 mEq/L）やアシドーシスの有無を知ることは末梢循環不全の指標となる．尿量もショックスコアの重要な検査項目である．小川のショックスコアでは合計 5～10 点で中等度ショック，11～15 点で重症ショックと判定される（**表 6-1-2**）．外傷患者での血中乳酸 lactate（正常値 4.0～16.0 mg/dL）の測定も重要であり，18 mg/dL 以上では乳酸アシドーシスを生じやすい．乳酸アシドーシスを放置すると意識障害の危険性が増す．

中心静脈圧 central venous pressure（CVP）は胸腔内の右心房に近い上・下大静脈の圧を示している．心機能が正常な患者では循環血液量のよい指標となる．中心静脈圧は水平仰臥位で測定するのが原則である．中心静脈圧の正常値は 5～10 cmH$_2$O で，3 cmH$_2$O 以下は異常である．臨床的には中心静脈圧値そのものよりも経時的変動の把握がより重要である．心原性ショック cardiac shock は血液うっ滞により中心静脈圧が上昇して 15 cmH$_2$O 以上となる．出血性ショックの治療中に中心静脈圧が上昇してきた場合は，補液の過剰による肺水腫を考えたがよい．

附-1 多発外傷 multiple injury

多発外傷とは多発骨折のことではない．日本救急医学会の医学用語解説集によれば，"身体を，頭部・頚部・胸部・腹部・骨盤・四肢などと区分し，複数の身体区分に重度の損傷が及んだ状態をいう．受傷機転としては，鋭的外傷よりも鈍的外傷が一般的である．重症度を定量化する指標として，各身体部位の解剖学的損傷の程度で評価する AIS（abbreviated injury score）があり，一般的に，AIS 3 以上が複数区分にある場合を「多発外傷」と呼ぶ．各部の損傷は相互に関連しながら重篤化するので，臓器別・領域別に特化した診療科の分担的な治療では救命が困難である．外傷診療においては初期の段階から多発外傷の可能性を念頭におき，総合的に判断して治療優先順位を決定することがきわめて重要である．そのためには部位ごとの確定診断や治療に固執せず，全身的緊急度を重視し，生命にかかわる損傷に対する処置を最優先とする"と説明されている．多発外傷は死亡率が高く，救急治療の現場では各科専門医との連携が欠かせない．

2 局所症候

局所診察に際しては，痛みの部位や程度，視診での開放創の有無，腫脹，変形，肢位の異常，下肢長差，手足の循環状態，触診による限局性の圧痛や軋音，感覚障害や異常可動性，さらに自動運動を行わせての運動麻痺の有無を調べる．開放創や骨盤骨折は出血により全身状態が刻々と変化する．血管内膜の損傷は外来診察の数時間後に血栓が形成され血行途絶が起こることもあり，骨折で区画内圧が時間とともに上昇する急性区画症候群を見落とせば患肢機能を荒廃させる危険性を伴う．経時的観察が重要である．

a 疼痛 pain と圧痛 tenderness

新鮮骨折では激しい疼痛を訴える．その部を動揺させると疼痛が増強する．しかし複数箇所に骨折があっても患者がすべての部位の疼痛を訴えるとは限らない．救急外来に搬入された外傷患者では訴えがなくとも全身を触診し，圧痛，軋音，異常可動性，変形の有無を確認する必要がある．特に限局した圧痛は骨折を疑う重要な所見である．転位のない不完全な骨折や脊髄損傷を合併する下肢の骨折，あるいは脊髄空洞症や先天性無痛覚症などなんらかの既存の神経障害がある場合は，疼痛はわずかであるか，ないこともある．疲労骨折は初期には安静にすると疼痛が消失し，局所所見も

比較的軽微であることが多い.

　外傷患者が急に下腿の緊満感を訴えた場合，急性下腿静脈血栓症と急性区画症候群を念頭に鑑別する．疼痛が著しく，浮腫，発汗過剰などが表れた場合には複合性局所疼痛症候群（CRPS）を疑う.

　骨折部位を指で直接圧迫すると痛みを訴える．骨折線に一致して存在する限局性圧痛をマルゲーニュ圧痛 Malgaigne tenderness と呼ぶ．舟状骨骨折時に生じる場合に嗅ぎタバコ窩 anatomical snuffbox（手関節の橈側で母指を外転・伸展させたときに生じる三角形状の凹み）の圧痛は重要な所見である．大きな筋肉で厚く被覆された部位では，骨折による圧痛か軟部組織の損傷のみによる圧痛かの鑑別がときに必要となるが，軟部組織損傷では外力が加わった部位に，骨折では全周に圧痛がある．離れた部位よりの軸方向の衝撃を加えると骨折部に疼痛が誘発される．これを叩打痛または介達痛 indirect pain と呼ぶ.

　合併症で生じる急性期や慢性期の疼痛に関しては章を改めて記載する（第8章参照）.

b 創 wound，腫脹 swelling，皮下出血 subcutaneous bleeding

　骨折の約85％は皮下骨折であるが，皮下骨折でも骨周囲の軟部組織は大なり小なり損傷を受ける．Tscherne 分類（図2-2-10）はこの点に配慮した4段階分類で皮膚を含めた軟部組織も外力の程度に応じて損傷されるとの認識を深めるのに役立っている．搬送された外傷患者は開放創の有無を必ず確認する．骨片端が皮膚を突き破った刺創 stab wound は径は1 cm 程度（Gustilo 分類 TypeⅠ）にすぎず，骨折部位より少し離れた所に生ずることがある．しかし刺入部は小さいが内部臓器は広範囲に損傷されている可能性がある．開放創がなくとも直達外力による皮下骨折では，程度の差はあれ局所に腫脹，擦過傷 abrasion，皮下出血が認められる（図6-2-1）．腫脹は肩，股関節部，椎体など筋肉に厚くおおわれる部位を除くと骨折直後より出現し時間の経過とともに著明となる．腫脹には青紫色の皮下出血を伴う．腫脹が著しいと皮膚は緊張して光沢を帯び数日後にはしばしば水疱 blister が形成される．四肢の骨折にみられる皮下出血は時間とともに遠位側に移動する．ときには骨折部よりはるかに離れた遠位部に出現することもある．高齢者で抗血小板薬や抗凝固薬を内服中の患者では，軽微な骨折であっても皮下出血はしばしば広範囲に認められる（図6-2-2）．皮下骨折では皮下血腫 subcutaneous hematoma や骨折部に骨折血腫（fracture hematoma）が，関節内骨折では関節血症が認められる（図6-2-6）.

　圧挫傷で皮膚に圧迫力と剪断力が加わり，その部の皮下組織が筋膜より剥離し，その空隙に漿液が貯留し腫瘤を形成することが稀にある．皮膚剥脱損傷の一つで Morel-Lavallée lesion と呼ぶ．骨盤周囲や大転子部に好発する．皮膚栄養血管が損傷を受けるのでその部位に皮膚壊死が生じることもある.

c 肢位（体位）の異常 abnormal posture，変形 deformity

　骨折が生じると骨片転位により，短縮，屈曲，回旋などの肢位（体位）の異常や変形が起こる．骨折や脱臼に特徴的な症候であるといえる．肢位の異常をアライメント不良 malalignment とも呼ぶ（図6-2-3）.

162　総論　第6章　骨折の症候

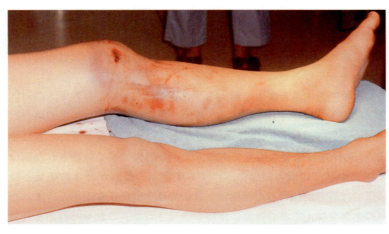

図 6-2-1　骨折部の擦過傷，腫脹，皮下出血

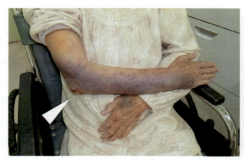 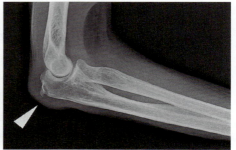

図 6-2-2　抗凝固薬服用患者の著明な皮下出血斑（76歳，女性）
転倒して肘頭部を打撲した．同部に擦過傷がある．単純X線写真で肘頭部に小さな骨片と局所軟部組織の腫脹を認める（矢印）にすぎないが，前腕の広範囲な皮下出血がみられる（受傷後1日）．

　受傷直後より認められる肢位（体位）の異常として典型的なものに，Colles 骨折では橈骨遠位骨片が背側に転位して生じるフォーク状変形（dinner fork deformity，silver fork deformity），遠位橈尺関節脱臼を伴う橈骨遠位端骨折で橈骨が短縮し相対的に尺骨頭が背側に突出した Madelung 変形などがある．また，上腕骨骨幹部の斜骨折や鎖骨骨折では，骨折端が皮膚を突き上げている所見 tenting が認められる．骨片による皮膚の突き上げが生じている部位では，局所的皮膚壊死を生じる危険性を念頭におく必要がある．骨折部の異常可動による疼痛を軽減するために，患者自身が健側上肢で患肢を保持して受診することもまれではない．脱臼骨折では特異な肢位（体位）は必発である．常に健側と比較しつつ診察することが大切である．

　骨折による変形には受傷直後より認められるものと，治療経過とともに出現する変形癒合 malunion とがある．骨折癒合の過程で生じる変形は骨折の部位により特徴がある．たとえば胸椎椎体骨折では徐々に亀背となりやすい．長管骨骨折では骨折癒合過程中に橋渡し仮骨 bridging callus が認められても強度が十分に回復していないと，筋肉の作用で徐々に変形が増強しやすい（図6-2-4）．外固定を過信してはならない．なお，小児の上腕骨顆上骨折で認められる内反肘変形は，肘関節の拘縮がとれて伸展

2 局所症候　163

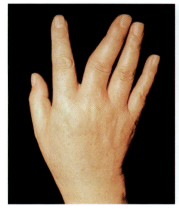
右中指の回旋変形と尺側変位

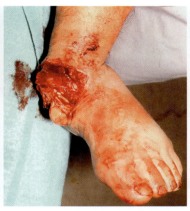
足関節の開放脱臼骨折による変形

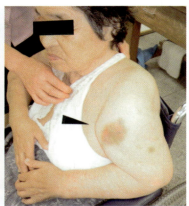
骨折端による皮膚の突き上げ変形（tenting）

図 6-2-3　肢位の異常

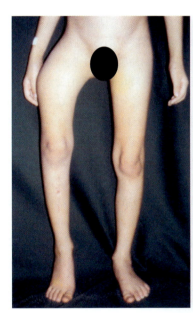
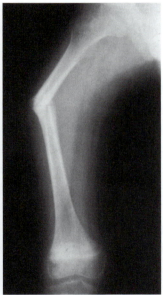
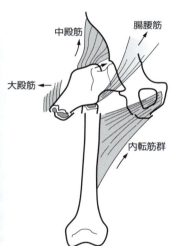

図 6-2-4　小児の大腿骨骨幹部骨折で治療中に生じた遅発性の変形
牽引療法を 1 ヵ月行い，良好な大腿骨のアライメントと橋渡し仮骨形成を確認し，両腸骨より右足尖までのプラスチックキャスト固定を 1 ヵ月施行した症例である．プラスチックキャストを除去してはじめて，外固定中に筋の牽引力によって下肢の短縮，骨折部での内転，内旋変形が生じていることが判明した．

可動域が正常に回復するに従い著明となるが，骨折治癒後の成長に伴って生じるのではなく整復不良に起因する変形である．

d 局所循環障害　circulatory disturbance

患肢末梢での循環状態（色調）を観察し，定時的に脈拍を触知し確認する．局所の循環障害の症候としては，指や足趾の蒼白，手足のうっ血，動脈拍動の微弱化または

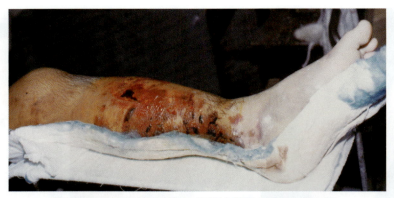

図 6-2-5　局所循環の観察（区画症候群が疑われた症例）
下腿骨折に認められた腫脹と水疱形成に注目．軟部組織が著明に圧挫された所見である．足趾が蒼白で動脈拍動が微弱であった．

喪失などである（図 6-2-5）．高所よりの転落事故や交通事故など高エネルギー損傷では，すべての骨折の部位で動脈損傷を念頭に診察する必要がある．脛骨近位部骨折や膝関節脱臼に膝窩動脈損傷が，上腕骨遠位部骨折や肘関節脱臼に上腕動脈損傷が合併しやすい．動脈の断裂ではなく内膜のみの損傷は，初診時には動脈拍動が認められるものの，時間の経過とともに血栓が形成されて動脈の完全閉塞に至ることもある（図 8-1-4 参照）．動脈の途絶を調べるには，脈拍の触知だけでなく，パルスドプラ超音波検査 pulsed Doppler ultrasonography を用いた確認が必要である．

水疱形成 fracture blister は骨折部周囲の皮膚や軟部組織が著明に圧挫されたことを示す所見である．皮膚壊死を伴なう場合は Morel-Lavallée 徴候と呼ばれる．

下肢静脈血栓塞栓症はしばしば無症候性に経過するが，突然症候が現れると患肢の腫脹，圧痛が認められる．健側との下腿周径差が 3 cm 以上の腫脹（Wells score の一項目），Homans 徴候（膝関節伸展位で足関節を背屈させようとすると腓腹筋部に疼痛を訴える）や腓腹筋の圧搾痛を調べ下腿静脈血栓症の疑いが濃厚であれば，超音波検査，CT angiography（CTA）を追加する．

局所に外力が加わると当然の結果として，皮膚，皮下組織，筋組織のリンパ系の循環も障害され浮腫が増強する．MR リンパ造影 MR lymphangiography で損傷部位より遠位の軟部組織中のリンパ管の拡張が確認できる．

e 異常可動性 abnormal mobility と軋音 crepitation

骨折部には通常異常可動性が出現する．骨折部が動くときは脱臼とは異なり，局所の骨折端どうしが互いに接触し，擦れ合う軋轢音が触知できる．その際，強い疼痛を伴う．異常可動性が認められても骨幹端部や骨端部の骨折では靱帯損傷との鑑別が困難な場合があるが，長幹骨の中央部で異常な可動性と疼痛が認められる場合には臨床的に骨折と診断される．ただしこの手技は血管や神経の二次損傷を引き起こす恐れがあるので，骨折部の異常可動性の診察はいたずらに繰り返してはならない．

f 関節血症 hemarthrosis

　骨折が関節内に及ぶ場合，または骨軟骨骨折では関節内出血による関節血症は必発である．外傷直後より関節腫脹が生じる．関節血症で関節穿刺血液に肉眼的に脂肪滴が混在している場合には関節内骨折がある可能性が高い（図 6-2-6）．脂肪滴が肉眼的には見えなくとも，穿刺液を遠沈すると最上層に脂肪滴の浮上集積を確認できることがあり，oil red O 染色や Sudan 染色を行うことにより顕微鏡下に脂肪滴を証明できる．外傷性膝関節血症でも，前十字靱帯損傷や半月断裂では肉眼的に脂肪滴が認められないので両者の鑑別点となる．

　しかし，関節構成体の中には骨髄のほかにも，滑膜や関節内脂肪体のように組織内に脂質を含むものもあり，滑膜損傷のみでも血腫中にわずかながら脂肪滴が出現することがある．Rabinowitz ら（1984）は，脂肪構成成分を分析することにより骨折か軟部組織損傷かの鑑別が可能であるという．すなわち，骨折に伴う血腫では相対的にトリグリセライドが多く，コレステロールが著しく少なく，リン脂質がわずかで骨髄血と同じ脂質組成であると報告している．

　なお小児では外傷後の関節血症と診断された症例の中に，滑膜や筋肉の血管腫の破裂や血友病が診断されることもある．

g 感覚障害 sensory disturbance と運動機能障害 motor disturbance

　外傷性骨折に末梢神経損傷が合併することがある．外力の加わった部位，骨片の転位方向などをよく観察すると合併する神経損傷と骨折部位とは一定の関連性がある．肩甲骨を強打するような単車事故や自動車事故では肩甲上神経や腋窩神経の麻痺が発生する．鎖骨骨折では腕神経叢が，上腕骨骨幹部骨折では橈骨神経が，腓骨頭骨折では総腓骨神経が，腰椎骨折では馬尾が損傷されるなどである．感覚は触覚や痛覚を調

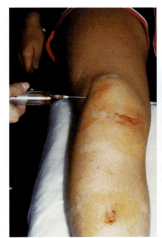

図 6-2-6　関節血症に認められた脂肪滴
血腫内の肉眼的な脂肪滴の存在は関節内骨折を示唆している．

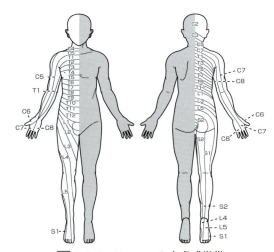

図 6-2-7　Keegan の皮膚感覚帯

べるが，Keegan らの皮膚感覚帯と末梢神経幹別の神経支配領域を参考にする（図6-2-7）．感覚や運動機能障害の範囲やレベルの経時的所見は，神経麻痺進行や改善の評価に役立つため，その都度記録に残しておくことが必要である．

　しかし術後に四肢の運動障害に気づいた場合，その麻痺が術中に生じたものか術前より存在していたものかの判断できない．Elizabeth ら（2014）の指摘通り術前の確認が大切である．

　完全骨折であれば局所の不安定性や疼痛のため，直ちに患肢の運動が不可能となるが，不完全骨折では必ずしもその限りではない．脱臼骨折では自動的，他動的な関節運動が著しく制限され，疼痛も高度である．脊髄損傷が疑われる場合には，肛門周囲の皮膚粘膜移行部の触覚と痛覚消失の確認と，肛門括約筋が正常に機能しているか否かを調べることにより完全麻痺か不完全麻痺かの診断ができる．

　ただし，外傷直後の脊髄ショック状態では肛門反射 anal reflex がなくとも完全麻痺とは言い切れず，脊髄ショックを離脱した後に再度診察する必要がある．

参考文献

1) Elizabeth RA et al：Iatrogenic nerve injuries in the treatment of supracondylar humerus fractures：Are we really just missing nerve injuries on preoperative examination? J Pediatr Orthop **34**：388-392, 2014.
2) 濱口満英ら：外傷診療における大量出血の早期認識と対応．日外傷会誌 **32**：59-65, 2018
3) 池内尚司：緊急室における診察手順．Orthopaedics **14**：1-6, 2001.
4) 井上貴昭：外傷初期診療．救急医学 **34**：875-880, 2010.
5) 石突正文：外発外傷の周術期管理．別冊整形外科 **40**：107-112, 2001.
6) Keegan JJ et al：The segmental distribution of the cutaneous nerves in the limbs of man. Anat Rec **102**：409-437, 1948.
7) Lohrmann C et al：Posttraumatic edema of the lower extremities：evaluation of the lymphatic vessels with magnetic resonance lymphangiography. J. Vasc. Surg **49**：417-423, 2009.
8) 前川和彦：外傷性ショック，今日の整形外科治療指針．第2版，70-71，医学書院，1991.
9) 松原全宏：外傷性ショック，今日の整形外科治療指針．第6版，52-53，医学書院，2010.
10) Morel-Lavallée M：Décollements traumatiques de la peau et des couches sousjacentes. Arch Gen Med **1**：20-38, 1963.
11) Nakajima T et al：Two cases of Morel-Lavallée lesion which resulted in a wide skin necrosis from a small laceration. Case Rep Orthop：5292937, 2020.
12) 中野　剛ら：肺動脈血栓塞栓症の基礎と臨床．肺血栓塞栓症の病理と病態．呼と循 **45**：333-337, 1997.
13) 日本外傷学会：外傷初期診療ガイドライン JATEC　改訂第6版．へるす出版，2022.
14) 日本骨折治療学会編：骨折に伴う静脈血栓塞栓症エビデンスブック．全日本病院出版会，2010.
15) 小川　龍：ショックの重症度判定法．救急医学 **14**：1332-1334, 1990.
16) Rabinowitz JL et al：Lipid composition of the tissues of human knee joints. II. Synovial fluid in trauma. Clin Orthop Relat Res **190**：292-298, 1984.
17) 下林幹夫ら：外傷に伴う脂肪塞栓症候群の治療経験．臨整外 **38**：613-617, 2003.
18) 土田芳彦：日本の外傷教育・治療はここがダメだ―私が「整形外科外傷センター」を構築する理由．Bone Joint Nerve **5**：441-446, 2015.

第7章

骨折の診断

　骨折の初期診断は，愁訴，受傷機転，局所所見，単純X線写真をはじめとする各種の画像所見を総合的に判断して行う．転倒し受傷した患者では大腿骨近位部骨折が認められなくとも恥骨骨折や仙骨骨折の可能性もあり，スクリーニングとしての単純X線写真やCTは撮影範囲も重要である．追加の画像診断としてMRIの骨シンチグラフィー，PET-CTは補助診断的価値が高い．外傷患者の画像診断の読影には日頃の研鑽が求められる．

　不顕性骨折の見落としや独居老人転倒後の救急搬送の遅れなどは，早期診断・早期治療上の課題でもある．Zuckerman（1996）が強調している「高齢者の大腿骨近位部骨折は全身状態が許す限り診断がつき次第，48時間以内に手術を行うことが早期の地域社会復帰（受傷前のADL再獲得）にきわめて重要である」との認識で対処するためには，骨折の的確な診断や程度評価が重要であるだけでなく，受傷時に治療中の疾患の診断名や「お薬手帳」などによる治療薬の情報が必要であり，近隣の医療機関や各科専門医との診療連携が不可欠である．

　遷延治癒や偽関節の診断には局所所見とともに単純X線写真，CTに加えてX線断層撮影法（トモシンテシス），骨シンチグラフィー，MRIが有用である．正常の骨折癒合過程で認められる血清中の骨型酒石酸抵抗性ホスファターゼTRAP 5bや骨代謝の生化学的指標でβ-コラーゲンの特殊な配列であるβ-CTXの値を遷延治癒や偽関節で計測し，診断に応用する試みも始まっている．

1 病歴聴取 history taking

　救急現場では，ややもすれば画像診断に頼り過ぎる傾向が見受けられるが，まず受傷機転を知ることは外傷患者の骨折診断にきわめて重要である．次に患者の全身状態の把握が求められ，心臓や呼吸器疾患や血栓症の既往や内服中の薬物（特に心疾患治療薬や抗凝固薬や抗血小板薬）を聴取する．

　年齢や受傷機転により骨折の部位を推定できることも少なくない．患者自身，あるいは受傷現場の目撃者から受傷時の状況を手短に聴取する．側方に転倒し肩部を外側から打撲した場合には，肩甲骨，鎖骨，肋骨，上腕骨近位部骨折を，小児が肘関節伸展位で後方に手をついて転倒した場合には，上腕骨顆上骨折，橈骨頚部骨折を，高齢者が尻もちをついて転倒した場合には，胸腰移行部の椎体骨折や大腿骨近位部骨折な

－167－

どが生じやすい．受傷後数時間で膝関節が腫れてきたとの訴えがあれば，関節内骨折や靱帯損傷を，小児であれば血管腫の破裂や血友病も疑う．

外力の強さは病態に反映される．日常生活動作程度の軽微な外力で生じた疼痛では癌の転移部における病的骨折や脆弱性骨折を疑い，繰り返しの運動負荷後の疼痛は疲労骨折を念頭におくことが大切である．

小児においては病歴聴取が難しいことが少なくない．分娩骨折や肘内障などでは患肢を動かさないことが唯一の訴えであることが多い．

2 診　察 physical examination

a 全身の診察

作業現場での災害事故や交通事故では多発骨折 multiple fracture の可能性があるので，衣服をすべて脱がせて診察する習慣をつけておき，頭部より足先まで順序よく診察する．疼痛を訴えない部位も圧痛や他動運動で疼痛を訴えるか否か，顔をしかめるかどうかを短時間のうちに調べる．反対側の腕で患肢を支えるなどの状況，肢位の異常や変形，異常可動性のほか，脈拍や爪を圧迫して毛細血管の再還流状態をみるなどによる循環障害の把握，運動麻痺や感覚障害の有無の確認も手際よく行う．

呼吸や血圧が安定しない患者では胸腔や腹腔内臓器損傷のチェックを30分以内に行い，血管造影は90分以内に施行することが求められる．救急治療室に搬送され死亡した患者の40%は見落とされた胸腔や腹腔内の後出血が原因との調査報告がある．胸腹部や骨盤の損傷では刻々と全身状態が変化することを忘れてはならない．

b 局所の診察

骨折の6大症候は疼痛，限局性圧痛，腫脹，変形，異常可動性，軋音であるが，この6大症候がそろっていることはむしろ少ない．

疼痛，腫脹などの臨床所見と単純X線所見が一致しないことがある．不顕性骨折 occult fracture では疼痛が生じても受傷直後の単純X線写真では骨折線が認められない．愁訴と画像診断が一致しない場合には，このことを念頭に，経過を追った繰り返しの診察，画像検査が求められる．小児の手関節周囲の外傷で単純X線写真では異常所見は認めなかったが，5週間以上疼痛や腫脹が持続するため MRI 検査を行ったところ成長軟骨板に異常所見が認められたとの報告もある．

視診では肢位（体位）の異常 abnormal posture や変形 deformity を健側と比較しながら観察する．骨折により骨片が転位して生じる回旋，短縮，屈曲などの肢位異常，変形は骨折や脱臼に特徴的な症候である．例えば大腿骨近位部骨折では股関節が軽度屈曲し下肢が外旋した肢位となる（図7-2-1a）．疼痛を訴える局所の腫脹，擦過傷，挫傷，斑状出血より外力の作用部位や方向を知ることが可能である．図7-2-1b に示すとおり，皮下骨折では皮下の出血斑は遠位に移動することが少なくない．創がない

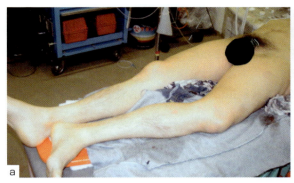
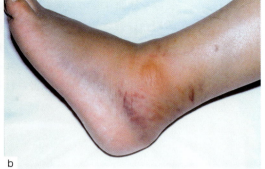

図 7-2-1　視診は大切
a. 左下肢の短縮と回旋異常．大腿骨近位部骨折での典型的肢位異常を示す．
b. 骨折局所の皮膚の青紫色の皮下出血と腫脹

　皮下骨折であっても深部の軟部組織の挫滅は著明なことがあり，腫脹が著しい場合には，急性区画症候群が併発することを念頭に経過観察を行う．逆に，開放創がある場合には急性区画症候群は起こらないと思いがちであるが，4つの区画がある下腿の開放骨折でも5％前後に急性区画症候群の発症が報告されている．急性区画症候群の発生頻度は外傷時の外力の程度とほぼ相関するが，開放創の範囲や挫滅の程度とは比例せず，むしろGustilo分類のⅠ型やⅡ型で観察されることが多い．
　触診では限局した部位の圧痛（Malgaigne圧痛）を丁寧に調べることで不顕性骨折も疑うことができる．骨折部には通常，異常可動性や軋音crepitationが出現する．しかし，乱暴に異常可動性を調べたり，軋音を何度も誘発させてはならない．周囲の血管，神経，筋肉の挫滅を新たに引き起こすことになるからである．脈拍を調べることで血管損傷を，感覚や手足の動きより神経損傷の合併を確認しておくことも重要である．特に小児での感覚障害や運動麻痺の有無の診断は疼痛のために困難を極める．Joinerら（2014）は小児の上腕骨顆上骨折の手術症例100例の術後に19％の末梢神経障害が認められたが，このうち手術操作による医原性麻痺はわずかに3％であり，16％は術前から存在していた神経障害であると前向き調査で報告し，術前診察の重要性を強調している．冷感，指先の再還流障害（capillary refilling 2秒以内が正常），脈拍を触診やカラードプラ超音波検査で調べることは循環障害の有無の確認に役立つ．主要な末梢血管は完全な断裂がなくとも，血管内膜の損傷があれば受傷後の時間の経過とともに血栓が形成され拍動が触知できなくなることもある（p.192参照）．経時的なモニタリングが必要である．
　肋骨骨折では胸郭を前後方向より圧迫すると離れた部位にある骨折の痛みが誘発できる．これを介達痛という．長管骨では軸方向への圧迫で骨折部の疼痛を誘発できる．軸圧痛と呼ばれる．
　スポーツ活動を行っている学童，分娩後の女性，骨粗鬆症を伴う高齢者の持続する腰痛や殿部痛では，まれではあるが仙骨の疲労骨折（脆弱性骨折）の疑いもある．その診察には殿部の限局した圧痛の有無と股関節疾患で用いられるPatric test（FABER test）が有用である．診察台に仰臥させた患者の股関節を屈曲，外転，外旋させ，さら

170 総論 第7章 骨折の診断

に膝を屈曲させて足部を反対側の大腿部に乗せる．この状態で検者が患側の膝関節を
診察台に押さえつけると激しい殿部痛が誘発できる．仙骨の疲労骨折（脆弱性骨折）
は両側例の報告もあり，その場合は腰痛疾患との鑑別が重要である．

　骨折では骨の連続性が断たれるため，あるいは筋肉挫滅のため，あるいは疼痛のた
めに四肢の運動機能も障害されるが，神経損傷や血管損傷の合併も念頭に診察する必
要がある．

3 画像診断

　日常診療では骨折を疑う患者が来院すると画像診断としてまず単純X線写真撮影
やCTが行われる．しかし疼痛を訴えて来院しても単純X線写真のみでは骨挫傷
bone bruise，疲労骨折，脆弱性骨折の早期診断は難しく，時にはMRIが必要となる．
骨シンチグラフィーは骨癒合能である生物学的活性の残存や欠損を判断する目安とな
る．三次元CT（3D-CT）は骨格の構造が視覚的に理解できるので，骨折の診断精度
が著しく向上した．

　輸血しても血圧が上昇してこない骨盤骨折では血管造影検査が，突然の下腿浮腫で
はカラードプラ超音波検査やangio CTが主要動脈損傷の診断に威力を発揮する．X
線被曝量がCTの約1/10で済む断層撮影装置トモシンセシスは金属アーチファクト
が少なく，立位での撮影も可能である．

　読影能力の向上に努めたいが，これらの画像はあくまでも補助診断法であり，受傷
機転や診察所見と併せて判断することが肝要である．

a 単純X線写真 plain radiography

　高エネルギー損傷などで特に意思の疎通を欠く患者は単純X線写真撮影時に局所
のみでなく胸部，腹部撮影に加えて，必ず頚椎の側面像と骨盤の前後像を追加する．
この撮影により不安定な頚椎椎体の骨折，亜脱臼・脱臼が描出でき，緊急処置中の二
次的に起こる脊髄損傷や骨盤骨折に伴う大量出血によるショックなどを未然に防ぐこ
とができる（脊髄損傷の約10%が骨傷を伴わないこと，特に小児例ではその傾向が強
いことも認識しておく必要がある）．

　単純X線写真は画像診断の中では古典的であるが，骨折や脱臼骨折では最も簡便
で有用な補助診断法として日常頻用されている．外傷患者では疼痛や限局性圧痛のあ
る部位を中心に，近位と遠位へ可及的に広い範囲の撮影が望まれる．手関節や骨盤な
ど，骨折の部位によっては2方向撮影のみでなく，斜位像や軸写像などを追加すれば
詳細な情報が得られることがある．疼痛のため正確な前後像や側面像が撮影できない
部位もある．撮影のやり直しや特殊な撮影方法ではじめて骨折線を描出できることも
ある．有鈎骨鈎骨折に用いる手根管撮影法，舟状骨骨折に対するRusse撮影法，骨盤
入口撮影法inlet view，踵骨骨折に対するAnthonsen撮影法，軸椎歯突起骨折に対す

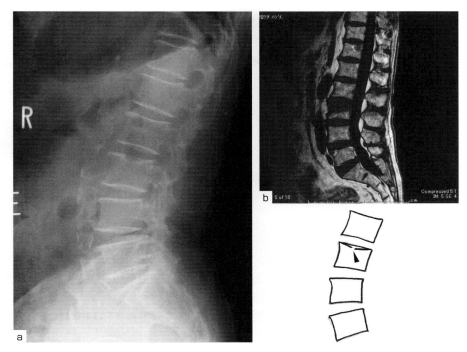

図 7-3-1 単純 X 線写真の読影には診察情報が重要（86 歳，男性）
ゴルフショット時に背部に激痛が出現した．翌日杖を用いず独歩で来院．腰部に叩打痛があったが単純 X 線写真（a）は正常と診断された．1 週間後の MRI（b）で第 3 腰椎椎体の圧迫骨折が判明．
改めて初診時の単純 X 線写真を見なおすと，第 3 腰椎椎体の高さは正常であるが，終板中央の陥凹が骨折を示唆している（矢頭）．

る開口位撮影法などである．疑わしい場合は CT を行う．

　読影の際には正常な骨や関節が X 線撮影でどのように描出されるのかの知識が求められる．正常像を知らずして異常は判断できず，診断を誤ることとなる．また鮮明な画像が不可欠であり，透過度が不十分な単純 X 線写真は撮り直す必要がある．図 7-3-1 の症例はゴルフショット時に腰部に激痛が走り，しかし翌日，杖を用いず独歩で来院している．棘突起叩打痛以外に局所所見はなく単純 X 線写真では"骨折なし"と診断された．しかし疼痛が持続するため，1 週間後に MRI を撮影したところ，第 3 腰椎椎体の圧迫骨折が確認された．初診時の単純 X 線写真をもう一度見なおしてみると，第 3 腰椎椎体の終板 end-plate に亀裂が生じていることがわかる．

　骨折の単純 X 線写真検査で注意すべきことは，受傷直後は単純 X 線写真に必ずしも異常所見が見当たらない骨折が存在することである．不顕性骨折，疲労骨折，脆弱性骨折では，単純 X 線写真上で仮骨が出現した時点ではじめて骨折と診断されることもある．最近では X 線透過度のよいプラスチックキャストの材質改良でキャストを装着のまま仮骨形成を観察することが可能となった．

　関節周囲の外傷では骨折に靱帯損傷が合併することがある．その鑑別のために，外傷が加わったと考えられる部位に外力と同じ方向（内反・外反あるいは前後）の負荷を加えて撮影する方法がストレス X 線撮影 stress view radiography である（X 線透視検査

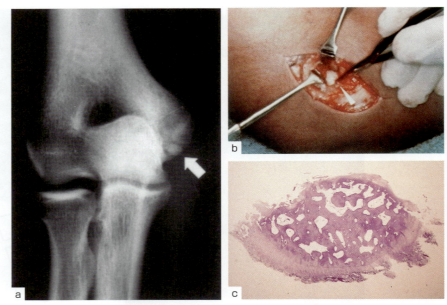

図 7-3-2　骨折と誤診されやすい遺残性骨核
a：単純 X 線写真．上腕骨外側上顆に丸味を帯びた小骨が認められる．周囲には透過帯が存在する．
b：術中写真．付着する腱を剝離すると白色の軟骨様組織におおわれていた．
c：病理組織像．小骨の中央には骨髄があり，外側表面は厚い軟骨様組織が確認でき遺残性骨核と診断された．

で確認することもできる）．撮影された関節裂隙開大の程度より靱帯損傷の有無とその程度を診断することができる（健側との比較が必要）．遷延治癒骨折で骨癒合状態の確認のために用いられることもある．しかし内固定材が存在するとわずかな不安定性の判定は難しい．小児の成長軟骨損傷の有無を確認する目的でストレス X 線撮影が行われることもあるが，Stanitski ら（2004）は治療法を決定する以外は成長軟骨板に無理な負荷を加えることになるので避けたほうがよいと述べている．

　開放骨折の単純 X 線写真では，軟部組織陰影が断絶した欠損像，異物の有無，軟部組織や関節内のガス陰影，骨片の皮膚外部への突き出し，骨欠損像なども読影する．

　単純 X 線写真検査はあくまでも補助診断法である．限局性圧痛や腫脹の確認など十分に診察をせずに単純 X 線写真だけで骨折の有無を判断しようとすると，種子骨 sesamoid bone，副骨 accessory bone，遺残骨核 persistent ossification center，発生異常 developmental anomaly を骨折と誤診することがある（**図 7-3-2**）．特に第 2 頚椎の歯突起骨 os odontoideum，分裂膝蓋骨 patella partita，距骨後方の足根三角骨 os trigonum，足の舟状骨の内側にある外脛骨 os tibiale externum は骨折との鑑別がしばしば問題となる．種子骨自体が骨折することもあり，二分種子骨 bipartite sesamoid との鑑別を要することもある．両側を撮影し左右を比較し，圧痛部位を再確認することが大切である．

3 画像診断　173

附-1 小児の肘関節周辺の骨折・脱臼診断の落とし穴

　　骨端にある未骨化の軟骨は経年的に次々に骨化するため，小児の正常単純X線写真は年齢により異なる．特に小児期の肘関節外傷の単純X線写真の読影は難しく，読影に際しては，骨化核の出現時期や骨幹端との癒合時期の知識がないと骨化核を骨折と誤診し，不必要に長期間の外固定をし，患者や家族に余分な苦痛を与えることになる．しかし，実際には各部位における骨化核の出現時期や骨幹端との癒合時期をすべて記憶しておくことは困難であり，第一線の医療現場では必要に応じて専門書を参考にする診療姿勢が重要である．専門書が手元にない場合には，受傷機転，疼痛，腫脹の程度，限局性圧痛の有無，健側単純X線写真との比較などが重要なヒントを与えてくれる．場合によってはMRIが必要となる．

　　過去にいくつかの「単純X線写真読影のコツ」が報告されている．その中に，“医師は患者の単純X線写真撮影を技師任せで，撮影肢位にあまり関心をはらわないことが誤診のもととなる”との指摘がある．健側は完全に関節を伸展した状態で前後写真を撮影できるが，患側は腫脹や疼痛のために屈曲位撮影となりやすい．わずかな骨折があっても，X線照射軸がその骨折線に平行にならない限り，鮮明な骨折線として描出ができない．わずかな肢位の相違で骨折線が読影できなくなることを認識しておく必要がある．

　　“骨折はありませんよ”と診断した患者が，後日別の医療機関を訪れて再度単純X線写真検査を受け，そこで描出された骨膜反応の存在より骨折と診断されると，患者やその家族に初診時の対応に不信感を抱かせることになる．

附-2 外傷患者の単純X線写真検査における心得

- ・撮影室に入った患者に，氏名，性別，年齢，妊娠の有無を再確認する．
- ・X線技師は患者の四肢を動かして指示に忠実な撮影を試みるので，二次損傷や転位を予防するためにも，“急に動かすと疼痛が生じ患者に苦痛を与え二次損傷を惹起する”ことをあらかじめ技師に知らせておく．
- ・頚部や背部を痛がる患者では，体位変換に起因する脊髄麻痺を避けるため，可能な限り体位変換を避けてまず側方撮影を行う．
- ・撮影時の体位変換に伴う骨折部の疼痛や二次損傷を防止するためには，撮影前にX線透過性副子を装着しておくとよい．
- ・単純X線写真検査中に全身状態の悪化で撮影中止となることがあるので，多発外傷では外傷が高度と思われる部位から撮影する．
- ・骨幹部骨折が疑われる場合にも，可能な限り長管骨の近位や遠位の関節を含めて撮影する．ひとつの長管骨の離れた部位に2箇所，3箇所と骨折が生じていることが稀にある．
- ・小児や高齢者では単純X線写真検査中に撮影台より転落する危険性があることを認識し対応する．

b X線透視法 X-ray fluoroscopy, image intensifier

　　外傷患者で疼痛，限局性圧痛，他動時運動痛があるにもかかわらず単純X線写真では不明確な部位をX線透視下にいろいろな角度から観察できる補助診断法である．C-アームX線透視装置image intensifierの開発ならびにその進歩で，患肢や体幹をそのまま安静位を保った状態で観察できる．透視中に局所を徒手的に牽引するなどの操作を行うと，単純X線写真では不明確であった骨折線や靱帯損傷の診断が可能であ

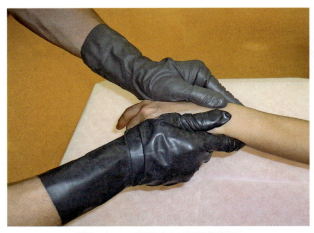

図 7-3-3　薄手の X 線防護手袋
（プロガードグローブ　株式会社マエダ提供）

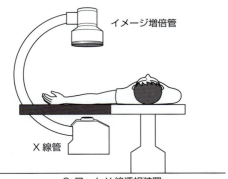

図 7-3-4　C-アーム X 線透視装置の位置と生じる散乱被曝

X 線管を床側に，イメージ増倍管を天井側に配置すると散乱被曝軽減に有用である．X 線管は可能な限り被写体に接近させて操作すると散乱被曝が減少する．

る．橈骨遠位端骨折に合併する舟状骨月状骨解離や手根骨不安定症の有無の診断にも有用である．

　骨折の徒手整復術や髄内釘手術や迷入埋没した Kirschner 鋼線の抜去術など治療面での活用範囲はきわめて広い．C-アームを操作し透視画像をリアルタイムで三次元画像に組み立てる装置も開発され（Ziehm Vision FD Vario 3D®），骨折・脱臼の整復術や骨接合術での正確な位置確認に有用である．手術時間の短縮のみならず，操作中の被曝線量低減にも役立つ．

　X 線透視下での骨折の整復・固定操作では

1) 術者や助手は放射線防護衣（鉛エプロン），薄手の X 線防護手袋（図 7-3-3）や放射線防護用ゴーグルを用いる．
2) 放射線被曝量は透視時間だけでなく操作中の術者や助手の位置にも左右される．管球側が散乱放射線被曝がより少ない．
3) 連続照射を避け照射時間の短縮化を行う．そのためには整復操作の習熟が求められる．
4) 散乱放射線の被曝軽減のため C-アームの X 線管は床側に，イメージ増倍管は天井側に配置する（図 7-3-4）．
5) 側面の透視では X 線管を患者に可能な限り接近させ，術者はイメージ増倍管側に立って処置を行う．
6) 術者は指にリング用ガラス素子（滅菌可能・千代田テクノル）を装着しておくと術中の被曝量が測定できる．
7) 助手の被曝防御にも十分配慮する．

遅発性の放射線被曝障害である白内障は通常 10 年以上遅れて現れる．
C-アーム X 線透視装置は医師，歯科医，診療放射線技師以外は操作できない．

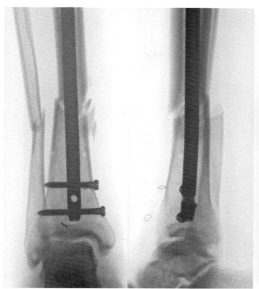 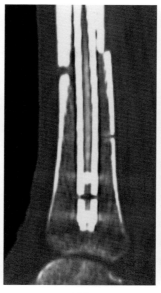 

単純X線写真　　　　　　　　　　CT　　　　　　　　　X線断層写真

図7-3-5　横止め式髄内固定術後3ヵ月の開放骨折症例（65歳，男性）
開放骨折で術後3ヵ月目，単純X線写真では依然として仮骨新生が描出されない．CTでも仮骨が認められない．デジタル画像処理技術を加えたX線断層撮影法（トモシンセシス（tomosynthesis®））により，脛骨後方に骨膜仮骨の出現（矢印）が確認された．

c X線断層撮影検査　conventional X-ray tomography

　　　　　　身体の特定の断面だけを画像化する方法である．古典的ではあるがCTやMRIを設置していない小規模医療機関における日常の外来で撮影可能であり，単純X線写真では判定しがたい骨折線の有無やその範囲，骨片転位，陥没の程度などの描出に有用である．骨癒合が遷延しているか否か，骨膜性仮骨のでき具合などの判定にも有用である．金属による内固定手術がすでに施行してあり，骨癒合状態の確認がCTやMRIで行えない場合にも活用できる．

　　　　古典的な直線断層撮影法は1回の動きで1枚の断層像のみの取得であったが，新しく開発されたデジタル画像処理技術を加えたX線断層撮影法トモシンセシスtomosynthesis®を用いると1回の撮影で多数の断層像が得られる．臥位のみでなく立位での撮影も可能である．撮影は数秒間で終了する．被曝線量がCTより少なく，内固定金属によるアーチファクトartifactがなく，画像もはるかに鮮明である．図7-3-5は横止め式髄内固定術後3ヵ月を経過した開放骨折である．LIPUS治療を1ヵ月前より開始したがなお遷延治癒の状態にあり，単純X線写真やCTでは仮骨形成が確認できない．しかしX線断層撮影法では脛骨後方の骨膜仮骨（矢印）が明瞭に描出されている．

　　　　異所性骨化の早期発見や増加の傾向にある人工関節周囲骨折periprosthetic fractureの骨折線の走行などの描出に威力を発揮する．

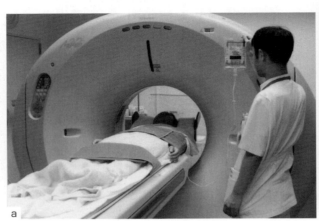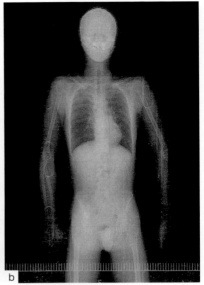

図7-3-6 CTによる全身スクリーニングでの撮影範囲は重要
a. 多発外傷では両上肢を伸展し体幹につけて撮影する．訴えがない部位の骨折や脱臼の発見にもつながる．植え込み式ペースメーカーの装着が撮影前に判明している場合は，その部分での連続撮影を数秒避けるとよい．
b. 多発外傷では上肢の骨折も見逃しがないように両腕を挙上した状態ではなく，脇に置いて撮影したほうがよい．撮影範囲は腹部までではなく恥骨結合まで含めると大腿骨近位部骨折の見落しが少なくなる．

d CT computed tomography

　コンピュータ断層法 computed tomography（CT）の原理は，X線CTだけでなく，放射線同位体を用いるSPECT（single-photon emission computed tomography），陽電子を計測するPET（positron emission tomography）などにも応用されている．しかし日常の臨床現場においてはCTといえばX線CTを意味するので，本著ではX線CTをCTと表現する．

　血圧や呼吸が不安定な患者の全身管理を行いながら，頭蓋骨，脳，胸部，腹部，脊椎，骨盤，両側股関節がスクリーニングできるCTは地域中核病院での標準装備器機であり，画像診断的価値はきわめて高い．体表面の心電図コードや体内の金属は画像のアーチファクトを生じやすいが，人体への影響はなく取り外す必要はない．ただし，厚生労働省の医療安全情報には「ある種の植え込み式心臓ペースメーカーではリセット現象が生じるのでその部分での5秒以上の連続照射をしないこと」との記載があり，日本放射線技師会が同様の委員会勧告を出している．

　外傷患者のスクリーニング用全身CTでは両上肢を胸の脇に置き，撮影範囲は腹部までではなく恥骨結合までとすべきである（図7-3-6）．そうすると恥骨結合付近や大腿骨近位部部骨折の見落としを少なくできる．CTは単純X線写真では描出が困難な肩甲骨部，骨盤，椎体の骨折線や骨片転位などがよく描出できる（図7-3-7）．特に高エネルギー外傷患者では，脊椎骨折が約30％に発生しており全脊椎CTの必要性が高い．関節血症を認めながら，単純X線写真では描出できない骨軟骨骨折を診断でき

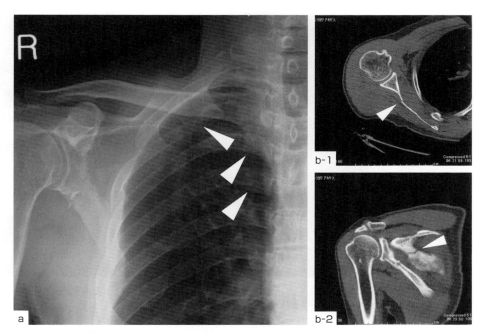

図 7-3-7　CT 画像で診断できた肩甲骨体部骨折（77 歳，男性）
a. 自転車で転倒し右背部を打撲した．胸部前後像で第 3, 4, 5 肋骨骨折が認められた（矢頭）．
b-1. 水平断像，b-2. 冠状断像．肺損傷を疑って撮影した CT 画像で肩甲骨体部骨折が診断できた（矢印）．

る場合も少なくない（**図 7-3-8**）．骨癒合が遷延しているか否かの判定にも利用される．

最近，コンピュータを用いた三次元画像構築法 three dimensional computed tomography（3D-CT）の開発が進み，骨折部の状態が立体的に把握可能となった．画像処理で単一の骨のみの描出も可能である（**図 7-3-9**）．3D-CT は術中操作の可視化は内固定材料の正確な長さと挿入方向の確認のみならず，手術時間の短縮，内固定操作中の X 線被曝線量の軽減に有用である．また多断面再構成法（MPR-CT：multiplanar reconstruction-CT）は，断層撮影で得られたスライス画像を再構築し任意断面を求めることができるので，骨折部への進入路の決定，固定法の選択，仮骨の形成量や骨皮質との連続性の確認などに活用されている（**図 7-4-1 参照**）．

造影剤 contrast medium を静脈注入して CT 撮影すると，臓器の血行状態を観察できる（CT angiography：CTA）．肺や骨盤内の動脈血栓性塞栓，深部静脈血栓の描出に優れている．脊髄くも膜下腔内に造影剤を注入すれば，脊髄や馬尾の形態や圧迫などが描出できる（CT myelography）．

e 超音波検査 ultrasonography (US)

超音波検査が骨関節疾患の診断にも利用されるようになった背景には，技術の進歩により分解能が向上し画像が鮮明となったこと，操作が簡単で，X 線被曝がなく，非侵襲的な検査法であること，CT や MRI に比較して費用が少なくて済むこと，動的な病態把握が可能なことなどの利点が再認識されたことがある．ポータブル診断装置

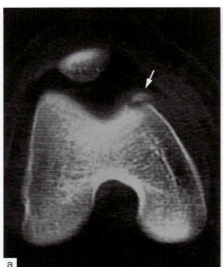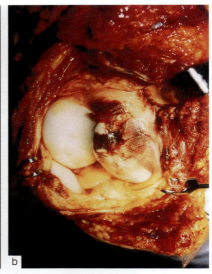

図7-3-8　CT画像で明らかになった骨軟骨骨折
a. 大腿骨内側顆部の骨軟骨骨折（CT画像）
b. 術中所見．術前に画像で推定した以上に関節面は粉砕されていた．

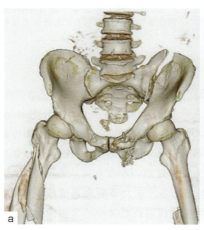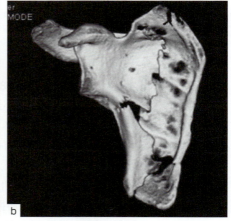

図7-3-9　骨折患者の三次元CT画像
a. 骨盤と大腿骨の立体画像．骨格の立体的把握が可能である．
b. 肩甲骨の選択的画像．画像処理で単一の骨の描出も可能である．

（安武医院　安武千恵先生の症例）

　の開発で，往診時やスポーツ現場でも活用できる．筋肉の柔軟性をカラー化し識別できる超音波弾性描写法 ultrasonic elastography は軟部組織の外傷部位診断にも威力を発揮する．しかし簡便な画像診断法であるとはいえ，病変画像の検出や解析には局所解剖の知識と操作技術の習熟が必要である．
　超音波検査は組織の音響インピーダンスの差を利用して画像診断するもので，周波数が大きいほど分解能も大きくなるが深部到達性は低下する．探触子（プローブ）の改良で四肢の画像解析が鮮明さを増し組織鑑別能が向上した．運動器疾患の検査には

リニア型探触子を用いるとよい．周波数が高い（12 MHz 程度）と腱や筋肉など体表面に近い組織の画像が，周波数が低い（4 MHz 程度）と股関節などの深部組織の画像が得られやすい．優れた画像描出には周波数と同様に視野深度の調節も必要である．

日常外来診療で外傷患者の超音波検査は，単純 X 線写真では描出しがたい肋骨骨折，靱帯に付着した小さな剥離骨折片の描出，軟部組織損傷，小児では成長軟骨板損傷に伴う骨核の転位や血腫形成，さらには骨折の早期治癒過程における仮骨形成の観察に適している．骨は超音波をほとんど通さないため画像では骨皮質は高輝度の線状像となるが，その線の連続性が断たれた状態やその部に隣接する低輝度の出血巣（血腫）の存在で骨折を疑う．筋線維束は低輝度画像に，腱と靱帯の長軸像は層状配列した高輝度画像に，筋膜は薄い線状の高輝度画像に描出される．筋，腱，靱帯の断裂は症状や局所所見に加えて超音波画像で連続性の途絶，切断端の膨隆，血腫などの存在により診断できる．末梢神経が画像化できるので安全に神経ブロックを施行できる（図 10-4-20 参照）．

鎖骨骨折患者の骨癒合を単純 X 線検査と超音波検査で追跡した Nicholson ら（2019）の調査では，橋渡し仮骨が確認できたのは単純 X 線検査ではわずかに 20 名中 2 名（10%）のみであったが超音波検査では 12 名（60%）で，骨癒合の早期確認に超音波検査が有用であると報告している．そのほか超音波検査は骨片間や異所性骨化部に近接して末梢神経が走行しているか否かの識別，手術中の骨片確認にも有用である．

カラードプラ超音波画像法 color flow Doppler US は血流の方向（近づく流れは赤色で，遠ざかる流れは青色で表示）や速度，血管狭窄の有無や血栓を描出できる（図 7-3-10）．榛沢は『下腿静脈血栓は静脈が拡張していたほうが見つけやすいため，下腿静脈の観察は診察台より下腿を下垂させたり，止血帯を巻くのも一法である』と述べている．

f 磁気共鳴画像 magnetic resonance imaging（MRI）

MRI は骨・関節の病態のみならず軟部組織病態の描出に優れる．

骨挫傷 bone bruise は MRI でのみ描出できる骨髄の損傷で，骨髄内の骨梁の微小骨折 microfracture，出血，浮腫を現す．この病変は骨端部または一部は骨幹端部にまで及ぶ骨髄内に，T1 強調画像で低信号，T2 強調画像で高信号に描出され，軟骨下骨板と連続したあるいはやや離れた部位の地図状陰影として観察できる（図 2-1-3，表 2-1-1 参照）．脊椎・脊髄損傷の MRI では，軽微な破裂骨折の存在や脊髄の圧迫などの形態的変化も捉えることができる．日常診療において，通常単純 X 線写真で骨折が明らかな場合には MRI 検査を追加する必要はないが，疼痛を訴えるにもかかわらず単純 X 線写真で骨折が明らかでない疲労骨折 stress fracture，脆弱性骨折 insufficiency fracture，不顕性骨折 occult fracture が疑われるときの早期診断には骨シンチグラフィーと同様に有用である（図 7-3-11）．

Rizzo ら（1993）は臨床的に骨折を疑ったが，単純 X 線写真で骨折線が認められない股関節痛に対する骨折の診断には，冠状断で T1 強調画像のみの MRI が有用であったとしている．灰色の低輝度陰影の中を線状に走るより濃い低輝度陰影で骨折が診断される．これに対し Grangier（1997）らは，T1 強調画像では骨折線が周辺の骨髄浮腫

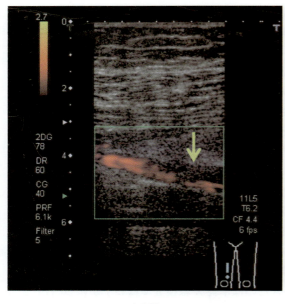
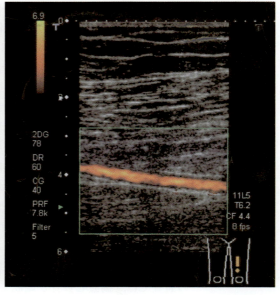

右患側 　　　　　　　　　　　　左健側

図7-3-10　静脈血栓のカラードプラ超音波画像（44歳，女性）
右浅大腿静脈は内腔に陰影欠損を認める．その遠位で静脈の拡張もみえる．
（大分大学整形外科，池田真一先生の症例）

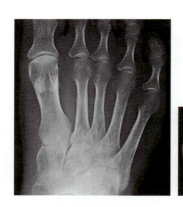
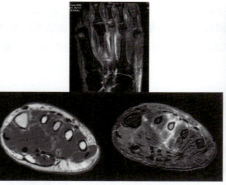
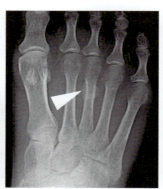

初診時の単純X線写真　　　　　発症8日のMRI　　　　　　発症1ヵ月の単純X線写真
　　　　　　　　　　　　　　　　　　　　　　　　　　　骨膜反応（矢印）を認める

図7-3-11　MRIで早期診断ができた脆弱性骨折（50歳，女性）
スポーツ歴なし．発症後8日の単純X線写真は正常であったがMRIで第3中足骨に骨膜浮腫，骨髄浮腫（T1, T2），その周囲に軟部組織浮腫が認められた．骨折線は認められない．FredricsonのMRI分類のGrade 3に該当する．発症後1ヵ月には単純X線写真で同部位に仮骨形成が確認できた（矢頭）．

や出血のために不明瞭になるため，T2強調画像との対比が診断に重要であると報告している．骨軟骨骨折や骨挫傷の描出には，脂肪抑制画像 fat suppression image が適している（図7-3-12）．

　骨折の骨髄浮腫や骨膜反応の描出には脂肪抑制画像が優れている．骨髄炎，骨膜性腫瘍，リウマチ性疾患などとの鑑別が必要とはなるが，疲労骨折や脆弱性骨折の早期

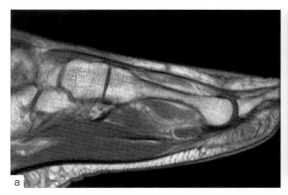 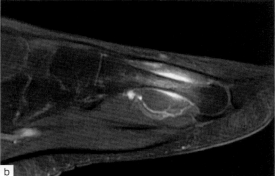

| T1造影画像 | T1造影・脂肪抑制画像 |

図 7-3-12　MRIでの脂肪抑制画像
第3中足骨脆弱性骨折の初期像である．単純X線写真では異常は認められない．aは造影剤gadoliniumを用いたT1造影画像で，bはそのT1造影画像にさらに脂肪抑制を行ったものである．脂肪抑制画像では脂肪組織が高輝度から低輝度に抑制されるため，骨髄内浮腫，骨膜浮腫，筋肉内浮腫がより鮮明に増強され描出されている．

診断に役立つ．

骨端線（成長軟骨板）損傷 Salter-Harris 分類のⅠ型やⅤ型の早期診断，骨折に合併する三角線維軟骨複合体（TFCC），靱帯損傷，筋肉挫滅の範囲の描出に有用である．

MRIの撮影時間はCTより長いため，疼痛がある外傷患者では肢位や姿勢を不動の状態に維持することに耐えられないこともある．金属性の内固定材や人工関節が挿入されていると磁場に影響し，その周囲の信号を遮断するため隣接組織の鮮明な画像描出が困難となる（磁性の少ないチタン合金では比較的アーチファクトが少ない）．ペースメーカー埋没の患者ではMRIはできないなどの短所はある．

g 骨シンチグラフィー　bone scintigraphy

骨シンチグラフィーは静脈注射した放射性同位元素の体内での放射線（ガンマー線）分布を検出する検査である．CTやMRIの解剖学的あるいは形態的画像と異なり，骨の生理的な機能的情報を画像化できる．全身の骨を一度に画像化できるので，訴えのない部位の骨折の発見にも役立つ．

骨シンチグラフィーは，単純X線写真では骨折線が認められない不顕性骨折，疲労骨折，脆弱性骨折の早期画像診断に有用である（図2-4-3，表2-4-1参照）．特に仙骨や寛骨臼の脆弱性骨折では単純X線写真のみでは見落としやすく診断が遅れやすい．関節炎，変形性関節症，骨腫瘍でも集積像が認められるため特異性に欠ける点は十分認識しておかねばならない．このほか単純X線写真では判定が困難な，骨折か分裂種子骨かの判定にも用いられる．骨シンチグラフィーの断層画像であるSPECT（single photon emission computed tomography）は，骨盤の脆弱性骨折の早期発見に役立つ．SPECT-CTは機能画像とCTの解剖学的画像を組み合わせたもので病変部位を正確に描出できる．

骨折が起こると直ちに骨シンチグラフィーで集積像が認められるわけではない．骨折の発症と画像上での集積像の出現に時間差がある．Matinの調査では，骨折後のテ

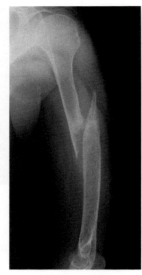 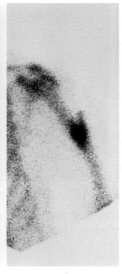

単純 X 線写真　　骨シンチグラフィー

図 7-3-13　受傷後 10 ヵ月（62 歳，女性）
上腕骨骨折に対してプラスチックキャストや機能装具による保存療法が行われたが，偽関節となった例である．単純 X 線写真では 10 ヵ月経過も仮骨形成が乏しく骨癒合が認められない．ただし骨シンチグラフィーでは骨折端に集積像が認められる．

クネチウム骨シンチグラフィーで 60 例中 24 時間後に 80％，72 時間後に 95％に限局性の集積像が認められたと報告されている．骨折部のこの異常集積は受傷後 2～3 ヵ月で最高に達し，5 ヵ月で集積像の陰影が薄くなり，2 年経過すると 90％正常化する．しかし 10％はなお 2 年後にも異常集積像が持続して残存しており，症例によっては 40 年も正常化しなかったと記載されている．このことからしても単純 X 線写真で認められる骨粗鬆症患者の椎体圧迫骨折が新鮮例か，陳旧例かの鑑別は骨シンチグラフィーでは困難である．

遷延治癒や偽関節の治療法選択にも有用である．単純 X 線写真で偽関節と判断されても，骨折治癒能はなお存在することがしばしばである（図 7-3-13）．Niikura ら（2014）の報告では，術後平均 22 ヵ月（5～128 ヵ月）経過し偽関節と判断された 48 症例の骨シンチグラフィーの検討で，全例に集積像が認められている．集積像が確認される偽関節部の骨端の広範囲切除は不要であるといえる．

粉砕骨折後に生じる骨片壊死の描出，距骨頚部骨折後の骨体部壊死や大腿骨頚部骨折後の骨頭壊死の描出にも優れている．

h PET/PET-CT

陽電子放射断層撮影 positron emission tomography（PET）は骨代謝を特異的に画像診断化できる装置である．放射性同位元素のフッ素 18（FDG）を撮影前に投与すると，骨髄浮腫を認める部位で強い集積像を示すため（18F-fluoride PET），骨頭下骨折や脊椎あるいは骨盤の脆弱性骨折の描出に役立つ．SPECT との違いは軟部組織にも薬剤が集積することと，集積した FDG の程度を数値化できることにある．PET-CT とは，PET 検査と CT とが同時に行える装置やその画像をいう（図 7-3-14）．

3 画像診断　**183**

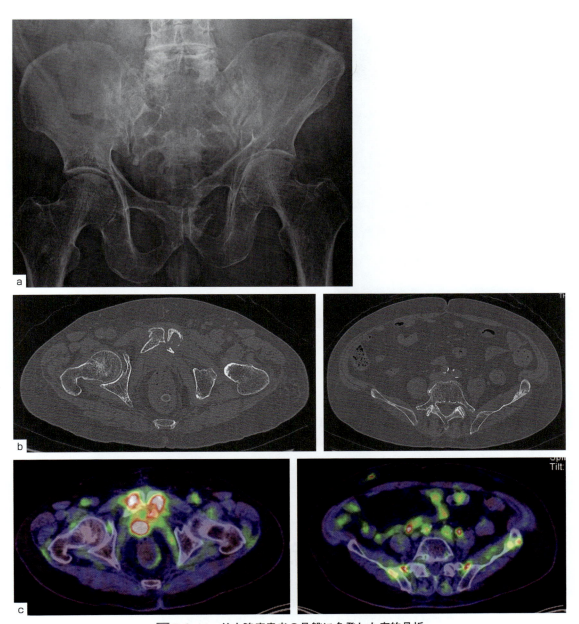

図 7-3-14　前立腺癌患者の骨盤に多発した病的骨折
a. 単純 X 線像．著明な骨粗鬆症があり，両側の恥骨骨折が読影できる．
b. CT．恥骨結合部だけでなく腸骨にも限局性骨吸収像と骨折像を認める．
c. PET-CT．単純 X 線像や CT では判別しがたい仙腸関節や腸骨梁の骨折も描出されている．
（大分大学　糸永一郎先生の症例）

i 血管造影検査　angiography

　骨盤骨折で輸血しても血圧の低下が回復しない場合は，骨盤腔内の血管造影を行い動脈損傷の有無を確認し，もし動脈損傷が診断されたら塞栓形成術 embolization を同時に行う（図 7-3-15）．膝関節脱臼は膝窩動脈の損傷を合併しやすい．動脈の内膜損

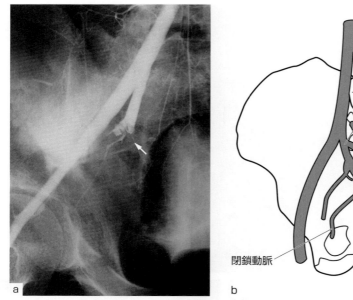
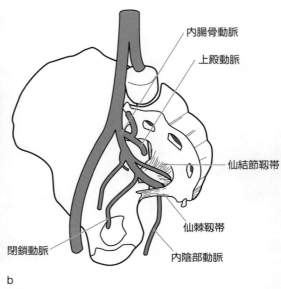

図 7-3-15　骨盤内動脈造影像と動脈分布図
a. 骨盤骨折患者で認められた塞栓による内腸骨動脈の閉塞（矢印）
b. 骨盤内の動脈分布

傷は時間の経過とともに血栓が形成され血行が障害される．血管造影は受傷時のみでなく，臨床症候に基づき数日後に再検が必要となることもある．急性肺〔血栓〕塞栓症や急性下腿静脈血栓症にも応用される．現在では，CT 血管造影法 CT angiography（CTA）が主流である（図 8-1-3 参照）．

4　遷延治癒，偽関節（骨癒合不全）の診断

　遷延治癒と偽関節の明確な鑑別は難しい．しかし骨癒合が期待される時期を過ぎても，負荷時に骨折局所に疼痛があれば，骨癒合が完了していないことが疑われる．局所の持続する疼痛や運動痛は，遷延治癒を疑わせる唯一の症状であるが，骨癒合が完了しても頑固な局所疼痛を訴える場合もある．経過とともに徐々に進行する軸変形や異常可動性が確認できれば遷延治癒または偽関節であることが明白である．しかし内固定術が施されている場合，あるいは前腕や下腿で 1 本のみが骨折している場合は，診察による異常可動性の判定は難しい．X 線透視下に局所の異常可動性を観察する方法もあるが，わずかな異常可動性の判定は困難である．
　血行との関係で解剖学的に偽関節を生じやすい部位がある．大腿骨頸部，距骨頸部，手の舟状骨，第 5 中足骨であるが，上腕骨，大腿骨，脛骨などの長幹骨も難治性例が多く好発部位である．

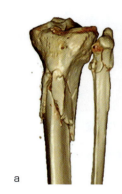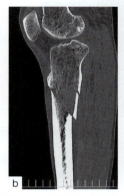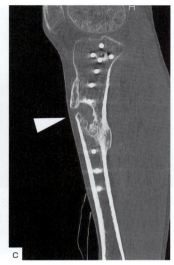

図 7-4-1　遷延治癒骨折の MPR-CT
35歳，男性．新鮮な粉砕開放骨折（a, b）．創洗浄後プレート固定が行われた．経過観察を行ったが，6ヵ月後の MPR-CT でも脛骨前方の骨欠損部が確認できた（矢印）(c)．骨髄端には硬化像が出現している．この時点で骨移植術が行われた．
（新別府病院　日隈康雄先生の症例）

　現在，臨床的には一般に骨折の治癒が遷延し3～4ヵ月経過しても骨癒合が生じない場合に遷延治癒，6～8ヵ月経過しても単純 X 線写真で骨折線が存在し，骨癒合が認められない場合を偽関節と診断することが多い．しかし骨折癒合には，年齢，全身性合併症の有無，開放または閉鎖骨折，骨折部位および程度など多くの因子が関与しており，その期間を単純に区切ることは困難である（遷延治癒の定義の項，p. 50 参照）．

　単純 X 線写真で遷延治癒が疑われると仮骨形成の広がりや連続性を確認するのに MPR-CT がきわめて有用である．単純 X 線写真や通常の CT で「仮骨の連続性が生じ始めた」と主治医に期待を抱かせた画像を MPR-CT で再確認すると，他側の骨皮質と仮骨の塊との間にわずかながらの間隙をなお残存していることがある（図 7-4-1）．逆に CT で骨癒合不全と診断されても診査手術 exploratory surgery をしてみると骨癒合している場合もあり，慎重に画像で経過を追跡することは重要である．偽関節で骨の連続性が断たれた画像は多彩で，骨折端が硬化し骨髄腔が閉鎖しているもの，骨折端が膨らんだ外骨膜性の骨化が認められるもの，骨折端が先細りしているものなどがあり，Weber 分類がその病態を表現している（図 2-4-1 参照）．

　一方，骨シンチグラフィーは骨組織が骨折局所で活発に反応する治癒能力の有無を判定するのに用いられるが，遷延治癒のみならず偽関節でも，多くの例で集積が認められ，まったく集積がない例はきわめてまれである（図 7-3-13）．

　MRI は偽関節部に液体貯留があるか否かを判定するのに優れている（図 7-4-2）．Heppenstall ら（1987）は 76 例の synovial pseudoarthrosis の組織を電子顕微鏡で検討し，通常の偽関節の線維性肉芽組織とは異なり滑膜様組織やフィブリノイドが存在する病

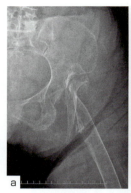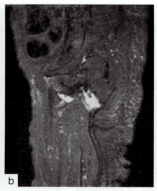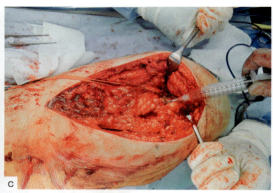

図7-4-2　左大腿骨の滑膜性偽関節（71歳，女性）
a. 単純X線写真（骨折後6ヵ月経過）
b. MRI（T2脂肪抑制画像）．骨折部に液体貯留を認める．
c. 術中写真．穿刺にて滑液貯留を確認

（神戸大学整形外科，新倉隆宏先生の症例）

態であることを明確にしている．間隙に貯留した液体は透明で，漿液性である場合と混濁している場合とがあり，後者の病理組織検査ではしばしば潜在性感染の痕跡が確認される．

附-3　診療録と後遺障害診断書

後遺障害診断書の記載は診療録との整合性が問われる．診療録にない内容や異なる記述を記載することは虚偽の診断書作成罪に該当する．したがって日頃より，愁訴，診察所見，治療のみならず愁訴や所見の変化，治療効果などを詳細に記録しておくことが大切である．診療録の記載で愁訴の持続性や一貫性が認められれば後遺障害と認定される可能性が高い．受傷前のADLの程度や既往歴は特に重要で，今回の事故の前より疼痛や障害が存在していたか否かが問われる．治療経過中に整骨院などで施術を受けたとすれば，単にその事実を記載すればよい．

附-4　救急医療と酒気帯び診察

2009年4月の新聞の社会面に目を疑うような記事が掲載された．"指導的立場にある産婦人科医が酒気を帯びてお産に立ち会い，若手を口頭で指導した"との内容であり，さらには当該病院の院長が"全職員に酒気帯び勤務を禁止する"と通達したとの報道である．2008年1月の朝日新聞の社説も，"酒を飲んで手術するのは論外"と一刀両断に断じている．

医師が酒気帯び運転をしたのであれば，道路交通法で処罰されるのは当然であるが，人の生命を守る医の倫理はそう簡単ではない．医師には医師法で業務規定が定められ，「診療に従事する医師は，診察治療の求めがあった場合には，正当な事由がなければ，これを拒んではならない」と応招義務（第19条）ある．勤務時間外に飲酒し骨折等救急患者の診療を要請された場合「今，晩酌中ですが，それでもよかったら診療をお引き受けします．」とあらかじめ了解を得ておくとよい．過重労働に堪えながら，医療に奉仕している使命感あふれる医療関係者を援護し，社会に理解と協力を求める努力がなお必要である．

参考文献

1) 有泉光子ら：骨・関節疾患におけるトモシンセシスの臨床利用. 臨床画像 **29**：98-107, 2013.
2) Augat P et al：Imaging techniques for the assessment of fracture repair. Injury, Int. J. Care Injured **45S**：S16-S22, 2014.
3) Carey J et al：MRI of pediatric growth plate injury：Correlation with plain film radiographs and clinical outcome. Skeletal Radiol **27**：250-255, 1998.
4) Carolina BJ et al：Musculoskeletal sonoelastrography. Pictorial essay. Med Ultrason **14**：239-245, 2012.
5) Caruso G et al：Monitoring of fracture calluses with color Doppler sonography. J Clin Utrasound **28**：20-27, 2000.
6) Cunningham BP et al：A review of clinical, imaging and laboratory diagnostic options. Injury **48S**：S69-S75, 2017
7) 船尾陽生ら：医療放射線被曝. 臨整外 **54**：500-505, 2019.
8) 榛沢一彦：下腿静脈エコーの実際. 血栓止血誌 **19**：39-44, 2008.
9) Heetveld JH et al：Hemodynamically unstable pelvic fractures；Recent care and new guidelines. World J Surg **28**；904-909, 2004.
10) Heppenstall RB et al：Synovial pseudoarthrosis：A clinical, roentgenographic-scintigraphic, and pathologic study. J Trauma **27**：463-470, 1987.
11) 堀尾重治：骨・関節 X 線写真の取りかたと見かた. 第 8 版, 医学書院, 2010.
12) 石垣大介：手の外科手術における手指職業被曝と対策. 臨整外 **55**：121-125, 2020.
13) 医療安全対策委員会報告：医療安全対策の事例解説（No 6）. 植え込み型医療機器への CT スキャンによる電磁干渉について. ペースメーカおよび脊髄刺激装置. 日本放射線技師会雑誌 **56**：386-389, 2009.
14) Jeffrey WU et al：Orthopedic pitfalls in the ED：Pediatric supracondylar humerus fractures. Am J Emerg Med **20**：544-550, 2002.
15) Joiner ERA et al：Iatrogenic nerve injuries in the treatment of supracondylar humerus fractures：are we really just missing nerve injuries on preoperative examination? J Pediatr Orthop **34**：388-392, 2014.
16) Köhler A et al：Borderlands of normal and early pathologic findings in skeletal radiology. 162-186, Georg Thieme Verlag Stuttgart, New York, 1993.
17) 小宮山敬祐ら：多発外傷に合併した Morel-Lavallee lesion の 1 例. 整外と災外 **63**：756-759, 2014.
18) 窪川経茂ら：骨折髄内釘固定に伴う術中放射線被曝に対する検討. 関東整災誌 **21**：702-704, 1990.
19) Kuhlman JE et al：Fracture nonunion：CT assessment with multiplanar reconstruction. Radiology **167**：483-488, 1988.
20) Martin P：The appearance of bone scans following fractures, including immediate and lond-term studies. J Nucl Med **20**：1227-1231, 1979.
21) Nelson SW：Some important diagnostic and technical fundamentals in the radiology of trauma, with particular emphasis on skeletal trauma. Radiol Clin N Amer **4**：241-259, 1966.
22) Nicholson JA et al：Sonographic bridging callus：An early predictor of fracture union. Injury **50**：2196-2202, 2019.
23) Nicholson JA et al：The accuracy of computed tomography for clavicle non-union evaluation. Shoulder Elbow **13**：195-204, 2021.
24) 日本アイソトープ協会：画像診断部門以外で行われる X 線透視ガイド下手技における放射線防護. ICRP, Publication **117**, 2017.
25) Niikura T et al：Comparison of radiographic appearance and bone scintigraphy in fracture nonunions. Orthopedics **37**：e44-50, 2014.
26) Rizzo PF et al：Diagnosis of occult fractures about the hip. Magnetic resonance imaging compared with bone-scanning. J Bone Joint Surg **75-A**：395-401, 1993.

27） Seifert J et al：Role of magnetic resonance imaging in the diagnosis of distal fractures in adolescents. J Pediatr Orthop **23**：727-732, 2003.

28） Sferopoulos NK：Bone bruise of the distal foream and wrist in children. Injury **40**：631-637, 2009.

29） Stanitski CL et al：Stress view radiographs of the skeletally immature knee：a different view. J Pediatr Orthop **24**：342, 2004.

30） 高見正成ら：高エネルギー外傷における全脊柱 CT の有用性に関する前向き調査．臨整外 **46**：17-23, 2011.

31） Torisu T et al：Persistent ossification center of the medial humeral epicondyle. J West Pacif Orthop. Assoc Vol XIX 23-28, 1982.

32） 植木正明ら：大腿骨近位部骨折早期手術のための抗血小板薬・抗凝固薬の管理．整形外科 **71**：1159-1163, 2020.

33） 渡部欣忍ら：トモシンセシスと digital slit scanogram の原理と運動器外傷領域への活用．整形外科 **67**：462-468, 2016.

34） Wintermark M et al：Traumatic injuries：organization and ergonomics of imaging in the emergency environment. Eur Radiol **12**：959-968, 2002.

35） 山下仁司：やりなおし！　医療制度基本のき．交通事故診療．臨整外科 **55**：732-733, 2020.

36） 山下一太：X 線透視より脊椎外科医の職業被曝の実際．未固定遺体より学ぶ．臨整外 **55**：133-141, 2020.

37） Zuckerman JD：Current concept：hip fracture. N Eng J Med **344**：1519-1525, 1996.

第**8**章

骨折の合併症

　交通事故や高所よりの転落による外傷では，頭頚部損傷や内臓損傷などの合併症を伴うことがあるので，救急処置にあたってはまず全身の診察を手際よく行うことが大切である．さらに，救急患者の全身状態は時間の経過とともに変化することを認識し，経時的なモニタリングを忘れてはならない．

　この章では骨折の全身的な合併症および局所の合併症について記載する．

　受傷時に併存するもののほかに数日後あるいは数週間後に発生する合併症もある．異所性骨化や骨壊死などは数ヵ月後に認められる遅発性の合併症である．麻酔学の進歩，最小侵襲プレート固定法の開発，各種の手術関連器械の改良などは手術療法の選択の幅を広げ治療成績を向上させているが，同時に新たな術中・術後の合併症も増加している．

1 急性期合併症 acute complications

A 全身的合併症

a 脂肪塞栓症候群 fat embolism syndrome (FES)

　脂肪塞栓症候群はまれではあるが骨折の重篤な全身性合併症のひとつである．骨折で生じた非乳化脂肪滴が肺や脳などの毛細血管や細動脈を塞栓し，症候を呈した場合を骨折に伴う脂肪塞栓症候群と呼ぶ．発症までには潜伏期 latent period（12〜72 時間程度）があることを認識しておくことが重要である．多発骨折や大腿骨骨幹部骨折では特に注意が必要である．

　興奮状態，呼吸促進，発熱，急激な血小板減少，尿沈渣の脂肪滴などがみられたら FES を疑うことがまず大切である．いくつかの診断基準が報告されている．わが国では鶴田の診断基準が最も一般的である．大基準，中基準，小基準，に分けられ，前胸部や眼瞼結膜や網膜にみられる点状出血 petechiae，呼吸器症状を伴う両肺野の吹雪様陰影，頭部外傷と関連のない脳症状が 3 大症候（大基準）である（図 8-1-1，表 8-1-1）．

　鶴田の診断基準の中で小基準としてあげられている所見はいずれも非特異的である．発熱は 38℃を超えた場合に基準のひとつに加えられた．骨折患者では数日軽度な赤沈値の亢進は認められるが，脂肪塞栓症候群が合併すると 1 時間値が

- 189 -

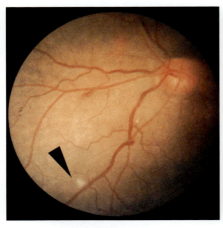
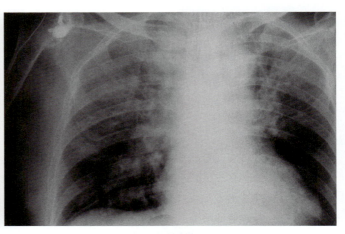

塞栓による網膜浮腫 　　　　　　　　　　　　　　肺の吹雪様陰影

図 8-1-1　脂肪塞栓症候群

表 8-1-1　脂肪塞栓症候群の診断基準

	鶴田の臨床診断基準
大基準	(1) 点状出血（網膜変化を含む） (2) 呼吸器症状および肺 X 線病変 (3) 頭部外傷の関連しない脳，神経症状
中基準	(1) 低酸素血症（PaO$_2$＜70 mmHg） (2) ヘモグロビン値低下（＜10 g/dL）
小基準	(1) 頻　脈 (2) 発　熱 (3) 尿中脂肪滴 (4) 血小板減少 (5) 赤沈値の亢進 (6) 血清リパーゼ値上昇 (7) 血中遊離脂肪滴

大基準 2 項目以上　　　　　　　　　　　　　}臨床診断
大基準 1，中，小基準 4 以上
大基準 0，中基準 1，小基準 4 →疑症

	Gurd の臨床診断基準（1970）
大基準	(1) 点状出血斑 (2) 呼吸器症状と X 線像上の両肺野の吹雪様陰影 (3) 頭部外傷やほかの原因とは関係ない脳神経症状
小基準	(1) 頻　脈 (2) 発　熱 (3) 網膜変化（脂肪または点状出血） (4) 尿変化（無尿，乏尿，脂肪滴） (5) ヘモグロビン値の急激な低下 (6) 血小板数の急激な低下 (7) 赤沈値の亢進 (8) 喀痰中の脂肪滴

大基準 1 つと小基準 4 つ以上あれば，脂肪塞栓症候群と診断可

70 mmHg を超える著明な亢進が早期より観察される（最近では赤沈値はあまり用いられず CRP 値で判断されることが多い）．逆に赤沈値や CRP 値が正常範囲である場合には血管内凝固症候群の発生を疑わなければならない．血小板減少は 15 万/mL 以下に変動すると臨床的意味がある．尿中の脂肪滴の出現率は 40％といわれている．血清リパーゼ値上昇は比較的に遅く認められ早期の診断的価値は低い．

　鶴田の診断基準（1981）では，大基準 2 項目以上，あるいは大基準 1 項目，中，小基準 4 項目以上認めたら臨床的に脂肪塞栓症候群と診断し，大基準は認められないが中基準が 1 項目，小基準が 4 項目ある場合には疑いとする．

　Gurd の診断基準（1970）の大基準は鶴田の 3 大基準と同じであり，大基準 1 つと小基準 4 つ以上で診断するとなっている．1974 年の論文では FES では例外なく 8 ミクロン以上の大きな脂肪滴が血液中に認められるため，その確認が診断に重要であることが強調されている．

b 圧挫症候群・挫滅症候群 crush syndrome

　地震，土砂崩れ，労働災害，交通事故などで四肢が挟まれ長時間圧迫されると，骨格筋が広範囲に挫滅され筋肉よりミオグロビン myoglobin が血中に遊離し，下位尿細管に障害を与えて急性腎不全が生じる（図 8-1-2a）．これを圧挫（挫滅）症候群という．これは横紋筋融解〔症〕rhabdomyolysis のひとつである．6 時間以上常温に置かれた上腕部や大腿部の切断肢を再接着した場合にも，ミオグロビンなどの壊死筋肉代謝産物による圧挫症候群が報告されている．しかしミオグロビンだけでは急性腎不全は起こらず，出血性ショックなどで腎血流量が減少していると発生しやすい．

　吐き気，乏尿，無尿などの症候で気がつくことが多い．患肢には運動麻痺や感覚障害が認められる．ミオグロビン尿はブドウ酒色を呈する（図 8-1-2b）．赤血球が含まれていないことで通常の血尿とは鑑別することができる．しかしミオグロビン尿もヘモグロビン尿もともにヘムを有するために尿潜血反応は陽性になる．血液検査では CPK（creatine phosphokinase），LDH，乳酸，ミオグロビンの増加，高 K 血症，代謝性アシドーシスなどが認められる．高 K 血症と代謝性アシドーシスに起因する不整脈

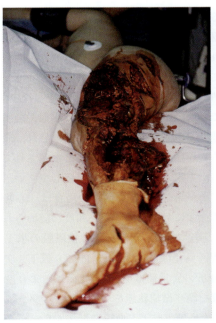

図 8-1-2a　挫滅症候群（54 歳，女性）
農作業中ゴボウ抜き機械に巻き込まれて左下肢を挫滅．1 日目は 3,000 mL の尿量が 2 日目 360 mL，3 日目 260 mL と減少し，血中クレアチニン値が 5.6 mg/dL と上昇した．5 日目に血液透析を開始し 1 ヵ月で回復した．5 日目の血中ミオグロビン値は 40,000 ng/mL（正常値 60 ng/mL 以下），尿検査でのミオグロビン値は 100,000 ng/mL であった．

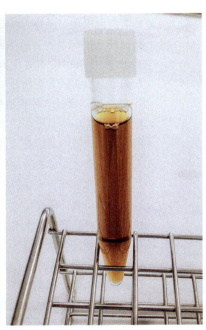

図 8-1-2b　ミオグロビン尿
（大分大学救命救急センター　金崎彰三先生の症例）

は致死的である.

　以前は 2 週以内にほとんどの例が腎不全で死亡していたが，最近では救急対応の迅速化と腎透析の導入により診断が早ければ救命が可能となった．多臓器不全 multiple organ failure（MOF）が合併すると予後は不良である.

c 急性肺〔血栓〕塞栓症 acute pulmonary [thrombo] embolism (P[T]E)，急性下腿静脈血栓症 acute deep vein (venous) thrombosis (DVT)

　外傷後や手術後に一定の確率で生じる急性肺塞栓症は，下肢深部静脈より遊離した血栓による塞栓が主ではあるが骨髄や脂肪による塞栓も存在する．救急措置として行われる肋骨が折れるほどの心臓マッサージ後では骨髄塞栓が，髄内釘手術では脂肪塞栓が発症しやすい.

　外傷後あるいは術後に生じる急性肺血栓塞栓症はわが国では発生率は低いと考えられていたが，致命的な経過をたどる症例が報告されるようになり関心が高まり，多発外傷，骨盤骨折，大腿骨近位部骨折，脊椎骨折では避けがたい合併症として注目されている.

　塩田ら（2009）の骨折患者を対象とした前向き研究では，登録された 1,910 例のうち，症候性 PTE が 16 例（0.84%）に発症した．症候性 PTE の 50〜80% に下肢の深部静脈血栓症が認められる．肺血流シンチグラムなどによる調査の結果，無症候性の肺血栓塞栓が下肢骨折手術後の 25〜46% に発生していることも明らかとなった．骨折患者が治療中に死亡すれば家族の精神的衝撃は計り難く，医療者の予見・注意義務を問う医療訴訟も増加している.

　2010 年には日本骨折治療学会が「骨折に伴う静脈血栓塞栓症：エビデンスブック」を刊行している．その中では，骨折や手術侵襲により出血や静脈損傷が起こると損傷部位より血管内凝固を亢進させる諸々の組織因子が遊離され，全身的な血液凝固能が亢進することが急性肺血栓塞栓症の主な原因であると記載されている.

　急性肺血栓塞栓症は外傷や手術から 3 週以内に発症しやすい．術後離床してトイレに入ったとき"胸苦しい""胸が痛い"と急に倒れた場合は，心筋梗塞や肺疾患とともに急性肺血栓塞栓症をまず念頭におく．頻脈が高頻度に認められる．特に発熱を伴わない頻脈は注意を要する．胸部単純 X 線写真では横隔膜の挙上や肺野の部分的透過度亢進が，動脈血ガス分析所見では PaO_2 低下，$PaCO_2$ 低下，アルカローシスが認められる．この動脈血ガス分析の異常値は PTE の発症以前より認められる．術後最初のトイレ移動前には呼吸数を調べ循環状態をパルスオキシメータで測定しておくとよい．酸素濃度に異常を認めたら直ちに CT 血管造影法 CT angiography（CTA）を行い，診断を確定させ治療を開始する（図 8-1-3）．肺血流シンチグラフィーや肺換気シンチグラフィーは診断精度と放射性核種の備蓄などに問題があり，緊急事態での診断的価値は相対的に低い.

　外傷患者が急に下腿の緊満感を訴えた場合は，急性下腿静脈血栓症と急性区画症候群を念頭に診察を行う．急性下腿静脈血栓症は，高齢，長期臥床，BMI 26.5 以上の肥満，糖尿病，下肢静脈瘤や血栓症の既往，多発外傷，骨盤骨折，下肢骨折が危険因子である．足部や下腿の骨折患者ではプラスチックキャストや副子で足関節を含めて

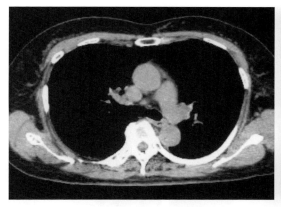 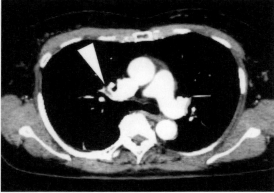

造影剤使用前　　　　　　　　　　　　　造影剤使用後

図 8-1-3　肺血栓塞栓症の CTA 画像
左肺動脈下葉枝内に造影欠損像（矢印）が認められた症例．D-ダイマー値は 18.55 μg/mL であった．

安静固定することが多いため，特にヒラメ筋内に静脈血栓が生じやすい．急性下腿静脈血栓の 2/3 以上が無症候性であることを認識しておく．症候性下腿静脈血栓症では腫脹や圧痛などの局所徴候がある．健側との下腿周径差が 3 cm 以上の腫脹（Wells score の一項目），膝関節伸展位で足関節を背屈させようとすると腓腹筋部に疼痛を訴える Homans 徴候が陽性，D-ダイマー（D-dimer）値が 10 μg/mL 以上（正常値は 1 μg/mL 以下）であれば DVT の疑いが濃厚となる．カラードプラ超音波検査（**図 7-3-10** 参照），CT 血管造影検査（CTA）を追加する．骨盤内の静脈血栓の探索には超音波検査より CTA が適している（予防や術前の抗血小板薬の一時休薬などに関しては第 10 章 附-8，p. 252 参照）．

B 局所的合併症

a 皮膚，筋肉の損傷

直達外力による骨折はしばしば皮膚，筋肉，靱帯などの軟部組織損傷を伴う．皮膚の水疱形成は骨折周囲の軟部組織が著しく圧挫された所見であり，皮膚壊死を伴なう場合は Morel-Lavallée 徴候とも呼ばれる（**図 6-2-5** 参照）．上肢を機械に巻き込まれるなどの労働災害では，広範な皮膚の剥脱 degloving や筋肉の挫滅を伴いやすい（**図 8-1-2a** 参照）．開放骨折では骨が外界に曝されて汚染され骨髄炎を併発しやすい．デブリドマンや消毒が不十分なまま皮膚を一次閉創すると，外傷を受けた環境によってはガス壊疽を合併することもある（筋肉損傷は挫滅症候群と急性区画症候群の記述を参照）．

b 血管損傷 vascular injury と循環障害 circulatory disturbance

解剖学的位置関係により，骨折や脱臼に血管損傷を合併しやすい部位がある．すなわち骨盤骨折では内腸骨動脈が，上腕骨顆上骨折や肘関節脱臼では上腕動脈が，膝関

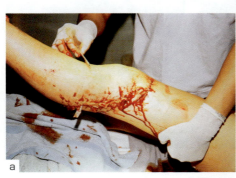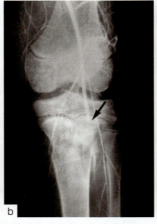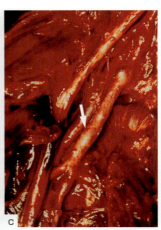

図 8-1-4　受傷して約 6 時間後に生じた血管内膜損傷による動脈血栓
a. 挫滅創を伴う脛骨近位部骨折が皮膚縫合のみを受けて転送された．手術室で再洗浄の準備中に，脛骨動脈の脈拍が途絶えた（受傷後約 6 時間）．
b. 手術室で大腿動脈より造影剤を注入し，造影 X 線写真で膝窩動脈閉塞が確認された．
c. 膝窩動脈はやや膨隆するも連続性は保たれていた．血管内膜損傷による血栓形成と診断された．

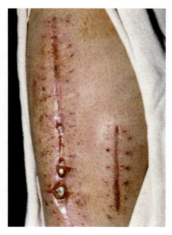

図 8-1-5　術後の腫脹増強で皮膚の縫合不全が生じて露出したスクリューやプレート

節後方脱臼では膝窩動脈が損傷されやすい．断裂がなくとも，血管内膜の損傷があると時間の経過とともに血栓が形成され，受傷後しばらくしてから循環障害を生じることもまれではない（図 8-1-4）．軟部組織の被覆が少ない脛骨前面にプレートを設置すると皮膚の縫合不全でプレートが露出しやすい（図 8-1-5）．

臨床所見は骨折部位より遠位での蒼白，脈拍欠如，冷感，指（趾）先の再還流障害（capillary refilling time 毛細血管再充満時間：爪床を 5 秒圧迫しその解除後，爪床の赤みが回復するまでの時間．2 秒以上が異常で緊急治療必要）である．高エネルギー損傷では主要血管の断裂が起こりやすい．開放創を伴う骨折で主要血管の断裂が認められれば Gustilo 分類ではすべて TypeⅢ-C になる．血管の太さにもよるが CT 血管造影検査（CTA）は，血管内膜の反転，壁内血腫，解離，偽性動脈瘤などが描出可能である．

骨折の転位した骨片が血管壁を突き刺した場合，あるいは骨接合術中にドリルが誤って動脈を傷つけると偽性動脈瘤が生じることもある．

c 急性区画症候群，急性コンパートメント症候群
acute compartment syndrome (ACS)

四肢の筋肉は伸縮性に乏しい強靱な膜様組織である筋膜でおおわれており，骨と筋膜や骨間膜（前腕と下腿では2本の骨の間に骨間膜がある）で囲まれた閉鎖区域を区画 compartment またはコンパートメントと呼ぶ．四肢の新鮮骨折では，主要血管そのものに損傷がなくとも，転位骨片による圧迫や挫滅された筋肉の内出血や浮腫による循環障害で区画内圧が上昇する．毛細血管内圧（正常では 8 mmHg 程度）が異常に上昇すると循環障害が生じ，それを見落とすと筋肉が阻血性壊死に陥る．これが急性区画症候群 ACS である．

ACS は軟部組織の損傷のみでも発生する．圧迫しすぎたプラスチックキャスト plaster cast 固定や小児大腿骨骨折の介達牽引でも発生することがある．なお，日常診療では下腿骨折に対し足関節を良肢位でプラスチックキャスト固定を行うが，足関節の肢位角度が前方区画と深後方区画の内圧に与える影響を調べた Weiner ら（1994）の報告では，足関節の固定角度は良肢位で悪影響はないとの結論であった．

ACS の好発部位は下腿では前方区画と深後方区画，前腕では前方区画である．4つの区画がある下腿では，開放骨折で一部の筋膜が破れても別の区画の内圧上昇で ACS が起こり得る（文献による発生率は 1.2〜9.1％）（図 8-1-6）．

症候は強度の疼痛，緊迫感，腫脹である（ただし患者が訴える疼痛の程度には個人差があること，小児では疼痛を正しく表現できないこと，下腿の深後方区画の ACS は疼痛が軽微であることに注意）．疼痛は脈打つような，筋肉が引きつるような，と表現される．この疼痛は局所の安静や鎮痛薬の投与によっても軽減せず，局所を圧迫すると増悪し，他動的に筋肉を伸展させる（passive stretching of muscle group）とさ

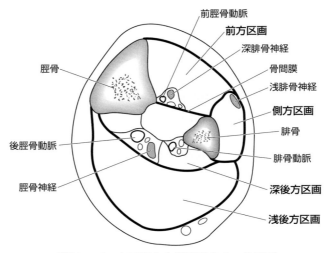

図 8-1-6　右下腿中央横断面の 4 つの区画

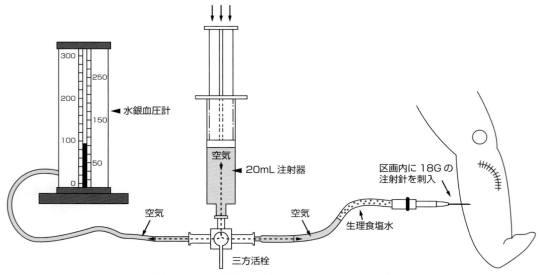

図 8-1-7　区画内圧測定のための Whiteside 法

らに激しい疼痛が誘発される．次第に遠位の感覚異常や筋力低下などの神経麻痺を認めるようになる．しかし初期には脈拍の消失はあまりみられない．Merck Manual によれば英語の「P」で始まる5つの徴候，すなわち Pain 疼痛，Pallor 蒼白，Paresthesia 感覚異常，Paralysis（Palsy）運動麻痺，Pulselessness 脈拍触知不能を ACS の 5P 徴候（5P's）と呼ぶと記載されている．

　小児や意識消失を伴う多発外傷では疼痛の訴えが曖昧であることに注意する．血液検査所見では筋肉挫滅を反映して筋原性酵素の上昇を確認できることがある．なかでも CPK（creatine phosphokinase）の上昇はよき指標となる．上腕骨顆上骨折に合併する Volkmann 拘縮とは，骨片による上腕動脈の圧迫や局所の腫脹による循環障害によって前腕深部屈筋群に生じる阻血性壊死による拘縮をいい，典型的な区画症候群の末期像である．

　確定診断は区画内圧 intracompartmental pressure（ICP）の測定による．区画内圧測定用の医療機器はいくつか販売されているが，ここでは水銀血圧計，三方活栓，生理食塩水があれば簡単に測定できる Whiteside の needle-manometer 法を図示する（図 8-1-7）．空気を入れた注射器の内筒を徐々に指で押していくと，区画内圧より手圧のほうが高くなった時点で，カテーテル中の生理食塩水が急に体内に注入され始める．そのときの水銀血圧計の目盛りを読めばよい．30 mmHg 以上（正常値 10 mmHg 以下）あれば明らかに異常であり，緊急に筋膜切開〔術〕fasciotomy を行い，区画内圧を下げ筋肉群を阻血状態から解放し，不可逆性変化を回避する処置を行う（治療法は図 10-5-3 参照）．ACS を疑った場合，区画内圧測定が正常値範囲であっても 2 回目の測定では値が上昇していることもありモニタリングが大切である．

　Reverte ら（2011）が文献より集めた脛骨骨折に ACS が発生し筋膜切開が行われた 245 症例の検討では，ACS が合併しなかった 424 症例と比較し骨癒合の時期が平均で 4.9 週遅れ，遷延治癒や偽関節が 55%（ACS 非合併群では 17.8%）に生じており，

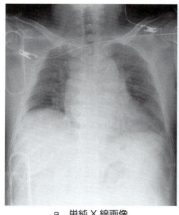
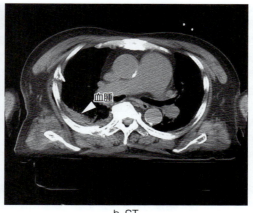

a. 単純 X 線画像 　　　　　　　　b. CT　　　　　　　　　　　c. 3D-CT

図 8-1-8　多発した肋骨骨折に伴う血気胸

肋骨骨折は転位が少ない場合，胸部の単純 X 線画像の白黒を反転させて確認するが，それでも見落しやすい (a)．CT を追加し 3D-CT を構築したが良い (b，c)．

ACS の合併が骨折治癒にも悪影響を及ぼすことが明白となった．Blair ら (2016) も脛骨骨折に ACS が発生し 4 ヵ所の筋膜切開が行われると偽関節や感染が生じやすいと報告している．

附-1　多発肋骨骨折 multiple rib fracture に伴う血気胸

胸腔内に血液が貯留した状態を血胸 hemothorax といい，空気が貯留した状態を気胸 pneumothorax という．胸部外傷で転位を伴う肋骨骨折が発生すると，肺や気管支が損傷されて血気胸を伴うことがある (**図 8-1-8**)．胸部外傷で死亡した症例の剖検では，84％に肋骨骨折が，67％に肺損傷が確認されている．肋骨骨折は 3 ヵ所以上の多発骨折で，部位は第 5〜8 肋骨が多い．隣接する 3 本以上の肋骨が 2 ヵ所以上，あるいは胸骨をはさんで両側で骨折した場合は，胸郭が不安定となり，胸郭の一部が吸気時に陥没し呼気時に膨隆する動揺胸郭 flail chest が発生する．

気胸は皮下気腫を伴いやすく，触診で握雪感，聴診で患側の呼吸音の減弱または消失，単純 X 線写真で肋骨骨折のほかに，皮下の空気像，虚脱した肺，縦隔の健側への偏位などの所見を認める．気胸の 80％に血胸を伴う．出血部位は，骨折部，肋間動脈，内胸動・静脈，肺が主である．血気胸では肋骨横隔膜角 costophrenic angle の鈍化や肺野全体が白っぽくなる．CT では肺損傷や動脈損傷の部位診断も可能である．

肺表面が損傷されて弁状になり，吸気時に肺から胸腔に空気が漏れて，呼気時には弁が閉鎖するので呼吸するたびに胸腔内圧が上昇する緊張性気胸 tension pneumothorax では，肺の虚脱が進行し呼吸・循環不全が生じるために緊急処置が必要である (治療法は**図 10-3-1** 参照)．

多発肋骨骨折患者の肋骨そのものの治療に関しては，疼痛管理を主体とする保存療法でよいのか，それとも手術で固定すべきかは意見が分かれる．

附-2　後腹膜血腫 retroperitoneal hematoma

交通事故や高所よりの転落はしばしば後腹膜血腫を合併する．腰背部や側腹部の打撲では下位の肋骨骨折や横突起骨折が生じやすく，その際，隣接した腎，腰動脈，大動脈，下大静脈の損傷を合併すると高位後腹膜出血が発生する．腎損傷を伴う場合は血尿が

認められ，腹部 CT で腎臓の形状異常や腎臓周囲に血腫を確認できる.

骨盤骨折の中で特に骨盤輪骨折は，骨盤腔内にある膀胱や直腸周辺の後腹膜腔に出血を生ずることが多い．腸骨や仙骨部の骨折では内腸骨動脈やその分枝の上殿動脈が，恥骨枝の骨折では閉鎖動脈や内陰部動脈が損傷されやすい.

後腹膜血腫の診断には，腹部痛，腰背痛，麻痺性イレウス，陰囊部の血液浸潤，ショックなどの臨床症候に加え，血腫の部位，広がり，周囲の臓器損傷の確認に CT や CTA が最も有用である．大量の急速輸液や輸血でも循環動態の改善が得られないときの早期診断には CTA が第一選択となる．血管外への造影剤の漏出，血管の偏位などがみられる.

保存的に対処できる症例から，死に至る症例までさまざまである．死亡原因としては，受傷後早期の大量出血によるものが最も多く，呼吸不全がこれに次ぐ．急性期を過ぎると多臓器不全や敗血症の合併が死因となる．腎損傷を伴う場合は日本外傷学会の腎損傷分類に従い治療方針を決定する．動脈出血に対しては通常経カテーテル的動脈塞栓術が推奨されているが，動脈塞栓術後の殿部の皮膚壊死合併の報告もあり，施行にあたっては側副血行路の有無などの血行動態を十分に理解することが大切である.

d 神経の損傷 nerve injury

皮下骨折であっても外力の加わった解剖学的部位や骨片転位方向などで神経損傷を合併することがある．骨折に合併する神経損傷は部位によって発生しやすい特殊性がある．頚椎の脱臼骨折では頚髄が，鎖骨骨折では腕神経叢が，上腕骨頚部骨折では腋窩神経が，上腕骨骨幹部骨折では橈骨神経が，股関節後方脱臼・脱臼骨折では坐骨神経が，腓骨頭骨折では総腓骨神経が損傷されやすい．通常は一過性の麻痺（一過性神経伝導障害 neurapraxia）がほとんどで骨片の整復とともに徐々に回復するが，初診時に必ず神経麻痺の有無を確認しておかなければならない．鋭利な刃物，銃創や軟部組織挫滅を伴う開放骨折，高エネルギー損傷では神経断裂 neurotmesis を起こすこともある.

肩甲骨を強打するような単車事故や自動車事故では肩甲上神経や腋窩神経の麻痺が発生しやすい．落合ら（1989）は手術で確認できた肩甲上神経と腋窩神経の合併断裂を 21 症例報告し，そのうち 12 例で診察では Tinel 徴候が確認できなかったと記載している．腕神経叢麻痺は牽引型損傷の時にも発生するが，肩甲骨骨折でも肩甲上神経や腋窩神経が局所で断裂することもあることを念頭に鑑別診断を行うことが重要である.

長管骨骨折に最も合併しやすい末梢神経損傷は橈骨神経である．発生頻度は Shao ら（2005）の文献調査によると，上腕骨骨幹部骨折 4,517 例中 532 例で 11.8 ％であった．上腕骨骨幹部骨折で橈骨神経麻痺を合併しやすい理由のひとつに解剖学的特殊性があげられる．橈骨神経は後神経束より起こり，上腕骨後面の橈骨神経溝を骨に接しながら斜めに下行し，外側筋間中隔を貫いて前方区画に現れる．外側筋間中隔を貫通する部位は，上腕骨外側上顆より 10～12 cm 近位にある（**図 8-1-9**）．橈骨神経は外側筋間中隔と上腕骨に挟まれた部位では移動性がないため骨折時に損傷されやすいと考えられる．治療に関してであるが，Ekholm ら（2008）の報告によると，橈骨神経麻痺を合併した上腕骨骨幹部骨折の 98 ％が皮下骨折であり，そのまま保存療法を行った例と手術療法を行った例の経過を比較すると，必ずしも後者の回復が良好であるとは

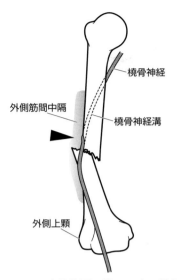

図 8-1-9　上腕骨後面に接して走る橈骨神経
橈骨神経は上腕骨外側上顆より 10～12 cm 近位で外側筋間中隔を貫通する（矢印）．

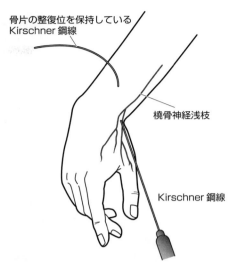

図 8-1-10　経皮的ピン固定で損傷しやすい橈骨神経浅枝

いえないという結果であった．しかし骨片間に神経が挟まることもあり，橈骨神経麻痺を合併している場合は神経を直視下に確認すべきであるとの意見は根強く，コンセンサスは得られていない．

　経皮的ピン固定 percutaneous pinning では皮神経を損傷しやすい．特に橈骨遠位端骨折では橈骨茎状突起より Kirschner 鋼線を刺入する操作で橈骨神経浅枝を損傷しやすい（図 8-1-10）．

e 骨幹部骨折と靱帯損傷 ligamentous injury の合併

　手関節，膝関節，足関節の骨折ではしばしば靱帯損傷の合併がみられる．長管骨の骨幹部骨折では外力が骨折部で吸収され関節部に及ぶことがほとんどないので，積極的な治療を要するほどの靱帯損傷合併はきわめて少ない．ただし見逃されやすい．特に高エネルギー外傷による大腿骨や脛骨の骨幹部骨折では，骨折部の治療に集中し膝関節靱帯損傷の合併を看過しやすいので関節血症がある場合は注意する必要がある．診察では把握できない隣接関節損傷の診断には MRI が有用である．靱帯損傷を合併している場合は鋼線牽引や創外固定を行う場合に損傷靱帯の治癒に影響を与えないような配慮が必要で，時には鋼線牽引が禁忌となることもある．

　Templeman ら（1989）の全身麻酔下で膝関節の不安定性を検査した前向き調査によれば，脛骨骨幹部骨折と膝関節靱帯損傷の合併は 50 症例中 11 例（22％）であり，単車事故が多く，1 例は膝関節脱臼を伴っていた．Huang ら（2009）も脛骨骨幹部骨折に合併した PCL 付着部剥離の 2 例を報告している（図 8-1-11）．Szalay ら（1990）は，同側同時に発生した大腿骨骨幹部骨折と脛骨骨幹部骨折の 33 症例を追跡調査したところ，18 例（53％）に明らかな膝関節の浮遊骨折（floating knee fracture）が確認で

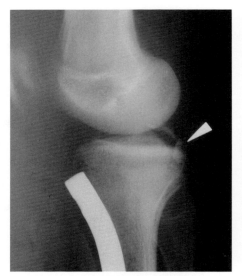

図8-1-11 脛骨骨幹部骨折に後十字靱帯脛骨付着部剥離骨折が合併した症例

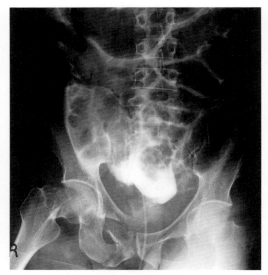

図8-1-12 骨盤骨折で恥骨枝が膀胱を突き破った症例
血尿を認めたが，尿道には異常がないために膀胱造影を行ったところ，膀胱の形態がいびつであるほか造影剤が腹腔内に漏れ胃や腸管が描出された．

きたと報告している．骨折部の異常可動性のために靱帯不安定性の正確な診断が困難なことや骨折部の疼痛に陰蔽され看過されることも多い．下肢の骨幹部骨折では膝関節の靱帯損傷が同時に起こりえることを十分に認識し診察にあたることが重要である．

f 尿路損傷 urogenital injury

尿路損傷は骨盤骨折に合併する．導尿に際し，カテーテルが膀胱に挿入できないときには尿道損傷を，膀胱に入って血尿が認められれば膀胱損傷や腎臓損傷を考えなければならない．尿路損傷の合併が疑われる場合には，造影により部位の確定診断を行う（図8-1-12）．

g 皮下気腫 subcutaneous emphysema

肋骨骨折や鎖骨骨折で肺損傷を合併する場合や，前額洞や乳様突起骨折では皮下がびまん性に腫脹し，特有な捻髪音 crepitation を伴う皮下気腫を触知できる．

h 術中骨折 intraoperative fracture

肩関節脱臼に対する徒手整復術中に上腕骨頸部骨折が，また髄内釘打ち込み中に長管骨に縦に亀裂骨折が生じたり，移植骨の採取中，セメントレス人工股関節を設置中に骨折を起こすことがある．術前の綿密な治療計画と適切な手術手技が求められる（図8-1-13）．

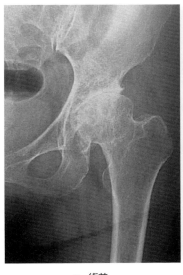
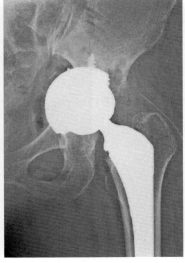
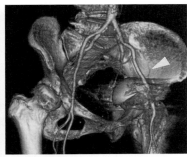
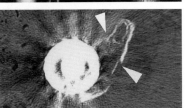

a. 術前　　　　　　　　　　b. 術直後　　　　　　　　　　c. 術直後 CT 画像

図 8-1-13　人工股関節術中の骨折
術前計測では大腿骨頭径は 48 mm であったが誤って 52 mm まで掘削され，寛骨臼の巨大欠損とソケットの打ち込みによる骨折を生じた症例

2 遅発性合併症 delayed complications

遷延治癒・偽関節，変形治癒に関しては診断の項や治療総論で記載した（部位ごとの特有な合併症に関しては，それぞれの骨折部位を参照のこと）．

a 関節拘縮・強直 joint contracture/ankylosis

骨折後は，患者の年齢，骨折の部位や形態，術後の骨片固定性，周囲軟部組織の損傷程度，リハビリテーションの開始時期，患者の意欲などにより，受傷前の関節可動域 range of motion (ROM) がしばしば障害される．骨幹部骨折や骨幹端部骨折では主として挫滅された筋肉が骨と癒着し，一方骨端部骨折では靱帯，腱，関節包が癒着することで ROM 制限が生じる．また，関節内骨折の変形治癒で関節の解剖学的形態が失われると ROM 制限をきたす．関節内癒着による ROM 制限は外固定を長期間行った場合に生じやすい．肩甲骨関節窩骨折や上腕骨近位部骨折は仮骨の出来が悪いと ROM 訓練が遅れて凍結肩 frozen shoulder となることもまれではない．

ROM 制限が関節外組織の癒着によって起こるものを関節拘縮，関節内癒着や関節面の解剖学的形態異常によって起こるものを強直と定義する．大腿骨骨幹部の骨折で大腿四頭筋が骨と癒着し，膝関節の ROM が障害されるのが典型的な関節拘縮である（図 8-2-1）．しかし日常臨床においては，慣例上，ROM がほとんどあるいは関節面が骨性に癒合して完全に消失した状態のみに強直という用語が用いられる．例えば関節リウマチのように関節内の病変によって ROM 制限が生じても関節拘縮と表現されているのがその慣例の最たるものである．

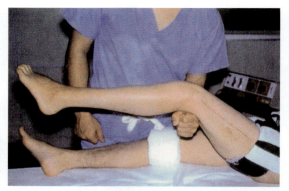

図 8-2-1　大腿骨骨幹部骨折術後の著明な膝関節拘縮
麻酔下で患肢を検者の手で支えても，膝関節は屈曲できない．骨接合術の侵襲で，中間広筋や外側広筋が広範囲に大腿骨と癒着していた．

b 異所性骨化 ectopic (heterotopic) ossification

　従来，外傷性骨化性筋炎 traumatic myositis ossificans といわれていた．外傷時に広範に損傷された筋肉のみならず，靱帯および関節包にも骨化が生ずる．関節周辺，特に肘関節部，股関節部に好発する．上腕骨近位部骨折で 10% に発生したとの報告もある．保存療法よりも手術例で発生する可能性が高い．小児の肘関節では後療法中に拘縮のある関節に無理な用手矯正 manipulation を繰り返した場合に異所性骨化が発生することはよく知られている．時に骨性強直が生じる（図 8-2-2）．骨髄内のリーミングを併用した髄内釘固定の刺入口の部分にもしばしば異所性骨化が認められるが，骨化の範囲は小さく，多くは無症状で関節機能に影響しない．

　異所性骨化の局所徴候としては，疼痛，熱感，発赤，硬結，腫脹，ROM 制限などが認められる．経時的な単純 X 線写真の比較や X 線断層写真が早期発見に有用である．骨シンチグラフィーは費用が高く，炎症による集積像との鑑別が難しい．

　なお，頭部外傷で昏睡状態が持続したり頚髄損傷で四肢に異所性骨化が生じることもあるが，アルカリフォスファターゼ値の上昇が認められるなど，骨折に伴う異所性骨化とは区別したほうがよい．

　予防的治療としてサリチル酸やインドメタシンの内服，放射線照射が報告されている．ただし NSAIDs の持続的内服は偽関節の危険性が増すという報告がある．

c 内固定材料の折損 hardware failure や移動 migration，カットアウト screw cutout

　骨折治療に用いる金属製内固定材料は術中折損または術後設置位置不良による ROM 制限や折損などが発生することがある．

　Kirschner 鋼線の折損は，脱臼整復位保持のために関節内に刺入した場合，不十分な外固定のためわずかな関節運動が繰り返し起こり折損する（図 8-2-3a）．早期に発見しないと折損した Kirschner 鋼線の先端が骨折部を離れて軟部組織内を移動 migration する危険性がある．図 8-2-3b は折損した Kirschner 鋼線が肺と食道にまで達した例である．Küntcher 髄内釘やプレートの折損は遷延治癒や偽関節で発生しやすい．

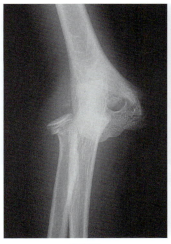 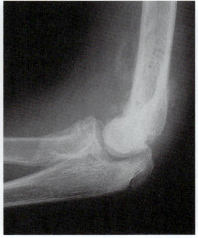 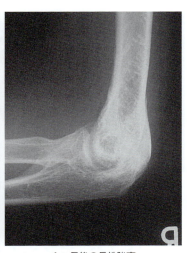

受傷時　　　　　　　　　2ヵ月後　　　　　　　　4ヵ月後の骨性強直

図 8-2-2　肘関節脱臼骨折後の異所性骨化と骨性強直（14 歳）
手術的整復術後の後療法中に発生した．

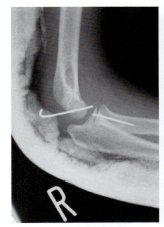 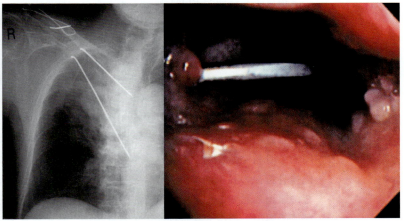

a．術後固定中に折損　　　　b．Kirschner 鋼線が折損後転位し胸腔内転位と食道穿孔を起こした症例

図 8-2-3　Kirschner 鋼線の折損と転位

　折損した髄内釘の骨髄内からの摘出はしばしば困難を極める．珍部ら（2015）は膝蓋骨骨折で施行した鋼線締結法のワイヤーが折損し関節内に迷入した症例を報告している．ラグスクリューが骨盤や腹腔内に迷入した報告もある．
　骨粗鬆症がある患者では上腕骨近位部骨折で上腕骨骨頭に刺入したロッキングプレートのスクリューが骨頭軟骨下骨板を貫き関節内に転位し突き出す（cutout）こともある．Owsley ら（2008）は上腕骨骨折 53 例中スクリューの関節内カットアウトが 12 例（23％）に生じたと報告している．スクリュー固定された大結節骨折の骨片が棘上筋の牽引力でカットアウトを生じることもある．大腿骨骨頭内に刺入したスクリューの位置が適切でないと術後の荷重とともに大腿骨頭内反が起こり，スクリュー先端が移動し関節内にカットアウトしてくることは少なくない合併症である．

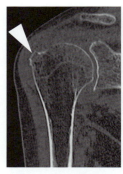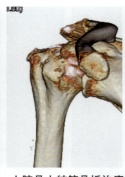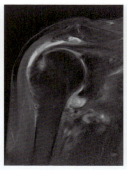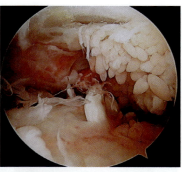

図 8-2-4　上腕骨大結節骨折治癒後の右肩インピンジメント症候群（82歳，女性）

d インピンジメント症候群 impingement syndrome

　　上腕骨大結節骨折で骨片が転位した状態で癒合したり，上腕骨近位部骨折を固定した内固定材料の突出があると，肩関節の挙上時に突出した部分が烏口肩峰靱帯や肩峰と摩擦を生じ疼痛や ROM 制限が発生する．日常生活では洗顔動作や整髪動作が困難となる．肩峰下滑液包に著しい炎症が生じ滑膜増殖や液貯留を認めることもある（図8-2-4）．この骨折の手術療法では術中に C-アーム X 線透視装置を用いるか，繰り返しの単純 X 線写真撮影による確認が重要である．なお上腕骨外科頚骨折で骨頭が内反位に固定されて変形治癒した場合でも同様な合併症が生じる．

e 遅発性腱断裂 delayed tendon rupture

　　遅発性の合併症のひとつに腱の断裂がある．腱が骨に隣接して走行する手関節や足関節の骨折や脱臼後に発生しやすく受傷後 1，2 ヵ月後に気づくことが多い．橈骨遠位端骨折後の長母指伸展筋皮下断裂は保存療法，手術療法に関係なく発生しており，その原因として Lister 結節部での骨片突出や仮骨形成部分での摩滅，阻血を招く血行動態的要因，術中ドリル操作による腱損傷，長すぎるスクリューの突出部での摩擦などが指摘されている．発生頻度は少ないが掌側プレート固定後では長母指屈筋腱の断裂が生じることがある．内固定材料の辺縁形状，骨からの浮き上がり，プレート固定位置不良，が原因である．

　　髄内釘刺入部での膝蓋腱断裂，有鉤骨鉤骨折後の指屈筋腱断裂，などの報告もある．小児の checkrein deformity は後足部の骨折後に遅発性に生じる．主に長母趾屈筋腱の遅発性断裂や癒着を原因とする変形である．

f 感　　染 posttraumatic infection

　　新鮮皮下骨折手術の周術期感染率は 1% 前後，開放骨折では 4〜7% と報告されている．土砂に汚染された開放創，刺創ではガス壊疽や破傷風を念頭におかなければならない．創外固定術でのピン挿入部の感染 pin tract infection の程度はさまざまであるが 30% 前後に発生している．軟部組織の被覆が少ない部位は開放骨折となりやすく，慢性骨髄炎に移行しやすい．感染性関節炎が発生すると単純 X 線写真で関節面に骨

萎縮と虫食い状に侵食された像が出現する．起炎菌は黄色ブドウ球菌やグラム陰性桿菌が多い．症候としては，発赤，腫脹，疼痛，圧痛，赤沈値や CRP 値の亢進が認められる．手術部位感染症 surgical site infection の発生頻度は開放骨折であるか否か，糖尿病などの全身状態などで異なる．内固定材料が挿入された患者で骨折部に瘻孔 fistula, sinus が形成され，持続的な排膿が認められると難治性となる．

g 複合性局所疼痛症候群 complex regional pain syndrome (CRPS), Sudeck 骨萎縮

CRPS は整形外科外傷患者の予後を不良とし社会復帰を妨げるまれではあるが難治性の合併症である．外傷の経過とは異なる局所の焼け付くような疼痛，通常では痛みを起こさない程度の刺激による疼痛（アロディニア allodynia：触覚刺激で誘発されるチクチク刺されるような痛み，異痛症）を訴え，臨床所見としては異常な疼痛のほかに浮腫 edema，発汗異常，皮膚温変化，発赤などの交感神経異常および高度の関節拘縮が特徴である（図 8-2-5）．慢性化すると皮膚萎縮，爪変形を伴う．橈骨遠位端骨折後の CRPS の発生率は症候に差はあるが 1%（0.2〜6%）程度であり，術後にやや多い．Roth ら（2014）は橈骨遠位端骨折手術例 477 例で術後 42 例（8.8%）に CRPS が生じたと報告している．

1994 年に国際疼痛学会の提唱で CRPS は TypeⅠと TypeⅡに分類された．従来の末梢神経損傷を伴わない反射性交感神経性ジストロフィー reflex sympathetic dystrophy（RSD）は TypeⅠに，以前カウザルギー causalgia と呼ばれ末梢神経損傷があるものは TypeⅡに位置づけられた．2005 年に再び改訂され，TypeⅠと TypeⅡの区分がなくなり，新たな診断基準が公表された．わが国でも 2005 年に厚生労働省 CRPS 研究班が組織され，その後わが国で検討され提唱された臨床用 CRPS 判定指標（診断基準ではない）を表 8-2-1 に示す．臨床用判定指標は治療方針の決定，専門施設への紹介判断などに使用されることを目的に作成されている．外傷部位とは異なった場所，時には対側に出現することもある．

画像診断は，初期は骨シンチグラフィー，局所皮膚温の左右差を捉えるサーモグラフィー thermography，MRI が，慢性期はびまん性に斑紋状の特徴的な骨萎縮を示す単純 X 線写真や骨シンチグラフィーが有用である．

Sudeck 骨萎縮とは，関節捻挫，脱臼，骨折などの外傷後に単純 X 線写真で認められる特異的な斑紋状の骨萎縮のことで 1900 年に報告された．交感神経反射異常が原因となり，発症直後は灼熱痛と浮腫と関節拘縮を伴う．Sudeck が急性反射性骨萎縮と報告したように，急速におおよそ数週後に著しい骨萎縮が認められるようになる（図 8-2-6）．Colles 骨折や踵骨骨折などに合併する臨床上重要な意味を持つ骨萎縮であるが，現在は CRPS に包括されている．

h 無腐性骨壊死 avascular osteonecrosis

骨折により骨への栄養動脈が損傷されるために生じる．無腐性骨壊死を生じやすい部位は，大腿骨骨頭，手の舟状骨近位部，上腕骨骨頭，距骨体部などである．無腐性骨壊死の発生頻度は外傷の強さとほぼ比例する．距骨頚部骨折を例にとると，Haw-

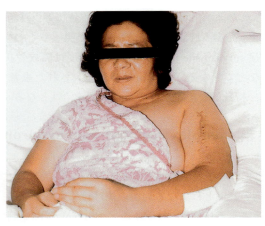

図 8-2-5　上腕骨骨接合術の後療法中に生じた CRPS（TypeⅠ）
急激に出現した手背の浮腫と痛みをこらえ苦悶する顔貌に注目．患肢をまったく動かさない．

表 8-2-1　臨床用 CRPS 判定指標（2008 年）

A	外傷後のいずれかの時期に，以下の自覚症状のうち 2 項目以上該当すること． ただし，それぞれの項目内のいずれかの症状を満たせばよい． 1. 皮膚・爪・毛のうちいずれかに萎縮性変化 2. 関節可動域制限 3. 持続性ないしは不釣合いな痛み，しびれたような針で刺すような痛み（患者が自発的に述べる），感覚過敏 4. 発汗の亢進ないしは低下 5. 浮腫
B	診察時において，以下の他覚所見の項目を 2 項目以上該当すること． 1. 皮膚・爪・毛のうちいずれかに萎縮性変化 2. 関節可動域制限 3. アロディニア（触刺激ないしは熱刺激による）ないしは痛覚過敏（ピンプリック） 4. 発汗の亢進ないしは低下 5. 浮腫

（厚生労働省 CRPS 研究班によって提唱された日本版 CRPS 判定指標）

kins 分類で転位がない TypeⅠでは 0～15％ であるのに対し，距骨体部の脱臼を伴う TypeⅢ では 90％ と高頻度である．無腐性骨壊死は通常，無症状で経過する．圧壊 collapse が起こると疼痛を訴えるようになる．単純 X 線写真では骨硬化像や圧潰が出現する（図 8-2-7）．無腐性骨壊死の単純 X 線写真での診断には受傷後数ヵ月以上の観察が必要である．

i 外傷性変形性関節症　posttraumatic osteoarthritis

　関節内骨折で骨片の解剖学的整復が得られない場合，関節軟骨の欠損がある場合，あるいは大腿骨や脛骨など長管骨骨折後にアライメント不良が残存すると，二次性変形性関節症を発生しやすい．特に荷重関節においてその発生頻度が高い．足関節の一次性変形性関節症の発生頻度は低いが，二次性変形性関節症の約 80％ が捻挫（靱帯損傷）や骨折に起因する．関節内骨折後の関節炎の発生因子としては，関節面の不適合のほかに，損傷部位の関節軟骨細胞の生存可能性 viability の低下やアポトーシス apoptosis の亢進が指摘されている．

2 遅発性合併症　**207**

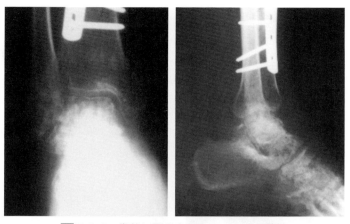

図 8-2-6　術後に認められた Sudeck 骨萎縮

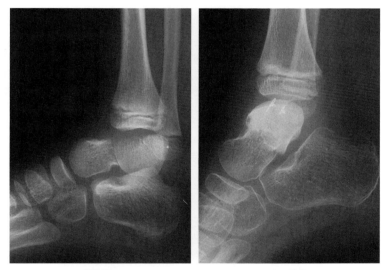

受傷時　　　　　　　　　　　4ヵ月後

図 8-2-7　距骨頚部骨折後に生じた骨体部の骨壊死

附-3　止血帯麻痺　tourniquet paralysis

　　　　tourniquet とは仏語の tourner（ねじる）を語源とする．Petit（1674）がつくった造語であるといわれている．圧迫により四肢の血液循環を一時的に止める止血帯を意味する．英語の tour には一巡するという意味がある．切断以外の整形外科手術にこの止血帯を用い，はじめて無血野で手術操作を行ったのは Lister（1864）であると報告されている．Esmarch のゴム駆血帯の普及は無血野での処置を可能にし四肢の外科手術の発展に寄与したが，過度の圧迫で止血帯麻痺という合併症が増加した．この合併症を可及的に少なくする目的で考案されたのが Cushing（1904）の空気止血帯である．現在では，Esmarch ゴム駆血帯（Esmarch rubber bandage）で駆血後，空気止血帯で圧迫止血をはかる方法が一般的である．
　　　　止血帯麻痺は止血帯の圧迫により起こる医原性の神経麻痺である．発生頻度はきわめ

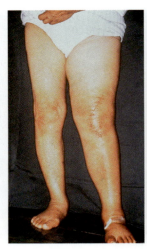
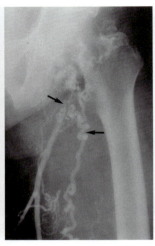

図 8-2-8　深部静脈血栓症
空気止血帯の圧迫が原因で大腿近位部に発生した深部静脈血栓症

てまれである（ノルウェーで2年間の止血帯を用いた整形外科手術63,484例の調査報告（2006）では，わずか15例に神経麻痺が発生している）．上肢では橈骨神経麻痺が，下肢では腓骨神経麻痺が起こりやすい．止血帯麻痺の原因は，止血時間が長すぎた場合，カフ圧が低すぎたりあるいは高すぎた場合，カフの幅や止血帯の巻き方などにある．Dobnerら（1983）の臨床的研究では，術後に大腿や下腿の脱力感を訴えるのみで神経学的所見がまったく認められない場合でも，筋電図では70%に脱髄性の変化が観察できると報告している．

空気止血帯での止血時間は1.5時間以内がよいとされている．手術時間をそれ以上に延長したい場合には，いったん止血帯圧を解放し10～15分後に再度加圧する．阻血は組織の代謝に異常をもたらし，アシドーシスや酸素欠乏に伴う変化が出現する．最も阻血の影響を受けやすい組織は神経である．

止血帯の空気圧で加圧する速度が遅かったり空気圧が低すぎると，静脈還流のみが止められて動脈は完全に圧迫できていない状態になるので，神経に栄養を送る静脈が破綻し出血を生じて麻痺が発生しやすい．逆に空気圧が過度であると，止血帯の機械的圧迫による麻痺が生じる．Ochoaら（1972）は過度の圧迫で神経線維のRanvier絞輪の形態的変化などの髄鞘の変性が生じることを報告している．至適止血圧は年齢，血圧，四肢の太さによって異なるが文献的には，およそ上肢では成人で250～300 mmHg，小児で150～250 mmHg，下肢では成人で350 mmHg，小児で250 mmHgとされている．術前の血圧の収縮期圧に上肢では100 mmHg，下肢では150 mmHgを加えた空気圧がよいとする意見もある．止血帯を巻くときには局所に一定の厚さの綿包帯を下巻きし，用いるカフは上腕や大腿の直径に相当する幅の止血帯を選択する．

空気止血帯の合併症として神経麻痺のほかに筋肉の変性や，下肢では止血帯を装着した部位に深部静脈塞栓DVTが生じることもある（図8-2-8）．また除去後数日間，止血帯部に疼痛を訴えることも少なくない．

参考文献

1) 赤木将男ら：TKA後の深部静脈血栓症に対するリスクマネージメント：下肢深部静脈超音波エコー法による術中静脈血栓形成の検索．日整会誌 **78**：20-26，2004．
2) 有田英子ら：Complex Regional Pain Syndrome（CRPA）（これまでのRSD，カウザルギー）に関する最近の考え方．交通医学 **60**：157-167，2006．

3) Blair JA et al：Infection and nonunion after fasciotomy for compartment syndrome associated with tibia fractures：A matched cohort comparison. J Orthop Trauma **30**：392-396, 2016.

4) Bono CM et al：Radial and axillary nerves. Clin Orthop **373**：259-264, 2000.

5) 珍部正嗣ら：膝蓋骨骨折に対して施行した周囲鋼線締結法後に折損が生じ膝関節内に迷入した1例．臨整外 **50**：699-703，2015.

6) Connor PM et al：Complications of fixation of proximal humeral fractures. Instr Course Lect. **46**：25-37, 1997.

7) Dobner JJ et al：Postmenisectomy tourniquet palsy and functional sequelae. Am J Sports Med **10**：211-214, 1983.

8) Ekholm R et al：Primary radial nerve palsy in patients with acute humeral shaft fractures. J Orthop Trauma **22**：408-414, 2008.

9) Elizabeth RA et al：Iatrogenic nerve injuries in the treatment of supracondylar humerus fractures：Are we really just missing nerve injuries on preoperative examination？ J Pediatr Orthop **34**：388-392, 2014

10) 遠藤重厚ら：挫滅症候群より複合臓器不全（MOF）をきたした2例．整形外科 **38**：1557-1564，1987.

11) Enneking WF et al：Physical and biological aspects of repair in dog cortical bone transplants. J Bone Joint Surg **57-A**：237-252, 1975.

12) Gurd AR et al：The fat embolism syndrome. J Bone Joint Surg **56-B**：408-416, 1974.

13) 肺血栓塞栓症/深部静脈血栓症（静脈血栓塞栓症）予防ガイドライン作成委員会：肺血栓塞栓症/深部静脈血栓症（静脈血栓塞栓症）予防ガイドライン．メディカルフロントインターナショナルリミテッド，2004.

14) Hembree WC et al：Viability and apoptosis of human chondrocytes in osteochondral fragments following joint trauma. J Bone Joint Surg **89-B**：1388-1395, 2007.

15) 星　秀逸ら：脂肪塞栓症候群の徴候と対策．別冊整形外科 **10**：122-127，1986.

16) Huang YH et al：Isolated posterior cruciate ligament injuries associated with closed tibial shaft fractures：a report of two cases. Arch Orthop Trauma Surg **129**：895-899, 2009.

17) 飯尾　純：骨格系に対する三次元CT画像構築法の開発とその診断能に関する研究．日整会誌 **66**：205-225，1992.

18) Janzing H et al：Compartment syndrome as a complication of skin traction in children with femoral fracture. J Traum **41**：156-158, 1996.

19) 城下卓也ら：骨折手術における深部SSI発生率とリスク因子の解析―7年間の報告．整外と災外 **66**：10-12，2017.

20) Klenerman L：The tourniquet in surgery. J Bone Joint Surg **44-B**：937-943, 1962.

21) Kosir R et al：Acute lower extremity compartment syndrome（ALECS）screening protocol in critically III trauma patients. J Trauma **63**：268-275, 2007.

22) Liu Y et al：Concomitant ligamentous and meniscal injuries in floating knee. Int J Clin Exp Med **8**：1168-1172, 2015.

23) 前川和彦：外傷性ショック，今日の整形外科治療指針．第2版，70-71，医学書院，1991.

24) Matin P：The appearance of bone scans following fractures, including immediate and long-term studies. J Nucl Med **20**：1227-1231, 1979.

25) McKinley TO et al：Basic science of intra-articular fractures and posttraumatic osteoarthritis. J Orthop Trauma **24**：567-570, 2010.

26) Metsemakers WJ et al：Fracture-related infection：A consensus on definition from an international expert group. Injury **49**：505-510, 2018.

27) Murray MM et al：The death of articular chondrocytes after intra-articular fracture in humans. J Trauma **56**：128-131, 2004.

28) Nicoll EA：Fracture of the tibial shaft：A survey of 705 cases. J Bone Joint Surg **46-B**：373-387, 1964.

29) 日本外傷学会腎損傷分類委員会：日本外傷学会腎損傷分類．日外傷会誌 **8**：301-302，1994.

30) 日本骨折治療学会編：骨折に伴う静脈血栓塞栓症エビデンスブック．全日本病院出版会，2010.

31) 落合直之ら：腋窩，肩甲上神経合併損傷例の治療と予後．肩関節 **13**：147-150，1989.

32) Ochoa J et al：Anatomical changes in peripheral nerve compressed by a pneumatic tourniquet. J Anat **113**：433-455, 1972.

33) Odinsson A et al：Tourniquet use and its complications in Norway. J Bone Joint Surg **88-B**：1090-1092, 2006.

34) 小川　龍：ショックの重症度判定法．救急医学 **14**：1332-1334，1990.

35) Owsley KC et al：Displacement/ screw cutout after open reduction and locked plate fixation of humeral fractures. J Bone Joint Surg **90-A**：233-240, 2008.

36) Park MJ et al：Surgical treatment of post-traumatic stiffness of the elbow. J Bone Joint Surg **86-B**：1158-1162, 2004.

37) Park S et al：Compartment syndrome in tibial fractures. J Orthop Trauma **23**：514-518, 2009.

38) Ranganathan K et al：Heterotropic ossification：Basic-science principles and clinical correlates. J Bone Joint Surg **97-A**：1101-1111, 2015.

39) Reverte MM et al：What is the effect of compartment syndrome and fasciotomies on fracture healing in tibial fracture. Injury **42**：1402-1407, 2011.

40) Ring D et al：Operative release of complete ankylosis of the elbow due to heterotopic bone in patients without severe injury of the central nervous system. J Bone Joint Surg **85-A**：849-857, 2003.

41) Ring D et al：Operative release of ankylosis of the elbow due to heterotopic ossification. Surgical technique. J Bone Joint Surg **86-A**：2-10, 2004.

42) Rizzo PF et al：Diagnosis of occult fractures about the hip. Magnetic resonance imaging compared with bone-scanning. J Bone Joint Surg **75-A**：395-401, 1993.

43) Roth YH et al：Factors associated with complex regional pain syndrome typeⅠin patients with surgically treated distal radius fracture. Arch Orthop Trauma Surg **134**：1775-1781, 2014.

44) 関　洲二：胸腔穿刺・ドレナージ．治療 **77**：709-711，1995.

45) Sagi HC et al：Indomethacin prophylaxis for heterotropic ossification after acetabular fracture surgery increases the risk for nonunion of the posterior wall. J Orthop Trauma **28**：377-383, 2014.

46) Shao YC et al：Radial nerve palsy associated with fractures of the shaft of the humerus. J Bone Joint Surg **87-B**：1645-1652, 2005.

47) Shadgan B et al：Current thinking about acute compartment syndrome of the lower extremity. Can J Surg **53**：329-334, 2010.

48) 塩田直史ら：骨折後の肺塞栓症発生状況に関する前向き研究．骨折 **31**：858-861，2009.

49) Stufkens SA et al：Cartilage lesions and development of osteoarthritis after internal fixation of ankle fractures. A prospective study. J Bone Joint Surg **92-A**：279-286, 2010.

50) 炭谷昌彦ら：CRPS のメカニズムと今後の展望．Peripheral Nerve **28**：165-168, 2017.

51) Szalay MJ et al：Injury of knee ligament associated with ipsilateral femoral shaft fractures and with ipsilateral femoral and tibial shaft fractures. Injury **21**：398-400, 1990.

52) Templeman DC et al：Injuries of the knee associated with fractures of the tibial shaft. Detection by examination under anesthesia：a prospective study. J Bone Joint Surg **71-A**：1392-1395, 1989.

53) Thein E et al：Medial migration of lag screw after gamma nailing. Injury **45**：1275-1279, 2014.

54) 鳥畠康充，冨士武史編：整形外科診療における肺血栓塞栓症―患者救済と法的問題点．ライフサイエンス出版，2009.

55) 鳥巣岳彦ら：小児の脱臼を伴う距骨頚部骨折の 2 症例．臨整外 **10**：171-179，1975.

56) 鶴田登代志：脂肪塞栓症候群．整形外科 **32**：875-879，1981.

57) 土田芳彦：四肢切断．関節外科 **35**：605-613，2016.

58) Weiner G et al：Effect of ankle position and a plaster cast on intramuscular pressure in the human leg. J Bone Joint Surg **76-A**：1476-1481, 1994.

59) Wells PS et al：Value of assessment of pretest probability of deep-vein thrombosis in clinical management. Lancet **350**（9094）：1795-1798, 1997.

60) Wilcox JR et al：Bone scanning in the evaluation of exercise-related stress injuries. J Nucl Med **123**：699-703, 1977.

第9章 人工関節置換術後の関節周囲骨折

1 股関節

a 概　要

　人工股関節全置換術（total hip arthroplasty：THA）および人工骨頭置換術（bipolar hip arthroplasty：BHA）後の大腿骨ステム周囲骨折は，高齢者人口の増加とともに近年増加している．治療においては患者の年齢，ADL，骨質，骨欠損の有無と程度，インプラントの安定性など，さまざまな要因を考慮する必要がある．

　一方，臼蓋骨折は手術時のセメントレスカップ打ち込みの際に生じる場合もしくは骨溶解による骨脆弱性に伴って生じる．前者の多くは転位が小さく見逃されることも少なくない．通常は保存的に治療可能であるがカップのゆるみの原因となることがある．後者は，骨溶解に対する臼蓋の骨再建と再置換が必要である．本項では大腿骨ステム周囲骨折の治療について解説する．

b 大腿骨骨折（ステム周囲骨折）

1）分　類

　Vancouver分類は骨折部位，インプラントの固定性，骨母床の状態などを考慮しており，本骨折の治療方針決定に広く使用されている（図9-1-1）．本項ではこの分類

A：trochanteric fracture
　AG：greater trochanter
　AL：lessor trochanter

B, C：diaphyseal fracture

B：around implant or stem tip
　B1：stable implant
　B2：loose implant, adequate bone stock
　B3：loose implant, poor bone stock

C：distal to implant

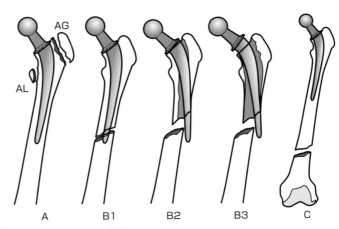

図9-1-1　Vancouver分類
（Duncan CP, et al：Instr Course Lect 45：293-304, 1995 をもとに作図）

212 総論 第9章 人工関節置換術後の関節周囲骨折

表9-1-1 Vancouver分類の各骨折型における治療法

Type AG	osteolysis（－）　　骨片の転位が小さい　　　　　　　　→保存療法
	骨片の転位が大きい，関節不安定性→骨接合
	osteolysis（＋）　　骨折部の転位の大小にかかわらず早期に再置換を考慮
Type AL	小転子単独骨折　　　　　　　　　→保存療法
	内側calcarを含む骨折　　ステム沈下なし→ワイヤリング固定
	ステム沈下あり→ステム再置換＋骨接合
Type B1	ステム体部での骨折→低侵襲骨接合
	ステム先端部での骨折→骨接合もしくはロングステムによる再置換
Type B2	セメントレスステム/composite beam型セメントステム→ロングステムによる再置換
	taper slip型セメントステム　　ステム支持性あり　　　→骨接合およびスタンダードステム
	（cement-in-cement法）
	ステム支持性なし　　　→骨接合およびロングステム再置換
Type B3	活動性が高い場合→ impaction bone grafting ＋セメントロングステム再置換
	活動性が低い場合→遠位横止め型ロングステム再置換
Type C	ステム部分に十分重複する長いプレート固定

に従って述べる．なおセメントレスステムとセメントステムに分けたBaba分類もよく用いられる．大腿骨ステム周囲骨折は，骨折型に応じて骨接合のみで対応可能なものから，ステムの再置換，同種骨移植と骨接合の併用が必要なものまで多様である．

2) 治　療

各骨折型の治療について解説する（**表9-1-1**）．

a) Vancouver Type A

大転子骨折であるType AGでは転位が少なければ保存療法，骨片の転位が大きく疼痛や跛行，関節不安定性を伴う場合には保存療法として杖歩行と外転を制限する．また人工関節周囲の骨溶解osteolysisに伴う骨脆弱性による骨折では再置換術を考慮すべきである．その場合には大転子部骨欠損に対する同種骨移植と内固定が必要である．小転子骨折であるType ALでは単独骨折はステムの固定性に問題がない場合は経過観察のみでよい．しかし内側calcarから小転子までの大きな骨片を伴い，骨片の転位が大きくステム–骨間の固定性が破綻している場合は内固定とステムの再置換を行う（**図9-1-2**）．

b) Vancouver Type B1

ステムの緩みや不安定性を伴わないステム周囲骨折であり，基本的には整復・内固定が推奨される．固定法はcerclage wire，DCP，ロッキングプレート，strut allograft，プレート＋strut allograft，minimally invasive plate osteosynthesis：MIPO法などさまざまな方法が報告されている．DehghanらのType B1：333例のsystematic reviewによれば，術後合併症として偽関節5%，変形癒合6%，感染5%，インプラント破損4%，再手術9%と報告されており決して良好とはいえない．本骨折型の問題点として，ステムを含む近位骨片の骨母床が少ないこと，骨内をステムが占拠し骨折部の髄内血行が乏しいことがある．現在，骨折部の血行と固定性確保の点から，骨折部を展開せずに軟部組織を温存しつつプレート固定を行う"less invasive stabilization"（**図9-1-3**）と，骨折部は展開するものの，biological plateとしてstrut allograftを追加する"strut allograft-augmented

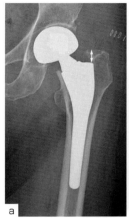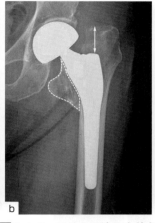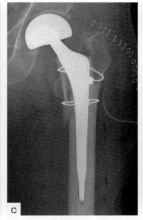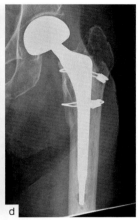

図 9-1-2　ステムの沈下を伴う Type AL 骨折（91 歳，女性）
a. 受傷前．大腿骨頚部骨折に対するセメントレス人工骨頭置換後
b. 受傷後．初回手術後 1 週間で内側 calcar 骨折の転位とステム沈下を認める．
c. 術後．内側 calcar 骨片のワイヤリングを併用してセメントステムにて再置換を行った．
d. 術後 5 年．良好な骨癒合が得られ，ステムの緩みもない．

（済生会金沢病院　西村立也先生　症例）

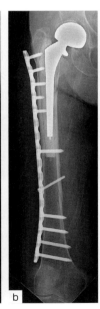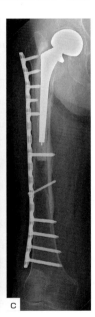

図 9-1-3　Type B1 骨折（86 歳，女性）
a. 受傷時．大腿骨近位から骨幹部にかけての長い螺旋骨折
b. 術後．MIPO 法でプレート固定を行った．
c. 術後 6 ヵ月．良好な骨癒合が得られた．

plate fixation" の二つの治療法が行われている．ただ，わが国では strut allograft の入手が容易でないことが問題である．プレート固定の際のプレートの長さは，近位骨片の固定力を上げ，ストレスの集中を避けるためできるだけ長いものを使用する．B1 骨折型の中でもステム先端部分での"横骨折"ないし"単斜骨折"では，プレート単独での固定は骨癒合が得にくく，再置換を推奨する報告も少なくない（**図 9-1-4**）．B1 骨折型の問題点として，B2 骨折型を B1 として診断してしまう場合があり，術前の詳細な検討，術中のステム安定性の評価が必要で，内固定以外に再置換の準備もしておくことが必要である．

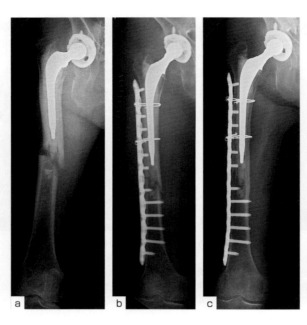

図 9-1-4 Type B1 骨折
（76 歳，女性）
a. 受傷時．ステム遠位での横骨折
b. 術後．MIPO 法でプレート固定を行った．
c. 術後 4 年．骨癒合は良好でインプラントの緩みも認めない．

c) Vancouver Type B2

　ステムの不安定性を伴う骨折であり，ロングステムでの再置換が原則である．その際，骨折部をロングステムにより少なくとも骨折部より大腿骨横径約 2 つ分の距離をバイパスする必要がある．再置換術の方法としては，extensively porous coated stem, uncemented tapered fluted porous stem (Wagner type)，distally locked stem，セメントステムもしくは内固定の併用などさまざまな方法が報告されており，どの方法が最も優れるかについて明確なコンセンサスは得られていない．セメントレスロングステムは，初期固定性の確保のために健常な大腿骨髄腔峡部が必要で，術後早期のステム沈下の危険があることが問題である一方，セメントロングステムは初期固定が良好であるが，骨折部からのセメントの漏出は骨癒合を阻害する可能性があるため骨折部の解剖学的な整復が必要である．表面が polish 加工された taper slip 型セメントステムにおける Type B2 骨折は特徴的な骨折様式をとり，"螺旋"ないし"斜骨折"が多く，セメントマントルは破損するが，骨／セメント間の固定性は維持される．その場合，ステム遠位部のセメントマントルによる支持性がある程度維持された場合には，スタンダードステムによる，cement-in-cement 法での再建が可能である（図 9-1-5）．しかし遠位マントルによるステム支持性が乏しい場合では，骨折部をバイパスするロングステムによる再置換が必要である（図 9-1-6）．

d) Vancouver Type B3

　ステムの不安定性と osteolysis や骨脆弱性あるいは粉砕骨折による骨欠損などを伴うステム周囲骨折である．ロングステムによる再建が必要で，ときに腫瘍用インプラントや allograft-prosthesis composite なども選択肢となる．また患者の受傷前の活動性も再建法を検討するうえで重要な要素である．活動性が高い症例では，impaction bone grafting などによる骨再建を併用したセメントロングステムによる再建が行われる（図 9-1-7）．

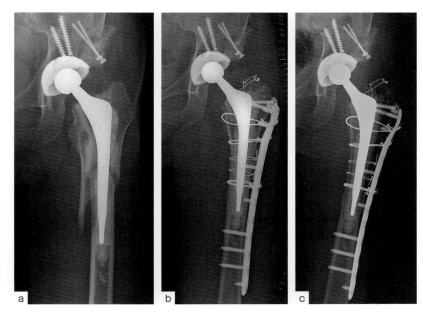

図 9-1-5　Type B2 骨折（55 歳，男性）
a. 受傷時．taper slip 型セメントステムによる THA 術後 1 年で階段から転落し受傷
b. 術後．ステム遠位に支持性があるため，ロッキングプレートによる骨接合とスタンダードステムを cement-in-cement 固定し再建した．
c. 術後 3 年．骨癒合は良好でインプラントの緩みも認めない．

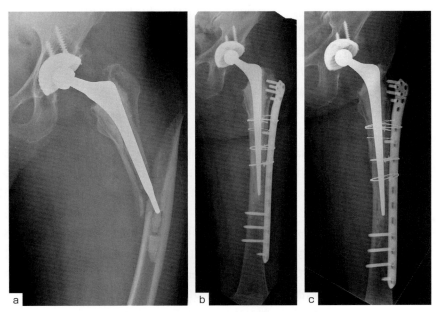

図 9-1-6　Type B2 骨折（79 歳，女性）
a. 受傷時．taper slip 型セメントステムによる THA 術後 1 年半で転倒し受傷
b. 術後．ロッキングプレートによる骨接合とセメントロングステムによる再置換を行った．
c. 術後 3 年．骨癒合は良好でインプラントの緩みは認めない．

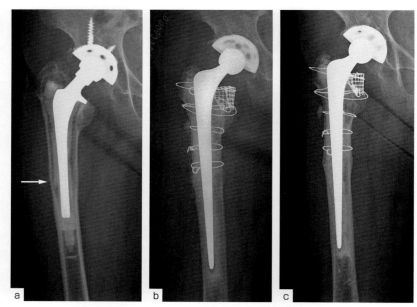

図 9-1-7　Type B3 骨折（87 歳，女性）
a. 受傷時．ステムの緩みと大腿骨骨溶解を認め，大腿骨外側に骨折を認める（矢印）．
b. 術後．extended trochanteric osteotomy によるステム抜去ののち，同種骨を用いた impaction bone grafting とセメントロングステムによる再置換を行った．
c. 術後 1 年半．骨癒合は良好でインプラントの緩みも認めない．

　　一方，高齢で活動性の低い例では，遠位横止め型のセメントレスロングステムによる再建が有用である．近位の骨片はステムにワイヤリングやメッシュを用いて再固定する．本法は長期的には応力遮蔽 stress shielding やスクリューないしステムの折損などが危惧されるものの，ステム周囲骨折例において高い癒合率が報告されており，術直後から全荷重歩行が可能である（図 9-1-8）．

e）Vancouver Type C

　　ステムから離れた部位での骨折で，多くの場合大腿骨の顆上骨折として発生する．治療の原則は一般的な骨接合に準じ，ロッキングプレートによる良好な成績が報告されている．注意点としては，プレート長はストレス集中によるインプラント間骨折を避けるため，近位のステム部分に十分に重なる長さが必要である（図 9-1-9）．

3）予　後

　　大腿骨ステム周囲骨折の 1 年後の死亡率は約 11％におよぶとされ，大腿骨近位部骨折に匹敵する．また機能予後は，半数以上の症例において術後に ADL の悪化をきたすとされている．最近の systematic review では，高齢者大腿骨近位部骨折と同様に人工関節周囲骨折も早期手術のほうが，術後 30 日までの死亡率が少なく，周術期合併症，入院期間，輸血リスク，再手術が少ないと報告されている．

1 股関節　217

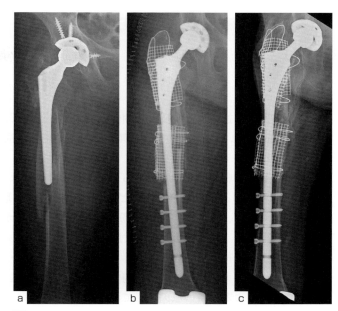

図 9-1-8　セメントレス THA の骨溶解を伴う粉砕した Type B3 骨折（75 歳，女性．関節リウマチ．両股関節，両膝人工関節置換術の既往あり）
 a. 受傷時
 b. 術後．遠位横止め型セメントレスロングステムと骨欠損は同種骨移植および金属メッシュを用いて再建した．術直後から全荷重を許可し，1 ヵ月で受傷前 ADL を獲得した．
 c. 術後 4 年半．骨癒合は良好でインプラントの緩みも認めない．

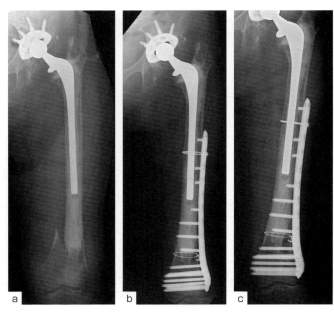

図 9-1-9　Type C 骨折（76 歳，女性）
 a. 受傷時
 b. 術後．ロッキングプレートとケーブルにより固定した．
 c. 術後 1 年半．良好な骨癒合が得られている．

2 膝関節

a 概要

　　人工膝関節置換術後の膝関節周囲骨折は大腿骨遠位部に発生し，その頻度は0.5～2.5％と報告されているが近年増加傾向にある．脛骨近位部および膝蓋骨に発生することは少ない．

　　骨折の原因は転倒が大半を占めるが，増加の背景には手術件数の増加，骨粗鬆症，関節リウマチによる骨量の低下などがある．以前は大腿骨顆部前面の過度の骨切り（anterior notch），UHMWPE摩耗粉による骨融解などが危険因子とされていたが，手術技術の進歩，人工関節材質の改良などによりこれらの因子の関与は減少した．一方，術後長期予後の著しい改善に伴う人工関節コンポーネントによる応力遮蔽 stress shielding による大腿骨遠位部の限局性骨萎縮は術後経過年数が長くなるほど進行し，軽微な外傷による骨折の原因として注目されている．stress shielding による限局性骨萎縮は大腿骨遠位部に生じ，脛骨近位部に生じることは少ないことが，骨折が大腿骨遠位部に好発する原因と考えられる．

b 大腿骨遠位部骨萎縮部位と骨折の発生

　　van Lenthe は有限要素モデルを用いて人工膝関節置換術後の大腿骨遠位部の骨萎縮発生パターンをセメント固定群，非固定群に分け術後25年まで推定した．それによると骨密度の低下は術後早期から出現し経時的に進行する．大腿骨最遠位部で最も著明である．この傾向はセメント使用群により著しい（図9-2-1）．

　　富谷らは人工膝関節置換術後の単純X線写真側面像をコンピュータに取り込み，画

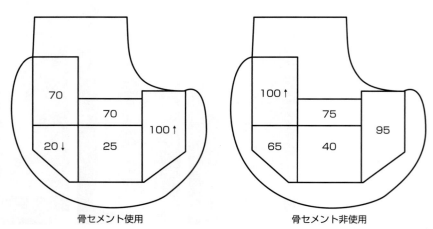

図9-2-1　人工膝関節置換術後の大腿骨遠位部骨密度の低下（術後10年）
Lentheの有限要素法を用いた人工膝関節置換術後の大腿骨遠位部の経時的骨密度の低下推定値のdataに基づき作成した．
数字は術前骨密度（100％）との比較値（％）

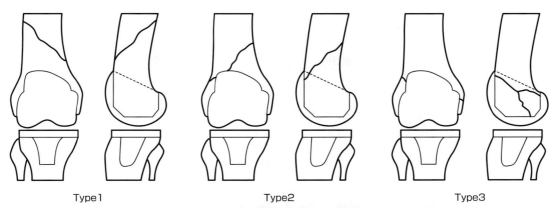

図 9-2-2　Su の人工膝関節置換術後の大腿骨遠位部骨折分類

像解析ソフトを用いて術後の経時的骨萎縮の変化を計測し，3つのパターンに分類した．その結果，人工膝関節置換術後の大腿骨遠位部骨折は stress shielding による骨萎縮部に一致して発生し，術後長期成績良好例が増加するに従って stress shielding による限局性骨萎縮が進行し，軽微な外傷による骨折例が増加する可能性を報告している．

c 大腿骨遠位部骨折

1) 分　類

Su らは大腿骨コンポーネントの前後フランジの上縁を結ぶ線を基準に，この基準線より中枢側に骨折線があるものを Type 1，骨折線の一部が基準線と交差するものを Type 2，骨折線が基準線より末梢側にあるものを Type 3 に分類した（図 9-2-2）．この分類法は治療法を決定するうえで有用である．

2) 治　療

基本的にまず保存療法の可能性を検討する．転位のない亀裂骨折は保存療法の適応で外固定を行う．また Type 3 で粉砕状の骨折は，牽引により可及的に下肢軸を整復し，整復が得られたら外固定を行う．しかし最近は転位にかかわらず手術的に内固定を行い早期関節運動訓練を行う方法が増加している．Su 分類の Type 1，2 骨折はロッキングプレート固定，侵襲の少ない逆行性髄内釘固定が適応され，髄内釘固定を選択することが多く，その良好な治療成績の報告が増えている（図 9-2-3）．一方，大腿骨コンポーネントの顆間間隔が狭いものやボックス型（PS 型）のものには髄内釘やスクリューの刺入部位が限定されたり，時には不可能なこともある．また骨折部で後方突の変形を残しやすいことなど注意が必要である．

Type 3 骨折は，高度の骨萎縮のため粉砕状になることが多いが，ロッキングプレート（LCP）の出現により，良好な固定性が得られる可能性が多くなった（図 9-2-4）．通常 LCP は外側から固定するが，十分な固定性が得られない場合は内側からも固定する．骨移植が必要となることもある．大腿骨コンポーネントの緩みが生じている場合はロングステム型人工関節（長柄プロステーシス）による再置換術が必要となる．

いずれの場合も，下肢軸と関節面の解剖学的関係を正しく維持することが重要である．

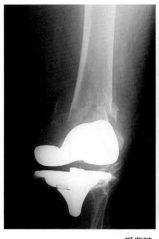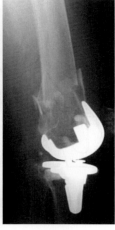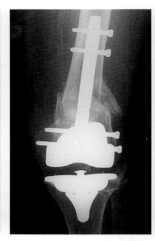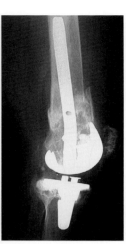

受傷時　　　　　　　　　　　　術後3ヵ月

図9-2-3　人工関節周囲骨折に対するIMSC nailによる固定

仮骨形成を伴って順調に骨癒合する．大腿骨コンポーネントのボックス部が閉鎖している人工関節が使用されていることも多く，最近では挿入不能例が増加している．本例では後方突の変形が残存している．

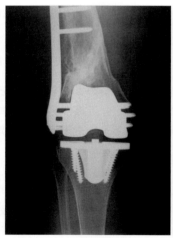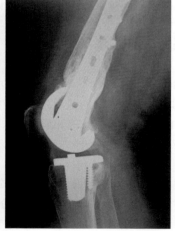

図9-2-4　Type 2骨折に対するインターロッキングプレートシステムによる固定

骨折部で後方凸変形が残存しているが可動域は術前と変わりなく，関節の安定性も良好である．

d 脛骨近位部骨折

1）分　類（図9-2-5）

3型に分類される．Type 1は骨折線が脛骨顆部内にとどまり，脛骨コンポーネントの裏面に及ぶもの，Type 2は骨折線は脛骨顆部から骨幹端にありステムに及ぶもの，Type 3は骨折線が骨幹部にあり直接脛骨コンポーネントには及ばないものである．またそれぞれは脛骨コンポーネントが安定しているもの，安定していないものに分ける．Type 4は脛骨粗面のみの骨折である．

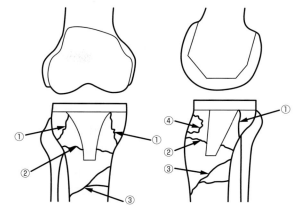

図 9-2-5 人工膝関節置換術後の脛骨近位部（骨幹端部）骨折分類（Stuart-Hanssen）
① Type 1，② Type 2，③ Type 3，④ Type 4（三木堯明より引用）

図 9-2-6 人工膝関節置換術後の膝蓋骨骨折分類

2）治　療

骨折 Type にかかわらず転位が少なく骨軸が保たれているものは外固定による保存療法が適応される．また転位があっても脛骨コンポーネントが安定しているものは，整復し LPC による内固定が適応となる．脛骨コンポーネントが不安定なものは多くが再置換の適応となる．

e 膝蓋骨骨折

1）分　類（図 9-2-6）

人工膝関節置換術の際に膝蓋骨が置換されていない Type 1，膝蓋骨が置換されている Type 2，さらに膝関節伸展機構損傷を合併している Type 3 に分類する．さらに Type 2 は自家膝蓋骨が膝蓋骨コンポーネントに安定しているもの，不安定なものに分ける．膝蓋骨非置換例では骨折の発生はきわめて少ない．

2）治　療

膝蓋骨が置換されていない場合，または Type 2 で安定しているものは通常の膝蓋骨骨折の治療に準じる．手術的に鋼線を用いて固定すると，術後は装具固定で十分で比較的早期から関節運動訓練を開始することができる．Type 3 の場合は整復固定が可能であれば鋼線で締結し，不可能な場合はプロステーシスを摘出し，残存する膝蓋骨を鋼線で締結する．それが不可能な場合は膝蓋骨を摘出せざるを得ない．

3 肩関節

a 概　要

　高齢化社会を迎えて，関節の変形・痛みのために人工関節全置換術の症例が年々増加している．これに伴い，人工関節の周囲で骨折を起こす症例も急増傾向にある．上肢の人工関節全置換術の症例数は，下肢のそれに比較して桁が違うほど少ないので，人工関節周囲骨折も下肢に比べると上肢では非常に少ない．人工肩関節，人工骨頭，人工肘関節の置換術後に転倒して人工関節周囲骨折を生じる場合には，ほとんどが上腕骨に生じる（図9-3-1）．特殊な例としては，リバース型人工肩関節全置換術後に，非生理学的な力が脆弱化した肩甲骨に加わり肩峰骨折や肩甲棘骨折などの肩甲骨骨折が発生することがある（図9-3-2）．

b 上腕骨骨折

1）分　類

　人工肩関節，人工骨頭置換術後の上腕骨骨折にはWright-Cofield分類（図9-3-3）が用いられる．

2）治　療

　高齢者やADLが低下している患者が少なくないので，必ずしも図9-3-3にあるようなアルゴリズムに則った治療が行われるわけではない．また上肢では下肢と異な

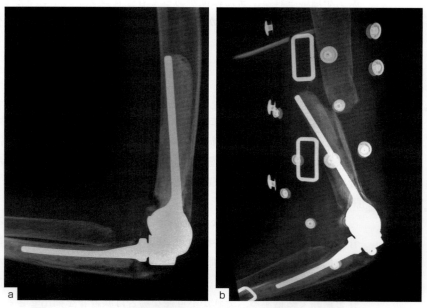

図9-3-1　人工肘関節全置換術後の上腕骨骨幹部骨折例（65歳，女性）
　　a. 受傷前
　　b. 転倒して上腕骨骨幹部骨折を受傷

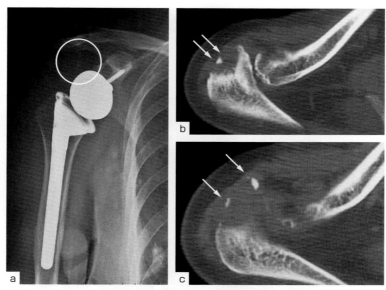

図 9-3-2 リバース型人工肩関節全置換術後 10 週で、洗濯物を干そうとして右肩甲骨肩峰の三角筋裂離骨折を受傷. 保存療法で軽快した例（70歳, 女性）
 a. 単純 X 線写真：右肩甲骨肩峰下部に骨片（○部）を認める.
 b. CT 画像：右肩甲骨肩峰の前外側部の一部に三角筋裂離骨折（矢印）を認める.
 c. CT 画像：右肩甲骨肩峰の前下方に骨片（矢印）を認める.

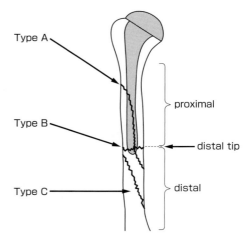

図 9-3-3 人工肩関節全置換術, 人工骨頭置換術後のインプラント周囲骨折に対する Wright-Cofield 分類

Type A：ステム周囲のルースニングがあれば, ロングステムを用いた人工関節再置換術を要する.
Type B：ステム直下の横骨折で保存療法で骨癒合を得るのは難しい.
Type C：ステム周囲のルースニングがなければ骨折に対する治療が主となる.

り，骨量が少ない，装具療法などの保存療法でも比較的 ADL が保たれるなどの理由から，保存治療が行われることも多い．

治療の原則はインプラントに緩みがない場合には骨折の治療を行い，インプラントに緩みがある場合にはインプラントの再置換術も含めた骨折の治療となる．前述したように，上肢では骨量が少なく装具療法などでも比較的 ADL が保たれることなどの理由から，装具療法にテリパラチドや LIPUS（low intensity pulsed ultrasound）などを併用した保存療法が行われることが多い．特に斜骨折は保存療法でも骨癒合が得ら

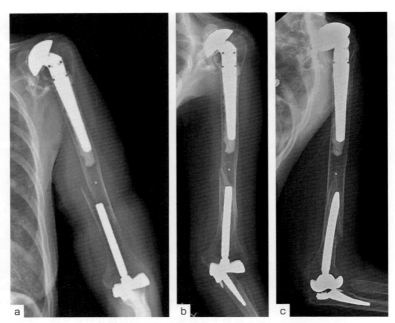

図 9-3-4　関節リウマチ例で人工肩関節・肘関節全置換術後に転倒した上腕骨骨幹部の斜骨折例（66歳，女性）
a. 受傷直後の単純 X 線写真
b, c. 受傷後 6 ヵ月の単純 X 線写真：装具とテリパラチドによる保存療法で骨癒合が得られた．

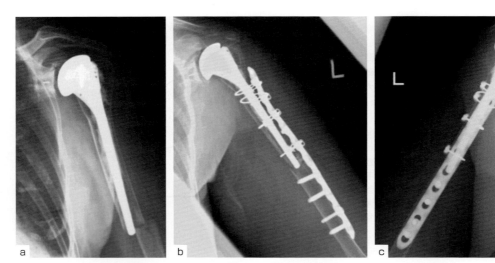

図 9-3-5　関節リウマチ例で人工肩関節全置換術後に転倒して受傷した上腕骨骨幹部の横骨折例（73歳，女性）
a. 受傷直後の単純 X 線写真
b, c. 手術後 5 ヵ月の単純 X 線写真：ステム周囲のルースニングがなかったので，プレート＆ケーブルシステムを用いて骨接合術を行った．

れることがある（図 9-3-4）．インプラント直下に生じた横骨折は，保存療法では骨癒合が得られにくいので，手術療法が選択されることが多い．専用のプレート＆ケーブルシステムがすでにわが国でも使用可能である（図 9-3-5）．

c 肩甲骨骨折

1) 分類

リバース型人工肩関節全置換術後に生じる肩甲骨骨折に対しては，その骨折部位によって分類される（図9-3-6）．骨折の発生率は，報告によってかなりの幅があるが，レビューでは3％前後である．最近多く用いられているオンレイタイプや外側化したリバース型人工肩関節では，その発生頻度が高くなると報告されている．

2) 治療

肩峰の三角筋裂離骨折は保存療法が行われることが多いが（図9-3-2），肩甲棘骨折は骨癒合がしにくくプレートによる観血的整復固定術を行っても偽関節となる例がある．そのため，プレートによる観血的整復固定術と同時にいったん人工骨頭への再置換術を行い，骨癒合を得たら再度リバース型人工肩関節に再々置換をする方法も行われている．

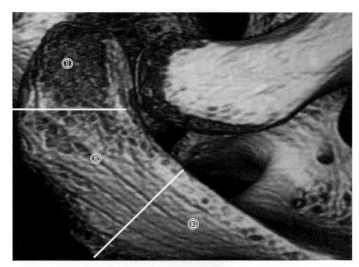

図9-3-6 リバース型人工肩関節全置換術後の肩峰骨折の分類
① : Type 1．前方の三角筋裂離骨折でほとんどが保存療法で軽快する．
② : Type 2．肩鎖関節に変形性関節症がある場合が多く，本来可動性のある同関節が動かないので骨折を生じる．骨接合術を行う場合には，鎖骨遠位端切除も併せて行うことが勧められている．
③ : Type 3．肩甲棘の骨折で骨癒合が得にくく，プレートによる骨接合術が行われる．

4 肘関節

a 概　要

施行症例の増加と患者の高齢化のため，人工肘関節においても人工関節周囲骨折の問題が増加傾向にある．ステムの長い半拘束型器種ではインプラント周囲骨折時の対応が困難となるので，初回手術ではできるだけ表面置換型を選択すべきであろう．

b 上腕骨遠位部，尺骨近位部骨折

1) 分　類

人工肘関節の周囲骨折の分類にはSanchez-Sotelo-Morrey分類（Mayo分類）（図9-4-1）が用いられる．

2) 治　療

わが国では初回手術には表面置換型（非拘束型）の器種が用いられることが多い．Sanchez-Soteloらの分類（図9-4-1）は，半拘束型器種を対象としているが，表面置換型にも同様に用いることができる．H-Ⅰ，H-Ⅱ1，U-Ⅰ，U-Ⅱ1は保存療法が可能である．転位が大きい場合には骨接合術を検討する．H-Ⅲ，U-Ⅲでは骨接合術を行う．プレートとワイヤリングを用いた手法が基本となる．ステムの短い表面置換型器種では，ステムの長い半拘束型器種に入れ替えることで，ステムを髄内釘とすることができる．H-Ⅱ2，3，U-Ⅱ2，3でもステムの短い表面型器種では，ステムの長い半拘束型器種に入れ替えることで比較的容易に対応できる．ステムの長い半拘束型器種では対応が困難である．Mayoグループは同種移植を用いた方法を推奨しているが，同種骨が容易に入手できないわが国では，骨移植，セメント固定，プレートとワイヤリングを用いた複合的な手法にせざるを得ないであろう．Kawanoらは上腕骨骨折例において，近位からの髄内釘と遠位からの人工関節のステムをドッキングさせる方法を報告している．いずれにしても定型的な対応が難しく専門医のもとで治療は行われるべきであろう．

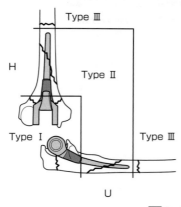

fracture type		description
humeral fracture	H-Ⅰ	fracture of the columns or condyles
	H-Ⅱ	fracture around the stem
	H-Ⅱ1	implant well fixed
	H-Ⅱ2	implant loose with acceptable bone stock
	H-Ⅱ3	implant loose with severe bone loss
	H-Ⅲ	fracture proximal to the stem
ulnar fracture	U-Ⅰ	fracture of the olecranon
	U-Ⅱ	fracture around the stem
	U-Ⅱ1	implant well fixed
	U-Ⅱ2	implant loose with acceptable bone stock
	U-Ⅱ3	implant loose with severe bone loss
	U-Ⅲ	fracture proximal to the stem

図9-4-1　人工肘関節置換術後周囲骨折 Mayo 分類
（O'Driscoll SW, et al：Periprosthetic fractures about the elbow. Orthop Clin North Am 30：319-325, 1999）

5 足 関 節

a 概　要

　　末期変形性足関節症に対する治療法のひとつとして人工足関節置換術が行われる．わが国では 1975 年に開発されたインプラントによる臨床応用を皮切りに，器種の改良を重ね今日に至る．しかしながら単位面積あたりの荷重が大きく，外傷に遭遇する可能性が高い足関節では人工股関節や人工膝関節に比較して術後成績が劣るとされてきた．またわが国では使用できる人工足関節インプラント器種が限定されており，普及が遅れていた．近年に入りインプラントや手術器械の改良により適応とされる症例が徐々に増加している．人工足関節置換術における最も重大な合併症はインプラントの緩みや沈み込みであるが，内果骨折も合併症のひとつである．

　　わが国における変形性足関節症では，正座などに代表される特有の生活様式により内反型変形性足関節症が多い．手術は足関節前方進入路が用いられる器種によっては脛骨遠位を階段状に骨切りするデザインのものもあり，骨切り部が内果に近くなることがある．内反変形が強い症例では，足関節内側の展開と剥離を十分に行い荷重軸に垂直にインプラントを設置するが，高度変形症例では設置に難渋する．また，高齢女性では骨粗鬆により，骨強度が低下しているためにインプラント挿入時に内果骨折をきたすことや，術後経過中に内果の疲労骨折をきたすことがある．特にインプラントの設置が内反位になると，内果に応力が集中し骨折をきたす可能性が高まる．

b 足関節内果骨折

1）治　療

　　手術中に生じた内果骨折の場合には，中空ねじを用いて骨片を固定する（図 9-5-1）．良好な骨癒合が期待できるため，整復は設置した脛骨コンポーネントのアライメントを障害しないよう注意する．術後経過中に生じた場合（図 9-5-2）には，脛骨コンポーネントのアライメントに異常がなければ約 3 週間のギプス固定を行うことにより良好な骨癒合が得られる．内果に集中していた負荷が分散するため，かえって疼痛などの症状が軽減することもある．脛骨コンポーネントの内反変形が進行するなど，深刻なアライメント異常が生じた場合には，再手術を行いインプラントの再設置を行う．骨折部に関してはインプラントの設置を終えた後にスクリュー固定を行う．

228　総論　第9章　人工関節置換術後の関節周囲骨折

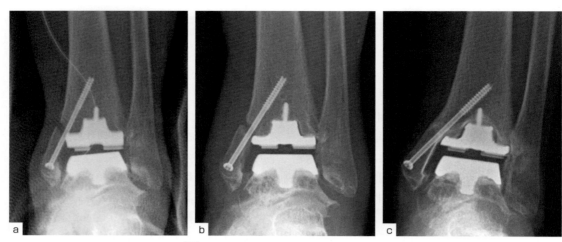

図9-5-1　術中骨折症例（76歳，女性）
a. 人工足関節置換術中に内果骨折をきたし，中空海綿骨ねじにて固定．b. 術後2ヵ月で仮骨は形成しつつある．
c. 術後2年6ヵ月を経過し，良好な骨癒合が得られている．

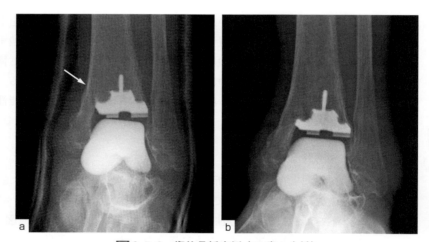

図9-5-2　術後骨折症例（81歳，女性）
a. 人工距骨を併用した人工足関節置換術後1ヵ月を経過し，内果に骨折をきたした（↑）．
b. 術後4年を経過し，良好な骨癒合が得られている．

参考文献

1. 股関節
    1) Canbora K et al：Management of Vancouver type B2 and B3 femoral periprosthetic fractures using an uncemented extensively porous-coated long femoral stem prosthesis. Eur J Orthop Surg Traumatol **23**：545-552, 2013.
    2) Baba T et al：New classification focusing on implant designs useful for setting therapeutic strategy for periprosthetic femoral fractures. Int Orthop **39**：1-5, 2015.
    3) Bhattacharyya T et al：Mortality after periprosthetic fracture of the femur. J Bone Joint Surg **89-A**：2658-2662, 2007.

4) Chakravarthy J et al：Locking plate osteosynthesis for Vancouver Type B1 and Type C periprosthetic fractures of femur：a report on 12 patients. Injury **38**：725-733, 2007.

5) Cross MB et al：Managing femoral bone loss in revision total hip replacement：fluted tapered modular stems. Bone Joint J **95-B**（11 Suppl A）：95-97, 2013.

6) Dehghan N et al：Surgical fixation of Vancouver type B1 periprosthetic femur fractures：a systematic review. J Orthop Trauma **28**：721-727, 2014.

7) Duncan CP et al：Fractures of the femur after hip replacement. Instr Course Lect **45**：293-304, 1995.

8) Farrow L et al：Does early surgery improve outcomes for periprosthetic fractures of the hip and knee？ A systematic review and meta-analysis. Arch Orthop Trauma Surg **141**：1393-1400, 2021.

9) Fulkerson E et al：Management of periprosthetic femur fractures with a first generation locking plate. Injury **38**：965-972, 2007.

10) Graham SM et al：Locking plate fixation for Vancouver B1 periprosthetic femoral fractures：a critical analysis of 135 cases. J Orthop Sci **18**：426-436, 2013.

11) Grammatopoulos et al：A unique peri-prosthetic fracture pattern in well fixed femoral stems with polished, tapered, collarless design of total hip replacement. Injury **42**：1271-1276, 2011.

12) Haddad FS et al：Periprosthetic femoral fractures around well-fixed implants：use of cortical onlay allografts with or without a plate. J Bone Joint Surg **84-A**：945-950, 2002.

13) Kim Y et al：Treatment of periprosthetic femoral fractures after femoral revision using a long stem. BMC Musculoskelet Disord **10**：113, 2015.

14) Khashan M et al：Superior outcome of strut allograft-augmented plate fixation for the treatment of periprosthetic fractures around a stable femoral stem. Injury **44**：1556-1560, 2013.

15) Masri BA et al：Periprosthetic fractures evaluation and treatment. Clin Orthop Relat Res **420**：80-95, 2004.

16) Mertl P et al：Distal locking stem for revision femoral loosening and peri-prosthetic fractures. Int Orthop **35**：275-282, 2011.

17) Moazen M et al：Periprosthetic femoral fracture-a biomechanical comparison between Vancouver type B1 and B2 fixation methods. J Arthroplasty **29**：495-500, 2014.

18) Moreta J et al：Functional and radiological outcome of periprosthetic femoral fractures after hip arthroplasty. Injury **46**：292-298, 2015.

19) Munro JT et al：Tapered fluted titanium stems in the management of Vancouver B2 and B3 periprosthetic femoral fractures. Clin Orthop Relat Res **472**：590-598, 2014.

20) Mulay S et al：Management of types B2 and B3 femoral periprosthetic fractures by a tapered, fluted, and distally fixed stem. J Arthroplasty **20**：751-756, 2005.

21) Garcia-Cimbrelo E et al：Femoral shaft fractures after cemented total hip arthroplasty. Int Orthop **16**：97-100, 1992.

22) Pavlou G et al：A review of 202 periprosthetic fractures--stem revision and allograft improves outcome for type B fractures. Hip Int **2**：21-29, 2011.

23) Rayan F et al：Periprosthetic femoral fractures in total hip arthroplasty - a review. Hip Int **20**：418-426, 2010.

24) Richards CJ et al：Cement-in-cement femoral revision for the treatment of highly selected Vancouver B2 periprosthetic fractures. J Arthroplasty **26**：335-337, 2011.

25) Ruchholtz S et al：Less invasive polyaxial locking plate fixation in periprosthetic and peri-implant fractures of the femur. a prospective study of 41 patients. Injury **44**：239-248, 2013.

26) 坂越大悟ら：大腿骨ステム周囲骨折に対する治療戦略. ―骨折治療の立場から―. 整形・災害外科 **60**：947-952, 2017.

27) Tsiridis E et al：Impaction femoral allografting and cemented revision for periprosthetic femoral fractures. J Bone Joint Surg **86-B**：1124-1132, 2004.

28) Tsiridis E et al：Dynamic compression plates for Vancouver type B periprosthetic femoral fractures：a 3-year follow-up of 18 cases. Acta Orthop **76**：531-537, 2005.

2. 膝関節

1) Ayers DC：Supracondylar fracture of the distal femur proximal to a total knee replacement. AAOS Instructional Course Lecture **46**：197-203, 1997.

2) Ebraheim NA et al：Periprosthetic Distal Femur Fracture after Total Knee Arthroplasty. A Systematic Review. Orthop Surg **7**：297-305, 2015.

3) 重栖　孝ら：TKA 後大腿骨遠位部骨折に対するロッキング・プレートを用いた治療．整・災外 **51**：1409-1414，2008.

4) 原田　繁：人工関節周囲骨折増加の背景・傾向．関節外科 **32**：11-15，2013.

5) Herrera DA et al：Treatment of acute distal femur fractures above a total knee arthroplasty：systematic review of 415 cases（1981-2006）．Acta Orthopedica **79**：22-27, 2008.

6) Keating EM et al：Patella fracture after post total knee replacements. Clin Orthop Relat Res **416**：93-97, 2003.

7) Kim HJ et al：Successful outcome with minimally invasive plate osteosynthesis for periprosthetic tibial fracture after total knee arthroplasty. Orthop Traumatol Surg Res **103**：263-268, 2017.

8) 栗山新一ら：TKA 後の周辺骨折に対する逆行性髄内釘による治療．整・災外 **54**：1563-1573，2011.

9) Leung KS et al：Interlocking intramedullary nailing for supracondylar and intercondylar fractures of the distal part of the femur. J Bone Joint Surg **73-A**：332-340, 1991.

10) 増井文昭ら：人工膝関節周囲骨折の治療経験．整形外科 **66**：212-215，2015.

11) McGraw P et al：Periprosthetic fractures of the femur after total knee arthroplasty. J Orthop Traumatol **11**：135-141, 2010.

12) 三木堯明：人工膝関節のプロステシス周辺骨折．整形外科 Reference 骨折と外傷（改訂 2 版），p.474-485，金芳堂，2005.

13) Mintzer CM et al：Bone loss in the distal anterior femur after total knee arthroplasty. Clin Orthop Relat Res **260**：135-143, 1990.

14) 宮本　正ら：人工膝関節周囲骨折の治療経験．骨折 **40**：538-541，2018.

15) 宮澤慎一ら：全人工膝関節周囲骨折の治療経験．骨折 **25**：356-360，2003.

16) Morwood MP et al：Outcome of fixation for periprosthetic tibia fractures around and below total knee arthroplasty. Injury **50**：978-982, 2019.

17) 中村卓司ら：人工膝関節周辺解析．MB Orthop **16**：67-72，2003.

18) 野村博紀ら：人工膝関節全置換後大腿骨顆上骨折の治療経験．整形外科 **64**：17-21，2013.

19) 越智宏徳ら：人工膝関節全置換後の大腿骨骨折における治療経験．骨折 **35**：399-402，2013.

20) 奥村　剛ら：人工膝関節全置換術後大腿骨遠位部骨折の治療成績─萎縮性偽関節予防のために─．骨折 **37**：775-779，2015.

21) Ortiguera CJ et al：Patellar fracture after total knee arthroplasty. J Bone Joint Surg **84-A**：532-540, 2002.

22) Ritter MA et al：Anterior femoral notching and ipsilateral supracondylar femur fracture in total knee arthroplasty. J Arthroplasty **3**：185-187, 1988.

23) 笹重善朗ら：膝関節周囲骨折治療．整形外科 **65**：857-866，2014.

24) Su ET et al：A proposed classification of supracondylar femur fractures above total knee arthroplasties. J Arthroplasty **21**：405-408, 2006.

25) 高原康弘ら：人工膝関節置換術後の大腿骨顆上骨折．関節外科 **18**：1064-1071，1999.

26) 富谷真人ら：人工膝関節置換術後の大腿骨顆上骨折 ─骨萎縮分布解析の試み─．東日本整災会誌 **10**：108-111，1998.

27) 富谷真人ら：人工膝関節置換術後の Stress Shielding による骨萎縮と大腿骨遠位部骨折の発生の相関について．日本人工関節学会誌 **31**：187-188，2001.

28) 内野正隆ら：人工膝関節周囲骨折の治療戦略．整・災外 **60**：795-800，2017.

29) van Legthe GH et al：Stress shielding after total knee replacement may cause bone resorption in the distal femur. J Bone Joint Surg **79-B**：117-122, 1997.

3. 肩関節

1) Crosby LA et al：Scapula fractures after reverse total shoulder arthroplasty：classification and treatment. Clin Orthop Relat Res **469**：2544-2549, 2011.
2) Johansson JE et al：Fracture of the ipsilateral femur in patients wih total hip replacement. J Bone Joint Surg **63-A**：1435-1442, 1981.
3) Kawano Y et al：The "docking" method for periprosthetic humeral fracture after total elbow arthroplasty：A case report. J Bone Joint Surg **92-A**：1988-1991, 2010.
4) King JJ et al：How common are acromial and scapular spine fractures after reverseshoulder arthroplasty？：A systematic review. J Bone Joint Surg **101-B**：627-634, 2019.
5) Sanchez-Sotelo J et al：Periprosthetic humeral fractures after total elbow arthroplasty：treatment with implant revision and strut allograft augmentation. J Bone Joint Surg **84-A**：1642-1650, 2002.
6) Wright TW et al：Humeral fractures after shoulder arthroplasty. J Bone Joint Surg **77-A**：1340-1346, 1995.

4. 肘関節

1) Foruria AM et al：The surgical treatment of periprosthetic elbow fractures around the ulnar stem following semiconstrained total elbow arthroplasty. J Bone Joint Surg **93-A**：1399-1407, 2002.
2) 池上博泰：人工肘関節周囲骨折の診断と治療. 関節外科 **32**：875-880, 2013.
3) Kawano Y et al：The "docking" method for periprosthetic humeral fracture after total elbow arthroplasty：a case report. J Bone Joint Surg **92-A**：1988-1991, 2010.
4) O'Driscoll SW et al：Periprosthetic fractures about the elbow. Orthop Clin North Am **30**：319-325, 1999.
5) Sanchez-Sotelo J et al：Periprosthetic humeral fractures after total elbow arthroplasty：treatment with implant revision and strut allograft augmentation. J Bone Joint Surg **84-A**：1642-1650, 2002.

第10章

骨折の治療原則

1 骨折治療史概説

　紀元前 2800 年頃のエジプト古代文明時代のパピルスに書かれた医療記録が解読された．発掘された同時代のミイラには，皮下骨折の治療に椰子や竹の副木や椰子の葉の繊維で作った包帯が当てられていた．Hippocrates が現れたギリシャ時代には積極的に徒手整復が試みられ，巻包帯 roller bandage が導入され，強度確保の目的で豚油や蝋が包帯に塗られていた．骨折や脱臼の徒手整復を容易にするための器具も考案され，骨折が治癒するまでの予想期間も記載されている．

　一方，わが国では，984 年に丹波康頼が撰した「医心方」の 18 巻（外傷篇）に骨折・脱臼の保存療法の記載がある．竹簡をほどいて患部に巻いて結わえる応急処置など，当時わが国で行われていた骨折・脱臼に関する中国伝来の保存療法が記録されている．ムギ粉に酢を入れて練り合わせた湿布や生地黄の塗布も用いられていた．

　骨折に硬膏 plaster を用いる治療法は 9 世紀頃栄えたアラビア文明の聖医といわれた Avicenna の著書「القانون في الطب（医学典範）」に，貝殻の粉（酸化カルシウム）に卵白を混ぜた溶液を亜麻布に塗り付けて骨折固定に用いたとの記載がある．クリミア戦争当時，ロシアの Pirogoff は包帯を巻いた上からギプス泥を塗りその上からもう一度包帯を巻く，時には何重にも巻く固定法を考え開放骨折にも応用した．巻き上げるのに時間がかかり，しかも重いという欠点があった．1852 年オランダ軍医 Mathijsen は，焼石膏の粉をあらかじめ木綿地の包帯によくすり込ませ，水に浸けて骨折部に巻くと，よく四肢の形態に適合し，従来の固定材料よりもより軽量で乾燥も早いという画期的なギプス包帯作製法を報告した．以後このギプス包帯による固定法が骨折治療の主流となった．

　筋肉や骨格など人体の機能解剖を熟知しない限り，骨折の保存療法は勿論のこと，良好な手術療法の成績は得られない．ギリシャやローマの時代に神秘的非合理的な呪詛から解放された外傷治療学は，16 世紀以後の身体構造の科学的解明によって飛躍的な躍進を遂げた．その意味で，Vesalius の解剖学書刊行（1543）は医学界の科学ルネッサンスの引き金となったといえる．

　同じ年，種子島に渡来した南蛮人（1543）との交流開始はわが国の外科治療にも大きな変革をもたらす契機となった．1557 年にはポルトガル人医師 Almeida が豊後国府内（大分）に病院を開設し，わが国最初の西洋式外科手術を施行している．

　江戸時代は"鎖国"の時代といわれるが，長崎出島にやってくるオランダ商館長や

234　総論　第10章　骨折の治療原則

 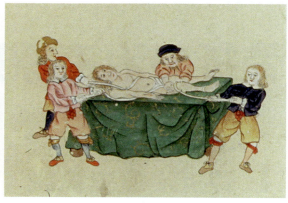

a　　　　　　　　　　　　　　　　　　　b
図10-1-1　大腿骨骨折の徒手整復図（長崎大学附属図書館医学分館所蔵）
a. Scultetus 著「Armamentarium Chirurgicum」の原図（1693年）
b. Paré の「外科技術全書」の訳本と伝えられている「紅夷外科宗伝」の図（1706年）．
「紅夷外科宗伝」の著書は原典が Paré の「外科技術全書」とされていたが誤りであり，Scultetus の外科書の引用図が40％もあることを整形外科医　蒲原　宏が1990年にはじめて明らかにした．

　商館付き医師により西洋の最新医学情報や医療技術が頻繁に伝えられている．例えば，商館長 Wagenaar の日誌には『1656年2月16日，義手や義足の使用法や Vesalius 解剖学書を用いての解剖講義を行った』と記載されており，Paré の「外科技術全書」も輸入された（1627年版が平戸市の松浦史料博物館に保存されている）．
　オランダ通詞楢林鎮山の著した「紅夷外科宗伝」（1706）はこの Paré の「外科技術全書」の抄訳であるというのが日本医学界の定説であった．しかし1990年に整形外科医　蒲原　宏は「紅夷外科宗伝」の挿図はわずか30.2％のみが Paré の原図であり，40.0％は Scultetus 著「Armamentarium Chirurgicum」（1693）からの引用図であることを明らかにしている（図10-1-1）．西洋医学の導入には，楢林鎮山，医師 Kämpfer に語学指導の特訓を受けた今村源右衛門など学究的オランダ通詞の働きは大きく，さらに，8代将軍徳川吉宗が指示した洋書解禁（1720）などが蘭学勃興の契機となった．
　19世紀後半から20世紀にかけて，Semmelweis や Lister の制腐処置や無菌手術法，Pasteur や北里柴三郎による起炎菌の発見，単純X線写真による診断，20世紀に入っての医療器械の開発や画像診断の進歩，多数の先人整形外科医の創意工夫などで骨折の治療法は目覚ましい発展を遂げた（文献1），111），161）参照）．特に Böhler の椎体圧迫骨折整復・固定法，Küntscher の閉鎖性髄内固定法，Sarmiento の機能的装具療法，玉井　進の顕微鏡下での微小血管縫合による切断肢再接着の成功（1965），創外固定法の導入は，骨折治療学に新たな躍進をもたらしたといえる．
　21世紀に入りわが国では高齢化社会の到来とともに，認知症や骨粗鬆症の高齢者新鮮骨折は年々増加傾向にある．脊椎骨折や大腿骨近位部骨折患者に対する早期離床を含む運動器リハビリテーション，再骨折予防の観点より行われる薬物療法への認識の高まり，多職種によるチーム医療，地域連携などの医療・介護支援体制整備は骨折治療学の前進であるといえる．同時に多発外傷患者の骨折手術のタイミングに関する議論も活発である（DCO）．日本骨折治療学会では2015年より四肢長管骨開放骨折の

登録制度が開始された．骨折治療水準向上への全国規模での取り組みが期待される．

附-1 DCO（damage control orthopaedics）

damage control とは，戦争や格闘技などで被害を受けた際に，その被害を必要最小限にとどめる事後処理を指す．大腿骨骨折などの外傷患者は緊急に骨接合術を行えば早期の機能回復や社会復帰が実現できる．しかし多発外傷 multiple injury では，骨折治療を優先させる初期治療戦略がむしろ多臓器障害などの全身状態悪化を招くとの観点より，DCO が強調されている．

損傷された骨・軟部組織で生じるマクロファージや多形核白血球の活性化で，放出される炎症性サイトカインがほかの損傷重要臓器へ副次的影響をもたらす病態などが徐々に解明されてきたことに基づく．大骨折を伴う多発外傷では直ちに骨接合術を行うよりも，骨折局所は創外固定器などの保存療法で安定化させるにとどめ，まず全身管理を優先させ生理学的恒常性の回復に努力すべきであるとの概念である．骨折治療は 5〜7 日遅れての二期的手術となる（その場合でも術前の CRP 高値，血小板減少，アシドーシス，IL-10 高値には要注意）．

2 新鮮骨折患者の全身管理

重症外傷患者の治療の第一の目的は救命である．開放創に目を奪われることなく，生命の危険性が高い頭部および胸部，腹部臓器の損傷の有無（多発外傷 multiple injury）に注意を払わねばならない．高度の挫滅創のみに気を奪われていると，患者の全身管理がおろそかになる．しかも重症の外傷患者の治療は緊急を要するため，診断や病態把握に許される時間はきわめて短い．受傷時の状況を可能であれば本人に，意識障害がある場合には周囲の人や救急隊員に情報を得ながら，同時に呼吸状態，皮膚の冷感や湿潤の度合い，脈拍，血圧，などの全身状態を観察し対処する．

大量出血が考えられるような開放創や骨盤骨折患者の全身状態は刻々と変化するので，搬入時の血圧が正常でもショックの前段階にある可能性を考え，循環動態のモニタリングを行うとともに尿道カテーテルを留置して時間尿量測定を行う．

全身管理が終わった後に手際よく全身を診察し，次いで局所の診察を行い，疼痛を訴える部位のみならず訴えのない部位も要領よく触診し，看落としや誤診を防ぐようにする．高所よりの転落や交通事故による多発外傷では，脊髄損傷や股関節の脱臼や骨折を見落としやすい．

切断・開放創を伴う骨折や脱臼（挫滅四肢 mangled extremity），圧迫による急性脊髄麻痺などが緊急手術の対象となる（"建築現場からの転落や交通事故で意識がない状態では，患者自身から手術の承諾を得ることができず，しかも家族や親族が遠隔地に住んでいてすぐには駆けつけられない場合，手術を遅らせると生命の危険が生じかねない緊急事態では，医師が手術で患者の生命を救うことは当然の処置であり，法的にも許される緊急避難的行為といえる"と現代外科学大系に述べられている）．

輸血が必要な場合では，輸血する前に宗教上の理由による輸血拒否患者（エホバの

証人)であるか否かを携帯している証明書で,あるいは患者が小児であれば家族に,必ず確認しなければならない(平成 12 年 2 月最高裁判所は,信仰上の理由で輸血拒否の姿勢を貫く患者の自己決定権を認め,説明を怠り同意なく輸血した医師に賠償命令を出している).

附-2 患者の搬送や移動

　事故現場ではまず意識と呼吸を確認し,四肢の変形や動き(ABCDE:Airway, Breathing, Circulation, Disability, 体温管理のための Environmental control)を迅速に評価し,異常であれば即座に対処する.局所の応急処置 RICE は,患部の安静 Rest,氷 Ice での冷却,弾力包帯での適度な圧迫 Compression,患肢挙上 Elevation が求められる.処置を施したあと搬送に移る.脊柱部の疼痛を訴える患者や意識不明の患者では,上肢や下肢の麻痺がなくとも,脊椎の脱臼や骨折を想定して搬送や移動を行う.搬送に際しては頸椎装具の装着を行う.たとえば頸椎や胸椎の骨折が疑われる場合には,まず頸部をカラー装具で固定し,複数人で傷病者を 1 個の物体(patient in one piece)とみなして抱き上げ移動を行う(図 10-2-1).もし頸椎に損傷があると頸部を不用意に屈曲させることにより二次的に頸髄麻痺を引き起こすことがある.人が助けにくるまでは麻痺がなかったが,担がれたとたんに両下肢が動かなくなり脊髄損傷を発生した患者もまれにある.搬送中,生命徴候をモニタリングしながら,患者との対話が可能であれば,事故状況の問診や手足が動かせるか否かなどの情報を把握し,受け入れ病院側との電話対話で指示を仰ぎ,患者引き継ぎ時に簡潔に報告する.

　複数の負傷患者発生現場では,トリアージ triage で搬送の順番が決定される.しかし災害緊急時のトリアージの判定基準では,診断や病態把握は関係なく生命に危機が迫っているか否かで重症か軽症を選別するため,歩行可能なものはすべて緑カードとなりかねないことに注意する.

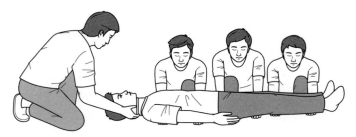

図 10-2-1　外傷患者の搬送や移動
まず頸椎カラーを装着して頸部を安定化させ,次に複数人の協力を得て傷病者を 1 個の物体とみなして移動させる.

3 出血性ショックの処置

　骨折患者が搬送され血圧が低いとき，出血性ショック hemorrhagic shock が最も考えられるが，神経原性ショック neurogenic shock や閉塞性ショック obstructive shock などの非出血性ショックとの鑑別は治療法が違うがゆえに重要である．

　出血性ショックでは頻脈であるが，神経原性ショックは逆に脈拍数が少ない．神経原性ショックは，血管運動神経の緊張破綻による末梢血管拡張が原因で低血圧や徐脈が生じているので循環血液量は失われておらず，急速補液を行うとむしろ肺水腫などの誘因となる．治療はアトロピン硫酸塩やカテコールアミン製剤（ドパミン，ノルアドレナリン）の投与が第一選択である．逆に出血性ショックではカテコールアミン製剤の使用は原則禁忌である．

　頚静脈の怒張があれば，出血性ショックよりも緊張性気胸や心タンポナーデなど閉塞性ショックを念頭に診察を進める．緊張性気胸 tension pneumothorax とは，胸壁損傷で肺が破れ吸気時に胸腔内に空気が流入し，呼気時には流入部分が弁状に閉鎖して，次第に胸腔内圧が上昇し心肺機能障害をきたすもので，治療は補液ではなく胸腔穿刺や持続吸引である．

　出血性ショックによる重症患者が搬送されてきた場合の管理の手順は，次のとおりである．

① **意識，呼吸，脈拍，血圧測定**：まずは意識，呼吸，循環など生命徴候 vital sign を確認する．呼吸数が一分間に 30 以上もしくは 10 以下は呼吸器系の不全であり，爪や唇を圧迫しての毛細血管再還流時間が 2 秒以上は重度の循環器系不全である．気道を確保し酸素吸入を行うことが第一選択であり，呼吸困難やチアノーゼを認めた場合には直ちに気管内挿管で気道確保を行う．同時に呼吸や循環動態評価のために，心電図，自動血圧計，パルスオキシメータ pulse oximeter などのモニターを装着する．

② **静脈路の確保**：急速補液や輸血を考えて，大伏在静脈と肘窩部の静脈 2 ヵ所を選び，可及的に太め（14〜18G）のプラスチックカニューレ型静脈内留置針を挿入し確実に固定する．ショック状態での静脈路の確保は困難をきわめることがある．そのときは，皮膚切開を加えての静脈確保 venous cut-down や経骨髄輸液を躊躇してはならない．

③ **血液検査と血液型の判定**：大量出血には輸血が必要となる．クロスマッチ後輸血の準備を行う．輸血量は血圧などの生命徴候，Hb 値，Hct 値により決定する．なお大量輸血のときには，体温が下がらないように 4℃で保存されている血液製剤を加温器で 37℃ に温めて使用する．日本赤十字社が公表している「輸血用血液製剤取り扱いマニュアル」(2019 年 12 月改訂版) では，血液型が確定前の段階での大量出血に対しては O 型の赤血球使用（全血は不可）を認めている．緊急時の大量出血に対する適合血液の選択に関する重要なマニュアルであり，是非一読されたい．

④ **出血部の観察と止血**：創部から出血を認めたら，とりあえず圧迫止血を行い全身管理を優先する（附-4．救急外来での局所出血の対策を参照）．あわてて鉗子で挟んで止血しようとすると，神経を挟んでしまう恐れがある．四肢の拍動する出血では一時的に止血帯を用い全身状態が落ち着いた後に止血帯を解除し，その時点でもまだ動・静脈の出血が持続しておれば結紮止血もしくは血管縫合を行う．

⑤ **尿道カテーテルの挿入**：尿量測定と尿検査を行う．血尿やミオグロビン尿など尿の肉眼的所見を見落とさないようにする（**図 8-1-2b** 参照）．

輸液や輸血に反応しない場合，あるいはいったん上昇しかけた血圧が再び低下する場合は外傷による持続性出血の可能性が高い．出血源は胸腔，腹腔，骨盤腔であることが少なくなく，全身管理を行いながら超音波検査や CT（CTA）で確認を急ぐ．動脈性出血では経カテーテル動脈塞栓術が最も有効であるが，場合によっては手術による対応が必要となる．

附-3 血・気胸に対する胸腔ドレナージ drainage of the thoracic cavity

胸腔内に血液や空気が貯留し肺が萎み呼吸困難に陥った患者の処置は，中腋窩線上で第 4〜6 肋骨間よりチューブを肺尖に向かって挿入し胸腔ドレナージを行う（**図 10-3-1**）．チューブは 16〜32 fr まであるが気胸では細めのチューブを，血胸では太めのチューブを用い，$-10 \sim -20\ cmH_2O$ の陰圧で持続吸引を行う．動揺胸郭 flail chest による呼吸困難や努力性呼吸に対しては気道を確保し陽圧呼吸を行う．チューブの抜去は，まず 24 時間ほどチューブをクランプし，肺の再虚脱が生じないことを確認した後に行う．胸腔内の出血が最初 1,000 mL 以上あり，その後さらに 2, 3 時間で 200 mL 以上の後出血が持続する場合には開胸術が必要となる．

附-4 救急外来での局所出血の対策

開放創で搬送された場合，すでにタオルや紐で患肢が縛ってあることがある．不完全な止血となっていることが多いので直ちに除去し，血液が噴き出している動脈切断端が確認できればモスキート鉗子で止血し，にじみ出るような静脈性出血は滅菌ガーゼ圧迫

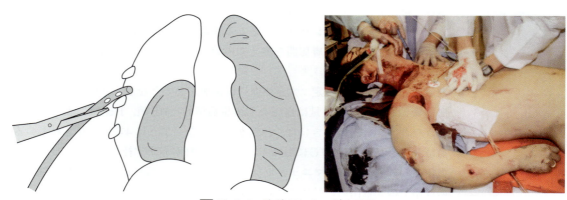

図 10-3-1 胸腔ドレナージの手技
肋間神経，動・静脈の損傷を避けるため，中腋窩線上で第 4〜6 肋骨間の肋骨上縁に沿って胸腔にドレーンを挿入する．

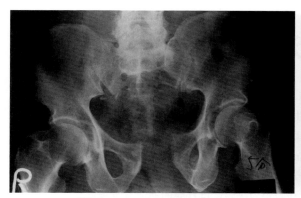
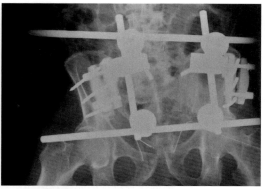

図10-3-2 骨盤骨折に対する創外固定法による骨盤環の安定化と二次損傷の予防

により止血する．動脈出血で損傷血管がすぐには見つからない場合は，止血帯を用いて一次的に止血し，全身状態の回復を待って，改めて創を十分に広げて損傷血管を探し止血処置を行う．ショックの全身管理に気を奪われて，止血帯の使用時間が1時間を過ぎないように注意する．

骨盤骨折による出血は後腹膜腔に貯留するので初期には臨床所見に乏しい．骨盤骨折で動脈損傷が合併していると，十分と思われる輸液や輸血を行ってもなかなか血圧が上昇しない．その場合にはCT血管造影（CTA）で出血部位や側副血行路を確認したあと，経カテーテル動脈塞栓術が行われる．

附-5 脂肪塞栓症候群 fat embolism syndrome の予防と治療

胸部圧迫による蘇生術を受けた骨折患者の剖検では肺に脂肪塞栓がしばしば確認されるが，臨床的に脂肪塞栓症候群が生じることはまれである（症候は表8-1-1参照）．骨折患者の移送や体位変換では，本症候群の発症予防のために不安定な骨折部を固定装具などで固定する．特に不安定な骨盤輪骨折は創外固定器で対応する（図10-3-2）．

受傷直後にKüntscher髄内釘を用いて内固定術を行うと脂肪塞栓を合併しやすいといわれ，KüntscherやPeltierは髄内釘固定術の合併症のひとつに脂肪塞栓症候群をあげている．しかし，Manningら（1983）の動物実験によると，髄内釘固定術で骨折部を早く固定するほうが脂肪塞栓の発生率は低い．Whiteら（2006）のヒツジの多発骨折実験では，脂肪塞栓や凝固系の変化はすでに受傷時に発生しており，骨折直後のリーミングや髄内固定の与える影響は少ないとしている．ただし多発外傷で他の重要臓器損傷が合併している場合には，大腿骨や脛骨の一期的髄内固定術を行う前に全身状態の安定化が優先される（附-1 DCO damage control orthopaedics, p.235参照）．

脂肪塞栓症候群の治療は呼吸管理であるといえる．換気不全に対しては酸素マスクや経鼻カテーテルを用いて吸入酸素の濃度を高め，繰り返し深呼吸を行わせる．呼吸が逼迫しPaO_2が60 mmHg以下の重症例に対しては，気管内挿管を行い5〜10 cmH$_2$O程度の呼気終末陽圧法 positive end-expiratory pressure（PEEP）が有効である．薬物療法としてはステロイド，アプロチニン，低分子デキストランなどが用いられる．高圧酸素療法を行うこともある．

いったん脂肪塞栓症候群が発生した後の骨折の手術の時期は，鶴田によると脳症状や呼吸器症状が回復し，PaO_2が70 mmHg以上，ヘモグロビン値が10 g/dL以上に回復するまで待つべきで，これらの条件が満たされれば脂肪塞栓症候群が再発する危険性はほとんどないという．

4 新鮮皮下骨折の治療

　　皮下骨折の治療目標は，転位した骨折端を整復し，アライメント不良や回旋異常を矯正したあと骨折部を固定し，生体内で起こる骨折治癒過程を妨げることなく骨癒合を獲得することにある．骨折およびその治療過程で失われた運動器機能の迅速な回復も目標である．骨折の固定法 immobilization は保存療法と手術療法に大別でき，両者の長所と短所を十分に理解したうえで選択する．スポーツ選手の疲労骨折などでは手術療法を行うのか保存療法を行うのかの決定には社会的適応も重視される傾向にある．近年，骨折治療法の飛躍的進歩により，日常生活や社会生活へ復帰に要する期間は著しく短縮された．さらに最近，骨癒合を促進させる超音波療法や生物学的製剤など，いくつかの治療法を組み合わせ，骨強度を含めた骨折治癒の期間そのものを短縮させることも可能になりつつある．

A 保存療法

　　骨折や脱臼の治療の基本はあくまでも保存療法である．転位した骨片の整復や整復位を保持するために，包帯，絆創膏，副子，プラスチックキャスト，鋼線牽引，装具などを用いる機会は多く，それぞれの治療法の長所と短所，手技を習熟しておく必要がある．その意味で，Böhler（1929 年初版）の著書 "Die Technik der Knochenbruch-behandlung"，神中正一（1940 年初版）の著書 "神中整形外科学"，Charnley（1950 年初版）の著書 "The closed treatment of common fractures"，Sarmiento（1981 年）の著書 "Closed functional treatment of fractures" は骨折の保存治療の分野に大きく貢献したといえる．詳しくは各論に譲り，ここでは基本的事項を記載する．

a 三角巾固定法 triangular sling，　包帯固定法 bandage，アームスリング arm sling

　　三角巾や包帯は災害現場での応急処置や骨折局所の安静位保持に用いられる（**図 10-4-1**）．上肢の骨折に対して三角巾を用いて損傷部位を安静に保つことは，疼痛と腫脹の軽減に役立つ．三角巾固定法はスイスの Mayor が発案提唱したものを，ドイツの Esmarch が "戦場に於ける第一次包帯法" の中で紹介し，その書を通して明治初期にわが国に導入されたと蒲原は述べている．

　　三角巾固定法は次の要領で行う．
① 三角巾の底辺を身体の前面で体軸に平行に垂らし，三角巾の頂点が肘関節部にくるように胸部と腕の間に挟む．
② 次いで肘関節を屈曲させて，前腕を包むようにして三角巾の両端を項部で結ぶ．
③ その際肘関節は 90° よりやや屈曲させた状態で，上肢を持ち上げ気味に吊り上げる．

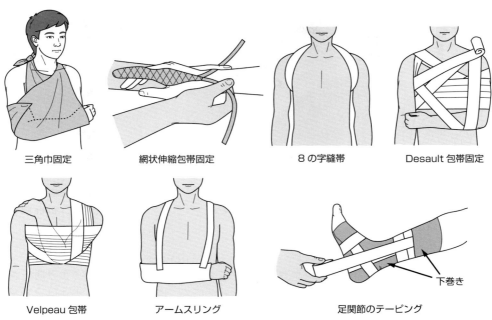

図 10-4-1　三角巾固定法，包帯固定法，アームスリング，テーピング

④ 最後に三角巾の頂点を肘関節を包み込むように結ぶか，前方に回し安全ピンで固定する．

　小児の鎖骨骨折に用いる8の字包帯（figure-of-8 bandage）や，鎖骨骨折に用いる Desault 包帯，肩甲骨骨折や上腕骨近位骨折に用いる Velpeau 包帯は今日でも活用される．包帯法は患部を保護し創部の二次感染の予防にも役立つ．圧迫包帯 pressure bandage や塊状圧迫包帯 bulky dressing は圧挫傷や術後の浮腫予防に活用できる．伸縮性があり網状の包帯（網状伸縮包帯）は，指先や頭部など巻軸帯が抜けやすい部位に用いられる．

　アームスリング arm sling は三角巾固定よりも固定性にすぐれる．上肢の重みを軽減させるため片麻痺患者の麻痺性肩関節亜脱臼の予防に用いられているが，肩鎖関節脱臼，肩関節脱臼整復後の内旋位保持にも利用できる．高齢者では hanging cast で治療中の肩関節の可動域訓練にも役立つ．プラスチックキャストを巻いて治療中の上腕骨骨折を三角巾固定する場合には肢位の観察が特に重要である（図 10-4-2）．キャストの近位部が上腕内側に食い込むと骨折部が外側方向に凸になる外力が作用し変形治癒や遷延治癒の原因となる．

b 絆創膏固定法 adhesive bandage，テーピング taping

　絆創膏包帯による外固定は損傷部位の除痛と固定を目的に用いられる．小児骨折では皮膚を介しての整復位固定に活用されている．指趾骨折では患指を隣接する損傷していない指に絆創膏で巻き付けて固定する方法（buddy taping：隣接指テープ固定）もある．テーピングは伸縮性があり粘着性のよい絆創膏の開発が進んだため，競技ス

図 10-4-2　不適切な三角巾固定

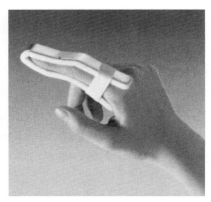
図 10-4-3　アルミ副子固定法

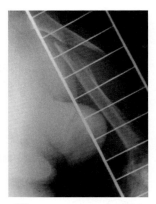
図 10-4-4　Cramer 副子

ポーツのみならずアマチュアスポーツにおける外傷の治療およびその予防，さらには日常生活においても広く一般に利用されている．治療を目的としたテーピングの固定力は本人の活動性に影響されるが，例えば足関節では1週間程度は固定性が期待できる．スポーツ選手の捻挫予防を目的としたテーピングは練習中や試合中にその都度処置をしなおす必要がある．

c 固定用バンド　band (wrap, belt)

固定用バンドは伸縮性のない布地と伸縮性のある布地からなる帯状の医療用固定材料で面ファスナーが取り付けてあるため着脱が容易である．足関節捻挫（靱帯損傷）に用いるアンクルバンド anckle band，鎖骨骨折に用いるクラビクルバンド clavicle band などがある．肋骨骨折に用いるバストバンド bust band は最大呼気時に固定するが強く締めすぎると呼吸抑制が起こり，高齢者では肺炎の危険性が増すとの指摘がある．

d 副子固定法　splintage

副子 splint は患肢を固定し安静を保つため，あるいは患肢の機能的肢位を保持するために用いられる．副子の材質はプラスチック，ガラス繊維，革，軽合金，アルミニウム，鋼線，石膏ギプスなどが用いられ，軽量で簡便な固定手段である．特殊な合成ゴムを主成分とした熱可塑性のある板を必要な大きさと形に裁断し，70℃以上の熱湯に浸けて軟化させ，患部に当てて速やかに形を適合させることもある．

細長いアルミニウム板にポリウレタンフォームを張り付けたアルミ副子（アルフェンス®）は，必要に応じて自在に弯曲させることができ，臨床の現場で手指の外傷や術後の固定に広く活用されている（図 10-4-3）．針金で梯子状に作られた Cramer 副子は救急の現場で自在に曲げ患部に適合させることができる（図 10-4-4）．

事故現場からの患者搬送に際しては，骨折部が動くことによる二次損傷を防止し，患者の苦痛を軽減するために輸送用副子が用いられる．最近は四肢に簡単に適合させやすい軽量なガラス繊維による副子を用いる機会が多い．上腕骨骨幹部骨折の救急処

図 10-4-5　救急車に積載されている除圧式固定副子

置で肩と肘を固定する U 字副子（U slab）などは簡単に作成できる（p. 425 参照）．

　救急車に常備されている陰圧式固定副子（通称マジックギプス）は，ビニール製でパット内に発泡スチロールビーズが入っている．身体の凹凸に合わせてくるんだあと，付属のポンプでパット内の空気を抜くと硬化して四肢が固定できる簡便な副子である（図 10-4-5）．

e　キャスト固定法　plaster cast, plastic cast

　石膏ギプス包帯 Gips, plaster とプラスチックキャスト plastic cast がある．

　焼いた石膏の粉に水を加えると硬化する性質を利用したのが石膏ギプス包帯で，アラビア医学が栄えた 9 世紀頃から用いられ始めた．ドイツ語の "Gips" は石膏を意味する．セメントを意味するギリシャ語の "Gypsos" に由来する．石膏は主として彫刻や建築材料として古くより用いられ，パリのモンマルトルで採掘される石膏が最も品質がよいために，そこで産出された石膏は plaster of Paris と呼ばれた．

　石膏の粉末は半結晶水を有する硫酸カルシウム（$CaSO_4 \cdot 1/2\ H_2O$）で，これを脱脂木綿包帯に付着させたものをギプス包帯 plaster bandage，Gipsbinde と称する．

　Schanz の名言 "Ohne Gips keine Orthopädie"（1928）（ギプス包帯のない整形外科［治療］はない）のとおり，石膏ギプス包帯法は整形外科医にとって骨折の固定による保存療法や手術後固定に欠くことのできない治療手段であり，現在もその包帯法の手技を習熟しておかねばならない．石膏ギプス包帯法で固定する場合は，褥瘡 plaster sore ができやすい骨突出部には下巻きを厚目に巻き（下巻きは吸湿性に優れた素材や逆に撥水性に優れた素材が用いられ，汗や皮脂による臭気の抑制や制菌にも効果的な素材が開発されている），ギプス巻軸を転がすように巻いた後，石膏ギプス包帯の表面を掌でよく擦って下層と密着させ四肢の形態によく合わせる．厚く巻きすぎると重くて患者に不自由さを強いることになる．短所として，ギプス巻軸を水に浸透させた際に石膏が泥状になって流れ出て周囲を汚染させる，重い，電気鋸での包帯除去時に石膏の粉が飛散する，時に皮膚を電気鋸で切傷する（cast saw injury）などがある．しかし，小児大腿骨近位部骨折での骨盤を含めた外固定 spica cast，PTB（patellar tendon bearing）ギプス包帯，コルセットや義足の採型には，現在でも細部の形態に適合させやすい石膏ギプス包帯が用いられる（図 10-4-6）．

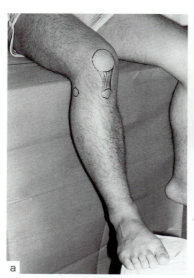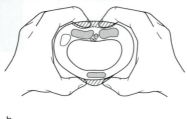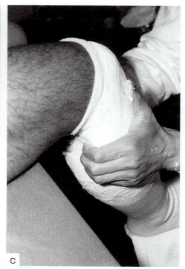

図 10-4-6　PTB 免荷歩行ギプス包帯の近位部の処置
a. PTB 免荷ギプス包帯を巻くときは，患者の膝関節の屈曲角は 60°程度が巻きやすい．
b, c. ギプス包帯が固まる前に母指で膝蓋腱部を前方より，ほかの指は膝窩部を後方より圧迫する．ただし膝窩部の中央には神経血管束，後外側には腓骨神経が走るのでこれらを避けるように両側の腓腹筋頭部を押さえる．

　1970 年頃よりグラスファイバーに熱可塑性あるいは水硬化性の樹脂を塗布した固定包帯（3M スコッチキャスト®）が開発され，日常診療の現場では石膏ギプス包帯に替わってプラスチックキャストとして繁用されている．軽量で，強靱で，薄く巻くと弾力性があり，水にも強く，装着感がよいなどの利点がある．2007 年にはグラスファイバーに替わってポリエステル繊維を基材にした国産のキャストが登場した（キャストライト X®）．グラスファイバーより軽量であるが剛性が高く固定強度は変わらず，X 線透過性がよいのでキャスト装着のままで撮影した単純 X 線写真で正確な解析が可能であり，通気性もよく蒸れが少なく，カットする際に粉塵の飛散が少ないなど多くの利点がある．2010 年には可視光線を照射すると硬化するプラスチックキャストも発売された．
　プラスチックキャスト除去時にカッターの騒音や恐怖心で泣きだす小児が日常診療の悩みであったが，騒音の出ない超音波キャストカッター，鋏で切れる素材，巻き解き可能な素材（3M ソフトキャスト®）などが開発されている．子どもが喜びそうな赤，青などの色の選択ができる．粉塵吸収装置が組み込まれたキャストカッターもある．
　キャストによる外固定は，骨折部の近位と遠位の 2 関節を固定することを原則とする．骨癒合が得られるまで一定期間固定するので，固定を除去した後に関節拘縮や著しい筋萎縮を生じ，長期の後療法が必要となる欠点もある．
　キャストの治療上の注意点は，可能なかぎり機能的肢位で装着させることおよび固定後の骨折再転位予防をすることである．例えば前腕骨の斜骨折ではプラスチック副子で掌側のみを固定し包帯を巻いただけでは背側に骨片転位が起こりやすく，一方円筒状のプラスチックキャストでは腫脹が軽減すると皮膚との間に間隙ができて骨片が再転位しアライメント異常が起こりやすい（図 10-4-7）．橈骨と尺骨がともに折れた

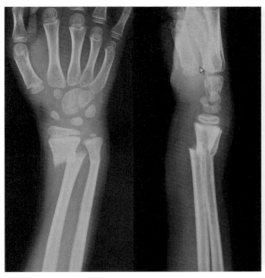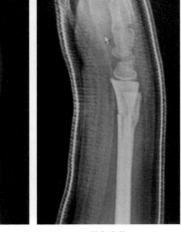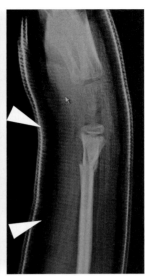

　　受傷時　　　　　　　整復直後　　　　　　2週間後
（側面での角状変形17°）　（側面での角状変形1°）　（側面での角状変形9°）

図 10-4-7　円筒状に巻いたプラスチックキャスト内での再転位（9歳，男子）
骨折部の腫脹の軽減に伴いキャストと皮膚との間隙（矢印）が増大し，骨片の再転位が生じている．
（うちのう整形外科　矢坂治彦先生の症例）

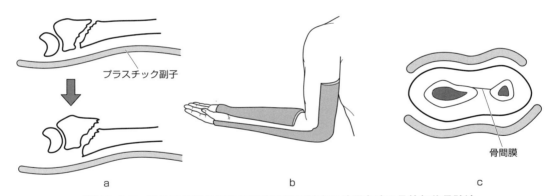

図 10-4-8　橈骨遠位部骨折や骨幹部骨折に対する外固定時の骨片転位予防法
a. 背側や掌側のみをプラスチック副子で固定しただけでは骨片が転位しやすい．
b. 骨折部の背側と掌側より2枚のプラスチック副子で固定するとよい．
c. その際，骨間膜の部分を圧迫し，前腕の2本の骨が近寄らないようにして転位を防止する．

　前腕骨折では，2本の骨が近寄らないように骨間膜部分を圧迫し，長短2枚のプラスチック副子 bivalving of the cast で掌，背側より固定すると，固定後に腫脹が増強しても問題はなく，急性区画症候群の予防にも役立つ（図10-4-8）．椎体の圧迫骨折で体幹ギプス包帯を巻いた後にショック症状を起こしたり，腹部を圧迫しすぎると腸間膜に過度の緊張が加わり上腸間膜動脈と大動脈で腸管が絞扼されイレウス症状を起こすことがあるが，これを体幹ギプス症候群 cast syndrome と呼ぶ．プラスチックキャストの重みを利用して上腕骨骨折の整復と固定性を求める吊り下げハンギングキャスト hanging cast は過牽引にならないよう注意が必要である．浮腫軽減のため患肢挙上

246 総論 第10章 骨折の治療原則

の指導も重要である．開放創がある場合はキャストの当該部分を切り取って窓を開け，創処置を可能にしておく（開窓キャスト plaster window）．

キャスト装着後は細心の注意と合併症の予防も必要である．装着後の浮腫増強や圧迫による総腓骨神経麻痺，褥瘡，急性区画症候群を回避するためには，疼痛増強，運動麻痺，循環障害などの危険信号に注意する．浮腫が減退するとキャストの中で骨片の再転位が危惧されるため，装着後数日間は経時的な観察が必要である．患者，家族の協力が欠かせないのでこれらの注意点をよく説明する．

附-6 プラスチックキャスト

社会保険診療報酬点数表にはプラスチックギプスと記載されている．しかし，用語としてギプスは石膏を意味するので，この用語は受け入れがたい．本書では初版よりプラスチック包帯との和語を採用してきた．日本整形外科学用語集第7版（2011）にプラスチックキャストの和語が収載されたのに伴い，本書改訂版ではプラスチックキャストの用語を採用した．

f 徒手整復法 manual reduction

骨折周囲の神経や血管の解剖学的位置関係を把握して対処する．処置前に患者や家族に必要性，処置の全容，偶発的合併症，疼痛管理を説明しておく．通常の徒手整復は麻酔下に C-アーム X 線透視装置を用いて行う（図7-3-4 参照）．関節内骨折は解剖学的整復を目指す．小児骨折では回旋と軸異常以外は自家矯正治癒力や骨折後の過成長が起こることを認識して治療にあたる．整復後はキャストや副子で固定する．

g 牽引療法 traction

Sculutetus 著（楢林鎮山訳）「紅夷外科宗伝（1706）」には大腿骨骨折を紐で対抗牽引を行って徒手整復操作している様子が描かれており，300年前の治療が窺える（図10-1-1 参照）．

骨折に対する牽引療法の目的は，持続的牽引力で転位した骨片を整復し，解剖学的位置を維持することにある．牽引で骨折転位が整復されると，それまでは転位を増大するように作用していた伸，屈筋群が，バランスを取り戻し骨片の整復位維持に役立つとともに，副子の役割を果たすようにもなる．牽引療法がキャスト固定法と異なる点は，常に患部の観察が可能なことであり，骨折の形態，部位によっては牽引しながら隣接の関節運動を行うことが可能である（図10-4-9）．一方，牽引治療中は臥床を余儀なくされるため入院期間が長くなるなどの欠点もある．

牽引中は牽引方向，特に回旋異常，循環障害，神経の圧迫による麻痺などが生じないように注意深く観察する．牽引開始初期には単純 X 線写真検査を行いアライメント不良や過牽引のないことを確認する必要がある（図10-4-10）．過牽引や整復不良に対しては重錘の調整を行う．大腿骨や脛骨の骨折牽引中は患肢の整復位保持や浮腫予防の目的で Braun［下肢］架台や枕を用いて挙上位を保つ．

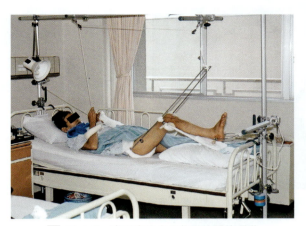

図 10-4-9　牽引療法中の他動的関節運動
Thomas 副子を用いた牽引療法中であるがその間も関節運動が可能である．

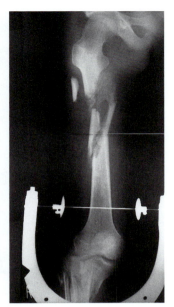

図 10-4-10　直達牽引療法中の単純 X 線検査
牽引療法中は過牽引にならないように観察する．

1）牽引法の種類

a）介達牽引法　skin traction

介達牽引法は，絆創膏やスポンジゴムを貼ったテープ（スピードトラック）を皮膚に当て弾力包帯を巻いて固定し，皮膚を介して骨折部を牽引する方法で，特別な器具を必要としない簡便な治療法である．小児の新鮮皮下骨折に適している．しかし，牽引力が弱いこと，皮膚に水疱形成などの循環障害を生じること，牽引がはずれやすいこと，などの短所もある．さらに，Bryant 牽引のように骨折局所を含め下肢全体を圧迫包帯で緊縛させる介達牽引法で急性区画症候群が発生したとの報告があり，牽引中の疼痛や腫脹には注意深い観察が必要である．

b）直達牽引法　skeletal traction

Kirschner 鋼線や Stainmann ピンを遠位骨片に刺入しそれを介して直接牽引する方法で，強力な牽引力が得られる，牽引する方向を直接調整できるなどが長所である．一方，牽引に特殊な器具を要すること，骨に直接鋼線を刺入せねばならないこと，鋼線刺入部を清潔に保たねばならないことなどの短所もある．鋼線刺入部を包帯で厚くおおってしまうと牽引方向や回旋が確認できなくなる（図 10-4-11）．患肢全体が直視でき，看護師もアライメントや回旋の異常を観察することができるようにする．

イリザロフ法 Ilizarov distraction は骨組織に張力を作用させると骨形成が促進される現象を臨床応用した画期的な牽引治療法である．また近位と遠位に刺入した Kirschner 鋼線を Ilizarov 創外固定器で 1 日 1 mm 牽引することにより骨欠損部の補填のみならず，神経や血管など軟部組織も同時に延長されるため脚延長 leg lengthening が可能になり，骨折以外にも先天性下腿偽関節症，欠損偽関節など幅広い疾患に

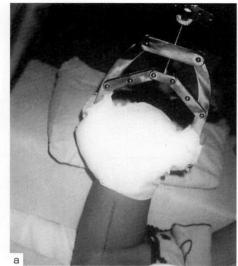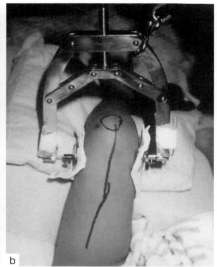

図 10-4-11　鋼線牽引療法中の肢位や局所の観察
a. 鋼線刺入部を包帯で厚く保護すると，牽引中のアライメント不良や回旋変形の確認が困難となる．
b. 牽引の状態を直視下に観察できるようにする．

適応がある．三次元でのアライメント矯正も可能である．

2) 牽引療法の適用と注意事項

　早期離床が要求される今日においても，牽引療法は持続的な牽引力で骨折の転位や脱臼を安全に愛護的に整復し，整復位保持を図る骨折治療法の基本的手段の一つである．牽引療法は，主として小児の骨折や脱臼の整復（**図 10-4-12**），整復後の肢位の保持，仮骨が成熟し骨強度が徐々に回復する過程での変形予防にも有用である．大腿骨近位部骨折 hip fracture や頚椎脱臼骨折などには，術前の可及的整復，局所の安静・固定などの目的で直達牽引が用いられることが多い．

　牽引中は牽引の方向，回旋異常，循環障害，神経麻痺が生じないように注意深く観察する．牽引開始の初期には比較的頻繁に単純 X 線写真検査を行い，アライメント不良や過牽引のないことを確認する必要がある．過牽引はかえって治癒を遅らせる危険性があり，重錘の調整を行う．疼痛を訴える患者には"骨折したら痛いのは当然ですよ"と即答せずに，患者の訴えに耳を傾け，局所をもう一度観察し直す姿勢が求められる．局所を絶えず観察し，褥瘡，ピン刺入部の感染を未然に防ぐ努力を行う．牽引が過剰であると神経麻痺や偽関節の原因になりやすい．骨粗鬆症の患者では牽引中に鋼線が徐々に脆い骨に食い込んで鋼線が移動することもある．小児の大腿骨骨折の介達牽引中に区画症候群が発生したとの報告もあり，牽引中の観察が重要である．

h〔機能〕装具療法〔functional〕bracing, orthosis

　装具は四肢や体幹の骨折局所を安定化させ疼痛を和らげ機能障害を軽減させる．腰椎圧迫骨折に用いる体幹用軟性装具である Damen corset もその一つである．

　骨折治療における機能装具療法とは，骨折部を装具で固定し隣接の関節は動かしな

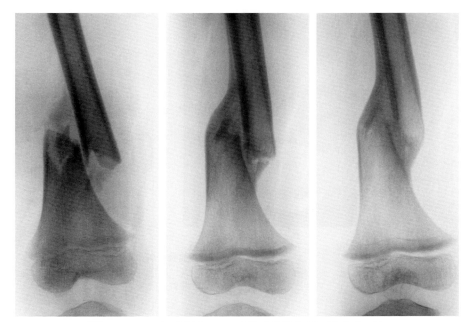
図 10-4-12　牽引療法による小児大腿骨骨折の治療（3歳）

がら骨癒合を図る方法である．従来の長幹骨骨折の保存療法は，骨折部の再転位を防止するためにその近位と遠位の2関節を含めて，骨癒合が得られるまで長期間の固定を強いるものであった．機能装具の骨折治療への導入は，骨や筋肉の廃用性萎縮を予防する新たな骨折治療法が開発されたということにとどまらず，骨折治癒の病理や病態を理解するうえで貴重な一石を投じたといえる．すなわち，骨折の治療中であっても，骨折部への適度な負荷は局所に電気的刺激を誘発すること，また骨折周囲筋の適度な緊張は骨折部の血行を改善させ，骨形成に有利に作用することなどが明確となったのである．

　Sarmientoらは脛骨骨折や上腕骨骨折に対し機能装具療法を用いて良好な成績を報告している（図10-4-13）．しかし，骨折の転位や可動性が大きすぎると仮骨が過剰に形成されるにもかかわらず骨癒合が起こらず，遷延治癒骨折を生じる危険性がある．受傷後直ちに機能装具を装着したほうがよいとの報告もあるが，受傷後数日は疼痛，腫脹が著しく，機能装具の装着は難しい．Sarmientoも受傷後2週以内であれば疼痛や腫脹がとれてからの装着で十分によい結果が得られると報告している．

　機能装具をプラスチックキャストと比較した場合，機能装具のほうが患肢の機能の抑制が少なく，軽量で外観もよい．機能装具は骨折周囲の筋肉を外部より圧迫することで，骨折部の固定性を獲得しようとするものである．Sarmientoは機能装具の理論を円筒状の容器で説明している．骨折が起こると出血，浮腫，骨片転位で局所は腫脹する．その部分を外部より均等に圧迫する円筒状のもの（装具）を骨折部に装着すれば，転位や短縮した骨片の整復を図ることができると述べている．

　しかし，機能装具療法は回旋変形の予防やアライメントの確保に難点がある．

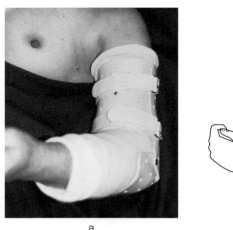
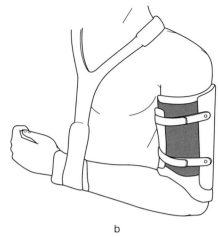

図 10-4-13　上腕骨骨幹部骨折の機能装具療法
a. 2〜3 週間肘関節を固定したのちには肘関節の伸展ができるように装具の一部が取り外せるように作製してある．装着期間は 10 週程度
b. 最初から吊り革で前腕を固定してもよい．

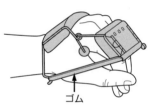
knuckle bender splint

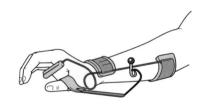
Oppenheimer 副子

図 10-4-14　動的副子

i 動的副子　dynamic splint

　ゴム紐や鋼線を円筒状に巻いたバネを組み込んだ動的副子は，骨折治療中の筋力維持や骨折や脱臼後に生じた指の関節拘縮の持続的矯正に役立つ．ナックルベンダー副子 knuckle bender splint は MCP 関節の伸展拘縮を改善させるためゴムとピアノ線の弾力性を利用する動的副子である．オッペンハイマー副子 Oppenheimer splint は上腕骨骨折に合併した高位橈骨神経麻痺に有用で，神経麻痺が回復するまでの間，手関節や母指を背屈位に保持することにより手指の把持機能が維持できる動的副子である（図 10-4-14）．

B 手術療法

　新鮮皮下骨折で手術療法が適応されるのは，徒手整復やその整復位保持が難しい場合，分節骨折や粉砕骨折など外固定が難しい場合，裂離骨折など骨片間の離開が大きい場合，高齢者の大腿骨近位部骨折で長期の外固定が必要で隣接関節の機能のみならず日常生活動作（ADL）が著しく損われることが予想される場合，血管や神経損傷を伴っている場合，多発骨折 multiple fracture，病的骨折などである．多発外傷では重篤な臓器合併症が，高齢者では全身状態が手術の適否を左右する．集中治療室での全身管理が必要とされる重症患者では DCO（damage control orthopaedics）（p. 235 参照）の観点より，一次的内固定術よりも暫定的創外固定術が優先される．

　勤労者やスポーツ選手は早期の現場復帰，高齢者では早期離床など介護環境を含めた社会的適応も考慮しなければならない．手術が最善と判断されても説明と同意の過程で本人や家族が手術療法を忌避することもまれにある．切断術か機能再建術かの判断が求められる挫滅四肢 mangled extremity では，客観的な判断基準が作成されている（図 10-5-4，表 10-5-1 参照）．

　手術療法の原則は，骨癒合機序を可能な限り妨げることなく，転位した骨片を整復し，骨膜および軟部組織の侵襲を最小限にとどめて内固定を行い，術後早期に関節運動，筋力強化運動を開始して機能回復を図ることにある．その観点より最近では早期離床，早期社会復帰を目的として手術療法が選択される．金属学や医用工学の進歩により内固定材料の材質やデザインが改良され強固な内固定が可能になったこと，精巧な手術補助器械の開発，手術室での C-アーム X 線透視装置 C-arm fluoroscopy や CT 装置による術中モニタリングで手術時間が短縮したこと，最小侵襲手術 minimally invasive surgery（MIS）の進歩，関節鏡直視下で関節面の整復が可能になったことなどが手術療法をより一般化させている．他方で，手技上の合併症への注意を喚起した報告も少なくない．金属性内固定材料は骨癒合完了後に抜去のための再手術がしばしば必要となるが，一定期間後に生体内で分解，吸収される吸収性固定材料の開発応用も進んでいる．

　また手術療法では無菌手術の原則を守り周術期感染予防に極力配慮することが肝要である．内固定材料の折損や遷延治癒も起こり得る．

附-7 外来小手術における注意点

　手術時間がかかり，術中・術後に合併症の発生の危険度が高いことが予想される場合は，外来で処置せずに入院させて手術を行う．外来での骨折手術であっても，場合によっては信頼できる上級医や同僚に相談し意見を求め，可能ならば助手を依頼する．手術の必要性を説明し患者に同意を得るときには，保存療法を行う場合にはどういう経過をたどるのかも併せて説明する．「手術するとすぐに治る」または「スポーツ復帰ができる」などの楽観的な発言を慎む．

　外来で行うことの多い小切開手術であっても，局所麻酔薬ショックの既往や抗血栓薬内服の有無の問診，処置中の全身管理やショックを発症したときのための万全の準備などを怠ってはならない．消毒薬，特にポビドンヨードは薬物アレルギーによる化学熱傷

252 総論 第10章 骨折の治療原則

を起こすことがあり，手術終了後によく拭き取っておく．ポビドンヨードは希釈されたほうが遊離ヨウ素の発生が多く化学熱傷の危険性が増す．

　術中に不測の事態が発生した場合は，近くの医師や看護師と協力して迅速かつ適切な処置を行う．同時に当該診療科の責任者に報告するとともに，責任者の指示のもとで患者や家族に対応する．原則として，明らかな過ちは謝罪するとともに，行った処置に関しても十分に説明する．事故原因が明確でない場合には，対応を病院の医療安全管理委員会または院長に委ねる．その場合，事故原因に関する即答や感情的な反論は避ける．診療録の追加記載では記載した日時と自筆の署名が求められる．

　手術後は局所よりの出血や術後の疼痛の対応に関しても説明しておく．「急に痛くなったら」「手足が痺れてきたら」など具体的に説明し，緊急時の連絡先の電話番号を知らせておく．麻酔が完全にさめ，歩行ができるようになるまで帰宅させてはならない．

附-8 冠動脈ステント留置患者や大動脈内ステントグラフトを受けている患者の大腿骨近位部骨折の手術は，術前に内服中の抗血小板薬を一時休薬すべきか？

　高齢者は脳梗塞，心筋梗塞の予防や冠動脈ステント留置しているため抗血小板薬 anti-platelet drug を内服していることが少なくない．大腿骨近位部骨折が生じたとき，全身状態や検査値が許す限り全身麻酔下に直ちに手術を行って早期離床を目指すべきか？ それとも休薬させた後に手術すべきか？ アスピリンを休薬させると脳梗塞発症の危険性は3～4倍となる．抗血小板薬を休薬したために rebound risk や冠動脈ステント狭窄を生じた症例報告もある．「脳卒中治療ガイドライン（2015改訂版）」では"抗血小板薬の不用意な中止による脳梗塞再発のリスクを回避することが臨床的に有用である"とされ，「循環器疾患における抗凝固・抗血小板療法に関するガイドライン（2011更新版）」では"手術患者でも抗血栓療法は継続させるほうがよく，大手術や緊急手術で中断が避けられない場合は，ヘパリンなどの代替療法を考慮する"と記載されている．

　Chechik ら（2011）は低侵襲冠動脈インターベンションを受けてクロピドグレル硫酸塩やアスピリンの服用を継続している患者の内服を中止せずに大腿骨近位部骨折の早期手術を行った結果，コントロール群に比較し手術時間が長く，術中・術後の出血量は多かったものの術後30日以内の死亡例はなく，満足できる手術成績であったと報告している．Christopher ら（2016）のクロピドグレル硫酸塩投与中の大腿骨近位部骨折手術結果に関する14施設でのメタアナリシスの解析でも同様の結論であった．増井ら（2015）はアスピリンの内服はそのまま継続させて大腿骨近位部骨折の早期手術を行い良好な結果を報告している．術中・術後の出血量が多少多いことに留意し術後も慎重に全身管理を行えば，抗血小板薬を一時休薬せずに即日手術を行うことで翌日よりの歩行器歩行は可能である．

　ただし冠動脈ステント留置患者の10%に心房細動が認められ，抗血小板薬に加えて抗凝固薬も内服している場合は，循環器専門医との相談およびその管理が不可欠である．

a 局所麻酔法 local anesthesia，神経ブロック nerve block，多角的鎮痛法 multimodular analgesia

　通常の臨床では担当する整形外科医自らが全身状態を管理しながら局所麻酔で手術を行わねばならないことが多い．ただし術前の病歴聴取で抗血栓薬を内服中であることが確認されたら穿刺後に血腫発生の危険性があるので，硬膜外麻酔や脊髄くも膜下麻酔は避けたがよい．局所麻酔で創傷洗浄や骨折や脱臼の整復にあたれれば，意識や呼吸は確保されているため，患者の全身管理は容易である．しかし局所麻酔であって

も生命徴候の観察を怠りなく，静脈路を確保し，アナフィラキシー・ショック ana-phylaxis や局所麻酔薬急性中毒などの蘇生に対応できる態勢で臨まねばならない．

　局所麻酔によるアナフィラキシー・ショックは局所麻酔薬そのもので誘発された全身性過敏反応であり，医療現場での予見性が重視されており，処置前に問診を怠らないことが大切である．急激に出現する発疹，咳，血圧低下が症候である．次に述べる局所麻酔薬の血管内誤投与や過剰投与による急性中毒とは区別する．

　なお，局所麻酔や区域麻酔下での骨折治療中は，手術器械の音や医療従事者の話し声は患者に不安を与え一種の恐怖感となることを医療従事者は認識しておかねばならない．患者の意識レベルや痛みの感じ具合を鎮静化させておくことは QOL の観点より重要である．その点，自己調整鎮痛（PCA）装置を用いたデクスメデトミジン塩酸塩（プレセデックス®）の静脈内注射は，呼吸数や酸素飽和度に与える影響が少なく覚醒も早い．2013 年より脊椎麻酔，硬膜外麻酔，局所麻酔下における非挿管での手術および処置時の患者の鎮静化が効能効果に追加された．局所麻酔薬をリポソームに含有させた持続徐放性製剤（エクスパレル®）が開発された．除痛効果が 2，3 日持続する．

　経口麻酔薬や末梢神経ブロックなどいくつかの麻酔法を組み合わせ効率的な疼痛管理（多角的鎮痛法）も普及している．

1）静脈内局所麻酔法 intravenous regional anesthesia (Bier block)

　前腕骨折や肘関節脱臼骨折の整復や固定などに用いられる．仰臥位で横たわった患者の健側で静脈路を確保し，万一に備えバイタルサインを観察する．その後，患肢手背に留置針で静脈路を確保し，患肢近位部に空気止血帯を巻き，次いで 3〜5 分患肢挙上させて駆血後に空気止血帯を加圧止血し（骨折があると強烈な痛みを訴えるため Esmarch 駆血帯は使用できない），局所麻酔薬（例えば 0.5％リドカイン塩酸塩では体重 10 kg 当たり 4 mL を 1 mL 当たり 2 秒かけて）を緩徐に注入する（図 10-4-15a）．なお手術終了後に止血帯を開放した直後に急性局所麻酔薬中毒が起こりやすいが，薬液注入より 20 分過ぎると薬液が毛細血管より血管外に浸透するのでその危険性は著しく減少する．止血帯を解除した後は血圧測定などのモニタリングを怠ってはならない．止血帯部の圧迫痛で手術時間が限られることもあらかじめ認識しておく．ブピバカイン塩酸塩 bupivacaine（マーカイン®）は静脈内局所麻酔に使用してはならないと添付文書に記載されている．

2）指神経ブロック digital nerve block（Oberst 麻酔法）

　簡単で効果的な指の麻酔法である．手指基部の両側に背側より 27G の細い注射針を刺入するが，神経そのものに針を当てるのではなく，神経周囲に局所麻酔薬を浸潤するように心掛ける．指神経の背側枝，次いで掌側枝をブロックする（図 10-4-15b）．指神経ブロックではエピネフリン入り麻酔薬の使用は禁忌である．

3）神経ブロック nerve block

　腕神経叢や大腿神経などの神経ブロックには超音波診断装置や神経筋電気刺激装置を活用すると効果的で薬液が少量で済む（図 10-4-16）．超音波ガイド下神経ブロック ultrasound-guided nerve block は，超音波診断装置で神経周囲の組織の画像を視覚的に確認しながら末梢神経周囲に局所麻酔薬を浸潤させる方法である（図 10-4-20 参照）．薬液が注入できる細い管を神経近傍に留置しておくと，術中の繰り返しの薬液

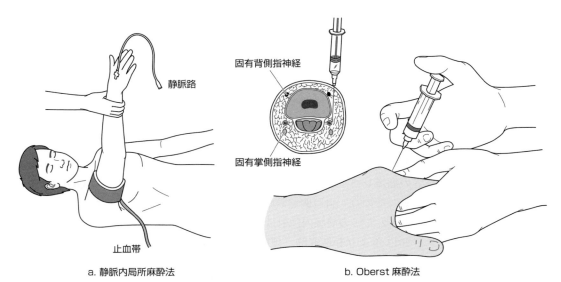

図 10-4-15　繁用される局所麻酔法
a. 局所に骨折があるので Esmarch 駆血帯は使用しない．手背部に静脈路を確保したあと患肢を 3 分程度挙上して，止血帯を作動させる．
b. 血管に誤注入しないように注意する．薬液注入時に針が移動しないように注射器を握る手を反対側の手に固定するとよい．注射針は細い 27 G を用いる．

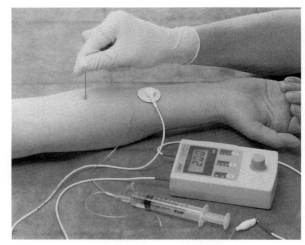
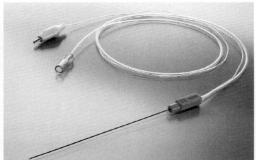

ポール針

図 10-4-16　電気刺激装置を用いた経皮的神経ブロック療法

(株式会社トップより)

投与や術後の疼痛管理に有用である．神経筋電気刺激装置による通電刺激ではパルス幅を 0.1 msec 以下にすれば痛みを感じることは少ないが，通電刺激で生じるわずかな筋肉収縮反応そのものが骨折患者に不快感を誘発する場合がある（図 10-4-16）．

　術後の疼痛管理の目的で持続カテーテルを留置しておくことも可能である．局所麻酔薬の投与量によっては疼痛が抑制されるだけでなく下肢筋力低下も多少伴うが，下肢骨折患者は翌日より歩行器で移動でき患者の満足度は大きい．

4）急性局所麻酔薬中毒 acute local anesthesia toxicity

末梢神経ブロックを行う際に，神経や血管の解剖学的位置関係を認識しておかねばならない．薬液注入時には針先が移動し血管内に薬液を誤注入しないように特に注意が必要である．局所麻酔薬が血管内（多くが静脈内）に誤注入されると即時型の薬物中毒が発生する．突然耳鳴り，めまい，口唇や舌のしびれなどを訴え，多弁や興奮状態になりそのあと意識がもうろうとなる．全身けいれんを起こし，心停止に至ることがある．

局所麻酔薬の極量に関しても認識し，医療事故防止に努めなければならない．過剰投与による中毒症状は局所麻酔終了後 15〜30 分で発生する．通常，成人での基準最高用量は一回投与でプロカイン塩酸塩 1,000 mg，メピバカイン塩酸塩（カルボカイン®）500 mg，リドカイン塩酸塩（キシロカイン®）200 mg，ロピバカイン塩酸塩（アナペイン®）300 mg，レボブピバカイン塩酸塩（ポプスカイン®）は 150 mg，ブピバカイン塩酸塩（マーカイン®）は成人体重 1 kg 当たり 2 mg，までと添付文書に記載されている．薬剤の添付文書をよく読んで使用適量を認識し，薬液の濃度などを確認することが重要である．

b 経皮的鋼線（ピン）固定術 percutaneous pinning

X 線透視法 fluoroscopy で骨折局所を観察しながら，経皮的に鋼線を骨片に刺入し，転位した骨片整復を行い固定する方法である．橈骨遠位端骨折，橈骨頚部骨折，脛骨プラトー骨折，踵骨骨折などで活用できる．症例によっては整復，固定後は直ちに鋼線を巻き込むようにプラスチックキャスト固定を行う．皮神経を損傷させないように鋼線刺入を行うためには，局所解剖学の知識が必要である（図 8-1-10 参照）．小児の骨片転位が大きい Salter-Harris II 型の骨折では，成長軟骨板の損傷を最小限度に食い止める手術操作が求められる．

c 創外固定術 external fixation

創外固定器の導入は開放骨折や欠損偽関節の治療に革新的改革をもたらし，またその材質改良や技術的進歩は著しく，骨盤骨折や多発外傷治療などで応用範囲は広いため，項を改めて記載する（p. 292 参照）．なお脛骨や大腿骨などの長管骨では創外固定術による固定は可能な限り短期間（2, 3 週間程度）とし，内固定術を早めに施行することが肝要である．

d 内固定術 internal fixation

骨折部の内固定にはまず的確な整復操作が求められる．転位した長管骨の骨片整復には牽引力をより有効に作用させる目的での対向牽引 countertraction が必須である．整復困難な場合にはエレバトリウム，Hohmann 鈎，Schanz スクリュー，ガイドロッドなどの介助具を用いるとよい．

皮下骨折の内固定法には，ワイヤーを用いての締結法（cerclage wiring），スクリュー固定法，プレート固定法，髄内釘固定法がある．骨質，骨折の部位，軟部組織の被覆度，手術進入路，固定材の種類や長さ，を術前に十分検討しておくことが必要

で，技量も求められる．高齢者の骨折が増加しているが，骨質が脆い骨粗鬆症などが存在すると，固定に用いたスクリューや鋼線の脱転や食い込み cut out が生じやすい．固定性を過信することなく，愛護的な後療法や慎重な術後の経過観察が必要である．interference screw とは黒坂ら（1987）が最初に考案した釘に頭がないスクリューで，肩鎖関節脱臼や前十字靱帯断裂の手術などで再建靱帯の固定に用いられる．

　髄内釘固定法 intramedullary nailing の中で，細い Kirschner 鋼線を用いる固定法は侵襲が少なく，数本の Kirschner 鋼線が成長軟骨板を貫いても成長障害を惹起しないとの報告に基づき，小児の前腕の骨幹部骨折にしばしば用いられる．Steinmann ピンが抜け出てくるのを改良した Rush ピンは現在でも尺骨近位部骨折に使用される．同じく Ender ピンやその改良釘は手術手技が簡便で大腿骨や脛骨の骨幹部の二重骨折などに用いられる．わが国では髄内固定法としては Küntscher 法が最も多く用いられる．順行性髄内定法では正確な刺入口 entry point の選択が求められ，刺入口の位置が正しいと皮切が小さくてすみ掘削中の骨破砕の危険性も減少する．リーマーで髄腔を拡大中には，X 線透視装置でパイロットの位置を確認し，骨片が割れない手術操作が求められる．長管骨粉砕骨折を髄内釘で固定する場合に術後に発生しやすい短縮を防止するために髄内釘をスクリューで横止めする interlocking nail（ILN）法が導入され，さらに髄内釘固定法の適応が拡大された（図 10-4-17，図 17-3-13 参照）．大腿骨転子部骨折に対する γ-nail の開発もその延長線上にあるといえる．最近，術中の X 線透視装置使用による被曝を回避する目的で電磁波誘導システムを用いた横止め式髄内釘装置も開発されている．

　プレート固定 plating，plate fixation を行う場合には，骨片より骨膜を剥がないように骨膜外 epiperiosteal にプレートを設置する．解剖学的整復を得るために，あるいは第三骨片を整復・固定するために骨膜に付着した筋肉を剥離する操作は，局所血行を障害し骨癒合の妨げとなる．AO 圧迫プレートはスクリュー挿入用の楕円形の孔には傾斜がついており，スクリューを刺入するに従いスクリューがプレート孔を滑るとともに骨が移動し，骨折部に長軸方向の圧迫力が作用する．しかし AO 圧迫プレートには固有の合併症として抜釘後に骨折部で再骨折する例があった．強固な固定による骨折癒合部の海綿化，骨折部の過度の圧迫固定に伴う限局性の壊死が原因であると考えられている．内固定の発想を大きく変えたプレートデザインの改良が最近相次いでいる．プレートが長管骨と接触する部分を 50 ％減少させるためプレートの裏面に凹凸を付けた LC-DCP（Limited Contact-Dynamic Compression Plate），プレートの釘孔に溝が掘られスクリュー頭が強固にプレートに固定 lock されるためプレートそのものを長管骨に直接接触させないでよい LCP（Locking Compression Plate）などである（p. 93 参照）．さらに小さな皮膚切開部よりプレートを挿入でき，低侵襲で骨折部の固定が可能な MIPO（Minimally Invasive Plate Ostheosynthesis）も考案されている（図 10-4-18）．MIPO は骨折局所を展開することなく C-アーム X 線透視下に骨接合が行えるため軟部組織への侵襲が少なく，術後の疼痛が軽微で ROM 改善がより速やかである．プレートに接する側の骨皮質に微動が生じ仮骨形成が促進されることを期待し，その部分のねじ山を設けていないスクリュー（MotionLoc スクリュー®）を用いるプレート固定法もある．

4 新鮮皮下骨折の治療　257

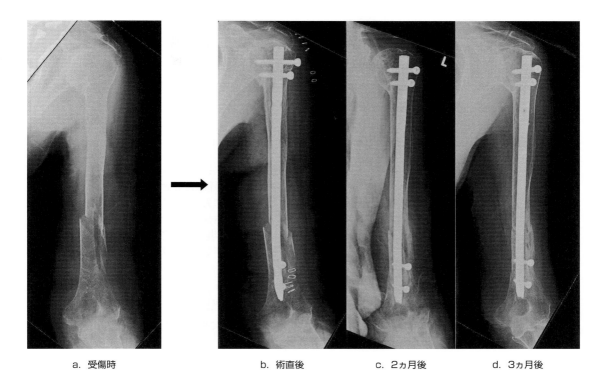

a. 受傷時　　　　　b. 術直後　　　　c. 2ヵ月後　　　　d. 3ヵ月後

図 10-4-17　プレート固定か？ 髄内釘固定か？（85歳, 女性）

骨萎縮著明．プレートを用いる場合十分な長さが必要で止血帯は使用できず出血量増大が危惧される．神経・血管の走行よりプレートを置く位置は？ 第三骨片の螺子挿入では縦割れの危険性あり．一方，髄内釘固定では遠位骨片は縦割れしていて横止め螺子の固定位置が限られる．固定性を得るために何 mm の径の髄内釘がどこまで刺入できるのか？（熟慮の結果，髄内釘固定術が選択された．術後低出力超音波パルス療法のバンドを繰り返し装着させたおかげで第三骨片が母床に接近し，アライメントまでが矯正された）

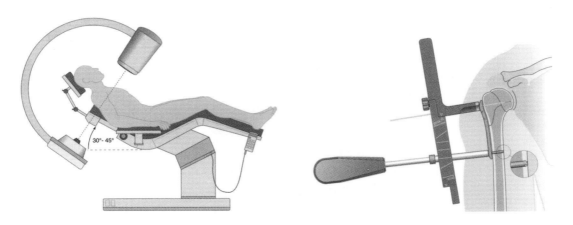

図 10-4-18　最小侵襲手術（MIPO）による上腕骨骨折に対するプレート固定術

（Zimmer 社提供）

このほか，関節内骨折はスクリュー固定 screw fixation や Kirschner 鋼線固定が行われることが多い．ラグスクリュー lag screw はネジ山がスクリューの先端部分にのみ刻んであり，関節軟骨を伴った骨片を引き寄せ，骨折部に圧迫力を加えて骨接合で

きる利点がある．中空スクリュー cannulated screw は骨片を整復・固定させた Kirschner 鋼線をガイドワイヤーとしてそのまま利用できるため，骨片の整復・固定が容易となり，手術時間も短縮され，成績が向上するようになった．吸収性ピンも活用されている．プラスチック製の縫合糸（FiberWire®）は骨片固定後の骨癒合状態を判定するための画像診断が可能である．

附-9 電磁波誘導システムを用いた横止め式髄内釘 electromagnetic computer-assisted guidance system

C-アーム X 線透視装置を用いる横止め式髄内釘は骨折治療に多くの利点があるが，操作中の X 線被曝が問題視されている．手術法に習熟していないと患者や術者はもちろん，放射線技師，麻酔医，看護師までが高い放射線被曝を受けることになる．その観点より開発されたのがコンピュータによる電磁場位置計測を応用した髄内釘手術法（SURESHOT®）である．放射線被曝量の低減や手術時間の短縮に役立つ．

附-10 引き寄せ鋼線締結法 tension band wiring（Zuggurtung 法）

付着する筋腱により引き離された骨片を骨本体に引き寄せ，鋼線で固定する骨接合術で，上腕骨大結節，肘頭，膝蓋骨，足関節外，内果など関節周囲横骨折に用いられる．1966 年に Pauwels がはじめて報告した引き寄せ鋼線締結法は鋼線のみの使用であったが，AO グループの発案で Kirschner 鋼線が併せて用いられるようになった．術後早期の関節屈伸運動が可能であり，むしろその動きによって骨片のより良い接合がもたらされる機能的骨接合術といえる．具体的には，図 10-4-19 のごとく整復した骨折部を Kirschner 鋼線でまず固定し，次いで骨本体を貫通させたワイヤーの一端を裂離（剥離）骨片の筋腱・靱帯付着部に刺し，わずかに露呈された Kirschner 鋼線の頭に掛け，骨表面で 8 の字状に結び合わせる．骨接合面への圧迫力を獲得するためには骨折部の骨皮質を間隙なく接触させておくこと，2 本の Kirschner 鋼線は平行かつ骨折線に垂直に刺入することが重要である．斜骨折や多骨片骨折は適応外である．

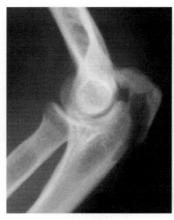
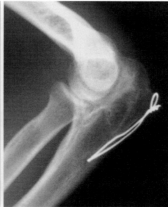
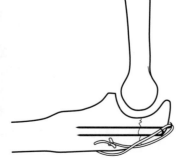

術前　　　　　　　術後
ワイヤーのみによる固定法　　　　　Kirschner 鋼線と鋼線併用のイラスト

図 10-4-19 引き寄せ鋼線締結法
Kirschner 鋼線を平行にかつ骨折線に垂直に刺入する．
（中村光伸：Tension band wiring の K-wire の位置・方向．臨整外 39：328-330, 2004）

e 皮下骨折患者の周術期管理の要点 perioperative care

　　手術療法を受ける患者にとって，手術療法の利点，手術方法，麻酔法，術後の疼痛，離床や退院までの期間などは最大の関心事である．患者が抱いているこれらの不安に対し十分な説明をし，患者の手術療法に対する承諾 informed consent を得る．術中・術後出血，感染，血栓・塞栓症とその予防法，など予測可能な重篤な合併症とその対応および予後についても説明義務がある．厚生労働省の指導で在院日数の短縮が求められるなか，疾患ごとにクリニカルパス clinical path を策定し，退院後の回復期リハビリテーションも含めた術前説明が必要である．

　　高齢化社会を反映して高齢患者の手術数は増加している．高齢者では糖尿病，慢性気管支炎，虚血性心疾患，高血圧症などの併存は予後を左右するため，救急手術であっても既往歴を含めた術前の健康状態を確認する．尿糖より未治療の糖尿病を，尿蛋白より慢性腎機能障害を，出血時間の延長より抗血小板薬の服用を把握できることもまれではない．術前の検査結果には必ず目を通して手術に臨むことが肝要である．併存する疾患の治療薬，降圧薬や抗不整脈薬などは原則として手術当日朝まで服用させてよいが，抗凝固薬やインスリンはその限りではない．

　　患者や家族との意思の疎通を十分にとり，疑問の解消をはかり信頼関係を築いておくと，万一合併症が発生した場合でも誠意が伝わりやすい．

　　急性区画症候群は見過ごすときわめて重篤な障害を招くので，疼痛や腫脹が著しい下腿骨折や肘関節周囲骨折は手術までの待機期間中にも，区画内圧のモニタリングを行うことが望ましい．最近，超音波装置で非侵襲的に区画内圧を経時的に測定する研究も行われている．

1) 抗菌薬の予防的投与 antimicrobial prophylaxis (AMP)

　　2015 年に日本整形外科学会の「骨・関節術後感染予防ガイドライン」が改訂された．推奨抗菌薬は第一世代のセフェム系薬であること，予防的抗菌薬の一回投与量は患者の体重を考慮すること，術後の投与期間は 48 時間以内が適切であること，などが記載されている．β-ラクタム薬にアレルギーがある場合は，バンコマイシン（VCM），テイコプラニン（TEIC），クリンダマイシン（CLDM）のうちのいずれかを選択する．予定手術では嫌気性菌感染予防目的の抗菌薬投与は考慮しなくてよいとされている．

　　なお全身投与での抗菌薬の血中濃度は，点滴静注後ほぼ 60 分でピークに達するが，骨組織濃度は血中濃度の 20〜60％程度と低いことを認識しておくことが大切である．中村らの臨床的研究によればセファゾリン（CEZ）2 g 投与 1 時間後の大腿骨転子部の骨髄内濃度は血中濃度のわずか 26.2％程度であった．川嶌らの報告では腸骨と脛骨で骨髄内濃度の差はない．止血帯を使用する場合は，静脈内投与の骨髄内移行を考慮して執刀開始の 60 分前に行うように心掛ける．

　　抗菌薬は体内動態 pharmacokinetics（PK）や抗菌活性 pharmacodynamics（PD）の理論（PK-PD 理論）に基づいた投与を行うことが重要である．すなわち，セフェム系薬，ペニシリン系薬，カルバペネム系薬では，血中濃度が最小発育阻止濃度 minimum inhibitory concentration（MIC）以上保たれている時間が長いほど有効なので，投与間隔に注意する．セフェム系薬の術前投与では，その 3, 4 時間後には追加投与

が必要である．一方，アミノ配糖体系薬やニューキノロン系では抗菌薬に細菌が曝露された後，抗菌薬が途絶えても持続する細菌増殖抑制効果（PAE：postantibiotic effect）が存在するため，ピーク血中濃度（Cmax/MIC）を一定水準以上に高めることが大切である．

抗MRSA薬の予防的投与は推奨されていない．術前にMRSA保持者であることが判明している場合には，バンコマイシン（VCM）15 mg/kgやテイコプラニン（TEIC）12 mg/kgの単回投与が第一選択となる．VCMは短時間殺菌力が弱いため執刀開始2時間以前に投与を開始し，1時間程度の時間をかけて終了する．CEZを併用したほうがよい．ミノサイクリン（MINO）は抗バイオフィルム効果があるとされ，骨組織への移行性も優れている．

手術部位感染 surgical site infection（SSI）の予防を目的とする場合には，自分の施設で検出される頻度の高い起炎菌に感受性がある薬剤を選択する．その際，抗菌スペクトルや骨組織や滑膜組織への移行性を考慮する．免疫能が低下した高齢者に対する処方では，体重，脱水，腎機能（血中クレアチニン値やeGFR）などの全身状態や，すでに投与中の他疾患薬剤を確認する．抗菌薬の投与量は成人より少なめにする．汚染が著しい開放骨折の創縫合には抗菌縫合糸の使用が望ましい．

2) 術後の鎮痛・鎮静 analgesia/sedation

術後の疼痛管理はきわめて重要で，早期離床，リハビリテーション，患者満足度などに与える影響は大きい．非ステロイド系抗炎症薬NSAIDs投与は鎮痛・鎮静に効果的であるが，1ヵ月以上連用するとCOX-2を抑制する作用のゆえに骨癒合を抑制し偽関節を生じやすくなるとの指摘がある．オピオイドなどの医療用麻薬は鎮痛・鎮静効果が強力である．

最近では簡便な超音波画像器機の普及で，腕神経叢や大腿神経周囲に局所麻酔薬を持続的に注入する末梢神経ブロックが活用されるようになった．人工関節手術で始まった術後疼痛コントロールのための術中創部への局所麻酔薬カクテル注射 local anesthetic cocktail injection は，効果が術後24時間前後と短いが骨折手術にも応用できる．術後の疼痛管理には，各種の鎮痛法の組み合わせによる多角的鎮痛法 multimodal analgesia が求められる．

手術侵襲の大きさにもよるが，術後に疼痛が生じることははじめから予測できることであり，術後患者に苦痛を与えないということは安眠や呼吸抑制予防という観点からも積極的に対応すべきである．最近では疼痛を感じる前に鎮痛処置を行うことが大切であることが強調されている．術後に疼痛が生じると深呼吸や咳が制限されるのみならず，動脈血酸素分圧も低下する．

術後に患者が疼痛を訴えたときは，夜間であっても必ず診察を行い，局所循環や肢位をチェックした後に鎮痛薬を用いることを心掛ける．局所圧迫による神経麻痺や急性区画症候群の前徴であることもあり，その場合には迅速かつ適切な処置が必要である．

a) 鎮痛薬の処方

鎮痛薬はオピオイドと非オピオイドに分類される．オピオイド opioid とは中枢神経や末梢神経にあるオピオイド受容体と結合して鎮痛効果を示す薬物である．非オピオイド系鎮痛薬に属する非ステロイド系抗炎症薬（NSAIDs）はプロスタグランジン

（PG）の合成阻害作用を有し，術後の疼痛と炎症反応を軽減させる．術直後は内服よりも坐薬が好まれるが，術後患者の疼痛の抑制効果はオピオイドには及ばない．

オピオイド系鎮痛薬の中では麻薬処方箋が必要ない注射薬のペンタゾシン（ソセゴン®，ペンタジン®）が用いられる．"術後疼痛はある程度我慢すべきものである"という既存の概念を捨て，疼痛緩和に尽くさねばならない．麻薬処方箋は必要となるが，ペチジン塩酸塩（オピスタン®，[弱]ペチロルファン®），オキシコドン塩酸塩，モルヒネ塩酸塩なども使用を検討する．激しい疼痛には速効性のある静脈内投与が行われる．坐薬ではブプレノルフィン塩酸塩（レペタン®）やモルヒネ塩酸塩などがある．

なおオピオイド鎮痛薬を安全に持続的効果を獲得する方法として，薬物濃度を一定に維持する装置を用いて持続的に静脈内投与する自己調節鎮痛法[intravenous] patient controlled analgesia（[IV-] PCA）が推奨されている．装置の機能や操作を理解することが不可欠である．2007年に薬価収載されたレミフェンタニル（アルチバ®）はシリンジポンプで静脈内に持続投与する全身麻酔用鎮痛薬であるが，そのまま病棟に帰室したあとも継続できる．副作用である吐き気を予防するためにはあらかじめドロペリドール（ドロレプタン®）を少量混入させておくとよい．

オピオイド系鎮痛薬の副作用は吐き気の頻度が高い．特に高齢者では副作用が出現しやすく投与量を少なめとする．制吐薬としては，塩酸メトクロプラミド（プリンペラン）の静注やドンペリドンの内服などがある．

b) 持続硬膜外ブロック法

下肢の手術では硬膜外麻酔が常用される．硬膜外腔 epidural space に挿入したカテーテルを術後も留置しておくと，それを利用して術後の疼痛管理が楽に行える．体動時の鎮痛効果はオピオイドの全身投与より優れている．麻酔薬としては，運動麻痺が少なく除痛効果が高いロピバカイン塩酸塩（アナペイン® 2 mg/mL）を用い，装置で持続的に注入（4〜6 mL/時）する．フラッシュによる薬液追加注入後は血圧低下に注意する．抗凝固薬の投与を再開あるいは開始するときは，血腫の発生を避けるために硬膜外留置カテーテルは抜去しなければならない．

滅菌操作を厳重に行い硬膜外膿瘍発生を防ぐ．感染予防にカテーテルと注射器との間に，微生物やゴミを濾過する 0.2 μm のフィルタのついた硬膜外フィルタが用いられる．添付説明書には96時間で取り換えるよう指示がある．

抗血小板薬や抗凝固薬投与中の患者の緊急手術では避けるほうがよい．

c) 超音波ガイド下神経ブロック echo-guided nerve block

持続硬膜外ブロックは鎮痛効果が確実であるが，血圧低下，下肢全体の筋力低下が生じることや抗凝固薬投与を開始せねばならない場合には，患者がまだ疼痛を訴えていても抜去せねばならない短所がある．一方，神経ブロックは注射針が神経そのものを傷つけたり，通電刺激法では操作中に患者に不快感を与えるなどの問題がある．その点，超音波ガイド下に末梢神経周辺にチューブを留置しておく持続神経ブロックは，確実な麻酔効果が期待でき，副作用が少ない（**図 10-4-20**）．腕神経叢ブロックでは肩関節や上肢，坐骨神経と大腿神経ブロックでは，下肢と麻酔範囲を最小限にとどめることができること，抗凝固薬投与中も抜去の必要がないことなどが長所である．

末梢神経ブロックでの持続薬液投与に PCA 器械のポンプが使用可能である．

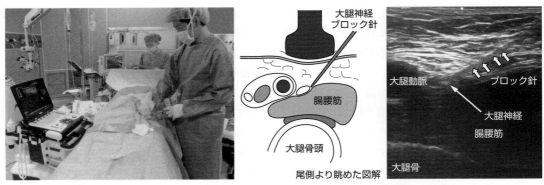

図 10-4-20　超音波ガイド下大腿神経ブロック持続薬液注入用のチューブ挿入中

(新別府病院　市村竜治先生提供)

d) 術中の局所麻酔薬カクテル注射 local anesthetic cocktail injection

作用機序の異なる複数の薬剤を組み合わせ，術中に手術野に注入し術後疼痛を軽減させる方法である．術後24時間程度の鎮痛に有用である．同時に腫脹抑制や後出血の減少にも応用できる．人工関節手術で最初に試みられた．Koehlerら(2017)は大腿骨骨折102例の術中にこの局所カクテル麻酔を行い術後疼痛の軽減に有用であったと報告している．

配合させる薬剤として，オピオイド，局所麻酔薬，NSAIDs，ステロイド，エピネフィリン，トラネキサム酸（トランサミン®）などの報告がある．生理食塩水を加えて容量を50 mLもしくは100 mLにすると使いやすい．骨幹部骨折では骨膜下，筋肉，皮下脂肪，などに浸潤させる．皮膚に浸潤させる場合はエピネフィリンを除いた配合液を用いると皮膚壊死は起こらない．鎮痛効果は24時間前後で短いとの報告もあるが，局所に長時間滞留する局所麻酔薬持続徐放性リポソーム製剤（エクスパレル®）の使用でより長い時間の鎮痛効果が期待できる．

e) 〔局所〕浸潤麻酔 〔local〕infiltration anesthesia

皮膚や粘膜の局所麻酔という意味と，組織内局所麻酔（surgical-site injection）との意味がある．手術直前に皮膚切開を行う部位の皮膚（真皮），皮下組織，筋膜に局所麻酔薬を浸潤させておくと，術後24時間程度の鎮痛効果が期待できる．人工関節手術で用いられている手法は皮下骨折の手術にも応用できる．皮膚切開は局所麻酔後5分ほど待って開始すると効果的である．一方，骨折手術終了間際に局所麻酔薬を創部組織に注射しておく方法も術後疼痛の抑制に有効である．Swennenら(2017)は76例の胸腰椎移行部(T10-L2)圧迫骨折の手術終了間際にロピバカイン塩酸塩（アナペイン®）のみを筋膜下浸潤麻酔を行い，38例の対照群と比較し術後24時間の鎮痛効果の有用性を確認している．長時間作用する局所麻酔薬持続徐放性リポソーム製剤で骨折手術後の鎮痛効果が72時間持続したとの報告もある．

3) 深部静脈血栓症（静脈血栓塞栓症）の予防 prevention of deep vein (venous) thrombosis

2010年に日本骨折治療学会より「骨折に伴う静脈血栓塞栓症エビデンスブック」が刊行された．この指標をもとに予防に最善を尽くすことが求められる．

手術直後より弾力包帯や弾性ストッキングの着用，間欠的空気圧迫器 intermittent pneumatic compression の使用，下腿マッサージ，自他動的足関節底背屈運動は下肢静脈の血栓形成を減少させるとの報告が多い．なかでも血栓が好発しやすいヒラメ筋の筋収縮運動が起こる足関節の底背屈自動運動の繰り返しは下腿の静脈血還流に有用である．足関節をキャスト固定した場合は，臥床中の患肢挙上，昼間の下肢挙上運動，深呼吸，等尺性自動筋肉収縮運動を頻繁かつ定期的に行うよう患者に指導する．術後は早期離床を心掛け，トイレへの初回歩行ではパルスオキシメータ pulse oximetry で酸素分圧を確認したあと看護師の付き添いを指示する．トイレで気分不良を訴えたときの心臓発作などの鑑別診断や治療の迅速化に役立つ．

　予防的な薬物療法は，40歳以上，BMI 26.5 以上の肥満，糖尿病，血栓症の既往，健側との下腿周径差が 3 cm 以上の腫脹（Wells score の一項目），Homans 徴候（足関節を背屈させたときに誘発される腓腹筋部の疼痛）などの症候に加えて，D-ダイマー（D-dimer）を測定し 10 μg/mL 以上（正常値 1 μg/mL 以下）であれば早めに低分子量ヘパリン（エノキサパリン）（LMWH），経口 Xa 阻害薬である NOAC などによる抗凝固療法を開始する．抗凝固療法は骨折部の出血や軟部組織部の腫脹を増大させる危険性もあるので，出血凝固因子を経時的に把握することが肝心である．ワルファリンは治療効果発現までに 48 時間以上要する．投与中は PT-INR（プロトロンビン時間の国際標準化比）を 1.5～2.5（正常値 0.9～1.1）に維持する．即効性を求める場合は LMWH が適しており，投与量の基準として APTT（活性化部分トロンボプラスチン時間）を正常値の 1.5～2.5 倍になるように調節する．なお，薬物の予防投与中でも血栓症が起こることがある（図 10-4-21）．

　一定期間留置型の下大静脈フィルタは，抗凝固療法が禁忌である場合，膝窩部より近位に静脈血栓が認められた患者，骨盤骨折の手術を行う場合，術後血栓が確認されたがリハビリテーションを継続する場合などに適応される．

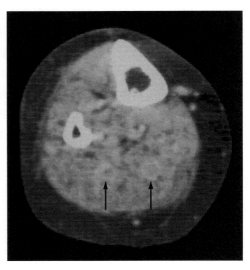

図 10-4-21　術後，抗凝固薬内服中に発生した下腿静脈血栓症
（73歳，女性）
・術後 2 日目よりエドキサバン 15 mg/日内服開始
・術後患肢腫脹著明となる．
・術後 8 日目下肢の超音波検査異常なし
・術後 14 日目 D-ダイマー 27.68 μg/mL に上昇
・造影 CT 画像にてヒラメ筋内に多発した静脈血栓が判明（矢印）
（大分大学整形外科　池田真一先生の症例）

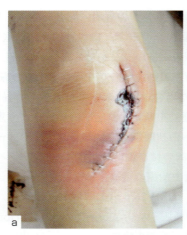 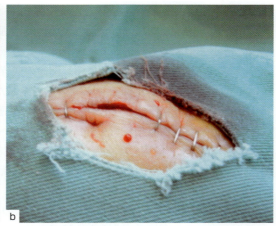

図10-4-22　抗凝固薬投与中の術後の創管理
a. 術後5日に手術創より出血し被覆したガーゼが少し赤くにじんでいた．抗凝固薬投与中に出血傾向が多少認められるのは当然と判断された．
b. しかし7日後も創出血持続．この時点で皮膚縫合時の創縁の不一致が原因であることが判明した．

4) 新鮮皮下骨折患者の手術創管理　management of surgical site infection, SSI

　骨接合術に伴う深部感染はきわめて重篤な合併症となるため，手術部位感染は院内の職員全体で取り組まねばならない課題である．Kirschner鋼線や創外固定ピン刺入部での発赤や滲出液の漏出などの有無を監視する．吸引ドレーン抜去後のドレーン口より血性滲出液の持続的排出の有無の確認も大切である．

　術後1～2日ドレーン抜去時に創治癒が順調であれば，ガーゼによる被覆を避け，半透過性透明フィルムやハイドロコロイドで手術創部を被覆する．これは創傷治癒における湿潤環境の重要性が認識された結果であるが，手術創部や皮弁の血行や感染有無の観察も容易で，汚染から創が保護される．なお，包帯交換時の手術創の皮膚消毒薬の使用は，創傷治癒を担っている線維芽細胞や好中球に対する傷害性などが指摘されており，生理食塩水で拭き取る程度で十分である．

　ここに示す症例は，術後5日に手術創よりの出血でガーゼがにじんでいた（図10-4-22）．抗凝固薬投与中に多少の出血傾向がみられるのは当然と判断された．術後7日にもなお創よりの出血が持続するため丁寧に観察したところ，創縁の一部が埋入して縫合されていたことが原因であることが判明した．抗凝固療法が行われていると創よりのにじむような出血は避けがたいという先入観にとらわれずに，局所をよく観察し創管理を行う必要があることを示している．

5 新鮮開放骨折の治療
the management of fresh open fractures

　新鮮開放骨折の治療成績を向上させる重要な鍵は，速やかな患者の搬送と適切な緊急処置にあり，時間との勝負であるといえる．交通事故や工場爆発など複数の患者が搬送された場合や生命の危険を伴う高エネルギー多発外傷では，治療に当たる医療機関の規模や医師数も治療成績に大きく影響する．ここでは四肢の新鮮開放骨折で緊急手術を行う際の基本的事項を記載する．

　開放骨折の治療目標は，感染を制御し骨癒合を速やかに完了させ運動機能の回復を図ることにある．骨折部がいったん外界と接し汚染されると感染の可能性が飛躍的に高くなり，Gustilo 分類の Type III のように軟部組織損傷が高度であれば骨折の治癒過程は大幅に遅延し，遷延治癒，偽関節になる可能性も高く，皮下骨折に比較して機能的予後も不良となりやすい．切断を伴う重度手部損傷では顕微鏡下での手術 micro-sugery が求められる．創傷の状態は可能な限りデジタルカメラで写真撮影をしておく．家族への説明や同意，医療訴訟対応にも役立つ．

　皮膚欠損を伴う軟部組織損傷が広範囲である場合は，形成外科医に協力を依頼する．

a 緊急手術待機中の対応 preoperative care

　緊急手術待機中は，搬送や体位変換動作で二次的な神経損傷や血管損傷を発生させないように，副子や装具で局所を固定する．開放創はさらなる汚染を防ぐために生理食塩水で浸した滅菌ガーゼで局所を被覆する．ブドウ球菌や大腸菌の汚染を想定し，広域スペクトラムであるセフェム系抗菌薬の静脈持続投与を開始する．破傷風の予防にトキソイドであるテタノブリン（筋注用）かテタノブリン IH（静注用）を投与する．ただし，抗体ができるまで一定の期間を要するので，創の汚染が著しい場合は，緊急の予防処置として抗破傷風ヒト免疫グロブリン 500〜1,000 単位を注射する（p. 275 参照）．

　血圧，呼吸，疼痛，尿量などの全身的観察はもちろんであるが，患者の意識があれば指（趾）の動きや感覚で末梢神経損傷の有無と範囲も術前に確認する．末梢動脈の拍動や爪甲を圧迫しての毛細血管再還流時間（2 秒以内が正常）などの局所循環状態を確認することが大切である．その観察結果は記入時刻を含めて診療録に記載する．

　待機中に血圧低下を認めた場合，まず乳酸リンゲルの急速輸液で対処するが，血圧が回復しない場合は，骨盤内などの動脈損傷や腹腔内臓器損傷を疑い精査が必要である．輸血が必要になっても全血輸血は可能な限り避け成分輸血を心掛ける．日本赤十字社が「輸血療法の実施に関する指針」（2012 年改訂版）を公表しており，全身状態が良好な場合は，出血量が循環血液量の 15〜20％では輸血せず，推定出血量の 2〜3 倍の乳酸リンゲル液など細胞外液補充液で対応する．20〜50％で赤血球濃厚液を使用し，50〜100％で赤血球濃厚液に加えて人工膠質液と等張アルブミン製剤を追加し，100％以上の大量出血で前記各製剤に加えて新鮮凍結血漿や血小板濃厚液の投与を考

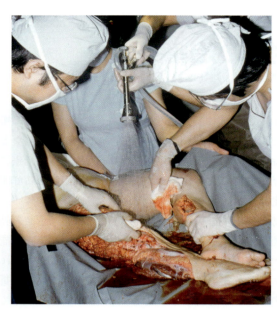

図 10-5-1 大量の水道水を用いての物理的創洗浄
挫滅汚染創の治療の基本は，創の自然治癒を妨げる因子を排除し，かつ治癒を促進させるために行う外科的処置である．そのためには積極的に創を洗浄し創縁の新鮮化を行い，一次閉鎖に努力し一次癒合を成功させることがまず大切である．

慮すると記載されている．さらに緊急の場合で血液型確定前には O 型の赤血球の使用（全血は不可）を認めている．

b 創の洗浄とデブリドマン wound lavage and débridement

　新鮮開放創の局所治療の基本は，創内の異物を除去し，創を十分に洗浄し，創の正常な治癒を妨げる挫滅組織の切除などを行い，創縁の新鮮化を図ることにある．この操作をデブリドマン débridement と呼ぶ．汚染が少なくしかも皮膚にゆとりがある Gustilo 分類の Type I や II の開放創で通常受傷後 6〜24 時間内の処置であれば創の一次閉鎖を行うことが可能である．米国疾病予防管理センター（CDC）は創閉鎖前に 0.35％ ポビドンヨード溶解液での洗浄を推奨している．

　患者の皮膚が機械油などで汚染されている場合はリモネン配合の台所用洗剤が，油性ペンキ汚染はペイント薄め液が便利であり，救急外来には常備しておきたい．下水汚物や泥は手洗用スポンジで洗い落とせる．創内の細かい異物は大量の滅菌水や水道水で物理的に洗い流す（図 10-5-1）．神経や血管などが露出している創内は，ガーゼや柔らかい刷毛を用い愛護的に処置する．開放創が小さい場合でも，深部汚染は不明であるため，創を拡大し深部まで洗浄し郭清することが大切である．新たな切開創延長は皮切の方向と部位が大切であり，区画症候群の区画解放皮切を参考にする（図 10-5-3 参照）．ジェット水流が発射されるパルス洗浄器 pulsatile irrigation の使用は効果的である．

　繰り返し洗浄した後に，滅菌タオルで水滴を拭き取り，通常手術と同様に術野を消毒し滅菌シーツで覆い，新たな器械で手術に取り組むことは重要な手順である．露出している骨折端に血行が通っているか否かの判定は，骨折端にドリルで穴を穿ち出血してくるか否かで判定（paprika sign）し新鮮化する．筋肉は可及的に温存すべきであ

るが，切除すべきか否かの判断は筋肉の生存可能性の指標である"4C"徴候（contractability, color, consistency, capacity to bleed）や止血帯解放後の筋肉の色調の回復状態で判断する．止血は電気凝固器を使用し，どうしても結紮や縫合が必要な場合は，合成吸収糸の被覆材に抗菌薬を添加した抗菌縫合糸を用いる．挫滅された皮膚創縁の新鮮化は，皮膚辺縁よりの出血を目安にする．この時点で検体を細菌検査に提出する．

以上のような徹底的した処置を行ってもGustilo分類のType IIIでは骨髄炎を含めた創感染が発生しやすい．

c 骨折部の安定化 stabilization of the fracture

骨折を可能な限り整復し局所を固定することは，神経，血管，筋組織の二次損傷を予防できるのみならず，創の治癒を促進させ，患者の搬送や体位変換にも不可欠な処置である．その点から，創外固定器を用いた骨折治療の進歩は開放骨折や多発骨折の治療成績に大きく貢献している．関節内骨折では関節面の解剖学的整復が関節可動域の早期回復に直結するが，AO/OTA分類の多骨片型であるType Cで骨片の強固な固定には難渋することが多い．創外固定法の一種であるが，長幹骨では近位と遠位の骨片に皮膚よりそれぞれ太めのStainmannピンを差し込み骨片整復を試み，皮膚外にあるそのピンの頭を装置で連結させれば骨折部を安定化させることもできる（locked wire fixation）．

骨接合術を開放創の洗浄やデブリドマンと同時に行うか二次的に行うかの判断は，症例ごとに異なり一概には論じられない．例えば受傷から治療開始までの時間，開放創の汚染の程度，軟部組織の欠損の程度，骨折の部位や型，創外固定器を含め適切な固定のための手術器械が準備してあるか否か，などの条件によって見解が分かれる．Gustilo分類のType IIIの開放骨折の一時的内固定術では20％前後の感染率が報告され

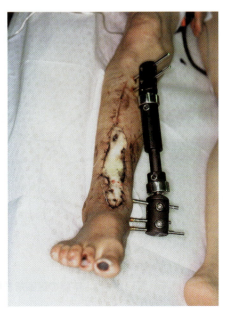

図10-5-2　unilateral型創外固定器
創が皮膚縫合できない開放骨折での骨折部の安定化に有用

ており遷延治癒になりやすい．

　骨接合術を二次的に行うことを選択した場合は，創処置のあと，創外固定，鋼線牽引，プラスチック副子固定などでアライメントを整えて骨折部の固定を図る．創外固定ピンを用いる場合には，開放創から離れた部位に一方向からのみ刺入するunilateral型の創外固定器を用いる（図10-5-2）．後に皮膚欠損部の被覆に有茎皮弁を用いる可能性を考慮して刺入部位を選ぶことが重要である．なお，創外固定法による長期固定は遷延治癒やピン刺入部感染 pin-site infection を招きやすく，早めに内固定法に切り替えるとよいが，その移行時期は軟部組織の被覆状態により異なり1〜4週後との報告が多い．

　骨幹部の骨折部が粉砕され骨片が遊離し小さい場合は，その骨片は原則として摘出する．ただし骨髄が豊富についた骨幹端の骨片や骨端の関節軟骨が付着した大きな骨片は保存する．骨欠損が生じた場合は，創汚染や軟部組織欠損の程度に応じて一次的あるいは二次的に血管柄付き骨移植法，Ilizarov 骨移動法，Masquelet 法で対応する．Ronga ら（2014）は脛骨の新鮮開放骨折でGustilo III-B の6 cm の骨欠損例にMasquelet 法を試み，良好な結果を得たと報告している．

d 血管，神経，腱の処置　management of soft tissue injury

　「創を伴った骨折では多くは筋膜が断裂しているため，区画は解放されており区画症候群は生じない」と考えてはならない．特に下腿は4区画に分かれており，開放骨折でもすべての筋膜が断裂するわけではないので急性区画症候群が生じる危険性はある．脛骨開放骨折でGustilo らは2.7％に，Brick らは9.1％に急性区画症候群を経験したと報告している．術後の浮腫を予測して開放骨折患者の筋膜は十分に切開し解放する．

　下腿の急性区画症候群と診断されたら，直ちに筋膜切開 fasciotomy を施行しなければならない．下腿で4区画すべてを開放する必要がある場合には，Mubarak（1977）が報告した2ヵ所の皮切アプローチを用いる．すなわち，前方区画と外側区画の解放release には脛骨稜と腓骨の間の皮膚縦切開で筋膜を切開する前外方アプローチが，

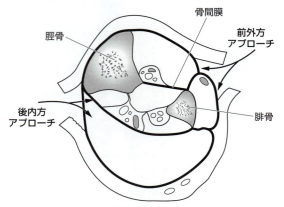
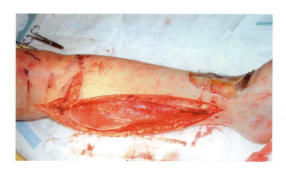

図10-5-3　下腿の区画解放に用いる Mubarak の2方向アプローチ

（北九州市大手町病院　玉井文洋先生提供）

5 新鮮開放骨折の治療 **269**

浅後方区画と深後方区画の解放には，脛骨のやや内後方に縦切開を加える後内方アプローチが有用である（**図 10-5-3**）．筋膜切開は皮神経を可能な限り温存しながら，通常の骨接合術で用いる皮膚切開創よりも長く近位と遠位も十分に除圧できるようにする．図では筋膜切開のときは皮膚を筋膜より大きく剥離するように誇張して描かれているが，可能な限り皮膚と筋膜は一体として切開創延長を行う．切開した創は開放しておき二次的に創閉鎖や植皮術で対処する．

解剖学的に側副血行路が温存されていない主要動脈損傷は，患肢が壊死に陥る危険性があり微小血管外科 microvascular surgery の手術手技で縫合し，循環の改善を図らねばならない．断裂した血管を端端縫合する際に，血管外膜が吻合部の内腔に入り込むと血栓形成が多発するので，それを予防するには血管断端の外膜を少し切除したうえで血管内膜のみを縫合する．縫合前にヘパリン加生理食塩水で血管断端を洗浄しておくことも大切である．肉眼的に動脈が断裂していない場合でも，動脈の内膜損傷が生じていると時間の経過とともに血栓が形成されることがあり，経時的に血行を確認することが重要である（**図 8-1-4** 参照）．

断裂した神経や腱の縫合には局所解剖学や手の外科の手術手技の修得が必要であり，手の外科の経験が乏しい場合には，神経や腱の処置は行わずに創を閉鎖し，後日専門医に委ねる方策もある．骨に付着した腱や靱帯の断端は，デブリドマンの際に可能な限り切除せずに残存させ，後日の機能再建手術に備える．

e 創の被覆と閉鎖 coverage and closure of the wound

1）創の閉鎖 wound closure

開放骨折治療では軟部組織損傷の範囲やその再建が骨折の治療成績を大きく左右する．最適期 golden time に洗浄やデブリドマンが十分行われ，Gustilo 分類の Type I，II で創縁の皮膚にゆとりがある場合は，死腔 dead space をつくらないように排液のための低圧持続吸引ドレーンを留置し，一次的に閉鎖することが可能である．最適期は通常受傷後 6～8 時間以内とされているが，年齢，受傷機転，局所の汚染の程度，刺創，挫滅創などの創の種類や大きさや部位，清浄化した後の創の状態などによっては，8 時間以上経過していても一次的創閉鎖が可能なこともある．

縫合部に過度の緊張が加わると，創傷より遠位での浮腫，循環不全，創縁の壊死，創の哆開などを合併しやすいので，皮膚縫合は皮下脂肪の中間層で剥離を行い，皮弁のゆとりを十分に確認する必要がある．創部の皮膚に緊張がかかる場合には，5 cm ほど離れた場所で創に平行に縦方向の減張切開 relaxation incision を行うと，皮膚にゆとりを持たせて開放創部を縫合・閉鎖できる．減張切開による健常部の皮膚欠損に対しては，腫脹が減退した時点で縫合・閉鎖するか植皮を行う．

Gustilo 分類の Type III は創縁を引き寄せて一次的に皮膚を縫合・閉鎖できないことが多い．骨欠損が広範囲である場合は，創外固定で脚長とアライメントを維持し筋肉皮弁で一次的創閉鎖を行うこともある．Pollak ら（2000）の脛骨粉砕骨折を伴う開放骨折に皮膚移植被覆を行った多施設臨床試験では，筋肉皮弁では 44％ に，遊離皮弁であっても 23％ に被覆が成功しなかったとあり，骨，軟部組織，皮膚欠損の程度にもよるが，挫滅創被覆の時期や治療法の判断は難しいとの結論である．Type II で

270 | 総論 第10章 骨折の治療原則

あっても挫滅創で皮膚壊死の予測範囲が不確実な場合，軟部組織損傷に伴う浮腫や腫脹が広範囲に及ぶと判断された場合，多発外傷で全身管理が優先される場合の一次閉鎖は避けたがよい．局所の乾燥を予防し創傷被覆材などで処置を行う．ハイドロコロイドドレッシング材やアルギン酸塩ドレッシング材などの創傷被覆材は，肉芽形成や上皮化を促進させる．線維芽細胞や血管増生を導く薬剤を浸透させた材質も次々に商品化されている．これらの創傷被覆材で被覆し，肉芽が形成された後に植皮術や筋肉皮弁移行術を行う．

皮膚縫合による創閉鎖ができなかった場合は多孔性人工真皮で被覆する．被覆材に滲出液や出血の所見がなくとも術後2，3日には創部観察"second look"を行う．術後3日頃の"second look"の時点で，再手術を決定することもある．

なお開放創の治療に局所陰圧閉鎖療法 negative pressure wound therapy（NPWT）がわが国に導入され，2010年より保険適用（保険上の一般名称は「陰圧創傷治療システム」）が認められた．ポリウレタン性人工被覆材に吸引チューブが取りつけられており創床にたまる滲出液を陰圧ポンプで排液する創処置法である．比較的簡便な管理で創を保護し，軟部組織浮腫や過剰な滲出液を軽減し感染性老廃物の除去を促進し良好な肉芽形成をもたらす．充填材はほぼ3日に一回交換する．3週前後で皮膚移植による創閉鎖を行う．この閉鎖療法は閉鎖空間での潜在感染を悪化させる危険性があったが，その欠点に対処するため抗菌薬で持続洗浄も可能な創内持続陰圧灌流療法（CLAP：continuous local antibiotic perfusion）が新たに開発された．

附-11 植皮術 skin grafting

皮膚欠損に対して創の被覆を目的に行う方法で，遊離移植法と皮弁移植法とがある．

1）遊離移植法 free grafting

遊離植皮はダーマトーム dermatome を用いて採取する中間分層植皮 split-thickness graft がしばしば用いられる．遊離植皮が成功する条件としては，母床の壊死組織を十分に除去しておくこと，母床からの出血を可及的に少なくするため十分に止血を行うこと，母床と移植片との間に血腫ができないよう適度な圧迫を加えておくこと，皮弁が着床するまで局所を固定することなどが重要である．遊離移植片は2〜4日で母床との血行が開通し7〜10日で血管網が完成する．中間分層遊離植皮は薄い植皮弁とやや厚めの植皮弁とを使い分けることができる．薄い植皮弁は着生しやすいが関節近傍では経過とともに関節拘縮を起こしやすく，全層に近い厚めの植皮弁は着生が難しくはなるが関節拘縮は起こりにくい．

網状植皮は，遊離植皮片を採取したあとダーマトームで網目状に切れ目を付け，必要に応じて植皮片を2〜3倍に引き伸ばして用いる．網目より滲出液や血液が排出され，植皮片は密着して着床しやすい．

2）皮弁移植法 skin flap grafting

皮下脂肪層を付けた有茎の皮膚で皮膚欠損部を被覆する皮弁移植法は比較的簡単で，血行の悪い肉芽の部分や神経や腱の再建手術の追加が必要な開放創に好んで用いられる．皮弁の幅と長さは1：2程度がよい．遊離の血管柄付き皮弁 vascularized flap には微小血管外科の高度な手技が必要であるが，開放創の治療に応用されている．皮膚や皮下組織を筋肉や神経をつけて切り離し，遠隔の皮膚欠損部に移動させ，顕微鏡下に母床の神経や血管と縫合する神経血管柄付き皮弁移植や皮弁を骨組織とともに移植することも可能である．

f 抗菌薬の投与方法 antimicrobial drug

　日本整形外科学会診療ガイドラインでの予防抗菌薬の第一選択はセフェム系またはペニシリン系合剤であり，投与期間は1日投与が推奨されている．土砂に汚染された開放骨折では嫌気性菌感染にも十分配慮することは治療法上重要で，抗菌薬の全身投与で好気性菌が死滅した後もなお続く感染巣にはそれまで鎮静していた嫌気性菌が増殖し，持続する炎症の原因となる場合がある．一般に嫌気性菌に有効な薬剤は，マクロライド系，リンコマイシン系，ニューキノロン系である．

　創洗浄液に抗菌薬を混ぜることは有効であるとのエビデンスはない．開放骨折は創閉鎖が可能なGustilo分類のType IやType IIであっても死腔や組織挫滅部は血行が不十分で全身投与の抗菌薬が奏効しがたいため，抗菌薬の局所散布や注射が試みられる．Lawingら（2015）の臨床実験では，開放骨折の感染予防効果は抗菌薬の全身投与群の感染率が19.7％であったのに対し，アミノグリコシド系抗菌薬局所投与群の感染率は9.5％と有意な差が認められている．

　開放骨折の感染予防に抗菌薬入り骨セメント充填は効果があると報告されている．Henryら（1990）は1,085例の開放骨折に抗菌薬の全身投与のみの240例と，全身投与と抗菌薬入り骨セメントビーズを用いた845例で術後感染発生率を比較した結果，前者が12％に対し後者が3.7％であり，抗菌薬入り骨セメントビーズ群が有意に感染抑制効果があり，特にGustilo分類のType IIIに効果が著明であったと報告している．

　開放骨折で創のデブリドマンを行ったあと骨折部局所を固定する必要があるが，単なる内固定材を用いるだけでは開放創内に残存した細菌が増殖しバイオフィルムbiofilmを形成しやすい．動物実験で長管骨骨髄内に黄色ブドウ球菌を注入すると100％骨髄炎が発生するが，ゲンタマイシンを混入させたpoly D, L-Lactideで覆ったKirschner鋼線を同時に挿入しておくと骨髄炎が80〜90％に抑制できるとの報告がある．抗菌薬を混入させた骨セメントのrodやビーズ，あるいは金属に抗菌薬や消毒用ポビドンヨードを表面加工した髄内釘や鋼線を留置させる治療も行われている．

g 患肢温存か切断術かの選択 limb salvage or amputation

　損傷された患肢の修復術や再建術に対する患者や家族の期待は大きく，術者には最大限の努力が求められることは当然であるが，骨や軟部組織の広範囲の欠損，手足のサルベージ手術が不可能に近いほど多数箇所が損傷された挫滅四肢 mangled extremity，golden timeを過ぎたGustilo分類のType III-C型骨折などでは，患肢温存をあきらめ，やむなく切断術を選択せねばならない場合がある（図10-5-4）．特に把持機能を重視しなければならない上肢では下肢より慎重な適応が求められる．

　決断に迷う場合はいくつか報告された判定基準を参考にする．

　Hannover骨折分類は，骨欠損，皮膚損傷，筋肉損傷，創汚染の程度，骨膜剥離，局所循環，血圧，神経損傷を評価し点数化しており，患肢を温存するか切断するかの判断にも基準として活用できる（表2-2-2参照）．外傷の程度は最悪の状態で合計が22点となり，11点以上が切断術の目安になる．しかしこの基準では全身管理中に変動しやすい低血圧の程度が評価項目に加えられており，切断術の適応決定に影響する

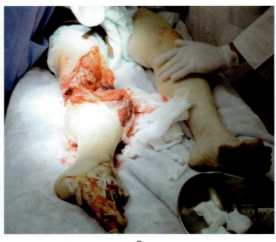 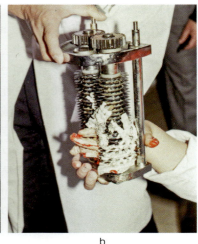

図 10-5-4 挫滅四肢．切断か患肢温存か？
　a．列車事故例（北九州市大手町病院　玉井洋先生の症例）
　b．ミンチ機械に巻き込まれた手

危険性はある．

　高エネルギー損傷では皮膚にある創傷の大きさと深部組織の損傷程度とが必ずしも一致しない．その観点より Gustilo 分類の Type III-A と III-B を，患肢の損傷部位を皮膚・筋膜，骨・関節，筋腱・神経に分け別々に損傷程度を点数化した評価表が GHOIS（Ganga Hospital Open Injury Score, 2005）である（表 10-5-1）．予後に影響する患者の全身状態も考慮されている．患肢温存か切断術か，きわめて重要な判断を迫られたときの判断基準として利用できる評価表である．総点が 14 点以上で切断術が適応とされている．

　このほか患者の年齢，変動しやすい血圧，局所所見を点数化した MESS（Mangled Extremity Severity Score, 1990），神経損傷も評価に加えた NISSA（Nerve injury, Ischemia Soft tissue injury, Skeletal injury, Shock and Age of patient score, 1994），汚染評価が判然としない OTA 開放骨折分類（2010）などが報告されている．

　しかし，これらの評価表で患肢温存は困難と判定された高度挫滅患肢が，最近の微小血管外科の急速な進歩で再建術に成功したとの例が工藤（2016）ら複数の施設より報告されている．救命のため苦渋の選択をした切断術が，医療機関の過失であるとの損害賠償請求が増えており，緊急を要する治療であっても説明と承諾は肝心である．

附-12　爪損傷 nail injury の処置

　日常外来診療では指尖部の損傷にしばしば遭遇する（図 10-5-5）．指をドアで挟んでできる爪下血腫 subungual hematoma は，クリップの先を焼いて穴をあけて血腫を排除すると疼痛が軽快する．爪は指尖を保護すると同時に，指尖掌側の鋭敏な皮膚感覚，物をつまむうえでの指尖の安定性に不可欠である．部分的に剝離しかかった爪を安易に全部抜き取ったり，爪床を漫然と縫合してはならない．爪床に裂創があれば吸収性

5 新鮮開放骨折の治療　**273**

表 10-5-1　開放骨折の GHOIS 重症度評価表

	点数
皮膚・筋膜の損傷程度	
創はあるが皮膚欠損はない	
骨折部より骨露出なし	1
骨折部より骨が露出	2
創部に皮膚欠損あり	
ただし骨折部ではない	3
骨折部の創に皮膚欠損あり	4
患肢に全周の皮膚・筋膜欠損あり	5
骨・関節組織の損傷程度	
横骨折や斜骨折，骨周囲径の 50％以下の小骨片	1
大きな第三骨片あり．骨周囲径の 50％以上	2
骨欠損のない粉砕骨折	3
4 cm 未満の骨欠損	4
4 cm 以上の骨欠損	5
筋腱ならびに神経の損傷程度	
部分的な筋腱損傷	1
完全な筋腱損傷があるが修復可能	2
完全な筋腱損傷があり修復不能	3
（区画内の筋腱部分欠損または後脛骨神経損傷）	
1 つの区画の筋腱が完全に欠損	4
2 つ以上の区画の筋腱が完全に欠損	5
付帯条項　下記の条項に合致する場合はそれぞれに 2 点加算する．	
・デブリドマンまで 12 時間以上が経過している場合	
・下水汚物や有機体による汚染もしくは農場での受傷	
・年齢が 65 歳以上	
・麻酔に影響する薬物治療中の糖尿病，心臓や肺疾患患者	
・胸部や腹部損傷を伴う多発外傷や脂肪塞栓症候群	
・収縮期血圧が 90 mmHg 以下	
・患肢の他の部位に大きな損傷や区画症候群を伴う場合	

縫合糸（6-0〜7-0 のバイクリル®）や細いナイロン糸で丁寧に縫合し修復を図る．爪は主として爪母で再生されるが，爪床が損傷されていると変形を残しやすい．しばしば末節骨骨折を伴う．

附-13　高圧酸素療法 hyperbaric oxygen therapy（HBOT）

　高気圧環境下では血液中の溶解酸素が著しく増加し，組織の酸素分圧が上昇する．この原理を減圧症の治療に応用したのが高圧酸素療法の始まりであるが，現在では CO 中毒，嫌気性菌感染症，阻血性疾患，開放創，慢性骨髄炎，スポーツ傷害などに適応が拡大され，骨折後の骨壊死予防にも試みられている．最近では 1 人用の治療用装置 one man chamber が普及し，各種の外傷や疾患に応用されている（**図 10-5-6**）．通

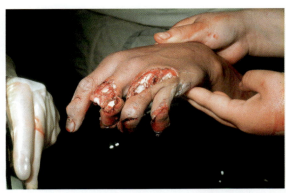
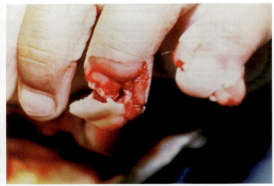

図 10-5-5　末節骨骨折を伴った爪の損傷

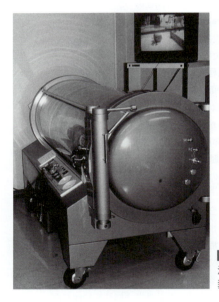

図 10-5-6　簡便な 1 人用高圧酸素治療装置
治療室は透明なアクリルシリンダーでできている．
装置内で治療中にテレビや音楽が楽しめる．

常の疾患では治療用装置内で 2.0〜2.5 絶対気圧程度の空気加圧のみにて行うが，大型治療用タンク内では空気加圧中にマスクで純酸素を吸引させると 10〜20 倍の体内酸素分圧が得られる．

　HBOT が感染治療に有効に作用する機序は，局所の酸素分圧の上昇による虚血性組織の微小循環の改善，白血球の貪食能賦活化，ある種の抗菌薬の殺菌作用の増強，線維芽細胞の組織修復作用の促進などである．そのほか，骨膜性骨形成能の促進などが報告されており，HBOT には，ほかのいくつかの骨折治療法と組み合わせて，骨癒合完了までの期間を短縮させる期待が膨らんでいる．

附-14　開放骨折に合併する重篤な創傷感染症の治療と予防

1）壊死性筋膜炎 necrotizing fasciitis

　筋膜に主病巣が存在する細菌感染症である．壊死性筋膜炎では局所の炎症は急速に進行し，全身状態が悪化し，激症型では死亡率が高い．挫滅創，熱傷，手術などの外傷部位より直接に感染することが多い．発生部位は四肢，特に下肢に多発する．起炎菌は A

群溶血性レンサ球菌（*Strep. pyogenes*）が最も多く，バクテロイデス（*Bacteroides*）などの嫌気性菌に好気性菌が混合感染していた症例の報告も少なくない．劇症型 A 群溶血性レンサ球菌感染症は 7 日以内に保健所への届け出が必要である．

感染局所には，激しい疼痛，境界不鮮明な紅斑や浮腫状の腫脹，著明な圧痛がある．この時点では，真皮に主病巣があり急速に水平方向に広がる丹毒や真皮深層から皮下脂肪織にかけて主病巣がある蜂巣炎との鑑別は難しい．壊死性筋膜炎が進行すると皮膚の栄養血管に血栓が生じ，皮膚に水疱，血疱，紫斑，壊死が出現し，さらには壊疽を生じる（蜂巣炎では皮膚壊死や壊疽を生じることはなく鑑別に役立つ．ガス壊疽は主病変が筋肉にあり，皮膚に皮膚壊死がみられない時期よりガス形成が確認でき捻髪音を生じる）．単純 X 線写真でガス像がないことを確認する．CT 撮影や MRI は病巣の部位や広がりを知るのに有用で，迅速標本での病理組織検査は診断に重要である．なお，黄色ブドウ球菌や A 群溶血性レンサ球菌による激症型では，全身症状としてショック症状（toxic shock syndrome：TSS，toxic shock-like syndrome：TSLS）のほかに，高熱，意識障害，腎不全，多臓器不全が出現する．

治療としては，抗菌薬の全身投与とショックに対する全身管理が行われる．高圧酸素療法も有効である．激症型では救命のために早期の広範囲の壊死組織の除去あるいはギロチン切断 guillotine amputation が必要である．

2) 破傷風 tetanus

破傷風は破傷風菌 *Clostridium tetani* による感染症であり，破傷風菌が産生する菌体外毒素（tetanospasmin 神経毒）によって，まず開口障害，次いで全身の横紋筋の強直とけいれんによる痙笑，後弓反張などが出現する．破傷風菌は土の中に芽胞の状態で常在しており，わが国では発生頻度は少ないが，土砂に汚染された開放創，刺創などは破傷風菌の感染を常に念頭におかねばならない．潜伏期は 3〜21 日とされ，短いほど予後が悪く死亡率が高い．破傷風患者を診察したら 7 日以内に保健所に届け出の義務がある．

治療は迅速かつ適切な対応を必要とする．治療の要点は，破傷風菌を死滅させ，破傷風菌より産生された血中の遊離神経毒を中和させるとともに，すでに神経に付着した毒素に対して抗けいれん薬や人工呼吸管理などでの対症療法を行うことにある．

① 集中治療室にて全身管理を行い，けいれんに対する薬物療法を行う．
② 抗破傷風ヒト免疫グロブリン 5,000 単位を直ちに静脈注射する．
③ 局所の汚染創の処置を行い，ペニシリンの大量投与を開始する．

なお，開放創患者が搬送されてきた場合，小児期のワクチン接種歴が確認されない限り破傷風の緊急の予防処置として抗破傷風ヒト免疫グロブリン 250 単位を筋注する．筋注用（テタノブリン）と静注用（テタノブリン IH）があるので確認のうえで使用する．来院した患者の開放創や刺創が golden time（受傷後 6〜8 時間）以上経過している場合は 500〜1,000 単位を注射する．受動免疫の血中抗体価の生物学的半減期は 1 ヵ月であり，創傷がまだ治癒していない状態では抗破傷風ヒト免疫グロブリンを追加する．長期の能動免疫獲得のためには破傷風トキソイドが用いられる．

3) ガス壊疽 gas gangrene

土砂で汚染された創に発生する．起炎菌は主として *Cl. perfringens* などの *Clostridium* 属の嫌気性菌である（clostridial gas gangrene）．連鎖球菌，大腸菌，クレブシェラが検出されることもある（non-clostridial gas gangrene）．

創傷内にガスが発生し，毒素によって筋肉組織が進行性にしかも広範に壊死に陥る．その局所はしばしば悪臭を放ち，圧迫すると握雪感を感じ捻髪音を生じる．放置すると全身状態が悪化し生命が脅かされる．単純 X 線写真で軟部組織内にガス像が認められる（図 10-5-7）．

治療は，汚染創を開放しデブリドマンを行うと同時に抗菌薬を投与する．起炎菌が嫌気性菌である場合は，可能な限り早急に高圧酸素療法を行う．単純 X 線写真でガス像

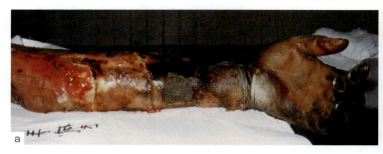
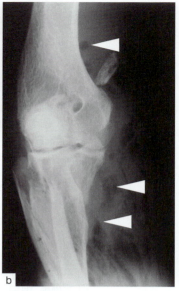

図 10-5-7　ガス壊疽
a. ガス壊疽を生じ悪臭を放つ創
b. 単純 X 線写真で確認されたガス像

が認められる場合は，Clostridium 属の嫌気性菌であるか否かの鑑別よりも，生命予後を重視して高圧酸素療法を先行させたがよい．

予防は創部の十分な洗浄とデブリドマンを行う．汚染が著しく，徹底した創洗浄やデブリドマンが困難な場合は，創傷を開放性に処置する．

附-15　切断肢再接着　replantation

外傷による四肢切断とは，血管縫合による血行再開手術なくしては患肢が温存できない開放損傷のことである．組織のすべてが断裂した状態を完全切断，皮膚や腱などで部分的連続性が保たれている状態を不全切断と呼ぶ．

現在は完全に切断された小児の指であっても顕微鏡下手術によって再接着が可能となった．基礎的研究成果の蓄積，適応の選択基準の確立，手術手技の向上などによって，成功率はほぼ 90% と報告されている．不全切断では静脈還流は保たれていることが多く，手術成績は完全切断より良好である．切断肢をビニール袋に入れて氷水で冷やして搬送する知識の普及も成功率の向上に一役買っているといえる．

再接着の適応は，患者の全身状態，切断された部位，局所の状態，医療を行う側の技術，人員，設備など諸々の条件を考慮して決定する．血行再開までの時間が 6 時間以内であれば成功率は高い．切断肢の保存状態にもよるが，ビニール袋に入れた患肢を氷水で冷やした状態であれば約 12 時間が手術成功の許容範囲である．指が 5 本切断されている場合には，母指と対立指は再接着の絶対的適応となるが，ほかの指の再接着には年齢，手術時間，機能的予後などを考慮する．

全身状態が落ち着くまで，切断肢の近位は生理食塩水で浸した滅菌ガーゼで圧迫止血しておく．場合によっては止血帯を使用する．局所の処置としては，術野と切断肢を消毒し創処置をしながら血管や神経や腱を識別する．切断端の皮膚を少し縦切開するとその操作が可能となる．切断肢の灌流をヘパリンで行う必要性の是非に関しては両論がある．いずれにせよ，まず骨折を整復固定し，神経縫合を行い動脈の再建に移る．端端縫合を行うが直接の縫合が困難であれば自家静脈移植を行う．動脈 2 本と静脈 2 本を縫合することが基本であるが，静脈はできるだけ多く縫合したほうがよい．腱縫合や腱移

行は可能であれば一次的に行う.

　術後は除痛をはかり，静脈の還流をよくするために患肢を挙上し，保温に配慮し指の色調をチェックし循環状態を経時的に観察する．超音波ドプラ装置の利用も有用である．血栓形成予防処置としてヘパリンなどの抗凝固薬の投与を行う.

　大腿部の再接着術後に重篤な合併症であるショックが生じることがある．虚血状態にあった下肢の豊富な筋肉内より大量のカリウムやミオグロビン myoglobin が血中に流入し，これにアシドーシスが加わり腎機能障害や心停止が発生するもので，圧挫症候群と同じ病態となる.

6　変形癒合 malunion の治療

a　治療適応

　高齢化社会の到来で転倒による上腕骨近位部骨折も増加している．その中で転位した大結節の骨片が突出した状態で癒合する変形癒合が少なくない．骨片転位の程度にもよるが，整髪動作など40°以上の肩関節挙上時に疼痛や炎症が生じる頑固なインピンジメント症候群には手術が適応となる．突出した大結節を骨切りし解剖学的位置に整復するか，鏡視下での肩峰部分切除と烏口肩峰靱帯切除を行う（図8-2-4参照）.

　長管骨の軸変形癒合 angular malunion, angular deformity は，大腿骨や脛骨などの骨幹部では5〜10°以内は許容範囲とされている．膝関節や足関節などの荷重関節の近傍では，関節面が骨軸に対して10°以上傾斜している場合に矯正手術の適応を検討する．小児の尺骨骨折変形治癒後に徐々に進展する橈骨頭亜脱臼・脱臼は，成長に伴う上肢機能障害予防の観点より早めの尺骨骨切り矯正術が必要である．その際，骨間膜で橈骨頭を整復位に導く目的で，尺骨を背側凸に骨切り矯正する．必要に応じて尺骨延長を行う.

　回旋変形癒合 rotational malunion は，脛骨や大腿骨では内旋は5°，外旋は10〜15°が許容範囲である．指での回旋変形はわずかであっても把持動作の妨げとなり，握力低下を招くなど日常動作に与える影響が大きく，矯正手術が適応となる．小児の骨端線損傷や骨折治癒後に生じた変形は，年齢が若いほど成長とともに自家矯正されるが，内反肘は回旋矯正を含めた骨切りがしばしば必要となる（p.481参照）.

　短縮変形 shortening deformity は上肢よりも下肢での影響が大きく，下肢に2cm以上の短縮変形があると跛行が出現し容姿上の問題ともなり，ときには腰痛を合併することもあり，創外固定器を用いた肢延長術 limb lengthening による矯正を検討する.

b　治　療　法

　変形癒合に対する矯正骨切り術は変形の種類に応じて骨軸に水平または斜めに骨を切り矯正する．骨切り部を髄内釘で固定する場合は，遠位骨片の髄内に逆行性にパイロットを挿入した後に手術創を閉じて髄腔のリーミングを行うと欠損部に骨移植の必要がない．プレート固定の場合は欠損部に自家骨移植を行う．Ilizarov 創外固定法は

三次元の矯正が可能であると同時に，脚短縮にも対応できる．変形矯正術では，軸変形や回旋変形が十分に矯正されていることを術中の肢位や単純X線写真で確認することが肝要である．

7 遷延治癒 delayed union と偽関節（骨癒合不全）nonunion の治療

骨折治癒の臨床的判定は単純X線写真とCTで行われる．単純X線写真では，橋渡し仮骨 bridging callus と骨折線のほぼ消失が確認された時点で骨癒合完了と判断される．Bhandariら（2002）の報告でも，アンケートに答えた米国とカナダ444名の専門医の約80％が，捻転や屈曲外力に対する骨強度回復の目安となる骨皮質の連続性 cortical continuity を骨折癒合の臨床的完了と見なすとの見解であった．DiSilvioら（2018）の単純X線撮影での追跡調査でも，髄内釘固定した大腿骨骨折と脛骨骨折は術後4ヵ月までに橋渡し仮骨の出現が確認できると122症例中121例で骨癒合が完成していたと，橋渡し仮骨は骨癒合の確実な徴候であると述べている．

しかし単純X線写真で観察すると，骨癒合完了と判定された後も骨折部の仮骨は形状や骨梁が変化し続けている．骨癒合が完了したと判定する時期は，骨癒合が遷延しているのか否かを評価するうえで重要な臨床上の課題である（**表10-7-1，表2-3-1参照**）．骨折部の疼痛や圧痛の消失などの症候は患者や主治医の主観的要素が関与するため，画像診断での客観的評価が求められる．現在，骨密度測定器，パルスドプラ超音波検査を用いた臨床的研究が試みられているが，単純X線写真での判定に比較するとその信頼性は低い．標準となる単純X線写真ですら骨癒合完了の判定

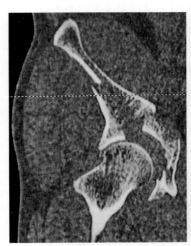
術前の前額面像

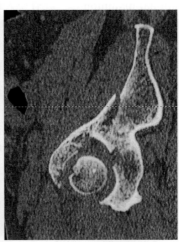
術前の横断面像

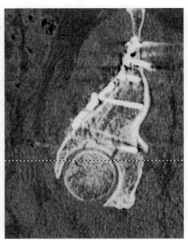
術後（3ヵ月）の横断面像

図10-7-1　寛骨臼骨折の多断面構成法（MPR-CT）

表 10-7-1　部位別の復職・療養期間

骨折部位		AO 分類	骨癒合期間	復職期間	療養期間
上腕骨	近位	11	89 日	72 日	169 日
	骨幹	12	138 日	90 日	282 日
	遠位	13	100 日	73 日	200 日
橈骨・尺骨	近位	21	89 日	54 日	167 日
	骨幹	22	133 日	89 日	288 日
	遠位	23	63 日	61 日	109 日
大腿骨	近位	31	132 日	136 日	286 日
	骨幹	32	152 日	113 日	407 日
	遠位	33	130 日	95 日	282 日
脛骨・腓骨	近位	41	112 日	119 日	321 日
	骨幹	42	171 日	126 日	354 日
	遠位	43	100 日	82 日	236 日
	果部	44	91 日	72 日	238 日
脊椎	頸椎	51	176 日	188 日	390 日
	胸椎	52	85 日	88 日	156 日
	腰椎	53	109 日	101 日	184 日
骨盤	関節外部	61	94 日	134 日	245 日
	臼蓋部	62	91 日	135 日	166 日
手	手根骨	71	88 日	58 日	126 日
	中手骨	72	51 日	31 日	76 日
	手指骨	73	51 日	47 日	76 日
足	足根骨他	81	71 日	88 日	171 日
	中足骨	82	67 日	60 日	96 日
	遠位	83	47 日	36 日	64 日
他の骨格	膝蓋骨	91.1	88 日	69 日	204 日
	鎖骨	91.2	116 日	64 日	181 日
	肩甲骨	91.3	93 日	83 日	180 日

（平成 15 年度厚生労働省委託研究（日本整形外科学会）より）

基準も，その評価基準に組み込む項目や利便性などでなお意見が分かれている．

　その観点からすれば，CT で得られたスライス画像を再構築し任意の断面を求める多断面構成法（MPR-CT）では，術後 3 ヵ月経過しても骨癒合が未完全の部分を見事に描出できる（**図 10-7-1**）．

　遷延治癒や偽関節の治療に緊急性はない．それまでに行った治療法の問題点を明確にし，周到な計画で新たな治療法を考える時間がある．なぜ骨癒合が遷延したのか，病歴を詳しく聞き，できれば治療経過の資料を入手して検討する．保存療法を受けていれば，外固定期間や荷重時期（骨粗鬆症性椎体圧迫骨折で偽関節を生じた症例の調査報告では，初期に外固定用装具が処方されていないか適切でなかったものが 70～80％を占めており，初期治療が不適切であったことが指摘されている），開放骨折であれば汚染の程度や主要血管の再建術が行われたのか否か，骨粗鬆症や糖尿病などの合併も治療計画をたてるうえで参考になる．

次いで局所の変形，肢長差などの肢位異常，神経麻痺の有無，隣接関節の可動域を調べ，どのような手順で治療するのかを検討する．皮膚や筋肉の瘢痕化は術後の創の一次治癒に及ぼす影響が大きい．

骨癒合が得られていない局所的原因と今後の治療方針の決定には，画像検査が必要である．関節周囲骨折の単純 X 線写真では斜位像を含めて 4 方向撮影を行う．すでに金属による内固定を受けている場合は，使用されている金属によっては MRI や CT が使用できないことがある．その場合は，従来の X 線断層撮影検査 conventional X-ray tomography がデジタル化され改良されており威力を発揮する（図 7-3-4 参照）．創外固定器使用例では，仮骨形成の有無，量やその部位などの判定やまた固定器の除去時期の決定などに，CT や二重エネルギー X 線吸収法で的確な情報が得られると報告されている．顎部骨折や関節内骨折では可動域制限の原因を理解するために，関節造影で関節内の癒着の状態を解析する．骨シンチグラフィーで集積像が認められる場合は，たとえ単純 X 線写真が萎縮型偽関節であっても骨癒合能が残存していることを示唆するので，偽関節の治療法選択に有用な検査法であるといえる（図 10-7-5 参照）．

a 保存療法 conservative treatment

治療観察中の骨折患者の仮骨形成が不十分で骨癒合が遷延している場合，骨癒合を促進させる骨折治療促進薬が開発されている．低出力超音波療法や電気刺激装置は機械的刺激で骨誘導を増強させる保存療法である．

1）骨折治療促進薬 drugs for fracture healing

骨粗鬆症治療薬であるビスフォスフォネートの骨形成促進作用やロモソズマブなどの骨吸収抑制作用が骨折治療薬として期待されている．間葉系幹細胞，骨形成を誘導する骨形成蛋白質 bone morphogenetic protein（BMP），線維芽細胞増殖因子（FGF）などの局所注射も行われている（p. 288 参照）．その投与開始時期は単純 X 線写真で判断するが，完全に偽関節になった段階で投与するよりも，骨折手術後 2, 3 ヵ月経過しても仮骨形成が遷延していると判断された段階がよいと報告されている．

副甲状腺ホルモンに関しては第 3 章（p. 77）を参照されたい．

2）低出力超音波パルス療法 low-intensity pulsed ultrasound [LIPUS] therapy

LIPUS は局所の組織温度を上昇させることなく，微細な振動に基づく機械的刺激作用で骨折の治癒過程を促進する．また，軟骨細胞分化や骨芽細胞の活性化など骨折治癒の全過程で効果を発揮し，仮骨の機械的強度を増加させる．わが国では 1998 年より遷延治癒骨折や偽関節に LIPUS 療法の保険適応が認められ，2006 年より開放骨折や粉砕骨折であれば術後に本法の使用が認可された．

1 日わずか 20 分の照射で済み，装置は安全で取り付けも簡単なので，家庭でも利用可能である（図 10-7-2）．この超音波治療器の周波数は 1.5 Mhz，出力レベルは 30 mW/cm^2 で通常用いられる温熱療法装置の 1/100 程度の低出力であるため，金属製内固定材料が存在しても照射が可能である．ただし，LIPUS は金属を透過しないため内固定材料がある場合には LIPUS 療法の治療効果は減弱するとの報告があり，プレートを避けて照射するなど工夫が必要である（図 10-7-3）．同じ遷延治癒でも脛

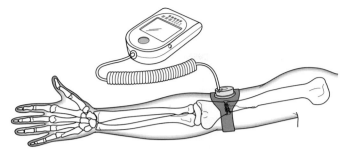

図 10-7-2　低出力超音波パルス療法
（帝人株式会社提供）

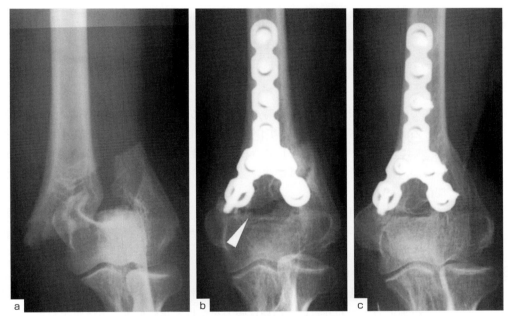

図 10-7-3　低出力超音波パルス療法で対応した症例（69 歳，女性）
a. 橈骨神経麻痺を伴う上腕骨開放骨折（Gustilo 分類の Type1）．即日手術施行
b. 3 ヵ月後の単純 X 線写真．骨片間に間隙があり（矢印）骨癒合不全状態にある．肘関節の関節可動域は 35〜110°であったが可動域訓練を中止．自宅での低出力超音波療法 20 分／日を開始した．
c. 12 ヵ月後の単純 X 線写真．関節可動域は 15〜130°．この間，日常生活動作はまったく制限していない．

骨骨幹部骨折より大腿骨骨幹部骨折の治療効果が低いことより，深部にある骨への到達性と治療効果を期待して出力レベルが 60 mW/cm^2 の器機が開発されたが，30 mW/cm^2 で治療効果が落ちるのは，骨に正しく照射されていない手技的なものが大きいとの指摘もある（LIPUS の骨癒合過程への作用機序に関しては p.76 参照のこと）．

日本における神宮司ら（2007）の前向き多施設研究では，72 症例の長管骨の遷延治癒や偽関節に手術を行った症例に LIPUS 治療を併用（開始時期は 3〜68 ヵ月，平均 11.5 ヵ月）し，75％の症例で骨癒合が得られたと報告されている．骨折の手術後 6 ヵ月以内に照射を開始した場合は 89.7％の治癒率であり，LIPUS 治療は仮骨形成が遷

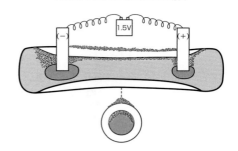

骨の圧電気現象

われわれはここに仮骨形成に関する力学的考察から出発し，電気生理学の見解を加えて，骨に圧縮力を加えると，その圧縮部が電気的に陰性となることを推論かつ実証した．そしてこの現象はわれわれがはじめて実験的に見出したもので，これを骨の圧電気現象と命名する

骨軸に平行に電流を通した場合

この実験成績を図解的に表したものである．仮骨形成の状態をみるに，2本の電極間の内外骨膜に低い堤状の仮骨を認める．われわれがここに電流によって作った仮骨は電気的仮骨と称すべきである

図 10-7-4 骨の圧電気現象と電気的仮骨

(保田岩夫の原図，1953)

延していると臨床的に判断した時点で開始するのがより効果的であるとの結論であった．Zura ら (2015) は，受傷より 1 年以上経過した偽関節 767 例に LIPUS 療法を行い，86.2% に骨癒合を得たと報告している．感染性偽関節も骨癒合促進効果は認められているが，骨折局所の不安定性が強い場合や骨片の間隙が大きい場合には本法の効果は期待できない．

LIPUS 療法に生物学的製剤 biological agent や間葉系細胞の局所注入，高圧酸素療法などを含めたいろいろな治療法の組み合わせにより，遷延治癒や偽関節の治癒率の向上が期待されている．

3) 電気刺激療法 electrical stimulation

骨は硬そうに見えるが弾性体であり，長幹骨を屈曲させようとするとたわみ，凹側には圧縮応力が加わり負に，凸側は張力を受けて正に荷電する圧電気現象 piezoelectricity が生じる．保田ら (1953) はこの発見に続いて，大腿骨に 1〜10 μA の電気刺激を加えると仮骨が形成されることを確認し (図 10-7-4)，骨折治療を目的とした電気刺激装置を考案している．

現在ではいくつかの骨電気刺激装置が市販され臨床に応用されている．そのうち高周波容量電気刺激法 CCEF (capacitively coupled electric field) stimulation やパルス電磁場法 PEMF (pulsed electromagnetic field) stimulation は，電極板を皮膚表面に接触させるだけで簡単にセットでき，金属などの内固定材料の有無に関係なく通電が可能などの利点がある．一方すでに創外固定装置が取り付けてある場合には，骨折部に近接した部位に 2 本の刺激ピンを刺入して電流を流す方法もある．患者の QOL を考慮し，社会復帰後も使用可能な携帯用刺激装置も開発されている．舟状骨骨折のような小さな骨にも装着できる．ただし，低出力超音波装置の装着時間が 20 分で済むのに対し，電気刺激装置は 6 時間以上の装着が必要である．

電気刺激療法の治療成績は，偽関節の 75〜80% に骨癒合が得られたと報告されている．例えば Brighton らの治療成績では，偽関節の 83.7% に骨癒合が認められ，骨

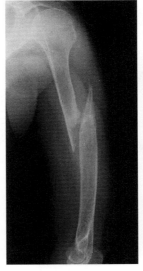
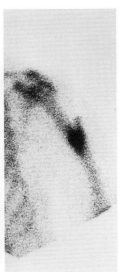

図 10-7-5　受傷後 10 ヵ月目
（62 歳，女性）
プラスチックキャストや機能装具による保存療法が行われた．単純 X 線写真では典型的な偽関節像を示している．ただし骨シンチグラフィーでは骨折端に集積像が認められる．

X 線写真　　骨シンチグラフィー

髄炎を合併する場合でも 74.4%の骨癒合率で，内固定材料が留置されている状態でも影響しない．本法は単純 X 線写真で骨増殖型もしくは骨シンチグラフィーで一塊とした集積像が確認できる偽関節によい適応である．ただし MRI で偽関節部に液体貯留を認める滑膜性偽関節では効果は期待できない．

b 手術療法

骨片間の間隙の大きさにもよるが非感染性の骨増殖型偽関節は，手術による局所の安定化と肉芽組織，骨髄細胞，骨膜に機械的あるいは生物学的刺激が加われば骨癒合を得ることができる．Iwakura ら（2009）は増殖型偽関節部に介在する肉芽組織の細胞学的研究で，偽関節部の間葉系細胞は機械的刺激で骨や軟骨に分化する潜在能力があることを明らかにしている．骨萎縮型偽関節でも骨シンチグラフィーで一塊とした集積像を示す例では，骨増殖型と同様に偽関節部の局所安定化と骨穿孔術，骨切り術，骨髄内リーミングの手段で対応できる（図 10-7-5）．骨シンチグラフィーで集積像が欠損していたり，MRI で液体貯留を認める場合には，皮質むき手術 décortication や骨移植術を加えた局所安定化が必要となる．

骨欠損偽関節や感染性偽関節に関しては，7）と 8）で詳述する．

1) 骨穿孔術　drilling

骨形成能を刺激するために骨折端部を細い Kirschner 鋼線で多数ヵ所穿孔する方法である．皮膚に切開を加えずに，鋼線を経皮的に刺入して骨に当て，骨折部を横切り，対側の骨皮質まで貫通させる（図 10-7-6）．感染が疑われない遷延治癒骨折に対する最も簡単な治療法である．X 線透視下に操作すると骨端硬化部を正確に穿孔できる．1929 年に Beck が報告し，Böhler が著書 "Die Technik der Knochenbruchbehandlung" で紹介して以来，広く臨床に応用されている．Carter（1934）は電動式ドリルでは皮膚を損傷するので，手回しドリルがよいと骨穿孔法のための手術器械を考案している．骨穿孔術後には強固な固定が必要なので，骨片の間隙が小さくすでにプレート

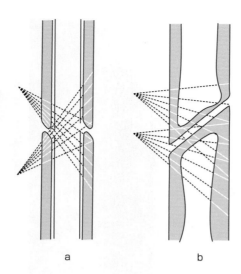

図 10-7-6　骨穿孔術（Beck 法）
a. 仮骨形成が遷延した横骨折での骨穿孔方法
b. 硬化骨で骨髄腔が分断された斜骨折の偽関節での骨穿孔方法

や創外固定器で固定されており，異常可動性がない例に適応がある．

骨穿孔を行った孔より経皮的に，骨形成蛋白質（BMP），形質転換性成長因子（TGF），血小板由来成長因子（PDGF）などを注入する治療法も今後期待できる．

2）骨細片術 chipping

偽関節部の骨を周囲の軟部組織より剥がすことなく細かに砕いておくと，局所血行が改善し生物活性が亢進するため，骨移植をせずに骨癒合が達成できる症例があると渡辺らは報告（2016）している．

3）骨切り術 osteotomy

非感染性で骨欠損がない長管骨の偽関節に対し，線状の偽関節肉芽を斜めに貫く骨切り術と強固な局所の固定により骨癒合を得ることができる．渡辺は 26 例 28 骨の長管骨偽関節に骨切り術（受傷から平均 12 ヵ月後．2 例のみは 2 度の骨切り術施行）を行い，術後平均 3 ヵ月で全例に骨癒合を得ることができたと報告している（図 10-7-7）．骨穿孔術と同じ骨形成機序と推測される．

4）骨髄内リーミング intramedullary reaming, exchange nailing

Küntscher 髄内釘固定がすでに行われている長管骨骨幹部の非感染性偽関節に対しては，髄内釘を抜去したあと骨髄腔をリーミングして拡大し，可及的に太い髄内釘を再挿入することで骨移植を行うことなく骨癒合を得ることができる．髄腔内をリーミングすることで間葉系細胞の豊富な骨髄液が偽関節部に充満し，肉芽組織を賦活化させることやリーミング操作での骨膜血行への刺激が骨癒合を促進させる要因であると考えられている．Brinker ら（2007）の文献調査によれば，抜去した髄内釘の径より 1〜4 mm 程度の髄腔拡大で十分であり，大腿骨では 70〜100％に，脛骨では 76〜96％で骨癒合が得られている．

骨片の回旋防止のために横止め固定法を用いることで，髄内釘による固定は骨幹部骨折のみならず骨幹端部の遷延治癒骨折や偽関節にまで適応が拡大された（図 10-7-8）．横止めスクリューを用いる髄内釘手術では髄腔のリーミング操作は必要ないとの報告もある．

7 遷延治癒と偽関節（骨癒合不全）の治療　285

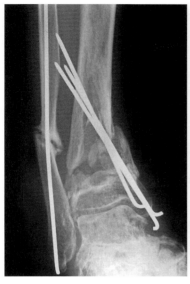
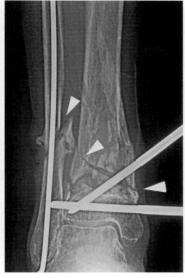
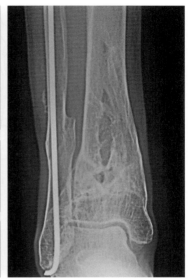

術前（受傷後6ヵ月）　　　　　　骨切り術と創外固定術　　　　　4ヵ月後には骨癒合完成

図 10-7-7　骨切り術を用いた偽関節手術（84歳, 男性）
受傷後6ヵ月経過しても骨癒合しなかった84歳の男性に, 骨切り術による変形矯正のみにて骨癒合が得られた症例
（渡辺整形外科　渡辺　雄先生の症例）

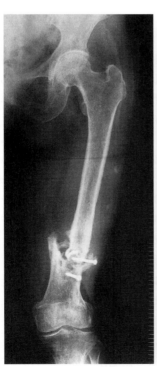
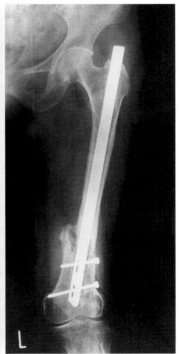

図 10-7-8　骨移植を行わず骨髄内リーミングのみで対応した大腿骨偽関節例
骨移植をせずに髄腔拡大の後, Küntscher髄内釘固定により骨癒合が得られた.

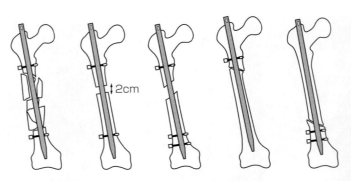

図10-7-9 横止め法 interlocking nail を用いた髄内固定法の適応拡大 (Klemm 原図, 1972)

5) 軸圧負荷術 dynamization

欠損部分がわずかな偽関節で髄内固定法がすでに施行され，骨折部の遠位と近位の骨片に横止め釘が挿入されている場合は，一方の骨折片の横止め釘を抜去し，患肢を荷重させる軸圧負荷を行う方法もある（図10-7-9）．

6) 皮質むき手術 décortication

皮質むき手術は発想豊かな偽関節手術といえる．Judet（1962）が報告した手術法で，筋肉と骨膜を骨皮質に付着させたまま偽関節部を中心に近位と遠位に各4～5cmにわたって皮質骨を薄くノミで削る方法である．削れた小骨片は骨膜や周囲の筋肉などと連続しており血行が保たれることとなる（図10-7-10a）．Judet法は原則として骨移植を行わず，むしろ骨移植を必要としないことを特徴としているが，Weberは皮質むき手術後に骨片移植を併用する方法を報告している（図10-7-10b）．弓削は皮質むき手術後に強固な固定を行うことが重要であると述べている．

7) 骨移植 bone graft と骨接合術 osteosynthesis

許容範囲を逸脱した短縮，回旋，屈曲などの変形がある場合には，手術的に骨片間の肉芽組織を除去し変形を矯正する．仮骨過剰形成型の遷延治癒や偽関節では，肉芽組織内に潜在性の骨形成能力があるので，広範な間隙がない限りは切除の必要はない．骨形成のための生物学的活性の有無の判断には，骨シンチグラフィーが有用である（図7-3-13参照）．萎縮型であったり，関節液様の貯留液を認める場合には偽関節部を積極的に郭清する必要がある．

すでにプレートによって固定されている場合はプレートやスクリューが緩んでいることがあり，より長目のプレートを用いて強固な再固定術を行い骨折端の硬化した部分を切除し骨髄腔を露出させ骨移植術を行う．皮質骨に血管が進入しやすいようにドリルやKirschner鋼線で小孔を開けておくとよい．高度な骨粗鬆症で骨が脆く強固なスクリュー固定が得られない場合は，骨セメントをドリルで開けた孔より骨髄内に注入し，スクリューをねじ込むと固定性が向上し有用である（図10-7-11）．Küntscher髄内釘を用いてもよい．

骨移植に腸骨より採取した間葉系細胞などを混和させる細胞療法 cell therapy も，骨緻密化の促進とより早期の社会復帰を目的に試みられている．

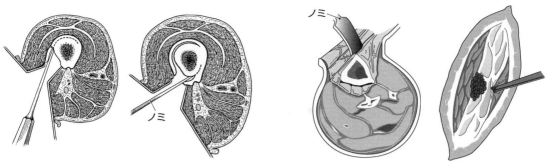

a. Judet の décortication（Judet 原図）　　　b. Weber の décortication

図 10-7-10　皮質むき手術 décortication

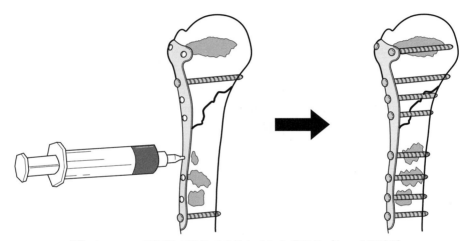

図 10-7-11　骨粗鬆症患者での骨セメント併用のプレート固定法

附-16　逆行性髄内釘固定法　retrograde intramedullary nailing

　　骨幹端部の偽関節で，関節にはほとんど可動性がなく骨折部で異常可動性があり，軟部組織の被覆が少なく皮膚が広汎に瘢痕化し手術を行うと一次的創閉鎖が難しい，などの悪条件が重なる場合には，Küntscher 髄内釘を関節内から打ち込む手術法が選択されることもある．この手術法は手技が比較的に簡単で，術後の外固定も不要などの利点があり，活動性の感染がない場合にはこの適応を考慮してもよい．繰り返し手術が行われ皮膚が瘢痕化した脛骨遠位部の遷延治癒例に足底より Küntscher 髄内釘を刺入する手術法も報告されている．

8）欠損偽関節の治療　defect nonunion

　　交通事故や爆発などの高エネルギーによる損傷は，軟部組織の挫滅を伴う粉砕骨折になりやすく，遊離した粉砕皮質骨片をデブリドマンで切除すると当然の結果として骨欠損 bone loss が生じ，骨癒合は起こらず放置すれば欠損偽関節となる．上腕骨や

鎖骨で未治療のまま放置された骨折は，時折広範囲の骨欠損が生じることがある（図2-4-4参照）．どの程度の骨欠損があれば欠損偽関節と呼ぶかに関して専門学会での定義がないが，学術論文では長管骨の骨折部に通常2cm以上の間隙が存在する場合に欠損偽関節との用語が用いられている．2cm未満の骨欠損であれば端端接合が許される臨床現場での治療実態を勘案すると妥当な見解であるといえる（図2-4-2参照）．

　欠損偽関節の治療は，欠損部の十分なゆとりある皮膚の被覆も必要である．脚長差や変形も矯正し再建を目指すが，同時に隣接関節の可動域を含めた関節機能再建も治療目標や治療計画に組み入れねばならない．治療は難渋し，繰り返し手術が必要で，しばしば治療期間は長期に及ぶ．

　感染がない限り自家骨や同種骨の遊離骨移植と強固な内固定を行い骨癒合完成まで局所の安定性を確保する．骨欠損部が5cmを超えると遊離骨移植では安定した手術成績が得られがたく，血管柄付き骨移植法，Ilizarov骨移植法，Masquelet法のいずれかが適応である．腓骨，腸骨稜などを血管柄付き［皮弁］骨移植 vascularized bone graft する方法もある．移植された血管柄付き骨組織は術後の適切な荷重によって骨横径が肥大 hypertrophy してくることが確認されている．

　Ilizarov骨移動術（bone transport法）は骨欠損が広範囲の偽関節治療に用いられる．伸延骨形成術 distraction osteogenesis，仮骨延長法 callotasis とも呼ばれ，骨移植をすることなく脚長が確保できる利点もあり画期的な手術法である．まず血行が通っていない第三骨片や肉芽組織をデブリドマンし骨欠損部を残したまま Ilizarov 創外固定器を装着する．次いで残存している遠位もしくは近位の骨幹端健常部で骨切りし分節状の骨片を作製する．術後にその骨片を対側の骨折端まで時間を掛けて移動させる方法である（図10-7-12）．移動距離は小児では1日1mm程度，成人では0.5〜0.75mmである．骨片移動の距離は15cm程度までは可能であると報告されている．Ilizarov骨移動術には，患肢をまず短縮させて一期的に骨折部の骨接合術を行い，骨折がない骨幹端部で骨切りした骨片を徐々に伸延させて脚長差を補正する方法もある．創外固定法ではピン挿入部の管理や感染 pin tract infection が問題となるが，金沢大学で開発された消毒薬イソジンを被覆させたチタン性ピン iodine-supported titanium pin は臨床的効果が期待できる．

　Masquelet法（2000）は二段階に分けて行う手術である（p.145参照）．まず骨欠損が大きな偽関節に骨セメント（PMMA）の塊を補填して内固定術を行う．6〜8週後に骨セメントを取り出し遊離自家骨（morcellised cancellous bone や長管骨骨髄内より RIA で陰圧吸引採取した骨髄採取骨を移植する（足りない場合は1/3を超えない程度に同種骨を混ぜてもよい）．骨セメントの周囲にできる膜性肉芽 induced membrane（biological chamber）は移植された骨組織の吸収を抑制すると同時に，血管内皮細胞増殖因子（VEGF）や骨形成を誘導する BMP2 などのサイトカインを供給して血管再生や骨緻密化を促進させる働きがあることが確認されている．

　しかし，いずれの偽関節手術も一長一短があることを認識し，その手技に習熟しておくことが肝要である．骨移植をした部分に間葉系幹細胞，骨形成蛋白質（BMP），線維芽細胞成長因子（FGF）などの注入，骨形成促進作用があるテリパラチド皮下注射や低出力超音波パルス療法（LIPUS）などの併用も報告されている．

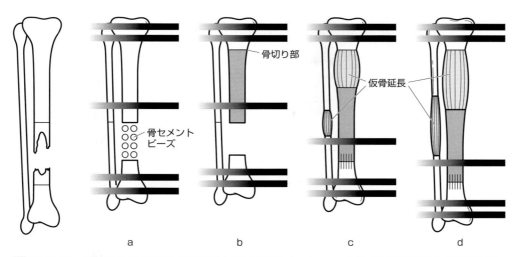

図 10-7-12　感染性偽関節に対する帝京大学方式の bone transport 法（短縮延長法との併用）の手順
a. 病巣切除後，可能な限り切除部を短縮し創外固定する．残った死腔を抗菌薬入り骨セメントビーズで充填する．
b. 4〜8 週間待機後健常部で骨切りを行う．欠損部の骨セメントビーズを摘出し再度短縮する．
c. 骨切り部で延長を行い骨移動を開始する．欠損部が消失したら両断端を圧迫接合する．
d. 等長化するまでさらに延長を継続する．同時に骨癒合を図る．

9) 感染性偽関節の治療　infected nonunion reconstruction

骨髄炎 osteomyelitis を合併した偽関節は治療に難渋する．治療成績を左右する因子は，骨折部を覆う皮膚の血行や瘢痕化，骨欠損の程度，起炎菌が同定できるか否か，1 種類のみの細菌感染か複数菌の感染か，感受性のある抗菌薬が存在するか否か，個体の抵抗力や腎機能などの全身状態が薬物療法や手術療法に耐え得るか否か，などである．長管骨の関節近傍の感染性偽関節は特に難治性となりやすく，報告では約 5% の症例で切断術が施行されている．

瘻孔があれば術前に瘻孔造影 fistulography を行い，感染病巣の広がりを把握する．病巣を中心に切開を加え病的肉芽と腐骨を十分に切除する．手術中に骨折端をどこまで切除し新鮮化すれば骨癒合が良好となるかの判断は困難である．骨皮質にドリルで穴を開け，その部より出血があれば骨片の血行は良好で，骨癒合が期待できると判断できる (paprika sign)．瘻孔があっても排膿がほとんどなく感染の活動性が低い場合は，病巣掻爬後に骨移植をし強固な内固定術を行うことも可能である．

感染の活動性が高い場合には，骨接合術の前にまず感染の鎮静化を行う．すでに体内にある金属製固定材料を抜去し，十分な病巣掻爬と壊死骨の切除の後に，創外固定で骨折部の安定化を図り，死腔に抗菌薬入りの骨セメントビーズや塊を留置したり，抗菌薬入りロッド antibiotic-loaded cement rod を作製し長管骨内に差し込む治療法がある．骨セメントロッドは芯に Kirschner 鋼線や Steinmann ピンを差し込んでおくと強度や支持性が補強される．骨セメントに混ぜる抗菌薬は，骨セメントの重合熱で抗菌活性が失活しない耐熱性の薬剤を用いなければならない．炎症鎮静化のため抗菌薬

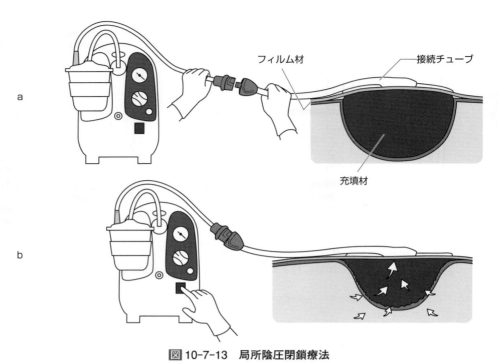

図 10-7-13　局所陰圧閉鎖療法
a. 接続チューブをフィルム材の穴の上に貼りつけ，器械につなぐ．
b. スイッチを入れると陰圧がかかり，充填材が縮み，滲出液を吸引排除できる．
（スミス・アンド・ネフュー社提供）

の量は多くしたいが全身毒性も考慮せねばならず，どの程度の量の配合が適切かは未解決の問題である．アミノグリコシド系薬剤とバンコマイシンは耐熱性である．2014年にわが国で認可されたゲンタマイシン含有骨セメントには粉末40gにゲンタマイシン0.5gが配合されているが，12.5gまで混ぜても全身毒性は生じなかったとの研究報告がある．Springerら（2004）はバンコマイシンを配合させる場合には，骨セメント粉末40gに対し10gを混ぜても腎機能障害は起こらなかったと報告している．

デブリドマンで皮膚欠損が生じた場合は，筋肉付き皮弁で被覆後にセイラム二重管を留置して持続洗浄療法を行う．感染性炎症の鎮静化後に二次的に欠損偽関節に準じた治療を行う．感染性骨欠損に対しては，炎症の活性化の程度にもよるが一次的に腓骨や腸骨稜の血管柄付き骨移植を行う方法 bone transport 法（Ilizarov 法），induced-membrane technique（Masquelet 法）で良好な治療成績が報告されている．

慢性骨髄炎の治療法として，創を開放したまま処置し良好な肉芽が盛り上がるのを待つ Papineau（パピノ）法がある．感染性偽関節では外固定にプラスチックキャストや創外固定器を用い，良好な肉芽が盛り上がり感染が鎮静化するのを待って非感染性偽関節に準じた治療を行う．大野ら（2013）は炎症の鎮静化と創閉鎖促進を目的に Papineau（パピノ）法に局所陰圧閉鎖療法 NPWT を併用することも有用であることを報告している（図10-7-13）．川嶌ら（1986）の持続洗浄も可能な創内持続陰圧洗浄療法は現在我が国で盛んに用いられるようになった抗菌薬局所持続洗浄療法（continuous local antibiotic perfusion：CLAP）の先駆けである．弓削は皮質むき手術 décortication をした骨片は，有茎のため感染創の中でも生存し続けるので感染性偽関節にも適応があるとしている．

　将来，磁性を帯びない材質で抗菌薬を表面加工した強固な内固定材料が開発されれば，局所の炎症の鎮静化が MRI や PET で経過を追って観察できるであろう．Hernigou ら（2016）は抗菌薬を用いずに顆粒球前駆細胞が豊富な自家骨髄穿刺液を局所注入することで，開放骨折で生じた感染性偽関節に良好な成績が得られたと報告しており，細胞療法 cell therapy の新しい開発が期待される．

附-17 複合性局所疼痛症候群 complex regional pain syndrome（CRPS）の治療

　CRPS の治療は難しい．外傷患者の治療中に，外傷や手術の経過としては考えられないような疼痛や浮腫が出現したとき CRPS を鑑別し早期治療を開始しなければならない．急性期には，局所の安静とステロイド大量短期投与が効果的である．激しい疼痛発作時にはオピオイド系鎮痛薬であるペンタゾシン，ペチジン塩酸塩，モルヒネ塩酸塩などの静脈内注射が速効性がある．リン酸コデインやモルヒネ塩酸塩の内服やブプレノルフィン塩酸塩（レペタン®）の坐薬で疼痛をコントロールできる場合がある．腕神経叢ブロックや硬膜外ブロックも用いられる．急性期 CRPS（TypeⅠ）はきわめて疼痛過敏な状態であり，渦流浴やマッサージなどは禁忌である．

　慢性期 CRPS の灼熱痛や軽く接触しただけでも痛む異痛症 allodynia は対応に苦慮する．現時点では，治療がきわめて困難で予後不良な症候群であるともいえる．しかし，社会復帰のための努力しない患者は別としても，「骨折の際に同時に生じた末梢神経障害が契機となって CRPS（TypeⅡ）を発症していると判断される症例の中には，末梢神経の血行を温存しての癒着剥離，血管柄付き神経移植，神経再生誘導チューブ（人工神経）の設置，などの手術療法も検討すべきだ」と稲田は強調している．156 名の慢性 CRPS（TypeⅡ）の 83％で社会復帰が可能であったという手術成績には説得力がある．

　フェンタニル貼付剤（デュロテップ MT パッチ）は持続的に経皮吸収される薬剤であり，2010 年に慢性疼痛にも適応が拡大され，CRPS にもその効果が期待される．ただし，副作用として嘔気の頻度は少なくない．新しく導入された慢性疼痛治療薬であるプレガバリンやトラマドール塩酸塩なども用いられるが高齢者でクレアチニン値や eGFR が高めの患者に投与する場合は定期的チェックが必要である．慢性の CRPS の疼痛コントロールには，温熱療法，物理療法，熱中できる趣味や作業，定期的な電話相談などの心理的支援も大切である．医療者は「痛みを患者と共有 rapport することが基本であるが，依存心を育んではならない」との先人の教えは肝に銘ずべきであろう．

8 創外固定の歴史
history of the external fixator

創外固定法は皮膚の外から骨を把持して骨の位置をコントロールし固定する技術で，固定材料，X線透視装置，感染対策の進歩とともに進化してきた．

a 黎明期

最も初期の創外固定器は1853年にフランスのMalgaigneが作った爪型の膝蓋骨固定器（図10-8-1）といわれており，骨折部に圧迫力をかけるシステムが付いていた．1852年にMathijsenにより石膏ギプスによる骨折治療法が記載された翌年である．この創外固定器はツメが骨皮質を把持するもので，現在使われているAOのpinless創外固定器（図10-8-2）と骨の把持方法は似ている．

一方骨に固定ピンを刺入して固定する初期の方法としては，1870年のBonnetや1897年のParkhillの報告がある．米国デンバーのParkhillは骨折部の両側の骨片に直接スクリューを刺入しこれを体外の小プレートに固定して創外固定する方法（図10-8-3）で，8例の偽関節を含む9例の治療を行い8例で骨癒合を得ている．また彼の同僚のFreemanは1909年に解剖学的整復を得るための創外固定器を開発しその術式を詳細に記載した．1907年にベルギーのLambotteはネジ切りのハーフピンを用いて，現代の単支柱型創外固定器の原型となる創外固定器（図10-8-4）を開発し報告した．彼は1896年頃から使用されるようになったX線を用いて，整復状態と治癒過程を観察し詳細に記載した．日本では1924年に前田友助が体内に使用可能な川俣氏合金を用いたハーフピンとボールジョイントを持つ創外固定器（図10-8-5）を開発し日本陸軍で広く使用された．第二次世界大戦から昭和30年代にかけて多数の症例に使用され優れた成績をおさめている．ヨーロッパでは1934年フランスのJudetがクランプにより整復状態を維持しながら創外固定器を設置できるシステム（図10-8-6）を開発した．

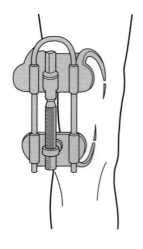

図10-8-1 Malgaigne 創外固定器
（Malgaigne JF：Traité des fractures et des luxations. JB Bailliére, 1847 より）

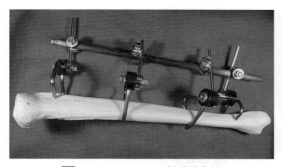

図 10-8-2　pinless 創外固定器

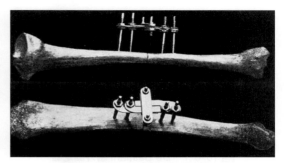

図 10-8-3　Parkhill 創外固定器

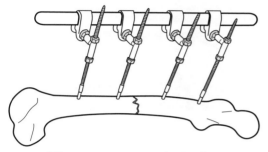

図 10-8-4　Lambotte 創外固定器
（Lambotte A：Br Med J 2：1530, 1911 より）

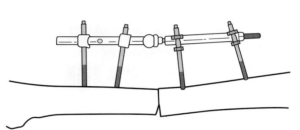

図 10-8-5　前田式骨折接合器
（前田昭二：別冊整形外科 55：9-12, 2004 より）

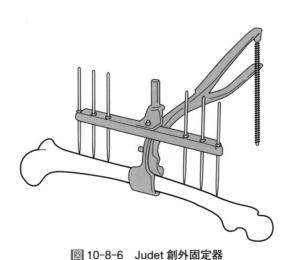

図 10-8-6　Judet 創外固定器

b 創外固定法の確立

　　　1938 年にスイスの Hoffmann がネジ切り貫通ピンを長幹骨に貫通させその両側を把持し，長軸方向に圧迫力をかけられる創外固定器（図 4-7-1，p.130 参照）を開発した．さらに講習会を開催し正しい使用方法の普及に努めたため，優秀な治療成績をおさめ創外固定法の世界的な普及に貢献するとともに創外固定法の基礎が確立した．

図 10-8-7　De Bastiani 創外固定器

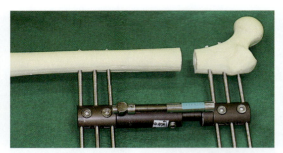
図 10-8-8　De Bastiani 骨延長器

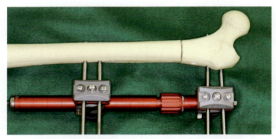
図 10-8-9　Monotube Triax 創外固定器

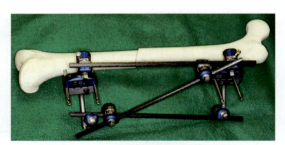
図 10-8-10　新しい Hoffmann 創外固定器

　一方 1936〜1945 年の第二次世界大戦中，米国海軍では Stader の創外固定が用いられ優れた成績をあげたが，装着法の煩雑さから大戦後はほとんど用いられなくなってしまった．米国で創外固定法が再認識されたのは，かつての Hoffman らの優れた成績が見直され，1950 年に AAOS（American Academy of Orthopaedic Surgeons）の骨折治療委員会が調査研究を行ってからになる．

　一方イタリアでは，Hoffmann 創外固定器での経験をもとに，1978 年に De Bastiani は円錐形のネジ切りハーフピンと，両端にボールジョイントを持ち単支柱型で長軸方向に圧迫力をかけられる軽量の創外固定器 DAF（dynamic axial fixator）を開発し（図 10-8-7），骨折治療で優れた成績を残した．さらにこのシステムはさまざまな骨折部位に用いられるように開発が進むと同時に，骨延長術に特化したシステム（図 10-8-8）も生み出すこととなった．単支柱型では支柱に動的軸圧をかけられる Monotube Triax（Stryker）など多様な器機が開発された（図 10-8-9）．また，Hoffmann 創外固定システムは，小骨用のシステムや MRI に対応できるものが開発され現在に至っている（図 10-8-10）．

c　牽引性組織誘導の発見と応用

　戦後の冷戦で東西の医学情報が閉ざされた中，シベリアの Kurgan で新たな創外固定器が生まれていた．第二次大戦後，Ilizarov は蹄鉄工の協力でリング状の創外固定と張力をかけたワイヤーによる創外固定器を開発した（図 10-8-11）．リング間を連結するロッドを徐々に短縮することにより偽関節部に圧迫を加える治療を行った．1951 年に Ilizarov は，骨折部を誤って伸長してしまった患者の骨折部に旺盛な骨形成が見られることを偶然発見した．彼は動物実験により漸次延長による「牽引性組織誘

図 10-8-11　Ilizarov 創外固定器

導法」を確立した．これは骨折の治癒過程を利用し，幼弱な幹細胞を体内で培養して，骨や軟部組織に分化させていく画期的治療法の開始であった．Ilizarov はイタリア人探検家 Mauri の 10 年間に及ぶ感染性偽関節を 6 ヵ月で治癒させ，1981 年にイタリアで招待講演を行い「牽引性組織誘導法」は西側諸国に急速に知られるようになった．この方法は ASAMI（Association for the Study and Application of the Method of Ilizarov）の普及努力により外傷性の変形だけでなく，先天性の低形成や広範組織欠損に広く利用されるようになった．

　脚延長手術に関しては，1931 年に Bosworth が脛骨の一期的延長術を報告しているが，1968 年に日本の Kawamura は延長器の開発と基礎的動物実験に基づき，ポリオの患者に臨床応用し段階的延長により仮骨形成が起こることを報告した．さらに 1977 年に Wagner は創外固定器で軟部組織を漸次延長しながら内固定と骨移植により骨延長を完成させる方法を報告した．しかしこの方法は感染や偽関節の合併症が多発し一般に普及するには至らなかった．1950 年代に開始された Ilizarov の「牽引性組織誘導法」は，1 日に 1 mm の延長を 4 回に分けて行うことで，伸長された組織に新生が起こることを実証した画期的な方法であった．1980 年代後半には，日本では De Bastiani の単支柱型骨延長器（図 10-8-8）が Orthofix 創外固定器として Ilizarov 創外固定器に先行して普及し始め，1988 年には日本創外固定研究会が設立され，さらに 1996 年には日本創外固定・骨延長学会に改変され，創外固定手術は一般臨床に拡大した．

　単支柱型骨延長器は「牽引性組織誘導法」の概念を取り入れた De Bastiani の延長器や bone transport の機器が開発され，リング型創外固定器との組み合わせなどが開発された．

　リング型創外固定器でも Green により開発された Rancho cube は，ハーフピンを利用することにより Ilizarov 創外固定器の固定力を向上させ筋組織への侵襲を軽減し，単純で使いやすいシステムに進歩させた．

　「牽引性組織誘導法」による変形矯正は 1990 年代の大きな進歩の一つであるが，変形の矯正目標の設定と手術方法についての概念が Paley により整理され，CORA（center of rotation angle）法による明確な目標設定を行うことにより変形矯正への取り組みが容易になった．

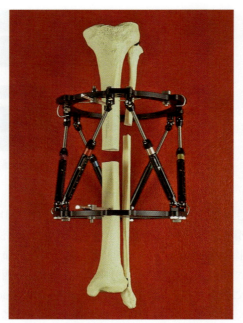

図 10-8-12 TSF（Taylor spatial frame）創外固定器
米国で Taylor 兄弟により開発された創外固定器で 6 度の自由度を持っている．

d コンピュータ支援による変形矯正の時代

　一方，回旋変形の矯正は単支柱型骨延長器では困難であり，リング型創外固定器でも二次元の変形矯正の組み合わせてとして行わざるを得ないため，複雑な部品の組み合わせを必要とした．工学分野では，1965 年に Stewart が両端に球関節を持った長さを変更できる 6 本の支柱で，6 度の自由度を持つプラットフォームを用いてフライトシュミレーターを開発した．この理論的背景を構築する方程式は，Desargues により独学で開発され 1639 年に最初に出版され，1640 年 Pascal によって定理として出版されている．

　フランス人の航空工学技術者 Moniot はこの技術を Ilizarov 創外固定器に応用し 1985 年に整形外科領域の特許を取得したが臨床的に使われた記録はなく，最初にコンピュータ支援による数学的矯正プログラムを利用する創外固定システムを開発したのは Harold S. Taylor（engineer）と J. Charles Taylor（医師）の兄弟であった．

　1994 年に Taylor 兄弟は両端に universal joint を持つ 6 本のストラットでコントロールする創外固定器（図 10-8-12）により変形を三次元的に矯正する方法を開発し TSF（Taylor spatial frame）と名付けた．このシステムは変形の各種パラメーターをインターネット上に置かれた矯正プログラムに入力し矯正の計画を立てる必要がある．基本的部品は Ilizarov 創外固定器と共通であるが，ストラットの改善などにより使いやすく簡素なシステムとなっている．一方 1996 年にドイツの Seide は独自に両端に球

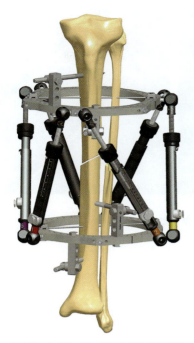

図 10-8-13　TL-HEX 創外固定器
ダラスの Texas Scottish Rite Hospital for Children で開発されたシステムで Ilizarov 創外固定器と互換性があり，支柱は二重延長構造を持ち微小な動きも抑えた安定性を確保している．

図 10-8-14　Ortho-SUV 創外固定器
ロシアで開発された単純 X 線写真をもとに矯正プログラムできるシステム

関節を持つ6本の延長ストラットで Ilizarov 創外固定器を連結するシステムを開発し，1999 年に優れた臨床成績を報告している．

ロシアから米国ダラスの Scottish Rite Hospital に移った Samchukov と Chakarshin は Ilizarov 創外固定器のシステムを簡素化し，支柱に二重の延長システムを組み込み，ボールジョイントを安定化させて固定性を向上し，TrueLok-Hexapod（TL-HEX）創外固定器を開発した．軽量で小児にも適応しやすく，コンピュータ支援ソフトも使用しやすいため，日本でも広く普及している（図 10-8-13）．2017 年にはロシアの Solomin が開発した Ortho-SUV（図 10-8-14）やトルコで開発された SMART Frame，Adam Frame など多彩な特徴を持つ創外固定器がコンピュータ支援により臨床で応用されている．

e ワイヤーやピンの進歩とピン刺入部の管理

Ilizarov 法などのリング型創外固定器で用いられる鋼線は 1909 年 Martin Kirschner によって開発された Kirschner ワイヤーに起源を有している．このワイヤーはステンレス製で先端が細く鋭く加工され，高い張力に耐えられるよう鍛造されている．このワイヤーは馬蹄とともに鋼線牽引法として骨折部の急性期の安定化のために

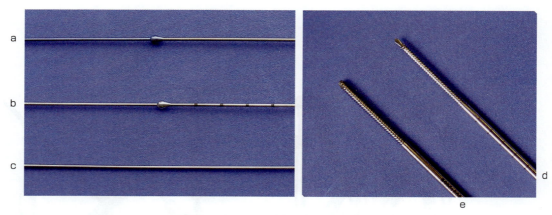

図 10-8-15 ワイヤーとハーフピン
a. チタン製オリーブワイヤー
b. ステンレス製ビーブワイヤー
c. ステンレス製ワイヤー
d. ステンレス製ハーフピン
e. チタン製ハーフピン

ワイヤーは径 1.8 mm のものが汎用される．ハーフピンはステンレス製，チタン製があり，近年 hydroxyapatite でコーティングされたものが使われている．

用いられてきた．Ilizarov はこのワイヤーと鋼線牽引用の馬蹄とを組み合わせてリング型創外固定器を開発し，1952 年ソビエト連邦によって医療用器具として承認された．Ilizarov と Kurgan の研究者たちはその後改良を重ね，牽引用のワイヤーとしてストッパーつきのオリーブワイヤーを開発した（図 10-8-15）．このワイヤーは 2002 年に FDA の認可を取得している．わが国では 1989 年にステンレスワイヤーが，1999 年にチタンワイヤーが認可されている．

これらのワイヤーは張力を与えることで剛性が上昇し，骨にかかる力に抵抗する硬さを獲得するが，Kummer らは 1.8 mm のワイヤーは 130 N の張力でほぼプラトーに達することを明らかにした．

またワイヤーの緊張の維持のためには connection bolt もきわめて重要で，Gessmann らは 1.8 mm の標準的な Ilizarov のワイヤーに緊張をかける際，connection bolt に刻みがついた TrueLok® のワイヤーストッパーが緊張の維持に有用であることを示している．

創外固定器と骨とを連結する方法は，ほかにハーフピンを用いる方法がある．ハーフピンはすでに Hoffmann のシステムで実用化されており，これらのシステムをリング型創外固定器と組み合わせるハイブリッドな固定の方法が開発された．1986 年 Lombard はこの Hoffmann のハーフピンを Ilizarov のフレームに結合することを報告した．また De Bastiani らはすでにテーパー形状のハーフピンを用いた骨折の創外固定器を完成させており，このピンを用いる脚延長を開始した．米国の Rancho Los Amigos の研究者たちはこのハーフピンを Ilizarov の創外固定器のリングに結合するため，Rancho Cube と呼ばれるシステムを開発し，きわめて強固な骨と創外固定器の結合を実現している．また，ハーフピンと骨との界面での緩みを減少させるため hydroxyapatite（HA）でコーティングしたハーフピンの開発を行い，1998 年に FDA

の認可を得ている．このシステムはわが国にも2014年に導入された．

創外固定器の最大の欠点は，ピンやワイヤーの刺入部痛と感染である．刺入材料はステンレススチールよりチタンのほうが生体親和性に優れている．また骨との界面にはワイヤーでは20 Pa以下の圧力しかかからないが，ハーフピンでは200 Pa以上の圧力がかかるため骨皮質を破壊し刺入部の緩みにつながっている．骨とハーフピンの界面の緩みを防止するにはHAコーティングはきわめて有効な方法である．

刺入部の感染の原因には局所の汚染をはじめ栄養状態，ピン刺入部の不安定性，ワイヤーやピンの材質など多因子が関与している．この刺入部の日々の管理にはいくつかの方法が提唱されており，シャワーを用いた洗浄とその後の乾燥が推奨されている．抗菌薬を含んだBIOPATCH®などの被覆材料やsilver sulfadiazine軟膏などが感染予防に用いられている．

f 快適性の改善と応用部位の拡大

Ilizarov法の牽引性組織誘導やHexapod創外固定器など6度の自由度を持つ機器の利点は大きいものの，体外にかさばる不便やピン刺入部の感染の危険性，関節近傍では関節運動の障害による関節拘縮の原因となるなどの欠点もある．そのため開放骨折など外傷に使われる場合は，急性期が過ぎると髄内釘やロッキングプレートに変更することが行われるようになってきた．また脚延長術においても，創外固定器による延長量が目標に達した後にあらかじめ挿入しておいた髄内釘を横止め螺子で固定（EON：Elongation over a Nail）することで，創外固定の使用期間を短縮し早期の機能回復を目指す治療が行われるようになってきている．EONは大腿骨近位延長ではじめに行われるようになったが，リング型創外固定の概念を導入し，多方向性に横止め螺子を刺入する髄内釘の出現により大腿骨遠位や脛骨近位での延長術にも応用できるようになった（図10-8-16）．EONの臨床経験は髄内釘そのものによる脚延長器の開発へと進化を遂げている．

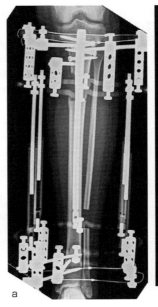
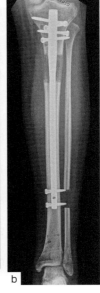

図10-8-16　髄内釘併用の下腿骨延長術
a：多方向に刺入できる横止め螺子の使用で，脛骨近位を安定化させることが可能になり下腿でもEON（Elongation over a nail）が可能となった．
b：延長完了．遠位に横止め螺子が刺入されている．

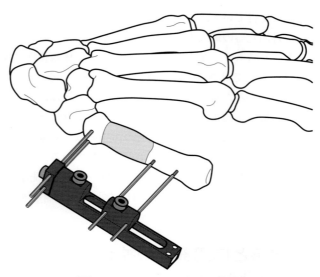

図 10-8-17　Pennig 創外固定器
細径のハーフピンにより創外固定器が手指，中足骨などで使用できるようになった．

　高齢者人口の増加に伴い骨粗鬆症患者の骨折が増加しており，プレート固定よりゆるみの危険性が少ない固定法として，リング型創外固定器とワイヤーを組み合わせることにより良好な臨床成績が報告されている．また手や足の小骨への小型で軽量な創外固定器開発によりその応用範囲が拡大している（**図 10-8-17**）．

参考文献

1. 骨折治療史概説～7．遷延治癒と偽関節（骨癒合不全）の治療
    1) 天児民和：骨折の近代史（5）骨折治癒機序．臨整外 **5**：177-182，1970．
    2) Angobaldo ZJ et al：Comparison of fasciotomy wound closures using traditional dressing changes and the vacuum-assisted closure device. Ann Plast Surg **62**：407-409, 2009.
    3) 朝熊英也ら：整形外科最前線 あなたならどうする？ 臨整外 **49**：875-899，2014．
    4) Augat P et al：Imaging techniques for the assessment of fracture repair. Injury **455**：S16-S22, 2014.
    5) Balogh ZJ et al：Advances and future ditections for management of trauma patients with musculoskeletal injuries. Lancet **380**：1109-1119，2012.
    6) Beall MS et al：Transarticular fixation in the treatment of non-union of supracondylar fractures of the femur：A salvage procedure. J Bone Joint Surg **61-A**：1018-1023, 1979.
    7) Beck A：Zur Behandelung der Verrögerten Konsolodation bei Unterschenkelbr Üchen. Zentralbl f Chir **43**：2690-2692, 1929.
    8) Bhandari M et al：A lack of consensus in the assessment of fracture healing among orthopaedic surgeons. J Orthop Trauma **16**：562-566，2002.
    9) Böhler L：Die technik der Knochenbruchbehandlung. Wien. Verlag von Wilhelm Maudrich, 1933.
    10) Black DM et al：Atypical Femur Fracture Risk versus Fragility Fracture Prevention with Bisphosphonates. N Engl J Med **383**：743-753, 2020.

11) Brighton CT et al：Treatment of recalcitrant non-union with a capacitively coupled electorical field. J Bone Joint Surg **67-A**：577-585, 1985.

12) Brinker MR et al：Current concepts review. Exchange nailing of ununited fractures. J Bone Joint Surg **89-A**：177-188, 2007.

13) Brinker MR et al：Management of aseptic tibial and femoral diaphyseal nonunions without bony defects. Review. Orthop Clin **47**：67-75, 2016.

14) Busse JW et al：The effect of low-intensity pulsed ultrasound therapy on time to fracture healing：a meta-analysis. Canadian Med Assoc J **166**：437-441, 2002.

15) Chan DS et al：The insertion of intramedullary nail locking screws without fluoroscopy：A faster and safer technique. J Orthop Trauma **27**：363-366, 2013.

16) Charnley J：The closed treatment of common fractures. 3rd. ed. Churchill Livingstone, London, 1974.

17) Chechik O et al：The effect of clopidogrel and aspirin on blood loss in hip fracture surgery. Injury **42**：1277-1282, 2011.

18) Christopher GK et al：Clopidogrel and hip fractures, is it safe ? A systematic review and meta-analysis. BMC Musculoskeletal Disord **17**：136, 2006.

19) Chung MS et al：Evaluation of early postoperative pain and the effectiveness of perifracture site injections following volar plating for disatal radius fracture. J Hand Surg Am **35**：1787-1794, 2010.

20) Colleen M et al：Computed tomography reformation in evaluation of fracture healing with metallic fixation：Correlation with clinical outcome. J Trauma **65**：1421-1424, 2007.

21) Collinge CA et al：The effects of clopidogrel (Plavix) and other oral anticoagulants on early hip fracture surgery. J Orthop Trauma **26**：568-573, 2012.

22) Coway J et al：Antibiotic cement-coated rods. An effective treatment for infected long bones and prosthetic joint nonunions. Bone Joint J **96-B**：1349-1354, 2014.

23) DeMaio M et al：Plaster：Our Orthopaedic Heritage. J Bone Joint Surg **94-A**：e152 (1-8), 2012.

24) Dinh P et al：Reconstruction of osteomyelitis defects. Semin Plast Surg **23**：108-118, 2009.

25) DiSilvio F et al：Long bone union accurately predicted by 'cortical' bridging within 4 months. JBJS Open Access **3** (4)：e0012, 2018.

26) Doi K et al：One-stage treatment of the tibia with skin loss by free vascularized osteocutaneous grftes. Microsurgery **16**：704-712, 1995.

27) Doornick J et al：Far cortical locking enables flexible with periarticular locking plates. J Orthopedic Trauma **25** (Suppl 1)：S29-34, 2011.

28) Emami A et al：No effect of low-intensity ultrasound on healing time of intramedullary fixed tibial fracture. J Orthop Trauma **13**：252-257, 1999.

29) 藤田　悟：整形外科領域の周術期管理と抗凝固療法．血栓止血誌 **23**：33-39，2012.

30) 藤原祥裕ら：超音波ガイド下末梢神経ブロック．日本臨床麻酔学会誌 **28**：103-109，2008.

31) Franklin D et al：Cast-saw burns：evaluation of skin, cast, and blade temperatures generated during cast removal. J Bone Joint Surg **90-A**：2626-2630, 2008.

32) Fricka KB et al：Biomechanical analysis of antegrade and rertograde flexible intramedullary nail fixation pediatric femoral fractures using a synthetic bone model. J Pediatr Orthop **24**：167-171, 2004.

33) 福島成欣：当直で役立つ！シーネ・ギプス固定の基本．日本医事新報社，2020.

34) 船山　敦ら：人工関節全置換術における静脈血栓症予防対策としての手術中・手術直後の下腿マッサージ（ICaM）と足関節他動的底背屈運動（IPAM）の絶大なる効果．日本関節病学会誌 **34**：75-80, 2015.

35) Gastilo RB et al：The management of open fracture. J Bone Joint Surg **72-A**：299-304, 1990.

36) Girish PJ et al：Techniques for periarticular infiltration with liposomal bupivacaine for the management of pain after hip and knee arthroplasty：A consensus recommendation. J Surg Orthop Advances **24**：27-35, 2015.

37) 五谷寛之ら：重度手部外傷における骨軟部組織延長の有用性．臨整外 **56**：911-922，2021.

38) Greensmith JE：Hyperbaric oxygen therapy in extremity trauma. J Am Acad Orthop Surg **12**：376-384, 2004.

39) Haddad FS：COVID-19 and orthopaedic and trauma surgery. Bone & Joint **102-B**：545-546, 2020.

40) Hake ME et al：Local antibiotic therapy strategies in orthopaedic trauma：Practical tips and tricks and review of the literature. Injury **46**：1447-1456, 2015.

41) Hammer RRR et al：Accuracy of radiologic assessment of tibial shaft fracture union in humans. Clin Orthop **199**：233-238, 1985.

42) 波利井清紀ら：新しい局所陰圧閉鎖治療システムの臨床試験の経験と成績．形成外科 **57**：169-179, 2014.

43) 林田真和ら：周術期の痛みの管理．整形外科 **51**：1083-1089, 2000.

44) Henry SL et al：The prophylactic use of antibiotic impregnated beads in open fractures. J Trauma **30**：1231-1238, 1990.

45) Hernigou P et al：Local transplantation of bone marrow concentrated granulocytes precursors can cure without antibiotics infected nonunion of polytraumatic patients in absence of bone defect. Int Orthop **40**：2331-2338, 2016.

46) 星　享ら：骨髄炎における局所陰圧閉鎖療法の有効性と問題点．日本骨・関節感染症学会雑誌 **26**：91-95, 2012.

47) Hoff WS et al：East practice management guidelines work group：Update to practice management guidelines for prophylactic antibiotic use in open fracture. J Trauma **70**：751-754, 2011.

48) 池内昌彦：人工関節手術における関節周囲カクテル注射による術後疼痛．日臨麻会誌 **33**：381-385, 2013.

49) Ikeda K et al：Long-term follow-up of vascularized bone grafts for the reconstruction of tibial nonunion：Evaluation with computed tomographic scanning. J Trauma **32**：693-697, 1992.

50) 井口浩一：我が国の外傷診療システム．関節外科 **35**：570-573, 2016.

51) 稲田有史ら：複合性局所疼痛症候群（CRPS）の治療．末梢からのアプローチ．臨整外 **42**：501-509, 2007.

52) 井上四郎ら：難治性骨折に対する CCEP 法の効果．手術 **43**：17-26, 1989.

53) 井上　修ら：高気圧酸素治療による骨形成促進作用．臨整外 **51**：931-937, 2016.

54) 井関雅子ら：非がん性疼痛へのオピオイド投与の効果．薬事 **50**：1917-1922, 2008.

55) 糸満盛憲：髄内釘固定の歴史．関節外科 **28**：24-33, 2009.

56) Iwakura T et al：Human hypertropic nonunion tissue contains mesenchymal progenitor cells with multilineage capacity in vitro. J Orthop Res **27**：208-215, 2009.

57) Janzing H et al：Compartment syndrome as a complication of skin traction in children with femoral fractures. J Trauma **41**：156-158, 1996.

58) 神宮司誠也：低出力超音波パルスによる骨癒合促進：臨床．骨折 **29**：631-633, 2007.

59) 神宮司誠也：物理的刺激による骨折治癒促進．低出力超音波パルスを用いた積極的保存療法．日整会誌 **82**：238-242, 2008.

60) 神宮司誠也ら：大腿骨転子下非定型骨折術後偽関節に対する積極的保存療法の一例．整形外科と災害外科 **66**：208-211, 2017.

61) Kanakaris NK et al：The efficacy of negative pressure wound therapy in the management of lower extremity trauma：Review of clinical evidence. Injury **385**：S8-S17, 2007.

62) 蒲原　宏：18 世紀および 19 世紀初頭の西洋外科書の影響を受けた骨術と整骨書．整骨・整形外科典籍体系 第 13 巻 整形外科前史．p531-544, オリエント出版社, 1984.

63) 蒲原　宏：日本へのパレ外科全集骨関節損傷の受容についての再検討．日本近代外科学の源流．アンブロアズ・パレ没後 400 年記念会編（非売品）．ネディカル・コア発行, 1992.

64) Kavyansh B et al：Reamed exchange nailing in nonunion of tibial shsft fractures：A review of the current evidence. Cureus **12**：e9267, 2020.

65) 川嶋眞人ら：Thiamphenicol glycinate hydrochloride（TP-G）の骨髄内移行濃度について．Chemotherapy **24**：1511-1514, 1976.

66) 川嶋眞人ら：感染性偽関節．整形外科 **37**：555-564, 1986.

67） 小林　晶：「オルトペディー」の起源と造語者ニコラ・アンドリ．日整会誌 **83**：916-930，2009.

68） 小林郁雄：Functional brace による骨折治療．整・災外 **32**：1175-1186，1989.

69） Koehler et al：Efficacy of surgical-site, multimodal drug injection following operative management of femoral fractures. J Bone Joint Surg **99-A**：512-519, 2017.

70） Kooistra BW et al：The radiographic union scale in tibial fractures：Reliability and validity. J Orthop Trauma **24**（Suppl 3）：S81-S86, 2010.

71） Kristiansen TK et al：Accelerated healing of distal radial fractures with the use of specific, low-intensity ultrasound. A multicenter, prospective, randomized, double-blind, placebo-controlled study. J Bone Joint Surg **79-A**：961-973, 1997.

72） 工藤俊哉：挫滅四肢外傷の治療．関節外科 **35**：596-604，2016.

73） Kuhlman JE et al：Fracture nonunion：CT assessment with multiplanar reconstruction. Radiology **167**：483-488, 1988.

74） 黒坂昌弘：Interference screw（Kurosaka Screw）の開発．臨床整形外科 **50**：1166-1167，2015.

75） 桑水流健二：創傷の感染制御に iSAP（intra-soft tissue antibiotics perfusion）を用いた経験．創傷 **12**：89-97，2021.

76） Lawing CR et al：Local injection of aminoglycosides for prophylaxis against infection in open fractures. J Bone Joint Surg **97-A**：1844-1851, 2015.

77） 前　隆男ら：下腿開放骨折の治療成績．骨折 **30**：199-202，2008.

78） Marsh DR et al：The Ilizarov method in nonunion, malunion and infection of the fractures. J Bone Joint Surg **79-B**：273-279, 1997.

79） 圓尾明弘：骨軟部感染症に対する CLAP の治療．臨床整形外科 **56**：1455-1456，2021.

80） Masquelet AC et al：Reconstruction of the long bone by the induced membrane and spongy autograft. Ann Chir Plast Esthet **45**：346-353, 2000.

81） Masquelet AC et al：The concept of induced membrane for reconstruction of long bone defects. Orthop Clin N **41-A**：27-37, 2010.

82） 増井文昭ら：高齢者に発生した大腿骨近位部骨折に対する静脈血栓塞栓症の予防．整形外科 **66**：955-959，2015.

83） 松永俊二ら：電気刺激による脛骨偽関節の治療．整形外科 Mook **59**：150-157，1989.

84） 松下　隆：イリザロフ法による下肢機能障害の改善．リハビリテーション医学 **40**：257-362，2003.

85） 松原秀憲ら：外傷後遺症に対する創外固定を用いた治療．臨整外 **52**：761-768，2017.

86） McCue SF et al：Efficacy of double-gloving as a barrier to microbial contamination during total joint arthroplasty. J Bone Joint Surg **63-A**：811-813, 1981.

87） Mckee MD et al：Health status after Ilizarov reconstruction of post-traumatic lower limb deformity. J Bone Joint Surg **80-B**：360-364, 1998.

88） Mei-Dan O et al：Preventionof avascular necrosis in displaced talar neck fractures by hyperbaric oxygeneration therapy：A dual case report. J postgrad Med **54**：140-143, 2008.

89） Miller DL et al：A review of the locking compression plate biomechanics and their advantages as internal fixators in fracture healing. Clin Biomechanics **17**：1049-1062, 2007.

90） 三好正堂：大腿骨近位部骨折のリハビリテーションからみえる廃用症候群．Jpn J Rehabi Med **53**：17-26, 2016.

91） 水野耕作ら：超音波骨折治療器の遷延治癒・偽関節に対する多施設臨床試験．整形・災害外科 **46**：757-765，2003.

92） 水野谷和之ら：シロリスム溶出性ステント（Cypher™）留置患者の手術直後に生じた超遅発性ステント血栓症の1例．臨床麻酔 **28**：177-179，2014.

93） 宮下智大ら：超高齢者（85 歳以上）の大腿骨頚部骨折の検討．整形外科 **54**：851-854，2003.

94） 宮本俊之：整形外科ダメージ・コントロールの背景と意義．臨整外 **56**：121-125，2021.

95） Mollon B et al：Electrical stimulation for long-bone fracture-healing：A meta-analysis of randomized controlled trials. J bone joint Surg **90**：2322-2330, 2008.

96） 森川圭造ら：骨折内固定法による骨折治癒過程の組織学．整・災外 **40**：1093-1101，1997.

97） 森田邦彦：PK/PD からみた抗菌薬適正使用．薬事 **46**：2157-2163，2004.

98) Mubarak SJ et al：Double-incision fasciotomy of the leg for decompression in compartment syndrome. J Bone Joint Surg **59-A**：184-187, 1977.

99) Müller ME et al：Manual of Internal Fixation Techniques. Recommended by AO Group. 3rd ed Springer-Verlag, 1990.

100) Mullett JH et al：K-wire position in tension band wiring of the olecranon-a comparison of two techniques. Injury **31**：427-431, 2000.

101) 中村浩司ら：大腿骨頚部骨折で骨頭に抗生剤（Cefazolin）は移行しているか？ 骨折 **31**：6-10, 2009.

102) 中村光伸：Tension band wiring の K-wire の位置・方向．臨整外 **39**：328-330，2004.

103) 中島英雄ら：最近 15 年間の新しい皮弁の概念と改良した私たちの皮弁分類法．形成外科 **43**：215-228，2000.

104) Niikura T et al：Comparison of radiographic appearance and bone scintigraphy in fracture nonunions. Orthopedics **37**：e44-50, 2014.

105) 西坂文章：PJI に対する抗菌薬について．関節外科 **34**：897-901，2015.

106) 日本化学療法学会抗菌薬 TDM ガイドライン作成委員会：「抗菌薬 TDM ガイドライン」2013.

107) 日本整形外科学会肺血栓塞栓症/深部静脈血栓（静脈血栓塞栓症）予防ガイドライン改訂委員会（編）：日本整形外科学会静脈血栓塞栓症予防ガイドライン．南江堂，2008.

108) 日本整形外科学会診療ガイドライン委員会/骨・関節術後感染予防ガイドライン策定委員会：「骨・関節術後感染予防ガイドライン」．南江堂，2015.

109) 日本赤十字社：輸血用血液製剤取り扱いマニュアル 2019 年 12 月改訂版．

110) 野田知之：ロッキングプレート ―現在，そして未来―．日整会誌 **89**：514-522，2015.

111) 小原 周ら：骨折に対する内固定術後感染例の検討．骨折 **28**：150-154，2006.

112) 小野哲郎：骨折治療．John Hunter から tissue engineering の時代まで．臨整外 **47**：778-791, 2012.

113) 野坂光司：Ilizarov 創外固定によるロングロッドを用いた Pilon 骨折の閉鎖的整復法．整形外科 surgical Technique **5**：440-446，2015.

114) 大橋俊郎ら：THA 後大腿骨骨折への変動電磁場刺激法の効果．日本生体電気刺激研究会誌 **20**：17-22，2006.

115) 岡田芳明編集：救急処置基本手技アトラス．救急医学 9 月臨時増刊号，へるす出版，1996.

116) 大野一幸ら：大腿骨遠位開放骨折による骨欠損に対して骨移動法で再建を行った 1 例．臨整外 **45**：1049-1053，2010.

117) 大野一幸ら：Papineau 法と NTWT（negative pressure wound therapy）を併用し治療し得た大腿骨慢性骨髄炎の 1 例．骨折 **35**：900-903，2013.

118) 大島直人ら：周術期の感染管理と抗生物質の予防投与．別冊整形外科 **40**：226-230，2001.

119) Owsley KC et al：Displacement/screw cut out after open reduction and locking plate fixation of humeral fractures. J Bone Joint Surg **90-A**：233-240, 2008.

120) Pairon P et al：Intramedullary nailing after external fixation of the femur and tibia：a review of advantares and limits. Eur J Trauma Emerg Surg **41**：25-38, 2015.

121) Palmon SC et al：The effect of needle gauge and lidocaine pH on pain during intradermal injection. Anesth Analg **86**：379-381, 1998.

122) Phillips SA et al：Historical note. The instruments of the bonesetter. J Bone Joint Surg **93-B**：115-119, 2011.

123) Pollak AN et al：Short-term would complications after application of flaps for coverage of traumatic soft-tissue defects about the tibia. J Bone joint Surg **82-A**：1681-1691, 2000.

124) Porter SB et al：Tranexamic acid was not associated with increased complications in high-risk patients with hip fracture undergoing arthroplasty. J Bone Joint Surg **103-A**：1880-1889, 2021.

125) Rajasekaran S et al：A score for predicting salvage and outcome in Gustilo Type III-A and Type III-B open tibial fractures. J Bone Joint Surg **88-B**：1351-1360, 2006.

126) Ring D et al：Complex nonunion of fracture of the femoral shaft by wave-plate osteosynthesis. J Bone Joint Surg **79-B**：189-194, 1997.

127) Ring D et al：Operative release of complete ankylosis of the elbow due to heterotopic bone in patients without severe injury of the central nervous system. J Bone Joint Surg **85**：849-857, 2003.

128) Roberts CS et al：Damage control orthopaedics：Evolving concepts in the treatment of patients who have sustained orthopedic traum. AAOS Instruct Course Lectures **54**：447-462, 2005.

129) Rodriguez-Vegas JM et al：Corticoperiosteal flap in the treatment of nonunions and small bone gaps：technical details and expanding possibilities. J Plast reconstr Aesthet Surg **64**：515-527, 2011.

130) Romano CL et al：Low-intensity pulsed ultrasound for the treatment of bone delayed union or nonunion. A review. Ultrasound in Med & Biol **35**：529-536, 2009.

131) Ronga M et al：Masquelet technique for the treatment of a severe acute tibial bone loss. Injury **455**：S111-115, 2014.

132) 坂井建雄：人体観の歴史. 岩波書店, 2008.

133) 榊原俊介ら：縦隔炎・胸骨骨髄炎における陰圧閉鎖療法の実際. PEPARS **97**：64-71, 2015.

134) Sarmiento A et al：Closed functional treatment of fractures. Berlin, Springer-Verlag, 1981.

135) 里中東彦ら：高齢者大腿骨近位部骨折の検討. 60-89 と 90 以上高齢者の比較. 整形外科 **61**：961-965, 2010.

136) Safty Commettee of Japanese Society of Anesthesiologists：Practical guide for the management of systemic toxicity caused by local anesthetics. J Anesth **33**：1-8, 2019.

137) Schanz A：Praktische Orthopaedie, Berlin, Verlag v. J. Springer, 13, 1928.

138) Schmidmaier G et al：Prophylaxis and treatment of implant-related infections by antibiotic-coated implants. Injury **37** (Suppl 2)：S105-112, 2006.

139) Shakouri K et al：Effect of low-intensity pulsed ultrasound on fracture callus mineral density and flexural strength in rabbit tibial frsh fracture. J Orthop Sci **15**：240-244, 2010.

140) 清水　顕ら：血管柄付腓骨移植でも脛骨骨髄炎が鎮静化できず bone-transport 法を施行した 1 例. 日本骨・関節感染研究会雑誌 **15**：89-92, 2001.

141) 新藤正輝ら：多発外傷. 救急医学 **14**：1688-1693, 1990.

142) 佐藤　徹：MIPO の合併症と対策. J MIOS **60**：99-106, 2011.

143) Shirai T et al：Prevention of pin tract infection with iodine-supported titanium pins. J Orthop Sci **19**：598-602, 2014.

144) Singh AP et al：Fracture of capitellum：a review of 14 cases treated by open reduction and internal fixation with Herbert screws. Inter Orthop **34**：879-901, 2010.

145) Smith GE：The most ancient splints. Br Med J **28**：1 [2465]：732-762, 1908.

146) 正田悦朗：骨折治療における MIS の功罪. 臨整外 **51**：139-146, 2016.

147) Springer BD et al：Systemic safety of high-dose antibiotic-loaded cement spacers after resection of an infected total knee arthroplasty. Clin Orthop **427**：47-51, 2004.

148) Stannard JP et al：Intramedullary nailing of humeral shaft fractures with a locking flexible nail. J Bone Joint Surg **85-A**：2103-2109, 2004.

149) Stewart SK et al：Fracture Non-union：A review of clinical challenges and future research needs. Malays orthop J **13**：1-10, 2019.

150) 菅野卓郎ら：いわゆる Décortication (Judet) 法の経験. 臨床整形外科 **5**：323-329, 1970.

151) 杉本　寿ら：外傷性ショックの輸液療法. 臨床成人病 **8**：451-455, 1978.

152) 杉本勝彦ら：出血性ショック. 救急医学 **16**：187-193, 1992.

153) 鈴木雅生, 塩田浩平：外傷初期診療のみかた　臨整外 **56**：429-439, 2021.

154) Swennen C et al：Local infiltration analgesia with ropivacaine in acute fracture of thoracolumbar junction surgery. Orthop Traumatol Surg Res **103**：291-294, 2017.

155) Takamine TB et al：Short-term postoperative mortality events in patients over 80 years of age with hip fracture：analysis at a single institution with limited medical resources. J Orthop Sci **15**：437-442, 2010.

156) 竹中信之ら：難治性骨折に於ける短縮延長術と骨移動術. 整・災外 **45**：389-394, 2002.

157) 武政龍一：脊椎椎体骨折に対する最小侵襲手術の適応と限界. Calcium phosphate cement の活用. 整形外科 **65** (2014-増刊)：820-828, 2015.

158) 田村裕昭ら：高圧酸素療法，整形外科領域に於ける適用．骨・関節・靱帯 **9**：455-465，1996.

159) 田中晴人：創外固定の発展段階における歴史的概要　別冊整形外科 **55**　創外固定の原理と応用 2-8，南江堂，2009.

160) 田中　正：プレート固定の歴史．関節外科 **28**：16-23，2009.

161) 戸祭正喜：創外固定法を用いた小児の上肢外傷後変形矯正．日整会誌 **89**：247-255，2015.

162) 鳥巣岳彦ら：脛骨下部骨折に対する髄内固定の試み．災害医学 **11**：746-752，1968.

163) 土田芳彦：下肢の開放骨折（特に重症例）に対する基本的処置．OS NOW Instruction **3**：135-144，2007.

164) 土田芳彦：日本の外傷教育・治療はここがダメだ——私が「整形外科外傷センター」を構築する理由．Bone Joint Nerve **5**：441-446，2015.

165) Vallier HA et al：Timing of orthopaedic surgery in multiple trauma patients：development of a protocol for appropriate care. J Orthop Trauma **27**：543-551, 2013.

166) T J van Rens：The history of treatment using plaster of Paris. Acta Orthop Belg **53**：34-39, 1987.

167) Watanabe Y et al：Ultrasound for fracture healing：current evidence. J Orthop Trauma **24**：S56-S61, 2010.

168) 渡辺　雄ら：骨切りを用いた偽関節手術．整形外科と災害外科 **63**：413-417，2014.

169) Watanebe Y et al：Femoral non-union with malalignment：reconstruction and biological stimulation with chipping technique. Injury **47**：S47-52, 2016.

170) Waydhas C et al：Posttraumatic inflammatory response, secondary operations, and late multiple organ failure. J Trauma **40**：624-631, 1996.

171) Webb LX：New techniques in wound management：Vacuum-assisted wound closure. J Am Acad Orthop Surg **10**：303-311, 2002.

172) Weiner G et al：Effect of ankle position and plaster cast on intramuscular pressure in the human leg. J Bone Joint Surg **76**：1476-1481, 1994.

173) White TO et al：The early response to major trauma and intramedullary nailing. J Bone Joint Surg **88-B**：823-827, 2006.

174) Willem-Jan M：Nonsteroidal anti-inflammatory drugs and fracture nonunion：An ongoing debate. J Bone Joint Surg **102**：e82 (1-2), 2020.

175) Wilson D et al：Changes in coagulability as measured by thromboelastography following surgery for proximal hip fracture. Injury **32**：765-770, 2001.

176) Wu WM et al：Which is better to multiple rib fractures, surgical treatment or conservative treatment?. Int J Clin Exp Med **8**：7930-7936, 2016.

177) 八木知徳ら：パルス電磁場による偽関節の治療．臨整外 **21**：675-682，1986.

178) 山口　徹ら：骨粗鬆症地域連携クリティカルパスを組み合わせた大腿骨頚部骨折に対する地域医療ネットワークの構築．日本医療マネージメント学会誌 **9**：530-540，2009.

179) Yang CC et al：Vacuum-assisted closure for fasciotomy wounds following compartment syndrome of the leg. J Surg Orthop Advances **15**：19-23, 2006.

180) 保田岩夫ら：仮骨形成に関する力学的考察．日整会誌 **27**：224-225，1953.

181) 湯川佳宣ら：電気・電磁場刺激による骨折治癒促進．New Mook 整形外科 **8**：80-94，2000.

182) 山田浩司：抗菌薬の適正な使用，手術室での予防．臨整外 **55**：315-319，2020.

183) 山川泰明ら：骨折内固定法の進歩と今後の展望．整形外科 **70**：361-366，2019.

184) Yung PSH et al：Percutaneous transphyseal intramedullary Kirschner wire pinning：A safe and effective procedure for treatment of displaced diaphyseal forearm fracture in children. J Pediatr Orthop **24**：7-12, 2004.

185) 山下仁司：やりなおし！ 医療制度の基本のき　交通事故診療．臨整外 **55**：732-733，2020.

186) Zhang S et al：Treatment of post-traumatic chronic osteomyelitis of lower limbs by bone transport technique using mono-lateral external fixator：Follow-up study of 18 cases. J Orthop Sci **21**：493-499, 2016.

187) Zhou S et al：Treatment of Osteochondral Fracture of the Lateral Femoral Condyle with TWINFIX Ti Suture Anchor "X"-Shaped Internal Fixation under Arthroscopy：A Surgical Technique and Three Cases Report. Orthop Surg **12**：679-685, 2020.

188) Zura R et al：Treatment of chronic（＞1 year）fracture nonunion：heal rate in a cohort of 767 patients treated with low-intensity pulsed ultrasound（LIPUS）. Injury **46**：2036-2041, 2015.

8. 創外固定の歴史

1) Bartoníček J：Early history of operative treatment of fractures. Arch Orthop Trauma Surg **130**：1385-1396, 2010.

2) Board TN et al：Why fine-wire fixators work：an analysis of pressure distribution at the wire-bone interface. J Biomech **40**：20-25, 2007.

3) Bosworth DM：Skeletal distraction. Surg Gynecol Obstet **52**：893, 1931.

4) Caja VL et al：Hydroxyapatite coated external fixation pins：an experimental study. Clin Orthop Relat Res **325**：269-275, 1996.

5) Calder PR et al：Femoral lengthening using the Precice intramedullary limb-lengthening system：outcome comparison following antegrade and retrograde nails. Bone Joint J **101-B**：1168-1176, 2019.

6) Canale S et al：External Fixation, chapter 50, General Principles of fracture treatment, Campbell's Operative Orthopaedics 11th Ed, 3063-3072, Philadelphia, 2008.

7) De Bastiani G et al：Limb Lengthening by Callus Distraction（Callotasis）. J Pediatr Orthop **7**：129-134, 1987.

8) De Bastiani G et al：The treatment of fractures with a dynamic axial fixator. J Bone Joint Surg **66-B**：538-545, 1984.

9) Freeman L：The application of extension to overlapping fractures, especially of the tibia, by means of bone screws and turnbuckle, without open operation. Ann Surg **70**：231-235, 1919.

10) 冨士川恭輔ら編：創外固定法. 骨折脱臼（第2版）, 87-90, 南山堂, 2005.

11) Gessmann J et al：Improved wire stiffness with modified connection bolts in Ilizarov external frames：a biomechanical study. Acta Bioeng Biomech **14**：15-21, 2012.

12) Green SA et al：The Rancho mounting technique for the Ilizarov method. A preliminary report. Clin Orthop Relat Res **280**：104-116, 1992.

13) Green SA：The Ilizarov method：Rancho technique. Orthop Clin North **22-A**：677-688, 1991.

14) Hoffman R：Rretules à os réduction dirigée, non sanglante, des fractures（osteotaxis）. Helv Med Acta **1**：16-21, 1984.

15) Ilizarov GA et al：The replacement of long tubular bone defects by lengthening distraction osteotomy of one of the fragments. 1969. Clin Orthop Relat Res **280**：7-10, 1992.

16) Ilizarov GA et al：Treatment of pseudoarthroses and ununited fractures, complicated by purulent infection, by the method of compression-distraction osteosynthesis. Orthop Travmatol Protez **33**：10-14, 1972.

17) Ilizarov GA：A method of uniting bones in fractures and an apparatus to implement this method. USSR Authorship Certincate 98471, filed 1952.

18) Ilizarov GA：The principles of the Ilizarov method. 1988. Bull Hosp Jt Dis **56**：49-53, 1997.

19) 井上四郎：【創外固定　進歩と臨床応用】 I. 創外固定の概要　創外固定の歴史，種類，特徴および適応. 別冊整形外科 **19**：2-6, 1991.

20) Kawamura B et al：Limb Iengthening by means of subcutaneous osteotomy. J Bone Joint Surg **50-A**：851-878, 1968.

21) KNIIEKOT（ed.）："Set for transosseous osteosynthesis according to Ilizarov. Description, technique and instruction for use." Kurgan, 1980.（R）

22) Kummer FJ：Biomechanics of the Ilizarov external fixator. Clin Orthop Relat Res **280**：11-14, 1992.

23) Lambotte A：The operative treatment of fractures：report of fractures committee. Br Med J **2**：1530, 1911.

24) Lethaby A et al：Pin site care for preventing infections associated with external bone fixators and pins. Cochrane Database Syst Rev **12**：CD004551, 2013.

308 　総 論　第10章　骨折の治療原則

25) 前田昭二：【創外固定の原理と応用　基礎から新しい臨床展開まで】創外固定の発展の歴史　前田式骨折接合器. 別冊整形外科 **55**：9-12, 2009.

26) 前田友助：骨折の観血的療法. 日外会誌 **26**：143-160, 1925.

27) Maiocchi AB et al：Operative principles of Ilizarov. Williams and Wilkins, Baltimore, 1991.

28) Malgaigne JF：Considations cliniques sur Ies fractures de la rotur et leur traitement par les griffes. J Connisantces Med Pratiques **16**：1953-1964, 1965.

29) Matsumura T et al：Clinical outcome of conversion from external fixation to definitive internal fixation for open fracture of the lower limb. J Orthop Sci **24**：888-893, 2019.

30) Nozaka K et al：Ilizarov external fixation for a periprosthetic tibial fracture in severe osteoporosis：a case report. BMC Musculoskelet Disord **21**：145, 2020.

31) Ogbemudia AO et al：Efficacy of 1% silver sulphadiazine dressings in preventing infection of external fixation pin-tracks：a randomized study. Strategies Trauma Limb Reconstr **10**：95-99, 2015.

32) Paley D et al：Femoral lengthening over an intramedullary nail. A matched-case comparison with Ilizarov femoral lengthening. J Bone Joint Surg **79-A**：1464-1480, 1997.

33) Paley D et al：Mechanical axis deviation of the lower limbs. Preoperative planning of multiapical frontal plane angular and bowing deformities of the femur and tibia. Clin Orthop Relat Res **280**：65-71, 1992.

34) Paley D et al：Mechanical evaluation of external fixators used in limb lengthening. Clin Orthop Relat Res **250**：50-57, 1990.

35) Paley D：History and Science Behind the Six-Axis Correction External Fixation Devices in Orthopaedic Surgery. Oper Tech Orthop **21**：125-128, 2011.

36) Parkhill C：A new apparatus for the fixation of bones after resection and in fractures with a tendency to displacement. Trans Am Surg Assoc **15**：251-256, 1897.

37) Peltier LM：External skeletal fixation for the treatment of fractures. Fractures：A History and Iconography of Their Treatment. Peltier LM ed. 183-196, Norman Publishing, San Francisco, 1990.

38) Pennig D et al：The use of minimally invasive fixation in fractures of the hand — the minifixator concept. Injury **31**：102-112, 2000.

39) Rozbruch SR et al：Correction of Tibial Deformity with Use of the Ilizarov-Taylor Spatial Frame. J Bone Joint Surg **88-A**, Supp 4：156-174, 2006.

40) Rozbruch SR et al：Distraction of hypertrophic nonunion of tibia with deformity using Ilizarov/Taylor Spatial Frame. Report of two cases. Arch Orthop Trauma Surg **122**：295-298, 2002.

41) Samchukov ML et al：Deformity correction in pediatric skeletal dysplasia：treatment challenges and solutions. J Pediatr Orthop **24-B**：131-138, 2015.

42) Santolini E et al：Optimum timing of conversion from DCO to definitive fixation in closed fractures of the lower limb：When and how？ Injury：S0020-1383（20）30761-0, 2020.

43) Seide K et al：Fracture reduction and deformity correction with the hexapod Ilizarov fixator. Clin Orthop Relat Res **363**：186-195, 1999.

44) Shaar CM et al：End results of treatment of fresh fractures by the use of the Stader apparatus. J Bone joint Surg **26**：471-474, 1944.

45) Shevtsov VI et al：Application of external fixation for management of hand syndactyly. Int Orthop **32**：535-539, 2008.

46) Stewart D：A platform with six degrees of freedom. Proc Instn Mech Eng **180**：371-386, 1965.

47) Vidal J：External fixation；yesterday, today and tomorrow. Clin Orthop **180**：7-14, 1983.

48) Wagner H：Surgical Lengthening or Shortening of Femur and Tibia Progress in Orthopaedic Surgery ed by Hungerford DS, 71, Springer-Verlag, Berlin, 1977.

49) Watson JT：Principles of external fixation. Rockwood and Green's Fractures in Adults, 7th Ed. 191-243, Lippincott Williams and Wilkins, Philadelphia, 2010.

50) Winkler H et al：Experience with the pinless fixator in the treatment of fractures of the lower leg. Injury **25**：8-14, 1994.

第11章
小児の骨折と骨端線損傷

A. 小児の骨折

1 小児の骨の特徴と骨折様式

　　成長途上の未成熟な小児の骨は，解剖学的にも生理学的にもそして生力学的にも大人の成熟した骨とは大きく相違している．したがって加えられた外力により多様な反応を示し，大人とは違った小児特有の骨折様式を呈する．その違いを熟知することが適切な診断，治療に至る第一歩である．

a 骨端線（成長軟骨板）physis, epiphyseal plate, growth plate

　　小児の長骨は，骨端と骨幹端の間に成長する軟骨帯，すなわち骨端線が介在し成長が停止するおよそ15～18歳まで骨の長径成長をつかさどる．小児では骨に比較して靱帯や腱が強靱で，軟骨成分からなる骨端線は力学的に弱い．そのために外力が関節部に作用した場合，靱帯や腱が断裂する機会は少なく骨端線が損傷することが多い．

　　骨端線損傷は小児のすべての骨傷の約15～19%を占める．骨端線の損傷様式はSalter-Harris分類やOgden分類が一般的に用いられているが，損傷の形態や程度によっては，成長が障害され骨の短縮や変形を生じることもある．したがって骨端線損傷は治療が終了しても，成長停止（15～18歳）まで経過観察を行うべきである．

b 骨　膜 periosteum

　　小児の長骨の骨膜は厚く強靱で，弾力性に富み血行が豊富である．骨膜は骨幹部では骨に弱く付着し，骨端部に行くに従って密に強く付着している．また骨膜は仮骨を形成する能力がきわめて旺盛である．したがって骨折した場合に骨癒合は起こりやすく，また骨癒合速度は成人に比し著しく速いので，骨折転位の整復は受傷後数日以内に可及的早期に行わなければならない．

　　また骨折が生じてもしばしば骨膜による連続性が保たれ，骨膜下で不全骨折の形をとることがある．骨膜が損傷しない場合は蝶番の役目を果たすために骨折の転位が抑えられ，解剖学的に徒手整復することが容易である（図11-A1-1）．

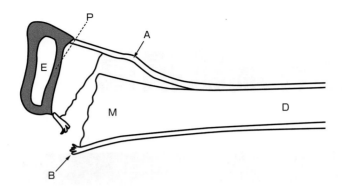

図 11-A1-1　骨幹端の骨折における骨膜
A：凹側の骨膜は剝離しても連続性は保たれている．
B：凸側の骨膜は破断している．
E：骨端 (epiphysis), P：骨端線 (physis)
M：骨幹端 (metaphysis), D：骨幹部 (diaphysis)

c 骨の力学的特性と骨折の病態

　幼若骨は多孔性で骨皮質もハバース管が大部分を占めているため，成人骨が耐えられないような変形応力に対しても特有の弾力性，橈屈性によって外力のモーメントを吸収することができる．したがって，大きな外力が加わったにもかかわらず骨折を免れることが多い．たとえ骨折を生じても，成人にみるような粉砕骨折はまれで単純な骨折型をとることが多い．

1) 若木骨折 greenstick fracture

　若木を折り曲げると部分的に破断を生じるが，外力を取り除くとまた元の形へ戻る状態に似ているところから命名されたものである．これは骨の生理的弯曲以上に屈曲外力が作用した場合に生じるもので，緊張が加わる側の骨皮質は破断し，圧迫が加わる側の骨皮質は屈曲するが，骨膜は温存され完全に破断することはなく不全骨折の形をとる（図 11-A1-2）．

2) 膨隆骨折 buckle fracture, torus fracture

　骨の長軸方向に圧迫力が作用すると最も多孔性である骨幹端部で骨の連続性が失われ骨皮質に竹節状の膨隆を生じる不全骨折をいう（図 11-A1-3）．

3) 塑性弯曲［骨折］ acute plastic bowing［fracture］

　骨に作用する変形応力が生理的弯曲をもたらす範囲内にあるときには，その応力が骨から除かれると変形も消失する．しかしさらに持続的に応力が加わる場合には，応力が除去されても骨の弯曲変形は残存する．このような外力によって生じた骨の弯曲は，単純X線写真上は骨折線は認められないが，臨床的には不全骨折のひとつと考えられる．これは若年者ほど発生しやすく，尺骨や腓骨にみられるがその発生頻度は多くない．経過中の単純X線写真でもはっきりした骨膜下の反応性骨新生がみられないのが特徴である（図 11-A1-4〜6）．

d 自家矯正 remodeling

　小児の骨折がよく癒合し，変形を残しにくい大きな理由のひとつは，小児の骨には旺盛な自家矯正能力があることによる．しかし骨折が常に自家矯正されるとは限らず，また常に理想的に治癒するとも限らない．骨折による変形に対する自家矯正能力はいろいろな因子によりさまざまである．

A. 小児の骨折／1 小児の骨の特徴と骨折様式　　***311***

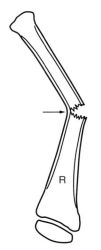

図11-A1-2　橈骨の若木骨折
凹側の骨皮質は弯曲しているが破断していない（矢印）．
R：橈骨

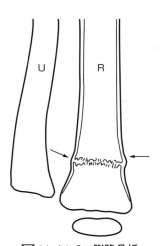

図11-A1-3　膨隆骨折
橈骨骨幹端に竹節状の骨膨隆を認める（矢印）．
R：橈骨，U：尺骨

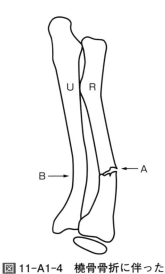

図11-A1-4　橈骨骨折に伴った尺骨の塑性弯曲
橈骨Rには骨折線を認める（A）が，尺骨Uには骨折線はなく弯曲を示す（B）．

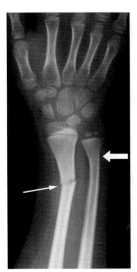

図11-A1-5　橈骨骨折に伴う尺骨遠位端塑性弯曲（9歳，男児）
右手掌をついて転倒し右手関節の疼痛を訴えて，即日来院した．橈骨遠位部の骨折と尺骨遠位端の橈側弯曲（太い矢印）を認める．

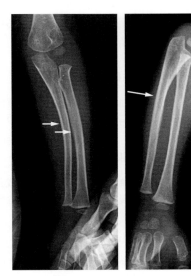

図11-A1-6　尺骨・橈骨塑性弯曲（4歳，男児）
滑り台から転落し左前腕を受傷し，即日来院した．正面像（左）では橈骨，尺骨とも骨幹部で弯曲（矢印）を認める．単純X線写真側面像（右）では，わずかに尺骨の後方凸弯曲（長い矢印）を認める．

1）年　　齢

　　　　年齢が低ければ低いほど，すなわち今後の成長が大きければ大きいほど，自家矯正を期待することができる．特に6歳までは骨成長がきわめて旺盛なので自家矯正には有利である．一般に予想される成長終了（骨端線閉鎖）までに2年以上あれば自家矯正は十分期待してよい．

312 　総論　第 11 章　小児の骨折と骨端線損傷

2) 骨折の部位

骨端線に損傷がない場合は，骨折部位が骨端線に近いほど自家矯正力は旺盛である．かなり屈曲した状態で変形癒合した場合でも，骨端線の傾きは解剖学的長軸に対して垂直になるように自家矯正されることが多い（図 11-A1-7）．

3) 転位の程度

小児骨折の自家矯正力は骨折の転位型によって異なる．一般に横転（側方転位），軸転（屈曲転位）は矯正されやすい．横転は最も矯正されやすく骨の 1 横径程度の転位は完全に矯正される．軸転は骨幹部骨折では特に約 20°，骨幹端骨折では約 25° までの転位は自家矯正されることが多い．また，変形の頂点が関節運動の主軸上にある場合には大きな矯正が期待できる．縦転（長径短縮）も比較的自家矯正される．縦転は一過性に骨端線が過成長するので，長管骨で 1〜1.5 cm 程度の短縮は十分自家矯正され得る．

4) 転位の方向

骨折後に変形した方向が近接の関節運動の主軸方向，すなわち蝶番関節の運動方向と一致する場合には変形は矯正されやすい．これに対して変形の方向が関節運動の主軸に対して直角方向にあるものは自然矯正が期待できない．例えば上腕骨顆上骨折の変形では，蝶番関節である肘関節の屈伸運動面における側転や屈曲転位はよく矯正されるが，屈伸運動面と直交する内反変形は，ほとんど自家矯正されずに内反肘変形となって残存する．

附-1　Wolff の法則

屈曲変形では，凹側では骨膜性の骨新生が著明で，凸側では骨吸収が起こり，変形が次第に矯正される法則をいう（図 11-A1-7c）．

附-2　Hüter-Volkmann の法則

骨端線における骨の長径成長が内外側または前後で対称的ではなく，骨端線の傾きを元に復するような非対称的な発育を営む法則をいう（図 11-A1-7b, 8）．

附-3　分娩骨折 birth fracture

分娩時の新生児の外傷は，骨盤位分娩，児頭骨盤不均衡，鉗子・吸引分娩などのいわゆる難産に伴って発生しやすい．分娩外傷は骨と神経の 2 つの損傷に大別できる．神経損傷には，腕神経叢麻痺（分娩麻痺），顔面神経麻痺，脊髄損傷などがある．ここでは骨折について述べる．骨折は帝王切開でもまれには発生するが，ほとんどは経腟分娩時に生じ，その頻度は総分娩数の検診体制の充実度により差はあるが 0.08〜0.75% との報告がある．前述のほかに危険因子としては，肥大児（体重 4,000 g 以上に多い），切迫分娩（産科医が生命を助けるために胎児を急いで娩出させる），骨形成不全症や先天性多発性関節拘縮症などの先天性疾患があげられる．産科医の分娩操作により骨折が生じた場合，骨折を診断した整形外科医は両親にその事情を説明し理解してもらう努力をする必要がある．

最も多い骨折は鎖骨骨折であり，続いて上腕骨骨幹部骨折，大腿骨骨幹部骨折，上腕骨骨端線損傷，大腿骨骨端線損傷の順である．

以下に主な分娩骨折について述べる．

A. 小児の骨折／1 小児の骨の特徴と骨折様式　**313**

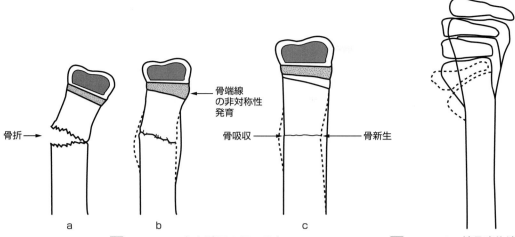

図 11-A1-7　自家矯正の起こり方
a. 骨折時の変形（屈曲転位）
b. 骨端線における非対称性発育による自家矯正（Hüter-Volkmann の法則）
c. 骨折部における凹側の骨新生，凸側の骨吸収による自家矯正（Wolff の法則）

図 11-A1-8　橈骨遠位端における成長を伴う自家矯正
長径成長を営みつつ，変形は矯正される．
（Perona PG, et al：Remodeling of the skeletally immature distal radius. J Orthop Trauma 4：356-361, Fig7, 1990 をもとに作図）

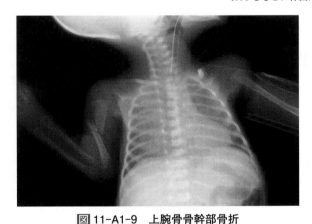

図 11-A1-9　上腕骨骨幹部骨折
（鳥巣岳彦先生の症例）

1）鎖骨骨折

　　本骨折は分娩骨折の中では 62.5〜94.3％と最も頻度が高い．また総分娩数の 0.16〜2.5％であり，報告者によりかなりの差がある．これは検診体制の充実度の差によることが大きい．すなわち症状が軽いことが多く，また仮骨形成が旺盛ですぐに癒合してしまうために気付かれないままに治癒することが多いためと考えられる．正常分娩に比べ鉗子分娩が圧倒的に多い．新生児では片側上肢を動かさないため，分娩麻痺を疑われることもある．仮性麻痺と呼ばれる所以である．上肢の他動的運動により異常に泣く場合には注意すべきである．また母親や看護師が抱きかかえると泣きだすことで異常に気づくこともある．患側の腫脹，軋音，仮骨形成による膨隆を触診して気づく場合もある．また生後 2 週で撮影した単純 X 線写真で仮骨形成が認められ診断が確定する．先天性鎖骨偽関節や腕神経叢麻痺などとの鑑別が必要となる．治療は必要なく経過観察のみでよい．早期に仮骨形成，骨癒合が起こり予後は良好である．

2) 上腕骨骨幹部骨折（図11-A1-9）

鎖骨に次いで多く分娩骨折の，0.11〜6.0％と報告されており，中央1/3で起こりやすい．骨盤位などの異常分娩時上肢の過度の牽引により発生することが多い．上肢を動かさないことで気づくことがほとんどである（仮性麻痺）が，上腕の腫脹，変形，異常可動性などの徴候を見逃さないように注意する．腕神経叢麻痺との鑑別が必要である．治療は上腕から前腕までの副子固定を1〜2週間行う．仮骨形成は旺盛で，およそ2週間で仮骨が形成され骨折は安定して疼痛もなくなる．転位が著明な場合にのみ垂直，あるいは側方牽引を行うことがある．自家矯正力は旺盛で，40〜50°の屈曲変形も自家矯正される．

3) 大腿骨骨幹部骨折

大腿骨骨幹部骨折は上腕骨に次ぐが発生頻度は低い．55,296分娩の中で8例という報告がある．骨盤位分娩時に起こりやすく，帝王切開でも起こり得る．治療はおよそ2週間の副子固定で十分で骨癒合は早い．

4) 骨端線損傷

上腕骨近位，遠位と大腿骨遠位の骨端線に起こるが，骨幹部骨折に比べ発生はまれである．ごくまれに大腿骨近位，脛骨遠位の骨端線にも発生する．上腕骨の骨端核は多くは骨化しており，また大腿骨の遠位骨端も通常骨化しているので，注意深い単純X線写真検査で診断されるが，Salter-Harris I型がほとんどであるため診断は容易ではない．近年解像力の高い超音波機器が開発され，骨端の転位を診断できるようになった．骨端線損傷の疑いがある場合には応用すべきである．

5) その他

前腕骨骨幹部骨折，橈骨遠位端骨折，脛骨骨幹部骨折の発生の報告があるがきわめてまれである．

附-4 sleeve fracture（図11-A1-10, 11）

1979年Houghtonらの3例の膝蓋骨の報告を嚆矢とする特殊な骨折形態である．

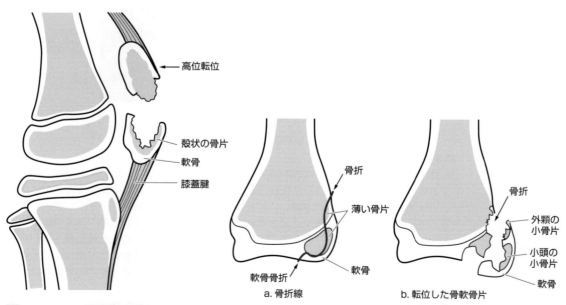

図11-A1-10　膝蓋骨下極のsleeve fracture
膝蓋骨は下極の軟骨成分と薄い殻状の骨片を残して高位に転位している．

図11-A1-11　上腕骨外側上顆・小頭 sleeve fracture
小頭の大きな軟骨と外顆および小頭のわずかな骨片が遠位方向へ転位している．

8～12歳頃の小児にみられる裂離骨折で，小さな骨片とかなり大きい部分を占める関節軟骨が，あたかも袖のように本体から剥脱するためにスリーブ骨折といわれる．単純X線写真では卵の殻状の薄い骨片しか見えず，診断に難渋することがある．発生頻度はまれであるが，本骨折の可能性を念頭に置かなければ見逃す恐れがある．観血整復・内固定の絶対的な適応であるために早期診断を誤ると大きな機能障害を残す．発生部位としては膝蓋骨，上腕骨外側上顆が代表的である．膝蓋骨の場合には，大腿四頭筋の介達外力により下極が裂離するために，小骨片の発見と同時に膝蓋骨が高位に転位することに注目する．まれに上極が裂離骨折（cap fracture）を起こすこともあるが，この場合には直達外力により，膝蓋骨は低位に転位する．看過されると膝蓋骨の不安定性，膝伸展筋力の低下，膝蓋骨周囲の疼痛などを後遺する．一方，上腕骨外側上顆では，1984年Aginsの報告が最初で，上腕骨小頭も含めて前方，外側，後方のどの部位にも発生するが，頻度はまれである．肘関節造影が外顆裂離骨折との鑑別診断に有用である．また骨片の大きさや転位方向を把握するには3D-CTが有用であり，MRIは裂離した軟骨成分の判読も可能であり，術前の画像検査として必須である．早期手術の適応であるが，裂離骨片が小さいので，手術は引き寄せ［鋼線］締結法，引き抜き縫合法，周辺締結法などが行われているが，いずれにしても関節内骨折であり，正確な関節面の整復としっかりした内固定の手技が求められる．

（詳細は各論の膝，肘の章を参照されたい）

いわゆるスリーブ骨折には sleeve fracture と fracture with sleeve avulsion（periostal sleeve avulsion）がある．小児膝蓋骨下極部は前面は大腿四頭筋腱腱膜表層－膝蓋腱表層が連続しているために強靱であるが，関節面側はこれがないため脆弱で，この部分の avulsion は関節面側で起こり（前面の腱性組織は損傷するが avulsion ではない），このとき裂離する軟骨が関節面側の薄層状軟骨下骨組織を伴う為に，単純X線写真像では卵の殻状の薄い骨片しか表現されないので看過されることがある．一方 fracture with sleeve avulsion（periostal sleeve avulsion）は膝蓋骨の前面の骨膜を伴った小骨片の裂離骨折で，解剖学的構造からもきわめてまれであり，病態の異なる両者が混同されることが多い．

附-5 Hume骨折

Hume骨折とは橈骨頭脱臼に転位を伴わない肘頭骨折が合併する小児の稀な肘関節外傷であり，1957年Humeにより報告された．その後報告が散見されるが，近年尺骨の塑性変形によるモンテジア骨折の報告が増えており，肘頭骨折との合併も報告され，その鑑別診断が重要となる．幼児が転倒もしくは転落し，肘関節伸展位，回内位で手を突くことで発生する．肘頭骨折は横もしくは斜めに転位のない骨折線として認められる．治療の基本は早期の橈骨頭の正確な整復である．全身麻酔下に徒手整復を行い，屈曲90°，回外位にてギプス固定を4～6週間行う．多くは保存的治療が奏効するが，もし安定性が得られなければ観血的整復を行う．それでも成功しない場合にはモンテジア骨折と同様に西尾式尺骨骨切り術を行う．

2 小児骨折の統計

a 発生率

「最近の子どもは骨折しやすくなった」とはよく耳にするが，果たして本当に骨折しやすくなったのであろうか？宮城県の10年間（1986〜1995年）の学校災害報告書によれば，骨折発生率は，小学生で1.4倍，中学生で1.3倍，高校生では1.1倍と有意に（危険率0.1%）増加していた．また新潟県における1981年，1990年，1999年，2007年の4回にわたる骨折発生件数の調査（1年間100人当たりの発生頻度）では，1999年，2007年までは経年的に増加している（図11-A2-1）．小中学生100人当たりの骨折発生件数は，1981年では0.69件であるのに対し，2007年では2.39件と3.46倍に増加している．さらに日本スポーツ振興センター「学校管理下の災害」の1970〜2016年までの骨折発生率をみると，幼児ではやや減少傾向にあるものの，小学生，中学生，高校生は全般に増加しており，全体数で30年前の1.5倍，1970年と比べると2.4倍にまで増えている．とくに中学生の骨折頻度が小学生の2.4倍，高校生の1.5倍多いことがわかる（図11-A2-2）．しかしこの10年間でみると，小・中学生では増加は横ばいとなっているが，高校生では引き続き増加し続けている．骨折発生の場面をみると，小学生は休憩時間や体育で骨折が多くなるが，中・高校生になると部活動中の骨折が半数を占めている．骨折増加の要因として，食生活の変化，運動不足，日照不足などにより骨が弱くなったこと，体力，運動能力の分析から，筋力，柔軟性，敏捷性の低下，スポーツ基礎能力の低下，高度な技術の練習などが考えられている．しかし本当に骨が弱くなったという科学的根拠はみられない．一方幼児の骨折の減少は，危険な遊具が減ったこと，怪我をするような遊びをしなくなったことなどが考えられている．

b 年齢別

年齢別にみると，骨折の発生は小学校1年生より学年とともに増加し，中学校2年生にピークがみられる（図11-A2-1）．男女別では男子では中学2年生に，女子では中学1〜2年生にピークを認める（図11-A2-3）．

c 性別

男子は女子の1.5〜2倍多く発生している．これは男子のほうがスポーツなど戸外で活動することが多いこと，特に接触スポーツを女子より多く行うために骨折の機会が増えるためと考えられている（図11-A2-3）．

d 月別発生頻度

月別にみると，5〜7月と9〜11月に多い傾向がある．スポーツ大会や運動会の時期に一致して骨折が多くなっており，スポーツ活動との関連性が高いことがうかがわれる（図11-A2-4）．

A. 小児の骨折／2 小児骨折の統計

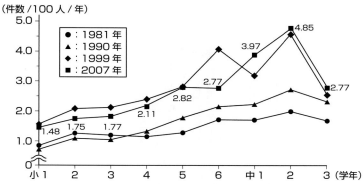

図 11-A2-1　学年別骨折発生件数の年次別変化（新潟県のデータによる）
1981年，1990年，1999年，2007年と経年的に骨折は増えている．また小学校1年生より学年とともに増加し，中学校2年生にピークがみられる．

（大森　豪：Clin Calc 20：881-886, 2010 より）

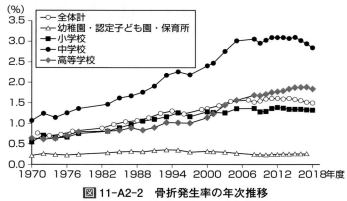

図 11-A2-2　骨折発生率の年次推移
日本スポーツ振興センター「学校管理下の災害―基本統計」による（1970～2019年）．

（ニッセイ基礎研究所　村松容子氏作成図転載）

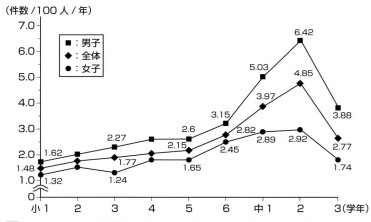

図 11-A2-3　性別学年別骨折発生率（2007年，新潟県のデータによる）
男女ともに小学校1年生より学年とともに増加し，男子では中学校2年生に，女子では中学校1～2年生にピークを認める．

（大森　豪：Clin Calc 20：881-886, 2010 より）

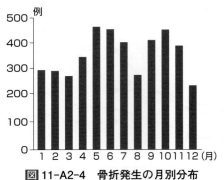

図 11-A2-4 骨折発生の月別分布
(永沼 亨ら:整・災外 42:5-10, 1999 より)

表 11-A2-1 骨折の部位別頻度

1.	橈骨遠位	18.0%
2.	手基節骨	7.3%
3.	上腕骨顆上	6.9%
4.	鎖骨	6.7%
5.	手中節骨	5.5%
6.	足趾	5.3%
7.	中手骨	4.8%
8.	上腕骨顆部	4.2%
9.	中足骨	4.1%
10.	脛骨骨幹	3.7%

(永沼 亨ら:整・災外 42:5-10, 1999 より)

表 11-A2-2 小児骨折の部位別頻度 (海外例)

部位	Worlock (%)	Wiley (%)	Reed (%)	Iqbal (%)	Landin (%)
鎖骨	6.3	8.4	13.4	15.5	8.1
上腕骨 (近位および骨幹部)	1.9	3.1	3.4	4.5	
上腕骨遠位	7.7	6.0		23.4	3.3
橈骨頚部	2.7	1.7		0.3	1.2
橈骨/尺骨 (骨幹部)	6.5	4.1	5.6	13.4	3.4
橈骨/尺骨遠位	35.8	28.6	19.8	27.5	22.7
手	14.7	18.7	21.5		
大腿骨	2.0	3.3	6.6	4.5	
脛骨/腓骨 (骨幹部)	4.3	9.7	4.6	3.4	5.0
足関節	4.0	2.3	6.8	4.8	5.5
足	7.7	6.5	6.8		
総数	923	2,640	410	291	8,682

(Reed MH:Epidemiology of children's fractures. Pediatric Fractures, ed. by Letts RM, 1-10, Table1-2, Churchill Livingstone, New York, 1994 より)

e 部位別頻度

橈骨遠位端骨折が最も多く,次いで手指骨折,上腕骨顆上骨折が多い.全国,全県下,救急病院,診療所など統計をとる機関で多少の違いはあるが小児の三大骨折と呼んでもよい.さらに鎖骨,中手骨,中足骨,上腕骨顆部,脛骨骨幹部の骨折がみられる(表11-A2-1).下肢の骨折は上肢に比べて全体的に少なく,上肢の骨折の1/3〜1/4である.これは海外の報告ともほぼ同じ傾向を示している(表11-A2-2).

f 受傷原因と受傷機転

骨折の原因は全体的にはスポーツ外傷によるものが約40%と最も多く，その中の大半は球技スポーツによるものが占める．次いで環境要因（階段，机，椅子，ベッドからの転落，ドアにはさまれるなど）によるものが25%，遊戯20%，自転車9%であり，交通事故は5%と少ない．

受傷機転としては転倒が最も多く36%であり，次に転落20%，打撲17%，捻り7%である．

年齢別にみると，6歳以下では家庭内での転落やブランコなどの遊具からの転落が多く，小学生では自転車，鉄棒からの転落など屋外活動によるものが増加する．中学生以上ではスポーツ外傷の占める割合が多くなる．

附-5 乳・幼児の骨折

小児の骨折の疫学調査はほとんどが学童期以後のものが多い．しかし日常診療では乳・幼児の骨折の診断のほうがはるかに困難で，不顕性骨折も少なくないので，見逃される危険が多い．乳・幼児の骨折の特徴を知ることは診断の助けとなると考え，特別に記載する．2020年までのおよそ26年間に筆者のクリニックで経験した6歳以下の新鮮骨折442症例を対象として，年齢別，性別，骨折部位別の頻度を調査した．男子261例，女子181例で，男子は女子の1.4倍であった．1歳代：47例，3歳代：75例，6歳代：126例と年齢とともに増加している（図11-A2-5）．鎖骨を含む上肢の骨折は342例，下肢の骨折は100例で，上肢が3.4倍多かった．上肢では上腕骨顆上64例，鎖骨56例，橈骨遠位端51例が多く（図11-A2-6），下肢では中足骨32例，脛骨骨幹部26例，趾節骨16例が多かった（図11-A2-7）．

年齢別の頻度をみると，鎖骨骨折は0～3歳の比較的若い年齢で多く発生し，上腕骨顆上骨折はやや遅れて3歳頃より，上腕骨外顆骨折は4歳頃より増える傾向にあった．橈骨遠位端骨折および橈・尺骨遠位端骨折はさらに遅れて5～6歳で急激に増加する傾向があった．一方，下肢では中足骨骨折および脛骨骨幹部骨折は1～4歳代と比較的若い年齢に生じており，腓骨遠位端骨折は5～6歳になって増えていた．

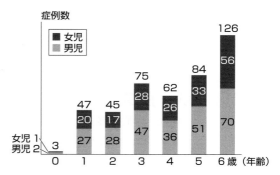

図11-A2-5 6歳以下の骨折：年齢および性別頻度
（総数442例：1994/6～2020/3）

（麻生邦一：乳・幼児の骨折の疫学的調査．日小整会誌，2020より）

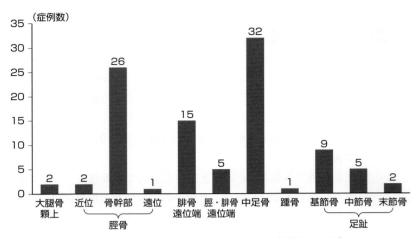

図 11-A2-7　下肢の骨折：部位別頻度（総数 100 例）
（麻生邦一：乳・幼児の骨折の疫学的調査．日小整会誌，2020 より）

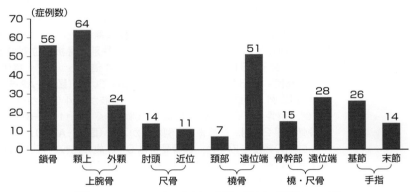

図 11-A2-6　上肢の骨折：部位別頻度（総数 342 例）
（麻生邦一：乳・幼児の骨折の疫学的調査．日小整会誌，2020 より）

3 診　　断

a 病　　歴

受傷時の状況を幼・小児本人から聴取することは困難でまた不正確なことが多い．周囲にいた両親，兄姉，幼稚園，学校の先生などから情報を得ることが多い．

b 臨床症状，所見

疼痛，腫脹，変形，異常可動性，軋音など骨折における特徴的な臨床症状（骨折 5 大症状）は，成人の場合と特に変わらない．しかし患児は疼痛と不安のため診察に際して協力を得にくいことはいうまでもない．疼痛の訴えも正しく骨折部位を示さず，

図 11-A3-1　Waddell の三徴
(Núnez-Fernández AI, et al：Acta Ortop Mex 24：404-408, 2010 より)

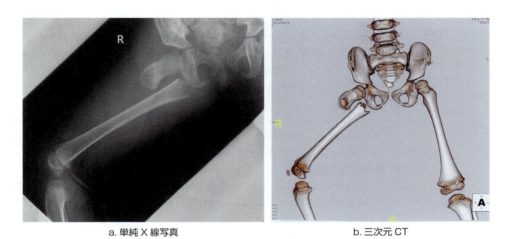

a. 単純 X 線写真　　　　　　　　　　b. 三次元 CT

図 11-A3-2　車にはねられ受傷（3 歳，女児）
右大腿骨転子下骨折．左腸骨骨折とともに脳内出血，挫傷を合併している．
胸腹部損傷はないが，Waddell の三徴に近い損傷である．
（大分大学救命救急センター　金崎彰三先生の症例）

隣接した部位を訴えることもある．触診する場合には，まず健側を診察し次いで健常部から徐々に骨折が疑われる局所に至るようにする．この方法により合併症などを見落とすこともなく，また患児の恐怖心も和らぎやすい．

附-6　Waddell の三徴　Waddell's triad

　小児が車にはねられて受傷する場合，下肢骨折に胸腹部損傷と頭部外傷を合併することが多く，これを Waddell の三徴という（図 11-A3-1）．3〜14 歳の男児にやや多いが，特に学童期児童に多く発生する．歩行中にはねられたり，自転車走行中に車と衝突することで発生する．下肢骨折は大腿骨骨折が多い．これは車のボンネットとバンパーの高さがちょうど学童の胸腹部と大腿，ときには下腿に一致するためである．さらにその反動で地面に頭部を打ち付け頭部外傷を負う．多くは皮下骨折であり，開放骨折は約 10％と少ない．胸腹部損傷は緊急手術になることが多いため，大腿骨骨折の小児を診る場合，この三徴の可能性を常に念頭において対処すべきである（図 11-A3-2）．

322 総論 第11章 小児の骨折と骨端線損傷

附-7 被虐待児症候群 battered child syndrome, child abuse

1) 歴史的背景

　　虐待による骨折はアメリカでは1946年Caffeyによる長管骨骨折6例の報告が最初であり，さらに1962年Kempeが小児虐待の実態をまとめて報告した．これにより1972年児童虐待防止法が制定され，医療従事者に虐待通告義務が課せられた．一方わが国では，1933年に「児童虐待防止法」が制定されているが，これは学校に行かせないで労働させることの禁止などを定めたもので，虐待に関しては触れられていない．1947年児童福祉法の制定に伴い廃止された．1980年以降に小児虐待の実態報告が散見されるようになり，2000年には新たに「児童虐待の防止等に関する法律」が制定された．同法では学校・病院などの関係者は児童虐待の「早期発見に努めなければならない」（第5条）こと，また虐待を発見した者は，福祉事務所，児童相談所に「通告しなければならない」（第6条）ことが定められた．しかし今なお虐待されて死に至る事例が跡を絶たない．医療者の早期診断，報告が重大な第1歩であるが，その後の児童を守る対応が遅拙であることが問題であると考えている．

2) 虐待の種類

　　小児の虐待には，身体的虐待，養育拒否neglect，精神的・心理的虐待，性的虐待の4種類がある．身体的虐待には骨折，脱臼，熱傷，創傷，打撲などが含まれるが，ここでは整形外科医が責務を負わねばならない骨折を中心として述べる．

3) 骨折部位の頻度

　　頭蓋骨の骨折が多いが，長管骨の骨折は肋骨，上腕骨，大腿骨，脛骨，鎖骨に多い．末梢の手足の骨折が少ないことが特徴である．Loderらの報告を**表11-A3-1**に示すが，上腕骨，大腿骨が最多とする報告もある．

4) 虐待による骨折の診断

　　故意の隠蔽を見破って被虐待児を一刻も早く救うことは整形外科医の務めであると考える．虐待による骨折を疑わせる所見は次のとおりである．

a) 聴取した病歴，特に受傷機転と骨折の矛盾

　　保護者からの病歴聴取の特徴は，受傷時の状況を見ていない，ないしは知らないということ，淡々と説明すること，骨折後の状況のみを説明すること，なぜ骨折したのか，その疑問を自分の口から言わないことなど理解できないことが非常に多い．

b) 受傷から初診までの不自然な遅れ

　　通常骨折は疼痛が強いため，自宅で様子を見る保護者はきわめて少ない．たとえ受傷当日医療機関を受診しなくても翌日には受診するのが普通であり，理由のはっきりしない受診の遅れは，虐待を疑わせる重要な特徴である．

c) 栄養障害の所見

　　全身所見として，低身長，低体重，皮下脂肪の欠如，皮膚の乾燥など長期にわたる栄養障害の所見がみられる．

d) 皮膚の外傷などほかの外傷の合併

　　衣服に隠された部位に新旧取りまぜた創傷，創傷瘢痕あるいは熱傷瘢痕などを観察すれば虐待の疑いを持つ．

e) 新旧外傷の混在した多発性の骨折の存在

　　多発性に骨折があり，新鮮骨折のみならず陳旧性の骨折とそれに伴う仮骨形成や変形治癒した骨折が混在する場合は虐待を疑わせる．

f) 特徴的な骨折所見

　　①通常小児の骨幹部骨折では，第三骨片を伴わない螺旋骨折や斜骨折，若木骨折の形態をとるが，虐待例では強い剪断力やトルク力で横骨折や第三骨片を伴う螺旋骨折を生じる．

　　②関節を挟んで近位，遠位の骨折は，通常では起こり得ない骨折である．肘関節，膝

表11-A3-1 骨折の頻度

部　位	骨折数	新鮮/陳旧	新鮮骨折の比率（％）	骨折の比率（％）
頭蓋骨	49	49/0	100	32
肋骨	31	22/9	71	20
脛骨	25	15/10	60	16
上腕骨	18	11/7	61	12
大腿骨	15	9/6	60	10
橈骨/尺骨	11	8/3	73	7
その他	5	4/1	80	3
	154	118/36	77	100

（Loder RT, et al：J Orthop Trauma 5：428-433, 1992 より）

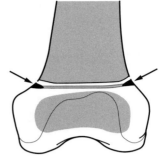

図11-A3-3　corner fracture（bucket-handle fracture）

骨幹端の海綿骨層（primary spongiosa）を通る骨折で，中央は薄いが，周辺（corner）では厚くなる．単純X線写真で骨幹端の両端に小骨片を認める（矢印）．中央の海綿骨層の骨折線が見えないこともある．暴力的に揺さぶられる，もしくは引っ張られることで生じる．

（Campbell RM Jr et al：Child abuse, in Fractures in Children, 6th ed, 224-253, 2006 より）

関節に多くみられる．

③関節に隣接する骨幹端における裂離骨折は，当該関節を把持し振りまわすことにより靱帯による裂離骨折（corner fracture）が生じたものであり，転倒などの受傷機転では説明がつかないものである（図11-A3-3）．

g）3歳以下の骨折

親の庇護のもとにある乳幼児は，転倒くらいでは体重が軽いこともあり骨折が起こることは少ない．3歳以下の小児が大きな骨折をしていることは不自然である．

5）対　応

虐待による骨折が疑われたら，全身をよく診察し単純X線写真撮影を行う．また外傷性硬膜下出血，眼底出血，内臓損傷などの合併も考慮し，CTや超音波検査なども行う必要がある．

虐待を家族が知っていても最初から話すことはない．家族との面談の中で医療関係者との信頼関係が生まれれば告知することもある．しかし診断の確定にいたずらに時間を浪費することなく，被虐待児の隔離と治療を早期に始めることが子どもを救うために重要である．

虐待を疑った場合には通常は入院の適応がなくても，再発防止のためにまず入院させて児童相談所へ通告しなければならない．これは医師の法的義務であることを認識すべきである．

c 単純X線写真

骨折の確定診断の基礎となるもので通常2方向撮影を行う．しかし低年齢になるほど骨の発育が未熟なため，単純X線写真を撮影しても診断が困難なことがある．特に骨端部周辺の骨折では，骨端核が未出現であったり，出現していても小さい場合には骨折線を正確に読影できない．関節周辺で骨折が疑われる場合には，健側を同一肢位で撮影し比較することもある．当初単純X線写真上に骨折線が認められない場合

も，疼痛が継続する場合には7〜10日後に再撮影すると仮骨の出現によりはじめて骨折であることが判明することもある．

附-8 脂肪体徴候 fat pad sign

転位がないかあっても微小で単純Ｘ線写真上骨折が読影できない場合でも，骨折による血腫により骨折部周辺の脂肪組織が圧排され持ち上げられた像を呈することがある．この脂肪組織の異常陰影像を脂肪体徴候 fat pad sign といい，特に小児の肘関節周辺や橈骨遠位端の骨折の診断の一助となる（図11-A3-4, 5, 図13-4-19参照）．

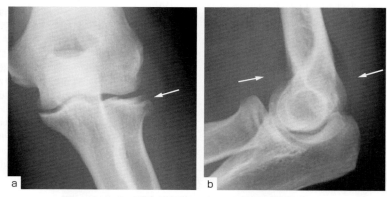

図11-A3-4 脂肪体徴候 fat pad sign（48歳，男性）
階段から滑り落ちて左手を突いて転倒した．
a. 左橈骨頭骨折（Mason 2型）
b. fat pad sign：肘関節の前方および後方の近位端に透亮像がみられる．脂肪組織が血腫により押し上げられている所見である（矢印）．

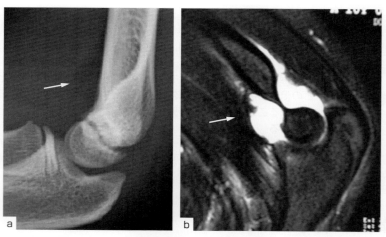

図11-A3-5 脂肪体徴候 fat pad sign（10歳，男子）
体操の練習で側転からバック転をするときに左肘を受傷した．痛くて動かせないために翌日来院した．骨折はなく，内側側副靱帯損傷であった．
a. fat pad sign：前方近位端に透亮像がみとめられ，脂肪組織が押し上げられている．
b. MRIにて関節内の多量の血腫とそれにより脂肪組織が近位へ押し上げられ，fat pad sign の機序を示している．

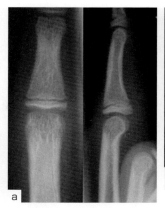
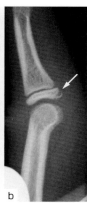

図 11-A3-6 バスケットボールで左中指を突き指した（13歳，男子）
a. 通常の2方向X線写真では骨折はわからない．
b. 過伸展ストレスX線検査で，PIP関節掌側板性裂離骨折と診断された．

d ストレス X 線写真

関節近傍の靱帯，腱付着部で生じる裂離骨折や，海綿骨の多い長管骨頚部，骨幹端では不顕性骨折が起こりやすい．このような場合受傷機転を再現しながら撮影するストレスX線写真を追加すれば，不顕性骨折を診断できる可能性があり有用である（図11-A3-6）．

e 断層 X 線写真

骨が複雑な形態を有し骨同士が重なる部位では，単純X線写真では骨折の有無，部位，程度が診断しにくい場合に用いる．しかし最近では解像度が劣ることからCTにとって代わられつつある．最近開発されたデジタル画像処理技術を用いたトモシンテシス（tomosynthesis®）は進化したX線断層撮影法であり，わずかな仮骨形成などを見事に描出できる（図 7-3-5，p.175 参照）．

f 関節造影 arthrography

骨端核が未出現の場合や，出現していても小さく大部分が軟骨が占める場合は，単純X線写真では骨折の有無や転位の状態が把握できない．このような場合は関節造影により骨折の状態を知ることができる．主として乳幼児の上腕骨外側顆骨折，内側顆骨折などの肘関節内骨折の診断と鑑別に用いられる．

g 超音波検査 ultrasonography

近年，超音波機器がフルデジタル化によって高画質化され，軟骨成分の多い小児の骨折診断に有用であることがわかってきた．特に足関節外果裂離骨折は従来骨折の診断が困難で，靱帯損傷と診断されてきた．CTやMRIなどの画像検査に比べ簡単に検査が可能で，患者の苦痛や侵襲もなくまた経済的である．ただ操作技術，読影に熟練する必要がある．超音波検査は患児にほとんど痛みを起こさずに即時に検査できるだけでなく，ストレスX線検査でもわからない微妙な骨折を描きだすことができる有用な診断法である（図 11-A3-7〜9）．

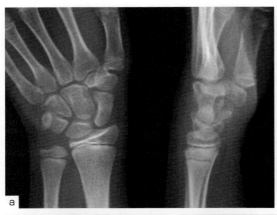
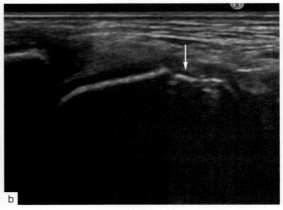
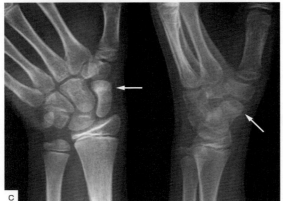

図 11-A3-7　左舟状骨骨折（12 歳, 男子）
自転車走行中, 転倒して左手関節部を受傷した.
a. 単純 X 線写真では舟状骨の骨折は不明である.
b. 超音波検査で骨皮質の不連続性と血腫を認め, 骨折と診断した.
c. 4 週後の単純 X 線写真で明らかに骨折部に仮骨形成を認める.

h　CT computed tomography

　　骨病変の描出にはきわめて優れており, 特に脊椎や骨盤などの体幹の骨折, 脱臼, 変形の診断に威力を発揮する. 骨の水平断像をみるのは CT がきわめて有用であることはいうまでもないが, 矢状断, 冠状断の断層像も断層 X 線写真像に比べはるかに解像度に優れている. 骨折が疑われる症例には積極的に応用すべきである.

i　MRI magnetic resonance imaging

　　CT と並んで骨折の診断に有用性が高い. 特に単純 X 線写真では描出されない不顕性骨折 occult fracture や疲労骨折の早期診断に有用で, 骨折線が T1 強調画像で低輝度 low intensity で示される. 骨挫傷 bone bruise の描出にも優れている（図 11-A3-10, 11）.

j　骨シンチグラフィー bone scintigraphy

　　核種として骨に親和性のある ^{99m}Tc diphosphonate complex を用いることが多い. ^{99m}Tc は γ 線を放射し, その半減期は約 6 時間である. 新生骨, 反応骨に集積されるので骨折の早期診断に有用である. 通常, 小児では成長が盛んな骨端線に強い集積がみられるので骨折との鑑別に注意を要する. ただし高価であること, 注射を要することなどにより慎重に症例を選んで行う検査である.

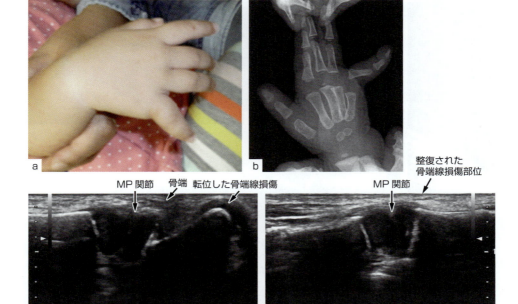

図11-A3-8 右小指基節骨骨端線損傷，Salter-Harris分類Ⅰ型（1歳4ヵ月，女児）
階段の3段目から転落し右手部を受傷した．
a. 右小指はMP関節部で著しく腫脹，変形を認める．
b. 単純X線写真では受傷部位の骨端核が基節骨・中手骨ともまだ出現しておらず，骨端線損傷か脱臼か鑑別できない．
c. 指尺側長軸の超音波では骨端と骨幹端が完全に離開・転位しており，Salter-Harris分類Ⅰ型と診断した．関節の脱臼がないことが確認できる．
d. 整復後，骨端と骨幹端とに転位は認めない．

（松本整形外科クリニック 松本直之先生の症例）

k 小児骨折診断の落とし穴

　小児の骨折診断は難しい．乳幼児は受傷機転に関する情報が正確に得られない．局所所見は，どの部位に痛みがあって関節を動かさないのか判定が難しい．母親が痛がっていると指摘する部位と実際の骨折部位が一致しないこともよくある．単純X線写真では，関節近傍の骨折は未骨化の軟骨成分が多いために診断しにくい．またCT，MRIなどほかの有力な画像診断を実施しにくい．さらに小児では骨に撓屈性があるために不顕性骨折が起こり得ることなどが骨折診断が困難な要因である．これまで報告された不顕性骨折を表11-A3-2に示す．不顕性骨折は小児と高齢者に起こりやすいことを知っておくべきである．不顕性骨折は，舟状骨に発生することがよく知られているが，そのほかにも橈骨遠位端，手指基節骨，掌側板性裂離骨折などの上肢のほかにも胸・腰椎椎体，脛骨高原 fibial plateau，踵骨などにも発生するので注意すべきである．一方不顕性骨端線損傷は，Salter-Harris分類のⅤ型の診断が困難で後に成長障害をきたすため最も重要である．さらにⅠ型，Ⅱ型にも成長障害が起こること

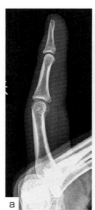
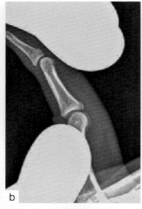
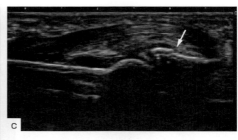

図 11-A3-9　超音波検査がストレス X 線検査に優った症例（15 歳，男児）
15 歳，男児：ラグビーでボールを捕ろうとして左小指を突き指した．PIP 関節掌側に腫脹，皮下出血，圧痛，伸展時痛を認めた．通常の X 線像側面で，掌側板付着部の裂離骨折が疑われたので，ストレス X 線検査を行ったが，骨折は不明瞭であった．引き続き超音波検査を行うと，ごくわずかに転位している骨折線を明瞭に認めた．
a. 通常の X 線側面像：骨折が怪しいが確定できない．
b. 伸展ストレス X 線像：やはり骨折とは確定できない．
c. 超音波画像：中節骨基部掌側に骨折像（矢印）を認める．超音波検査は骨の微妙な形態異常を映し出すことができる．

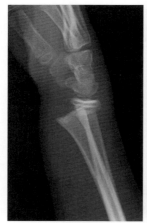
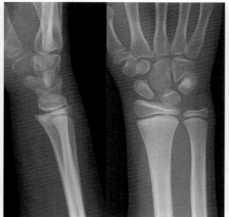
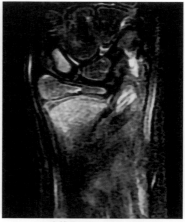

a. 受傷時　　　　　　　　b. その日の徒手整復後　　　　　　　　c. 舟状骨の bone bruise

図 11-A3-10　舟状骨に骨挫傷（bone bruise）が認められた橈骨遠位骨端線損傷（11 歳，男子）
転倒し手を突いて受傷．橈骨遠位の骨端線損傷だけと思われたが，2 週目の MRI で舟状骨にも骨挫傷が判明した．
（諫山整形外科医院　諫山哲郎先生の症例）

を知っておくべきである．
　正しい診断を行うためには，まず病歴や局所所見から骨折を疑う．疼痛，腫脹が強い，皮下出血がある，動かさない，立とうとしないなどの所見があれば，骨折を疑い診察を進める．通常の 2 方向の単純 X 線写真で骨折が認められない場合には，X 線の入射方向を変える（斜位方向，軸写，動態），健側と比較する，ストレス X 線写真

A. 小児の骨折／3 診断

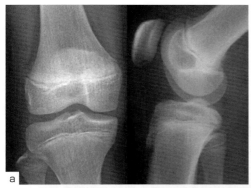

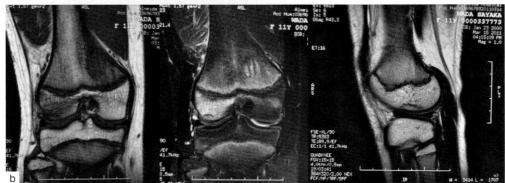

図 11-A3-11　階段で転倒し右膝を受傷した（11歳，女子）
a. 単純X線写真では骨折線はまったくわからない．
b. MRI：大腿骨外側顆にT1で低輝度，T2で高輝度の所見を認め，関節軟骨下に弧状の骨折線を認める．

表 11-A3-2　不顕性骨折と不顕性骨端線損傷の報告例

骨端線損傷（Salter-Harris I, II, V型）	坐骨
橈骨遠位端	大腿骨近位部
舟状骨	脛骨近位端
中手骨基部	腓骨顆部
手指基節骨頚部	脛骨内側顆
PIP関節掌側板性裂離骨折	距骨
肋骨	踵骨
胸・腰椎椎体	足趾指節骨
腸骨	

撮影を行う，時間をおいて再度診察，単純X線検査を行う，などが重要である．
　また，外傷を受けた小児を診察する場合，骨折，骨端線損傷だけではなく，脱臼，まれではあるが靱帯損傷など起こり得るすべての外傷を念頭において注意深く，かつ慎重に診断にあたることが重要である．

4 治　　療

　小児骨折は骨折形態，癒合期間，仮骨形成能，変形に対する自家矯正能などを考慮し，治療は保存療法が基本となる．すなわち，① 小児の骨は骨膜が厚く，強靱で血行に富むため仮骨形成が旺盛で骨癒合が早い，② 骨に柔軟性，撓屈性があり，厚い骨膜のために不全骨折の形を呈しやすく，また完全骨折でも粉砕されることが少ない，③ 骨端線の成長中に骨全体に改変が生じ，変形癒合が自家矯正されやすい，④ プラスチックキャストなどにより外固定を行っても関節の拘縮を起こしにくい，⑤ 他疾病を合併していることが少なく全身状態が良好である，など成人の場合とは異なる特性を有し，これらの特性は基本的にはいずれも骨癒合に有利である．

a 保存療法

1) 徒手整復，外固定 immobilization

　新鮮骨折に対しては徒手整復後プラスチックキャストなどにより外固定を行う保存療法が基本となる．徒手整復は適切な麻酔下で，患児の疼痛と恐怖心を取り去った状態で行うべきで，年齢，全身状態，骨折の状況などにより麻酔法を選択する．疼痛があると不安が加わり筋緊張が亢進し徒手整復が困難となる．基本的な徒手整復の手技は，まず骨片を遠位長軸方向へ牽引し，転位した過程を逆にたどるように遠位骨片を近位骨片に合わせる．周囲軟部組織，特に筋の付着と力の方向，骨片相互の三次元的な関係を正しく評価しながら行う必要がある．暴力的な不適切な徒手整復を繰り返すべきではない．通常，整復操作は透視下に行う．

　整復位が得られたら直ちに外固定を行う．徒手整復および固定後に腫脹，循環障害をきたし重篤な機能障害を惹起したり，不適切なプラスチックキャスト固定で褥瘡や末梢神経の圧迫麻痺を発生させることがあるので，徒手整復，外固定後に腫脹が増大する危惧のある場合は1日入院させるなど術後管理を慎重に行う必要がある（図11-A4-1）．

　整復した骨折部の安定性が不十分な場合には，外固定内で再転位することがある．再転位を起こしやすい当初の1週は必要に応じて単純X線写真再検査を行う．

　骨折の転位がないかあるいは許容できる範囲のものであれば，そのまま外固定を継続する．

2) 持続牽引

　滑車と重錘を用いて遠位骨片に持続的に牽引力を作用させ徐々に整復を図り，整復位を保持するもので，介達牽引（皮膚牽引）と直達牽引（骨格牽引）がある．乳幼児の骨折に対しては，皮膚を介しての介達牽引が行われる．通常フォームラバーを貼ったバンド（スピードトラック）を弾力包帯で固定し，端部にフックをつけて牽引する方法が用いられる（図11-A4-2）．絆創膏牽引は皮膚炎を起こすことがあるので管理に注意を要する．一方年長児では強い牽引力を必要とするために，骨にKirschner鋼線を貫通させ，これに緊張器をとりつけ直達牽引を行う（図11-A4-3）．上腕骨顆上骨

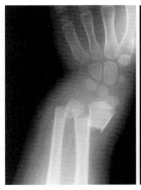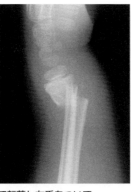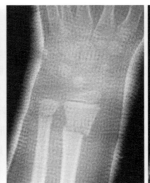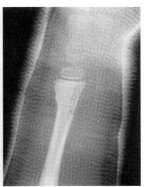

4歳，女児．遊んでいて転落し左手をついて受傷した．受傷1日後に来院

腋窩伝達麻酔下に徒手整復を行い，プラスチックキャストで外固定を行った

図11-A4-1　橈骨・尺骨遠位端骨折に対する保存療法

図11-A4-2　介達牽引
上腕骨顆上骨折に対するDunlop牽引

図11-A4-3　直達牽引
脛骨骨幹部骨折に対する踵骨よりの鋼線牽引

折ならば肘頭に，大腿骨骨折ならば脛骨近位端に，下腿骨骨折ならば踵骨に（図11-A4-3）鋼線を刺入する．牽引初期はほぼ毎日単純X線写真により骨折の整復状態を観察し，牽引方向と牽引の強さを調整する．自家矯正力の乏しい周転位に注意して約2週間牽引を続けると，骨折部中心に仮骨が出現し骨折部が安定化するのでプラスチックキャストによる外固定に変更する．

b 手術療法

1) 適　応

手術療法は感染の合併が考えられる開放骨折，神経・血管損傷の合併，高度の転位（特に周転を伴う骨折），関節内骨折で関節面の不適合性がある場合，転位を伴う骨端線損傷があり将来変形が予想される場合などに対し適応される．

332 総論 第11章 小児の骨折と骨端線損傷

2) 手術適応となりやすい小児骨折

a) 上腕骨外側顆骨折

骨化の遅い滑車部は外力に対する抵抗力が弱いため，肘関節伸展位で手をついたときに橈骨からの介達外力によって上腕骨外側顆骨折が発生する．外側顆には伸筋群が起始しているため，骨片は回旋あるいは側方転位を起こしやすい．受傷時に転位が少ない例でも外固定中に転位することもある．さらに本骨折は Salter-Harris Ⅳ型に属する骨端線損傷であり，将来発育障害や変形をきたすこともある．また関節内骨折のため偽関節になりやすいので，転位が 3 mm 以上ある場合には一般に手術療法が適応される．

b) 上腕骨内側上顆骨折

10～14 歳に好発する牽引力による骨端核の裂離骨折である．回内筋，屈筋群に牽引され筋付着部が裂離するが，骨片の転位が著しい場合や骨片が関節内へ嵌入している場合には手術療法の適応となる．保存療法で偽関節を合併した場合は肘部外反変形により遅発性尺骨神経麻痺の原因になることがある．

c) 上腕骨顆上骨折

通常徒手整復，持続牽引などによる保存療法が適応されるが，開放性骨折，神経・血管損傷を合併する場合，高度の転位があり保存的には満足すべき整復位が得られない場合などは手術療法の適応となる．

d) 肘頭骨折

一般に関節内骨折であり，肘頭中央部に発生する横骨折や斜骨折は，骨片が近位側に高度に転位する例が多い．このような例では関節の適合性を獲得するために手術療法の適応となる．

e) 橈骨頭・橈骨頚部骨折

小児では橈骨頭骨折より頚部骨折のほうが多い．両者とも基本的には関節内骨折であり，転位の程度により手術が適応される．保存療法の限界については議論が多いが，転位が 2 mm 以上で骨折片が骨頭の 1/3 以上を占める場合には，手術療法の適応と考えてよい．経皮的に透視下でピンを刺入して整復する方法は侵襲が少ない．

f) モンテジア骨折　Monteggia fracture

尺骨近位部骨折に橈骨頭の脱臼を合併した骨折の総称である．尺骨骨折に目を奪われて橈骨頭の脱臼が見逃されることがある．また尺骨がやや遠位側で骨折している場合には，橈骨頭が単純 X 線写真に撮影されずこの骨折が見落とされることがある（図 11-A4-4）．原則として新鮮例に対しては徒手整復，外固定による保存療法を行う．尺骨骨折が整復され尺骨の短縮がなくなると橈骨頭脱臼も容易に整復されることが多い．徒手整復が困難な場合や橈骨頭の脱臼が見逃され陳旧例になった場合は手術療法の適応となる．

g) 上・下前腸骨棘裂離骨折

14～17 歳の男子に多く発生する．スポーツ外傷が原因となることが多い．上前腸骨棘には縫工筋，大腿筋膜張筋が起始し，下前腸骨棘には大腿直筋が起始し，これらの筋の収縮による強力な牽引力により裂離骨折を起こす．一般に股関節屈曲，外転位で安静を保つ保存療法を行うが，骨片の転位が著しく，かつスポーツ活動への早期復帰を望む例には手術療法を行うこともある．

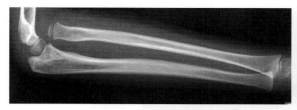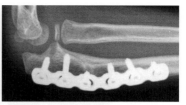

図 11-A4-4　急性塑性変形に伴う陳旧性モンテジア骨折

7歳，男児：転倒して受傷．初診で見逃され5か月後に来院した．観血整復，西尾式尺骨骨切り術を行った．

h）脛骨粗面裂離骨折

14〜16歳の男子で跳躍により大腿四頭筋が急激に収縮した場合に発生することが多い．裂離された脛骨粗面は近位側へ転位するので手術療法が適応される．

i）基節骨・中節骨頚部骨折（騎乗型，回転型）

小児に特有の骨折で，指が物に挟まれると基節骨や中節骨の頚部に剪断力が働き，腱の停止部を持たない骨頭が背側に90°回転したり乗り上げ，その位置で緊張した関節包や靱帯によって固定されるものである（図 11-A4-5）．1972年 Dixon らが最初に supracondylar rotational fracture と命名して報告したが，実際は rotation，すなわち回旋はしておらず，単に背側方向へ回転，もしくは転位したものであり，頚部屈曲骨折である．転位の仕方により，頚部骨折回転型もしくは騎乗型とするとわかりやすい．転位が40°以上あれば屈曲制限をきたすので手術適応となる．

附-9　短骨の骨折

小児では膝蓋骨や手根部，足根部に存在する短骨の骨折に遭遇することはまれである．また発生した場合は看過されることが多い．気をつけるべき骨折は，膝蓋骨のほかには手根部では舟状骨，三角骨，有頭骨など，足根部では距骨，踵骨，舟状骨などの骨折である．小児では軟骨成分が多いこと，腱・靱帯が骨よりも強靱なために裂離骨折を起こしやすいことなどが特徴である（膝蓋骨下極の sleeve fracture と膝蓋骨上極の cap fracture，舟状骨の結節骨折など）．また関節部での骨折であるにもかかわらず，単なる捻挫として見逃されたり，長管骨の骨端線損傷として誤診されたりすることが多いので注意深く観察しなければならない．

附-10　骨折治癒過程における過成長

小児長管骨骨折では，骨折の治癒に伴い長径成長が過剰となることがある．これは骨折治癒機転に伴う充血が骨端線を刺激するためといわれており，大腿骨，上腕骨骨折にみられることが多い．転位が大きく仮骨形成が盛んな例ほど成長量が多いが，通常1〜2cm程度の過成長は機能的に障害をもたらすことはない．

附-11　小児の疲労骨折

疲労骨折とは1回の強力な外力によって発生する通常の外傷性骨折と異なり，骨の同一部位に繰り返し外力が加わり，ついには骨組織の破断をきたした病態をいう．ス

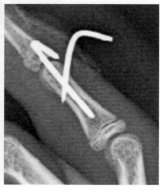

図 11-A4-5 基節骨・中節骨頚部骨折
12歳，男児：サッカーで右小指を突き指し，翌日来院した．中節骨頚部で骨折し，約60°の背屈転位（騎乗）している．Kapandji法に従い，経皮的鋼線固定術を行った．

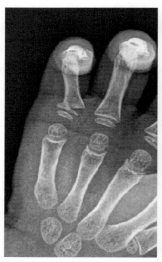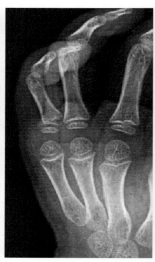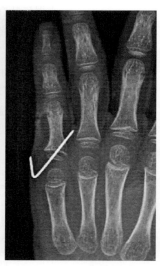

図 11-A4-6 基節骨基部骨折
3歳，女児，転倒し，左小指を受傷した．約30°尺背側転位を認め，徒手整復するも容易に再転位するために経皮的鋼線固定術を行った．
骨折転位が大きい場合，整復不安定であれば手術を考慮する．

ポーツ活動に勤しむ16歳がピークで13〜17歳の中高生に多く発生する．中足骨，脛骨が最も多く，次いで腰椎，腓骨，肋骨に発生し上肢には少ない．スポーツでは，陸上，バスケットボール，野球，バレーボール，サッカーなど走り回る競技に多い．競技特性があり，腰椎疲労骨折はバレーボール，サッカー，野球，柔道が，肋骨は野球，ゴルフが，尺骨はソフトボール，剣道が，上腕骨は野球が多い．注意すべきは受傷初期には単純X線写真にて異常所見がみられず，1〜2週後に骨膜反応が出現し診断がつくことである．早期発見にはMRIが有用である．長管骨では約1ヵ月運動を中止することにより治癒するが，腰椎は3〜6ヵ月という長期の安静，外固定が必要である．手術的治療の適応となる疲労骨折は，脛骨骨幹部に生じる跳躍型疲労骨折と第5中足骨基部疲労骨折（Jones骨折）であり，髄腔内の圧迫螺子による強固な内固定が行われる．

参考文献

1) Agins HJ et al：Articular cartilage sleeve fracture of the lateral humeral condyle capitellum：A previously undescribed entity. J Pediatr Orthop **4**：620-622, 1984.
2) 荒神裕之ら：小児 Hume 骨折の1例. 関東整形災害外科会誌 **41**：454-457, 2010.
3) 麻生邦一：基節骨骨折. 整形外科 MOOK, **64**：158-166, 1992.
4) 麻生邦一：小児の骨折および骨端線損傷の診断におけるストレス—X線撮影の意義. 日本小児整形外科学会雑誌 **7**：14-17, 1998.
5) 麻生邦一：小児肘周辺骨折の診断. 日小整会誌 **14**：150-153, 2005.
6) 麻生邦一：小児の上肢の骨折・骨端線損傷の診断の落とし穴と治療のコツ. 北海道整形外科外傷研究会会誌 **26**：118-129, 2010.
7) 麻生邦一：乳・幼児の骨折の疫学的調査. 日小整会誌 **29**：329-333, 2020.
8) 麻生邦一ら：手の骨折・骨端線損傷の画像診断　X線を中心に. 関節外科 **33**：362-365, 2014.
9) Brighton B et al：Epidemiology of fractures in children. Fractures in Children（Rockwood CA et al edt）, 8th ed, Lippincott, 1-18, 2015.
10) Buschmann C：Major trauma with multiple injuries in German children：a retrospective review. J Pediatr Orthop **28**：1-5, 2008.
11) Caffey J：Multiple fractures in the long bones of infants suffering from chronic subdural hematoma. Am J Roentgnl **56**：163-173, 1946.
12) Campbell RM Jr et al：Child abuse, in Fractures in Children, 6th ed, by Beaty JH, et al, Lippincott Williams＆Wilkins, Philadelphia, 224-253, 2006.
13) Dixon GL et al：Rotational supracondylar fractures of the proximal phalanx in children. Clin Orthop **83**：151-156, 1972.
14) 独立行政法人日本スポーツ振興センター：学校管理下の災害—基本統計—（2018年度）, 2019.
15) Friberg KSI：Remodeling after distal forearm fractures in children. I. The effect of residual angulation on the spatial orientation of the epiphyseal plates. Acta Orthop Scand **50**：537-546, 1979.
16) Friberg KSI：Remodeling after distal forearm fractures in children. II. The final orientation of the distal and proximal epiphyseal plates of the radius. Acta Orthop Scand **50**：731-739, 1979.
17) Friberg KSI：Remodeling after distal forearm fractures in children. III. Correction of residual angulation in fractures of the radius. Acta Orthop Scand **50**：741-749, 1979.
18) 藤井敏男ら：分娩骨折の診断, 治療上の問題点と予後. 整・災外 **33**：5-12, 1990.
19) Greene WB：Sleeve Fractures, Management of Pediatric Fractures, ed by Letts RM, Churchill Livingstone, p676-679, 1994.
20) 半田哲人ら：当科における小児骨折の統計的観察. 東北整災紀要 **28**：119-122, 1984.
21) 橋本　実ら：小児外傷の動向. 日小整会誌 **8**：126-130, 1999.
22) 廣島和夫：整形外科からみた「小児虐待」の実態. 四條畷学園リハビリテーション学部紀要, 第3号, 2007.
23) 星　秀逸：小児の前腕・手関節の損傷. 整形外科 MOOK 13：132-153, 1980.
24) Houghton GR et al：Sleeve fractures of the patella in children；a report of three cases. J Bone Joint Surg **61-B**：165-168, 1979.
25) Hume AC：Anterior dislocation of the head of the radius associated with undisplaced fracture of the olecranon in children. J Bone Joint Surgery **39-B**：508-512, 1957.
26) 市川光太郎：被虐待児症候群. 小児科診療 **73**：1029-1035, 2010.
27) 井戸洋旭ら：小児 Hume 骨折の2例. 日肘関節会誌 **24**：82-84, 2017.
28) 池田達宣ら：小児 Hume 骨折の3例. 整形外科 **71**：875-878, 2020.
29) 今村恵一郎ら：小児肘関節外傷における超音波診断の有用性. 日本肘関節学会雑誌 **15**：68-70, 2008.
30) 井上三四郎ら：県立宮崎病院における小児四肢骨折の実態調査. 整外と災外 **58**：647-649, 2009.
31) 井上　博：被虐待児症候群, 肘頭骨折. 小児四肢骨折 治療の実際, 2版, 5, 9-12, 30, 47, 150-155, 185, 335, 金原出版, 2001.
32) 伊藤恵康：神中整形外科学, 改訂23版, 岩本幸英編, p.452, 1065-1067, 南山堂, 2013.
33) 井澤淑郎：分娩骨折. 周産期医学 **11**：337-344, 1981.
34) 加賀完一ら：小児骨折の手術的療法. 整形外科 MOOK **13**：23-39, 1980.

35) 金井祐二ら：分娩外傷による大腿骨骨折の2新生児例．日本小児科学会雑誌 **115**：162，2011.

36) Karaharju EO et al：Remodeling by asymmetrical epiphyseal growth. J Bone Joint Surg **58-B**：122-126, 1976.

37) Katzer C et al：Ultrasound in the diagnosis of metaphyseal forearm fractures in children：a systematic review and cost calculation. Pediatr Emerg Care **32**：401-407, 2016.

38) 川端秀彦：新生児・乳児に見られる骨折．MB Orthop **15**：16-23，2002.

39) 川北敦夫ら：受傷早期に診断しえた小児上腕骨外上顆 Sleeve 骨折の1例．日肘会誌 **12**：155-156，2005.

40) Kellum E：Age-related patterns of injury in children involved in all-terrain vehicle accidents. J Pediatr Orthop **28**：854-858, 2008.

41) Kempe CH et al：The battered-child syndrome. JAMA **181**：17-24, 1962.

42) 小久保吉恭ら：小児骨折の実態調査．整形外科 **55**：1621-1626，2014.

43) 久保田 豊ら：Acute plastic bowing を合併した Hume 骨折の3例．骨折 35：742-745，2013.

44) 熊澤雅樹ら：小児上腕骨外上顆 sleeve fracture の1例．骨折 **30**：609-611，2008.

45) Larsen MD et al：Remodeling of angulated distal forearm fractures in children. Clin Orthop **237**：190-195, 1988.

46) Landin LA：Fracture patterns in children. Analysis of 8,682 fractures with special reference to incidence, etiology and secular changes in a Swedish urban population 1950-1979. Acta Orthop Scand Suppl **202**：1-109, 1983.

47) Lindor RA et al：Patellar fracture with sleeve avulsion. New Engl J Med **375**：e49, 2016.

48) Loder RT, et al：Fracture pattern in battered children. J Orthop Trauma **5**：428-433, 1992.

49) Madsen ET：Fractures of the extremities in the newborn. Acta Obstet Gynecol Scand **34**：41-74, 1955.

50) 槇殿文香理ら：小児骨折の勘どころ：四肢の骨折を中心として．日本小児放射線学会雑誌，**28**：38-44，2012.

51) 牧 信哉：分娩外傷—四肢骨骨折，鎖骨骨折，頭蓋骨骨折，脊椎骨折，神経麻痺—．周産期医学 **36**：1465-1469，2006.

52) 丸谷龍思ら：当院における小児骨折例の統計的観察．関東整災誌 **20**：27-30，1989.

53) 水野耕作ら：小児上腕骨顆上骨折ならびに外顆骨折の変形とその自己矯正能力について．整・災外 **33**：41-50，1990.

54) 水関隆也ら：小児前腕骨骨折における Angulation とその Remodeling．中部整災誌 **25**：170-172，1982.

55) 森田有香ら：小児救急で求められる単純 X 線写真，骨軟部・その他　小児科医が知るべき骨．小児科診療 **79**：1103-1109，2016.

56) Morris S et al：Birth associated femoral fractures：Incidence and outcome. J Pediatr Orthop **22**：27-30, 2002.

57) Moseley CF：General features of fractures in children. Inst Course Lecture **41**：337-346, 1992.

58) 村上弘明ら：明らかな骨折線をみとめない Hume 骨折の1例．日肘関節会誌 **18**：94-96，2011.

59) 村瀬俊二：年齢に対する配慮．骨折の臨床，2 版，4-10, 中外医学社，1987.

60) Murphy WA et al：Elbow fat pads with new signs and extended differential diagnosis. Radiology 124 (3)：656-659, 1977.

61) 永沼 亨ら：宮城県における小児骨折の疫学的研究．整・災外 **42**：5-10，1999.

62) 永沼 亨ら：小児骨折の発生頻度．MB Orthop **15**：1-7，2002.

63) 布田由之：小児下肢長管骨骨折患者の予後．整・災外 **25**：171-182，1982.

64) Naranje SM et al：Epidemiology of pediatric fractures presenting to emergency departments in the United State. J PediatrOrthop **36**：e4-e48, 2016.

65) Núñes-Fernádes AI et al：Clinical assessment of pediatric patients with Waddel's triad Acta Ortop Mex **24**：404-408, 2010.

66) Landin L：Epidemiology of children's fractures. J Pediatr Orthop **6-B**：79-83, 1997.

67) Ogden JA：The uniqueness of growing bones. Fractures in Children, 3rd ed, ed. by Rockwood Jr, et al, 1-86, JB Lippincott, Philadelphia, 1991.

68) 大森 豪：小児骨折の疫学．Clin Calc **20**：881-886，2010.

A. 小児の骨折／参考文献　***337***

69) 王寺亨弘：神中整形外科学，改訂 23 版，岩本幸英編，p1065-1067，南山堂，2013.

70) Perona PG et al：Remodeling of the skeletally immature distal radius. J Orthop Trauma **4**：356-361, 1990.

71) Price CT et al.：Fractures of the patella, Fractures in children, 7th ed, ed by Rockwood and Wilkins, p876-883, 2010.

72) Randsborg PH et al：Fractures in children：epidemiology and activity-specific fracture rates. J Bone Joint Surg **95-A**：e42, 2013.

73) Reed MH：Epidemiology of children's fractures. Pediatric Fractures, edited by Letts RM, 1-10, Churchill Livingstone, New York, 1994.

74) Rennie L et al：The epidemiology of fractures in children. Injury **38**：913-922, 2007.

75) Rubin A：Birth injuries and incidence, mechanism and end results. Obstet Gynecol **23**：218, 1964.

76) Ryöppy S et al：Alteration of epiphyseal growth by an experimentally produced angular deformity. Acta Orthop Scand **45**：490-498, 1974.

77) 斎藤英彦ら：小児大腿骨骨幹部骨折に対する保存療法の適応と限界．整・災外 **33**：13-20，1990.

78) 斎藤　進ら：小児大腿骨骨折治療の問題点．整外 **41**：1185-1192，1990.

79) 榊田喜三郎：小児骨折の特徴．整形外科 MOOK **13**：8-17，1980.

80) 佐野禎一ら：小児上腕骨外顆 sleeve 骨折の 1 例．骨折 **37**：308-310，2015.

81) 佐野精司：小児骨折の保存療法．整形外科 MOOK **13**：18-22，1980.

82) 佐野精司：小児の骨折の特殊性．今日の整形外科治療指針，山内裕雄ら編，2 版，90-92，医学書院，1990.

83) 佐藤雅人：小児肘周辺骨折の画像診断．Orthopaedics **20**：47- 53，2007.

84) 佐藤幸美子ら：中学生の骨折とその発生状況．慶応保健研究 **12**：50-53，1994.

85) 千馬誠悦ほか：手指中節骨頚部骨折に対する intra-focal pinning 法．骨折 **31**：178-180，2009.

86) 杉森裕樹：小児における骨折の動向と疫学的特徴．Clin Calc **15**：1347-1353，2005.

87) 杉浦香織ら：尺骨塑性変形を伴った骨折の 3 例，日手会誌 **32**：248-251，2016.

88) 杉浦保夫ら：小児骨折の最近の動向．臨整外 **17**：433-437，1982.

89) 鈴木善朗ら：小児骨折の統計．整形外科 MOOK **13**：1-7，1980.

90) Swischuk LE：What is different in children? Semin Musculoskelet Radiol **17**：359-370, 2013.

91) Tachdjian MH：Fractures and dislocations. Pediatric Orthopedics, 2nd ed, 3013-3030, WB Saunders, Philadelphia, 1990.

92) 高木知治ら：外傷性小児骨折全件調査　―単一施設 5 年間における 646 例の検討．臨整外 **49**：1001-1006，2014.

93) 滝川一晴：小児科でよくみる疾患　小児の骨折．小児科診療 **78**：429-435，2015.

94) 田中博之：当院における小児・若年者骨傷の検討．新千里病医誌 **9**：16-22，1998.

95) 谷口和彦ら：小児前腕骨骨折の保存療法の適応と限界．整・災外 **33**：21-28，1990.

96) Tharakan SJ et al：Distal humeral epiphyseal separation in a newborn. Orthopedics **39**：764-767, 2016.

97) Vittas D et al：Angular remodeling of midshaft forearm fractures in children. Clin Orthop **265**：261-264, 1991.

98) Wallace M et al：Remodeling of angulated deformity after femoral shaft fractures in children. J Bone Joint Surg **74-B**：765-769, 1992.

99) 山根孝志ほか：背屈転位した指節骨頚部骨折（背側転位型と背屈回転型頚部骨折）の観血的治療の経験，日手会誌 **12**：134-139，1992.

100) 渡辺　洋ら：最近 5 年間における小児スポーツ外傷の統計的観察．整外 **39**：1503-1507，1988.

B. 骨端線損傷

1 骨端線の形態と機能

骨端線 physis は骨端と骨幹端との間に介在する軟骨組織で，板状を呈することから骨端軟骨板 epiphyseal plate，epiphyseal line さらに骨が長径成長する場所のため成長帯もしくは成長軟骨板 growth plate とも呼ばれる．

骨端 epiphysis には圧迫型骨端 pressure epiphysis と牽引型骨端 traction epiphysis の2種がある．前者は長管骨の先端にあり関節軟骨におおわれ，常に長軸方向の圧迫を受けている．後者は上腕骨内・外側上顆，腸骨棘，大腿骨大・小転子，脛骨粗面など扁平骨や長管骨の隆起した場所に存在し，腱や靱帯の付着部であるためにたえず筋による牽引力が働いている（図 11-B1-1）．

a 骨端線の組織学的構造

骨端線は組織学的に層構造を有する（図 11-B1-2）．

a）胚芽軟骨細胞層 zone of germinal cartilage cell

最も骨端側に位置し小型の細胞が不規則に並ぶ層である．この層の細胞は分裂を行わないと考えられ，以前は静止層 resting zone と呼ばれていた．しかしその後の研究でこれらの細胞は活発な代謝を営み，蛋白質を生成し軟骨細胞の供給源であることが判明し，胚芽軟骨細胞層と呼ばれるようになった．

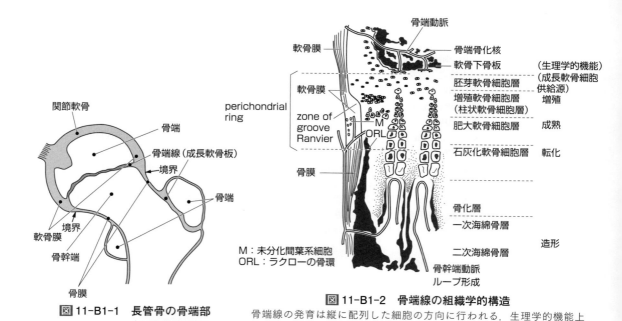

図 11-B1-1　長管骨の骨端部（大腿骨近位部）

図 11-B1-2　骨端線の組織学的構造
骨端線の発育は縦に配列した細胞の方向に行われる．生理学的機能上は，成長軟骨細胞の供給，増殖，成熟，転化，造形の4つに分けられる．

b）増殖軟骨細胞層 zone of proliferating cartilage cell

　　15〜30個の扁平な細胞が柱状に配列する層で，骨端線のかなりの部分を占める．細胞は骨幹端方向に進むにつれ大きくなり活発な増殖と細胞分裂を営み，長軸方向に伸長する．またコラーゲンやムコ多糖などの軟骨基質成分を生成する．

c）肥大軟骨細胞層 zone of hypertrophic cartilage cell

　　さらに肥大した軟骨細胞が存在する層で，細胞分裂はすでに停止し成熟した状態にある．グリコーゲンを蓄積し，ミトコンドリアにはカルシウムが認められる．細胞の肥大化に伴い軟骨基質は減少する．

d）石灰化軟骨細胞層 zone of calcified cartilage cell

　　軟骨基質にカルシウムの沈着が起こり，細胞が縦に柱状に配列する層である．軟骨細胞は変性に陥り死滅する．死んだ細胞は直ちに骨幹端から進入する血管により吸収される．血管とともに骨幹端側より進入してきた骨前駆細胞 osteoprogenitor cell は，柱状の石灰化基質に沿って並び骨芽細胞に分化し類骨を沈着させ，一次海綿骨層 primary spongiosa を形成する．

　　骨端線の周囲には，骨幹端側の骨膜と連続して骨端線を輪状に取り囲むコラーゲンからなる軟骨膜輪 perichondrial ring が存在し，骨端線を力学的に補強している．この軟骨膜輪は胚芽軟骨細胞層のレベルでは肥厚し perichondrial groove of Ranvier と呼ばれている．ここには骨端線の成長に関与している軟骨芽細胞の骨前駆細胞（未分化間葉系細胞），線維芽細胞が存在している．

b 骨端・骨幹端部の血行

　　骨端部への血行は骨端への栄養血管系，骨幹端への栄養血管系，軟骨膜輪の3系に分けられる．いずれも終末動脈の形をとっている．骨端への栄養血管系は，骨端動・静脈 epiphyseal vessels と呼ばれ骨端線の骨端側より進入し，胚芽軟骨細胞層および増殖軟骨細胞層の上層部まで血液供給を行い，胚芽細胞の栄養，増殖細胞の分裂，増殖に関与している．骨端が関節の外にある場合は付着部軟部組織から豊富な血行が得られるが，関節の内にある場合は，骨膜血行由来の貫通動脈からの血液供給に頼っているので外傷によりその血液供給が遮断されると骨端骨壊死の発生の危険が大きくなる．一方骨幹端への栄養血管系は，骨幹端動・静脈 metaphyseal vessels と呼ばれ，骨皮質を貫通した栄養動脈が骨幹端へ進入し，一次海綿骨においてループ capillary loop を形成し，石灰化軟骨細胞層における軟骨基質の石灰化，変性した軟骨細胞の吸収，排除，一次海綿骨における骨化に関与している．さらに軟骨膜輪への血液供給は，全周にわたって骨膜血管系によりもたらされ，横径成長に重要なものである（**図11-B1-2**）．

c 骨端線の機能

　　骨端線の機能は主に骨の長径成長である．胚芽軟骨細胞層から供給される小型の胚芽軟骨細胞は，骨幹端方向へ進むに従い活発に分裂と増殖を繰り返し，増殖軟骨細胞となり柱状に配列し軟骨基質（コラーゲン，ムコ多糖など）を生成する．十分に成熟し肥大軟骨細胞となったあと，軟骨細胞は変性に陥り石灰化軟骨細胞となり軟骨基質にカルシウムが沈着する．一方骨幹端の骨髄より毛細血管が進入し，軟骨基質を破壊

するとともに毛細血管とともに進入してきた骨芽細胞が骨を形成し骨の長径成長が営まれる.

この成長は10代後半まで続き，骨端線の閉鎖とともに長径成長は停止する．一般に女子は男子に比べ長径成長の停止が1〜2年早い．長径成長終了後は単純X線写真上，骨端線は閉鎖して横走する線状陰影が遺残する．成長の度合は骨により異なり，また同一の骨でも成長量は近位と遠位で異なる．

下肢では脛骨と腓骨の成長割合がほぼ同じなので，下肢全体でみると膝周辺でおよそ63％が成長するが，上肢では橈骨は遠位で75％成長するのに対して尺骨は逆に近位で80％成長する．すなわち骨により成長割合が逆転するために成長障害の予後が左右されることに注意すべきである（図11-B1-3）．

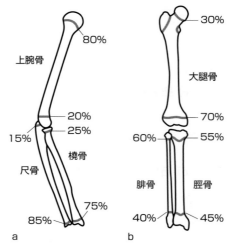

図 11-B1-3　上肢（a），下肢（b）の長管骨の成長の割合
a. 上肢は上腕骨近位と前腕骨遠位をおよそ80％成長する．
b. 下肢では上肢と逆で，膝周辺でおよそ63％成長する．成長障害の予後の予測に有用である．
（a：Pritchett JW. Clin Orthop RR, 1991より／b：Fractures in Children, Rockwood and Wilkins' 9th ed 2020より．Anderson M：J Bone Joint Surg 1963より）

2 病　態

骨端線は力学的には明らかに骨より脆弱ではあるが，実際には小児における骨折は骨端線より骨幹部で多く発生している．これは骨端線損傷を起こす外力と，骨幹部骨折を起こす外力の加わり方に相違があり，後者のほうが前者に比較して高頻度に大きな外力が加わるためと考えられる．

Brashear, Bright, 佐々木らの実験によると，骨端線は肥大軟骨細胞層や石灰化軟骨細胞層で損傷されることが多いが，胚芽軟骨細胞層や増殖軟骨細胞層でも損傷が起こり得る．筆者らの教室で行ったラットを用いた骨端線破断実験によると，損傷は骨端軟骨層内の抵抗減弱部である石灰化軟骨細胞層で生じることが示された（図11-B2-1, 2）．骨幹端側の石灰化軟骨細胞層や肥大軟骨細胞層での損傷は成長障害をきたすことはきわめて少ないが，胚芽軟骨細胞層や増殖軟骨細胞層での損傷は長径成長に大きな影響を与える．

また，軟骨膜輪の圧挫や破断は骨化を促進させることが多く，骨端と骨幹端の間に骨性架橋を形成し成長障害や変形を招く．

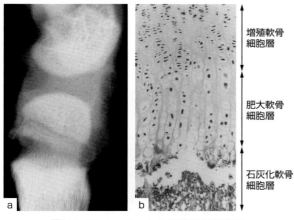

図 11-B2-1 ラットの骨端線破断実験
比較的抵抗力の弱い石灰化軟骨細胞層に破断が生じた．
（高勝強先生御提供）

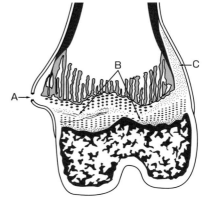

図 11-B2-2 Brashear の骨端線損傷実験
A. 骨膜の断裂，B. 肥大軟骨細胞層での損傷，
C. 骨膜下出血
通常，図のごとく肥大軟骨細胞層で最も多く損傷が起こるが，他のどの細胞層でも起こり得る．

3 骨端線損傷の統計

小児骨折のおよそ 10～19％が骨端線損傷であるといわれている．

著者のクリニックにおける統計によると，1994 年から 2020 年まででは，10～14 歳に好発し，11 歳，12 歳にピークがある．男子は女子の 2～3 倍発生している（図 11-B3-1）．これは男児がスポーツ活動などで受傷する機会が多いこと，骨端線の開存期間が長いためと考えられている．部位別では手指の骨端線損傷が他部位の 4～5 倍多く，次いで足趾の骨端線損傷が多い．さらに橈骨遠位端，上腕骨外顆が多く転落，転倒などで手を突いて受傷することが多いためと考えている（表 11-B3-1）．一方，海外の報告では橈骨遠位端が最も多く，次いで上腕骨遠位，脛骨遠位，腓骨遠位と比較的大きな関節周囲の骨端線損傷が多くなっている．これは同じ第一線の医療機関でも当院のような無床のクリニックと救急を受け入れる病院とで違ってくるものと考えている．Salter-Harris 分類ではⅡ型が 50～70％を占め，次いでⅠ型：9～29％，Ⅲ型：3～15％，Ⅳ型：4～12％，Ⅴ型：0.3～0.5％となっている．予後の良いⅠ型，Ⅱ型でおよそ 3/4 以上を占める．一方手術になる可能性のあるⅢ型，Ⅳ型は約 10％と少ない．さらに将来骨端線障害を起こすⅤ型はきわめて少ない発症ではあるが，1,000 人に 3～5 人は起こり得ることを初診時，急性期に知っておかねばならない．

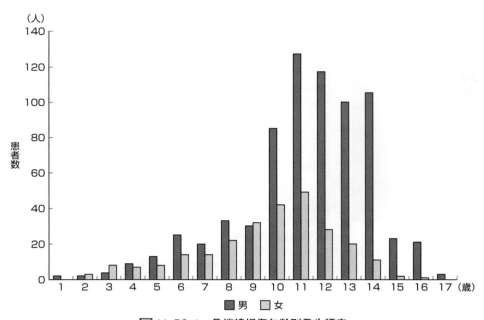

図 11-B3-1　骨端線損傷年齢別発生頻度

(麻生整形外科クリニック, 1994〜2021年)

表 11-B3-1　日本における骨端線損傷発生部位と Salter-Harris 分類別頻度

	I	II	III	IV	計	当院データ
手指骨	5	48	8	4	65	503
足趾骨	4	12	4		20	157
橈骨遠位	2	33	1	1	37	106
上腕骨外顆		48		4	52	55
腓骨遠位	25	8			33	48
上腕骨内上顆	26				26	29
脛骨遠位	2	11	4	2	19	22
中足骨	1	1	1		3	21
尺骨遠位	1	2			3	18
上腕骨近位	9	5			14	14
中手骨	1	4			5	11
橈骨近位	3	1			4	4
大腿骨遠位	1	3	1		5	3
上腕骨遠位		2			2	1
尺骨近位	1	1	1		3	0
骨盤骨	3				3	0
鎖骨遠位		2			2	0
鎖骨近位	1				1	0
小計	85 例	181 例	20 例	11 例	297 例	992 例
割合 (%)	28.6	60.9	6.7	3.7		

(河本浩栄ら：関節外科 23：32-38, 2004 より)

表 11-B3-2　各報告者による部位別発生頻度

順位	Neer (1965)	Peterson (1972)	Mizuta (1987)	Ogden (1990)	計	(%)
1.　橈骨遠位	1,096	98	100	197	1,491	46
2.　上腕骨遠位	332	20	24	108	484	15
3.　脛骨遠位	238	59	33	83	413	13
4.　腓骨遠位	302	21	12	18	353	11
5.　指節骨（手）	—	39	91	55	185	6
6.　上腕骨近位	72	22	7	41	142	4
7.　大腿骨遠位	28	18	1	36	83	3
8.　趾節骨（足）	—	11	25	22	58	2
9.　脛骨近位	17	6	4	14	41	1
10.　大腿骨近位	—	7	—	11	18	1
計	2,085	301	297	585	3,268	100

表 11-B3-3　骨端線損傷の損傷型別発生頻度

Salter-Harris Type	報告者		
	Worlock　No.（%）	Mann　No.（%）	Mizuta　No.（%）
I	30（17.5）	210（22.3）	30（ 8.5）
II	121（70.8）	483（51.2）	257（72.8）
III	5（ 2.9）	143（15.2）	23（ 6.5）
IV	15（ 8.8）	102（10.8）	42（11.9）
V		5（ 0.5）	1（ 0.3）
総　数	171	943	353

（Reed MH：Pediatric Fractures, ed. by Letts RM, 1-10, Churchill Livingstone, 1994 より）

附-12　apophyseal fracture, apophyseal avulsion fracture

　　apophysis は非荷重部の骨突起部に存在する 2 次骨化中心である．同時に apophysis には腱，靱帯が付着しており，強力な牽引力により裂離することがある．小児のスポーツ外傷として頻度は少なくない．骨盤，股関節，膝関節，肘関節などの apophysis に発生することが多い．最も多くみられる部位は骨盤であり，Schuett ら（2015）の 228 例の骨盤の apophyseal fracture の review によると，下前腸骨棘が最も多く49%を占め，次いで上前腸骨棘（30%），坐骨結節（11%），腸骨稜（10%）であった．97%が保存的治療にて成功しているが，一般には骨片が 2 cm 以上転位している場合，3 ヵ月以上の陳旧例には観血的治療が考慮される．しかし偽関節になってもその際の手術成績が良好なので，手術は十分慎重に考慮されるべきである．この他，股関節では大転子，小転子，肘関節では上腕骨内側上顆，肘頭，膝関節では脛骨結節，肩関節では上腕骨大結節の apophysis に裂離骨折として生じる．上腕骨内側上顆，肘頭，脛骨結節では転位が大きければ関節の障害を起こすため手術適応となることが多い．

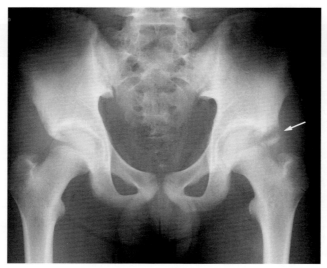

図11-B3-2　左下前腸骨棘裂離骨折（13歳，男子）
陸上100mに出場して疾走中に発症．保存的治療にて治癒した．

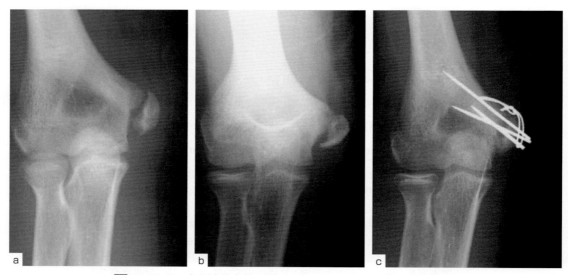

図11-B3-3　左上腕骨内側上顆 apophyseal fracture（12歳，男子）
3週前より投球時に右肘に疼痛を覚えていたところ，サードからファーストへ投球した時にバキッと音がして激痛が走った．骨片が回旋しているため観血的に整復し，tension-band-wiring法にて固定した．
a. 正面像
b. 45°屈曲位正面像
c. 術後正面像

4 分　　類

a Salter-Harris 分類

　　この分類法は簡便で治療適応の決定に有用なため日常臨床で最もよく用いられている（図 11-B4-1）.

　Ⅰ型：骨端が骨折を伴うことなく骨端線を横断する損傷により骨幹端から骨端が離開したもので，純粋な骨端離開の損傷形態である．通常，骨端軟骨層の肥大軟骨細胞層で横断性に損傷する．解剖学的に整復されると成長障害を起こすことは少ない．幼若な年齢層に起こりやすく，骨膜が破れて骨端が転位すれば単純 X 線写真により診断は容易であるが，転位が軽度の場合には診断が困難なことがある（図 11-B4-2）.

　Ⅱ型：最も高頻度にみられる損傷型で，骨端線を横断する損傷は途中から骨幹端へ向かい，骨端に三角形の骨幹端の骨片を残して貫通する．この骨片を Thurston Holland sign（fragment）という．骨端線の損傷はほとんど肥大軟骨細胞層で起こり，整復も比較的容易で一般に整復後は成長障害をきたすことは少なく予後は良好である（図 11-B4-3）.

　Ⅲ型：骨端線を横断する損傷は骨端へ向かい骨端を縦断して関節内へ至る．頻度は

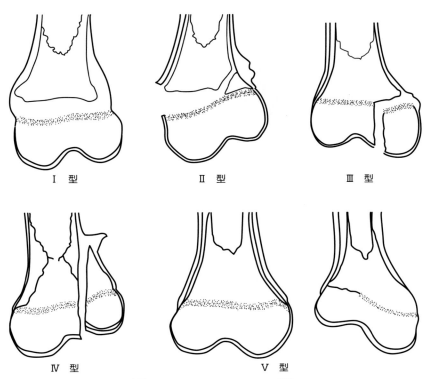

図 11-B4-1　Salter-Harris 分類
（Salter RB, et al：J Bone Joint Surg 45-A：587-622, 1963 をもとに作図）

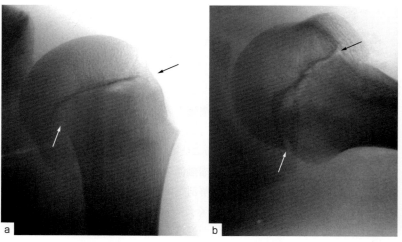

図 11-B4-2　Salter-Harris I 型損傷
上腕骨近位骨端が骨幹端部の骨片を伴わず，骨端線で離開し（矢印）転位している．

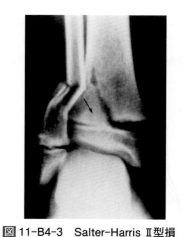 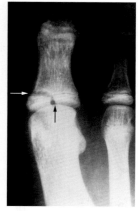 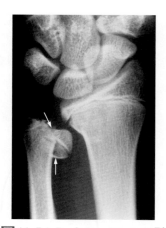

図 11-B4-3　Salter-Harris II 型損傷（脛骨遠位端）
骨端は骨幹端側の三角状の骨片（Thurston-Holland fragment）をつけて，離開している（矢印）．

図 11-B4-4　Salter-Harris III 型損傷（第 1 趾基節骨近位）
骨端線から骨端へ向かう損傷を認める．

図 11-B4-5　Salter-Harris IV 型損傷（尺骨遠位）
骨端線を縦に貫通する損傷

少ないが関節内骨折となるので，関節面の正確な整復が得られないと成長障害とともに関節変形を招く恐れがある（図 11-B4-4）．

　IV型：骨端，骨端線，骨幹端を縦に貫通する損傷であり，骨端線を中心に正確な整復が得られない場合には，早期に骨端線の損傷部が閉鎖し成長障害，関節変形を生じる（図 11-B4-5）．

　V型：骨端線に強力な圧迫力が加わり，増殖軟骨細胞層や胚芽軟骨細胞層が限局性に圧挫される．受傷時の単純 X 線写真では診断が困難である．軟骨細胞の成長が障害されるために，経過とともに骨端線の圧挫された部分の早期閉鎖が起こり，局所的に成長が障害されるので骨の変形，ときには短縮を起こす．予後はきわめて不良であ

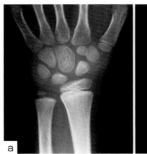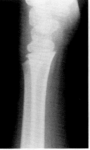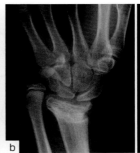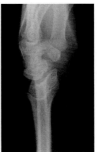

　　　　　初診時の単純X線写真　　　　　　受傷後2年10ヵ月の単純X線写真
　　　　図11-B4-6　Salter-Harris V型損傷（橈骨遠位）
　　　　a. 橈骨遠位骨端線に異常を認めない．
　　　　b. 橈骨遠位骨端線の早期閉鎖による橈骨の短縮，変形が著明．尺骨遠位端は脱臼し，
　　　　　手根骨は橈側へ移動している．

図11-B4-7　Rang分類
Salter-Harris分類に，軟骨膜輪 perichondrial ring の損傷を
VI型として追加した．
(Rang M：The growth plate and its disorders. Williams & Wilkins,
　Baltimore, 1969をもとに作図)

るが発生頻度もきわめて低い（図11-B4-6）．
　Salter-Harris分類のI〜IV型に相当する損傷型は，1898年にすでにPolandが発表している分類と基本的には同一であり，Salter-Harris分類はPoland分類にV型を加えたものである．

b Rang分類

　1969年にRangはSalter-Harris分類にVI型損傷を追加したRang分類 Rang's version を発表した．すなわちVI型とは，軟骨膜輪 perichondrial ring の局所的な損傷で，治癒過程で骨端と骨幹端の間に骨性架橋が形成されて，その部の成長が障害される．変形は必発である（図11-B4-7）．

c Ogden分類

　1982年OgdenはRang's versionにType 7（骨端における骨軟骨骨折で骨端線を通らない骨折型），Type 8（骨幹端骨折で骨幹端の成長を障害する型），Type 9（骨幹部骨折で骨幹部の横径成長を障害する型）を追加すると同時に，さらに各型を細分化し，A〜Dの亜型を設けすべての損傷形態を網羅しようとした（図11-B4-8）．また

348 総論 第11章 小児の骨折と骨端線損傷

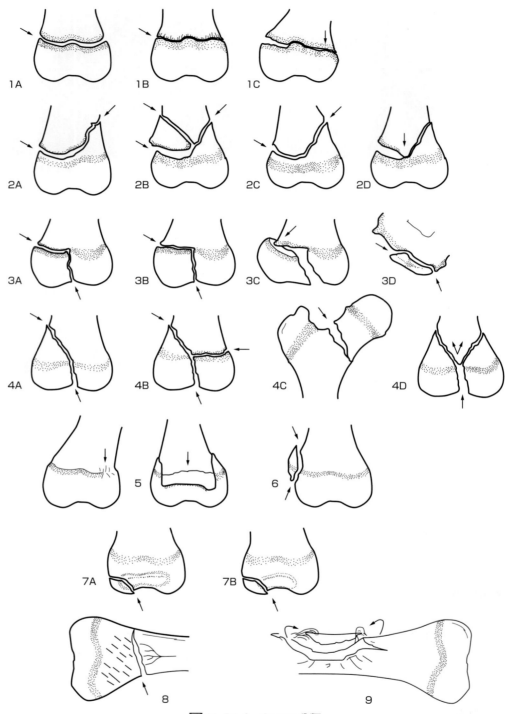

図 11-B4-8　Ogden 分類

Rang 分類に 7：骨端線を通らない骨折，8：骨幹端骨折，9：骨幹部骨折の 3 亜型を追加した．矢印は損傷部位を示す．

(Ogden JA：Skeletal injury in the child. 2nd ed, 97-173, WB Saunders, Philadelphia, 1990 をもとに作図)

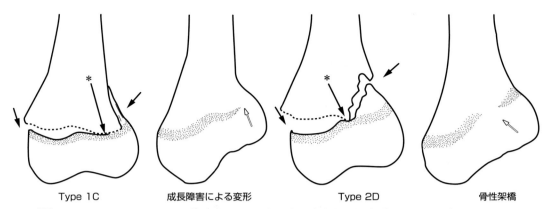

図 11-B4-9 Salter-Harris 分類 I 型, II 型の中で成長障害をきたす型. Ogden 分類の 1C, 2D
＊は衝撃により応力が集中して軟骨細胞層を損傷したことを示す.
（Ogden JA：Skeletal injury in the child. 2nd ed, 97-173, WB Saunders, Philadelphia, 1990 をもとに作図）

一次海綿骨レベルにおける損傷を肥大軟骨細胞層レベルにおける損傷と区別して Type 1B, 2C, 3B と分類した. さらに Ogden の最大の功績は, 従来成長障害を起こすことはないと考えられていた Salter-Harris 分類の I 型, II 型, III 型の中にも, 成長障害を起こす例があることを指摘した点である. Ogden はそれを Type 1C, 2D, 3C と細分した. いずれも骨幹端側の骨折端が骨端線に鋭く衝突したような損傷形態をとっており, 増殖軟骨細胞層や胚芽軟骨細胞層に圧挫が及んでいると考えられる. V 型と同様に受傷時にはこの損傷の診断が不能で, 骨端線早期閉鎖, 成長障害が生じてはじめて確定診断がつくものである（図 11-B4-9）. しかし Ogden 分類はあまりにも煩雑すぎて実用的でないとの批判は免れない. また Ogden が試みたようにすべての損傷型を網羅する分類法を作ることは実際には不可能で, どんなに細かく分類してもいずれにもあてはまらない損傷型が出現することは避けられない. したがって実際の臨床には Salter-Harris 分類あるいは Rang 分類で十分である.

d Peterson 分類

1994 年 Peterson は多くの症例の集計から Salter-Harris 分類にない損傷型を見つけ, 修正して新しい考え方の分類を発表した（図 11-B4-10）. すなわち骨幹端の横骨折から骨端線に及ぶ損傷型を I 型（図 11-B4-11）とし, II 型は骨幹端と骨端線の損傷（Salter-Harris 分類の II 型に相当）, III 型は骨端線だけの損傷（Salter-Harris 分類の I 型に相当）, IV 型は骨端と骨端線の損傷（Salter-Harris 分類の III 型に相当）, V 型は骨幹端, 骨端線, 骨端の同時損傷（Salter-Harris 分類の IV 型に相当）, VI 型は骨端線の欠損とした. 成長障害をきたす Salter-Harris 分類 V 型がないことは問題があるが, 新しく骨幹端の骨折を伴う I 型と骨端線が欠損する VI 型を追加したことは評価される.

e AO/OTA 分類

2007 年, AO グループが小児の骨折, 骨端線損傷に対しても成人と同じような分類をしている. すなわち長管骨を segment として 1（Proximal）, 2（Shaft）, 3（Distal）

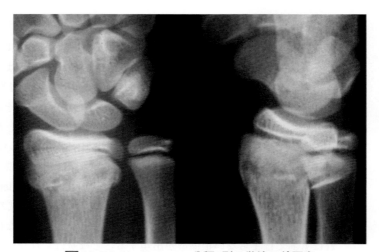

図 11-B4-10　Peterson 分類
損傷部位により6型に分ける．
Ⅰ型：骨幹端→骨端線　　Ⅳ型：骨端と骨端線
Ⅱ型：骨幹端と骨端線　　Ⅴ型：骨幹端と骨端線と骨端
Ⅲ型：骨端線　　　　　　Ⅵ型：骨端線欠損

図 11-B4-11　Peterson 分類Ⅰ型の単純 X 線写真

に分け，さらに subsegment として diaphysis (D)，および Proximal と Distal を metaphysis (M)，epiphysis (E) に分けている．epiphyseal fracture は骨端線損傷の Salter-Harris 分類を含んでおり，E/1 (Salter-Harris Ⅰ)，E/2 (Salter-Harris Ⅱ)，E/3 (Salter-Harris Ⅲ)，E/4 (Salter-Harris Ⅳ) とした．さらに E/5 (Tillaux fracture, two planes)，E/6 (Triplane fracture)，E/7 (Ligament avulsion)，E/8 (Flake fracture)，E/9 (Other epiphyseal fracture) を追加している．小児の Tillaux 骨折の2平面での骨折と3平面での骨折は脛骨遠位骨端線を含んで複雑であるため，E/5，E/6 として別に分類している．また靱帯による骨端の裂離骨折 (E/7)，骨端の亀裂骨折 (E/8) を新しく組み込んでいる．

5 診　　断

　骨端線損傷を臨床所見により診断することは，骨折の診断よりも困難である．また損傷部位が関節周辺あるいは関節内のために関節周辺に疼痛，腫脹があり靱帯損傷，関節内骨折との鑑別が難しくなる．通常，診断は単純X線写真で行われるが，骨端線や関節軟骨などの軟骨成分が多いために，読影が困難なことが少なくない．

　骨端線損傷の診断に迷う場合には，両斜位方向撮影，健側の単純X線写真との比較，ストレスX線写真撮影などを行うことが重要である（図11-B5-1, 2）．

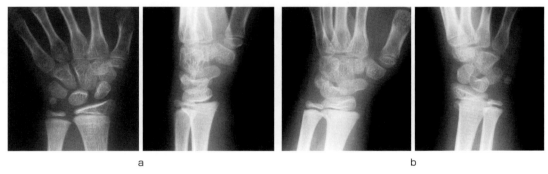

図11-B5-1　橈骨遠位骨端線損傷 Salter-Harris 分類のⅡ型（Ogden 分類 Type 2A）(12歳，女子)
a. 通常の2方向撮影では損傷は明らかでない．
b. 両斜位方向撮影により，橈骨遠位骨端線損傷 Salter-Harris 分類のⅡ型（Ogden 分類 Type 2A）であることが判明する．

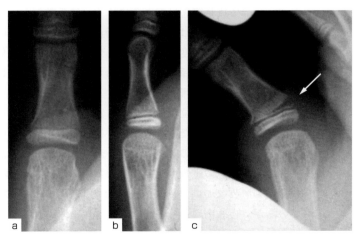

図11-B5-2　ストレスX線撮影（9歳，女児）
ドッジボールで右母指を突き指し，2日後に来院した．
a, b. 通常の2方向X線写真では異常を認めない．しかし局所の腫脹，皮下出血，疼痛は強い．
c. ストレスX線検査にて，右母指基節骨骨端線損傷（矢印）（Salter-Harris 分類Ⅰ型，Ogden 分類 Type 1B）と診断された．

診断上の最大の問題点は，成長障害をきたす Ogden 分類による Type 5, 1C, 2D, 3C の受傷時早期診断が現時点では不可能なことである．Type 5 においては高エネルギー外力が加わっているのにもかかわらず，単純 X 線写真で骨折や骨端線損傷が認められない場合には，Type 5 損傷の存在を疑い慎重に定期的に単純 X 線写真による経過を観察し，時には健側の単純 X 線写真と比較して骨端線の閉鎖傾向や骨成長障害を可及的早期に診断することが大切である．

Type 1C, 2D, 3C は，受傷時の単純 X 線写真で骨折線の辺縁が骨端線に鋭角に衝突している場合には，骨端の圧挫が生じている可能性が高いと考えられるので注意深い経過観察が必要である（**図 11-B4-9** 参照）．

附-13　Salter-Harris V型の MRI，CT 診断

軟骨細胞の圧挫・壊死による骨端線早期閉鎖・成長障害をもたらす Salter-Harris 分類 V 型の初期診断は現在の診断法では不可能である．MRI の進歩は目覚ましいが，それでもなお軟骨壊死を証明し得る MRI はまだ開発されていない．唯一軟骨細胞の生死を証明する方法はラジオアイソトープを用いる方法があるが実用的ではない．初診時 V 型を疑ったら定期的に単純 X 線写真検査を行い，早期に骨端線閉鎖や骨性架橋などを診断することが重要である．MRI および CT は骨端線閉鎖や骨性架橋が生じていることを早期に診断することができる．

6 治　　療

骨端線損傷は一般に圧迫側の骨膜が温存され，蝶番効果をもたらすので徒手整復は容易である．また多くの例で胚芽軟骨細胞層や増殖軟骨細胞層は損傷されず骨端側に付着しているので成長障害は起こりにくく，徒手整復および外固定により良好な結果が得られる．さらに小児は一般に自家矯正力を有しているので有利である．

自家矯正は，骨の成熟度，骨折部位と骨端線との位置関係，変形の大きさおよび隣接関節の運動平面との関係に依存しており，骨端線の傾きによる変形も自家矯正が可能である（**図 11-A1-7** 参照）．

骨折・骨端線損傷の転位に対して，自家矯正に期待してこのままプラスチックキャスト固定を続けるか，または麻酔下に整復すべきかの判断に迫られることも多い．判断のポイントは自家矯正のポテンシャルがどれほどあるのかを，骨折の部位，転位の様式，程度と年齢を考慮して見定めることである（p. 310 参照）．

自家矯正の限界については，Aitken は側方転位が骨幅の約 1/2，Frhalt は約 1/3 と述べているが，自験例によると骨幅の 1/3 以下であれば自家矯正が可能である．骨端線の傾きによる変形も自家矯正されるが，その限界については定説はない．小児骨折では屈曲転位に対する自家矯正の限界は 20〜25° とされているので，骨端線損傷においても 20〜25° の傾きが限界と思われる．

しかしたとえ Salter-Harris 分類の I 型，II 型損傷でも正確な整復が必要な部位がある．たとえば大腿骨遠位骨端線は解剖学的に圧挫が加わりやすく，また成長速度の速

い部分であるため，この部位に損傷が起こると成長障害を起こしやすい．LombardoやEhlrichらは，大腿骨遠位骨端線損傷でも転位が小さい例，あるいは転位が大きくても良好な整復が得られた例は，成長障害が少ないので脚長差が出にくいことを報告している．したがってこの部位の損傷は，I型，II型であってもできるだけ解剖学的整復を目指すべきである．

膝関節周辺以外の骨端線損傷は，圧倒的に多いI型，II型損傷であれば一般に保存療法が適応される．またIII型は成長障害だけではなく，関節面を整復するために手術的整復が必要になることがある．IV型は骨端の転位があれば成長障害や双頭変形が生じるため，正確な整復が必要であり手術を躊躇してはならない．

すなわち手術適応として，

① **著明な転位**：徒手整復後も転位が骨端幅の1/3以上，あるいは転位の傾きが25°以上あるもの．
② **部位**：大腿骨遠位端，脛骨近位端など骨成長が旺盛な部位．
③ **損傷型**：IV型（わずかな転位も許されない），およびIII型（関節面の転位が許容できない場合）

などがあげられる．

a 新鮮損傷

1) 徒手整復，外固定

新鮮例で転位があれば，基本的には徒手整復を試みるべきである．ただし粗暴な整復操作を繰り返すことにより骨端線を二次的に損傷することがあるので，徒手整復は十分な麻酔下で慎重に行わねばならない．ある程度の自家矯正力を期待することができるが許容範囲を越えている場合はその結果により前述の手術適応を考慮する（図11-B6-1）．整復回数が多ければそれだけ骨端線を傷つける機会が多くなり，その結果かえって成長障害をきたすこともある．

2) 手術による整復，内固定

成長の鍵を握る胚芽軟骨細胞層，増殖軟骨細胞層は通常骨端側についており，骨膜や軟骨膜もできるだけ温存するように可及的に小さい侵襲で目的を達すべきである．また，内固定は1本か2本のKirschner鋼線で留めるだけで十分である．Kirschner

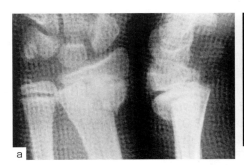 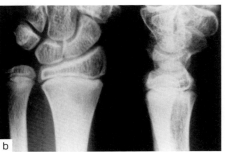

図11-B6-1 橈骨遠位骨端線損傷に対する保存療法
a. 新鮮例に対し徒手整復後プラスチックキャスト固定を行った．転位は残存する．
b. 受傷8ヵ月後，転位はほぼ解剖学的に自家矯正されている．

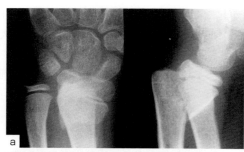
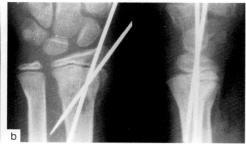
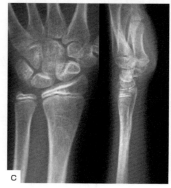

図 11-B6-2　橈骨遠位骨端線損傷に対する手術療法
a. 受傷後 2 週を経過し，転位は高度で徒手整復は困難であった．尺骨遠位端骨折を合併している．
b. 手術的に整復を行い直径 1.5 mm の Kirschner 鋼線 2 本で内固定を行った．術後 3 週で鋼線を抜去した．
c. 1 年 4 ヵ月後，成長障害はみられない．

　鋼線以外の内固定材料は骨端線への侵襲が大きいので避けるべきである．Kirschner 鋼線も 3〜4 週後に抜去すべきで，交叉固定をした Kirschner 鋼線の長期の刺入は成長を障害する可能性がある（**図 11-B6-3**）．近年経皮的鋼線固定よりも強固な固定を求めて，鋼線連結型の創外固定器を用いる報告もある．線による固定に対して，面による固定であり，術後の外固定は不要で骨癒合も早いという．

附-14　Kirschner 鋼線刺入の注意点

　骨端線損傷に対して鋼線固定をする場合には，骨端線を通さない方法を選ぶべきであるが（**図 11-B6-4**），どうしても貫通せざるを得ない場合には，骨端線障害を合併しないために以下のことを知っておく必要がある．
　1）鋼線の太さ：細いほうがよい
　2）鋼線先端の形状：ねじを切っている鋼線より平坦のものがよい
　3）骨端線の刺入部位：骨端線の端より中心に刺入するほうがよい
　4）骨端線の刺入角度：骨端線に対して斜めに刺入するより直交させるほうがよい
　5）刺入期間：できるだけ短期間がよい（3〜4 週以内）
　亀山は幼若家兎の大腿骨遠位骨端線に関節面から直径 0.7，1.2，2.0，3.5 mm の不銹鋼線 stainless steel pin を直角に刺入し，骨成長に対する影響を骨端線が閉鎖する 24 週まで調べている．その結果，3.5 mm ピンを刺入後 12，24 週で観察すると，大腿骨長径の短縮を認めたが，2.0 mm 以下のピンでは長径成長に与える影響はみられなかった．すなわち骨端線にピンを刺入しても，そのピンが細く，骨端線の加齢に伴う骨成長の activity の低下がない限り骨の成長に影響は与えないと結論している．

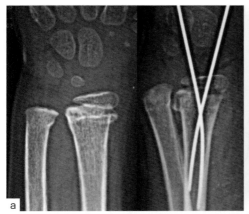
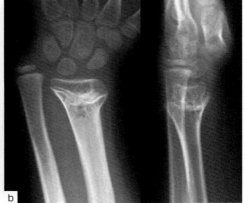

図 11-B6-3　左橈骨遠位骨端線障害，中央部骨性架橋（7歳，女児）
a. 3歳時に窓から転落し，左手関節部を受傷し，2日後に手術的に整復・内固定（Kirschner鋼線2本で内固定）を受け，プラスチックキャスト固定が3週間行われた．
b. 徐々に手関節の変形を生じたために受傷4年後に来院した．

図 11-B6-4　Salter-Harris分類Ⅳ型に対する鋼線固定
a. 骨端と骨幹端に平行に刺入して骨端線を貫通しない方法が望ましい．
b. 骨端線を貫通する場合，ねじのない細い鋼線を骨端線に直交させ，中央部分に刺入する．
（Canale ST：Campbell's Operative Orthopaedics, 2008をもとに作図）

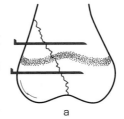
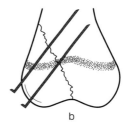

b 陳旧損傷

　　成長障害により生じた骨の短縮や変形に対しては，骨端線閉鎖を待ち，その範囲，短縮や変形の程度，今後の増悪の可能性と程度などを十分考慮したうえで治療法を決定する．

1) Langenskiöld法

　　1967年Langenskiöldが報告した手術法で，閉鎖した骨端線の骨性架橋部を十分に切除し，生じた欠損部に自家脂肪組織を充填する方法である．本法は骨性架橋の再発を予防するだけではなく，成長に伴い脂肪充填部も拡大していくことにより，いったん生じた変形が自然矯正される．手術時期は骨成長終了までの年数が長く残されている小児であれば，早ければ早いほうがよい．また骨性架橋の範囲が骨端線断面積の1/3以下の症例によい適応がある．断層撮影やMRIなどで骨性架橋の範囲を十分に検討してから手術を行う（図11-B6-5, 6）．

2) 骨延長法

　　20世紀初頭に始められた骨延長法は，多くの改良を経て飛躍的な進歩をとげた．その要因は，軸方向に動きをもたせ弾力的な固定を目指した創外固定法の開発と，形成されつつある仮骨を延長していく仮骨延長法の開発である．強固な固定よりも周期

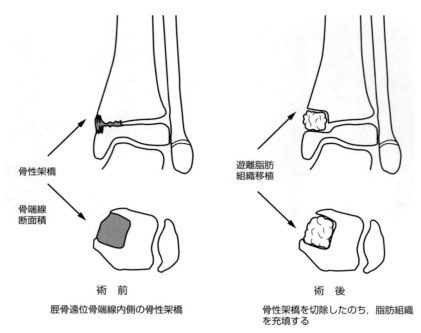

図11-B6-5 Langenskiöld法

術前 脛骨遠位骨端線内側の骨性架橋
術後 骨性架橋を切除したのち，脂肪組織を充填する

的に軸方向に生じる微動が加わるほうが骨形成に有利であることが証明されていたが，これを創外固定に応用し骨を自在に延長し変形を矯正できるように工夫したものが，Ilizarov式骨延長器に代表されるリング型の貫通ピン式骨延長器である．一方De Bastianiは従来の骨延長および骨移植を行う方法とは異なる仮骨延長を行い，骨移植を必要としない骨延長術を開発した．これは非貫通ピン式の片側型骨延長器で，装置が小さく簡便で固定力も強い．しかし矯正と延長が同時に行えないという大きな欠点がある．したがって，変形を伴わない骨短縮だけの場合にはDe Bastiani式が，下肢などで骨の延長と同時に変形も矯正する必要がある場合にはIlizarov式が適応となる．

いずれも骨切りは骨幹端か骨幹端に近いところで行い，電動骨鋸は用いずにノミで骨切り術を行う．

延長は通常骨切り術後10〜15日の待機期間を設け，単純X線写真上骨切り部に仮骨が認められてから延長を開始する．延長速度は0.25 mm/6時間，すなわち1 mm/日である．一度に1 mm以上の延長は好ましくない．骨形成が完了したら延長器を除去するが，十分に骨の形成や成熟を待ったほうが除去後の骨の再短縮をきたしにくい（図11-B6-6）．

3）矯正骨切り術

片側の骨端線が閉鎖すると，その後の骨術成長に従い変形が生じ関節面の傾きが起こる．変形の中心すなわち関節近傍で骨切りを行い，関節面の傾きを矯正する必要がある．同時に合併する肢長差を少しでも是正するために，楔開き骨切り術を行うとよい．骨癒合能が旺盛であるため通常骨移植は必要としない．

B. 骨端線損傷／6 治療   *357*

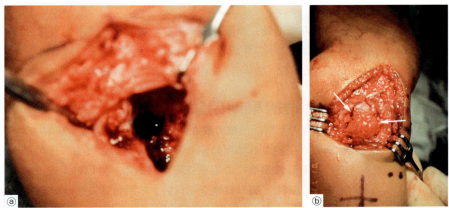

a. Langenskiöld 法：骨性架橋を切除した（図ⓐ）．空隙に周辺の皮下脂肪を充填した（図ⓑ）．同時に橈骨短縮に対して骨延長を行った

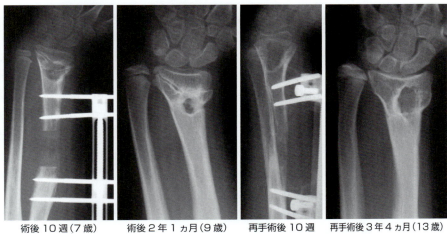

術後 10 週（7 歳）　　術後 2 年 1 ヵ月（9 歳）　　再手術後 10 週　　再手術後 3 年 4 ヵ月（13 歳）変形は矯正されたが，脂肪を充填した空隙は残存している．機能的に障害はない

b. 骨性架橋の再発，成長障害

図 11-B6-6　Langenskiöld 法と仮骨延長法（Orthofix Mini-100）を同時に行った症例

4）骨端線固定術

　一側の上肢，下肢に骨短縮がある場合，あるいは前腕，下腿のように 2 本の骨が存在し一方の骨に短縮をきたした場合，正常に成長する側の骨に対しそれ以上の成長を抑制し，骨長を調整する目的で正常側の骨端線を固定する方法である．一時的に成長を抑制する場合と，完全な骨癒合によって骨成長を停止させる場合とがある．通常 4〜6 個のステイプルをかすがいとして骨端と骨幹端にわたるように両側より打ち込む．しかし骨の成長力は強大であるのでステイプルが逸脱することがある．また，骨端線の一側のみが閉鎖している場合には開在側の発育を抑制して変形を矯正する方法もある．しかし上記の方法は簡便ではあるが，骨の長径成長を抑制して患側である短縮側に骨の長さを合わせるために，下肢に適応すると身長が低くなるので術前に十分患者の了承を得ておく必要がある．

5) 骨短縮術

骨延長のみでは骨長の調整ができない場合に，健常側の骨を短縮する方法である．前腕，下腿など2本の骨がある場合によい適応である．短縮する分だけ骨を切除し，プレートで固定する．プレートを用いることにより短縮が不十分になることを防止できる．

C 骨端線障害（骨端線早期閉鎖）

骨端線損傷の診断，治療で最も難しい問題は，外傷や疾病により骨端線のある部分の軟骨細胞が圧挫され壊死に陥り，時間の経過とともにその部が骨性に癒合してくる，いわゆる骨性架橋による成長障害である．外傷によるものでは予測が困難であり，定期的に単純X線写真検査を行い，早期発見に努める必要がある．

骨端線の成長障害（骨端線障害，もしくは骨端線早期閉鎖）について原因疾患による分類から詳述する．

1) 骨端線損傷 Ogden 1C, 2D, 3C, Ⅳ, Ⅴ, Ⅵ

Salter-Harris 分類のⅤ型が骨端線障害を惹起することはよく知られている（図11-B4-6参照）．骨端線への高エネルギーによる外力により骨端線の軟骨細胞が壊死し，成長が止まり，時とともに変形，短縮を生じる．受傷時には診断がつかない．現在の高性能のMRIでも軟骨細胞の生死の判定は難しい．唯一判定できる検査として，ラジオアイソトープを用いる方法があるが，実際的ではなく実用化されていない．骨端線損傷の初診時にⅤ型の可能性を疑って，注意深く経過を追うことが重要である．したがって初診時のインフォームド・コンセントが重要である．また Salter-Harris 分類Ⅳ型は骨端線を貫通する損傷形態であるために，骨端線が転位すれば骨端線は早期閉鎖しその後の成長障害は免れない．

一方 Salter-Harris 分類のⅠ型，Ⅱ型，Ⅲ型にも骨端線早期閉鎖が起こり得ることを知っておくべきである．すなわち Ogden 分類の 1C, 2D, 3C は，転位した骨折端が骨端軟骨に衝突するような外傷であり，軟骨細胞が挫滅を受けやすく，骨端線障害を起こすことになる（図11-B6-7）．

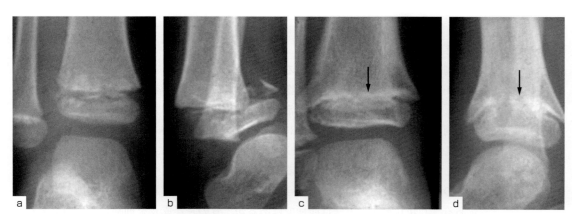

図11-B6-7 右脛骨遠位骨端線損傷 Salter-Harris 分類Ⅱ型，Ogden 分類 2D（4歳，男子）
a, b. 転落して受傷
c, d. 1年後，脛骨骨端線のほぼ中央部で骨性架橋を認める（矢印）．

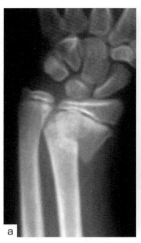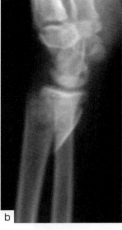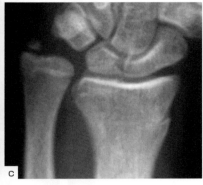

図 11-B6-8　左橈骨遠位端骨折,Ogden 分類 8 型（14 歳,男子）
a, b. 自転車から転落して受傷した.
c. 2 年 8 ヵ月後,橈骨遠位骨端線の早期閉鎖による短縮を認める.

2) 骨幹端骨折　extraphyseal fracture, Ogden 8 型

骨端線から離れた部位での骨折でも骨端線の成長に障害が出ることがある（図 11-B6-8）.

3) stress-related (repetitive physical loading)

繰り返し外力が骨端線に負荷として作用すると骨端線を障害することがある.体操選手の橈骨もしくは尺骨の遠位骨端線が障害されることがよく知られている.単純 X 線写真所見で骨端線が拡大・不整像を呈する.

4) 血行障害

骨端動脈の血行が障害されて骨端が阻血状態になると骨端線障害が生じる.骨端線損傷で骨端が著明に転位した場合や徒手整復による過牽引,プラスチックキャストによる血管の攣縮などによる.外傷のほかにも鎌状赤血球症や地中海性貧血（thalassemia）など遺伝性ヘモグロビン異常による溶血性貧血と血管閉塞をきたす疾患によっても生じる（図 11-B6-9）.

5) 腫　瘍

腫瘍細胞による骨端軟骨の侵襲により軟骨細胞が壊死に陥り成長が妨げられる.
最も多くみられるのは骨端近傍に生じた骨軟骨腫（軟骨性外骨腫）である（図 11-B6-10）.ほかにも内軟骨腫,骨嚢腫,動脈瘤様骨嚢腫,軟骨芽細胞腫,軟骨粘液線維腫,線維性骨異形成など骨幹端や骨端に生じる骨腫瘍が骨端線障害を惹起することが知られている.

6) 感　染

化膿性関節炎や骨端線周辺に生じた骨髄炎により,骨端線が破壊され,成長障害を生じる（図 11-B6-11）.

7) 熱傷,凍傷,電撃傷,レーザー損傷

骨端線に及ぶ高温,低温,高圧電気,レーザー光線は骨端線を損傷し,障害を引き起こす可能性がある.

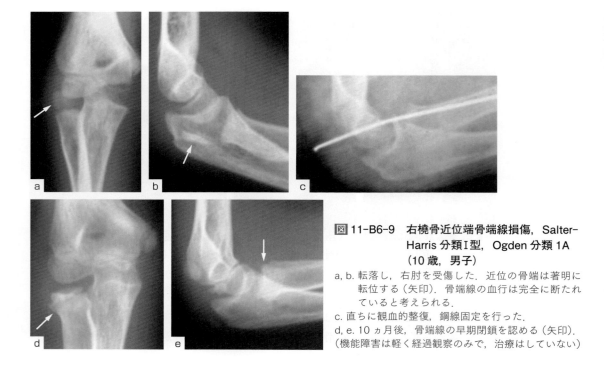

図 11-B6-9 右橈骨近位端骨端線損傷，Salter-Harris 分類 I 型，Ogden 分類 1A（10 歳，男子）

a, b. 転落し，右肘を受傷した．近位の骨端は著明に転位する（矢印）．骨端線の血行は完全に断たれていると考えられる．
c. 直ちに観血的整復，鋼線固定を行った．
d, e. 10 ヵ月後，骨端線の早期閉鎖を認める（矢印）．（機能障害は軽く経過観察のみで，治療はしていない）

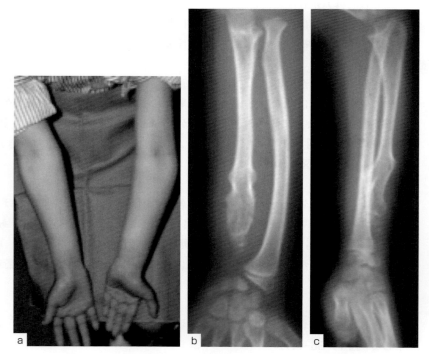

図 11-B6-10 軟骨性外骨腫による左尺骨遠位骨端線障害（7 歳，女子）

尺骨の短縮が著明で，仮骨延長術を行った．
a, b. 術前，c. 仮骨延長術後

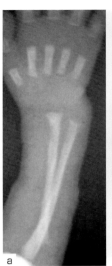
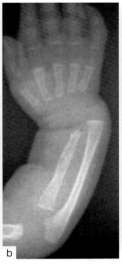
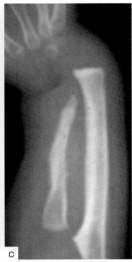
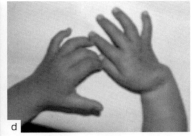

図11-B6-11　橈骨遠位端の骨髄炎による成長障害（内反手）

790gの超未熟児で新生児肺炎に罹り，右手関節部の点滴中に注射部から感染し，橈骨遠位まで浸潤拡大し，橈骨遠位骨端線が障害された．
a. 生後1ヵ月．橈骨遠位に不整な骨透亮像を認める．
b. 生後3ヵ月．橈骨遠位は破壊，消失している．
c, d. 生後2年3ヵ月．橈骨遠位の成長は著しく障害され，外観上も内反手変形が強い（血管柄付き腓骨頭移植を行った）．

8）放射線

高線量の放射線被曝は骨端線を障害する．

9）特発性，先天性

橈骨遠位骨端線の尺側，掌側の早期閉鎖により生じるMadelung変形が代表的である（図11-B6-12）．またまれであるが，上腕骨の近位骨端線の内側の成長障害である特発性上腕骨内反症もある（図11-B6-13）．

10）医原性

損傷し転位した骨端軟骨を暴力的な整復によりさらに損傷し，骨端線の成長障害を起こすことがある．また整復後に鋼線固定をする場合に粗暴な操作で骨端線を損傷し成長障害を生じることがある（図11-B6-14）．

附-15　骨癒合不全 nonunion

骨端線損傷で骨癒合不全がみられるのは，上腕骨外顆骨端線損傷（Salter-Harris分類のⅣ型）で，通常肘関節外側不安定性および遅発性尺骨神経麻痺を伴う．上腕骨外顆の転位を伴った骨端線損傷は，骨癒合不全を防止するために手術療法の絶対的適応である．

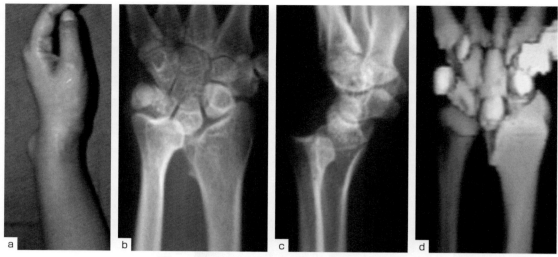

図 11-B6-12　左 Madelung 変形（27 歳，女性）

14 歳頃から手関節の変形に気づくようになった．
a, b, c. 橈骨の尺側，掌側の骨端線の成長障害が顕著である．相対的に尺骨頭が背側に脱臼する．
d. 三次元 CT（手関節痛が続くために，橈骨楔状骨切り術，尺骨短縮骨切り術を行った）．

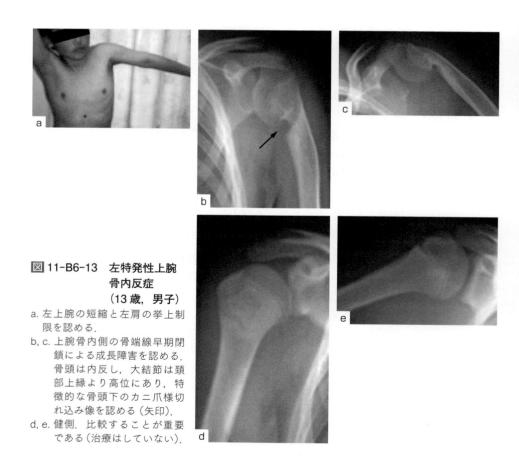

図 11-B6-13　左特発性上腕骨内反症（13 歳，男子）

a. 左上腕の短縮と左肩の挙上制限を認める．
b, c. 上腕骨内側の骨端線早期閉鎖による成長障害を認める．骨頭は内反し，大結節は頚部上縁より高位にあり，特徴的な骨頭下のカニ爪様切れ込み像を認める（矢印）．
d, e. 健側．比較することが重要である（治療はしていない）．

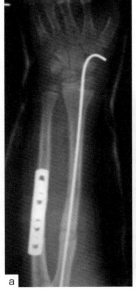
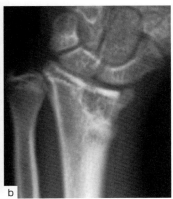

図 11-B6-14　左橈骨遠位骨端線障害（10歳，男子）

a. 橈尺骨骨幹部骨折に対して，橈骨には鋼線固定を，尺骨にはプレート固定手術を受けた．
b. 3年9ヵ月後（14歳），橈骨橈側の骨端線の成長障害が明らかである．
本来骨端線障害を起こすはずのない部位の骨折であり，鋼線刺入による骨端線損傷と考えられる（矯正骨切り術を行った）．

附-16　骨端の無腐性壊死

　膝関節周辺，橈骨近位端の骨端線損傷を除いては，骨端線損傷に骨端の無腐性壊死が合併することはきわめてまれである．大腿骨近位端，橈骨近位端の Salter-Harris 分類でI型の完全に転位した骨端線損傷は，骨端やときには骨端線の無腐性壊死が発生することがある．骨端線が血行を失うと，骨端線の軟骨細胞が壊死し線維細胞によって置換され成長は停止する．若年者の大腿骨近位部骨端線損傷では，大転子は成長を続け大腿骨頸部は成長を停止するので内反股となる．

参考文献

1) Aitken AP：Further observation on the fractured distal radial epiphysis. J Bone Joint Surg **17**：922-927, 1935.
2) Amamio SC et al：The periosteum in growth plate failure. Clin Orthop **194**：293-305, 1985.
3) Anderson M et al：Growth and predictions of growth in the lower extremities. J Bone Joint Surg **45-A**：1-14, 1963.
4) Arkin AM et al：The effects of pressure on epiphyseal growth. J Bone Joint Surg **38-A**：1056-1076, 1956.
5) 麻生邦一ら：橈骨遠位骨端線損傷．骨折 **15**：16-20, 1993.
6) 麻生邦一：骨端線損傷をめぐる諸問題．日本災害医学会誌 **41**：347-352, 1993.
7) Boyden EM et al：Partial premature closure of the distal radial physis associated with Kirschner wire fixation. Orthop **14**：585-588, 1991.
8) Brashear HK：Epiphyseal fractures. J Bone Joint Surg **41-A**：1055-1064, 1959.
9) Bright RD：Fractures of the distal radius and ulna. Fractures in Children, 3rd ed, edited by Rockwood Jr et al, 375-377, JB Lippincott, Philadelphia, 1991.
10) Bright RW：Epiphyseal-plate cartilage. J Bone Joint Surg **56-A**：688-703, 1974.

11) Bright RW：Physeal injuries. Fractures in Children, 3rd ed, edited by Rockwood Jr, et al, 87-186, JB Lippincott, Philadelphia, 1991.

12) De Bastiani G et al：Limb lengthening by callus distraction（callotasis）. J Pediatr Orthop **7**：129-134, 1987.

13) Ehlrich MG et al：Epiphyseal injuries about the knee. Orthop Clin North Am **10**：91-103, 1979.

14) 冨士川恭輔ら：膝関節の骨端線損傷. 関節外科 **10**：1319-1328, 1991.

15) 普天間朝上ら：橈骨遠位骨端線早期閉鎖に対して骨端線解離術および脂肪移植術に骨延長を併用した3例. 日本創外固定・骨延長学会雑誌 **19**：59-62, 2008.

16) Holland CT：A radiographical note on injuries to the distal epiphyses of the radius and ulna. Proc R Soc Med **22**：695-700, 1929.

17) Horii E et al：Premature closure of the distal radial physis. J Hand Surg **18-B**：11-16, 1993.

18) Ilizarov GA et al：Some clinical and experimental data concerning bloodless lengthening of lower extremities. Exp Khir Anest **4**：27-32, 1969.

19) Inoue T et al：Partial physeal growth arrest treated by bridge resection and artificial dura substitute interposition. J Pediat Orthop **15**：65-69, 2006.

20) 門司順一：骨端線損傷の治療. Orthopaedics **15**：55-62, 2002.

21) 亀山　真：骨端軟骨板損傷に関する実験的研究—Smooth pin留置の長管骨骨成長に及ぼす影響—. 日整会誌 **67**：662-676, 1993.

22) Karaharju EO et al：Remodeling by asymmetrical epiphyseal growth. An experimental study in dogs. J Bone Joint Surg **58-B**：122-126, 1976.

23) 河本浩栄ら：骨端線損傷の疫学調査. 関節外科 **23**：32-38, 2004.

24) 倉持大輔ら：橈骨遠位骨端線早期閉鎖に対する治療経験. 日手会誌 **28**：102-107, 2011.

25) Langenskiöld G：Surgical treatment of partial closure of the growth plate. J Pediatr Orthop **1**：3-11, 1981.

26) Lombardo SJ et al：Fractures of the distal radius, femoral epiphyses, Factors influencing prognosis：A review of thirty-four cases. J Bone Joint Surg **59-A**：742-751, 1977.

27) Mann DC et al：Distribution of physeal and non-physeal fractures in 2,650 long-bone fractures in children aged 0-16 years. J Pediatr Orthop, 1990.

28) 松下紘三ら：後方転位した鎖骨近位骨端線損傷の1例. 整形外科と災害外科 **65**：752-755, 2016.

29) 三笠元彦：上腕骨近位骨端における骨幹端骨片の内方転位. 日整会誌 **67**：1277-1280, 2016.

30) Mizuta T et al：Statistical analysis of the incidence of physeal injuries. J Pediatr Orthop **7**：518-523, 1987.

31) 森井孝道ら：小児大腿骨遠位, 脛骨近位骨端部骨折後の成長障害と治療. 整・災外 **33**：29-40, 1990.

32) Neer CS Ⅱ：Fractures of the proximal humeral epiphyseal plate. Clin Orthop **41**：24-31, 1965.

33) 野坂祐樹ら：橈骨遠位骨端線早期閉鎖に対して術中ナビゲーションシステム・内視鏡を用いてLangenskioeld法を施行した2例. 中部整災誌 **59**：617-618, 2016.

34) Ogden JA：Skeletal growth mechanism injury patterns. J Pediatr Orthop **2**：371-377, 1982.

35) Ogden JA：Skeletal injury in the child. 2nd ed, 97-173, WB Saunders, Philadelphia, 1990.

36) Perona PG et al：Remodeling of the skeletally immature distal radius. J Orthop Trauma **4**：356-361, 1990.

37) Peterson CA et al：Analysis of the incidence of injuries to the epiphyseal growth plate. J Trauma **12**：275-281, 1972.

38) Peterson HA et al：Physeal fractures：Part 1. Epidemiology in Olmsted Country, Minnesota, 1979-1988. J Pediatr Orthop **14**：423-430, 1994.

39) Pritchett JW：Growth plate activity in the upper extremity. Clin Orthop RR **268**：235-242, 1991.

40) Rang M：The growth plate and its disorders. Williams and Wilkins, Baltimore, 1969.

41) Reed MH：Pediatric Fractures, ed. by Letts RM, 1-10, Churchill Livingstone, 1994.

42）榊田喜三郎：小児骨折の特徴．整形外科 MOOK **13**：8-17，金原出版，1980.

43）Sailhan F et al：Three dimensional MR imaging in the assessment of physeal growth arrest. Eur Radiol **14**：1600-1608, 2004.

44）Salter RB et al：Injuries involving the epiphyseal plate. J Bone Joint Surg **45-A**：587-622, 1963.

45）Salter RB：Epiphyseal plate injuries. Pediatric fractures, edited by Letts RM, 11-26, Churchill Livingstone, New York, 1994.

46）佐々木賀一ら：過負荷による家兎成長軟骨板障害に関する実験．日整会誌 **64**：S1169，1990.

47）佐々木賀一：骨端線損傷の基礎的検討．骨折 **15**：1-4，1993.

48）Schuett DJ et al：Pelvic apophyseal avulsion fractures：A retrospective review of 228 cases. J Pediatr Orthop **35**：617-623, 2015.

49）Sinikumpu JJ et al：Operative treatment of pelvic apophyseal avulsions in adolescent and young adult athletes：a follow-up study. Eur J Orthop Surg Traumatol **28**：423-429, 2018.

50）Slongo TF et al：Fracture and dislocation classification Compendium for children：The AO pediatric comprehensive classification of long bone fractures（PCCF）. J Orthop Trauma **21**：S135-138, 2007.

51）Tachdjian MH：Fractures and dislocations. Pediatric Orthopedics, 3013-3030, WB Saunders, Philadelphia, 1990.

52）高木岳彦：小児の肘周辺骨折―合併症対策と最近の進歩―．日整会誌 **95**：976-981，2021.

53）田中沙代ら：幼児期に膝関節周囲の部分骨端線損傷に対して骨性架橋切除，遊離脂肪移植術を行った3例．日小整誌 **22**：362-367，2013.

54）東田紀彦：骨端線（軟骨板）損傷．整形外科 **38**：1607-1613，1987.

55）Trueta J et al：The vascular contribution to osteogenesis. J Bone Joint Surg **43-B**：800-813, 1961.

56）Vittas D et al：Angular remodeling of midshaft forearm fractures in children. Clin Orthop **265**：261-264, 1991.

57）Worlock P et al：Fracture patterns in Nottingham children. J Pediatr Orthop **6**：656-660, 1986.

58）吉田隆司ら：骨性架橋切除を行った脛骨遠位骨端線部分早期閉鎖の2例．骨折 **27**：156-162，2005.

第12章

高齢者骨折の特殊性

1 骨折の好発部位

　　骨粗鬆症が基盤にあり軽微な外力で生じる骨折は脆弱性骨折（fragility fracture）または骨粗鬆症性骨折（osteoporotic fracture）と呼ばれる．高齢者に好発する脆弱性骨折のうちで最も頻度が高い部位は椎体で，次いで大腿骨近位部，橈骨遠位部，上腕骨近位部である．大腿骨遠位部骨折，骨盤骨折，下腿骨骨折も骨粗鬆症の進行に伴い，さらに加齢とともに発生率が高くなることが明らかにされている．80歳以降に発生率が増加する．

附-1　脆弱性骨折

　　脆弱性骨折（fragility fracture）とは，骨強度低下のために，軽微な外力で発生した骨折と定義される．「軽微な外力」とは「立った姿勢からの転倒かそれ以下の外力」をさす．脆弱性骨折の好発部位は前述の椎体，大腿骨近位部のほか，橈骨遠位部，上腕骨近位部，大腿骨遠位部，骨盤（恥骨，坐骨，仙骨），下腿骨である．

　　また「脆弱性骨折」のなかで特に生理的な負荷で繰り返された結果生じた骨折をinsufficiency fracture という．いいかえれば insufficiency fracture は脆弱な骨に生じた疲労骨折（fatigue fracture）ということができる．

　　insufficiency fracture は発生頻度が fragility fracture 全体に比べてきわめて低く，その診断が容易ではないため発生率は明らかではない．骨盤，大腿骨頭，大腿骨内側顆に insufficiency fracture が好発する（表12-1-1）．そのほか骨粗鬆症例での大腿骨頚部，脛骨内側顆，足関節，踵骨，橈骨などにも insufficiency fracture が発生する．

　　骨盤では仙骨，恥骨枝，臼蓋上縁に発生することが多い．仙骨では頭尾側と横方向に骨折線を見ることが多く，骨シンチグラフィーで H 型にアップテイクを生じるため「ホンダサイン」と称される．仙骨の insufficiency fracture の診断には MRI が最も有用である．骨盤骨折例では骨折後に介助を要する率が高まり，骨折後は死亡率も高くなることが知られていて，予防のために骨粗鬆症治療と早期の診断が重要である．

　　大腿骨頭軟骨下に発生する insufficiency fracture は，外傷の既応がなく股関節痛を生じ，初期には単純 X 線写真で明らかな所見を認めないことが多いため診断に苦慮し，見逃される可能性が高いので注意が必要である．MRI では大腿骨頭から頚部にかけて T1 強調像で低信号の骨頭の輪郭と平行な中枢側凸のバンド像を認める．骨頭圧潰をきたすことなく治癒する例と，発症後急速に骨頭圧潰をきたす例がある．また，大腿骨内側顆特発性骨壊死（spontaneous osteonecrosis of the knee：SONK）として報告された例で，軟骨下骨に発生した insufficiency fracture が原因であるという報告がある．

-367-

総論 第12章 高齢者骨折の特殊性

表 12-1-1 疲労骨折と脆弱性骨折の相違のまとめ

	疲労骨折（fatigue fracture）	脆弱性骨折（insufficiency fracture）
定義	正常な骨に対して異常な慢性的繰り返しのストレスが加わった結果生じた骨折	異常に脆弱な骨に正常なストレスが加わった結果生じた骨折
疫学	若年者，アスリート（女性＞男性）	Body mass index が低値の高齢者 女性＞男性
病態生理	リモデリングを引き起こす異常な荷重：骨吸収が骨の置換を凌駕すると骨折を生じる	通常の荷重が脆弱な骨（骨量減少または代謝性骨疾患）に加わって生じる
好発部位	脛骨，腓骨，中足骨，大腿骨頸部，恥骨枝，踵骨，舟状骨（足）	仙骨，恥骨枝，臼蓋上縁，大腿骨頭，大腿骨内顆

（Matcuk GR Jr et al：Stress fractures：pathophysiology, clinical presentation, imaging features, and treatment options. Emerg Radiol 23：365-375, 2016 より）

2 高齢者骨折の特殊性（病態と病因）

脆弱性骨折は骨粗鬆化に伴う骨強度の低下と転倒が原因である．骨粗鬆症による骨強度低下は骨量の減少と骨質の劣化によって惹起される．

a 骨量の減少

1）最大骨量（peak bone mass）の影響

骨粗鬆症は 20 歳代までに獲得する最大骨量（骨密度）が少ないこと，成人後の骨形成と骨吸収の不均衡により骨量が減少することによって発症する．最大骨量とは文字どおり生涯のうちで最大となる骨量で，その獲得には遺伝的要因，成長期の栄養・運動，内分泌ホルモンなどが関与する．

2）骨リモデリングの亢進

一方，成長後にはさまざまな原因により骨形成と骨吸収の不均衡を生じ骨量が減少する．骨は生涯にわたって骨リモデリングと呼ばれる新陳代謝を繰り返している．骨リモデリングとは肉眼的には骨の形態は変化せず顕微鏡レベルで既存の古い骨が破骨細胞によって吸収され，その部位に骨芽細胞によって新しい骨が添加される変化で年間に 2～10％の骨が更新される．

成人後の骨リモデリングの不均衡は主に閉経，加齢，運動不足（不動）が原因となる．女性ホルモンには破骨細胞による骨吸収を抑制する働きがあり，閉経後の急激な女性ホルモンの減少により骨吸収が亢進する．骨吸収の亢進に伴って骨形成も亢進するが，形成が追いつかず骨量減少をきたす．

3）機械的刺激（メカニカルストレス）の低下

歩行や運動による骨への機械的刺激（メカニカルストレス）は骨細胞を通じて骨芽細胞の骨形成を促進し，骨量の維持・増加をもたらす．日常生活動作 activity of daily living（ADL）の障害や長期臥床，加齢に伴う運動量の低下は骨脆弱化を惹起する．

加齢に伴うメカニカルストレス低下の影響は荷重骨で大きい．したがって脛骨，大腿骨，脊椎は不動が進むほど骨脆弱化の進行が速い．

b 骨質の劣化

骨の強度（bone strength）には骨量（骨密度）のみではなく骨質が関与することが強調されるようになったのは，骨折のリスクが骨量だけでは説明できなくなったためである．例えばステロイド剤使用例では，投与開始後骨量が減少する前から早期に骨折リスクが高まる．

このような科学的認識体系の変化によって工学材料と同様に，骨も量だけでは規定されない「質」が強度に関与することが注目されるに至った．工学材料で「質」といえば材質を指すが，器官としての「骨」は，決して単一の材料で形成されているわけではない．骨は約70％のミネラルと約30％の基質タンパクとからなるが，器官としての骨にはこれに加えて各種の細胞があり，個体を支え強度を保つため機能的な構造を形成して生体を維持している．そこで「骨質」は構造と材質とに分けて論じられている．この構造特性と材質特性のいずれにも骨リモデリングが関与し，過剰な骨代謝回転の亢進・低下いずれによっても骨質は劣化する．

構造特性上，骨は皮質骨と海綿骨とに分けられ，皮質骨は特徴的な環状構造を有し，海綿骨は板状（plate）と棒状（rod）からなる微細な骨梁構造を構築している．皮質骨におけるマクロ構造の特性は大きさと形状である．大きな骨の強度は高いが，同じ骨量であっても形状が異なると強度にも差が出る．海綿骨の微細構造では，閉経後の急速な骨吸収によって骨梁構造に断裂を生じ，単なる骨量減少以上の骨脆弱化がもたらされる．一方，長管骨皮質骨では骨長軸方向に走行するハバース管に沿ってリモデリングが行われる．骨リモデリングの不均衡により高齢者では皮質骨の多孔化が生じ骨脆弱化を招来する（**図 12-2-1**）．

材質特性では，石灰化異常，コラーゲン異常などさまざまな原因によって骨質の悪化がもたらされる．コラーゲンにはコラーゲン同士を連結する架橋が存在するが，このコラーゲン架橋が酸化ストレスや糖化ストレスのもとで劣化し，終末糖化産物 advanced glycation end products（AGEs）架橋が増加すると骨質の劣化を招く．

このような骨の量，ミクロ・マクロの構造，コラーゲンや石灰化など材質の異常があいまって易骨折性をもたらすと考えられている．しかしながら骨密度の測定は可能であるが，骨質を非侵襲的に臨床的に評価する方法は確立されていない．AGEs のペントシジンは骨質のマーカーのひとつとなるが，保険診療内での評価は適応されていない．

c 転倒・転落の原因

転倒の危険因子は内的因子と外的因子とに分けられる（**表 12-2-1**）．内的因子には各種の全身疾患，加齢変化，薬剤が，外的因子には物的環境，天候があげられる．疾患では脳血管障害，パーキンソン病（症候群），認知症，正常圧水頭症などの脳神経疾患での転倒リスクが高い．認知症例では転倒頻度が一般高齢者よりも約8倍高いことが知られ，レビー小体型認知症は特にリスクが高い（Allan, 2009）．大腿骨近位部

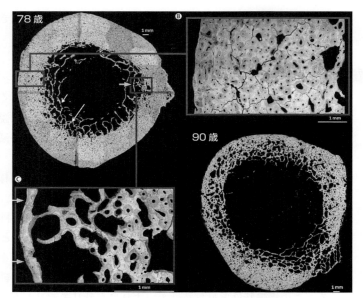

図 12-2-1 皮質骨多孔化
長管骨皮質骨では骨長軸に走行するハバース管に沿ってリモデリングが行われる．骨リモデリングの不均衡により高齢者では皮質骨の多孔化が生じ骨脆弱化を招来する．

表 12-2-1 転倒・転落の危険因子

I．内的因子 1．全身疾患：循環器系，神経系，筋骨格系，視覚─認知系など 2．加齢変化：最大筋力低下，筋の持続力低下，運動速度の低下，反応時間の低下，平衡機能低下など 3．薬剤：睡眠薬，精神安定剤，抗不安薬，抗うつ薬，降圧薬，鎮痛薬など II．外的因子 1．物的環境：室内段差（敷居など），滑りやすい床，電気器具コード類，照明不良など 2．天候：積雪・凍結，低温

骨折発生率も認知症を有しない高齢者と比較してアルツハイマー症例では約3倍高値である（Melton, 1994）．不整脈などの循環器疾患，白内障などの視覚・認知系疾患，末梢神経障害，関節疾患，脊柱管狭窄症などの運動器疾患で転倒頻度が高まる．

薬物にも転倒リスクを高めるものがあり，精神機能を障害するものと運動機能を障害するものに分かれる．その種類は睡眠薬，降圧薬，鎮痛薬，向精神薬など多種類に及ぶ（表12-2-1）．薬剤の種類のみでなく，高齢者では肝・腎機能の低下のため，薬剤代謝・排泄が遅延傾向にあり，常用量や低用量でも副作用が発現しやすいので注意が必要である．

外的因子には滑りやすい床，電気製品のコード，階段や風呂の手すりの不備といった住宅環境があげられる．転倒・骨折は冬季に発生率が高く，積雪や凍結のために転倒のリスクが高まることや，屋内外の気温の変化による血圧変動がリスクを高める可能性も指摘されている．

d 全身疾患との関連

　各種の代謝性骨疾患，内分泌疾患，骨系統疾患などがもたらす骨密度低下によって骨折リスクが高まる．また生活習慣病でも骨折リスクが上昇する．

　1型糖尿病での大腿骨近位部骨折リスクは非糖尿病の約6倍，2型糖尿病では1.4〜1.7倍である．糖尿病では骨質が劣化することが知られていて，コラーゲン架橋が酸化ストレスや糖化ストレスのもとで劣化しAGEs架橋が増加して骨質の劣化を生じる．慢性腎臓病（CKD）では続発性副甲状腺機能亢進症による腎性骨症を併発して易骨折性を生じる．慢性閉塞性肺疾患（COPD）では低骨密度と骨折リスク上昇が生じる．COPDにおける低骨密度および骨折の要因として，喫煙，低体重，吸入および全身ステロイド薬治療などの関与が想定される．このほかメタボリックシンドローム，高血圧，虚血性心疾患での骨折リスク上昇が報告されている．

3 高齢者骨折の疫学

　骨粗鬆症が基盤にあり通常では骨折を生じる程度の軽微な外力で生じる骨折は骨粗鬆症性骨折 osteoporotic fracture，脆弱性骨折（insufficiency fracture, fragility fracture）と呼ばれる．高齢者に好発する脆弱性骨折のうちで最も頻度が高い部位は脊椎で，次いで上腕骨近位部，橈骨遠位部，大腿骨近位部である．大腿骨遠位部骨折，骨盤骨折，下腿骨骨折も骨粗鬆症の進行に伴い，さらに加齢とともに発生率が高くなることが明らかにされている．80歳以降に発生率が増加する．

a 椎体骨折

　椎体骨折は転倒後に腰・背部痛を主訴として受診する場合と，先行する外傷が明らかでない場合があり，なかには症状を伴わない例が少なくない．四肢の骨折のように発生時期を特定することが困難な例があるため，椎体骨折ではこれまで主として有病率が検討されてきた．わが国での女性の有病率は60歳代で5〜13%，70歳代で25〜45%と報告されている（図12-3-1）．

　疼痛などの症状を有して医療機関で治療を受けた椎体骨折例（臨床骨折）についての性・年齢階級別発生率が報告されている（図12-3-2）．女性での発生率が男性よりも高く，70歳代から上昇し，80歳代後半では人口10万人・年当たり3,600〜4,400件に達する．

　一方，単純X線写真で観察された椎体高の変化から調査した形態的椎体骨折の発生率は年齢とともに指数関数的に増加し，女性は男性の約2倍と報告されている．女性では年間人口10万人当たりの発生数は70歳代で約3,000件（3%），80歳代で約8,000件（8%）である．このように形態骨折発生率は，臨床骨折（腰・背部痛を有して骨折が診断される骨折）の3倍程度と考えられている．

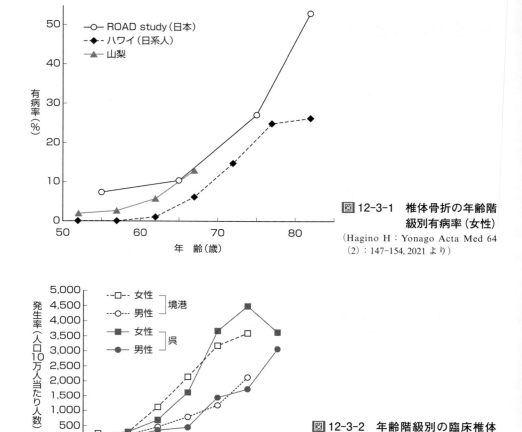

図 12-3-1　椎体骨折の年齢階級別有病率（女性）
(Hagino H : Yonago Acta Med 64 (2) : 147-154, 2021 より)

図 12-3-2　年齢階級別の臨床椎体骨折発生率
(Hagino H : Yonago Acta Med 64 (2) : 147-154, 2021 より)

わが国の発生率の年次推移は近年に生まれた人ほど低く，出生年が10年若いと発生率は約半分になっていることが報告されている．また臨床椎体骨折も2010年以降には発生率の上昇がない．

b 上腕骨近位部骨折

高齢となり肩関節部を直接打撲すると上腕骨近位部骨折が発生しやすい．筆者らの調査では上腕骨近位部骨折の発生率は女性では閉経後の50歳以降徐々に増加し，特に70歳代から加齢とともに直線的に増加し，85歳以上では年間人口10万人当たり220件に達する（図 12-3-3）．男性でも60歳以上で加齢とともに発生率の上昇を認めるが頻度は女性の半分程度である．

c 橈骨遠位端骨折

橈骨遠位端骨折のこれまでの疫学調査結果では，男性の発生率は加齢に伴う増加はみられず，60歳以降でも年間人口10万人当たり60〜80件程度である（図 12-3-3）．これに対して女性では発生率が50歳代後半より高くなり，60〜70歳代で年間人口10

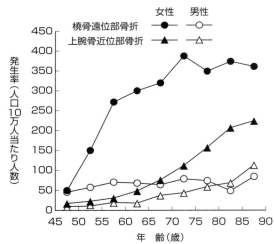

図 12-3-3　上肢骨折の発生率（人口10万人当たり年間発生数）
(Hagino et al : Bone 24 (3) : 265-270, 1999 より作図)

万人当たり300〜400件となる．しかし80歳以上では発生率上昇はなく，逆に低下がみられる．このように橈骨遠位部骨折は年齢が50〜70歳の身体活動性が比較的高い年代に発生するという特徴がある．これは本骨折は多くが転倒し手をついて発生しているためである．すなわち転倒時に防護的に手をつく機会が多いと橈骨遠位端骨折が発生しやすい．

転倒が本骨折発生原因の96％を占め左側の発生が多い．冬季に発生頻度が高くなるのは本骨折の2/3の症例が屋外で転倒して発生するためで，凍結時に発生率が高くなると報告されている．

d 大腿骨近位部骨折

転倒により股関節外側部（大転子部）を打撲すると発生しやすい．

発生率は50歳以下では男女とも人口10万人当たり10件以下できわめて少なく，60歳以上で徐々に増加し，70歳以上で指数関数的に上昇する（図12-3-4）．骨折型別の発生頻度は，70歳代までは頚部骨折が転子部骨折よりも高値であるが，80歳代では転子部骨折のほうが頻度が高い（図12-3-5）．左側に多く，夏季より冬季に発生頻度が高い．受傷場所は屋内が約70％を占め，80歳以上の超高齢者群では屋内で受傷する頻度がさらに高くなる．受傷原因は74％が「立った高さからの転倒」で，不明，記憶なし，交通事故を除くと約90％は単純な転倒が原因である．

日本の将来推計人口（国立社会保障・人口問題研究所2017年1月推計）に基づいて将来の新規骨折患者数を計算すると，2030年には約28万件，2040年には約30万件に達する（図12-3-6）．

欧米あるいはオーストラリアでは，近年発生率は増加しておらず，一部の地域では減少に転じている．これまでの報告によると，アジア地域の発展途上国のように都市化が急速に進んでいる地域ほど発生率の上昇が大きい．このため発生率の推移に影響する重要な要因として，身体活動性の低下，飲酒量や催眠鎮静薬の服用があげられ，都市化，生活様式の欧米化に伴う生活様式の変化が転倒の危険性と関連し，骨折発生

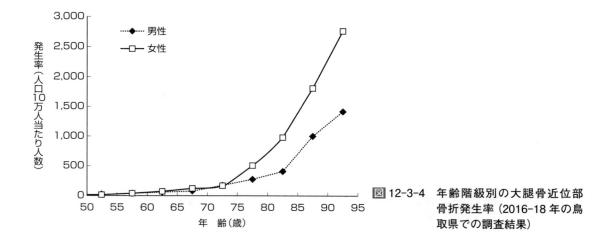

図 12-3-4　年齢階級別の大腿骨近位部骨折発生率（2016-18年の鳥取県での調査結果）

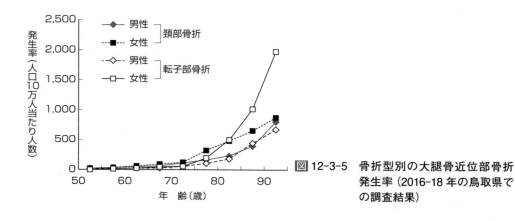

図 12-3-5　骨折型別の大腿骨近位部骨折発生率（2016-18年の鳥取県での調査結果）

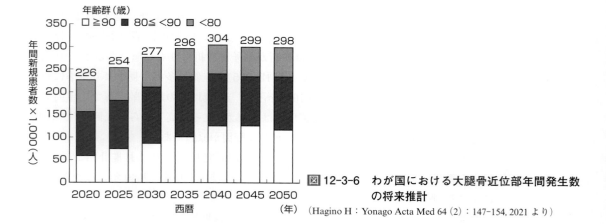

図 12-3-6　わが国における大腿骨近位部年間発生数の将来推計

(Hagino H : Yonago Acta Med 64（2）：147-154, 2021 より)

率上昇の一因となっていると推測されていた．しかしながらわが国での最近の疫学調査によると女性では発生率の低下が報告されている（Hagino, 2021）．

最近，ビスフォスフォネートの長期間使用例で大腿骨転子下から骨幹部にかけての骨折発生例が報告されている．軽微な外傷（多くは単純な転倒）が原因で発症する例が多く，骨折部の皮質骨皮厚を伴っているため，atypical femoral fracture（非定型大腿骨骨折）と呼ばれる（p. 1047 参照）．

e 骨盤骨折

骨盤は脆弱性骨折（insufficiency fracture）の好発部位であるが，米国 Mayo Medical database によると 1968〜1977 年の 10 年間に 204 例の insufficiency fracture が骨盤に発生し（65 歳以上 198 例），発生率は女性で 47.5/100,000，男性で 24.4/100,000 で，年齢別では 75 歳以上で著しく発生率が上昇するとの報告があった．骨盤骨折の発生率は経年的に上昇しており，フィンランドでは 1970〜1997 年に骨盤骨折が 4.6 倍増加したと報告されている．

4 保存療法か手術療法かの選択基準，その利点と欠点

高齢者では不動により速やかに廃用症候群が進行すること，嚥下機能低下を有し肺炎のリスクが高いこと，内科的合併症が多いなどの要因があるため，若年者の骨折とは異なる対応が必要である．さらに骨折前に独歩可能であったか，車椅子であったかなど移動能力も治療の選択に考慮が必要である．骨折部の早期癒合と同時に，できるだけ臥床期間を短縮することが治療選択では求められる．

手術適応のある場合には可及的早期の手術が推奨される．下肢骨折，なかでも大腿骨近位部骨折では長期間の臥床により，合併症の危険性が高まるためできる限り早期に手術を実施する必要があり，36 時間以内に実施することが推奨される．しかしながらわが国では大腿骨近位部骨折の術前待機期間は 2014 年に平均 4.5 日であり（Hagino, 2017），その短縮が課題である．

近年，多職種による取り組み（multidisciplinary care）の必要性が強調されている．すなわち周術期の管理，術前からのリハビリテーション開始，栄養士による再骨折防止のための栄養管理，看護師による術後患者教育などの包括的治療である．英国では老年病内科医による周術期管理，早期手術の導入が進められている．老年病内科医の関与によって術後成績が向上したことが報告されている（Kristensen, 2016）．わが国では老年病内科医の数が少なく，また骨折治療への関わりが少ないのが現状である．

5 人工関節周囲骨折

　　スウェーデンの登録症例の解析結果によれば，2000年の人工股関節置換術後の大腿骨近位部骨折発生率は0.11％であった．再置換術後には骨折の合併率は高まり2.2％（22.39骨折/1,000人・年）に達する．人工膝関節置換術症例では0.3〜2.5％に転倒を原因とした大腿骨顆上骨折が発生している．これらの骨折は手術療法後に骨癒合の遅延や変形治癒を起こしADL，QOL低下を惹起する（人工関節周囲骨折の第9章参照）．

6 リハビリテーション

a 保存療法を選択した場合

　　リハビリテーション治療の基本は廃用の進行防止と改善である．したがってベッド上での臥床安静期間はできる限り短期間にすべきである．

　　高齢者骨折では入院後直ちにリハビリテーションを開始することが必要である．運動療法の目的は臥床に伴う合併症の予防と術後早期ADL復帰である．下肢骨折であれば，上肢および健側下肢筋力強化運動を開始する．患肢も疼痛が自制内であれば等尺性収縮を用いて股関節外転や伸展，膝関節伸展などの運動を行う．さらに深部静脈血栓症 deep vein（venous）thrombosis（DVT）予防のために足関節の底・背屈自動運動を指導し自主的に行わせる．

　　高齢者例では肺炎を合併する危険性が高いため，呼吸機能の維持・悪化防止のために呼吸理学療法も必ず平行して行うことが重要である．特に既往に脳血管疾患を有する症例，80歳以上の高齢者では誤嚥性肺炎の危険もあるため，言語聴覚士による嚥下機能評価および訓練，口腔ケアを実施する．

b 手術療法を選択した場合

1）術直後の運動療法

　　術後直ちに深部静脈血栓予防のための足関節底・背屈を他動運動から開始する．術後麻酔から覚醒したら早期に自動運動を自主的に行わせる．下肢骨折，なかでも大腿骨近位部骨折では健側の中殿筋，大殿筋，大腿四頭筋，ハムストリングスの筋力強化練習を早期に開始する．徒手抵抗に対して下肢関節の伸展，屈曲運動をさせることによりこれらの筋群の収縮が図れる．術後疼痛は早期離床の障害やせん妄の原因となり，リハビリテーション治療を困難とするので，十分な対策が必要である．患肢に対しては疼痛のために自動運動が不可能であれば，大腿四頭筋のセッティングなどの等尺性運動を指導する．

2) 術後早期の運動療法

術後早期の運動療法の目的は早期離床と早期歩行によって廃用症候群を予防することにある．大腿骨近位部骨折では手術翌日より坐位，車椅子移乗練習を開始する．荷重に問題がなければ早期にポータブルトイレなどへの移乗動作を許可し，ベッド周辺の自己管理動作を獲得させることが下肢筋力低下や心肺機能低下の予防となる．

下肢骨折では健側起立，患肢荷重が可能であることを評価したのち，起立，歩行練習を開始するが，術後の運動療法や荷重の進め方は，骨折形態や術式によって違いがある．

c 地域医療連携

高齢者骨折の予防や二次骨折防止では，病診連携，病病連携が必須である．基幹病院は骨折例の手術や保存的治療を担うと同時に，二重エネルギー X 線吸収法（DXA）による骨密度測定を実施する．また骨折以外で骨粗鬆症を疑われた例に対する骨密度測定や鑑別診断を行う．骨粗鬆症と診断されれば適切な薬物療法，運動療法を開始し，患者教育を実施する．骨折例でリハビリテーションの継続が必要で適応がある例では，回復期リハビリテーションを担当する病院に継続を依頼するが，骨粗鬆症に対する治療継続も依頼する．

退院後あるいは基幹病院での精査後には，骨粗鬆症治療はかかりつけ医が担う．

d 骨折リエゾンサービス

手術を中心に治療している整形外科医が，骨折後患者の次なる骨折予防や脆弱性骨折の二次予防の管理を行うことが骨粗鬆症治療の成績向上につながることが明らかとなってはいても，実際には限られた診療時間のなかで十分な対応は困難である．そこで最近ヨーロッパを中心に骨粗鬆症治療におけるリエゾンサービスが注目されている．

liaison は「連絡係」と訳される．骨折治療におけるリエゾンサービスは fracture liaison service（FLS）と呼ばれ，その目的は最初の骨折への対応および新たな骨折の予防である．そのサービス提供対象は大腿骨近位部骨折例，その他の脆弱性骨折例のほか，骨折の危険性の高い例や転倒危険性の高い例，高齢者一般などである．すでにイギリスを中心に実績が報告され費用対効果に優れるとされている．

わが国では日本骨粗鬆症学会により骨粗鬆症治療のコーディネータ（骨粗鬆症マネージャー）の育成と認定制度が実施され，骨粗鬆症リエゾンサービス（osteoporosis liaison service：OLS®）が進められている．OLS と FLS の目的は脆弱性骨折防止という点では同じであるが，FLS が骨折患者の二次骨折予防が主体であるのに対し，OLS は骨折患者のみではなく，診療所や地域での一次骨折予防もその活動に包含する．

7 骨折・再骨折の予防対策
（運動器不安定症対策，ロコモ対策）

ロコモティブシンドローム locomotive syndrome（ロコモ）とは主に加齢による運動器障害のため，移動能力低下をきたして要介護となる危険の高い状態をさす（日本整形外科学会）．

骨は運動器を構成する主な要素であり，骨量減少によって発症する骨粗鬆症は，脆弱性骨折を発症し，日常生活動作（ADL）を制限し，さらに QOL を低下させる．

ロコモティブシンドロームに対する運動療法は，筋力増強運動とともにバランス訓練が重要である．開眼片脚立ち（ダイナミックフラミンゴ訓練），膝関節浅屈曲で行うスクワットが推奨されている．

a 骨折後の再骨折危険性上昇

脆弱性骨折の既往があると加齢や骨量減少とは無関係に骨折の危険性は上昇する．骨粗鬆症とそれに起因する脆弱性骨折は運動器不安定症（musculoskeletal ambulation disability symptom complex, MADS）の原因疾患のひとつである．Klotzbuecher らのメタアナリシスによれば，前腕骨折の既往は前腕，椎体，大腿骨近位部の骨折危険性をそれぞれ 3.3 倍，1.7 倍，1.9 倍に上昇させる．椎体骨折の既往はそれぞれ 1.4 倍，4.4 倍，2.3 倍上昇させる．この結果は脆弱性骨折が生じると，同じ部位の骨折とともに身体の他部位の骨折の危険性も上昇させることを意味している．

また椎体骨折はその有無のみでなく，既存骨折数，骨折グレードが再骨折の危険性と関連する．骨折数は多いほど，またグレードが高いほど，その後の再骨折の危険性が高い．

大腿骨近位部骨折の場合も同様に，骨折後に再骨折の危険性が上昇する．後ろ向き研究では，大腿骨近位部骨折症例で再度大腿骨近位部骨折を発生する率は 7.5〜21.8％と報告され，これは非骨折例に比較して高値である．日本では Yamanashi らが 65 歳以上の大腿骨近位部骨折例を対象に前向き調査を行い，骨折後 1 年の再骨折の発生率が 3.8％，2 年後が 2.8％であったと報告している．

また新たな大腿骨近位部骨折の発生率は，骨折後 6 ヵ月内が高く，Ryg らの検討では骨折後 1 ヵ月では一般人口との危険性比は 11.8 と高く，1 年後でも 2.2 で，骨折後 15 年にわたって大腿骨近位部骨折の発生の危険性は一般人口よりも有意に高い．わが国で大腿骨近位部骨折 2,328 例（平均年齢は 83.6 歳）を対象に調査した全国多施設研究結果では，初回の骨折後 1 年間に 153 例で 160 件の新たな骨折が発生し，このうち 77 件が大腿骨近位部骨折であった．この調査結果を過去の報告と比較すると，大腿骨近位部骨折後は一般人口に比較して，再骨折の危険性が平均 4 倍ときわめて高く，なかでも 65〜74 歳では約 19 倍高いと報告されている．

b 骨折・再骨折の予防

このように高齢者は骨折後に再び骨折が生じやすいという認識が足りず，その観点での適切な生活指導や治療がなされている割合は小さい．デンマークにおける調査によれば，骨折後の骨粗鬆症治療率は男性で16.5%，女性で39.6%と低くその継続率も不良である．大腿骨近位部骨折後の骨粗鬆症治療率は，アメリカでは経年的には上昇傾向にあるものの31%となお低いと報告されている．わが国でも大腿骨近位部骨折後の骨粗鬆症治療率は20%程度との報告が多く，骨折の危険性が高い状態にありながら治療機会が少ないのが現状である．

1) 薬物療法

近年，骨折後の症例を対象に行った骨粗鬆症治療が次の骨折を予防することが明らかにされている．

Osaki らは大腿骨近位部骨折後にビスホスホネート治療を実施した173例と非治療356例を比較し，治療によって新たな大腿骨近位部骨折が予防できたと報告している．さらにビスホスホネート治療によって大腿骨近位部骨折後の症例の生命予後が改善することも知られている．

ビスホスホネートには連日投与，週1回投与，月1回投与，年1回投与の製剤があり，投与経路も経口と静脈内投与がある．経口ビスホスホネートは起床時に空腹な状態で，水のみで服薬する必要があり，服薬後30分間以上（イバンドロネートでは1時間以上）は水以外の飲食を避ける．

ビスホスホネートやデノスマブなどの骨吸収抑制剤が骨癒合に与える影響に関しては，無作為化比較試験やメタアナリシスによる検討が行われ，骨折後早期のこれらの骨吸収抑制剤投与が骨癒合を遷延させることはないと結論されている（Silverman, 2016）．

2) 転倒防止

転倒防止のためには上述の転倒危険因子の評価を行ったあと，可能な危険因子の改善に取り組む．これまでの介入研究やそのメタアナリシスによって，単一の介入方法は転倒防止に有効ではなく，総合的かつ包括的な対応が必要となることが知られている．すなわち多種類のグループ運動，太極拳，個別の多種類の在宅運動，個別評価と包括的な介入が転倒率を低下させる．このほか自宅の安全性改善の介入は視力障害者や転倒リスクの高い例を対象とすれば有効で，向精神薬の漸減，家庭医に対する薬剤処方教育プログラム，ペースメーカー手術，白内障手術も転倒率を低下させる．この転倒予防は医師や看護師のみでなく理学療法士，作業療法士，薬剤師，栄養士，ソーシャルワーカーなど多職種で取り組まなければ十分な効果がもたらされない．

3) ヒッププロテクター hip protector

ヒッププロテクターは転倒時に生じる大腿骨近位部への衝撃を和らげるために，衝撃緩衝材が下着に装着されているものである．1993年にその有意な骨折予防効果が報告されて以来注目されるに至った（Lauritzen, 1993）．しかしながら現在までヒッププロテクターの骨折予防効果については必ずしも一定の評価が得られていない．その原因のひとつに在宅の高齢者を対象としたか，施設入所者を対象としたか，どの程度

危険性の高い高齢者を対象としたかで結果が異なることが考えられている.

ヒッププロテクターの効果を引き出すには常時装着する必要がある. これは高齢者の転倒の多くが排泄動作と関連していることからヒッププロテクターを夜間も装着する必要があるためである. しかしパッド装着の不快感があるとともに, 排泄動作時の脱着に手間を要するため常時装着することができない場合が多い. したがって在宅高齢者では常時装着率が低いため効果を得にくい. 一方施設入所者でスタッフが十分に有用性を理解して常時装着率を高めると骨折予防効果が得られる. わが国で実施された研究結果によると, 施設入所者のなかでも骨折リスクの高い例(高頻度転倒例, やせた例など)を対象にした場合に有効である.

c 整形外科医の役割

骨折治療を担当する医師とその後の骨粗鬆症治療を継続して行う医師が異なることが, 骨折患者に積極的な再骨折予防がされていない理由のひとつである. 骨折治療を行った整形外科医が退院後の骨粗鬆症治療の重要性を患者に教育し, 継続させるとよいことが, これまでのランダム化比較試験で明確に指摘されている. 大腿骨近位部骨折の治療を行った施設で, 再び骨折を生じる危険因子とその防止のための骨粗鬆症治療の重要性を説明した場合には, 骨粗鬆症治療の継続率が有意に上昇することが知られている. 橈骨遠位端骨折後の患者50例を対象に, 治療した整形外科医が骨密度測定結果をかかりつけ医に連絡した群(介入1)と, 骨粗鬆症の診断と治療ガイドラインを手紙に添えてかかりつけ医へ送った群(介入2)との比較も行われている. その結果, 介入1群では74%に骨粗鬆症治療が開始されたのに対し, 介入2群では26%のみに骨粗鬆症治療が行われたにすぎず, 両群間には骨粗鬆症治療開始に有意な差が認められた. このように脆弱性骨折後の悪循環を断ち切るには, 骨折治療を行った整形外科医が積極的にその後に発生する脆弱性骨折予防のための対策を実施することが重要であると同時にその責務を負っている.

d 転倒予防教室

高齢者の転倒を予防するには個別の骨折リスク評価と包括的な介入が必用となる. 転倒予防教室は1997年に東京厚生年金病院で武藤らによって始められた. 主として在宅の健康高齢者を対象として, 骨粗鬆症や転倒予防に関する教育と歩行速度をはじめとした転倒関連運動機能評価を実施し運動療法の指導を行う. 運動療法はバランス訓練を取り入れ, 効果的で安全で楽しく継続できる内容が推奨されている. 現在では転倒予防教室は全国各地に広がり, 介護予防事業の一環として教室が開催されるようになっている.

8 高齢者骨折での死因，死亡率

a 上肢骨折と下肢・脊椎骨折で死亡率が異なる

　　一般に，上肢骨折に比較して，下肢・脊椎骨折の死亡率が高い（Johnell, 2004）．前腕骨骨折などの上肢骨折例の生命予後が一般人口と変わらないのに対して，大腿骨近位部骨折，骨盤などの下肢骨折は死亡率が高い（Iki, 2016）．大腿骨近位部骨折後の死亡率は 6.7 倍，椎体骨折後の死亡率は 8.6 倍に高まる（Cauley JA, 2000）．

b 大腿骨近位部骨折

　　大腿骨近位部骨折患者では受傷後 3 ヵ月から半年までの死亡率が高く，受傷 1 年後の生存率は約 80〜90％と報告されている．90 歳以上の超高齢者では生存率はさらに低下し，1 年後生存率は 70％程度である．一般に骨折患者の死亡率は骨折後 1 年までが高いがその後も非骨折者とは差があり，骨折後 10 年間で死亡率に両者間で 2 倍の相違がある．死亡原因は肺炎が最も多く，心不全，腎不全がこれに次ぐ．

　　生命予後に影響を与える因子としては，性（男性のほうが不良），年齢（高齢者ほど不良），受傷前の歩行能力（低い者ほど不良），認知症（有するほうが不良）などがある（表 12-8-1）．治療法別には人工骨頭置換術のほうが骨接合術より死亡率が高く，おそらく手術侵襲の差によるものと考えられる．

c 脊椎骨折

　　脊椎骨折は生命予後を低下させることが知られている．わが国の椎体の骨折例の10 年生存率は 69％で非骨折例の 86％と有意な差を認めた（Ikeda, 2010）．さらに，骨折数が多いほど生存率が低く，1〜2 ヵ所の例では 76％，3 ヵ所以上の例では 50％で有意な差を認めた（図 12-8-1）．

表 12-8-1　大腿骨近位部骨折の死亡率に影響を与える因子

因　子	オッズ比（95% CI）	p
年齢[1]	1.04（1.03〜1.06）	0.0001
認知症	1.28（1.11〜1.48）	0.0006
性別[2]	0.50（0.35〜0.70）	0.0001
心疾患	1.80（1.28〜2.54）	0.0008
BMI[3]	0.95（0.89〜0.99）	0.0113
手術 2 週後の歩行能力	1.29（1.00〜1.62）	0.025
骨折の既往	1.50（1.01〜2.22）	0.0443

BMI：body mass index
1）80 歳以上は高値，2）女性より男性が高値，
3）18 kg/m^2 より低値であると高値

（Kitamura et al：Clin orthop 348：29-36, 1998 より）

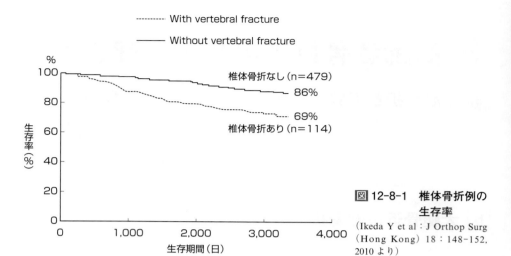

図 12-8-1 椎体骨折例の生存率
(Ikeda Y et al：J Orthop Surg (Hong Kong) 18：148-152, 2010 より)

参考文献

1) Allan LM et al：Incidence and prediction of falls in dementia：a prospective study in older people. PloS one 4：e5521, 2009.
2) Arneson TJ et al：Epidemiology of diaphyseal and distal femoral fractures in Rochester. Clin Orthop 234：188-194, 1988.
3) Bengnér U et al：Increasing incidence of tibia condyle and patella fractures. Acta Orthop Scand 57：334-336, 1996.
4) Cadarette SM et al：Trends in drug prescribing for osteoporosis after hip fracture. J Rheumatol 35：319-326, 2008.
5) Cauley JA et al：Risk of mortality following clinical fractures. Osteoporos Int 11：556-561, 2000.
6) Committee for Osteoporosis Treatment of the Japanese Orthopaedic Association：Nationwide survey of hip fractures in Japan. J Orthop Sci 9：1-5, 2004.
7) Cummings SR et al：Non-skeletal determinants of fractures：the potential importance of the mechanics of falls. Study of Osteoporotic Fractures Research Group. Osteoporos Int 4：67-70, 1994.
8) Delmas PD et al：Severity of prevalent vertebral fractures and the risk of subsequent vertebral and nonvertebral fractures：results from the MORE trial. Bone 33：522-532, 2003.
9) Dempster DW：Bone remodeling. Osteoporosis, Riggs BL ed, 67-91, Lippincott-Ravan, Philadelphia, 1995.
10) Figgie MP et al：The results of treatment of supracondylar fracture above total knee arthroplasty. J Arthroplasty 5：267-276, 1990.
11) Fleish H：ビスホスホネートと骨疾患．森井浩世監訳, 14, 医薬ジャーナル社, 2001.
12) Fujiwara S et al：The incidence of thoracic vertebral fractures in a Japanese population, Hiroshima and Nagasaki, 1958-1986. J Clin Epidemiol 44：1007-1014, 1991.
13) Fujiwara S et al：Fracture Prediction from Bone Mineral Density in Japanese Men and Women. J Bone Miner Res 18：1547-1553, 2003.
14) Gardner MJ et al：Interventions to improve osteoporosis treatment following hip fracture：A prospective, randomized trial. J Bone Joint Surg 87-A：3-7, 2005.
15) Genant HK et al：Vertebral fracture assessment using a semiquantitative technique. J Bone Miner Res 8：1137-1148, 1993.
16) Gillespie LD et al：Interventions for preventing falls in older people living in the community. Cochrane Database Syst Rev, CD007146, 2009.

17) 後藤健治ら：骨粗鬆症性椎体骨折に対する早期診断・保存的治療の重要性について．臨整外 **48**：5-11，2013.

18) Hagino H et al：Changing incidence of hip, distal radius, and proximal humerus fractures in Tottori Prefecture, Japan. Bone **24**：265-270, 1999.

19) Hagino H et al：Recent trends in the incidence and lifetime risk of hip fracture in Tottori, Japan. Osteoporos Int **20**：543-548, 2009.

20) Hagino H et al：Nationwide One-Decade Survey of Hip Fractures in Japan. J Orthop Sci **15**：737-745, 2010.

21) Hagino H et al：The risk of a second hip fracture in patients after their first hip fracture. Calcif Tissue Int **20**：14-21, 2012.

22) Hagino H et al：Survey of hip fractures in Japan：Recent trends in prevalence and treatment. J Orthop Sci **22**：909-914, 2017.

23) Hagino H et al：Recent trends in the incidence of hip fracture in Tottori Prefecture, Japan：changes over 32 years. Arch Osteoporos **15**：152, 2020.

24) Hagino H：Current and Future Burden of Hip and Vertebral Fractures in Asia. Yonago Acta Med **64**：147-154, 2021.

25) Hasegawa Y et al：Risk of mortality following hip fracture in Japan. J Orthop Sci **12**：113-117, 2007.

26) 井出浩一郎ら：骨粗鬆症性椎体不顕性骨折は CT 値で診断可能である．整形外科 **71**：53-56，2020.

27) Ikeda Y et al：Mortality after vertebral fractures in a Japanese population. J Orthop Surg (Hong Kong) **18**：148-152, 2010.

28) Iki M et al：Incident fracture associated with increased risk of mortality even after adjusting for frailty status in elderly Japanese men：the Fujiwara-kyo Osteoporosis Risk in Men (FOR-MEN) Cohort Study. Osteoporos Int **18** (e-pub ahead), 2016.

29) 今井教雄ら：経験と考察 骨脆弱性大腿骨近位部両側骨折例の発生傾向—より適したターゲットは—．整形外科 **68**：214-217，2017.

30) Johnell O et al：Mortality after osteoporotic fractures. Osteoporos Int **15**：38-42, 2004.

31) Kannus P et al：Epidemiology of osteoporotic pelvic fractures in elderly people in Finland：sharp increase in 1970-1997 and alarming projections for the new millennium. Osteoporos Int **11**：443-448, 2000.

32) 喜多晃司ら：大腿骨近位部骨折に対する術後早期足関節運動による術後 DVT 予防の試み．臨整外 **57**：909-914，2022.

33) Kitamura S et al：Functional outcome after hip fracture in Japan. Clin Orthop **348**：29-36, 1998.

34) Kitazawa A et al：Prevalence of vertebral fractures in a population-based sample in Japan. J Bone Miner Metab **19**：115-118, 2001.

35) Klotzbuecher CM et al：Patients with prior fractures have an increased risk of future fractures：a summary of the literature and statistical synthesis. J Bone Miner Res **15**：721-739, 2000.

36) Koike T et al：External hip protectors are effective for the elderly with higher-than-average risk factors for hip fractures. Osteoporos Int **20**：1613-1620, 2009.

37) Kristensen PK et al：Can improved quality of care explain the success of orthogeriatric units? A population-based cohort study. Age ageing **45**：66-71, 2016.

38) Lauritzen JB et al：Effect of external hip protectors on hip fractures. Lancet **341**：11-13, 1993.

39) Lyles KW et al：Zoledronic Acid in Reducing Clinical Fracture and Mortality after Hip Fracture. N Engl J Med **357**：nihpa40967, 2007.

40) Maier GS et al：Risk factors for pelvic insufficiency fractures and outcome after conservative therapy. Arch Gerontol Geriatr **67**：80-85, 2016.

41) Makridis KG et al : The effect of osteoporotic treatment on the functional outcome, refracture rate, quality of life and mortality in patients with hip fractures : a prospective functional and clinical outcome study on 520 patients. Injury **46** : 378-383, 2015.

42) McLellan AR et al : Fracture liaison services for the evaluation and management of patients with osteoporotic fracture : a cost-effectiveness evaluation based on data collected over 8 years of service provision. Osteoporos Int **22** : 2083-2098, 2011.

43) Melton LJ et al : Fracture risk in patients with Alzheimer's disease. J Am Geriatr Soc **42** : 614-619, 1994.

44) Muraki S et al : Factors associated with mortality following hip fracture in Japan. J Bone Miner Metab **24** : 100-104, 2006.

45) 日本整形外科学会診療ガイドライン委員会編：大腿骨頚部/転子部骨折診療ガイドライン（改訂第2版）．南江堂，2011.

46) O'Connor TJ et al : Pelvic Insufficiency Fractures. Geriatr Orthop Surg Rehabil **5** : 178-190, 2014.

47) Oinuma T et al : Secular change of the incidence of four fracture types associated with senile osteoporosis in Sado, Japan : the results of a 3-year survey. J Bone Miner Metab **28** : 55-59, 2010.

48) Orimo H et al : Hip fracture incidence in Japan : estimates of new patients in 2007 and 20-year trends. Arch Osteoporos **4** : 71-77, 2009.

49) Orimo H et al : Hip fracture incidence in Japan : Estimates of new patients in 2012 and 25-year trends. Osteoporos Int **27** : 1777-1784, 2016.

50) Osaki M et al : Beneficial effect of risedronate for preventing recurrent hip fracture in the elderly Japanese women. Osteoporos Int **23** : 695-703, 2012.

51) Ragnarsson B et al : Epidemiology of pelvic fractures in a Swedish county. Acta Orthop Scand **63** : 297-300, 1992.

52) Riggs BL et al : Clinical trial of fluoride therapy in postmenopausal osteoporotic women : Extended observations and additional analysis. J Bone Miner Res **9** : 265-275, 1994.

53) Ritter MA et al : Anterior femoral notching and ipsilateral supracondylar femur fracture in total knee arthroplasty. J Arthroplasty **3** : 185-187, 1988.

54) Robinson CM et al : Implant-related fractures of the femur following hip fracture surgery. J Bone Joint Surg **84-A** : 1116-1122, 2002.

55) Roerholt C et al : Initiation of anti-osteoporotic therapy in patients with recent fractures : a nationwide analysis of prescription rates and persistence. Osteoporos Int **20** : 299-307, 2009.

56) Ross PD et al : Vertebral fracture prevalence in women in Hiroshima compared to Caucasians or Japanese in the US. Int J Epidemiol **24** : 1171-1177, 1995.

57) Rozental TD et al : Improving evaluation and treatment for osteoporosis following distal radial fractures. A prospective randomized intervention. J Bone Joint Surg **90-A** : 953-961, 2008.

58) Ryg J et al : Hip fracture patients at risk of second hip fracture : a nationwide population-based cohort study of 169,145 cases during 1977-2001. J Bone Miner Res **24** : 1299-1307, 2009.

59) Saito M et al : Collagen cross-links as a determinant of bone quality : a possible explanation for bone fragility in aging, osteoporosis, and diabetes mellitus. Osteoporos Int **21** : 195-214, 2010.

60) 酒井昭典ら：骨粗鬆症と骨折治療．臨整外 **51** : 1027-1034，2016.

61) Sakamoto K et al : Report on the Japanese Orthopaedic Association's 3-year project observing hip fractures at fixed-point hospitals. J Orthop Sci **11** : 127-134, 2006.

62) Silverman SL et al : Members of IOFFWG. Fracture healing : a consensus report from the International Osteoporosis Foundation Fracture Working Group. Osteoporos Int **27** : 2197-2206, 2016.

63) Sochart DH et al : Nonsurgical management of supracondylar fracture above total knee arthroplasty : Still the nineties option. J Arthroplasty **12** : 830-834, 1977.

64) Stone KL et al：BMD at multiple sites and risk of fracture of multiple types：long-term results from the Study of Osteoporotic Fractures. J Bone Miner Res **18**：1947-1954, 2003.

65) 杉本利嗣 編：生活習慣病骨折リスクに関する診療ガイド. ライフサイエンス出版株式会社, 2011.

66) Tsuboi M et al：Mortality and mobility after hip fracture in Japan：a ten-year follow-up. J Bone Joint Surg **89-B**：461-466, 2007.

67) 植木正明ほか：大腿骨近位部骨折患者の転倒リスクを高める薬剤と骨折予防効果のある薬剤の服用状況. 整形外科 **71**：845-847, 2020.

68) van Staa TP et al：The epidemiology of corticosteroid-induced osteoporosis：a meta-analysis. Osteoporos Int **13**：777-787, 2002.

69) Yamamoto T et al：Spontaneous osteonecrosis of the knee：the result of subchondral insufficiency fracture. J Bone Joint Surg **82-A**：858-866, 2000.

70) Yamamoto T：Subchondral insufficiency fractures of the femoral head. Clin Orthop Surg **4**：173-180, 2012.

71) Yamanashi A et al：Assessment of risk factors for second hip fractures in Japanese elderly. Osteoporos Int **16**：1239-1246, 2005.

72) Yoshimura N et al：Prevalence of vertebral fractures in a rural Japanese population. J Epidemiol **5**：171-175, 1995.

73) Zebaze RM et al：Intracortical remodelling and porosity in the distal radius and post-mortem femurs of women：a cross-sectional study. Lancet **375**：1729-1736, 2010.

各論

第13章 上肢の骨折

1 上腕骨近位部骨折
fracture of the proximal humerus

　上腕骨近位部骨折は統計によっても異なるが，全骨折の4～5％に発生する．女性は男性の2倍以上発生し80～89歳の女性でもっとも発生頻度が高いとされ，その87％は立った高さからの転倒によって生じる．骨折例の多くは低エネルギー外傷によって骨粗鬆化の進んだ高齢者に発生する．交通事故などによって生じる若年者の上腕骨近位部骨折と脆弱性骨折のひとつである高齢者の上腕骨近位部骨折とは，治療の難易度もまたゴールも異なる．すなわち，若年者に対しては人体で最大の可動域を持つ肩関節の可動域をはじめ機能的に受傷前の状態に復元することが目標となるが，高齢者に対しては痛み，特に夜間痛がなく日常生活動作でおおよそ不自由ない程度の可動域を確保するように治療することが目標となる．

a 解剖・機能解剖

　上腕骨近位部は肩甲関節窩 glenoid cavity に相対し，肩甲上腕関節 glenohumeral joint（狭義の肩関節）を構成している．上腕骨頭は正確には上下径が長い楕円回転体のほぼ1/3を切り取った形状であるが，近位部全体を含めると球に近似している（図13-1-1）．この骨頭の関節軟骨と骨の一部は関節包の内壁から連続する滑膜によって

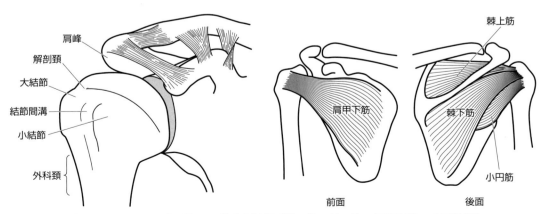

図13-1-1 肩甲上腕関節の骨構造と腱板（棘上筋・棘下筋・肩甲下筋・小円筋腱）

おおわれ解剖頸 anatomical neck と呼ばれる．この解剖頸の幅は上方と前方は狭く，後方から下方にかけて広い．解剖頸に接して外側には大結節 greater tuberosity，前方には小結節 lesser tuberosity が突出し，両者間には上腕二頭筋長頭腱が通る結節間溝 inter tubercular groove，bicipital groove がある．大・小結節と骨幹端が接合する部分は骨折が好発し外科頸 surgical neck と呼ばれる．

関節包は解剖頸の外側縁に付着し，関節包靱帯 capsular ligament である上・中・下関節上腕靱帯 superior，middle，inferior glenohumeral ligament，烏口突起から大・小結節にいたる烏口上腕靱帯 coracohumeral ligament によって前上方〜前方〜下万〜後下方が補強されている．これらの靱帯は，関節運動域が最大に達してはじめて緊張する check ligament で，膝関節の十字靱帯などにみられるような運動を誘導する機能はない．関節包には上腕骨付着部の結節間溝入口部，関節窩付着部の前上方に欠損があり，ここから関節内の滑膜が延長しそれぞれ結節間溝滑液鞘および肩甲下筋腱滑液包 subscapular bursa を形成し，上腕二頭筋長頭腱と肩甲下筋腱の滑動を円滑にしている．関節包と滑液包はともに閉鎖腔を形成し，関節内を陰圧に保つことで関節安定化機構として機能している．

関節包の外面は，前方には小結節に付着する肩甲下筋腱 subscapularis tendon，上方から後下方には大結節に付着する棘上筋腱 supraspinatus tendon，棘下筋腱 infraspinatus tendon，小円筋腱 teres minor tendon が存在する．これら4腱は遠位で互いに横方向に連結する構造を形成し，肩（回旋筋）腱板 rotator cuff と呼ばれる．腱板の上方は肩峰 acromion，烏口肩峰靱帯 coracoacromial ligament および烏口突起からなる烏口肩峰アーチ coracoacromial arch によっておおわれている．このアーチと腱板間には肩峰下滑液包 subacromial bursa が存在し，本来の肩関節と表裏一体となる滑動を行うので第2肩関節 the second shoulder joint とも呼ばれる．

上腕骨近位部の血流は，主に腋窩動脈からの分枝である前・後上腕回旋動脈 anterior and posterior circumflex humeral artery によって供給され，腱板および上腕骨骨幹部からの血流は補助的である．特に前上腕回旋動脈の上行枝に起始する弓状動脈 arcuate artery は骨頭の 3/4 に血流を供給しており重要であるが，前・後上腕回旋動脈系の間には豊富な骨内の吻合があり，後上腕回旋動脈からの血流だけでも十分な骨頭血流量が保たれる（図 13-1-2）．したがって両動脈系の血流が途絶する転位した解剖頸骨折では上腕骨頭の無腐性壊死の可能性が高いが（図 13-1-3），外科頸骨折では血流が保たれるので無腐性壊死は生じない．

関節および皮膚の感覚は C5，C6 神経根に由来する肩甲上神経 suprascapular nerve，腋窩神経 axillary nerve，肩甲下神経 subscapular nerve が支配する．腋窩神経は肩関節に接しながら前内方から下方，さらに上腕骨頸部に接しながら後方に出た後に前方へと走行するため，近位部骨折に際し損傷されやすい（図 13-1-4）．すなわち肩関節前内方には腕神経叢および腋窩動脈などからなる神経血管束が走行しており，骨折の原因となる外力そのものや，転位した骨片によってこれらが損傷されることがある．

肩関節運動には肩甲上腕関節と第2肩関節が円滑に滑動する必要があるが，転位を伴う大結節骨折は第2肩関節の円滑さを失わせ，肩関節機能を障害する．一方，運動

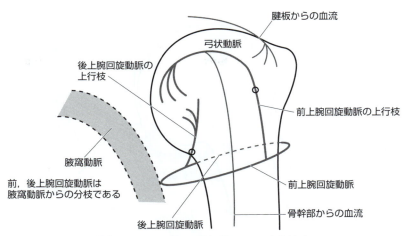

図 13-1-2 上腕骨近位部への血液供給路

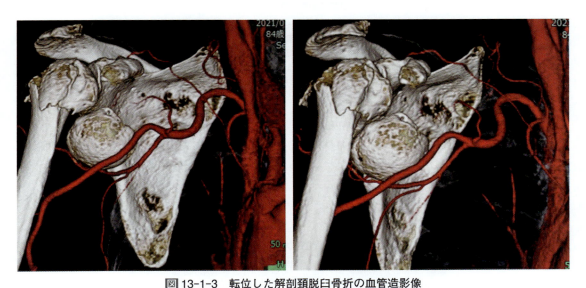

図 13-1-3 転位した解剖頸脱臼骨折の血管造影像
転位した骨頭骨片によって腋窩動脈は圧排されているが明らかな断裂や閉塞はない.

に深くかかわる腱板の主な役割は、①肩関節運動に際し骨頭を安定化して支点を与える、②上腕の挙上に際し三角筋に対抗して骨頭自体の上昇を抑える（骨頭の depressor）、③各々の筋腱として肩関節の回旋運動を行う、に分けられ動的安定化機構であるとともに動力源でもある。骨折の際にその牽引によって大・小結節骨片を転位させるが、互いの骨片を連結することにより大きな転位を防いでもいる.

b 受傷機転

受傷原因は若年者ではスポーツや交通事故による外傷が、骨の脆弱性がある高齢者では転倒などによる比較的軽微な外傷が受傷機転となる。乳幼児の骨折では分娩骨折や幼児虐待の可能性も念頭において、診察する際には必ず裸にしてタバコの熱傷痕や腹部や背部の打撲傷の有無を確認する.

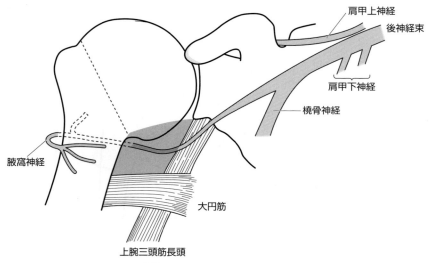

図 13-1-4　腋窩神経の走行
腋窩神経は後神経束から分岐し，肩関節の前内方で肩甲下筋よりも浅層を走行した後，大円筋・上腕三頭筋長頭・上腕骨頸部・上腕骨頭によって囲まれた quadrilateral space（四辺形間隙）（網かけ）を前方から後方へ抜ける．この部分では肩関節の前下方および下方，上腕骨外科頸の内方に接しているため，肩甲上腕関節前方および下方脱臼，上腕骨近位部骨折に際して損傷されやすい．

受傷機転は長軸方向に加わる介達外力が最も多く，次に最大挙上位における回旋強制や外側からの直達外力などである．この場合には大結節単独骨折や外科頸骨折が生じやすい．

c 骨折の形態・分類

乳幼児の骨折では分娩骨折を含め Salter-Harris I 型骨端離開，学童期には骨幹端骨折，12～14 歳では Salter-Harris II 型骨端離開が多い．少年野球選手に生じる Little Leaguer's shoulder は，疲労骨折による骨端離開（Salter-Harris I 型）と考えられている．

成人では複数の検者間の合致率および同一検者による再現性が低いとの批判はあるが，一般的に Neer 分類が用いられる．

1) Neer 分類

Neer 分類（four-segment classification）では骨頭，大結節，小結節，骨幹部の 4 つの segment に注目し，segment 相互に 1 cm 以上の離開あるいは 45°以上の回旋変形がある場合を displaced fracture（2-part，3-part，4-part 骨折）とする．骨折線があってもこれ以下の転位であれば周囲の軟部組織の損傷が軽微で骨血流も保たれているとの考えから minimally displaced fracture（1-part 骨折）とする．この分類の最大の特徴は，骨折型と治療法選択との関係がわかりやすいことである．なお Neer 自身が 2002 年に従来の分類に 4-part 外反嵌入骨折を追加しているので，現在ではこの改訂された Neer 分類を用いることが多い（図 13-1-5）．この Neer 分類の有用性については，塩野らによれば 603 例中わずか 8 例（1.3％），Tamai らによれば 509 例中 2％がこの Neer 分類のいずれにも含まれなかったにすぎないと報告している．

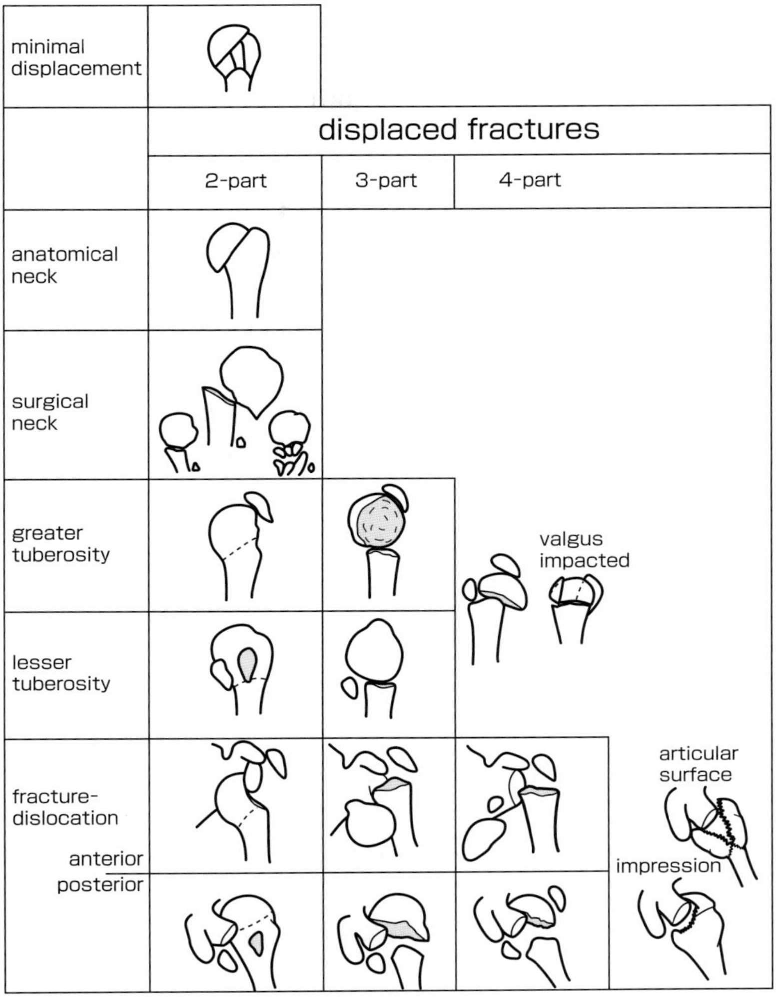

1 上腕骨近位部骨折　　**393**

図 13-1-5　改訂された Neer 分類（2002）

従来の Neer 分類（1970）に 4-part 外反嵌入骨折 valgus impacted fracture を加えたもの.
（Neer CS：J Shoulder Elbow Surg 11：389-400, 2002 をもとに作図）

2) AO/OTA 分類

　　AO/OTA 分類は 2018 年に改訂された．上腕骨近位部であることを示す 11 の次に，関節外に 1 ヵ所の骨折線がある A 型（unifocal fracture），関節外に 2 ヵ所の骨折線がある B 型（bifocal fracture），関節内骨折あるいは 4-part 骨折である C 型の 3 つに大別される．さらに A 型は，大結節骨折の 11A1.1 と小結節骨折の 11A1.2 に分けられ，外科頚骨折である 11A2 は，単純骨折である 11A2.1 と楔状の第 3 骨片のある 11A2.2 と粉砕している 11A2.3 に分けられる．斜骨折である関節外骨折は，11A3 に分けられる．B 型は外科頚骨折に大結節が骨折している 11B1.1 と小結節が骨折している 11B1.2 に分けられる．C 型は外反嵌入骨折である 11C1.1 と解剖頚骨折である 11C1.3 とに分けられ，4-part 骨折は骨頭関節面に骨折のない 11C3.1 と関節面の骨折がある 11C3.2 と関節面および骨幹部まで骨折が及ぶ 11C3.3 に分けられる．骨頭への血流は A 型では障害されず，B 型では部分的に障害され，C 型では障害される．他部位の骨折の AO/OTA 分類と共通のコンセプトであることが利点であり，外傷整形外科の領

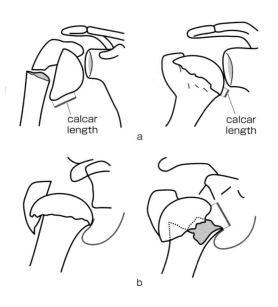

図 13-1-6 Hertel らの分類（上腕骨頭の血流に関連する骨折形態）
a. calcar length が 8 mm 以上（左）では骨頭血流が良好であるが，8 mm 未満（右）では不良である．
b. 骨頭と骨幹部上端の内側骨皮質が接している場合（左）は骨頭血流が良好であるが，離開している場合（右）は不良である．
（Hertel R et al：J Shoulder Elbow Surg 13：427-433, 2004 より）

域でよく用いられる．

　骨折型と血流の関係については，Hertel らは術中に上腕骨頭の血流を直接測定し，上腕骨頭の内側に連続する近位骨幹端（calcar）の長さが 8 mm 未満の場合や骨頭内側と骨幹部上端の骨皮質との間に明らかな離開がある場合は骨頭血流が乏しいと報告した（図 13-1-6）．山根らも骨頭内側に付着する calcar が 10 mm 以下で脱臼を伴う場合は，100％骨頭壊死が生じると述べている．受傷時に骨頭血流が不良でも revascularization が起きる場合もあるが，骨頭骨片の内側骨皮質の長さは頚部内側を上行する血流の良否を示しているので治療法選択の参考になる．

d 診　断

　急性期には外傷歴と自発痛，腫脹，骨折部に一致した限局性圧痛，運動時痛，変形などの骨折に共通した症状を呈するので診断は容易である．しかし minimally displaced fracture（1-part 骨折）では，このような症状がそろわないこともあり，外傷性腱板炎，腱板断裂，打撲などとの鑑別には画像診断が必須となる．臨床で身体所見をとらずに画像所見によってのみ骨折の診断を行うと，合併することのある神経麻痺（特に腋窩神経麻痺など）や腱板断裂などが見逃されることがあるので注意する．

　上腕骨近位部骨折が疑われた場合には，外傷シリーズ（trauma series）と呼ばれる単純 X 線写真撮影を行う（図 13-1-7）．この 3 方向撮影は骨折している上肢を動かすことなく撮影できるので患者に与える苦痛が少ない．通常はこの単純 X 線写真所見によって診断と分類が行われる．骨折がある場合 CT 撮影は骨折の詳細を把握することが容易となり，特に手術療法を行う場合には CT/三次元 CT は必須である（図 13-1-8）．

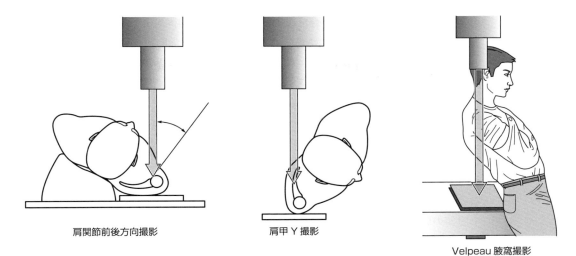

図 13-1-7　trauma series と呼ばれる単純 X 線写真撮影法
（Neer CS II：Shoulder reconstruction. Philadelphia：WB Saunders p.14-21, 1990 より）

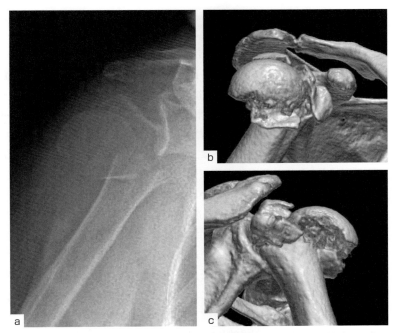

図 13-1-8　単純 X 線（a）と三次元 CT（b は前方から，c は後方から）
CT/三次元 CT では，各骨片の大きさと転位の程度をより視覚的に認識できるので，手術前計画のためには必須である．

e 治　療

　上腕骨近位骨端線が閉鎖していない小児骨折は，自家矯正力が強いのでほとんどが保存療法の適応で手術療法の適応には慎重を要する．近位成長軟骨板が長軸成長の80％を占めるため，骨癒合が得られれば自家矯正力によってほとんど問題は生じな

い．整復位の保持が困難な場合は経皮的 Kirschner 鋼線固定を行う．

　成人の上腕骨近位部骨折の治療法について十分な科学的根拠は存在しない．Lanting らはその理由として 1) 多くの報告が case series であること，2) 治療者とは別の第三者による成績評価が行われていないこと，3) 統計学的解析が不十分な場合が多いこと，4) 骨折の分類法や治療成績の評価法が一定でないためメタアナリシスが困難であること，などをあげている．ここでは比較的受け入れられている方法と筆者の行っている方法を記載する．保存療法を行う際は次の 2 点が重要である．① 大結節骨片には外旋筋群が付着しているので，肩関節を内旋位固定すると大結節骨片は転位する力が加わりやすくなる．② 受傷後 2 週間前後は疼痛が強く，特に夜間痛が著明なので睡眠時の姿勢を十分に指導する．具体的には肩甲骨がやや前方に傾いているので患側の肩甲骨と上腕部の下に枕などを入れて肩関節の過伸展を防ぎ，患肢内側にも枕などを入れて（いわゆる抱き枕），過度の内旋を防ぐようにする．

1) 治療の原則

　Neer（表 13-1-1）と AO グループ（表 13-1-2）によって示された治療原則について記載する．Neer 分類で転位型骨折であっても外科頚 2-part 骨折では，一部を除いて保存治療が原則と述べている点は注目すべきであり，AO グループでは 20 mm 以上の転位を手術適応であるとしている．また大結節骨折については，Neer 分類で2-part 骨折では手術を勧めているが，AO グループは 5 mm の転位（すなわち Neer 分類では minimally displaced fracture（1-part 骨折））でも手術を勧めている．

　手術の際には，① 大胸筋-三角筋間から入る前方進入路と，② 三角筋の前方線維と外側線維間から入る前外側進入路がよく用いられる（図 13-1-9）．いずれの進入路を用いるにせよ，Langer 皮膚割線に沿った皮切を原則として用いるべきである（図 13-1-9, 10）．前外側進入路は，髄内釘固定法や最小侵襲法によるプレート固定，大結節骨折で小さな骨片の症例，外反陥入型骨折の一部などに用いられる．この進入路では後方から前方に走行している腋窩神経を損傷しないように注意する必要がある．大胸筋-三角筋間から入る前方進入路は，ほとんどすべての骨折に対応でき，人工骨頭置換術やリバース型人工肩関節全置換術を行う際にも用いられる．筆者は術後早期からの後療法（おじぎ・振り子運動）を行うことが重要と考えているので，三角筋を肩峰や鎖骨から剥離するような進入路は原則として用いない．また，上腕骨近位部骨折の観血的整復固定を行う際には，各骨片と同様に常に腱板に留意して，原則として内固定材に腱板（特に棘上筋腱，棘下筋腱，肩甲下筋腱）を縫着して術後の再転位を防止する．小結節骨片が転位している際には上腕二頭筋腱にも十分留意して手術を行う．70 歳以上の高齢者であれば筆者は原則として腱固定を行っている．

2) 骨折型別の治療法

a) 1-part 骨折に対する保存治療

　大結節骨折を除けば 1-part 骨折に手術を行う必要はなく（筆者は棘上筋腱のみ付着した骨片の小さい大結節骨折では 5 mm 以上の転位があれば手術を勧める），原則としてまずはすべて保存的に治療する．筆者は可能であれば受傷直後からおじぎ運動・振り子運動を開始している．ただし，この運動を行うことによって転位する例では手術治療を勧めている．（もちろん転位しなければ）そのまま保存治療を続けて，自助

表 13-1-1　上腕骨近位部骨折に対する Neer の治療原則

1-part 骨折	保存治療 他動運動から始めてしだいに自動運動へ
2-part 骨折	保存治療 例外：大結節の転位，外科頸骨折の一部
3-part 骨折	観血的整復内固定術 例外：高齢者，骨頭に付着する軟部組織がすでに変性している場合（腱板の変性断裂など）
4-part 骨折	人工骨頭

（Neer CS Ⅱ：Shoulder reconstruction. p.363-398, 1990 より）

表 13-1-2　AO グループの上腕骨近位部骨折の保存治療と手術治療

保存治療の適応	手術治療の適応（全体の約 20% の症例）
高齢者 併存疾患が多い場合 転位が小さい場合	若年者，活動的な高齢者 次のいずれか 　　結節の転位≧5 mm 　　骨幹部の転位≧20 mm 　　骨頭骨片の angulation≧45°

（Guy P：AO Principles of fracture management. p.573-593, 2007 より）

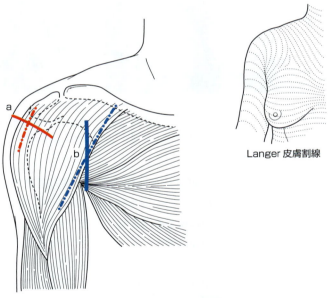

図 13-1-9　前外側進入路と前方進入路の皮切
a. 前外側進入路の皮切．三角筋線維方向に一致した縦切開も用いられるが（・━・）, Langer 皮膚割線に沿った斜切開のほうが好ましい（━━）．
b. 前方進入路の皮切．三角筋-大胸筋間隙に沿った斜切開は（・━・），展開は容易であるが女性には適さない．腋窩に向かう 6〜7 cm の縦切開（━━）が，若年者や女性にはよい．

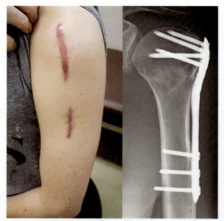
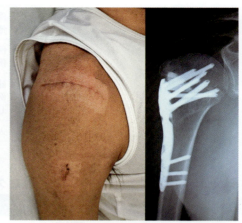

Langer 皮膚割線に沿っていない皮切

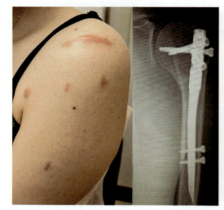
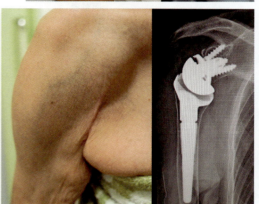

Langer 皮膚割線に沿った皮切

図 13-1-10　皮切と手術創瘢痕
どの内固定材を用いるにせよ，原則として Langer 皮膚割線に沿った皮切を用いるべきである．

　他動運動により挙上可動域を確保する．抗重力運動は経過中の単純 X 線写真所見で骨癒合の程度を判断してその開始時期を決めるが，通常は受傷後 6～8 週から行う．
　保存治療を行う際に徒手整復を勧める報告もあるが，筆者は上腕骨頭が脱臼している症例以外では，以下の理由から徒手整復を行っていない．① 治療方針の決定およびその予後については，徒手整復後の画像所見よりも受傷直後の画像所見が大切であること，② 外反陥入している上腕骨頭の不用意な整復で骨頭の血流を阻害する可能性があること，③ 転位している大結節，小結節はそれぞれに付着している腱板によって生じていることがほとんどなので，前述したように徒手整復するよりもその骨片の保持には，三角巾などによる内旋位固定を避けて内外旋中間位に保持することが重要であること，④ 転位している上腕骨骨幹部と骨頭の位置関係は，振り子運動を行うことで改善していく例が多いことなどである（図 13-1-11）．

b）2-part 外科頸骨折に対する保存治療

　骨折端が嵌入あるいは接触した外科頸骨折は原則として保存治療の適応である．外科頸部の骨横径は通常は 30～40 mm あるので前述のように約 20 mm までの転位であ

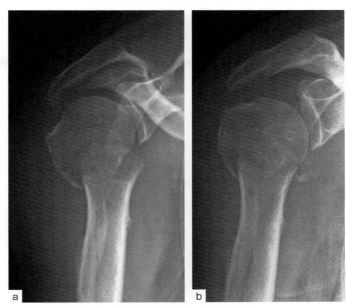

図 13-1-11　右上腕骨外科頚骨折例（68 歳，女性）
特に徒手整復をしなくても振り子運動を行って内外旋中間位を保持することで，受傷直後よりも適合性は改善している．
a. 受傷直後
b. 受傷後 2 週，振り子運動開始後 12 日

れば保存治療が可能である．筆者は Desault 固定や Velpeau 固定など内旋位で外固定をすることは原則的に行わない．その理由は内旋位での拘縮を予防するとともに，大結節には外旋筋が付着しているので，骨折している可能性がある大結節の転位を予防するためにできる限り中間位に保持した方が良いからである．その為には上肢を下垂位とすることで自然に中間位となり腋をあけないように指示している．可能であれば受傷直後からおじぎ運動・振り子運動を開始している．抗重力運動は単純 X 線写真で骨癒合の程度を判断してその開始時期を決定するが，通常は受傷後 6〜8 週から始める．もし治療中に骨折端が転位して相互の接触がなくなるか，あるいは骨頭の内反が進行する場合には手術治療も考慮する．

c) 2-part 大結節骨折に対する骨接合術

　大結節は付着する腱板の牽引力によって転位する．癒合不全や転位の残存は外転筋力の低下，肩峰下インピンジメントの原因となるので注意が必要である．特に大結節骨片が小さく棘上筋腱のみが付着している場合には，上方へ転位しやすいので治療方法は慎重に選択する．AO グループの指摘する通り，5 mm 以上の転位があれば（たとえ 1-part 骨折であっても）手術を考慮する．筆者は大結節骨片がそれほど大きくない場合には，外傷性腱板断裂に準じて三角筋を線維方向に縦割して進入し，腱板に縫合糸（ポリエチレン素材）を通して引き寄せ鋼線締結法により固定することが多い．大結節骨片が大きい例や脱臼骨折例では三角筋-大胸筋間から進入する．おじぎ運動・振り子運動は手術直後から開始する．

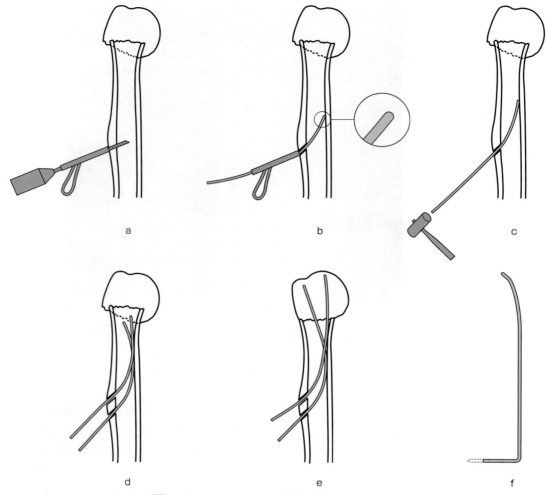

図 13-1-12　Kirschner 鋼線髄内固定法（小川法）

a. 三角筋粗面上の小皮切から進入し，固定用 Kirschner 鋼線（通常は，小児 2.0 mm，成人 2.4 mm）よりやや太いドリルまたは Kirschner 鋼線で，仰角 45°の穴を 2〜3 個開ける.
b. Kirschner 鋼線の丸いほうの端を少し曲げ，髄腔内に入れる.
c, d. Kirschner 鋼線の先端を髄腔内ですべらせ，骨折部近くまで打ち込む.
e. 骨折を徒手的に，または小切開創から手術的に整復した後に，Kirschner 鋼線先端を骨頭軟骨下骨まで打ち込む．最後に肘頭から軽く叩いて骨折を咬合させる.
f. 実際に用いる形成した Kirschner 鋼線

d) 2-part 外科頸骨折および 3-part，4-part 骨折に対する骨接合術

　　　主な術式は創外固定，pin and wire 固定（スクリューを含む），糸・軟鋼線による骨縫合引き寄せ鋼線締結，Kapandji 法（およびその変法である小川法）（図 13-1-12），髄内釘固定，プレート固定などがあげられる（図 13-1-12, 13）．どの固定方法を選択するかは，骨折型，粉砕の程度，骨粗鬆化の程度，全身状態，患者の年齢，職業，利き手かどうか，術者経験などを考慮して決める．術式の選択に際しては，それぞれの術式の長所と短所を十分に理解することはもちろんであるが，同じ術式でも種々の内固定材料があることとそれぞれの特徴を十分知識として持つ必要がある（例えば髄内

1 上腕骨近位部骨折　　*401*

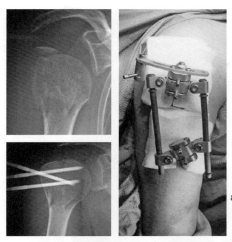

a. 創外固定：転位している大結節骨片に創外固定用のスクリューを挿入して整復固定する．術後の再転位とスクリュー挿入部の皮膚の管理に注意する必要がある

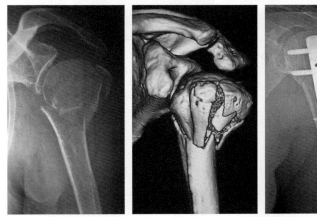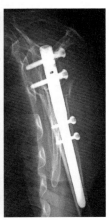

b. 髄内釘固定：髄内釘にはストレートネイルとカーブドネイルがあり，図はストレートネイルによる固定．棘上筋腱と棘下筋腱にかけた縫合糸を横止めスクリューを使って縫合し，術後の再転位を防止している

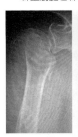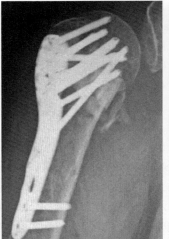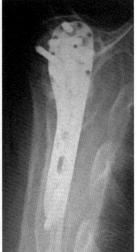

c. プレート固定：左右非対称のプレートによる固定．上腕骨頭の骨欠損部に人工骨移植を行い，骨頭の内反転位を防ぐために上腕骨頭内に8本のスクリューを挿入し，棘上筋腱と棘下筋腱，肩甲下筋腱にかけた縫合糸をプレートの孔を使って縫合している

図13-1-13　骨接合術の主な固定方法

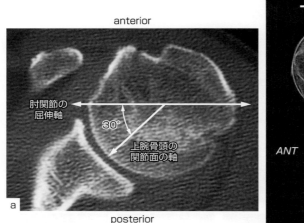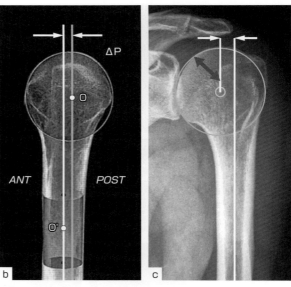

図 13-1-14　上腕骨頭のオフセット
a. 上腕骨頭の後捻：肘関節の屈伸軸に対して，上腕骨頭の関節面の軸はおよそ 30°後捻している．
b. 後方オフセット：肩関節を側面から見ると上腕骨頭を近似した球の中心は，上腕骨軸の後方に位置している．これは上腕骨近位部骨折で上腕骨頭は多くの場合，後方へ転位する理由のひとつである．
c. 内側オフセット：肩関節を正面から見ると上腕骨頭を近似した球の中心は，上腕骨軸の内側に位置している．これは上腕骨近位部骨折で上腕骨頭が内反転位しやすい理由のひとつである．

釘でもストレートネイルやカーブドネイルがあること，プレートでも左右別々のものや左右同一のものあるいは打ち上げのスクリューがあるものないものなどがある）．筆者は 2-part 外科頸骨折に対して手術を行う場合には原則髄内釘を，外反嵌入骨折に対しては弾力的内固定法の 1 つである Kapandji 法を選択している．3- 4-part 骨折に対して骨接合術を行う場合には，原則としてプレート固定を行っている．特に若年者の 4-part 骨折，脱臼骨折例に対して骨接合術を行う場合には，できるだけ上腕骨骨頭に低侵襲である展開を行い，大・小結節の位置と骨幹部の位置関係が解剖学的になるように細心の注意をはらっている．また若年者の骨質は良好なので上腕骨頭壊死が生じても骨頭内のスクリューが骨頭穿破しないように少し短めのスクリューを使用している．骨接合術では上腕骨頭の内反変形の防止と大・小結節の再転位の防止が治療成績向上のポイントである．

e）3-part, 4-part 骨折に対する人工骨頭置換術

head splitting fracture，高齢者の 4-part 骨折では人工骨頭置換術が第一選択となる．しかし過去の報告では機能回復が不満足な例が 30〜40％を占め，自動屈曲は平均 90°前後である．良好な結果を得るには可能な限り受傷後早期に手術を行うこと，解剖学的な上腕骨頭のオフセット（後捻，後方オフセット，内側オフセット）（**図 13-1-14**）を再現すること，大・小結節の確実な骨癒合を得ること（結節に関する合併症を回避すること）が重要である．筆者は 75 歳以上の 3-part 骨折，65 歳以上の 4-part 骨折は人工骨頭の適応と考えている．機種としては，解剖学的な上腕骨のオフセットが再現できるような種々のサイズがある偏心性の骨頭を有し，将来必要があればリバース型

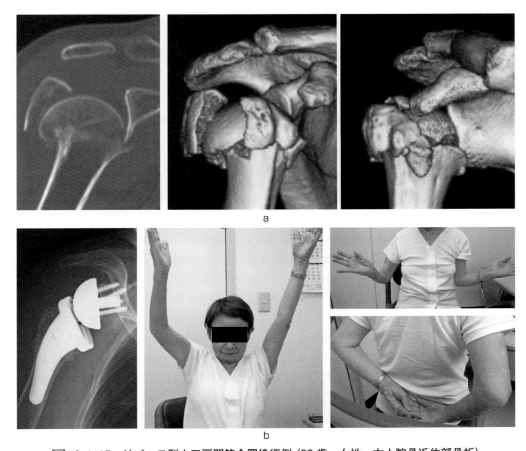

図 13-1-15　リバース型人工肩関節全置換術例（80歳，女性．右上腕骨近位部骨折）
a. 術前画像検査：上腕骨頭は外反陥入しているが，ヒンジ部が短く転位しているため骨頭壊死のリスクが高い．
b. 年齢と後療法を考慮してリバース型人工肩関節全置換術を行った．手術後3ヵ月の単純X線写真と可動域である．

人工肩関節への変更も容易なモジュラー型のシステムを用いて，可及的に解剖学的形態を復元することを目標とする．

f) 3-part, 4-part 骨折に対するリバース型人工肩関節全置換術

わが国でも2014年4月からリバース型人工肩関節の使用が可能となり，高齢者の上腕骨近位部骨折に対しての使用が国内でも報告されだした．筆者の新鮮例に対しての使用経験はそれほど多くはないが，人工骨頭置換術に比べると手術後の後療法が簡単で，復帰も早いという印象である（図13-1-15）．文献的には，人工骨頭置換術後の肩関節挙上角度が良好な群と不良な群の2峰性になるのに比較すると，リバース型人工肩関節ではばらつきが少ないと報告されている．

g) 高齢者の3-part，4-part 骨折に対する各治療方法の比較

ロッキングプレートを用いた骨接合術と人工骨頭置換術とを比較すると，骨接合術のほうが関節可動域は良好であるが，合併症率，再手術率が高いとする報告が多い．ロッキングプレートを用いた骨接合術とリバース型人工肩関節全置換術とを比較しても，骨接合術のほうが関節可動域は良好であるが，合併症率，再手術率が高いとする

404 　各 論　第13章　上肢の骨折

報告が多い.

　人工骨頭置換術とリバース型人工肩関節全置換術とを比較すると,近年ではすべての項目でリバース型人工肩関節全置換術が同等以上と報告されている.すなわち,リバース型人工肩関節全置換術は,人工骨頭置換術よりも挙上可動域,臨床成績は良好で,合併症率,再手術率が低いと報告されている.そのため現在,北米では骨折に対して人工骨頭はほとんど用いない.筆者は,患者の術前の活動性,後療法への意欲,年齢,併存する合併症によって使い分けている.

■3) 手術療法の進入路

a) 大胸筋-三角筋間から入る前方進入路

　皮切は治療の原則で述べた通り,Langer皮膚割線に沿った皮切を用いるべきである.筋膜上で皮下を剥離した後,三角筋胸筋溝に沿って近位は鎖骨まで筋膜を切離し(三角筋の起始部は鎖骨から剥離しない),遠位は三角筋腱前方部と下方に続く上腕筋の筋膜まで展開する.橈側皮静脈は原則として内側によけ,三角筋胸筋溝の上1/3を斜めに横走する胸肩峰動静脈の三角筋枝は結紮・切離する.

　共同筋腱を構成する上腕二頭筋短頭の筋腹外側縁で筋膜を切離し,ここから烏口下滑液包を展開し,さらに烏口肩峰靱帯の下方面を確認する.この靱帯の外側縁から鈍的に肩峰下滑液包を展開する.肩峰下滑液包の前壁を遠位まで切離すると三角筋の緊張が手術の妨げになることなく,鎖骨起始部からの切離も必要がない.特に受傷時から1週間以上経過して行う手術では,この肩峰下滑液包の剥離操作は重要となる.

　近位端の内側の骨膜は温存する.近位骨幹端の骨を露出する必要がある場合には,大胸筋付着部の外側に沿って上腕筋の筋腹とともに骨膜を縦切する.プレートを設置する場合には,三角筋腱付着部は前方部分だけを最小限剥離する.また骨幹端の粉砕が著しい例では,骨膜を大きく剥離しないほうがよい.結節骨片は薄い皮質だけのことも多いので,直接骨鉗子等で把持しないことが大切で,腱板に縫合糸をしっかりとかける.骨折型にもよるが,棘上筋腱,棘下筋腱,肩甲下筋腱にそれぞれ分けて縫合糸をかけて,この縫合糸を用いて整復操作を愛護的に行う.

b) 三角筋の前方線維と外側線維間から入る前外側進入路

　皮切は治療の原則で述べた通りLanger皮膚割線に沿った皮切を用いるべきである.筋膜上で皮下を剥離した後,三角筋縫線の部分を分けて滑液包を切開して大結節部に達する.三角筋を遠位まで分けてしまうと腋窩神経損傷の危険があるので注意する.

　プレート固定の場合には,エレバトリウムを用いて上腕骨に沿わせてプレート挿入のためのスペースを作製する.その際には腋窩神経の走行をまずは指で触知して確認することが大切である.転位した骨頭骨片に対してはKirschner鋼線を刺入し,joy stick techniqueで骨頭骨片をコントロールしながら整復を行う.結節部に骨折がある場合には,腱板に縫合糸をしっかりかけてこの縫合糸を用いて整復操作を愛護的に行う.整復では骨頭骨片の後屈転位が残存しやすく,助手は肘から遠位を挙上させて骨頭の後捻を考慮して肢位を保持して,透視画像で整復位を確認する.

　髄内釘固定の場合には,髄内釘の骨頭刺入位置が最も重要なので,透視画像を用いて慎重に確認する.骨頭頂部の髄内釘挿入孔の位置が確認できたら,この位置を中心に腱板をその線維走行に沿って3cm切開する.切開部前内側約1〜2cmには上腕二

頭筋長頭腱が走行しているので，深部を確認しながら慎重に切開を進める．2-part 外科頸骨折以外の 3-part 骨折や 4-part 外反嵌入骨折に髄内釘を使用する場合には，骨頭や結節を至適位置に整復したうえで，腱板切開の位置決めを行わないとこの後の結節固定や腱板修復に難渋することがあるので注意する必要がある．

附-1 石黒による上腕骨近位部骨折に対する積極的保存治療

石黒は骨折面の適合が得られない例，脱臼骨折で骨頭が徒手整復できない例，再転位をする例，骨幹部骨折，社会的に手術適応のある例，認知症例，片麻痺例などを除き基本的に積極的保存治療を推奨している．方法は可及的徒手整復を行い受傷 1 週後より，健側の上肢で身体を支えながら体幹が床面と平行になるように前屈し，さらに指尖が床に接触するぐらいの zero position で振り子運動を 1 回 10 分くらいを目安にできるだけ多くの回数を行う．夜間は三角巾とバストバンドで固定を行う．受傷後 6 週から挙上運動を追加する．この方法により 3-part，4-part 骨折でも良好な骨癒合や可動域が得られると報告している．

f 後療法

手術後の後療法の良否が最終的な機能回復の程度を決定する．機能回復には疼痛がなく良好な可動域が必要となるので，関節可動域獲得訓練は可能な限り早期に開始する．すなわち早期運動を可能にする骨折部の固定性を得ることが初期治療の目標となる．肩関節の可動域獲得訓練は重力を利用した他動運動を自動運動より先に早期から開始する．主な訓練法は脱力を前提として重力を利用したおじぎ運動，振り子運動である．これらの運動は脱力が上手く行われると摩擦係数がきわめて小さい肩関節のみの運動となり骨折部に大きなストレスはかからない．もし関節可動域獲得訓練の開始が遅れると，拘縮によって肩関節の動きが制限され（特に肩峰下滑液包の癒着が生じることが多い），この制限を超える可動域獲得訓練は骨折部に機械的ストレスを加えることになる．また認知症などの合併症により脇を締めるような外固定をしなければならない例では，内旋位に固定となりやすく内旋位拘縮が生じやすい．できる限り上肢を下垂位として内外旋中間位で保持するようにする．

骨折部の安定性が増し軟部組織の腫脹が軽減したら（通常 3〜4 週後），そのほかの他動的・自助的可動域獲得訓練を開始し，さらに等尺性筋力増強運動を行う．骨折の安定性が増し 120° 以上の挙上が得られたら，積極的にストレッチ運動や抵抗運動，等張性筋力増強運動などを追加する．

良好な挙上可動域を得るためには，骨頭が肩峰下のアーチを通過する必要があることをいつも念頭におくべきである．

g 治療成績を左右する因子

成績を左右する主な因子は，受傷前の活動性，年齢，受傷時の合併症，治療中に生じる合併症，および後療法である．受傷前の活動性と年齢は治療法の種類にかかわらず最も機能的予後に大きな影響を与える．

高齢者では機能低下や骨片の転位程度と患者満足度は必ずしも相関しない．受傷時の合併症では動脈損傷と神経損傷が重大な機能障害をもたらす原因となる．特に腋窩

動脈損傷は早期に発見し治療を行わないと上肢が広範な壊死に陥る可能性がある．末梢骨片である上腕骨骨幹端が大きく内側へ転位している例や，脱臼骨折で上腕骨頭が腋窩に大きく転位している例では血管損傷に注意する．必要があれば血管造影等を行い，骨折周囲の血管の状態を評価しておくことは手術治療をするうえでも有用である（図13-1-3参照）．また腕神経叢麻痺は常にその可能性を念頭において診察しないと見逃されやすい．多くの例では一過性で時間とともに回復するが，電気生理学的検査を行って神経麻痺の高位と程度を評価して経過を観察し，回復が見られない場合は受傷後3ヵ月くらいで神経に対する手術を考慮する．

　観血的整復固定術に伴う早期合併症は非常に多く，特にロッキングスクリュープレート固定によるスクリューの関節内突出や術後の再転位などは数多く報告されている．髄内釘でも早期合併症は約30％に及び，半数は近位スクリューの緩みや脱落で，それに伴う骨頭の再転位も多い．これらの合併症のため，高齢者の観血的整復固定術の再手術例は少なくなく，30％以上とも報告されている．

　このような背景から，近年は高齢者の上腕骨近位部骨折に対しては観血的整復固定術よりも人工骨頭やリバース型人工肩関節全置換術が行われることが多くなっている．特にわが国より欧米でこの傾向は強い．人工骨頭置換術では大・小結節の骨癒合の可否が術後の治療成績，特に可動域に直結している．このため大・小結節の種々の縫合法や大きな骨移植が可能な外傷用ステムなどが開発されている．リバース型人工肩関節全置換術では人工骨頭置換術に比べると大・小結節の骨癒合も得られやすく，前述したようにある程度の挙上角度も獲得できるので，最近では人工骨頭置換術よりも多く行われている．

　高齢者の上腕骨近位部骨折の手術治療は，発生頻度の高い橈骨遠位端骨折，大腿骨近位部骨折の手術治療と比較するとはるかに難易度が高い．その理由は上腕骨骨頭の皮質骨は薄く軟骨面も多く，さらに肩関節の可動域が大きいので，受傷前の機能を回復するのは容易ではない．近年，上腕骨近位部骨折に対する保存治療と手術治療についてランダム化比較試験（RCT）が行われ，両者間の治療成績には有意な差がなかったという報告が多い．

　したがって上腕骨近位部骨折の治療にあたっては，patient selection（患者選択），surgeon selection（術者選択）が重要である．

参考文献

1) AO Foundation：Evidence summary. Epidemiology of proximal humeral fractures. https://www.aofoundation.org/
2) Bastian D et al：Initial post-fracture humeral head ischemia does not predict development of necrosis. J Shoulder Elbow Surg **17**：2-8, 2008.
3) Bastian JD et al：Osteosynthesis and hemiarthroplasty of fractures of the proximal humerus：outcomes in a consecutive case series. J Shoulder Elbow Surg **18**：216-219, 2009.
4) Brunner F et al：Open reduction and internal fixation of proximal humerus fractures using a proximal humeral locked plate：A prospective multicenter analysis. J Orthop Trauma **23**：163-172, 2009.
5) Cuff DJ et al：Comparison of hemiarthroplasty and reverse shoulder arthroplasty for the treatment of proximal humeral fractures in elderly patients. J Bone Joint Surg Am **95**：2050-2055, 2013.

6) Dietrich M et al：Complex fracture of the proximal humerus in the elderly. Locking plate osteosynthesis vs hemiarthroplasty. Chirurg **79**：231-240, 2008.

7) Ferrel JD et al：Reverse total shoulder arthroplasty versus hemiarthroplasty for proximal humeral fractures：A systematic review. J Orthop Trauma **29**：60-68, 2015.

8) Guy P：Humerus, proximal. In：Ruedi TP, Buckley RE, Moran CG, editors. AO Principles of fracture management. Second expanded edition. New York：Thieme, p.573-593, 2007.

9) Hertel R et al：Predictors of humeral head ischemia after intracapsular fracture of the proximal humerus. J Shoulder Elbow Surg **13**：427-433, 2004.

10) 石黒隆：上腕骨近位端骨折：本当の手術適応とは．Bone Joint Nerve **5**：461-468, 2015.

11) Kapandji A：Osteosynthesis using the "palm-tree" nail technic in fractures of the surgical neck of the humerus. Ann Chir Main **8**：39-52, 1989.

12) Klug A et al：Surgical treatment of complex proximal humeral fractures in elderly patients：a matched-pair analysis of angular-stable plating vs. reverse shoulder arthroplasty. J Shoulder Elbow Surg **29**：1796-1803, 2020.

13) Konrad G et al：Similar outcomes for nail versus plate fixation of three-part proximal humeral fractures. Clin Orthop Relat Res **470**：602-609, 2012.

14) Lanting B et al：Proximal humeral fractures. A systematic review of treatment modalities. J Shoulder Elbow Surg **17**：42-54, 2008.

15) Lopiz Y et al：Proximal humerus nailing：a randomized clinical trial between curvilinear and straight nails. J Shoulder Elbow Surg **23**：369-376, 2014.

16) Liu JN et al：Sports after shoulder arthroplasty：a comparative analysis of hemiarthroplasty and reverse total shoulder replacement. J Shoulder Elbow Surg **25**：920-926, 2016.

17) Mata-Fink A et al：Reverse shoulder arthroplasty for treatment of proximal humeral fractures in older adults：a systematic review. J Shoulder Elbow Surg **22**：1737-1748, 2013.

18) Muller ME et al：The Com-prehensive classification of fractures of long bones. Berlin：Springer-Verlag, 1990.

19) Neer CS II：Displaced proximal humeral fractures. Part I classification and evaluation. J Bone Joint Surg **52-A**：1077-1089, 1970.

20) Neer CS II：Shoulder reconstruction. Philadelphia：WB Saunders p.363-398, 1990.

21) Neer CS II：Four-segment classification of proximal humeral fractures. Purpose and reliable use. J Shoulder Elbow Surg **11**：389-400, 2002.

22) 小川清久：上腕骨近位端骨折に対する Kirschner 鋼線髄内固定法．別冊整形外科 **21**：22-26, 1992.

23) Shukla DR et al：Hemiarthroplasty versus reverse shoulder arthroplasty for treatment of proximal humeral fractures：a meta-analysis. J Shoulder Elbow Surg **25**：330-340, 2016.

24) Solberg BD et al：Surgical treatment of three and four-part proximal humeral fractures. J Bone Joint Surg Am **91**：1689-1697, 2009.

25) 塩野将平ら：上腕骨近位端骨折に対する Neer 分類の検討．肩関節 **31**：519-522, 2007.

26) Spross C et al：Surgical treatment of Neer Group VI proximal humeral fractures：retrospective comparison of PHILOS® and hemiarthroplasty. Clin Orthop Relat Res **470**：2035-2042, 2012.

27) Tamai K et al：Four-segment classification of proximal humeral fractures revisited. A multicenter study on 509 cases. J Shoulder Elbow Surg **18**：845-850, 2009.

28) 玉井和哉：上腕骨近位端骨折の分類と治療．日整会誌 **83**：999-1009, 2009.

29) 山田光子：上腕骨近位端骨折の治療と骨密度．上腕骨近位端骨折　適切な治療法の選択のために．p.14-20, 金原出版, 2010.

30) 山根慎太郎ら：上腕骨近位端粉砕骨折の分類法　―術後骨頭壊死例の調査から―．MB Orthop **17**：8-13, 2004.

31) Wild JR et al：Functional outcomes for surgically treated 3- and 4-part proximal humerus fractures. Orthopedics **34**：e629-633, 2011.

2 肩関節脱臼・脱臼骨折
dislocation and fracture dislocation of the shoulder joint

　　肩関節は大きな球状の上腕骨骨頭とその3分の1の面積の小さな肩甲骨関節窩で構成されている．関節の接触面積が小さいため人体で最大の可動域を有する反面，骨性の支持性が低くきわめて脱臼を起こしやすい．肩関節脱臼は大関節脱臼の45～60%を占め最も多い．年齢分布は10～20歳代の若年者群と60歳以上の高齢者群の二峰性を示し，前者は男性が85%，後者は女性が70%を占める特徴がある．また肩関節脱臼は骨折のみならずしばしば末梢神経損傷や腱板断裂を，まれに血管損傷を合併することがある．

a 受傷原因・受傷機転・形態

　　肩関節脱臼は上腕骨への直達外力や介達外力により支持機構が破綻した場合に生じる．脱臼方向は前方，後方，下方の3方向である．中でも前方脱臼が圧倒的に多く95～98%を占める．前方脱臼の受傷原因は若年者群ではスポーツ外傷が85%を占める．受傷機転は肩関節が90°以上の挙上位で，外転，外旋，外分回しの介達外力が加わったときに生じることが多い．脱臼の際に腱板付着部，前方関節包，関節包内靱帯に牽引力が，肩甲骨関節窩や前方関節唇には圧迫，剪断力が加わるが骨や軟部組織の脆弱性の有無によって合併する部位や損傷の形態が異なる．またラグビー，アメリカンフットボール，柔道などの格闘技では内転位にある肩関節に外側から外力が加わり，前方脱臼が生じることがある．この際上腕骨頭肩甲骨関節窩前下縁に剪断力が加わり同部の骨折を合併することが少なくない（図13-2-1）．上腕骨側では腱板の脆弱

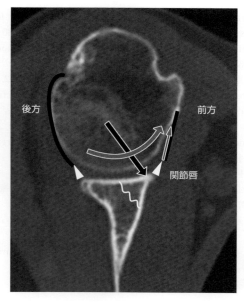

図 13-2-1　安定化機構の破綻
上腕骨頭の回旋強制と関節窩への圧迫が関節唇の牽引・剥離や関節窩の骨折を生じる．

性があれば腱板断裂が生じ，その付着部である上腕骨大結節に脆弱性があれば大結節骨折が生じる．また，肩甲骨関節窩側では，しばしば関節唇剥離，それに伴う関節唇付着部剥離骨折を合併するが，高齢者群では直達外力による剪断力により肩甲骨関節窩関節面骨折が生じる．後方脱臼は1.5〜3.8%にみられ，肩関節が屈曲・内転・内旋位にあるときに上腕骨長軸に沿った外力が加わったときや肩関節前方から後方への直達外力が加わったときに生じ，85%は日常生活動作中の転倒が原因である．まれに痙攣発作などの自己筋力によって生じることがあり両側性のことがある．高頻度に上腕骨小結節骨折や解剖頸骨折を合併するので脱臼骨折となることが少なくない反面，腱板損傷の合併はまれである．下方脱臼（直立または垂直脱臼）は0.5〜0.9%と発生頻度はきわめて少ない．肩関節最大挙上位付近で上腕骨長軸に沿って上方から外力が加わったときに生じる．

b 診 断

肩関節脱臼は他の関節脱臼と同様に受傷後に著明な疼痛を生じ，自動運動が不能となる．正常では肩峰下に上腕骨大結節側面を触れるが，最も頻度の高い前方脱臼（図13-2-2）では肩峰下，特に後角下が空虚となり腋窩部に上腕骨骨頭を触れる．後方脱臼（図13-2-3）では肩甲棘下方に上腕骨骨頭の膨隆を触れ，外旋が著しく制限される．下方（垂直）脱臼（図13-2-4）では上腕を挙上した状態で動かせず，腋窩部に上腕骨骨頭の膨隆を触知するので診断は容易である．

また各脱臼の肢位にも特徴があり，前方脱臼では肩関節は軽度外転・屈曲位，軽度内旋位に固定され，患者は健側肢で患側前腕を支え患側に上半身を傾けている．後方脱臼では患側上肢は下垂し強内旋位に固定されている．下方（垂直）脱臼では頭の上に上肢を挙上し健側肢で患肢を支えている．いずれの脱臼でもこの肢位を整復しよう

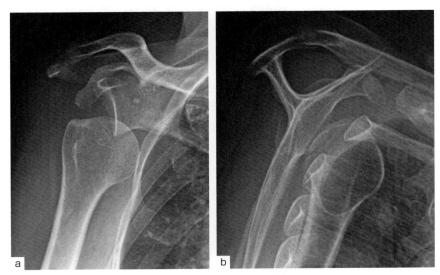

図13-2-2 前下方脱臼単純X線写真
a. 正面像：肩甲骨関節窩に対して上腕骨頭が内側下方に転位している．
b. scapula Y像：上腕骨頭は肩甲骨関節窩に対して前方に転位している．

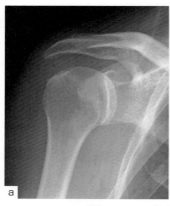 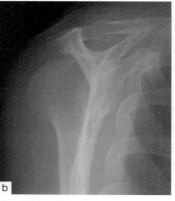 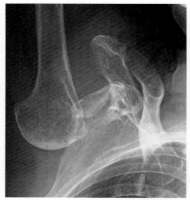

図 13-2-3　後方脱臼単純X線写真
a. 正面像：上腕骨頭は肩甲骨関節窩面より内側に転位している.
b. scapula Y像：上腕骨頭は肩甲骨関節窩に対して後方に転位している.

図 13-2-4　下方脱臼単純X線写真
正面像：上腕骨頭は肩甲骨関節窩下方に転位し上腕骨は挙上位をとる.

とするとバネ様の抵抗があり，著しい疼痛を訴える．

　単純X線写真（前後撮影，scapula Y撮影，腋窩・軸位撮影）により脱臼の方向と骨傷の有無を把握するが，特にscapula Y撮影は骨頭の逸脱方向を診断するのに有用である．骨傷の診断にはCTが，腱板など軟部組織損傷の診断には超音波検査やMRIが有用である．腱板断裂に関し，超音波検査では平均55歳（16〜92歳）で31.7％，MRIでは平均61.2歳（40歳以上）で74.3％という報告があるが，腱板断裂の合併は高齢化するほど高率となり，また腱板断裂の既存が脱臼の誘因となっていることもある．

　前方脱臼では逸脱した上腕骨骨頭による腕神経叢や動静脈の圧迫・損傷を合併することがあり（図 13-2-5），神経損傷は臨床的には約13％と報告されているが，筋電図を用いた調査では48％に神経障害が認められたとされる．当院では過去一年間の肩関節前方脱臼（骨折）36例中，臨床的に約22％に神経障害が認められた．一方血管損傷はまれであり1〜2％程度と報告されている．

　脱臼骨折の場合は，上腕骨骨折ではNeer分類を，肩甲骨関節窩骨折ではIdeberg分類（p.733参照）を用いることが多く，肩甲骨関節窩骨折の多くはIdeberg IまたはII型である．肩甲骨関節窩骨折の合併は肩関節不安定性を起こしやすく，骨折の大きさが関節面の25％以上であれば手術が適応となる．上腕骨解剖頚骨折を伴う後方脱臼では大結節との蝶番が破壊されると骨頭骨片の転位が高度となり，血流が障害され骨頭壊死を生じることがある．

c 治　療

　治療の基本は①脱臼の整復，②骨折の整復，③脱臼・骨折整復位の保持で，保存療法によってこれらが得られない場合は手術療法が適応となる．

1）保存療法

　肩関節脱臼徒手整復法は種々あるが，整復操作に際しては患者の除痛・鎮静を図り，十分な筋弛緩下に緩徐に持続的な力を加えながら行うと合併症が少ない．日常の

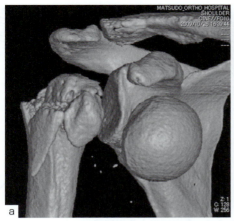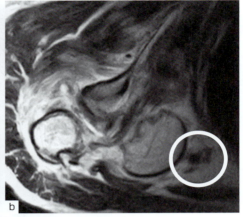

図 13-2-5　脱臼骨頭による神経血管束圧迫
a. 3D-CT：大，小結節，解剖頸骨折があり上腕骨頭が烏口突起下に脱臼している．
b. MRI 横断像：脱臼した上腕骨頭の前方に神経血管束（○印）を認める．

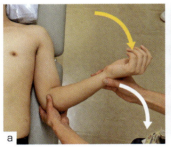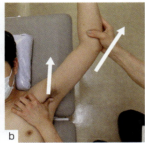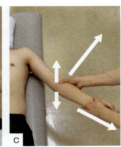

図 13-2-6　肩関節前方脱臼整復法
a. 外旋法：黄色矢印．患者に自動外旋させる．白矢印：術者は外旋を補助する．
b. Milch 法：上腕を牽引しつつ腋窩で骨頭を押し上げる．
c. FARS 法：上腕を牽引しつつ上腕を上下させながら外転していく．
d. Stimson 法：台上で腹臥位とし患肢を下垂し 3～5 kg の重りをくくりつける．

　外来では関節内に局所麻酔薬を注入後に徒手整復を行うことが多いが，超音波ガイド下の斜角筋間ブロックや静脈麻酔を行うと除痛・筋弛緩が確実に得られ操作が容易となる．徒手整復は受傷直後に行うべきで，時間の経過とともに整復が困難となる．特に脱臼後 3 週以上経過すると陳旧性脱臼と考えられ，関節外の腫脹・癒着・拘縮が高度に生じている．整復操作による二次的な骨折の合併症を避けるためにも可能な限り X 線透視下に行い，緩徐かつ持続的な力で骨頭の可動性が得られない場合は手術を考慮する．

a）前方脱臼に対する徒手整復法（図 13-2-6）
　① **外旋法**：仰臥位で肘関節を 90°屈曲し上腕を体幹につける．手関節部を把持し患者自身にゆっくり自動外旋させその状態を 5～10 分保つ．術者もそれを補助するように外旋力を加える．内旋筋群や前方関節包が弛緩すると外旋筋群が求心位への牽引力として作用し整復される．

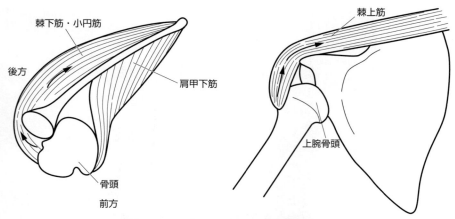

図 13-2-7　牽引法による脱臼整復の原理

後方の棘下筋・小円筋は伸張されているので，上腕骨頭を後方に引く．上方の棘上筋も同様に上腕骨頭を上方に引く．したがって上腕骨頭と関節窩の咬合を解くと，上腕骨頭は自然に後上方に引かれて関節窩に戻る．

② **外転挙上法（zero position を利用する方法）**

（a）Milch 法：仰臥位で肩関節外旋位とし，親指で脱臼した骨頭を固定しながら上肢を緩徐に外転してゼロポジション zero position まで挙上する．その位置で上腕骨を牽引しつつ腋窩部の骨頭を押し上げて整復する．ゼロポジションは腱板筋群が均等に弛緩した状態となり偏った力が生じにくいため整復しやすく骨折も生じにくい．

（b）FARS（Fast, Reliable, and Safe）法：仰臥位で上肢を牽引しながら，ゆっくり上腕を上下させ筋肉を弛緩させながら外転する．90°外転位でも整復されない場合は外旋を加える．

③ **Stimson 法**：高い台に腹臥位として患側肩を台の外縁から出し患肢に 3～5 kg 程度の重りをつけてベッドから下垂させる．攣縮している筋肉が弛緩すると整復される．

④ **Hippocrates 法**：仰臥位で術者の足を腋窩に入れて骨頭を外側に押し出しつつ上肢を下方牽引する．一般によく知られた方法であるが骨折を生じやすいので推奨されない．

⑤ **Kocher 法**：上肢を 45°外転位で外旋し，そのまま肘部を体幹前方まで持っていき，そこで手部が肩に当たるまで内旋する．回旋強制することによる整復のため，骨折を生じやすいので推奨されない．

脱臼整復後は外固定が必要であるが，従来の内旋位固定法は若年者では再脱臼を生じやすいので現在は外旋位固定法が勧められている．しかし外旋位固定の有効性については再評価中である．外傷性新鮮肩関節前方脱臼に対するいずれの整復法も成功率は 60～90％ と報告されているが，どの整復法を行う場合でも脱臼整復の原理を理解しておく必要がある（図 13-2-7）．

b）後方脱臼に対する徒手整復法（図 13-2-8）

後方脱臼では脱臼肢位で肩関節に可動性がなく，前方脱臼のような徒手操作が加えられない．したがって十分な除痛と筋弛緩が必要であり，全身麻酔下に行うべきである．体位は仰臥位とし体幹を固定しながら上腕骨を外方に牽引し，烏口突起・肩峰を後方に圧迫することにより肩甲骨関節窩の前開きを減じつつ，骨頭には床面からの反

2 肩関節脱臼・脱臼骨折　413

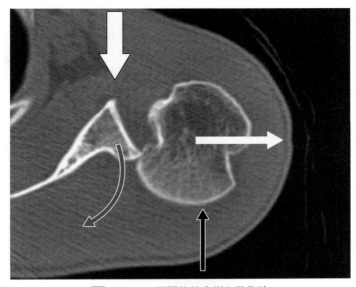

図13-2-8　肩関節後方脱臼整復法
外方に牽引して関節裂隙を広げつつ，前方からの圧迫で肩甲骨の
内転を促すと同時に上腕骨頭を前方に押し出す．

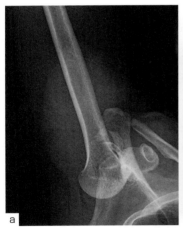 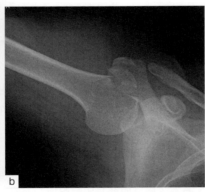 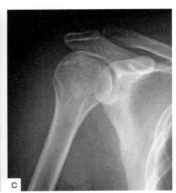

図13-2-9　肩関節下方（垂直）脱臼骨折整復法
　a. 大結節骨折を合併した下方（垂直）脱臼
　b. 牽引して脱臼を整復
　c. 転位していた大結節も整復された．

　　力により前方に押し出す力が加わるため整復される．脱臼骨頭に肩甲骨関節窩縁が深
　く食い込んでいる場合には下方牽引を加える場合もある．整復後の外固定は内旋位に
　すると骨頭が後方向きとなるので必ず中間位または軽度外旋位で固定する．
c) 下方（垂直）脱臼に対する徒手整復法（図13-2-9）
　　下方（垂直）脱臼では関節包下方が断裂し，80％に腱板断裂や大結節骨折を合併し
　ているので骨頭の自由度が大きい．したがって上腕を上方に牽引し，上腕骨頭を腋窩
　から上方に押し上げることによりほぼ整復される．

414 各論 第13章 上肢の骨折

d) 脱臼骨折に対する徒手整復法

まず脱臼に対する徒手整復を上記の方法により行い，整復後の骨折型や転位の程度により手術療法の適応を検討する．しかし上腕骨外科頚骨折，解剖頚骨折を合併している場合は，上腕骨骨幹部を介して脱臼している骨頭を整復することは困難である．

e) 徒手整復時に発生する合併症

徒手整復時に発生する合併症は整復操作によって異なる．関節窩縁をてこの支点とする Kocher 法や肩関節の回旋を強制する整復法は，骨頭部位から始まる螺旋型の上腕骨近位端骨折を生じることがあり，また肩甲骨関節窩関節唇を伴う骨折片が反転して骨折面が骨頭と対抗する骨頭と関節窩間の嵌入骨片となり，関節の不適合を生じる場合がある．この骨片は単純 X 線写真では関節裂隙に薄い線状の陰影としてみられ，見落としやすいので注意を要する．

附-2 自己整復法

いくつかの自己整復法が報告されているが，初回外傷性脱臼に対する安全性，成功率，合併症に関する確かなデータがないので，初回外傷性脱臼に対する適応は避けるべきである．

附-3 反復性肩関節脱臼・習慣性肩関節脱臼

反復性肩関節脱臼は外傷による肩甲骨関節窩，関節唇，関節包内靱帯などの解剖学的破綻に伴う不安定症であり，手術療法が基本となる．一方，習慣性肩関節脱臼は生来の関節弛緩性により肢位による脱臼をくり返す不安定症であり，理学療法をはじめ保存療法（肩甲胸郭関節・肩甲上腕関節の協調運動）が主体となる．

2) 手術療法

徒手整復が不能な脱臼および脱臼骨折は手術適応となる．時には上腕二頭筋長頭腱の関節間嵌入や，肩甲骨関節窩剥離骨片の関節内介在が徒手整復を阻害する原因となることがある（図 13-2-10）.

a) 前方脱臼・脱臼骨折

新鮮例の場合，直視下には前方（三角筋胸筋間）進入路を用い，腱板疎部を切開して関節内を展開する．上腕二頭筋長頭腱脱臼があると肩甲下筋腱断裂や上腕骨結節部の骨折を合併しているため関節内の確認は容易であり，関節内介在物を取り除き整復する．腱板断裂や Bankart 損傷があれば修復する．

関節鏡視下に行う場合はまず関節内を十分に確認した後に介在物を取り除き整復操作を行う．関節鏡は後方 portal からの刺入が容易であるが，肩甲骨関節窩には血腫が占拠しており視野を妨げるので前方 portal から郭清して，十分な視野を得るようにするとよい．腱板断裂や Bankart 損傷に対しても関節鏡視下に修復が可能である．

陳旧例で脱臼した上腕骨骨頭が神経・血管束を圧迫した状態で周囲組織と癒着している場合は，直視下に癒着の剥離操作を慎重に行わなければならない．また脱臼した状態での関節包短縮や拘縮，脱臼肢位での骨と筋肉の癒着などが生じており，これらは整復された骨頭を再脱臼させることがある．したがって整復位を維持するためには肩甲上腕関節を一時的に鋼線固定するか関節外を含めた広範囲な剥離操作が必要である．

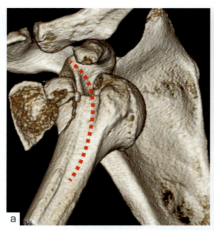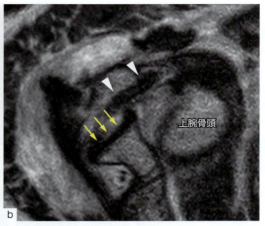

図13-2-10　整復阻害因子（上腕二頭筋長頭腱）
a. 3D-CT：破線部に上腕二頭筋長頭腱が走行し整復を阻害している．
b. MRI横断像：矢頭が上腕二頭筋長頭腱．上腕骨頭の外方化を阻害している．

　上腕骨近位端骨折を合併している場合は，脱臼徒手整復後に骨折転位が1cm未満であれば保存療法が適応されるが，転位が大きい場合は通常の手術的整復固定術を行う（前項参照）．いったん保存療法の適応と判断しても，大結節剥離骨折は骨折部で骨膜の連続性が断たれていると骨折片は不安定で再転位することが多いので脱臼整復後に慎重な経過観察を要する（図13-2-11）．上腕骨骨頭骨片が完全に遊離し骨頭骨片から出血が認められない高齢者の場合は，のちに骨頭壊死に陥る可能性が高いので人工骨頭置換術の適応となることが多い．上腕骨頭摘出に際して骨折縁で神経・血管束を損傷しないよう注意する．特に神経症状を有する場合は，腋窩進入路を用い直視下に神経・血管束を確認しながら摘出を行う．

　肩甲骨関節窩骨折を合併している場合，肩甲骨関節窩はもともと上腕骨骨頭に比し小さく，骨折により一部が欠損すると関節窩はさらに小さくなり不安定性が増大すること，薄い剥離骨折であっても関節唇-関節包内靱帯の機能不全を生じることなどがあるので手術的に整復・固定することが多い．肩関節脱臼骨折に合併する肩甲骨関節窩骨折はほとんどがIdeberg分類TypeIである．骨片が10mm以上転位し前方関節窩の1/4以上に及ぶ場合は手術適応とされているが，脱臼に伴う関節窩骨折は全例手術適応であるという意見もある．手術的整復固定には前方（三角筋胸筋間）進入路が用いられる．筆者はBristow変法に準じて肩甲下筋腱をL字型に切開し，関節内の確認と骨片のスクリュー固定を行っている．陳旧性の場合はさらに烏口突起移行術も加えて前方制動性を高めている（図13-2-12）．

　新鮮例では関節内操作のみで安定性が得られるので，関節鏡視下手術が可能である．関節鏡視下でBankart法に準じて行う．ほとんどの症例で剥離骨片に関節唇が付着しているので，骨片最下部の関節唇を肩甲骨関節窩に縫合糸アンカー（suture anchor）で縫着することによりおおよその整復位が得られる．骨片最上部も同様に縫着するが，中間部は骨片を貫くかあるいは骨片の内側を通して包むように縫着する．

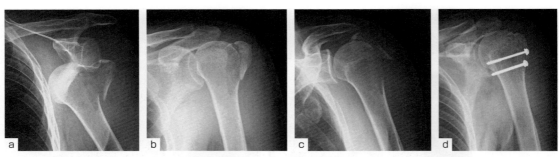

図 13-2-11　大結節転位
a. 大結節骨折を伴う脱臼骨折，b. 徒手整復後，c. 整復後 1 週間で転位増悪，d. 手術的整復＋スクリュー固定

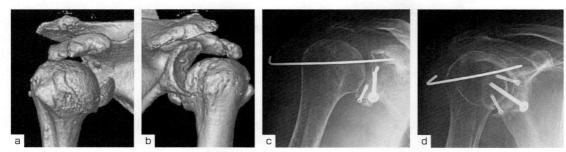

図 13-2-12　陳旧性肩関節前方脱臼骨折（肩甲骨関節窩骨折）
a, b. 3D-CT：肩甲骨関節窩骨折（Ideberg Type Ⅰa）＋烏口突起骨折
c, d. 手術的整復固定術＋Bristow 変法＋肩甲上腕関節鋼線固定

骨片を固定するためには通常の Bankart 法と異なり縫合糸の結紮を最後にまとめて行う（図 13-2-13）．

b）後方脱臼・脱臼骨折

脱臼整復には後方進入路 posterior approach を用いる（図 13-2-14, 15）．前方進入では，肩甲下筋腱の切離か骨折している小結節の排除を必要とし，上腕骨頭血流の大部分を供給している前回旋動脈とその上行枝の損傷や，小結節に付着する残存軟部組織を損傷する危険性がある．さらに骨頭と関節窩後縁の咬合部までの距離が長く，術野が狭い欠点がある．脱臼は関節窩と骨頭間の咬合をエレバトリウムで解除すると容易に整復される．脱臼が整復されると合併した骨折は自然に整復されるので，内固定を要することは少ない．特に解剖頸骨折は軽度外転・屈曲位で大結節部を強く圧迫するとよりよい整復位が得られ，再転位する危険性は低い．安定性を確実にする場合は，海綿骨用スクリューで引き寄せ固定する．もし脱臼整復後も著しい転位を残す骨片がある場合は，上腕骨近位部骨折に準じて最少の侵襲により整復・固定する（図 13-2-16）．関節窩に後方 33% 以上を占める骨折があった場合には整復固定を行う．螺子固定には上腕三頭筋長頭付着部を刺入口とし，烏口突起基部に向け刺入すると強固な固定性が得られる．

c）下方脱臼・脱臼骨折

脱臼整復のため手術を要することはきわめてまれである．脱臼整復後に大結節骨折

2 肩関節脱臼・脱臼骨折

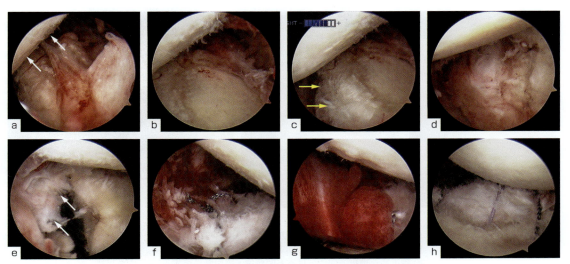

図 13-2-13 右肩関節前方脱臼骨折（肩甲骨関節窩骨折）
a. 前方関節鏡視：上腕骨頭は前方に転位し肩甲骨関節窩がフィブリン塊や増生した滑膜で覆われている．
b. 廓清後関節窩が確認される，c. 骨折部
d. 肩甲骨内側に落ち込んだ剥離骨折
e. 剥離骨折部を切離・授動術を行ったところ骨片も整復位となる．
f. 骨片縫合後，g. 前方関節包内靱帯の緊張改善
h. 修復後の後方関節鏡視

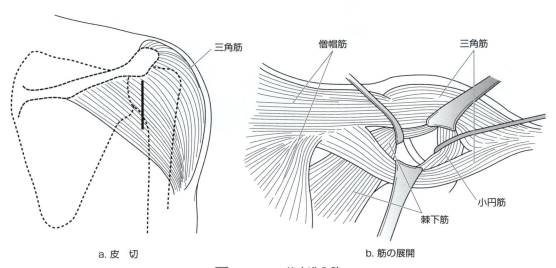

図 13-2-14 後方進入路
通常側臥位で，胸腹部に密着して置いた大きな枕を抱えるような肢位をとらせる．
a. 肩峰角の 1.5 cm 内側遠位から後腋窩に向け 6～7 cm の縦切開を加える．
b. 三角筋後部線維のほぼ中央部の近位 1/2 を筋線維方向に分ける．深層の筋膜を棘下筋と小円筋間に一致して切り離し，両筋間を分離すると直下に関節包が現れる．関節包の近位 2/3 を，筋分離方向と一致させて切開すると直下に上腕骨頭と関節窩の咬合部が現れる．

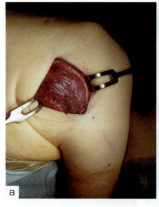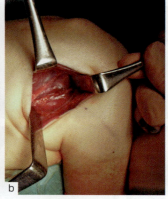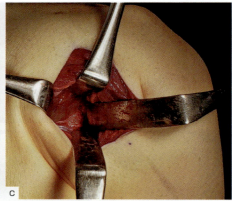

図 13-2-15 後方進入路
a. 三角筋走行に沿い約 5 cm 切開する．
b. 三角筋の筋膜を分けると横走する棘下筋線維が露出する．
c. 棘下筋を線維方向に分けると関節包・肩甲骨に達する．

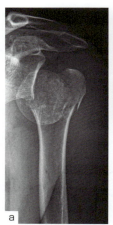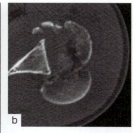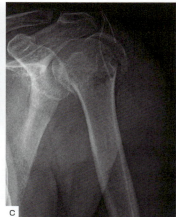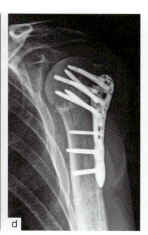

図 13-2-16 後方脱臼骨折
a. 単純 X 線写真：壮年者の後方脱臼骨折
b. 初診時 CT：解剖頸脱臼骨折
c. 当日後方進入路で骨頭のみ整復，大結節の転位が残存
d. 骨頭壊死の可能性があるが，三角筋胸筋を分ける前方進入路でプレート固定

の著しい転位が残存する場合には，小さい前外側進入路を用いて骨片をスクリューまたは引き寄せ鋼線締結法で整復・固定する．腱板断裂を合併する場合は mini open 法もしくは関節鏡下に修復する．

d 後療法

徒手整復後および手術的整復後は基本的に外固定が必要である．前方脱臼・脱臼骨折で骨折がないかまたは骨折の合併が改訂 Neer 分類の 1-part 骨折（minimally displaced fracture）に相当する場合は，下垂位・内旋位または機能的中間位で 3～6 週間固定する．1 週間以上固定しても再脱臼防止効果には差がないという意見もある．反

復性脱臼への移行率が低く，固定による拘縮の遺残を起こしやすい壮年・高齢者では1～2週間の固定にとどめる．

　徒手整復後の場合，肩関節脱臼経路に一致する関節包・関節唇・骨膜複合体の関節窩縁からの剥離，関節包およびその上腕骨付着部の剥離，関節窩縁の骨折などが生じているので，これらがある程度修復されるまで損傷部への機械的ストレスの負荷を避けるように可動域訓練，筋力強化訓練を行う．前方脱臼を手術的に整復した場合も前方支持組織の修復を促すため，リハビリテーション開始初期は外旋可動域訓練，後方伸展訓練は行わない．烏口突起移行術を行っていない場合は，肘関節可動域訓練は積極的に行う．

　脱臼骨折は前述の複合体損傷はむしろ軽微で，骨折部の整復位が保持できれば反復性脱臼への移行率が低い．最も高頻度に合併する大結節骨折は骨片と骨幹端の骨膜の連続性が保たれており，脱臼の整復とともに骨片も自然に整復され癒合することが多いが，早期可動域訓練により約20％が再転位するという報告もあり注意を要する．棘上・棘下筋が付着すると考えられる大きな大結節骨折はたとえ1-part骨折でも骨片の転位をもたらす可能性のある内旋位を避け機能的中間位で固定する．

　後方脱臼・脱臼骨折の整復後は，機能的中間位か軽度外旋位で固定し，1週間後に肘伸展位で肩甲骨面scapular planeでの重力を利用した他動的可動域訓練（お辞儀運動，振り子運動）と等尺性筋力増強訓練を開始する．

e 治療成績を左右する因子

　年齢，腱板断裂・神経障害といった合併損傷の有無，脱臼後整復までの期間，後療法の適切性が挙げられる．若年者は筋力や関節可動域などの回復は早いが，反復性脱臼への移行は高率で，特にスポーツ選手では92～100％に達する報告もある．逆に中高年では反復性脱臼への移行は少ないが筋力や関節可動域の回復までに時間を要する．また高齢化すると組織の脆弱性のため腱板断裂や骨折を伴いやすく，これらの合併損傷は機能回復の妨げとなる．神経損傷はおおむね保存的に回復するが長期間を要する．腕神経損傷で手指運動障害を生じている場合は，神経回復までに関節可動性を維持できるかどうかにより最終的な上肢機能が左右される．前述したように脱臼後の時間経過とともに整復は困難となり，陳旧性となれば関節外の障害も生じるので可及的早期に整復を行うべきである．また特に手術後はできるだけ早期にリハビリテーションを開始する必要があり，それには解剖学的な整復と強固な固定はもちろん，保護すべき部位，積極的に可動できる部位を認識したうえで後療法を処方する必要がある．

附-4 外傷性肩関節拘縮の治療

　肩関節周囲外傷やその手術後の関節可動域訓練をはじめとしたリハビリテーションが不適切な場合，瘢痕による広範な癒着などにより関節拘縮を生じる．基本的には関節可動域訓練による回復を期待するが，リハビリテーションの効果がない関節拘縮に対しては関節授動術が適応となる．非手術的授動術は全身麻酔や斜角筋間ブロックなどにより十分な除痛・筋弛緩が得られた状態で行う．しかし拘縮が著しいほど廃用性骨萎縮による骨脆弱性があるため，高齢者では施術による骨折の危険性を伴う．関節包の肥厚・短縮・硬化が関節拘縮の主因の場合は，手術的関節授動術を行い骨折の危険性を避ける

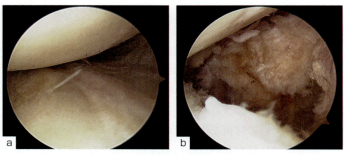

図 13-2-17　関節鏡視下授動術
a. 下方関節包が短縮し緩みがない．
b. 関節包切離後：肥厚した関節包断端が確認される．

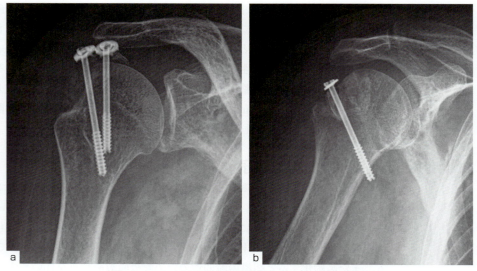

図 13-2-18　上腕骨大結節変形治癒による関節拘縮
a. 他院術後：大結節上方転位のままスクリュー固定されていた．
b. 再手術後：骨片を剥離・整復し，スクリューと縫合糸で腱板とともに骨片を縫着した．

（図 13-2-17）．非手術後拘縮の場合は，関節鏡視下に全周性に関節包を切離した後に用手操作を行う．まず肩甲骨面上で挙上するが，上腕骨近位部を支えて押し上げるようにして骨幹部に不要な介達力がかからぬようにする．ゼロポジションまで挙上後に内外旋を加える．その後，さまざまな方向への挙上，外転位での内外旋，水平内転を行うことにより関節外の癒着を剥離する．骨折手術後拘縮の場合はその進入路，内固定子の周囲の瘢痕性癒着は一般に高度である．関節包拘縮の剥離だけではなく関節外の剥離操作が必要なため，骨癒合後であれば内固定子抜去術を行うと同時に剥離術と関節鏡視下授動術を行う．前方（三角筋胸筋間）進入路で外旋制限が強い場合はほぼ全例で烏口突起周囲から腱板疎部に及ぶ高度の癒着がありこれを十分に剥離することが重要である．骨折変形治癒後の肩関節拘縮は，手術による骨形態の矯正が必要となる．大結節高位の場合は腱板筋群が短縮しているため，肩峰と腱板・腱板筋群との癒着の十分な剥離と肩甲骨関節窩側での関節包切開を行うことで腱板の十分な可動性を得ないと整復できない．大結節の解剖学的な整復とともに，確実な固定と他動可動域訓練を中心とした早期理学療法を行う必要がある（図 13-2-18）．

参考文献

1) Atef A et al：Prevalence of associated injuries after anterior shoulder dislocation：a prospective study. Int Orthop **40**：519-524, 2016.
2) Berbig R et al：Primary anterior shoulder dislocation and rotator cuff tears. J Shoulder Elbow Surg **8**：220-225, 1999.
3) Butters KP：Rockwood and Green's fractures in adults. Fourth edition. Fractures and dislocations of the scapula. Lippincott-Raven Publishers, Philadelphia, 1173-1177, 1996.
4) CM Robinson et al：Injuries associated with traumatic anterior glenohumeral dislocations. J Bone Joint Surg **94-A**：18-26, 2012.
5) CP Visser et al：The incidence of nerve injury in anterior dislocation of the shoulder and its influence on functional recovery. A prospective clinical and EMG study. J Bone Joint Surg **81-Br**：679-685, 1999.
6) Cutts S et al：Anterior shoulder dislocation. Ann R Coll Surg Engl **91**：2-7, 2009.
7) DePalma AF：Surgery of the shoulder. 3rd ed. JB Lippincott Co, Philadelphia, 362-371, 520-539, 1983.
8) Ferkel RD et al：Anterior fracture-dislocation of the shoulder：pitfalls in treatment. J Trauma **24**：363-367, 1984.
9) Goss TP：Fractures of the glenoid cavity. J Bone Joint Surg **74-A**：299-305, 1992.
10) Hersche O et al：Iatrogenic displacement of fracture-dislocations of the shoulder. A report of seven cases. J Bone Joint Surg **76-B**：30-33, 1994.
11) Ideberg R：Fractures of the scapula involving the glenoid fossa. In：Bateman JE, Welsh RP, Eds, Surgery of the shoulder, Philadelphia, 63-66, 1984.
12) Ideberg R et al：Epidemiology of scapular fractures. Incidence and classification of 338 fractures. Acta Orthop Scand **66**：395-397, 1995.
13) 池上博泰ら：肩関節の terrible triad 12 例の検討. 肩関節 **37**：979-982, 2013.
14) Kim JH et al：Magnetic resonance imaging analysis of rotator cuff tear after shoulder dislocation in a patient older than 40 years. Clin Shoulder Elb **23**：144-151, 2020.
15) Laskin RS et al：Luxatio erecta in infancy. Clin Orthop Relat Res **80**：126-129, 1971.
16) Mallon WJ et al：Luxatio erecta：the inferior glenohumeral dislocation. J Orthop Trauma **4**：19-24, 1990.
17) Mayo KA et al：Displaced fractures of the glenoid fossa. Results of open reduction and internal fixation. Clin Orthop Relat Res **347**：122-130, 1998.
18) McLaughlin HL：Posterior dislocation of the shoulder. J Bone Joint Surg **24-A**：584-590, 1952.
19) Pasila M et al：Early complications of primary shoulder dislocations. Acta Orthop Scand **49**：260-263, 1978.
20) Neer CS II：Dislocation proximal humeral fractures. Part I：classification and evaluation. J Bone Joint Surg **52-A**：1077-1089, 1970.
21) Neviaser JS：An operation for old dislocation of the shoulder. J Bone Joint Surg **30-A**：997-1000, 1948.
22) Rowe CR：Prognosis in dislocation of the shoulder. J Bone Joint Surg **38-A**：957-977, 1956.
23) Rowe CR et al：Chronic unreduced dislocations of the shoulder. J Bone Joint Surg **64-A**：494-505, 1982.
24) Schandelmaier P et al：Fractures of the glenoid treated by operation. A 5- to 23- year follow-up of 22 cases. J Bone Joint Surg **84-Br**：173-177, 2002.
25) Simank HG et al：Incidence of rotator cuff tears in shoulder dislocations and results of therapy in older patients. Arch Orthop Trauma Surg **126**：235-240, 2006.
26) Sugaya H et al：Arthroscopic repair of glenoid fractures using suture anchors. Arthroscopy **21**：635, 2005.
27) Wheeler JH et al：Arthroscopic versus nonoperative treatment of acute shoulder dislocations in young athletes. Arthroscopy **5**：213-217, 1989.
28) Wilson JC：Traumatic posterior dislocation of the humerus. J Bone Joint Surg **31-A**：160-172, 1949.

3 上腕骨骨幹部骨折
fracture of the humeral shaft

　上腕骨骨幹部骨折は全骨折の1〜3%，全上腕骨骨折の14%を占める．20〜40歳と60歳以降の二峰性に発生頻度が高いが，最近では高齢女性の発生が増加している．20〜40歳では男女差が少ないが，60歳以降では80%が女性である．小児では全骨折の3%，全上腕骨骨折の10%未満と少ない．しかし分娩骨折としては2番目に多く，発生率は全分娩の0.035〜0.35%である．上腕骨骨幹部には多くの筋腱が付着するため，骨折部位により骨片の転位方向が異なる特徴がある．また主要な末梢神経が骨に接近して走行するため，しばしば末梢神経損傷を合併する．治療はほかの長管骨骨折と同様，骨折自体の状態に患者の年齢，全身状態（合併症），社会的条件などを加味して決定する．荷重負荷がないことから，大部分の症例が保存的に治療されてきたが，近年の手術機器の発達により低侵襲による内固定が可能となり，早期の社会復帰を望む社会傾向とあいまって手術の適応が拡大されている．

a 解剖・機能解剖

　上腕骨骨幹部は上腕骨の外科頚から顆上部とされる．上腕骨には多くの筋が付着し骨折部と筋付着部の位置関係により転位の方向が異なるため，各筋の付着部と牽引方向の把握は重要である（図13-3-1）．上腕骨近位端には骨頭があり，解剖頚を境に前面には外側の大結節および大結節稜と内側の小結節および小結節稜からなる結節間溝が存在し，上腕二頭筋長頭腱が通過する．大結節稜には大胸筋が停止し，小結節稜には外側から広背筋・大円筋が停止して，ともに上腕骨の内転・内旋を担っている．骨幹部のほぼ中央，外側に三角筋粗面があり，上腕骨外転の主動筋である三角筋が停止する．内側に烏口突起を起始とする烏口腕筋が停止し，上腕前傾の一助となる．上腕骨中央から遠位は肘関節屈曲を担う上腕筋の起始部である（図13-3-2）．上腕部の軟部組織は，内・外側筋間中隔 medial (lateral) intermuscular septum によって前後の区画に分けられている．上腕三頭筋，橈骨・尺骨神経は後方区間，他のすべての筋，神経と重要な動・静脈は前方区画に含まれている．中隔は手術時に解剖学的指標となる．上腕骨後面には近位内側から遠位外側に斜走する橈骨神経溝がある．その外側上部に上腕三頭筋外側頭が起始し，内側下部に広く上腕三頭筋内側頭が起始する．上腕骨近位は円筒様であるが遠位にいくに従い前後径が減少し扁平化し，下端である外側上顆・内側上顆に続き上腕骨小頭，上腕骨滑車に終わる．橈骨神経は上腕深動脈とともに骨幹部後方の橈骨神経溝を近位内側から遠位外側へ走行し，外側筋間中隔を貫き前方に回り込むため，この部位の骨折は橈骨神経損傷を起こしやすい．上腕骨骨幹部は主には上腕深動脈から分枝する上腕骨栄養動脈および広く分布する筋付着部から血液供給を受けている（図13-3-3）．

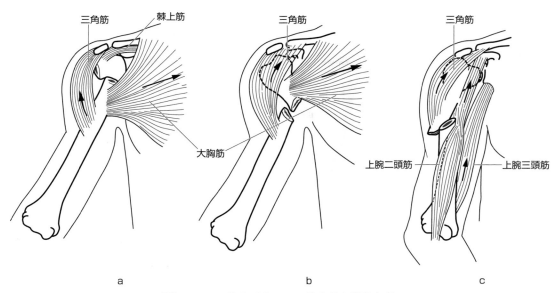

図 13-3-1 筋牽引力による代表的な骨片転位

a. 近位骨幹端の骨折：近位骨片は棘上筋によって軽度外転位となる．遠位骨片は三角筋により近位に引き上げられ，さらに大胸筋によって前内方に牽引される．
b. 三角筋付着部直上の骨折：近位骨片は大胸筋により前内方に牽引され，内転・屈曲位となる．遠位骨片は三角筋により上方に引き上げられる．
c. 三角筋付着部直下の骨折：近位骨片は三角筋により外転し，遠位骨片は上腕二頭筋・三頭筋長頭などにより上方に引き上げられる．

b 受傷機転

多くは直達外力により生じる．20〜30代の若年者は転落や交通外傷などによる高エネルギー外傷であるが，60〜80代の女性高齢者は転倒して手をつくなどの介達外力による低エネルギー外傷でも生じる．それぞれの年代が上腕骨幹部骨折頻度の二峰性を形成する．また自家筋力による骨折は頻度こそ少ないが，槍投げ，投球動作，腕相撲などに際し上腕骨骨幹部に最も多くみられ，上腕骨近位に内旋力，遠位に外旋力が生じるための捻転力による螺旋骨折が発生する．この骨折は力学的に脆弱な遠位1/3，中央1/3に好発し，同様な回旋力が繰り返し加わると疲労骨折として起こることもある．重量挙げ選手にみられる疲労骨折は近位部に横骨折の形態をとり発生機序も異なる．

3歳以下の小児に斜・螺旋骨折が発生した場合は，幼児虐待の可能性も念頭におく．大腿骨，脛骨と並んで，上腕骨は幼児虐待による骨折が多い．中年以降では，6〜8%に生じる病的骨折を見逃さぬよう注意する．治療法選択に大きく影響する．

c 骨折の形態・分類

上腕骨骨幹部特有の骨折分類はないが，骨折形態に関しては他の部位の骨折と同様にAO・OTA分類が用いられることが多い．さらに骨折高位（近位（上中）1/3・中央1/3・遠位（中下）1/3），そして開放骨折であるか否かに分類される．中央1/3骨折が

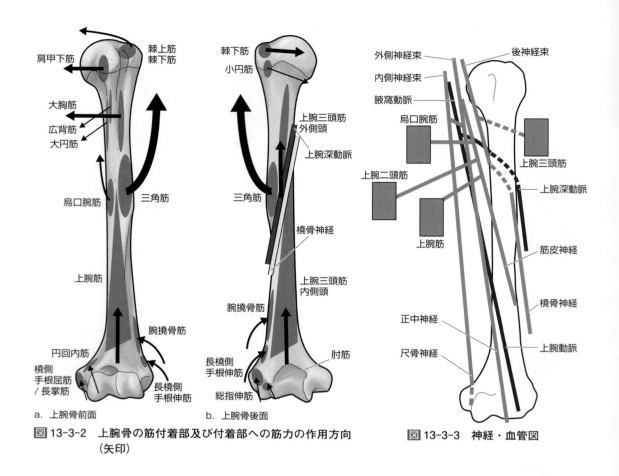

図13-3-2 上腕骨の筋付着部及び付着部への筋力の作用方向（矢印）

図13-3-3 神経・血管図

49～64％と報告され最も多い．近位骨折は高齢者に多く基本的には螺旋骨折である．

d 診　断

　上腕骨骨幹部骨折の多くは内反変形を呈する．高エネルギー外傷や螺旋骨折の場合は，軟部組織の損傷や開放性骨折の可能性も考え，皮膚の状態を詳細に観察することが必要である．本骨折における重要な合併症は橈骨神経損傷で閉鎖性骨折の10～20％に合併すると報告されている．手指・手関節伸展の可否，手背の固有支配域の知覚障害の有無の確認を行うが，小児では橈骨神経麻痺を含め末梢神経損傷の合併はきわめて少ない．また，動脈損傷（0.6～3％），腕神経叢麻痺（1.6～3％）を合併することもある．一方，下1/3の骨折では，まれであるが橈骨・正中・尺骨神経の単一または複合損傷を合併する．単純X線写真は2方向撮影が基本であるが必要に応じて肩関節，肘関節を含めて撮影する．手術を検討する場合にはCTは有用な情報源である．また，神経障害が認められる場合は，MRIや超音波検査で神経障害因子を推測できる可能性がある．

e 治　療

　上腕骨骨幹部骨折は骨癒合を得やすいこと，非荷重部であること，血流が豊富であ

ること，大きな筋肉に囲まれ外見上骨変形が目立たないこと，変形治癒に対する肩甲帯の代償能力が高いことなど，機能的予後から保存療法が選択されることが多い．許容できる骨折転位の指標としては，30°以内の内外反，20°以内の前後屈曲，および15°以内の回旋，3 cm 以内の短縮が挙げられる．しかし，患者背景，早期社会復帰のために手術が選択される場合が多い．小児骨折の場合は自家矯正力が高く基本的には保存療法が適応される．

1) 保存療法

① 外 固 定

受傷時は疼痛や腫脹が強いので外固定は必須である．しかし治療の全過程を外固定のみで行うと，機能回復が遅延し関節拘縮を生じやすいので，小児や高齢者などの特殊な場合に限られる．

ⓐ U-slab 法（図 13-3-4）

前腕支持性も考慮し 15 cm 幅のプラスチックキャスト副子が推奨される．坐位をとらせ，患肢を脱力，下垂させて肘関節 90°，前腕回内外中間位で患者自身に健側で保持させる，または助手に保持させる．プラスチックキャスト副子を肩鎖関節の 3 cm 中枢部から肩関節，上腕外側にあて，肘関節を包むように折り返して上腕内側にあて腋窩下 5 cm まで固定する．弾力包帯を前腕近位から肩鎖関節までプラスチックキャスト副子を固定するように巻き上げる．前腕を頚部から三角巾で固定し，末梢循環障害や神経障害のないことを確認する．固定後は手指の自動運動を指導する．

ⓑ hanging cast 法（図 13-3-5）

患肢下垂位，肘関節 90°，前腕回内外中間位で手関節から骨折部近位までプラスチックキャスト包帯で固定する．プラスチックキャストの重さと頚部から前腕部を吊っている紐の長さやプラスチックキャスト包帯の中枢端部の位置を調整することにより整復・安定を期待するが，就寝時は坐位，または臥位をとっても垂直（下方への）牽引力が求められるので管理が難しい．近位 1/3 の骨折を除いた短縮や転位の著しい全骨幹部骨折が適応となる．

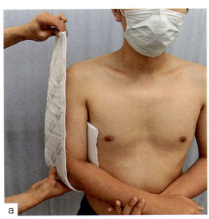
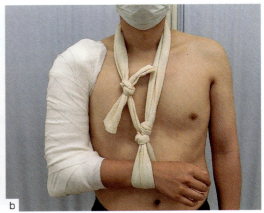

図 13-3-4　U-slab
a. プラスチックキャスト副子では腋窩下 5 cm から肩鎖関節近位 3 cm まで固定する．b. 完成図

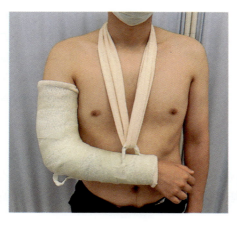

図 13-3-5　hanging cast
臥位でも牽引する場合は肘部のリングを用いて牽引する．

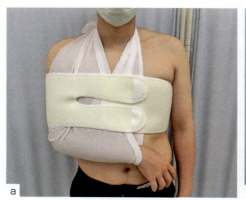 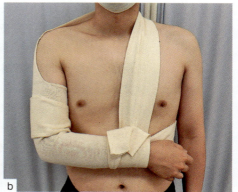

図 13-3-6　三角巾＋バストバンド（a）　stockinette Velpeau 固定（b）

ⓒ 三角巾＋バストバンド固定法/stockinette Velpeau 固定法（図 13-3-6）

簡便に上肢を体幹に固定できるので骨折部の安定化と除痛に効果的である．しかし整復効果はないので，転位が明らかな骨折に対しては次の処置のための一時的な手段となる．

② functional brace 法（図 13-3-7）

Sarmiento により報告された．外固定のみによる治療の欠点が補われて上腕骨骨幹部骨折保存療法の代表的な方法となった．受傷直後は U-slab などを 2 週間程度行い，可及的に整復位を保持しながら腫脹の軽減を待ってから brace を装着する．functional brace は上腕を硬性 brace で固定して肩関節，肘関節の自動運動を積極的に行わせることにより，関節機能を維持し，筋萎縮を予防し，また筋収縮により内圧が高まることで骨折部の安定性やアライメントの改善を促すものである．腕神経叢麻痺，頸髄損傷，重度の軟部組織損傷合併例，長期臥床を要する多発外傷，同側上肢で上腕骨骨折と前腕骨骨折が合併した状態である floating elbow は，装具の治療原理に反するので適応外であるが，Gustilo 分類 Type Ⅰの開放骨折，橈骨神経麻痺合併は適応内である．機能装具の最もよい適応は，中央 1/3 および遠位 1/3 高位の骨折面が広い斜骨折

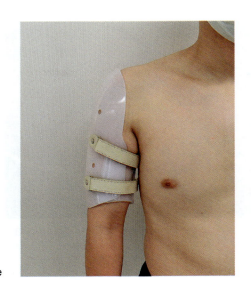
図 13-3-7　functional brace

および螺旋骨折である．遠位 1/3 の骨折には，内外反ストレスを防ぐために前腕部分を蝶番で接合する．本法は皮膚管理が容易という利点がある一方，多かれ少なかれ屈曲変形（ことに遠位 1/3 骨折における内反変形）が残る欠点がある．近位 1/3 骨折の場合は装具の近位部にベルトを装着して体幹と固定するなど圧着力を強化したほうがよい．

③ 直達牽引

長期臥床を強いることになるので，患者が起立・歩行ができない，治療を要する創がある場合などに限って適応される．

④ 創外固定

粉砕骨折，骨欠損のある骨折，著しい軟部組織損傷を伴う骨折，開放骨折，前腕骨折との合併，不安定な近位 1/3 の骨折などに適応は限定される．強固な固定性と関節運動が可能なことが利点であるが，挿入位置によっては末梢神経損傷を生じさせる危険性がある．

2）手術療法

保存療法で適切な整復位が得られない場合に適応される．また開放骨折も含め，皮膚および軟部組織の損傷が著しい場合には創部処置・管理のため創外固定や早期内固定が望ましい．合併症である橈骨神経麻痺は保存的に改善が期待できるが，高エネルギー外傷では損傷部位と損傷程度を早期に確認する必要があり手術を検討する（図 13-3-8）．主な内固定材料は髄内釘とプレートである．近位 1/3 および中央 1/3 の骨折には髄内釘が，遠位 1/3 の骨折にはプレートが用いられることが多い．

① 髄内釘（図 13-3-9）

近位 1/3，中央 1/3 の骨折に対して，また骨折部の粉砕程度が著しい場合に適応される．基本的には透視下に閉鎖的に行うため，骨膜や筋付着部の侵襲がなく骨癒合には有利である．しかし螺旋骨折など骨折線が長い場合は完全な整復位は得にくい．また橈骨神経損傷を合併している場合は，整復操作，リーミング，髄内釘挿入時に橈骨

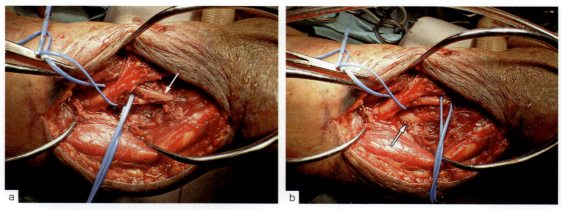

図 13-3-8　橈骨神経損傷
a. テープをかけた橈骨神経を骨片（矢印）が貫いている．
b. 骨片（矢印）整復後

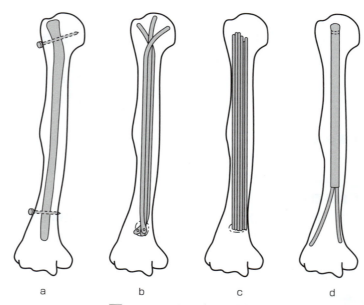

図 13-3-9　さまざまな髄内釘
a. 横止め髄内釘：横止めスクリューがあると回旋や短縮に対して著しく固定性が増す．弯曲型と直線型があるので使い分ける．
b. Ender ピン：骨頭部の海綿骨部分まで先端が達すれば回旋に対する固定性はよいが，短縮転位に対しては固定性が弱い．
c. Hackethal 集束釘：応用範囲が広く特別な道具を要さない．
d. 回旋防止用の釘を内蔵した髄内釘

神経をさらに損傷することがあるので閉鎖的に行うことは禁忌である．このような例に対して髄内釘固定を行う場合は，骨折部を展開して橈骨神経を確認しながら骨折の転位を整復した後に髄内釘を挿入する．固定材料はエンダー釘や Hachethal 集束釘は適応が広い一方，固定性は必ずしも強くないため，横止め髄内釘を用いて回旋方向も

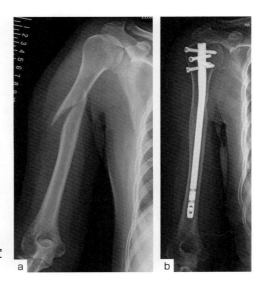

図 13-3-10　順行性髄内釘固定
a. 近位 1/3 の斜骨折，b. 手術後

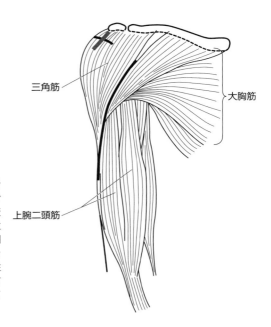

図 13-3-11　近位 1/3 に対する皮切と進入路
三角筋・大胸筋間隙に沿った斜切開とこの遠位で上腕二頭筋外側縁に沿った縦切開を適宜長さを変えて用いる．三角筋・大胸筋間隙を展開し，遠位は上腕筋筋腹を縦割して骨に達する．プレート固定では，三角筋停止部の前方部分は剥離せざるを得ない．なお図中の三角筋上の斜切開は，順行性髄内釘を行う際に用いるもので，三角筋は線維方向に分離する．皮切は三角筋線維方向に作成してもよい．

含めた強固な固定を行うことが主流となっている．上腕骨近位から挿入する順行性髄内釘（図 13-3-10）は Langer 線に沿った肩峰前角前外側部の 3～4 cm の皮切と三角筋を 4 cm 以内の線維方向に分離する前外側進入法が望ましいが，皮切は肩峰前角から始めて三角筋線維方向に 3～4 cm 伸ばす縦切開もよく用いられている（図 13-3-11）．髄内釘の挿入は容易であるが，腱板や棘上筋を切開することや近位部スクリューが骨端部に複数刺入されるため，肩関節への侵襲や肩峰下インピンジメントが懸念される．骨脆弱性が予測される場合は，大結節を避けて骨頭から挿入するほうが医原性骨折を回避しやすい．中央部から近位 1/3 の骨折に対して適応される逆行性髄

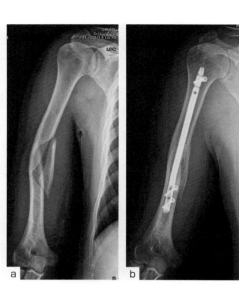

図 13-3-12　逆行性髄内釘固定
a. 中央 1/3 の投球骨折，b. 手術後

内釘（図 13-3-12）は肘頭より 2〜3 cm 中枢側の約 5 cm の皮切と三頭筋・腱を正中で縦割する後方侵入法を用いる．肩関節への侵襲は少ないが肘関節への影響や髄内釘挿入時の顆上部の骨折の可能性に注意する必要がある．

② プレート固定

　骨折の転位が大きく，かつ血管損傷，神経損傷を合併する場合は第一選択となる．直視下に整復固定を行うため解剖学的整復が可能であるが，骨膜や付着筋の剥離操作を伴うために骨への血行や筋に対する侵襲は避けられない．皮切・進入法は，骨折高位によって異なる．近位 1/3 は前外側方進入法として三角筋・大胸筋間隙に沿った斜切開とこれに続く三角筋粗面から上腕二頭筋外側縁に沿って遠位に 3〜4 cm 伸びる皮切を用いる（図 13-3-11）．三角筋・大胸筋間隙を展開し，必要に応じて三角筋付着部の前方部を骨膜下に剥離する．中央 1/3 へは前外側進入法を用い，三角筋・大胸筋間隙の遠位 1/3 とその遠位で上腕二頭筋外側縁に沿って 7〜8 cm 遠位に伸びる皮切から，上腕筋の外側縁を縦割して骨に達する（図 13-3-13）．遠位 1/3 に進入する場合は，上腕三頭筋上に直線または緩く S 字状にカーブする約 12 cm の皮切を加え，三頭筋・腱を正中で縦割して骨に達する．上腕三頭筋外側縁に沿って進入する外側進入法は，中央から遠位への広範な進入に用いられるが医原性の橈骨神経麻痺が最も多く発生する（図 13-3-14）．広範な術野を要する場合は上腕三頭筋を縦割するのではなく内側に排除する Gerwin の modified posterior approach が有用で，骨幹のほぼ全長が露出できプレートの設置も容易であるが，側臥位にする必要がある．神経・血管損傷合併例では，内側進入法あるいは前内側進入法が用いられる．後方進入法は橈骨神経を視認することができるが，整復操作やプレート固定の際に損傷しないように留意する．プレート長は骨折部上下 3 穴以上が推奨される．骨質が良ければロッキングスクリュー，ノンロッキングスクリューともに固定力に差はないが，骨脆弱性を伴う場合はロッキングスクリューを用いるほうが整復位の保持はより確実である．また第三骨片を伴う場合は，鋼線固定ではなく可能な限りスクリュー固定を行うほうが良い

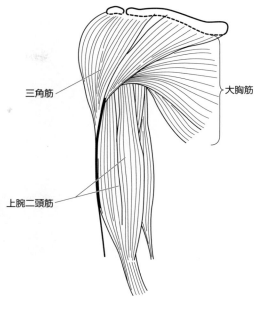

図 13-3-13 中央 1/3 に対する皮切と進入路
三角筋・大胸筋間隙の遠位部の斜切開と遠位の上腕二頭筋外側縁に沿う長い縦切開を用いる．近位では上腕筋と上腕三頭筋間を展開する．遠位では上腕筋と腕橈筋間で橈骨神経を露出してこれをテープで後方によける．上腕筋の外側縁を切開して骨に至る．

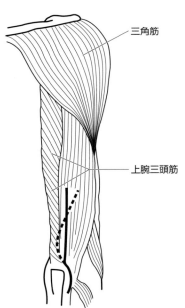

図 13-3-14 遠位 1/3 に対する皮切と進入路
上腕三頭筋腱の直上で直線か緩いカーブを描く切開を加える．遠位では肘頭の橈側を通るように曲げる．上腕三頭筋・腱を縦割して骨に至る．

（図 13-3-15）．解剖学的な整復位と骨折部の強固な固定により早期の機能訓練を開始することができるのでより良い臨床成績を得ることができる．

f 後療法

手術後は疼痛・腫脹の管理のために一定期間三角巾固定が必要となるが，肩関節・肘関節機能を早く回復させるために可及的早期から関節可動域訓練，筋強化訓練を開始する．骨折部の安定性が得られていれば，疼痛自制内で自動運動・補助的自動運動

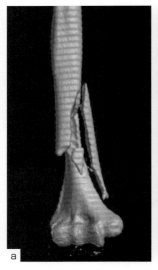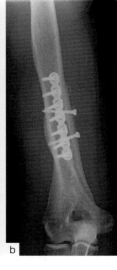

図13-3-15 プレート固定
a. 遠位1/3の粉砕骨折，b. 後方アプローチでの手術後

を手術翌日から行う．順行性髄内釘を経腱板的に挿入した場合は，術後3〜4週間は腱板癒合必要期間と考えて肩関節に対しては他動可動域訓練を行い，その後自動運動を開始する．上肢の手術後は手指の浮腫が生じやすく，機能維持と循環改善のために手指運動を励行する．リハビリテーション中最も注意を要することは，肩関節の内・外旋運動によって上腕骨に捻転ストレスを与えないことで，回旋運動のみは骨癒合が明らかとなってから実施させるべきである．患肢荷重に関しては骨癒合が得られるまでは慎重に判断するべきである．

g 治療成績を左右する因子

いずれの治療においても，偽関節の発生と肩関節・肘関節機能障害の残存が治療成績に影響する．新鮮外傷に対する手術療法による骨癒合率は86〜100％と報告されるが，順行性髄内釘は肩関節の，逆行性髄内釘は肘関節の機能回復が遅延する傾向がある．プレート固定は関節に対する直接的な侵襲はないが，手術操作による橈骨神経損傷の可能性や筋肉を剥離することによる筋自身の損傷や骨への血流低下の発生を必要最小限にとどめる必要がある．functional brace を用いた保存療法における骨癒合率は，平均94.5％と報告されているが骨折部位・骨折形態により骨癒合率は異なる．部位別には近位1/3は中央・遠位1/3と比べて偽関節になりやすい．特に三角筋と大胸筋の間で骨折した場合，近位骨片は外転，遠位骨片は内転するため骨折部が離開しやすく，functional brace も構造上近位部を全周性に覆うことができないために他の部位と比べ安定性が劣る．また骨折形態では，粉砕骨折はむしろ癒合率が良いが，単純骨折である AO/OTA 分類 Type A，中でも Type A3 が偽関節になりやすい．その他，喫煙・女性・受傷時の骨片間距離が骨癒合に影響する．保存療法で偽関節が発生した場合は手術適応となる．偽関節症例では第三骨片の変形癒合や骨吸収による骨折面の変形および廃用性骨萎縮による骨脆弱性のため，正確な整復位の獲得や強固な固定が困難な場合がある（図13-3-16）．さらに疼痛などにより関節可動域訓練が不十分と

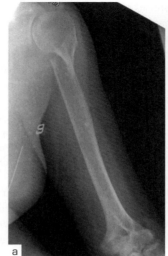
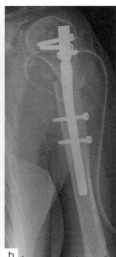

図 13-3-16　偽関節症例
a. 近位 1/3 の骨折で骨萎縮あり
b. 順行性髄内釘固定施行．ドリングにまったく抵抗がなくスクリューも効かない．スクリューはあえて長く突出させて完全脱転を生じにくくし，骨折部の回旋予防効果を期待した．

なっているため，偽関節手術時には関節拘縮，骨折部周囲の癒着がすでに生じており，新鮮例に比し圧倒的に機能回復が遅延する．

参考文献

1) Ali E et al：Nonoperative treatment of humeral shaft fractures revisited. J Shoulder Elbow Surg **24**：210-214, 2015.
2) Benegas E et al：Shoulder function after surgical treatment of displaced fractures of the humeral shaft：a randomized trial comparing antegrade intramedullary nailing with minimally invasive plate osteosynthesis. J Shoulder Elbow Surg **23**：767-774, 2014.
3) Bodner G et al：Radial nerve palsy associated with humeral shaft fracture：evaluation with US- initial experience. Radiology **219**：811-816, 2001.
4) Caforio M et al：Long endomedullary nail in proximal third humeral shaft fractures. Injury **47** (Suppl 4)：S64-S70, 2016.
5) Canavese F et al：Outcome of conservative versus surgical treatment of humeral shaft fracture in children and adolescents：comparison between nonoperative treatment (Desault's bandage), external fixation and elastic stable intramedullary nailing. J Pediatr Orthop **37**：e156-163, 2017.
6) Caviglia H et al：Pediatric fractures of the humerus. Clin Orthop Relat Res **432**：49-56, 2005.
7) Cheng HR, Lin J：Prospective randomized comparative study of antegrade and retrograde locked nailing for middle humeral shaft fracture. J Trauma **65**：94-102, 2008.
8) Christ AB：Rotator Cuff- Sparing Approach for Antegrade Humeral Nailing With Biceps Tenodesis：A Technical Trick With Clinical Implications. J Orthop Trauma **31**：e60-65, 2017.
9) Claessen FM et al：Factors associated with radial nerve palsy after operative treatment of diaphyseal humeral shaft fractures. J Shoulder Elbow Surg **24**：e307-311, 2015.
10) DeFranco MJ et al：Radial nerve injuries associated with humeral fractures. J Hand Surg **31-A**：655-663, 2006.
11) Ekholm R et al：Outcome after closed functional treatment of humeral shaft fractures. J Orthop Trauma **20**：591-596, 2006.
12) Farragos AF et al：Complications of intramedullary nailing for fractures of the humeral shaft：a review. J Orthop Trauma **13**：258-267, 1999.

13) Gardner MJ et al：Hybrid locked plating of osteoporotic fractures of the humerus. J Bone Joint Surg **88-A**：1962-1967, 2006.

14) Garnavos C：Humeral shaft fractures. Rockwood and Green's fractures in Adults, 8th ed. by Court-Brown CM et al, 1287-1340, Wolters Kluwer Health, Philadelphia, 2015.

15) Gottschalk MB et al：Humeral Shaft fracture fixation：incidence rates and complications as reported by american board of orthopaedic surgery part II candidates. J Bone Joint Surg **98-A**：e71, 2016.

16) Hohmann E et al：Minimally invasive plating versus either open reduction and plate fixation or intramedullary nailing of humeral shaft fractures：a systematic review and meta-analysis of randomized controlled trials. J Shoulder Elbow Surg **25**：1634-1642, 2016.

17) Holstein A, Lewis GM：Fractures of the humerus with radial-nerve paralysis. J Bone Joint Surg **45-A**：1382-1388, 1963.

18) Klenerman L：Fractures of the shaft of the humerus. J Bone Joint Surg **48-Br**：105-111, 1966.

19) Koch PP et al：The results of functional (Sarmiento) bracing of humeral shaft fractures. J Shoulder Elbow Surg **11**：143-150, 2002.

20) Matsunaga FT et al：Minimally invasive osteosynthesis with a bridge plate versus a functional brace for humeral shaft fractures：a randomized controlled trial. J Bone Joint Surg **99-A**：583-592, 2017.

21) Neuhaus V et al：Risk factors for fracture mobility six weeks after initiation of brace treatment of mid-diaphyseal humeral fractures. J Bone Joint Surg **96-A**：403-407, 2014.

22) Ogawa K et al：Throwing fracture of the humeral shaft：An analysis of 90 patients. Am J Sports Med **26**：242-246, 1998.

23) Papasoulis E et al：Functional bracing of humeral shaft fractures. A review of clinical studies. Injury **41**：e21-e27, 2010.

24) Park JY et al：Antegrade humeral nailing through the rotator cuff interval：a new entry portal. J Orthop Trauma **22**：419-425, 2008.

25) Pollock FH et al：Treatment of radial neuropathy associated with fractures of the humerus. J Bone Joint Surg **63-A**：239-243, 1981.

26) Sarmiento A et al：Functional bracing of fractures of the shaft of the humerus. J Bone Joint Surg **59-A**：596-601, 1977.

27) Sarmiento A et al：Fractures of the humeral diaphysis. Functional Fracture Bracing：tibia, humerus, and ulna. 141-203, Springer-Verlag, Berlin, 1995.

28) Sarmiento A et al：Functional bracing for the treatment of fractures of the humeral diaphysis. J Bone Joint Surg **82-A**：478-486, 2000.

29) Shao YC et al：Radial nerve palsy associated with fractures of the shaft of the humerus：a systematic review. J Bone Joint Surg **87-B**：1647-1652, 2005.

30) Shields E et al：The impact of residual angulation on patient reported functional outcome scores after non-operative treatment for humeral shaft fractures. Injury **47**：914-918, 2016.

31) 立山　誠ら：橈骨神経麻痺を伴う上腕骨骨幹部骨折に対し早期展開を行った一例. 整外と災外 **67**：569-571, 2018.

32) Tytherleigh SG et al：The epidemiology of humeral shaft fractures. J Bone Joint Surg **80-Br**：249-253, 1998.

33) Wang C et al：Is minimally invasive plating osteosynthesis for humeral shaft fracture advantageous compared with the conventional open technique？ J Shoulder Elbow Surg **24**：1741-1748, 2015.

4 上腕骨遠位部・前腕骨近位部骨折
fracture of the distal humerus and proximal radius and ulna

A 総括的事項

a 解剖・機能解剖

　肘関節は上腕骨遠位部と尺骨近位部および橈骨近位部からなる関節で，上腕に対し前腕が屈伸運動と回旋運動を行っている．同じ関節内の運動でありながら，屈伸と回旋はお互いに独立している．骨性の接触面が多くゆるみが少ないため，関節運動は安定しておりその運動軌跡は一定している．肘関節は前腕を介して手部に安定した運動を与えるという機能を有している．

　運動は尺骨の滑車切痕 trochlear notch (greater sigmoid notch) の形状が屈曲・伸展を導き，橈骨頭の形状が回内・回外を導いているが，安定性は尺骨と橈骨が相互依存しているため，肘関節部の骨折・脱臼は複雑な病態を呈する．したがって骨折・脱臼後に良好な機能を回復するためには解剖学的整復がきわめて重要となる．

1) 骨　格（図 13-4-1）

　上腕骨骨幹部の管状の形態は遠位骨幹端に至ると三味線バチのように扁平となりな

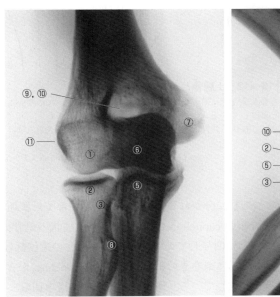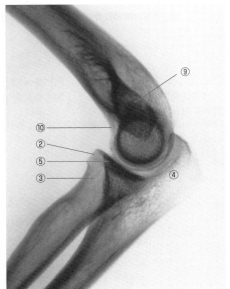

図 13-4-1　正常肘関節の単純 X 線写真
側面像では上腕骨滑車，上腕骨小頭が同心円として描出される．正面像では⑨，⑩の両窩は重なり，ときに開窓していることがある．
①上腕骨小頭，②橈骨頭，③橈骨頸部，④肘頭，⑤鉤状突起，⑥上腕骨滑車，⑦内側上顆，⑧橈骨粗面，⑨肘頭窩，⑩鉤突窩，⑪外側上顆

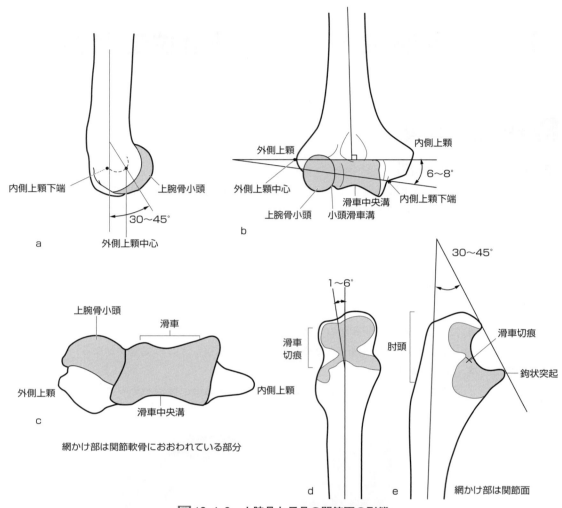

図 13-4-2 上腕骨と尺骨の関節面の形態

上腕骨遠位端は外側からみると上腕長軸に対して30〜45°前方に傾斜している．それに対応して滑車切痕は尺骨長軸に対して30〜45°後方に向かって開口している．
滑車・小頭の回転軸は上腕骨長軸に対して6〜8°外反している．滑車切痕の軸は尺骨長軸に対して1〜6°外反している．

(London JT：J Bone Joint Surg 63-A：529-535, 1981 より著者作図)

がら内側と外側の2つの柱に分かれる．外側の柱は遠位部で外側顆を形成し，その前面には半球状の上腕骨小頭 capitellum があり，薄い円柱状の橈骨頭 radial head に対向し屈伸運動と回旋運動に関与している．一方内側の柱の遠位部は内側上顆となる．2つの柱の遠位部の中央部に糸巻きの形状をした滑車 trochlea が存在し，2つの柱と滑車で3角形の3辺を形成している．滑車は尺骨近位の滑車切痕と対向して屈伸運動をつかさどる．滑車と上腕骨小頭は上腕骨長軸の延長より前方にあり，顆部は長軸に対して30〜45°前方に傾斜しているようにみえる（図 13-4-2a）．上腕骨小頭はその前面が，滑車はその約3/4周が関節軟骨でおおわれている．

滑車と上腕骨小頭の回転中心軸は上腕骨長軸に対し約6〜8°外反している（図 13-

4 上腕骨遠位部・前腕骨近位部骨折　*437*

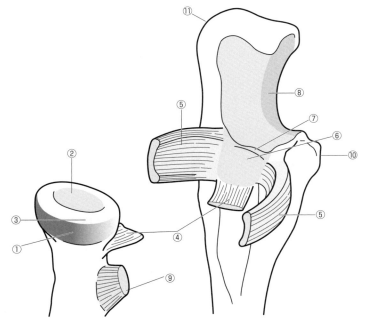

図 13-4-3　橈骨頭と肘頭滑車切痕
① 橈骨頭外縁（橈骨切痕に接しない safe zone（■）では関節面の幅が狭く軟骨に光沢がない），② 橈骨頭頂部の陥凹は上腕骨小頭に対向する．先天性橈骨頭脱臼では凸形になる，③ 上腕骨滑車外側縁に対応する傾斜部，④ 方形靱帯，⑤ 輪状靱帯，⑥ 橈骨頭に対応する橈骨切痕，⑦ 橈骨切痕と滑車切痕の境界，⑧ 滑車切痕，中央に隆起 ridge を持つ，⑨ 上腕二頭筋停止腱，⑩ 鉤状突起，⑪ 肘頭

4-2b）．滑車の中央は陥凹し中央溝 central groove と呼ばれ，上腕骨内・外側顆骨折ではここから骨折線が入ることが多い（図 13-4-2c）．中央溝の上端の前面は屈曲時に尺骨鉤状突起 coronoid process を受け入れる鉤突窩 coronoid fossa を形成している．その橈側には橈骨頭を受ける橈骨窩 radial fossa がある．後面では伸展で肘頭尖端を受け入れる深い肘頭窩 olecranon fossa を形成する（図 13-4-1）．これらの窩が骨折後の仮骨形成や変形性関節症による骨棘形成などで浅くなると屈曲・伸展制限をきたす．

尺骨近位部は滑車を受け入れる約 1/2 円周の軸受けとなる滑車切痕を形成し，その中央には縦走する隆起があり滑車の中央溝に対向する．この隆起の方向は切痕の方向と一致し，尺骨の長軸はこの軸から 1～6° 外反しており，伸展位から屈曲位までの上腕に対する前腕の外反偏位角の一部となる（図 13-4-2d）．肘関節伸展位では上腕骨長軸に対する滑車の傾きが加わり，合わせて 10～15° の外反となる．滑車切痕は側面からみて後方に約 30～45° 傾いて開口しており，上腕骨滑車の前方傾斜に対応し，伸展 0° 以上から屈曲 150° 以上の可動域を可能にしている（図 13-4-2a, e）．滑車切痕は鉤状突起側の前方部と肘頭側の後方部に分かれるが，関節軟骨は前方部・後方部の間で一部あるいは完全に連続性を欠く部分（半月腔）がある．

鉤状突起は尺骨切痕の前壁である．その遠位に尺骨粗面があり上腕筋が停止する．鉤状突起先端から 6 mm の位置に関節包が付着する．橈骨頭は近位の陥凹面が小頭に，側面が尺骨の橈骨切痕に，その間の帯状部が滑車外側面と対向する．橈骨頭は回旋しても尺骨の橈骨切痕に接しない部分があり，側面の高さが低く軟骨に光沢がない部分がそれに相当する．橈骨頭・頸部骨折ではこの部位に内固定材を当てることができるため safe zone と呼ばれている（図 13-4-3）．

上腕骨骨幹端部の後方面を基準にすると上腕骨内側上顆はその面と同じ後方にあ

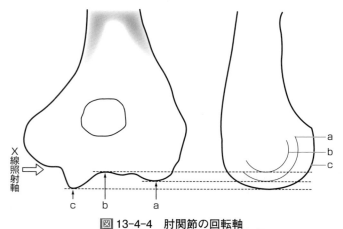

図 13-4-4　肘関節の回転軸
a. 上腕骨小頭の輪郭　b. 滑車中央溝底の輪郭　c. 滑車内側縁
X 線透視下で上腕骨滑車・上腕骨小頭の輪郭を同心円状に描出することができる．

り，外側上顆の中心はそれよりもやや前方にある．このことは顆部骨折に対する内固定材料の挿入時に念頭におくべきである．

肘関節の屈伸運動軸はおおむね滑車の中心と上腕骨小頭の中心を結ぶ単軸としてよい．すなわち正確な単純 X 線写真側面像を撮影すれば，中心より滑車中央溝底，上腕骨小頭辺縁部，滑車内側縁が同心円として描出される（図 13-4-1，4）．

前腕の回旋運動軸は橈骨頭小窩の中心と尺骨遠位端の茎状突起基部の小窩を結ぶ線である．橈骨の橈骨粗面より近位部分はほぼこの軸に一致しているが，橈骨粗面から遠位は橈側凸の弯曲があり回転軸から外れている．この弯曲により橈骨は尺骨と衝突することなく尺骨を中心に 180°回旋することができる．

2）靱　帯

内側支持機構である内側（尺側）側副靱帯は前斜走靱帯 anterior oblique ligament（AOL），後斜走靱帯 posterior oblique ligament（POL），横走靱帯 transverse ligament（TL）の 3 つの部分からなる（図 13-4-5）．前斜走靱帯は最も強靱で，内側上顆前下面から起始し尺骨鉤状突起の内側面の隆起（鉤状結節）に付着する．これは肘関節内側の最も重要な支持機構 primary stabilizer であり，この靱帯の損傷は肘関節の外反動揺性を惹起する．この靱帯は内側上顆の基部から約 80％の高さまで起始を持つ．

後斜走靱帯は内側上顆の下面に起始し，扇状に広がって尺骨滑車切痕の内側面に停止する薄い線維である．後縁は後方関節包に移行する．表面は肘部管の床となり，豊富な血管網を持つ．このため外傷などで容易にうっ血，肥厚，瘢痕化をきたし肘関節拘縮の原因となる．

Hotchkiss，Søjbjerg らは屍体標本を用いた実験で前斜走靱帯を切離すると外反・内旋方向への不安定性が出現するが，後斜走靱帯のみの切離では肘関節の安定性には変化がみられなかったと報告している．したがって肘関節の屈曲制限に対し，肥厚，瘢痕化し，癒着した後斜走靱帯を切除する関節授動術は，肘関節の安定性を低下させることはない．横走靱帯の機能は明らかではない．

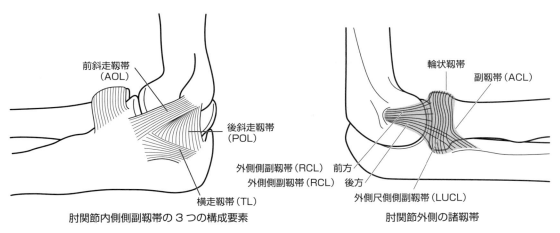

図 13-4-5 肘関節の靭帯

　外側支持機構は橈骨頭を含んだ骨・靭帯の複雑な複合体であり外側側副靭帯複合体 (lateral collateral ligament complex) と呼ばれ，最近注目されるようになった．橈骨頭を鉢巻き状に包む強靭な輪状靭帯 annular ligament (AL) は尺骨の橈骨切痕の前・後縁に付着し，橈骨頭の回旋を許容しつつ外側側副靭帯複合体の一部として外側の安定性を担っている．外側側副靭帯 radial collateral ligament (RCL) は外側上顆から橈骨頭を包む輪状靭帯に付着し移行する．輪状靭帯の下縁から後方遠位へ伸び尺骨回外筋稜に付着する副靭帯 accessory collateral ligament (ACL) があるが欠損することもある．上腕骨と尺骨を直接結ぶ最後方の線維は，外上顆から後内方に向かい尺骨外側縁の回外筋稜に付着し外側尺側側副靭帯 lateral ulnar collateral ligament (LUCL) と呼ばれる（図 13-4-5）．しかし，この靭帯は個体差が大きく，その存在自体が不明瞭な例もみられることもあり，LUCL が単独で外側の安定性を担っているとは考えにくい．
　RCL，AL，ACL，LUCL を合わせて外側側副靭帯複合体と呼ぶ．これに前腕伸筋群起始腱も加わり，外側支持機構として機能している．
　Seki は肘関節外側の靭帯構造は Y 字型構造をなすとしている（図 13-4-6）．すなわち，外側側副靭帯複合体は RCL と LUCL 起始部からなる superior band，AL 前方部からなる anterior band，LUCL と ACL，AL 後方付着部からなる posterior band，さらに3つの band の結合部からなる Y 字型構造となる．橈骨頭の存在下にこの Y 字型構造の靭帯は緊張を保ち外側の安定性を担っている．
　輪状靭帯は関節包の一部であり連続している．輪状靭帯は外側側副靭帯複合体として肘関節の後方偏位制動に関与しており，後方脱臼の際には輪状靭帯前方部は前方関節包とともに損傷することがある．
　輪状靭帯は尺骨の橈骨切痕に連続して橈骨頭を取り囲む骨靭帯環 fibro-osseous ring を形成し，輪状靭帯はその約 4/5 周を占める（図 13-4-3, 7）．橈骨切痕および輪状靭帯の下縁から方形靭帯 quadrate ligament (Denucé ligament) が起始し橈骨頚部に停止する．橈骨の過度の回旋と脱臼を制御する機能を有する（図 13-4-7）．

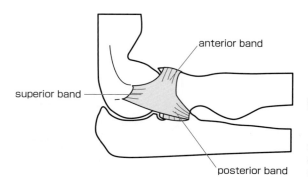

図 13-4-6　肘関節外側側副靱帯のY字型構造

(Seki A, et al：Functional anatomy of the lateral collaterial ligament complex of the elbow：Configuration of Y and its role. J Shoulder Elbow Surg 11：53-59, 2002 より)

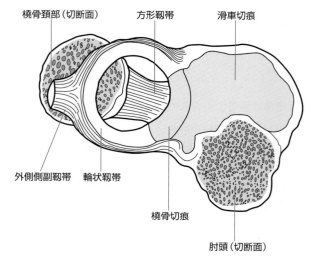

図 13-4-7　近位橈尺関節支持機構（輪状靱帯と方形靱帯）
近位方向からみた図．橈骨頭と肘頭は切離してある．
(King RE：Fractures of the shafts of the radius and ulna. Rockwood CA et al ed, Fractures in Children, JB Lippincott, Philadelphia, 322, 1984 より著者作図)

3）筋・神経

　　肘関節の屈筋として最も重要な上腕二頭筋は橈骨粗面に停止し，肘関節の屈曲と前腕の回外を行う（図 13-4-8）．この筋腱の外側には筋皮神経の感覚枝である外側前腕皮神経が通り，前腕遠位外側の感覚をつかさどる．上腕二頭筋遠位筋腱移行部から内側に向かい前腕筋膜に移行する厚い上腕二頭筋腱膜は，肘関節屈筋支帯の機能を持ち，上腕二頭筋腱の内側を通る正中神経，上腕動・静脈を前方から押さえ肘関節屈曲時の血管神経束の浮上を防止している．肘関節部の外傷で腫脹が高度な場合は皮膚・筋膜切開と同時にこの上腕二頭筋腱膜も切離して減張しなければならない．

　　上腕筋は上腕二頭筋の深層にあり，上腕骨前面に起始し尺骨鉤状突起遠位の尺骨粗面に停止する（図 13-4-9）．上腕筋は肘関節完全伸展位から屈曲を開始するとき，筋腹の緊張により上腕二頭筋腱を挙上し，同腱のレバーアーム lever arm を大きくして屈曲開始時の力を増大させると考えられている．

　　腕橈骨筋は上腕骨遠位骨幹部から骨幹端にかけての外側から起始し，橈骨茎状突起

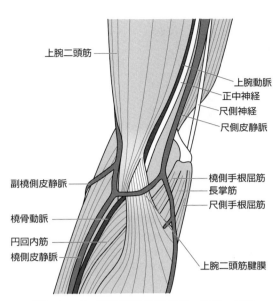

図 13-4-8 肘関節部前面の筋，血管，神経

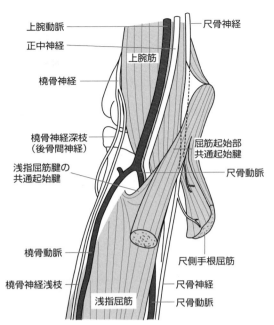

図 13-4-9 肘関節部前面の筋，血管，神経（深層）

に停止し，肘関節の屈曲を行う．腕橈骨筋の遠位からは長橈側手根伸筋が起始し，その遠位の外側上顆からは短橈側手根伸筋，総指伸筋，尺側手根伸筋，肘筋が起始する．短橈側手根伸筋のみが腱で起始し，その他の筋は腱を介さず起始する．

　上腕骨外側上顆と上腕骨遠位外側縁に起始する伸展回外筋群はすべて橈骨神経支配である．橈骨神経は上腕筋と腕橈骨筋の間を下降し，ほぼ関節裂隙の高位で感覚枝（浅枝）と伸展筋群を支配する運動枝（深枝：後骨間神経）に分岐する（図 13-4-10）．運動枝は arcade of Frohse と呼ばれる回外筋の浅層と深層を跨ぐ腱様部の間から，浅・深両層間を通り，短橈側手根伸筋と総指伸筋の間の深層で背側に出る．arcade of Frohse は橈骨頭周囲外傷時に神経絞扼部となり後骨間神経麻痺の原因となる．橈骨頸部の展開には回外筋の切開が必要であるが，遠位には後骨間神経があり注意を要する．橈骨近位の背側からの手術展開は短橈側手根伸筋と総指伸筋の間から進入するが，回外筋から出てくる後骨間神経があり，その保護が必要である（図 13-4-11）．

　上腕骨下端外側部の手術では腕橈骨筋と上腕三頭筋の間から進入するが，上腕三頭筋の深層には肘筋に向かう橈骨神経からの運動枝が下降するので注意を要する（図 13-4-11）．

　上腕骨内側上顆に起始する屈曲回内筋群は，外側から円回内筋，橈側手根屈筋，長掌筋，浅指屈筋，尺側手根屈筋である（図 13-4-8～10）．円回内筋の浅・深両頭の間を正中神経が通過する．

　浅指屈筋は上腕骨内側上顆深部より橈骨近位前面に向かう共通起始腱および橈骨中央部から起始する．この共通起始腱の下を正中神経と尺骨動脈が通過する（図 13-4-9）．

　尺側手根屈筋には肘頭から起始する尺骨頭と上腕骨内側上顆から起始する上腕頭が

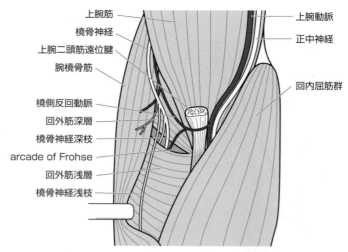

図 13-4-10　肘関節部前面の血管と神経
橈骨頭は橈骨神経深枝の深部にあり，前方へ脱臼すれば遠位を arcade of Frohse で押さえられている橈骨神経深枝は容易に損傷される．

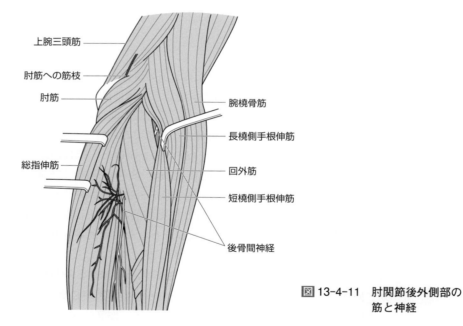

図 13-4-11　肘関節後外側部の筋と神経

ある．その間には緊張の強い腱膜があり，肘部管症候群を発症する尺骨神経の圧迫因子のひとつとなる．さらに遠位で尺骨神経は，薄い筋膜（尺側手根屈筋の深層筋膜と浅指屈筋の浅層筋膜が一体となったもの）の奥に入り伸側から屈側に抜けていく．この筋膜は薄いが緊張が強く尺骨神経の圧迫要因になり得る．尺側手根屈筋の腱膜の近位には滑車上肘靱帯がある．滑車上肘靱帯に一致して滑車上肘筋を 10〜40％にみる．同靱帯は滑車上肘筋の遺残と考えられる．

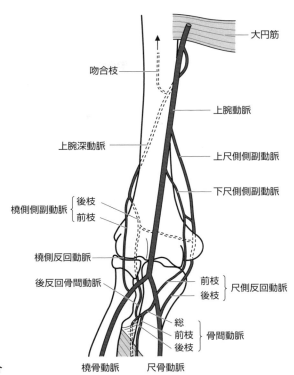

図 13-4-12　肘周辺の動脈系の吻合

4) 血　管

　肘関節部の重要な動脈は上腕動脈である．上腕中央では前後を上腕二頭筋と上腕筋にはさまれ，内側上腕筋間中隔の前面に沿い正中神経の外側を下降する．肘関節前面では上腕二頭筋腱と円回内筋の間を通るが，ここでは上腕二頭筋腱膜により前方を押さえられている（図 13-4-8, 9）．肘関節裂隙よりわずかに遠位で橈骨・尺骨動脈に分岐する．尺骨動脈は浅指屈筋起始部の腱弓の後方を通過して屈筋群深部を尺骨神経と並走して遠位に向かう．橈骨動脈は腕橈骨筋の内側縁を橈骨神経浅枝とやや離れて下降する．橈骨動脈近位では近位へ反回する橈側反回動脈があり，腕橈骨筋に向かう分枝を出したのちに，橈骨神経に伴走する上腕深動脈前枝と吻合する．肘関節周辺では上腕動脈の側副路は豊富で，上腕動脈の閉塞により末梢血行が途絶える可能性は低い（図 13-4-12）．

5) 肘関節の運動

　肘関節の屈伸回転軸はおおむね滑車の中心と上腕骨小頭中心を結ぶ線上にあるとしてよい．

　前腕の回内・回外の回旋軸は橈骨頭の中心と尺骨茎状突起の基部を結ぶ線にほぼ一致する．橈骨近位部の長軸はこの回旋軸に一致している．前腕骨間膜は橈・尺骨の骨間縁を幅広く結んでおり，軸圧でも牽引でも橈骨遠位端に加わった力を尺骨に伝達し分散する．軸圧力を伝達する線維と牽引力を伝達する線維は交叉しており，軸圧を伝達する線維のほうが幅広く丈夫である（図 13-4-13）．前腕を固定し肘関節伸展位で静的軸圧をかけると，腕橈関節に60％，腕尺関節に40％分散する（図 13-4-14）．また外反では橈骨に多く，内反では尺骨に多く荷重が分散する．

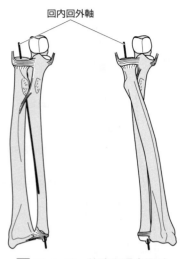

図 13-4-13　前腕の回内回外回転軸

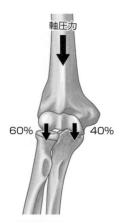

図 13-4-14　肘関節に加わる静的軸圧力の分布
肘関節伸展位では腕橈関節に60％，腕尺関節に40％の荷重が分散される．
(Morrey BF：The Elbow and its Disorders. 4 th ed, 11-38, 2009 より著者作図)

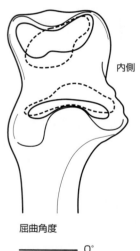

図 13-4-15　肘頭滑車切痕の負荷面
負荷面は伸展位では切痕の後面と前面に分かれているが，90°屈曲位では中央に向かって移動する．切痕中央部には負荷面はなく，この部位では内外側に軟骨を欠く部分がある．
(Morrey BF：The Elbow and its Disorders. 4 th ed, 11-38, 2009／Ann KN, et al：Biomechanics of the Elbow, 39-63, 2009 より著者作図)

　腕橈関節では橈骨頭の関節窩は上腕骨小頭と，橈骨頭内側の三角形の関節面は上腕骨小頭滑車間溝とそれぞれ常に接触しているが，橈骨頭の辺縁部は尺骨の橈骨切痕と対向し上腕骨との接触はない．肘頭滑車切痕における滑車との接触面 contact area は，伸展位では切痕の前後に分かれているが 90°に屈曲すると切痕中央方向に移動する（図 13-4-15）．切痕の中央部には接触面はなく関節軟骨を欠く部分である（図 13-4-2d）．
　Morrey の研究によれば ADL 上最も有用な可動域は屈伸 30〜130°，回内・回外 80°とされている．骨折の治療においても少なくともこの関節可動域を確保するように治療しなければならない．

b 小児肘関節部骨折・脱臼の特徴と注意点

　小児の肘関節部の骨折，脱臼は成人のそれに比較するとその発生頻度，合併症，診断，治療に関して多くの相違点があり，同様に論じることはできない．ここでは小児の肘関節周辺骨折・脱臼について，成人との違いと診断上の注意を述べる．

　小児においては，
① 骨端の軟骨部分が多い成長期には単純X線写真では骨折・脱臼の診断が困難である．
② 単純X線写真に描出される骨の形態は年齢により刻々と変化する．
③ 成長軟骨板損傷を含めて小児特有の骨端損傷が起こる．
④ 骨癒合が早い．
⑤ 一般に長管骨は長径成長により変形治癒骨折に対する自家矯正力が旺盛とされているが，上腕骨遠位端，橈骨・尺骨近位端は長径成長が少ないため自家矯正力は大きくない．
⑥ 関節拘縮が起こりにくい．
⑦ 強引な他動運動強制などにより異所性骨化が広範囲に発生しやすい．

　これらの特徴のため，診断に際して単純X線写真の読影時に健側の写真と比較をしたり，軟骨部分の形態を知るため関節造影やMRI撮影，超音波診断を要することがある．また骨端部外傷の診断には骨端核の位置やその形の変遷，出現・癒合時期など成長期の骨の解剖学的基礎知識が必要である．

　治療上は骨折治癒速度や骨折転位の許容限界を知ったうえで適切な治療法を選択することが求められる．また成長障害が起こる原因に関して十分な知識が必要であり，少なくとも医原性の成長障害を作らないように治療を行うことが求められる．また，合併症の早期発見とそれに対する適切な処置が重要であることは成人と同じであるが，偽関節や変形治癒に伴う成長障害は，発生すると経時的に悪化するので早期の対処が重要となる．

1）骨端核の出現と癒合の時期

　肘関節周囲の骨端核の出現時期とその形態変化は，診断上不可欠の知識である（**図13-4-16，表13-4-1**）．最も早く出現する上腕骨外側顆核（小頭核）は1〜3歳で出現する．単純X線写真正面・側面像で常に橈骨近位軸に対向している．次いで5〜7歳頃に内側上顆核，橈骨頭核が相次いで出現する．橈骨頭核は初期には外側顆核よりも外側に偏してみられることがある．8〜11歳頃には肘頭核が，10〜12歳頃に滑車核が現れる．肘頭核は2個に，滑車核は数個に分裂してみられる．最後に外側上顆核が12歳頃に出現する．小さく扁平なため裂離骨折と見誤られることがある．骨端核の出現と癒合の順番は一定であるが，その時期は個人差が大きい．外傷後の成長軟骨板の早期閉鎖の有無は健側と比較して判定する必要がある．

2）肘関節診察上の目印 landmark

　肘関節の外傷が疑われる場合には，触診する前に患児の着衣を脱がせて左右をよく比較することから始める．触診上目標となるのは，内側上顆，外側上顆，肘頭である．肘関節伸展位では内側上顆，外側上顆，肘頭は一直線上に並ぶ（Hüter線）が，

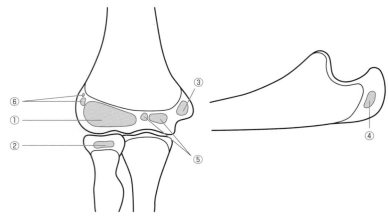

図 13-4-16　肘関節周辺骨端核
① 外側顆核，② 橈骨頭核（外側に偏していることがある），③ 内側上顆核，
④ 肘頭核（分裂することがある），⑤ 滑車核（分裂・不整化が常である），
⑥ 外側上顆核（分裂することがある）

表 13-4-1　肘関節周囲の骨端核の出現・癒合時期（年齢）

報告者	出　現				癒　合
	Maylahn	杉浦	Keon-Cohen	水野	Lange & Wachsmuth
外側顆核	1	1	2〜3	2	13〜16
内側上顆核	5	5〜7	5	7	14〜18
橈骨頭核	5	5〜6	6	6	14〜18
肘頭核	8	9〜11	10		13〜17
滑車核	12	10〜11	10	10	14〜18
外側上顆核	12	10〜12	12〜13	11	14〜16

（伊藤恵康：肘関節部．小児の骨折．村上宝久ら編，メディカル葵出版，1988 より）

屈曲位ではこれらが三角形を形成する（Hüter 三角）（図 13-4-17a, b）．顆上骨折，転位の軽度な外側顆骨折ではこの関係は正常に保たれ，脱臼ではこの位置関係が乱れる．軽微な骨折ではこれらの目印の部位の限局性圧痛の有無が骨折の診断に役立つ．外側では外側上顆の遠位側に橈骨頭を触れる．この外側上顆と橈骨頭と肘頭の間（soft spot）は関節の腫脹を触知しやすい（図 13-4-17c）．

3) 単純 X 線写真読影上の注意

正面像では橈骨頭は外側顆核と対向しており，橈骨近位軸の延長が外側顆核の中央よりやや外側を通る（図 13-4-18）．側面像では肘関節の屈曲角度に関係なく，橈骨頭と外側顆核は対向しており，橈骨近位軸の延長は外側顆核のほぼ中央を通る．この関係を見ることが単純 X 線写真による診断の基本となる．橈骨の骨幹端は回外位では外側に傾斜しており，対向が悪いと判断してしまうことがある．側面像では外側顆核は鉤突窩をたどる線（股関節における Shenton 線に類似）より前方に出ることはない．またこの線の延長線より橈骨近位の骨幹端が前方へ出ることはない．側面像では

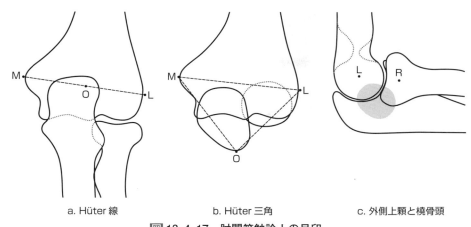

a. Hüter 線　　　b. Hüter 三角　　　c. 外側上顆と橈骨頭

図 13-4-17　肘関節触診上の目印
M. 内側上顆，L. 外側上顆，O. 肘頭，R. 橈骨頭
soft spot（網かけ部）で肘関節内の液体貯留を触知しやすい．

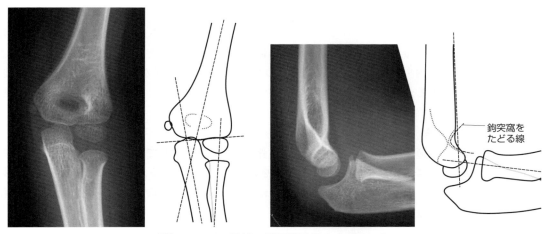

図 13-4-18　単純 X 線写真読影上のポイント

　上腕骨前面の延長線（anterior humeral line）は外顆核の中央を通過する．この線が外側顆核の前方部を通過するときには顆部の後屈を示しており，顆上骨折においては潜在性骨折を疑う根拠として，また整復の目安として重要である（図 13-4-18）．
　関節内液体貯留の有無を判定するにはいわゆる fat pad sign が有用である（図 13-4-19）．関節包の断裂がなく関節内に血液が貯留した場合（関節血症），正常では鉤突窩や肘頭窩の中にある脂肪体が中枢側前方と後方に圧排され単純 X 線写真側面像で透明像としてみられる（fat pad sign）．血液貯留が少ないときには屈曲位では前方のみ，伸展位では後方のみに fat pad sign がみられる．fat pad sign 陽性のとき圧痛点が外側にあれば上腕骨外側顆骨折か橈骨頚部骨折，内側にあれば尺骨近位部骨折，内外側の顆上部にあれば上腕骨顆上骨折を疑う．

4）内・外反角の計測

　肘関節は生理的に軽度外反している．この生理的外反は物を体側に沿って下げて持

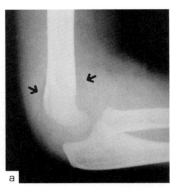 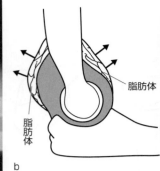 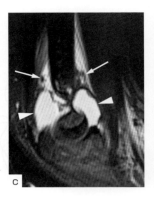

図 13-4-19　fat pad sign
関節血症や水症により，鉤突窩，肘頭窩にある脂肪体が張り出して（b 矢印）描出される．関節包の断裂があると血腫は流出するため明瞭でなくなる．
a. 単純 X 線写真で捉えた fat pad sign，b. 模式図，c. MRI でみた fat pad の移動
矢印：脂肪体，矢頭：関節包

つときに都合のよい外反であり carrying angle と呼ばれる．生理的外反は個人差があるので，顆上骨折後の内反肘，外側顆骨折後の外反肘などでは健側との比較が必要になる．内・外反角の計測には回旋のない伸展位での正確な単純 X 線写真正面像が必要であるが，外傷後には完全伸展ができないことも多く，撮影条件を満たせないことがある．

a) 一般的な方法

肘関節伸展位で上腕骨中央軸と尺骨外側縁とのなす角で表し，最も広く用いられる（図 13-4-20a）．ときに尺骨中央軸を結ぶ線が用いられる．尺骨には S 状の弯曲があるため，近位部で測定すると外反角が大きくなる．尺骨の写っている範囲によっても測定値は変化する可能性がある．

b) Baumann 角

上腕骨中央軸と骨幹端遠位端外側部とのなす角度をいう（図 13-4-20b）．肘関節屈曲位単純 X 線写真でも内・外反角の測定が可能である点で意義がある．多くの論文でこの角度の補角で表現されているが原著では前者である．

阿部は肘外反角と Baumann 角の比較を行い，Baumann 角 78° が肘外反角 0° に相当し，Baumann 角が 90° 以上になると臨床上問題となる 10° 以上の内反肘が発生すると報告している．単純 X 線写真撮影時，肘関節の屈曲角度による Baumann 角の変動はないが，上腕骨外旋位では Baumann 角は減少し内旋位では増加するので注意が必要である．

5) 関節造影，MRI，超音波画像（図 13-4-21, 68, 79 参照）

小児肘関節損傷の診断が困難なのは，軟骨成分が多くこれが単純 X 線写真に描出されないためである．このような場合には関節造影，MRI，超音波診断装置が有用で，上腕骨滑車骨折をはじめとする骨軟骨骨折，橈骨頭骨折，上腕骨内側顆骨折，上腕骨外側顆骨折，上腕骨遠位骨端離開の診断には不可欠ともいえる．最も問題になるのは症例の多い上腕骨外側顆骨折である．滑車核が未出現の年齢では上腕骨外側顆

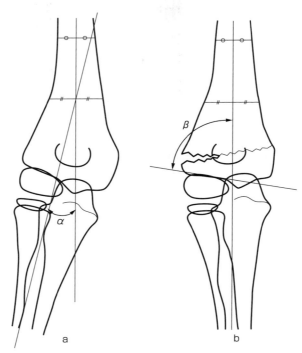

図 13-4-20 肘関節部内・外反(偏)の計測
a. 外反角(carrying angle):肘関節伸展位で上腕骨中央軸と尺骨外側縁もしくは尺骨中央軸とのなす角(α)で表す.
b. Baumann角:上腕骨中央軸と骨幹端遠位端外側部との角度(β)である.その補角を指していることも多い. Baumann角 78°が外反角 0°に相当する.

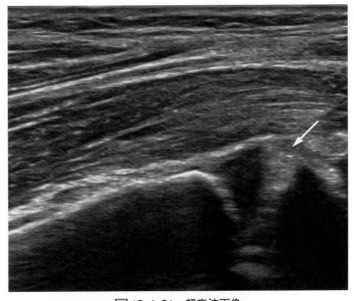

図 13-4-21 超音波画像
Triplane になった上腕骨遠位骨端離開の滑車の骨折部(矢印)

折と遠位骨端離開を単純 X 線写真だけで鑑別することはできないため診断には関節造影か MRI, 超音波診断が必須である.

関節造影により単純 X 線写真で描出されない骨・軟骨片の大きさのみならず, 転位の程度も正確に知ることができる.

関節造影は上腕骨小頭と橈骨頭間の高位で後外側から肘筋を穿通し, 関節内に造影剤を 1〜2 mL 注入する. 関節内血腫により, 一部造影されない関節面があることには注意が必要である.

MRI では骨, 軟骨, 軟部組織に関して多くの情報が得られる. 積極的に撮影を検討する. 診断が難しい小児例では鎮静をしても撮影する必要がある.

超音波診断装置で骨端の軟骨部分の骨折の診断が可能である (図 13-4-21). 外来で手軽にできること, 鎮静が必要ないこと, 術中の整復を確認する目的でも使えることなど有用性は高いが, 撮像, 読影ともに簡単ではなく正確な診断には熟練を要する.

c 肘関節部の手術進入路

1) 皮膚切開 (図 13-4-22)

後方進入は肘頭先端を避ける縦切開が基本となる. 後方から内外側を広く展開するときには, 皮膚の血行のために脂肪層をすべて皮膚側につけて挙上する.

前方進入は切開線が肘窩の皮線に直交しないように留意する. 前外側中心なら近位外側から遠位正中にいたる, 前内側中心なら反対の S 状切開とする. 小範囲の展開でよければ, 横切開による進入も可能である.

内側では内側上顆を通る側正中切開, 外側では外側上顆を通る側正中切開が基本となるが, 深部の展開や内固定材の挿入方向を考慮し, 皮切が最小となるように適切に調整する. 内・外側ともに皮神経を損傷しないように注意する.

2) 後方進入路

肘頭骨折, 上腕骨遠位部関節内骨折, 肘関節脱臼骨折, 肘関節拘縮, 人工関節置換術などの手術に用いられる.

側臥位または腹臥位で X 線透過性の円柱型の支持台に上腕遠位部を置き, 肘関節が深屈曲できるようにする (図 13-4-23). X 線透化性の支持台がなければ, 胸に直方体のスポンジ枕を抱かせてもよいが, 透視操作や肘関節の深屈曲が困難である.

肘後方で肘頭直上を避けて外側凸とした縦切開をおく. 長さは骨折の範囲と形態により決定する. 筋膜・腱膜直上までは剝離を行わずに一層とするように切開し, 皮弁の血行を良好に保つため筋膜上で展開し, 皮弁にすべての皮下脂肪をつけて左右に剝離する. 尺骨神経は伴走血管とともに十分な範囲にわたり剝離し, テープをかけて保護しておく.

尺骨神経は最初に必要な範囲の剝離を行っておく. 骨折固定の途中の術野の拡大や, 手術の最後に尺骨神経の皮下前方移行など, 必要に追われた尺骨神経の剝離の追加は避けたほうがよい.

関節内を展開する必要のない上腕骨遠位部骨折では, 上腕三頭筋の両側から上腕骨を展開する. 関節内を展開するには上腕三頭筋腱縦割法, 上腕三頭筋外側反転法, 肘

4 上腕骨遠位部・前腕骨近位部骨折　　451

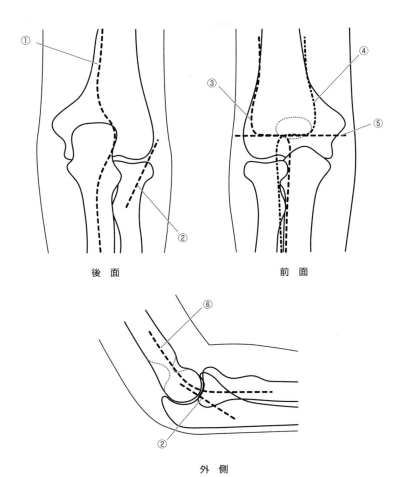

図13-4-22　肘関節手術に多用される皮切
① 縦切開による後方進入路（肘頭先端を避ける）
② Kocher の外側進入路（肘筋の前縁）
③ Henry の前方進入路（近位はやや外側となる）
④ 上腕動脈・正中神経を展開する時の前方進入路
⑤ 前方横切開による進入路
⑥ Kaplan の進入路（外側上顆より近位は拡大するときの皮切）

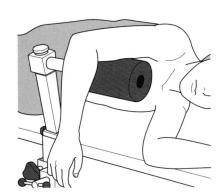

図13-4-23　後方切開のための手術体位
側臥位とする．術中透視を行う場合は上腕骨顆上骨折の際に用いる X 線透過性円柱状支持台が有用である．

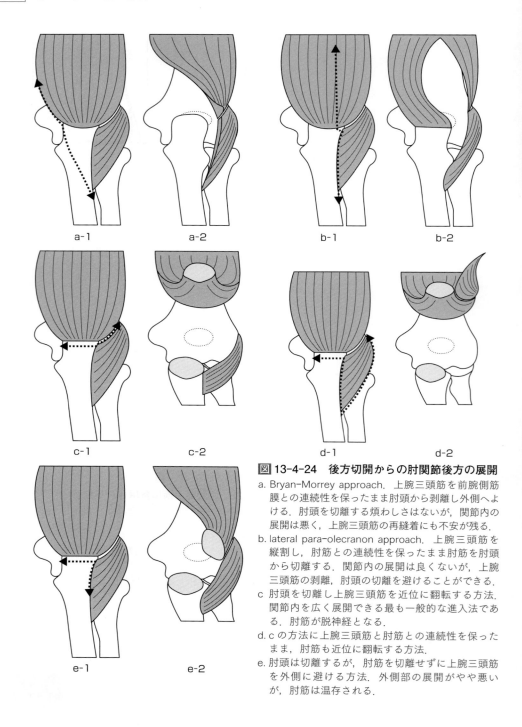

図 13-4-24　後方切開からの肘関節後方の展開

a. Bryan-Morrey approach. 上腕三頭筋を前腕側筋膜との連続性を保ったまま肘頭から剥離し外側へよける．肘頭を切離する煩わしさはないが，関節内の展開は悪く，上腕三頭筋の再縫着にも不安が残る．
b. lateral para-olecranon approach. 上腕三頭筋を縦割し，肘筋との連続性を保ったまま肘頭を肘頭から切離する．関節内の展開は良くないが，上腕三頭筋の剥離，肘頭の切離を避けることができる．
c. 肘頭を切離し上腕三頭筋を近位に翻転する方法．関節内を広く展開できる最も一般的な進入法である．肘筋が脱神経となる．
d. cの方法に上腕三頭筋と肘筋との連続性を保ったまま，肘筋も近位に翻転する方法．
e. 肘頭は切離するが，肘筋を切離せずに上腕三頭筋を外側に避ける方法．外側部の展開がやや悪いが，肘筋は温存される．

頭骨切り法などがある（**図 13-4-24**）．

a）上腕三頭筋内・外側進入法（bicipitolateral approach）

皮切を後面におき，上腕三頭筋の内側と外側の両側から上腕骨後側面を展開する．関節外骨折や，関節面が単純な骨折の場合は整復固定に十分な視野が得られる．皮切を内・外側に置くよりも視野は良好である．

4 上腕骨遠位部・前腕骨近位部骨折 *453*

b）肘頭骨切り法，上腕三頭筋切離法

関節面と顆上部の広範囲の展開が必要な上腕骨遠位部関節面粉砕骨折の整復固定には肘頭骨切り法がよい．屈曲すると関節面の前方も十分に展開できるので，後方からの固定が必要な前額断剪断骨折にも有用である．

上腕三頭筋の内・外両側縁を切離し，外側は肘筋との間を肘頭へ向かって分ける．肘頭中央で関節面に向かって垂直に骨切りし肘頭に上腕三頭筋をつけたまま挙上する．外側では肘筋との境界で切離し，関節包を切離して肘頭をつけた上腕三頭筋を近位へ反転すれば上腕骨下端の全貌が直視できる（図 13-4-24c）．再固定のためにあらかじめ Kirschner 鋼線用の孔を作製してから肘頭の骨切りを行うとよい．遠位で骨切りするほど関節前面の展開はよくなるが，再接合時に固定が不安定になりやすいので注意を要する．成長軟骨板が残存する小児例では成長軟骨板よりも遠位で骨切りする．

前述した通常の方法では，肘筋への筋枝を切断するために肘筋が脱神経となり萎縮するが，これを避ける方法として，Mayo グループは，肘筋を尺骨と上腕外側上顆から切離し，上腕三頭筋と骨切りした肘頭とともに近位に反転する方法を報告している（図 13-4-24d）．また肘筋を尺骨から剥離せずとも，上腕三頭筋と肘頭を近位外側へよけるだけで比較的良好な視野が得られる．外後方のプレート設置はそのまま上腕三頭筋の内側から可能であるが，外側のプレート設置は三頭筋の外側から行う（図 13-4-24e）．

Bryan-Morrey approach は上腕三頭筋と肘筋の連続性を保ったまま，内側から上腕三頭筋腱を肘頭から剥離し上腕三頭筋と肘筋を外側に反転して展開する方法である（図 13-4-24a）．triceps reflecting anconeus pedicle（TRAP）はさらに肘筋を尺骨と上腕骨外側上顆から剥離し近位に反転する．この 2 つの方法では肘頭骨切りによる合併症を避けることができるが，上腕三頭筋腱を完全に切離するため縫合不全による伸展力低下が懸念される．

c）上腕三頭筋腱縦割法

上腕三頭筋を正中で縦割し進入する．関節内の展開が必要なときは，前腕側筋膜との連続性を保ったまま，上腕三頭筋腱を肘頭から鋭的に剥離し，前腕側の筋，筋膜も内外側によける．上腕三頭筋腱付着部の骨を薄く削ぐように腱側につけて切離すると修復が容易となる．肘頭を切離する進入よりも合併症が少ないと報告されているが関節内の展開は肘頭切離法よりも劣る．さらに関節内の展開が少なくてもよければ上腕三頭筋を肘頭から剥離せず，前腕側の展開を肘筋の切離にとどめる方法（lateral para-olecranon approach）もある（図 13-4-24b）．

d）Boyd の進入法

橈・尺骨近位部後方の展開には Boyd の後方進入路が有用である．尺骨稜の一横指外側の縦皮切で進入し，尺骨から肘筋を剥離しさらに尺側手根伸筋の起始部と回外筋の起始部を剥離すれば近位橈尺関節が現れる．回外筋遠位部の反転には後骨間神経に注意を要する（図 13-4-25）．

3）外側進入路

上腕骨外側顆骨折，橈骨頭・頚部骨折，肘関節脱臼後の外側・後外側不安定性に対

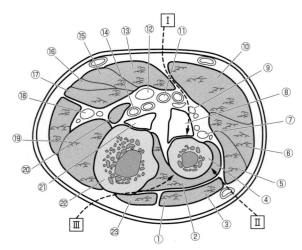

①：固有小指伸筋 ②：回外筋 ③：総指伸筋 ④：橈骨 ⑤：短橈側手根伸筋 ⑥：長橈側手根伸筋
⑦：橈骨神経深枝 ⑧：上腕二頭筋腱 ⑨：橈骨神経浅枝 ⑩：腕橈骨筋 ⑪：橈骨動・静脈
⑫：正中神経 ⑬：円回内筋 ⑭：尺骨動脈・静脈 ⑮：橈側手根屈筋 ⑯：長掌筋 ⑰：深指屈筋
⑱：尺骨神経 ⑲：尺側手根屈筋 ⑳：円回内筋 ㉑：上腕筋腱 ㉒：尺骨 ㉓：尺側手根伸筋

図 13-4-25 前腕近位の横断面図と進入路
Ⅰ．Henry の前方進入路
Ⅱ．Thompson の後方進入路
　（肘関節部での進入路は Kaplan の進入路と呼ばれ，
　橈骨神経深枝よりも後方から進入する）
Ⅲ．Boyd の後方進入路

する手術などに用いられる．関節の前方寄りに進入するか，後方寄りに進入するかで筋間の進入路にはいくつかの相違がある（図 13-4-26）．

a) Kocher の進入法（図 13-4-26, 27）

肘筋と尺側手根伸筋の間から進入する方法である．上腕骨小頭骨折，橈骨頭・頸部骨折の整復・固定などに用いられる．肘筋と尺側手根伸筋の間は関節の後方で，そのまま外側側副靱帯よりも後方で回外筋と輪状靱帯を切開すると関節の後外側に入る．上腕骨小頭の遠位部や橈骨頭だけの展開でよければこの進入でよいが，展開を広げることは難しくなる．

筋間を進入後に回外筋上で前方に移動し，回外筋とともに外側側副靱帯を縦割し，さらに輪状靱帯を切開するのが一般的な外側侵入法で，小頭の外側と橈骨頭が展開できる．展開を広げるには外側上顆から起始する外側側副靱帯と伸展筋群を切離するが，多くの場合前方部のみの切離で十分である．閉創時には切離した靱帯と伸筋群を後方部要素に縫着する．後方部も切離すると関節面の中央から外側が前方も後方も広く展開できるが，外側側副靱帯がすべて外側上顆から切離されるので，閉創時にはアンカーを使った修復が必要となる．遠位部の展開では回外筋内を走行する後骨間神経に注意が必要である．

b) Kaplan の進入法

やや前方で上腕骨小頭や橈骨頭・頸部を展開するには短橈側手根伸筋と総指伸筋との間から進入する．回外筋を露出し回内位で切開する．輪状靱帯は外側側副靱帯を縦

4 上腕骨遠位部・前腕骨近位部骨折　455

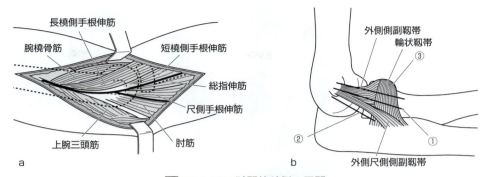

図 13-4-26　肘関節外側の展開

腕橈関節の側面から後方を展開するには尺骨手根屈筋と肘筋の間から進入する方法（Kocher, 図 13-4-27）が一般的である．外側側副靱帯を二分し，輪状靱帯は外側で切開する（①）．小頭の後方だけであれば外側側副靱帯の背側もしくは尺骨に接する部分から進入する（②）．

腕橈関節の前方を展開するには，短橈側手根伸筋と総指伸筋の間から進入する（Kaplan）．輪状靱帯は外側側副靱帯よりも前方で切開する（③）．橈骨頚部から小頭前方まで展開できる．上腕側に展開を拡大し，伸筋群の起始と前方関節包を上腕骨より切離すると，鉤状突起から滑車の中央部まで観察・操作できるようになる（拡大 Kaplan, 図 13-4-28）．

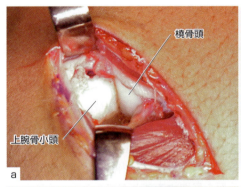
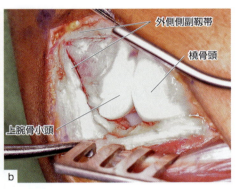
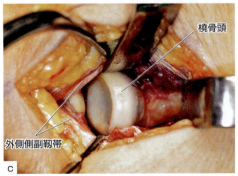

図 13-4-27　Kocher 法による視野
a. 外側側副靱帯よりも後方で進入したときの視野．上腕骨小頭と橈骨頭の後方を展開できる．
b. 外側側副靱帯を割って一部剥離し進入したときの視野（小頭離断性骨軟骨炎症例）．肘関節外側部を広く展開できる．
c. 外側側副靱帯を割って進入し遠位側を広く展開したときの視野（橈骨頚部骨折例）

割するかそれよりも前方で切開する．この進入路では Kocher 法よりも回外筋の切開が前方となり後骨間神経が回外筋内を近位前方から遠位後方に向かい通過するので遠位部の展開には注意を要する．

関節前方の展開を内側まで広げるには上腕骨外側上顆と上腕骨外側縁に付着する長・短橈側手根屈筋を切離し，前方関節包を上腕骨から切離する．これにより上腕骨

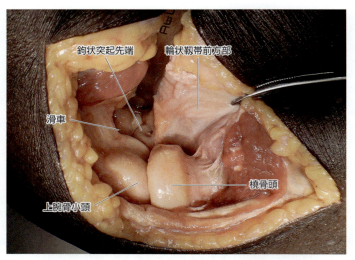

図 13-4-28　拡大 Kaplan 進入法により得られる視野

小頭全体，滑車前方部，鉤状突起まで展開でき，鉤状突起骨折の固定も可能となる（図 13-4-28）．

閉創時には切離した輪状靱帯，外側側副靱帯，回外筋，伸筋起始部を確実に修復する．

4）前方進入路

肘関節前方の唯一のランドマークは上腕二頭筋遠位腱である．その外側に橈骨神経があり，その内側の上腕二頭筋腱膜下に上腕動脈，正中神経がある．

上腕動脈，正中神経の展開が必要であれば近位内側から遠位正中にいたる S 状切開で進入する．関節に達するには血管神経束を内側によけ深部に入る．上腕筋を縦割しても外側によけても滑車前面を展開することができる．

橈骨神経，腕橈関節の展開が必要であれば近位外側から遠位正中にいたる S 状切開で進入する．上腕二頭筋腱と上腕筋を内側によけると腕橈関節の前面を展開できる．

上腕骨顆上骨折の整復のように限られた展開でよければ肘窩前面の横皮切だけで進入できる．

a) Henry の進入法

肘関節の前方を広く展開できる進入法である．上腕骨小頭，滑車前前方部，尺骨鉤状突起，橈骨頭の展開，橈骨神経損傷の合併，上腕二頭筋停止部の損傷などで用いられる（図 13-4-29）．上腕側，前腕側ともに展開を拡大することができる．

肘関節前面で上腕二頭筋の外側から下降し関節前面では皮線に直行しないように S 状あるいはジグザグで通過し，腕橈骨筋の内側を下降する切開を加える．まず肘窩で上腕二頭筋腱を内側によけながら腕橈骨筋との間を近位に向かって分けていくと筋皮神経の感覚枝（外側前腕皮神経）が直視下に現れる．遠位に戻り上腕筋の筋腱移行部を同定し，その外側をたどって上腕筋と腕橈骨筋の境界を特定し，その筋間を近位に分けていくと橈骨神経を同定することができる．近位側では上腕筋と腕橈骨筋の境界

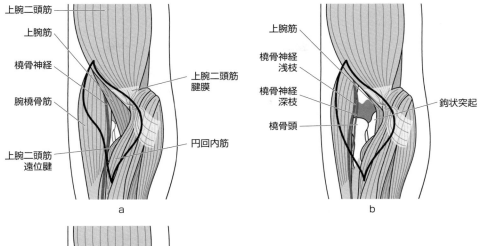
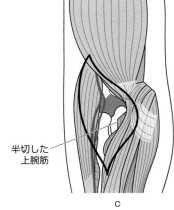

図 13-4-29 肘関節および前腕中枢の前方進入路（Henry）
橈骨神経の展開，Monteggia 脱臼骨折による橈骨頭の整復，上腕近位関節内骨折（前額面剪断骨折）などの手術に用いられる．
a. 浅層．正中で上腕二頭筋遠位腱を同定し，それを内側によける．上腕筋と腕橈骨筋の間で橈骨神経を同定する．
b. 深層．外側では橈骨神経深枝を同定し保護する．橈側反回動脈や腕橈骨筋への動脈が術野を横切るので，これを丁寧に処理する．腕橈骨筋を外側へ，上腕筋と上腕二頭筋遠位腱を内側によけて関節の前面に達する．関節包と輪状靱帯を切開すると関節前方の中央から外側が展開できる．
c. 上腕筋を半切すると，鉤状突起全体と滑車前面まで展開できる．

を特定することが困難であり，近位部で橈骨神経を同定することは容易ではない．橈骨神経を腕橈骨筋とともに橈側へ引いて遠位にたどると，橈骨神経が浅枝と深枝に分岐し，深枝が後外側へ分岐して回外筋の上腕頭と尺骨頭の間の腱様部のアーチ（arcade of Frohse）から回外筋の中へ進入していくのがみえる（図 13-4-10）．遠位側は腕橈骨筋と円回内筋の間を分けて進入する．橈骨動脈から分岐した橈側反回動脈と腕橈骨筋への分枝が橈骨神経上あるいは下を内側から外側へ横断する．これらを結紮・切断して深部に入る（図 13-4-29）．

上腕二頭筋遠位腱と上腕筋を内側へ引けば腕橈関節前方の関節包が現れる．回外し回外筋の橈骨付着部を切離し，関節包と輪状靱帯を切開すると上腕骨小頭前面から橈骨近位部が広く展開できる．上腕筋を内側に引くと滑車中央部まで展開できる．さらに内側の展開が必要なら上腕筋の一部を切開してもよい．

b）上腕筋縦割進入法

術野は深いが小さい侵襲で肘関節前面を展開することができる．鉤状突起の整復・固定，骨片切除や関節拘縮解離術，小児上腕骨遠位端骨折の整復などで使用できる．肘前面の横切開あるいはジグザグ切開で進入し，上腕二頭筋遠位腱を内側に引き上腕筋を中央で縦割し関節の前面に達する．肘関節を約 70° の屈曲位に保つと関節内の視

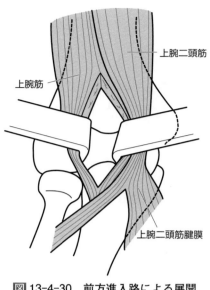

図 13-4-30　前方進入路による展開

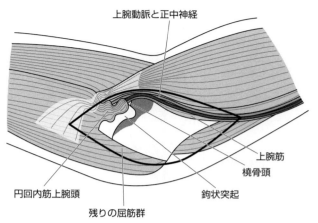

図 13-4-31　over the top 法

円回内筋を切離し遠位に反転し，上腕筋を外側に引くことで関節の前面を展開する．前方関節包を外側まで上腕から切離することが視野をよくするコツである．関節前方を内側近位からのぞき込むような視野となる．切離する屈筋群を遠位側に増やすことで内側の展開が広がるが筋の侵襲は大きくなる．

野が確保できる（図 13-4-30）．

5）内側進入路

内側顆・内側上顆骨折，尺骨神経損傷，内側側副靱帯損傷の手術，滑車・鉤状突起骨折，肘関節拘縮の授動術などに用いられる．

a）内側後方の展開

仰臥位であれば尺骨神経に沿う皮切，腹・側臥位であれば肘頭内側の縦切開を加える．尺骨神経に伴走する上尺側側副動・静脈を可及的に神経側に温存して剥離・挙上しておく．内側上顆直上で中隔を前後に貫く下尺側側副動・静脈を確実に処理する（図 13-4-12）．尺骨神経を挙上した後に上腕三頭筋を後外側に引き，内側側副靱帯の後斜走靱帯とそれに続く後方関節包を切開すると関節の内後方に進入できる．関節包を外側まで剥離すると関節後方を広く展開でき，滑車内側，肘頭，肘頭窩を観察することができる．

b）内側前方の展開（over the top 法，Hotchkiss の進入法）（図 13-4-31）

内側から関節前方を展開するには回内屈筋群の処理が必要である．側正中切開かやや前方の縦切開で進入する．回内屈曲筋群の起始部を近位側より上腕内側縁から切離し内側遠位に反転する．上腕筋を外側によけて関節包を上腕から切離すると関節の前方に進入できる．関節包を外側まで剥離し，屈筋群起始部の切離を近位から遠位に進めると関節面の前面を広く展開できるようになる．滑車前面の処理，鉤状突起の前方からの固定が可能である．Hotchkiss のオリジナルの方法では，屈筋群起始の近位半分を切離するとあるが多くの場合そこまでの切離は必要としない．

c）内側進入法

尺骨鉤状突起，鉤状結節，内側側副靱帯の処置には屈筋群を割って進入する．尺側手根屈筋上腕頭の前方で分けて進入すると，鉤状結節，内側側副靱帯前斜走靱帯の内

側に達する．それより前方の鉤状突起の先端まで展開を得るには，内側上顆から筋を切離する必要がある．遠位に展開を広げると尺骨神経が現れるので注意を要する．内側側副靱帯の前縁で関節包を切開し関節に入る．

尺側手根屈筋の上腕頭と尺骨頭の間から進入すると，鉤状突起の側面と内側側副靱帯が比較的大きく展開できる．尺骨神経から分枝する筋枝を損傷しないように注意が必要である．

屈筋群よりも後方から入り，尺側手根屈筋尺骨頭を骨膜下に剥離し屈筋群全体を前方に引くと尺骨近位を広く展開できる（Taylor and Scham の進入路）．鉤状突起内側基部のプレート固定に適するが先端部の視野は不良である．

参考文献

A. 総括的事項

1) 阿部宗昭：肘関節の骨傷と関節造影．整形外科 Mook No.54，肘関節の外傷と疾患，79-99，金原出版，1998.
2) Ann KN：Biomechanics of the elbow. The elbow and its disorders, 4th ed, Morrey BF ed, 39-63, Saunders Elsevier, Philadelphia, 2009.
3) Athwal GS et al：The anconeus flap transolecranon approach to the distal humerus. J Orthop Trauma **20**：282-285, 2006.
4) 別所祐貴ら：上腕骨遠位端関節内骨折に対する肘筋温存肘頭骨切りアプローチの試み．日本肘関節研究会雑誌 **24**：130-133, 2017.
5) Caputo AE et al：The non-articulating portion of the radial head：Anatomic and clinical correlations for internal fixation. J Hand Surg **23-A**：1082-1090, 1998.
6) Graham JWK：Superficial Surgical Approaches of the Elbow. Techniques in Shoulder & Elbow Surgery **3**：2-5, 2002.
7) Green JR Jr et al：The cubital tunnel：Anatomic, histologic, and biomechanical study. J Shoulder Elbow Surg **8**：466-470, 1990.
8) Hackl M et al：The course of the posterior interosseous nerve in relation to the proximal radius：Is there a reliable landmark? Injury **46**：687-692, 2015.
9) 伊藤恵康：肘関節部．小児の骨折．村上宝久ら編，73-76，メディカル葵出版，1988.
10) 伊藤恵康：上腕・肘関節部．整形外科手術のための解剖学，上肢，長野 昭編，105-178，メジカルビュー社，2000.
11) Iwamoto T et al：Lateral Para-Olecranon Approach for the Treatment of Distal Humeral Fracture. J Hand Surg **42-A**：344-350, 2017.
12) Kapandji IA：The Physiology of the Joints. 6th ed, vol.1, 76-129, Churchill Livingstone, Edinburgh, 2007.
13) London JT：Kinematics of the elbow. J Bone Joint Surg **63-A**：529-535, 1981.
14) Moritomo H et al：In vivo elbow biomechanical analysis during flexion：three-dimensional motion analysis using magnetic resonance imaging. J Shoulder Elbow Surg **13**：441-447, 2004.
15) Morrey BF et al：A biomechanical study of normal functional elbow motion. J Bone Joint Surg **63-A**：872-877, 1981.
16) Morrey BF：Anatomy of the elbow joint. The Elbow and its Disorders, 4th ed, Morrey BF ed, 11-38, Saunders Elsevier, Philadelphia, 2009.
17) Nimura A et al：Joint Capsule Attachment to the Extensor Carpi Radialis Brevis Origin：An Anatomical Study With Possible Implications Regarding the Etiology of Lateral Epicondylitis. J Hand Surg **39-A**：219-225, 2014.
18) O'Driscoll SW et al：Posterolateral rotatory instability of the elbow. J Bone Joint Surg **73-A**：440-446, 1991.

19) O'Driscoll SW et al：The cubital tunnel retinaculum and ulnar neuropathy. J Bone Joint Surg **73-B**：613-617, 1991.

20) O'Driscoll SW：The triceps-reflecting anconeus pedicle（TRAP）approach for distal humeral fractures and nonunions. Orthop Clin North **31-A**：91-101, 2000.

21) 小倉　丘ら：肘関節内側側副靱帯の機能解剖. 整・災外 **46**：189-195, 2003.

22) Seki A et al：Functional anatomy of the lateral collateral ligament complex of the elbow：Configuration of Y and its role. J Shoulder Elbow Surg **11**：53-59, 2002.

23) Smith GR et al：Radial head and neck fractures：Anatomic guidelines for proper placement of internal fixation. J Shoulder Elbow Surg **5**：113-117, 1996.

24) 杉浦保夫ら：骨年齢, 骨格発育のX線診断. 156-169, 中外医学社, 1976.

25) 德永　進ら：肘関節授動術における津下法の変法. 日本肘関節研究会雑誌 **10**：129-130, 2003.

26) Zhang JD et al：Ultrasonography for non-displaced and mini-displaced humeral lateral condyle fractures in children. Chin J Traumatol **11**：297-300, 2008.

B 小児上腕骨遠位部骨折

　　小児上腕骨遠位部骨折は, 大きい軟骨成分の存在や複数の骨端核の存在により成人とは違った骨折型となる. またその治療法や予後も成長期であるために成人とは異なっているので, 小児の骨折については成人と分けて述べる. ただし上腕骨遠位部粉砕骨折と小頭・滑車骨折は, 小児特有の特徴は少ないので成人の骨折と合わせて述べる.

小児上腕骨顆上骨折 supracondylar fracture of the humerus

　　上腕骨顆上骨折は小児肘関節周辺骨折の約60％を占め最も高頻度に発生する. 2～13歳に好発しピークは5～6歳である.

　　Skaggsの8,361例の文献の集計によると, 男女差は6：4で男児に多く, 左右別では6：4で左に多い. 開放骨折は約1％である. 遠位骨片が背側の伸展方向に転位する伸展型が98％を占め, 屈曲方向に転位する屈曲型はまれである. 合併症の多い骨折で約8％に神経損傷を伴い約1％に血管損傷を伴う.

　　Volkmann拘縮をきたす骨折としても認識する必要があり, その発生を予防することが初期治療では最も重要である.

　　上腕骨顆上部は正面から見ると幅は広いが前後の厚みは薄い. このため整復後の骨折部の安定性が得にくく再転位を起こしやすい. また上腕骨遠位部の長径成長は全長の約20％しか受けもたないので変形治癒に対する自家矯正力に乏しく, 初期治療時の正確な整復が予後を左右する.

a 受傷機転

　　ほとんどが転倒, 転落による. 受傷肢位, 機転により骨折の形態が異なり伸展型骨折と屈曲型骨折に分類される.

　　伸展型骨折は肘関節を伸展して手をつき受傷する. 肘関節を伸展して手をつくと肘関節は過伸展位で固定される. 肘頭が支点となり過伸展力により骨折を生じると考え

4 上腕骨遠位部・前腕骨近位部骨折　**461**

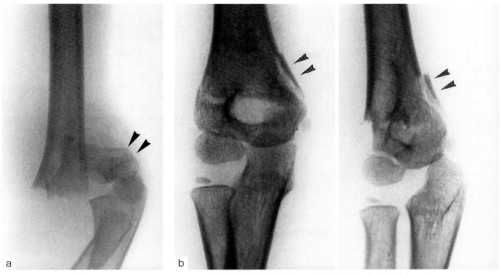

図 13-4-32　上腕骨顆上骨折伸展型の典型的な転位と皮質の粉砕部位
a. 整復前．軟部組織の高度な腫脹と伸展型骨折の典型的な転位がみられる（矢頭）．
b. 徒手整復術後．矢頭は内側および後方骨皮質の損傷を示す．このような例は外固定中にも内反転位を起こしやすいので頻回の単純 X 線写真撮影によるコントロールが必要である．

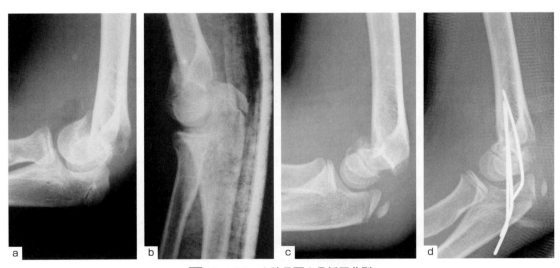

図 13-4-33　上腕骨顆上骨折屈曲型
a. 骨折端が咬合している場合は，肘関節を伸展すれば良好な整復が得られる．
b. 離開している場合は屈曲位で牽引してから肘関節を伸展して整復する．
c, d. 肘頭骨折を伴う屈曲型骨折．前方だけでなく後方にも強い腫脹がある．不安定なため経皮的 kirschner 鋼線固定を要した．

られている．このとき長軸方向の力（軸圧力）は上腕骨下端前面の皮質骨を開大するように，後面の皮質骨を圧縮するように作用し，前面の皮質より後面の皮質のほうが粉砕の程度が強くなる（図 13-4-32, 33）．

　屈曲型骨折は肘関節屈曲位で肘をつき，上腕骨下端に後下方から前上方に向かう外

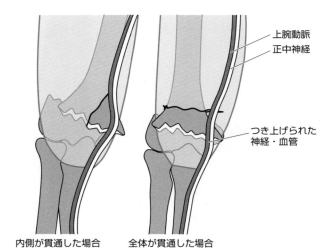

図 13-4-34　上腕骨顆上骨折における血管・神経損傷発生の機序

骨折の近位端が上腕筋をつき破り，前方に貫通することで神経や血管をつき上げて損傷が発生する．内側や外側の鋭い骨折端が貫通する場合が多いが，三味線バチ状の形の骨折端全体が貫通することもある．

力が剪断力として働き屈曲方向に骨折を起こすとされている．肘頭骨折を合併することがありこれを裏付けている（図 13-4-33）．

以下本項では伸展型骨折について述べ，屈曲型骨折については附-5（p.484）にまとめて述べる．

b 骨折の形態・分類

通常，骨折線は肘頭窩，鉤突窩を通り，内・外側上顆の直上を結ぶ線上を走る．単純X線写真正面像では末広がり部に骨折線があり，近位骨折端は外側，内側とも鋭くとがっていることが多い．転位が大きいと前方皮質あるいは内・外側縁の鋭い近位骨折端が周囲の軟部組織損傷の原因となる．

完全な転位を起こした伸展型の遠位骨片は後内側あるいは後外側に転位するが，前者のほうが多く（約75％），内反転位を起こしやすい（図 13-4-32）．この両方向の転位は徒手整復時に内・外反を加えることにより移行し得るが，残存する骨膜の位置など軟部組織損傷の形態は異なっている．

完全に転位した伸展型骨折では前方骨膜は常に損傷している．内側転位型ではさらに外側の骨膜が損傷し，内側の骨膜が保たれている可能性が高い．逆に外側転位型では内側骨膜が損傷し外側骨膜が保たれていることが多い．内側皮質の粉砕や外側骨膜の破断が内反肘の発生に関与する．

さらに転位が大きくなると上腕筋が損傷し，さらにその前方にある血管神経束も損傷する可能性がある．内側転位型では近位骨折端が前外側に突出するので橈骨神経の損傷が多くなり，逆に外側転位型では近位骨折端が前内側に突出し正中神経損傷と上腕動脈損傷が多くなる（図 13-4-34）．

伸展型骨折における遠位骨片の転位は，

1. 回旋 horizontal rotation
2. 前額面での回転 coronal＝frontal tilt（内反，外反）
3. 前方回転（伸展転位）sagittal tilt──前方凸変形

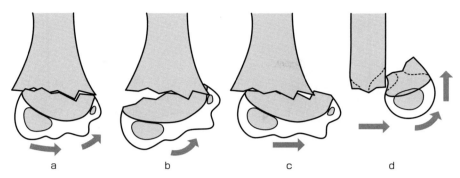

図 13-4-35　上腕骨顆上骨折における遠位骨片の転位
a. 水平面での回旋，b. 前額面での回転（内/外反），c. 前額面での側方転位，d. 後方転位短縮，矢状面での回転（伸展），後方転位
これらの転位が種々の程度に合併している．

　　4. 後方転位 posterior displacement
　　5. 近位移動 proximal migration——短縮 shortening
　　6. 側方転位 medial/lateral displacement
が種々の程度に組み合わさっている（図 13-4-35）．

　前方凸変形（伸展転位）は受傷時の過伸展力に加えて，内・外側上顆から起始する前腕筋群の牽引力にもよる．

　骨膜の損傷に関しては Abraham のサルを用いた実験によると，転位の大きな伸展型では前方の骨膜は骨折部よりも近位で断裂し剥離される．遠位骨片に付着する前方の断裂した骨膜が，骨片間の前方にはさまり整復障害因子となる可能性がある．残存する後方骨膜は整復操作時に緊張し整復の障害因子になるが，一旦整復されると肘関節を屈曲すればこの骨膜は上腕三頭筋とともに緊張し骨折を安定させる構造となる（図 13-4-36）．剥離した前方の骨膜の骨形成能力は減弱するが，後方の骨膜は連続性が保たれることが多く旺盛な骨形成を示す．

　顆上骨折に対しても数多くの分類法が提唱されているが，実用的で比較的多用されているものを示す．

1) 転位の程度による分類

　　多くの分類があるが基本的には共通している．Gartland 分類，Gartland 分類のⅡを伸展転位以外の有無でⅡaとⅡbに分けた Wilkins 改変分類，多方向不安定性があるⅣ型を加えた Leitch 改変分類などがよく用いられる．わが国では阿部の分類が用いられることもある．本項では改変 Gartland 分類を用いる（図 13-4-37）．

改変 Gartland 分類（Wilkins 改変，Leitch 改変）
　Ⅰ型：転位のないもの
　Ⅱ型：中程度の転位があるもの（骨折端の接触があるものとしてよいであろう）
　　　　Ⅱa：伸展転位だけで後方皮質ヒンジが残っており，側方転位，後方転位，回旋転位のないもの
　　　　Ⅱb：伸展転位に加えて側方転位，後方転位，回旋転位のいずれかがあるもの
　Ⅲ型：大きな転位があるもの（骨折端の接触がないものとしてよいであろう）

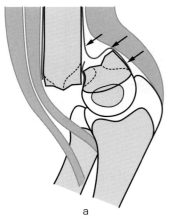
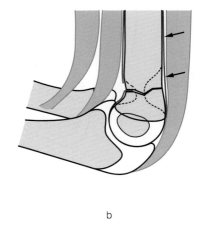

図 13-4-36　上腕骨顆上骨折における骨膜と整復・鋭角屈曲位固定の理論
a. 損傷模式図．後方の骨膜（矢印）は損傷されないが，前方の骨膜は断裂する．
b. 整復位．整復屈曲に保持すると後方の骨膜がテンションバンド（矢印）として働き，上腕三頭筋が内副子として作用し骨折が安定する．時間が経った骨折では，断裂のない骨膜が短縮し整復障害となる．前方の骨膜は骨折間に挟まることがあり，完全な整復を妨げる要因となる．

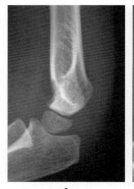
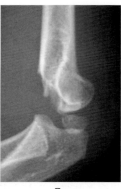
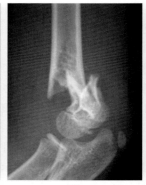
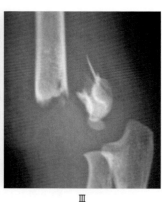

Ⅰ　　　　　　　　Ⅱa　　　　　　　　Ⅱb　　　　　　　　Ⅲ

図 13-4-37　上腕骨顆上骨折のGartland分類（Wilkins改変分類）

Ⅳ型：多方向性の不安定性があるもの（Ⅲ型から医原性に生じることもある）

阿部の分類

Ⅰ型：ほとんど転位がみられないもの（Gartland分類のⅠ型に相当）
Ⅱ型：正面像でほとんど転位がなく矢状面での転位が主なもの（Gartland分類のⅡa型に相当）
Ⅲ型：正・側面で中程度の転位があるが骨片間に接触があるもの（Gartland分類のⅡb型に相当）
Ⅳ型：転位が著しく骨片間に接触がないもの（Gartland分類のⅢ型に相当）

2）骨折線の高位と走行による分類

Bahk（2008）は前額面と矢状面における骨折線の高位と走行により分類し，前額面

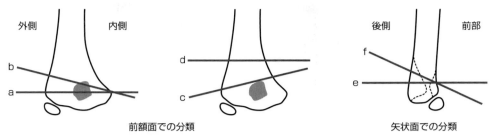

図 13-4-38 Bahk の分類　骨折線の高位と走行による分類
a. typical transverse（10°未満斜度で顆上部付近），b. lateral oblique fractures（外側近位から 10°以上の斜度），c. medial oblique（内側近位から 10°以上の斜度），d. high transverse（肘頭窩よりも近位），e. low sagittal（20°未満の斜度），f. high sagittal（20°以上の斜度）
（Bahk MS：J Pediatr Orthop 28：493-499, 2008 より著者作図）

における斜骨折は回旋転位を残しやすく，矢状面の斜骨折は伸展転位を残しやすいとした（図 13-4-38）．固定ピンの設置位置を決定するために有用な分類である．

c 診　断

　小児が肘関節伸展位で手をついて転倒した後に肘関節上部に疼痛を訴えれば顆上骨折の存在を考えてよい．転位が著明な場合は特有な変形，すなわち伸展型では肘上部で前方凸となり，肘関節で屈曲し肘頭部が後方へ突出したクランク型を呈する（図 13-4-44）．小児では少ないが，肘関節脱臼でも著明な変形をきたす．鑑別は古典的な Hüter 線，Hüter 三角などの基準を用いるとよいが，疼痛，腫脹が強いときは容易ではない（図 13-4-17）．

　転位が明らかな骨折は診断も容易であり，診察では合併症の有無を診ることが重要で，単純 X 線写真では骨折の程度や転位方向を確認する．

　受傷機転が明らかでなく，単純 X 線写真でも骨折が明らかでない場合には圧痛点が診断上重要となってくる．圧痛が上腕側にある場合は外側顆骨折との鑑別が問題となるが，外側顆骨折では腫脹と圧痛が外側に比較的限局しているのに対し，顆上骨折では外側にも内側にも腫脹と圧痛がみられる．

　単純 X 線写真で転位がほとんどない（Gartland 分類 I 型），伸展転位だけがある（IIa 型）では比較的安定している骨折が多い．伸展転位に回旋，内外反，側方転位が加わると（IIb 型）不安定で手術的治療を要することが多い．

　単純 X 線写真側面像では遠位骨片の伸展転位に注意する（図 13-4-34）．また遠位骨片の回旋転位の有無は，側面像における近位と遠位の両骨片の前後径の差で判定する．両者に差があれば骨片間にいずれかの回旋転位が存在する．近位骨片の正しい側面像が得られると外側顆核のある外側顆が前方にあるか後方にあるかで判断できる（図 13-4-39）．回旋転位は主に側面像で判定するが，小さな転位に見えても意外に大きい回旋転位があることを知っておくべきである（図 13-4-40a）．正面像では大きな回旋転位がないと診断できない（図 13-4-40b）．正面像で内側もしくは外側皮質だけに段差や不連続性があるときには内反／外反転位を疑う．これは特に徒手整復時にチェックしなければならない重要なポイントである．小児の単純 X 線写真に見慣れ

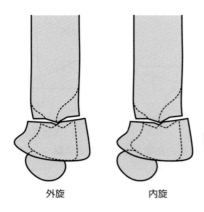

図 13-4-39　回旋転位の判定法
側面像で近位骨片を真側面で撮影したときに，近位と遠位で前後径に差があると回旋転位があることがわかる．外側顆核が前方にあれば内旋，外側顆核がやや後ろにあれば外旋である．

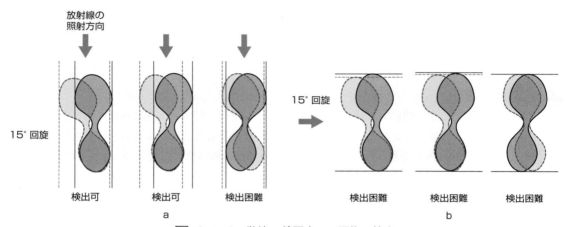

図 13-4-40　単純X線写真での回旋の検出
a. 回旋の有無は側面像の前後径の差で確認する．回旋の支点が内側か外側に偏っていると回旋の判定はしやすいが，中央部に支点があると 15°程度の回旋では判定は難しい．正面像では 15°程度の回旋を判断するのは難しい．
b. 正面像では回旋の検出は困難である．

ていないと，転位の有無の判定はできてもその方向と程度を瞬時に判定することは難しく，透視下での徒手整復時に整復状態の是非を判断できない．

　関節面に骨折がある T 型骨折を見逃してはならない．正面像で肘頭窩の遠位皮質の弧状線の連続性に注意するとよい．T 型骨折は顆上骨折の好発年齢よりも高年齢での発生が多い．

　単純 X 線写真にみられる fat pad sign（図 13-4-19）は関節内骨折の有無を診断するうえで有用で，転位のない上腕骨顆上骨折ではよくみられる．骨折が疑われる場合には MRI が非侵襲的で信頼性のある診断方法である．超音波診断に慣れている場合は，わずかな皮質の段差，骨膜下の出血，軟骨の亀裂などを検出することにより，非侵襲的に骨折を診断できる．3D-CT は骨折の形態と位置関係を把握し，徒手整復法を検討するうえで有用である．また前額面の MPR 像で顆部骨折がないことを確認しておくとよい．

　運動麻痺，感覚鈍麻，循環障害の有無は治療開始前によく診察しておく．幼少児で

は難しいことがあるが必須の診察項目である．骨折部の触診や徒手整復のあとでは泣いてしまい正確に把握できないことが多いので，問診と視診で転位のある上腕骨顆上骨折を疑ったら，まず循環障害と神経麻痺の有無を確認する（神経損傷，循環障害の項，p. 477 を参照）．

d 治　療

　治療はそのままプラスチックキャスト副子固定，徒手整復してプラスチックキャスト副子固定，牽引療法，全身麻酔下に徒手整復して経皮的鋼線固定，観血的に整復して経皮的鋼線固定などから適応を選択する．

　転位が少なく安定性のよい Gartland 分類I型には基本的にプラスチックキャスト副子固定を行い予後も良好である．

　II型は保存療法でよいとする報告と，転位が残存することがあるため経皮的鋼線固定を行うべきとする報告がある．徒手整復後のプラスチックキャスト副子固定で整復位が保たれる割合は約 70％であり，残りの約 30％は経皮的鋼線固定が必要となることがある．筆者はIIa 型で腫脹の少ないものは徒手整復後プラスチックキャスト副子固定を，IIa 型でも腫脹の強いもの，IIb 型は経皮的鋼線固定を適応している．

　III型，IV型は全身麻酔下徒手整復後経皮的鋼線固定が第一選択である．容易に整復できない例や神経・血管損傷が疑われる例では，観血的整復固定術が適応となる．何らかの理由で全身麻酔がかけられない場合には牽引療法を選択する．

■1）プラスチックキャスト副子固定

　I型は肘関節 60～90°の屈曲位で 3～4 週の副子固定を行う．

　IIa 型は固定前に徒手整復を行い，整復位が得られると骨折は安定する．さらには伸展変形治癒による屈曲制限を回避できる．局所麻酔下に肘頭を背側から前方に押しつつ肘を屈曲していくと整復される．そのまま屈曲位を維持しても循環障害が生じない程度の腫脹であれば副子固定で治療可能である．IIb，III型は局所麻酔下に徒手整復することが難しい，不完全な整復では外固定中に再転位する可能性が高く，手術治療の適応となる．

　徒手整復後は 90°以上の深屈曲位とすると，背側の連続した骨膜と上腕三頭筋が緊張するため骨折部は安定する．内側転位があり内側骨膜が断裂せず残存しているときは前腕回内位で固定するほうが安定し，内反変形を減らすことができる．逆に外側転位があり外側骨膜が残存しているときには回外位で固定すると安定する．しかし，腫脹が強く屈曲位固定で循環障害の危険性が懸念される場合がある．そもそも腫脹のために屈曲位がとれないことも少なくない．また前腕回内位では上腕動脈の血流が減少するとの報告がある．循環障害をきたさない範囲で屈曲位とするが，いずれにしてもプラスチックキャスト副子固定後は循環に対する詳細な観察が必要である．

　肩関節を固定しないプラスチックキャスト副子固定には上腕回りの回旋を制限する機能はないため，骨折部が安定しない程度の浅い屈曲位ではIIa 型でも副子内転位の可能性がある．外固定後も特に回旋に注意して詳細な経過観察を行い，転位が増加したら手術を検討する．

　肘屈曲位での単純 X 線写真による内外反変形の診断は Baumann 角（図 13-4-20b）

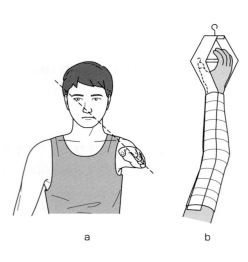

図 13-4-41 三枝らの垂直牽引法
a. 上腕は肩関節で90°屈曲位，50°内旋位とし，前腕回旋中間位で垂直に牽引すれば，近位・遠位骨片間の回旋転位が生じない．この肢位は手掌面が口を横切る．
b. 患児を背臥位とし，a.の肢位で徒手的に牽引し整復する．その肢位のまま，絆創膏を上腕屈側から前腕橈側と上腕伸側から前腕尺側に貼付し，持続牽引を行う．持続牽引は整復するためではなく，整復位を保つために行う．

によるが，90°に近い屈曲位では上腕に対する正確な正面像が得られないため，転位が増加したかどうかの判定は難しくなる．深屈曲では前腕と重なるため，読影は難しいが，上腕の正面像を得ることはできる．

2）牽引療法

全身麻酔下の徒手整復・経皮的鋼線固定は，全身麻酔が安全に施行できることが条件となるが，種々の理由でそれが施行できないことがある．後述する近位骨片の上腕筋貫通がなければ，許容範囲内の整復位に導くことのできる牽引法は代替治療法として現在でも有用である．

a）垂直牽引法

三枝の推奨する上腕50°内旋位，前腕回旋中間位とする垂直牽引法は簡便かつ有用である．循環障害をきたしにくい方法であるが，大きな転位を残したまま牽引しても腫脹の増大や循環障害は回避できない．整復を行ってから牽引することがこの方法の前提である．患児を背臥位にして上肢を前方へ垂直に挙上し，手部を50°内旋位とすると手掌面が口を横切るようになる．この肢位で上腕骨は内旋約50°，前腕は回旋中間位となり，この肢位で牽引すると上腕骨折部での回旋転位が生じない．前方垂直挙上位での上腕側の回旋のresting positionが肩関節内旋約50°であり，前腕側の回旋のresting positionは中間位であることから，骨折部をはさんだ上下の回旋力がこの位置で消失するためである（**図 13-4-41a**）．骨折部に局所麻酔（血腫内麻酔，関節内麻酔）を行い，この肢位で徒手的に牽引を15分ほど加え，回旋転位と短縮を取り除いてから，必要に応じて愛護的な徒手整復を加える．完全な整復を目指す必要はなく，局所麻酔が適切であれば患児が疼痛を訴えて泣くことはほとんどない．

重要な点は牽引用の絆創膏を上腕から前腕に貼布するために，絆創膏を貼る前に徒手的持続牽引で回旋転位と短縮を取り除くことである．前腕だけでの絆創膏貼布では，はずれやすく水疱形成などの合併症が発生しやすく十分牽引ができない．この肢位を保持するため，絆創膏は上腕屈側から前腕橈側と，上腕伸側から前腕尺側に貼付する（**図 13-4-41b**）．

既製の介達牽引用キット（スピードトラック）を用いると皮膚炎も起こさず，管理

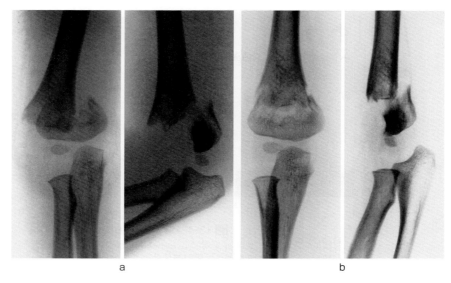
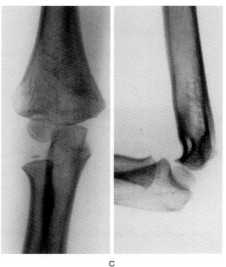

図13-4-42 上腕骨顆上骨折に対する垂直牽引法
a. 受傷時．遠位と近位骨片の骨折端の幅が著しく異なっており，回旋転位を示す．
b. 垂直牽引後1週目．肩関節内旋50°，前腕回旋中間位で牽引することにより，回旋転位はよく整復されている．
c. 受傷後3年8ヵ月

が容易であるがずれやすいという欠点がある．肘関節部の腫脹が著明で，水疱などを形成している場合は中手骨にKirschner鋼線を通して直達牽引を行う方法があるが小児には一般的ではない．

　牽引後は適宜単純X線写真コントロールを行う．転位がほとんど整復されない場合は近位骨折端が上腕筋を貫通している可能性が高いので，全身麻酔下での徒手整復もしくは観血的整復が必要であり牽引療法は断念せざるを得ない．牽引は2～3週間以上継続し，仮骨が形成されたらプラスチックキャスト副子固定へ変更してもよいし，仮骨が成熟するのを待って牽引をはずしてもよい．肘をまっすぐに牽引することから完全な整復を得ることは難しいが，回旋転位が除去できれば後方転位，前方回転が多少残っていても自然矯正が期待できる範囲におさまる（図13-4-42）．正しく施行されれば内反肘の発生は少ないが生理的外反は消失する．

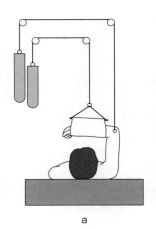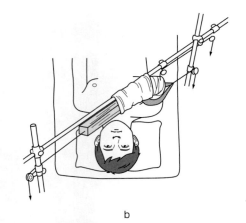

図 13-4-43 肘頭からの直達牽引
a. 肘頭に刺入した Kirschner 鋼線で over head traction を行う.
b. 前腕が顔の前を横切るように肩関節屈曲 90°, 内旋 50° の肢位とすると骨折部の回旋転位が整復される.

b) 90°屈曲位牽引法

肘頭に刺入した Kirschner 鋼線で肩関節 90°屈曲, 肘関節 90°屈曲として牽引を行う. 垂直牽引の理論と同様で, 前腕が顔の前を横切るように肩関節内旋 50°の肢位とすると骨折部の回旋転位が整復される (図 13-4-43).

3) 徒手整復経皮的鋼線固定法

全身麻酔下に徒手整復したのちに鋼線を経皮的に刺入して固定する. 転位が大きいとき (Ⅲ型) には, 高率で近位端が上腕筋を貫通している. 徒手整復はこれが解除できることが前提となる. 解除できないときには無理せずに観血的整復に移行する. 術後は無理のない屈曲位でのプラスチックキャスト副子固定とし, 仮骨成熟まで外固定を継続し鋼線抜去とともに外固定も除去する.

a) 上腕筋に貫通した近位骨折端の解除

近位骨折端が上腕筋を貫いているときには, まずこれをはずすことが整復の第 1 段階となる. 近位骨折端が上腕筋を貫通していることが疑われる所見として, ① 橈骨神経または正中神経麻痺を合併している, ② 循環障害がある, ③ 遠位骨片の後方転位が大きい, ④ 近位端を前方皮下に触れたり皮膚が陥凹している (Pucker's sign) (図 13-4-44), ⑤ 紫斑がある, ⑥ 全身麻酔下に牽引しても後方転位や回旋がほとんど整復されないなどがある. この貫通を解除する操作は仰臥位で行う. 貫通が解除できなければそのまま仰臥位で観血的整復に移行する.

転位が大きく近位骨折端が前方にあり, 回旋がほとんどない場合には, 近位端の全体が貫通している可能性があるが, この状態になっていることは少ない. 多くの場合, 近位骨折端の内側が前内側に貫通しているか, または近位骨折端の外側が前外側に貫通している. 近位骨片に対して正面の単純 X 線写真を撮り, 前腕が内側にあれば内側端が, 前腕が外側にあれば外側端が貫通している (図 13-4-45a).

上腕筋の貫通がある場合は, 牽引や回旋を戻そうとする操作は整復には結びつかない. 近位骨折端が上腕筋を貫通している状態で前腕を伸展して牽引すると, 上腕筋が

4 上腕骨遠位部・前腕骨近位部骨折　471

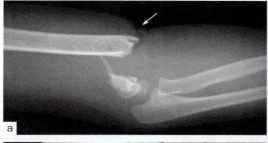
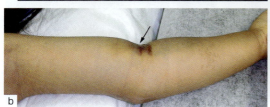
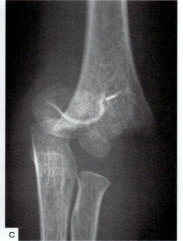
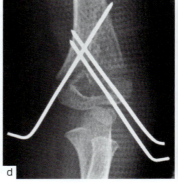
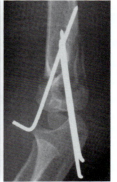

図 13-4-44　上腕筋を貫通した近位骨折端
a. 近位骨折端は前方皮下直下にあり，同部の皮膚は陥凹している（矢印）．
b. 近位骨折端のある部分は皮膚が陥凹し（矢印，Pucker's sign）その周囲に紫斑がみられる．
c. 正面像
d. 術後正側像．徒手整復が可能であった．不安定性が著明であり，内・外側からピン固定を行った．

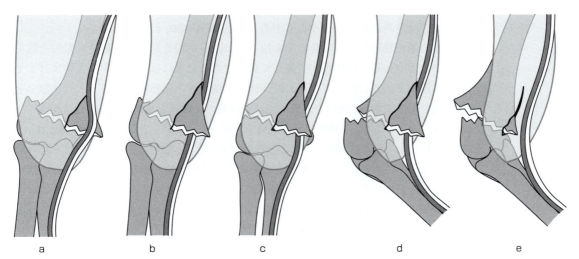

図 13-4-45　近位骨折端の上腕筋貫通を解除する手技（内側が貫通している場合）
a. 近位骨折端の内側が上腕筋を突き破り前方に突出している状態では遠位側は内旋している．
b. 近位骨折端の内側が正中神経と上腕動脈よりも外側にあることもある．
c. b の状態で回旋を整復しようとすると，正中神経と上腕動脈を骨片間に挟み込むことになる．
d, e. 内旋を強めて肘を屈曲することで上腕筋が緩む．上腕近位端を基準にすると，近位を外側へ遠位を内側へ，前腕を基準にすると，近位を後方へ遠位を前方へずらすことにより，骨折端の貫通を解除することができる．外側が貫通している場合には，内外側が逆になる．

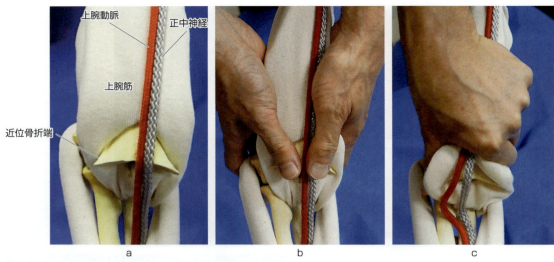

図 13-4-46　近位骨折端全体が上腕筋の前方に貫通しているときの解除法
a. 近位骨折端全体が前方に貫通している状態
b. Peters は上腕筋から近位骨折端を絞り出すように解除する milking maneuver を紹介したが，添えられた図では，骨折端を指で後方へ押し出そうとしている．この行為は神経や血管を鋭い骨折近位端に押さえつけることになり危険である．
c. まず肘を屈曲位とし上腕筋を緩める．上腕筋を近位の後方から絞り下げるようにして，上腕筋を外側端の前へ，内側端の前へと順番に送り出すと貫通が解除されることがある．全体が貫通しているときには，解除が難しいこともある．そのときは無理をせずに観血的整復に切り替える．

緊張して貫通孔が余計にきつくなり抜けにくくなる．また骨折端の内側や外側のとがった部分が貫通しているときに，回旋を戻そうとすると貫いた鋭利な断端が上腕筋をひっかける形となり余計に抜けなくなる．さらにはとがった先端と上腕筋の間に神経や血管をはさみ込んでしまうことがある（図 13-4-45b, c）．

まず近位端が貫通した近位骨折端を抜くには，肘関節を屈曲し上腕筋の緊張を緩めることが大切である．内側端が貫通して前方にあるときには遠位骨片を上腕に対して内旋して前腕を内側に持ってくる．肘関節を屈曲して上腕筋を緩める．その状態で上腕近位端を基準にすると近位を外側へ遠位を内側へ，前腕を基準にすると近位を後ろへ遠位を前へずらすことにより骨折端の貫通を解除することができる（図 13-4-45c, d, e）．外側端が貫通して前方にあるときには内外側が逆となる．鋭利な近位骨折端に上腕動脈や神経が突き上げられている可能性があるので，近位骨折端を触らないように注意し，少し近位部を把持して操作を行う．

近位骨折端全体が貫通しているときには，Peters は上腕筋から近位骨折端を絞り出すように解除する milking maneuver を紹介している．論文に添えられた図では骨折端を指で後方へ押し出そうとしているが，押し出そうとするとなかなか解除されない．またこの行為は神経や血管を鋭い骨折近位端に押さえつけることになり危険である（13-4-46b）．

肘関節を屈曲位とし上腕筋を緩めるのは部分貫通でも全体貫通でも同じである．上腕近位をつかみ，上腕筋を近位の後方から上腕骨に沿って絞り下げていき，最後に上腕筋を外側端の前へ，内側端の前へと順番に送り出すと貫通が解除されることがある

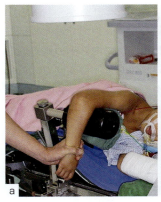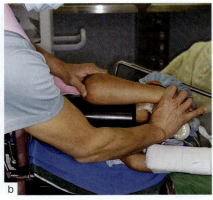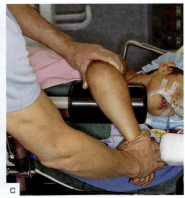

図 13-4-47　X線透過性整復台を使った徒手整復

a. 肘部を台に置き，肘関節を屈曲すると骨折部に牽引力がかかる．整復台の設置位置により牽引力を調整できるので，対抗牽引を行う助手は必要ない．
b. 小児は肩関節の柔軟性があるので，整復位を片手で保ち上腕と前腕を同時に動かすことで側面像を確認できるが，慣れないうちはCアームを動かして行うとよい．
c. 牽引する方向を調整することで回旋を調整できる．通常，真下よりも頭側に引くと整復位が得られる．

（図 13-4-46c）．全体が貫通しているときには解除が難しいこともある．2〜3 回施行して解除されないときには無理をせずに観血的整復に切り替える．

　上腕筋の貫通が解除されるまでは，骨折部の軟部組織の状況を把握し，穏やかに整復を行うことが肝要である．整復阻害因子を顧慮しない，強力な徒手的操作や intrafocal pin を使っての強引な整復操作は上腕筋の損傷をさらに増大させるだけでなく，動脈や神経を危険に曝すことになりかねない．

b）上腕筋貫入解除後の徒手整復法

① X線透過性整復台を用いる方法（図 13-4-47）

　全身麻酔下に腹臥位もしくは側臥位とし，手術台の横に固定したX線透過性の整復台の上に肘関節をのせ屈曲位とし前腕以下を下垂させる．まず遠位方向に牽引して短縮転位を除き，さらに過伸展にして遠位骨片を遠位前方に押し込むと骨折面の咬合が得られる．次いで徒手的に側方転位を矯正する．そのまま整復台に肘関節をかけて屈曲していき，前腕を下垂し多少の牽引を加えると伸展転位（前方回転）が整復される．下垂した前腕を頭側（外旋する方向）に引くか尾側（内旋する方向）に引くかで回旋転位の整復を調整する．通常わずかに頭側に牽引することで整復が得られるのは垂直牽引法における三枝らの方法の原理と同じである（図 13-4-41）．X線透視装置で整復位を確認する．助手に前腕牽引方向と強さを調節して回旋と伸展転位の整復を保持してもらい，術者は残存する側方偏位を整復しつつ Kirschner 鋼線 2〜3 本を経皮的に刺入する．整復位の保持が難しい症例では，鋼線が対側の皮質に当たったところで刺入を止めて，再度整復操作をしてから皮質を貫くようにするとよい．鋼線は 1 本ずつ刺入するたびに整復状態を 2 方向で確認して微調整を行う．微調整後に 2 本目，3 本目を刺入し調整により 1 本目の鋼線がしなっているようであれば，対側の皮質から一度抜いてしなりを取り除いてから鋼線を対側皮質に再刺入する．

② 仰臥位で行う方法

　　X線透視可能な手術台上で操作を行う．牽引で短縮を除去し，骨折部で過伸展にして遠位骨片を遠位前方に押し込むと骨折部の咬合が得られる．次に内外への側方偏位を徒手的に整復する．ここまでは整復台上で行う手順と同じである．仰臥位ではこの次に行う回旋と伸展転位の整復を行ったあとに，その整復位を保持していることが難しくなる．助手に屈曲約80°で前腕を牽引してもらい，術者はカウンターとして上腕遠位部を指と手掌で押さえておく．さらに母指で肘頭を後方から押す力で伸展転位の整復を調整し，助手に前腕を外旋方向か内旋方向にひっぱってもらうことで回旋を調整し鋼線を刺入する．

　　整復位を保つことが困難な場合は，整復操作後に肘関節を深屈曲として，前腕と上腕を滅菌テープで固定し屈曲を保持して整復位を保つ．正面での整復確認が難しいが，助手は必要なく鋼線刺入操作も容易である．しかし鋼線刺入途中での微調整ができないため，完全な整復位が得られていることが条件となる．また屈曲位では尺骨神経が内側上顆に乗り上げていることが多く，内側上顆からの鋼線刺入で神経損傷の危険性が増すため注意を要する．

c) 適切な Kirschner 鋼線の刺入位置

　　外側は外側上顆とその遠位，さらに小頭の後方まで広い範囲から刺入することができる．内側上顆からの鋼線の刺入は尺骨神経損傷の危険性があるため，外側からの刺入が優先される．

　　身体が小さい3〜4歳以下の患者や安定している Gartland IIb 型では外側からの2本の鋼線で十分に固定されるが，それ以外では3本以上が必要である．外側から3本目が入れる余地がない，もしくは外側からの3本の刺入で十分な固定性が得られない場合は，内側上顆からも鋼線を交叉して刺入する．内側上顆から刺入するときは肘関節を伸展し尺骨神経を触知し，内側上顆よりも後方にあることを確認して，内側上顆頂点もしくはそれよりも前方から刺入する．不安があれば小切開を加えて確認する．鋼線による直接の尺骨神経損傷だけでなく，鋼線により肘部管周囲の軟部組織が緊張することで麻痺が生じることがある．内側上顆から安全に鋼線を刺入するには技術を要する．近位外側から内側顆に向けて刺入する方法もある．尺骨神経損傷のリスクは少ないが技術的にはこれも容易ではない．

　　外側からの2本の鋼線は，互いに離れた位置で骨折部を通過し，対側の皮質骨を貫いていることが十分な固定が得られる最低条件である．1本目は外側上顆から近位骨内側皮質を狙い，2本目は小頭の後ろから外側顆核を貫いて内側骨皮質を狙う位置に入れるとよい．外側から3本目を入れるときには，その間から刺入する（**図 13-4-48**）．

4) 観血的整復固定法

　　上腕動脈損傷が疑われ確認の必要がある，高度の神経麻痺があり確認の必要がある，徒手整復後に循環障害や神経麻痺が出現した，前述したように近位骨折端の上腕筋貫通が解除できない，開放骨折などが観血的整復の適応となる．ほとんどの場合に解決すべき問題は肘関節の前方にあるため前方進入法が有利である．

　　肘窩皮線に沿って4〜5 cm の横切開で進入すると，骨折部，上腕筋貫通部，上腕動脈，正中神経，橈骨神経の展開が可能となり，また術後の瘢痕も目立たない．しかし

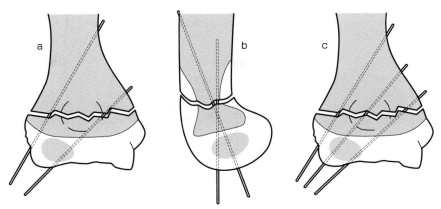

図 13-4-48　適切な Kirschner 鋼線の位置
a, b. 1本目は外側から近位皮質を狙う．2本目は小頭の後ろから小頭核を貫き遠位寄りに挿入する．
c. 3本目はその間に挿入する．

皮切部に近接したところに腱，神経，血管，骨折端などが存在するので，展開には十分な解剖学的知識が必要である．危険をさけるために余裕を持って展開したい場合には内側近位の縦皮切を追加しL字切開とするとよい．

循環障害や正中神経麻痺があるときには，上腕二頭筋の内側から上腕二頭筋腱膜を切開して，上腕二頭筋腱膜の直下にある上腕動脈と正中神経を展開し，それらに対する処置を行う．橈骨神経麻痺がある場合は，上腕二頭筋腱の外側から展開する．近位骨折端が血管や神経よりも前方にあり，近位骨折端と上腕筋の間に動脈や神経がはさまっていることがあるので注意が必要である．近位骨折端の上腕筋貫通を解除する要領は，徒手的に行う場合と同じである．内側端が前方にあるときには遠位を内旋し，外側端が前方にあるときには外旋させてから近位端を後方に押すと解除される（図13-4-45）．近位端全体が突出しているときには，上腕筋を縦割して絞扼を緩めると整復できる．

上腕筋貫通を解除したら近位骨片の下端を後方へ押し出すが，これで不十分であれば骨片間にエレバトリウムを挿入すれば容易に整復が可能である（図13-4-49）．遠位骨折端の前方辺縁は前方関節包や骨膜が覆っていることが多く，骨膜と関節包を縦切しないと骨折縁が直視できないことがある．さらに前方進入法は，粉砕の少ない前方骨皮質を合わせることにより正確な整復が可能な利点もあるが，直視下に整復位を保つことは難しく指で骨折部を触れて徒手的に整復を保つことになる．最終固定はX線透視下に経皮的に鋼線を刺入する．

術後は経皮的鋼線刺入と同様に無理のない肘関節屈曲位でプラスチックキャスト副子固定をし，仮骨成熟まで外固定を継続し鋼線抜去とともに外固定も除去する．

5）創外固定法

一般的ではないが，創外固定法は徒手整復後の固定法として1つの選択肢となる．創外固定としては上腕と尺骨の間を固定する方法が，一般的であり，創外固定術に慣れた医師にとっては受け入れやすい方法である．

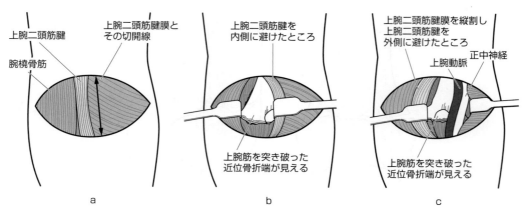

図 13-4-49 前方進入による上腕骨顆上骨折の整復（佐々木法）
a. 肘関節前面のランドマークは上腕二頭筋腱だけである．
b. 正中神経麻痺や循環障害がない場合や橈骨神経麻痺があるときには，上腕二頭筋腱の外側から進入する．腱を内側によけると上腕筋を突き破った近位骨折端が現れる．
c. 上腕動脈損傷や正中神経麻痺があるときには上腕二頭筋腱膜を縦割して進入する．腱膜の直下に血管神経束が存在するので注意が必要である．血管神経束よりも前方に骨折端があるときには，近位に展開を広げて血管神経束を確認する．

6) 転位の許容範囲

転位の許容範囲については議論が多い．横断面での前後内外の偏位は，術後の固定性の悪化につながるが，変形治癒による機能的障害は少ない．回旋や内外反変形は成長による矯正が少ない．回旋変形は肩関節での代償が大きいため機能障害が少ない．内外反変形も肩関節での代償が大きいため機能障害は少ないが，内反肘になると整容的な問題や遅発性尺骨神経麻痺や外側靱帯不全など長期的予後に問題が生じる．伸展転位は大きい矯正が期待できるが，20°以上の伸展転位が残存するとリモデリングが完了するまで屈曲制限による機能障害が生じるため問題となる．回旋・内反変形がなく上腕骨下端の前方傾斜角 anterior tilting が 20°以上に保たれれば，側方・前後に 1/4～1/3 横径の転位は許容される．しかし接触面積の小さい骨折であり，転位の残存は固定の不安定化につながる．屈曲位で外固定中には転位の評価が難しくなり，希望的観測より再転位を過小評価する傾向となるため注意が必要である．徒手整復を行う段階では完全な解剖学的整復を目指す．

7) 後療法

いずれの治療法を行っても骨癒合までには 4～5 週を要し，仮骨がある程度成熟するまで外固定を継続することが原則である．外固定除去後は理学療法は行わずに，患児の自動運動を促すのみとする．通常積極的なリハビリテーションは必要なく，可動域は回復するが，十分な回復までに半年以上を要することがある．変形治癒があれば変形分の可動域は当然当初は回復しないため，成長による変形矯正を待つ必要がある．

強制的な徒手的他動運動は異所性骨化を招き，可動域制限の原因となるため禁忌である．医療施設外での不適切な後療法が行われないように，他動運動を強制する必要がないことや可動域回復には長時間を要することを保護者に十分説明しておく必要がある．

4 上腕骨遠位部・前腕骨近位部骨折 *477*

e 合 併 症

上腕骨顆上骨折は小児骨折の中でも合併症の多い骨折である．神経損傷，動脈損傷，コンパートメント症候群とその結果としての Volkmann 拘縮，内反肘を主とした変形治癒，異所性骨化などによる可動域制限などがある．

1) 神経損傷

Babal の meta-analysis によると転位のある伸展型骨折の 12.7％に神経損傷が発生し，そのうち前骨間神経麻痺が 34.1％と最も高率であり，橈骨神経（26.6％），正中神経（21.3％），尺骨神経（15.8％），後骨間神経（2.0％）と続くと報告されている．

骨片の転位方向と損傷する神経とは関連がある．遠位骨片が後内側に転位すると橈骨神経損傷が，後外側に転位すると正中神経損傷が発生しやすい．これは鋭利な近位骨折端が神経を直接損傷したり，転位により神経が伸長するためである（**図 13-4-34**）．神経の完全断裂の報告はきわめてまれである．正中神経では前骨間神経の成分が主に損傷し，感覚障害と母指球筋の麻痺は軽いことが多い．すなわち長母指屈筋，示指の深指屈筋および方形回内筋が麻痺し，つまみ動作を命じると示指 DIP と母指IP 両関節が屈曲できず，母指・示指間が涙滴型を形成する（teardrop sign）．

母指・示指で丸を作り，中環小指を完全伸展する OK サインと母指を立てる OK サインができれば神経損傷はないと判断できる．小児では指示に応じてくれることは少なく，麻痺の確認は容易ではない．上腕骨顆上骨折を疑った場合は，痛がらせる可能性のある診察や単純 X 線写真撮影の前に，麻痺の有無を確認することが肝要である．

麻痺のうち不全麻痺は通常 2～3 ヵ月で回復する．神経損傷は小児では通常 3 ヵ月待機して Tinel 徴候が伸長しなければ手術の適応となる．この時期まで待って手術を行っても回復は良好である．正中神経損傷例で何らかの整復操作後に橈骨動脈の拍動が触れなくなった場合は，骨折間に血管・神経束をはさみ込んでいる可能性が高く，すぐに手術的に確認する必要がある．

2) 循環障害

循環障害は上腕骨顆上骨折の最も重篤な合併症である．循環障害は骨片による圧迫，挫滅などで直接上腕動脈が損傷される一次障害と，腫脹により阻血が発生する二次障害（区画症候群）とに分けられる．Weller は上腕骨顆上骨折手術例 1266 例のうち44 例（4％）において橈骨動脈の拍動がなく，そのすべてが Gartland Ⅲ型骨折であったと報告している．そのうち虚血で血管の手術を要したのは 5 例であった．動脈拍動のあった 1 例が後に急性区画症候群となった．転位の大きい Gartland 分類Ⅲ型骨折に限ると，Delniotis は 210 例中 23 例で末梢の動脈拍動が消失していたと報告している．また Louahem は 404 例中 68 例で末梢の動脈拍動が消失していたと報告している．

a) 上腕動脈損傷

上腕動脈の直接損傷は遠位骨片が後外側に転位しているときに多い．上腕動脈が断裂することはまれである．血栓による閉塞や骨片の刺激による攣縮による循環障害が多い（**図 13-4-34**）．循環状態は手の循環は良好で末梢動脈拍動がある，手の循環は保たれているが末梢動脈拍動がない（いわゆる pink pulseless hand），手の循環は不良

で末梢動脈拍動もない，の3つに分けられる．pink pulseless hand は末梢の動脈拍動は触れないが手は温かくピンク色で，毛細血管再充満時間（capillary refilling time, Blanch test）が2秒未満であり組織が壊死とならない十分な血流がある状態である．拍動を触れない場合は手術による動脈再建が必要になる可能性があるため，血管を扱うことのできる医師がいない場合は治療を始める前に適切な医療施設に転送するべきである．

何らかの血行障害がある場合は血管と神経を観察するために観血的整復固定術がよいとする意見がある．末梢動脈の拍動を触れない例は上腕動脈の骨折端による突き上げや骨折間へのはさみ込みが疑われる．これを安全に解除できるのであれば必ずしも全例で血管を観察する必要はないであろう．動脈損傷は近位骨折端が上腕筋を貫通していることが原因であるため，前述したように，まずこれを徒手的に解除することができれば，そのまま徒手整復に移行することができる（図13-4-34）．超音波診断装置で動脈と骨折端の位置関係を確認すると，より安全に上腕筋貫通解除の操作を行うことができる．容易に解除できないときには無理をせず骨折部を手術的に展開したほうがよい．強引な徒手整復は禁物である．正中神経麻痺が存在するときも，正中神経に近接して走行する上腕動脈に同様の注意が必要である．

徒手整復経皮ピンニング後に，再度血流の再評価を行う．整復後も循環が不良であれば，骨折部を手術的に展開し血管の状態を確認する必要がある．動脈の拍動が再開していれば問題ない．逆に整復前にあった拍動が消失していれば，徒手整復で血管を障害したことが強く疑われるため骨折部の展開が必要である．

pink pulseless hand に対して即時の血管の手術的展開が必要かどうかは議論が分かれている．pink pulseless hand を呈しているとき，上腕動脈が閉塞している場合と刺激により攣縮している場合がある．前者は回復しないが後者は回復する．上腕動脈の血流が途絶えても，肘周辺には側副血行路が多く存在するために末梢の循環は保たれることがある．pink puleseless hand を放置して，手指の拘縮，冷たい手，寒冷不耐性，易疲労性などが生じたとする報告がある一方で，厳重な経過観察で循環状態がそれ以上悪化しなかった場合には機能障害を生じた例がないとする報告もある．後遺症が残ったとする報告がある以上，即時手術の正当性を否定することはできない．しかし経過観察により回復の可能性があること，待機後に上腕動脈の血行が再開しないことを確認してからでも動脈再建は可能であることを勘案すると，術後に経過観察を行うことも許容される治療方針である．経過観察後に上腕動脈が閉塞している場合に，動脈再建が必要か否かの結論も出ていない．

いずれにしても術後24時間から48時間は，超音波診断装置，パルスオキシメータ，毛細血管再充満時間の測定などによる厳重な経過観察が必要である．

b）急性区画症候群，Volkmann 拘縮

急性区画症候群 acute compartment syndrome は遠位部の腫脹による二次的な循環障害である．出血と毛細血管壁の透過性の亢進による高度な浮腫により，筋区画内圧が上昇し，主に細動脈以遠の循環が障害され，筋，神経などの変性，壊死が起こる．

区画症候群の急性期の主な症状は激しい疼痛と腫脹である．pain（疼痛），pallor（蒼白），paresthesia（感覚異常），paralysis（運動麻痺），pulselessness（脈拍触知不能）

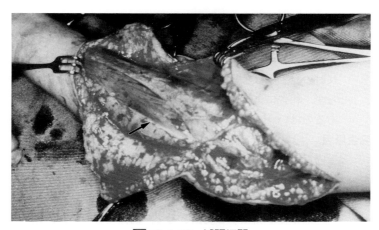

図 13-4-50　減張切開
深層筋群の色調は著しく不良であったが，減張切開後10分ほどで血行が再開してきた（矢印）．減張切開は十分な範囲の切開が必要である．

のいわゆる5P徴候が有名である．最も重要な症状は高度の自発痛と手指の他動伸展時の激痛である．通常の鎮痛剤を投与しても激しい疼痛が軽快しない場合はまず本症を疑うべきである．主要血管の血行は早期には保たれていることが多く，橈骨動脈の拍動の触知は本症を否定する根拠にはならない．

　この合併症は治療より予防が第一である．骨折の転位の放置により腫脹が進行するので，転位の大きい症例では待機することなく整復操作を行う必要がある．

　観血的動脈圧モニタリングキットを用いれば容易に持続的に区画内圧を直接測定することが可能である．区画内圧が30 mmHg以上，もしくは拡張期血圧－筋区画内圧が20 mmHg以下であれば時期を失せずに筋膜切開を行う．症状が明らかであればこのような測定を行う必要はなく，緊急に筋膜切開を行うべきである．

　筋膜切開は上腕遠位1/3から前腕遠位1/4まで屈側にS字状あるいはジグザグ皮膚切開を加え，筋膜を縦切する．肘関節屈側の上腕二頭筋腱膜も切離することが重要である．膨隆してきた浅指屈筋をよけ深指屈筋の筋膜も切開する．発症後時間が経過していても筋膜切開術を行う価値がある．筋の変性は前腕深層筋の中央部が最も高度で，深指屈筋および長母指屈筋が主に侵される（図13-4-50）．

　減張切開で手指の血行が回復すればよいが，回復しなければ骨折部での血管損傷を考え骨折部で血管・神経束を展開する．必要であれば静脈移植による動脈再建を行う．筋膜切開後に皮膚移植を行う必要はない．通常切開後1～2週経過すれば減張切開部の一次縫合が可能である．

　前腕の区画症候群による拘縮はVolkmann拘縮として知られている．阻血による筋拘縮と神経障害が混在した病態となる．慢性期になると壊死に陥った屈側筋群が瘢痕性に収縮するため，手指，手関節の屈曲位拘縮が発生する．手指の自動屈曲もできず他動的伸展も種々の程度に制限され，神経も阻血と瘢痕による絞扼のため高度な麻痺を呈し，多くの場合はほとんど廃用手となる．手内筋も阻血性拘縮を起こすため硬く冷たい手となる．Volkmann拘縮の治療は機能再建術が主となる．

3) 内 反 肘

上腕骨遠位骨片の左右方向への側方転位は自然矯正されるが，内・外反転位の自然矯正はきわめて少なく，整復不良はそのまま変形として残る．上腕骨顆上骨折後の内反肘の発生率は骨折の治療法により異なる．手術療法の発生率が必ずしも低いとは限らず，報告によってばらつきが大きい．適切な適応と手技で治療を行うことが重要であるのはいうまでもない．

a) 発生原因

内反肘の発生の主原因は変形治癒であるが，骨折治癒後に内反が進行したとする報告もあり内側成長軟骨板の発育障害も一部の症例では内反肘の原因となっている可能性がある．

内反転位が発生する要因として，内側皮質の粉砕，遠位骨片の内背側への転位，外固定中の遠位骨片への内反力と内旋力があげられる．

前後に薄い上腕骨遠位部の内側皮質が粉砕していると整復しても内側が咬合せず，残存する外側皮質を支点にして内反する傾向となる．また遠位骨片が後内側に転位しているときは，外側骨膜が断裂し内側骨膜が残存しているため内反する傾向になり，骨折線が遠位外側から近位内側へ走るとその傾向が増す．患児が外固定した上肢を持ち上げようと肩関節を屈曲もしくは外転するときには内旋位をとる傾向となる．前腕の重量で遠位骨片には内反，内旋する外力がかかることになるため，外固定後の転位の多くは内反，内旋となる．保存療法でも手術療法でも整復では骨折が安定する解剖学的整復位を目指し，術後は転位する外力を減らすために三角巾もしくはアームスリングを使わせる．

b) 内反肘の病態

肘関節伸展位，前腕回外位で上肢を前方から見ると，患側は健側に比べ肘関節部で内反しているのがわかる．肘関節には生理的外反があるので，健側の外反角と患側の内反角との和が変形となる．また「前へならえ」をさせると，肘関節外側が著明に突出する（**図 13-4-51a**）．肘関節を屈曲させて体側につけさせ後方から見ると，肘頭は著しく内側に偏位するため Hüter 三角が崩れ，外顆と肘頭が同一平面に並ぶ．また内反肘に加えて上腕骨下端の伸展転位（前方回転）のため（**図 13-4-51c**），肘関節の屈曲制限がみられる例がある（**図 13-4-51b**）．この場合は健側に比較して見かけ上の過伸展を伴う．

Takeyasu の CT 画像分析によると，単純な内反変形が 20%，内反・伸展・内旋変形が 44%，内反・伸展変形が 20%，内反・内旋変形が 16% で複合変形が多数を占めていた．

高度な内反肘では外見上の問題だけではなく，遅発性尺骨神経麻痺や外側支持機構の緩みを生じる原因となる．

c) 内反肘の治療

軽度の内反肘は機能的障害が少なく主に整容上の問題である．内反角が 15° を超すと特に醜形が目立つが，10° 以下でも屈曲制限がある場合，あるいは患者，家族の希望により手術を行うことがある．高度な内反肘では前述したとおり，整容上の問題に加えて遅発性尺骨神経麻痺や外側支持機構の緩みを生じることがあるため，手術療法

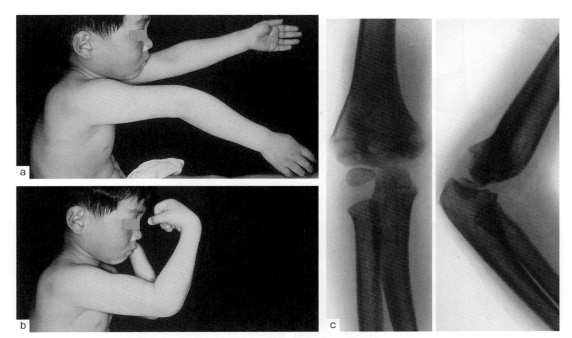

図 13-4-51　屈曲制限を伴う内反肘
a.「前へならえ」をさせると患肢は下垂する．b. 屈曲制限が著明である．c. 遠位骨片の内反に加えて伸展変形が著しい．

の対象となる．

　小児例の手術の時期は通常受傷後1年以上，年齢は5〜12歳の間に行うことを原則とする．5歳以前では上腕骨遠位部の軟骨成分が多く矯正角が決定しにくく，また13歳をすぎると骨切り部の骨形成能が減少する．しかし高度な内反肘（20°以上）では上腕三頭筋の遠位部が内側に偏位し，さらに内反力が働き外側支持機構の弛緩も生じるので，5歳以前でも矯正骨切り術を行う．屈曲制限が高度な場合も5歳以前での矯正が必要である．成人でも内反肘により外側支持機構の弛緩や内側型の変形性関節症のために矯正骨切り術が行われる場合がある．

　ドーム状骨切り術，階段状骨切り術などさまざまな手術法があるが，通常は手術手技が容易な楔状骨切除を2面組み合わせた楔状骨切り術でその目的を達成できる．すなわち屈曲障害が少なければ前額面のみで楔状骨切り術を行い，屈曲制限が強い例では遠位骨片の前方部の切除を加える．回旋の矯正は骨切り面で行う（図 13-4-52）．内固定には1.8〜2 mm Kirschner鋼線でクロスピンニングをするか，外側から2本刺入し0.7〜0.8 mm 軟鋼線で近位皮質とKirschner鋼線を締結する．小児であればこれで固定性は十分に得られるが，成人ではプレート固定が必要である．内反肘矯正術の不成功は，内固定力の不足による矯正損失が主たる原因である（図 13-4-53）．患肢の大きさに見合う十分強度のある固定法を選択する．

　矯正量が大きいと骨切り後の接触面が小さくなり，安定した固定性を得ることが困難となる．骨切り部の近位および顆部に創外固定ピンが挿入できるだけの大きい顆部を持つ年長児であれば，創外固定を行うことで解決できる．創外固定ピンを矯正の目

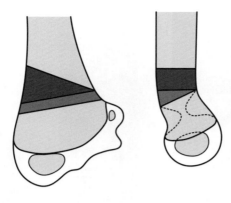

図 13-4-52　内反肘に対する矯正骨切り術
内反変形分（黒色）と伸展変形分（灰色）を分けて，楔状切除の骨切りを行う方法が単純で簡単である．切除する三角の頂点が元の骨折部に近くなるように設定し，かつ二等辺三角形で切り取れる位置に設定するとよい．内旋の矯正は骨切り面で最後に行う．内旋の矯正が必要ない場合は，伸展変形分の骨切りは近位で行ってもよい．

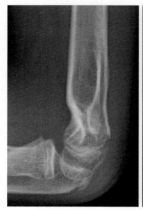 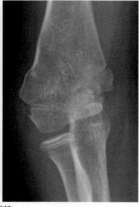 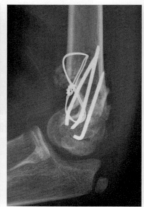 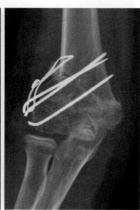

術前　　　　　　　　　　　　　　　　　術後

図 13-4-53　楔状骨切り（9 歳，女性）
内反変形 30°，伸展変形 15°の矯正を行った．外側進入で外側と前方の 2 面で楔状骨切除を行った．外側から引き寄せ鋼線締結法で固定した．切除骨を細骨片とし骨移植も行った．

安に使うことで正確な矯正が可能となり，矯正も固定も容易である（図 13-4-54）．
　矯正には変形の程度を正確に把握することが必要である．遠位骨片の内反変形，伸展変形（前方凸変形）は，単純 X 線写真により内反角，顆部の前方傾斜角の減少として得られる．また回旋変形角度の測定には，肘関節を直角として上腕を背中で最大内旋すればよい（山元の計測法）．体幹を前屈させ頭側から見れば前腕と背部とのなす角度の左右差が回旋変形角となる（図 13-4-55）．しかし Takeyasu らの CT 画像を用いた三次元解析によると，単純 X 線写真から得られる顆部の前方傾斜角と山元法による内旋角は不正確であることが報告されている．正確な矯正量を知るためには，CT を用いて健側との比較を行うのが理想的である．CT データに基づくカスタムメイド骨切りガイドを用いた正確な骨切り法が実用化されている．カスタムメイドプレートも保険収載されている．カスタムメイド骨切りガイドの定価が約 20 万円と高価であり，手術手技料として患者適合型変形矯正ガイド加算 6,000 点を加算できるが，カスタムメイド骨切りガイドを使用しない矯正骨切り術と比べ約 14 万円の減収となる．

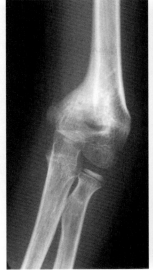
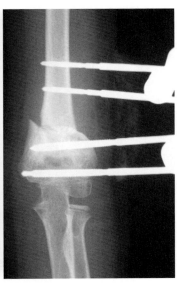

図 13-4-54　創外固定による矯正と固定
遠位側は関節面に平行に遠位骨片の長軸に垂直に2本の固定ピンを刺入する．近位側は近位骨片の長軸に垂直にかつ遠位側と矯正するだけの回旋をつけて2本の固定ピンを刺入する．ピンを平行にすることで回旋，内反，前方回転を一挙に矯正しそのまま固定する．

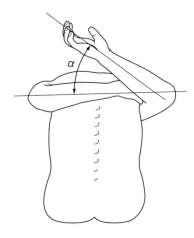

図 13-4-55　上腕骨内旋変形の測定法（山元の計測法）
体幹を前屈させ肩関節を最大伸展内旋位に固定する．上腕骨下端に内旋変形があればその分健側より内旋していることを示す（角 α）．
上腕骨の内旋変形は上面から肘関節直角位でみてみると，肩関節での過外旋によって代償されているため見かけ上の外旋制限はみられない．このため高度な内旋変形を除いては内旋を矯正する必要性は少ない．

4）異所性骨化

異所性骨化の原因について議論はあるが，後療法中の強力な他動的可動域拡大訓練によるものが原因となることがあり（図 13-4-56 症例 1），骨化は関節を架橋する方向に発生する．受傷時の損傷によるものは，限局性の小骨化あるいは剥離した骨膜に沿う骨化である（図 13-4-56 症例 2）．急性期は発赤，腫脹，熱感などの炎症症状を伴い後療法中に関節可動域が徐々に悪化する．適切な治療が行われた顆上骨折例に異所性骨化を合併することは少ない．

後療法中に他動的に可動域拡大訓練が行われ異所性骨化の発生が疑われたら，ただちに他動的訓練を中止し自動運動のみとする．局所の熱感が消失し単純 X 線写真で骨化の輪郭が鮮明となれば，関節可動域制限が著しい場合は大きな骨化巣を切除する．通常，訓練を中止してから3～6ヵ月後に摘出術を行う．血清アルカリフォスファターゼ値は手術時期決定の指標とはならない．

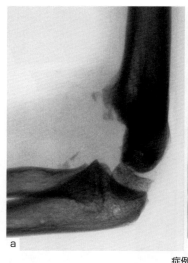 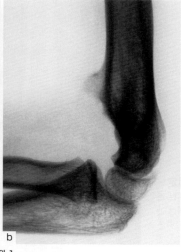 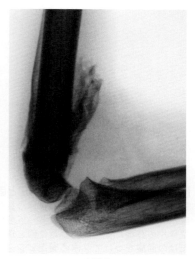

症例1　　　　　　　　　　　　　　　　　症例2

図 13-4-56　異所性骨化

症例1：受傷後手術的固定を受けたが整復位が得られず，1週後Kirschner鋼線牽引にきりかえ骨癒合を得た．牽引除去後3ヵ月連日「マッサージ」を受け，疼痛が持続するため来院した．
　　a．受傷後6ヵ月（初診時）．可動域は30〜100°．局所に熱感がある．
　　b．「マッサージ」を中止し自動運動のみとした．受傷1年後に異所性骨化は成熟し一部は吸収されている．可動域は0〜130°と改善した．
症例2：受傷時の損傷による異所性骨化．リハビリテーションをまったく行っていなかった例である．受傷時に損傷した骨膜に沿う骨化である．

附-5　小児上腕骨顆上骨折屈曲型（図13-4-33）

　小児上腕骨顆上骨折のうち2％を占めるまれな骨折である．肘関節屈曲位で肘をつき受傷するため肘頭骨折を伴うことがある．骨折端が咬合していれば肘を伸展位にすると容易に整復されるので，そのまま伸展位プラスチックキャスト固定が適応され治療上の問題は少ない．完全に転位した骨折では全身麻酔下でも徒手整復が困難で，観血的整復を要することが少なくない．側臥位で後方から進入し，上腕三頭筋に貫入した近位骨折端をはずして直視下に整復し経皮的鋼線固定をする．術後は伸展型と同様に3〜4週の外固定を行う．
　合併症としては尺骨神経麻痺が多い．直接の圧挫による損傷もあり得るが，近位骨折端による突き上げや骨折部へのはさみ込みも起こりうるため，完全に転位した骨折で整復が困難であれば，神経を確認することが必要である．上腕動脈損傷は少ないが，腫脹が強い骨折では急性区画症候群が発生する危険性があることは伸展型と同じである．

小児上腕骨遠位骨端離開　epiphyseal separation of the distal humerus

a　病　態

　この損傷は上腕骨遠位部の骨端全体が成長軟骨板で離開するものである．他部位では骨端離開が関節面骨折になることはないが，上腕骨遠位端では関節面を横切る骨折となる（図13-4-57）．

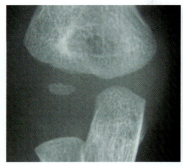
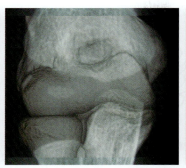
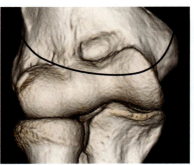

図13-4-57 上腕骨遠位骨端離開の骨折部位
上腕骨遠位骨端離開は関節内骨折であり，滑車を通る関節面骨折でもある．

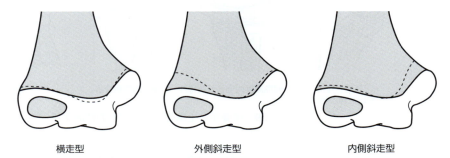

図13-4-58 神中による上腕骨遠位骨端離開の分類
神中は外側斜走型が多いとしているが，阿部，伊藤，Mizunoは内側斜走型が多いとしている．

　発生年齢は神中の報告では3〜18歳で平均9歳，池上の報告では2〜11歳で平均6.1歳，Abeの21例報告では1〜10歳，14例が6歳以下，DeLeeの報告では16例で2.5〜7歳，ピークは2.5歳であった．

　小児上腕骨顆上骨折と比較してその発生年齢層が低くかつまれな損傷である．またのちに高度な内反肘を起こしやすい．分娩外傷や幼児虐待による外傷としての報告もあり注意を要する．

b 分　類

　成長軟骨板損傷としてみるとSalter-Harris分類でⅠ型あるいはⅡ型の損傷であるがⅡ型のほうが多い．

　神中は横走型，外側斜走型，内側斜走型の3型に分類している（図13-4-58）．横走型はSalter-Harris分類のⅠ型に相当し，ほかはⅡ型に相当する．神中は外側斜走型が最も多いとしているが，阿部，伊藤，Mizunoの報告では内側斜走型が多い．外側が骨幹端骨折，中央が骨端離開，内側が滑車骨折となり脛骨遠位端で起こるTriplane骨折様の離開となることがある．

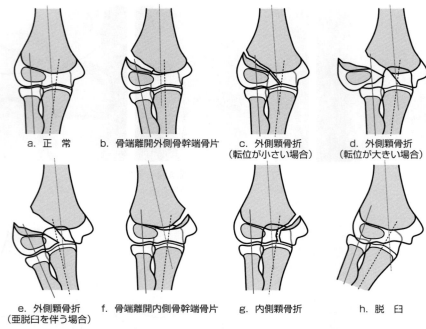

図 13-4-59　橈骨頭と上腕骨外側顆核との位置関係

a. 正常：外側顆核は骨幹端外側のすぐ遠位にある．上腕骨骨幹端と骨端との位置関係は外側顆核の位置で判断する．橈骨と外側顆の関係は，橈骨近位軸と外側顆核の位置関係をみる．橈骨近位軸が外側顆核の外側1/3を貫く．上腕骨骨幹端と尺骨との関係は，上腕骨軸と尺骨近位軸の位置関係をみる．上腕骨軸と尺骨近位軸はわずかに外反で肘関節の近くで交わる．

b. 骨端離開外側骨幹端骨片：骨端遠位外側に骨折がある．外側顆核と上腕骨幹端の位置，上腕骨軸と尺骨近位軸が大きくずれる．橈骨近位軸と外側顆核との関係は変わらない．転位が小さい場合は，転位の小さい外側顆骨折(c)と，転位が大きい場合は亜脱臼を伴う外側顆骨折(e)と判別ができない．

c. 外側顆骨折（転位が小さい場合）：前腕と上腕骨の関係は変わらない．外側顆核が外側に偏位し，橈骨近位軸が小頭核を貫く位置が内側にずれる．転位の小さい骨端離開(b)と判別できない．

d. 外側顆骨折（転位が大きい場合）：外側顆核が大きく偏位し，橈骨近位軸が外側顆核を貫く位置が内側に大きくずれる．前腕もわずかに外側に偏位していることが多い．

e. 外側顆骨折（亜脱臼を伴う場合）：外側顆核と前腕が一緒に転位する．橈骨近位軸が外側顆核を貫く位置は大きくずれないが，上腕骨軸と尺骨近位軸は大きく外れる．外側骨幹端骨片のある転位の大きい骨端離開(b)と判別できない．

f. 骨端離開内側骨幹端骨片：上腕骨骨幹端遠位内側に骨折がある．前腕と外側顆核の位置関係は変わらず，上腕骨軸と尺骨近位軸がずれる．内側顆骨折(g)と判別ができない．

g. 内側顆骨折：上腕骨骨幹端遠位内側に骨折がある．橈骨も尺骨も大きく偏位しない．内側骨幹端骨片のある骨端離開(b)と判別できない．

h. 脱臼：橈骨も尺骨も大きく偏位する．橈骨近位軸と外側顆核の対向も偏位する．

c 診　　断

　　　幼少児では肘関節脱臼はきわめてまれであるため，肘関節脱臼として紹介されてきたらまず骨端離開を考えねばならない．この損傷が発生しやすい年齢層では，上腕骨遠位部の骨端核は外側顆（小頭）核しか出現しておらず，骨折線は骨端線を通るため単純X線写真による診断は困難なことが多い．Salter-Harris分類のI型では肘関節脱臼，II型では外側顆骨折，内側顆骨折，内側上顆骨折あるいは脱臼骨折と誤診されることが多いので注意を要する．これらの鑑別には外側顆核と橈骨軸との関係と，上腕骨遠位骨幹端部の骨成分に注意すればある程度可能である（**図 13-4-59**）．

4 上腕骨遠位部・前腕骨近位部骨折　*487*

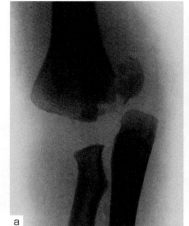
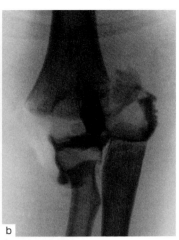

図 13-4-60　上腕骨遠位骨端離開（内側斜走型）の肘関節造影像（2歳）
a. 尺骨と上腕骨内側顆の骨片の対向も橈骨頭と外顆核の対向も良好である．
b. 関節造影により上腕骨遠位部と前腕骨の対向は良好であることが確認できる．

　鑑別を要する上腕骨顆上骨折や外側顆骨折は5歳以上の年長児に多い．変形は顆上骨折と同様であるが，腫脹は上腕骨遠位骨端離開では転位の大きさに比較して少ない傾向にある．
　単純X線写真では2歳以上では外側顆核は必ず出現しているので，外側顆核の位置を基準として診断する．外側顆核が出現していない年齢では単純X線写真による診断はほぼ不可能である．骨端離開では外側顆核と橈骨頚部との対向は正常で，外側顆核と上腕骨骨幹端との対向が不良となる（図13-4-59）．内側上顆核が出現していない時期の外側顆骨折，内側顆骨折，内外側両顆骨折（T型骨折）との鑑別は困難である．転位の少ない症例は関節造影，MRIなどで鑑別診断が行われないままに外側顆骨折と診断されて治療されていることが少なくないと推測される．診断の確定にはMRIもしくは関節造影が必要である．超音波診断装置での診断に慣れていれば，軟骨部の骨折診断に有用である．内側顆骨折，外側顆骨折の誤診は，回復不能な変形治癒を生じるため正しい診断が下せるまで妥協してはならない（図13-4-60）．

d 治　療

　転位の少ない骨端離開の症例が外側顆骨折と診断されて治療されていることが少なくないと推測されるが，外固定のみで治療可能な場合には幸い治療上問題を生じないことが多い．
　しかし上腕骨遠位骨端離開は関節面骨折であり，他部位の骨端離開よりも正確な整復を要する（図13-4-57）．関節面の転位が残ると可動域制限が残ることになる．
　徒手整復は不可能ではないが，X線透視下でも遠位骨片は不明瞭であり正確な整復およびその確認は期待できない．また成長軟骨板の損傷のため骨折端の咬合がなく不安定であるため整復位の保持が困難なので，全身麻酔下に正確に徒手整復し経皮鋼線固定することが望ましい．要領は顆上骨折とほぼ同じであるが遠位骨片に可視部分がほとんどないので，関節造影を行って可視化してから整復操作を行うとよい．外側から経皮的に2本の鋼線を刺入し固定する．固定後に肘関節を伸展し内外反の変形がな

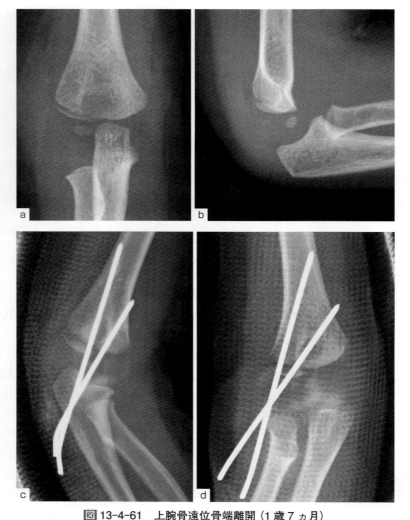

図 13-4-61　上腕骨遠位骨端離開（1歳7ヵ月）
a, b. 最初の診断は外側顆骨折であった．転位が増強したため手術を計画した．
c, d. 術前の関節造影で外顆骨折ではなく骨端離開と診断し，徒手整復・経皮的鋼線固定を行った．淡く造影剤陰影が残っている．

く可動域が正常なことを確認しておく．屈伸で引っかかりがあれば，滑車部の転位が残っていることが疑われるため，整復のやり直しを検討する．安定性が不十分であれば内側から Kirschner 鋼線を刺入する（図 13-4-61）．

　徒手整復が困難であれば観血的に整復を行う．骨折端が鋭くないので血管・神経損傷はまれであり，外側もしくは内側からの進入で整復を行う．骨幹端骨折のある側から進入するとよい．進入の際には骨端側の剝離は最少にとどめるよう留意する．

　不幸にして早期診断ができず陳旧化した例は手術的にも整復が難しい．時機を逸しての整復操作は成長軟骨板の損傷につながるので避けるべきである．通常の離開であれば，成長軟骨板も関節面の大半も遠位骨片側にあり，成長能と関節の対向は保たれている．完全に骨癒合するのを待って矯正骨切り術を行うほうが安全である．

e 予　後

　ある程度の整復位が得られれば成長障害は生じない．滑車部の転位が残ると可動域制限が残る．

　少なからず内反肘変形を残す．多くの場合，成長軟骨板障害によるものではなく，整復不良による一次性のものである．

小児上腕骨外側顆骨折　lateral condyle fracture of the humerus

　上腕骨外側顆骨折は小児の肘関節周辺骨折の約 20％を占め，顆上骨折に次いで多い．どの年齢でも発生するが 5〜10 歳に好発する．男子の左側に多発する．

　骨幹端外側から関節面に至る成長軟骨板を二分する骨折面をつくる Salter-Harris 分類Ⅳ型の成長軟骨板損傷である．外側顆骨片は関節面の 1/2〜2/3 に及ぶ大きなものとなることが多い．

　外側顆骨片は外側上顆に付着する伸筋群により常に遠位に牽引されていること，骨折面の大部分が軟骨成分であり骨癒合が得られる骨幹端骨折面の割合が小さいことなどから，転位しやすく早期の安定化が得られにくい．小児骨折であるにもかかわらず遷延治癒や偽関節になりやすい骨折である．初期に転位が軽度なものでも 3〜4 週の外固定では骨癒合が得られないことがある．初期の正確な整復と十分な固定が重要である．

　偽関節になると成長軟骨板が二分するため成長障害は必発で肘関節の著しい変形を生じる．のちに動揺性を伴う外反肘およびそれに続発する遅発性尺骨神経麻痺を起こすことがある．変形治癒でも成長障害をきたし，肘関節は変形する．

a 受傷機転

　受傷機転はほとんどが転倒，転落である．肘関節伸展位で内反を強制されて尺骨近位端を支点として外側筋群により強く牽引されて骨折する pull off 型と，肘関節軽度屈曲位で手をつき，橈骨頭あるいは尺骨近位端が上腕骨下端に衝突し骨折する push off 型の 2 種類が考えられている．橈骨頭の衝撃による push off 型の場合は上腕骨小頭滑車間溝から骨折する Milch 分類Ⅰ型の骨折をきたしやすく，尺骨近位端を軸とする pull off 型の場合は滑車中央溝から骨折する Milch 分類Ⅱ型の骨折をきたしやすいとされる（図 13-4-62）．直達外力によるものはきわめて少ない．Jakob は幼小児の屍体実験から，肘伸展位，前腕回外位で強い内反力を加えた例でのみ滑車中央溝に向かう外側顆骨折が起こったと述べている．内反力による鉤状突起内側の骨折を伴うことがあり注意を要する（図 13-4-63）．

b 骨折の形態・分類

　骨折形態の分類は前述した Milch 分類がある．

　骨片の転位の程度についていくつかの分類が提唱されている．古くから用いられているものに Wadsworth 分類があるが，最近はこれを修正した Jakob 分類（図 13-4-

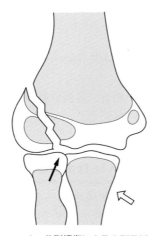
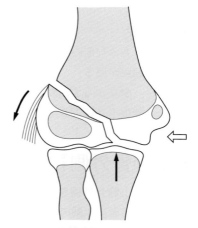

push off 型損傷によるI型骨折　　　　pull off 型損傷によるII型骨折

図 13-4-62　上腕骨外側顆骨折の受傷機転と骨折部位による
　　　　　　Milch 分類

push off 型損傷でもI型，II型いずれの骨折も起こり得る．pull off 型損傷でも同様である．しかし理論的には push off 型ではI型骨折が，pull off 型ではII型骨折が起こりやすいと考えられる．

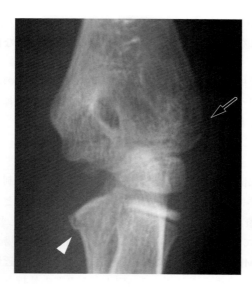

図 13-4-63　外側顆骨折と鉤状突起骨折の
　　　　　　合併例
矢印：外側顆骨折
矢頭：鉤状突起骨折

64) がよく用いられる．

　Jakob 分類は，I型は転位がほとんどないもの，II型は軽度の側方転位，III型は回転を伴う完全な転位である．I型の場合，関節面の軟骨の一部がヒンジのように連続性を残していると考えられている．

　Song が提唱した分類は，正面，側面，内旋，外旋の4方向の単純X線写真より，最大の転位が見られるもので骨片の転位を判定する．内旋斜位像で最大転位が見られることが多く，2本の骨折線がハの字であれば軟骨ヒンジが残っている可能性があり，平行であれば軟骨ヒンジは残っておらず不安定であるとしている．不安定性の評

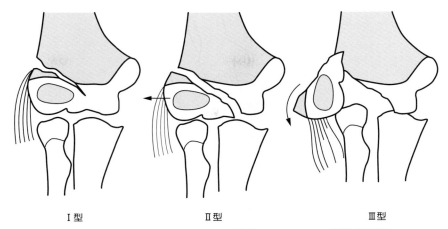

図 13-4-64 外側顆骨折の転位の程度による Jakob 分類（右肘）
Ⅰ型：転位がほとんどなく，関節面は関節軟骨の一部が断裂せずに連続性が保たれるため骨片は安定している．
Ⅱ型：側方転位を伴うもの．骨片は不安定で骨癒合が遅れやすい．
Ⅲ型：回転転位を伴うもの．手術の絶対的適応である．

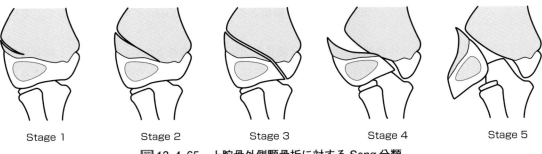

図 13-4-65 上腕骨外側顆骨折に対する Song 分類
正側内外旋 4 方向の単純 X 線写真で評価する．図のごとく内旋斜位像で最大の転位が見られることが多い．
Stage 1：転位が 2 mm 以下で骨折が骨幹端内にとどまる．安定している．
Stage 2：転位が 2 mm 以下で骨折線が成長軟骨板に達する．骨折間隙は外側が広く内側が狭い．安定性の評価はできない．
Stage 3：転位が 2 mm 以下で骨折線が成長軟骨板に達する．外側と内側の間隙は同じ．不安定である．
Stage 4：いずれかの単純 X 線写真で転位が 2 mm より大きい．不安定である．
Stage 5：いずれかの単純 X 線写真で転位が 2 mm より大きく回転を伴う．不安定である．

価や治療法の選択と直結しておりわかりやすい（図 13-4-65）．

c 診　断

　肘関節外側を中心に腫脹がある．上腕骨顆上骨折のような著明な変形を示すことは少ないが，脱臼を伴う場合は大きな変形を呈する．単純 X 線写真では，外側骨幹端を通る骨折線は骨幹端に薄い三角形の骨片を形成する．骨幹端骨折部の間隙と外側顆核の位置で転位の程度を判定する．骨幹端骨片は骨幹端外側の後下方に存在することが多いため，通常の正面像ではわずかな転位を描出できないことがある．この場合内旋の斜位像を撮影するか，上腕を 20° 挙上して上腕軸に対して遠位側から X 線を照射

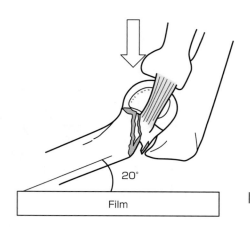

図13-4-66　上腕骨20°挙上位正面撮影法
(今田英明ら：骨折32：5-11, 2010)

する正面像の撮影を行うと骨折部を明瞭に描出することができる（図13-4-66）．転位のほとんどない例は骨幹端の骨膜や関節包が温存されるため関節血腫は漏出せず関節包周囲の脂肪体 fat pad を押し上げるため，単純X線写真側面像で fat pad sign がみられる（図13-4-19）．fat pad sign の有無は関節包断裂の有無を示しており，骨折の安定性を評価するひとつの指標となる．fat pad sign があれば安定している可能性が高い．

外側顆骨片の側方への転位は橈骨頚部軸と外側顆核との対向の乱れ，上腕骨外側骨幹端と三角形の骨片との間隙の大きさにより判断するが，外側顆のみが転位する場合と腕尺関節の脱臼を伴って外側顆と前腕骨が一緒に転位する場合がある（図13-4-59d, e）．回転転位の判定は健側の単純X線写真と比較するのが最も容易である．

骨折型を完全に把握するにはMRIもしくは関節造影が必要である．超音波診断装置は軟骨部の骨折の診断に有用である．

鑑別診断としては骨端離開と内外側両顆骨折（T型骨折）があげられる．外側顆の骨幹端骨折があれば，多くの場合は外側顆骨折であるが，遠位骨端離開や内外側両顆骨折（T型骨折）との鑑別は困難であることを認識し診断にあたるべきである（図13-4-59b, c, d, e）．特に内側顆核の出現前の鑑別診断は単純X線写真ではできないことを念頭に追加の検査を行う．まれではあるが内側顆骨折の合併を見逃した場合は予後がきわめて不良となる（図13-4-67）．MRIや関節造影は軟骨ヒンジの有無の判定もでき，治療方針の決定に役立つため躊躇なく行うべき検査である（図13-4-68）．

d 治　療

fat pad sign がない，骨折線が平行である，転位が大きいなどが外側顆骨片の安定性が悪いことを示唆する単純X線写真の所見である．しかし受傷初期には転位がほとんどなくても外固定中に側方転位が増強することがあるので，頻繁な単純X線写真コントロールが必要である（図13-4-69）．

1) 保存療法

転位がほとんどなく，単純X線写真側面像で fat pad sign がみられる例では3〜6週のプラスチックキャスト固定でよいが，常に再転位の可能性があることを念頭にお

4 上腕骨遠位部・前腕骨近位部骨折 **493**

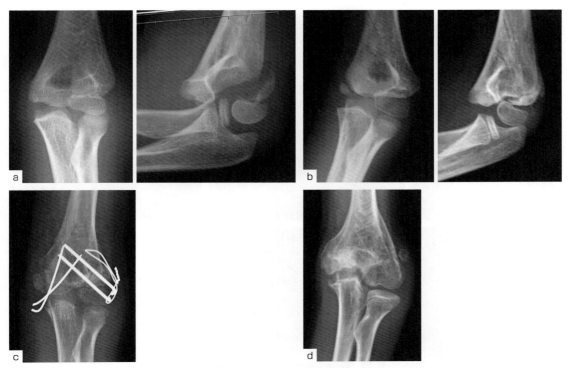

図 13-4-67 上腕骨内・外側顆骨折例，内側顆骨折の見逃し例（7歳，男児）
a. 外側顆骨折と診断され，外側顆骨折の手術が行われた．
b. 4ヵ月後でも可動域が回復していない（伸展−60°，屈曲80°）．
c. 再手術では内側顆の骨折が判明した．骨切りをし整復した．
d. 16ヵ月後ですでに滑車部の成長障害があり，可動域制限が著しい（伸展−30°，屈曲110°）．今後の回復は見込めない．

くべきである．安定化するまでの期間は長く，上腕骨顆上骨折に比較して長期間の外固定を要する．

　通常 2 mm 未満の転位であれば保存療法が可能とされている．外固定肢位は一般に肘関節 90°屈曲，伸筋群の緊張を緩める前腕回外位が用いられていたが，この肢位では骨片を安定化させることはできず不適切である．肘関節鋭角屈曲位にすることにより橈骨頭と上腕三頭筋の間で外顆骨片を安定化させる方法が良好な成績をおさめている（相田，田島）．鋭角屈曲回内位とすることで，通常は外側顆を遠位方向へ牽引し転位力として働く伸筋群が近位内側方向へ骨片を牽引するため背側骨膜の破断がなければ骨折面は圧着され安定する（**図 13-4-68**）．前腕回外位で外側顆骨片を前内側に押し込み，次いで鋭角屈曲位にしつつ最大回内位にする．副子固定で 4〜6 週固定する．循環障害には十分注意する必要がある．腫脹が強く鋭角屈曲位がとれない例では転位が増大する可能性が高くなる．

　初期に転位が少ない外側顆骨折が外固定中に転位が増大し，偽関節となることは少なくない．固定中にも頻繁に単純 X 線写真撮影を行い，転位が増大するようなら早期に手術を決断すべきである．外固定中には適切な方向での撮影ができず，転位を過少評価する傾向にある．2 mm にこだわる必要はない．また骨幹端骨折面の骨吸収に

494 　各論　第13章　上肢の骨折

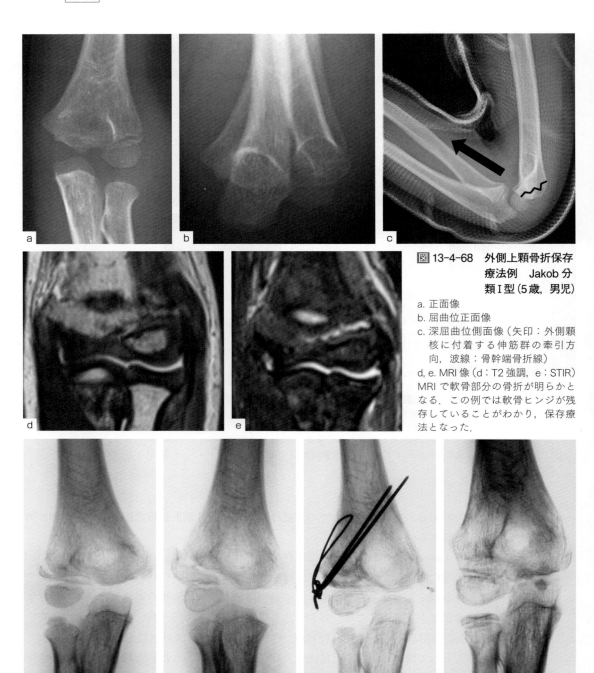

図 13-4-68　外側上顆骨折保存療法例　Jakob分類 I 型（5歳，男児）
a. 正面像
b. 屈曲位正面像
c. 深屈曲位側面像（矢印：外側顆核に付着する伸筋群の牽引方向，波線：骨幹端骨折線）
d, e. MRI像（d：T2強調，e：STIR）
MRIで軟骨部分の骨折が明らかとなる．この例では軟骨ヒンジが残存していることがわかり，保存療法となった．

図 13-4-69　上腕骨外側顆骨折遷延治癒例（5歳，女児）
a. 受傷翌日：骨折部に2〜3mmの離開がある．外固定による保存療法を行った（早期手術を行うべき症例であった）．
b. 外固定後6週：骨折部の離開と骨硬化および三角状骨片の肥大がある．受傷時より骨片の離開転位が大きい（外方への転位は少ない）．手術的整復固定術を行った．
c. 術後3週
d. 術後2年

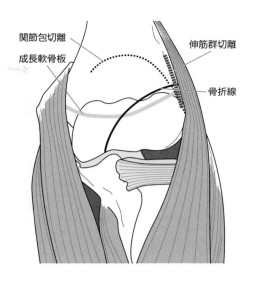

図 13-4-70　外側進入　前方関節面の展開
骨折の整復は，後外側の骨幹端骨折部で行う方法と，前方関節面で行う方法がある．後方を展開するときには外側顆に進入する血管を損傷しないように注意する．時間が経った骨折では骨幹端骨折部では整復が確認できない．前方関節面で整復を行う方法は，展開がやや難しいが確実である．骨折の前後で外側縁に付着する伸筋腱を切離し（太点線），前方関節包を切開し（細点線），関節前方を展開する．骨折よりも遠位では，成長軟骨板保護のために軟骨膜（骨膜）を一層残して切離することが重要である．

より，外側顆骨片が転位したと見誤ることがあるが，判断に迷ったら積極的に手術を検討したほうが安全である．

2）手術療法

受傷初期に骨幹端の骨片間に 2 mm 以上の離開があり，fat pad sign が陰性なら手術的整復固定術を選択すべきである．回転転位を伴う例，外固定中の転位の増大も手術の適応となる．仮骨形成後の手術は整復が困難となるため早期に手術を行う．

X線透視下に経皮的に鋼線で整復・固定を行う方法が報告されているが，軟骨ヒンジが残っていない骨折では正確な整復を得るのは簡単ではない．通常は観血的整復を行う．

手術は外側側正中切開で進入し，骨折より近位の外側上腕筋間中隔から展開を進め，上腕骨遠位骨幹端の前後面を剝離する．骨折より遠位の外側顆に付着する筋群は広く剝離する必要はない．外側顆核には背側から血管が入るため，背側の軟部組織をできるだけ温存することが大切である．成長軟骨板周囲の軟骨膜の損傷にも注意する．

前方関節内を展開するには，外側顆に付着する筋群の近位側を一部切離する必要があるが，このとき成長軟骨板の辺縁にある軟骨膜を損傷しないように注意し，骨髄とそれに連続する軟骨膜を一層残して切離する．前方関節包の切開も近位側では骨から切離してよいが，外側顆側では軟骨膜を残して切離する（図 13-4-70）．

受傷直後であれば，後外側の骨幹端骨折を目安に整復してもよい．受傷から 2 週を過ぎると骨幹端骨折の辺縁は骨吸収と仮骨形成のために骨折面で整復の確認ができなくなる．前方の関節内を展開し関節面を合わせる整復方法が確実である．外側顆骨片は軟骨が主体で骨鉗子を掛けられないので，Kirschner 鋼線を外側顆核に挿入し Joy-stick とするとよい．骨片を内側に十分に押し込み，直視下に滑車部分の斜めに走る骨折線を奥から正確に整復することが重要である（図 13-4-71, 72）．内側への押し込みが足りないと中央部で成長軟骨板が不連続となり後に魚尾様変形（fish tail deformity）となる．整復の確認には X 線透視装置あるいは単純 X 線写真撮影を用いる（図

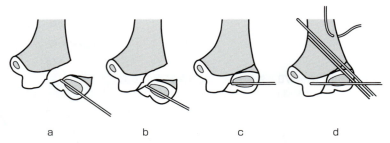

図 13-4-71　外側顆骨折の観血的整復固定法
a. 外側顆骨片に Kirschner 鋼線を刺入し Joystick とする．
b, c. 骨片を内側に押し込んで，奥から合わせて整復する．
d. Kirschner 鋼線を内側顆に刺入すると安定する．外側顆から Kirschner 鋼線を斜めに刺入し引き寄せ鋼線締結法を行う．

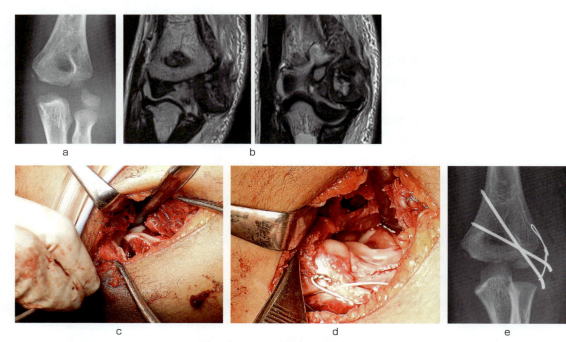

図 13-4-72　上腕骨外側顆骨折症例
9 歳男児，雲底から転落して受傷した．
a. X 線写真では外側顆核が大きく回転して転位している．
b. MRI では軟骨骨折の部位，外側顆核が割れている様子が明確となる．Milch I 型，Jakob III 型．
c. 手術では関節前方を展開した．外側顆に Kirschner 鋼線を刺入し整復している．
d. 整復後固定後．不安定性が強いため鋼線引き寄せ締結法を行った．遠位骨片は骨膜（軟骨膜）を残して筋，関節包を切離しているのがわかる．
e. 術後の単純 X 線写真

13-4-71)．

　内固定は Kirschner 鋼線だけでは十分な固定が得られない場合がある．固定を確実にするには，近位皮質と Kirschner 鋼線の間に 0.5〜0.6 mm の鋼線をかけて引き寄せ鋼線締結法を追加する（図 13-4-71)．引き寄せ鋼線締結法を行えば 2〜3 週で自動運

動を開始することができる．引き寄せ鋼線締結法を行っても3ヵ月程度であれば成長障害は生じないが，できるだけ早期に抜釘を行う．

e 合併症

外側顆骨折における最も重要な合併症は偽関節形成である．初期に転位が少なく腫脹の程度が軽いと単なる打撲として処置されるか，骨折と診断されても転位が軽微であると短期間の外固定のみで治療されることがある．このような例では高率に偽関節となり，のちに外反肘や遅発性尺骨神経麻痺を発症する．初期の転位が著明な例では受傷時に整形外科医を受診することが多く，手術が行われるのでかえって偽関節形成が少ない．

1) 外反肘と内反肘

Petersonの集計では，374例中90例（24.1％）が0°以上の内反肘となり，350例中26例（7.4％）が15°以上の外反肘となっている．

新鮮例で解剖学的整復位で骨癒合が得られた症例でも，成長軟骨外側部の過成長のためかえって内反肘をきたすことがある．内反肘を呈しても成長終了時には矯正されほとんどの例は健側とほぼ同様の肘外偏角となるとされてきたが，実際には少なからず内反肘が残存する．10°以上の内反肘では矯正骨切り術を考慮する．

偽関節，変形治癒は成長障害のために外反肘をきたす（図13-4-73）．粗暴な手術操作で外側顆核の血行を障害した場合も外反肘をきたす．成長軟骨板の障害による安定性のある外反肘では，偽関節形成による不安定な外反肘（図13-4-74）に比較して遅発性尺骨神経麻痺を起こすことが少ない．

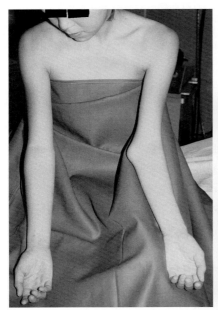

図13-4-73　上腕骨外側顆偽関節による外反肘
伸展制限を伴う例では，上肢を外旋することにより外反肘が強調されることがある．また肘関節の屈伸運動軸も変化している．本例では尺骨神経麻痺を合併している．

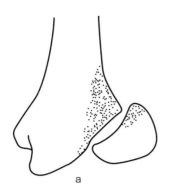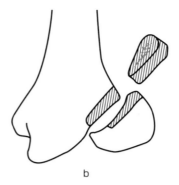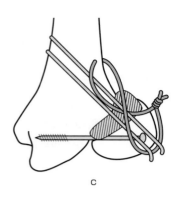

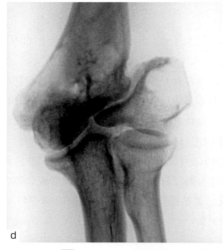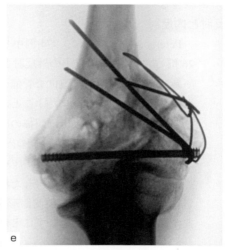

図 13-4-74　対向良好な上腕骨外側顆偽関節例に対する骨接合術
a. 外側筋間から進入し，主に点描部のみを剝離する．
b. ノミで硬化した骨折端（斜線部）を切除する．
c. 骨片の対向を変えずに腸骨を移植し Kirschner 鋼線と圧迫鋼線で固定する．
　 成人では内側顆方向にスクリューを刺入し2方向固定を行う．
d. 25 歳例，術前．
e. 術後2ヵ月．Herbert スクリューと引き寄せ鋼線連結法で固定している．

2）その他の成長障害

　　　　　Salter-Harris 分類Ⅳ型の成長軟骨板損傷である外側顆骨折では，整復が不十分であると中央部で成長軟骨板が連続性を失うために，中央部が成長障害を生じ顆部全体として魚尾様変形が発生する．中央部は骨端の軟骨内の血管ネットワークが粗であることから，外傷により血行障害を起こしやすい部位であり，血行障害によっても魚尾様変形が発生する．

3）遅発性尺骨神経麻痺

　　　　　上腕骨外側顆偽関節に続発する尺骨神経麻痺の原因は種々考えられるが，肘関節の外反動揺性と肘外反角の増大により，尺骨神経が牽引されることが最も大きな因子とされている．

　　　　　成人例では尺骨神経前方移行術が多く行われるが，成長期で偽関節部の対向が比較的良好なら，偽関節部の癒合を得るべく骨接合術を行うべきである．麻痺が軽度なら

偽関節部が癒合し，外反動揺性がなくなれば麻痺は回復する．麻痺が高度なら尺骨神経前方移行術を同時に行う．内側側副靱帯が起始する内側上顆を切除する King 法は，前額面での不安定性を増強させるため偽関節部を放置する場合には行わないほうがよい．

4) 偽 関 節

上腕骨外側顆偽関節は小児期には機能障害を起こすことは少なく，多くは思春期以降に問題を起こしてくる．このような長期間経過した外側顆偽関節例は以前は偽関節の骨接合術の困難さから，偽関節部を放置し発生した遅発性尺骨神経麻痺に対する手術のみを行うという意見が多かった．しかし放置された偽関節は経過とともに肘関節の不安定性を増し，変形性関節症を引き起こすばかりではなく，一度前方移行されたにもかかわらず尺骨神経麻痺が再発する例も少なくない．このような理由から最近は偽関節部の積極的な接合術が報告されるようになった．しかし安易な骨接合術では骨癒合が得られないばかりか，外側顆の無腐性壊死や肘関節の高度な可動域制限を合併しやすいので細心の注意と精緻な手術手技が要求される．

5) 上腕骨外側顆偽関節の分類と手術法

上腕骨外側顆偽関節は骨片の大きさ，転位の程度と経過年数によりさまざまな病態を呈する．伊藤の分類が手術法選択上，有用であり，筆者はそれに成長軟骨板閉鎖前か後かの要素を加えて使用している．

a) 受傷後 1 年未満

外反肘はほとんど出現しない．新鮮骨折と同様の手技で整復固定する．骨折部の適合はよくないので，関節面をできるだけ合わせて固定する．偽関節部の搔爬で成長軟骨板を損傷しないように注意する．成長軟骨を合わせることに細心の注意を払う．必要に応じて骨幹端の偽関節部に骨移植を行う．

b) 受傷後 1 年以上 5 年未満

外反肘の程度は少なく骨折部の対向も関節面の対向も保たれている．骨硬化部を新鮮化し偽関節部の間隙が大きい例では骨移植を行い，前述の早期例と同様に固定する（図 13-4-72d）．成長軟骨板残存例では整復を得ると同時に成長軟骨板を温存することが重要であり，骨端側の搔爬の際には十分な注意を払う必要がある．外側顆骨片側の肥大があっても不用意に切除してはならない．骨移植は成長軟骨の骨幹端側で行う．

c) 受傷後 5 年以上で対向がよく外反肘が軽度

20 歳代までは骨接合術のよい適応である．肘関節の伸展屈曲により外側顆骨片は偽関節部で大きく移動する．骨片の固定により可動域制限が生じるが，仮止めを繰り返し屈曲伸展で実用可動域が最大限にとれる固定位置を選択する．偽関節部を新鮮化して腸骨全層骨片を移植し，前述したとおり最も可動域の良い位置で引き寄せ鋼線締結法で固定する．内側顆方向にも Kirschner 鋼線，スクリューを刺入し 2 方向で固定し外側顆骨片の回転に抵抗できるようにする．屈伸による回転の負荷が大きい時はプレートの使用を考える（図 13-4-74）．

d) 受傷後 5 年以上で対向がよく 25° 以上の外反肘

対向がよいものは高度の外反肘を起こすことは少ない．25° 以上の外反肘を呈するものは側方動揺性が顕著で 10 歳代ですでに尺骨神経麻痺を起こしている例が多い．

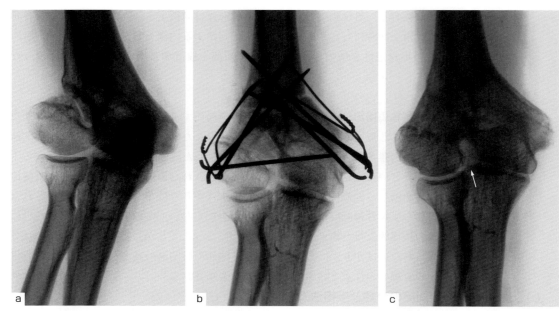

図 13-4-75 外反肘矯正骨切りを含めた外側顆偽関節に対する骨接合術（20歳，女性．受傷後 18 年）
a. 術前：5 年前遅発性尺骨神経麻痺のため前方移行術を受けている．28°の外反肘を呈する．
b. 術後 1 ヵ月：腸骨移植と内反骨切り術を行った．
c. 術後 1 年：可動域は 10～125°，上腕骨遠位関節面は陥凹し，いわゆる魚尾変形を呈している（矢印）．

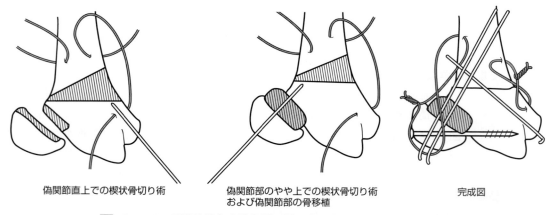

偽関節直上での楔状骨切り術　　偽関節部のやや上での楔状骨切り術　　完成図
　　　　　　　　　　　　　　　および偽関節部の骨移植

図 13-4-76 骨移植術と上腕骨顆上部で内反骨切り術を併用する場合

骨接合術と上腕骨内反骨切り術の適応がある．

　骨接合術と内反骨切り術を 2 回に分けて行う場合もあるが，田島，伊藤らは手術手技は複雑となるが同時に行うほうが患者の負担が少ないと述べている．外反肘の矯正骨切りは偽関節部の直上で行うと術後の肢位が自然であるが，内固定法がやや煩雑である．内固定法は Kirschner 鋼線と引き寄せ鋼線締結法が便利であるが（図 13-4-75，76），上腕骨遠位端骨折用プレートも有用である（図 13-4-88）．

4 上腕骨遠位部・前腕骨近位部骨折　**501**

e) 受傷後 5 年以上で外側顆骨片が小さく，対向不良かつ高度な外反肘

このような例に偽関節部の骨接合を行うべきか否かについては議論がある．このような例こそ有痛性関節症に移行していく．内反骨切り術のみを行い運動軸の改善を図るのが安全である．若年者で可動域は低下するが関節不安定性が改善することを納得が得られる場合は骨切り術に加えて偽関節接合術を行うことを検討する．

f) 40 歳以上の外反肘

偽関節面の対向が良好でも長期間経過した例では，偽関節部の動きが肘関節の運動に組み込まれており，偽関節を癒合させれば可動域の著しい低下は避けがたい．しかし肘関節痛が持続したり，以前に移行手術をした遅発性尺骨神経麻痺が再発した例に対しては，肘関節の不安定性を改善する以外に症状を軽快させる確実な方法はない．関節可動域の低下を避けたい例では偽関節部に手をつけず，上腕骨顆上部で内反骨切り術のみを行って運動軸を改善し，術後数ヵ月間ヒンジ付き肘装具を装用させる．

高度な関節症性変化と動揺性が進行し，ADL にも支障をきたした症例では半拘束型人工肘関節置換術を適応する．

小児上腕骨内側顆骨折 medial condyle fracture of the humerus

a 病　　態

上腕骨内側顆骨折は滑車の一部あるいは全部と内側上顆全体，および内側顆の骨幹端を含む骨折である．外側顆骨折の鏡像骨折であり，Salter-Harris 分類Ⅳ型の成長軟骨板損傷である．

上腕骨内側顆骨折はまれであり，Peterson の 8 編の文献の集計では肘関節部骨折の 1%以下で上腕骨遠位成長軟骨板損傷の約 4%である．報告されている例の受傷時年齢の最年少は 6 ヵ月で 7〜13 歳での受傷がほとんどである．ちなみに成人例はきわめて少ない．

報告が少ない理由としては実際に頻度が低いことに加えて診断が困難なこともあげられる．内側顆核の出現時期が 9〜11 歳と遅いため単純 X 線写真だけでは見逃される可能性が高い．特に若年者では診断が困難なため適切な初期治療が行われず陳旧例となってから来院する例もある．まず本骨折の存在を認識し疑うことが重要である．

偽関節や変形治癒になると，滑車の変形により著明な可動域制限が生じる．同時にいびつな形の成長障害となるため，手術的にも回復が不能な惨憺たる状態となる．受傷早期に正確な診断と適切な治療が必要である．

ときに尺骨神経麻痺を合併することがある．

b 受傷機転と骨折の形態・分類

3 つの受傷機転が想定されている．1 つは転落時に肘屈曲で肘頭部を強打し，肘頭の突き上げによって滑車が中央から骨折するという受傷機転である．あとの 2 つは転落時に手をつき，肘関節に軸圧とともに外反力もしくは内反力がかかる受傷機転である．鉤状突起部が滑車を突き上げるとともに，外反では屈筋回内筋群と内側側副靱帯

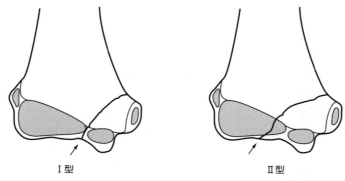

図 13-4-77　上腕骨内側顆骨折の Milch 分類

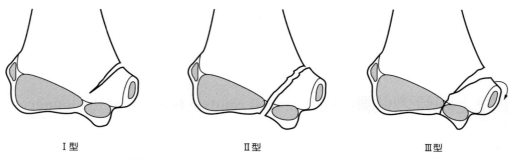

図 13-4-78　骨片転位の程度による Kilfoyle 分類

により内側顆全体が遠位に引かれて剥離骨折となり，内反ではそのまま尺骨が滑車を突き上げて剪断骨折となる．

　Milch は骨折線が滑車中央溝から内側骨幹端へ向かう I 型と，骨折線が上腕骨小頭滑車間溝から滑車の大部分あるいは全体を含み，内側骨幹端へ向かう II 型に分類している（図 13-4-77）．前者の受傷機転では I 型となるが，後者 2 つの受傷機転では I 型も II 型も起こり得る．Kilfoyle は Milch 分類の I 型を転位の程度によりさらに 3 型に分類した．I 型は関節軟骨の連続性が一部保たれているもの，II 型は関節面におよぶ骨折があるもの，III 型はさらに内側顆骨片が回転転位したものである（図 13-4-78）．

c 診　断

　診断上の一番の問題はこの骨折が非常にまれであるということである．まずこの骨折の存在を念頭におき，注意深く単純 X 線写真を見ることが重要である．

　内側上顆核が出現する以前の年齢では，骨端離開や脱臼との鑑別が困難である（図 13-4-79）．診断には関節造影または MRI が必須である．内側上顆核が出現したあとで内側顆核が出現していない場合は上腕骨内側上顆とそれが伴っている骨幹端骨片に注意する（図 13-4-80）．上腕骨内側上顆骨折ではほとんどが，内側上顆のみが転位している．内側上顆が骨幹端骨片を伴って転位している場合は内側顆骨折が疑われる．内側顆核出現後の診断は比較的容易である．

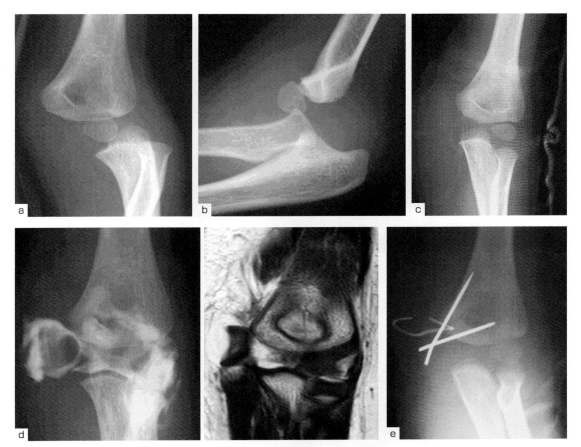

図13-4-79 上腕骨内側顆骨折診断困難例（Milch分類Ⅰ型．4歳，男児）
橈尺骨は上腕骨に対して外後方に脱臼しているが（a, b），整復後，小頭核と橈骨頭の対向および尺骨と上腕骨の対向は良好であり，整復されているように見える（c）．関節造影とMRIでは内側に脱転した大きい内側顆骨片を認め，はじめて内側顆骨折であることが診断できた（d）．手術的整復固定術後（e）

d 治　療

　Salter-Harris分類Ⅲ型もしくはⅣ型の成長軟骨板損傷であり，正確な整復と固定が原則である．内側上顆に付着する屈筋腱群に牽引され，骨折面の大部分が軟骨成分であるため骨折の安定性が得られにくい．症例経験の蓄積がないため，治療方針を決めるはっきりとした基準はないが，外側顆骨折とほぼ同様の治療を行って大きな問題はないと考えられる．転位が2mm未満であれば外固定でよい．しかし，内側上顆に付着する筋力により固定中に転位する可能性があるので頻回の単純X線写真による観察は必要である．2mm未満の転位でも保存療法による偽関節の報告がある．

　2mm以上の転位があれば手術が必要である．腹臥位または側臥位で後内側から進入する．尺骨神経を確保してから関節包を切開し上腕骨骨幹端と滑車部内側を展開する．骨折部には成長軟骨板が存在し，滑車骨端核の血行が後方から進入するため，内側顆後方の軟部組織を損傷しないように注意する．骨幹端骨折面と滑車関節面の転位を直視下に整復する．

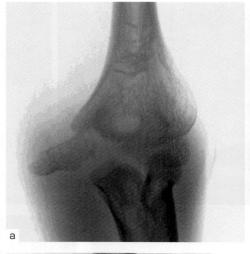
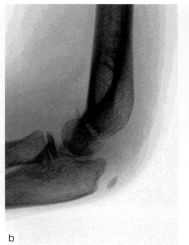
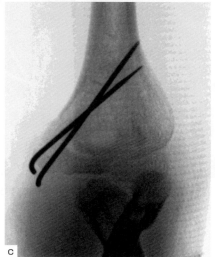

図 13-4-80　上腕骨内側顆骨折（Milch分類I型．11歳，男児）

Milch I型の骨折．内側上顆は大きな骨幹端骨片を伴っている．滑車核の骨化核は小さいが診断は容易であった（a, b）．骨幹端骨片が大きく Kirschner 鋼線のみで十分な固定性が得られた（c）．

　新鮮例なら Kirschner 鋼線のみによる固定でもよいが，引き寄せ鋼線締結法を用いると強固な固定が得られる．必要に応じて外側顆方向へも Kirschner 鋼線を通して2方向に固定する．

e 予　後

　良好な整復位で骨癒合すれば後遺障害は少ない．しかし受傷時に正しい診断がされないと偽関節，変形治癒を生じる．偽関節の発生率は明らかではない．

　偽関節や変形治癒になると滑車の変形により著明な可動域制限が生じる．さらに成長障害が生じるため変形は徐々に増悪する．手術的にも修正不能な惨憺たる状態となることがある（図 13-4-67）．

　この骨折では手術侵襲を加えなくても内側顆，滑車の無腐性壊死が発生することがある．壊死が生じると滑車の低形成，肘関節内反変形をきたす．

小児上腕骨内側上顆骨折　medial epicondyle fracture of the humerus

a 病　態

　　上腕骨内側上顆は上腕骨の内側のやや後方に突出し，屈曲回内筋群の起始部となり，その基部の遠位側には内側側副靱帯が起始している．正確には円回内筋の一部が内側上顆の上半分，ほかの総屈筋群は内側上顆の下半分に起始する．内側上顆の骨端核の出現は外顆のそれに次いで早く，3〜7歳で出現し15〜18歳で癒合する．

　　内側上顆骨折は内側上顆が屈曲・回内筋群とともに転位する関節外骨折であり，日常診療上比較的高頻度に遭遇する．9〜14歳頃に多くそのピークは11〜12歳である．Chessare の 35 例の発生年齢は 3 歳 9 ヵ月〜17 歳で平均年齢は 11.3 歳，Fahey の 38例の平均年齢は 11.5 歳である．男女比は 4：1 で男子に多い．

　　神中によれば，内側上顆骨折は上腕骨遠位端骨折 472 例中 46 例（9.7%）を占める．ちなみに内側顆骨折は 8 例（1.7%），滑車骨折は 1 例（0.2%）にみられたと報告している．Wilkins の報告では上腕骨遠位部骨折中，本骨折は 14.1% で顆上骨折，外側顆骨折に次いでいる．また肘関節脱臼に合併したものは 50%，関節内に陥入したものは 15〜18% としている．

　　通常，屈曲回内筋とともに骨端のみが剥離する．直達外力によるものは骨幹端の小骨片を伴うことがあるがまれである．ときに骨幹端から剥離した内側上顆骨片（内側上顆核）からさらに筋群が剥脱し骨端核が遊離してしまう場合がある．

　　このほか少年野球などでは繰り返しの負荷により骨端の離開がみられ，little leaguer's elbow と呼ばれる（図 13-4-81）．診断には左右の単純 X 線写真を比較する必要がある．通常，骨端線は利き手側（投球側）が先に閉鎖するので，利き手の対側の骨端線が閉鎖していたり，対側よりも開大していれば異常である．ときに投球中に完全に剥離することがある．

b 受傷機転

　　直達外力，外反力，筋の牽引力，脱臼に合併の 4 種の受傷機転があるが，外反力によるものが最も多い．腕相撲や投球動作では筋の牽引力により発生する．

　　肘を伸展した状態で手をついたとき，生理的肘外反による外反力に手関節と手指の伸展による屈曲回内筋群の牽引力が加わり裂離骨折を起こす．若年者の外反骨折は橈骨頚部骨折あるいは肘頭の外反方向への若木骨折を伴うことがあり，Jeffery 型損傷と呼ばれる．

　　脱臼に合併する場合は骨片が関節内に陥入することがあり（図 13-4-82），ときに尺骨神経麻痺を合併する．大部分の症例は後外方脱臼である．

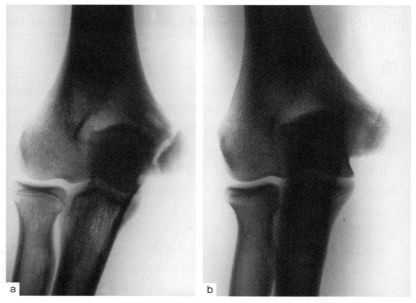

図 13-4-81 little leaguer's elbow（14歳，男子）
a. 離開した内側上顆骨端軟骨の幅は健側の3倍に拡大し同部に疼痛を訴える．肘頭遠位部から採取した2本の骨釘を移植した．
b. 術後4ヵ月．完全に癒合し野球に復帰した．軽度なものは4週間の外固定後2～3ヵ月間の投球禁止でよい．

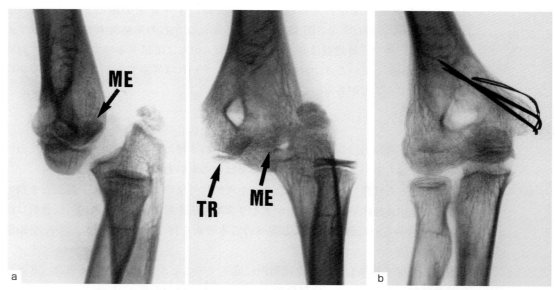

図 13-4-82 内側上顆骨折の陥入を伴った肘関節脱臼骨折（13歳，男子）
a. 術前（ME：内側上顆骨片，TR：滑車核）
b. 術後3ヵ月：引き寄せ鋼線締結法で固定した．可動域は5～130°．安定性良好である．

4 上腕骨遠位部・前腕骨近位部骨折　507

c 診　　断

　肘関節内側部に腫脹と疼痛があり，内側上顆部の限局性圧痛を認める．肘関節脱臼を伴う例では関節全体の変形と腫脹がみられる．内側上顆核，内側顆核出現後の年齢であれば単純X線写真で容易に診断可能である．内側上顆核出現前の年齢では，単純X線写真での診断は不可能である．また内側顆核出現前の年齢では内側顆骨折との鑑別が問題であり，確定診断に超音波診断，MRI，関節造影などが必要となる．単純X線写真正面像でみる遠位方向のみの転位でなく，骨片は前方に牽引されかつ回転していることに注意せねばならないが，側面像では骨幹端と重なりその評価は難しい．CT撮影が転位量の評価には必須である．

d 治　　療

1) 手術適応

　転位がなく，MRIで診断できる骨折であれば三角巾による固定を2〜3週行うのみでよい．単純X線写真上健側に比較し2mm程度の骨端線の開大だけであれば4週の外固定を行う．

　転位の高度な例でも骨片の関節内への陥入，あるいは尺骨神経麻痺がなければ手術的整復・固定は不要とする意見があるが，保存療法では偽関節や変形治癒が高率で起こる．

　遠位あるいは前方への転位があるか，内反ストレスX線写真で関節の不安定性が確認できれば手術的に固定すべきである．内側側副靱帯は内側上顆から起始するため，関節不安定性の発生を考慮に入れれば正確な整復，強固な内固定が望ましい．

　Farsettiらは5mmから15mmの転位例を平均45年間経過観察し，整復せずに上腕から外固定を行った19例中癒合したのは2例にすぎなかったが，16例はADL上支障がなかったと報告している．Joseffsonは保存治療51例中31例が偽関節となり15例が変形治癒となったとし，12例に愁訴が残り，伸展制限が11例に屈曲制限が1例に残ったが，ADL障害を伴うほどではなかったと報告している．これらの報告では，偽関節や変形治癒例の機能障害は軽微で保存療法の成績は良好であるとしているが，筆者は偽関節の長期経過例で，ADL障害を伴う愁訴がある症例を少なからず経験している（図13-4-83）．偽関節や変形治癒例では内側側副靱帯の短縮があるため，関節安定性と可動域を両立して機能回復を図ることは困難で治療に難渋する．

　一方，手術療法による治療成績は一様に良好であると報告されている．手術のリスクは小さく，手術療法により解剖学的整復位での骨癒合を獲得することにより，肘関節の完全なる機能回復を目指すことができる．偽関節による将来的な機能障害の懸念を残すことと，手術の合併症による障害の懸念を同列で天秤に掛けることは難しい．しかし将来的に対処が難しい機能障害が残る可能性があることを勘案すると，家族の理解が得られれば転位が小さくても積極的に手術療法を推奨してよいと考える．

　内側上顆骨片がそれに起始する屈筋群とともに関節内に陥入している例はまれではない．脱臼の整復時に内側上顆骨片が貫入してしまうこともある．単純X線写真では骨片のみが陥入しているように見えるが，軟部組織は剥脱せずに骨片に付着している．

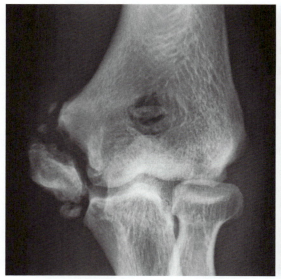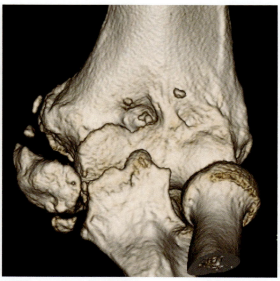

図 13-4-83　内側上顆偽関節（45歳，男性）

中学時に受傷し保存療法を受けた．肘内側の軽度の痛みだけで問題なく生活し，草野球の投手も務めていた．45歳時，投球時に急に右肘内側痛が出現して受診した．
偽関節となった内側上顆骨片が，さらに剥離し大きく動きだしたと思われる．手術では元位置に整復できたが，固定すると可動域制限が生ずるため強固に固定できず，また偽関節となった．

徒手整復に成功しても軟部組織損傷が大きいため手術的整復固定術が必要である．

2）手術療法

　まず内側上顆周囲の解剖学的構造を理解することが大切である．骨折面（離開面）は成長軟骨板（軟骨）であり，骨表面にも靱帯や回内屈筋群が付着しており骨面が露出しているところはない（図 13-4-84）．母床の骨折面も成長軟骨である．骨折縁は軟骨でありシャープな骨折縁は存在しないので，通常の骨折のように骨折縁での整復確認はできない．靱帯や筋付着面も軟骨層が介在し骨端核は軟らかく，骨鉗子の把持に耐えられるだけの強度はない．骨鉗子で骨端核を潰すと成長障害をきたす可能性がある．一方，靱帯や回内屈筋群による牽引力は強力なため整復は容易ではないことがある．数日で軟部組織は短縮し始めるので，受傷から日数の経過した症例では整復は非常に困難になる．2～3日以内に手術を行うことが推奨される．

　手術法は引き寄せ鋼線締結法により簡便で強固な固定が得られる（図 13-4-82b）．内側切開により進入し，まず尺骨神経を確認，保護する．内側上顆は見えないが，筋肉が起始する骨性の塊として認識できる．起始近くの筋肉に丈夫な糸を掛けて引き上げると操作が可能となる．裏返すと白い成長軟骨板が見えるが，これを損傷しないように注意する．対応する母床も白い軟骨であることが多い．内側側副靱帯は骨片の下端で筋肉の裏に付着しているのでこれを確認する．この際，内側側副靱帯の遠位停止部が剥脱されていないことを確認しておく．

　転位が少なければ骨片の整復は容易であるが，回転転位を伴う例ではやや困難で工夫が必要である．肘関節屈曲，前腕回内位，手関節掌・尺屈位に保ちながら，屈筋群

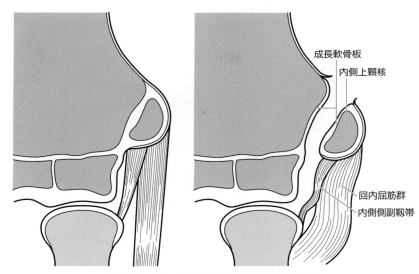

図13-4-84　内側上顆骨折の転位の断面図

に掛けた糸で筋肉と骨片を一体で引っ張り上げて整復する．整復の目安になるのは後面の断裂した軟骨膜だけである．最終的には透視で整復を確認する．1.5 mmのKirschner鋼線2本を内側上顆骨片の遠位1/2より刺入する．これだけでは筋群の張力に抗しがたいので，あらかじめ近位の皮質に通しておいた0.5～0.7 mm鋼線で引き寄せ鋼線締結法を行う．骨片が嵌入した例では骨片を遊離することなく整復し固定する（図13-4-85, 86）．

　陳旧例は内側側副靱帯が短縮しているため整復は不可能である．靱帯の短縮をそのままにして非解剖学的位置に固定すれば可動域制限が生じることは避けられない．むしろ靱帯を切離し延長してでも解剖学的位置に整復固定するべきである．小児であれば多少の間隙があっても靱帯は修復されるので著明な不安定性が残存することはない．

　術後は2～3週間の外固定を行う．骨端離開の場合は単純X線写真上は骨癒合の判断はできないが，早期に癒合するので3ヵ月以内に抜釘する．スポーツによる受傷では抜釘後のスポーツ再開で再受傷の懸念がある．成長終末期の受傷であれば成長軟骨板が閉鎖するまで抜釘を待つことも選択肢となる．しかし鋼線の刺激により抜釘前には可動域が完全に回復しないことが多い．長期鋼線留置を予定している患者では鋼線の後端処理に細心の注意を払う必要がある．

　little leaguer's elbowでは通常4週間の外固定後2～3ヵ月間投球を禁止する．癒合不十分なら手術的固定の適応となる．投球に伴う完全剥離の場合は手術的骨接合を行う．

e　予　後

　骨癒合が得られれば上腕骨遠位部の発育障害を生じることは少ない．解剖学的位置に癒合が得られれば通常愁訴は残らない．変形治癒すると内側側副靱帯の緊張により可動域制限が生じる．一般的に解剖学的位置よりも前方に固定されると伸展制限を，遠位に固定されると屈曲制限を遺残する．偽関節を残しても機能上問題がないとしている報告が多いが，転位の大きな偽関節の場合は関節不安定性を残し，可動域制限と

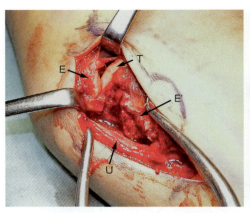
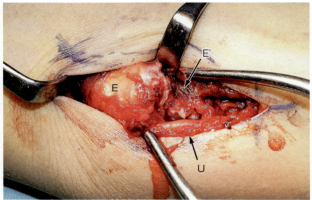

図 13-4-85　図 13-4-49 例の術中所見
E：屈筋回内筋群が付着したまま嵌入した内側上顆骨片．離開面は成長軟骨である．
E′：内側上顆骨片の母床
T：滑車，U：尺骨神経

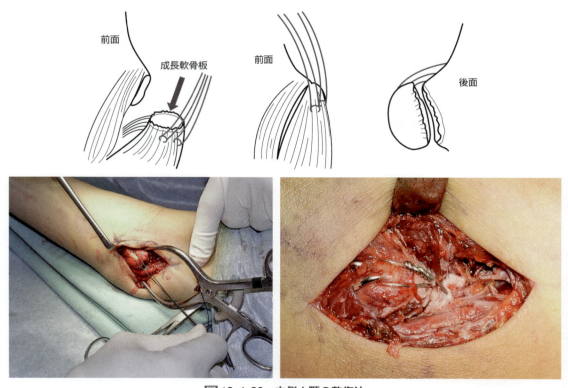

図 13-4-86　内側上顆の整復法
a. 内側上顆側の成長軟骨板を損傷しない．
b. 回内屈筋群に糸を掛けて引き上げる．母床に蓋をするように整復する．
c. 背側の軟骨膜断裂断端で整復を確認する．

4　上腕骨遠位部・前腕骨近位部骨折　*511*

尺骨神経麻痺を生じることがある．また長期の偽関節例は高度の変形性関節症に発展することもある（**図13-4-83**）．受傷初期に解剖学的整復固定を行うべきである．

スポーツによる受傷例では抜釘後の再受傷に注意が必要である．成長終末期の患者では成長軟骨板閉鎖まで抜釘を行わないことも検討する．

附-6　小児上腕骨外側上顆骨折と sleeve fracture ― lateral epicondyle fracture of the humerus, sleeve fracture of lateral epicondyle and lateral condyle of the humerus ―

上腕骨外側上顆骨折は脱臼に合併する外側側副靱帯，伸展回外筋群の牽引による剥離骨折である．10～13歳では外側上顆骨端核が癒合していないので骨端核を裂離骨折と誤りやすく，健側との比較も重要である．sleeve fracture は肘関節では外側上顆のみでなく外側顆の骨端の軟骨の外側部分が大きく剥脱する骨折である．関節造影やMRI撮影を行わないと外側上顆骨折と鑑別することはできない．手術所見では回外伸筋群が起始する外側上顆部と小頭後方である肘筋の起始部の軟骨が剥離していることが多い．後外側回旋不安定性があり，手術では外側上顆部だけでなく後方の修復が重要となる．

B.　小児上腕骨遠位部骨折

○小児上腕骨顆上骨折

1) Abe M et al：Posterolateral rotatory instability of the elbow after posttraumatic cubitus varus. J Shoulder Elbow Surg **6**：405-409, 1997.

2) Abe M et al：T. Tardy ulnar nerve palsy caused by cubitus varus deformity. J Hand Surg **20-A**：5-9, 1995.

3) Abraham E et al：Experimental hyperextension supracondylar fractures in monkeys. Clin Orthop **171**：309-318, 1982.

4) Babal JC et al：Nerve injuries associated with pediatric supracondylar humeral fractures：a meta-analysis. J Pediatr Orthop **30**：253-263, 2010.

5) Badkoobehi H et al：Management of the pulseless pediatric supracondylar humeral fracture. J Bone Joint Surg **97-A**：937-943, 2015.

6) Bahk MS et al：Patterns of pediatric supracondylar humerus fractures. J Pediatr Orthop **28**：493-499, 2008.

7) Blakey CM et al：Ischaemia and the pink, pulseless hand complicating supracondylar fractures of the humerus in childhood：long-term follow-up. J Bone Joint Surg **91-B**：1487-1492, 2009.

8) Brauer CA et al：A systematic review of medial and lateral entry pinning versus lateral entry pinning for supracondylar fractures of the humerus. J Pediatr Orthop **27**：181-186, 2007.

9) Campbell CC et al：Neurovascular injury and displacement in type III supracondylar humerus fractures. J Pediatr Orthop **15**：47-52, 1995.

10) Choi PD et al：Risk factors for vascular repair and compartment syndrome in the pulseless supracondylar humerus fracture in children. J Pediatr Orthop **30**：50-56, 2010.

11) Delniotis I et al：The pulseless supracondylar humeral fracture：Our experience and a 1-year follow-up. J Trauma Acute Care Surg **85**：711-716, 2018.

12) Delniotis I et al：Management of the Pediatric Pulseless Supracondylar Humeral Fracture：A Systematic Review and Comparison Study of "Watchful Expectancy Strategy" Versus Surgical Exploration of the Brachial Artery. Ann Vasc Surg **55**：260-271, 2019.

13) Flynn JC et al：Blind pinning of displaced supracondylar fractures of the humerus in children：sixteen years' experience with long-term follow-up. J Bone Joint Surg **56-A**：263-272, 1974.

14) Gartland JJ：Management of supracondylar fractures of the humerus in children. Surg Gynecol Obstet **109**：145-154, 1959.

15) 伊藤恵康：上腕骨顆上骨折．小児の骨折，80-94，メディカル葵出版，1988.

16) 伊藤恵康ら：整形外科後療法マニュアル—内反肘・外反肘矯正術．MB Orthop **5**：19-25，1992.

17) Kamara A et al：The most stable pinning configurations in transverse supracondylar humerus fracture fixation in children：A novel three-dimensional finite element analysis of a pediatric bone model. Injury **52**：1310-1315, 2021.

18) Louahem D et al：Acute ischemia and pink pulseless hand in 68 of 404 Gartland type III supracondylar humeral fractures in children：Urgent management and therapeutic consensus. Injury **47**：848-852, 2016.

19) Lyons ST et al：Neurovascular injuries in type III humeral supracondylar fractures in children. Clin Orthop Relat Res **376**：62-67, 2000.

20) 岡　久仁洋ほか：新規に薬事承認された Patient Matched Instrument を用いた矯正骨切り術の経験．日手会誌 **33**：383-387，2016.

21) 岡　義範ら：上腕骨顆上骨折に対する牽引療法（特に垂直牽引療法について）．MB Orthop **6**：41-51，1993.

22) Omori S et al：Postoperative accuracy analysis of three-dimensional corrective osteotomy for cubitus varus deformity with a custom-made surgical guide based on computer simulation. J Shoulder Elbow Surg **24**：242-249, 2015.

23) Parikh SN et al：Displaced type II extension supracondylar humerus fractures：do they all need pinning? J Pediatr Orthop **24**：380-384, 2004.

24) Peters CL et al：Closed reduction and percutaneous pinning of displaced supracondylar humerus fractures in children：description of a new closed reduction technique for fractures with brachialis muscle entrapment. J Orthop Trauma **9**：430-434, 1995.

25) Pirone AM et al：Management of displaced extension-type supracondylar fractures of the humerus in children. J Bone Joint Surg **70-A**：641-650, 1988.

26) Pretell-Mazzini J et al：Surgical approaches for open reduction and pinning in severely displaced supracondylar humerus fractures in children：a systematic review. J Child Orthop **4**：143-152, 2010.

27) Ramachandran M et al：Clinical outcome of nerve injuries associated with supracondylar fractures of the humerus in children：the experience of a specialist referral centre. J Bone Joint Surg **88-B**：90-94, 2006.

28) Rang M：Elbow-Distal Humerus, Children's Fractures, 111-142, Welters Kluwer, Philadelphia, 2018.

29) 三枝憲成ら：上腕骨顆上骨折に対する我々の治療法．整形外科 **37**：31-39，1986.

30) Sankar WN et al：Loss of pin fixation in displaced supracondylar humeral fractures in children：causes and prevention. J Bone Joint Surg **89-A**：713-717, 2007.

31) 佐々木　孝：上腕骨顆上骨折に対する観血的治療法．MB Orthop **6**：63-70，1993.

32) Skaggs DL et al：Lateral-entry pin fixation in the management of supracondylar fractures in children. J Bone Joint Surg **86-A**：702-707, 2004.

33) Skaggs DL et al：How safe is the operative treatment of Gartland type 2 supracondylar humerus fractures in children? J Pediatr Orthop **8**：139-141, 2008.

34) Skaggs DL：Supracondylar fractures of the distal humerus. Fractures in Children 8th ed, 581-628, Lippincott Williams and Wilkins, Philadelphia, 2015.

35) 高木岳彦ら：小児上腕骨顆上骨折後の内反変形に対する骨切り術．関節外科 **33**，68-72，2014.

36) Takeyasu Y et al：Three-dimensional analysis of cubitus varus deformity after supracondylar fractures of the humerus. J Shoulder Elbow Surg **20**：440-448, 2011.

37) Weller A et al：Management of the Pediatric Pulseless Supracondylar Humeral Fracture：Is Vascular Exploration Necessary? J Bone Joint Surg **95-A**：1906-1912, 2013.

○小児上腕骨遠位骨端離開

1) Abe M et al：Epiphyseal separation of the distal end of the humeral epiphysis：a follow-up note. J Pediatr Orthop **15**：426-434, 1995.

2) 阿部宗昭：上肢骨折治療基本手技．上腕骨遠位骨端離開の治療法．Orthopaedics **23**：63-70，2010.
3) DeLee JC et al：Fracture-separation of the distal humeral epiphysis. J Bone Joint Surg **62-A**：46-51, 1980.
4) 池上博泰ら：上腕骨遠位骨端離開．骨折 **31**：125-129，2009.
5) 伊藤恵康：上腕骨遠位骨端離開．肘の外科の実際，南江堂，2011.
6) Jacobsen S et al：Traumatic separation of the distal epiphysis of the humerus sustained at birth. J Bone Joint Surg **91-B**：797-802, 2009.
7) 柏木直也ら：上腕骨遠位骨端離開の治療．臨整外 **32**：879-885，1997.
8) 久保卓也ら：小児上腕骨外側顆骨折と上腕骨遠位骨端離開の鑑別―上腕骨遠位骨幹端外側骨片の転位方向による簡易鑑別法―．日本肘関節学会雑誌 **27**：18-22，2020.
9) Mizuno K et al：Fracture-separation of the distal humeral epiphysis in young children. J Bone Joint Surg **61-A**：570-573, 1979.

○小児上腕骨外側顆骨折
1) 阿部宗昭：上腕骨外顆骨折．最新整形外科学体系14，高岸憲二ら編，上腕・肘関節・前腕，183-194，中山書店，2007.
2) 相田直隆ら：小児上腕骨外顆骨折の保存的治療法．別冊整形外科 No.26, 肘関節外科，53-58，南江堂，1994.
3) 綾部敬生ら：上腕骨遠位端骨折難治例に対する人工肘関節置換術．関節外科 **25**：70-75，2006.
4) Beaty JH et al：The elbow：Physeal fractures, apophyseal injuries of the distal humerus, avascular necrosis of the trochlea, and T-condylar fractures. Fractures in children, 7th ed. Beaty JH&Kasser JR ed, 533-593, Lippincott Williams&Wilkins, Philadelphia, 2009.
5) 別所祐貴ら：小児上腕骨外側顆骨折に対する後外側アプローチによる手術成績．日本肘関節学会雑誌 **25**：11-14，2018.
6) Goto A et al：Three-dimensional in vivo kinematics during elbow flexion in patients with lateral humeral condyle nonunion by an image-matching technique. J Shoulder Elbow Surg **23**：318-326, 2014.
7) 今田英明ら：小児上腕骨外顆骨折の3次元的形態および上腕骨20°挙上位撮影法の有用性に関する検討．骨折 **32**：5-11，2010.
8) 伊藤恵康ら：上腕骨外顆偽関節に対する骨接合術．関節外科 **12**：142-151，1993.
9) 伊藤恵康ら：小児上腕骨外顆骨折．小児外傷の保存療法と手術療法，34-39，メディカルビュー社，1999.
10) 伊藤恵康：上腕骨遠位端骨端離開．肘の外科の実際，南江堂，2011.
11) Jakob R et al：Observations concerning fractures of the lateral humeral condyle in children. J Bone Joint Surg **57-B**：430-436, 1975.
12) Launary F et al：Lateral Humeral Condyle Fractures in children：A Comparison of Two Approaches to Treatment. J Pediatr Orthop **24**：385-391, 2004.
13) Peterson HA：Distal Humerus. Epiphyseal Growth Plate Fractures, 421-523, Springer-Verlag, Berlin, 2007.
14) 島田幸造ら：小児上腕骨外顆骨折後の外反肘変形とその手術療法．関節外科 **33**：874-879，2014.
15) Song KS et al：Internal oblique radiographs for diagnosis of nondisplaced or minimally displaced lateral condylar fractures of the humerus in children. J Bone Joint Surg **89-A**：58-63, 2007.
16) Song KS：Closed Reduction and Internal Fixation of Completely Displaced and Rotated Lateral Condyle Fractures of the Humerus in Children. J Orthop Trauma **24**：434-439, 2010.
17) 鈴木克侍ら：小児上腕骨外顆骨折治療後の内反肘変形．日本肘関節学会雑誌 **13**：135-136，2006.
18) 田島達也：上腕骨外顆偽関節に対する治療法．整形外科 MOOK No.54：肘関節の外傷と疾患，柏木大治編，174-185，金原出版，1988.
19) 谷渕綾乃ら：上腕骨外側顆骨折に対する前腕回内，肘関節鋭角屈曲位固定での保存療法．日本肘関節学会雑誌 **19**：230-232，2012.

○小児上腕骨内側顆骨折

1) El Ghawabi MH：Fracture of medial condyle of the humerus. J Bone Joint Surg **57-A**：677-680, 1975.
2) Fowles JV et al：Displaced fracture of the medial humeral condyle in children. J Bone Joint Surg **62-A**：1159-1163, 1980.
3) 伊藤恵康ら：上腕骨内顆及び滑車の骨折について．臨整外 **17**：1076-1086, 1982.
4) 伊藤恵康ら：上腕骨内顆・滑車骨折．関節部骨折その2，榊田喜三郎編，骨折・外傷シリーズ5，55-57，南江堂，1987.
5) 上石　聡：尺骨神経麻痺を伴った Milch TypeI 上腕骨内顆骨折の1例．臨整外 **24**：983-986, 1989.
6) Kilfoyle RM：Fracture of the medial condyle and epicondyle of the elbow in children. Clin Orthop **41**：43-50, 1965.
7) Leet AI et al：Medial condyle fractures of the humerus in children. J Pediat Orthop **22**：2-7, 2002.
8) Milch H：Fractures and fracture-dislocations of the humeral condyle. J Trauma **4**：592-607, 1964.
9) Peterson HA：Distal Humerus. Epiphyseal Growth Plate Fractures, 421-523, Springer-Verlag, Berlin, 2007.
10) Ryu K et al：Osteosynthesis for malunion of the medial humeral condyle in an adolescent：a case report. J Shoulder Elbow Surg **16**：8-12, 2007.

○小児上腕骨内側上顆骨折

1) 青木光広ら：上腕骨内上顆骨折の保存療法と予後．関節外科 **12**：53-57, 1993.
2) Bede WB, et al：Fractures of the medial humeral epicondyle in children, Canad J Surg **18**：137-142, 1975.
3) Chessare JW et al：Injuries of the medial epicondylar ossification center of the humerus. AJR **129**：49-55, 1977.
4) Cruz Jr AI et al：Medial Epicondyle Fractures in the Pediatric Overhead Athlete. J Pediatr Orthop **36**：S56-S62, 2016.
5) Fahey JJ et al：Fracture-separation of the medial condyle in a child with fracture of the medial epicondyle. J Bone Joint Surg **53-A**：1102-1104, 1971.
6) Farsetti P et al：Long-term results of fractures of the medial humeral condyle in children. J Bone Joint Surg **83-A**：1299-1305, 2001.
7) 伊藤恵康ら：上腕骨内上顆骨折．関節部骨折その2，榊田喜三郎編，骨折・外傷シリーズ5，51-54，南江堂，1987.
8) 岩部昌平ら：希有な剥離様式を示した小児上腕骨内側上顆骨折の4例．日肘会誌 **3**：71-72, 1996.
9) Josefsson PO et al：Epicondylar elbow fractures in children. 35-year follow-up of 56 unreduced cases. Acta Orthop Scad **57**：313-315, 1986.
10) Kessel L revised：Injuries of the Elbow. Watson-Jones' Fractures and Joint Injuries. vol.II, 5th ed. Wilson JN ed, 604-665, Churchill Livingstone, 1976.
11) Kikuchi Y et al：Unrecognized fracture of the medial epicondylar apophysis of the humerus. J Shoulder Elbow Surg **13**：356-361, 2004.
12) Souder CD et al：The Distal Humerus Axial View：Assessment of Displacement in Medial Epicondyle Fractures. J Pediatr Orthop **35**：449-454, 2015.
13) Shukla SK et al：Symptomatic medial epicondyle nonunion：treatment by open reduction and fixation with a tension band construct. J Shoulder Elbow Surg **20**：455-460, 2011.
14) Smith JT et al：Operative fixation of medial humeral epicondyle fracture nonunion in children. J Pediatr Orthop **30**：644-648, 2010.
15) Wilkins KE：Fractures and dislocations of the elbow region. Fractures in Children, vol.3, Rockwood CA Jr, et al ed, 480-495, JB Lippincott, 1984.

C 成人上腕骨遠位部骨折

　上腕骨遠位部骨折は従来，顆上骨折，通顆骨折，T・Y型骨折，滑車骨折，内側上顆骨折のようにそれぞれの骨折部位の通称で呼ばれてきた．現在ではA型：関節外骨折（顆上骨折，通顆骨折，内・外側上顆骨折など），B型：部分関節内骨折（内・外側顆骨折，滑車骨折，小頭骨折など），C型：完全関節内骨折（T・Y型骨折など）と体系的に分類するAO/OTA分類が用いられることが多くなっている．これは大中分類だけで27にも及ぶ詳細な分類法であるが，分類法のコンセプトを理解すれば，情報伝達上も治療方針選択上も有用な分類である（図13-4-87）.

　良好な治療成績を得るためには解剖学的整復，強固な固定，早期関節運動が基本となる.

上腕骨顆上骨折と通顆骨折（AO/OTA分類　A2，A3）
supracondylar fracture and transcondylar fracture of the humerus

a 病　　態

　上腕骨遠位部骨幹端骨折で，近位の骨折が上腕骨顆上骨折，遠位の骨折が通顆骨折（実際の骨折線は顆部ではなく顆上部である）と呼ばれる．上腕骨顆上骨折は小児では高頻度で発生するが成人では少ない．同じ受傷機転でも，成人の場合は肘関節脱臼や関節内骨折になる．高齢者で骨粗鬆症を合併していると，遠位の骨折である上腕骨通顆骨折が生じる．上腕骨通顆骨折は骨折線が内上顆から外上顆を貫く骨折となることが多い.

b 治　　療

　上腕骨通顆骨折は，遠位骨片のほとんどが関節軟骨に覆われ軟部組織が少ないこと，単純な横骨折となり骨折面が平坦で骨折部が不安定になりやすいことなどから骨癒合が得られにくい．受傷時に単純X線写真で骨折線が確認できない程度の例でも，保存療法を行うと偽関節になることがある．確実な骨癒合を得るためには解剖学的整復と強固な内固定が必要である.

　かつては粉砕を伴わない通顆骨折に対しては，内外両側からの引き寄せ鋼線締結法や，中空スクリュー cannulated screw の交差刺入固定が行われていた．しかし骨粗鬆症合併例では遠位骨片の十分な固定が得られず偽関節になったり，骨折部の過剰な仮骨形成により関節可動域制限を生じることが少なくなかった．最近は粉砕や転位を伴わない骨折に対しても，上腕骨遠位部骨折用に開発された解剖学的ロッキングプレート anatomical locking plate（図13-4-88）を用いて，内外両側から強固な内固定をする方法が行われるようになり，高齢者例においても良好な成績が得られるようになった（図13-4-89, 90）.

　顆上骨折に対しても手術的に整復し，プレートによる内固定を行うのが標準的治療法である．強固な内固定により術後早期に自動運動等の後療法開始が可能である．た

516　各論　第13章　上肢の骨折

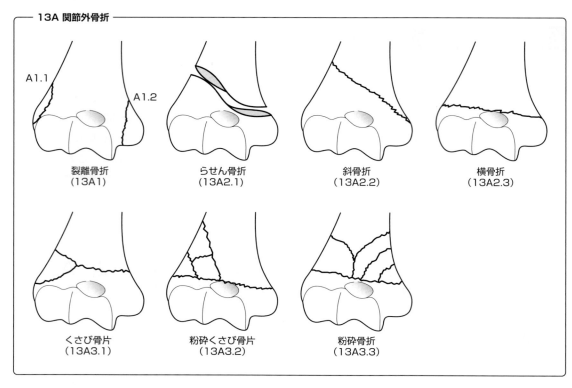

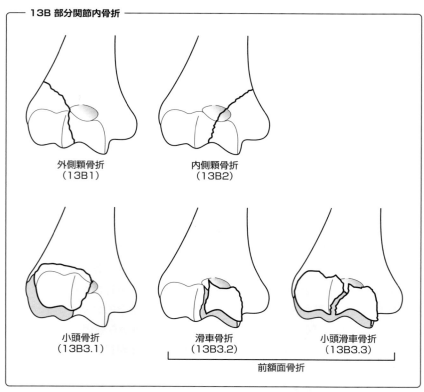

図13-4-87（1）　AO/OTA分類

4 上腕骨遠位部・前腕骨近位部骨折 517

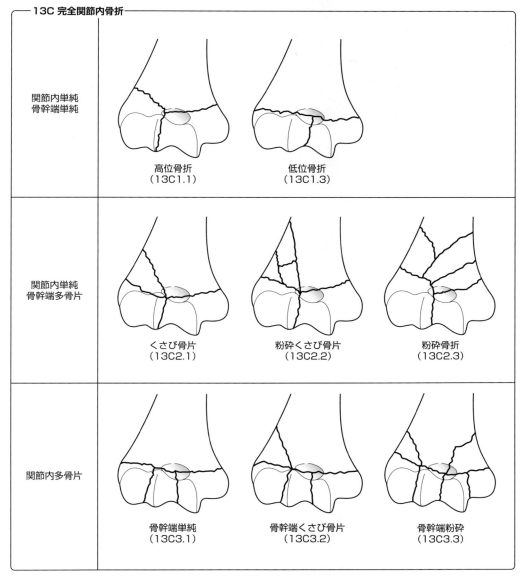

図 13-4-87（2） AO/OTA 分類

だし高齢者で高度な骨粗鬆症を合併している場合は，内固定力を過信することなく，後療法は十分な管理下で慎重に行う必要がある．保存療法が適応されるのはほとんど転位のない線状骨折のみである．

518 各論 第13章 上肢の骨折

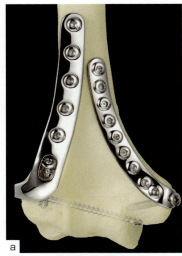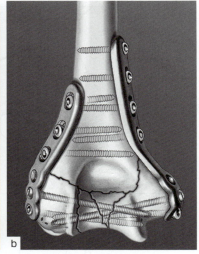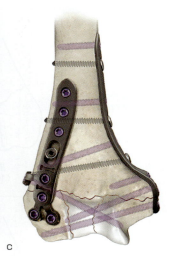

図 13-4-88　上腕骨遠位部骨折用ロッキングプレート
a. ONI elbow system, 後面-後面の組み合わせ
b. Mayo Clinic congruent elbow plate system, 側面-側面の組み合わせ
c. A.L.P.S elbow system, 後面-側面の組み合わせ（側面-側面も選択可能）

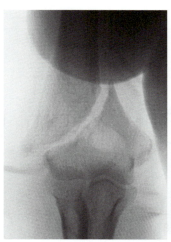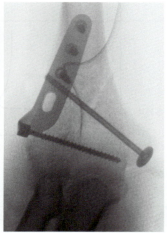

図 13-4-89　上腕骨顆上骨折（A2.2）
比較的遠位骨片が小さい外側部も ONI transcondylar plate により強固に固定することができた．

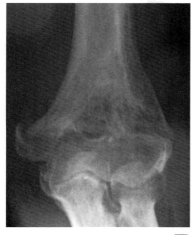 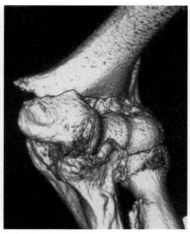 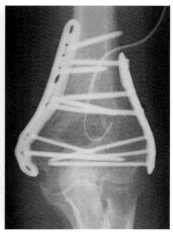

図 13-4-90　上腕骨通顆骨折（A2.3.（3））
骨粗鬆例においても内外側からのプレート固定で早期運動開始が可能となる．

上腕骨遠位部完全関節面骨折（AO/OTA 分類　C1, C2, C3）
complex fracture of the distal humerus

　成人の上腕骨遠位関節面を含む骨折は，小児に多く発生する外側顆骨折や内側顆骨折（AO/OTA 分類 B1，B2）は少なく，T・Y 型骨折（AO/OTA 分類 C1，C2，C3）や小頭・滑車骨折（同 B3）となることが多い（上腕骨滑車・小頭骨折は p. 526 で述べる）．逆に小児では関節面の T・Y 型骨折となることは少なく，関節面の骨折が起きたとしても粉砕（C3）することはきわめて少ない．

　関節面骨折と顆上部骨折が組み合った AO 分類 C 型骨折は治療に難渋することが少なくない．関節面の正確な整復に加えて顆部と扁平な顆上部の骨接合は技術的にも容易ではない．

a　骨折の形態・分類

　遠位端 T・Y 型骨折の分類は Riseborough-Radin 分類，Mehne-Matta による上腕骨遠位端骨折分類などがあるが，最近は AO/OTA 分類が一般に用いられている（図 13-4-87）．

b　治　　療

　かつては治療に難渋する骨折であったが，近年はさまざまなサイズの headless screw や上腕骨遠位部骨折用ロッキングプレートが使用できるようになったことにより，積極的な手術療法で良好な機能回復が得られるようになった．関節面に及ぶ上腕骨遠位部骨折の治療の目的は単なる骨癒合のみならず，関節拘縮や将来の変形性関節症の発症の防止である．そのためには，関節面の正確な解剖学的整復と早期に関節運動が開始できるだけの強固な内固定が必要である．

　線状骨折以外の転位が明らかな骨折のほぼすべての骨折に手術適応がある．小児に

おいても，骨膜が断裂せず残存していると考えられる転位が少ない症例を除き，手術療法が適応され正確な解剖学的整復と強固な内固定により良好な成績が得られる．

1）保存療法

保存療法の適応は転位の非常に小さい例，手術ができない全身状態不良例だけであり，成人例では転位のある骨折に対して保存療法を行うことは機能的回復を断念するといっても過言ではない．小児例でも関節面の転位が明らかであれば成長軟骨板の転位を合併しているので手術適応である．

肘頭からの直達牽引は整復・固定が困難な場合にはある程度の成績が得られる安全な方法ではあるが，臥床期間が長くなるという大きな欠点がある．CT画像，三次元CT画像により病態を正確に把握でき，さまざまな内固定材料が使用できる現在では適応はほとんどない．

2）手術療法

Jupiterが提唱したcolumn theoryは，滑車・小頭の関節面（tie arch）が逆Y字状に2つに分かれた内側の骨柱（medial column）と外側の骨柱（lateral column）に挟まれて存在するとの考え方である（図13-4-91）．この理論は遠位端粉砕骨折を整復固定するうえで有用である．上腕骨遠位部骨折用のロッキングプレート（anatomical locking plate）はどの器種も両側のcolumnにプレートを置き，顆部（tie arch）を貫くように長いスクリューを挿入する構造となっている．

今谷らの開発したONI elbow systemは，外側のONI transcondylar plateを通してtranscondylar screwを骨粗鬆症を有する高齢者でも比較的密な骨梁構造が残っている外側上顆から内側上顆基部の遠位前方に向けて貫き，スクリューとプレートをlock nutで一体化させることでlateral columnとtie archを固定するものである．medial columnは粉砕がない場合は中空スクリューcannulated screwで圧迫固定し，粉砕がある場合はONI medial plateで固定する．ONI transcondylar plateは日本人の骨形状によく適合し，軟部組織の被覆が少ない内外上顆部での突出が少ないため使い勝手がよい．しかし2つのプレートが背側に設置されるため小柄な人では干渉して内側のプレートが設置できないことがある．また比較的太いスクリューが顆部を貫くことによ

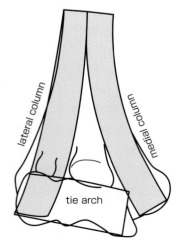

図13-4-91　Jupiterが提唱したcolumn theory
lateral columnの遠位端は小頭部分，medial columnの遠位端は内側上顆であり，逆Y型の2つのcolumnに挟まれて滑車が存在する．関節面は2つのcolumnを連結するtie archとなっている．

り遠位部の固定性を得るため，関節面の粉砕が強い例では設置が難しい．medial column や tie arch の粉砕が少ない例がよい適応である（図 13-4-88a）．

　その他のプレートは内外側に側面と側面（180°），もしくは側面と後面（90°）の組み合わせで 2 枚設置する．十分な長さのスクリューを十分な本数挿入できれば，どの組み合わせを選んでも臨床上問題のない程度の固定性が得られるように設計されている．どの器種を用いるにしても顆部（tie arch）の骨折を貫くスクリューを 2 本もしくは 3 本挿入すること，顆上骨折面に圧迫を掛けてプレートを固定することが重要である．また両プレートの最近位のスクリューレベルに応力が集中することを避けるため内外のプレートは長さの違うものを使用する．

　術前準備として単純 X 線写真に加えて，関節内骨折の評価には MPR-CT 画像や三次元 CT 画像が有用である．術前計画により使用する内固定材料の種類やサイズを決めておく．2 枚のプレートに効率よく有効なスクリューを挿入するには図面を用いての術前計画は必須である．

　基礎疾患に関節リウマチや変形性肘関節症などがあり，整復固定を行っても可動性や安定性が得られない可能性が高い症例や，非常に高度の粉砕例など整復固定が不可能と判断される場合には人工肘関節置換術を考慮してもよい．また人工肘関節置換術は，偽関節や高度の変形治癒に対する救済手術としても行うことができる．

a）手術進入法

　内外両側切開では関節面が十分見えないので，使用できるのは関節面の転位がない例に限られる．関節面と顆上部の十分な展開を得るには後方切開が最良である．側臥位または腹臥位で，上腕を支持台に乗せ，肘関節の屈曲が約 120°以上できるように支持台の下に空間をつくっておく．術中に C-アーム X 線透視装置を使用すると手術が円滑に行なえる．

　骨折部の展開には，肘頭中央で骨切りを行い上腕三頭筋を近位に反転する経肘頭進入を用いると，関節内の展開も顆上部の展開も最もよい．関節面の高度の粉砕例，冠状面骨折が存在する例ではこの進入路を用いるとよい．関節面の骨折が単純な C1，C2 は，肘頭骨切りをしたうえで肘筋を温存する方法や，肘頭骨切りを行わずに上腕三頭筋腱を縦切し，肘筋を肘頭から切離する進入路（lateral paraoclecranon approach）でも関節面の整復は可能である（図 13-4-24）．転位が軽度であれば関節面を展開せずに X 線透視下に整復を行うことも可能である．

　皮切後はまず内側で尺骨神経を同定する．内側にプレートを設置するときには広範に剥離が必要になるが，伴走血管を損傷しないように細心の注意を払い挙上する．顆上部の骨折が近位に及び，外側に長いプレートを使用するときには橈骨神経も確認し，よけられるように展開しておく必要がある（図 8-1-9 参照）．

b）AO 分類の C1，C2 型に対する手術法

　C1，C2 型は関節面に及ぶ骨折線は単純で関節面の整復は難しくない．

　最初に関節面を整復，固定する．固定は外顆側から Kirschner 鋼線を関節面近くに刺入し仮固定する．必要なら単純 X 線写真で確認する．次いでこれに平行に 3.5〜4 mm の headless screw または中空スクリュー cannulated screw を挿入して固定する．これで単純な上腕骨顆上骨折となる．顆部を固定するスクリューは，顆上部を固定す

522　各論　第13章　上肢の骨折

るプレートと干渉しない挿入位置を選ぶ．仮固定で安定していれば，そのままプレート固定に移行してもよい（図13-4-92）．骨癒合の早い小児ではKirschner鋼線による固定だけでもよい．

　上腕骨顆上部の骨折は直視下での整復は比較的容易である．後方の皮質は粉砕していたり，圧縮などで変形していることがあるので，前方の皮質の適合も指標にしたほうがよい．指頭で前面を触診して整復位を確認しながら仮固定のKirschner鋼線を刺入する．C2で上腕骨顆上部の粉砕が高度な場合は，骨欠損部に一期的に腸骨移植を行うが，内・外反変形の整復には十分に注意せねばならない．整復しやすく適合性がよいcolumnを先に固定し，これを基準として対側のcolumnの整復，固定を行う．内・外反変形の整復がわかりにくいときは，X線透視もしくは単純X線写真で確認する．陳旧例は特に内・外反変形の確認が難しく，X線透視や単純X線写真による確認が必須である（図13-4-92）．

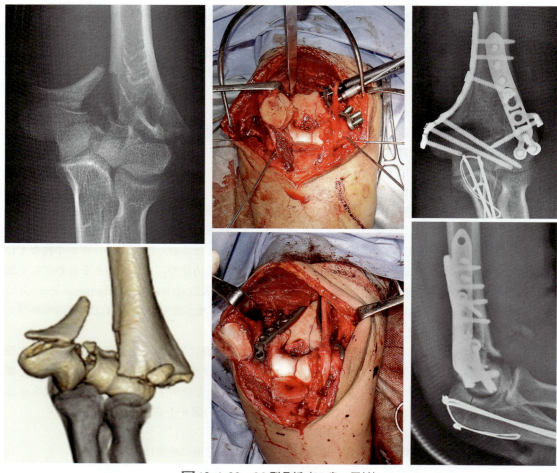

図13-4-92　C2型骨折（39歳，男性）
滑車中央部に骨折があり，顆上部に軽度の粉砕がある．肘頭を切離し肘筋を温存する後方進入で展開し，骨折をまずKirschner鋼線で仮固定した．
プレートからのロッキングスクリューで置き換えて固定した（内側側面，外側後方の90°に配置した）．顆部を貫くスクリューも2本挿入することができた．

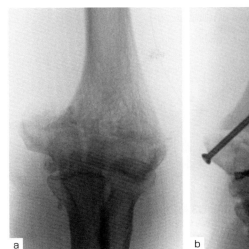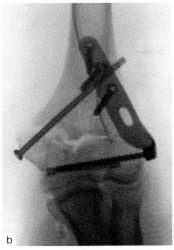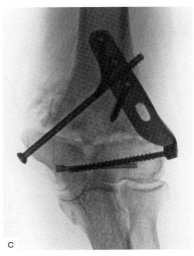

図 13-4-93　C2 型骨折．不適切な手術手技による偽関節例
下位の C1 骨折（a）に対して ONI transcondylar plate を用いて固定した（b）が，transcondylar screw が短い，顆上骨折部の圧迫が不十分であるなどの手技上の問題があり，偽関節となった（c）．

　両側 column に上腕骨遠位部骨折用プレートをおいて強固に固定する．粉砕がなく外側がプレートで圧迫固定ができた場合は，内側は cannulated screw による固定だけでもよい．いずれにしても顆上骨折部に間隙を残さないように圧迫をかけて固定することが肝要である（**図 13-4-93**）．

c）C3 型に対する手術法

　関節面の損傷が著しい C3 型では滑車の縦割れは常にみられるが，そのほかも上腕骨滑車や小頭部にさまざまな骨折がみられる．骨片は肘関節前面，近位など思わぬところまで転位していることがある．関節面の前額面骨折や高度の粉砕にも対応するために，肘頭骨切りを行い局所を展開する進入法が用いられる．C3 型骨折も基本的には，C1，C2 型とほぼ同様な手技で整復・固定を行う．特に問題となるのは関節軟骨下海綿骨の圧縮，粉砕である．この部分には海綿骨ブロックの移植を行い，これを土台として関節面を含む骨片を吸収性ピンあるいは headless screw などの埋没固定材料で固定する．非常に小さい関節面骨片の固定には細い Kirschner 鋼線を軟骨下に埋没させたり，吸収糸で骨片間を縫合するなどさまざまな手法が用いられる（**図 13-4-94**）．
　顆上部の固定には内外両側のロッキングスクリューを用いる．粉砕が高度でも，顆部を貫く長いスクリューは 2 本以上入れたほうがよいが，それができないことも少なくない（**図 13-4-95**）．上腕骨顆上部の骨折も粉砕が高度なら細かい骨片を除去して大きな腸骨ブロックを移植し，これを介して上腕骨遠位部と骨幹部を固定する方が安定する．
　関節面の粉砕が高度で十分な内固定ができないときには，創外固定が有用である．ヒンジ付きの創外固定を装着すればある程度の運動も可能である．また，開放骨折で汚染が高度で，軟部組織損傷が著しいなどの理由で即時内固定ができない場合は，創外固定を一時的な固定として用いることがある．

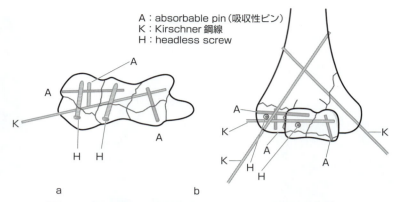

図 13-4-94　関節面の粉砕が高度な C3 型骨折に対する手術
小骨片をそれぞれ整復し，1 mm Kirschner 鋼線で仮固定する（a）．関節軟骨下骨の圧縮があれば，欠損部を骨移植で補充する．Kirschner 鋼線を吸収性ピンや headless screw などで置き換えて本固定とする．関節面を一体化したあとに顆上部を整復し，Kirschner 鋼線で仮固定する（b）．顆上部は内外両側からプレートで固定する．

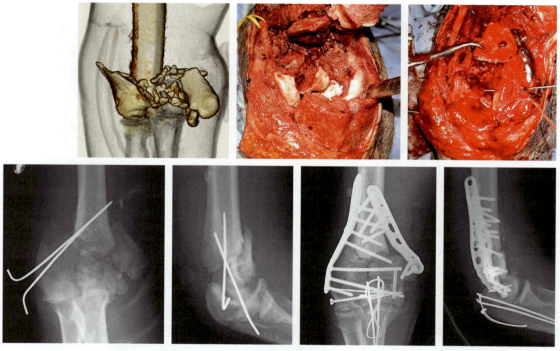

図 13-4-95　C3 型骨折に対するプレート固定
開放骨折であった．粉砕が強く三次元 CT でも関節面を構成する骨片が特定できない．肘頭を切離して後方から展開した．比較的大きい外側顆骨片に順番に合わせるように整復し，Kirschner 鋼線で仮固定した．両側からプレート固定を行った．顆部を貫くロッキングスクリューは 1 本しか挿入できなかった．

d) 一期的人工関節置換術

高齢者で関節面の整復固定が非常に困難と思われる症例や，関節リウマチなどでもともと関節変形が存在する例で，治療後に上肢に大きな負荷をかけない日常生活を送れる場合は，一期的に人工関節置換術を施行することを検討してもよい．骨折に対する人工関節置換術は半拘束型の人工関節を用いるとよい．半拘束型であれば靱帯の修復を考慮する必要はなく，固定が難しい内側・外側上顆の最終的な骨癒合は必須ではない．

c 後療法

骨折の程度と固定性の良否により外固定期間が決まるが，良好な固定性が得られれば1週間程の安静期間をおいて自動運動を開始する．肘関節後面の皮膚は比較的血行が悪く，後方進入後の超早期の運動を開始する場合は創癒合不全や二次感染に注意が必要である．

骨粗鬆症例では細心の注意が必要で，プレートの固定性を過信してはならない．骨折部にかかる回旋力は外固定では抑えられないので，患肢の保護に十分注意するように指導するなど厳重な管理が必要である．また高齢者など下肢や体幹の筋力が弱い例は，起立時に肘部をつくなど上肢を支持肢として使う習慣がついていることがあるので注意を要する．可動域拡大練習は基本的に自動運動を主に行う．強制的な他動運動は異所性骨化や再転位の原因となるため避けるべきである．

d 合併症

尺骨神経麻痺は比較的頻繁にみられる術後合併症である．広範な剝離が原因であれば一過性の麻痺で回復することが多いが，プレートによる圧迫が原因であれば麻痺が続くこともある．通常手技として尺骨神経皮下前方移動をするかどうかなど，尺骨神経の扱いについては一定の見解がない．いずれにしても伴走血管や周囲の脂肪と一緒に丁寧に挙上し，プレートと直接接しない位置に尺骨神経を置いてくることが必要である．顆部骨折の転位，癒合不全は顆部を貫くスクリューの固定性が十分でないときに多くみられる．顆上部の癒合不全は圧迫固定が不十分であることが原因となる．粉砕骨折では関節面の骨片の無腐性壊死がときにみられる．

e 治療成績を左右する因子

可動域制限は多少なりとも後遺する可能性が高い．関節面の変形治癒があると当然可動域制限が生じるが，このような例では授動手術を行っても十分な可動性が得られない場合が多い．関節面の整復がよい例の可動域制限は，授動手術が奏功する場合が多い．

整復・固定の良否のほかに骨折型により予後が異なる．通常は不完全な手術が行われたC1型より，良好な整復と強固な内固定が得られたC2，C3型のほうが治療成績が良好であることが多い．術者の習熟度が治療成績を左右するといっても過言ではない．関節面の整復は受傷後時間がたてばたつほど難しくなる．特に粉砕例ではその傾向が強いので，状況が許す限りできるだけ早く手術を行うことが求められる．

上腕骨内側顆・外側顆骨折

　AO/OTA 分類 B1，B2 型の骨折である．小児に多い骨折であるが，成人では非常に少ない（小児の外側顆骨折・内側顆骨折は p. 489, 501 参照）．
　関節面を含む single column と tie arch の損傷であり，損傷のある column 側を整復すると考えればよい．骨折面の圧迫固定が可能であれば，column 方向と tie arch 方向の2方向にスクリューで圧迫固定する．粉砕がある場合には片側のプレート固定を行う．骨片がほとんど軟骨の小児例と違い，成人例では診断も整復固定も比較的容易である（図13-4-96）．

上腕骨滑車・小頭骨折

　AO/OTA 分類 B3 型の骨折である．上腕骨小頭，滑車またはその両者の骨折であり，多くは冠状面骨折 coronal shear fracture となる．
　B3 型骨折はまれである．神中の報告では472例中34例であり，Watts の調査では人口10万人あたりの年間発生数は1.5例である．そのなかでも滑車単独骨折は非常

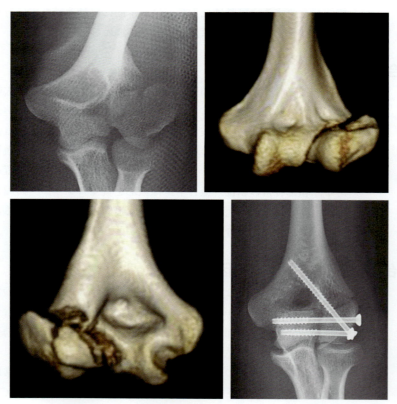

図 13-4-96　成人の上腕骨外側顆骨折（26歳，男性）
滑車の外側に及ぶ大きい外側顆骨片がある．
外側進入で前方関節内を展開して整復した．滑車方向（tie arch）と近位方向
（lateral column）にスクリューを挿入して固定した．

にまれである．受傷年齢は女性では19歳以下と80歳以上にピークがあり，男性では19歳以下にピークがある．60歳以上の女性では転倒して手をつくことによる受傷が大半で，肘外反角の増大と骨粗鬆症がその背景にあると考えられる．一方，低年齢者の受傷原因は交通事故，転落など高エネルギー外傷が多い．

a 受傷機転

滑車は滑車切痕によって周囲を囲まれているため，単独骨折は非常にまれである．滑車の単独骨折は，肘関節屈曲位で肘関節後部を打撲し肘頭が下方から滑車の前方に剪断力を加えることによって発生する．

一方，上腕骨小頭は上腕骨軸よりも前方に位置する半球で，伸展位では橈骨頭の前方が小頭を突き上げるように接触するため，剪断力による前額面での骨折が発生しやすい．多くは肘関節伸展位あるいは軽度屈曲位で手掌をついたとき，橈骨頭を介した剪断力で骨折が起こる．小頭単独の骨折になる場合と，小頭と滑車前方を含む骨折になる場合がある．内側側副靱帯損傷や外上顆の骨折を伴うものは，手をついたときの外反力と軸圧により発生し，脱臼することもある．

b 骨折の形態・分類

AO/OTA分類では，小頭のみの骨折：B3.1，滑車のみの骨折：B3.2，小頭と滑車の骨折：B3.3に分けられている．小頭の骨折は，従来，上腕骨小頭の半球型の大部分が前額面上で骨折するHahn-Steinthal型（1型）と，薄い骨軟骨片のスライス骨折slice fractureであるKocher-Lorenz型（2型）に分類されていた（図13-4-97）．

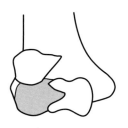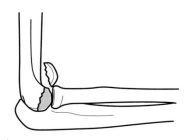

a 1型

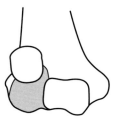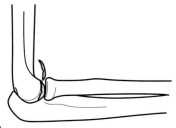

b 2型

図13-4-97 従来の上腕骨小頭骨折の分類
a. Hahn-Steinthal型（1型）
b. Kocher-Lorenz型（2型）

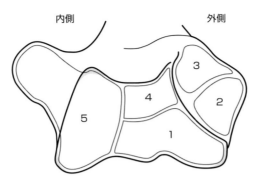

図 13-4-98　Ring 分類
Ring は上腕骨遠位関節面を 5 ヵ所に分けて，骨折が広がり粉砕が及ぶ範囲が広がっていくパターンを 5 段階に分類した．1 型は小頭と滑車の外側部を含む単純な骨折．2 型は 1 型に加えて外側上顆部の骨折がある．3 型は 2 型に加えて小頭背側部の圧縮を伴う骨折．4 型はさらに滑車の後方の粉砕がある骨折．5 型はさらに内側上顆まで及ぶ粉砕が加わった骨折．
（Ring D et al：J Bone Joint Surg 85-A：232-237，2003 より）

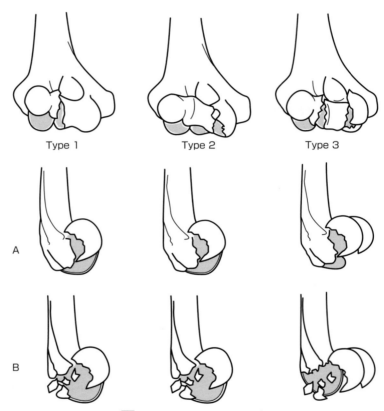

図 13-4-99　Dubberley 分類
前方関節面骨折の内外側への広がりを 3 段階に分け，後方要素の骨折の有無でさらに 2 段階に分けた．

　Ring は上腕骨遠位関節面を 5 つに分けて，骨折が広がっていくパターンを 5 段階に表現した（図 13-4-98）．1 型は小頭と滑車の冠状面の骨折でいわゆる coronal shear fracture，2 型はそれに外側上顆部の骨折が加わり，3 型ではさらに小頭後方の骨折が加わり外顆部が粉砕となる．4 型は滑車の後方まで粉砕が及ぶもの，5 型はさらに滑車の内側から内側上顆まで粉砕が及ぶものである．
　Dubberley は前方関節面の骨折の広がりを内外方向に 3 段階に分け，さらに後方骨折の有無で 2 段階に分類した（図 13-4-99）．骨折の広がりで分類した点では Ring の

分類と同様であるが，後方の骨折の範囲を細かく分類した Ring 分類のほうが，手術進入法や内固定法を決定する際に重要な情報をもたらす．

c 診　断

　上腕骨小頭骨折は骨軟骨骨折で単純 X 線写真側面像では，転位した小頭が半月状骨片像 half-moon sign を呈するのが特徴である．

　関節面骨折の状況を把握するためには CT は不可欠の検査であり，三次元 CT 画像は立体的に骨折部の転位を描出するので有用である．

d 治　療

　Ring 分類 1 型は，転位のない線状骨折のみに保存療法の適応があるが遭遇する機会は非常にまれである．転位がある骨折は原則的に手術療法が適応される．

　なんらかの理由で手術が行えないときには徒手整復を試みる．肘関節伸展回外位で骨片を徒手的に整復し，整復されたら肘関節屈曲位として橈骨頭で上腕骨小頭の骨片を押さえ込んで安定化させ外固定する．

　手術法は Ring 分類 1 型から 3 型までは，外側進入法で展開が可能である．総指伸筋の前縁（Kaplan の進入路）から進入し，外側尺側側副靱帯を温存し，遠位ではその前縁で輪状靱帯を切開し，近位ではその上腕付着よりも近位の伸筋付着部を上腕骨外側縁より剥離し関節内を展開する（図 13-4-100, 101）．上腕骨小頭から滑車外側部が広く展開できる．前方関節面の骨片を整復し，前外側から滑車後方に向かってheadless screw を挿入し固定する．1 型で小頭の骨片の厚みがあれば後方からの固定も可能である．外側上顆骨片が存在する（2 型）場合は，この骨片に伸筋群が付着しているので筋付着部ごとスクリューで固定する．小頭後方の骨折がある（3 型）場合は，後方からのプレート固定が必要との報告があるが，筆者は必ずしもその必要はないと考える．小頭骨片は滑車後方部に向けて内固定材を挿入し固定することができるし，外側上顆骨片は近位に向けて固定することができる．小頭後方の骨片自体は固定の必要はない．

　滑車部の粉砕があり単独で滑車部固定が必要であれば前外側進入路（Henry の進入路）がよい．小頭と滑車外側部の前面を広く展開することができ，前方からの内固定材料の挿入が容易となる（図 13-4-102）．

　滑車の後方部に骨折が及ぶ 4 型と滑車全体を含めた後方要素の粉砕もある 5 型は，関節面全体の展開が必要であり，後方から肘頭を切離して進入する方法が推奨される．関節面骨片同士の固定には headless screw，吸収性ピン，骨釘などの埋没性固定材料を用いる．関節面全体を固定するには外側からのプレート固定が必要になる．

　薄い骨軟骨骨折である Kocher-Lorenz 型（2 型）では骨片を切除してもよいとされてきたが，高齢者を除き整復固定を試みるべきである．薄い骨軟骨片の固定には骨釘が有用である．それでも固定が難しい小骨片であれば切除し，骨軟骨移植を検討する．

　骨片の粉砕の程度や骨片が正確にかつ強固に圧迫固定できたか，その結果早期に適切な後療法が開始できるかなどが本骨折の予後を左右する因子となる．

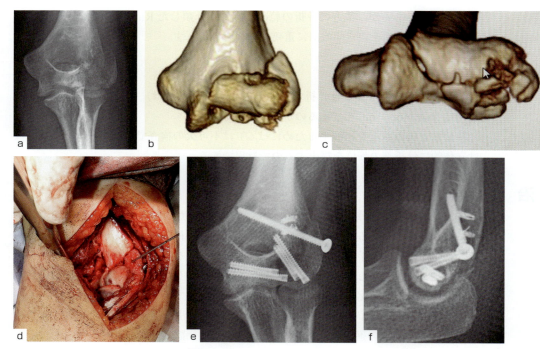

図 13-4-100　上腕骨小頭・滑車骨折①

上腕骨小頭と滑車の骨折に外側上顆と小頭後方の骨折がある Ring 分類 3 型の骨折である（a, b, c）．上腕骨小頭と滑車が一体となっていたため，外側から進入し（拡大 Kaplan 法）(d)，前外側から滑車内側と骨幹端に向かって headless screw を刺入し関節面骨片を固定した（e, f）．外側上顆骨片は近位骨幹端に向けてスクリュー固定し，さらに伸筋群の付着をアンカーで補強した．

C. 成人上腕骨遠位部骨折

1) Bryan RS et al：Fractures of the distal humerus. The elbow and its disorders. 1st ed. Morrey BF, ed. 302-339, WB Saunders, Philadelphia, 1985.
2) Dubberley JH et al：Outcome after open reduction and internal fixation of capitellar and trochlear fractures. J Bone Joint Surg Am **88**：46-54, 2006.
3) Grantham SA et al：Isolated fracture of the humeral capitellum. Clin Orthop **161**：262-269, 1981.
4) 池上博泰ら：人工肘関節置換術の機種選択と臨床成績　肘関節外傷に対する人工肘関節置換術．日整会誌 **84**：896-901, 2010.
5) 今尾貫太ら：上腕骨遠位端骨折に対する内側プレート固定後の尺骨神経障害低減への試み．整・災外 **62**：1027-1031, 2019.
6) Imatani J et al：Internal fixation for coronal shear fracture of the distal end of the humerus by the anterolateral approach. J Shoulder Elbow Surg **10**：554-556, 2001.
7) 今谷潤也：上腕骨遠位端骨折の治療法．MB Orthop **32**：9-20, 2019.
8) 伊藤恵康ら：上腕骨遠位部骨折．OS NOW, No.10, 関節周辺骨折の治療, 平沢泰介編, 112-125, 1993.
9) 伊藤恵康ら：治療に難渋する肘関節陳旧性脱臼・脱臼骨折, 上腕骨下端変形治癒骨折・偽関節．MB Orthop **21**：9-17, 2008.
10) Jupiter JB et al：Fractures of the distal humerus. Orthopedics **15**：825-833, 1992.
11) Jupiter JB：Complex fractures of the distal part of the humerus and associated complications. J Bone Joint Surg **76-A**：1252-1264, 1994.

4 上腕骨遠位部・前腕骨近位部骨折

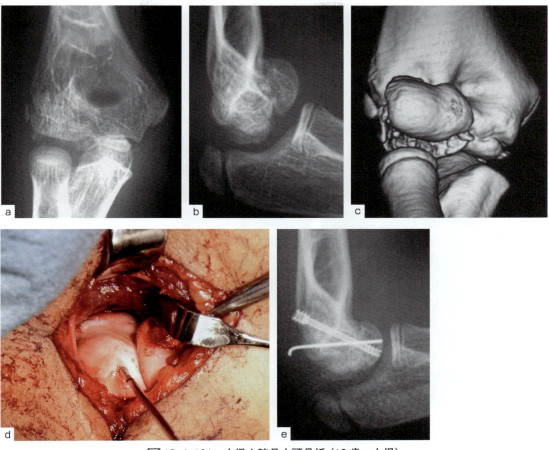

図13-4-101 小児上腕骨小頭骨折（10歳，女児）
珍しい小児の上腕骨小頭骨折である．Hahn-Steinthal型の骨折で単純X線写真側面像での半月状骨片が特徴的である（a, b）．三次元CT画像では滑車外側部を含む単純骨折（Ring 1型）であることがわかる（c）．尺側手根伸筋の前縁を分けて進入し，整復した（d）．別小皮切で後方からheadless screwを挿入し固定した（e）．

12) Kaiser T et al：Treatment of supra- and intra-articular fractures of the distal humerus with the LCP Distal Humerus Plate：a 2-year follow-up. J Shoulder Elbow Surg **20**：206-212, 2011.
13) 前田篤志ら：若年者上腕骨T字骨折に対してLateral Para-olecranon Approachを用いた手術成績．日肘関節会誌 **24**：34-37, 2017.
14) 松尾知樹ら：上腕骨遠位端前額面剪断骨折 coronal shear fracture におけるRing分類と手術治療方法の検討．骨折 **43**：184-188, 2021.
15) McKee MD et al：Coronal shear fractures of the distal end of the humerus. J Bone Joint Surg **78-A**：49-54, 1996.
16) Mehlhoff TL et al：Distal humeral fractures：fixation versus arthroplasty. J Shoulder Elbow Surg **20**：S97-106, 2011.
17) 森谷史朗ら：上腕骨遠位部骨折（高齢者）．骨折治療基本手技アトラス，163-178, 全日本病院出版会，2019.
18) Nauth A et al：Distal humeral fractures in adults. J Bone Joint Surg **93-A**：686-700, 2011.
19) Ring D et al：Articular Fractures of the Distal Part of the Humerus. J Bone Joint Surg **85-A**：232-237, 2003.

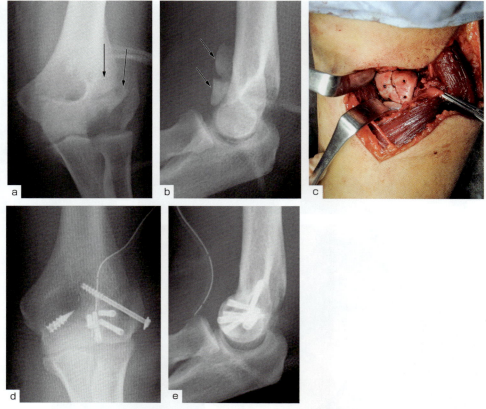

図13-4-102　上腕骨小頭・滑車骨折②

図13-4-100と同様にRing分類3型の骨折であるが，滑車と小頭の骨片はそれぞれ分かれている(a, b)．滑車骨片が小さく，前方からの内固定材料挿入が有利と考え，前方から進入した(Henry法)(c)．滑車骨片にも小頭骨片にも前方から内固定材料を挿入した(d, e)．近位側はやや外側に皮切を置き(c)，外側上顆骨片を整復固定した(d)．内側側副靱帯も修復した．

20) Riseborough FJ et al：Interocondylar T fractures of the humerus. J Bone Joint Surg **51-A**：130-141, 1969.
21) Sanchez-Sotelo J et al：Complex distal humeral fractures：internal fixation with a principle-based parallel-plate technique. Surgical technique. J Bone Joint Surg **90-A**：31-46, 2008.
22) Stoffel K et al：Comparative stability of perpendicular versus parallel double-locking plating systems in osteoporotic comminuted distal humerus fractures. J Orthop Res **6**：778-784, 2008.
23) Watts AC et al：Fractures of the distal humeral articular surface. J Bone Joint Surg **89-B**：510-515, 2007.

D 橈骨近位部骨折 fracture of the proximal radius
小児橈骨頚部骨折，頭部骨折
fracture of the radial neck and the radial head in children

転倒や転落の際に手をついたときに軸圧と外反力の組み合わせで橈骨近位部骨折が生じることが多い．胎児期から成人まで橈骨頭・頚部の形状には大差なく，年齢とともに変化するのは大きさと関節軟骨の占める割合である．この関節軟骨が占める割合の相違により小児と成人とでは骨折の病態が異なる．小児の橈骨近位部骨折は頚部骨折が大部分を占め，頭部骨折はまれである．成人の場合は同じ受傷機転で逆に頭部骨折が多く頚部骨折は少なくなる．橈骨頚部骨折は16歳以下の肘関節部骨折の6％，全年齢，全骨折中の0.2％を占める．4〜14歳に多く，9〜10歳がピークである．

a 分類

O'Brien は橈骨頚部外反型骨折を頚部の傾斜の程度から，Ⅰ型：30°未満の傾斜，Ⅱ型：30°以上の傾斜，60°未満の傾斜，Ⅲ型：60°を超える傾斜に分類している．

小児橈骨頚部骨折の多くは成長軟骨板損傷であり，成長軟骨板損傷としての分類が可能である（図 13-4-103）．従来は Salter-Harris 分類（S-H 分類）2型の骨端離開型が多いとされてきた．しかし，Leung の16歳以下の橈骨頭・頚部骨折116例の調査によると，成長軟骨板が存在する83例中で骨幹端骨折が42例で最も多く，骨幹端骨折が成長軟骨板に及ぶ骨折（Peterson 分類〔P 分類〕の1型で S-H 分類にはない骨折型）（図 13-4-104）が25例でそれに続き，P 分類2型（S-H 分類2型）は9例のみであった．P 分類3型（S-H 分類1型）は1例，P 分類4型（S-H 分類3型）は1例，P 分類

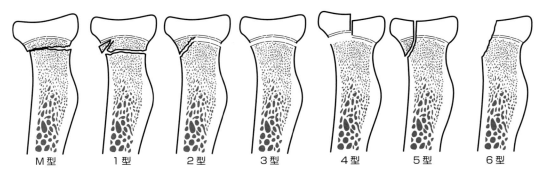

図 13-4-103　Peterson 分類による橈骨近位部骨折の分類
M 型：骨幹端骨折（Leung の調査では最も多い）．
1 型：骨幹端骨折が成長軟骨板に及ぶ骨折（Leung の調査では2番目に多い）．
2 型：Salter-Harris 分類2型に相当（従来，最も多い受傷型とされてきた）．
3 型：Salter-Harris 分類1型に相当．
4 型：Salter-Harris 分類3型に相当．
5 型：Salter-Harris 分類4型に相当．
6 型：成長軟骨板の消失．

(Peterson HA：Proximal Radius. Growth Plate Fractures. 695-732, Springer-Verlag, Berlin, 2007 をもとに作図)

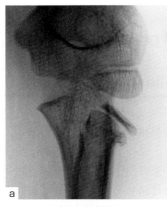
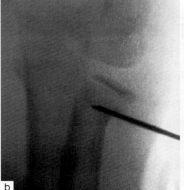
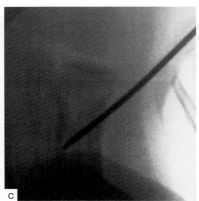
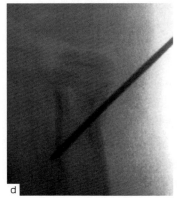

図 13-4-104　橈骨頚部骨折の経皮的整復法（8歳）
a. 45°の傾斜がついた Peterson 分類 1 型の骨折.
b. 経皮的に Kirschner 鋼線を骨折部に刺入する.
c. 髄内の Kirschner 鋼線の先端を支点として傾斜を起こしながら側方偏位も整復する．母指で鋼線ごと骨頭を押し上げるつもりで圧迫する．
d. そのまま対側の皮質を貫いて intrafocal pinning とした．

5 型（S-H 分類 4 型）は 4 例，P 分類 6 型は 1 例であった．

　P 分類 3 型（S-H 分類 1 型）は非常にまれで脱臼に伴うことが多い．P 分類 5 型（S-H 分類 4 型）は少なくないと思われるが，単純 X 線写真撮影の方向によっては見逃される可能性も高く，その損傷の性質も合わせて適切に治療がされないと予後は不良となる（図 13-4-105）．

　強い外反力で生じた骨折では，尺骨近位端の外反骨折，内側上顆骨折あるいは内側側副靱帯損傷を合併することがあり，この場合は Jeffery 型骨折と呼ばれる（図 13-4-106, 107）．

b 診　　断

　橈骨頭骨端核出現前は単純 X 線写真による診断が難しいことがある．fat pad sign がみられ，前腕近位外側部に圧痛があるときは本骨折を疑う．特に Peterson 分類 4, 5 型（Salter-Harris 分類 3, 4 型）の骨折では，骨折面が放射線入射方向と一致しないと診断できないため斜位もしくは橈骨を回旋させた数枚の撮影が必要になることがある（図 13-4-105）．

　頭部の傾斜がある骨折では，単純 X 線写真の撮影の方向により傾斜の程度が異なるため，正面・側面のみでなく橈骨を回旋させて撮影する必要がある．このうち最大の傾斜を示すものがこの骨折の転位であり，この転位の程度で治療法が選択される．

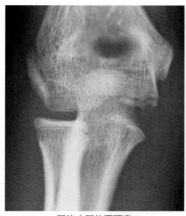
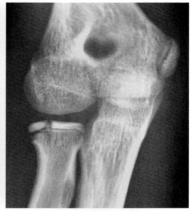

回旋中間位正面像　　　　　　　　回外位

図 13-4-105　Peterson 分類 5 型（Salter-Harris 分類 4 型）の骨折（11 歳）
回旋中間位正面像では診断できない．回外位で骨折があることが明らかとなる．前医より受傷 6 週後に紹介となった．転位が少ないためそのまま経過観察としたが，転位が大きい例では成長障害を生じる骨折型である．

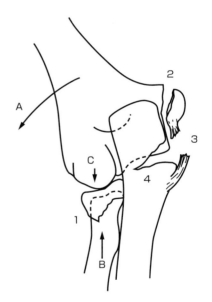

図 13-4-106　外反型損傷（Jeffery 型損傷）の病態
A：外反力
B：転落して手をつくことによる床からの介達外力
C：橈骨頭に加わる直達外力
1：橈骨頭・頸部骨折
2：内側上顆骨折
3：内側側副靱帯損傷
4：尺骨近位部の外反型骨折
2 と 3 が同時に発生することはまれである．

c 治　療

　小児の橈骨頸部骨折は徒手整復を行ったあとに転位が残っても，自然矯正を期待して手術を行わない傾向がある．しかし長期経過後も傾斜転位の自然矯正は少なく，矯正される場合も 10°程度である（図 13-4-108）．
　側方偏位が残存すると，いわゆる"cam effect"のため回旋運動が障害される．この変形は徐々に remodeling される可能性が高いが，Newman は 4 mm 以上の側方転位は成績不良となるとしている．
　保存療法の限界については，頸部傾斜角が Ring, Wilkins は 30°，Salter-Harris は

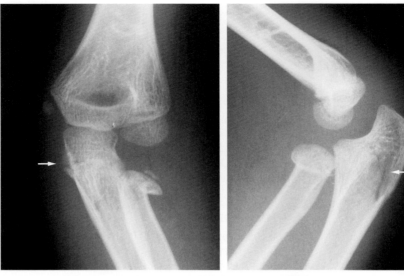

図13-4-107　肘関節外反型損傷（Jeffery型損傷．7歳，女児）
橈骨頚部の外側傾斜．尺骨近位部の外反骨折が特徴である（矢印）．その他内側上顆骨折，内側側副靱帯損傷を伴う場合も肘関節外反型損傷に含まれる．

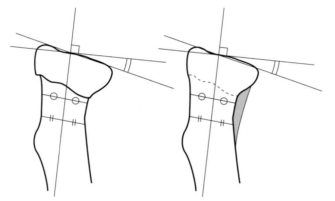

図13-4-108　橈骨頚部骨折後の屈曲変形の自然経過
頚部の屈曲変形はリモデリングにより一見矯正されたように見える．実際の橈骨頭の傾斜の自然矯正は見かけよりも少ない．

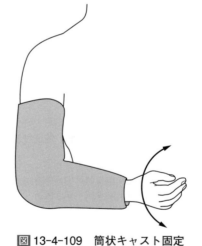

図13-4-109　筒状キャスト固定
前腕部を円筒形として前腕の回旋を自由とし，屈伸は制限する．
前腕遠位部の下巻きの綿包帯を厚くするだけで回内・回外可能なプラスチックキャストを巻くことができる．

15°，Tachijianは10歳以下では30°，10歳以上では15°としている．少なくとも20°以上の傾斜があれば徒手整復を行い，20°以上の転位が残れば手術的に整復を行うことを原則とする．外固定中の再転位が起こればその時点で手術を要する．

保存療法が適応となる場合は通常のプラスチックキャスト副子固定でよい．軽度な転位がある例を含めて肘関節を90°屈曲位で固定するが前腕の回旋は自由に行える筒状キャストcylinder castで固定を2〜3週行う（図13-4-109）．

1）徒手整復法

Peterson の整復法

助手に上腕を肘関節軽度屈曲位で保持させ肘関節内側を内反の支点として圧迫してもらう．術者は前腕手関節部を回外位で持ち遠位へ強く牽引を加える．同時に肘関節に内反を加えつつ，母指頭で転位した橈骨頭部を押し上げて整復する．

頚部が頭部に貫入している場合，手術時直視下にも徒手整復は難しいぐらいであり，実際には経皮的な徒手整復で十分な整復が得られることは少ない．

2）経皮的整復法

a）経皮・小切開による整復法

X 線透視下に橈骨頭の傾斜角が最大に見える肢位を保持したまま，骨折部に相当する部分に小切開を加え，ここから小さなエレバトリウムあるいは 1.6〜2 mm 径の Kirschner 鋼線を骨折部に挿入して，前腕を牽引しながら遠位皮質を支点としてテコの原理を利用して骨頭を整復する（図 13-4-104）．ある程度傾斜の整復ができたら，鋼線を骨折線から髄内に挿入し鋼線ごと骨頭を整復方向に圧迫し，再度残存した傾斜と側方偏位を整復する．鋼線はそのまま対側皮質まで穿刺し，intrafocal pinning としてもよいし，別の鋼線を骨頭から頚部に向けて刺入し固定してもよい．

エレバトリウムや鋼線を挿入する部位の骨端側には成長軟骨板があるため，挿入操作や整復操作でこれを損傷しないように注意しなければならない．

術後は回旋も固定する副子固定を 3〜4 週行う．外固定除去と同時に鋼線も 3 週で抜去する．

b）橈骨遠位からの経骨髄的整復固定法

Metaizeau による小児例の報告があり，後に Keller が成人例で報告している．X 線透視下に，進入しやすい橈骨遠位 1/3 付近に作製した drill hole から尖端を弯曲させた 1.8〜2 mm の Kirschner 鋼線を挿入して，回旋させながら整復する（図 13-4-110）．うまく整復できればよいが，何度も整復操作を行うことは成長軟骨板を損傷する可能性があるので避けねばならない．

3）観血的整復法

外側切開を用いて尺側手根伸筋と肘筋の間から橈骨頭に達する．輪状靱帯を関節包とともに切離し，前腕を回旋し最大傾斜を示す橈骨頭を露出する．

橈骨頭は帽子を目深に被ったように頚部に嵌頓しており，骨膜は破れていない場合が多く骨折線がわかりにくい．頚部骨折部の骨膜を損傷しないように指頭で骨頭を起こすように整復する．これで整復できなければ最も前傾した位置で骨膜を縦切開し，骨折部にエレバトリウムを挿入して骨頭を起こす．この操作は愛護的に行い，頚部の軟部組織の損傷を最少にとどめるように努める．整復後，前腕を回旋して骨頭の傾斜と偏位，腕橈関節の適合を確認したあと，Kirschner 鋼線を骨頭外側縁から頚部へ向かって刺入し固定する．創外から経皮的に刺入し，創外に Kirschner 鋼線を出しておくと抜釘が楽になる．輪状靱帯を縫合し閉創する．

副子固定を 3〜4 週行う．外固定除去と同時に鋼線を抜去する．頚部の傾斜転位が強い例では，内側側副靱帯の損傷を疑って治療を進める．

内側上顆骨折を合併していれば同時に整復・固定を行う．尺骨近位部の骨折は外反

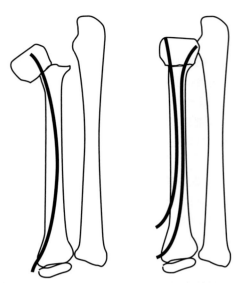

図 13-4-110　橈骨頸部骨折に対する経骨髄的整復固定法

変形が強ければ整復し Kirschner 鋼線で固定する．これを放置すると外固定中にも橈骨頸部が再転位する可能性がある．

　転位が大きな症例でも成長期には骨頭を切除してはならない．整復して内固定を行う．

　抜釘するまで外固定を継続する．外固定除去後の後療法は他動運動を禁じ自動運動のみから行う．

d 予　後

　転位が大きい場合は成長軟骨板が損傷されていることがあり成長障害を残すことがある．しかし手術的に正しく整復された例では，頸部の変形は少なく良好な肘関節機能を保つ．

　骨頭が大きく転位し骨膜が完全に断裂した場合は，骨頭への血行が断たれ無腐性壊死を起こすことがある．

　変形の自然矯正を期待して整復不十分のまま放置すると変形はそのまま残り，外反変形，回旋制限を後遺する（図 13-4-108）．

成人橈骨頭骨折，頸部骨折
fracture of the radial head and radial neck in adults

　橈骨頭骨折は思春期以後の成人でみられ，小児での発生は少ない．橈骨頸部骨折と同様に，転倒，転落して手をつくなど橈骨遠位からの軸圧や肘関節を外反した際など介達力により発生する．また肘関節脱臼骨折の一部として，特に後方・後外側方脱臼に合併して発生することがある．

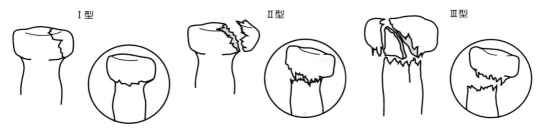

図 13-4-111 橈骨頭・頚部骨折に対する Mason 分類（○は頚部骨折）
Ⅰ型：転位がほとんどない骨折，Ⅱ型：骨片が転位している骨折，Ⅲ型：粉砕骨折

a 分類

　種々の分類があるが Mason 分類（図 13-4-111）が一般的である．Ⅰ型は転位がほとんどないもの，Ⅱ型は骨片が転位しているもの，Ⅲ型は粉砕骨折である．Morrey らは，内・外側帯損傷，上腕骨・尺骨骨折の有無を追記して用いている．

b 治療

　単独骨折はⅠ，Ⅱ型骨折がほとんどであり，治療は比較的容易である．内・外側側副帯損傷の合併や尺骨鉤状突起骨折を合併すると関節支持構造としての橈骨頭の役割が大きくなる．粉砕骨折では骨接合術の難易度は高く，その治療法の選択が問題となる．

　Ⅰ型は保存療法の適応である．Ⅱ型は手術が適応される．Ⅱ型では手術療法と保存療法で臨床成績に差がないとの報告が多いが，二次性関節症の発生に差があるとする報告がある．骨頭骨折は整復し headless screw あるいは吸収性ピンなどを用いて固定する（図 13-4-112）．頚部骨折はロッキングプレートを用いて固定する．

　Ⅲ型の治療適応には議論がある．骨接合術，骨頭切除術，人工骨頭置換術などが主な選択肢である．骨頭切除は手技が容易であり，不安定性の少ない症例では，良好な長期成績が得られ，確実な整復固定ができないほどの骨折では，選択肢のひとつとして検討されてよいとされてきた．しかし橈骨頭・頚部骨折用のアナトミカルプレートが使用されるようになり，手術手技の向上とともに，高度に粉砕した骨折も整復・固定することが可能となり，良好な成績が得られるようになっている（図 13-4-113）．従来の内固定材料では難しかった粉砕骨折や，骨頭が遊離した骨折なども固定ができるようになったので，Ⅲ型の骨折においても骨接合術を第一に検討するべきであり，安易な骨頭切除の選択はさけるべきである．

　人工骨頭置換術の短中期成績は良好である．実験的にも人工骨頭挿入により関節の安定性が回復することが示されている．高齢者では積極的に適応しても問題ないと思われるが，脱臼，上腕骨小頭のびらんなどが報告されており，現時点では長期成績が保証された術式ではない．しかし整復固定が難しい症例では骨頭切除より優先して選択するべきである．解剖学的形態をもった人工橈骨頭が開発されているので，今後適応の拡大が見込まれる．

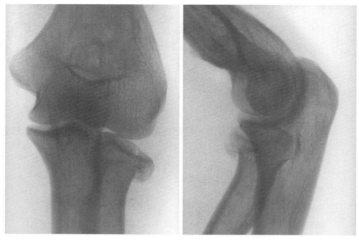

Mason 分類 II 型

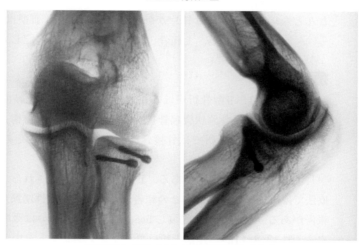

整復固定．術後1年で可動域は正常に復した

図 13-4-112　橈骨頭骨折（16歳，男子）

　伊藤は粉砕骨折で骨頭を部分切除，あるいは全切除した症例に対して肋骨・肋軟骨移植による橈骨頭再建を行っている．人工骨頭置換術がためらわれる若年成人に考慮されるべき術式である．

　脱臼に伴う橈骨頭骨折では外側・内側側副靱帯など軟部組織損傷が大きく，肘関節安定性確保のうえから確実な骨性支持の再建が必要となる．骨要素と軟部組織要素の両者が破綻する複合損傷は complex elbow instability と呼ばれ（附9参照），関節の安定性を回復するのが難しい．その代表が鉤状突起骨折と橈骨頭骨折を伴う肘関節後方脱臼で terrible triad injury と呼ばれる．terrible triad injury は橈骨頭の骨性支持を回復することが後方不安定性を制御するために必須の手技となるため，骨接合術は単独損傷の場合よりも正確な整復と強固な固定が求められる．それが実現できないほどの粉砕骨折であれば，関節安定性を回復することを優先し，人工橈骨頭を選択することもやむを得ないことがある（complex elbow instability については p.561 で述べる）．

1）保存療法

I型は保存療法が適応され，プラスチックキャストを2〜3週装着させる．Radinは肘関節の全方向の早期運動を許可した例ではその1/3に再転位が発生したと報告しているので，単純X線写真による経過中の観察が重要である．受傷後1週ぐらいから肘関節を90°屈曲して前腕の回旋が可能なcircular cylinder型プラスチックキャスト固定を3〜4週行う（**図 13-4-109**）．

2）観血的整復固定法

橈骨骨頭単独損傷の場合は，展開は尺側手根伸筋と肘筋の間から進入するKocherの進入法を用いるのが一般的である．外側尺側側副靱帯を損傷しないように，橈側側副靱帯を縦割するように輪状靱帯を切開し関節内を展開する（**図 13-4-27**）．プレートを使用する場合は頚部を遠位まで展開する必要があるが，その際には橈骨頚部を巡り近位前方から遠位後方に走行する回外筋内の後骨間神経に注意する．骨頭の転位が大きい例では，その整復のために橈側側副靱帯の外側上顆付着の一部を切離し近位側も広く展開する必要がある．

脱臼例は橈側側副靱帯と外側尺側側副靱帯が外側上顆付着部で剥離していることが多い．輪状靱帯の断裂も合併していることがある．terrible triad injuryでは鈎状突起骨折の修復も必要となる．つまり外側から前方の展開が必要になることが多いため，総指伸筋の前方より進入するKaplan法が推奨される．必要に応じて長・短橈側手根伸筋の起始を切離し近位前方に拡大していくと橈骨頭から鈎状突起まで関節前方の広範囲の視野が得られる（**図 13-4-138**）．

II型の骨頭骨折はheadless screwで固定を行う．頚部骨折があるときにはプレートを追加する．III型では橈骨頭・頚部骨折用アナトミカルロッキングプレートを使用する．整復後の軟骨下海綿骨が圧縮されてできた空隙には骨移植を行う．

骨頭と頚部の一部が連続している場合は，転位した骨片をその部分に寄り添わせるように整復しheadless screwで固定する．必要であれば，頚部骨折用プレートをバットレスプレートとして追加する．

頚部が全周で骨折しているときは，骨頭と頚部をしっかり固定するためにプレートを使用する．骨頭骨折がなければ頚部用プレートで固定可能である．骨頭骨折があれば骨頭骨折用プレートを使用する．プレートは可能であれば，橈骨頭の回旋に際しても尺骨の橈骨切痕に接しない部分（non-articulating zoneあるいはsafe zone）におく（**図 13-4-113**）．前腕回外位では橈骨頭の後外側，中間位では近位方向から見て右側であれば時計の1時から3時の間が確実なsafe zoneである（**図 13-4-114**）．肉眼的には橈骨頭側面の関節面が狭く軟骨の光沢が鈍い部分がこれに一致する．

骨頭骨片が2個であれば，小さい骨片を骨膜を連続させたまま翻転し，対側にある傾いた大きい骨片を整復する．できた間隙には骨移植を行い，必要なら細いKirschner鋼線を挿入し整復を保つ．小さい骨片を大きい骨片に押しつけるように整復し，その上に骨頭骨折用プレートをかぶせるように置いて固定する（**図 13-4-138**参照）．骨頭骨片が3個以上に粉砕している場合には，固定性を確保するために対向する位置に2枚のプレートが必要になることがある．橈骨近位端骨折用ロッキングプレートは厚いために，頚部用でもsafe zoneに置かないと橈骨切痕に干渉するが，抜

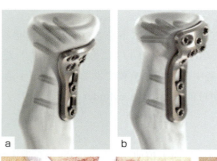
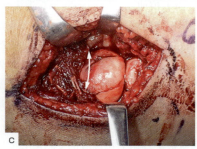
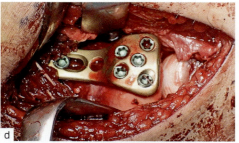

図 13-4-113　橈骨頭・頚部骨折用ロッキングプレート
（LCP Proximal Radius Plate）
a, b. 骨頭下から支える頚部骨折用と辺縁に設置する骨頭骨折用がある．
c, d. safe zone（矢印）に骨頭骨折用プレートを当てて固定した．

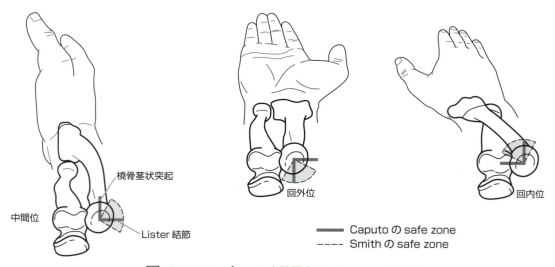

図 13-4-114　プレートを設置する safe zone の求め方

Smith らは回旋中間位で橈骨頭の外側にマーキングした時にその位置より前方 65°から後方 45°までの 100°の範囲が safe zone としている．
Caputo らは橈骨茎状突起と Lister 結節を結ぶ 90°の範囲を橈骨頭に反映した位置が確実に safe zone に含まれるとしている．尺骨の橈骨切痕と対向しない橈骨頭の側面は関節面の光沢が鈍く幅が狭いため肉眼的にも判定可能である．

（Smith GR et al：J Shoulder Elbow Surg 5：113-117, 1996 ／ Caputo AE et al：J Hand Surg 23-A：1082-1090, 1998 より）

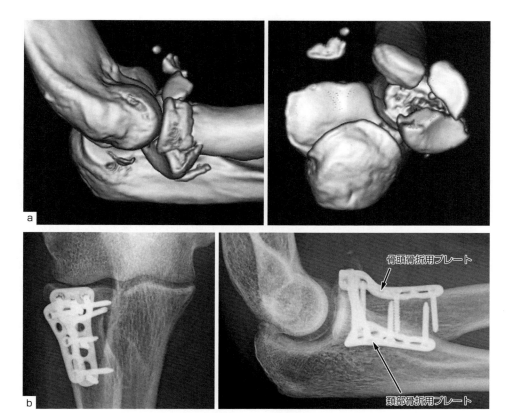

図13-4-115　橈骨頭粉砕骨折に対する2枚のロッキングプレート固定
a. 後方脱臼の整復後の3D-CT像である．橈骨頭は3つの骨片に分かれ，それぞれが分散するように転位している．
b. 拡大Kaplan進入法で前外側から大きく展開すると，骨片を体外に取り出すことなく，骨膜の連続性を保ったまま整復することができた．最も大きい骨片を遠位から支えるように頚部骨折用プレートを置き，対側に骨頭骨折用プレートを置いて2つの小さい骨片を固定した．後方のプレートはsafe zone外となったが，回内外制限は生じなかった．

釘時に授動術を追加すれば可動域が回復することができるため，状況によっては回旋可動域よりも初期固定性を優先してよい（図13-4-115）．

　粉砕が高度の場合に，骨頭を体外に摘出して組み合わせてから体内に戻し頚部を固定する方法が紹介されている．しかし粉砕が高度でも半周以上骨膜が残存している場合が多いので骨頭への血流を考慮すると，橈側側副靱帯や伸展筋群などの切離を加えるような周囲組織の犠牲を払ってでも展開を大きくし，操作性をよくして骨頭を取り出さずに骨膜の連続性を残して整復を試みるべきである．整復固定のために，Kirschner鋼線や創外固定を用いて腕尺関節を一時的に固定してもよい．

　骨頭単独骨折例は外側側副靱帯複合体損傷の合併は少ないが，脱臼例では高率に合併している．同一進入路から複合体損傷の修復は可能なので必ず修復する．後方脱臼例では鉤状突起骨折の整復・固定や前方関節包の修復を行う．外反不安定性が強い場合は内側側副靱帯を修復する．閉創前に展開時に切開した輪状靱帯を確実に修復する．

544 　各 論　第 13 章　上肢の骨折

骨折部の固定性により術後の後療法を決定するが，術後早期に少なくとも回旋運動が始められる程度の固定性を得ることが必要である．

3) 人工骨頭置換術

整復・固定が不可能なほど粉砕が高度な例には人工骨頭置換術が適応となる．複合損傷で関節自体の不安定性が強く安定した橈骨頭の再建が必要になる例では，単独骨折例よりも適応範囲は広くなる（図 13-4-116）．人工骨頭の形状は単に円柱状のものから骨頭に類似した形状のもの，bipolar 型のものなどがあり，ステムの固定も頚部に挿入するだけのものからセメント固定をするものまでさまざまである．いずれも橈骨頭の解剖学的な形状を再現するものではない．いずれの人工骨頭でも比較的良好な短中期成績が得られているが，亜脱臼や上腕骨小頭のびらん，ステムの緩みなどの問題が報告されている．近年，解剖学的な形状を再現する人工骨頭が開発され，わが国でも使用可能となった．成績の向上が期待されている．

いずれの人工骨頭を用いる場合でも最も注意すべき点は，元の橈骨の長さを再現することである．短いと関節の安定性には寄与せず，長いと小頭間との圧力の増加や脱臼の原因となる．

急性期の置換術と慢性期の救済手術としての置換術があるが，後者の治療成績は前者に比して劣る傾向にある．

c 予　　後

I 型，II 型の予後は良好である．III 型は解剖学的な整復・固定が成功するかどうかが予後を左右するカギとなる．脱臼などの複合損傷例では橈骨頭だけでなく，合併する他の部位の骨折の治療や靱帯修復により安定性を回復できるかが予後を左右する．偽関節例や変形治癒例では肘関節の障害だけでなく，橈骨短縮により手関節に問題を生じる可能性がある．

附-7　関節鏡下骨接合術

肘関節内骨折に対しても関節鏡下の手術が行われるようになっている．上腕骨小頭骨折，橈骨頭骨折，鉤状突起骨折，小児上腕骨外側顆骨折などがその対象となっている．肘関節前方においてはポータル作製に制約が多く技術的には難しい．現状では関節鏡手技に精通した術者以外には推奨できないが，今後，手術器械の開発などにより一般的な手術法として発展することが期待される（図 13-4-117）．

a. 自転車で転倒し受傷した. 転位の大きい橈骨頭・頸部骨折と粉砕の強い尺骨近位端骨折の合併例

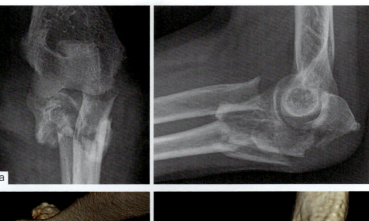

b. 完全に遊離した橈骨頭は, 粉砕した尺骨の間に転位している (矢印).

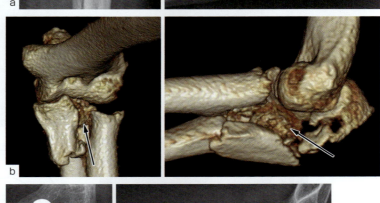

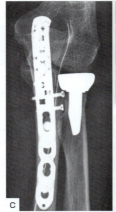

c. 術直後
尺骨の整復のためには橈骨の整復が必要であったこと, 高齢者の非利き手であったことから橈骨の整復固定を断念し人工骨頭置換術を選択した.
背側進入で, まず人工橈骨頭を挿入して橈骨の長さと安定性を再建した後に, 尺骨のプレート固定を行った.

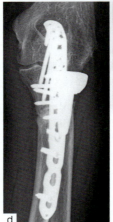
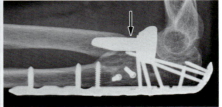

d. 1年後
疼痛なし, 可動域伸展-20°, 屈曲130°, 回外90°, 回内90°.
人工橈骨頭を挿入した頸部の骨吸収がみられる.

図13-4-116 人工橈骨頭置換術 (70歳 女性)

546　各論　第13章　上肢の骨折

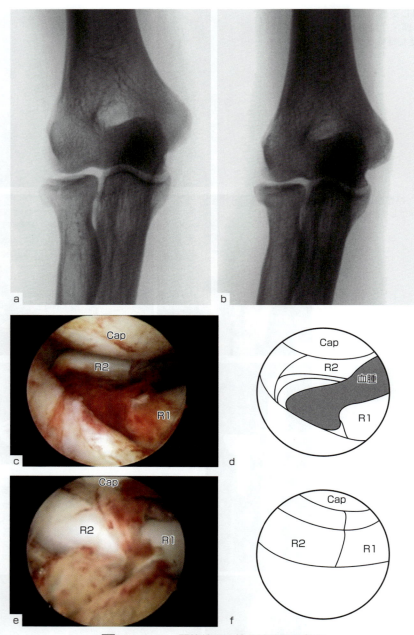

図 13-4-117　関節鏡下の橈骨頭骨折の整復
a. 橈骨頭骨折 Mason 分類 TypeI. 受傷時単純 X 線写真
b. 術後単純 X 線写真
c, d. 整復前の前方鏡視. 骨折部骨折面の段差を観察している.
e, f. 整復後の前方鏡視. 経皮的に Kirschner 鋼線を刺入し骨片を整復した.
Cap：上腕骨小頭，R1：橈骨頭陥凹骨片，R2：橈骨頭

E 尺骨近位部骨折 fracture of the proximal ulna
肘頭骨折 fracture of the olecranon

肘関節は屈伸運動と回旋運動を行うが，屈伸は上腕骨滑車・肘頭関節で行われる．滑車を軸とすれば肘頭の滑車切痕は軸受けであり，軸受けの構造的破綻は屈伸運動に重大な障害を生じる．また肘頭は三頭筋の付着部であり肘伸筋の lever arm となっている．肘頭後部の骨折では腕尺関節の適合が保たれていても，肘頭骨折部の転位が放置されれば上腕三頭筋の機能不全を残すことになる．

a 受傷機転

成人の肘頭骨折はまれではなく，直達外力あるいは介達外力により発生する．その大部分は肘頭を打撃する直達外力によって生じ粉砕骨折となりやすい．介達外力によるものは肘屈曲位で三頭筋の牽引力により骨折し，通常横骨折となる．一方，小児の肘頭骨折は比較的少なく，肘関節部骨折の5～6％を占めるにすぎず，単独骨折より他の肘部周辺損傷を合併することがある．すなわち肘頭骨折の10％に橈骨頚部骨折を合併し，これは外反強制によるいわゆる Jeffery 型損傷（橈骨頭・頚部骨折の項，p. 534 参照）である．ほかに脱臼を伴ういわゆる肘頭脱臼骨折がある（complex elbow instability，p. 561 参照）．

b 骨折の形態・分類

肘頭骨折にはいくつかの分類法があるが，そのいずれにおいてもすべての骨折を包括することはできていない．しかも成人に多い粉砕型では粉砕，転位の程度もさまざまで分類に困難な例も少なくない．ここでは Mayo 分類と Colton 分類を示す（図 13-4-118, 119）．

肘頭骨折は遠位部に発生するほど軸受けとしての構造が破綻し，肘関節は不安定となる．鉤状突起骨折が合併している骨折ではほぼ脱臼となる．

小児の橈骨頭脱臼は肘頭骨折の合併に，逆に肘頭の外反型骨折は橈骨頭・頚部骨折の合併に注意する．小児の肘頭骨折の分類は発生機転による Wilkins 分類が知られている（図 13-4-120）．青年期では肘頭は apophysis と捉えてよいが，幼少期には成長軟骨板は鉤状突起基部からつながっており，肘頭骨折では成長軟骨を分断する Salter-Harris 分類 4 型の骨折となることが多い（図 13-4-121）．

c 診　断

成人例は受傷機転，局所症状により臨床診断は困難ではない．三頭筋腱膜と尺骨骨膜の連続性が保たれていれば骨折があっても重力に抗して肘関節を伸展することができる．したがって肘関節の自動伸展が可能であっても必ずしも肘頭骨折がないとはいえず，また保存療法の適応とはならない．

単純 X 線写真で診断は可能であるが，関節面の陥凹骨片の把握には CT 撮影が有用である．

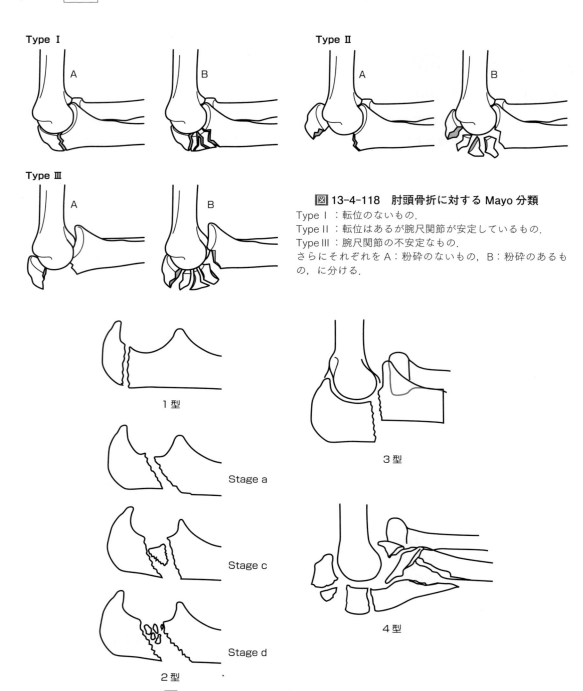

図 13-4-118　肘頭骨折に対する Mayo 分類
Type I：転位のないもの.
Type II：転位はあるが腕尺関節が安定しているもの.
Type III：腕尺関節の不安定なもの.
さらにそれぞれを A：粉砕のないもの, B：粉砕のあるもの, に分ける.

図 13-4-119　尺骨近位部骨折に対する Colton 分類
1 型：裂離骨折. 高齢者に多い. 骨折線は横走する.
2 型：斜骨折. 滑車切痕の最深部から背側に向かう骨折. 粉砕転位の程度から以下の 4 つに分けられる.
　　Stage a：単純な斜骨折, 転位があってもよい（図示）.
　　Stage b：Stage a に第三骨片を伴い, 転位がないもの.
　　Stage c：Stage b で転位があるもの（図示）.
　　Stage d：Stage c の第三骨片が粉砕されたもの（図示）.
3 型：脱臼骨折. 尺骨の骨折は鉤状突起の近位側にあり, 多くの場合両前腕骨は前方へ脱臼する.
4 型：分類不能型 unclassified group. 強大な直達外力による. 骨片は粉砕され, 肘頭のみでなく前腕骨骨幹部や上腕骨遠位部の骨折を合併することが多い.

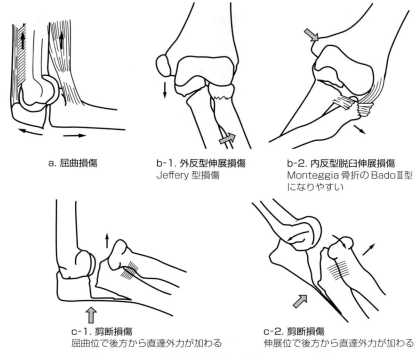

図 13-4-120　小児肘頭骨折に対する Wilkins 分類

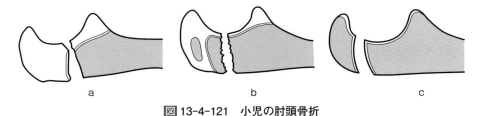

図 13-4-121　小児の肘頭骨折
幼少期は鉤状突起基部から肘頭まで成長軟骨板がつながっている．
成長軟骨板で剥がれると Salter-Harris 分類 3 型の骨折となる（a）が，骨幹端で骨折すると 4 型となる（b）．青年期では apophysis の離開となる（c）．

　肘頭骨端核の出現以前の小児例では Salter-Harris 分類 4 型の診断は困難なことがある（図 13-4-121，122）．MRI や関節造影が診断に必要である．小児伸展損傷の外反型（Jeffery 型）では橈骨頚部骨折，内側上顆骨折の合併（図 13-4-120 b-1），橈骨頭脱臼の合併を見落としてはならない（図 13-4-120 b-2）．そのためには正確な単純 X 線写真正面・側面像が必須である．

d 治　療

　三頭筋付着部の剥離骨折を除くと肘頭骨折は関節内骨折である．安定性，無痛性はもちろん，可動域の良好な肘関節を確保するためには，関節面の正確な整復，強固な内固定に加えて早期の自動運動開始が治療のポイントとなる．

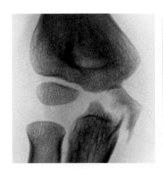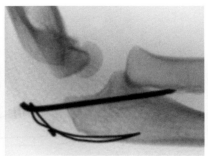

図13-4-122　肘頭骨端核出現前の肘頭骨折
上腕側，前腕側ともに軟骨成分が多く，単純X線写真のみでは診断が難しいことがある．MRIや関節造影による合併損傷の検索が必要である．

1）保存療法

　成人で保存療法の対象になるのはほとんど転位や粉砕のない（Mayo分類TypeⅠ-A）のみである．成人では骨癒合を得るまで外固定を行うと拘縮を生じやすいので，関節面に2mm以上の転位があれば手術により内固定を行う．小児の場合はわずかな転位も許容されない成長軟骨板の分断を伴う骨折であることを認識して適応を決定する．小児のこの部の骨膜は厚く背側骨膜はtension bandとして機能する．転位がない骨折では肘関節90°屈曲位で3週間外固定を行う．剪断損傷（図13-4-120 c-1, c-2）は，背側の骨膜が損傷されずに残っていることが多いため，これをヒンジとして徒手整復後に肘関節深屈曲位固定を試みる．小児でも屈曲損傷（図13-4-120a）の場合は，背側骨膜も損傷されているため転位があれば手術的整復固定術が必要である．

2）手術療法

　手術では正確な整復と強固な内固定により早期運動を可能とし，関節拘縮と変形性関節症の防止を図る．骨片の圧挫，骨欠損を伴うColtonの2-c, d型，4型は骨移植（人工骨移植）が必要となることがある．粉砕骨折では滑車切痕の曲率と尺骨長の再現が重要である．滑車切痕底部の粉砕骨折では整復不全や過度の圧迫固定により曲率半径が大きくなったり小さくなったりして滑車との不適合が生じることがある．また，肘頭遠位部の粉砕型骨折では尺骨の短縮が問題となる．骨欠損がある例は適切な部位に適切な量の骨移植を行い，尺骨長を維持することが手技上重要である．

　肘頭先端1/2以下の粉砕骨折に対して肘頭先端切除術を行う方法は，レバーアームの短縮により伸展力不足が生じるので，できる限り避けて整復・固定を試みるべきである．

　手術は仰臥位で前腕を胸の前の台に乗せて行うか，側臥位で腕を支持台に乗せて行う．切開は肘頭先端を避けた後方縦切開を用いる．この部の皮膚は菲薄のため，皮下組織を剥離せず筋膜直上で展開する．単純な骨折に見えても関節面の陥没は高率に存在する．関節面を丁寧に起こして整復し，圧縮で生じた間隙には骨移植（人工骨でもよい）を行う．どの固定法を行うにしても整復した関節面骨片を支持する位置に固定材料を設置することが必要である（図13-4-123）．

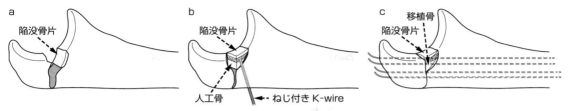

図 13-4-123　滑車切痕関節面の整復
a. 滑車関節面の陥没骨片の有無を確認する．遠位側に陥没骨片が存在することが多いが，近位側が潰れていることもある．
b. 陥没骨片を丁寧に起こして，間隙に骨移植し，Kirschner 鋼線で仮固定する．
c. Kirschner 鋼線やスクリューを起こした陥没骨片を支持する位置に挿入する．

（岩部昌平：肘頭骨折　骨折治療基本手技アトラス，p189-204，全日本病院出版会，2019 より）

a）引き寄せ鋼線締結法 tension band wiring

骨折の離開側を軟鋼線で締結することにより，三頭筋による骨片の離開力を圧迫力に変える優れた固定法である（**図 13-4-124, 125**）．2〜4 本の Kirschner 鋼線を近位骨片から遠位骨片に刺入し，遠位骨片に通した軟鋼線を Kirschner 鋼線の後端にかけて肘頭背側を 8 字型に通して締結する．単純な横骨折や斜骨折では簡便で有用である．粉砕骨折でも近位骨片と遠位骨片に直接接する部位があれば適応可能である．整復した関節面骨片に直下に Kirschner 鋼線を通すこと，後述するように Kirschner 鋼線と軟鋼線の処理を正確に行うことが重要となる．

引き寄せ鋼線締結法は簡便であるが，軟鋼線が緩んだり切れたりすることや，軸となる Kirschner 鋼線が抜けてくる問題がある．軟鋼線と Kirschner 鋼線のトラブルを減らすにはいくつかのコツがある．

① 軟鋼線を上腕三頭筋腱にかけない（図 13-4-126）

Kirschner 鋼線は三頭筋腱の付着部から挿入されている．Kirschner 鋼線刺入部の腱にしっかりと縦切開を加えて軟鋼線を Kirschner 鋼線に接するように通し，軟鋼線が腱にかからないようにする．腱にかかった軟鋼線は腱の緊張と緩和の繰り返しで疲労破断しやすい．また軟部組織にかけた鋼線は緩んでいると考えたほうがよい．

② 曲がった Kirschner 鋼線に軟鋼線をかけない（図 13-4-127）

弯曲した部分にかかった軟鋼線は Kirschner 鋼線を引き出す，もしくは回旋させる力となる（**図 13-4-127a**）．後端を U 字型に曲げ肘頭に打ち込んでおくことが推奨されているが，実際に肘頭に入るほど打ち込むのは難しいし，骨粗鬆のある肘頭では打ち込むことにより骨片を割ってしまう可能性がある．U 字型に Kirschner 鋼線を曲げようとすると弯曲部分が大きくなり，軟鋼線は Kirschner 鋼線の弯曲したところにかかることになるため，打ち込めたとしても必ずしも抜けてくることを防止できない（**図 13-4-127b**）．できるだけ Kirschner 鋼線を角がつくように曲げて弯曲がある部分を小さくし，まっすぐな部分に軟鋼線をかけると Kirschner 鋼線に抜ける力や回る力が働かない（**図 13-4-122, 127c**）．Kirschner 鋼線を角をつけて曲げるには，ベンダーで曲げる手前をペンチやプライヤーでつかんでおくとよい．この作業にラジオペンチが用いられるが，ラジオペンチは把持力が弱く不適当である．三点曲げができるベン

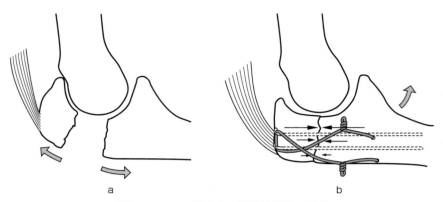

図 13-4-124　引き寄せ鋼線締結法の原理
a. 上腕三頭筋の筋力による骨片の離開．
b. 離開の大きい背側を軟鋼線により8字型に締結すると，上腕三頭筋の牽引および肘屈曲による骨片の離開力は骨折面への圧迫力となる．圧迫力の強さは離開側の反対側（圧縮側）ほど大きい．

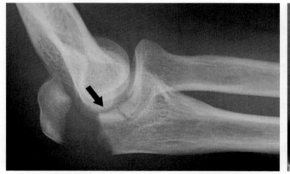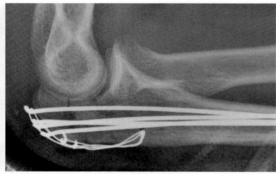

図 13-4-125　肘頭骨折に対する引き寄せ鋼線締結法
上腕三頭筋の張力を骨折面の圧迫力に変換する優れた固定法である．
陥凹骨片（矢印）を整復し，骨欠損部に人工骨を移植している．Kirschner 鋼線の1本はこの骨片の直下に挿入し支持している．Kirschner 鋼線2本ずつで2組の引き寄せ締結を行っている．Kirschner 鋼線は髄内に挿入しているが，軟鋼線を引っかける後部に弯曲をつけることで Kirschner 鋼線の抜けを防止している（図 13-4-127）．

ディングプライヤーを用いると簡単に鋭く曲げることができる．いずれの方法も曲げた後に打ち込むので，Kirschner 鋼線は髄内釘にするとよい．Kirschner 鋼線で前方皮質で貫くことを推奨する意見もある．固定力は増強するが Kirschner 鋼線を鋭角に屈曲後骨片の表面まで打ち込むことができないので抜けてくる原因となる．

筆者は，Kirschner 鋼線の後端を2重に曲げて凹みを作り，凹みに軟鋼線を引っかけるようにしている．こうすると軟鋼線に緊張がある限り Kirschner 鋼線はその位置から動けなくなるため抜けることも回旋することもない（図 13-4-125, 127d）．

トラブルのない引き寄せ鋼線締結法を行うには，正確な操作ができることが重要であり，そのためには細目の鋼線を選択するとよい．Kirschner 鋼線は 1.8 mm 径以下，軟鋼線は 0.8 mm 径以下のものが扱いやすい．体格のいい患者で強度不足が心配なときや，粉砕症例では，2段に Kirschner 鋼線を通し2組の引き寄せ鋼線締結を作成すると強度が確保できる．

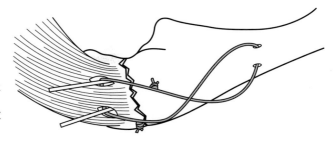

図 13-4-126　引き寄せ鋼線締結法における軟鋼線の通し方
軟鋼線は上腕三頭筋腱の下に通すが，かけるのはKirschner鋼線であって腱ではない．骨に沿うように通し軟部組織の介在を減らす．腱にかけた軟鋼線は緩んでいるに等しい．

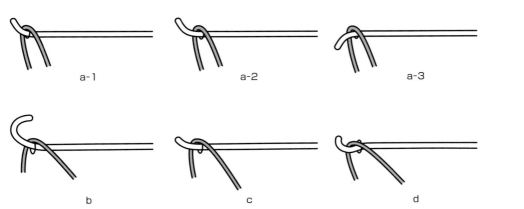

図 13-4-127　引き寄せ鋼線締結法における Kirschner 鋼線の処理
a. 曲げた Kirschner 鋼線に軟鋼線をかけると Kirschner 鋼線に抜ける力もしくは回旋する力が生じる．
b. U 字に Kirschner 鋼線を曲げて先端を骨に打ち込むことを推奨している成書が多いが，骨は硬く実際に屈曲した先端を骨に打ち込むことは難しい．軟鋼線が Kirschner 鋼線の弯曲部にかかると Kirschner 鋼線を引き出して回旋させる力が働く．
c. Kirschner 鋼線の曲げを小さくして軟鋼線を弯曲のない部分にかけると Kirschner 鋼線は回旋しない．
d. 筆者は軟鋼線をかける部分の手前に逆の弯曲をつけている．こうすることで軟鋼線の緊張により Kirschner 鋼線が固定され動かなくなる．

b）プレート固定法

　近年，種々の尺骨近位部骨折固定用アナトミカルプレートが開発されている．骨欠損や粉砕を伴う骨折，骨粗鬆症を合併する骨折の固定に有用であり，術後の早期運動が可能となる．特に鉤状突起基部以遠の骨折を伴う場合は，尺骨の長さを保ち，かつ十分な固定性を得られる固定法である（**図 13-4-116, 128**）．しかし滑車切痕部の骨欠損を伴う骨折では注意を要する．すなわち近位骨片は上腕三頭筋の牽引力を受けるため，骨欠損を残したまま固定すると不安定となり，また偽関節になりやすい．逆に骨欠損部を圧迫して固定をすると滑車切痕の曲率が小さくなるため腕尺関節の不適合性が生じる．引き寄せ鋼線締結法は圧迫をかけていくことで肘頭が滑車に寄り添って整復されるが，プレート固定では骨片を三次元的に保持する固定性が高く正確な解剖学的整復が必要となる．また，肘関節屈曲で緊張がかかる薄い皮膚の直下にプレートが存在するので，創の癒合不全や感染には十分な注意が必要である．

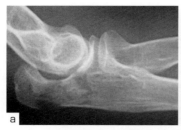
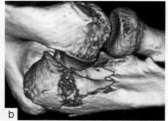
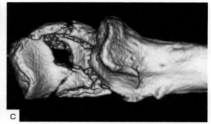
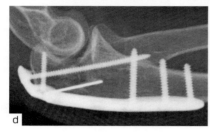

図 13-4-128　肘頭粉砕骨折に対する尺骨近位部骨折用アナトミカルプレート固定
a. b. c. 関節面も皮質面も近位骨片と遠位骨片が接する部分はごくわずかで，引き寄せ鋼線締結法ではブロック状の骨移植をすることなく強固に固定することは難しい．
d. 尺骨近位部骨折用アナトミカルプレートを用いて強固に固定することができる．

e 予　後

　関節面の解剖学的な整復，強固な内固定，早期自動運動ができれば概して予後は良好である．可動域の回復が不良なら抜釘時に関節授動術の適応を考慮する．解剖学的整復位が得られていれば，授動術の結果は概して良好である．腕尺関節の不適合が残存する症例では授動術の効果は少ないのでまずそれを矯正することを検討する．

　肘頭遠位部の粉砕例で尺骨長が短縮すると，橈骨頭亜脱臼が後遺することがある．脱臼骨折例では，内側上顆，橈骨頭・頚部骨折，鉤状突起骨折などの合併損傷の治療の結果が治療成績を左右する要因となる．

附-8　スポーツ障害としての肘頭骨端線閉鎖不全

　特殊なものとして成長期のスポーツ障害としての骨端線閉鎖不全がある（図 13-4-129a）．開大は大きくないので単純 X 線写真による健側との比較が重要である（図 13-4-129b）．野球などの投擲競技による骨端離開は，投擲動作加速時の外反力と，フォロースルー時の過伸展時に起こる肘頭と肘頭窩の衝突の繰り返しにより発生すると考えられている．この場合，関節面側，かつ尺側で離開が開大する．骨端線閉鎖後は同様のストレスで肘頭の疲労骨折が発生する．弓道，柔道，体操などでは三頭筋の張力による骨端線閉鎖不全が発生する．この場合の離開は背側が開大する．

　骨端閉鎖不全に対しては，骨移植と固定を行う．Langenskiöld の骨端固定術のように成長軟骨板をはさんで近位・遠位の長さを変えた骨片を採取し，近位・遠位を入れ替えて，引き寄せ鋼線締結法で固定するとよい（図 13-4-129c）．

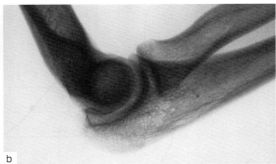

図 13-4-129　野球による肘頭骨端線閉鎖不全手術例（13歳，男子）
a. 少年野球投手である．持続する肘関節痛で来院．肘頭骨端線閉鎖不全である．
b. 健側は骨端線はすでに閉鎖している．
c. 術後6週

尺骨鉤状突起骨折　fracture of the coronoid process

肘関節不安定症の原因としてその評価法や治療法が見直され，注目されている骨折である．

鉤状突起は滑車切痕の前壁であり，橈骨頭とともに肘関節の後方への安定性を担う最大の骨性要素である．それゆえに肘関節後方脱臼に合併し，不安定性が生じる原因となる．骨折は単独で生じることは少なく，肘関節脱臼，靱帯損傷，その他の骨折を伴うことが多い（図 13-4-140）．Adams は 52 例中 34 例に橈骨近位端骨折または脱臼が合併していたと報告し，また別の調査では 103 例中 76 例に骨折や靱帯損傷などの合併損傷を伴っていたと報告されている．McKee は肘関節脱臼骨折 52 例中 39 例に鉤状突起骨折があったと報告している．

a 分　類

従来，Regan-Morrey 分類が広く用いられてきた（図 13-4-130a）．Type I は先端骨折である．初出時は裂離骨折としていたが，関節包の付着は先端から離れた位置にあり，先端の裂離骨折は通常起きない（図 13-4-131）．最近の記述では，亜脱臼・脱臼で鉤状突起が滑車を乗り越えるときの剪断力で生じる骨折としている．Type II は骨片が突起の全高の 50% 以下の骨折であり，Type III は骨片が全高の 50% を超える基部骨折である．鉤状突起の 50% が失われると屈曲 60° 以下の肢位で後方への不安定性が増す．Type I は原則的に関節包の付着がない骨折であり，Type II の骨折は関節包付着部を含み，Type III は内側側副靱帯前斜走靱帯の付着部と上腕筋の停止部を含む

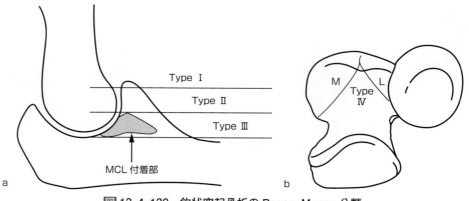

図 13-4-130　鉤状突起骨折の Regan-Morrey 分類
Ⅰ型：鉤状突起先端の骨折
Ⅱ型：鉤状突起全高の 50% 以下の骨折
Ⅲ型：鉤状突起全高の 50% を超える骨折
Ⅳ型 M：内側斜骨折
Ⅳ型 L：外側斜骨折
それぞれの骨折のうち脱臼を伴わないものをA，脱臼を伴うものをBとして追記する．

骨折となる（図 13-4-131）．Type Ⅰは手術適応がなく，Type Ⅲは手術適応である．Type Ⅱはどちらも含んでいる．

　O'Driscoll は受傷機転や不安定性の方向との関連から鉤状突起骨折の三次元的な分類を提案している（図 13-4-132）．すなわち先端骨折，前内側骨折，基部骨折の 3 つに分類した．先端骨折は軸圧と後外側回旋力による脱臼，亜脱臼の際に生じ，鉤状突起骨折と橈骨頭骨折を伴う脱臼，いわゆる terrible triad injury によくみられるとしている．Subtype 1 が 2 mm 以下の高さの関節包の付着がない骨折で Regan-Morrey 分類の Type Ⅰに相当する．Subtype 2 は高さが 2 mm を超える骨折で関節包の付着部を伴う．前額断骨折で高さの 1/3 を超えないことが多いとされ，Regan-Morrey 分類 Type Ⅱに分類される骨折である．Cage によると鉤状突起先端から関節包の付着部は長軸方向で 0〜10.4 mm，平均 6.4 mm であり，側面像で 6 mm 前後の長さの骨片であれば関節包が付着していると考えてよい（図 13-4-131）．Shimura らは関節包は鉤状突起先端部では軟骨の先端部から 4.7 mm，骨性部分から 1.9 mm の位置に付着しており，Subtype 1 と 2 を 2 mm で分けているのは妥当であるとしている．

　前内側骨折は内反・後内側回旋・軸圧力によって生じる（図 13-4-133）．O'Driscoll 分類の前内側 Subtype 1，2 は Regan-Morrey 分類では Type Ⅱ，Subtype 3 は Type Ⅲとなり medial oblique compression fracture とも呼ばれる．内反と後内側回旋により鉤状突起前内側骨折とともに外側側副靱帯複合体と内側の後斜走靱帯の損傷を伴う．sublime tubercle に骨折が及ぶと前斜走靱帯も損傷されることになる．さらにこの外力が加わり続けると，鉤状突起基部や橈骨頭の骨折が合併する損傷となる．ほかの部位の骨折を伴わない損傷では，一見，関節安定性に問題がないようにみえるが，軸圧や内反力が加わると滑車切痕は滑車に対して後内側に亜脱臼するため，早期に変形性関節症をきたす損傷であり手術的治療が必要である．単純 X 線写真だけでは診断が難しく，見逃されたり，取るに足らない骨折と診断されることがあるので注意が必要

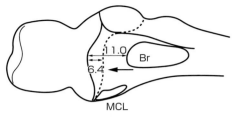
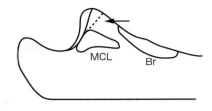

図 13-4-131 鈎状突起と内側側副靱帯前斜走線維付着部，関節包付着部との関係
関節包は鈎状突起先端から平均 6.4mm の位置に付着する．上腕筋は平均 11mm 離れて付着する．内側側副靱帯前斜走線維は鈎状突起の基部で全高の 0〜50% の高さに付着する．
MCL：内側側副靱帯前斜走線維付着部，Br：上腕筋付着部，矢印（点線）：関節包付着部
（Cage DJ：Clin Orthop Relat Res 320：154-158, 1995 より改変）

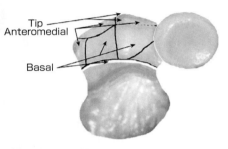

図 13-4-132 鈎状突起骨折に対する O'Driscoll の分類
受傷機転を考慮に入れた分類である．
（O'Driscoll SW et al：Instr Course Lect 52：113-134, 2003 より）

である．基部骨折は Regan-Morrey 分類Ⅲに相当する．O'Driscoll 分類では外側骨折の分類がなく，先端骨折にも基部骨折にも分類できない骨折があることが問題である．

Adams は CT による調査から先端骨折，中央横骨折，基部骨折，内側斜骨折，外側斜骨折の 5 型に分ける分類を提唱している．Regan-Morrey 分類も近年，Type Ⅳ M：内側斜骨折，Type Ⅳ L：外側斜骨折が追加され，ほぼ同じ分類となっている（図 13-4-130b）．今後，受傷機転や手術適応との関連についての検証が待たれる．

b 診　断

単純 X 線写真だけでは骨折型の正確な診断は難しい．特に前内側面や前外側面の骨折は正面像でも側面像でも正確に捉えることができない．病態の把握には CT が必須である．鈎状突起骨折は骨片が小さくても肘関節不安定性の原因となり得るため，治療法の決定には CT による詳細な病態把握が不可欠である．

c 治　療

1）手術適応

鈎状突起骨折は単独損傷のことは非常にまれであり，合併損傷の治療と合わせて治療方針を決定する必要がある．手術適応の決定には受傷機転を加味した O'Driscoll 分

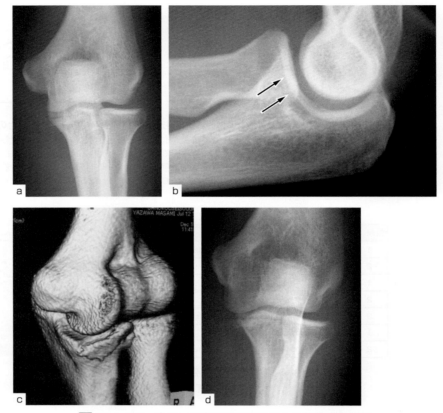

図13-4-133　内反・後内側回旋偏位による鉤状突起骨折
a. 鉤状突起の前内側面の骨折（O'Driscoll 分類の前内側 Subtype 2）である．
b. 単純 X 線写真側面像では，内側の圧潰された関節面が二重にみえる double crescent sign が見逃されがちである．
c. 三次元 CT では骨折の状態がはっきりと把握できる．
d. 内反ストレスで前内側面骨折陥凹部に滑車の内側部が入り込み不適合性が生じる．

類が最も使用されているが，手術適応に関して諸家の意見は一致していない．O'Driscoll 分類では先端骨折と基部骨折の判別が曖昧なこと，合併損傷による関節不安定性の程度に分けて手術適応が議論されていないことなどが問題である．

　O'Driscoll 分類の先端骨折 Subtype 1 は，安定性にほとんど関与せず保存療法でよい．Subtype 2 は合併損傷の状態により治療方針が変わる．単独損傷では関節不安定性がなければ保存療法の対象となる．関節不安定性のある複合損傷例では鉤状突起が安定性を回復するための key stone であるとの報告がある．また後方不安定性に対しては前方関節包修復としての鉤状突起骨折の固定が推奨されている．一方で複合損傷であっても，必ずしも整復・固定は必要ないとの報告もあり意見の分かれるところである．

　O'Driscoll 分類の前内側骨折は，軸圧や内反力により滑車切痕が後内側に亜脱臼し，関節不適合性が生じる骨折であり，手術適応である．O'Driscoll らは外側側副靱帯複合体の修復とともに手術的整復・固定術を行うことを推奨している．

O'Driscoll 分類の基部骨折は関節不安定性をきたす骨折で，基本的に手術適応である．

complex elbow instability をきたす複合損傷については，この項の附-9 で述べる．

2) 手 術 法

単独損傷の場合は前方もしくは前内側から進入する．over the top 法（p. 458 参照）で進入すると骨折部のほぼ全容が観察でき，前方，前内側からの固定は容易である．プレート設置には後方で内側基部を広く展開できる Taylor and Scham の進入法（p. 459 参照）がよい．小さいプレートであれば，屈筋腱を縦割して進入する展開でも設置できる．橈骨頭骨折や外側靱帯損傷が合併している症例では，拡大 Kaplan 進入で外前方から進入し，鉤状突起を固定することもできる．

十分な大きさがあれば，前方で整復を行い，前方からの headless screw による固定（図 13-4-134）や後方からの cannulated screw による固定がよい．骨片が比較的小さい場合は，Kirschner 鋼線やねじ付き Kirschner 鋼線などが用いられる．骨片がさらに小さくスクリュー固定が困難な場合には，軟部組織の修復のために関節包や輪状靱帯とともに縫着だけを行うことがある．関節面の陥没を伴う骨折では，専用の buttress plate 固定を用いるとよい．

基部骨折は骨片が大きい場合が多く，鉤状突起自体の固定は容易である．比較的軟部組織損傷は少なく整復固定後の関節安定性は良好である．基部骨折で粉砕が高度で骨接合術が難しい場合には骨移植を行う．整復すべき関節面が薄く十分な固定性が得られない場合には，その遠位部に腸骨片を移植し補強を行う（図 13-4-135）．陳旧例に対しては，肘頭後部を切離し翻転して固定し鉤状突起の代わりとして利用する方法が報告されている．人工鉤状突起が開発されているが，わが国ではまだ使用できない．

安定した固定が得られれば，1 週以内に関節運動訓練を始める．安定性に不安があれば，伸展 -30° から屈曲 110° 程度の可動域制限を加えた運動をさせる．鉤状突起骨折を含めて修復できる組織すべてを修復しても安定性が得られないときには，3 週間程度の一時的な固定を行うかヒンジ付き創外固定を装着する．

肘頭脱臼骨折に伴う鉤状突起骨折は，肘頭とともに肘頭用ロッキングプレートとスクリューで固定を行う（図 13-4-116, 140）．

d 予　　後

手術により関節の安定性が得られ早期運動が可能となれば予後は良好である．関節の不安定性の残存は予後不良の原因となる．不安定性の原因が骨折の整復不良であれば関節面が不適合となるため，早期に関節症変化をきたし予後はさらに悪くなる．骨折固定性が不十分の場合は，外固定期間を長くすることはある程度やむを得ない．関節適合性のよい拘縮は授動術により可動性を得ることは難しくないが，適合性が悪く変形性関節症をきたした関節の機能は回復不能である．

図 13-4-134 鉤状突起骨折に対する固定術
a. 小骨片を前方関節包とともに縫着する.
b. headless screw と Kirschner 鋼線によって固定する. 前方進入によりガイドピン, Kirschner 鋼線の挿入が容易である.
c. 前内側骨折に対する buttress plating

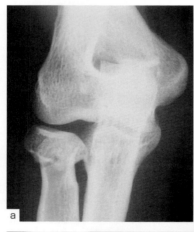
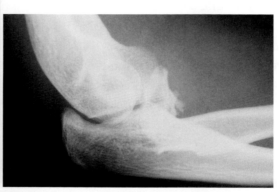
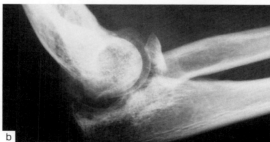
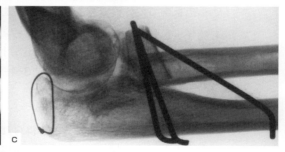
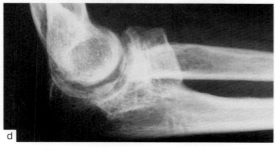

図 13-4-135 橈骨頭・鉤状突起骨折
安易な橈骨頭・鉤状突起骨折切除により遺残した肘関節亜脱臼（近医で橈骨頭と鉤状突起を切除され紹介来院した）.
a. 橈骨頭・鉤状突起骨折を伴う肘関節脱臼骨折（受傷時）. 来院時はすでに徒手整復を受けていた.
b. 橈骨頭切除による後方亜脱臼. 鉤状突起は基部から骨折した Regan 分類でⅢ型である.
c. 残存骨片の補強のため腸骨移植を行い, 鉤状突起を再建した.
d. 術後肘関節は安定し, 可動域も良好となった.

附-9 complex elbow instability

complex elbow instability は，骨要素と軟部組織要素の両者による支持性の破綻のために肘関節不安定性が生じる複合損傷である．適切な治療を行うことが容易ではなく，成績不良となりやすい損傷である．複数組織の損傷を正確に把握すること，複数の損傷に対してそれぞれ適切な治療を行うことが良好な結果を導く鍵となる．そのためにまず病態に対する知識が必要となる．この項では，complex elbow instability をきたす代表的な3つの損傷パターンについて述べる．

1）鉤状突起骨折＋橈骨頭骨折＋脱臼（terrible triad injury：TTI）

肘関節の後方脱臼により生じる損傷である．後方脱臼に抵抗する前方の壁となる骨性要素である橈骨頭と鉤状突起の損傷に加えて，外側側副靱帯複合体の損傷はほぼ全例で存在する．内側側副靱帯の損傷はあるものとないものが存在する．さらに輪状靱帯を含めた前方関節包の損傷があり，後方不安定性に関与しているとされている．この組み合わせの損傷は軸圧と後外側回旋力によって生じることが多いとされる．一部の論文ではこの受傷機転による損傷のみを terrible triad injury として扱っているが，この組み合わせとなる損傷は必ずしも単一の受傷機転ではないことがわかっている．

TTI と呼ばれる損傷には，前方の壁である橈骨頭と鉤状突起の損傷の程度や靱帯損傷の範囲により，外固定でも整復位が保てないほど不安定性が強いものから，不安定性が問題にならず保存療法が可能な程度のものまでが存在する．1つひとつの損傷を確認できたとしても，それを総合的に評価するにはそれぞれを足し算で考えるべきなのか，足し算よりも割り増しで考慮するべきなのか，現時点では複合損傷における不安定性を評価した臨床研究も基礎実験もないため，不安定性を推定する公式は存在しない．治療戦略については専門家の間でもコンセンサスはなく，数少ない自験例を基に楽天派と慎重派とに意見が分かれている感がある．

橈骨頭骨折に対しては解剖学的な整復と強固な固定を目指すということで，諸家の意見はほぼ一致している．問題はそれが達成できるかどうかである．粉砕が強い場合には解剖学的整復が得られない場合もあるし，強固な固定が実現できない場合もある．人工骨頭置換を選択すれば，ある程度の形態を高い確率で回復できるが，その形態は元通りではない．橈骨頭の傾き，大きさ，形態などが解剖学的整復できないことがどの程度，総合的な不安定性に影響を与えるのかがわからないところが問題である．

鉤状突起骨折の処置に関しては最も諸家のコンセンサスが得られていない部分である．前方の壁の再建として鉤状突起骨折の整復・固定が重要であることに異論はない．骨片の大きい基部骨折を固定することに議論はないが，そのような症例は少ない．O'Driscoll 分類の先端 subtype 2 の骨折が大半を占め，骨片の平均的な高さは鉤状突起の35％である．先端 subtype 2 の骨折では，骨片の粉砕があると固定できるほどの大きさのある骨片が存在しないことが少なくないので解剖学的修復が困難な症例が多い．

鉤状突起骨折の修復には前方の壁の再建だけではなく，前方関節包修復の目的もある．骨片の小さい症例では，前方壁の修復ではなく前方関節包の修復として骨折の修復が行われることがある．骨片に付着する前方関節包の修復が安定性の確保に重要であるとの報告が多いが，一方で修復の必要はないとする報告もある．鉤状突起外側には輪状靱帯が付着しており，輪状靱帯の前方部は前方関節包の肥厚部として認識できる．輪状靱帯はY型構造の外側側副靱帯複合体の一部であるが（p. 440 参照），外側側副靱帯複合体は内反安定性だけでなく後方安定性にも関与しており，その構成体の一つである輪状靱帯が断裂すると後方不安定性が生じる．輪状靱帯修復の観点からも，その付着部である鉤状突起の外側部を修復することは重要であると考えられる．一方で O'Driscoll 分類の先端 subtype 2 であれば鉤状突起骨折の修復は必要としないとする報告がある．確かに修復が必要ない症例は存在するが，修復が必要な症例が存在することも確かであ

る．問題は修復の必要性の是非を判断する方法が明確になっていないことである．今後，受傷機転と詳細な損傷パターン，さらには各部の損傷と不安定性の関連性の検証が進むこと，また複合損傷に対する基礎実験が行われることが必要である．その結果として鉤状突起骨折の修復の必要性の有無が判別できるようになることが期待される．

外側側副靱帯複合体の損傷はほぼ全例で存在する．橈骨頭骨折の処置を行うために外側進入することにより多くの手術例で損傷が確認され修復が行われる．ヒンジ付き創外固定を治療に用いる場合には，必ずしも修復は必要ではないとの報告がある．内側側副靱帯は損傷がない症例も存在する．また，骨性要素を修復した後でないと，損傷程度を最終確認できないためその修復については一致した意見がない．

筆者が行っている手術手順を示す．手術が必要となる TTI では，全例で橈骨頭骨折の処置のために外側進入が必要である．拡大 Kaplan 進入法を用いると鉤状突起まで展開することができる（**図 13-4-28** 参照）．橈骨頭の処置より先に，鉤状突起骨折の処置を行うとよい．比較的大きな骨片であれば，この視野から整復し後方からスクリューで固定する．骨片が小さく固定が難しい例は，輪状靱帯前方付着部である鉤状突起の外側部の骨片に糸をかけて骨折面から尺骨後方へ引き出し，前方関節包とともに縫着する（**図 13-4-136, 138**）．外側進入の場合，鉤状突起は最も深部にあり，手前の橈骨頭の処置を行うとその後で鉤状突起の処置を行うことは困難である．筆者は過剰処置になるかもしれないことを承知で，一番最初に鉤状突起の処置を行っている．O'Driscoll 分類前内側型では，外側からの処置が難しいため内側も展開が必要である．鉤状突起骨折は粉砕していることが多く，前方壁の修復は不完全になることが多い．もう一つの前方の壁である橈骨頭の負荷が大きくなる．したがって橈骨頭骨折の正確な整復と強固な固定が必要となるが，それが実現できないと判断される場合には，人工橈骨頭置換術を選択せざるを得ない．以前は人工骨頭置換を選択することが少なくなかったが，最近ではロッキングプレートを用いて整復・固定を行うことが多くなっている．safe zone 以外に設置することになっても，強固な固定のためであれば 2 枚目のロッキングプレートを使用することをためらわない姿勢で臨んでいる（**図 13-4-115**）．橈骨頭骨折を整復・固定した後，外側進入のために切離した輪状靱帯と TTI ではほぼ全例で断裂している橈側側副靱帯と外側尺側側副靱帯の上腕付着部を修復すると，外側側副靱帯複合体が完全に修復される（**図 13-4-136〜138**）．これで安定性が得られない場合は，内側側副靱帯の修復もしくはヒンジ付き創外固定器の装着を行っている．

2) varus posteromedial rotatory injury

O'Driscoll 分類の前内側骨折は内反・後内側回旋・軸圧力によって生じるとされ，外側側副靱帯複合体の損傷を高率に合併している（**図 13-4-133**）．脱臼に至らず亜脱臼にとどまることが多く，橈骨頭骨折の合併は少ない．内反，軸圧により腕尺関節の不適合性が生じるため，骨折の整復固定と外側側副靱帯複合体の修復が必要であることは諸家の意見はほぼ一致している．しかし骨片が小さく整復・固定が困難な例の対応については一定の見解はない．手術適応については，内反ストレスで不適合性が生じるかどうかが一定の基準になる．

関節適合性を回復することが目的であるため，関節面の整復は解剖学的整復を目指す．骨片が比較的大きければスクリュー固定が可能である．陥没骨片があれば，複数骨片を押さえつけて固定する buttress plating が必要となる場合が多い．小型 T プレートであれば尺側手根屈筋の前方で屈筋群を分ける進入で設置できるが，専用プレートは大きいため用いる場合は尺骨神経の前方で尺側手根屈筋腱の上腕頭と尺骨頭の間を分けて進入する（FCU-split）か，尺側手根屈筋尺骨頭を尺骨から剥離して前方によけて進入する（Taylor and Sham 法）．

骨折固定後に明らかな内反不安定性が残る場合は，外側も展開し外側側副靱帯複合体を修復する．上腕付着部での断裂が多く，伸筋群の断裂が合併していることもある．

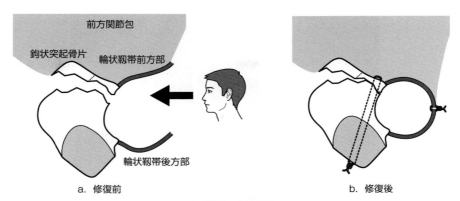

図 13-4-136 外側進入した時の輪状靱帯と関節包，鉤状突起骨片との位置関係
a. 修復前．輪状靱帯前方尺骨付着は鉤状突起骨片とともに剥離している．外側から鉤状突起の良好な視野が得られる．
b. 修復後．前方関節包の修復には，輪状靱帯が付着する近傍に糸をかけて，骨折部の外側部の骨孔から背側に引き抜き締結する．これにより外側側副靱帯複合体 Y 型構造の前方部が修復される．閉創時には切開した輪状靱帯の外側部を修復する．
（岩部昌平ら：Terrible triad injury の治療　鉤状突起は内固定すべきか？
整形・災害外科 60：1091-1097，2017）

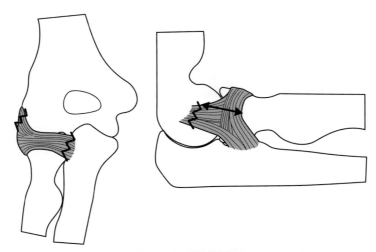

図 13-4-137 外側進入した時の外側側副靱帯複合体 Y 型構造の破綻部位
ギザギザ線：断裂部
両端矢印線：進入時切開部
（岩部昌平ら：Terrrible triad injury の治療　鉤状突起は内固定すべきか？
整形・災害外科 60：1091-1097，2017）

3）肘頭脱臼骨折

　肘頭骨折に腕尺関節の脱臼を伴う損傷であり，通常，腕橈関節の脱臼も合併している．Jupiter らが Monteggia 脱臼骨折の Bado 分類 II 型を細分類したときに，肘頭骨折を伴う橈骨頭脱臼をその中に含めたことで肘頭脱臼骨折の扱いに混乱が生じている（Monteggia 脱臼骨折の項，p.580 参照）．Monteggia 脱臼骨折は本来，腕尺関節の適合性が保たれているが腕橈関節の脱臼が存在するものである．しかし Jupiter らの

564 各論 第13章 上肢の骨折

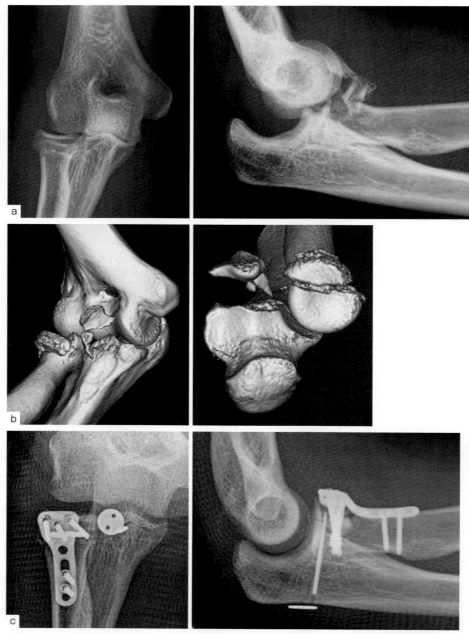

図13-4-138（1） 背側脱臼＋橈骨頭骨折＋尺骨鉤状突起骨折＋外側側副靱帯複合体損傷
a. 術前単純X線写真
b. 3D-CT像
c. 術後単純X線写真　輪状靱帯前方断裂部にかけた糸を縫合したボタンが尺骨背側にある．

4 上腕骨遠位部・前腕骨近位部骨折　565

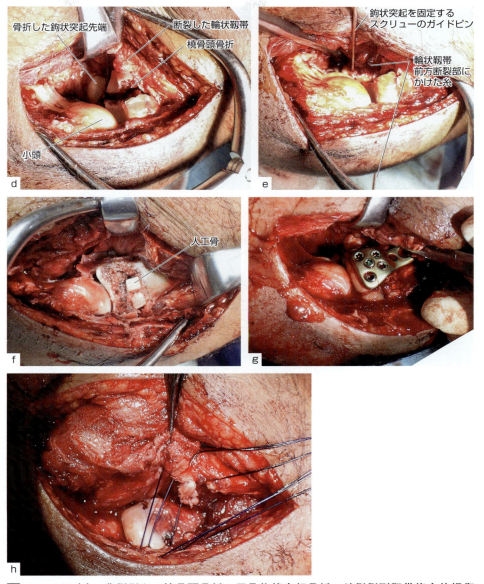

図 13-4-138（2）　背側脱臼＋橈骨頭骨折＋尺骨鉤状突起骨折＋外側側副靱帯複合体損傷（つづき）

d. 拡大 Kaplan 進入法で展開したところ．
外側側副靱帯複合体損傷（外側側副靱帯＋輪状靱帯損傷），橈骨頭骨折，鉤状突起骨折の損傷すべてを確認できる．
e. 橈骨頭小骨片を遠位に押し込んで視野を確保している．輪状靱帯前方付着の剥離に対し，断端に糸をかけて尺骨の橈骨切痕前方部から骨孔を通して背側に抜いている．鉤状突起先端部骨片を固定するためのガイドピンが背側から骨折部に通してある．
f. 橈骨頚部骨折部を整復してできた骨欠損に人工骨を充填している．
g. 橈骨頭の小骨片を整復し，それを押さえるようにロッキングプレートで固定した．
h. 最後に切開した輪状靱帯外側部と断裂していた橈側側副靱帯を修復している．

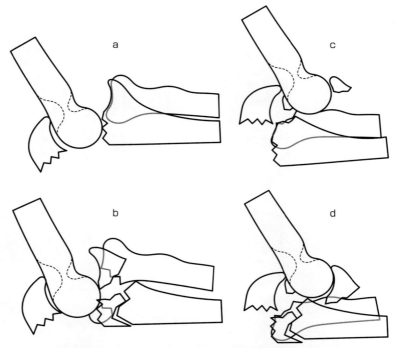

図 13-4-139　森谷らの提唱した肘頭脱臼骨折の分類
肘頭脱臼骨折にはさまざまな呼称が用いられ混乱している．森谷らが提唱したように脱臼の方向と近位橈尺関節破綻の有無により分類するとわかりやすい．
a. Type A-I：前腕が前方に脱臼し，近位橈尺関節が保たれている．
b. Type A-II：前腕が前方に脱臼し，近位橈尺関節が破綻している．
c. Type P-I：前腕が後方に脱臼し，近位橈尺関節が保たれている．
d. Type P-II：前腕が後方に脱臼し，近位橈尺関節が破綻している．

　分類にあるIIA，IIDの骨折パターンは，腕尺関節の対向が保たれていることはほとんどない．しかし原著でもその後の追試論文でも腕尺関節の脱臼を伴っている脱臼骨折がMonteggia脱臼骨折のJupiter分類IIA，IIDとして扱われている．これらの骨折は本項で述べる肘頭脱臼骨折として扱われるべき骨折型であると考える．単なる呼称の問題ではなく，治療方針も混乱をきたす原因となるため修正されるべきである．
　脱臼の方向（上腕骨遠位端に対して前腕が前方にあるものと後方にあるもの）と，近位橈尺関節の損傷の有無（鉤状突起や橈骨切痕の骨折の有無）で4つに分類した森谷らの分類がわかりやすい（図13-4-139）．橈骨頭は骨折していることが多い．
　前腕の関節構成要素の多くが損傷する外傷である．手術は肘頭，鉤状突起，橈骨切痕，橈骨頭，輪状靱帯，内・外側靱帯と損傷しているものを一つひとつ修復する．通常，後側からの進入ですべてを修復できる．
　一般的な手術の手順を示す．橈骨と尺骨でどちらを先に整復固定すべきかの判断をまず行う．前腕の長さを再建することが重要であるため，元の長さが再建しやすいほうを先に整復する．尺骨は遠位骨片と鉤状突起骨片の整復を行うと長さが再建されるため，鉤状突起骨片が大きく固定しやすいもしくは先端骨折で固定する必要がない場合は尺骨から始めるとよい．橈骨は橈骨頭の部分骨折であれば長さを確定できるが，粉砕骨折であれば長さを確定するのは難しい．人工骨頭でも長さを確定するのは難しい．しかし橈骨も尺骨も粉砕が強く，両者とも長さを確定するのが困難な場合に，人工橈骨頭を先に挿入せざるを得ない場合もある（図13-4-116）．

4 上腕骨遠位部・前腕骨近位部骨折　567

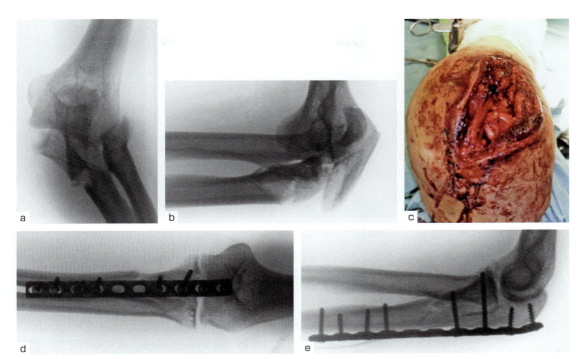

図 13-4-140　尺骨近位粉砕骨折と橈骨頭後方脱臼骨折を伴う鉤状突起骨折
尺骨近位部骨折と橈骨頭骨折に加えて腕尺関節と橈骨頭の後方脱臼を伴っている（森谷の分類の Type P-II）．
後方から整復しプレートとスクリューで固定した．
軟部組織損傷は少なく骨折が整復されると関節は安定する．
a, b. 受傷時
c. 橈骨頭は背側から整復した．
d, e. プレート固定後

　橈骨も尺骨もできるだけ強固な固定が必要である．橈骨はロッキングプレートを用いて強固に固定するか，人工骨頭置換を行い長さを保てるようにする．尺骨の固定には尺骨近位部用アナトミカルロッキングプレートを使用するが，このプレートからロッキングスクリューを鉤状突起骨片に挿入できると鉤状突起が安定し，腕尺関節が安定する．骨幹部に及ぶ粉砕骨折では尺骨が短くならないように注意が必要である．輪状靱帯の断裂や靱帯付き骨片があれば修復する．最後に内・外側靱帯を修復する．不安定性の強い症例では，ヒンジ付き創外固定器の装着が有用である．
　骨折が解剖学的に整復できれば治療成績は悪くないが，すべての要素を解剖学的に整復，修復するのは容易なことではなく，熟練した技術を要する．

F 肘関節脱臼（脱臼骨折）dislocation of the elbow

　肘関節は元来安定した関節であり，その安定性は腕尺関節の適合性のよい，深いかみ合わせによる骨形態によるところが大きい．特に鉤状突起は後方不安定に対する盾として重要な役割を果たしており，その骨折が脱臼の受傷機転や関節不安定性の方向と関連して再検証され注目されている．さらに骨・靱帯性の静的な支持機構のほか

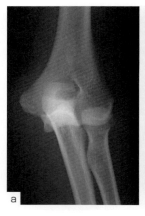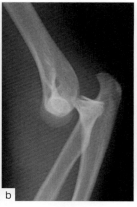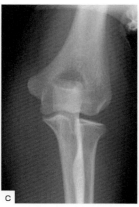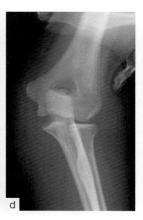

図 13-4-141　肘関節後方脱臼骨折
明らかな骨折を伴わない後方脱臼である（a, b）．ストレス撮影では内反不安定性は軽度であったが（c），内反不安定性は重度であった（d）．競技レベルのスポーツ選手であり手術を行った．内側は屈筋群の遠位半分の断裂と内側側副靱帯の全断裂があった．外側では短橈側手根伸筋よりも遠位の伸筋群と外側側副靱帯の近位での断裂があった．

に，筋による動的な支持機構も脱臼を抑制している．
　肘関節脱臼に至るにはいくつかの脱臼経路・損傷様式がある．その脱臼経路・損傷様式により，損傷される靱帯，骨，その損傷様式，予後などが異なる．すなわち，治療のアプローチは損傷様式を認識することから始まる．
　なお，この項では骨折がない脱臼と，靱帯の裂離骨折など骨折が肘関節の不安定性に関与しない程度に骨片が小さい脱臼骨折について述べる．骨折が不安定性に関与する骨折についてはそれぞれの骨折の項と complex elbow instability（附-9）の項で述べる．

a 肘関節脱臼の分類と頻度

　一般に肘関節の脱臼は橈・尺骨が一体のまま上腕骨遠位端に対して解剖学的位置を逸脱（脱臼）したものをいう．非常にまれな形として近位橈尺関節，腕尺関節，腕橈関節すべてが脱臼する分散脱臼 divergent dislocation がある．また脱臼の方向により後方脱臼，前方脱臼，側方脱臼，分散脱臼に分類される．脱臼方向は後方脱臼が80〜90％を占める（図 13-4-141）．前方脱臼（図 13-4-142），側方脱臼（図 13-4-143）はまれであり，分散脱臼はきわめてまれである．
　外傷性脱臼としての肘関節脱臼は肩関節脱臼に次いで多く，全脱臼の約20％を占めるとされているが，多発外傷に伴う脱臼骨折はさらに高頻度となる．小児の場合は純粋な脱臼は肘関節外傷の5〜6％と少なく，その60％以上は脱臼骨折であり，さらにその70％は内側上顆骨折を伴っている．成人では橈骨頭・頸部骨折，尺骨鉤状突起骨折，内側・外側靱帯損傷などを合併する．

b 発生機序と損傷形態

　肘関節脱臼の発生機序により脱臼経路・損傷様式が決まる．最も多い後方脱臼は肘関節過伸展位で手をつき，肘頭が肘頭窩に衝突，固定され，さらに肘の過伸展を強制

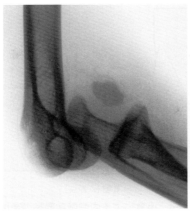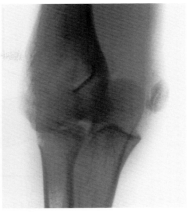

図 13-4-142　肘関節前方脱臼
肘屈曲でロープにぶら下がった状態で肘を強打して受傷した．
内側上顆骨折により内側の支持を失い，肘関節屈曲のまま外反・外旋し肘頭が滑車を乗り越えて前方に脱臼したと考えられた．
（岩部昌平ら：肘関節前方脱臼の一例　脱臼経路についての一考察．整形外科 43：219-221, 1992 より）

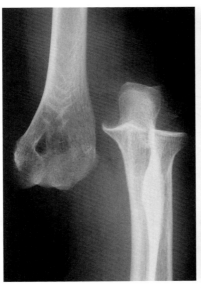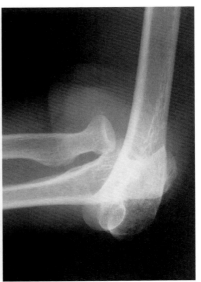

図 13-4-143　肘関節外側方脱臼

されて，内・外側靱帯が断裂し脱臼に至るとされている．すなわち過伸展力により，内側から外側へと靱帯・関節包の損傷が進展する．小倉らの実験的研究では，前腕回外位で軸圧をかけた場合，まず関節包の前内側遠位部が断裂し，続いて内側側副靱帯が断裂し，最後に外側側副靱帯複合体が断裂することが観察されている．この実験でみられた内側側副靱帯損傷様式は，臨床例と近似しており，また内側側副靱帯や屈筋群起始部断裂が，外側側副靱帯複合体や伸筋群起始部断裂よりも多いという後方脱臼の手術所見とも一致する（図 13-4-144）．
　一方で軽度屈曲位で手をついて，外反，回外，軸圧が加わり，前腕が上腕に対して

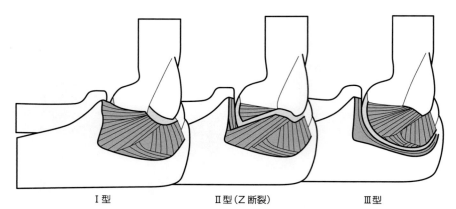

図 13-4-144　小倉による内側側副靱帯の断裂形態

Ⅰ型：近位起始部の断裂
Ⅱ型：前斜走線維の前方部が遠位で，前斜走線維の後方部と後斜走線維が近位で断裂するZ型断裂
Ⅲ型：前斜走線維の前・後方部，後斜走線維が遠位停止部で断裂
（小倉　丘ら：肘関節内側側副靱帯の機能解剖．整・災外 46：189-195, 2003 より）

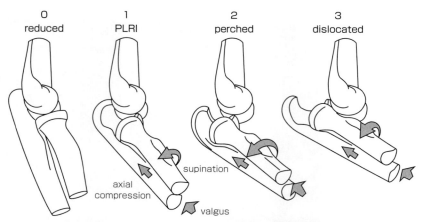

図 13-4-145　O'Driscoll による亜脱臼・脱臼の実験的研究

肘関節脱臼は過伸展損傷のみではないことを実験的に証明した．肘関節周囲筋の緊張を維持した骨靱帯標本の靱帯・関節包を順次切断して脱臼の進行を検討している．
0. 整復位
1. PLRI：内側側副靱帯（MCL）を残して靱帯・関節包を切離すると，外反，軸圧，回外の PLRI 誘発テスト（pivot shift test）により，MCL を軸として回転し容易にこの亜脱臼状態に移行する．
2. 止まり木状態 perched position：さらに回外・軸圧を加えると鉤状突起上に滑車がのり，脱臼位となる．単純 X 線写真上は不安定な印象があるが，実際はこの肢位で嵌頓状態になっている．鳥が止まり木に止まっている状態と形容されている．
3. この位置からわずかな外力で完全脱臼あるいは整復位に移行する．MCL は損傷されていないので，整復後も容易に再脱臼はしないが，内反動揺性あるいは PLRI を残しやすい．この形の脱臼は少なくないと考えられる．

外旋しながら後方脱臼する機序が注目されている．O'Driscoll は後外側回旋不安定性パターン posterolateral rotatory instability pattern による亜脱臼から脱臼に至る一連の発生機序を骨靱帯標本を用いて実験的に再現した（図 13-4-145）．偏位が小さいものから，0. 整復，1. 後外側回旋不安定性 postero-lateral rotatory instability（PLRI），

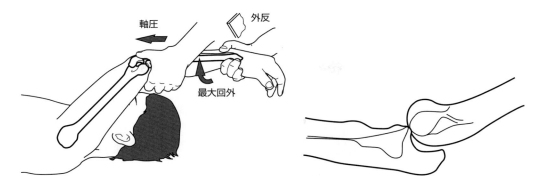

図 13-4-146　後外側回旋不安定性（O'Driscoll）誘発テスト（pivot shift test）
患者を仰臥位とし，患側上肢を挙上することにより上腕を外旋位で固定する．前腕を最大回外位として前腕あるいは手関節を把持し，外反強制と軸圧を加えながら肘関節を最大伸展から徐々に屈曲していく（a）．この操作によりまず腕尺関節橈側が回旋して亜脱臼し，これにつれて腕橈関節も脱臼する（b）．屈曲40°で転位が最大となり，肘関節後外側に皮膚の陥凹ができる．さらに屈曲していくと突然整復される．この操作は全身麻酔下で最もよく誘発される．覚醒時では脱臼不安感が主で，ときに亜脱臼が誘発される．

2. perched position（鉤状突起が滑車にひっかかった状態），3. 脱臼となる．軟部組織損傷はそれぞれ，1. 外側尺側側副靱帯，2. その他の外側側副靱帯複合体と前方・後方関節包，3. 内側側副靱帯（3A：後斜走靱帯のみの損傷，3B：前斜走靱帯も含めた全損傷，3C：上腕骨遠位に付着する軟部組織がすべての損傷）へと進展する．実際外側の損傷だけで内側側副靱帯の断裂がない肘関節脱臼が存在する．この脱臼経路を徒手的に再現する徒手検査がO'Driscollの述べる後外側回旋不安定性 postero-lateral rotatory instability（PLRI）の誘発テスト pivot shift test（**図 13-4-146**）である．

　後方脱臼はいずれの脱臼経路においても，軸圧が強く加わると脱臼の過程で前方の壁である橈骨頭や鉤状突起の骨折が生じると考えられる．橈骨頭骨折と鉤状突起骨折を伴う肘関節後方脱臼は terrible triad injury と呼ばれ，後外側回旋不安定性パターンによる受傷が多いとされている．後方安定性にかかわる骨性要素と軟部組織が破綻するため，治療に難渋する不安定性を生じる（附-9　complex elbow instability）．

　前後分散脱臼は実験的には内側側副靱帯を切断し前腕回内を強制することにより発生させることができる．横分散脱臼の発生機転は明確に解明されていないが，軸圧力よりも回外位での過伸展力が主に作用し，輪状靱帯，方形靱帯，前方関節包が損傷され，橈骨頭は後外側へ肘頭は後内側へ転位すると考えられる．

　前方脱臼はまれなためにかえって症例報告は多い．肘関節屈曲位で肘頭に後方から外力が加わり前腕が前方へ脱臼する．脱臼後に続く強い過伸展により肘頭が滑車を乗り越えて前方に脱臼する経路や，肘関節屈曲位でぶら下がるなど前腕に牽引力が加わった状態で内側側副靱帯損傷が生じたときに，前腕が強く外旋し肘頭が滑車を乗り越えて前方に移動する経路が報告されている．

　肘頭骨折を合併した肘関節脱臼は complex elbow instability（附-9）で述べる．

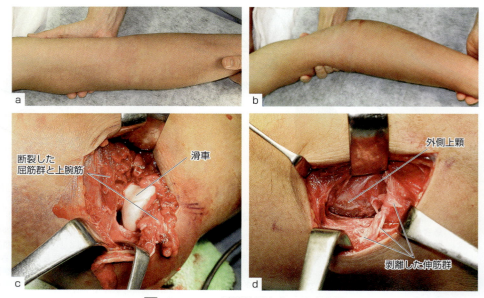

図 13-4-147　肘関節脱臼後の不安定性
後方脱臼であったが，現場にいた医師の整復を受けて来院した．
a. 外反不安定性は非常に強く軽度の外反力で外側に脱臼した．
b. 内反不安定性も高度であった．
c. 内側上顆に付着する靱帯と屈筋群はすべて断裂していた．上腕筋の断裂もあった．
d. 外側上顆に付着する靱帯と伸筋群もすべて断裂していた．

c 合併損傷

　靱帯や関節包の付着部に裂離骨折が生じる．骨折・靱帯以外の損傷として，内・外側上顆に付着する前腕筋群，鉤状突起基部に付着する上腕筋，肘頭に付着する上腕三頭筋の断裂などがある．筋断裂により肘関節は動的な支持性を失うのでさらに不安定性を増す（図 13-4-147）．

　血管・神経損傷に関しては坂田は肘周辺脱臼，骨折 563 例に合併する神経損傷は 102 例（18.1％）あり，その中で顆上・通顆骨折が 62％と大半を占め，次いで Monteggia 脱臼骨折に合併するものが 17％であった．しかし肘関節脱臼，脱臼骨折に合併するものは 8％と少ないと報告している．

d 診　断

　単純 X 線写真により脱臼を確認できる．整復前の CT 撮影は必須ではないが，上腕骨，橈骨，尺骨の相対的位置の把握や整復時に障害となりそうな骨片の存在を確認するには有用である．整復後は骨折の詳細な確認のため，また骨片や骨軟骨骨片の関節内嵌頓の有無の確認のために CT 撮影を行う．単純 X 線写真では診断が困難で，不安定性をきたす可能性のある鉤状突起の前内側骨折を見逃さないように注意する．靱帯損傷や筋損傷の確認には MRI が有用であり，これにより手術適応の有無を判断する．超音波診断装置でも靱帯や筋肉の状態を把握することはある程度可能である．

e 治　療

1) 脱臼の整復

整復に先立ち必ず単純 X 線写真や CT で骨の位置関係や骨折を確認する．また血管・神経損傷の合併の有無を確認しておく．

受傷後早期にはどの型の脱臼でも伝達麻酔により除痛と脱力が得られれば，徒手整復は困難ではないことが多い．通常後方，後外方脱臼，横分散脱臼はいずれも長軸方向への牽引下に，皮下に突出した肘頭あるいは橈骨頭を圧迫すれば整復は容易である．

側方脱臼も容易に徒手整復が可能であるが，内側脱臼では肘筋が嵌頓している場合には徒手整復が不能なことがある．内側上顆骨折がある症例では，内側上顆骨片が関節裂隙に嵌頓して徒手整復不能になることがある．伝達麻酔下で徒手整復ができないときには，できるだけ早期に観血的整復を行う．

2) 保存療法

基本的に保存療法を行う．徒手整復後，自・他動的に屈伸，回旋，内・外反を行い，安定性が得られていることを確認する．伸展しても 30° 以上の屈曲位で再脱臼しないことを確認する．固定肢位は 90° の屈曲位とし，腫脹の程度や安定性を考慮して 1〜2 週間の外固定を行いその後自動運動を始める．伸展位での安定性に不安がある症例では，屈曲のみの自動運動から始めるとよい．屈曲は比較的早期に回復するが，伸展制限が持続することが多い．屈曲練習だけでなく，伸展練習も行うように指導する．整復後 6 週までは，手をつかない，重量物を持たない，他動的には動かさないなど，肘関節にストレスがかからないように指導する．柔道，レスリング，体操，投球など肘関節に大きい負荷のかかる競技への復帰は，可動域制限と筋力の回復を待って行う．通常 3 ヵ月以上を要する．徒手的に整復した後に関節が安定している場合の治療成績は通常良好である．

3) 手術療法

a) 手術適応

①介在物などにより整復ができないもの，②整復しても再脱するもの（多くは 30° 以上の伸展で再脱臼）安定性が得られないもの，③著明な内外反不安定性があるもの，④内側上顆や外側上顆に付着する筋群の大断裂があるもの，④合併骨折が手術適応であるもの（各骨折の項，complex elbow instability の項参照）は手術適応となる．

骨折のない脱臼例の大半に，内側側副靱帯，外側側副靱帯または両者の損傷が合併している．関節面骨折がないもしくは小さいにもかかわらず，整復後に安定性が得られない場合には，肘関節をまたいで走行する上腕筋や内・外側上顆に付着する筋群の広範な損傷を伴っていると考えてよい．内側側副靱帯の表層に存在する屈筋群，外側側副靱帯の表層に存在する伸筋群の大断裂があると，靱帯損傷を合併しておりその断端が翻転するなどして元の位置に存在しないことがある．この状態では，保存療法では靱帯の修復が得られないため手術が必要である．手術適応となる不安定性の絶対的基準はないが，手術は比較的容易であり，治療成績は良好であることから，肘関節の安定性が重要である重労働者やスポーツ愛好家では手術的靱帯修復を積極的に検討する．

574 | 各 論 第13章 上肢の骨折

各筋，靱帯損傷を修復してもなお安定性が得られない場合は創外固定を行う．ヒンジ付き創外固定器を用いると術直後からの関連運動が可能となる．創外固定が用意できない場合は，太い Kirschner 鋼線により腕尺関節の一時的な固定（2～3週）を行ってもよいが折損に注意する．complex elbow instability（附-9）では後方脱臼に対する前方関節包の修復の重要性が議論されているが，骨折のない脱臼における修復の意義は不明である．

b）各部位の修復法

各骨折，靱帯の修復法については，それぞれの項（附-10 靱帯損傷）を参照のこと．

c）後 療 法

術後の安定性にもよるが，可能であれば整復1～2週後から自動運動を開始する．しかし再脱臼の危険性があれば，安定が得られる屈曲角度で3週程度の外固定を行う．もしくは安定する範囲内で固定肢位から屈曲方向だけの自動運動を行う．関節不安定性と関節拘縮を比較すると関節拘縮のほうが対処しやすい．関節適合性がよい関節に対しては授動術で可動域の獲得が可能であるが，関節不安定性の残存は予後不良で回復は困難である．

附-10 靱帯損傷

肘関節靱帯損傷は単独または骨折や肘関節脱臼と合併して発生する．特殊なものとしては，内反肘に伴う内反ストレスによる外側靱帯の機能不全や，投球動作などの外反ストレスの繰り返しよる内側靱帯損傷がある．外側靱帯損傷では内反不安定性や後外側回旋不安定性が生じ，内側靱帯損傷では外反不安定性が生じる．

靱帯損傷は肘関節脱臼に合併する損傷としても重要である．McKee によると，手術を要した肘関節脱臼62例中，全例に外側靱帯損傷があり，さらに41例に伸筋群の損傷も伴っていた．また Josefsson は31例の単純脱臼全例に内側靱帯損傷があり，18例に外側靱帯損傷があったと報告している．また complex elbow instability（附-9）においても靱帯損傷の把握とその修復は重要である．

1）外側支持機構・外側側副靱帯複合体の損傷

外側側副靱帯複合体は肘関節の内反ストレスに対する靱帯である（図13-4-5参照）．また，構成体には輪状靱帯も含まれることから，橈骨頭の前方・後方偏位を制御する靱帯でもある．手で物を持つ動作は肩関節内旋位，肘関節屈曲位で行われることが多く，その肢位での前腕以下を支持する構造体として重要性が高い．

後外側回旋不安定性 posterolateral rotatory instability（PLRI）は1991年 O'Driscoll によって提唱された概念である．肘関節軽度屈曲位で手をつき転倒した場合，肘関節には外反，回外，軸圧が加わり，橈骨と尺骨が一体のまま後外側に回旋偏位する受傷機転をとり，外側側副靱帯複合体，特に外側尺側側副靱帯 lateral ulnar collateral ligament（LUCL）（図13-4-5参照）を損傷した場合にこの不安定性が発生するとされている（図13-4-145）．このような例では肘関節を伸展し前腕を回外するだけで亜脱臼が生じロッキングや弾発感を自覚する．また軽微な外力で肘関節が脱臼したと感じるが，ほとんどの場合自力で整復可能である（図13-4-148）．この不安定性は誘発テスト pivot shift test（図13-4-146）で再現可能である．PLRI においては LUCL の役割が強調されいかにも LUCL 単独の損傷として取り扱われていることが多いが，手術例の報告や自験例においても LUCL 単独ではなく外側側副靱帯複合体，特に外側側副靱帯 radial collateral ligament（RCL）と LUCL が合流する部位より近位の上腕骨付着部の損傷であることが大部分である．

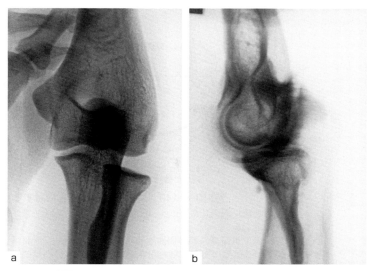

図13-4-148 肘関節脱臼整復後の不安定性の遺残
a. 内反ストレスを行うと外側関節裂隙は容易に開大する．
b. 関節造影：誘発テスト pivot shift test を行うと橈骨頭は後方へ亜脱臼を生じる．PLRI である．

　内反後内側回旋不安定性 varus posteromedial rotational instability は鉤状突起の前内側面の骨折を伴う特殊な不安定性であり，通常，外側側副靱帯複合体の損傷を伴っている．一見関節の適合性に問題がないようにみえるが，軸圧や内反ストレスにより滑車切痕が滑車に対して内後方に回旋して亜脱臼不適合性があり，手術治療を要する損傷である（鉤状突起骨折の項，p.555参照）．
　外側側副靱帯複合体の単独損傷は保存的に治療が可能である．1～2週の外固定後に自動運動を開始する．
　広範な伸筋群損傷を合併している損傷や，明らかな外後側回旋不安定性がある損傷では手術的に修復を行う．肘筋と尺側手根伸筋間を縦割し深部に進入すると，外側上顆から剥離した外側側副靱帯複合体を観察できる．表層の伸筋群の剥離を伴っているものは，筋膜を切開すると断裂した筋と靱帯が観察できる．RCL と LUCL の上腕外側上顆付着部での断裂が多いが，後方脱臼では外側側副靱帯複合体の一部である輪状靱帯が断裂していることがある．
　外側上顆の回転中心に suture anchor を固定し，剥離した RCL と LUCL を縫着する．伸筋群の断裂部はその近位側に固定した suture anchor でその上にかぶせるように縫着する．伸筋群の剥離が広範に及ぶときは，外側上顆稜に縫合糸をかけて伸筋群全体を引き上げるように縫着する．陳旧例で縫着が難しい場合は，長掌筋腱などの遊離腱を断端もしくは輪状靱帯に通して輪状靱帯をつり上げるように緊張をかけて固定する（**図13-4-150**）．LUCL の再建法もさまざま報告されており，いずれも良好な成績である．

2）内側側副靱帯損傷

　内側側副靱帯は肘関節外反ストレスに対する靱帯である．肘関節は生理的外反があるため，通常の手をつく動作により外反ストレスが生じる．また投球動作やラケットを振る動作においても強いストレスがかかる靱帯である．
　小倉らは実験的研究により内側側副靱帯損傷を3つの型に分類している．Ⅰ型は近位起始部の断裂，Ⅱ型は前斜走靱帯の前方部が遠位で，前斜走靱帯が後方部で後斜走靱帯が近位部で断裂する Z 型断裂，Ⅲ型は遠位停止部の断裂である（**図13-4-144**）．
　内側側副靱帯損傷は新鮮例，陳旧例いずれも MRI で明瞭に描出できる（**図13-4-**

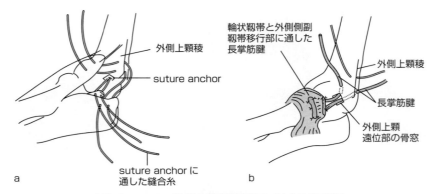

図 13-4-149　外側支持機構損傷に対する修復術
a. 外側上顆に固定した suture anchor を用いて外側側副靱帯複合体を近位に引き上げ固定する．
b. 陳旧例では短縮した外側側副靱帯複合体の断端（多くは輪状靱帯の近位縁）に長掌筋腱を通して外側上顆へ引き上げ固定する．さらに弛緩，瘢痕化した伸筋群をリーフィングして縫合する．

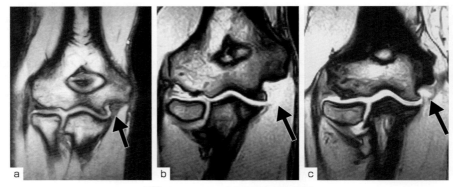

図 13-4-150　内側側副靱帯損傷
a. T2 star 像では側副靱帯は内・外側とも低信号で描出される．
b. 新鮮亜脱臼例．出血と関節液の流出のため高信号となる．
c. 投球動作中に雑音とともに断裂した例である．
矢印は内側側副靱帯を示す．

150）．超音波診断装置でも診断可能である．Dürig は外反動揺性が明らかで内側側副靱帯の断裂があれば手術的に修復するべきであるとし，一方 Josefsson らは保存療法例でも手術的修復例でも成績に差がなかったと述べている．今谷らは屈筋群断裂を伴う損傷は手術的修復を推奨し，良好な術後成績を報告している．

　伸筋群の剥離を伴っているものは，筋膜を切開すると断裂した筋と靱帯が観察できる．尺側手根屈筋が剥脱していない場合には，この前方から屈筋群を縦切して深部に入り，内側上顆下端から滑車内側部を展開する．靱帯が中央部または遠位部で損傷している場合は，屈筋群の縦切を遠位まで延長しなければならない．前斜走靱帯は起始部か停止部で断裂していることが多いが，起始部は内側上顆基部に，停止部は鉤状結節部に縫合糸 suture anchor で固定して縫着する（**図 13-4-151**）．

　陳旧例では多くは近位側の損傷による変性が全体に及んでいることが多いため，腱移植を行い再建する．さまざまな方法が報告されているが，いずれの方法も良好な成績が報告されている（**図 13-4-152**）．

4 上腕骨遠位部・前腕骨近位部骨折

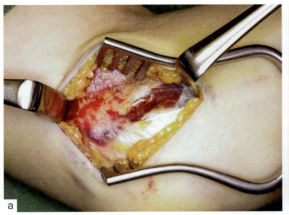
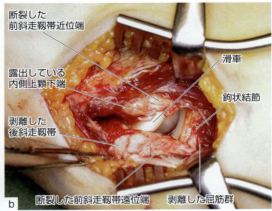
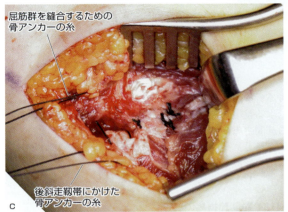

図 13-4-151　内側側副靱帯損傷の修復
a. 表層筋膜は断裂せずに残っていた．
b. 筋膜を切開すると，屈筋群と内側側副靱帯が広範囲に断裂しており，関節内が見える状態であった．靱帯はZ状に断裂していた（図 13-4-144）．
c. 実質断裂部は縫合し，骨からの剥離部分は suture anchor で縫着した．

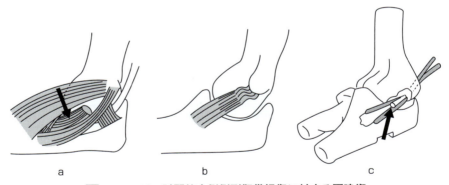

図 13-4-152　肘関節内側側副靱帯損傷に対する再建術
a. 尺側手根屈筋上腕頭の後縁から 5〜8mm 前方を鋭的に縦切すると内側側副靱帯の前斜走靱帯がみえる（矢印で示す）．
b. 陳旧例でも近位部の損傷は瘢痕化が明瞭である．
c. 長掌筋腱を靱帯遠位停止部の骨孔に通す．内側上顆前下縁に作製した骨孔を通して緊張下に肘頭から採取した骨釘（矢印）で移植腱を固定する．術後4週の外固定を要する．

附-11 外傷性肘関節拘縮 post traumatic contracture of the elbow

肘関節の可動域制限の原因は，先天性疾患，関節リウマチ，変形性関節症，神経麻痺，肘周囲軟部組織の損傷による瘢痕・癒着などさまざまであるが，肘関節周辺の骨・関節損傷が大きな割合を占める．特に脱臼・脱臼骨折，肘頭骨折，上腕骨遠位部粉砕骨折などの外傷後の拘縮の頻度が高い．

a. 関節拘縮の病態

関節拘縮の原因は単一であることは少なく，さまざまな病態が複合して関節可動域を障害していることはいうまでもない．そのいずれかひとつを残しても十分な改善は得られない．

外傷後の関節拘縮は関節適合性が最も重要な要因である．関節面の転位による不整や不安定性のための対向不良が残存していると可動域の改善は難しい．骨の手術を先に行い，骨のアライメントを整える必要がある．

軟部組織では成人，若年者を問わず内側側副靱帯後斜走靱帯の瘢痕化が屈曲制限の原因として最も多い．徒手矯正術を受けた例では後内側の異所性骨化が高頻度にみられる（**表13-4-3**）．若年者の異所性骨化は顆上骨折例で多く，巨大な骨化を形成しやすい．成人の異所性骨化は後内側，後方に多いが，頭部外傷例を除き巨大なものは少ない．

前方・後方関節包の肥厚・瘢痕化は，それぞれ伸展制限，屈曲制限の原因となる．外側関節包の肥厚は外側進入路による骨接合術後の例に多い．

筋の瘢痕化・癒着は後方進入による整復固定術後の例に多い．後方進入による手術後の拘縮は上腕三頭筋の内・外側も筋間中隔から十分に剝離する必要がある．上腕筋の瘢痕は肘関節脱臼・脱臼骨折のあとに多く，高度な伸展制限をもたらす．ときには前方関節包と区別がつかないほど高度な瘢痕形成もみられる．

表13-4-3 肘関節拘縮の病態

	（年齢）	16≦合計%	15≧合計%
異所性骨化	後内方	49.1	22.9
	後方	21.8	0
	前方	5.5	20.0
	後外側	5.5	0
	前外側	0	14.3
靱帯肥厚	POL肥厚	70.9	65.7
関節包肥厚	前方	43.6	51.4
	後方	52.7	60.0
	外側	12.7	17.1
筋瘢痕・癒着	上腕筋	8.1	8.6
	三頭筋	15.5	17.1
	二頭筋	0.9	0
	前腕屈筋	0.9	5.7
その他	変形治癒・偽関節	0	8.6
		n=110	n=35

15歳を境に手術所見を累積表示した．

（伊藤惠康ら：MB Orthop, 2002 より）

b. 治　療

肘関節授動術の適応は保存的，手術的を問わず以下の条件が必須である．①肘関節部の皮膚が良好であること，②骨折がある程度解剖学的に整復固定され，癒合していること，③関節軟骨面の大きな損傷がないこと，④肘関節屈・伸筋力が十分であること．

1) 保存療法

拘縮の治療は予防に勝るものはない．手術的授動術を要する患者の60～80%が頻回の強力な他動可動域拡大訓練を受けており，これを中止させ自動運動のみとするだけで可動域の改善が得られるものも少なくない．他動可動域拡大訓練は非生理的な運動を強制し，瘢痕組織の弾性限界を超えた微小断裂を繰り返し，ますます瘢痕の増生，異所性骨化の発生をもたらすことになる．これを防ぐためには以下の注意が必要である．①強力な他動可動域拡大訓練をしない，②少なくとも自動介助運動 active assistive movement にとどめる，③弾性装具 dynamic splint を使用する（**図13-4-153, 154**）．

自動運動は関節面の対向がよい関節では関節面の適合が保たれた生理的運動であり，関節の機能回復に最も効果的である．自動運動が十分に行えない症例では弾性装具の使用を考慮する．弾性装具使用中でも頻回に自動運動を励行させる．

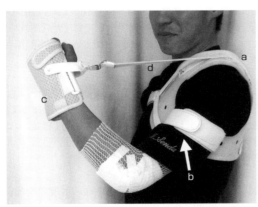 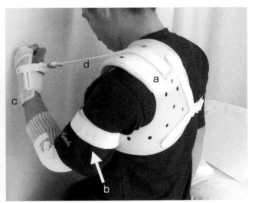

図13-4-153　屈曲用弾性装具

肩ハーネス（a）から手関節ストラップ（c）へかけたゴムバンド（d）で持続的に屈曲を加える．装着後上腕ストラップ（b）で上腕を固定する．自動屈曲を加える時は上腕ストラップをはずして屈曲力を加えながら肘関節を後方へ引けばより効果的である．（館林義肢製作所製）

（伊藤恵康ら：MB Orthop. 2002 より）

 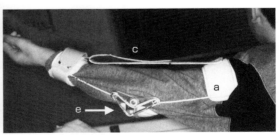

図13-4-154　肘関節伸展用弾性装具

a. 上腕 cuff，b. 前腕 cuff，c. 着脱用 strap，ベルクロを用いて装具を屈曲位として装着する．ベルクロを緩めれば伸展力が加わる．矯正力を制限することも可能である．d. 関節部でシリコンゴムにより持続的伸展を加える．シリコンゴムの強度を変えることにより矯正力を調節できる．e. 肘頭部パッド（館林義肢製作所製）

580 各 論 第13章 上肢の骨折

2）手術療法

骨直上部や伸展側の遊離植皮後の瘢痕などは可動性のある柔らかい皮膚に置換しておく．関節面の整復は不可能なことは少なくないが，関節面の不適合が残存する場合の成績は概して不良である．できるだけ解剖学的位置に整復することを目標とする．変形がある場合でも単純な骨切りと強固な内固定ができれば，一期的に授動術を施行してよい．上腕二頭筋，三頭筋の瘢痕化は授動術に先立ち，血管柄付き筋移植などで再建しておかなければならない．

関節軟骨が広く損傷されている場合には年齢を考慮したうえで人工肘関節置換術などの適応を考える．

a）内側進入路

最も大きな原因である肘関節内側の瘢痕の切除は授動術の根幹である．程度の差こそあれ，尺骨神経の刺激症状は術後の可動域訓練の重大な支障になるので，尺骨神経の癒着や絞扼や圧迫があればまずその解除を行う．瘢痕化した後斜走靱帯を切離もしくは切除する．屈曲が不十分であれば後斜走靱帯に連結した後方関節包を切離もしくは切除する．肘頭窩脂肪体が残っていれば温存する．

b）前方進入路

程度の差こそあれ肘関節外傷後にはほとんどの例で伸展制限がみられるが，肘関節後方脱臼，脱臼骨折，長期間の屈曲位固定後では高度の伸展制限を伴うことが多い．30°以下の伸展制限は ADL 上ほとんど支障がないが，運動選手などではできる限り完全伸展を目指す．肘窩の横切開で侵入し，上腕筋を線維方向に鈍的に分け，前方関節包に達する（図13-4-29参照）．肥厚した関節包を切開もしくは切除する．

c）外側・後外側進入路

外側の異所性骨化や外側進入による術後の拘縮に用いる．上腕骨顆部骨折，顆上骨折では三頭筋外側縁が外側顆後面，外側上顆稜に癒着して屈曲制限の原因になっている．癒着が広範囲な例では内側進入路からでは十分に剥離しにくいことがあり，この進入路から十分に剥離し，三頭筋の十分な滑走を得ておく．小頭後方の関節包や肘筋の拘縮や癒着も屈曲制限の原因となる．これらの切離が必要な症例もある．

d）関節鏡下関節授動術

関節鏡下に癒着の剥離や骨棘の切除を行うことができる．外傷後の軽度の拘縮例では良好な成績が報告されている．病態が広範囲に及ぶ高度の拘縮例では，技術的に困難であり，十分な拘縮解離には熟練を要する．

3）後 療 法

屈曲位拘縮なら伸展位を，伸展位拘縮なら屈曲位をそれぞれ強めて塊状圧迫包帯 bulky dressing を行う．術後3～4日で外固定を除去し自動運動を開始する．術中抵抗なく屈伸できた可動域が目標となる最終可動域である．弾性装具は疼痛による反射的筋緊張を避けるため術後1～2週ほど経過してから使用する．

▌Monteggia 骨折　Monteggia fracture–dislocation

尺骨近位 1/3 の骨折と橈骨頭の脱臼（腕橈関節脱臼）を合併する損傷を Monteggia 骨折あるいは Monteggia 脱臼骨折と呼び，Monteggia（1814）が最初に報告したことからこの呼称が用いられている．この骨折は受傷初期の診断が重要であり，正確な診断がつけば治療は容易であるが，橈骨頭の脱臼が見逃されて陳旧化したものは治療が著しく困難となる．

橈骨頭脱臼では輪状靱帯が断裂するとの記述が多かったが，断裂がない症例も少なくない．特に小児例では断裂例が少なく，輪状靱帯遠位の関節包が橈骨頸部で輪状に

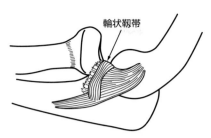

図13-4-155 橈骨頭脱臼時の輪状靱帯・関節包損傷
輪状靱帯は輪状靱帯遠位部の関節包が橈骨頸部で輪状に裂けて，ニット帽子を脱ぐように橈骨頭から外れることが多い．

裂け，ニット帽子を脱ぐように橈骨頭が脱臼している（図13-4-155）．このため徒手整復に成功すれば橈骨頭は輪状靱帯に納まりその安定性が得られる．輪状靱帯の損傷では，実質部の断裂も尺骨付着部の剥離もある．

頻度は比較的まれであり，上村によれば肘関節部外傷751例中16例（2.1%），Kimによれば2%，Badoによれば全前腕骨折中1.7%と報告されている．

a 受傷機転と骨折形の分類

1）Bado分類

1967年Badoは，Monteggiaが提唱した古典的な尺骨近位1/3の骨折のみではなく，尺骨骨折がどの部位にあっても尺骨骨折と橈骨頭脱臼，あるいは尺骨骨折と橈骨頸部骨折，尺骨骨折とそれより近位の橈骨骨折などは，尺骨遠位骨片の転位方向と橈骨頭または近位骨折の転位方向が同じであることから受傷機転が同一であり，類似の損傷であるとした．それらの損傷を広義のMonteggia損傷（Monteggia equivalent lesion）とし，その転位方向により4型に分類した（図13-4-156）．

I型：前方凸変形の尺骨骨幹部骨折に橈骨頭前方脱臼を伴うもの．Monteggia損傷の中で最も頻度が高い．Evansの屍体実験から，転倒して地面についた手が固定され，体幹の回旋により前腕が回内を強制されて発生するとする説が有力である（図13-4-157）．このほか前腕後方からの直達外力説，肘関節の過伸展に上腕二頭筋の反射的収縮が加わって発生するなどの説がある．同じく橈骨頭前方脱臼を示すIV型を含めて小児の本骨折の70〜85%を占める（図13-4-158）．

II型：尺骨の後方凸変形に橈骨頭の後方脱臼を伴うもので，屈曲位損傷とされている．発生機転は不明であるが，Badoは直達外力か回外力によるとしている．比較的まれで小児の本骨折の5%を占めるにすぎない．

Jupiterらは尺骨骨折の位置によりII型をさらに4型細分類した（図13-4-159）．骨折が肘頭と鉤状突起に及ぶIIA，IIDの骨折型は，腕尺関節の対向が保たれていることはほとんどなく，原著の論文でもその後の追試論文でも，腕尺関節と腕橈関節双方の脱臼を伴っている脱臼骨折もMonteggia脱臼骨折として扱われJupiter分類ではIIA，IIDに分類されている．腕尺関節の対向は保たれ腕橈関節が脱臼するという

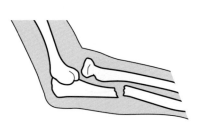
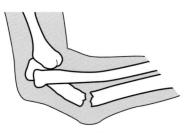

Ⅰ型
尺骨骨折の前方凸変形と橈骨頭の前方脱臼が合併している

Ⅱ型
尺骨骨折の後方凸変形と橈骨頭の後方脱臼が合併している

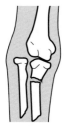
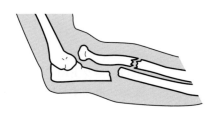

Ⅲ型
尺骨骨折の外側方凸変形と橈骨の外側脱臼が合併している

Ⅳ型
橈・尺骨骨折と橈骨頭の前方脱臼が合併している

図 13-4-156　Monteggia 骨折に対する Bado 分類
（佐々木　孝：前腕部，小児の骨折．メディカル葵出版，1988 より）

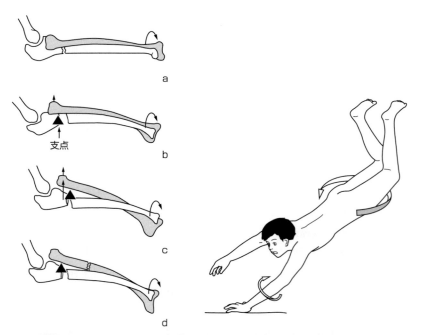

図 13-4-157　Monteggia 骨折Ⅰ型の発生に関する Evans の回内説
手をついて転倒すると，上腕および肘が強く回外される結果，前腕に強い回内力が働き，まず尺骨が骨折し (a)，次いで尺骨の近位部がテコの支点の役割をして橈骨頭を前方に押しやり (b)，Bado 分類Ⅰ型の Monteggia 骨折となる (c)．この力がさらに持続すると橈骨の骨折を発生し，Bado 分類Ⅳ型の Monteggia 骨折となる (d)．

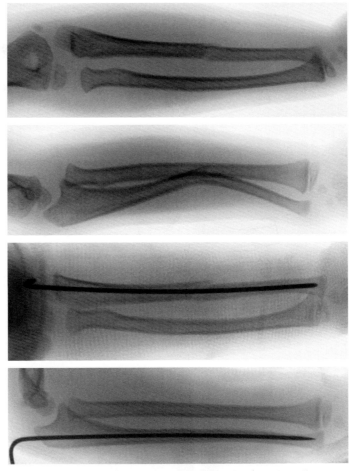

図 13-4-158 小児 Monteggia 骨折（Bado 分類 I 型）
尺骨骨幹部で前方凸変形となる若木骨折に橈骨頭の前方脱臼が合併している．尺骨を徒手整復すると橈骨頭も整復された．尺骨は Kirschner 鋼線を髄内釘として挿入し固定した．

Monteggia 脱臼骨折本来の性質とは違うものにも Monteggia の呼称が用いられることにより，治療方針上の混乱も生じていると思われる．肘頭骨折があり腕尺関節と腕橈関節双方の脱臼があるものは肘頭脱臼骨折に分類，治療法もそのグループのなかで検討される方が理解しやすい（肘頭脱臼骨折の項, p. 563 参照）.

　Ⅲ型：外側凸変形の尺骨骨折に橈骨頭の外側脱臼を伴うものである．尺骨骨折は近位側，多くは肘頭直下に発生する場合が多い（図 13-4-160）．受傷機転は回外と過伸展によるとする説があるが，Bado は肘関節内側への直達外力によるとしている．小児の本骨折の 15～25％がⅢ型である．成人ではⅢ型は少ない．

　Ⅳ型：橈・尺骨の骨折に橈骨頭の前方脱臼を伴うもので，Ⅰ型を引き起こす回内力がさらに強く作用し続けて発生すると考えられる．尺骨の骨折部は近位 1/3 にあるが，通常橈骨の骨折部位のほうが遠位である．

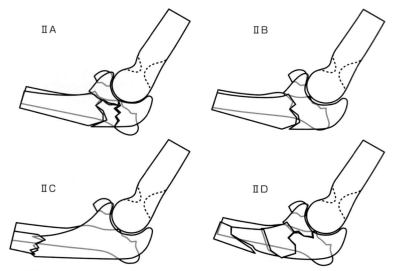

図 13-4-159　Monteggia 脱臼骨折Ⅱ型（後方脱臼）　Jupiter の細分類
ⅡA．尺骨骨折が肘頭と鉤状突起に及ぶ．
ⅡB．尺骨骨折が骨幹端（鉤状突起より遠位）にある．
ⅡC．尺骨骨折が骨幹部にある．
ⅡD．尺骨骨折が近位 1/3 から 1/2 にわたってある．

(Journal of Orthopaedic Trauma 5 (4)：395-402, 1991 より作図)

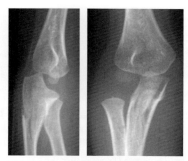

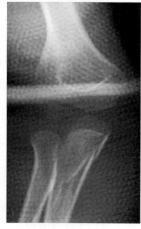
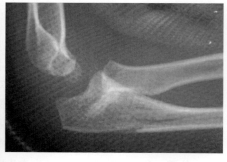

図 13-4-160　小児 Bado 分類Ⅲ型の骨折
内反を伴う肘頭部の骨折に橈骨頭外側脱臼が合併している．徒手整復可能であり，保存的に治療した．

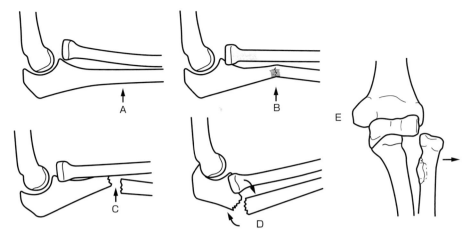

図 13-4-161　小児の Monteggia 骨折に対する Letts の分類

小児前腕骨の弾力性から成人のそれとは異なった分類が提唱されている．
A 型：尺骨の掌側への可塑性弯曲に伴う橈骨頭前方脱臼
B 型：A 型に尺骨の若木骨折が加わったもの
C 型：尺骨の完全骨折＋橈骨頭前方脱臼
D 型：尺骨の後方凸変形と橈骨頭後方脱臼
E 型：尺骨近位部骨折に伴う橈骨頭側方脱臼
小児では B，C 型が最も多い．

(Letts M：Dislocations of the Child Elbow. The Elbow, WB Saunders, 1985 より)

2) Letts の小児 Monteggia 骨折の分類

　　Letts は急性塑性変形や若木骨折などの小児の弾力性のある骨損傷の特徴から，成人とは別に小児 Monteggia 骨折の分類を提唱した（図 13-4-161）．小児でも成人と同様に橈骨頭前方脱臼，尺骨前方凸変形の組み合わせが最も多い．

b 診　断

　　受傷直後は尺骨の変形と脱臼した橈骨頭が触知できるが，時間の経過とともに腫脹が増強し，単純 X 線写真なしには診断困難となる．

　　転位のある前腕骨骨折の場合は必ず肘関節と手関節を含めて単純 X 線写真撮影を行う．肘関節に症状がある場合には，肘関節を中心に撮影された単純 X 線写真も必要である．尺骨の骨折に目を奪われて腕橈関節の脱臼を見落とすことがあるが，その原因として最も多いものは肘関節の正確な正面・側面像が撮影されていないことである．疼痛のために不適切な肢位でとられた単純 X 線写真で妥協せず，正確な肘関節の正面・側面像を得るよう努めなければならない．

　　正確な側面像では橈骨頭・頚部の中心を結ぶ線は，肘関節の屈曲角度にかかわらず上腕骨小頭（小児では外顆骨端核）の中心を通るので，この関係が乱れていれば腕橈関節脱臼を疑う（図 13-4-162）．側方脱臼を呈するⅢ型では正面像が決め手となる．

　　逆に尺骨骨折を見逃すこともある．肘関節に異常を認めるときには，前腕の撮影も必要である．尺骨骨幹部骨折の診断は容易なことが多いが，肘頭骨折あるいは近位部の若木骨折，急性塑性変形 acute plastic bowing などは見逃されやすい．小児では健側の単純 X 線写真を参考にするとよい．

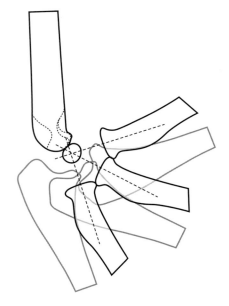

図 13-4-162　橈骨長軸と上腕骨外顆核との関係
肘関節の屈曲角度を問わず，橈骨長軸は外顆骨端核の中心を通る．この関係が保たれなければ腕橈関節脱臼が疑われる．

C 治　療

骨折した尺骨（Bado 分類Ⅳ型では橈骨も）の解剖学的整復と安定した固定を得ることが，橈骨頭の安定した整復をもたらすためのカギとなる．小児では保存的治療が可能なこともあるが，成人の Monteggia 骨折ではほとんどの場合手術的整復・固定を要する．小児，成人を問わず，橈骨頭が整復位で安定していることが初期治療で必須である．徒手整復に成功しても，指頭による圧迫を継続，あるいは最大回外位を保持しなければ整復位を維持できないようであれば，手術的に整復障害因子を取り除かなければならない．原因は尺骨の整復不良のことが多いが，脱転した輪状靱帯や橈骨神経深枝の嵌頓の可能性がある．

1）保存療法

橈骨頭の徒手整復法は Bado 分類によって異なる．いずれも全身麻酔下に行う．尺骨骨折や橈骨頭の整復が不十分，整復しても安定性が不良と判断したら，迷わずに手術療法に移行する．

Ⅰ型：肘関節を屈曲位，前腕を回外位として，長軸方向へ牽引しながら尺骨の前方凸部を圧迫してできるだけ整復しておき，母指で脱臼した橈骨頭を前方から後方へ圧迫すると整復される．前腕を回旋中間位に戻しても橈骨頭が脱臼しないことを確認し，肘関節屈曲 100°，前腕回外位で上腕から手関節まで尺骨の骨癒合が得られるまで副子固定を行う．急性塑性弯曲の徒手整復は受傷後数日以内なら可能である．前腕を回外位とし尺骨前面の弯曲頂部に両手の親指を置いて支点を作り，残り 4 本の指で前腕を把持し，力をかけて弯曲を曲げ戻す．徐々に矯正力を強めながら時間をかけて行う．暴力的な整復は避けなければならないが，整復にはそれなりの力を要する．尺骨の弯曲が整復されれば，多くの場合橈骨頭は整復される．

Ⅱ型：肘関節伸展位で牽引下に尺骨突出部を後方から圧迫し，次いで後方に突出し

た橈骨頭を前方に圧迫して整復する．肘関節伸展位で上腕から副子固定を行う．

Ⅲ型：肘関節伸展位で尺骨の突出部を圧迫しながら肘を外反すると，尺骨とともに橈骨頭が整復感を伴い整復される．肘屈曲 90°，前腕中間位で副子固定を行う（**図13-4-160**）．

Ⅳ型：この型はまれであり，かつ徒手整復に成功する可能性は少ない．手術療法の適応である．

外固定中も前腕と肘関節の正確な正面・側面の単純 X 線写真を定期的に撮影し経過を観察し，外固定中あるいは後療法中に橈骨頭が再脱臼する傾向がみられたら早期に手術を行う．徒手整復後の後療法は尺骨の癒合を確認してから行う．

■2) 手術療法

徒手整復が不能か，整復位の保持が困難な場合には前述の整復障害が考えられ手術適応となる．受傷後 10～14 日以上経過したもの，思春期以後の年長児，成人は手術を要することが多い．

手術の基本はまず尺骨の整復である．尺骨の整復は軸を合わせるだけでなく，骨長の整復も重要である．粉砕骨折などで尺骨が短縮すると一度整復された橈骨頭は容易に再脱臼することがある．尺骨が解剖学的に整復されれば橈骨頭は自然に，あるいは徒手的に容易に整復され安定する．尺骨が整復できることが分かれば，橈骨頭の徒手整復を試みる．容易に整復できることが分かれば，尺骨の固定を行う．整復が容易でないときには尺骨の固定前に橈骨頭を展開して整復阻害因子を処理する．尺骨の内固定材料は小児では Kirschner 鋼線の髄内釘で十分であるが（**図 13-4-158**），年長児から成人はプレートのほうがよい（**図 13-4-140**）．

尺骨を整復しても橈骨頭が整復されない，あるいは回外位でないと整復位を保持できない場合は，脱転した輪状靱帯の嵌頓か，または橈骨神経麻痺が合併している場合には橈骨神経深枝の嵌頓が考えられる．通常 Kocher の外側進入で腕橈関節を展開する．後者の場合は Henry の前方進入で橈骨神経深枝を確認してから，直視下に橈骨頭の整復操作を行う．輪状靱帯を引き出して橈骨頭を整復しながら，輪状靱帯を橈骨頭にかぶせるようにして解剖学的に修復する．必要ならいったん切離してもよいが，新鮮例では切離を要することは少ない．尺骨が正しく整復されていればこれだけで橈骨頭は安定する．Kirschner 鋼線による腕橈関節固定を要するような状態では，鋼線抜去後に再脱臼することがある．不安定な場合は再度尺骨の整復状態を確認する．固定後であれば一度固定を外し整復し直す．骨折例でその周辺に塑性変形が合併し，骨折部の整復がよくてもプレート固定後に弯曲が残ることがある．過矯正気味に固定せざるを得ないことはあるが，その場合尺骨が短縮しないように注意が必要である．Lincoln の maximum ulnar bow（MUB）の計測は弯曲の頂点を明瞭に示すので，急性塑性変形に対し矯正骨切り術を行う場合に至適部位（頂点）の決定に便利である（**図13-4-163**）．変形治療後に矯正骨切り術を行う場合にも利用できる．

d 合併症

橈骨神経麻痺，特に運動枝である後骨間神経麻痺は報告により異なるが，軽度なものを含めると 20～30％とされている．後骨間神経は橈骨頭の前方を走行し，遠位を

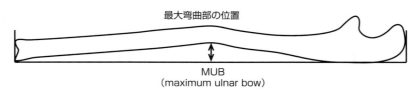

図 13-4-163　急性塑性弯曲の最大弯曲部の決定（Lincoln）
単純 X 線写真側面像で尺骨背側遠位骨端と肘頭背側骨皮質を結んだ線と尺骨背側骨幹部骨皮質までの最大距離を MUB とする．

arcade of Frohse で押さえられているため，前方へ脱臼した橈骨頭により圧迫や牽引を受ける．まれに前方へ脱臼した橈骨頭の後方に嵌頓し，高度な麻痺を呈すると同時に整復障害因子となることがある．通常の神経損傷は一過性のことが多く，通常 2～3 ヵ月で回復する．また整復後に発生した麻痺や，放置された橈骨頭脱臼例で 20 年後に遅発性後骨間神経麻痺が発生した例が報告されている．

e 治療成績を左右する因子

保存療法，手術療法を問わず，橈骨頭の亜脱臼，脱臼の有無が治療成績を左右する．初療時に尺骨の短縮・変形がなく正確に整復され，橈骨頭が正しく整復されていれば成績は良好である．整復後に最大回外位を保持しているかあるいは指頭で圧迫していないと整復位を保持できないような例では，腕橈関節を Kirschner 鋼線で一時固定を行っても，固定除去後に再脱臼する．亜脱臼は一部が上腕骨小頭に接触しているため，むしろ完全脱臼例よりも早期に橈骨頭の変形が進むので，経過をみることなく手術を決断しなければならない．前方完全脱臼は前方亜脱臼や後方脱臼に比べて橈骨頭は変形しにくいので，陳旧化しても良好な成績を得ることができる症例が多い．

新鮮例の手術的整復・固定は，尺骨の正しい整復と強固な固定が必須である．尺骨粉砕骨折例では特に尺骨長を解剖学的に維持することが重要である．

f 陳旧性 Monteggia 骨折

陳旧例では尺骨の変形はリモデリングされていることが多く，一見，橈骨頭単独脱臼を思わせるが，健側と比較すると尺骨の変形が判明する．多くの例は橈骨頭前方脱臼であり，明らかな外傷歴がある症例を除いては，まず先天性脱臼との鑑別が必要である（橈骨頭脱臼の項，p. 591 参照）．

軽度の疼痛，肘関節の不安定性，可動域制限などの症状があるが，先天性脱臼と同様に症状は軽微で機能的にも問題がない例が多いので，軽微な外傷を契機に撮影した単純 X 線写真で偶然発見されることも少なくない．

陳旧例は前方脱臼は橈骨頭の変形は少ないが，外側脱臼や後方脱臼は橈骨頭がそのままの形態では整復が不可能なほどに変形しているものもある（**図 13-4-164**）．このような例は少ないが，前方脱臼に比較して痛みや違和感，軋音などの自覚症状を訴えて受診するので診断されやすい．前方脱臼でも脱臼から数年を経過すると橈骨頭の肥大や関節面陥凹の消失，さらにはドーム状になるなど変形が生じる．また尺骨の橈骨切痕も徐々に浅くなる．

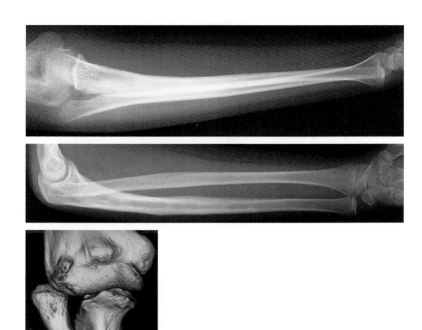

図 13-4-164　陳旧性の後外側脱臼例
受傷から4年が経過した後外側脱臼例である．高度の橈骨頭変形に加えて上腕骨小頭の変形もみられる．尺骨の橈骨切痕も浅くなっている．

1）手術適応

　経過が短い例に対しては手術を選択することに異論はないが，脱臼から長期間を経過した例で，特に症状の軽微な例では手術適応が問題となる．このような例でも適切に手術を行えば腕橈関節の対向は改善し，機能的にも改善が得られる例は多く，将来的な障害を考慮するといたずらに放置するべきではない．中村は12歳以下で3年以内の経過であれば良好な成績が得られるとしている．伊藤は5年以内であれば可動域を低下させることなく安定した整復位を得ることができるとしている．年齢，経過年数，橈骨頭変形の程度，橈骨切痕の陥凹の有無などを総合的に判断して決定すべきである．

　手術法の第一選択は，尺骨矯正骨切り術と橈骨頭の直視下の解剖学的整復であるが，成人の長期経過例では橈骨頭切除も選択肢としてよい．

2）手術法

　尺骨の手術は西尾の尺骨過矯正骨切り術が優れている．単純な矯正では尺骨長が短縮し，橈骨頭の安定した整復は得られない．多少なりとも延長が必要である．骨切り位置は尺骨骨折部がはっきりしていればその高位で，不明ならば近位1/3～1/4の高位とする．矯正角度，延長量は術前に計測しておくことが必要で，骨切り位置よりも遠位の尺骨と橈骨が骨間膜を介して一体として移動すると考え作図を行うとよい（図13-4-165）．しかし矯正角度と延長量は最終的には橈骨頭の安定性をみて術中に決定する．前方脱臼では背側凸，外側脱臼では内側凸とするが，必ずしもそれだけで安定

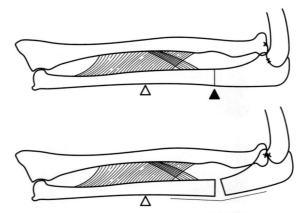

図 13-4-165 陳旧性 Monteggia 骨折に対する尺骨骨切り術
△：原骨折部がわずかに前方凸となっている．
▲：骨切り部
原骨折部が明らかでない場合は，近位 1/3〜1/4 からの位置で骨切りを行う．橈骨頭は尺骨遠位部と骨間膜を介してユニットとなっていると考える．橈骨頭と小頭が対向するまで，骨切り部よりも遠位の尺骨と橈骨を背側遠位に移動すると想定すると，必要な延長量と矯正角度が決まる．原骨折よりも中央から離れたところで骨切りを行うと過矯正が必要となる．
(Nakamura K et al：J Bone Joint Surg 91-A：1394-1404, 2009 より改変)

した整復が得られるとは限らず，術中に矯正方向の三次元的な微調整が必要なことがある．Kim らは尺骨急性塑性変形例を CT 画像より分析し，最大 44°の回旋変形があると報告している．屈曲変形の矯正だけで橈骨頭の安定性が得られない場合には回旋変形が原因の可能性がある．原骨折部で骨切りしても過矯正が必要なことがあるが，原骨折部が中央部にあり，それよりも近位側で矯正するときにはおのずと過矯正が必要となる（図 13-4-166）．

　尺骨の骨切りに先立ち外側方アプローチにより橈骨頭が納まるべき部位の瘢痕を切除し，橈骨頭が戻ってくる通路と納まるべき場所を確保する必要があるがこの操作が最も難しい操作である．数年経過した陳旧例でも輪状靱帯は通常小頭付近に円板状に残存しており，索状の構造に剝離することができる場合が多い．脱臼歴が浅いものでは靱帯をそのまま橈骨頭にかぶせ直すことができることもある．瘢痕化した輪状靱帯は橈側部分を切離すれば，再建靱帯の一部として用いることができる．

　次いで尺骨の骨切り術を術前計画に沿って行う．術前計画した尺骨を延長量と骨切り角度に合わせて屈曲させたプレートで固定する．プレート近位部が当たる部分はあらかじめスクリュー孔を作製しておく（図 13-4-166）．矯正力は骨間膜を介して得られるので，骨間膜の剝離は骨切り部のみとし，その前後はなるべく剝離しないようにする．

　通常，尺骨の矯正により橈骨頭は安定するが，可能であれば剝離し索状に形成した輪状靱帯を橈骨頭にかぶせて関節包に縫合し輪状靱帯を再建する．尺側から続く索状の残存靱帯を橈骨頭の前面に回し，足りない部分を遊離腱で補完し再建する方法もあ

4 上腕骨遠位部・前腕骨近位部骨折　591

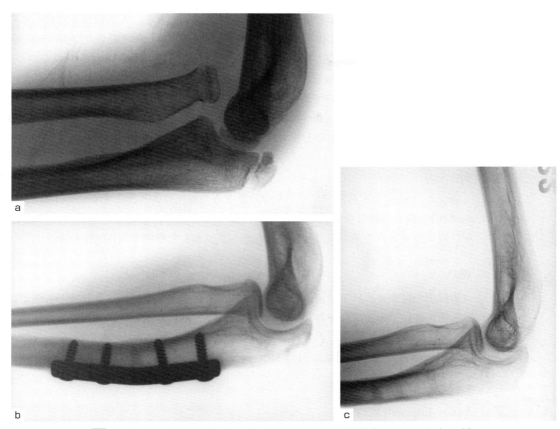

図 13-4-166　陳旧性 Monteggia 骨折に対する尺骨過矯正骨切り術（13歳）
　a. 橈骨頭前方脱臼，受傷後 8 年
　b. 尺骨過矯正骨切り術後 4 ヵ月．橈骨頭は整復位で安定している．
　c. 術後 8 ヵ月．肘関節可動域は 15〜125°．回旋は正常である．

るが，橈骨頭が安定している場合は外側の筋膜に縫合しておくだけでもよい．このほか，大腿筋膜（Campbell），前腕筋膜（Speed-Boyd），三頭筋腱膜（Lloyd-Roberts, Hohmann, Bell-Tawse），遊離腱などを用いて橈骨頚部に輪状靱帯を再建する方法があるが，本来輪状靱帯は頭部を鉢巻き状におおっているので，頚部に輪状靱帯をマフラー状に再建すると回内制限を残したり，頚部に再建靱帯によるくびれが発生することがある．現在はあまり行われない．固定肢位は回外位ではなく回旋中間位で行う．最近は仮骨延長法による尺骨延長術も試みられている．前述の再建術が不成功なら行う価値がある．

橈骨頭脱臼　dislocation of the radial head

　真の橈骨頭単独脱臼はまれである．橈骨頭単独脱臼と診断される症例の一部は，尺骨骨折が判然としなかった Monteggia 脱臼骨折と考えられる．肘頭の若木骨折や，尺骨骨幹部の急性塑性弯曲 acute plastic bowing が見逃されやすい．陳旧例では肘頭

あるいは尺骨骨幹部骨折を合併していたか否かが不明となり，先天性橈骨頭脱臼との鑑別が問題となる．前腕全体の注意深い観察と，健側との比較が必要となる．Ehlers-Danlos症候群など，全身関節弛緩がある症例での橈骨頭単独脱臼が報告されている．

先天性橈骨頭脱臼は外傷歴がなく出生時から脱臼があり，両側例は約半数を占める．前方脱臼，後方脱臼いずれもみられる．単純X線写真上の特徴として尺骨に比して橈骨が長い，橈骨頭のドーム状変形と細長い頸部，上腕骨小頭の低形成，滑車の部分欠損，内側上顆の突出などがあげられる．

a 受傷機転

Speed，Evansは前腕回内位で手をついたときの軸圧により発生するとし，Monteggia脱臼骨折と同様な受傷機転を考えている．Watanabeは肘関節過伸展位回外位で，床に置いた重量物を手で前に押し出そうとして受傷した症例を報告している．

b 治　　療

新鮮例では全身麻酔下に前腕を回外，肘関節を伸展することにより整復が可能とされるが，整復後の安定性が得られない場合には手術的に輪状靱帯の修復などの処置を要する．

陳旧性前方・側方脱臼は陳旧性Monteggia脱臼骨折に対して行われる尺骨骨切り術がよい適応である．

附-12 Essex-Lopresti 脱臼骨折

Essex-Lopresti（1951）の報告以来，橈骨頭脱臼に遠位橈尺関節脱臼を伴うものをEssex-Lopresti脱臼骨折と称する．橈骨頭は種々の程度の骨折を伴うことが多い．受傷機転は前腕回内位での長軸方向の外力とされており，橈骨頭を骨折，脱臼させるのみでなく，骨間膜損傷および遠位橈尺関節をも脱臼させる強力な外力によるものである．

Hotchkissらにより橈骨が尺骨に対し長軸方向に解離するacute longitudinal radioulnar dissociation（ALRUD）の概念が提唱されている（**図13-4-167**）．中村は長軸方向の外力が主体で骨間膜の損傷を伴うEssex-Lopresti脱臼骨折をⅠ型（長軸力優位型）（**図13-4-168**），ALRUDを伴わず回旋力主体で生じる脱臼骨折をⅡ型（回旋力優位型）と分類し，受傷機転の相違を明確にした．また類縁損傷として橈骨頭と尺骨頭が同時に脱臼するまれなbipolar dislocationも回旋力主体の損傷とし，Ⅰ型と異なりいずれも保存療法が奏功する可能性が大きいと述べている．

橈骨頭脱臼，骨折の治療にあたってはこの損傷機序を認識することが重要である．肘関節の外傷では必ず前腕と手関節部の診察も行う習慣をつけておく必要がある．また，橈骨頭脱臼，骨折があれば前腕と手関節の単純X線写真撮影を行うことも忘れてはならない．

長軸力優位型では粉砕した橈骨頭の治療，脱臼した遠位橈尺関節の整復とその支持組織の修復は必須である．橈骨頭は可能であれば骨接合術を行うが，長軸圧に耐えられる十分な固定性が求められる．不可能であれば人工橈骨頭に置換する．橈骨の長さが戻れば遠位橈尺関節の整復は容易である．一時的な橈尺骨間固定を行い，三角線維軟骨複合体などの支持組織も修復する．橈骨頭骨折が強固に固定できない例や陳旧例では骨間膜の再建を考慮する．

回旋力優位型では骨間膜損傷は軽度で通常の橈骨頭骨折と遠位橈尺関節脱臼の治療を行えばよい．

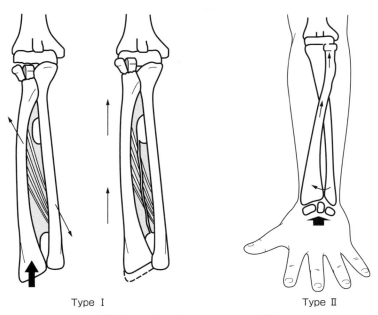

図 13-4-167　Essex-Lopresti 損傷
Type I：長軸力優位型．橈骨頭の粉砕骨折と骨間膜損傷により橈骨が近位に移動する．acute longitudinal radioulnar dissociation（ALRUD）とも呼ぶ．
Type II：回旋力優位型．回旋力が優位に働くことで遠位橈尺関節の背側脱臼・亜脱臼が生じ，橈骨に加わる軸圧力が継続することで橈骨頭の線状骨折を生じる．
（中村俊康：Essex-Lopresti 骨折の治療戦略．MB Orthop 21：85-92, 2008 より）

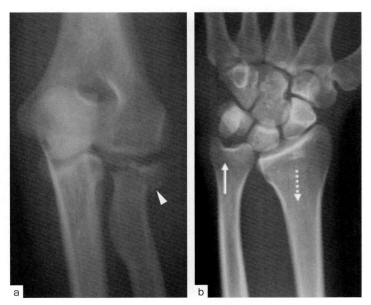

図 13-4-168　Essex-Lopresti 骨折（長軸力優位型）
橈骨頭粉砕骨折（a：矢印）と遠位橈尺関節の長軸脱臼（b：矢印）を合併した脱臼骨折である．破線の矢印は橈骨の近位への移動を示す．

594 各論 第13章 上肢の骨折

附-13 小児肘内障 pulled elbow

小児肘内障は前腕の牽引で小児に発生する軽微な外傷である．1～3歳に多く発生し，5歳以上での発生はまれである．

1）病　態

1～3歳の小児が手や前腕を長軸方向に引っぱられて生じる．橈骨頭が遠位に牽引されることにより，輪状靱帯が橈骨頭をすり抜けて近位側に移動し，牽引力が除かれると橈骨上腕関節の前方に嵌頓して生じる．

伊藤は橈骨頭側面の関節面の幅に注目し，回内位では幅の狭い部分が前方にくるため輪状靱帯の前方部の緊張が緩み，前腕回内位での牽引により脱転しやすくなるためと説明している．

2）診　断

手を引っぱったあとに痛がるなど，典型的なエピソードがあれば診断は容易である．必ずしも手を引っぱられたという受傷機転が明らかでない場合もある．患児は患肢を痛がり前腕を回内させて肘関節伸展位で下垂し動かそうとしない．肩から動かそうとしないため，「肩が抜けた」と訴えて来院する親も多い．

典型的な受傷機転があれば，肘内障を疑い整復操作をするとクリックとともに肘関節の屈伸が可能となり疼痛が消失する．この経過により診断されることが多い．典型的な受傷機転がなければ，肩甲帯以下の診察が必要である．

通常，単純X線写真では異常を認めない．皆川は超音波診断で上腕骨小頭橈骨頭間に回外筋の近位部が引きこまれるJサインが特徴的な所見として報告している．

3）治　療

徒手整復は通常容易である．回外法と回内法がある．回外法は前腕回外位で肘伸展とし，次に回外位を保ったまま屈曲していくと整復され橈骨頭に整復音を触れる．回外しただけで整復されることもあれば，かなり強く屈曲を強制しないと整復されないこともある．整復操作前に単純X線写真を撮影するときに偶然回外されて自然整復され診察室に戻ってくることも少なくない．回内法はその逆で回内しながら肘を伸展し，次に回内位を保ったまま屈曲していくと整復される．伊藤によると回内法は輪状靱帯を緩めて整復しやすくし，回外法は緊張を強めることで整復していると説明している．

一般に整復後はそのまま特に運動を制限しないが，前腕回外位，肘関節屈曲で2日間外固定することにより数日以内の再発を防止できるとの報告がある．

参考文献

D. 橈骨近位部骨折

1) Bain GI et al：Management of Mason Type-Ⅲ Radial Head Fractures with a Titanium Prosthesis, Ligament Repair, and Early Mobilization. J Bone Joint Surg 87-A：136-147, 2005.

2) Caputo AE et al：The non-articulating portion of the radial head：Anatomic and clinical correlations for internal fixations. J Hand Surg 23-A：1082-1090, 1998.

3) Chambers HG：Fractures of the proximal radius and ulna. Rockwood and Wilkins' Fractures in children, 5th ed. Beaty JH, et al ed. 483-506, Lippincott, Philadelphia, 2001.

4) Chanlalit C et al：Radiocapitellar stability：the effect of soft tissue integrity on bipolar versus monopolar radial head prostheses. J Shoulder Elbow Surg 20：219-225, 2011.

5) Doornberg JN et al：Radial head arthroplasty with a modular metal spacer to treat acute traumatic elbow instability. J Bone Joint Surg 89-A：1075-1080, 2007.

6) 古島弘三ら：肋骨肋軟骨を用いた橈骨頭の再建術．日肘会誌 14：211-215，2007.

7) Hotchkiss RN：Displaced fractures of the radial head：internal fixation or excision？ J Am Acad Orthop Surg 5：1-10, 1997.

8) Ikeda M et al：Open reduction and internal fixation of comminuted fractures of the radial

head using low-profile mini-plates. J Bone Joint Surg **85-B**：1040-1044, 2003.

9) Ikeda M et al：Comminuted fractures of the radial head：Comparison resection and internal fixation surgical technique. J Bone Joint Surg **87-A**：76-84, 2005.

10) 伊藤恵康：橈骨頭・頚部骨折. 肘関節外科の実際, 153-171, 南江堂, 2011.

11) Janssen RPA et al：Resection of the radial head after Mason type-Ⅲ fractures of the elbow. J Bone Joint Surg **80-B**：231-233, 1998.

12) Jeffery CC：Fracture of the head of the radius. J Bone Joint Surg **32-B**：314-324, 1950.

13) Leung AG et al：Fractures of the proximal radial head and neck, with emphasis on those that involve the articular cartilage. J Pediatr Orthop **20**：7-14, 2000.

14) Mason ML：Some observations on fractures of the head of the radius with review of one hundred cases. Br J Surg **42**：123-132, 1954.

15) Newman JH：Displaced radial neck fractures in children. Injury **9**：114-121, 1977.

16) Peterson HA：Proxmal Radius. Growth Plate Fractures, 695-732, Springer-Verlag, Berlin. 2007.

17) Ryu SM et al：Treatment of modified mason type III or IV radial head fracture：open reduction and internal fixation versus arthroplasty. Indian J Orthop **52**：590-595, 2018.

18) 三枝憲成ら：橈骨頚部骨折の治療. 整形外科 **38**：1527-1537, 1987.

19) Smith AM et al：Low profile fixation of radial head and neck fractures：Surgical techique and clinical experience. J Orthop Trauma **21**：718-724, 2007.

20) Smith GR et al：Radial head and neck fractures：Anatomic guidelines for proper placement of internal fixation. J Shoulder Elbow Surg **5**：113-117, 1996.

21) van Riet RP et al：Associated injuries complicating radial head fractures：a demographic study. Clin Orthop Relat Res **441**：351-355, 2005.

22) 山中一良：肘関節内骨折 Mason type Ⅲに対するプレート固定法. 新 OS NOW **23**：131-135, 2004.

E. 尺骨近位部骨折

1) Adams JE：Management and outcome of 103 acute fractures of the coronoid process of the ulna. J Bone Joint Surg **91-B**：632-635, 2009.

2) Adams JE et al：Fractures of the coronoid：morphology based upon computer tomography scanning. J Shoulder Elbow Surg **21**：782-788, 2012.

3) Anderson ML et al：Congruent elbow plate fixation of olecranon fractures. J Orthop Trauma **21**：386-393, 2007.

4) Buijze G et al：Clinical evaluation of locking compression plate fixation for comminuted olecranon fractures. J Bone Joint Surg **91-A**：2416-2420, 2009.

5) Cage DJ et al：Soft tissue attachments of the ulnar coronoid process. An anatomic study with radiographic correlation. Clin Orthop Relat Res **320**：154-158, 1995.

6) Colton CL：Fractures of the olecranon in adults：classification and management. Injury **5**：121-129, 1973.

7) Gartsman GM et al：Operative treatment of olecranon fractures. Excision or open reduction with internal fixation. J Bone Joint Surg **63-A**：718-721, 1981.

8) Giannicola G et al：Terrible triad of the elbow：is it still a troublesome injury?. Injury **46**：S68-S76, 2015.

9) Hartzler RU et al：Coronoid fracture. Morrey's The Elbow and its Disorders, 5th ed. Morrey BF, et al ed. 428-439, Elsvier, Philadelphia, 2017.

10) 伊藤恵康ら：前腕骨（肘頭, 鈎状突起, 橈骨頭）骨折を合併した肘関節脱臼骨折の治療. MB Orthop **6**：1-14, 1993.

11) 伊藤恵康ら：高齢者の肘関節周辺部骨折. 金田清志編, OS Now, No.16, 114-119, メジカルビュー社, 1994.

12) 今谷潤也ら：Kaplan extensile lateral approach を用いた尺骨鈎状突起骨折の手術的治療. 骨折 **36**：199-203, 2014.

13） 岩部昌平ら：Terrrible triad injury への治療　鉤状突起は内固定すべきか？　整形・災害外科 **60**：1091-1097, 2017.

14） 岩部昌平：肘頭骨折. 骨折治療基本手技アトラス, 全日本病院出版会, 189-204, 2019.

15） 岩部昌平ら：肘頭骨折に対する tension band wiring 法において Kirschner 鋼線後端の二回曲げはバックアウト予防に有効である. 骨折 **43**：163-167, 2021.

16） 森谷史朗ら：肘頭脱臼骨折の新分類. 骨折 **41**：1181-1188, 2019.

17） Moritomo H et al：Reconstruction of the coronoid for chronic dislocation of the elbow. Use of a graft for the olecranon in two cases. J Bone Joint Surg **80-B**：490-492, 1998.

18） Nimura A et al：Joint Capsule Attachment to the Extensor Carpi Radialis Brevis Origin：An Anatomical Study With Possible Implications Regarding the Etiology of Lateral Epicondylitis. J Hand Surg Am **39**：219-225, 2014.

19） 二村昭元ら：Complex elbow instability の診断・治療に必要な機能解剖（外側）. 整形・災害外科 **60**：1061-1065, 2017.

20） 大歳憲一：Complex elbow instability の診断・治療に必要な機能解剖（内側）. 整形・災害外科 **60**：1067-1074, 2017.

21） O'Driscoll SW et al：Difficult elbow fractures：pearls and pitfalls. Instr Course Lect **52**：113-134, 2003.

22） Papatheodorou LK et al：Terrible Triad Injuries of the Elbow：Does the Coronoid Always Need to Be Fixed？. Clin Orthop Relat Res **472**：2084-2091, 2014.

23） Pollock JW et al：The effect of anteromedial facet fractures of the coronoid and lateral collateral ligament injury on elbow stability and kinematics. J Bone Joint Surg **91-A**：1448-1458, 2009.

24） Pugh DM et al：Standard surgical protocol to treat elbow dislocations with radial head and coronoid fractures. J Bone Joint Surg **86-A**：1122-1130, 2004.

25） Reichel LM et al：Osteology of the coronoid process with clinical correlation to coronoid fractures in terrible triad injuries. J Shoulder Elbow Surg **22**：323-328, 2013.

26） Ring D et al：Anteromedial Facet of the Coronoid Process. J Bone Joint Surg **89-A**（Suppl 2）：267-283, 2007.

27） Rhyou IH et al：Strategic approach to O'Driscoll type 2 anteromedial coronoid facet fracture. J Shoulder Elbow Surg **23**：924-932, 2014.

28） Schneeberger AG et al：Coronoid process and radial head as posterolateral rotatory stabilizers of the elbow. J Bone Joint Surg **86-A**：975-982, 2004.

29） Shimura H et al：Joint capsule attachment to the coronoid process of the ulna：an anatomic study with implications regarding the type 1 fractures of the coronoid process of the O'Driscoll classification. J Shoulder Elbow Surg **25**：1517-1522, 2016.

30） Tarallo L et al：Simple and comminuted displaced olecranon fractures：a clinical comparison between tension band wiring and plate fixation techniques. Arch Orthop Trauma Surg **134**：1107-1114, 2014.

31） Wolfgang G et al：Surgical treatment of displaced olecranon fractures by tension band wiring technique. Clin Orthop Relat Res **224**：192-204, 1987.

F．肘関節脱臼（脱臼骨折）

1） 阿部宗昭ら：肘関節脱臼を伴う小児上腕骨外側顆骨折. 整形外科 **67**：925-932, 2016.

2） de Haan J et al：Simple elbow dislocations：a systematic review of the literature. Arch Orthop Trauma Surg **130**：241-249, 2010.

3） Dürig M et al：The operative treatment of elbow dislocation in the adult. J Bone Joint Surg **61-A**：239-244, 1979.

4） Hassmann GC et al：Recurrent dislocation of the elbow. J Bone Joint Surg **57-A**：1080-1084, 1975.

5） 今谷潤也ら：外傷性肘関節脱臼に伴う靱帯損傷例の手術成績の検討. 日肘会誌 **9**：23-24, 2002.

6） 今谷潤也ら：外側側副靱帯損傷―新鮮後外側回旋不安定症症例の治療―. 日手会誌 **23**：5-9, 2006.

7） 今谷潤也：肘関節側副靱帯複合体損傷の診察法. MB Orthop **31**：1-7, 2018.

8） 岩部昌平ら：肘関節前方脱臼の一例　脱臼経路についての一考察. 整形外科 **43**：219-221, 1992.

4 上腕骨遠位部・前腕骨近位部骨折   *597*

9) Josefsson PO et al：Surgical versus non-surgical treatment of ligamentous injuries following dislocation of the elbow joint. A prospective randomized study. J Bone Joint Surg **69-A**：605-608, 1987.

10) Jung HS et al：Dual reconstruction of lateral collateral ligament is safe and effective in treating posterolateral rotatory instability of the elbow. Knee Surg Sports Traumatol Arthrosc **27**：3284-3290, 2019.

11) Mclean J et al：Varus Posteromedial Rotatory Instability of the Elbow：Injury Pattern and Surgical Experience of 27 Acute Consecutive Surgical Patients. J Orthop Trauma **32**：e469-e474, 2018.

12) Mehlhoff TL et al：Simple dislocation of the elbow in the adult. Results after closed treatment. J Bone Joint Surg **70-A**：244-249, 1988.

13) O'Driscoll SW et al：Elbow subluxation and dislocation. A spectrum of instability. Clin Orthop Relat Res **280**：186-197, 1992.

14) O'Driscoll SW et al：Tardy posterolateral rotatory instability of the elbow due to cubitus varus. J Bone Joint Surg **83-A**：1358-1369, 2001.

15) 小倉　丘ら：肘関節内側側副靱帯の機能解剖．整・災外 **46**：189-195，2003.

16) Osborne G et al：Recurrent dislocation of the elbow. J Bone Joint Surg **48-B**：340-346, 1996.

17) Protzman LCRR：Dislocation of the elbow joint. J Bone Joint Surg **60-A**：539-541, 1978.

18) Ring D：Elbow fractures and dislocations in Rockwood and Green's Fractures in Adult. Bucholz RW, et al ed. 905-944, JB Lippincott Williams & Wilkins, Philadelphia, 2010.

19) 坂田泰三ら：肘関節周辺における骨折・脱臼による神経麻痺症例の検討．整・災外 **29**：1557-1564，1986.

20) Sharma H et al：Outcome of lateral humeral condylar mass fractures in children associated with elbow dislocation or olecranon fracture.Int Orthop **33**：509-514, 2009.

21) 飛田正敏ら：小児肘関節分散脱臼の 2 例．臨整外 **52**：95-99，2017.

附-11 外傷性肘関節拘縮

1) Ball CM et al：Arthroscopic treatment of post-traumatic elbow contracture. J Shoulder Elbow Surg **11**：624-629, 2002.

2) Charalambous CP：Elbow Stiffness：Basic science and overview. The Elbow and its Disorders, 5th ed. Morrey BF, et al ed. 529-536, Elsvier, Philadelphia, 2018.

3) Gates HS et al：Anterior capsulotomy and continuous passive motion in the treatment of post traumatic flexion contracture of the elbow. J Bone Joint Surg **74-A**：1229-1234, 1992.

4) 堀内行雄：肘関節拘縮に対する手術法の検討―皮切ならびに術中可動域について．日肘会誌 **2**：37-38，1995.

5) Itoh Y et al：Operation for stiff elbow. Int Orthop **13**：263-268, 1989.

6) 伊藤恵康ら：外傷性肘関節拘縮の授動術．関節外科 **9**：317-324，1990.

7) 伊藤恵康ら：整形外科後療法マニュアル―内反肘・外反肘矯正術．MB Orthop **5**：19-25，1992.

8) 伊藤恵康：外傷性肘関節拘縮に対する授動術．北整・外傷研誌 **10**：131-143，1994.

9) 伊藤恵康ら：小児の外傷性肘関節拘縮．別冊整形外科 No.26，肘関節外科・診断から治療まで，198-202，南江堂，1994.

10) 伊藤恵康：肘関節拘縮．外科手術シリーズ「整形外科手術」第 3 巻，肩・肘関節の手術，139-142，中山書店，1994.

11) 伊藤恵康ら：肘関節拘縮の病態と関節形成術．特集：関節拘縮マニュアル，MB Orthop **15**：29-35，2002.

12) 島田幸造ら：高度拘縮肘に対する鏡視下授動術の治療成績．日肘関節会誌 **23**：282-285, 2016.

13) 高山真一郎ら：後療法・拘縮の予防と治療．特集：成人肘関節周辺骨折診療マニュアル，MB Orthop **15**：79-85，2002.

○ Monteggia 骨折・橈骨頭脱臼

1) 麻生邦一：肘内障の臨床的研究―とくに受傷機転と治療法の検討．日小児整外会誌 **17**：122-

126, 2008.

2) Bado JL：The Monteggia lesion. Clin Orthop **50**：71-76, 1967.

3) Essex-Lopresti P：Fractures of the radial head with distal radio-ulnar dislocation. Report of two cases. J Bone Joint Surg **33-B**：244-247, 1951.

4) Evans EM：Pronation injury of the forearm with special reference to the anterior Monteggia Fracture. J Bone Joint Surg **31-B**：578-588, 1949.

5) Goyal T et al：Neglected Monteggia fracture dislocations in children：a systematic review. J Pediatr Orthop B **24**：191-199, 2015.

6) Hirayama T et al：Operation for chronic dislocation of the radial head in children. J Bone Joint Surg **69-B**：639-642, 1987.

7) Hotchkiss RN：Fractures of the radial head and related instability and contracture of the fore arm. Instr Course Lect **47**：173-177, 1988.

8) Hotchkiss RN et al：An anatomic and mechanical study of the interosseous membrane of the forearm：pathomechanics of the proximal migration of the radius. J Hand Surg **14-A**：256-261, 1989.

9) 伊藤恵康：小児肘関節周辺骨折の診断と治療　特に陳旧例の治療について．日整会誌 **73**：1-10, 1999.

10) 伊藤恵康：小児肘内障とバネ肘．肘関節外科の実際，208-214，南江堂，2011.

11) 伊藤恵康：Monteggia 骨折．肘関節外科の実際，172-185，南江堂，2011.

12) Kim E et al：Three-dimensional analysis of acute plastic bowing deformity of ulna in radial head dislocation or radial shaft fracture using a computerized simulation system. J Shoulder Elbow Surg **21**：1644-1650, 2012.

13) 小松雅俊ら：小児新鮮 Monteggia 骨折と陳旧性 Monteggia 骨折の治療．関節外科 **33**：864-867, 2014.

14) Letts M et al：Monteggia fracture-dislocation in children. J Bone Joint Surg **67-B**：724-727, 1985.

15) Lincoln TL et al："Isolated" traumatic radial head dislocation. J Pediatr Orthop **14**：454-457, 1994.

16) Illingworth CM：Pulled elbow：a study of 100 patients. Br Med J **2**：672-674, 1975.

17) Madam-Bey T et al：Congenital radial head dislocation. J Hand Surg **9-A**：572-575, 1984.

18) 三笠元彦：肘内障の整復法の変遷—回内法について．整形外科 **68**：1289-1291, 2017.

19) 皆川洋至：整形外科超音波画像の基礎と臨床応用—見えるから分かる，分かるからできる—．日整会誌 **86**：1057-1064, 2012.

20) Nakamura K et al：Long-term clinical and radiographic outcomes after open reduction for missed Monteggia fracture-dislocations in children. J Bone Joint Surg **91-A**：1394-1404, 2009.

21) 中村俊康：Essex-Lopresti 骨折における patellar bone-tendon-bone（BTB）を用いた前腕骨間膜再建術．肘関節外科のすべて，78-81，メジカルビュー社，2015.

22) 中村俊康：Essex-Lopresti 骨折の治療戦略．MB Orthop **21**：85-92, 2008.

23) 西尾篤人ら：尺骨骨切り術による陳旧性 Monteggia 骨折の治療法について．災害医学 **8**：65-69, 1965.

24) 岡田恭彰ら：陳旧性 Monteggia 骨折に対する手術治療の工夫．日肘関節会誌 **27**：159-165, 2020.

25) Rehim SA et al：Monteggia fracture dislocations：a historical review. J Hand Surg **39-A**：1384-1394, 2014.

26) Ring D et al：Operative fixation of faractures in children. J Bone Joint Surg **78-B**：734-739, 1996.

27) Salter RB et al：Anatomic investigation of the mechanism of injury and pathologic anatomy of "pulled elbow" in young children. Clin Orthop Related Res **77**：134-143, 1971.

28) Taha AM：The treatment of pulled elbow：a prospective randomized study. Arch Orthop Trauma Surg **120**：336-337, 2000.

29) Watanabe K et al：Traumatic isolated dislocation of the radial head in an adult：a case report. J Shoulder Elbow Surg **14**：554-556, 2005.

30) Shah AS et al：Monteggia fracture-dislocation in children. Rockwood and Wilkins' Fractures in Children 9th ed. 419-462, Wolters Kluwer, Philadelphia, 2020.

31) 吉岡裕樹ら：肘内障 110 例の検証．整形外科 **60**：941-944, 2009.

5 前腕骨（橈骨・尺骨）骨幹部骨折
fracture of the radial and ulnar shaft

　前腕骨（橈骨・尺骨）骨幹部骨折は比較的頻度の高い骨折である．保存療法，手術療法が行われるが，治療後に前腕回内外可動域制限を生じる場合があること，近位橈尺関節や遠位橈尺関節の脱臼を合併することがあり，診断および治療に注意を要する．

a 解剖・機能解剖

　前腕骨はほぼ直線に近い尺骨と，中央部で平均6.4°背側凸，中央遠位1/3部やや遠位で平均9.3°橈側（外側）凸，遠位1/5部で平均20.5°橈側（外側）凸の生理的弯曲を有する橈骨で構成される．骨間膜が付着するため尺骨の中央部は軽度内側凸の膨隆が認められる（図13-5-1）．解剖学的には橈骨は外側に，尺骨は内側に位置し，橈骨頭中央と尺骨小窩部を結ぶ直線を中心として橈骨が尺骨の周囲を回転することで前腕回内外運動が行われる．近位端には近位橈尺関節が位置し，ほぼ円形を呈する橈骨頭が尺骨の橈骨切痕に対向し，輪状靱帯が鉢巻き状に橈骨頭を固定する．この部位では橈骨は橈骨頭中央部を中心として回旋運動する．遠位端では逆に尺骨頭が円形に近く，橈骨尺骨切痕にはまり込み，尺骨頭の中央やや尺側にある陥凹（尺骨小窩）を中

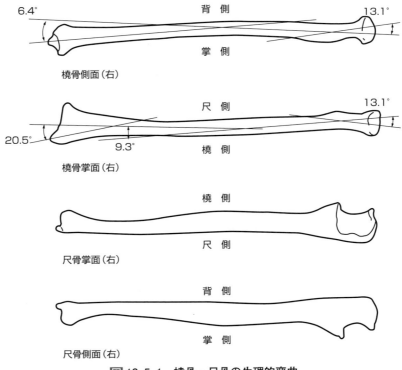

図13-5-1　橈骨・尺骨の生理的弯曲

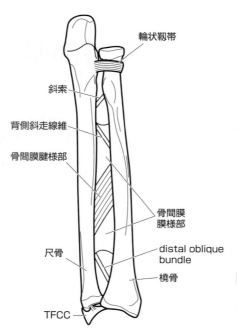

図 13-5-2　前腕骨および軟部支持組織
前腕骨は橈骨，尺骨で構成され，輪状靱帯，骨間膜，三角線維軟骨複合体（TFCC）が橈骨と尺骨を支持する．

心として橈骨が回転する．つまり近位橈尺関節と遠位橈尺関節はミラーイメージとなっている．前腕回内外運動中の橈骨の回旋は平均135°，腕尺関節での上腕骨に対する尺骨の回旋は平均6°であり，残りの20°程度を手関節内での回旋（橈骨手根関節や手根中央関節）で達成し，手部は上腕に対して約160°の回内外（回内80°，回外80°）が可能となる．尺骨小窩部から起始し，橈骨尺骨切痕に停止する三角線維軟骨複合体（triangular fibrocartilage complex：TFCC）が遠位橈尺関節の支持機構である（**図 13-5-2**）．したがって，前腕骨骨折が生じた場合には直線的な尺骨，弯曲を有する橈骨の解剖学的な特徴に合わせた整復を行う必要がある．

　橈骨と尺骨の間には前腕屈筋群と伸筋群の筋間中隔である前腕骨間膜が存在し橈骨と尺骨を連結している．骨間膜は尺骨遠位1/5から橈骨中央1/3へ向かう厚い腱様部とその遠位および近位に広がる膜様部，尺骨中央部から橈骨近位部に向かう斜索，個体によって背側斜走線維（dorsal oblique cord）や遠位側に尺骨頚部から橈骨遠位1/4に走行する遠位斜走束（distal oblique bundle）が存在する．骨間膜の機能には筋間中隔以外に橈尺間の軸方向の支持性と腱様部を介する橈骨から尺骨への荷重伝達機能，円滑な回内外運動を誘導する機能，筋の起始としての機能がある．

　前腕を通過する動脈は上腕動脈から分岐した橈骨動脈と尺骨動脈で，前者は前腕掌橈側を，後者は掌尺側深部を走行する．神経は橈骨神経，正中神経，尺骨神経が走行し，尺骨神経は上腕骨内側上顆後方から肘部管を通過し，尺側手根屈筋内に入り尺骨動脈のすぐ近くを走行する．正中神経は上腕動脈と並走し前骨間神経を分岐した後，前腕中央を走行後，屈筋腱前方（長掌筋後方）を通り手根管に至る．前腕骨骨折の手術の際に注意を要するのが橈骨神経で，上腕筋と腕橈骨筋の間から肘部に入り，上腕骨外側上顆前方で浅枝と深枝に分岐し，浅枝は腕橈骨筋に平行して遠位へ向かい，前

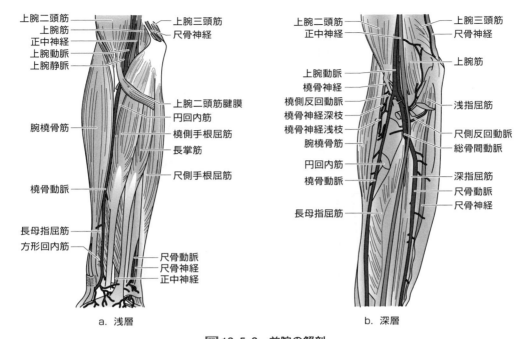

図 13-5-3　前腕の解剖
(金子丑之助原著, 金子勝治他改訂：日本人体解剖学　上巻　改訂 19 版. p.303, p.583, 南山堂, 2000)

腕遠位 1/3 からは前腕橈側皮下を走行する．橈骨神経浅枝は純粋な感覚神経である．一方，深枝は主に運動神経で，前腕近位深部の回外筋近位縁から橈骨反回動脈と並走し筋内に侵入する．この入口部の腱性の部分を arcade of Frohse と呼ぶ．橈骨近位の骨折の整復，固定の際には橈骨神経深枝と橈骨反回動脈に注意する必要がある（**図 13-5-3**）．

b 受傷機転

前腕骨幹部骨折は直達外力と転倒，転落などで手をついた際の介達外力によって発生する．直達外力では橈骨，尺骨の双方に同高位で骨折が生じるのに対し，介達外力では軸圧と回旋トルクの集中する位置，方向および骨間膜の解剖学的特性によって橈骨，尺骨の高位の異なる骨折を生じ，また橈骨頭，尺骨頭は脱臼しやすいので Monteggia 骨折や Galeazzi 骨折を生じる．

c 分　類

前腕骨骨折は骨折の部位，転位の程度，粉砕の程度，近位および遠位橈尺関節脱臼の合併などで分類される．AO/OTA 分類は詳細な分類であり，単骨折 (Type A)，第 3 骨片を生じる骨折 (Type B)，2 ヵ所以上または粉砕骨折 (Type C) に分類しているが，前腕骨骨折の治療が基本的に解剖学的な整復，近位および遠位橈尺関節脱臼などの合併損傷の正確な把握にあることから，実際の臨床にはあまり役立たない．

Chapman らはこの OTA 分類に準じて，橈骨，尺骨に限らず 1 本の長管骨の骨折

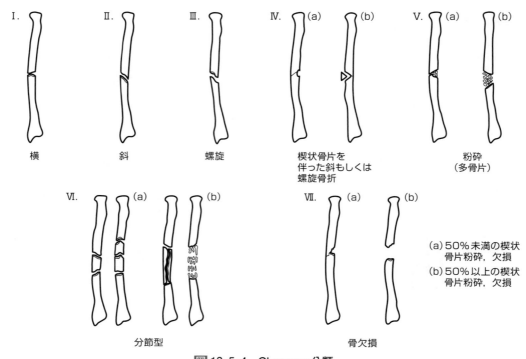

図 13-5-4　Chapman 分類
橈骨，尺骨に限らず，1本の長管骨の骨折の様式について OTA 分類に準じて分類している．
(Chapman MW et al：J Bone Joint Surg, 1989 をもとに作図)

として，自験例 129 骨折の骨折様式を分類している（**図 13-5-4**）．横骨折が最も多く 23％を占め，次いで斜骨折 13％，螺旋骨折 11％，さらに楔状骨片を有する斜骨折，螺旋骨折および粉砕骨折がほぼ同程度に発生する．

前腕骨骨幹部骨折部位別では，骨幹部中央 1/3 の骨折が橈骨，尺骨ともに約 60％を占める．橈骨では遠位 1/3 の骨折が近位部よりもやや多く，尺骨では近位 1/3 の骨折が遠位部よりもやや多い（**図 13-5-5**）．閉鎖骨折が 80％以上を占め，Gustilo の開放骨折・分類でみると，I 型，II 型，III 型と重症になるほど頻度は少なくなっている（**図 13-5-6**）．

d 臨床症状

前腕骨骨折では前腕の変形，腫脹，前腕部の疼痛，回内外運動制限の症状を呈し，骨折部に限局性圧痛や軋音を認める．橈骨骨折の場合，骨折の高位により転位が異なることはよく知られており，近位 1/3 より近位の骨折では円回内筋と方形回内筋の影響で遠位骨片が回内変形し，近位骨片は回外筋と上腕二頭筋の影響で回外変形する．一方，円回内筋付着部より遠位の骨折では近位骨片は回外筋，上腕二頭筋と円回内筋の力が拮抗するため中間位を，遠位骨片は方形回内筋の影響で回内変形を呈する（**図 13-5-7**）．

転位した骨片により橈骨神経麻痺を生じる場合があり，特に深枝麻痺の場合には下垂指 drop finger を生じる．また閉鎖骨折で腫脹が著しい場合は急性区画症候群を生

5 前腕骨（橈骨・尺骨）骨幹部骨折　**603**

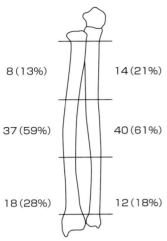

図 13-5-5　前腕骨骨幹部骨折の部位別頻度

（Chapman MW et al：J Bone Joint Surg 71-A：159-169, 1989 より）

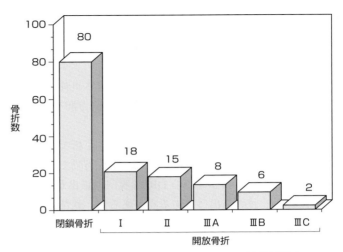

図 13-5-6　Gustilo 分類による開放，閉鎖骨折頻度

（Chapman MW et al：J Bone Joint Surg 71-A：159-169, 1989 より）

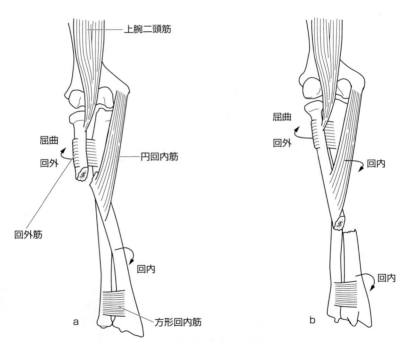

図 13-5-7　橈骨骨折の部位による転位の特徴

a. 近位 1/3 部の骨折：近位骨片は上腕二頭筋，回外筋の作用により屈曲，回外（外旋）し，遠位骨片は円回内筋，方形回内筋の作用により回内する．

b. 中央 1/3 部，遠位 1/3 部の骨折：円回内筋付着部より遠位で骨折すれば，近位骨片は回内・外中間位をとり，遠位骨片は方形回内筋の作用により回内位をとる．

じる場合があるため，手指を他動伸展時の激しい疼痛 passive extension test や前腕区画内圧測定などを施行する．開放骨折の場合も神経・血管損傷に留意する必要がある．

e 診　断

通常は前記臨床症状に基づき単純 X 線写真により診断する．正面像，側面像で診断できる場合が多いが，転位方向を確認するためには両斜位像を追加したほうがよい．

合併損傷である Galeazzi 骨折で生じる遠位橈尺関節（distal radioulnar joint：DRUJ）脱臼の診断には CT が有効で，単純 X 線写真では見落とす可能性がある．CT では軸写像での DRUJ 脱臼の描出が優れている．MRI は無侵襲な画像診断であり，骨の描出には劣る点があるが，軟部組織描出に優れ，骨間膜損傷や TFCC 損傷の診断に有用である．

f 合併損傷

1）Monteggia 骨折

Monteggia 骨折は尺骨骨幹部の骨折と橈骨頭脱臼を伴う損傷で，Bado により 4 Type に分類されている．Type I は橈骨頭が前方に脱臼するもの（図 13-5-8），Type II は橈骨頭が後方に脱臼するもの，Type III は橈骨頭が側方に脱臼するもので（図 13-5-9），Hume 型と呼ばれる肘頭骨折に橈骨頭脱臼を合併するものも含む．Type IV は尺

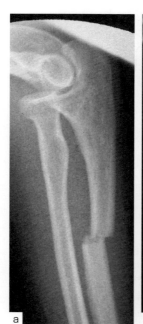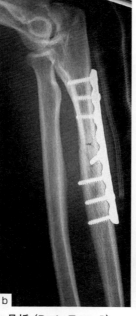

図 13-5-8　Monteggia 骨折（Bado Type I）
尺骨骨幹部骨折は前方凸変形し，橈骨頭前方脱臼を合併している．
a. 術前，b. 治療は尺骨のプレート固定と橈骨頭部を展開し，橈骨頭を観血的に整復した．

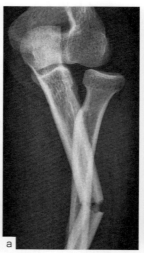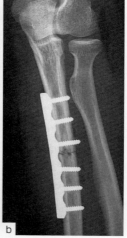

図 13-5-9　Monteggia 骨折（Bado Type III）
a. 尺骨骨幹部骨折に加え，橈骨頭は側方脱臼している．
b. 尺骨のプレート固定に加え，橈骨頭を展開し，観血的に整復をした．

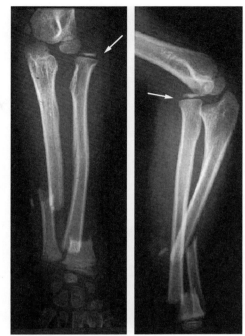

図 13-5-10 Monteggia 骨折
（Bado Type Ⅳ）
橈骨遠位骨折，尺骨骨幹部骨折に加え，橈骨頭は前方脱臼（矢印）している．

骨の骨幹部骨折・橈骨頭脱臼に橈骨の骨幹部骨折を合併するもので，Bado は橈尺骨骨折の部位は同位置としているが，近年は両前腕骨骨折の位置は問わなくなった（図13-5-10）．

診断は単純 X 線写真で行うが，特に小児では橈骨遠位部に骨折を認める場合があるため，手関節から肘関節までの単純 X 線写真が必要である．

2）Galeazzi 骨折

Galeazzi 骨折は橈骨遠位 1/4 部の骨折に遠位橈尺関節の脱臼を伴うものである（図13-5-11）．尺骨茎状突起骨折を合併する場合が多いが，TFCC のみが完全断裂しても遠位橈尺関節脱臼を生じるため，必ずしも尺骨茎状突起骨折は必須ではない．橈骨遠位端骨折に DRUJ 脱臼を伴う亜型や骨膜剥離を伴う小児 Galeazzi 類似損傷（Galeazzi equivalent lession）などがある．症状は手関節の変形，特に尺骨頭の脱臼に伴う変形を認める．著明な回内外可動域制限を呈する場合も多い．単純 X 線写真正面像，側面像だけで橈骨の骨折は確認できるが，尺骨頭脱臼や茎状突起骨折の診断ができない場合があるため，遠位橈尺関節脱臼の診断には CT や MRI での横断像が有用である（図 13-5-12）．また，MRI は遠位橈尺関節脱臼に伴う TFCC 損傷の診断が可能である．

3）神経・血管損傷

Monteggia 脱臼骨折などの橈骨頭脱臼の際には橈骨神経深枝（後骨間神経）が牽引力を受け神経麻痺を生じ下垂指 drop finger を呈する．ほかの神経麻痺や血管損傷は頻度が少ない．

4）急性区画症候群

骨折の転位が大きい場合や軟部組織挫滅が強い閉鎖骨折では前腕区画内圧が急速に

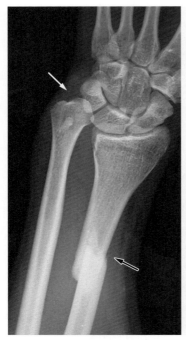

図 13-5-11 Galeazzi 骨折
橈骨骨幹部骨折（黒矢印）と遠位橈尺関節脱臼（白矢印）を合併した脱臼骨折である．

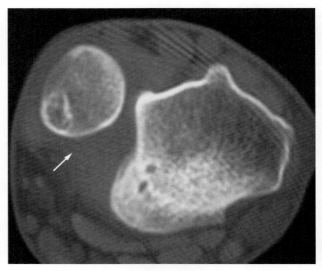

図 13-5-12 Galeazzi 骨折の axial CT 像
CT では遠位橈尺関節背側脱臼（矢印）が容易に把握できる．

上昇し，循環障害から神経障害，筋の壊死，最終的には Volkmann 拘縮を生じる．passive extension test や区画内圧測定を施行し，急性区画症候群が疑われる場合には筋膜切開を行い，同時に骨折に対する手術を行う場合も区画内圧の上昇を防ぐうえから皮膚閉鎖を急がないことが重要である．

9 治　療

1）保存療法

　成人例で橈骨または尺骨の単独骨幹部骨折で転位がわずかな場合にはプラスチックキャスト固定による保存療法を選択する．転位が 1/2 横径以上の場合にはプラスチックキャスト固定中に転位を生じやすいため，手術療法が適用される．小児の場合には若木骨折や竹節骨折となり連続性が保たれている場合はプラスチックキャスト固定を行う．いずれの固定でも肘上か sugar tongs 副子固定により前腕回内外は制限する必要がある．

　両前腕骨骨折の場合，小児例で徒手整復が得られた場合には肘上からのプラスチックキャスト副子固定を行う．回内外運動の際に生じる捻りトルクによって骨折部に再転位が生じる場合があるので肘下の固定は避ける．腫脹が生じる場合が多いので，プラスチックキャスト副子固定のほうがよい．成人例では両前腕骨骨折で転位がわずかでも，プラスチックキャスト固定中に転位することが多いため，最初から手術療法を選択することが多い．

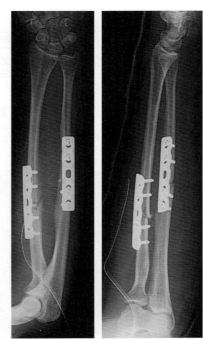

図 13-5-13 両前腕骨骨折のプレート固定術
回内外中に強大な回旋トルクがかかるため，橈骨，尺骨ともにプレート固定がよい．

2）手術療法

手術は① 転位のある骨幹部骨折で，徒手整復後も不安定，② 橈骨が 10°以上の屈曲転位があるもの，③ 近位橈尺関節（亜）脱臼を合併する Monteggia 骨折，④ DRUJ 脱臼を合併する Galeazzi 骨折，⑤ 橈骨頭骨折に DRUJ 脱臼を合併する Essex-Lopresti 骨折，⑥ 開放骨折，⑦ 急性区画症候群を合併するものなどに適応される．

手術法は骨幹部骨折に対しては橈骨，尺骨ともにプレート固定を推奨する（図 13-5-13）．その理由は回内外運動中に生じる強大な回旋トルクに拮抗するためである．回旋中心に近い尺骨にはより強い回旋トルクが働く．通常の単純骨折の Chapman I～III型や第三骨片を伴う Chapman IV型には dynamic compression hole を用いた圧迫プレート固定を行い，不安定な第三骨片や粉砕を生じた Chapman V型やVI型には locking hole を用いて骨折固定を行う．粉砕が強い場合や骨欠損を生じているVII型には骨移植を併用する．橈骨近位部骨折では橈骨神経深枝を温存する必要があるうえ，プレートの設置位置により神経にインピンジする可能性があるため，設置位置に注意を払う必要がある．橈骨および尺骨では骨髄径が小さいため，回旋トルクに弱い Kirschner 鋼線による髄内固定では骨片の回旋が生じることがあり，骨膜の温存が期待される小児例や骨折の安定性が良好な例に限定する必要がある．True-Flex ネイルなどの髄内釘（図 13-5-14）は折損の可能性があるうえ，挿入中に途中で停止してしまうことがあるため注意を要する．また回転軸に近い髄腔に挿入するためにいくら星形の形状であっても回旋トルクの制動がプレートに比較して弱いことも留意する必要がある．分節の強いVI型や骨欠損を生じたVII型，開放骨折には創外固定を行う場合がある．

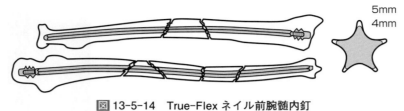

図 13-5-14　True-Flex ネイル前腕髄内釘
(Cambell's Operative Orthopaedics, 2nd ed, 3433, 2008 より)

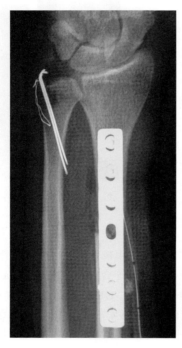

図 13-5-15　Galeazzi 骨折の術後
本症例では橈骨のプレート固定と tension band wiring による尺骨茎状突起接合および直視下での TFCC の尺骨小窩への修復（pullout 縫合）を行った．

　Monteggia 骨折では保存療法では脱臼整復保持が困難なので，少なくとも尺骨骨幹部骨折の手術治療を要し（図 13-5-8, 9），尺骨の固定が得られれば，前腕回内外を行ううちに橈骨頭が自然整復される場合がある一方，輪状靱帯が橈骨頭から抜けている場合には輪状靱帯が整復障害因子となるため，手術的な整復を要する場合も多い．

　Galeazzi 骨折では保存療法で治療することは難しいため，手術療法を選択する．骨折部をプレートで固定した後に回内外を行うと整復位が得られる場合があり，その場合には DRUJ 脱臼の治療同様に尺骨頭が背側脱臼した場合には回外位，尺骨頭が掌側脱臼した場合には回内位で肘上プラスチックキャスト副子固定を行う．遠位橈尺関節脱臼が整復不可能な場合には手術的に整復を行う（図 13-5-15）．Kirschner 鋼線で橈尺骨間の仮固定を行う場合もあるが，近年では付着している TFCC の修復を目的として転位した尺骨茎状突起骨片の整復固定を行う場合や TFCC 自体を直接修復することが試みられている．

5 前腕骨（橈骨・尺骨）骨幹部骨折　*609*

附-14　橈骨骨幹部単独骨折

橈骨骨幹部単独骨折は，肘関節伸展位で手をついて転倒するなどの介達外力によって発生する場合が多いが，直達外力によって発生することもある．特に遠位部では保護する軟部組織が薄いので直達外力による骨折が少なくない．

図 13-5-7 のように，近位 1/3 部の骨折では，上腕二頭筋の筋力の作用により近位骨片は屈曲・外旋し，遠位骨片は円回内筋，方形回内筋の作用で回内するので，整復に際しては遠位骨片を屈曲・回外位とする必要がある．中央 1/3 部の骨折では，近位骨片は回内，回外の筋力バランスがとれているので屈曲，中間位を保っているが，遠位骨片は方形回内筋の作用で回内位をとる．したがって整復は遠位骨片を中間位とする必要がある．

転位のない場合は上腕から手掌までのプラスチックキャスト固定による保存療法を行う．転位がある場合や整復しても整復位の保持が困難な場合には手術的に整復し，プレート固定を行う．

附-15　尺骨骨幹部単独骨折

一般に尺骨単独骨折と橈骨頭の脱臼を伴う尺骨近位 1/3 部の骨折（Monteggia 骨折）とに分けられる．したがって尺骨骨幹部単独骨折に対しては橈骨頭脱臼の有無を単純 X 線写真により必ず確認する必要がある．ここでは尺骨骨幹部骨折についてのみ述べる．

本骨折は夜警棒のようなもので殴られるのを前腕で防御するような動作に際し，尺骨に直達外力が加わって発生することが多いので夜警棒骨折 nightstick fracture と呼ばれる．そのほかに蹴られたり，転倒，転落時に直達外力が加わり発生することもある．肘関節伸展位で手をつくなどのような介達外力によって骨折が生じることは少ない．尺骨後縁をおおう軟部組織が薄いために開放骨折に至ることもある．通常，骨折は横骨折か粉砕骨折の形をとる．外力が大きい場合には橈骨も骨折することがある．

治療は近位 1/3 部の骨折は肘筋の作用で近位骨片が橈側へ回旋転位するので徒手整復が困難であり，手術的に整復・固定することが多い．一方，中央および遠位 1/3 部の骨折は転位が比較的少なく，保存療法が可能である．上腕から手掌までのプラスチックキャスト固定を 4〜5 週行う．また Sarmiento の機能〔的〕装具も利用される．手術は鋼線による髄内固定法とプレート固定法とがあり，前述のようにそれぞれの手術法の長所短所を検討し適応を決定する．

附-16　橈尺骨癒合症 radioulnar synostosis

両前腕骨の転位を放置して保存療法を行うと転位した橈骨と尺骨が接触し，橈骨と尺骨が癒合する場合がある．これを橈尺骨癒合症 radioulnar synostosis という．橈骨と尺骨が癒合すると橈骨が尺骨の周囲を回旋できなくなり，前腕回内外運動が不可能となる．また，プレートで適切に固定した場合でも術後の血腫などにより異常仮骨が形成され，橈尺骨癒合症となる場合がある（図 13-5-16）．治療は橈骨と尺骨を連結する骨を切除し，必要に応じて橈骨・尺骨を矯正骨切りし，プレート固定を行ったうえで回内外授動術を行う．しかし，完全な回内外可動域を得ることが難しいため，治療を行う際には 3D-CT などで橈骨・尺骨の転位をあらかじめ確認しておくとよい．

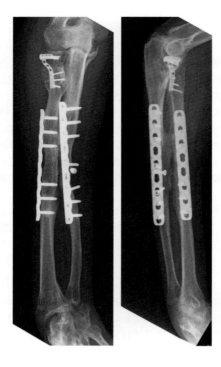

図 13-5-16　橈尺骨癒合症 radioulnar synostosis
本症例では橈骨・尺骨をプレート固定し，整復は良好であったが，橈尺骨間の異常仮骨形成により橈尺骨癒合症を生じた．

参考文献

1) 安倍吉則：小児前腕骨骨幹部骨折の保存治療．Bone Joint Nerve **5**：485-491，2015．
2) Anderson LD et al：Fractures of the shafts of the radius and ulna. Fractures in Adults, 3rd Ed, Rockwood CA, JR et al. eds. JB Lippincott, pp679-737, Philadelphia, 1991.
3) Bado JL：The Monteggia lesion. Clin Orthop Relat Res **50**：71-86, 1967.
4) Chapman MW et al：Compression-plate fixation of acute fracture of the diaphysis of the radius and ulna. J Bone Joint Surg **71-A**, 159-169, 1989.
5) Duncan R et al：Immediate internal fixation of open fractures of the diaphysis of the forearm. J Orthop Trauma **6**：25-31, 1992.
6) Essex-Lopresti P：Fracture of the radial head with distal radio-ulnar dislocation；report of two cases. J Bone Joint Surg **33-B**：244-247, 1951.
7) Fernandez FF et al：Unstable diaphyseal fractures of both bones of the forearm in children：plate fixation versus intramedullary nailing. Injury **36**：1210-1216, 2005.
8) Galeazzi R：Di una particolare sindrome traumatica dello scheletro dell' avambraccio. Atti Mem Soc Lomb Chir **2**：663-666, 1934.
9) Gustilo RB et al：Problems in the management of type III (severe) open fractures：A new classification of type III open fractures. J Trauma **24**：742-746, 1984.
10) 池間正英ら：小児前腕骨骨幹部骨折に対する保存治療の検討．骨折 **39**：540-543，2017．
11) 生田義和ら：前腕骨骨幹部骨折の治療．整・災外 **32**：1257-1266，1989．
12) Imatani J et al：The Galeazzi-equivalent lesion in children revisited. J Hand Surg **21-B**：455-457, 1996.
13) 堅山道雄ら：成人の前腕骨骨折に対する治療法の検討．骨折 **16**：208-212，1994．
14) 菊池淑人ら：尺骨茎状突起基部骨折を伴った Galeazzi 骨折の検討．日手の外科会誌 **17**：94-98，2000．
15) 菊池淑人ら：尺骨茎状突起基部骨折を伴わない Galeazzi 骨折の検討．日手の外科会誌 **19**：579-583，2002．

16）Kitamura T et al：The biomechanical effect of the distal interosseous membrane on the distal radioulnar joint stability：a preliminary anatomic study. J Hand Surg **36-A**：1626-1630, 2011.

17）Kim SB et al：Shaft fractures of both forearm bones：Outcomes of surgical treatment with plating only and combined plating and intramedullary nailing. Clin Orthop Surg **7**：282-290, 2015.

18）Mathews LS et al：The effect on supination-pronation of angular malalignment of fractures of both bones of the forearm. An experimental study. J Bone Joint Surg **64-A**：14-17, 1982.

19）松浦佑介ら：前腕骨骨折に対して locking plate を使用すると骨萎縮が生じる―CT 有限要素法を用いた研究―．骨折 **37**：1105-1110, 2015.

20）三輪　仁ら：Locking compression plate を用いた combination technique による前腕骨骨幹部骨折の治療経験．骨折 **34**：233-236, 2012.

21）Monteggia GB：Lussazioni delle ossa delle estremita superiori. In：Monteggia GB, editor. Institutzioni Chirurgiches. 2nd Vol. 5. Maspero；Milan, p.131-133, 1814.

22）森澤　妥ら：上肢の循環障害，コンパートメント症候群（Volkmann 拘縮を含む）．整形外科専門医になるための診療スタンダード 2. 上肢，池上博泰，佐藤和毅編，p56-60，羊土社，2011.

23）Moritomo H et al：Interosseous membrane of the forearm：length change of ligaments during forearm rotation. J Hand Surg **34-A**：685-691, 2009.

24）Moritomo H：The distal oblique bundle of the distal interosseous membrane of the forearm. J Wrist Surg **2**：93-94, 2013.

25）Nakamura T et al：Functional anatomy of the triangular fibrocartilage complex. J Hand Surg **21-B**：581-586, 1996.

26）Nakamura T et al：Functional Anatomy of the Interosseous Membrane of the Forearm―Dynamic Changes During Rotation―. Hand Surg **4**：67-73, 1999.

27）Nakamura T et al：Repair of the foveal detachment of the triangular fibrocartilage complex：open and arthroscopic transosseous techniques. Hand Clin **27**：281-290, 2011.

28）Nakamura T：Biomechanics of the distal forearm and wrist. Howard J, Cage D, Lane JG（Ed）：The art of the Musculoskeletal Physical Exam. Springer, in press.

29）中村俊康：前腕回内外拘縮に対する手術．MB Orthopaedics **15**：43-49, 2002.

30）中村俊康：Essex-Lopresti 骨折の治療戦略．MB Orthop **21**：85-92, 2008.

31）中村俊康：前腕骨骨折・脱臼（両前腕骨骨折・Monteggia 脱臼骨折・Galeazzi 脱臼骨折）．達人が教える外傷骨折治療，糸満盛憲ら編，pp89-95，全日本病院出版会，2012.

32）中村俊康：前腕骨骨折（両前腕骨骨折・Galeazzi 骨折）．整形外科専門医になるための診療スタンダード 2. 上肢，池上博泰ら編，pp192-197，羊土社，2011.

33）大野一幸ら：小児前腕骨骨幹部骨折の治療成績．日小整会誌 **25**：76-81, 2016.

34）小野宏之ら：骨傷のない遠位橈尺関節掌側脱臼の病態と治療経験．日手の外科会誌 **18**：579-582, 2001.

35）Sarmiento A et al：Forearm fractures. Early functional bracing. J Bone Joint Surg **57-A**：297-304, 1975.

36）Tarr RR et al：The effect of angular and rotational deformities of both bones of the forearm. J Bone Joint Surg **66-A**：65-70, 1984.

37）富永冬樹ら：小児両前腕骨骨幹部骨折の手術成績．整外と災外 **65**：176-181, 2016.

38）鵜飼康二ら：前腕骨両骨骨折の治療成績．骨折 **17**：611-615, 1995.

39）山中一良：前腕骨骨折に対する進入路．MB Orthop **17**：72-78, 2004.

40）山中一良ら：前腕骨骨折に対する minimally invasive plate osteosynthesis と従来法の比較．日手会誌 **21**：85-87, 2004.

41）山中一良：前腕骨骨幹部骨折に対する MIPO の適応と限界．骨・関節・靱帯 **18**：685-690, 2005.

6 橈骨遠位端骨折
fracture of the distal part of the radius

橈骨遠位端骨折は小児から高齢者まで全年齢層に発生し，大腿骨近位部骨折と並んで整形外科医が日常診療で遭遇する機会が最も多い骨折である．骨癒合に問題が少ないために，従来ともすれば整形外科医あるいは一般外科医によっても，安易な徒手整復とプラスチックキャスト固定により骨癒合さえ得られればよしとされてきた．しかし近年の調査により変形治癒は手関節の疼痛，運動制限をもたらし，その機能障害は従来考えられていた以上に大きいことが明らかにされた．したがって解剖学的整復は機能回復のためにきわめて重要である．

a 解剖・機能解剖

橈骨遠位関節面は舟状骨関節面 scaphoid facet，月状骨関節面 lunatum facet および尺骨切痕 sigmoid notch の3つの関節面よりなり，平均11°の掌側傾斜 palmar tilt，23°の尺側傾斜 ulnar inclination がある（**図13-6-1**）．また橈骨関節面と尺骨関節面は±2mm の高位の相違がある．これを尺骨変異 ulnar variant（variance）と呼称し，単純X線写真前後像で判定する．橈骨関節面と尺骨関節面が同一の位置にあるものをゼロ変異 zero variant，尺骨が橈骨に対し相対的に長いものをプラス変異 plus variant，短いものをマイナス変異 minus variant と呼ぶ．橈骨遠位端の骨折により種々の程度

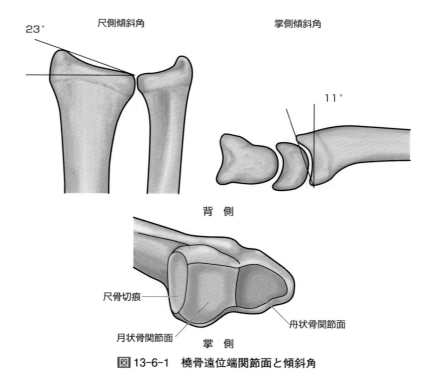

図13-6-1 橈骨遠位端関節面と傾斜角

で関節面傾斜の変化，関節面の変形，橈骨短縮による尺骨の長さとの不均等など橈骨手根関節および遠位橈尺関節の破綻により疼痛と可動域の減少をきたす．

附-17 橈骨遠位端骨折の冠名

　　1814 年の Abraham Colles の報告以来，一般に橈骨遠位骨幹端部の伸展型骨折を Colles 骨折と呼び，コーレス，コレス，コリーズ，カルスと発音されているがいずれが正しいか定かではない．本来関節外骨折であるが実際には程度の差こそあれ関節内に骨折線が及ぶことが多く，これを含めて橈骨遠位端伸展型骨折（遠位骨片が背側に転位）全体を Colles 骨折としている．同様に橈骨遠位端骨折で Colles 骨折とは逆に遠位骨片が掌側に転位した屈曲型骨折を Smith 骨折，橈骨遠位端関節面の掌側骨片が手根骨とともに掌側へ亜脱臼したものを掌側 Barton 骨折，背側骨片が手根骨とともに背側へ亜脱臼したものを背側 Barton 骨折と呼ぶ．

b 受傷機転

　　好発年齢は 10 歳前後の小児と 60 歳以上の女性に 2 つのピークがある．小児では活動性が高く，遊びやスポーツで転倒，転落の機会が多いこと，筋力が弱いために十分に手部で支えきれないこと，また 60 歳以上の女性では骨粗鬆による骨脆弱性を背景としている．

　　転倒して手部をついた際に生じることが最も多い．次に高所からの転落，自転車・バイク走行中の転倒などによるが，骨折の型は受傷時の肢位，作用する外力の方向および強さ，骨の力学的性状により決定される．

　　典型的な伸展型骨折（Colles 骨折）は手関節背屈位，前腕回内位で手掌を地面についたときに体重が手関節にかかり，掌側骨皮質の橈骨手根靱帯起始部に張力が作用し，骨軸に直角に骨折線が背側へ向かい，橈骨の遠位関節面から 2～3 cm 近位側で横骨折となる．このとき背側では圧迫力が作用し，この力が強い場合は背側骨皮質に三角形の第三骨片が生じ，時に粉砕，陥没状となる．この際，月状骨より橈骨の月状骨関節面に圧迫力がかかると橈尺関節面の背尺側が圧潰・陥没するいわゆるダイパンチ骨片 die-punch fragment を発生することもある（**図 13-6-2**）．また三角線維軟骨複合体 triangular fibrocartilage complex（TFCC）を介達する張力により尺骨茎状突起骨折を合併し，外力が大きい場合には遠位橈尺関節脱臼を生じる．

　　屈曲型骨折（Smith 骨折）は，最初の報告者である Smith は手関節掌屈位で手背をつくことにより発生すると考えていた．すなわち自転車やバイク走行中に転倒してハンドルを握った状態（掌屈位）で，中手骨を介した外力が橈骨遠位端に加わり発生する．しかし実際は，手関節背屈位で後方に転倒する際に前腕回外位，手関節背屈位に固定された状態で手をつき，前腕に内旋力が加わると橈骨遠位端骨折は掌側転位をとることが多いとされている．

　　橈骨茎状突起骨折 chauffeur's fracture は関節内骨折であり，手関節背屈位で手掌をつく際に舟状骨からの介達外力により生じるが，掌側の橈骨手根靱帯を通じての張力による裂離骨折とする考えもある．"chauffeur" とは運転手の意味で昔クランク式の車のエンジン始動時に，クランクが反動で逆回転して運転手の手関節橈背側に当たっ

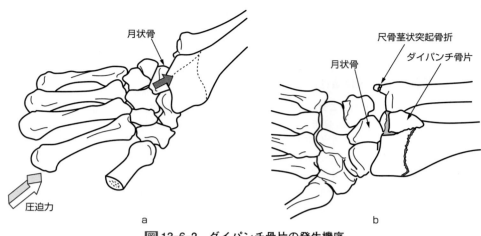

図 13-6-2 ダイパンチ骨片の発生機序
a. 骨折発生機序
b. 月状骨の圧迫力によるダイパンチ骨片の発生

て生じることよりこの名がつけられた．この骨折は橈骨舟状骨月状骨靱帯や舟状骨月状骨靱帯損傷の合併に留意する必要がある．

C 診　断

　　転倒，転落した際に手部をついたという外傷歴があり，橈骨遠位端の腫脹，疼痛，限局性圧痛，典型的 Colles 骨折では橈骨遠位部のフォーク状変形 dinner fork deformity，銃剣状変形 bayonet deformity により診断は容易である．問診が困難な年少児に発生する若木骨折は，変形，腫脹は軽微なことが多い．上記受傷機転と橈骨遠位端の限局性圧痛がある場合は必ず画像診断を行う．

1) 単純 X 線撮影
　　通常は手関節を中心とした単純 X 線写真正面・側面像により診断は容易である．しかしながら微小な骨折，骨片転位の状態，粉砕の程度さらには合併する手根骨骨折の検索のためには，両斜位を含めた 4 方向撮影が必要である．finger trap を装着して牽引下に撮影を行えば，創外固定によりどの程度整復可能かも併せて判断が可能である．
　　なお隆起骨折，軽度の若木骨折，微小な亀裂骨折の確認のためには，単純 X 線写真モニターやフィルムの場合は，画像を拡大したり X 線写真読影用の拡大鏡（ルーペ）で拡大して読影するとよい．

2) 断層 X 線撮影
　　関節内粉砕骨折の正確な診断および治療適応の決定に有用である．前額面断層と矢状面断層により転位の方向と程度，骨片の大きさ，粉砕の程度，陥没の程度を確認し，整復操作，固定の方法，手術適応の場合は骨移植の必要性などをあらかじめ検討することができる．最近は CT を用いることが多い．

3) CT，helical CT 撮影による multiplanar reconstruction-CT (MPR-CT)
　　従来の断層 X 線写真は像の鮮明さに欠け判読が困難なこともあったが，CT の導入により飛躍的に解像力が増した．

従来の CT では水平面断層撮影のみが可能で，遠位橈尺関節の背掌方向での転位と適合性の判読は容易であるが，ほかの断面での転位は読影者の頭の中で構成することが必要で経験を要する．最近開発された helical CT は，1 回の撮影で MPR による前額面，水平面，矢状面の 3 方向断層撮影だけではなくすべての方向からの断層像解析が可能で，スライス幅もより薄くなり詳細な骨折状態の判読が可能である．

この装置によりコンピュータ処理された三次元 CT 画像は，橈骨遠位部を背掌側，橈尺側，近遠位のあらゆる方向からの立体的透視が可能で，関節内骨片による関節面の不整が判読できる（図 13-6-22 参照）．整復操作の手順，骨移植の必要性はこれらの画像から容易に決定することができる．また多断面再構成法（MPR-CT：multiple planer reconstruction-CT）は断層撮影で得られたスライス画像を再構築し任意断面を求めることができるので，骨折部への進入路の決定，固定法の選択，仮骨の形成量や骨皮質との連続性の確認などに活用されている（図 7-4-1 参照）．

4) MRI

単純 X 線写真ではっきりしない亀裂骨折の有無を検索するとき以外は MRI は必要ではない．骨腫瘍による病的骨折，外傷後疼痛が持続する骨端線損傷・腱断裂の解析，高度外傷後の骨壊死の状態を把握するためには MRI は有用である．

d 分　類

橈骨遠位端骨折形態はきわめて多彩である．転位の方向，粉砕の程度，陥没の有無，関節内・外を基に伸展型，屈曲型骨折を網羅する分類，前者または後者のみの分類などいろいろな分類法がある．

1) Gartland 分類

Gartland は Colles 骨折（伸展型骨折）を，グループ I：関節外の単純な骨折，グループ II：関節内で転位のない粉砕骨折，グループ III：関節内で転位を伴う粉砕骨折の 3 つのグループに分けた．Gartland は関節内骨片の整復の必要性を強調したが，本分類では関節内骨折が一括して述べられているので治療方針と治療成績を論じるには不十分である．

2) Frykman 分類

関節外骨折と関節内骨折を橈骨遠位端の 2 つの関節面である橈骨手根関節，遠位橈尺関節のどちらに及んでいるかにより分類し，さらにそれぞれを尺骨茎状突起骨折の有無により 8 型に分類した（図 13-6-3）．転位方向，関節面の粉砕・陥没の程度には触れずに骨折が及ぶ範囲により分類され，牽引による整復の可能性，骨移植の必要性などは不明である．尺骨茎状突起骨折は偽関節が問題となることがあるが，これは遠位橈尺関節の不安定性の観点より論じられるべきで骨折自体の臨床的意義は少ない．

3) Melone 分類

関節内骨折を対象とした分類で，骨折片を骨幹部骨片，橈骨茎状突起骨片，背尺側骨片，掌尺側骨片に分け，これらの骨片の転位により 4 型に分類した（図 13-6-4）．橈骨月状骨関節面の掌側骨片が背屈回転し，背側骨片が近位に圧潰・陥没する IV 型は解剖学的な整復が必要である．本分類ははじめて関節内骨片の転位の方向を論じたもので，青・壮年の高エネルギー損傷による関節内粉砕骨折によく適応する．

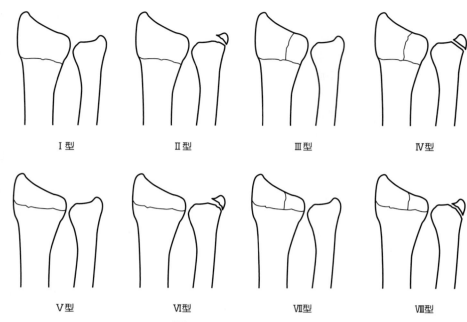

図 13-6-3　Frykman 分類
Ⅰ, Ⅱ型：関節外，Ⅲ, Ⅳ型：橈骨手根関節に及ぶ，Ⅴ, Ⅵ型：遠位橈尺関節に及ぶ，
Ⅶ, Ⅷ型：両関節に及ぶ．

4）斎藤分類

まず関節外骨折と関節内骨折に大別し，前者を Colles 骨折と Smith 骨折に，後者を単純関節内骨折と粉砕関節内骨折に分類する方法である．さらに単純関節内骨折を4つに，粉砕関節内骨折を粉砕 Colles 骨折として5つの亜型に，さらに粉砕 Smith 骨折および Barton 骨折と chauffeur 骨折を組み合わせて，背側 Barton 骨折と chauffeur 骨折の合併骨折，掌側 Barton 骨折と chauffeur 骨折の合併骨折に分けている（図13-6-5）．本分類は成人橈骨遠位端骨折のすべての型を網羅しているばかりではなく，それぞれの型ごとに治療方針を示している．しかし関節内の粉砕 Colles 骨折および粉砕 Smith 骨折でも舟状骨からの圧迫による橈骨茎状突起骨折が含まれ，Barton 骨折と chauffeur 骨折の合併との差異が明確でないなど煩雑にすぎる．

5）AO/OTA 分類

AO/OTA 分類は四肢骨折を部位別，骨折型に従って数字とアルファベットで表す系統的な分類法である．本骨折ではA：関節外，B：部分関節内およびC：完全関節内骨折の3型に，さらに1, 2, 3の数字で群，項目に細分類する．尺骨骨折，遠位橈尺関節脱臼を包含し前腕遠位部骨折全体が表現され，関節外骨折での粉砕の有無による区別と骨幹部に及ぶ骨折を独立させ治療法に直結し，成人骨折型の実際をほぼ網羅した有用な分類法である．

6）Thomas 分類

Thomas は屈曲型骨折（Smith 骨折）を3型に分類した．Ⅰ型：骨折線が関節面の背側縁より近位掌側に向かう．Ⅱ型：掌側 Barton 骨折で関節面を含む掌側に転位する

6 橈骨遠位端骨折

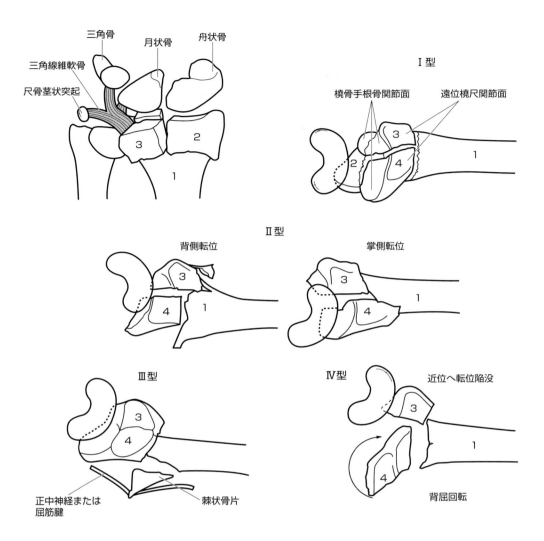

1. 骨幹部骨片　2. 橈骨茎状突起骨片　3. 背尺側骨片　4. 掌尺側骨片

図 13-6-4　Melone 分類
（Melone CP Jr：Articular fractures of the distal radius. Orthop Clin North Am 15：217-236, 1984 より改変）

骨片とともに手根骨以下の手部が種々の程度に掌側亜脱臼する．Ⅲ型：関節外の掌屈転位型骨折（reversed Colles 骨折）である（図 13-6-6）．斎藤分類では単純関節内骨折に分類される掌側 Barton 骨折も実際には粉砕している例も多く，関節内粉砕 Smith 骨折との異同の鑑別は困難で，CT による断層撮影で正確な粉砕の程度と転位の状況を把握する．

附-18　小児の橈骨遠位端骨折

乳幼児の隆起骨折，若木骨折では通常局所に腫脹や変形がなく運動痛と限局性の圧痛のみである．単純 X 線写真の注意深い読影によって診断が可能である．小児の骨折形態は隆起骨折，若木骨折，完全骨折に分けられる．骨折部位は骨端線と骨幹端・骨幹に

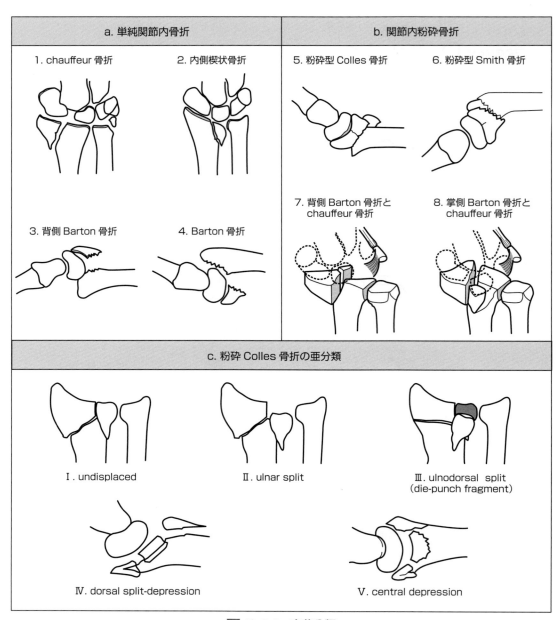

図 13-6-5　斎藤分類

分かれ，前者の大多数は Salter-Harris 分類のⅡ型である．完全骨折の転位の方向は背側（伸展骨折）と掌側（屈曲骨折）があり，伸展骨折は背側に屈曲する掌側凸変形か遠位骨片が背側に転位する Colles 骨折で，屈曲骨折は掌側に屈曲する背側凸変形か遠位骨片が掌側に転位する Smith 骨折である．

附-19　その他の橈骨遠位端骨折の特徴

　高齢者の橈骨遠位端骨折は関節外骨折のようにみえても多くの例で関節内に骨折線が及んでいる．骨粗鬆が強い例では関節外骨折であっても粉砕・圧潰が強く不安定であ

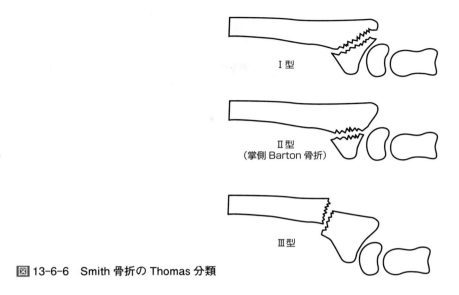

図 13-6-6　Smith 骨折の Thomas 分類

る．高エネルギー損傷により発生する例では，遠位骨幹部から骨幹端にかけて広範な粉砕骨折を示す例がある．掌側 Barton 骨折は掌側の骨片が 1 個の単純関節内骨折というより 1～3 個の骨片に分かれた粉砕関節内 Smith 骨折とすべき型が多い，などの特徴がある．一方背側 Barton 骨折は発生頻度は少ないが，背側の骨片が手根骨とともに背側へ亜脱臼時に完全脱臼となって背側へ転位する型である．

e 治　　療

　骨折治療法は X 線透視装置，気動式高速回転ドリル，内固定材料など各種の医療機器の開発により，従来の保存療法か手術療法かという選択ではなくその中間的位置にある最小侵襲による整復・内固定という新たな治療法が登場した．橈骨遠位端骨折はこの中間的な治療法の最もよい適応のひとつである．

1）保存療法

　外固定は腫脹，骨折部の異常可動性による疼痛に対する局所安静と骨癒合が完成するまで整復位を保持するために行われる．疼痛が軽度で再転位の心配がない小児の隆起骨折，軽度の若木骨折，成人の亀裂骨折では簡単な弾力包帯固定でもよい．疼痛が強く運動によりさらに増強するものや，徒手整復後の整復位の保持のためには各種内固定材料による外固定を行う．

　徒手整復は原則として麻酔下に行うが，短時間に 1 回の操作で整復が可能と予想されるときは局所麻酔下，ときには無麻酔下で行うこともある．特に伝達麻酔が行えず，各種事情により全身麻酔の煩雑さを避けたい年少児，および疼痛に対し比較的寛容な高齢者では無麻酔下に一気に徒手整復を行うことが多い．整復に時間を要する場合，疼痛のために局所の安静が保てない場合，引き続いて鋼線刺入などの手術操作が予想されるときは十分な無痛と筋弛緩が必要で，7，8 歳以上の小児および成人では鎖骨上窩か腋窩部での腕神経叢ブロック，それ以下の年少児では全身麻酔下で整復を行う．

　小児の若木骨折と骨端離開は通常徒手整復が可能であるが，骨端離開は粗暴な操作と多数回の整復操作は避ける．骨幹端部の騎乗型骨折は転位が強く循環障害予防のた

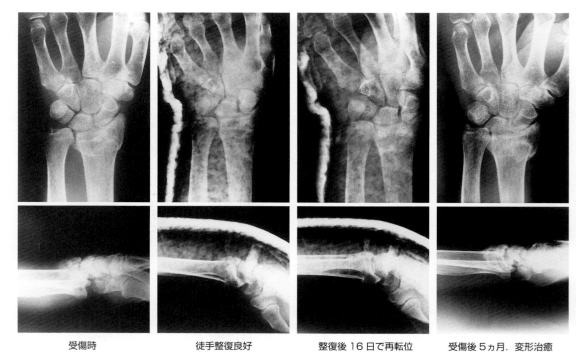

受傷時　　　　　徒手整復良好　　　　整復後16日で再転位　　　受傷後5ヵ月．変形治癒

図 13-6-7　左 Colles 型関節内粉砕骨折（82 歳，男性）
徒手整復後の外固定中に再転位した．掌背側2枚のプラスチック副子で対応すべきであった．

めに早急な整復を必要とするが，引っかけ整復法（accrochage）による整復は軟部組織をかなり圧迫するため，これで整復位が得られないときは固執することなく背側部に小切開を加えてエレバトリウムの先端などで直接整復する方法に切り替える．小児では年齢が低いほど自家矯正力があり回旋転位以外は完全な整復にこだわる必要はない．一般に1/2横径までの横転位と20°までの屈曲転位は許容範囲とされる．したがって徒手整復を行う場合は整復位をこの範囲内におくことを目標とする．4〜5歳以上では屈曲転位は10〜15°以下を目標とすべきである．

　成人では粉砕骨折，骨粗鬆が著しい例を除き，比較的軽度の関節外 Colles 骨折，単純関節内骨折で chauffeur 骨折，非転位関節内 T 型骨折，粉砕のない関節外 Smith 骨折，亜脱臼のない掌側 Barton 骨折などは徒手整復後に外固定を行う保存療法が可能である．Colles 骨折の徒手整復法は患者をベッド上に背臥位に寝かせ，前腕を回外位に保ち，対抗牽引として前腕近位を助手に把持させ，術者は手部を牽引しまず短縮転位を整復したのち，両側母指を遠位骨片背側に当てるように両手で把持し，両母指で遠位骨片を遠位に押し込み，掌尺屈させる．肘関節部のすぐ遠位から指背まで背側プラスチック副子を当て手関節を掌尺屈位（Cotton-Loder 肢位）で固定したのち，肘関節を90°屈曲位とし上腕中央より前腕部を固定するプラスチック副子を追加する．この整復位で2〜3週固定し骨折部の安定が得られたら，手関節を背掌屈中間位近くに戻して肘関節下から MP 関節近位までさらに2〜3週プラスチックキャスト固定を行う．固定後は単純 X 線写真により再転位のないことを確認する（図 13-6-7）．

図 13-6-8 chinese finger trap を利用した整復法
上腕部を重錘により固定し，対抗牽引として，懸架装置で finger trap を介して徐々に牽引力を強くして短縮転位を改善し，徒手にて背・掌側，側方転位を整復する．

　また橈骨遠位端骨折に対し chinese finger trap を指に装着し上肢の自重を利用し垂直に牽引し徐々に整復する方法がある（図 13-6-8）．通常腋窩ブロック麻酔，局所麻酔を行うが，非麻酔下で行うことも可能である．約 15～20 分の牽引で整復される．徒手整復のための強い外力を加える必要がなく患者にかける負担もきわめて少ない．まず試みてよい方法である．
　Smith 骨折では同様な体位・肢位で牽引下に遠位骨片を背側に押し込み手関節を背屈位として整復し外固定を行う．整復後 2 週は再転位しやすいので注意を要する．

附-20　橈骨遠位端骨折に対する局所麻酔法

　骨折部に背側より 23G 針を刺入し血腫を吸引し血液の逆流により骨折部に針先が刺入されていることを確認後，1％キシロカイン 5～10 mL を注入する．
　血腫内に注入することにより薬剤は骨折部全体に浸潤し除痛が得られ徒手整復が容易になる．10 歳位以上であれば可能である．

2）経皮的鋼線固定法 percutaneous pinning（特に叉状鋼線固定法 criss-cross fixation）

　経皮的鋼線固定は徒手整復後に X 線透視下に Kirschner 鋼線を経皮的に刺入し骨折部を固定する方法である．徒手操作により得られた整復位を維持するために鋼線刺入する方法と，経皮的に刺入した Kirschner 鋼線を利用して骨片を整復しそのまま固定する方法がある．
　小児の骨端離開では整復後の安定性が良好でそのまま外固定のみとすることが多いが，骨幹端付近の騎乗型骨折は再転位を起こしやすいので外固定と経皮的鋼線固定を併用することがある．成人では関節外の Smith 骨折，関節内骨折の chauffeur 骨折，粉砕型では転位・陥没のない骨質の強靱な青・壮年の粉砕型骨折例に対し同様に外固定を補強する目的で経皮的鋼線固定を行うことがある．骨粗鬆のある高齢者では骨折

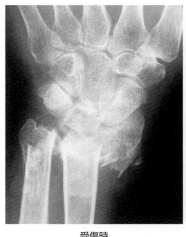 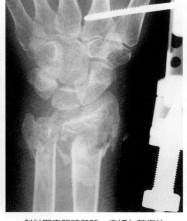 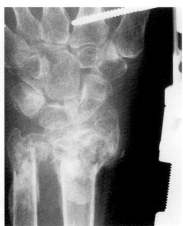

受傷時　　　　　　　　創外固定器装着時．良好な整復位　　　　　9週間の装着で再転位なし

図 13-6-9　両側の骨粗鬆の強い関節内粉砕骨折（76歳，女性）
Clyburn創外固定術施行．9週間の装着で短縮はなく，新生骨が良好に形成されている．

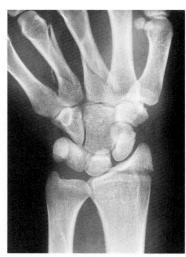 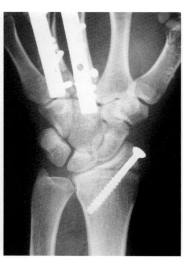 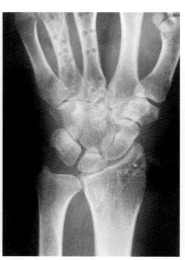

受傷時　　　　　　　　　中空スクリュー固定　　　　　　　骨癒合後抜釘時

図 13-6-10　chauffeur骨折に対する中空スクリュー固定（19歳，女性）

部の圧潰が強く，本法では固定性が不良で陥没・短縮が再発しやすいので適応とはならない（図13-6-9）．経皮的鋼線固定は操作も容易で有用な方法であるが，一方刺入部の皮神経損傷の合併や刺入部の感染について十分な注意を払う必要がある．

3）経皮的スクリュー固定法　percutaneous screw fixation

離開が軽度の橈骨茎状突起骨折，骨片の大きな尺骨茎状突起骨折に対しては，局所に小切開を加えて海綿骨スクリューにより固定する方法は有効である．ことに中空スクリュー cannulated screw はガイドピン下に容易に正確に刺入可能である（図13-6-10）．

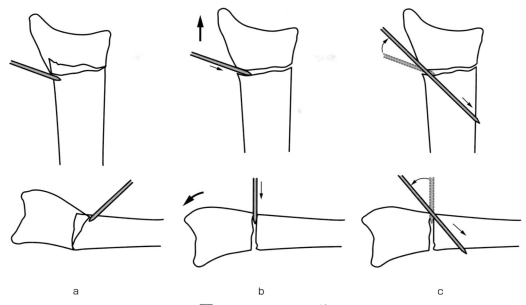

図 13-6-11　Kapandji 法
a. 受傷時橈屈変形を b. 橈背側より Kirschner 鋼線を骨折部に刺入し，c. 遠位側に傾け尺屈させて整復し，対側の皮質に貫き固定する（上段）．次に同様に a. 背屈変形を b. 背側より Kirschner 鋼線を骨折部に刺入し，c. 遠位側に傾けて掌屈させ対側皮質に貫き固定する（下段）．

4) Kapandji 法（intrafocal pinning 法）

　　Kapandji により報告され，容易な手技，外固定の早期除去が可能などの利点を有する優れた方法である．背橈側より経皮的に Kirschner 鋼線を骨折部に垂直に刺入し，遠位側に 45°傾けて近位骨片に進め対側の骨皮質に貫き固定する．さらにその尺側で同様にして 2 本目の Kirschner 鋼線を骨折部より刺入し近位骨片を固定する（図 13-6-11）．本法は関節外骨折で骨折部の圧潰が比較的少ない例に適応される．関節内粉砕骨折は整復が困難で，関節外でも粉砕・圧潰がある例では再転位をきたす恐れがあり適応にならない．

5) 小切開整復法―小切開からのエレバトリウムによる整復・経皮的鋼線固定法―

　　本法は厳密には手術療法ではあるが従来の広範な切開により骨折部を展開し直視下で骨折の整復を図るのとは異なり，軟部組織の侵襲がきわめて少ない整復法である．本法は小児の遠位骨幹・骨幹端部での伸展騎乗位型骨折，創外固定の牽引力だけでは整復されない成人の関節内粉砕骨折に適応される．

　　小児の伸展騎乗位型骨折で引っかけ整復法（accrochage）で整復が困難な場合は無理することなく本法に移行すべきである．井上らの方法に準じ骨折部背側に約 5 mm の小切開を加えエレバトリウムを伸筋腱間を通して骨片間に挿入し，近位骨片の遠位端をてこの支点として背側に転位している遠位骨片を近位骨片の骨折端にエレバトリウムをすべり込ませるように押し進める．次いで挿入したままのエレバトリウムの先端で残った背側および側方の転位を微調整し，整復下に 1〜2 本の Kirschner 鋼線で経皮的鋼線固定を行う．この際，釘が骨端線を貫通しないように注意する（図 13-6-12, 13）．

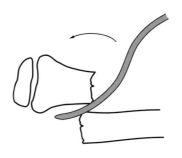
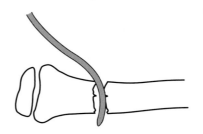

背側の小切開から小エレバトリウム挿入　　　　　　　　てこ操作による整復

図 13-6-12　小児の骨幹端部の騎乗位型骨折に対する小切開整復法

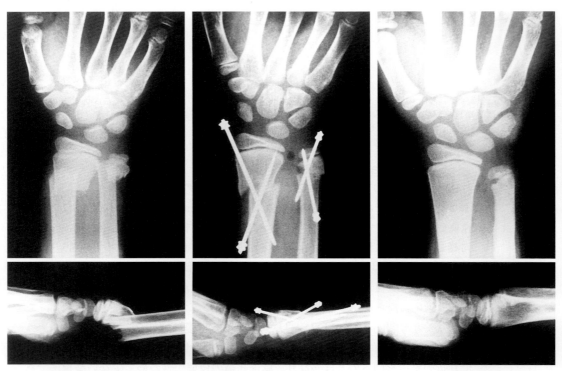

受傷時．橈・尺骨騎乗位型骨折　　　橈骨は小切開エレバトリウム法．　　　術後 10 ヵ月
　　　　　　　　　　　　　　　　　尺骨は骨折部展開により整復後
　　　　　　　　　　　　　　　　　クロスピンニングにより固定

図 13-6-13　右橈・尺骨遠位骨幹端伸展騎乗位型骨折に対する小切開エレバトリウム整復法（10 歳，男児）

　Axelrod ら（1988）は創外固定器による牽引でも整復されない陥没した月状骨関節面背側の骨片を背側の小切開からエレバトリウムを伸筋腱間を通して挿入し遠位に押し上げる整復法を報告した．整復位保持が困難なときは経皮的鋼線固定法を追加する．この方法は片側型の創外固定器装着下に月状骨に対応する関節面の骨片ばかりでなく，掌側の背屈骨片，中央の陥没骨片に対しても可及的に整復を行い（図 13-6-14），整復後に生じた骨欠損部にはハイドロキシアパタイト顆粒を充填し安定性を高

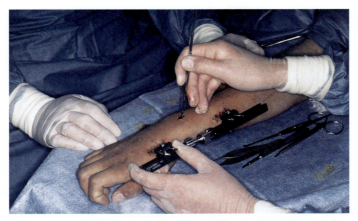

図 13-6-14　Pennig 創外固定下の小切開エレバトリウム法整復

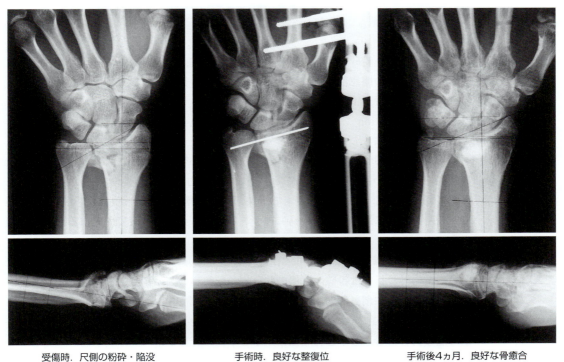

受傷時．尺側の粉砕・陥没　　　　　　手術時．良好な整復位　　　　　　手術後4ヵ月．良好な骨癒合

図 13-6-15　左関節内粉砕 Colles 骨折（23歳，男性）
小切開エレバトリウム整復法で整復後，ハイドロキシアパタイト充填し創外固定を行った．

めることができる（図 13-6-15）．また先端を曲げた Kirschner 鋼線による同様な経皮的髄内固定法も報告されている．

6) 鋼線固定とプラスチックキャスト併用法

　創外固定法の先駆けとなった牽引力による整復を目的とした方法であるが，橈骨遠位端骨折専用の創外固定器の普及により現在行われることは少ない．Kirschner 鋼線を尺骨の近位部と第2・第3中手骨に刺入し，牽引下でプラスチックキャストに巻き

図 13-6-16　鋼線固定とプラスチックキャスト併用法
透視下に牽引・整復し第 2・3 中手骨，尺骨肘頭に Kirschner 鋼線を刺入してこの 2 本を巻き込んで前腕プラスチックキャストとする．整復されない関節内の陥没骨片は背側を開窓し小皮切下に骨片を持ち上げ整復し，欠損部には骨移植する．創外固定器が開発されていない時期に行われた手技である．

込む．これにより粉砕骨片のおよその整復位を得て，整復されない陥没骨片をプラスチックキャストの開窓部から経皮的あるいは直接手術的に整復して，骨欠損部が大きければ骨移植を行う（図 13-6-16）．

7）創外固定法 external fixation

(1) bridging 型創外固定法

成人橈骨遠位端骨折に対する創外固定法は近年必須の治療法となり各種の創外固定器が開発されている．橈骨手根靱帯を介した牽引力による整復および固定法である．軽量でかさばらない片側性の固定で手関節運動機構を備えた dynamic 型創外固定器は，装着固定後に追加手術を容易に行うことができ至適な角度で固定することが可能である．

関節面に骨折線が及んだ Colles 骨折に対しては非転位型，安定型を除き創外固定とし，関節外骨折では粉砕・圧潰の強い例，骨粗鬆の強い例は短縮再転位の可能性が高いので積極的に創外固定とする（図 13-6-17）．掌側 Barton 骨折は転位の少ない例では，dynamic 型創外固定器を用いることにより徒手整復後に背屈位で固定することが可能な例もある．しかし背屈位にすると掌側の骨片が落ち込み関節面が離開しやすく，その結果前後径が延長して癒合することがあり，さらに掌側の骨片は粉砕していることが多いなどの理由により掌側より支えプレートによる固定を行ったほうがよい．両側骨折例では ADL 上の必要性から両側，少なくとも利き手側は創外固定とする（図 13-6-18）．創外固定単独では整復されない関節内骨片は，創外固定装着下に徒手整復・経皮的鋼線固定，小切開整復法などの追加手術が必要である．

(2) non bridging 型創外固定法

bridging 型創外固定は手関節をまたいでの装置で，抜去まで手関節運動ができない．関節包靱帯の短縮による手関節拘縮やかさばるなどの短所がある．non bridging 型創外固定は遠位，近位骨片を通したピンを介しての osteotaxis により牽引整復し，軽量で術直後より手関節運動が可能である（図 13-6-19, 20）．関節外骨折では遠位骨

6 橈骨遠位端骨折　627

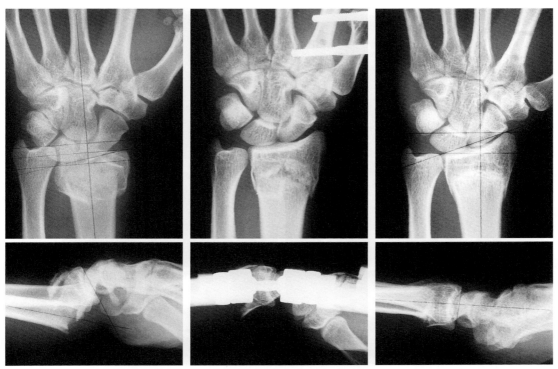

受傷時．背側の小粉砕骨片を伴う　　　手術時．良好な整復位　　　術後4ヵ月．再転位なし

図 13-6-17　関節外 Colles 骨折に対する創外固定法（19 歳，男性）

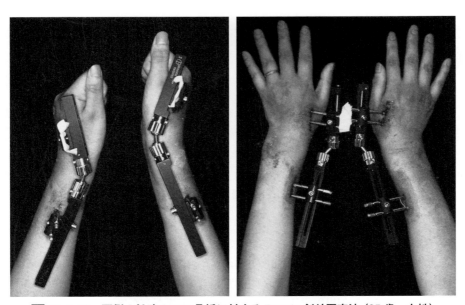

図 13-6-18　両側の粉砕 Smith 骨折に対する Pennig 創外固定法（25 歳，女性）

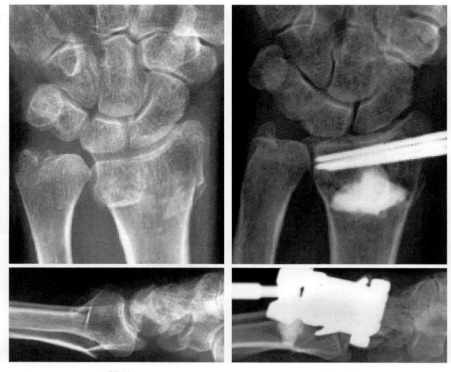

受傷時　　　　　　　　　　　手術時

図 13-6-19　左 AO 分類 A3.2 型（78 歳，女性）
non bridging 型 Compack 創外固定後に背側に小切開を加えリン酸カルシウム骨ペーストを充填した．

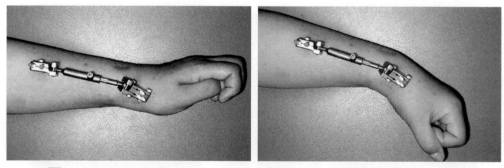

図 13-6-20　non-bridging 型創外固定器は装着直後から手関節運動が可能である

片を確実に把持でき整復力も良好であるが，関節内粉砕骨折では多骨片を十分に捕えきれないので，関節内骨片に多方向からピンを刺入し固定するなどの追加が必要である．

8）手術療法（骨折部展開による整復・内固定法）

各種経皮的鋼線固定法，小切開による整復法などを追加した創外固定法の適応が拡大するにつれて，骨折部を展開し整復，内固定するいわゆる従来行われていた手術療法の機会は減少しており，現在どのような骨折に手術療法を適応するかについて諸家の一致を得ていない．一方で経皮的鋼線固定法，創外固定法の限界も明らかとなり，

特に青・壮年の高エネルギー損傷による関節内粉砕骨折には正確な関節面の解剖学的整復と確実な固定が不可欠である。一般には，① Melone 4 型，斎藤分類の粉砕 Colles 骨折で陥没のある 4，5 型，② Barton 掌側亜脱臼骨折および関節内・外の粉砕 Smith 骨折，③ 背側および掌側 Barton 骨折と chauffeur 骨折の合併（図 13-6-21），④ 骨幹から骨幹端部が高度に粉砕された骨折（図 13-6-33 参照）は手術療法の適応とされている。

　Melone 4 型は，掌側の骨片が 90～180° 背屈回転し骨折部背側はいろいろな程度に粉砕し近位方向へ陥没している。転位，粉砕の程度が軽い場合は内固定のみとするが，重度の例ではあらかじめ創外固定を装着し牽引をかけ短縮を除いておいたほうが整復が容易である。掌側より橈側手根屈筋腱の橈側から進入し，方形回内筋を切離し骨折部を展開する。創外固定器の牽引力により短縮転位は改善しているが，残存する背屈した掌側の骨片は直視下に徒手的に整復する。この掌側の骨片には橈骨手根靱帯が付着しており，原則としてこれを温存しながら整復する。次に掌側の骨片と連続しない中央の陥没骨片と近位に陥没した背側の骨片を，掌側の骨片をいったん背屈させてこの隙間から小エレバトリウムを挿入し骨片を起こして整復する。このとき背側部の圧潰が強く掌側からだけでは整復が困難な場合は，背側からの展開を追加して整復する。生じた骨欠損部には安定性を得るために，自家骨かハイドロキシアパタイト顆粒を充填する。再び掌側骨片を整復し掌側から Kirschner 鋼線を数本刺入し固定する。さらに可能であれば支えプレートで骨折部を固定する。

　掌側 Barton 骨折，関節内・外の粉砕 Smith 骨折に対しては掌側から T 字型プレートや最近開発されたシンメトリープレートなどの支えプレートによる固定が必要である（図 13-6-22）。単純な掌側 Barton 骨折は牽引力は必要なくプレート固定のみでよいが，関節内・外の粉砕 Smith 骨折では短縮傾向が強いのでまず創外固定により背屈位で牽引をかけておく。次に掌側より骨折部を展開し，近位骨片の掌側におおいかぶさっている関節内骨片を損傷しないよう愛護的なてこ操作により整復するが，あらかじめ創外固定により牽引し，背屈位としているので整復が容易である。このとき骨欠損が大きければ自家骨あるいはハイドロキシアパタイトを充填し，数本の Kirschner 鋼線で仮固定をして支えプレートを当てる。仮固定の Kirschner 鋼線は抜去するか背側皮下にとめておく。

(1) 掌側ロッキングプレート固定法

　背屈型骨折に対する背側プレート固定はそれなりに整復力があるが，軟部組織，ことに伸筋腱への影響が大きい。一方掌側からのプレート固定は掌屈型骨折に対してはバットレス効果により有効であるが，背屈型骨折に対する従来の掌側プレート固定は遠位骨片に対するスクリューの把持力が劣り再転位の可能性がある。このため遠位骨片への把持力強化の目的で，ピンあるいはスクリューヘッド部にプレートスクリュー孔とのロッキングスレッドを持つ専用ピンあるいはスクリューを最も強靱な関節面直下の軟骨下骨に通して固定するロッキングプレートを用いる（図 13-6-23）。このプレートは創内創外固定ともいうべきもので術直後の整復位が良好に保持されるが，粉砕骨片に対してどこまで把持し得るか問題となる。

　近年，掌側ロッキングプレートによる術後の長母指屈筋腱の摩耗による皮下断裂の

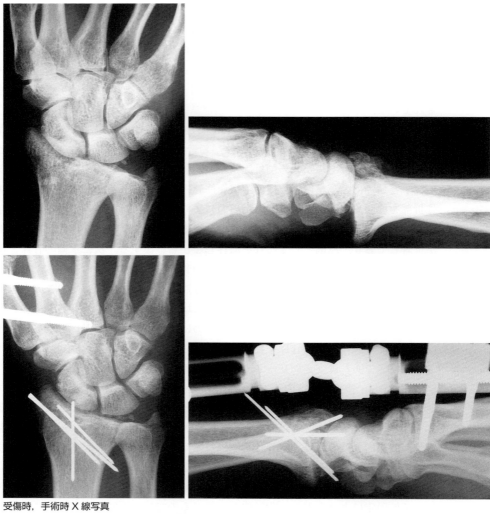

受傷時, 手術時 X 線写真

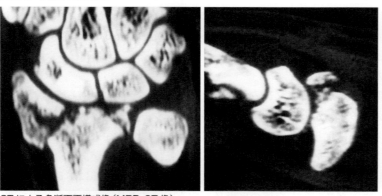

CT による多断面再構成像(MPR-CT 像)

図 13-6-21 右背側 Barton 骨折と chauffeur 骨折の合併例（56 歳，男性）
創外固定牽引下に掌側より掌側靱帯裂離骨片縫合・Kirschner 鋼線固定を行った．

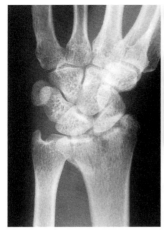
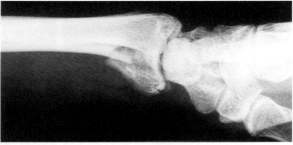

受傷時単純X線写真　粉砕を伴う関節面の不整

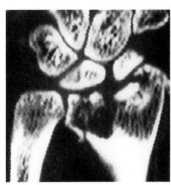

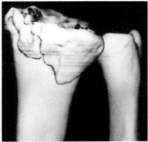

多断面再構成像（MPR-CT像）　　　　　　　　三次元CT画像
CT画像により骨片転位が明瞭

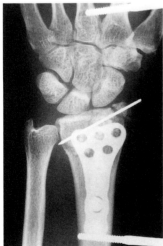
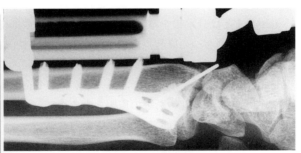

手術後　良好な関節面

図 13-6-22　左粉砕型掌側 Barton 骨折（27歳，女性）
創外固定下にシンメトリープレートによる内固定とハイドロキシアパタイト充填併用手術

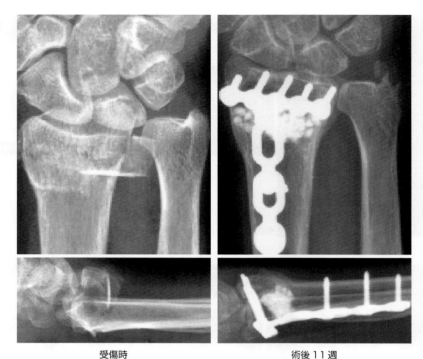

受傷時　　　　　　　　　術後11週
図13-6-23　右AO分類C3.1型（72歳，女性）
distal radius plate固定後ハイドロキシアパタイト顆粒充填

発生が散見されるようになり，Orbay（2005）はこれを防ぐために橈骨遠位端の骨性隆起を"watershed line"として，これを避けるプレートの至適設置位置を報告した．watershedとは分水嶺を意味し，本来の語意からは橈骨掌側面で掌側に最も突出した橈側と尺側の2つの隆起点を結ぶ骨性隆起線—S lineともされるが，Orbay自身の論文の文意からもこのS lineよりも近位の方形回内筋窩の最遠位の骨性隆起線—PF lineと解される．それまでのプレートがこのlineを越えて設置されかつ遠位部が厚いために摩耗による腱の断裂の原因となるので，より薄く近位設置できる形状のプレートとそれを方形回内筋で覆い摩耗をさけることの重要性が述べられている．一方watershed lineを越えて関節内掌側の小骨片を伴った粉砕骨折は，近位設置型のプレートでは骨片を固定できないので，遠位設置型のプレートが各種開発されている．

図13-6-24に提示した症例は関節内粉砕C3型骨折で，ACULOCK II遠位設置型プレートによりwatershed lineを越えて良好に整復・固定されている．

さらに関節内粉砕骨片をより有効に固定する手技として，Orbayは遠位1列目で関節面中央を，2列目で遠位背側の軟骨下骨を支えるdouble-tiered subchondral support法（DSS法）を報告し，川崎はこのDSS法を従来のmonoaxial locking plate（MLP）ではなく，polyaxial locking plate（PLP）で固定する方法に拡大している（図13-6-25）．

(2) 関節鏡視下手術　arthroscopic surgery

関節鏡視下手術の目的は，①関節内骨片の転位の状態（関節面の不整，段差形成）と整復状態の観察，②手関節内靱帯損傷の観察である．前者は鏡視下の整復・骨片

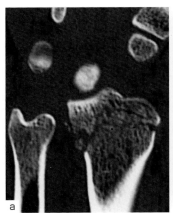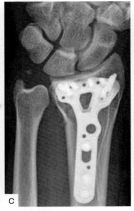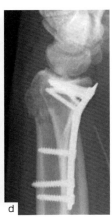

図 13-6-24　左橈骨遠位端関節内粉砕骨折 C3 型骨折に対し，遠位設置型の ACULOCK II プレート固定（39 歳，男性）
良好に整復・固定された．
a. 受傷時 CT 正面像，b. 受傷時 CT 側面像，
c. 手術時正面像，d. 手術時側面像

近位設置型　　　　　　遠位設置型　　　　　　DSS 法

図 13-6-25　DSS 法と MLP プレートの比較
（川崎：骨折 33：12-17，2011 より）

固定 arthroscopic surgery と，鏡視は骨片転位の確認程度で整復固定は透視外に行う arthroscopic assisted reduction に分かれる．

　一般に青・壮年では 2 mm 以上の段差形成と離解はのちに関節面の変形性変化（変形性関節症）をもたらし，手関節痛と関節可動域制限の原因となる．合併する関節内靱帯損傷は，関節鏡使用の頻度が増すにつれて舟状月状骨間靱帯，月状三角骨間靱帯，三角線維軟骨複合体（TFCC）の損傷部位，損傷形態，頻度などが明らかになってきたが，TFCC 以外は修復術の必要性は低い．TFCC 損傷による遠位橈尺関節不安定症はその程度が大きいと前腕回旋時の運動時痛や運動制限を遺す（図 13-6-26）．尺骨茎状突起骨折を伴っているときはその骨折部位により不安定性は異なり，尺骨小窩付着部を含むときは引き寄せ鋼線締結法により確実な固定を行う．尺骨茎状突起骨折を合併しない TFCC 剥離損傷に注意し，遠位橈尺関節不安定性の確認のためには橈骨整復固定後に必ず floating 徴候テスト（橈骨を保持して尺骨頭を背掌側方向へ圧迫してその不安定性を観察する）による不安定性，雑音触知を健側との比較で確認し（図 13-6-27），必要に応じて TFCC 修復術を行う（図 13-6-28 A, B）．

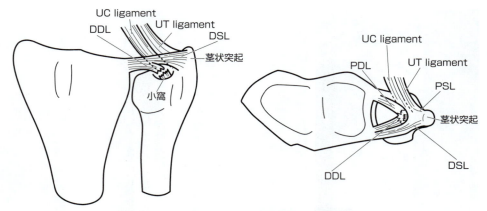

図 13-6-26　TFCC 尺骨小窩付着部断裂の模式図
PDL：palmar deep limb, PSL：palmar superficial limb, DDL：dorsal deep limb, DSL：dorsal superficial limb, UT：ulnotriquetrum, UC：ulnocapitate

（森友寿夫：整・災害外科 53：333-339, 2010 より）

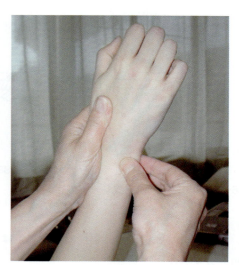

図 13-6-27　floating 徴候テストによる
　　　　　　遠位橈尺関節不安定性の診断
橈骨を保持して尺骨を背掌側に圧迫する．

(3) 開放骨折に対する治療

開放骨折は橈骨の近位骨片の遠位掌側端が掌側皮膚を穿孔するか，遠位橈尺関節が破綻して尺骨頭が皮下から突出することにより発生する．直ちに開放創を延長切開して骨折部を中心に十分にデブリドマン，洗浄を行う．高エネルギー外力による挫滅開放骨折では，骨折による短縮防止，軟部組織損傷修復のために一時的な bridging 型創外固定による牽引固定が有用である．

(4) 関節内 rim 骨折

"rim" とは縁を意味し，橈骨遠位端の関節内の掌側縁あるいは背側縁の骨折である．掌側縁の大多数は月状骨窩（volar lunate facet：VLF）部の骨折で，通常の近位設置型プレート固定では骨片を捉えにくく固定性が不良のために，徐々に手根骨の掌側亜脱臼が発生する可能性がある．この骨片を支持するために Kirschner 鋼線固定，創外固定による牽引，軟鋼線による骨縫合，螺子固定，フックプレート固定，プレート

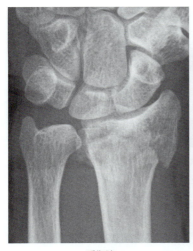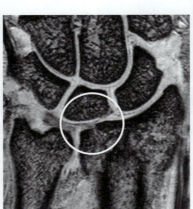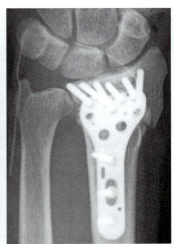

受傷時　　　　　MRI sm-FFE で TFCC が小窩より断裂　　　掌側 locking plate により固定

図 13-6-28（A）　転落し手をついて受傷（58歳，男性）
橈骨骨折は AO 分類 A3.2 型の関節内骨折であるが，受傷時掌側に小開放創と尺骨頭の突出を認めた．

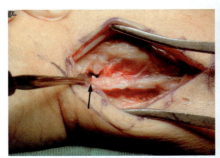

小開放創を延長．TFCC は尺骨茎状突起，　　断裂部は遠位橈尺関節に交通している
小窩（矢印）から完全剥脱

図 13-6-28（B）　橈骨骨折固定後遠位橈尺関節の著明な不安定性を
　　　　　　　　確認し，TFCC を小窩部へ縫着した
橈骨固定後も遠位橈尺関節の著明な不安定性を確認し，TFCC を小窩部に
骨孔を穿って縫着し不安定性は消失した．

アーム部の掌屈角を背屈方向へ矯正しての押し上げ固定など，症例により幾多の各種追加固定法が行われてきた．一方，近年報告されている遠位設置型プレートは，プレートアーム部をより遠位に設置することにより，この骨片を捉えることが可能であると報告されているが，骨片の形態・脆弱性・大きさは症例により異なり本プレートでも支持が困難なことがあり，固定法の選択には症例ごとに検討することが必要である（図 13-6-29, 30）．

(5) 背側天蓋状骨折

佐々木は関節内に転位した背側の骨片を"背側天蓋状骨片"と定義し，山中はこれを連続型・遊離型・髄内型の3型に分類し，さらに嵌頓型を追加した．この骨片は放置されると手関節運動障害，手関節運動痛，伸筋腱の滑走障害をきたす可能性があ

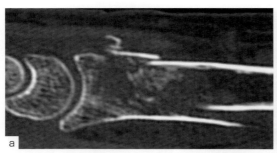
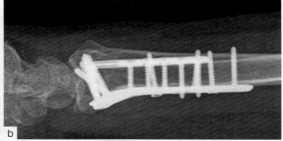

図 13-6-29　関節内 rim 骨折（84 歳, 女性）
右 AO 分類関節外 A3.2 型骨折に対し，Stellar II 近位設置型プレートで固定し，尺骨頸部骨折は Stellar 尺骨プレートで固定．
a．受傷時 CT 側面像で橈骨は A3.2 型骨折と尺骨頸部粉砕骨折，b．手術後 6 ヵ月

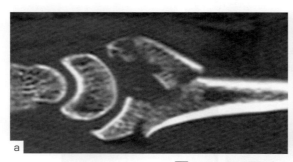
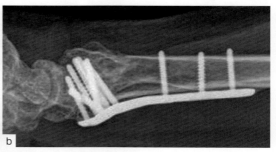

図 13-6-30　関節内 rim 骨折（75 歳, 女性）
右 AO 分類関節内 C3.1 型骨折に対し，Stellar D 遠位設置型プレートで固定し，掌側縁の月状骨窩の rim 骨折は良好に整復された．
a．受傷時 CT 側面像で C3.1 型骨折の掌側 rim 骨折，b．手術後 10 ヵ月，rim 骨折は良好に整復

る．処置としては先に掌側からのロッキングプレートにより主骨片を整復したうえで，背側からの展開により本骨片の大きさ，形状，関節内への転位状況を評価し，可能であれば整復・Kirschner 鋼線や螺子による固定，小さければ摘出術を行う（図 13-6-31, 32）．

(6) 遠位端から骨幹部へ及ぶ骨折

本骨折は高圧軸圧外力による遠位端と骨幹部骨折の両者の特徴を併せ持った遠位骨幹部に及ぶ広範な損傷である．骨幹部骨折はきわめて不安定であり整復位と固定性が不良であれば骨癒合自体を得にくいので，遠位端骨折を整復固定した後に近位骨片と長いプレートにより架橋するように強固に固定する．骨幹部の斜骨折，粉砕骨折に対しては正確な圧着が必要で，適宜ラグスクリューを追加し正確な整復と固定を目指す．各種プレートには遠位アーム部を長い骨幹部プレートで延長した "extra long plate" の機種が準備されている（図 13-6-33, 34）．

附-21　骨移植の適応

整復後の骨欠損部に骨移植を行うか否かは異論があるが，整復した骨片の支持性を高め外固定期間を短縮し骨癒合を早めるためには積極的に骨移植をしたほうがよい．高齢者では採骨のための新たな侵襲を避けること，脂肪髄のため支持性がないことによりハ

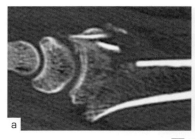
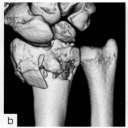
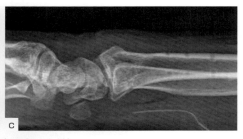

図 13-6-31　背側天蓋状骨折（54歳，女性）

右 AO 分類 A3.2 型骨折の月状骨窩背側縁の天蓋状骨折連続型に対し，掌側 locking プレートで固定後背側より骨片を切除した．
a. 受傷時 CT．側面像（背側天蓋状骨折連続型），b. 受傷時 3D-CT（月状骨窩の背側縁の天蓋状骨折連続型），c. 術後 7 ヵ月，抜釘後関節面は良好に保たれている．

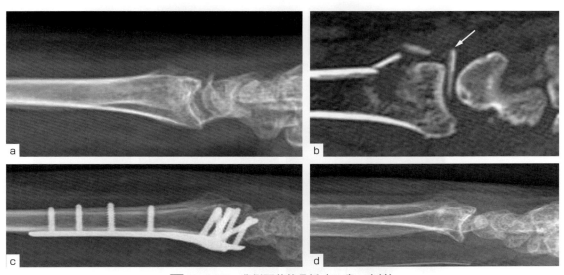

図 13-6-32　背側天蓋状骨折（71歳，女性）

左 AO 分類関節内 B1.2. 型骨折の舟状骨窩背側縁の天蓋状骨折関節内嵌頓型に対し，掌側ロッキングプレート固定後に背側より骨片を切除した．
a. 受傷時単純 X 線像で嵌頓骨片は不明瞭．b. 受傷時 CT 像で背側舟状骨窩の嵌頓骨片は明瞭（矢印），c. 掌側ロッキングプレート固定・骨片切除術後 6 ヵ月，d. 抜釘後関節面は良好

イドロキシアパタイト顆粒を利用することが多い．ハイドロキシアパタイト顆粒は骨伝導，組織親和性ともに良好で特に問題はない．最近，ゲル状のハイドロキシアパタイトも開発された．75 歳以上の高齢者への骨セメントの利用により安定性の強化と早期の外固定除去が報告されている．

f 後療法

　成人の保存療法では Colles 骨折に対する掌尺屈位（Cotton-Loder 肢位）固定，Smith 骨折に対する手関節背屈位外固定はともに十分な手指屈伸運動ができない．骨折部が安定する 3 週間前後に可及的手関節良肢位に固定しなおし手指運動を開始する．このとき重要なことは固定範囲を肘関節の遠位から MP 関節の近位までとして，肘関節，手指関節の屈伸運動を可能にすることである．高齢者では患側上肢を三角巾

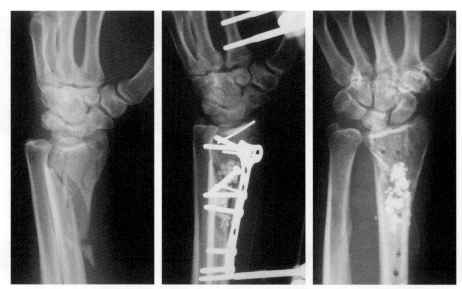

図 13-6-33　骨幹部に及ぶ左関節内粉砕骨折（59 歳，男性）
創外固定牽引下に T 字型プレート固定を行いハイドロキシアパタイトを充填した．

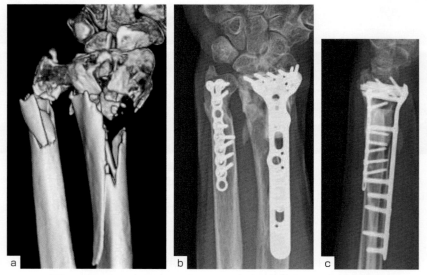

図 13-6-34　骨幹部に及ぶ高度の橈尺骨粉砕骨折（91 歳，女性）
左 AO 分類関節内 C3.3 型粉砕骨折・尺骨頚部粉砕骨折に対し，橈骨は整復後欠損部に β-TCP ブロック充填し ACU-LOC extra long plate で固定，尺骨は modular プレートで固定した．
a．受傷時 3D-CT で橈骨は骨幹部への広範な骨折と遠位部の粉砕・骨欠損を認める．
b，c．術後 5 ヵ月で橈骨は整復位で良好に癒合している．

で固定すると不動により肩関節拘縮をきたしやすいので，早期から積極的に振り子運動を指導する．外固定除去後は骨癒合の状態，筋力の回復に従い順次負荷を増やしながら可動域訓練を指導し，拘縮が強く自分で行えない例では通院しリハビリテーションを行う．

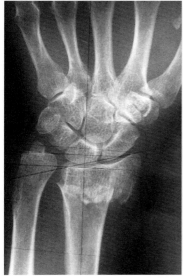
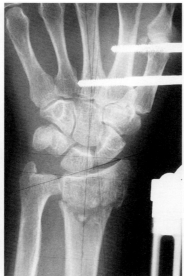
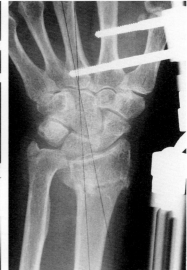

受傷時　　　　　　　　　創外固定時良好な整復位を得るが，骨粗鬆　　創外固定時4週間で手関節運動開始後，
　　　　　　　　　　　　が強く圧潰・骨欠損をみる　　　　　　　　尺側の陥没・短縮が発生した

図 13-6-35　左 Colles 骨折（72歳，女性）
Pennig 創外固定術を施行し，早期運動を行ったが再転位した．

　小児では骨癒合が早いが，たとえ外固定期間が4～5週間に及んでも関節拘縮が残存することはない．
　創外固定法は術後1日より手指運動を指導し固定肢位が極端な掌屈位，過牽引でなければ早期に手指の最大屈曲が可能となる．dynamic 型創外固定器による固定は早期手関節運動が推奨されており，Pennig は術後3～4週で，Clyburn は術後1日から掌屈運動を，4週で背屈運動を行わせている．早期運動を開始すると手関節の最大背・掌屈の回復が早いが，早期運動中に再転位・短縮が発生することも少なくない（図13-6-35）．特に高齢者では疼痛，筋力低下により早期運動が的確に行えないこと，背・掌屈運動で均等な牽引力がかからず再転位をきたしやすいことなどがあり症例ごとに慎重に後療法計画を図る必要がある．
　手術療法ではプレート固定が可能な例は比較的短期間で外固定を除去することができる．青・壮年例では骨移植を積極的に行い支持性を高めて，さらに外固定期間の短縮を図る．

g 合併症

1) 循環障害 circulatory disturbance

　橈骨遠位端骨折による循環障害は，手関節部より遠位に発生し手背の腫脹による静脈還流障害，手内筋の阻血性拘縮，手根管内の出血・浮腫による内圧上昇のために手根管症候群などを合併することがある．特に小児の騎乗位型転位，成人での転位の大きい高圧軸圧骨折で発生しやすく，早急に転位の整復が必要で，時に手背の筋膜切開術や手根管開放術が必要となることがある．

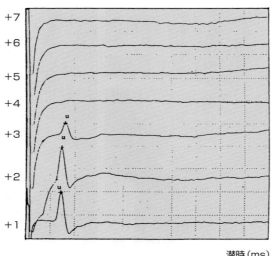

図 13-6-36　inching 法による神経伝導検査
inching 法による神経伝導検査では遠位手首皮膚線を 0 点とし近位側を＋遠位側を－とし，1cm ごとの刺激点とする．＋7〜＋4 までは M 波が導出できず＋3 より出現すると，＋4〜＋3 の部が損傷部と診断できる．

2) 正中神経損傷　medial nerve injury

Colles 骨折で近位骨片が掌側に突出することにより，正中神経が圧迫，牽引されて神経表面の圧挫あるいは部分断裂を生じることがある．ただし広範な断裂はなく一過性神経伝導障害 neurapraxia が発生するが整復後は経時的に回復していく例が大多数である．1 ヵ月以上経過しても回復の傾向がないときは，損傷状態の確認のためにも手術的に神経を展開する必要がある．

3) 手根管症候群　carpal tunnel syndrome

橈骨遠位端骨折に合併する手根管症候群は，転位骨片による正中神経損傷と鑑別する必要がある．骨片による正中神経損傷は単純 X 線写真で掌側に突出した骨片の存在，手根管より近位側に Tinel 徴候があること，神経伝導検査で 1 cm ごとの inching 法により区間潜時差・振幅・波形の変化が骨折部にあることなどにより鑑別できる（図 13-6-36）．

発症は手根管内の浮腫により受傷直後より急激に麻痺が進行する急性発症型（急性外傷性手根管症候群）と，中高年女性で潜在性の手根管症候群があり受傷後緩徐に発症する型とがある．急性発症型は骨片転位による圧迫や循環障害が原因で，同時に屈筋腱の滑走も障害されるので直ちに骨片の整復を行い症状の改善を図る．早急な改善がなければ手根管開放により除圧しなければならない．正中神経損傷は受傷時の外力によりその程度が決まり，手根管症候群による麻痺は手根管内の浮腫，内圧の上昇とともに経時的に進行し自然回復しない例があるが，緩徐に発症する例の多くは外固定を除去し運動練習に入ると軽快する．

4) 腱皮下断裂　subcutaneous tendon rupture

骨折時の腱断裂はきわめてまれである．遅発性，特に外固定中，外固定除去後に「母指の伸展ができない」という訴えで長母指伸筋腱の断裂に気づかれる．これは本骨折の 0.4〜1.0％ に発生するとする報告もある．その病態として Engkvist は，長母指伸筋腱は Lister 結節部では元来血行が不良で，骨折によりこの部で出血，浮腫によ

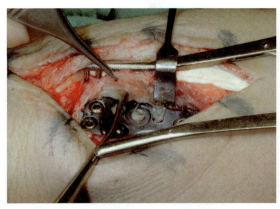
プレートアーム部でFPLは断裂

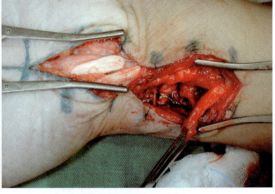
遠位断端は手根管まで退縮

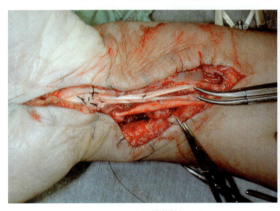
PLによる腱移植

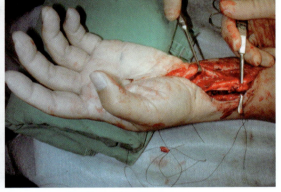
移植後良好な屈曲

図 13-6-37　腱皮下断裂例（42歳，男性）
掌側ロッキングプレート固定術後7ヵ月で母指運動時に雑音と違和感が出現した．9ヵ月で長母指屈筋腱（FPL）が断裂しIP関節は完全屈曲が不可となり，長掌筋腱（PL）で再建した．

る腫脹が起こると滑液による栄養が障害され虚血のために脆弱となるとし，Helalは転位の少ない例ではLister結節部で伸筋支帯が損傷を受けず第3区画が温存されるが，深部からの仮骨形成により絞扼されさらに摩擦が加わり断裂するとした．治療は固有示指伸筋腱移行術により良好な母指IP関節の伸展機能を回復でき，示指の独立伸展も0°までは可能である．

　屈筋腱断裂の合併もきわめて少ない．骨幹端部の骨片により長母指屈筋腱移行部が挫滅されると周囲と癒着し，母指IP関節が屈曲位をとり伸展が障害されることがある．運動療法により改善しないときは腱剥離術が必要となる．

　近年確立した掌側ロッキングプレート固定による長母指伸筋腱，長母指屈筋腱の摩耗性皮下断裂は少なくないことが報告されている．前者は遠位で背側に突出したスクリューによる摩擦により発生するので，スクリュー先端が背側皮質を穿通しないように注意する．後者ではプレート遠位アーム部の設置が橈骨遠位端尺側の掌側突出部（watershed line）を越えることにより発生する（図13-6-37）．防止のためには方形回内筋でプレートをおおう，スクリューヘッドの突出を防ぐことや早期の抜釘などが推

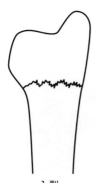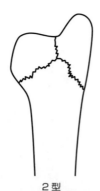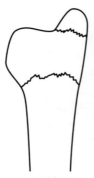

1型
(simple extra-articular fracture with minimal comminution)

2型
(inverted T or Y shaped fracture with an ulnar styloid fragment including a portion apportion of the metaphysis)

3型
(fracture of the lower end of ulna with avulsion fracture of the ulnar styloid)

4型
(comminuted fracture of lower ulnar metaphysics, with or without styloid fracture)

図 13-6-38　尺骨頚部骨折の Biyani 分類
(Journal of Hand Surgery 20B：357-364, 1995 より）

奨されているが，プレートの厚みを薄くしてアーム部をより近位に設置することを目的とした器種の開発が進みこの合併症は著しく減少した．

5) 尺骨茎状突起骨折 fracture of ulnar styloid

本骨折は三角線維軟骨複合体を介しての裂離骨折で合併の頻度は高いが，遠位橈尺関節の不安定性をきたすほどの骨折は少ない．多くの例で線維性癒合で偽関節となるが，活動性の低い高齢者では偽関節自体が障害をもたらすことはない．活動性のある若年者では有痛性偽関節となり骨接合術あるいは骨片摘出術が必要となることもある．

6) 尺骨頚部骨折

本骨折は粉砕の強い橈骨遠位端骨折に合併するものが大多数を占めるが，時に直達外力により発生する．前者では一般に TFCC を介した尺骨茎状突起骨折の合併が多いが，高齢者の骨粗鬆を伴う例，青・壮年では高軸圧損傷で尺骨頚部に応力が集中し骨折が生じる．骨折型は Biyani により 4 型に分類される（図 13-6-38）．

治療は粉砕された橈骨が整復されプレートにより固定されると尺骨の短縮転位は矯正され，内固定を行わなくても骨癒合は得られるが前腕回旋運動は制限されることがある．本骨折に対する内固定の目的は，第1は強固な内固定により術直後より積極的な回旋運動を可能とする，第2は特に青・壮年例では短縮の矯正だけではなく尺骨頭の転位を整復し遠位橈尺関節の解剖学的適合性の獲得である．この際尺骨茎状突起骨折は考慮する必要はないが，尺骨頭を固定力の強い locking 螺子あるいは hook pin で固定するプレートがある（図 13-6-39）．

7) 橈骨遠位端骨折に合併した TFCC 損傷

三角線維軟骨複合体（TFCC）損傷による遠位橈尺関節不安定症の合併はまれではない．受傷時は疼痛のため不安定性の診断は容易でなく，単純 X 線写真側面像で尺骨頭の背・掌側への転位がみられれば MRI で TFCC 損傷の有無・程度を確認し，術中修復術を加えるか否か判断する．ときに保存療法で外固定除去後に本不安定性に気づき，修復術の適否を検討することがある．手術例では術中に橈骨内固定後に必ず尺

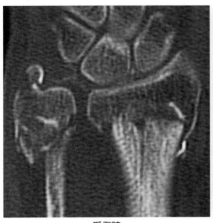 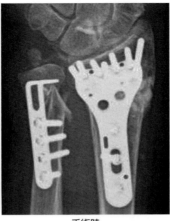 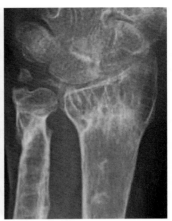

受傷時　　　　　　　　　手術時　　　　　　　　　術後10ヵ月

図 13-6-39　症例提示（76歳，女性）
左橈骨遠位端骨折 A3.2 型骨折，尺骨頸部 Biyani 4 型骨折に対し，StellarII および Stellar hook plate で固定し，早期に前腕回旋運動と良好な骨癒合を得た．

骨頭の floating 徴候テストを行い背・掌側への不安定性の有無を確認し，必要であれば TFCC 縫合術を追加する．

安部（2015）は300例305関節の関節鏡所見より，TFCC断裂は126関節（41.3％）と高率に合併し，治療は実質部損傷は掻爬，周辺部損傷は縫合とし，関節外骨折ではその合併と治療が予後を左右する大きな因子で，関節内骨折自体は予後に影響しなかったと報告している．

8）遠位橈尺関節脱臼　dislocation of the distal radioulnar joint

遠位橈尺関節脱臼は三角線維軟骨複合体を中心に遠位橈尺関節包，方形回内筋，前腕骨間膜の破綻により発生する．尺骨頭の背・掌側への脱臼・亜脱臼，遠位方向への亜脱臼，および異常回旋可動性の3方向への不安定性を伴う．診断に際しては橈骨遠位端の骨折による変形が高度のため単純X線写真では見落とされやすいので，短縮を改善した牽引下での2方向単純X線写真（正面像は背掌撮影）とCTによる水平面断層像により遠位橈尺関節の解剖学的位置関係を注意深く観察し診断することが大切である．さらに橈骨遠位端骨折整復後の単純X線写真で再確認する．治療は整復後に骨折部が安定していれば，掌側脱臼であれば前腕回内位，背側脱臼であれば回外位で橈・尺骨間を経皮的に仮固定する．近年では以上の保存療法ではときに再脱臼・亜脱臼の再発がみられることから，TFCC の修復か尺骨茎状突起の骨接合術を行ったうえで，橈・尺骨間を仮固定することが推奨されている．

9）拘　　縮　contracture

局所性要因による手関節および手指関節の拘縮と反射性交感神経性ジストロフィー reflex sympathetic dystrophy，CRPS type I による拘縮を慎重に鑑別する必要がある．小児では遠位橈尺関節脱臼遺残による前腕回旋障害など特殊な場合を除けば，基本的に外固定期間が短いので拘縮をきたすことはない．

拘縮の原因は保存療法では掌尺屈位（Cotton-Loder 肢位）による長期の不良肢位固

定と不良な固定範囲によるので，掌尺屈位は少なくとも3週以内とし，その後は固定範囲は肘関節のすぐ遠位より手掌までとする．手関節は可及的に軽度背屈位で固定し，MP関節は固定せず手指運動を行わせる．

創外固定では過度な牽引による関節包，靱帯の過牽引による手関節拘縮と，伸筋腱の緊張による手指屈曲障害がみられることがある．Frederickは創外固定の牽引力を手根中手骨比 carpal height ratio で表し，その増大と固定期間の延長が可動域の低下と相関すると報告している．自験例でも固定期間の延長は握力の低下をきたし，特に60歳以上ではその傾向が著しい．したがって創外固定器の装着期間は長くとも6～7週までとし，固定期間短縮のために骨移植，Kirschner鋼線などによる固定を追加して支持性を高める．創外固定器装着直後より手指の最大屈曲ができない例では，牽引を緩めるなどの調整が必要である．

10）反射性交感神経性ジストロフィー reflex sympathetic dystrophy：RSD（CRPS Type I）

1986年の国際疼痛学会で反射性交感神経性ジストロフィーは「神経損傷を伴わず四肢の外傷後に原疾患からは考えられない広範囲に及ぶ疼痛と浮腫性腫脹を主症状とする」と定義され，カウザルギーと区別された．交感神経の緊張状態が持続し受傷部とその周辺部に自発痛（灼熱痛），アロディニア allodynia，痛覚過敏，腫脹，皮膚温低下，発汗などの症状が出現し，皮膚や骨組織の栄養障害と萎縮が起こる．

外傷，手術侵襲，創外固定器装着など局所へのストレスが誘因となって内的要因により肩関節拘縮，手関節拘縮，MP関節過伸展の鷲手変形手指拘縮などを呈する．肩手症候群もRSDの亜型と考える．外傷の程度には関係なく，下肢の外傷にもかかわらず上肢に発症したり対側肢に発症することもある．局所性の要因だけによる拘縮との鑑別は難しいが，個体差による内因性因子の占める割合が大きく各種内服薬，神経ブロック，局所静脈内麻酔，理学療法，手術療法があるがいずれの治療に対しても抵抗性である．

RSDの発生は創外固定器装着後早期より発生することが多い．固定期間の延長と過大な牽引力は手関節拘縮の原因とはなるが，RSD発生に直接関連しているとはいえない．

なお1994年の国際疼痛学会でさらなる名称の変更があった．すなわちRSDとカウザルギーとを合わせて complex regional pain syndrome（CRPS）とし，その中で従来のRSDがI型に，従来のカウザルギーがII型にふり分けられた．2005年に再び改訂された．わが国でも厚生労働省CRPS研究班が2008年に判定指標を公表した（表8-2-1，p.206参照）．

11）アライメント異常・不安定症

関節内のColles骨折で骨折線が舟状骨関節面と月状骨関節面の境界部を通り橈骨茎状突起骨片が近位へ転位している場合は，舟状-月状骨離開を認めることがある．

Allieuは手根骨アライメント異常の橈骨手根関節の背屈変形は，手根中央関節の掌屈位を強いることより生じる，橈骨遠位端の背屈変形による代償性変化であるとした．Taleisnikは背屈変形治癒後の手根骨中央関節不安定症 midcarpal instability を報告し，若年者にみられ遅発性に手根中央関節の疼痛や手関節尺屈で疼痛と軋音を生じるとした．一方酒井は過大な背屈変形の結果屈側の靱帯が拘縮し，本来の橈骨手根関節面の可動域は屈曲側が増大し，伸側が本を開いたときと同じような開大となる結果，靱帯の伸長と滑膜炎による橈骨手根不安定症をきたし，ひいては関節症変化を起こすとした．

過大な背屈変形によるこれらの二次性変化は橈骨の矯正骨切り術により改善する.

12) 弾 発 指 snapping finger

中年以降の女性によくみられる. 受傷後の疼痛, 外固定により手指運動が制限され, 手指屈筋腱の不動性のために生じる腱鞘（滑膜）炎が原因である. 骨折治療開始とともに手指運動を励行するが悪化例にはステロイド剤の腱鞘内注入を行う.

h 予 後

1) 変形癒合 malunion

橈骨遠位端骨折の予後は変形治癒の有無によって左右される. 著しい変形を伴う小児陳旧例では, そのまま自家矯正を待つか手術療法により矯正するかは迷うところである. 受傷後 4～5 週経過した陳旧例で単純 X 線写真上仮骨陰影の硬化が進行していなければ手術的に整復することは十分可能である.

変形癒合の程度は, 橈骨遠位関節面の尺骨遠位関節面に対する短縮 radial shortening, 橈骨遠位関節面の掌側傾斜角 palmar tilt, 橈骨遠位関節面の尺側傾斜角 ulnar inclination および橈骨遠位 3 関節面, すなわち舟状骨関節面, 月状骨関節面, 尺骨関節面の不整によって表される. 橈骨短縮は 0±2 mm, 掌側傾斜角は 11±10°, 尺側傾斜角は 23±10° の範囲内に, 関節面の不整は段差が 2 mm 以内になるように整復することを目標とする. 橈骨短縮は 5 mm 以上で尺骨手根骨突き上げ症候群や遠位橈尺関節不適合を, 掌側傾斜角が -20° すなわち背屈 20° を超すと手関節掌屈制限による橈尺関節の不適合や亜脱臼を生じ疼痛の原因となり ADL を障害する. 関節面の段差形成や陥没による橈骨手根関節や橈尺関節の不適合は, 最大背・掌屈運動や前腕回旋運動時の疼痛や運動制限により push up 動作などの軸圧ストレス, 抱え上げ動作, ハンドル回しなどの回旋動作, 強いグリップ動作など把持動作に種々な程度の障害をもたらす. 実際には尺骨頭が突出するため衝突による症状と遠位橈尺関節の不適合による障害の頻度が高い. 一方尺側傾斜角の低下の影響は少なく, 2 mm 前後の関節面離開も経時的に介在した瘢痕が硝子軟骨様に変化するので, 不整による症状発現は少ない. 関節面不整による障害は骨癒合後早期に手関節を使用し始めるとともに出現し 6 ヵ月から 1 年で症状は固定するが, 単純 X 線写真上で関節症変化が明らかとなってから発症する遅発性のものもある.

これらの変形治癒による障害に対し, 尺骨遠位端切除術, 尺骨短縮術（Milch 法）, 遠位橈尺関節固定術・偽関節形成術（Sauvé-Kapandji 法）, hemi-resection interpositional arthroplasty（Bowers 法）および三次元矯正骨切り・骨移植術（Fernandez 法）などが病態に応じて行われる（図 13-6-40, 41）. 以前は尺骨遠位端切除により疼痛の除去と回旋の改善を図ることが多かったが, 術後発生する手根骨の尺側への移動, 握力低下など問題が大きく現在では第一選択として施行されることはない. 青・壮年に対しては可及的に解剖学的治癒をはかるためにまず骨切り・骨移植による矯正を考慮すべきである（図 13-6-42）. 高齢者でも受傷後 1 年以内であれば軟部組織の伸展も可能なので, 手指の屈曲・伸展が制限されずに骨延長を伴う Fernandez 法により矯正することが可能である. この際内固定には背側に T-プレートを当てることが多いが, 伸筋腱の滑走障害となることもあり, 創外固定と Kirschner 鋼線固定を併用し十分な

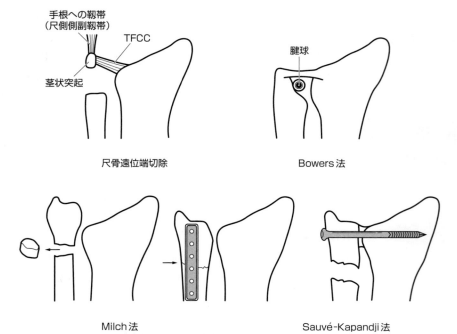

図 13-6-40　遠位橈尺関節障害に対する各種手術法

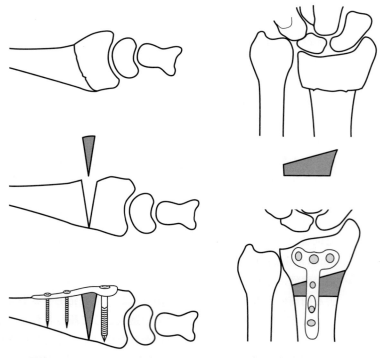

図 13-6-41　Fernandez 法による三次元矯正骨切り・骨移植術

6 橈骨遠位端骨折 647

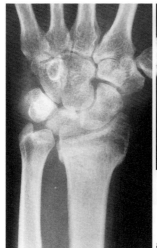
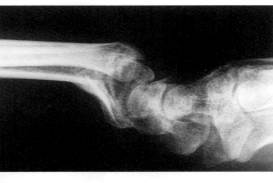

受傷後3ヵ月

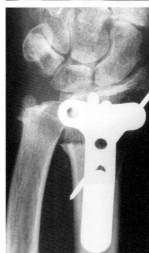
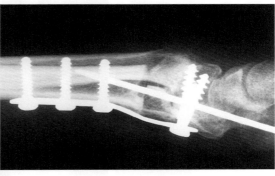

手術時 掌側よりT字型プレート固定

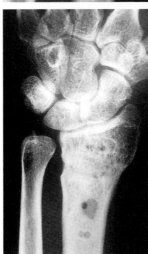
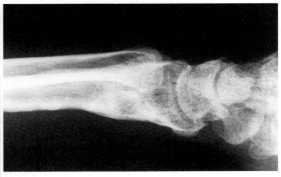

術後7ヵ月．良好な矯正位を得る

図13-6-42 Smith骨折変形治癒に対するFernandez法による骨切り・骨移植術
　　　　　（53歳，男性）

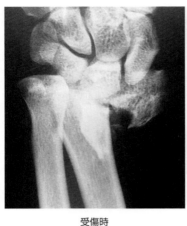
受傷時

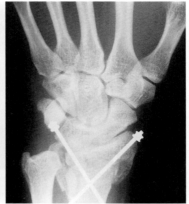
経皮 pinning 施行

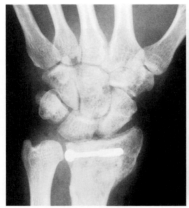
3ヵ月後変形治癒に対し尺側骨片再整復

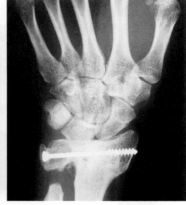
5ヵ月後 Sauvé-Kapandji 法施行

図 13-6-43　開放性関節内粉砕骨折
（36歳，男性）
経皮的鋼線固定を行ったが，遠位橈尺関節部の変形治癒による回旋障害と疼痛が発症し Sauvé-Kapandji 法を施行した．

固定性を得たほうがよい．

　関節面段差変形，陥没骨片の再整復は線維性癒合であれば可能ではあるが，遠位骨片自体が小さく遊離骨片となる危険があるときには関節外からの骨切りにより矯正する．矯正骨切り術は骨移植を行わず橈骨の変形矯正と尺骨短縮を組み合わせて行うことができる．

　骨切り術 osteotomy と骨移植術による矯正は侵襲が大きいので高齢者，長期間を経過した陳旧例，患者が希望しない場合は適応とならない．遠位橈尺関節面が保たれている場合は Milch 法による尺骨短縮術で尺骨をゼロ変異 zero variant とする．本法は侵襲が小さく手技も容易で，仮に術後に症状の改善が十分でないときには救済手術として Sauvé-Kapandji 法が行えるという利点がある．遠位橈尺関節の変形が強く単純 X 線写真上関節症変化を示すときは，最初から Sauvé-Kapandji 法により橈尺関節固定と尺骨部分切除術を行ったほうが除痛が確実で前腕の回旋も良好に保たれる（図 13-6-43）．

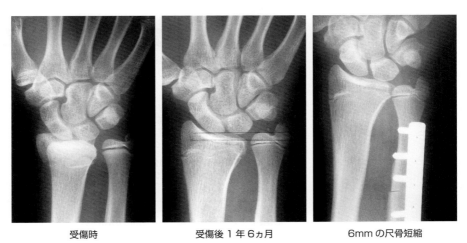

図 13-6-44　Milch 法による尺骨短縮術（15 歳，男子）
右橈骨骨端線損傷後の成長障害による尺骨突き上げ症候群に対し Milch 法による尺骨短縮術を行った．

附-22　骨端離開による成長障害

　小児の骨端離開は良好な整復位で骨癒合を得ても，成長停止までは種々の程度で成長軟骨板障害による二次性変形が発生する可能性がある．
　尺骨に比較し橈骨の骨端線が早期に閉鎖し，成長に従い尺骨プラス変異となる変形が最も多い．その結果尺骨突き上げ症候群 ulnocarpal abutment syndrome をきたし，動作時の尺骨頭周囲の疼痛，前腕の回旋障害などをもたらす．通常は遠位橈尺関節は保たれているので尺骨短縮術により尺骨と橈骨の関節面の位置を同じレベルに矯正することにより症状は消失する（図 13-6-44）．ときに橈骨の橈・尺側の成長の不均等により Madelung 様の変形をきたすことがある．

i 治療成績

　橈骨遠位端骨折の治療成績評価は自覚的には年齢，性別，活動性，職業，スポーツ歴，利き手か否かにより影響され，特に高齢者では手の使用状況により，職業では手関節にかかる労作の程度により異なる．自覚的評価，単純 X 線写真上の遺残変形，関節可動域，握力および神経・腱損傷の合併を総合的にみた斎藤の評価基準が治療結果の全体像を表し常用されている（表 13-6-1）．過去の報告によると橈骨短縮，背屈変形による尺骨突き上げ症状，橈尺関節不適合が成績不良の重要な因子で，次に関節面の不整・陥没形成が問題となり手作業労働者では疼痛をもたらす．
　高齢者では総合評価で成績を論じるより，自覚的評価が各遺残変形とどの程度の相関を示すかをみたほうがよい．自験例では 70 歳以上の高齢者の検討で，新鮮骨折の保存療法例 25 手中 12 手（48％）が外固定中に再転位しているが，自覚的には保存療法の 27 手中 26 手が，創外固定例の 13 手中全例が優・良と評価され両者間に差はなかった．保存療法によりある程度の変形が遺残しても成績に問題はないとされてきたが，詳細に検討すると実際には種々の程度の障害が残り，患者がそれを受容しているかまたは使用を避けていることが多く，その障害の程度は個人差が大きい．

表13-6-1 橈骨遠位端骨折の治療成績評価基準（斎藤）

症状・障害の程度		減点数
自覚的評価		
Excellent	疼痛，労働能力低下，可動域制限，いずれもなし	0
Good	ときどきの疼痛，軽度可動域制限のみ	2
Fair	ときどきの疼痛，注意すれば労働に影響なし，中等度可動域制限，手関節脱力感，生活動作の軽度制限	4
Poor	疼痛，労働能力低下，高度可動域制限，生活動作の著しい制限	6
他覚的評価		
Ⅰ．遺残変形		
○橈・尺骨遠位端長差　0±2mm の範囲外		1
○橈骨遠位端掌側傾斜　11±10 度の範囲外		1
○橈骨遠位端尺側傾斜　23±10 度の範囲外		1
Ⅱ．可動域制限		
手関節　背屈　＜45 度		1
掌屈　＜30 度		1
尺屈　＜15 度		1
橈屈　＜15 度		1
前　腕　回外　＜50 度		1
回内　＜50 度		1
Ⅲ．握力低下		
○利 き 手　反対側の握力より少ないとき		1
反対側の握力の 2/3 以下		2
○非利き手　反対側の握力の 2/3 以下		1
反対側の握力の 1/2 以下		2
Ⅳ．関節症変化		
な　し		0
軽　度（関節面の不整，関節辺縁尖鋭化）		1
中等度（関節裂隙の狭小化，骨棘形成）		2
高　度（著明な骨棘形成，関節強直）		3
合併症		
神経合併症		1～2
手指拘縮		1～2
腱断裂		1～2

総合成績	減点数
Excellent	0～3
Good	4～9
Fair	10～15
Poor	16～26

（斎藤英彦：橈骨遠位端骨折，粉砕骨折の分類と治療．MB Orthop 13：77，表2，1989 より）

附-23　遠位橈尺関節脱臼 dislocation of the distal radioulnar joint

　　遠位橈尺関節脱臼・亜脱臼は橈骨尺骨切痕の掌側縁，背側縁に対し尺骨頭が掌側または背側へ脱臼・亜脱臼する場合と，橈骨尺骨切痕に対し尺骨頭が長軸方向の遠位へ脱臼（軸性脱臼）する場合がある．

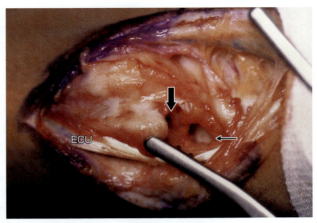

➡：TFCC 断裂部
→：三角骨
ECU：尺側手根伸筋腱

図 13-6-45 右遠位橈尺関節背側亜脱臼に対し TFCC 縫着術施行（15 歳，男子）

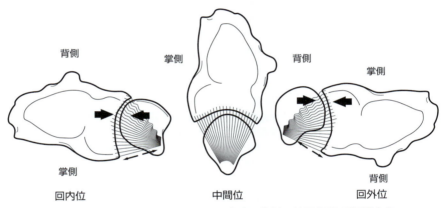

図 13-6-46 回内時に掌側の，回外時に背側の橈尺靱帯が緊張する

　日常の臨床では橈骨骨折を伴わない尺骨頭の単独脱臼，尺骨茎状突起骨折を伴う脱臼，橈骨骨幹部骨折（Galeazzi 脱臼骨折：G-脱臼骨折），橈骨遠位端骨折（Colles 骨折，Smith 骨折ともに），橈骨頭骨折（Essex-Lopresti 脱臼骨折：E-L 脱臼骨折）に合併する脱臼がみられる.

1）病　態

　遠位橈尺関節の支持機構は三角線維軟骨複合体 triangular fibrocartilage complex（TFCC）を中心として遠位橈尺関節関節包，方形回内筋，前腕骨間膜からなる. 一般に脱臼は TFCC の断裂により発生し（**図 13-6-26, 45**），特に TFCC の背・掌側縁の背側および掌側の橈尺靱帯が重要であるとされる. Ekenstam によれば回内位では掌側の橈尺靱帯が緊張しこれの断裂により背側脱臼し，回外位では背側の橈尺靱帯が緊張しこれの断裂により掌側脱臼するとした（**図 13-6-46**）. Schuind は逆に回内時に背側の橈尺靱帯が緊張し，回外時に掌側の橈尺靱帯が緊張するとし，まったく逆のことを述べている. 一方中村は上記の背・掌側の橈尺靱帯は尺骨に停止せず，TFCC 近位には尺骨小窩より扇状に広がり橈骨尺骨切痕に停止する三角靱帯があり，これの背側部と掌側部は強靱でありこれが"真の橈尺靱帯"であるとした. 回内，回外時にはこの三角靱帯の尺骨付着部が捻れて回旋力を吸収するが，この三角靱帯が尺骨付着部より断裂して TFCC の支持性を失うと尺骨頭は背側または掌側に脱臼する. 木原は TFCC の断裂だけでは尺骨頭は脱臼せず方形回内筋，前腕骨幹膜を切離してはじめて脱臼することを示した.

652　各論　第13章　上肢の骨折

以上遠位橈尺関節の安定性に関してはどのような回旋位で，どの組織が緊張するかは明確でない点もあるが，TFCCの尺骨茎状突起の裂離骨折を含む尺骨付着部からの断裂が基盤となり，遠位橈尺関節の関節包，方形回内筋，前腕骨間幹膜の断裂が加わり尺骨頭の脱臼が発生するという意見が多い．

2) 分　類

a) 単独脱臼

TFCCが尺骨小窩，尺骨茎状突起基部より剥離するか，尺骨茎状突起の骨折を伴って尺骨頭が背側あるいは掌側へ脱臼する（**図13-6-47**）ものである．このとき遠位橈尺関節の関節包，方形回内筋，前腕骨間膜の損傷も加わっている．

b) Galeazzi脱臼骨折

橈骨骨幹部の中央，遠位1/3境界から末梢側にかけての骨折に合併する遠位橈尺関節の脱臼である（**図13-6-48**）．主症状を呈する橈骨骨幹部骨折のみに目を向けやすいので橈骨骨幹遠位部の骨折は必ず遠位橈尺関節をチェックする．

小児では尺骨頭脱臼の代わりに尺骨遠位骨端離開合併するものをGaleazzi類似骨折と呼ぶ（**図13-6-49 A**）．

c) 橈骨遠位端骨折に合併した遠位橈尺関節脱臼

橈骨遠位骨片が背側，掌側あるいは近位方向に転位または陥没，短縮することによりTFCCの断裂や尺骨茎状突起の裂離骨折が起こり，遠位橈尺関節の支持性が破綻して尺骨頭が背側か掌側あるいは遠位方向へ脱臼する．それゆえColles型，Smith型のどちらの骨折にも発生することがある（**図13-6-49 B, 50**）．

d) Essex-Lopresti脱臼骨折

1946年にCurrが橈骨頭骨折に遠位橈尺関節の脱臼を伴う損傷を報告し，さらに1951年にEssex-Loprestiが本病態に関して詳細に報告して以来，E-L脱臼骨折と呼ばれる．肘関節伸展位，前腕回内位で手掌方向より外力を受け，橈骨への軸圧で遠位橈尺関節の脱臼が生じ，さらに軸圧が橈骨の近位方向に働き橈骨頭が上腕骨小頭に衝突して粉砕される．橈骨頭骨折は本脱臼を念頭において手関節部の観察を行う．

3) 診　断

受傷歴，受傷機転，局所症状，単純X線写真により診断はそれほど困難ではないがCTが有用なことが多い．

a) 病　歴

回外，回内位で手をついたり，遠位からの軸圧外力により起こるが，時に掌・背側からの尺骨頭への直達外力によっても発生することがある．受傷時の肢位により背側か掌側のどちらに脱臼したかを推定することができる．

b) 症　候

新鮮例では遠位橈尺関節部に限局した腫脹，圧痛，尺骨頭の突出，前腕の回旋時の疼痛および制限などの所見があるが必ず健側と比較する．背側脱臼では前腕を回内位にして遠位側よりみると，健側に比べ尺骨頭が背側に突出し，前腕は回内位をとり回外制限がある．掌側脱臼では背側に尺骨頭を触れず，前腕は回外位をとり回内制限がある．背側，掌側脱臼ともに背側より尺骨頭を圧迫すると掌側へ沈み込むピアノキーサイン piano key signがみられる．陳旧例では回内あるいは回外位拘縮をきたし，前腕回旋で軋音や脱臼感を呈する．

c) 単純X線写真

手関節の橈・尺屈，背・掌屈，前腕回旋中間位での前後像（背掌像：PA像），側面像が必要であるが，疼痛・回旋制限のために正しい像が得られないことがある．前後像では橈・尺骨間の側方へのわずかな離開と尺骨頭の遠位方向への転位をチェックし，側面像は第2，第3中手骨が重なっていることが必要で，回旋がかかっていると脱臼しているようにみえ正確な診断ができない．単純X線写真だけでは診断がつかない場合にはCTが必要である．

6 橈骨遠位端骨折　**653**

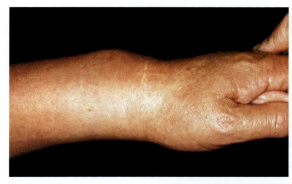

受傷時の変形．尺骨頭は著しく背側に突出する

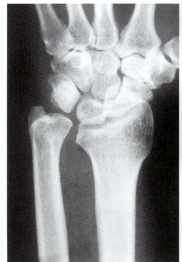

術前単純X線写真．尺骨頭は背側脱臼

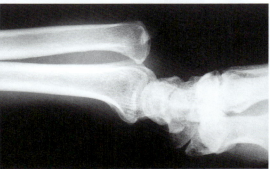

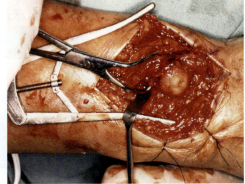

術中所見．尺骨頭は皮下に現れ，TFCCは橈骨の尺骨切痕起始部で断裂

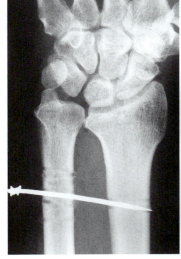

術後単純X線写真．TFCC縫合，橈・尺骨を一時的に固定

図 13-6-47　遠位橈尺関節背側脱臼（63歳，男性）

654 　各論　第13章　上肢の骨折

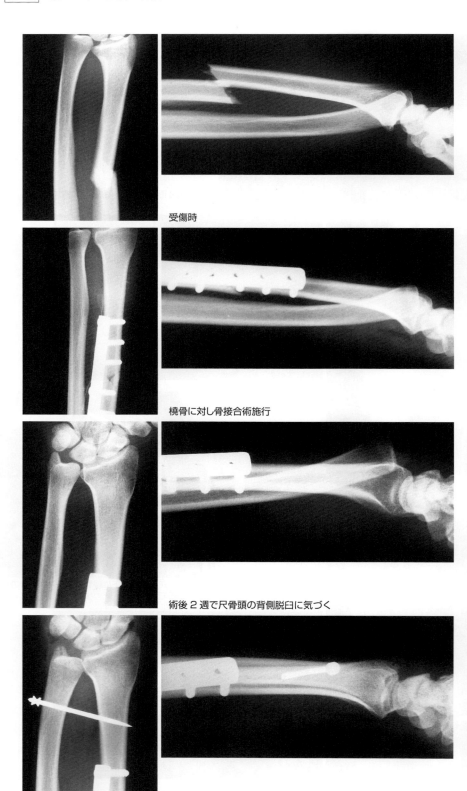

受傷時

橈骨に対し骨接合術施行

術後2週で尺骨頭の背側脱臼に気づく

追加手術でTFCCを縫着し尺骨頭を整復．橈尺骨仮固定

図13-6-48　Galeazzi脱臼骨折（21歳，女性）

6 橈骨遠位端骨折　　655

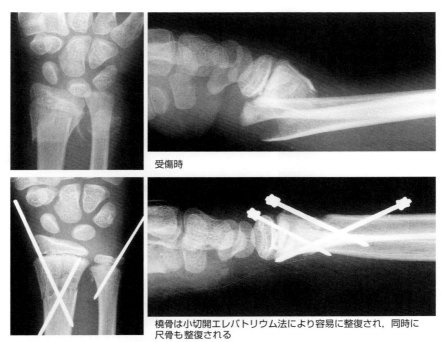

受傷時

橈骨は小切開エレバトリウム法により容易に整復され，同時に尺骨も整復される

A. Galeazzi類似骨折．橈骨遠位骨骨幹端の背側騎乗位型骨折に尺骨遠位骨端離開合併．このとき遠位橈尺関節の破綻はない

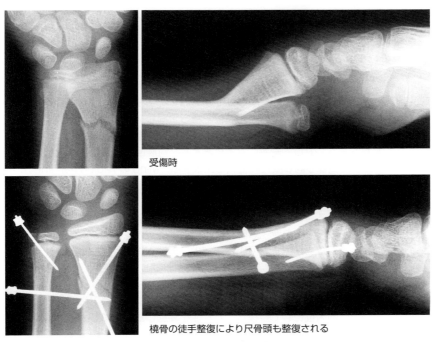

受傷時

橈骨の徒手整復により尺骨頭も整復される

B. 橈骨遠位端骨折に合併．尺骨茎状突起骨折を伴う尺骨頭掌側脱臼

図 13-6-49　A. Galeazzi類似骨折（7歳，男児），B. Galeazzi脱臼骨折（8歳，女児）

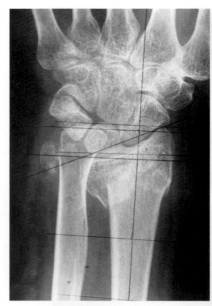
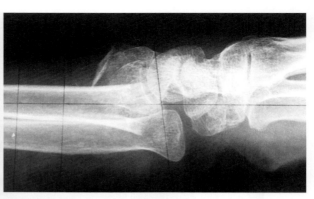

尺骨頭掌側脱臼

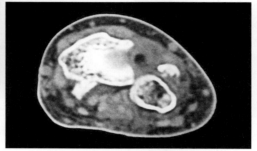

尺骨茎状突起は基部で骨折

CT画像．Mino法で尺骨頭は掌側亜脱臼と診断

図 13-6-50　橈骨遠位端骨折に合併した遠位橈尺関節掌側脱臼（82歳，女性）

d) CT

CTによる遠位橈尺関節の不適合性の診断には epicenter method, congruity method, radioulnar line method の3つの方法があるが，正常でも false positive となる例があり，必ず健側と同肢位で撮った同じスライス面と比較する必要がある．撮影方法は腹臥位で肩関節を180°外転，肘関節0°伸展，手関節背・掌屈0°として上肢の長軸がドームに対して垂直になる位置とし，前腕回旋中間位，最大回内位，最大回外位の3肢位で撮像し同じ肢位の健側と比較する．Mino の radioulnar line 法は脱臼，亜脱臼の判定に便利であるが（**図 13-6-51**），中村らはこの方法では正常でも橈骨尺骨切痕の横径の 1/4 までは亜脱臼位をとることがあるとし，牧は単独脱臼例ではすべて亜脱臼となり脱臼に入るものはなかったとした．それゆえ必ず健側との比較を行うことが重要である．さらに尺骨頭の背・掌側への転位の程度だけではなく，断面の形態，尺骨切痕との適合性と距離を確認する（**図 13-6-52**）．遠位への軸性脱臼の診断には健側の同じ尺骨切痕のスライス面と比較して，尺骨の断面の形態，尺骨切痕との距離を比較して判定する．

4）治　療

新鮮例に対する保存療法は，腋下部腕神経叢ブロック下に背側脱臼では回外位，掌側脱臼では回内位として整復し，安定性を確認したうえで最大回外位，回内位で上腕より手掌までのプラスチックキャストによる外固定を約5週行う．この際整復下に回旋中間位で橈・尺骨を経皮的に Kirschner 鋼線で仮固定すると固定性が安定し単純X線写真による経時的観察が容易である．

しかし外固定による治療では再脱臼することと不安定性が残ることが多く，最近では手術的に TFCC の修復をしたほうがよいとする報告が多く出されている．筆者らも原則として単独脱臼・亜脱臼例，骨折合併例ともに TFCC の一次修復を行い，橈・尺骨

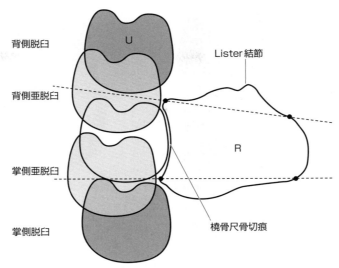

図 13-6-51　Mino の CT による遠位橈尺関節脱臼の分類

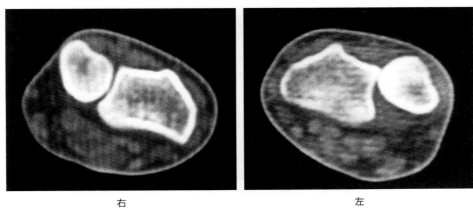

図 13-6-52　図 13-6-47 の症例の CT 画像
左は軽度の背側亜脱臼と関節面の不適合がある．

間の回旋中間位での Kirschner 鋼線による仮固定，約 4 週間の外固定による治療を行っている．尺骨茎状突起の基部に及ぶ骨折では，この骨片に TFCC が付着しているために遠位橈尺関節が破綻しているので，引き寄せ鋼線締結あるいは中空スクリューにより整復位固定を行う．

一方，TFCC の断裂がなくても遠位橈尺関節が脱臼する例があるとする意見もあり，自験例 20 例の手術例中 2 例（10％）に背側脱臼例でも TFCC の断裂あるいは茎状突起骨折を確認できない例を経験しており，この例では背側の橈尺靱帯と伸筋支帯の縫縮により整復位を得ている．

Essex-Lopresti 脱臼骨折では，橈骨頭の粉砕が高度であっても可能な限り摘出は避け，温存して骨接合を目指す．切除後に尺骨プラス変異の増強により尺骨手根骨突き上げ症状や肘関節外反不安定性を生じやすく，やむなく切除するときは人工橈骨頭置換術を考慮すべきである．最近 Judet により開発された回旋型の人工挿入物の好成績が報告されている．

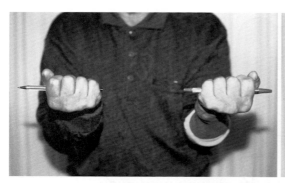

図 13-6-53　図 13-6-47 の症例で左遠位橈尺関節背側脱臼術後 4 ヵ月
良好な前腕回旋を得る.

　　陳旧性の単独脱臼，亜脱臼例では，整復可能な例もあり尺骨頭の尺骨切痕への保持と制動のために，各種の遊離腱，有茎の腱弁を使った靱帯再建法が報告されている．Galeazzi 脱臼骨折，橈骨遠位端骨折に伴う例では，まず橈骨の変形治癒に対して再整復，矯正骨切り・骨移植により変形を矯正したうえで遠位橈尺関節の適合性の回復の適否・方法を検討する．靱帯再建術は整復位の保持が不確実なこと，回旋障害を起こしやすいことなどにより成績が一定していない．遠位への軸性脱臼では Milch の尺骨短縮術による適合性の回復，橈尺関節の関節症が強い例では Sauvé-Kapandji 法による固定術が除痛効果も大きく成績が安定している．

5) 予　後

　　保存療法では再脱臼，不安定性の遺残による回旋障害，運動痛を残す例があり，外固定中の再転位に気をつけ，可能な限り TFCC の修復あるいは尺骨茎状突起の骨接合術を行う．橈骨骨折に合併したものでは橈骨の解剖学的整復・固定のうえで尺骨頭の安定性を確かめ，不安定性があれば修復術を行う．自験例 20 例の手術例では術後に回旋拘縮は残していない (図 13-6-53).

　　陳旧例では脱臼，亜脱臼が残っていてもそれなりに使用していることも多く，回旋障害による ADL 障害，運動時痛，握力低下など症例ごとの必要性に応じて再建術の適否と方法を決める．

附-24　尺骨茎状突起骨折　fracture of the ulnar styloid process

　　受傷機転からは，手関節部外傷の際に橈骨遠位端骨折に伴い TFCC を介しての裂離骨折と直達外力による単独骨折とがある．機能的予後からは遠位橈尺関節の安定性の破綻―脱臼・亜脱臼の有無より区別し，不安定性がある場合は骨折部位は TFCC が付着する基部を含む近位での骨折である．

1) 分　類

　　猪原は骨折の部位により茎状突起先端の裂離骨折を I 型，中央部を II 型，基部を III 型，それより近位部を IV 型に分類した (図 13-6-54)．骨折部位により骨癒合率，有症状率，遠位橈尺関節脱臼・亜脱臼の発生が異なるので，骨折部位による分類は有用である．

2) 診　断

　　手関節の単純 X 線写真正面像による骨折の確認は容易であるが，ときに先端の小さな骨折は見落とすことがあり斜位像による確認が必要なこともある．橈骨遠位端骨折に合併して発生しているときは，症状の少ない本骨折を無視することが多いが，骨片の大きさ，骨折の部位，遠位橈尺関節破綻の有無を考慮に入れるべきである．

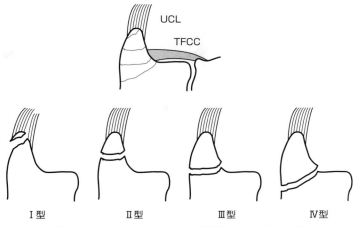

図13-6-54 猪原による尺骨茎状突起骨折の分類

3) 治　療

　橈骨遠位端骨折を合併しているときは，まず橈骨遠位端骨折の整復・固定を保存的に行うか手術的に行うかを決定し，そのうえで本骨折の意義を考慮して対処する．Ⅰ，Ⅱ型の先端，中央部の骨折では遠位橈尺関節の破綻はなく，放置して橈骨癒合後の遺残した有痛性の遷延治癒となった場合にはじめて骨片摘出術を行う．Ⅲ，Ⅳ型の基部を含む近位の骨折は遠位橈尺関節の脱臼・亜脱臼，不安定性の有無と橈骨整復後の安定性を確認する．回外あるいは回内位で遠位橈尺関節の安定性を得ているときはそのままとする考えもあるが，骨接合術を行ったほうが安定性を確実に得ることができ，骨片の大きな偽関節の発生を防止できる．同様に尺骨茎状突起単独骨折でも骨折の部位により，遠位橈尺関節破綻の有無を考慮して骨接合術を決める．有痛性の遷延治癒例では遠位橈尺関節の破綻がないときは，摘出術のほうが手術も簡単で外固定も短く摘出による障害はない．不安定性例では骨接合術により安定性の回復を目指す．

　手術法は尺骨尺側縁で茎状突起から近位へ2.5 cmの縦切開を加え，第6区画を開いて尺側手根伸筋腱を背側へよけて骨折部に達する．摘出する場合にはTFCCを損傷しないように骨膜下にくりぬくように摘出する．骨接合術を行う場合には，固定法として鋼線締結法，引き寄せ締結法，骨縫合法，スクリュー固定などがある．鋼線締結法が比較的手技が容易で固定力もあるために最もよく行われているが，ときにKirschner鋼線や軟鋼線の先端による刺激痛が起こるので処置に注意する（図13-6-55）．スクリュー固定は固定力に優れ局所刺激も少ないが，通常骨片が小さいのでスクリューを適切な位置に刺入するのが困難である．中空海綿骨スクリューはガイドピン下の操作で刺入部・方向の決定が容易である（図13-6-56）．いずれにしても骨折面も小さくTFCCの牽引力に抗して骨片を接触・圧迫させるのは難しいので，骨癒合は必ずしも良好とはいえない．

4) 予　後

　新鮮例の骨癒合率に関して内田は2 mm以上の転位では全例骨癒合がみられず，4 mm以上の尺骨プラス変異の合併があると癒合率が低いと述べ，同様に猪原も癒合群はすべて2 mm以下の転位で，橈骨短縮・背屈角が大きい例で癒合率が低いとした．転位の大きい例，合併した橈骨骨折の整復が不十分な例で癒合率が悪い．

　一方偽関節例の有症率は骨癒合例との間に差はみられず，骨癒合不全自体による症状はほとんどないとする報告は多くみられるが，時に骨折部の異常可動性のために軽微な再受傷により有痛性となる例がある（図13-6-57）．4 mm以上の橈骨短縮，背屈角20°

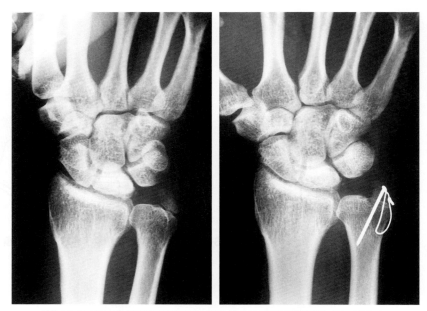

図 13-6-55　右尺骨茎状突起基部骨折の有痛性の遷延治癒に対する引き寄せ鋼線締結法（36歳，男性）

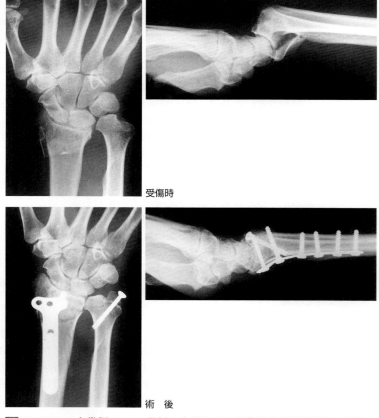

受傷時

術　後

図 13-6-56　右掌側 Barton 骨折に合併した尺骨茎状突起基部骨折に対する中空海綿骨スクリュー固定（63歳，男性）

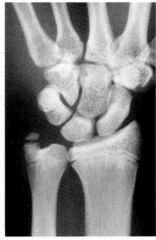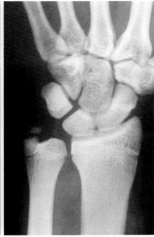

捻挫後受診，骨折は陳旧性である　3週間後癒合傾向はないが症状消失

図 13-6-57　左尺骨茎状突起偽関節例（16歳，男子）
1年前発症の左尺骨茎状突起偽関節（線維性に癒合）で症状はなかったが，再捻挫により異常可動性が出現し有痛性となる．保存療法によりは症状は消失した．

以上の橈骨骨折変形治癒では骨癒合の有無にかかわらず有症率が高く，この症状は，尺骨突き上げ，TFCC の変性断裂，関節不適合・不安定性による二次性の変形性遠位橈尺関節症に由来するものである．

参考文献

1) 安部幸雄ら：橈骨遠位端骨折の治癒に鏡視下手術がなぜ必要か．別冊整形外科 **54**：175-179, 2008.
2) 安部幸雄ら：橈骨遠位端骨折に合併する TFCC 損傷の分析．日整会誌 **89**：S1118, 2015.
3) af Ekenstam F：Anatomy of the distal radio-ulnar joint. Clin Orthop **275**：14-18, 1992.
4) 浅原洋資ら：掌屈型橈骨遠位端骨折の観血的治療成績．日手会誌 **22**：436-440, 2005.
5) Axelrod T et al：Limited open reduction of the lunate facet in comminuted intra-articular fractures of the distal radius. J Hand Surg **13-A**：384-389, 1988.
6) Biyani A et al：Fractures of the distal radius and ulna. JHS **20B**：357-364, 1995.
7) Bowers WH：Distal radioulnar joint arthroplasty；The hemiresection-interposition technique. J Hand Surg **10-A**：169-178, 1985.
8) Bowers WH：Operative Hand Surgery. 2nd ed. 939-989, Churchill Livingstone, New York, 1988.
9) Clyburn TA：Dynamic external fixation for comminuted intra-articular fractures of the distal end of the radius. J Bone Joint Surg **69-A**：248-254, 1987.
10) Colles A：The classic；On the fracture of the carpal extremity of the radius (reprinted from the original 1814 article). Clin Orthop **83**：13-16, 1972.
11) Darrach W：Partial excision of lower shaft of ulna for deformity following Colles' fracture. Ann Surg **57**：764-765, 1913.
12) Engkvist O et al：Rupture of the extensor pollicis longus tendon after fracture of the lower end of the radius-A clinical and microangiographic study. Hand **11**：76-86, 1979.
13) Fernandez DL：Correction of post-traumatic wrist deformity in adults by osteotomy, bone-grafting and internal fixation. J Bone Joint Surg **64-A**：1164-1178, 1982.

14) Frederick AK et al：Severe fractures of the distal radius：Effect of amount and duration of external fixator distraction on outcome. J Hand Surg **18-A**：34-41, 1993.

15) Frykman G：Fracture of the distal radius including sequelae……shoulder-hand-finger syndrome, disturbance in the distal radio-ulnar joint, and impairment of nerve function：a clinical and experimental study. Acta Orthop Scand **108**：1-55, 1967.

16) 古瀬洋一ら：上肢の反射性交感神経性ジストロフィーの治療．臨整外 **29**：175-183, 1994.

17) Gartland JJ et al：Evaluation of healed Colles' fractures. J Bone Joint Surg **33-A**：895-907, 1951.

18) 服部泰典：橈骨遠位端関節内骨折に対する鏡視下整復術．関節外科 **28**：1070-1080, 2009.

19) Helal B et al：Rupture of the extensor pollicis longus tendon in undisplaced Colles' fracture. Hand **14**：41-47, 1982.

20) 家坂一穂ら：新鮮遠位橈尺関節脱臼・亜脱臼の治療経験．日手会誌 **14**：1010-1014, 1998.

21) 今谷潤也：橈骨遠位端の骨・軟部組織構造．橈骨遠位端骨折を究める，10-15, 南江堂, 2019.

22) 猪原史敏ら：尺骨茎状突起骨折からみた橈骨遠位端骨折．日手会誌 **7**：647-650, 1990.

23) 井上五郎ら：新鮮遠位橈尺関節脱臼の治療．日手会誌 **8**：617-620, 1991.

24) 井上五郎ら：遠位橈尺関節の不安定症を伴う尺骨茎状突起偽関節の治療．日手会誌 **14**：283-285, 1997.

25) 井上　博：小児四肢骨折治療の実際．第1版，167-197, 金原出版, 1992.

26) Jupiter JB, et al：Feasibility study of Norian SRS in treatment of unstable distal radius fractures. presented at 63rd Annual meeting of AAOS, 1996.

27) 金谷文則ら：橈骨遠位端骨折に伴う尺骨茎状突起骨折：本当はどう扱うべきか？　BJN **5**：507-512, 2015.

28) Kapandji IA：Internal fixation by double intrafocal plate. Functional treatment of non articular fracture of the lower end of the radius（author's transl）. Ann Chir **30**：903-908, 1976.

29) Kapandji IA：The Kapandji-Sauvé operation, its techniques and indications in nonrheumatoid disease. Annales de Chirurgie de la Main **5**：181-193, 1986.

30) 川崎恵吉ら：高齢者女性の背側転位型橈骨遠位端骨折に対する Double-tiered subchondral support 法の治療成績．骨折 **33**：12-17, 2011.

31) 木原　仁ら：遠位橈尺関節の安定性機構について．日手会誌 **11**：6-9, 1994.

32) 清重佳郎ら：高齢者橈骨遠位端骨折に対する髄内 cement 固定法．日手会誌 **13**：21-25, 1996.

33) Knirk JL et al：Intraarticular fractures of the distal end of the radius in young adults. J Bone Joint Surg **68-A**：647-659, 1986.

34) 倉　明彦：橈骨遠位端骨折に対する Stellar 2 の使用経験．整形外科と災害外科 **62**：774-778, 2013.

35) 倉　明彦ら：Watershed line より遠位の掌尺側遠位骨片を含む橈骨遠位端骨折の術後成績．整形外科と災害外科 **63**：570-574, 2014.

36) 倉　明彦ら：小児橈骨遠位端骨折及び遠位 1/3 骨幹部骨折の手術治療．日手会誌 **31**：1-5, 2015.

37) 牧　裕：遠位橈尺関節脱臼と亜脱臼の診断と治療．MB Orthop **10**：63-74, 1997.

38) Melone CP Jr：Articular fractures of the distal radius. Orthop Clin North Am **15**：217-236, 1984.

39) Milch H：Cuff resection of the ulna for malunited Colles' fracture. J Bone Joint Surg **23**：311-313, 1941.

40) Mino DE et al：The role of radiography and computerized tomography in the diagnosis of subluxation and dislocation of the distal radioulnar joint. J Hand Surg **8**：23-31, 1983.

41) 森友寿夫：掌側進入による直視下 TFCC 縫合術と尺骨手根骨間靱帯修復術．整・災害外科 **53**：333-339, 2010.

42) Müller ME et al：骨折治療のための AO/OTA 分類法．シュプリンガー・フェアラーク東京, 1991.

43) 中村蓼吾ら：遠位橈尺関節亜脱臼の CT 診断．日手会誌 **12**：11-13, 1995.

44) 中村俊康ら：手関節尺側の機能解剖― TFCC を中心として―．MB Orthop **10**：1-8, 1997.

45) 日本整形外科学会/日本手外科学会監修：橈骨遠位端骨折診療ガイドライン 2017（改訂第2版）．南江堂, 2017.

46) Orbey JL et al：Current concepts in volar fixed-angle fixation of unstable distal radius fractures. Clin Orthop Relat Res **445**：58-67, 2006.

47) Orbay JL：Volar plate fixation of distal radius fractures. Hand Clin **21**：347-354, 2005.

48) 長田伝重ら：Clyburn 創外固定器による橈骨遠位端骨折治療例の検討―固定後の骨片転位について―. 日手会誌 **12**：679-682，1995.

49) Palmer AK：Triangular fibrocartilage complex lesions：A classification. J Hand Surg **14**：594-606, 1989.

50) Pennig D：The Pennig Dynamic Wrist Fixator 手術手技. TOKIBO.

51) Reeves B：Excision of the ulnar styloid fragment after Colles' fracture. Int Surg **45**：46-52, 1966.

52) 斎藤英彦：橈骨遠位端骨折，粉砕骨折の分類と治療. MB Orthop **13**：71-80，1989.

53) 酒井和裕ら：Colles 骨折変形治癒による二次的手根不安定症. 日手会誌 **9**：601-604，1992.

54) Sammer DM et al：Management of the distal radioulnar joint and ulnar styloid fracture. Hand Clin **28**：199-206, 2012.

55) 坂野裕昭：関節内骨折に対する掌側ロッキングプレートの応用. J MIOS **52**：35-43，2009.

56) 佐々木　孝：橈骨遠位端骨折―新鮮例・関節内・粉砕骨折について―. 整形外科 MOOK No.64：1-14，1992.

57) Scheck M：Long-term follow-up of treatment of comminuted fractures of the distal end of the radius by transfixation with Kirschner wires and cast. J Bone Joint Surg **44-A**：337-351, 1962.

58) Schuind F et al：The distal radioulnar ligament：Biomechanical study. J Hand Surg **16-A**：1106-1114, 1991.

59) 柴田　実ら：粉砕型橈骨遠位端骨折の治療. 整・災外 **25**：1115-1123，1982.

60) Souer JS et al：Effect of an unrepaired fracture of the ulnar styloid base on outcome after plate-and-screw fixation of a distal radial fracture. J Bone Joint Surg **91-A**：830-838, 2009.

61) Stanton-Hicks M et al：Reflex sympathetic dystrophy：changing concepts and taxonomy. Pain **63**：127-133, 1995.

62) 田嶋　光ら：手指腱皮下断裂の検討. 日手会誌 **5**：1109-1113，1989.

63) 田嶋　光ら：橈骨遠位端関節内粉砕骨折に対する創外固定の適応と限界. 日本創外固定研究会誌 **4**：31-35，1993.

64) 田嶋　光ら：橈骨遠位端関節内粉砕骨折の治療法. 日手会誌 **11**：524-527，1994.

65) 田嶋　光：創外固定術― Pennig 創外固定―. 関節外科 **15**：997-1004，1996.

66) 田嶋　光ら：橈骨遠位端骨折に対する Pennig 創外固定後の手関節拘縮の検討. 日本創外固定・骨延長学会雑誌 **8**：43-46，1997.

67) 田嶋　光ら：高齢者の橈骨遠位端骨折. 骨折 **19**：727-733，1997.

68) 田嶋　光ら：小児橈骨遠位端骨折に対する小切開エレバ法. 日手会誌 **14**：197-200，1997.

69) 田嶋　光ら：橈骨遠位端骨折に対する Pennig 創外固定に加えての小切開エレバ法. 日手会誌 **14**：258-262，1997.

70) 田嶋　光：各種創外固定法の比較検討. J MIOS **5**：11-19，1997.

71) 田嶋　光：橈骨遠位端骨折に対する hydroxyapatite 顆粒充填. 骨折 **21**：559-562，1999.

72) 田嶋　光：橈骨遠位端骨折に対する創外固定法の限界と追加手術. 別冊整形外科 **37**：37-42，2000.

73) 田嶋　光ら：橈骨遠位端骨折に対する創外固定・リン酸カルシウム骨ペースト充填の治療経験. 骨折 **24**：720-723，2002.

74) 田嶋　光ら：超高齢者橈骨遠位端骨折に対する治療戦略. 骨折 **26**：239-243，2004.

75) 田嶋　光：青壮年橈骨遠位端骨折に対する bridging 型創外固定. 骨折 **27**：354-358，2005.

76) 田嶋　光：高齢者（75 歳以上）の橈骨遠位端骨折に対する保存療法のコツ. Orthopaedics **19**：43-51，2006.

77) Taleisnik J et al：Midcarpal instability caused by malunited fractures of the distal radius. J Hand Surg **9**：350-357, 1984.

78) 玉井　誠ら：橈骨遠位端骨折および上腕骨顆上骨折に合併した末梢神経損傷. 日手会誌 **10**：333-337，1993.

79) Thomas B：Reduction of Smith's fracture. J Bone Joint Surg **39-B**：463-470, 1957.

80) 内田和宏ら：橈骨遠位端骨折に伴った尺骨茎状突起骨折の臨床的検討. 日手会誌 **7**：643-646，1990.

81) 山中一良ら：関節内に嵌頓した骨片を伴う橈骨遠位端骨折の検討. 骨折 **31**：486-489，2009.

82) 山部英行ら：橈骨遠位端骨折：本当の手術適応とは？ BJN **5**：499-505，2015.

83) 米嵩　理ら：遠位橈尺関節掌側脱臼の治療経験. 日手会誌 **20**：606-610，2003.

664 各 論 第13章 上肢の骨折

7 手根骨骨折 fracture of the carpal bones

　手根骨の骨折型は受傷時の肢位に依存する．すなわち手関節の伸展・屈曲・橈屈・尺屈あるいは前腕の回内・回外のどのような肢位で受傷したかによって骨折はさまざまな形態をとる．各方向から撮影した単純X線写真で8個の手根骨はいずれかの輪郭が互いに重なっているので手根骨骨折の診断は難しいことが多く，単純X線写真では診断されないことがある．関節軟骨損傷と手根靱帯損傷の評価はさらに難しい．靱帯損傷により手根骨が異常な回転を生じる可能性がある．特殊なX線写真撮影法やCTが有用なことが多い．正常な骨の形態，手根骨間の位置関係，手関節の動きに伴うその変化を理解したうえで，単純X線写真を読影しなければならない．手根靱帯の走行と手根骨に付着する筋腱の解剖をよく理解しておく必要がある．手根骨，特に舟状骨と月状骨は血管分布が特殊なため，しばしば偽関節，壊死が合併し予後が不良なことが少なくない．手根骨の骨挫傷や壊死の評価にはMRIが有用である．

a 解剖・機能解剖
1) 手根骨と手根骨運動単位

　手関節は10の骨（橈骨，尺骨，8つの手根骨）が構成する互いに独立した関節からなる複合関節である（**図13-7-1**）．前額面では手根骨は2つの列（近位手根列と遠位手根列）を形成する．遠位手根列は4つの手根骨（大菱形骨，小菱形骨，有頭骨，有鈎骨）からなり互いにほとんど可動性はないが，近位手根列の3つの手根骨（舟状骨，月状骨，三角骨）は，舟状骨・月状骨間（舟状月状骨関節）と月状骨・三角骨間（月状三角骨関節）で比較的大きな運動性がある．豆状骨は通常近位手根列の骨と考えられているが，尺側手根屈筋腱のレバーアームとなる種子骨である．

　手根骨間には手関節及び手指の関節運動が円滑に行なえるようにある程度の運動性（手根骨運動単位）が必要である．そのために橈側には舟状骨・大菱形骨・小菱形骨関節，中央には舟状骨・有頭骨関節，尺側には三角骨・有鈎骨関節（これらを合わせて中央手関節という）が形成されている．Gilfordらは舟状骨は手根骨近位列と遠位列を連結する橋としての機能を有するという連鎖機能説を提唱した．

　手部に加わった軸方向の外力はCM関節を介して手根骨に伝達される．この外力は遠位手根列で中央手根関節で分配され，舟状有頭骨関節と月状有頭骨関節に約50%，舟状大菱形小菱形骨関節に約30%，三角有鈎骨関節に約20%，近位手根列では橈骨・舟状骨関節（舟状骨窩）に約50%，橈骨・月状骨関節（月状骨窩）に約35%，そして約15%がTFCCを介して尺骨頭へ伝達される．

　手根骨は手部に加わる軸圧の状態により特異的なパターンの動きを示す．すなわち種子骨の動きは関節面の形状，受けた外力の方向と作用点，関節包，靱帯，筋等周囲の軟部組織による固定状態などにより定まる．手関節の橈屈に伴って舟状骨，月状骨，三角骨（intercalated segment）は尺側移動，掌側回転し，尺屈に伴って橈側移動，掌側回転する（**図13-7-2**）．また手関節の伸展に伴って月状骨は掌側に移動し背側に

7 手根骨骨折 665

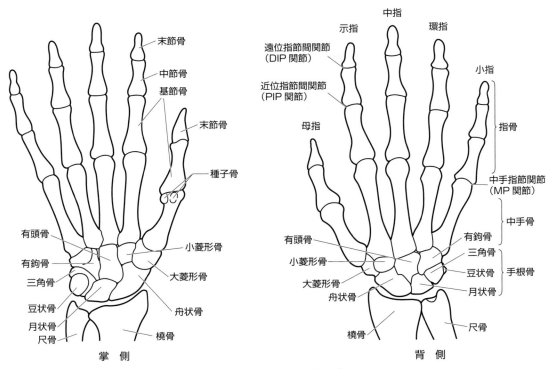

図 13-7-1 手の骨（右手）

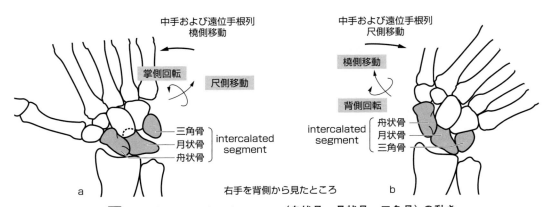

図 13-7-2 Intercalated segment（舟状骨，月状骨，三角骨）の動き
a. 手関節橈屈に伴う intercalated segment の運動：舟状骨は掌側に回転し，短くみえる．橈骨茎状突起と舟状骨遠位端が近づく．
b. 手関節尺屈に伴う intercalated segment の運動：舟状骨は背側に回転し，長くみえる．橈骨茎状突起と舟状骨遠位端が遠ざかる．

回転する．一方手関節の屈曲に伴って月状骨は背側に移動し，掌側に回転する（図13-7-3）．

Taleisnik は舟状骨を lateral column（lateral mobile column），三角骨を medial rotation column，それ以外を central column（flexion-extension column）の3つの軸（column）に分けて種子骨の運動単位とした（図 13-7-4）．

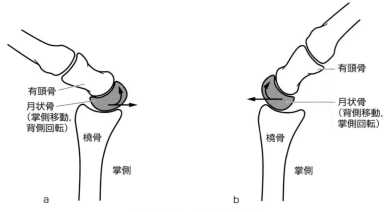

図 13-7-3　月状骨の動き
a. 手関節伸展に伴う月状骨の運動：月状骨は掌側に移動し，背側へ回転する．
b. 手関節屈曲に伴う月状骨の運動：月状骨は背側に移動し，掌側へ回転する．

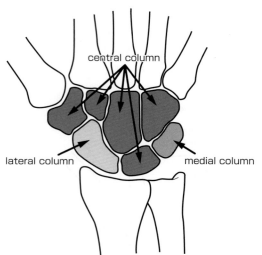

図 13-7-4　Taleisnik の column theory
手関節の屈曲と伸展は遠位手根列と月状骨からなる central column (flexion-extension column) で行われ，舟状骨は遠位手根列と近位手根列を連結して動く lateral column (mobile column) を構成し，三角骨は回内・回外運動の際に主に動く medial column (rotation column) を構成すると考えた．

2) 手根靱帯

　手関節の骨は靱帯で連結されている（図 13-7-5）．掌側は遠位側を頂点とする2つの逆V字型の靱帯で構成されている．一つは有頭骨を頂点とし橈骨および三角骨を連結し，他の一つは月状骨を頂点とし橈骨および尺骨を連結している．すなわち，有頭骨と月状骨の間には靱帯による結合が存在しないので安定性に欠く．この解剖学的特徴は手根骨の脱臼発生に関与している．一方，背側の靱帯は三角骨に起始し大菱形骨付近に付着する背側手根骨間靱帯，橈骨に起始し三角骨に付着する背側橈骨手根靱帯および尺骨と橈骨を結ぶ三角線維軟骨複合体 triangular fibrocartilage complex (TFCC) により構成されるが，掌側のそれに比較して強靱さに欠ける．
　いくつかの靱帯は密なコラーゲン線維からなり，感覚器に乏しいが力学的に重要な骨を静的に支える構造をしている．他のいくつかの靱帯は粗なコラーゲン線維からな

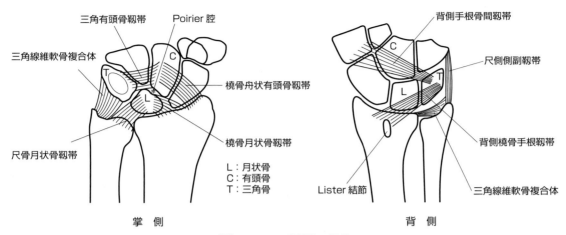

図 13-7-5 手関節の靱帯
掌側の靱帯は2つの逆V字型で構成されている．有頭骨と月状骨の間には靱帯による結合は存在しない．この領域はPoirier腔と呼ばれている．

り，ルフィーニ終末 Ruffini ending，ゴルジ腱器官 Golgi tendon organ，パチーニ小体 Pacini corpuscle に富む感覚的に重要な構造をしており，必要な固有受容性感覚情報を供給している．靱帯は関節外あるいは関節内にある．横手根靱帯，豆状骨と有鉤骨鉤を結ぶ靱帯，豆状骨と第5中手骨基部を結ぶ靱帯の3つだけが関節外にある．

関節内靱帯は2つのカテゴリーに分けられる．内在する靱帯と外在する靱帯である．外在する靱帯は前腕と手根骨を連結し，内在する靱帯は手根骨に起始と停止をもつ．外在する靱帯は骨に停止し，内在する靱帯はほとんどが軟骨に停止する．外在する靱帯は内在する靱帯よりも弾性が強く牽引に対する抵抗性に乏しいので実質部で断裂することが多いが，内在する靱帯は断裂よりも裂離することが多い．外在筋は豆状骨に停止する尺側手根屈筋および大菱形骨に停止する長母指外転筋の一部の線維があり，近位手根骨には筋による動的支持は存在せず，遠位手根骨を介して間接的に安定性を得ている．この構造は骨折や脱臼の発生に深く関与している．

3）運動学

Lichtman と Wroten は7つの手根骨が ring を形成していると考え oval ring 説を提唱した（図 13-7-6）．遠位手根列は靱帯で強く連結されたひとつの骨と考え，近位手根列とは橈側と尺側においてそれぞれ靱帯で連結されて動くとした．手根中央関節が動きやすい構造となっている．これらの説は手関節の運動単位を概念的に捉えたものであり，実際の定量的なデータに基づいているわけではない．

手関節は2軸性の自在継手型関節である（図 13-7-7）．実際の日常生活動作では，直交性の動きはまれで，橈側に傾きながらの伸展位から尺側に傾きながらの屈曲位への動きが多い．この動きをダーツスローモーション（dart throw motion）といい，主として手根中央関節で，長橈側手根伸筋と短橈側手根伸筋の2つの伸筋と尺側手根屈筋の1つの屈筋により生じる．臨床的には手根骨を可動性がきわめて少ない遠位手根列と若干の可動性を有する近位手根列に分け，舟状骨は遠位手根列と近位手根列の連

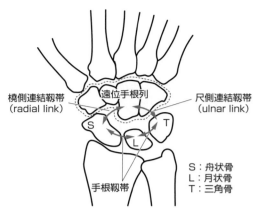

図 13-7-6　Lichtman-Wroten の oval ring concept
遠位手根列は固定されたひとつの単位と捉えた．遠位手根列は橈側連結靱帯（radial link）により舟状骨と連結し，尺側連結靱帯（ulnar link）により三角骨と連結している．oval ring の中央は連結がゆるく，手根中央関節が動きやすい構造となっている．

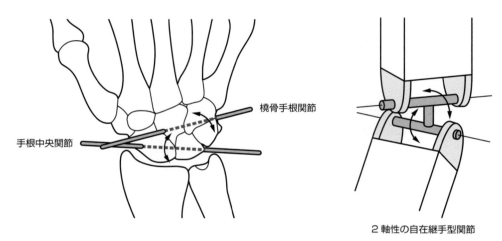

図 13-7-7　自在継手としての手関節の動き
手関節は2軸からなる自在継手（universal joint, cardan joint）型の関節であり，手関節のすべての肢位で安定性を失うことなく動かすことができる．

結役も兼ね備え，近位手根列は屈伸運動（月状有頭骨関節）と橈尺屈および回旋運動（月状舟状骨関節および月状三角骨関節）に関与していると考えると手関節の病態を理解しやすい．

A 舟状骨骨折　fracture of the scaphoid

a 受傷機転

　舟状骨骨折は手根骨骨折の中で最も頻度が高く，約80％を占める．10〜40代の活動性の高い男性に多い．受傷機転は二つあり，一つは手関節伸展位で手掌をついて転倒した場合で，橈骨舟状有頭骨靱帯が緊張し舟状骨近位部が固定され遠位部が背屈を強制され，橈骨の背側縁にぶつかり骨折すると考えられている．他の一つはパンチ動作により第2中手骨からの軸圧が舟状骨に剪断力として作用した場合である．

b 分　　類

現在 Herbert 分類が汎用されている（図 13-7-8）．骨折の部位と転位（不安定性）の有無と部位，新鮮例か陳旧例かで分類している．Type A は新鮮安定型骨折，Type B は新鮮不安定型骨折，Type C は遷延癒合，Type D は偽関節である．

c 診　　断

手関節橈側に腫脹があり，手関節の運動時痛と運動制限がみられる．症状の程度が軽いため受診が遅れることが多い．また，初診時に単純 X 線写真で見逃され，手関節捻挫と診断されやすい．嗅ぎタバコ窩 anatomical snuff box や舟状骨結節に限局的な圧痛を認めることが特徴である．

初診時の単純 X 線写真手関節 2 方向撮影では骨折線はみえないことが多い（図 13-7-9）．舟状骨骨折を疑ったら，前腕回内 45°の手関節斜位像や手関節尺屈位正面像を撮影する．画像で骨折と診断できない場合には，前腕母指スパイカキャスト thumb spica 固定を行い，2〜3 週後に再診させ，診察と単純 X 線検査を行う．単純 X 線写真で骨折線がよくわからない場合に CT は骨折線の描出や転位の評価に有用である（図 13-7-10）．臨床的に骨折が疑われるが CT でも骨折線が明らかでない例では不顕性骨折を疑い，MR T1 強調像で低信号，T2 強調像で高信号の部分があれば不顕性骨

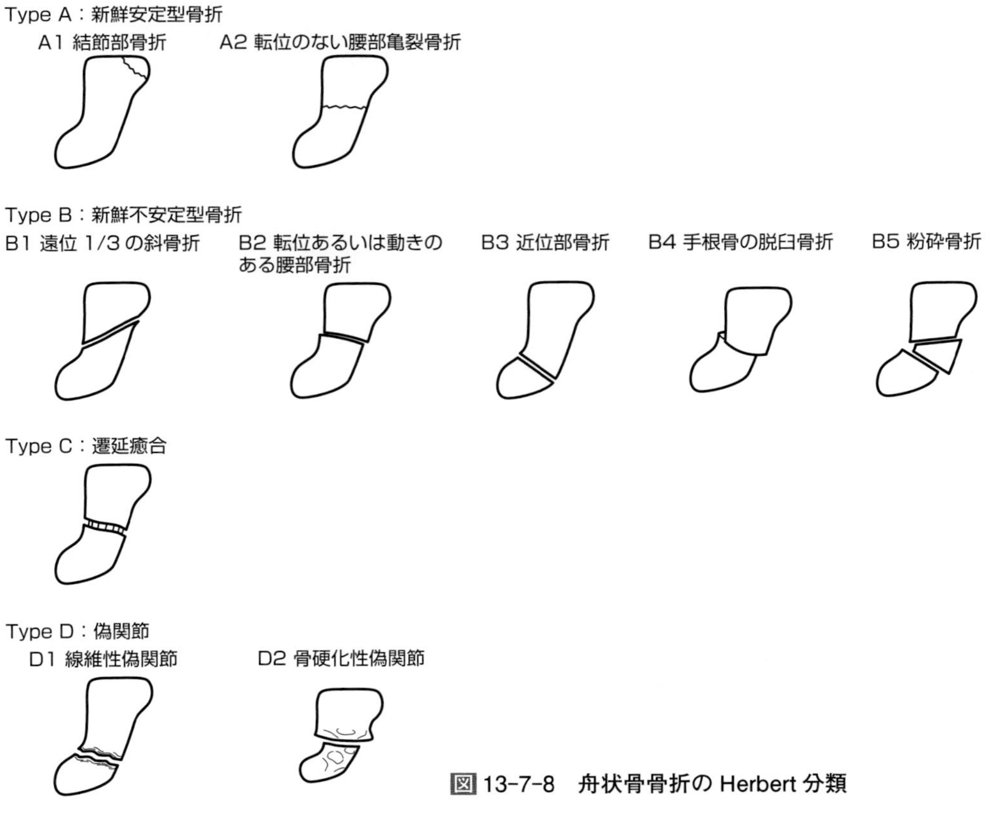

Type A：新鮮安定型骨折
A1 結節部骨折　　A2 転位のない腰部亀裂骨折

Type B：新鮮不安定型骨折
B1 遠位 1/3 の斜骨折　　B2 転位あるいは動きのある腰部骨折　　B3 近位部骨折　　B4 手根骨の脱臼骨折　　B5 粉砕骨折

Type C：遷延癒合

Type D：偽関節
D1 線維性偽関節　　D2 骨硬化性偽関節

図 13-7-8　舟状骨骨折の Herbert 分類

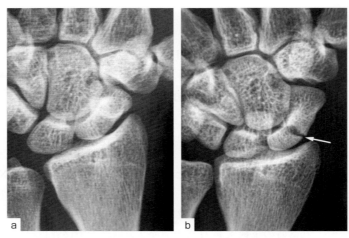

図 13-7-9　手関節正面と斜位での単純 X 線写真前後像
a. 前腕回外位の手関節単純 X 線写真正面像では舟状骨骨折がわからない．
b. 同一患者における同日の撮影であるが，前腕回内 45°の手関節斜位像で舟状骨骨折（矢印）がよくわかる．

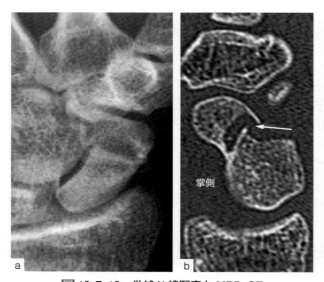

図 13-7-10　単純 X 線写真と MPR-CT
a. 転位した舟状骨骨折（単純 X 線写真正面像）
b. 転位した舟状骨骨折（MPR-CT 側面像）．遠位骨片の掌屈転位（矢印）の状態がよくわかる．

折や骨挫傷と診断できる（図 13-7-11a）．MRI は骨折の有無の早期診断に有用である．また陳旧例で近位骨片が T1, T2 強調像ともに低信号であれば虚血性変化や骨壊死を疑う（図 13-7-11b）．骨折がないと診断され放置された例ではしばしば偽関節が生じる．

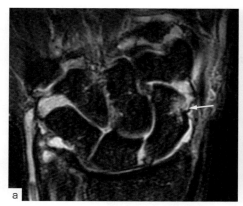 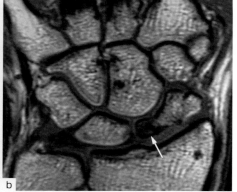

図13-7-11 MRIの有用性
a. 単純X線写真では骨折線を認めなかったが，MRI T2強調像で高信号領域を認め，不顕性骨折（矢印）が疑われる．関節内には血腫もみられる．
b. 陳旧性の舟状骨骨折で，近位骨片（矢印）がMRI T2強調像で低信号であり，骨壊死が疑われる．

d 治 療

　骨折の部位により近位部，腰部，遠位部，結節部に分ける．骨折が新鮮か陳旧性か，安定型か不安定型かで治療法を選択する．安定型骨折とは結節部骨折と転位のない腰部亀裂骨折をいう．新鮮例で安定型骨折であれば，前腕母指スパイカキャストthumb spicaを8～12週間行う（図13-7-12）．不安定型骨折は骨折部に圧迫力をかけることのできる骨内埋め込み型スクリュー（Herbertタイプあるいはアキュトラックスクリュー）で固定する（図13-7-13）．

　新鮮例で安定型骨折であっても早期の職場やスポーツ活動への復帰を希望する場合には手術治療が勧められる．新鮮例に対する手術は，母指球基部に小皮切を加え，X線透視下にガイドワイヤーを舟状骨の長軸方向に刺入し，適した長さのスクリューを挿入する（図13-7-14）．軽度の転位であれば整復も同時に行うことができる．術後は約4週の外固定を行い，手に衝撃の加わるスポーツへの復帰時期は，臨床所見と画像所見を確認したうえで慎重に判断する．

　陳旧性で囊胞状変化が高度で不安定な例は骨移植を行い，スクリューで固定する．偽関節例は掌側切開で進入し，偽関節部を新鮮化した後に骨移植を行いスクリューで固定するか，舟状骨の長軸方向に骨溝を作成し移植骨片を挿入するRusse法（図13-7-15）が選択される．DISI（dorsal intercalated segment instability）変形を伴った偽関節例に対しては，月状骨背側からKirschner鋼線を刺入し月状骨の背屈矯正を行って舟状骨の掌屈変形（humpback deformity）を矯正し，舟状骨掌側の骨欠損部に骨移植を行う方法や楔状の腸骨を移植する方法（Fernandez法）（図13-7-16）が選択される．

　舟状骨への血流供給の約80％は橈骨動脈からの分枝による（図13-7-17）．この分枝は遠位背側から骨内に逆行性に進入する．近位部の骨折では，近位骨片への血液供給が断たれ壊死に陥ることがある．MRIで舟状骨の近位骨片の虚血や壊死が疑われる例には，血管柄付き骨移植（Zaidemberg法，牧野法など）（図13-7-18）を行うこと

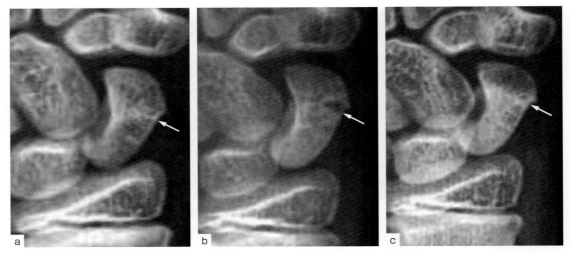

図 13-7-12　新鮮な安定型舟状骨骨折に対する保存治療
a. 転位のない舟状骨骨折新鮮例．前腕母指スパイカキャスト固定を行った．
b. プラスチックキャスト固定後4週．骨折部に骨吸収が生じている．
c. プラスチックキャスト固定後8週．骨癒合が得られたのでプラスチックキャストを除去した．

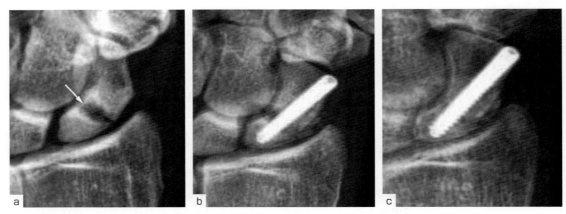

図 13-7-13　アキュトラックスクリュー固定
a. 単純X線写真で舟状骨腰部に偽関節（矢印）を認める．
b. 偽関節を新鮮化し，腸骨を移植し，アキュトラックスクリューを挿入した直後の単純X線写真
c. 受傷10ヵ月後，最終調査時の単純X線写真

がある（図13-7-19）．偽関節や近位骨片が壊死の状態で長期間放置すると変形性手関節症であるSNAC（scaphoid nonunion advanced collapse）wristになる．SNAC wristやSLAC（scapholunate advanced collapse）wristにはWatsonとBalletの分類（図13-7-20）が用いられる．Stage 1は舟状骨偽関節に対する手術（骨移植と手根骨アライメントの再建）および橈骨茎状突起切除が適応され，Stage 2は近位手根列切除術あるいは舟状骨摘出＋four-corner fusion（有頭骨と月状骨と有鉤骨と三角骨を固定）の適応となる（図13-7-21）．Stage 3は舟状骨摘出＋four-corner fusionあるいは全手関節固定術の適応となる．

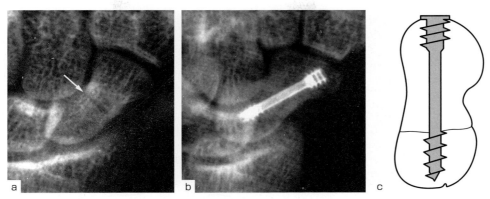

図 13-7-14　Herbert タイプのスクリュー固定
a. 単純 X 線写真で舟状骨腰部に転位のない骨折（矢印）を認める．
b. 小皮切からスクリューを挿入した後の単純 X 線写真
c. スクリューの遠位部と近位部でねじ幅が違うため，挿入に従って骨折部に圧迫力がかかる．

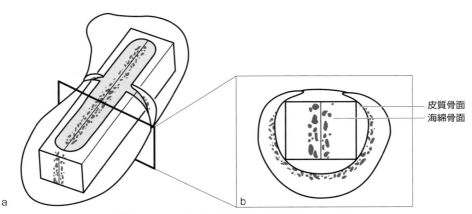

図 13-7-15　舟状骨偽関節に対する Russe 法
a. 掌側切開で進入し，偽関節部を新鮮化した後，舟状骨長軸に沿って骨溝を作成し移植骨片を挿入する．
b. 2 つの corticocancellous bone を用いて，それぞれ外側に皮質骨面，内側に海綿骨面がくるように移植する．

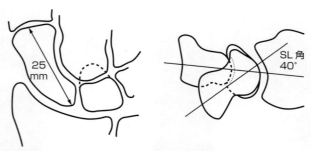

健側の舟状骨の長さと舟状-月状骨角(SL角)を測定する

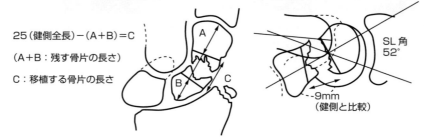

25（健側全長）−（A＋B）＝C
（A＋B：残す骨片の長さ）
C：移植する骨片の長さ

偽関節部を切除し，舟状骨の長さの矯正と舟状-月状骨角の矯正をするために必要な移植骨の大きさ(C)を決める

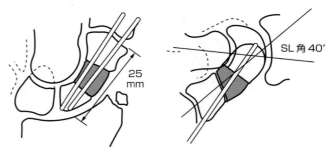

楔状の移植骨を腸骨より採取し，移植後鋼線で固定する

図 13-7-16 舟状骨偽関節に対する Fernandez 法
掌側切開で進入し偽関節部を新鮮化した後，健側の舟状骨の長さと舟状月状骨角（SL角）に基づいて，腸骨から採取した楔状の骨を移植する．

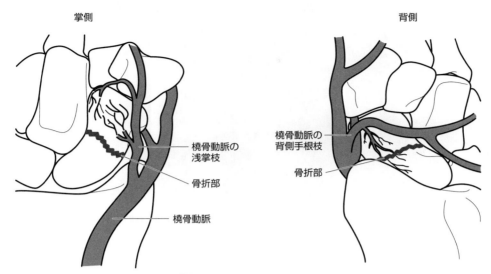

図 13-7-17 舟状骨の血流
舟状骨への血液供給の 80％は橈骨動脈からの枝による．血液供給は遠位から近位へ逆行性である．骨折により近位骨片への血液供給が障害されると偽関節や近位骨片の骨壊死が生じる．

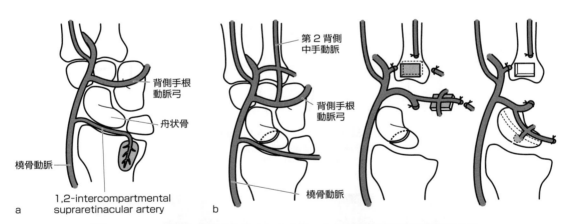

図 13-7-18 舟状骨偽関節の治療によく用いられる血管柄付き骨移植の方法
a. Zaidemberg 法：橈骨動脈から分岐する 1, 2-intercompartmental supraretinacular artery を付けたまま橈骨遠位背側の骨を採取し，移植に用いる．
b. 牧野法：第 2 背側中手動脈を付けたまま第 2 中手骨基部の骨を採取し，移植に用いる．

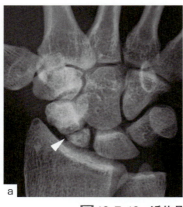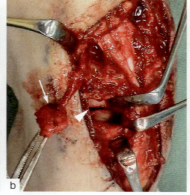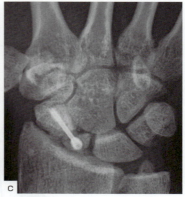

図 13-7-19 近位骨片の骨壊死が疑われる偽関節例に対する血管柄付き骨移植
a. 舟状骨近位 1/3 に偽関節（矢頭）を認める．
b. 右手を橈背側からみたところ．牧野法に従い，第 2 背側中手動脈を付けたまま第 2 中手骨基部から骨（矢印）を採取し，新鮮化した偽関節部（矢頭）に移植した．
c. 近位からハーバートタイプのスクリューで固定した．

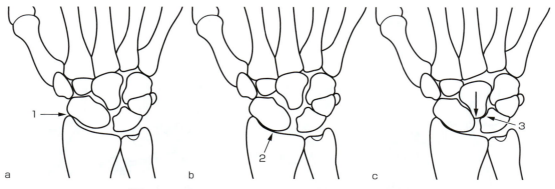

図 13-7-20 SLAC wrist に対する Watson-Ballet の分類
a. Stage 1：橈骨舟状骨関節遠位部分の関節症
b. Stage 2：橈骨舟状骨関節全体の関節症
c. Stage 3：橈骨舟状骨関節全体と有頭月状骨関節の関節症

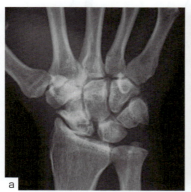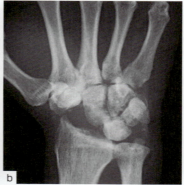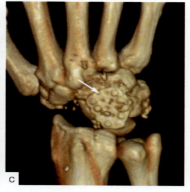

図 13-7-21 SNAC wrist Stage 2 に対する four-corner fusion
a. 術前の単純 X 線写真正面像．橈骨舟状骨関節全体に関節症性変化を認める．
b. 術後の単純 X 線写真正面像．舟状骨を摘出し，four-corner fusion を行った．
c. 術後の 3D-CT．4 つの手根骨を吸収性プレート（ハイドロキシアパタイトとポリ L 乳酸の複合体）（矢印）と同じ成分からなるスクリューを用いて手背側から固定した．

B 大菱形骨骨折 fracture of the trapezium

a 受傷機転

　大菱形骨単独骨折は手根骨骨折全体の1〜5%でまれである．ほかの手根骨骨折や橈骨遠位端骨折に合併することが多い．体部の骨折は母指を外転した状態で転倒し長軸方向に外力が加わったときに生じる．手掌の表面近くにある稜の骨折は直達外力で発生し，転倒して手をついた場合や硬いボールなどが当たった場合に生じることが多い．

b 診　断

　母指球基部に圧痛と腫脹，母指の運動時痛が認められる．骨折は体部骨折と掌側の稜部骨折に分けられる．Walkerらは体部骨折を分類し，I型は関節面に及ばない横骨折，橈側の結節骨折のうち遠位のものをIIa型，近位のものをIIb型，尺側の結節骨折をIII型，CM関節面と舟状骨関節面に及ぶtwo-partの垂直骨折をIV型，粉砕骨折をV型とした（図13-7-22）．Palmerは稜部骨折を基部の骨折（I型）と先端部の骨折（II型）に分類した（図13-7-23）．

　体部骨折は単純X線写真2方向撮影で診断される．稜部骨折は単純X線写真手根管撮影を行い診断する．CTは体部，稜部の骨折，関節面の転位などをよく描出する．有鉤骨骨折など他部位の骨折を合併することが多いので注意深く読影する．

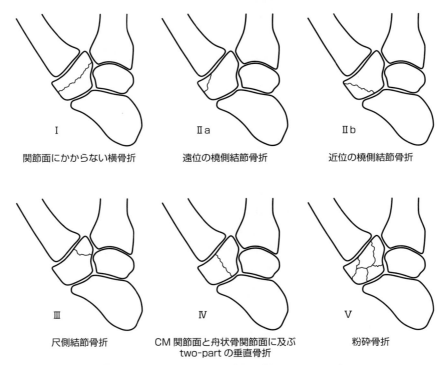

図13-7-22　大菱形骨の体部骨折のWalker分類

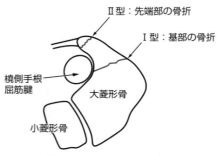

図 13-7-23 大菱形骨の稜部骨折の Palmer 分類

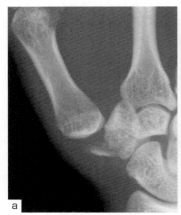
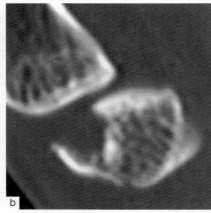
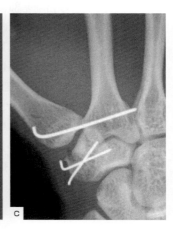

図 13-7-24 大菱形骨単独骨折
a. 単純 X 線写真正面像．転位のある垂直方向の大菱形骨体部骨折（CM 脱臼を伴う）
b. MPR-CT 冠状面．大菱形骨体部遠位の橈側結節部に骨折を認める．
c. 単純 X 線写真正面像．大菱形骨骨折に対して骨接合を行い，CM 関節脱臼を整復固定した．

c 治　療

　　転位のない体部骨折は外固定により治療する．高エネルギー損傷で骨折が生じていることが多く，当初転位がなくても不安定であることから，徒手整復し，外固定した後も単純 X 線写真でフォローする必要がある．転位のある垂直方向の体部骨折（図 13-7-24）や母指 CM 関節脱臼を伴った体部骨折（図 13-7-25）は手術適応である．関節面の骨折は正確な整復が必要である．骨折を整復後，鋼線やミニスクリューで固定する．粉砕した体部骨折は整復が難しく，整復位の保持もしにくいので整復後に創外固定などを用いた治療が必要である．骨移植を要することもある．
　　基部の稜部骨折は外固定で治療するが転位があるものは偽関節になりやすい．症状が残存する例は骨片の摘出を行う．橈側手根屈筋腱の腱炎などを合併する場合も骨片の摘出を行う．先端部の稜部骨折は母指外転位で外固定するが，転位があるものは骨癒合が得られにくい．症状が残存するものについては骨片の摘出を行う．

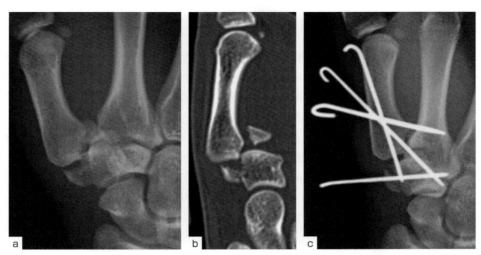

図 13-7-25　Bennett 骨折に伴った大菱形骨骨折
a. 単純 X 線写真正面像．Bennett 骨折（母指 CM 関節脱臼骨折）を伴った大菱形骨体部骨折
b. MPR-CT 矢状面．大菱形骨体部遠位の背橈側結節部と中手骨基部掌尺側に骨折を認める．
c. 単純 X 線写真正面像．大菱形骨骨折に対して骨接合を行い，CM 関節脱臼を整復固定した．

C 有鉤骨鉤骨折　fracture of the hook of hamate

a 受傷機転

　有鉤骨鉤骨折は一般には比較的まれであるが，スポーツ選手では頻度が高い．手術治療の対象となることが多い．転倒により受傷する例もあるが，テニスラケットやゴルフクラブや野球のバットなどのグリップエンドが有鉤骨鉤に当たる直達外力で発生することが多い（図 13-7-26）．さらに，隣接する屈筋腱あるいは付着する小指球筋からの剪断力が骨折や転位の原因となる．骨折が鉤基部で発生するのは，有鉤骨体部と鉤部の間には骨梁構造の連続性がないため力学的に脆弱であることが大きな要因である．

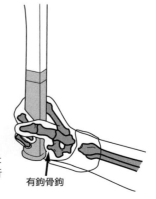

図 13-7-26　有鉤骨鉤骨折の発生機序
テニスのラケットを握った状態でスイングした際に，ラケットの端が有鉤骨鉤にぶつかり骨折が発生する．

有鉤骨鉤

b 症状および診断

　小指球の有鉤骨鉤部に一致した慢性的な痛みや圧痛，また握り動作時の疼痛が主症状である．尺骨神経領域の感覚障害や握力低下を訴えることもある．自覚症状に乏しいこともある．陳旧例では屈筋腱断裂（図 13-7-27）や尺骨神経麻痺による症状を主訴とすることもある．

　通常の単純 X 線写真正面像や側面像では骨折が描出されないことが多い．手根管撮影（図 13-7-28），手関節背屈位かつ前腕回外位での斜位像，グリップして手関節尺屈位で第 1 指間を通しての側面像（図 13-7-29）の 3 つの撮影法が有鉤骨鉤をよく描出できる．CT で診断されることが多い（図 13-7-30）．右利きの場合はテニスでは右手に，ゴルフでは左手に発生することが多い．

c 治　　療

　新鮮例で転位の少ない例は保存治療で癒合が得られる．転位例は手術治療が選択される．手術は主として骨折した鉤部の切除が行われる（図 13-7-31）．スクリューによる骨接合術も行われるが，骨癒合までに数ヵ月を要するのでスポーツ選手や手作業

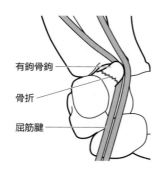

図 13-7-27　有鉤骨鉤骨折と屈筋腱との関係
右手を掌側から見たところ．有鉤骨鉤が骨折し不安定になると手指屈伸の際に屈筋腱が摩擦され断裂する．

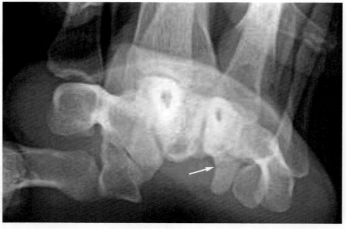

図 13-7-28　単純 X 線写真手根管撮影による有鉤骨鉤骨折の描出
有鉤骨鉤の基部に骨折（矢印）を認める．

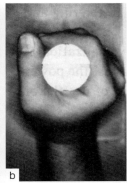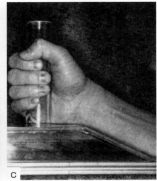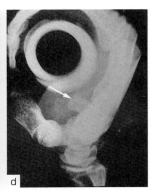

図 13-7-29　有鉤骨鉤の単純X線写真の撮影方法
aとb. 直径3cmのアクリルパイプをしっかり握る．
c. 手関節25°尺屈位とする．d. 単純X線側面像で有鉤骨鉤（矢印）の描出が可能となる．

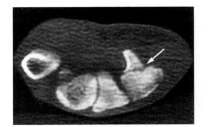

図 13-7-30　有鉤骨鉤骨折（矢印）のCT
（第2版，二見原図）

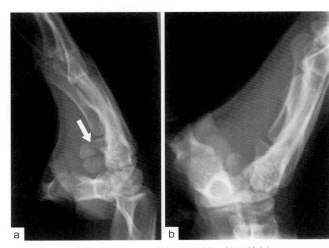

図 13-7-31　有鉤骨鉤骨折の鉤切除例
a. 第1指間からの単純X線写真で有鉤骨鉤骨折（矢印）を認める．
b. 有鉤骨鉤切除後の単純X線写真

　労働者で早期の現場復帰を希望する場合は切除術がよい．創部痛がなくなる2～3週後に現場復帰が可能で，後遺障害を残すことは少ない．中手骨からの圧迫力が有鉤骨に加わると有鉤骨体部骨折を伴うCM関節脱臼骨折が発生する．関節内骨折であり手術治療が必要になる．

D 月状骨骨折　fracture of the lunate

　月状骨は橈骨の大きな月状骨窩に囲まれているので単独骨折はまれである．月状骨体部骨折はきわめてまれで，多くは月状骨周縁部に発生する小さな裂離骨折である．外固定のみで特に手術治療を必要としない．本骨折はKienböck病との鑑別が必要である．月状骨体部の近位関節面から分離した骨折は通常Kienböck病の結果であり，

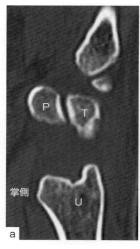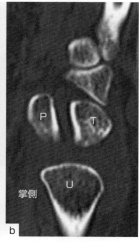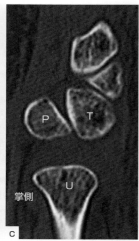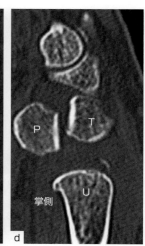

図 13-7-32　CT による豆状三角骨関節の評価
橈骨遠位端骨折に伴って豆状三角骨関節のアライメントは変化する．
a. 豆状骨と三角骨は正常な位置関係にある．
b. 関節裂隙が開大している．
c. 関節面が平行でない．
d. 関節が亜脱臼している．
P：豆状骨，T：三角骨，U：尺骨

月状骨近位の輪郭に平行な三日月状の骨折線がみられる．CT や MRI による評価が有用である．

E 豆状骨骨折　fracture of the pisiform

　豆状骨は尺側手根屈筋腱の中にある種子骨である．豆状骨骨折は手根骨骨折全体の約 2% とまれである．骨折は直達外力で生じることが多いが，豆状骨に付着する多くの軟部組織による裂離により生じることもある．本骨折は橈骨遠位端骨折に合併しやすい．通常の単純 X 線の正面像や側面像では骨折が描出されず，手関節軽度伸展位で前腕回外 30〜45° 斜位像で描出される．豆状三角骨関節のアライメントの評価には CT が有用である（図 13-7-32）．
　転位のない新鮮骨折は手関節軽度掌屈位で 3〜6 週間の外固定により多くは良好な成績が得られる．粉砕骨折や大きく転位した横骨折や症状のある偽関節に対しては豆状骨を摘出することが勧められる．

F その他の手根骨骨折　fracture of the other carpal bones

　有頭骨や三角骨の小さな裂離骨折は，手根骨骨折の中では比較的頻度の高い骨折ではあるが，多くは外固定のみで良好な骨癒合が得られる．

附-25 手根骨脱臼　dislocation of the carpal bones

手根骨脱臼の好発部位は近位列手根骨であるが，単独に発生する頻度は比較的低い．Mayfield は手根靱帯の切離実験を行って手根部の骨折，脱臼の発生メカニズムを解明し，月状骨周囲不安定症（手根骨脱臼）を4つの型に分類した（図 13-7-33）．脱臼の多くは靱帯損傷や小さな骨折を伴っていることを認識して診断・治療にあたるべきである．

Mayfield の分類によれば，Stage I は舟状月状骨解離（舟状骨の回旋亜脱臼）である．舟状月状骨靱帯の断裂の結果であり，単純 X 線写真正面像で舟状骨と月状骨が解離する Terry-Thomas sign を示す（図 13-7-34）．Clenched fist view が有用である．橈骨茎状突起骨折を合併することがある．Stage II は月状骨周囲脱臼である（図 13-7-35）．有頭月状骨関節が破綻し，月状骨は橈骨遠位と正常な解剖学的位置関係を保ったまま有頭骨が（通常背側に）脱臼する．月状骨は Poirier 腔に投げ出された状態になる．60％は舟状骨骨折を合併している．Stage III は手根中央関節脱臼である．月

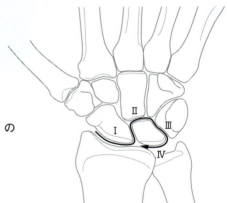

図 13-7-33　月状骨周囲不安定症（手根骨脱臼）の Mayfield の分類

Stage I：舟状月状骨解離（舟状骨の回旋亜脱臼）
Stage II：月状骨周囲脱臼
Stage III：手根中央関節脱臼
Stage IV：月状骨脱臼

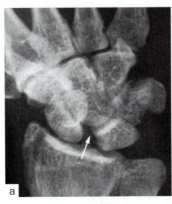
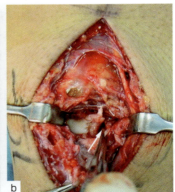

図 13-7-34　舟状月状骨解離
a. 単純 X 線正面像で舟状骨と月状骨の解離（Terry-Thomas sign）（矢印）がみられる．舟状月状骨間は正常は 2 mm 以下である．橈骨茎状突起骨折を合併している．
b. 手背から切開し，関節包を開けると舟状月状骨靱帯に断裂（矢印）を認めた．

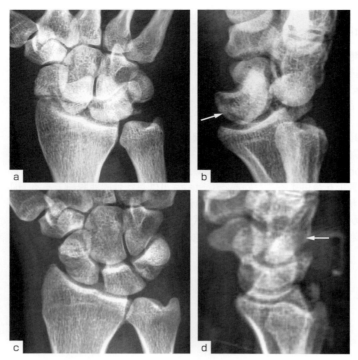

図 13-7-35 月状骨周囲脱臼
a. 整復前の単純 X 線写真正面像. 舟状骨が骨折し, 近位手根列と遠位手根列が一部重なってみえる.
b. 整復前の単純 X 線写真側面像. 月状骨(矢印)と遠位橈骨の位置関係は正しいが, 有頭骨が月状骨の背側に脱臼している.
c. 整復後の単純 X 線写真正面像. 近位手根列と遠位手根列の異常な重なりがなくなっている.
d. 整復後の単純 X 線写真側面像. 有頭骨(矢印)が整復されている.

状三角骨靱帯が破綻するか三角骨骨折が生じている. 有頭骨あるいは月状骨のどちらかが遠位橈骨と正常な解剖学的位置に存在する. Stage IV は月状骨脱臼である (図 13-7-36). 月状骨周囲の靱帯がすべて断裂し, 月状骨が掌側に脱臼する. 単純 X 線写真側面像で, 月状骨が回転して正常なアライメントから外れ, 傾いたティーカップ状の配置 (spilled teacup configuration) をとる.

1) 月状骨周囲脱臼 perilunate dislocation

月状骨周囲脱臼では, 月状骨は遠位橈骨と正常な解剖学的位置関係を保ったまま有頭骨が (通常背側に) 脱臼する (図 13-7-35). 月状骨周囲脱臼は月状骨脱臼の約 5 倍多い. 手関節伸展位で手掌をついての転倒や自動車衝突事故など手関節が伸展強制されることで起こる. 脱臼を徒手整復し, 舟状骨骨折があればスクリューを用いて内固定を行う. 手根間靱帯を縫合する. 靱帯が骨から剥離した場合は縫合糸アンカーを用いて靱帯を修復する. 脱臼が整復されず見逃された陳旧例は難治性で観血的にも解剖学的整復は困難なことが多く, 正中神経麻痺, 月状骨壊死, 変形性手関節症などを合併し手根間固定術を余儀なくされることもある.

2) 月状骨脱臼 dislocation of the lunate

月状骨脱臼のほとんどは掌側脱臼であるので掌側脱臼について述べる. 本脱臼は手関節過伸展位で掌側から急激な外力が作用した際に発生する (図 13-7-35). 有頭月状骨間は強固な靱帯性結合がないことも本脱臼の発生に関与している. 看過することを避けるために正確な単純 X 線写真側面像で橈骨, 月状骨, 有頭骨の関係を評価しなければならない. 掌側に転位した月状骨により手根管症候群を発生することがある. 治療は新鮮例では麻酔下に持続牽引をすることによって整復する. 整復位が得ら

7 手根骨骨折 **685**

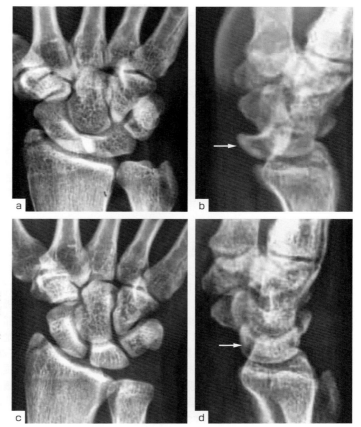

図 13-7-36 月状骨脱臼
a. 単純 X 線写真正面像．橈骨茎状突起に転位のない骨折がみられる．月状骨と舟状骨が一部重なってみえる．
b. 単純 X 線写真側面像．月状骨（矢印）が掌側に脱臼し，spilled teacup configuration がみられる．
c. 整復後の単純 X 線写真正面像．月状骨と舟状骨の異常な重なりがなくなっている．
d. 整復後の単純 X 線写真側面像．月状骨（矢印）が整復されている．

れない場合は小切開を加えてエレバトリウムによる整復を行う．整復後は再脱臼を防ぐために Kirschner 鋼線による仮固定を追加する．新鮮例では靱帯修復を行う．陳旧例では手術を行っても完全な整復位を得ることは困難である．

3) その他の手根骨脱臼 dislocation of other carpal bones

まれではあるが三角骨の背側脱臼がある．本脱臼は単純 X 線写真による診断は困難であり，断層 X 線側面像や CT が有用である．本脱臼は後述する手根不安定症の中の VISI 変形の原因にもなる．早期に診断し治療することが必要である．治療は脱臼整復，靱帯の修復あるいは再建，固定を行う．陳旧例では手根間関節固定術が行われる．

舟状骨単独脱臼もまれに発生する．本脱臼の多くは月状舟状骨靱帯の損傷によって発生し，その結果舟状骨遠位部が掌側へ回転し DISI 変形の原因にもなる．診断には scaphoid shift test（図 13-7-37）が有用である．新鮮例では靱帯縫合術や再建術，陳旧例で整復が困難な症例には部分的手根間関節固定術を考慮する．

遠位手根列に属する手根間関節脱臼はきわめて少ない．この部の脱臼は CM 関節脱臼骨折の形をとる．関節内脱臼骨折には完全な整復を行う．陳旧例には CM 関節固定術を行う．

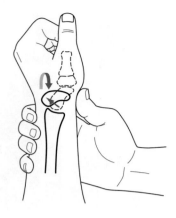

図 13-7-37　scaphoid shift テスト
Watson らにより提唱された舟状骨の動的な不安定性を再現する検査法である．舟状骨結節を圧迫しつつ手関節を尺屈から橈屈すると舟状骨は背側へ亜脱臼する．

附-26　手根不安定症　carpal instability

　　手根不安定症の概念は米国 Mayo Clinic のグループにより提唱された．「種々の原因によって手根骨の配列に異常をきたし，それによって臨床症状を呈したもの」と定義されている．不安定性というよりは，手根骨骨折および靱帯損傷後に手根骨の配列異常を起こしたままの状態で固定されている例が大部分である．臨床症状にどの程度関連しているかという問題点がある．一般に手根不安定症の診断は局所の理学所見のほかに，単純 X 線写真上の手根骨間角度の計測によってなされる．また手根不安定症には種々の分類法があるが，Larsen らがまとめた表を提示する（表 13-7-1）．治療法は保存治療が無効な例に対しては，手根骨の配列異常の矯正を目的に靱帯縫合術，靱帯再建術，部分的関節固定術などが施行される．

1）DISI（dorsal intercalated segment instability）

　　DISI（図 13-7-38）は手根不安定症の中で最も発生頻度が高い．月状骨は背屈，舟状骨は掌側回転（cortical ring sign）し，舟状月状骨角が 70°以上となる．また，有頭骨は背側に転位する．多くの場合舟状月状骨解離（図 13-7-34）を伴う．受傷後 3 週以内なら保存治療も有効であるが，陳旧例では舟状月状骨靱帯再建術（図 13-7-39）や部分的手根間関節固定術を行う．

2）VISI（volar intercalated segment instability）

　　DISI に次いで多い手根不安定症（図 13-7-38）で，尺骨列の手根間関節障害あるいは靱帯損傷や弛緩（関節リウマチによることが多い）により発生し，多くは三角月状骨解離を認め，舟状月状骨角は 20°以下となる．原疾患に対する治療のほか，靱帯再建術や症例によっては部分的手根間関節固定術を行う．

表 13-7-1　手根不安定症の分類

経過	状態	病因	部位	方向
急性，＜1 週（最大の一次治癒力がある時期） 亜急性，1～6 週（いくらかの治癒力がある時期） 慢性，＞6 週（ほとんど治癒力がない時期）	不顕性 動的 静的で整復可能 静的で整復不能	先天性 外傷性 炎症性 腫瘍性，医原性 その他	橈骨手根関節 近位手根間関節 手根中央関節 遠位手根間関節 手根中手関節 その他	VISI DISI 尺側移動 背側移動 その他

DISI：dorsal intercalated segment instability
VISI：volar intercalated segment instability

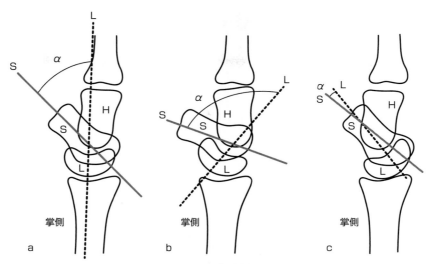

図 13-7-38　DISI 変形と VISI 変形
a. 単純 X 線側面像で，正常は舟状月状骨角（S と L のなす角 α）は 30〜60°である．
b. DISI 変形．月状骨は背屈し，舟状骨は掌屈回転し，舟状月状骨角は 70°以上となる．有頭骨は背側へ転位する．
c. VISI 変形．月状骨は掌屈し，舟状骨は背屈回転し，舟状月状骨角は 20°以下となる．通常，月状三角骨解離を伴う．有頭骨は掌側へ転位する．
L：月状骨，S：舟状骨，H：有頭骨，α：舟状月状骨角

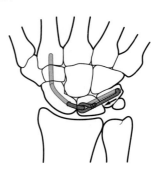

図 13-7-39　舟状月状骨靱帯の再建術
右手を背側から見たところ．橈側手根屈筋腱の半腱を用いて舟状骨と月状骨と三角骨を腱固定する．橈側手根屈筋腱の遠位付着部はそのまま残して舟状骨に骨トンネルを作成し，掌側から背側へ引き抜き，さらに月状骨と三角骨の骨トンネルを通して，図のように折り返すか，三角骨に interference screw を用いて固定する．

3）手根中央関節不安定症（midcarpal instability）

有頭骨を中心とした遠位手根列が不安定なもので，掌側へ不安定なものと背側へ不安定なものがある．手根骨間の靱帯断裂が主な原因である．若年者の橈骨遠位端骨折変形癒合後に発生することもある．臨床症状の発現までに長期間を要する．本症は橈骨が変形癒合したことに対する代償として発症すると考えられ，まれではあるが全身性関節弛緩症を有する患者に本症をみることがある．単純 X 線所見と臨床所見は必ずしも一致しない．保存治療が有効なことが多いので，手術治療の適応には慎重を要する．橈骨の矯正骨切り術が適応となることもある．

4）手根骨の尺側偏位

手根骨が橈骨関節面の傾斜に沿って尺側へ偏位するものである（図 13-7-40）．遠位橈尺関節の亜脱臼などで生じる変形性関節症への進行防止のために部分的関節固定術や Sauvé-Kapandji 法（図 13-7-41）などの手術を考慮する．

5）その他の手根不安定症　other carpal instabilities

舟状菱形骨解離，舟状有頭骨解離，三角有鉤骨解離などがあるがその頻度は低い．

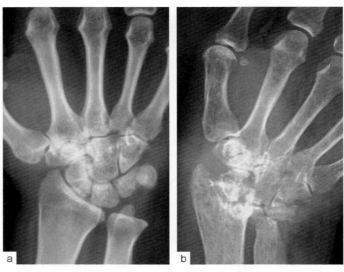

図 13-7-40 手根骨の尺側偏位
同一の関節リウマチ患者にみられる手根骨の尺側偏位．
a. 47 歳時の単純 X 線写真正面像．
b. 20 年後の単純 X 線写真正面像．

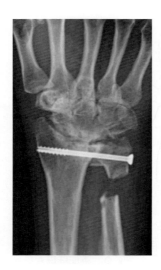

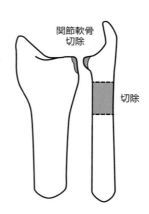

図 13-7-41 Sauvé-Kapandji 法
遠位橈尺関節障害に対して行われる手術法である．前腕の回内・回外が痛みなく可能となる．尺骨遠位端（尺骨頭）を温存することで手根骨の尺側偏位を防止することができる．

参考文献

1) Bond CD et al : Percutaneous screw fixation or cast immobilization for nondisplaced scaphoid fractures. J Bone Joint Surg **83-A**：483-488, 2001.
2) Dias JJ et al : Should acute scaphoid fractures be fixed？ A randomized controlled trial. J Bone Joint Surg **87-A**：2160-2168, 2005.
3) Dobyns JH, Linscheid RL : A short history of the wrist joint. Hand Clin **13**：1-12, 1997.
4) Fernandez DL : A technique for anterior wedge-shaped grafts for scaphoid nonunions with carpal instability. J Hand Surg **9-A**：733-737, 1984.
5) 古川英樹ら：有鉤骨鉤の役割に関する一考察．日手会誌 **8**：573-576, 1991.
6) Lee SK : Fractures of the carpal bones. Green's Operative Hand Surgery 7th edition, Wolfe SW（Editor in Chief），588-652, Elsevier, 2017.

7) Gellman H et al：Comparison of short and long thumb-spica casts for non-displaced fractures of the carpal scaphoid. J Bone Joint Surg **71-A**：354-357, 1989.

8) Herbert TJ, Fisher WE：Management of the fractured scaphoid using a new bone screw. J Bone Joint Surg **66-B**：114-123, 1984.

9) Larsen CF et al：Analysis of carpal instability：I. Description of the scheme. J Hand Surg **20-A**：757-764, 1995.

10) Lichtman DM et al：Ulnar midcarpal instability-clinical and laboratory analysis. J Hand Surg **6-A**：515-523, 1981.

11) Lichtman DM, Wroten ES：Understanding midcarpal instability. J Hand Surg **31-A**：491-498, 2006.

12) Linscheid RL et al：Traumatic instability of the wrist. Diagnosis, classification, and pathomechanics. J Bone Joint Surg **54-A**：1612-1632, 1972.

13) 牧野正晴, 松崎浩徳：血管柄付き第2中手骨基部骨移植術. 日手会誌 **16**：98-102, 1999.

14) Mayfield JK et al：Carpal dislocations：pathomechanics and progressive perilunar instability. J Hand Surg **5-A**：226-241, 1980.

15) 望月 由：手関節の運動動態に関する実験的研究. 広大医誌 **39**：105-126, 1991.

16) Palmer AK：Trapezial ridge fractures. J Hand Surg **6-A**：561-564, 1981.

17) Ross M et al：Scapholunate ligament reconstruction. J Wrist Surg **2**：110-115, 2013.

18) Russe O：Fracture of the carpal navicular. Diagnosis, non-operative treatment, and operative treatment. J Bone Joint Surg **42-A**：759-768, 1960.

19) 酒井昭典ら：労働災害の手舟状骨骨折が示した2,3の問題点. 日災医会誌 **37**：474-479, 1989.

20) 酒井昭典ら：手舟状骨骨折の治療経験. 整外と災外 **38**：1365-1369, 1990.

21) 酒井昭典ら：陳旧性舟状骨骨折に対する Russe 法の効果と限界. 日手会誌 **13**：241-244, 1996.

22) 酒井昭典ら：舟状骨骨折の保存療法と ORIF. 整・災外 **49**：463-470, 2006.

23) 酒井昭典：舟状骨骨折. 酒井昭典, 佐伯覚編集, 骨折の治療指針とリハビリテーション, 163-177, 南江堂, 2017.

24) 酒井昭典：手根骨骨折. 大鳥精司ら編集, TEXT 整形外科学 改訂5版, 363-365, 南山堂, 2019.

25) Tajima T et al：Pisiform malalignment associated with distal radius fractures. J Orthop Sci **23**：511-515, 2018.

26) Taleisnik J：Post-traumatic carpal instability. Clin Orthop Relat Res **149**：73-82, 1980.

27) 田中幸一ら：豆状骨単独骨折の3例. 整形外科 **48**：1348-1352, 1997.

28) Torisu T：Fracture of the hook of the hamate by a golfswing. Clin Orthop Relat Res **83**：91-94, 1972.

29) Walker JL et al：Fractures of the body of the trapezium. J Orthop Trauma **2**：22-28, 1988.

30) Watson HK, Ballet FL：The SLAC wrist：scapholunate advanced collapse pattern of degenerative arthritis. J Hand Surg **9-A**：358-365, 1984.

31) Watson HK et al：Examination of the scaphoid. J Hand Surg **13-A**：657-660, 1988.

32) 山中芳亮ら：症例 陳旧性月状骨掌側脱臼に伴った小指屈筋腱断裂の1例. 整形・災害外科 **51**：1323-1326, 2008.

33) Zaidemberg C et al：A new vascularized bone graft for scaphoid nonunion. J Hand Surg **16-A**：474-478, 1991.

34) 善家雄吉ら：無腐性骨壊死を伴った舟状骨偽関節に対する血管柄付き骨移植術の治療成績. 骨折 **33**：765-768, 2011.

35) 善家雄吉ら：手関節骨折（舟状骨骨折や月状骨周囲脱臼などを合併した重度外傷）画像診断と損傷形態の解剖学的理解. 整外 Surg Tech **7**：101-106, 2017.

36) 善家雄吉, 酒井昭典：手外科領域の外傷：手根骨以遠の骨折・腱損傷. 関節外科 **39**：98-108, 2020.

37) Zenke Y et al：Four-corner fusion method using a bioabsorbable plate for scapholunate advanced collapse and scaphoid nonunion advanced collapse wrists：a case series study. BMC Musculoskelet Disord **21**：683, 2020.

8 中手骨・手指骨骨折
fracture of the metacarpal and phalangeal bones

　中手骨骨折と手指骨骨折は日常臨床でよく遭遇する頻度の高い骨折である．中手骨骨折と手指骨骨折全体のおおよそ70％は，11歳から45歳までの活動性の高い年齢層に，球技をはじめとするスポーツや労働災害など多種多様な原因で生じる．

　適切な治療法の選択は，骨折部位（関節内，関節外），骨折型（横，螺旋か斜，粉砕），変形（角状，回旋，短縮），開放性か閉鎖性，軟部組織損傷の合併，骨折そのものの安定性など多くの因子に依存している．さらに，患者の年齢，職業，社会的背景，全身性疾患，術者の技量，患者の受け入れを考慮して決定する必要がある．Swansonは，「手指の骨折は，無治療で変形が生じ，過剰治療で拘縮が生じ，不適切な治療で変形と拘縮が生じる可能性がある」と述べている．指関節に起きやすい拘縮は，MP関節の伸展拘縮とIP関節の屈曲拘縮である．したがって手指の基本的固定肢位は，MP関節屈曲位，IP関節伸展位である．これを安全肢位 safety position と呼ぶ．骨折の整復位保持のために安全肢位がとれない場合は，骨折部が安定化する受傷2〜3週後には可及的に安全肢位に戻すようにする．

　小型ドリルとX線透視装置が普及した現在では，不安定な骨折に対して，整復後にKirschner鋼線を1〜2本刺入し固定する経皮的鋼線刺入固定 percutaneous pinning が行われることが多い．その固定力はいかなる外固定にも勝るので，関節可動域訓練を早期から開始することができ，拘縮を生じることが少ない．

　中手骨骨折と手指骨骨折の治療の基本は，
① 可及的早期に安全肢位で固定する
② 可及的早期から関節可動域訓練を開始する
③ 浮腫，複合性局所疼痛症候群を予防する
である．

A 中手骨骨折 fracture of the metacarpal bone

a 解剖・機能解剖

　母指は中手骨，基節骨，末節骨からなり，ほかの4指はそれぞれ中手骨，基節骨，中節骨，末節骨からなる（図13-7-1参照）．母指MP関節掌側には通常2個の種子骨がある．第1中手骨と大菱形骨が形成する大菱形中手関節は鞍関節であり，第5中手骨と有鉤骨が形成する有鉤中手関節の靱帯結合は緩いため，両関節は大きな関節可動域を有し，母指と小指の対立運動を容易にしている．一方，第2，第3手根中手関節の靱帯結合は強固なため可動域は小さく，特に前後方向にはほとんど動かない．

　中手骨はわずかに背側凸の弧状を呈し，中手骨間は指間靱帯によって結合されている．遠位部である中手骨頭は球状の関節面を有し，基節骨と顆状のMP関節を形成

する．中手骨頭は前後径が横径より長いという解剖学的特徴により，関節屈伸時にカム cam として働くので，MP 関節を支持している側副靱帯は伸展位で弛緩し，屈曲位で緊張する．したがって MP 関節は屈伸運動のほかに，伸展位付近ではわずかに内・外転が可能である．

掌側および背側骨間筋は中手骨の骨幹部に起始し，それぞれ MP 関節を屈伸する方向に作用するので中手骨の頚部骨折や骨幹部骨折では背側凸に変形する．

b 分　類

中手骨骨折は骨折の解剖学的部位により骨頭骨折（側副靱帯付着部より遠位部），頚部骨折，骨幹部骨折，基部骨折に分類される．骨頭骨折と基部骨折には関節外骨折と関節内骨折がある．

安定型と不安定型がある．安定型は転位がないか，あっても軽度で，骨折面が接触している．不安定型は転位や粉砕がみられ，斜めまたは螺旋状の骨折で，複数の中手骨が骨折していることが多い．

中手骨骨幹部（骨幹端）骨折

a 受傷機転

局所の強打や硬いものの間に挟まれるなどの直達外力によって生じることが多い．拳をつくった状態で遠位側から長軸方向に外力が加わると，頚部から骨幹端で横骨折が生じる．硬いものを拳で突いたときに発生するため，ボクサー骨折 boxer's fracture と呼ばれる．本受傷機転では骨幹端以外に骨幹中央部で横骨折を生じることもある．

b 病態・症候

中手骨骨幹部横骨折は屈筋腱，骨間筋付着部の解剖学的関係により背側凸の変形が生じる．骨折部は不安定であるが，いったん整復すると安定することが多い．骨幹部骨折は，母指は 30°，示指と中指は 10°，環指と小指は 20° 以下の変形であれば，日常生活において機能上支障はない．しかしボクシングや空手などのスポーツ選手では，屈曲変形による短縮は競技に影響を与えることがある（図 13-8-1）．骨幹部の斜骨折や螺旋骨折は短縮変形を起こしやすい（図 13-8-2）．

新鮮例では，局所の腫脹，限局性の圧痛，背側凸の変形，短縮，回旋変形などが主要症状である．陳旧例になると腫脹，圧痛は消失し，拳をつくると骨折した指の中手骨骨頭の位置が近位側に移動し他の指と不揃いになる．回旋変形があるときには指を屈曲した時に隣の指と重なる現象，すなわち指交叉 cross finger が生じる．

c 治　療

1）保存療法

安定型は保存治療を行う．骨折部を掌側と背側から圧迫するようにプラスチックキャストで外固定する．指を屈曲した時に指尖の重なりがないことを確認する．中手

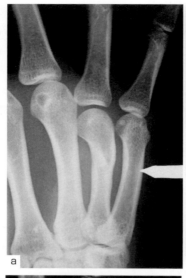
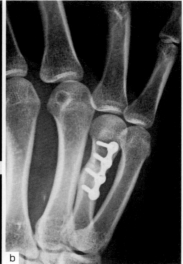
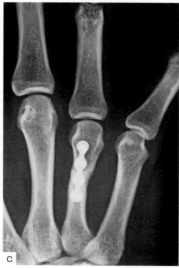

図 13-8-1　第 4 中手骨骨幹部骨折の変形治癒（25 歳，男性，空手選手）
a. 術前単純 X 線写真斜位像．第 4 中手骨に背側凸変形があり，握り拳をつくると第 4 中手骨頭部が陥没する．軽度の中手骨短縮がさらにこの変形を顕著にしていた．
b. 術後単純 X 線写真斜位像．矯正骨切りし，指骨用プレートで固定した．背側凸変形が矯正されている．
c. 術後単純 X 線写真正面像．短縮が矯正されている．

骨の回旋転位はわずかでも指尖交叉が生じるので正確な整復が要求される．しばしば患指を隣接指とともにテーピング buddy taping する．この方法は初期には回旋変形を防止し，アライメントを維持，後期には関節可動域の改善の補助になる．外固定は側副靱帯の短縮を防ぎ，術後の関節拘縮を予防するために，手関節は 20〜30°背屈位，MP 関節は 60〜90°屈曲位，PIP 関節と DIP 関節は 5〜10°屈曲位（intrinsic plus position）で行う．整復後不安定であれば，経皮的鋼線刺入固定を行い，手掌側のみ通常 4〜6 週間の副子固定をする（図 13-8-3）．

2）手術療法

不安定型の治療には経皮的鋼線刺入固定法が選択される．経皮的鋼線刺入固定法には，交叉性に固定する方法（cross pinning），髄内鋼線固定，隣接指への横止めなどがある．鋼線は皮下に埋没するか，皮膚の外に出しておく．鋼線固定は通常約 4 週間行

8 中手骨・手指骨骨折 **693**

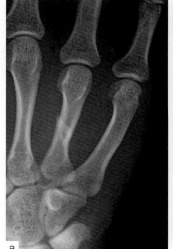
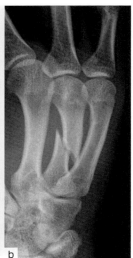

図 13-8-2　第 4 中手骨骨幹部斜骨折（24 歳，男性）
a. 単純 X 線写真正面像．骨折の転位はないようにみえる．
b. 単純 X 線写真斜位像．骨折は転位し，短縮・回旋している．このまま骨癒合すると握り拳をつくったときに中手骨骨頭部が陥没し指が交叉する．

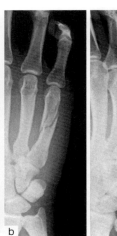
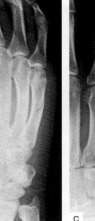
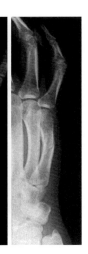

図 13-8-3　第 5 中手骨骨幹部斜骨折（18 歳，男性）
バスケットボールで受傷した．
a. 手部のみ掌側と背側から圧迫するように副子で固定した．回旋変形に注意する．
b. 単純 X 線写真．第 5 中手骨骨幹部に斜骨折を認める．
c. 副子固定 4 週後単純 X 線写真．仮骨が形成されている．副子を除去した．

い，この期間は鋼線の弛みや感染のリスクを減らすために，罹患した中手骨をプラスチックキャストか副子で固定する．

　不安定型で徒手的に整復できない，あるいは整復位の保持が得られない場合は，観血的整復固定の適応になる．骨幹部の斜骨折や螺旋骨折には，スクリューのみ 2～3 本用いて固定することがある．スポーツや職場への早期復帰を希望する場合は，ミニプレートとスクリュー固定がよい（図 13-8-4）．プレートはステンレスやチタンの金属製プレートだけでなく，生体吸収性プレート（ポリ L 乳酸と非焼成ハイドロキシアパタイトの複合体）を用いることができる（図 13-8-5）．骨折部位や骨折型に適した大きさや形にプレートを自由に成形することができ，内固定材料の抜去手術が不要で

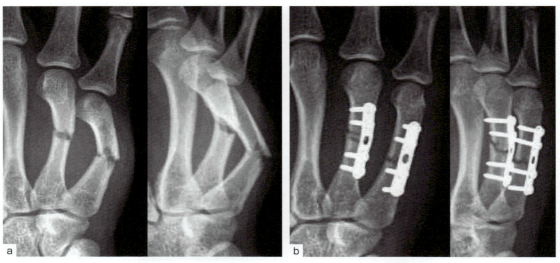

図 13-8-4　第4・5中手骨骨幹部横骨折（25 歳，男性）
手を挟まれて受傷した．
a. 術前単純 X 線写真．第 4・5 中手骨骨幹部に横骨折を認める．
b. 術後単純 X 線写真．ミニプレートとスクリューを用いて固定した．

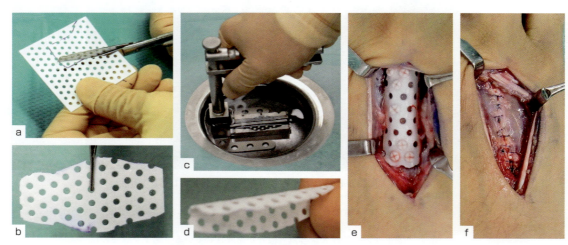

図 13-8-5　生体吸収性材料を用いた骨接合術
a. ポリL乳酸とハイドロキシアパタイトの複合体からなるメッシュ状のシートを必要に応じて鋏で裁断する．
b. 必要な大きさに裁断したプレート
c. 68℃の温水に浸して成形する．
d. 接合する骨の弯曲に合うように作成したプレート
e. 同じ材質からなる径 2.0 mm のスクリューでプレートを骨に固定する．
f. 伸筋腱と干渉しないようにプレートを筋膜で覆う．

ある．骨折部の仮骨形成は旺盛である（**図 13-8-6**）．プレートとスクリューにより強固な内固定が得られた場合は，術後 1〜2 週から可動域訓練を開始することができる（**図 13-8-7**）．術後 2〜3 週で，ペンを握る，パソコンのキーを打つなどの軽作業が可能になる．

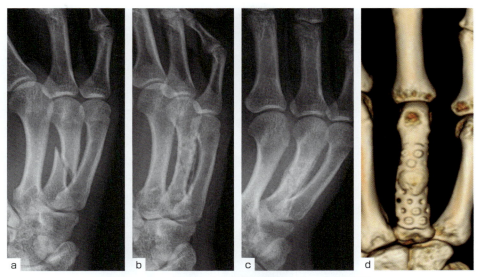

図 13-8-6　第4中手骨骨幹部斜骨折（24歳，男性）
バスケットボールで受傷した．
a. 術前単純X線写真斜位像．第4中手骨骨幹部に斜骨折を認める．
b. 術後単純X線写真斜位像．生体吸収性プレートで固定した．
c. 術後6週単純X線写真斜位像．骨癒合が得られている．
d. 術後6週 3D-CT 正面像．旺盛な仮骨形成がみられる．

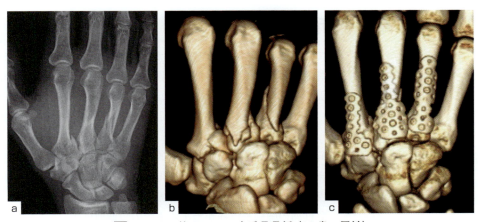

図 13-8-7　第2・3・4中手骨骨折（32歳，男性）
交通事故で受傷した．
a. 術前単純X線写真正面像．第2・3・4中手骨に骨折線を認める．
b. 術前 3D-CT 正面像．第2中手骨は CM 関節内に，第3中手骨は関節外基部に，第4中手骨は骨幹部に骨折線を認める．
c. 術後 3D-CT 正面像．各骨折に適した形と大きさに成形した生体吸収性プレートで固定した．

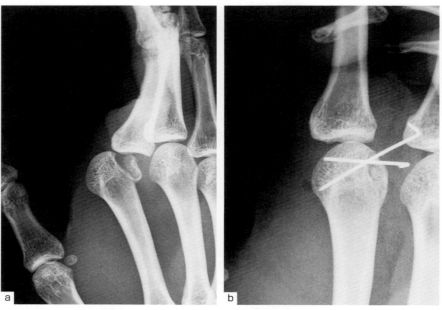

図 13-8-8　中手骨骨頭骨折（24歳，男性）
a. 術前単純X線写真斜位像．中手骨骨頭骨折を伴ったMP関節背側脱臼．徒手整復が不可能であった．
b. 術後単純X線写真斜位像．背側から進入し脱臼整復後，鋼線を用いて骨接合を行った．

中手骨骨頭骨折

　スポーツでの受傷が多い．打撲やけんかでの発生もある．さまざまな形態をとる．第2中手骨骨頭骨折が最も多い．関節内骨折なので，転位がある場合は解剖学的に整復し，関節面の転位や段差は1～2 mm未満とする．Kirschner鋼線，ヘッドレスミニスクリュー，生体吸収性ピンなどで内固定を行い，早期に関節可動域訓練を開始する（図13-8-8）．

　骨頭が粉砕骨折している場合は，観血的にも整復は困難であることが多い．麻酔下に牽引を加え，関節面の整復がある程度得られる場合は創外固定の適応となる．

　粉砕や高度転位の場合は，長期間の外固定は関節拘縮を起こすので，完全な骨癒合を待たず，急性期の腫脹や疼痛が治まるまでの短期間外固定を行う．その後は痛みの許容する範囲で関節可動域訓練を開始し，関節運動による関節面の可及的整復を期待する．

中手骨頚部骨折

a 受傷機転・病態

　中手骨頚部骨折はボクサー骨折とも呼ばれ，硬いものを拳で突いたときに発生する．第2～5中手骨のいずれにも発生するが，第5中手骨が最多である．実際にはボ

クシングでの発生は少なく，けんかやパンチングマシーンによるものが多い．頚部骨折による屈曲変形の角度は，示指10°，中指20°，環指30°，小指40°以下を許容範囲の目安とする．

b 治　療

1) 保存療法

徒手整復は麻酔下にMP関節とPIP関節を90°屈曲させ，基節骨骨頭を手背方向へ押し上げるように整復する（いわゆるJahssによる90-90法）（図13-8-9）．単に指を牽引しても力は側副靱帯にかかるだけで骨頭には整復力として作用しない．整復位が得られたらそのままの肢位で背側にアルミ副子を当てて固定する．PIP関節背側の皮膚は薄く，屈曲した副子で圧迫すると血流障害により皮膚壊死を起こしやすい．厚くガーゼなどを当ててその部分の皮膚を保護する必要がある．高齢者では短期間の固定でも屈曲拘縮を起こしやすいので，PIP関節の固定は軽度屈曲位程度としておく．全固定期間は約4週間とする．

2) 手術療法

掌側の皮質骨が破壊されている場合は整復位の保持が困難なので（図13-8-10），髄内鋼線固定（Foucher法）が勧められる．X線透視下に徒手整復を行い，罹患中手骨近位より径1.0〜1.2 mmのKirschner鋼線を1〜2本使用して骨折部を髄内釘固定する（図13-8-11）．鋼線は皮下に埋没するか，皮膚の外に出しておく．鋼線固定は通常約4週間行い，患指は隣接指とテーピング固定後キャストか副子で固定する．最も重要なことはMP関節の伸展拘縮を起こさないことである．MP関節を伸展位で固定すると，骨折部および骨折部位に隣接するMP関節背側部に形成された瘢痕組織により高度な拘縮を生じ，後療法を行っても可動域を改善することが困難で，最終的には観血的関節授動術が必要になることがある．

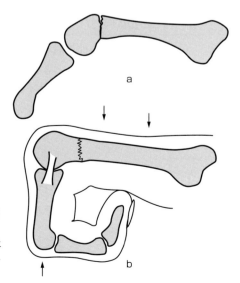

**図13-8-9　中手骨頚部骨折徒手整復法
　　　　　（いわゆるJahssによる90-90法）**
a. 通常中手骨頚部は背側凸変形を呈する．
b. MP関節，PIP関節を90°に屈曲し近位骨片は背側より，遠位骨片は基節骨を通して圧迫し整復する（矢印）．

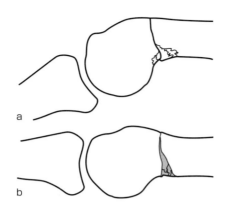

図 13-8-10 中手骨頸部骨折
掌屈するように外力が加わるので，頸部掌側の皮質骨が粉砕していることがある．この場合は整復位が得られても不安定なので手術が必要である．
a. 受傷時，b. 整復後

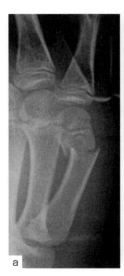
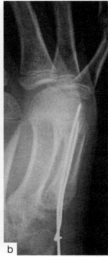
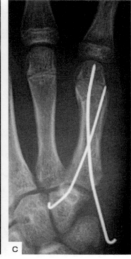

図 13-8-11 第 5 中手骨頸部骨折（16 歳，男性）
けんかで相手を殴って受傷した．
a. 術前単純 X 線写真斜位像．第 5 中手骨頸部に骨折線を認める．
b. 術後単純 X 線写真斜位像．中手骨基部から髄内に弯曲させた Kirschner 鋼線を挿入して固定した（Foucher 法）．
c. 術後単純 X 線写真正面像

中手骨基部骨折（長，短橈側手根伸筋腱付着部裂離骨折）

手関節の伸筋腱が第 2，3 中手骨の基部に付着しているので，転倒などで手関節が屈曲強制されたときに生じる．裂離骨折で骨片が小さく，通常の手関節 2 方向単純 X 線撮影ではわかりにくい．手背の接線方向の単純 X 線撮影か CT で骨片を確認できる．骨片の転位が大きい場合は手術を行う（図 13-8-12）．放置しても大きな機能障害を残すことは少ないが，手関節の伸展力の低下を生じることがある．

第 1 CM 関節脱臼骨折（Bennett 骨折）

第 1，第 5 中手骨基部骨折は CM 関節の脱臼，亜脱臼を伴う特殊な病態を呈することが多い．

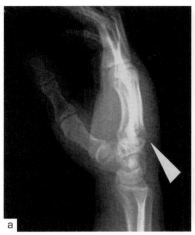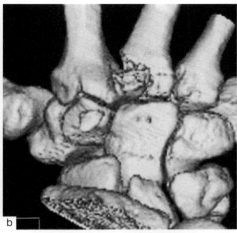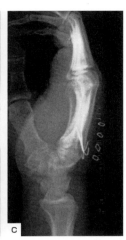

図 13-8-12 第2・3中手骨基部骨折（手関節伸筋腱付着部）
a. 術前単純X線写真側面像．接線方向の側面像で骨片がわかる．
b. 術前 3D-CT 正面像．骨片が確認できる．
c. 術後単純X線写真側面像．骨片を腱とともに鋼線で固定した．

a 受傷機転・病態

母指を外転した状態で転倒し，母指の長軸方向から外力が加わった場合に生じる．スキー中転倒しストックを握ったまま手をついたり，自転車走行中ハンドルを握ったまま転倒する受傷機転が多い．母指 CM 関節脱臼骨折で，第1中手骨基部尺側の小骨片が原位置に残存し，CM 関節面の大部分を含む中手骨が近位方向に脱臼したものである．第1中手骨基部に付着する長母指外転筋腱が骨片を牽引するので不安定である．正確な整復が得られない場合には二次性変形性関節症を引き起こし，疼痛と母指の機能障害を起こすことが多い．

b 治　　療

1）保存療法

徒手整復は容易であるが，キャストによる外固定では再脱臼することが多いので，整復後に経皮的鋼線刺入法による固定が勧められる．

2）手術療法

経皮的鋼線刺入法は，X線透視装置下に中手骨基部より手根骨方向へ1～2本の鋼線を刺入し固定する（**図 13-8-13**）．母指外転位で約4週外固定を行う．

骨折後2～3週を経過し亜急性となり徒手整復が困難な場合には手術治療を行う．CM 関節直上に切開を加え骨折部を展開し，整復を障害している血腫や肉芽組織を除去した後に整復する．直視下の整復は容易である．整復後は2本の鋼線で固定する．母指外転位で約4週外固定を行う．術後4～6週で鋼線を抜去する．

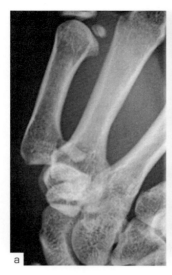
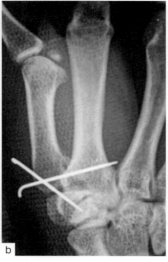

図 13-8-13　Bennett 骨折（18 歳，男性）
a. 術前単純 X 線写真側面像．母指 CM 関節内に小骨片を残し，それ以外の中手骨の末梢骨片は長母指外転筋腱に引っ張られて脱臼している．
b. 術後単純 X 線写真側面像．徒手整復後に経皮的に鋼線を刺入し固定した．

Roland 骨折

　母指 CM 関節内骨折で，第 1 中手骨基部が粉砕したものをいう（図 13-8-14）．1910 年，Roland が第 1 中手骨基部の CM 関節面に達する Y 型または T 型の関節内骨折について発表している．関節面の整復が重要のため，転位がある場合は手術治療が適応となる．関節面を形成している基部の 2 つの骨片が大きい場合は整復した後，鋼線を刺入し固定する．さらに骨幹部の骨片と鋼線で固定する．関節面が粉砕し正確な整復が困難な場合は，母指を外転位にして関節面を可及的に整復して鋼線を刺入し固定する．外固定のみで治療する場合は前腕から母指 IP 関節まで固定する．

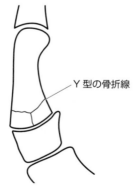

図 13-8-14　Roland 骨折
母指 CM 関節面に達する第 1 中手骨基部の Y 型または T 型の関節内骨折

第 5 CM 関節脱臼骨折

a 受傷機転・病態

ものを握ったまま転倒し，第 5 中手骨の長軸方向から外力が加わると第 5 CM 関節の脱臼骨折が発生する．第 5 中手骨基部橈側の小骨片が原位置に残存し，CM 関節面の大部分を含む中手骨が近位方向に脱臼したものである．逆 Bennett 骨折と呼ばれる．第 5 中手骨基部に付着する尺側手根伸筋腱が骨片を牽引するので不安定である．骨折を伴わず第 5 CM 関節脱臼のみが起こる場合がある．有鉤骨まで外力が及び有鉤骨骨折を合併し中手骨とともに脱臼することもある．この場合，有鉤骨の骨折線は長軸方向に走るため不安定である．

b 治　療

1) 保存療法

小指に牽引を加えながら第 5 中手骨基部を圧迫する．徒手整復は容易であるが，尺側手根伸筋腱が近位側へ牽引するので不安定で再脱臼することが多く，整復後に経皮的鋼線刺入法による固定が勧められる．

2) 手術療法

経皮的鋼線刺入法は X 線透視装置下に中手骨基部より手根骨方向へ 1〜2 本の鋼線を刺入し，約 4 週外固定を行う（図 13-8-15）．

有鉤骨の骨折を伴っている場合は徒手整復では正確には整復できないことがある．その場合は骨折部に切開を加え，有鉤骨骨折を整復し鋼線で固定する．小指 CM 関

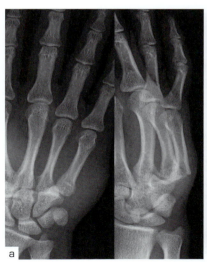

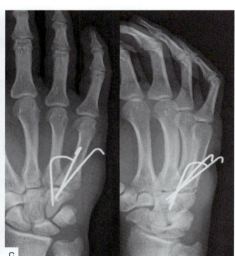

図 13-8-15　第 4 CM 関節脱臼・第 5 CM 関節脱臼骨折（26 歳，男性）
a. 術前単純 X 線写真．第 4 CM 関節脱臼・第 5 CM 関節脱臼骨折を認める．
b. 術前 3D-CT．第 4 CM 関節は背側脱臼し，第 5 中手骨は CM 関節内に小骨片を残して尺側手根伸筋腱と小指外転筋腱に引っ張られて背側脱臼している（逆 Bennett 骨折）．
c. 術後単純 X 線写真．徒手整復し，経皮的に鋼線を刺入し固定した．

702 　各 論　第 13 章　上肢の骨折

節内骨折で，第 5 中手骨基部が粉砕した場合は逆 Roland 骨折と呼び，正確な整復が困難なときは，関節面を可及的に整復して鋼線を刺入し固定する．

第 5 CM 関節は他の CM 関節と比べて可動性が大きいので，正確な整復が得られない場合には二次性変形性関節症を引き起こす．しかし Bennett 骨折におけるほどの機能障害を生じることはない．

他の CM 関節脱臼骨折

a 受傷機転・病態

第 2，第 3 CM 関節は靱帯により強固に固定されているので脱臼は少ない．脱臼はほとんどが背側脱臼で高所よりの転落時に手関節が強く屈曲されたり，機械に手を巻き込まれた際に発生することが多い．

b 治　　療

1) 保存療法

脱臼を伴わない中手骨骨折はほとんど保存治療が適応される．脱臼は新鮮例であれば指を牽引しながら中手骨基部を背側から掌側に向かって圧迫し整復する．整復後は安定しているので 3～4 週間外固定する．

2) 手術療法

陳旧性で整復が困難な場合は手術が必要である．脱臼部の介在物を切除し整復する．靱帯損傷が広範囲に及び関節に高度の不安定性がある場合は骨移植を行い関節を固定することもある．この部分は本来可動性がほとんどないので固定しても機能障害は少ない．

附-27　徒手整復が困難な MP 関節のロッキングと脱臼

比較的まれであるが，徒手整復が困難な手指関節のロッキングと脱臼がある（表 13-8-1）．徒手整復操作を繰り返して患者に苦痛を与えたり，二次損傷を加えないようにしなければならない．

1) 母指 MP 関節ロッキング

母指 MP 関節が過伸展を強制された場合に起こる．MP 関節が伸展位で固定され自動屈曲が不可能となる（図 13-8-16）．IP 関節はやや屈曲位となる．徒手整復を試みると，何か硬いものにぶつかったような抵抗感がある．局所麻酔または伝達麻酔で除痛した後，基節骨を背側から中手骨に押し付けるようにすると整復される．牽引しても整復されない．何回も繰り返すと整復が困難になるので整復できない場合は無理をせず観血的に整復する．

ロッキングの原因はさまざま考えられているが，現在は MP 関節の橈側側副靱帯の扇状部が中手骨骨頭の突出部にひっかかって生じるといわれている．単純 X 線写真では種子骨が関節内に嵌頓しているように見える．

手術は MP 関節の背側に弓状切開を加え，長母指伸筋腱と短母指伸筋腱の間を進入し関節包を展開し切開する．母指を牽引しながら関節内を観察すると最も深いところに種子骨が見えるので細いエレバトリウムで押さえ込みながら MP 関節を屈曲させてい

表13-8-1 手指関節のロッキングと脱臼

病名	症状と病態	治療
母指MP関節ロッキング	母指MP関節が過伸展強制された後、屈曲できなくなる。橈側側副靱帯の扇状部が中手骨骨頭の突出部にひっかかる。単純X線像で種子骨が関節内に嵌頓しているように見える。	牽引しても整復できない。背側から基節骨を中手骨に押し付けるようにして整復する。徒手整復不能例は手術を行う。
示指、中指MP関節屈曲位ロッキング	強く握った後、MP関節が屈曲位のまま伸展できなくなる。側副靱帯の扇状部が中手骨骨頭の突出部にひっかかる。	牽引しても整復できない。背側から基節骨を中手骨に押し付けるようにして整復する。徒手整復不能例は手術を行う。
示指MP関節背側脱臼	MP関節が過伸展強制された後、脱臼し整復できなくなる。断裂した掌側板が関節内に陥入し、関節周囲の支持組織が緊張することにより整復を阻害する。	手術が必要である。エレバトリウムを掌側板の下に入れてテコの原理で整復する。
手指PIP関節掌側脱臼	指が捻られた後、脱臼し整復できなくなる。基節骨頭が中央索と側索の間から脱出し、中央索が関節内に陥入し、整復を阻害する。	手術が必要である。陥入した中央索を引き出し、エレバトリウムで側索を頚部からはずし元の位置に戻すと整復できる。

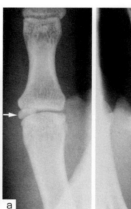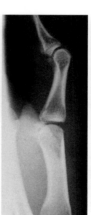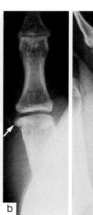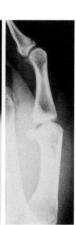

図13-8-16 母指MP関節ロッキング（14歳，女性）
バレーボールが当たり母指MP関節が過伸展された．その後，屈曲ができなくなった．MP関節が伸展位に固定され，自・他動屈曲ができない．麻酔下でも徒手整復ができなかった．
a. 術前単純X線写真．橈側の種子骨（矢印）が遠位に転位し，MP関節内に嵌頓しているようにみえる．
b. 術後単純X線写真．観血的整復後，種子骨（矢印）の位置は正常になっている．

く．種子骨と側副靱帯の嵌頓が解除されるとMP関節が滑らかに屈曲できるようになる．これとは別に橈側から進入する方法もある．MP関節の橈側に切開を加え，母指球筋の筋膜を切開し側副靱帯の一部を切開する．この時点で整復が可能になることが多い．術後はMP関節をやや屈曲位とし約3週間外固定する．

2）示指，中指MP関節屈曲位ロッキング

MP関節屈曲位ロッキングは他指でも起こり得るが，圧倒的に示指，中指に多い．ものを強く握った後，示指や中指のMP関節が30〜40°屈曲位をとり，その角度から自動的に屈曲は可能であるが，伸展させることは自動的にも他動的にも不可能になる．
原因は中手骨骨頭の突出部にMP関節側副靱帯の扇状部がひっかかることによる

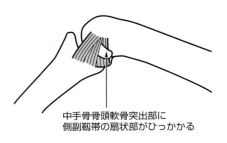

中手骨骨頭軟骨突出部に
側副靱帯の扇状部がひっかかる

図 13-8-17 示指，中指 MP 関節屈曲位ロッキング

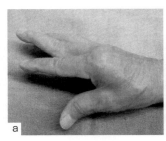
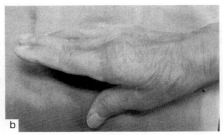

図 13-8-18 示指 MP 関節ロッキング（87歳，男性）
a. 杖を強く握ったあと示指の伸展ができなくなった．
b. 関節内に局所麻酔薬を注入し徒手整復し伸展可能となった．

（図 13-8-17）．関節内に局所麻酔薬を十分に注入して関節包を拡張させて徒手整復を行う（図 13-8-18）．

徒手整復できない場合は観血的に整復する．示指では橈側正中切開または掌側切開，中指では掌側切開を加えて進入する．掌側切開で進入する場合は腱鞘の一部を切開し，腱を側方によけ，さらに腱鞘，関節包を鋭的に縦切開する．この切開を加えるだけでロッキングが解除されることが多い．関節内を観察して，原因となっている中手骨骨頭の軟骨突出部を切除する．MP 関節伸展位で 2～3 週間外固定を行う．

3）示指 MP 関節背側脱臼

MP 関節背側脱臼は他指でも起こり得るが，示指がほとんどである．1957 年，Kaplan が示指 MP 関節背側脱臼の症例について解剖学的考察を加えて詳細に報告した．MP 関節が過伸展された際に発生する（図 13-8-19）．掌側板が断裂して基節骨基部と中手骨骨頭の間に陥入し，MP 関節周囲の靱帯，虫様筋，屈筋腱，腱膜などが緊張し，中手骨の骨頭を四方から絞めつけること（井桁構造による骨頭の絞扼）により整復を阻害する．特に，完全脱臼で，基節骨に付着する掌側板が中手骨の骨頭背側に乗り上げている場合は徒手整復が不可能である．

手術法は，MP 関節背側の弓状切開から伸筋腱を縦切して進入するか，あるいは，掌側の遠位手掌皮線に沿った横切開を加えて進入し，脱臼している MP 関節を展開する．エレバトリウムを掌側板の下に入れてテコの原理で整復する．整復後は MP 関節をやや屈曲位で 3～4 週間外固定する．

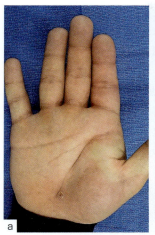
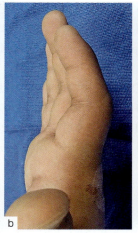
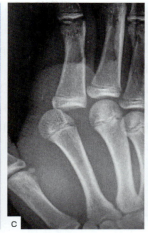
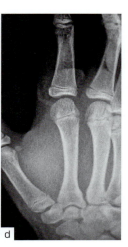
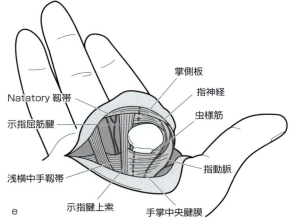

図 13-8-19　示指 MP 関節背側脱臼（16 歳，男性）
友達に蹴られて示指 MP 関節が過伸展された．その後，屈曲ができなくなった．MP 関節が伸展位に固定され，自・他動屈曲ができない．
a. 示指 MP 関節掌側の皮膚が凹んでみえる（dimple sign）．
b. 示指 MP 関節は過伸展位のまま，自動的にも他動的にも屈曲することができない．
c. 観血的整復術前の単純 X 線写真斜位像
d. 観血的整復術後の単純 X 線写真斜位像
e. 掌側板を含む関節周囲の支持組織が関節内に陥入し，中手骨骨頭を四方から絞扼することにより整復を阻害する（Kaplan の井桁説）．

B 基節骨・中節骨骨折
fracture of the proximal phalanx and middle phalanx

　ほとんどの指節骨骨折は，手への直達外力によって生じる．基節骨骨折，中節骨骨折も中手骨骨折と同様に解剖学的部位によって骨幹部骨折，基部骨折に分類される．関節内と関節外，安定型と不安定型に分けられる．安定型の骨折は，転位がないかあってもわずかである．不安定型の骨折は，粉砕骨折，転位のある骨折，斜骨折あるいは螺旋骨折である．この分類法は治療法を選択するうえで有用である．

基節骨骨幹部骨折

a 受傷機転・病態

　骨幹部の横骨折は硬いものにはさまれるような場合に，斜骨折は指が捻られるよう

706 各 論 第13章 上肢の骨折

な回旋力が加わった場合に起こる．安定型は簡便な外固定を行う．転位を伴う場合は解剖学的に整復されれば安定する．整復が不十分な場合は，骨折部は不安定で手内筋や伸筋腱を含む指背腱膜腱帽 expansion hood の作用で通常掌側凸の変形を生じる．粉砕骨折の場合も不安定で同じく掌側凸の変形を生じる．

掌側凸のまま変形治癒した場合，相対的に伸筋腱の伸展力が弱まるので PIP 関節の伸展障害が生じる．また骨折時に腱の滑走床に損傷を伴う場合は掌側凸の変形が加わると屈筋腱の癒着を合併し，PIP 関節の伸展障害のみならず屈曲障害も生じ機能が著しく障害される．

b 治 療

1) 保存療法

患指を牽引しながらまず側方転位を整復し，次に MP 関節，PIP 関節を屈曲させ掌側凸変形を矯正すると比較的容易に整復位が得られる．しかし，整復位を保つことが困難で外固定のみでは再転位を生じることが多い．骨折が不安定な場合は経皮的鋼線刺入法による固定を行う．

安定型骨折では手掌部から指尖までの副子固定で十分であるが，不安定型では手関節を含めて指尖まで固定する．固定肢位に関しては多くの議論があり，通常は安全肢位または MP 関節屈曲 70°，PIP 関節軽度屈曲位で固定する．一指だけの固定ではやりにくいことが多いので隣接指とともに固定することもある．高齢者の安定型骨折では指関節の拘縮を予防するために外固定せず，隣接指とテープで固定（buddy taping）し，早期から可動域訓練を許可する．これは，回旋変形を防止しアライメントを維持する，関節可動域を防止するうえで有用である．

2) 手術療法

経皮的鋼線刺入法による固定は，基節骨骨頭付近の顆部より鋼線を 1〜2 本刺入して固定する（図 13-8-20）．あるいは基部から鋼線を 1〜2 本を用いて髄内鋼線として固定する．

観血的に行う場合は基節骨背側に斜切開または弓状切開を加え，伸筋腱を縦切し骨折部を展開する．整復後に鋼線 2 本を逆行性に刺入し固定する，または 2 本の軟鋼線を用いた骨内鋼線締結法 two-dimensional intraosseous wiring（Two-DIOW）で固定する．骨幹部の斜骨折や螺旋骨折には，ミニスクリューのみで固定することがある（図 13-8-21）．あるいは指骨用ミニプレートで固定する（図 13-8-22）．鋼線締結法の場合は外固定を 4 週間行い，5〜6 週間で鋼線を抜去する．Two-DIOW，ミニスクリュー，プレートによる固定で骨折部が安定している場合は外固定は不要で早期から可動域訓練を開始することができる．基節骨の粉砕骨折は治療が難しい骨折のひとつである．術後指の運動が障害されることが多い．鋼線やプレートで固定できない場合，粉砕骨折や開放骨折の場合は創外固定がよい適応である（図 13-8-23）．

基節骨骨折の掌側転位が放置されて PIP 関節の伸展障害や屈筋腱の癒着による機能障害が大きい場合は矯正骨切り術や腱剥離術が必要となる．基節骨骨折に回旋転位が生じると，屈曲時に指尖が他の指と重なり合うようになる．10° の回旋転位があると約 1 cm の指の重なりが生じる．回旋転位は許容されないので，回旋転位はわずか

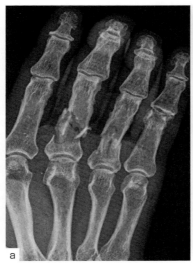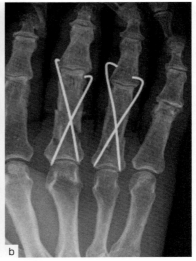

図 13-8-20　中指・環指基節骨骨幹部骨折（61 歳，男性）
手をはさまれて，受傷した．
a. 術前単純 X 線写真正面像．骨折部が粉砕し，転位がみられる．
b. 術後単純 X 線写真正面像．徒手整復し，各指 2 本の鋼線を用いて経皮的鋼線刺入固定を行った．

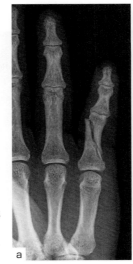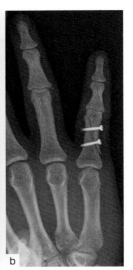

図 13-8-21　基節骨骨幹部骨折（36 歳，男性）
ソフトボールが小指に当たり受傷した．
a. 術前単純 X 線写真正面像．不安定性の強い斜骨折がみられる．
b. 術後単純X線写真正面像．観血的に整復し，ミニスクリュー 2 本を用いて固定した．

であっても整復が必要である（**図 13-8-24**）．基節骨の回旋転位の角度と指尖の重なりの長さは弧度法を用いた次の式で求められる．

> 指尖の重なりの長さ＝回旋転位の角度/360°×2π×PIP 関節から指尖までの長さ

変形治癒により指の重なりが大きく屈曲時に障害を訴える場合には矯正骨切り術を行う．矯正後は再び回旋転位を生じないように指骨用ミニプレートで固定する．

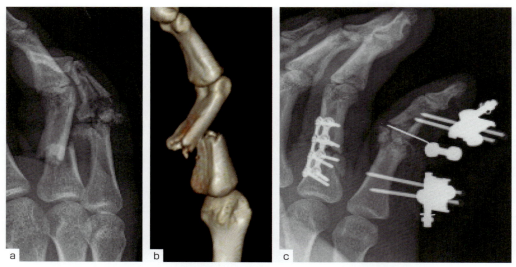

図 13-8-22　環指基節骨骨幹部骨折と小指 PIP 関節内骨折（42 歳，男性）
バイクで転倒し受傷した．
a. 術前単純 X 線写真斜位像．骨折部が転位し不安定性が強い．環指基節骨は骨折部で短縮し，小指 PIP 関節内骨折は粉砕している．
b. 術前 3D-CT 斜位像．環指基節骨の骨折部は掌側凸変形している．
c. 術後単純 X 線写真斜位像．環指は観血的に整復し指骨用ミニプレートで固定した．小指は徒手整復し創外固定で治療した．

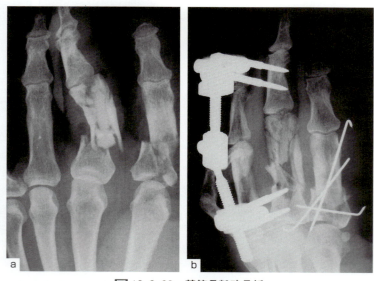

図 13-8-23　基節骨粉砕骨折
機械にはさまれて受傷した．
a. 術前単純 X 線写真正面像．示指・中指の基節骨が粉砕している．
b. 術後単純 X 線写真正面像．示指には鋼線固定，中指には創外固定を行った．

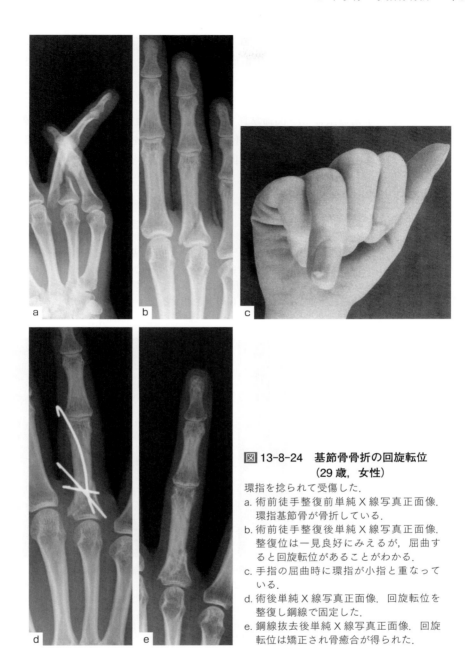

図 13-8-24 基節骨骨折の回旋転位（29歳，女性）

環指を捻られて受傷した．
a. 術前徒手整復前単純X線写真正面像．環指基節骨が骨折している．
b. 術前徒手整復後単純X線写真正面像．整復位は一見良好にみえるが，屈曲すると回旋転位があることがわかる．
c. 手指の屈曲時に環指が小指と重なっている．
d. 術後単純X線写真正面像．回旋転位を整復し鋼線で固定した．
e. 鋼線抜去後単純X線写真正面像．回旋転位は矯正され骨癒合が得られた．

基節骨基部骨折

a 受傷機転・病態

　　基節骨基部の靱帯付着部の骨折である．MP関節は伸展位では橈・尺側への可動性があるので伸展位で骨折が生じることは少ない．MP関節屈曲位で側副靱帯が緊張し，橈・尺側方向への生理的弛みが固定された状態で橈側または尺側より強い力が加

わったときに発生する（図13-8-25）．放置すると関節不安定性が生じるので，骨折の転位が大きい場合は手術療法が適応となる．

b 治　療

手術療法はMP関節掌側から進入し，腱鞘を一部切開し屈筋腱を側方へよけ骨折部を展開する．側副靱帯が付着したまま骨片を整復し，引き抜き鋼線固定法により固定する（図13-8-25）．MP関節をやや屈曲位として約4週間外固定する．

附-28　PIP関節脱臼骨折

1）PIP関節背側脱臼骨折

PIP関節の脱臼骨折のうち最も頻度が高い．PIP関節の過伸展強制により生じること（過伸展損傷）が多い．その場合，中節骨基部掌側に骨折が生じる．掌側板付着部を含む骨片は解剖学的位置にとどまり，残りの中節骨が近位背側方向へ転位する（図13-8-26）．指尖から強い軸圧が加わることにより受傷した場合（軸圧損傷）は，関節面に粉砕骨折や陥没骨折が生じることがある．

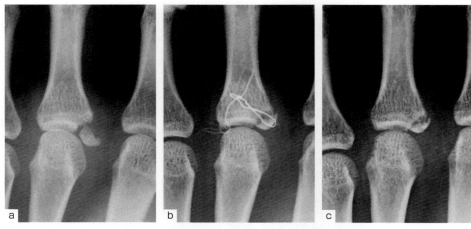

図 13-8-25　中指基節骨基部骨折（17歳，男性）
スケートボードで走行中転倒し受傷した．
a. 術前単純X線写真正面像．中指基節骨基部尺側に骨折を認める．MP関節部の側副靱帯付着部骨折は比較的珍しい．
b. 術後単純X線写真正面像．引き抜き鋼線法により固定した．
c. 術後6週単純X線写真正面像．ワイヤーを抜去した．骨片の整復状態は良好である．

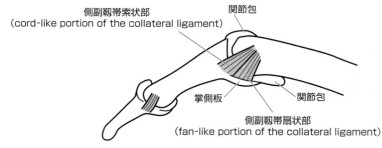

図 13-8-26　手指PIP関節の構造

単なる突き指として放置し，数週後に腫脹が軽減しないなどの理由により来院することが少なくない．受傷後2〜3週以内であれば徒手整復が可能なことが多いが，それ以上経過すると手術が必要となる．この脱臼骨折は可及的早期に治療を開始する必要がある．また，新鮮例であっても不完全な脱臼整復や不十分な骨片整復や側副靱帯損傷が残存した場合，関節不安定性，関節拘縮，変形性関節症などが生じることがある．症例によっては人工関節置換術や関節固定術などが必要になることがある．

PIP関節が外見上明らかに変形し自動運動できないことから診断され，単純X線所見で明らかとなる．関節面の陥没骨折の評価にはCTが有用である．3D-CTは骨折線や転位の状態の把握に有用で，術前に整復法や固定法の計画が立てやすくなる．

a) 保存療法

ほとんどの脱臼骨折は，指神経ブロック下に徒手整復術を行う．指を長軸方向へ牽引しながら，PIP関節を屈曲することによって徒手整復する．整復後に関節が安定し，転位のない小骨片のみの場合は副子などの外固定で保存治療を行う．整復後は40〜50°屈曲位でPIP関節は屈曲できるように背側に副子を当てて伸展をブロックし，早期から自動屈曲を行わせる．これを約3週間行う．

b) 手術療法

関節不安定性がある例や関節面に転位を伴う骨片がある例は，経皮的鋼線刺入固定術あるいは鋼線やミニスクリュー，症例によってはプレートを用いて観血的整復固定術を行う．屈曲位でPIP関節背側より経皮的に基節骨に鋼線を刺入し，伸展をブロックして整復位を保つ（**図13-8-27**）．関節面の陥没骨片に対しては，中節骨骨幹部にあけた小孔から整復用の鋼線を挿入し，陥没した関節軟骨を含む骨片を骨髄内から押し上るようにして整復する（Hintringer法）（**図13-8-28**）．背側へ脱臼している場合は屈曲して

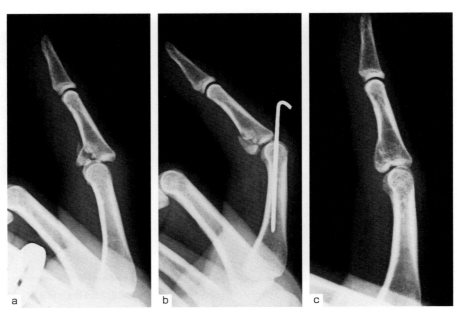

図13-8-27 PIP関節背側脱臼（粉砕）骨折
ホッケーのスティックによる直達外力で受傷した．
a. 術前単純X線写真側面像．中節骨基部掌側骨片は解剖学的位置にとどまっているが，遠位骨片は背側に亜脱臼している．
b. 術後単純X線写真側面像．PIP関節を屈曲し整復後，基節骨頭部より骨幹部へ経皮的に鋼線を刺入し，整復位を保持した．
c. 術後4ヵ月単純X線写真側面像．整復状態は良好で，骨癒合は完成している．

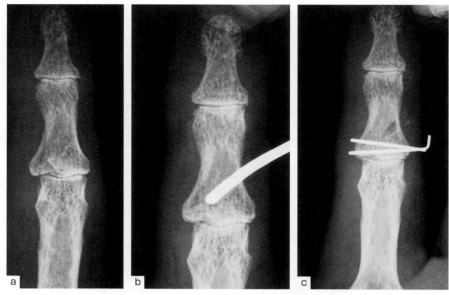

図 13-8-28　陥没骨片の整復法（56 歳，女性）

バレーボール中に受傷した．
a. 術前単純 X 線写真正面像．示指中節骨 PIP 関節面に陥没骨片がある．やや橈側へ傾いている．
b. 術中単純 X 線写真正面像．骨幹部の孔より 2 mm の鋼線を刺入し，陥没骨片を整復した．
c. 術後単純 X 線写真正面像．整復後，細い鋼線を横方向へ刺入し再陥没を防止した．橈側への傾きは整復された．

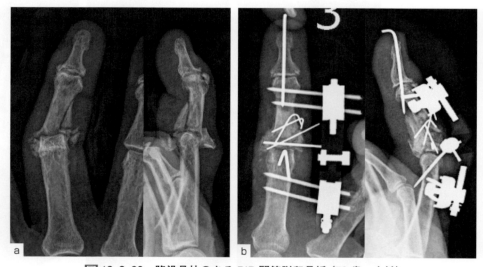

図 13-8-29　陥没骨片のある PIP 関節脱臼骨折（79 歳，女性）

転倒して中指を受傷した．
a. 術前単純 X 線写真．PIP 関節の陥没骨折のある背側脱臼と末節骨基部背側骨折の骨折例である．
b. 術後単純 X 線写真．中節骨の陥没骨折を骨幹部の骨折部より鋼線を挿入し整復した．再陥没防止のため細い鋼線を横方向に刺入した．PIP 関節背側脱臼を整復し伸展防止の鋼線を刺入し創外固定を行った．末節骨は DIP 関節伸展位で経皮的に固定した．

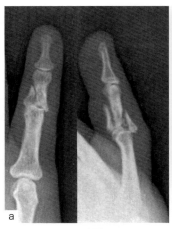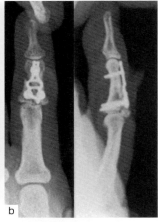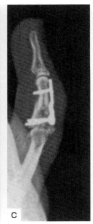

図 13-8-30　中節骨基部粉砕骨折（49 歳，男性）
ソフトボールが当たり受傷した．
a. 術前単純 X 線写真．PIP 関節面に及ぶ軸圧損傷型粉砕骨折である．
b. 術後単純 X 線写真．指骨用プレートとスクリューで固定した．
c. 術後 4 週単純 X 線写真．関節面の整復状態は良好である．

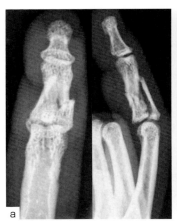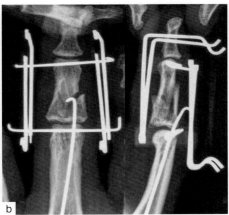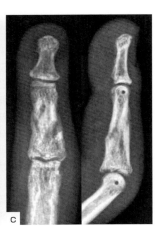

図 13-8-31　中節骨基部粉砕骨折（50 歳，男性）
ソフトボールが当たり受傷した．
a. 術前単純 X 線写真．PIP 関節面に及ぶ軸圧損傷型粉砕骨折である．
b. 術後単純 X 線写真．創外固定で治療した．基節骨と中節骨の骨頭に Kirschner 鋼線を刺入し，刺入した鋼線に創外固定器を装着し，ゴムバンドの収縮を利用して牽引力がかかる動的指牽引法で治療した．この状態で PIP 関節の自動可動域訓練を許可した．
c. 術後 5 週単純 X 線写真．関節面の整復状態は良好である．

整復し，脱臼防止用に伸展ブロック鋼線を基節骨背側に刺入する（図 13-8-29）．指骨用のプレートは改良され小さく薄くなり，中節骨にも使用できるようになった（図 13-8-30）．中節骨基部の粉砕骨折は PIP 関節面の再建が重要である．関節面を整復後，指骨用プレート，スクリューで固定すると，早期の可動域訓練が可能である．断裂した側副靱帯はナイロン糸で端々縫合あるいは縫合糸アンカーを用いて縫合する．開放骨折や粉砕骨折には創外固定器を用いることがある（図 13-8-31）．

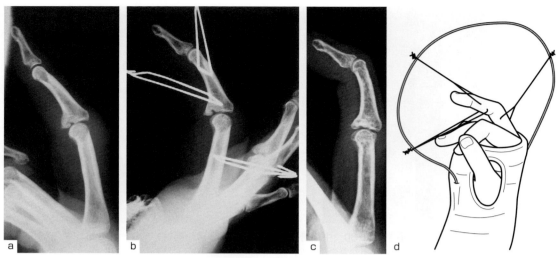

図 13-8-32　PIP 関節脱臼骨折に対する Robertson 牽引法
a. 受傷時単純 X 線写真側面像．中節骨基部掌側は粉砕骨折し，遠位骨片は背側に亜脱臼している．
b. 牽引開始後単純 X 線写真側面像．指節骨に 3 本のピンを刺入して牽引する．
c. 治療後 2 年 6 ヵ月単純 X 線写真側面像．二次性変形性関節症性変化はみられるが，関節可動域はほぼ正常である．
d. 3 本のピンを前腕に装着したラケット型の副子にゴムで締結して牽引する．

　　陳旧例や変形治癒例は機能障害が残存し，矯正骨切り術や再建術を必要とする．受傷後 4～5 週を経た陳旧例はまだ完全に骨癒合していないので，比較的容易に骨折部を剝離することができる．完全に骨癒合した例は骨折部での骨切り術（矢状法）が必要である．両側方切開で進入し，側索を背側に避け，まず基節骨骨頭背側と背側に転位した中節骨基部との間に存在する瘢痕組織を肥厚した関節包とともに鋭的に切除する．これを切除しないと中節骨背側骨片を整復することができない．骨切りの方向は，掌側の小骨片が側副靱帯と遊離しないようにやや長軸方向に向け，中節骨基部の関節面が小さめになる程度まで行う．2～3 本の Kirschner 鋼線を用いて骨片間を固定する．骨片間の固定にはサージカルワイヤーを用いた骨内鋼線締結法 intraosseous wiring を行うこともあるが，掌側骨片が小さい場合は必ずしも骨片にワイヤーを貫通させる必要はなく，掌側板を通して固定してもよい．

c) Robertson 3 方向牽引法
　　中節骨基部粉砕骨折に対して解剖学的整復固定術が困難な場合は牽引治療の適応となる．基節骨の遠位部，中節骨の基部と遠位部に指骨ピンを刺入する．基節骨のピンは背側に，中節骨基部のピンは掌側に，中節骨遠位部のピンは遠位方向に牽引する（図 13-8-32）．ピンにゴムをかけ，これをラケット型副子に適度な牽引下に固定する．アルミ副子を用いて牽引用フレームを作製してもよい．3～4 週牽引後に 1～2 週 PIP 関節屈曲位で背側に副子を当てて伸展をブロックし屈曲運動を行う．大きなフレームを装着せねばならず，現在では行われることは少ない．

d) 小指 PIP 関節橈側側副靱帯断裂
　　小指の橈側から強い力がかかったときに PIP 関節橈側側副靱帯が断裂する．適切な治療をしないと不安定になり，軽い力で簡単に側方脱臼するようになる．通常は保存療法でよいが，整復後も亜脱臼状態の場合は手術の適応となる（図 13-8-33）．断裂した側副靱帯はナイロン糸で端々縫合あるいは縫合糸アンカーを用いて縫合する（図 13-8-34）．

2) PIP 関節掌側脱臼骨折
　　掌側脱臼骨折は非常にまれである．指を屈曲しているときに背側より外力が加わると発生する．野球でバントをしようと構えたときに硬球が指の背側に当たり受傷した例も

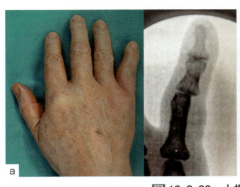
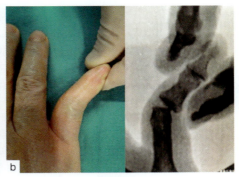
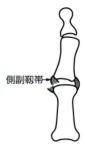

図 13-8-33　小指 PIP 関節側方脱臼（62 歳，男性）
a. 側方脱臼を徒手整復したが，単純 X 線写真正面像で完全には整復されていない．
b. 尺側方向へストレスを加えている写真．単純 X 線写真正面像で関節面の傾きと尺側への亜脱臼がある．
c. 橈側側副靱帯が断裂していることを示す図

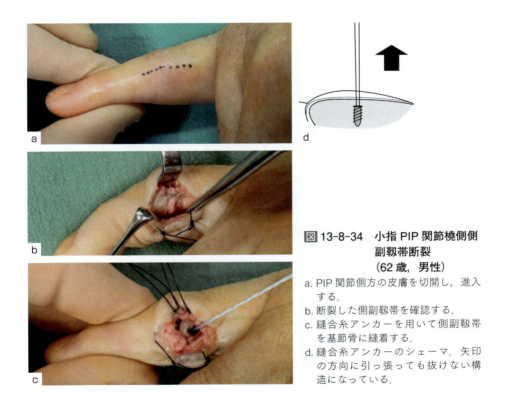

図 13-8-34　小指 PIP 関節橈側側副靱帯断裂（62 歳，男性）
a. PIP 関節側方の皮膚を切開し，進入する．
b. 断裂した側副靱帯を確認する．
c. 縫合糸アンカーを用いて側副靱帯を基節骨に縫着する．
d. 縫合糸アンカーのシェーマ．矢印の方向に引っ張っても抜けない構造になっている．

ある．伸筋腱の中央索が断裂し，ボタン穴変形が生じることがある．指を長軸方向へ牽引しながら，PIP 関節を伸展し徒手整復する．整復後は伸展位で副子固定を約 3 週間行う．ボタン穴変形を生じている場合は伸筋腱を縫合あるいは縫合糸アンカーを用いて中節骨基部背側へ縫着する．

716 　各 論　第 13 章　上肢の骨折

附-29　PIP 関節掌側脱臼

　　　1960 年代に二槽式洗濯機が発売され遠心脱水機の需要が伸びた頃，回転している脱水槽の洗濯物に指が絡まり捻られて PIP 関節掌側脱臼を受傷する例がよくみられた．その後，脱水機の改良とともにこの外傷は少なくなった．

　　　手指が捻られた受傷機転があり，PIP 関節が掌側に脱臼している場合は，牽引しても，また逆に中節骨基部を基節骨の骨頭に押し付けても徒手整復できないことが多い（**表 13-8-1**）．速やかに手術が必要である．手術法は，PIP 関節背側に切開を加えて進入する．基節骨の骨頭が中央索と側索の間から脱出し，側索が頚部にひっかかっている．中央索が関節内に陥入し，徒手整復を阻害する．牽引すると骨頭がますます締めつけられる．エレバトリウムで側索を頚部からはずし元の位置に戻すと関節は容易に整復できる．側副靱帯と掌側板（時に中央索も）が断裂している場合は，断裂した側副靱帯（および中央索）の修復を行い，PIP 関節伸展位で 4 週間固定する．

附-30　母指 MP 関節靱帯損傷

1）尺側側副靱帯損傷

　　　母指に掌側・外転方向の強い外力が加わったときに生じる．転倒したときに母指から手をついたような受傷機転が多い．MP 関節の尺側に皮下出血がみられ，限局性圧痛がある．確定診断は MP 関節の単純 X 線正面ストレス撮影により行う．局所麻酔下に尺側から橈側へストレスを加える．MP 関節に 30～40°の開大があり，さらに側方転位を伴うものは完全断裂と診断する．完全断裂のうち，断裂した靱帯の近位断端が母指内転筋腱膜の上にまくれ上がっている状態を Stener lesion という（**図 13-8-35**）．保存治療では靱帯が癒合しないので絶対的な手術適応である．

　　　不全断裂は保存治療が適応となる．完全断裂では Stener lesion かどうかの鑑別は難しいので手術治療を選択したほうがよい．手術は母指 MP 関節尺側に弓状切開を加え，母指内転筋腱膜の一部を切開し断裂した靱帯を確認する．基節骨から剥離した靱帯を原位置に戻し，引き抜き鋼線締結法あるいは縫合糸アンカーにより基節骨に縫着する（**図 13-8-36**）．4 週間外固定を行い，引き抜き鋼線法であれば 6 週でワイヤーを抜去する．運動選手の場合は 2～3 ヵ月後に復帰が可能であるが，テーピングなどをして母指を保護するのがよい．母指の MP 関節尺側側副靱帯が完全断裂のまま放置されると MP 関節は不安定となり，ものをつまむときに力が入らず大きな機能障害を残す．母指の機能障害は手部全体の機能障害になるので完全断裂は確実に診断し手術治療をすべきである．

2）橈側側副靱帯損傷

　　　母指に内転方向の強い外力が加わったときに生じる．尺側側副靱帯損傷に比較して機能障害が少ないので放置されている例が多い．長期放置例では関節不安定性のため変形性関節症を引き起こすことがある．

　　　治療は新鮮例では保存療法を行う（**図 13-8-37**）．長期放置例で二次性変形性関節症を合併し，疼痛による機能障害を伴う場合は手術療法を行う．変形性関節症が高度の場合は関節固定術を行う．中等度の場合は靱帯再建術を行う（**図 13-8-38**）．関節の安定性が得られると疼痛が軽減する．

8 中手骨・手指骨骨折　717

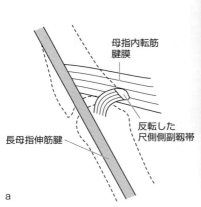
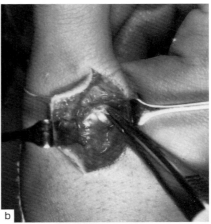

a. 断裂した尺側側副靱帯の近位断端が母指内転筋筋膜の上にまくれ上がっている．
b. 腱膜を切開し断裂部を展開した状態　鑷子でつまんでいるのが尺側側副靱帯である．

A. Stener lesion

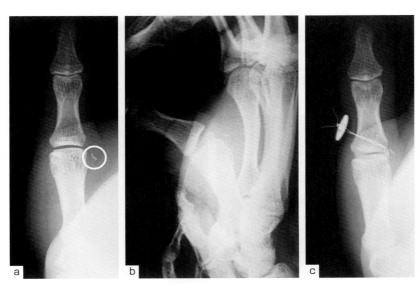

スキーのストックを握ったまま転倒した．
a. 術前単純X線写真．剥離骨片を認める．
b. 術前単純X線写真正面橈側ストレス撮影．術中Stener lesionが確認された．
c. 術後単純X線写真．側副靱帯を引き抜き締結法により修復した．

B. 母指尺側側副靱帯損傷（23歳，男性）

図13-8-35　母指MP関節尺側側副靱帯断裂

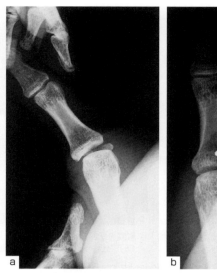
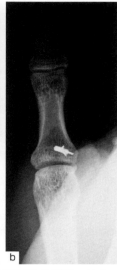

図 13-8-36　母指 MP 関節尺側側副靱帯断裂に対するアンカーを用いた修復術（35 歳，男性）
a. 術前単純 X 線写真正面橈側ストレス撮影像．関節面の傾きと橈側への亜脱臼がある．
b. 術後単純 X 線写真正面像．アンカーを用いて側副靱帯を縫着した．

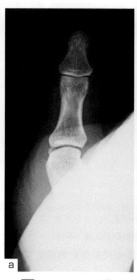
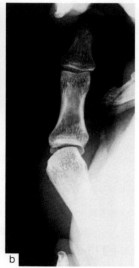

図 13-8-37　母指 MP 関節橈側側副靱帯損傷（新鮮例）
自転車走行中転倒しハンドルを握ったまま母指を打撲した．保存治療を行った．
a. 単純 X 線写真正面像
b. 単純 X 線写真正面尺側ストレス撮影像．関節面の傾きと尺側への亜脱臼がある．

8 中手骨・手指骨骨折　　*719*

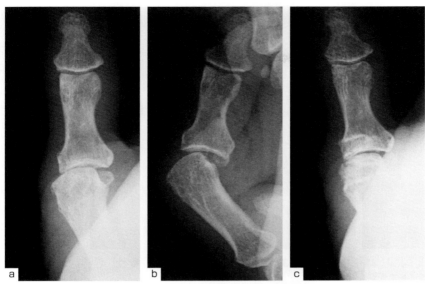

図 13-8-38　陳旧性母指 MP 関節橈側側副靱帯損傷（51 歳，女性）
10 年前にバレーボールでボールが母指に当たり受傷した．放置していたが，最近になり疼痛が出現するようになったので受診した．
a. 術前単純 X 線写真正面像．二次性変形性関節症を認める．
b. 術前単純 X 線写真正面尺側ストレス撮影像．著明な MP 関節の不安定性を認める．
c. 術後単純 X 線写真正面像．腱移植による橈側側副靱帯再建術を施行．関節軟骨の変性が進んでいるが安定性が得られて疼痛は軽減した．

基節骨・中節骨頚部骨折（骨頭回転型）

a 受傷機転・病態

　PIP 関節や DIP 関節が硬いものにはさまれた場合に起こる．骨頭部が背側あるいは掌側へ回転するように転位する．徒手整復が不可能なときは速やかに手術を行う．単純 X 線写真正面像ではこの骨折は診断ができないので，正確な側面像により診断を確定する（図 13-8-39）．

b 治　　療

　経皮的に骨折部に鋼線を刺入し，これをテコとして整復する方法（骨折内鋼線刺入整復法 intrafocal pinning）もある．整復位が得られたら鋼線をそのまま近位方向へ刺入し固定する．整復できない場合は関節の背側部を中心に弓状切開を加え，伸筋腱を縦切し骨折部を展開する．細いエレバトリウムを用いて骨折を整復し鋼線 2 本で固定する．骨頭部分は血流が少ないので，骨頭に壊死を生じる可能性がある．手術は愛護的に行い，整復操作を繰り返さないようにしなければならない（図 13-8-40）．
　回転転位が放置された場合には関節の屈曲制限が遺残する．DIP 関節ではあまり問題とならないが，PIP 関節では機能障害が大きい．

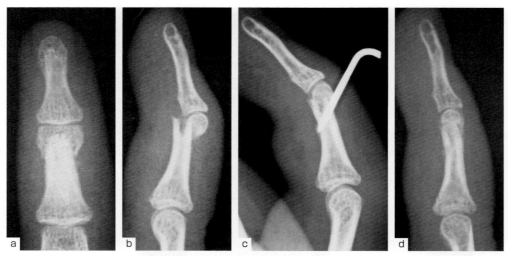

図 13-8-39　中節骨頚部骨折（16歳，女性）

ソフトボールで受傷した．
a. 術前単純X線写真正面像
b. 術前単純X線写真側面像．中節骨骨頭が背側へ回転転位している．
c. 術後単純X線写真側面像．転位した骨頭直下に背側から経皮的に刺入した鋼線をテコにして骨片を起こして整復した．鋼線はそのまま骨に刺入し整復位を保持した．
d. 術後3ヵ月単純X線写真側面像．骨癒合が完成し抜釘した．整復状態，関節可動域は良好である．

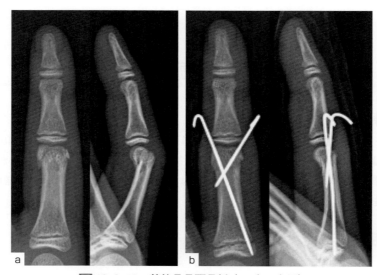

図 13-8-40　基節骨骨頭骨折（11歳，女子）

示指をサッカーボールに当てて受傷した．
a. 術前単純X線写真．基節骨骨頭が屈曲・回旋転位している．
b. 術後単純X線写真．整復し経皮的に鋼線で固定した．

C 末節骨骨折 fracture of the distal phalanx
末節骨基部背側骨折（槌指）

a 受傷機転・病態

　　　　球技で多発するいわゆる"突き指"によって発生する．DIP 関節の伸展機構が失われることにより DIP 関節が屈曲変形して基部背側に限局性の皮下出血や圧痛がある．ボールなどにより指尖のやや背側から軸方向の外力が加わると，DIP 関節に強い屈曲力と基部背側に剪断力が生じてこの骨折が起こる．

b 治　　療

1）保存療法

　　　　末節骨基部背側の骨片が小さく，DIP 関節を伸展位にすると整復される場合は伸展位またはやや伸展位で 5〜6 週間外固定する．種々の固定装具が考案されているので使い慣れたものを用いるとよいがどれにも一長一短がある．

2）手術療法

　　　　骨性槌指に対する経皮的鋼線刺入固定法（石黒法）は，非侵襲的で優れた方法である．DIP 関節を屈曲させると背側に転位していた小骨片が掌側に移動し整復されるので小骨片の背側に接するように Kirschner 鋼線 1 本を伸展ブロックピンとして中節骨の骨頭に刺入する．DIP 関節を伸展位に戻すと小骨片は背側のブロックピンにより固定されるので安定した整復位が得られる．整復位が得られたところで Kirschner 鋼線のもう 1 本を DIP 関節固定用として使用する（図 13-8-41）．石黒法を第一選択とすべき症例で，社会的背景が原因で創処置での通院や仕事での局所安静がどうしてもできない患者には DIP 関節を伸展位で経皮的鋼線刺入固定する方法も次善の策である（図 13-8-42）．小児では軟骨骨折を生じていることがあるので注意を要する（図 13-8-43）．

　　　　骨片の大きい症例に対しては，骨片を鋼線あるいはスクリューで固定する．陳旧例や骨片整復困難例，骨片が小さくスクリュー刺入困難例に対してはフックプレートを用いて固定する．開放骨折あるいは手術的整復固定術で対応できない高度な粉砕骨折には創外固定を行う．

附-31 腱性槌指 tendinous mallet finger

　　　　病態は伸筋腱の末節骨基部付着部付近における断裂による DIP 関節の伸展障害による屈曲変形である．一般に骨片のあるものより治療が難しく治療成績も安定していない．

　　　　治療は DIP 関節軽度過伸展位でアルミ副子や装具を用いて固定する保存治療が基本である．少なくとも 6 週間の固定が必要である．基本通りの治療を行っても 10〜20°の伸展不全を残すことが多い．腱性槌指で水仕事をしなければならない場合や装具がつけられないような場合には，鋼線を末節部から刺入し，DIP 関節を伸展位で固定する（図 13-8-44）．鋼線を皮下に埋めておけば，装具や副子が不要で水仕事なども可能で患

722　各論　第13章　上肢の骨折

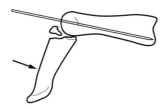
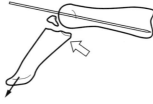
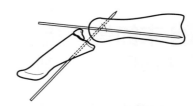

DIP関節を屈曲し，掌側へ移動した小骨片の背側から伸展ブロックピンを中節骨に刺入する

末節骨を牽引しつつDIP関節を伸展しながら小骨片を伸展ブロックピンに圧迫させて整復する

小骨片を整復したら，骨折線の掌側を通るようにもう1本の鋼線を刺入してDIP関節を固定する

A. 末節骨基部背側骨折に対する石黒法

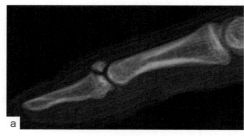
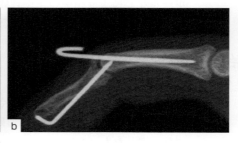

バスケットボールで突き指し受傷した．
a. 術前単純X線写真側面像．末節骨基部背側の小骨片は背側へ転位する．
b. 術後単純X線写真側面像．石黒法による整復固定術

B. 末節骨基部背側骨折（20歳，男性）

図 13-8-41　石黒法による骨片の整復固定

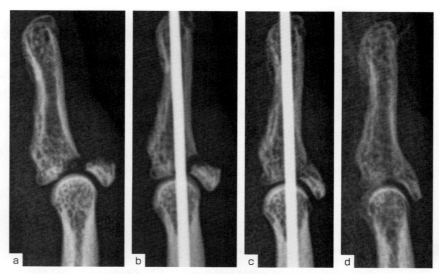

図 13-8-42　環指末節骨基部背側骨折（26歳，男性）

石黒法を第一選択とすべきであるが，創処置での来院や仕事での局所安静がどうしてもできない患者にはDIP関節伸展位での経皮的鋼線刺入固定法も次善の策である．
a. 術前単純X線写真側面像．受傷2週後に手術を行った．
b. 術後単純X線写真側面像．指尖部から中節骨基部まで鋼線を刺入し，皮下に埋没した．
c. 術後6週単純X線写真側面像．骨棘様であるが骨癒合は得られた．
d. 術後7週単純X線写真側面像．鋼線を抜去した．最終のDIP関節可動域は，伸展0°，屈曲60°であった．

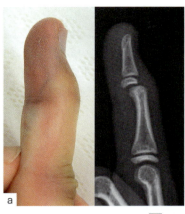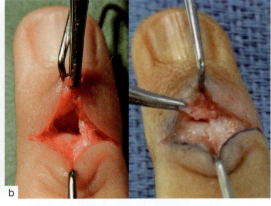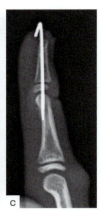

図 13-8-43 環指 DIP 関節掌側脱臼（13 歳，男子）
伸展位で突き指して受傷した．徒手整復不能で他院から紹介されてきた．
a. DIP 関節は完全伸展不能で，単純 X 線写真側面像で DIP 関節は掌側に亜脱臼している．
b. 術中，伸筋腱は部分断裂し，末節骨基部背側の関節軟骨面 1/3 が折れていた．折れた軟骨片が関節内へ陥入し，整復を阻害していた．軟骨片を整復し，伸筋腱を縫合した．
c. 術後単純 X 線写真側面像．DIP 関節伸展位で，指尖部から中節骨まで鋼線を刺入した．

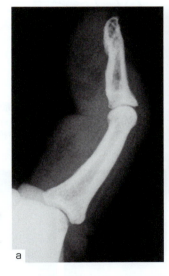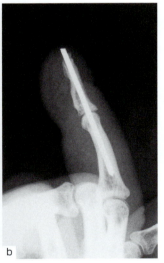

図 13-8-44 腱性槌指（44 歳，男性）
ボーリングの球から指が抜けず受傷した．
a. 術前単純 X 線写真側面像．DIP 関節が伸展できない．
b. 術後単純 X 線写真側面像．DIP 関節伸展位で鋼線固定し，鋼線は皮下に埋め込む．

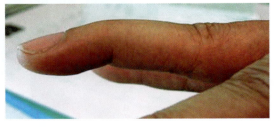

図 13-8-45 槌指後の白鳥の首変形
DIP 関節は自動伸展できず屈曲する．PIP 関節は過伸展し，白鳥の首変形をきたしている．

指を使用することができる．鋼線は折損しないようやや太めのものを使用し，術後 5〜6 週で抜去する．
　関節の可動性がもともと大きく PIP 関節が過伸展するような例では，槌指が放置された場合に白鳥の首変形 swan neck deformity をきたしやすい（図 13-8-45）．

末節骨基部掌側骨折

深指屈筋腱付着部の裂離骨折である．ものをつかむため力を入れている指に急に伸展を強制される強い力が加わったときに発生する．ラグビーの試合中に相手選手のシャツ（jersey）をつかんだまま強くひっぱられてDIP関節の伸展が強制されたときにこの外傷が起こるためrugger jersey fingerといわれる（図13-8-46）．骨片は深指屈筋腱とともに近位方向へ転位し，A3〜A4滑車付近にとどまっていることが多い．転位したまま放置するとDIP関節の屈曲が障害されるので手術療法が必要である．

手術はDIP関節の掌側に切開を加え，腱鞘の一部を切開し，転位した骨片が付着した深指屈筋腱を展開する．骨片を整復し引き抜き鋼線法で固定する．術後は4週間DIP関節を軽度屈曲位で固定する（図13-8-47）．

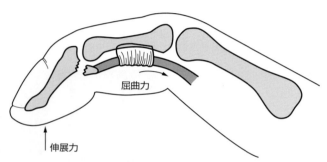

図 13-8-46　末節骨基部掌側骨折
DIP関節に屈曲力がかかっているときに急に伸展強制されると深指屈筋腱付着部に裂離骨折が起こる．

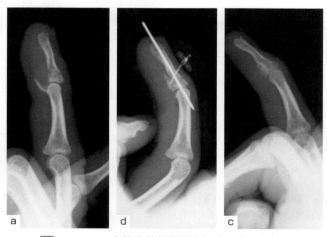

図 13-8-47　末節骨基部掌側骨折（35歳，男性）
機械にはさまれて受傷した．
a. 術前単純X線写真側面像．末節骨基部掌側の深指屈筋腱付着部での骨折である．
b. 術後単純X線写真側面像．引き抜き鋼線法で固定した．基部に横骨折があったので鋼線固定を追加した．
c. 鋼線抜去後の単純X線写真側面像．骨癒合が得られた．

末節骨粗面骨折

a 受傷機転・病態

指尖をドアや機械にはさまれた際に起こる．爪床の損傷を合併することが多い．しばしば粉砕状に骨折するが，転位することは少ない．

b 治　　療

転位がなければ指用の副子固定で治療する．3〜4週間の固定が必要である．ものをつまむ動作は予想以上の力が加わるので早期から使用を開始すると疼痛が残存することがある．基本通りの固定をすれば骨癒合に問題ない例でも患者が勝手に固定副子を除去して指を使用したために偽関節となることもある（図13-8-48）．末節骨でも偽関節になると強くものをつまむときに疼痛を伴う．

末節骨開放骨折

指骨の開放骨折では骨折と同時に腱，神経，血管損傷を伴うことがある．腱，神経損傷の場合は二次的な再建が可能であるが，血管（動脈）損傷がある場合は指が壊死するので緊急手術が必要である．開放骨折で指尖を針で刺し出血がない時は，動脈損傷があると判断する．末節部が壊死しても機能的な障害が少ないが，手術で生着すれ

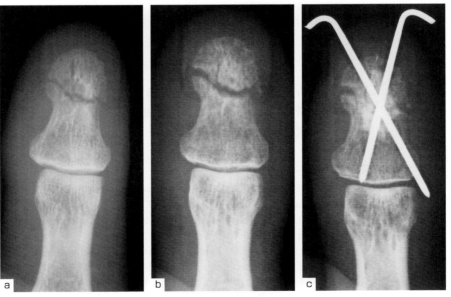

図13-8-48　末節骨骨折偽関節（53歳，男性）
　a．受傷時単純X線写真正面像．プレス機械に指先をはさまれて受傷した．直ちに副子固定を受けたが，数日後自分ではずして作業を再開した．
　b．受傷3ヵ月後単純X線写真正面像．疼痛およびものをつかみにくいことを主訴に受診した．偽関節を形成している．
　c．術後単純X線写真正面像．骨移植と鋼線固定を行った．

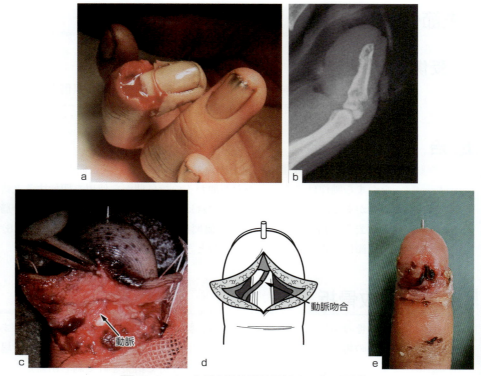

図 13-8-49　中指末節骨開放骨折（47歳，男性）
a. ドリルに巻き込まれて受傷した．血管神経損傷を伴う開放骨折．指尖からの出血がない．
b. 末節骨基部の粉砕骨折
c. 骨接合と動脈吻合を行った．
d. DIP関節より遠位で動脈吻合を行った．この部位では動脈吻合のみで生着することが多い．
e. 1ヵ月後，指は生着した．

（第4版　小島哲夫先生の症例）

ば美容的にも機能的にも良好な指が残る（図13-8-49）．血管損傷が疑われる開放骨折は微小血管の再建が可能な専門医療機関へ紹介する．DIP関節レベルやそれより末梢でも動脈吻合は可能である．

参考文献

1) Day CS：Fractures of the metacarpals and phalanges. Green's Operative Hand Surgery 7th edition, Wolfe SW (Editor in Chief), 231-277, 2017, Elsevier.
2) Foucher G："Bouquet" osteosynthesis in metacarpal neck fractures：a series of 66 patients. J Hand Surg 20-A：S86-90, 1995.
3) Hintringer W, Ender HG：Percutaneous management of intra-articular fractures of the interphalangeal joints of the fingers. Handchir Mikrochir Plast Chir 18：356-362, 1986.
4) 平澤英幸ら：母指CM関節症関節固定術．整・災外 61：641-646, 2018.
5) 石黒隆ら：骨片を伴った mallet finger に対する closed reduction の新法．日手会誌 5：444-447, 1988.
6) 石黒隆ら：指基節骨および中手骨骨片に対する保存的治療．MP関節屈曲位での早期運動療法．日手会誌 8：704-708, 1991.
7) Jahss SA：Fractures of the metacarpals. A new method of reduction and immobilization. J Bone Joint Surg 20：178-186, 1938.

8 中手骨・手指骨骨折　　*727*

8) Kaplan EB：Dorsal dislocation of the metacarpophalangeal joint of the index finger. J Bone Joint Surg **39-A**：1081-1086, 1957.

9) Khan A et al：The outcome of conservative treatment of spiral metacarpal fractures and the role of the deep transverse metacarpal ligaments in stabilizing these injuries. J Hand Surg Eur **40**：59-62, 2015.

10) 木野義武：手指の靱帯損傷．日手会誌 **11**：172-176，1994.

11) 木野義武ら：陥没骨片を伴った指 PIP 関節脱臼骨折の治療．日手会誌 **12**：149-153，1995.

12) 小島哲夫：ソフトボールによる指の二重損傷例の力学的検討．整形外科 **34**：1634-1636，1983.

13) 小島哲夫ら：PIP 関節掌側脱臼骨折の 1 例．整外と災外 **34**：1459-1461，1986.

14) Kosugi K et al：Long-term outcomes of metacarpal fractures surgically treated using bioabsorbable plates：a retrospective study. BMC Musculoskelet Disord **21**：817, 2020.

15) Lister G：Intraosseous wiring of the digital skeleton. J Hand Surg **3-A**：427-435, 1978.

16) 森谷浩治ら：指節骨・中手骨への簡単で強い骨固定法の開発．整形外科 **62**：159-164，2011.

17) 森谷浩治ら：手指骨折に対する鋼線を使用した簡単で強い骨固定 two-dimensional intraosseous wiring（two-DIOW）の治療成績．整形外科 **63**：9-13，2012.

18) 大井宏之：手指骨折に対するロッキングプレート内固定術．Orthopaedics **25**：23-28，2012.

19) Patankar H, Patwardhan D：Nonunion in a fracture of the proximal phalanx of the thumb. J Orthop Trauma **14**：219-222, 2000.

20) Pointu J et al：Fractures of the trapezium. Mechanisms. Anatomo-pathology and therapeutic indications. Rev Chir Orthop Reparatrice Appar Mot **74**：454-465, 1988.

21) Robertson RC et al：Treatment of fracture-dislocation of the interphalangeal joints of the hand. J Bone Joint Surg **28-A**：68-70, 1946.

22) 酒井昭典ら：手術 生体内吸収性骨接合材を用いた上肢骨折の手術．整・災外 **52**：1011-1016，2009.

23) Sakai A et al：Mechanical comparison of novel bioabsorbable plates with titanium plates and small-series clinical comparisons for metacarpal fractures. J Bone Joint Surg **94-A**：1597-1604, 2012.

24) 酒井昭典：骨接合インプラントの選択 生体内吸収性プレート．Orthopaedics **25**：1-5, 2012.

25) 酒井昭典ら：手の外傷治療における最近の取り組み．J Clin Rehabil **29**：59-66, 2020.

26) 酒井昭典：手の外傷治療における最近の取り組みと今後の展望．日整会誌 **94**：58-67，2020.

27) Stanton JS et al：Fractures of the tubular bones of the hand. J Hand Surg Eur Vol **32**：626-636, 2007.

28) Suzuki Y et al：The pins and rubbers traction system for treatment of comminuted intraarticular fractures and fracture-dislocations in the hand. J Hand Surg Br **19**：98-107, 1994.

29) Swanson AB：Fractures involving the digits of the hand. Orthop Clin North Am **1**：261-274, 1970.

30) 高山真一郎ら：陳旧性 PIP 関節脱臼骨折に対する骨切り術（矢部法）の治療成績．日手会誌 **15**：148-152，1998.

31) Vitale MA et al：A percutaneous technique to treat unstable dorsal fracture-dislocations of the proximal interphalangeal joint. J Hand Surg **36-A**：1453-1459, 2011.

32) Waris E, Alanen V：Percutaneous, intramedullary fracture reduction and extension block pinning for dorsal proximal interphalangeal fracture-dislocations. J Hand Surg **35-A**：2046-2052, 2010.

33) 矢部裕：陳旧性 PIP 関節背側脱臼骨折に対する観血的整復術について．整形外科 **27**：1435-1439，1976.

34) Yamanaka K et al：Locking of the metacarpophalangeal joint of the thumb. J Bone Joint Surg **67-A**：782-787, 1985.

35) 弓削英彦ら：骨片の転位のある骨性槌指に対する経皮的伸展位固定法の治療成績．臨整外 **55**：741-746，2020.

36) 善家雄吉，酒井昭典：外傷 突き指（DIP 病変）．関節外科 **38**：172-180，2019.

37) 善家雄吉，酒井昭典：手外科領域の外傷：手根骨以遠の骨折・腱損傷．関節外科 **39**：98-108，2020.

第14章

肩甲帯・胸郭部の骨折

1 肩甲骨骨折 fracture of the scapula

肩甲骨は厚い軟部組織に包まれ，大きな可動域を有する肩甲上腕関節や肩甲胸郭関節によって加わる外力が緩衝されるので，骨折は全骨折の1％以下で肩甲帯（鎖骨～上腕骨近位部）骨折の3～5％と少ない．通常，男性は40歳前後に多く肩甲骨骨折の60～70％を占め，女性は高齢者に多い（McGahanら，1980）．

a 解剖・機能解剖

肩甲骨は逆三角形の扁平骨で，背側面から見て近位は上縁，上角，内側は内側縁，下角，外側は外側縁，関節窩からなる（**図 14-1-1**）．また内方から外上方にかけて隆起する肩甲棘が肩甲骨体部を棘上窩と棘下窩に分け，肩甲棘の外側 1/3 は体部と遊離し，最外側にある肩峰角から肩峰が前方に張り出す．解剖屍体の肩甲骨（成人男性 7 例，女性 2 例の両側肩甲骨，計 18 体）の観察によると，骨の厚みは平均で肩甲関節窩が約 25 mm，外側縁が約 10 mm，肩甲棘が約 8 mm，内側縁が約 6 mm あるが，体部の中央は約 3 mm と非常に薄い．烏口突起のすぐ内側の上縁にある肩甲切痕に上肩甲横靱帯が，肩甲棘の基部にある棘窩切痕に下肩甲横靱帯（欠損することあり）が付着する．上角には肩甲挙筋，内側縁には大，小菱形筋が停止し，肩峰・肩甲棘には僧帽筋が停止し三角筋が起始する．棘上窩に棘上筋，棘下窩に棘下筋（二腹筋の場合がある），外側縁に小円筋，下角に大円筋が起始する（**図 14-1-2**）．

肩甲骨の肋骨面では，烏口突起に上腕二頭筋短頭と烏口腕筋が起始して共同腱 conjoint tendon を形成し，烏口突起内側には小胸筋が停止する．肩甲下窩に肩甲下筋，関節窩縁近位の関節上結節に上腕二頭筋長頭，遠位の関節下結節に上腕三頭筋長頭が起始する．上角から下角までの内側縁には前鋸筋が停止する．

腕神経叢の上神経幹から分枝する肩甲上神経は，上肩甲横靱帯の下方で肩甲切痕を通り，棘上筋と棘上窩の間を棘窩切痕（関節窩後縁から 1.5～2 cm 内側）に向かい，ここで棘下筋と棘下窩の間を内下方へ向かい両筋を支配する（**図 14-1-3**）．腕神経叢の後神経束は肩甲下神経を分枝し肩甲下筋や大円筋を支配し，次いで肩甲骨の外側縁を通り広背筋に至る胸背神経を分枝する．その後は腋窩神経と橈骨神経に分かれ，腋窩神経は肩甲下筋下縁，肩甲上腕関節包下縁を後方へ向かい，小円筋の下縁，上腕骨頚部の内縁，上腕三頭筋長頭の外縁，大円筋の上縁で囲まれる四辺形間隙 quadrilateral space から背側面に出て，小円筋への筋枝を分枝した後，三角筋裏面を

-729-

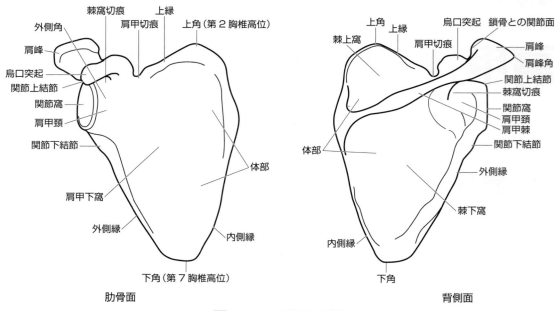

図 14-1-1 肩甲骨の構造

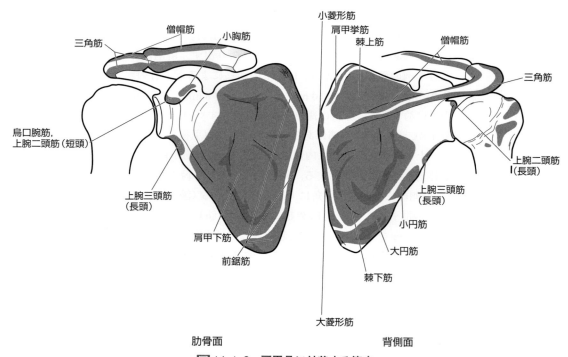

図 14-1-2 肩甲骨に付着する筋肉

主要筋の付着部を示す．これらの筋のバランスによって骨折の転位が決定される．体部では全面に大きな筋付着部があり転位が抑制される．たとえ転位しても胸郭との間には肩甲下筋と前鋸筋が介在するので骨折の圧迫による症状を起こしにくい．

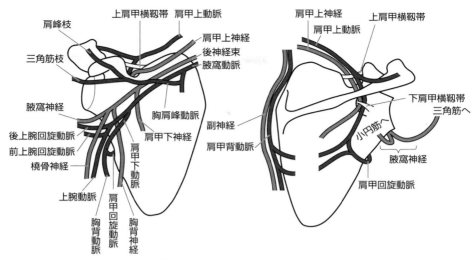

図 14-1-3　肩甲骨の神経・動脈

前方に向かい同筋を支配する．僧帽筋を支配する副神経は僧帽筋裏面を肩甲骨の上角の内側から下方へと下行する．

肩甲上動脈は上肩甲横靱帯の近位から棘上窩に入り，肩甲上神経と伴走する．腋窩動脈からは多くの分枝が出る（図 14-1-3）．はじめに胸肩峰動脈が分枝して，烏口突起から肩峰へ向かう肩峰枝，三角筋に向かう三角筋枝に分かれる．次に肩甲下動脈が分枝し，これが肩甲回旋動脈を分枝して背側へ向かい，上腕三頭筋長頭の内縁（関節窩下縁から3～4 cm内下方）から肩甲骨背側面に出て小円筋と肩甲骨外側縁の間を上行し棘下窩で肩甲上動脈に合流する．さらに腋窩神経と伴走する後上腕回旋動脈，肩甲下筋表面の下1/3部を横走する前上腕回旋動脈を分枝する．

肩甲骨は，挙上-下制（elevation-depression），外転-内転（abduction-adduction），外旋-内旋（external rotation-internal rotation），前方傾斜-後方傾斜（anterior tilting-posterior tilting），上方回旋-下方回旋（upward rotation-downward rotation）と多軸で動く（図 14-1-4）．肩甲骨は肩関節の下垂位から最大挙上位までの間に上方回旋が60°，後方傾斜が20°，内旋が10°増加する．胸郭との間に肩甲胸郭関節，鎖骨との間に烏口鎖骨関節（結合）と呼ばれる機能的関節を形成するが，体幹と結合する解剖学的関節は肩鎖関節のみである．肩甲骨は胸郭面を自由に動き，筋のバランスで位置が保たれていることから「筋肉の海に浮かぶ舟」との異名もある．肩甲骨は上肢の土台ともいえる構造で，肩甲胸郭関節の運動や機能の障害は，そのまま上肢全体の機能不全につながる．

b 受傷機転

高エネルギー外傷では，外側から内方への直達外力で体部，頚部，関節窩に骨折が生じる．近位や近位後方からの直達外力では肩峰・肩甲棘が骨折しやすい．介達外力では，筋肉や靱帯の牽引で烏口突起，肩峰，肩関節脱臼では関節窩縁に骨折が生じやすい．

肩甲骨骨折は交通外傷によるものが約70％，転倒・転落が約20％を占め（McGahan

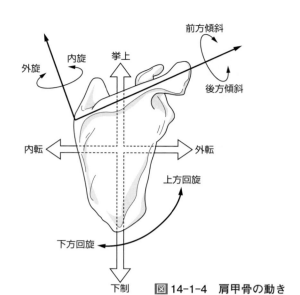

図 14-1-4　肩甲骨の動き

ら，1980，Tadros ら，2007），90％に合併損傷があり胸部外傷が 80％（肋骨骨折約 50％，肺挫傷や血気胸約 50％など），同側の鎖骨骨折が約 20％，上腕骨骨折が約 10％，頭部外傷が約 40％，脊椎骨折が約 20％，腕神経損傷が約 10％（Weening ら，2005）など多発外傷となる．頭部や胸・肺部などの多発外傷を合併する場合の死亡率は 10％と報告されている（Thompson ら，1985）．

　疲労骨折は繰り返しの投球動作による場合は，頚部〜体部間や烏口突起に生じる．腱板断裂により上腕骨頭の上方化が生じた場合は，肩関節挙上時に繰り返される骨頭の肩峰への圧力によって肩峰・肩甲棘に生じることがある．リバース型人工肩関節全置換術（RTSA）の数ヵ月後には肩峰・肩甲棘骨折が 1〜5％程度発生する．三角筋筋力だけで肩関節挙上ができるよう設計されたこの人工関節では，牽引負荷が繰り返し加わる三角筋の付着部のうち，特に肩峰前縁，肩峰基部に生じやすい．

c 骨折の分類

　Hardegger ら（1984）は肩甲骨の骨折部位を体部，関節窩縁，関節窩，解剖頚，外科頚，肩峰，肩甲棘，烏口突起の 8 部位に分類し（頻度は体部 45％，関節窩・縁 10％，頚部 25％，肩峰 8％，肩甲棘 5％，烏口突起 7％）．さらに体部骨折を骨折線が棘下窩に限局する軽度のものと，棘上窩から肩甲棘を通過し棘下窩に至る重度のものに分けた（図 14-1-5）．また頚部骨折は肩甲頚における骨折線の走行によって，関節窩下方の外側縁から関節窩上縁と烏口突起基部の外側（烏口窩切痕）の間に至る解剖頚骨折（上腕三頭筋長頭と上腕二頭筋長頭が牽引し，関節窩は外反転位する），棘窩切痕を通過し肩甲切痕に至る外科頚骨折（烏口鎖骨靱帯と烏口肩峰靱帯の損傷が合併すると不安定になる），肩甲棘を通過し上縁に至る経肩甲棘頚部骨折（きわめてまれ）の 3 つに分けた（図 14-1-5）．

　Ideberg ら（1984, 1995）は関節窩骨折を Type Ⅰ：前方関節窩縁骨折，Type Ⅱ：関節

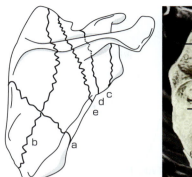
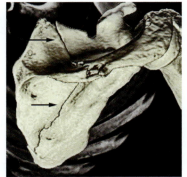

図 14-1-5 肩甲骨体部骨折，頚部骨折の部位による分類

［体部骨折］
 a. 棘下窩に限局
 b. 棘上窩から棘下窩に至るもの（3D-CT）

［頚部骨折］
 c. 解剖頚骨折
 d. 外科頚骨折
 e. 経肩甲棘頚部骨折

窩下方部分骨折で肩甲骨頚部骨折を伴うもの，Type Ⅲ：関節窩上方部分骨折で烏口突起骨折を伴うもの，Type Ⅳ：関節窩水平方向骨折で関節窩から内側縁に至るもの，Type Ⅴ：Type Ⅱと Type Ⅳを合併した骨折に分類した（図 14-1-6）．

Goss（1992, 1995）は外科頚骨折を Type Ⅰ：転位なし，Type Ⅱ：前後像で 10 mm 以上内方に転位，あるいは軸射像（水平面）で 40 度以上屈曲転位するものに分類し，さらに Type Ⅰ を Type Ⅰa：前方関節窩縁骨折，Type Ⅰb：後方関節窩縁骨折に分け，Type Ⅴ を Type Ⅴa（Ideberg 分類Ⅴと同一）に細分し，さらに Type Ⅵ：関節窩全体の粉砕骨折を追加した分類を示した．

Ogawa ら（1996, 1997）は烏口突起骨折を烏口鎖骨靱帯の付着部を境にその近位部骨折を Type Ⅰ（Ideberg 分類 Type Ⅲ に類似），遠位部骨折を Type Ⅱ に分類した（図 14-1-7）．また肩峰・肩甲棘の遊離部の骨折を肩峰角より前方の肩峰骨折（Ⅰ）と肩峰角の後方で棘窩切痕に近い部分の外側肩甲棘骨折（Ⅱ）に分類した（図 14-1-8）．

肩甲骨の裂離骨折は，上角，上縁（Ogawa 分類の烏口突起骨折 Type Ⅰ，Goss 分類の Type Ⅳ，Ⅴa〜c と類似），烏口突起先端（Ogawa 分類の烏口突起骨折 Type Ⅱ），肩峰外側縁，下角などに生じる．

AO/OTA 分類は現在使用されることはほとんどない．

附-1 肩峰骨 os acromiale

肩峰・肩甲棘には，15〜18 歳時に 4 つの骨端核（pre-acromion, meso-acromion, meta-acromion, basi-acromion）が出現し 22〜25 歳までに癒合するが，癒合せず遺残する os acromiale が 2.7〜8％程度に存在し，骨折との鑑別が必要な場合がある（図 14-1-9）．os acromiale は両側性が 33〜62％（報告者により異なるため差が大きい），そのうち meso-acromion と meta-acromion の間が癒合しないものが最も多く 76.6％を占め，肩峰下インピンジメントの原因になることがある（図 14-1-10）．

d 臨床所見・診断

肩峰・肩甲棘骨折が生じると外見上，肩は平坦となる．烏口突起骨折は局所に限局性の圧痛がある．頚部・体部骨折では圧痛はあるが出血斑は少なく，肩関節を内転位に保持する姿勢をとり運動痛がある．頚部・体部骨折には神経損傷が合併することが

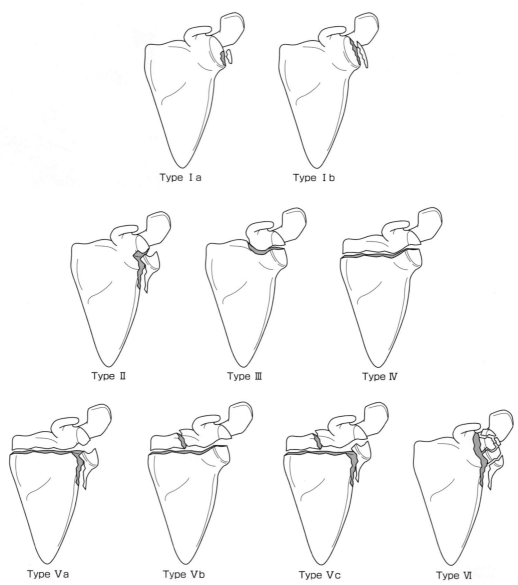

図 14-1-6 関節窩骨折の Ideberg 分類と Goss 分類
Goss 分類は Ideberg 分類の Type I を Type Ia, Ib に, Type V を Type Va〜c に分け, 関節窩粉砕骨折の Type VI を追加している.
(Goss TP：J Am Acad Orthop Surg 3：22-33, 1995 をもとに作図)

多いので，腋窩神経，肩甲上神経も含めた神経学的所見の検討が重要である．腱板を構成する筋の腫脹で腱板断裂のような運動障害や偽性麻痺を呈することもある．肩甲骨骨折に合併損傷がある場合は胸部外傷が最も多いため，胸腔内臓器損傷の治療が優先されて肩甲骨骨折が見逃され陳旧化することがある．

肩関節の単純X線写真では，前後像で関節縁の骨折，頚部の傾き，体部骨折の有無，軸写像で骨頭と関節窩の適合・亜脱臼，肩峰や烏口突起骨折の有無，スカプラY

1 肩甲骨骨折　735

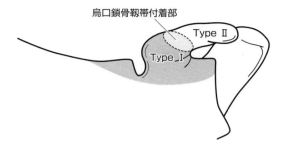

図 14-1-7　烏口突起骨折の Ogawa 分類
烏口鎖骨靱帯付着部を境に TypeI，TypeII に分ける．

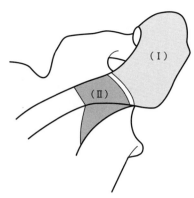

図 14-1-8　肩峰・外側肩甲棘骨折の Ogawa 分類
肩峰角より前方の肩峰骨折（I），棘窩切痕に近い部分の外側肩甲棘骨折（II）に分ける．（I）は介達外力が多く，烏口突起骨折や肩鎖関節脱臼を伴いやすく，偽関節が起こりやすい．（II）は直達外力が多く，偽関節は起こりにくい．

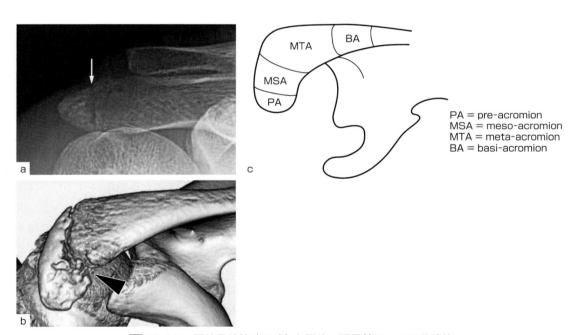

図 14-1-9　肩峰骨端核（15 歳）と肩峰・肩甲棘の 4 つの骨端核
15 歳に存在した MSA と MTA の間の骨端線（a, b）．肩峰骨折との鑑別を要す．出現する可能性がある 4 つの骨端核（c）．
（Rockwood CA et al：Rockwood and Matsen's The Shoulder 5th ed. Elsevier, 2017）

像で肩甲関節窩と体部の角状変形，前後の転位の有無を検討する．
　CT 画像や三次元 CT 画像では，頸部骨折は前後像で Bestard ら（1986）が述べた肩甲関節窩の上縁と下縁を結ぶ線と，上縁と下角を結ぶ線のなす角度（glenopolar an-

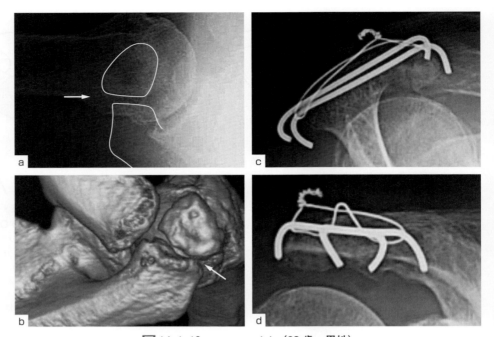

図14-1-10　os acromiale（68歳，男性）
最も多いMSAとMTA間（矢印）の骨端の癒合不全（a, b）．肩峰下インピンジメントのため，骨移植・固定術を施行した（c, d）．

gle：GPA（正常値30〜45°））により関節窩骨片の屈曲転位の程度，体部骨折は上方の近位骨片と下方の遠位骨片の外側縁における内・外側への変位の程度（mediolateral displacement（内・外側転位：正常値0 mm）），スカプラY像で近位骨片と遠位骨片のなす角度（angular displacement（角状転位：正常値0°）），および近位骨片と遠位骨片の前・後への転位（骨幅に対する転位の程度：%）を計測する（図14-1-11）．関節窩骨折は関節縁骨片の転位（gap（間隙：mm）あるいはstep-off（段差：mm）））と，関節縁骨片の関節面を含む割合（glenoid involvement（関節縁骨片の幅/関節面の幅×100：%））を計測する（図14-1-12）．

e 治　療

　約90%を占める転位がない肩甲骨骨折は保存療法が適応される．また体部骨折は転位があっても肋骨面が前鋸筋と肩甲下筋に覆われているので肩甲胸郭関節に障害が出ることは少ない．しかし，頚部・体部骨折では著しい変形が遺残すると腱板構成筋の機能低下や肩関節の可動域制限や疼痛が残存する．肩甲骨頚部骨折はGPAが20°以下，骨片が外反転位してGPAが増加する解剖頚骨折は55°以上，肩甲骨体部骨折は内・外側転位が20 mm以上，角状転位が45°以上，前・後への転位が100%以上（完全転位）で手術の適応を考慮する．
　関節窩骨折（Goss分類Type I〜V）では，間隙gapあるいは段差step-offが4 mm以上あり，関節縁骨片の関節面を含む割合glenoid involvementが20〜25%以上，ま

1 肩甲骨骨折　737

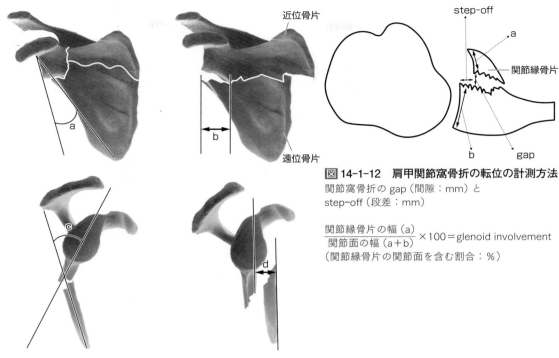

図 14-1-12　肩甲関節窩骨折の転位の計測方法
関節窩骨折の gap（間隙：mm）と
step-off（段差：mm）

$\dfrac{関節縁骨片の幅（a）}{関節面の幅（a+b）} \times 100 =$ glenoid involvement
（関節縁骨片の関節面を含む割合：％）

図 14-1-11　肩甲骨頚部・体部骨折の転位の計測方法
　　　　　　（Bestand ら，1986）
a. glenopolar angle：GPA（°），b. 内・外側転位（mm），c. 角状転位（°）
d. 前後の転位（d/骨幅×100＝骨幅に対する前・後への転位の程度：％）

た骨頭が亜脱臼を呈する場合には手術の適応を考慮する．実験的には関節窩前下縁の glenoid involvement が 21％（幅 6.8 mm）以上の骨折で前方不安定性が惹起される．Goss 分類 Type Ⅵは一般に保存療法が適応され，肩甲上腕関節が最も対向する位置で固定し，2 週後から関節可動域訓練を開始する．

　烏口突起基部骨折（Ogawa 分類 Type Ⅰ）や肩峰・肩甲棘の遊離部の骨折に 10 mm 以上の転位がある場合，烏口突起下または肩峰下インピンジメントなどを呈する偽関節には手術が適応となる．烏口突起基部骨折 Ogawa 分類 Type Ⅰでは関節窩上方部分に骨折が及ぶ場合があるが，烏口突起のみ整復・固定すればよい．

　裂離骨折の多くは放置されることがあるが，前鋸筋が付着している下角骨折は偽関節になると上肢の前方への挙上障害，翼状肩甲，疼痛が持続するので転位のある場合は手術が適応となる．そのほか conjoint tendon が付着する烏口突起，三角筋が付着する肩峰でも骨折転位が大きい場合は手術が適応となる．

　リバース型人工肩関節全置換術後の疲労骨折の大部分には保存療法が行われるが，肩峰基部（肩峰角）〜肩甲棘の遊離部の骨折では手術の適応がある．

附-2 上腕骨を懸垂する鎖骨と肩甲骨の複合体 superior shoulder suspensory complex (SSSC) の損傷

1993年 Goss は胸鎖関節・肩甲胸郭関節で体幹と結合されている複合体によって上腕骨が懸垂されている構造を superior shoulder suspensory complex (SSSC) と呼称した．SSSC は鎖骨と肩甲骨体部の2つの支柱 (strut) が支える，鎖骨外側部―肩鎖靱帯―肩峰―肩甲関節窩―烏口突起―烏口鎖骨靱帯と連続するリング (ring) で構成される（図 14-1-13）．

SSSC は strut または ring の1ヵ所が損傷して連結が破綻 (single disruption) した場合にはその安定性は維持されるが，2ヵ所以上破綻 (double disruption) した場合は不安定性が生じて障害が遺残する（図 14-1-14）．double disruption のパターンは鎖骨骨幹部骨折と肩甲骨外科頚骨折が合併する floating shoulder，烏口突起基部骨折と肩鎖関節脱臼の合併（最も多い），烏口突起基部骨折と解剖頚骨折と肩鎖関節脱臼の合併，烏口突起基部骨折と鎖骨外側部骨折の合併，烏口突起基部骨折と肩峰骨折の合併，鎖骨外側部骨折と肩甲棘骨折の合併，肩甲棘骨折と肩鎖関節脱臼の合併などさまざまある．烏口突起基部骨折（Ogawa 分類 Type I）は double disruption 損傷であることが多い．また SSSC が3～4ヵ所以上損傷した場合には，肋骨骨折，腕神経損傷が高率に合併する．

SSSC の double disruption に保存療法を行うと治療中に転位が増大することがある．SSSC の double disruption で 10 mm 以上の転位があるものは不安定で手術が適応となる．さらに double disruption が合併している頚部・体部骨折は手術適応の目安となる GPA (glenopolar angle)，内・外側転位，角状転位の許容される範囲は狭くなる．例えば，GPA 30°以下，内・外側転位 15 mm 以上，角状転位 30°以上が併存する場合には手術を適応することが多い．floating shoulder でははじめに鎖骨骨折を整復・固定するが，鎖骨のみ整復・固定しても外科頚骨折が整復されない場合は変形が遺残し成績が不良となるので，両者を整復・固定すべきである（図 14-1-15）．SSSC の double disruption が偽関節になると上腕骨を懸垂する構造は不安定になり，また変形癒合は肩関節の可動域が著しく減少する．手術は後述するさまざまな進入法で行うが，烏口突起骨折以外の整復固定を優先し，烏口突起骨折の整復・固定は最後に行う．

strut
1 鎖骨骨幹部
2 肩甲骨体部

ring
3 肩峰
4 肩甲関節窩
5 烏口突起

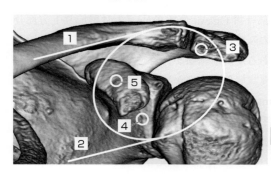
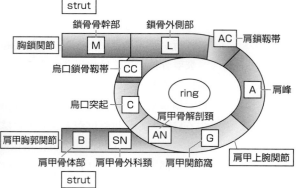

図 14-1-13　superior shoulder suspensory complex (SSSC) の構造と図解

1 肩甲骨骨折

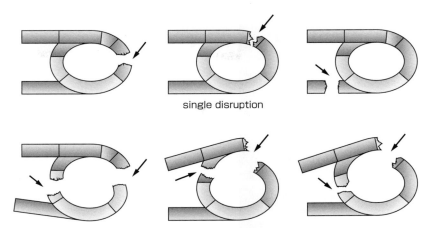

single disruption

double disruption
左から烏口突起・肩峰骨折，肩鎖関節脱臼，烏口突起骨折・肩鎖関節脱臼

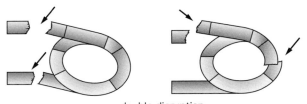

double disruption
左から floating shoulder，鎖骨・肩峰骨折

図 14-1-14　SSSC の single disruption と double disruption の図解

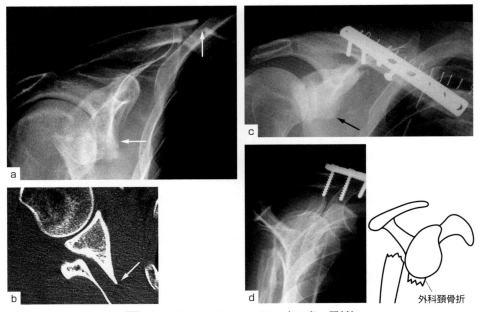

図 14-1-15　floating shoulder（45 歳，男性）
鎖骨骨幹部骨折（a），外科頚骨折（b）を認め，鎖骨骨折を整復してプレートで固定（c）したが，外科頚骨折を整復しなかったため関節窩骨片の前方転位は残存し，肩甲上腕関節が前内側へ変位して外見上の変形と可動域制限が遺残した（d）．

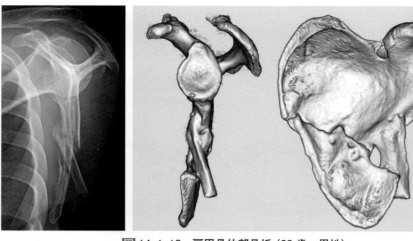

図 14-1-16 肩甲骨体部骨折（63歳，男性）
角状変形などは許容範囲内にあり，保存療法の対象である．

1）保存療法

頚部・体部骨折は，急性期は三角巾やスリング（吊り包帯）による安静後，できるだけ早期（受傷から1〜2週後）におじぎ・振り子運動ついで他動的可動域訓練を開始する（図 14-1-16）．ある程度の骨癒合が得られ次第（おおよそ6週後）自動運動を開始し，可動域が拡大し次第（おおよそ3ヵ月後）腱板構成筋と肩甲帯周囲筋の筋力増強訓練を行う．転位が軽度の肩甲骨頚部骨折は保存療法で関節拘縮を起こすことなく良好な成績が得られる．しかし多発肋骨骨折が肩甲骨の対向面に存在する場合は胸郭による肩甲骨骨折の外固定力が小さく，骨折は不安定で保存療法中に転位が増加することがある．

関節窩前下縁骨折で骨片が小さいものは，急性期は三角巾やスリングで安静を保った後に可動域訓練を開始する．通常6週で骨癒合が得られる．

2）手術療法

骨折の部位，形態に応じた進入路を用いるが複数の進入路が必要な場合もある．固定に使用する内固定材料（スクリュー，プレート）の設置は，ある程度の骨量が確保される部位に限られる．

Judet の後方進入路（図 14-1-17）：体部の棘下窩とその周囲の肩峰・肩甲棘，内側縁，外側縁，後方頚部・関節窩が展開できる．半腹臥位あるいは側臥位で肩峰から肩甲棘に沿い内側縁で下方に曲げて下角に至る皮切で進入し，三角筋を肩甲棘から切離し外側に反転する．棘下筋を内側縁から剥離し外側に反転，または上肢を外転して棘下筋と小円筋の間で肩甲回旋動脈を結紮し両筋間を分離する．棘下筋腱と小円筋腱の間で両腱を関節包から分離し，関節包を関節窩縁で縦切開または横切開すると後方の関節縁，関節内が展開できる．体部骨折，経肩甲棘頚部骨折，Goss 分類 Type Ⅳ，Ⅴに用いられる（図 14-1-18）．骨折の整復は外側縁が最も難しく，開大器やクランプを用いるか，スクリューや Kirschner 鋼線を後方頚部，外側縁，烏口突起などに刺入し，操作棒 joystick にして整復する．はじめに内側縁を整復（角状転位と内・外側

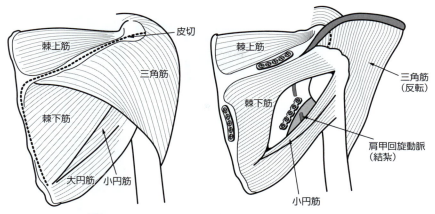

図 14-1-17　Judet の後方進入による肩甲骨の展開
(Obremskey WT, et al : J Orthop Trauma 18 : 696-699, 2004)

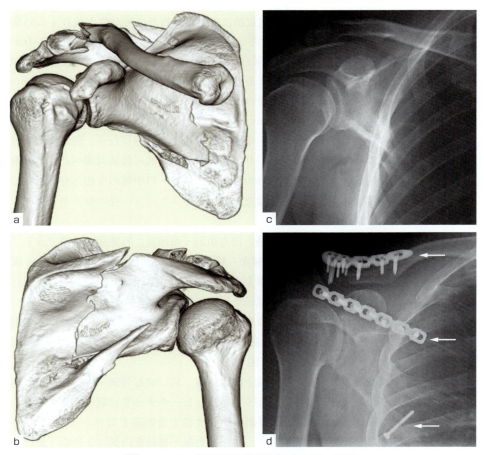

図 14-1-18　経肩甲棘頸部骨折（50 歳，男性）
鎖骨外側部骨折を伴う経肩甲棘頸部骨折（SSSC の double disruption でもある）(a〜c). Judet の皮切で進入し，肩甲骨の外側縁をスクリューで，肩甲棘をプレートで固定し，最後に鎖骨外側部をプレートで固定した (d).

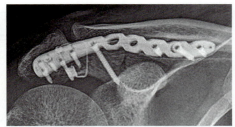
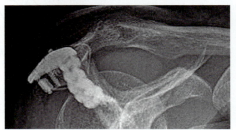

図 14-1-19　肩甲棘骨折（43 歳，男性）
棘窩切痕に近い部分の肩甲棘骨折，鎖骨遠位端ロッキングプレートとケーブルワイヤーで固定した．

転位を整復）しプレート固定後に多少の骨折部の可動性が残存する外側縁や関節窩を整復・固定（外側縁をスクリューやプレートで，関節窩を頚部後下方から烏口突起基部へ向けたスクリューで固定するなど）する方法と，関節窩を整復してから外側縁，内側縁の順に整復・固定する方法がある．後方頚部には径 2.0～2.7 mm のスクリュー，2.0～3.5 mm スクリュー径のロッキングプレート，T プレート，外側縁，内側縁，肩甲棘，上角には 2.7～3.5 mm スクリュー径のロッキングプレートを使用する．陳旧例への対応も可能であるが，手術は受傷後 2 週以内に行う．固定性が良好であれば疼痛が軽減し次第，おじぎ・振り子運動から他動的可動域訓練へと進め，術後 6 週以後に自動運動を開始する．肩峰の骨折には肩峰・肩甲棘の皮切部分を用いて，肩峰は引き寄せ鋼線締結法，肩甲棘は 2.7～3.5 mm スクリュー径のロッキングプレートで固定する（図 14-1-19）．

　後方三角筋の分離進入路：後方頚部・関節窩，外側縁が展開できる．側臥位で肩峰角から 2.5 cm 内側で肩甲棘から腋窩へ向かい関節裂隙に沿って 8 cm 縦切し，三角筋を肩甲棘から小円筋の筋腹上まで分離する（約 10 cm）．棘下筋と小円筋の間を分離し後方頚部，棘窩切痕，外側縁を展開する．必要があれば関節内も展開できる．肩甲骨の上方部分の展開が必要な場合は皮切を上方へ延長し，肩甲棘から僧帽筋を切離して棘上筋を剥離すると棘上窩の内側が展開できる．解剖頚・外科頚骨折，Goss 分類 Type I b，II に用いられる（図 14-1-20）．

　僧帽筋の分離進入路：棘上窩の外側，烏口突起背側・肩甲切痕が展開できる．側臥位またはビーチチェアーポジション（ビーチチェアに寝ている肢位）で後方を縦切開（saber cut incision）し，肩鎖関節の後縁で僧帽筋を肩峰から近位へ 5～6 cm 分離し，棘上筋を一塊として後方に，肩甲上動脈・神経を内側による．患肢を水平内転させると，術野が狭くなるので注意する．烏口突起の背側基部や上肩甲横靱帯を展開でき，烏口突起偽関節，Goss 分類 Type III の整復に使用できる．

　三角筋大胸筋間進入路：仰臥位やビーチチェアーポジションで行い，烏口突起，前

1 肩甲骨骨折　743

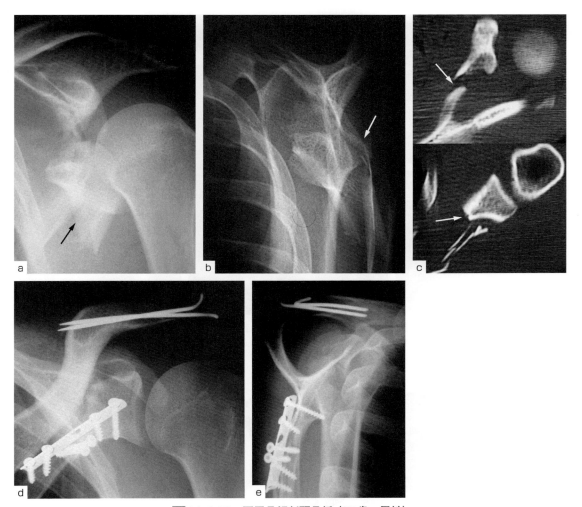

図 14-1-20　肩甲骨解剖頚骨折（27 歳，男性）
肩甲骨解剖頚，烏口突起基部に骨折があり，肩鎖関節脱臼を合併する（SSSC の triple disruption でもある）(a～c)．
後方三角筋の分離進入で外側縁をスクリューとプレートで固定し，肩鎖関節を Kirschner 鋼線で固定した (d, e)．

方頚部・関節窩が展開できる．三角筋大胸筋間に沿う，または関節に沿う縦皮切後，三角筋大胸筋間で胸肩峰動脈の三角筋枝を結紮する．前方頚部の内側をより広く展開したい場合には烏口突起を切骨して共同腱ごと内側に反転する（閉創時にこれを再接合する）．肩甲下筋腱を上縁から前上腕回旋動脈の直上まで縦切し，ここから内側へ肩甲下筋の筋部を分離して関節包を展開し，肩甲下筋・腱を関節包から剥離して内側へ反転する．関節窩の展開と前方関節窩縁に対する手術操作が可能になるまで関節包・関節唇接合部を上方から下方へ向けて縦切する．骨片の整復・固定後は関節包と関節唇を縫合して修復する．肋骨面の外側縁にも進入は可能であるが，ここにプレートを設置できるほどの展開は得られない．主に Goss 分類 Type Ia に用いる．内側下方に落ち込む骨片を外側上方へ持ち上げて整復し，大きな骨片は径 3.0～4.0 mm のスクリュー，2.5 mm スクリュー径のロッキングプレート，小さな骨片は縫合糸アン

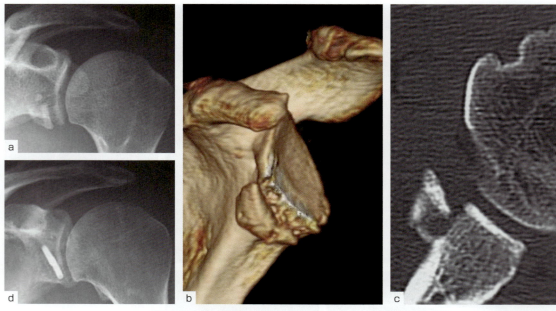

図14-1-21 関節窩骨折,Type Ia(43歳,男性)
三角筋大胸筋間を進入し,関節窩前縁の骨片(a〜c)を headless compression screw 2本で固定した(d).骨片の上・下の関節唇剥離は関節窩縁と縫合して修復した.

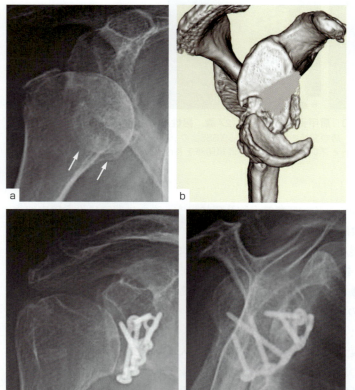

図14-1-22 関節窩骨折,Type Ⅱ (78歳,女性)
関節窩骨折(矢印)と大結節に骨折があり,上腕骨骨頭は前方に亜脱臼している(a, b).三角筋大胸筋間を進入し,関節窩骨折を整復して橈骨頚部骨折用のロッキングプレート(2.5 mm ロッキングスクリュー)で固定し,大結節は縫合糸アンカーで引き下げ固定した(c, d).

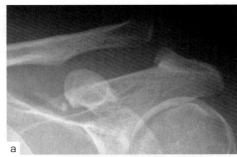
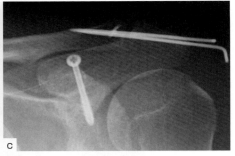
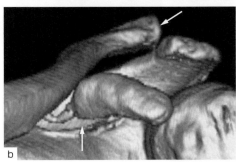

図 14-1-23　烏口突起基部骨折（Ogawa 分類 Type I）(36 歳，男性）
肩鎖関節脱臼を合併し，SSSC の double disruption でもある (a, b). 肩峰角〜肩鎖関節後縁〜鎖骨の外側 1/3 前縁に至る皮切で進入し，肩鎖靱帯中央から僧帽・三角筋間を横切開して骨膜下に鎖骨端と肩鎖関節を展開した．三角筋を鎖骨前縁から剥離し，烏口突起上面を展開した．肩鎖関節を整復し 2.0 mm Kirschner 鋼線 2 本で経肩峰性に固定し，烏口突起をスクリューで固定した．鎖骨端に縫合糸アンカーを設置し肩鎖靱帯を鎖骨端にマットレス縫着した (c).

カーで固定する．骨片が粉砕している場合は切除して腸骨を移植するか，あるいは Latarjet (1958) の coracoid transfer（烏口突起を骨切りして関節窩縁に移行し径 3.5〜4.0 mm のスクリュー 2 本で固定）を行う（図 14-1-21, 22）．関節鏡視下に経皮的スクリューや縫合糸アンカーで固定することもできる．Goss 分類 Type III には皮切を上方へ鎖骨まで延長し，烏口突起と烏口鎖骨靱帯を展開すれば整復・固定が行える．烏口突起骨折の Ogawa 分類 Type I では烏口突起基部の前方へ共同腱 conjoint tendon と小胸筋腱の間から進入して烏口突起を整復し，透視下に烏口突起の烏口鎖骨靱帯付着部の前方から鎖骨前縁に接し関節裂隙に平行に，おおよそ体幹に対して 20°後方の関節窩後下縁に向けて径 4.5〜5.0 mm，長さ 50〜65 mm のスクリューを刺入する（図 14-1-23）．頚部骨折が合併する場合には後方進入でまずこの部分を整復固定した後，烏口突起骨折を整復固定する．

肩甲骨の下角の裂離骨折は転位がある場合には，偽関節を防ぐため前鋸筋が付着する骨片を元の位置に縫合糸で固定する．烏口突起骨折の Ogawa 分類 Type II，三角筋が付着する肩峰外側縁の骨折はスクリューなどで固定する（図 14-1-24, 25）．

術後はおじぎ・振り子運動を早期に開始し，疼痛が許容される範囲で自・他動運動を行い，1 ヵ月後に腱板諸筋や肩甲帯周囲筋の筋力増強訓練を開始する．

f 治療成績を左右する因子

肩甲上神経麻痺が合併すると挙上や外旋筋の回復が遅延する．頚部・体部骨折で著しい変形癒合となると，可動域制限や疼痛が残存する．関節窩骨折の大多数は整復固定術によって術後成績は良好である．しかし，著しい関節不適合が遺残すると不安定性〔（亜）脱臼〕や二次性変形性関節症が発症する．烏口突起骨折で 10 mm 以上の転

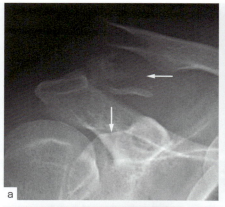
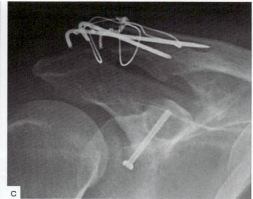
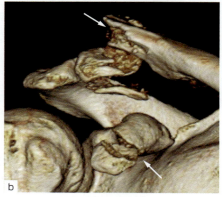

図14-1-24 烏口突起裂離骨折（Ogawa分類 Type Ⅱ），鎖骨外側部骨折合併（42歳，男性）

saber cut皮切で鎖骨外側部骨折（a, b）を引き寄せ鋼線締結法で固定し，烏口突起裂離骨折をスクリューで固定した（c）．

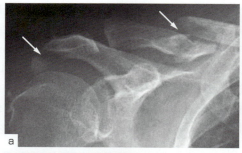
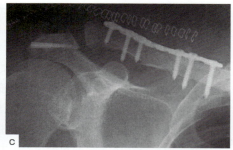
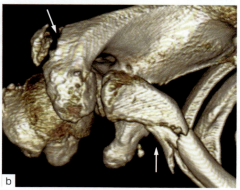

図14-1-25 肩峰角裂離骨折と鎖骨骨折の合併例（72歳，男性）

肩峰角裂離骨折と鎖骨骨折を認める（a, b）．鎖骨から肩峰角まで横切開し，鎖骨をプレート固定し，肩峰の裂離骨折はスクリュー固定した（c）．

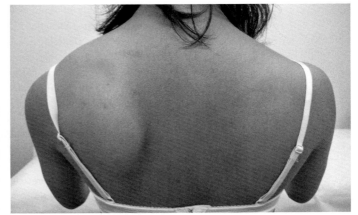

図 14-1-26 肩甲骨下角骨折の偽関節で生じた翼状肩甲骨症（左）
下角骨折が癒合しないと強力な前鋸筋の下部筋膜の機能が失われ，前鋸筋麻痺と同様の翼状肩甲を呈し，上肢挙上障害が遺残する．どの程度の転位まで保存療法の適応であるか否かは不明である．
（第3版 小川清久先生の症例）

位がある場合は偽関節になり，烏口下インピンジメントや肩甲上神経の絞扼性神経障害 entrapment neuropathy が生じることがある．肩峰偽関節では肩峰下インピンジメントが生じることがある．下角の骨折が偽関節となると，疼痛と可動域制限のほか翼状肩甲骨症 winged scapula が生じる（図 14-1-26）．

附-3　肩甲胸郭解離 scapulothoracic dissociation

肩甲胸郭解離は肩甲骨が体幹から外側に変位する高エネルギー外傷で，上肢に強い遠位への牽引力と肩甲帯へ大きな直達外力が加わって生じる．単車事故が原因の50%を占める．肩甲帯周囲筋損傷，胸鎖関節脱臼，肩鎖関節脱臼，鎖骨骨折を合併することがあり，約80%に鎖骨下・腋窩・上腕動脈損傷や神経損傷（約80%が腕神経叢損傷で完全麻痺と不全麻痺が40%ずつ）を合併する．これらの合併損傷によって約10%は死亡する（Brodyら，2013）．肩甲胸郭解離では，胸部単純X線写真で胸椎棘突起と肩甲骨内側縁の距離（患側/健側＝scapular index）が，健側比1.29～1.5倍（正常では健側比1.1倍以下）に拡大して患側肩甲骨が外側へ転位する．

Zelleら（2004）は肩甲胸郭解離を血管・神経損傷の合併の程度に基づき Type 1：筋・骨格損傷のみ，Type 2A：血管損傷を合併，Type 2B：不全神経損傷を合併，Type 3：Type 2AとType 2Bの合併，Type 4：完全神経損傷を合併に分類した．肩甲胸郭解離では合併骨折の治療と血管損傷，腕神経損傷の治療に重点が置かれる．しかし予後は悪く，受傷時の神経損傷が原因で約50%に上肢の機能が失われる．

参考文献

1) Anavian J et al：A reliable radiographic measurement technique for extra-articular scapular fractures. Clin Orthop Relat Res **469**：3371-3378, 2011.
2) Anavian J et al：Surgical and functional outcomes after operative management of complex and displaced intra-articular glenoid fractures. J Bone Joint Surg **94-A**：645-653, 2012.
3) Armitage BM et al：Mapping of scapular fractures with three-dimensional computed tomography. J Bone Joint Surg **91-A**：2222-2228, 2009.
4) Bartoníček J et al：Intraoperative reduction of the scapular body-a technical trick. J Orthop Trauma **23**：294-298, 2009.
5) Bartoníček J et al：Fractures of the scapular neck：diagnosis, classifications and treatment. Int Orthop **38**：2163-2173, 2014.

6) Chang AC et al : Inferior angle of scapula fractures : a review of literature and evidence-based treatment guidelines. J Shoulder Elbow Surg 25 : 1170-1174, 2016.

7) Choo AM et al : Scapulothoracic Dissociation : Evaluation and Management. J Am Acad Orthop Surg 25 : 339-347, 2017.

8) Cole PA et al : Management of scapular fractures. J Am Acad Orthop Surg 20 : 130-141, 2012.

9) Cole PA et al : Operative techniques in the management of scapular fractures. Orthop Clin North Am 44 : 331-343, 2013.

10) Crosby LA et al : Scapula fractures after reverse total shoulder arthroplasty : classification and treatment. Clin Orthop Relat Res 469 : 2544-2549, 2011.

11) Goss TP : Scapular fractures and dislocations : diagnosis and treatment. J Am Acad Orthop Surg 3 : 22-33, 1995.

12) Hill BW et al : Surgical management of coracoid fractures : technical tricks and clinical experience. J Orthop Trauma 28 : e114-122, 2014.

13) Hill BW et al : Surgical management of isolated acromion fractures : technical tricks and clinical experience. J Orthop Trauma 28 : e107-113, 2014.

14) Hu C et al : Open reduction and internal fixation of Ideberg IV and V glenoid intra-articular fractures through a Judet approach : a retrospective analysis of 11 cases. Arch Orthop Trauma Surg 35 : 193-199, 2015.

15) Jones CB et al : Modified Judet approach and minifragment fixation of scapular body and glenoid neck fractures. J Orthop Trauma 23 : 558-564, 2009.

16) Lapner PC et al : Scapula fractures. Orthop Clin North Am 39 : 459-474, 2008.

17) Latarjet M : Technic of coracoid preglenoid arthroereisis in the treatment of recurrent dislocation of the shoulder. Lyon Chir. Jul 54 : 604-607, 1958

18) Netter FH : Atlas of Human Anatomy 6th ed. Elsevier, 2014.

19) Nork SE et al : Surgical exposure and fixation of displaced type IV, V, and VI glenoid fractures. J Orthop Trauma 22 : 487-493, 2008.

20) Obremskey WT et al : A modified judet approach to the scapula. J Orthop Trauma 18 : 696-699, 2004.

21) Ogawa K et al : Coracoid fractures : therapeutic strategy and surgical outcomes. J Trauma Acute Care Surg 72 : E20-26, 2012.

22) Ogawa K et al : The trapezius-splitting approach : modifications for treating disorders and traumas occurring in the lateral supraspinatus fossa. J Trauma 69 : 715-719, 2010.

23) Rockwood CA et al : Rockwood and Matsen's The Shoulder 5th ed. Elsevier, 2017.

24) Ter Meulen DP et al : Quantitative three-dimensional computed tomography analysis of glenoid fracture patterns according to the AO/OTA classification. J Shoulder Elbow Surg 25 : 269-275, 2016.

25) Yammine K : The prevalence of Os acromiale : a systematic review and meta-analysis. Clin Anat 27 : 610-621, 2014.

26) Zelle BA et al : Functional outcome following scapulothoracic dissociation. J Bone Joint Surg 86-A : 2-8, 2004.

2 肩鎖関節脱臼
dislocation of the acromioclavicular joint

　肩鎖関節脱臼は肩甲帯（胸鎖関節～上腕骨近位部）損傷の約5％を占め，大多数が男性に発生する．肩甲帯の脱臼の12～15％を占め，運動選手の肩甲帯損傷は30～50％が肩鎖関節損傷である．

a 解剖・機能解剖

　肩鎖関節の関節面は前後に長い長楕円形で小さく，前額面における関節裂隙の角度はほぼ垂直から外側へ50°傾くなどさまざまで，鎖骨の外側上端は下端より外側に位置する．関節裂隙には線維軟骨からなる関節円板があり関節への負荷の分散と動的安定性などに寄与するが，40歳以降では変性してその役割は終了する（図14-2-1）．肩鎖関節の静的安定性は肩鎖靱帯・関節包，烏口鎖骨靱帯が担っている．肩鎖靱帯は肩峰内側縁から外方，および鎖骨外側縁から内方へともに約3 mm離れた部分に付着し，肩鎖関節の全周を取り囲み，鎖骨外側端の水平（前後）方向の安定性を保ち，特に後方と上方成分が後方移動と後方への軸回旋を制御する．鎖骨外側端を10 mm切除すると肩鎖靱帯の鎖骨端付着部および三角筋・僧帽筋の付着部が剥離され，切除し

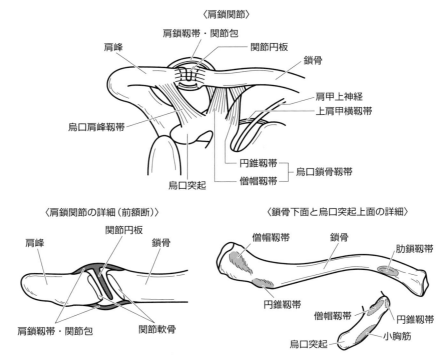

図14-2-1　肩鎖関節周囲の靱帯およびその付着部
〔Zuckerman JD：Disorders of the Shoulder Diagnosis and Management：Shoulder Trauma 3rd ed. Lippincott Williams & Wilkins, 2014をもとに作図〕

ない場合に比べて鎖骨外側端の後方への移動量は32%増加する．烏口鎖骨靱帯は外側の僧帽靱帯と内側の円錐靱帯からなる．烏口鎖骨間隙は11〜13mmである．円錐靱帯は鎖骨外側端の上方，前方への変位と回旋を制御し，僧帽靱帯より垂直方向の安定性により関与する．僧帽靱帯には肩鎖関節への軸圧を抑える役割もある．男性では鎖骨外側縁から平均14.7mm内側に僧帽靱帯の最外側部，25.0mmに僧帽靱帯の中央部，32.1mmに円錐靱帯の最外側部，47.0mm（鎖骨外側縁から鎖骨全長の1/4内側部）に円錐靱帯の最内側部が付着する．これらは烏口鎖骨靱帯の解剖学的再建に際し僧帽，円錐靱帯のそれぞれの付着部として鎖骨に2つの骨孔をあける指標になる．僧帽靱帯は烏口突起の外上方の広い範囲に付着し，円錐靱帯は内後方の狭い範囲に付着する．肩鎖関節脱臼では，円錐靱帯が僧帽靱帯より先に断裂する．動的安定性には僧帽筋，三角筋が関与する．

肩関節の最大挙上・外転で鎖骨はその長軸を中心に30°回旋し，それに伴い肩甲骨は鎖骨に対して平均8°内旋，11°上方回旋，11°後方傾斜する．肩鎖関節自体の可動範囲は小さいため鎖骨と肩甲骨は胸鎖関節を支点にほぼ同時に動くので，烏口鎖骨間をスクリュー固定しても胸鎖関節が持つ可動範囲によって肩関節の挙上角度の著しい減少は生じない．

b 受傷機転

転倒時に肩関節内転位で肩関節上外側部，肩峰に直達外力が加わると，肩峰は下方・内方へ変位する．その際に肩鎖靱帯・関節包が損傷し，次いで円錐靱帯，僧帽靱帯が損傷し，さらに僧帽筋，三角筋付着部損傷へと拡大し，肩甲骨は下方へ鎖骨外側端は上方へ転位する．転倒して手や肘を地面に強くついた場合には，上腕骨を介した上方への介達外力により直達外力と同じパターンで各部分の損傷が生じる．鎖骨外側端の肩峰下あるいは烏口突起下への脱臼（Rockwood分類のType VI）は，高エネルギー外傷による肩関節の過外転，過外旋で生じ，しばしば鎖骨骨折と肋骨の多発骨折を伴う．

c 脱臼の形態・分類

現在，臨床ではRockwood分類が最もよく用いられる（図14-2-2，表14-2-1）．Rockwood（1989）は単純X線写真における肩鎖関節脱臼の転位の程度・方向（烏口突起鎖骨間隙の開大，鎖骨外側端の転位，肩鎖関節裂隙の開大），および靱帯損傷と鎖骨外側端の付着筋損傷の程度を6つのTypeに分けて報告した．頻度はType I 15%，Type II 34%，Type III〜VI 51%（Tossy，1963）であるが，後方へ転位するType IVと肩峰下あるいは烏口突起下脱臼のType VIはまれである．Type IからType Vになるにつれて，加わる外力の方向は同じであるが強さは大きくなり，肩鎖靱帯・関節包，烏口鎖骨靱帯（円錐靱帯，菱形靱帯），三角筋・僧帽筋へと損傷は拡大する．しかし肩峰下脱臼のType VIには烏口鎖骨靱帯損傷は生じない．骨折を伴う肩鎖関節脱臼には，烏口突起骨折を伴う肩鎖関節脱臼（烏口鎖骨靱帯損傷なし）（図14-2-3），まれな烏口鎖骨靱帯鎖骨付着部の鎖骨裂離骨折（烏口鎖骨靱帯損傷なし）を伴う肩鎖関節脱臼がある（図14-2-4）．

2 肩鎖関節脱臼 751

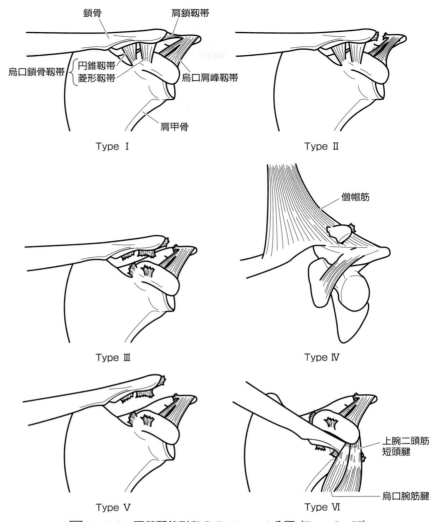

図 14-2-2 肩鎖関節脱臼の Rockwood 分類（Type I〜VI）
（Court-Brown CM, et al：Rockwood and Green's Fractures in Adults 8th ed. Wolters Kluwer, 2015 を
もとに作図）

d 臨床所見・診断

　肩鎖関節部に局限する圧痛，腫脹，後外側部の挫傷，水平内転・外転時の疼痛，肩鎖関節の不安定性（Type I にはなく，Type II では鎖骨外側端が前後に不安定，Type III では上下に不安定，Type IV では後方に転位，Type V では著しく上方へ転位して皮下に突出し肩関節は下垂する）がある．Type II，III には鎖骨外側端の上方に転位した鎖骨外側端を上から押すとピアノの鍵盤のように下方へ動く piano key sign があり，肘関節部を上方へ押し上げると肩鎖関節脱臼の徒手整復が可能であるが，Type IV 以上では徒手整復が不可能である．腕神経叢麻痺や腋窩動・静脈の圧迫症状が合併すること（Type IV では後方へ転位した鎖骨による圧迫，Type V では上肢と肩甲骨による下方への牽引，Type VI では烏口下に脱臼した鎖骨による圧迫）がある．Type IV では胸鎖

表 14-2-1 Rockwood 分類の Type 別の靱帯，筋損傷の程度，単純 X 線写真所見，徒手整復の可否

Type	肩鎖靱帯	肩鎖関節包	烏口鎖骨靱帯	三角筋僧帽筋の付着部	肩峰に対する鎖骨端の転位	肩鎖関節裂隙	烏口鎖骨間隙	徒手整復の可否
I	部分断裂	損傷なし	損傷なし	損傷なし	無	正常	正常	
II	完全断裂	破綻	損傷なし～部分損傷	損傷なし～微小裂離	100%未満の上方転位	拡大	軽度増加	可能
III	完全断裂	破綻	完全断裂	損傷なし～外側部の小裂離	100%の上方転位	拡大	25～100%増加	可能
IV	完全断裂	破綻	完全断裂	僧帽筋損傷～完全裂離	後方±上方転位	正常の場合有	正常の場合有	不能
V	完全断裂	破綻	完全断裂	外側部で完全裂離	100%をこえた上方転位	拡大	100～300%増加	不能
VI	完全断裂（肩峰下あるいは烏口下）	破綻	完全断裂（肩峰下の脱臼では損傷なし）	外側部で完全裂離	下方転位（肩峰下あるいは烏口下）			不能

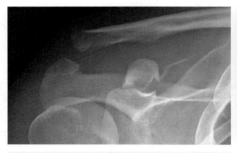
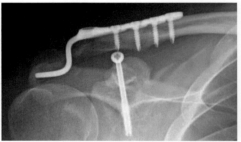
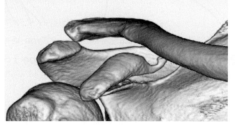

図 14-2-3 烏口突起骨折を伴う肩鎖関節脱臼（29 歳，男性）
肩鎖関節脱臼をフックプレートで整復固定後，烏口突起を径 4.5 mm の中空スクリューで固定し，鎖骨外側端に縫合糸アンカーを設置し肩鎖靱帯を縫着した．

関節脱臼を合併（鎖骨両端脱臼）することがある．
　単純 X 線写真前後像では鎖骨外側端の垂直方向への転位の程度，軸写像における前後方向への転位（特に Type IV の後方転位），Zanca view（X 線照射軸を水平面から 10～15°頭側（上方）へ照射する肩鎖関節の前後像で，肩鎖関節が肩甲棘と重ならない撮影法）を評価する．前後像と Zanca view を立位で上肢をサポートせずに両側を撮影し，鎖骨端の上方への転位の程度，烏口鎖骨間隙の開大度を健側と比較する．3～4 kg の重りを両手関節につるして下方へ牽引するストレス撮影は患者への負担が多い割には有用な情報が得られない．

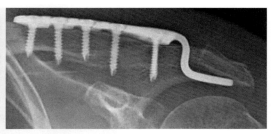
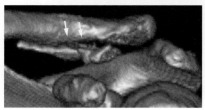

図 14-2-4　鎖骨外側部の裂離（剥離）骨折を伴う肩鎖関節脱臼（59 歳，女性）
鎖骨外側部下面の烏口鎖骨靱帯付着部に裂離骨折（矢印）がある．裂離骨片に付着する烏口鎖骨靱帯に 2 号糸を 3 本通した後，肩鎖関節脱臼をフックプレートで整復固定し，先に通しておいた 2 号糸をフックプレート上で縫合して裂離骨片を鎖骨と締結した．さらに鎖骨外側端に縫合糸アンカーを設置し肩鎖靱帯を縫着した．

e 治　療

　Type Ⅰ，Ⅱは保存療法を行う．2 週程度スリング（吊り包帯）で上肢をサポートして肩鎖・烏口鎖骨靱帯に負荷がかからないように保護し，急性症状の消退後，徐々に他動・自動介助の可動域訓練を開始する．可動域訓練時の疼痛が消失次第，等尺性筋力訓練，次いで等張性筋力訓練を行う．Type Ⅲに移行することなく靱帯が修復されるためには，約 3 ヵ月重量物の運搬，押し引き動作，コンタクトスポーツを禁止する．

　Type Ⅲは診断（Type Ⅴとの鑑別がしばしば困難）および治療法になお議論がある．一般的にはまず手術より合併症が少なく，治療後の機能に手術と著しい差はない保存療法が行われる．スリングによる固定，次いで可動域の獲得と肩甲帯周囲筋（三角筋，僧帽筋，胸鎖乳突筋，鎖骨下筋，腱板諸筋，肩甲骨周囲筋）の強化訓練を行う．これらの保存療法を 6〜12 週行っても継続する疼痛や可動域制限がある場合には，肩鎖関節へのステロイドや局所麻酔薬の注射療法を数回行う（Type Ⅰ，Ⅱでも行われることがある）．さらに改善が見られない場合には手術療法が適応される．症候性の不安定性が残存する Type Ⅲに対する手術法は，烏口肩峰靱帯移行あるいは烏口鎖骨靱帯再建および烏口突起・鎖骨間固定と，肩鎖靱帯修復および肩鎖関節固定で，三角筋，僧帽筋は重ね縫合する．Type Ⅲに対して急性期に烏口鎖骨靱帯縫合と烏口突起・鎖骨間固定を行うと，保存療法より機能障害の残存がいくらか少ないとの報告があり，年齢，職業，スポーツ活動の有無と種類およびレベルによっては手術の適応を考慮する．

　Type Ⅳ〜Ⅵは手術が適応となる．肩鎖関節脱臼と烏口鎖骨間隙を解剖学的に整復し，肩鎖靱帯・関節包，烏口鎖骨靱帯，三角筋，僧帽筋の損傷を修復する．代表的な手術法には，肩鎖靱帯縫合および肩鎖関節固定，烏口鎖骨靱帯縫合および烏口突起・鎖骨間固定，烏口肩峰靱帯移行，靱帯再建の 4 つがあり，これらの組み合わせと変法により 100 種類以上の術式が存在する．

　断裂靱帯の断端の癒合が可能な受傷から 2〜3 週以内の急性期には，肩鎖関節を整復して肩鎖関節固定（肩峰から鎖骨端へ 2 本の 2.0 mm Kirschner 鋼線を刺入し固定す

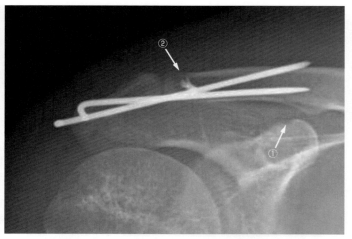

図14-2-5 Kirschner鋼線による肩鎖関節整復固定術
（49歳，男性）

烏口突起に設置した縫合糸アンカー（矢印①）糸を鎖骨側の烏口鎖骨靱帯の断端に通した後，肩鎖関節を整復して肩峰から鎖骨外側部へ2.0 mm Kirschner鋼線を2本刺入し固定した．烏口鎖骨靱帯を縫合後，鎖骨外側端に縫合糸アンカー（矢印②）を設置して肩鎖靱帯を縫着した．

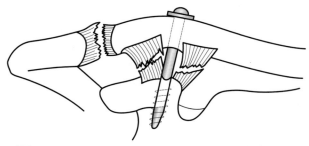

図14-2-6 スクリューによる烏口突起・鎖骨間固定術
(Bosworth BM：Surg Gynecol Obstet 73：866-871, 1941)

る方法（図14-2-5），あるいはフックプレートで固定する方法），または烏口突起・鎖骨間固定（古典的な4.5 mmスクリューを鎖骨から烏口突起へ刺入する方法（図14-2-6），あるいは人工材料（6 mm Mersilene tape，Dacron tape，人工靱帯，ネスプロンテープ®）で烏口突起・鎖骨間を締結する方法）を行う．烏口突起・鎖骨間固定にはflip button（AC or Twin tail TightRope®（Arthrex））あるいはsuture button（ZipTight®（Biomet），Endobutton®（Smith&Nephew））も使用される．これらの材料を烏口突起・鎖骨間に設置するためには，鎖骨側では鎖骨の1ヵ所に骨孔をあける方法，解剖学的に円錐靱帯と僧帽靱帯付着部の2ヵ所に骨孔をあける方法（2本の人工材料，Twin tail TightRope®などを用いる），烏口突起側では骨孔を上方から烏口突起下へ，基部に外方から内方へあける方法と，烏口突起下に通す方法がある．

急性期であれば関節の整復によって肩鎖靱帯・関節包，烏口鎖骨靱帯の断端が接して癒合すると考えられるが，鎖骨側に付着し後方へ捲れこむことが多い烏口鎖骨靱帯の鎖骨側の断端と烏口突起の靱帯付着部の間に縫合糸や縫合糸アンカーを設置し，肩

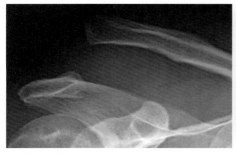
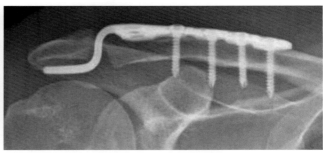
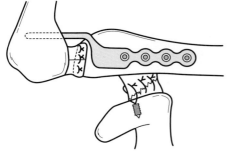

図 14-2-7　フックプレートによる肩鎖関節整復固定術と烏口鎖骨靱帯縫合術（57歳，男性）

肩峰角〜肩鎖関節後縁〜鎖骨の外側 1/3 前縁に至る皮切で，肩鎖関節中央から僧帽・三角筋間を横切開して鎖骨外側端と関節を骨膜下展開し，関節円板は切除した．三角筋を鎖骨前縁から剥離し烏口鎖骨靱帯・烏口突起上面を展開し，烏口突起に設置した縫合糸アンカーの糸および縫合糸を断裂した鎖骨側の烏口鎖骨靱帯の断端に通した後，鎖骨と肩峰の関節面を対向させて肩鎖関節を整復し，フックプレートで固定後，烏口鎖骨靱帯を縫合した．

鎖関節を整復固定して烏口鎖骨靱帯に設置した糸を縫合する．さらに鎖骨外側端に縫合糸アンカーを 3 本設置して，剥離した鎖骨側の肩鎖靱帯の断端をマットレス縫合するとより確実な靱帯の癒合が期待できる．鎖骨から剥離した三角筋，僧帽筋は重ね縫合で修復する（図 14-2-7）．

　急性期，陳旧期にかかわらず単独または組み合わせて用いられる方法として，非解剖学的再建術である肩峰側で烏口肩峰靱帯を切離し鎖骨外側部に移行し固定する烏口肩峰靱帯移行術がある（Cadenat, 1913）．一般的な方法（Weaver and Dunn, 1972）になっているが烏口肩峰靱帯に肩峰の小骨片をつけるかどうか，鎖骨外側端を切除するかどうかなどにより変法が多数ある．烏口肩峰靱帯は正常な烏口鎖骨靱帯の垂直方向の強度の 25% 程度しかないので，移行した烏口肩峰靱帯が成熟するまでの間，烏口突起・鎖骨間固定による補助が必要である．また烏口肩峰靱帯は烏口突起部で小骨片を付けて，または付けないで靱帯を切離し，鎖骨外側端の後外側に移行・固定して肩鎖靱帯の再建に用いることもある（Neviaser, 1952）．鎖骨外側端切除は水平方向への不安定性を増加させるが，関節症発生を防ぐあるいは脱臼の整復を容易にするなどの理由で必要に応じて行われる（図 14-2-8）．

　保存療法の成績不良例や陳旧例には，前述の烏口肩峰靱帯移行術，あるいは靱帯再建術が適応される．解剖学的靱帯再建術は，採取した半腱様筋腱を烏口突起下に通して鎖骨の僧帽靱帯と円錐靱帯付着部にあけた骨孔（それぞれ鎖骨外側端から 20〜25 mm，40〜45 mm 内側部で，これより内側にあけると制動力が弱くなる）に誘導し，骨孔から鎖骨近位面に誘導した移植腱を，肩鎖靱帯の肩峰側断端に縫合する．骨孔内の移植腱は干渉螺子 interference screw で固定する（図 14-2-9）（Carofino ら，2010）．解剖学的靱帯再建術は正常な烏口鎖骨靱帯に近い強度が獲得できる．1 年以上経過した陳旧例の大部分は，整復に際し鎖骨外側端を切除する必要がある（図 14-2-10）．

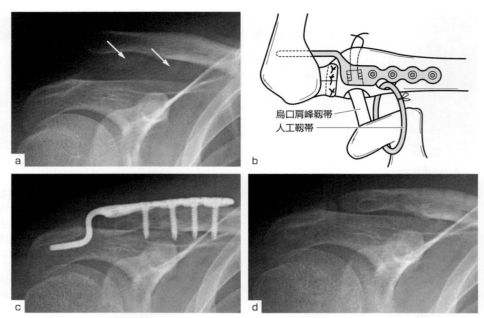

図14-2-8　肩鎖関節脱臼の陳旧例に対する烏口肩峰靱帯移行術（31歳，男性）
受傷後7ヵ月経過した陳旧例で，三角筋付着部と烏口鎖骨靱帯に骨化像（矢印）がある（a）．三角筋を鎖骨・肩峰前縁から剥離し，烏口肩峰靱帯を肩峰前縁で切離する．鎖骨に骨孔を開けて烏口突起下と骨孔の間に人工靱帯を通しておく（b）．フックプレートで肩鎖関節を整復固定後，人工靱帯を縛り，鎖骨外側端にサージオトームで作製した骨孔内に，Krackow縫合を施した烏口肩峰靱帯を引き込んで固定した．鎖骨外側端には縫合糸アンカーを設置して肩鎖靱帯を縫着した（c）．三角筋の骨化部は切除し，術後3ヵ月でフックプレートを抜去した．術後1年の単純X線写真（d）．

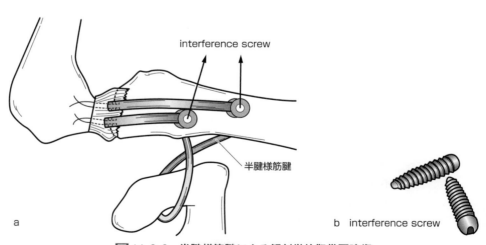

図14-2-9　半腱様筋腱による解剖学的靱帯再建術
（Carofino BC, et al：J Shoulder Elbow Surg 19：37-46, 2010）

　非解剖学的靱帯再建術の1本の移植腱で烏口鎖骨靱帯を再建するAC GraftRope®（Arthrex）も陳旧例に使用されるが，解剖学的靱帯再建術より初期強度は弱い．
　肩鎖関節あるいは烏口突起・鎖骨間の固定にKirschner鋼線，フックプレート，スクリューを用いた場合は術後8〜12週に抜釘する．以上の手術は直視下，あるいは鏡

2 肩鎖関節脱臼　757

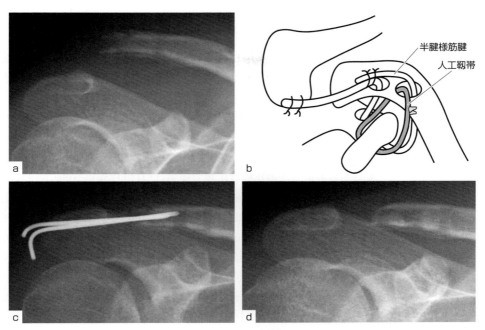

図 14-2-10　再手術時に用いた靱帯再建術（26 歳，男性）
受傷後 5 年経過した陳旧例で，鎖骨外側端切除と烏口肩峰靱帯移行と烏口突起・鎖骨間のネスプロンテープ締結（Kirschner 鋼線等での固定は併用せず）を行ったが，術後 8 週で再脱臼した（a）．烏口突起下と鎖骨の 1 つの骨孔の間に人工靱帯を通し，採取した半腱様筋腱を烏口突起基部にあけた骨孔と鎖骨の 2 つの骨孔の間に通した（b）．2.0 mm Kirschner 鋼線 2 本で肩鎖関節を整復固定後，人工靱帯を縛り，移植腱を腱同士および肩峰前縁に縫合した（c）．術後 3 ヵ月で Kirschner 鋼線を抜去した．術後 1 年の単純 X 線写真（d）．

視下，関節鏡のサポート下で行われる．動的な安定性を得る烏口突起を共同腱 conjoint tendon ごと鎖骨外側端に移行し固定する Dewar 法は，長期成績が不良であることが明らかになった．

　陳旧例で烏口突起・鎖骨間が安定し肩鎖関節不安定性が軽度のものでは，残存する症状に対して 4〜8 mm の鎖骨遠位端切除術や関節円板切除術も有効であるが，安定性がない場合に行うと鎖骨外側端の前後や上下方向の不安定性を増加させるので，烏口肩峰靱帯移行や靱帯再建術を併用すべきである．

　後療法は解剖学的再建では，肩鎖関節，烏口鎖骨間隙に加わる重力を軽減するためスリングを使用し，術後 1〜3 週から徐々に可動域訓練，4 週から等尺性運動を開始する．6 週でスリングを除去し，12 週から筋力増強訓練を行い，4〜6 ヵ月からすべての活動を許可する．肩鎖関節，烏口突起・鎖骨間固定術後はスリングで 2〜3 週固定後，挙上を 90°以下に制限して可動域訓練を開始し，6〜8 週はスリングを使用し，8〜12 週後に抜釘したら自・他動で制限を解除した全範囲の可動域訓練を開始する．可動域と筋力が十分に回復したらスポーツや重労働への復帰を許可する．人工靱帯を用いて補強した場合はこれらのリハビリテーションを早期から開始できるという利点がある．

f 治療成績と合併症

　Type Ⅰの9％，Type Ⅱの23％に疼痛が遺残し，この内の27％に活動レベルの低下が持続して，最長で受傷後26ヵ月目に陳旧期の手術が行われた報告例がある（Bergfeldら，1978・Mouhsineら，2003）．

　Type Ⅲに対する手術療法は保存療法より外観が良好で機能もやや良好とされる．しかし治療期間は長くなり，活動レベルが高くない場合では，保存療法と比較して疼痛，筋力，関節症の発生率に差が見られない．

　多数ある手術方法の比較は困難で優劣はつけがたい．Type Ⅳ～Ⅵ，特にType Ⅴの術後評価は，Constant score（100点満点：疼痛15点，ADL 20点，可動域40点，筋力25点；健側-患側：excellent 10点以内，good 11～20点，fair 21～30点，poor 31点以上），acromioclavicular joint instability score：AJIS（100点満点：疼痛20点，ADL 10点，外観10点，機能25点，単純X線写真所見35点），Taft score（12点満点：疼痛4点，筋力と可動域4点，単純X線写真所見4点）が使用される．どの術式でもConstant scoreで70～90点台である．Kirschner鋼線による肩鎖関節固定術でgood～excellent 96％，フックプレートによる固定術でexcellent 89％，人工材料での締結による烏口突起・鎖骨間固定術でgood～excellentが86％，烏口肩峰靱帯移行術（Weaver and Dunn）でgood～excellentが75％である．一般には烏口鎖骨靱帯の非解剖学的再建である烏口肩峰靱帯移行術や1本の移植腱による靱帯再建術より，2本を用いる解剖学的靱帯再建術でよりよい成績が得られ，Constant scoreでは前者では70～80点が後者では90点以上となる．解剖学的に烏口突起・鎖骨間を固定するtwin tail TightRopeはConstant scoreで92～95点，Taft scoreで10点，一方，1本の靱帯再建術のAC GraftRope®では80％が再脱臼し40％が再手術になったとの報告もある．どのような手術でもConstant scoreにかかわらず10～20％程度に整復位損失や再脱臼が生じ，gold standardとなる手術法はまだ存在していない．

　合併症はType Ⅰ，Ⅱの保存療法では単純X線写真所見で50％に関節症性変化が生じ，Type Ⅰ～Ⅲの肩鎖関節脱臼の6％に鎖骨遠位端骨溶解が発生する．Type Ⅳ～Ⅴに保存療法を行うと鎖骨外側端は皮下に突出したままとなり不安定性が遺残する．手術による合併症は術式によりさまざまである．あけた骨孔の拡大，材料の遊走や折損，人工材料の締結による烏口突起や鎖骨のチーズカット現象，骨折，骨溶解などがある．フックプレートでは10.6％に肩峰の骨侵蝕や骨折が生じるが，プレート部分が長いフックプレートを用いることでこの合併症を減少できる可能性がある．AC GraftRope®を使用すると骨孔の拡大による鎖骨骨折が11％，烏口突起骨折が7％生じると報告されている．

附-4　Kirschner鋼線の遊走 migration

　Kirschner鋼線を特に胸鎖関節，鎖骨骨幹部骨折，肩鎖関節，肩関節の固定に用いた場合に，関節の動きや骨折部の動きで遊走することがある．遊走先は心臓，大動脈，鎖骨下動脈，肺動脈，肺，縦隔，脊髄，気管などの重要器官で，特に心，大血管，肺損傷によって突然死に至ることがある．この遊走は75％が術後8ヵ月以内に確認される．

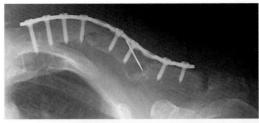
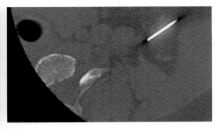
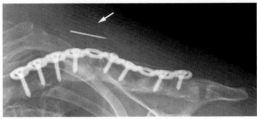

図 14-2-11　Kirschner 鋼線の遊走（61 歳，女性）
鎖骨の萎縮性偽関節に大きな腸骨骨片を移植した．術後 10 ヵ月に移植骨片の仮固定に用いた Kirschner 鋼線の遊走が判明した（矢印）．CT 画像上で頚椎方向へ遊走しており早急に抜去した．

Kirschner 鋼線の遠位を曲げること，2 mm 未満の Kirschner 鋼線は折損しやすいこと，固定中は関節運動を制限すること，胸鎖関節に使用する場合は遊走しても大丈夫な方向に刺入すること，定期的な単純 X 線写真による注意深い観察が必要である．Kirschner 鋼線は使用目的が達成され次第，または遊走が確認され次第，すぐに抜去する．しかし，重要臓器に迷入した場合は抜去時に大出血することもあるので慎重に行う必要がある（図 14-2-11）．

参考文献

1) Beitzel K et al：Current concepts in the treatment of acromioclavicular joint dislocations. Arthroscopy **29**：387-397, 2013.
2) Borbas P et al：Surgical management of chronic high-grade acromioclavicular joint dislocations：a systematic review. J Shoulder Elbow Surg **28**：2031-2038, 2019.
3) Bosworth BM：Acromioclaviculer separation：new method of repair. Surg Gynecol Obstet **73**：866-871, 1941.
4) Canadian Orthopaedic Trauma Society：Multicenter Randomized Clinical Trial of Nonoperative Versus Operative Treatment of Acute Acromio-Clavicular Joint Dislocation. J Orthop Trauma **29**：479-487, 2015.
5) Carofino BC et al：The anatomic coracoclavicular ligament reconstruction：surgical technique and indications. J Shoulder Elbow Surg **19**：37-46, 2010.
6) Kim S et al：Management of type Ⅲ acromioclavicular joint dislocations-current controversies. Bull Hosp Jt Dis **72**：53-60, 2014.
7) Nolte PC et al：Optimal Management of Acromioclavicular Dislocation: Current Perspectives. Orthop Res Rev **12**：27-44, 2020.
8) Olivos-Meza A et al：Radiographic displacement of acute acromioclavicular joint dislocations fixed with AC TightRope. JSES Int **4**：49-54, 2020.
9) Scheibel M et al：Arthroscopically assisted stabilization of acute high-grade acromioclavicular joint separations. Am J Sports Med **39**：1507-1516, 2011.
10) Simovitch R et al：Acromioclavicular joint injuries：diagnosis and management. J Am Acad Orthop Surg **17**：207-219, 2009.
11) Smith TO et al：Operative versus non-operative management following Rockwood grade Ⅲ acromioclavicular separation：a meta-analysis of the current evidence base **12**：19-27, 2011.
12) Struhl S et al：Continuous loop double Endobutton reconstruction for acromioclavicular joint dislocation. Am J Sports Med **43**：2437-2444, 2015.

13) Stucken C et al : Management of acromioclavicular joint injuries. Orthop Clin North Am **46**：57-66, 2015.
14) Tauber M et al : Arthroscopic stabilization of chronic acromioclavicular joint dislocations：triple-versus single-bundle reconstruction. Am J Sports Med **44**：482-489, 2016.
15) Tornetta Ⅲ P et al : Rockwood and Green's Fractures in Adults 9th ed. Wolters Kluwer, 2020.
16) Yoo YS et al : Arthroscopically assisted anatomical coracoclavicular ligament reconstruction using tendon graft. Int Orthop **35**：1025-1030, 2011.
17) Zanca P : Shoulder pain：involvement of the acromioclavicular joint.（Analysis of 1,000 cases）. Am J Roentgenol Radium Ther Nucl Med **112**：493-506, 1971.
18) Zuckerman JD : Disorders of the Shoulder Diagnosis and Management：Shoulder Trauma 3rd ed. Lippincott Williams & Wilkins, 2014.

3 鎖骨骨折 fracture of the clavicle

全骨折の2.5〜5％，小児の場合は全骨折の10〜15％，肩甲帯（胸鎖関節〜上腕骨近位部）の骨折・脱臼中の40％を占める．小児から高齢者までどの年齢層にも発生し，男性は女性より4〜5倍多い．好発するのは30歳未満の成人男性であるが，70歳以上では再び発生数が増加する．

a 解剖・機能解剖

鎖骨はS字状の形態を呈する長骨で，断面は外側部分が扁平で内側に向かうに従い管状となり太くなる（図14-3-1）．骨幹部は膜性骨化によって形成され，胎生期に最も早期に骨化する．鎖骨の横径成長に関与する骨膜は成長期には厚く丈夫であるが，骨との連結は比較的弱く靱帯との連結が強い．軟骨内骨化によって骨化する内・外側端は出産時には骨化しておらず成長軟骨として存在するため，単純X線写真では胸鎖・肩鎖関節裂隙は開大して見える．内側端は18〜20歳に骨端核が出現し，人体中で最も遅く23〜25歳で骨幹端と癒合する（図14-3-2）．外側端は通常，骨端核が出現せず18〜22歳で骨化が完了する．

鎖骨の長径成長の80％は内側骨端軟骨板に，残りの20％は外側骨端軟骨板に依存する．鎖骨の外側の前面には三角筋が起始し，後面には僧帽筋が停止する．内側の前面には大胸筋が起始し，近位面には胸鎖乳突筋（鎖骨枝）が起始する．三角筋と大胸

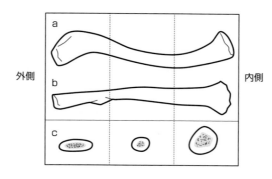

図14-3-1　鎖骨の形態
a. 近位面，b. 前面，c. 断面

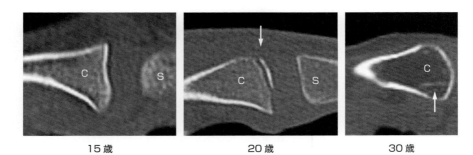

図 14-3-2　鎖骨内側端の骨端核の出現時期（CT 画像）
15 歳でまだ出現せず，20 歳で出現（矢印）した症例．通常 23〜25 歳で骨幹端と癒合（30 歳矢印）する．C：鎖骨　S：胸骨

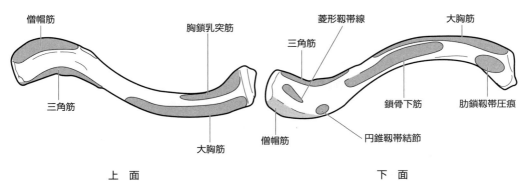

図 14-3-3　鎖骨（右）の骨格（靱帯と筋の付着）
骨折発生には鎖骨自体の形状，不均衡な筋付着部分布など，転位には付着筋と上肢重量が大きくかかわる．
（Netter FH：Atlas of Human Anatomy 6th ed. Saunders/Elsevier, 2014 をもとに作図）

筋付着部の間には鎖骨上神経孔（鎖骨上神経が骨内を通過）が約 2％に存在する．中央の下面には鎖骨下筋が停止する．外側の下面には菱形靱帯と円錐靱帯からなる烏口鎖骨靱帯が菱形靱帯線と円錐靱帯結節に付着する．内側の下面の肋鎖靱帯圧痕には肋鎖靱帯が付着する（図 14-3-3）．鎖骨の断面の形態が移行する部分，かつ三角筋と大胸筋付着部の間で付着する靱帯もない骨幹部は易損性で骨折が生じやすい．また鎖骨は体幹と上肢を連結する唯一の骨で，鎖骨の長さが短縮すると肩甲骨自体の前方傾斜と内旋・内転が増加し，体幹と肩甲骨を繋ぐ筋が十分な機能を発揮できない．上肢を最大挙上すると鎖骨は胸鎖関節を支点に，上方へ 40°，後方へ 35° 傾くとともに，鎖骨長軸の回りを後方へ 30° 回旋する．

b 受傷機転

骨幹部骨折は大部分が単車走行やスポーツ（スキー，スノーボードなど）中の転倒時の肩外側から鎖骨に加わる軸圧によって発生し，鎖骨自体への直達外力によるものは 10％程度，転倒して手をついて受傷する介達外力は 5％未満である．若年層に多い高エネルギー外傷による鎖骨骨折は肋骨骨折（時に血気胸を合併），肩甲骨骨折（肩甲

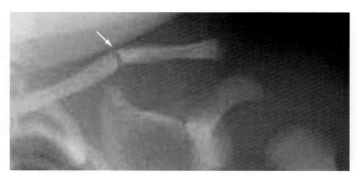

図14-3-4 左鎖骨の分娩骨折

骨外科頚骨折を合併する floating shoulder など），上腕骨近位部骨折，腕神経叢損傷，鎖骨下動・静脈損傷，骨折端による肺尖部損傷などを合併することがある．骨粗鬆のある高齢者に多い低エネルギー外傷による鎖骨骨折は室内転倒などで容易に生じる．外側部の骨折は肩鎖関節脱臼と同様に転倒時の肩後外側部からの外力あるいは手をついたときに発生し，高齢者に多くまれに烏口突起骨折を合併する．内側部の骨折は運転中（自動車，単車，自転車）の交通事故による受傷が68％と多く，歩行中の自動車との接触は16％，暴行や銃創などによるものが11％あるが転倒は5％と少ない．高エネルギー外傷では肋骨骨折が70％，肺挫傷や血気胸が50％に合併し，頭部・胸部外傷を合併した場合の致死率は約20％と報告されている．非外傷性骨折は骨髄炎や腫瘍の放射線療法後の病的骨折，剣道，柔道，空手，ラグビーなどのスポーツや頸部腫瘍の広範囲頸部郭清術後の疲労骨折がある．分娩骨折 birth fracture の中では鎖骨骨折が最も多く，経腟分娩の1〜2％に発生する（図 14-3-4）．

c 骨折の形態・分類

Allman は骨折部位の発生頻度順に，Group Ⅰ：中央 1/3，Group Ⅱ：外側 1/3，Group Ⅲ：内側 1/3 に分類した．発生頻度は Group Ⅰが 70〜80％，Group Ⅱが 10〜15％，Group Ⅲが 2〜5％で，いずれも男性に多く，受傷時の平均年齢は Group Ⅰから Ⅲ の順に高くなる．

Neer は Group Ⅱ（外側部骨折）を Type Ⅰ：烏口鎖骨靱帯より外側の骨折で転位が少ない安定型骨折，Type Ⅱ：近位骨片が烏口鎖骨靱帯の断裂によって上方へ転位する不安定型骨折，Type Ⅲ：関節内骨折に分類した（図 14-3-5）．

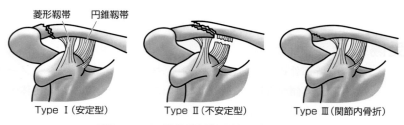

図14-3-5 鎖骨外側部骨折の Neer 分類

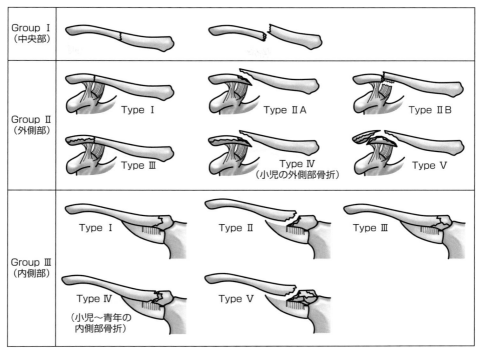

図 14-3-6　鎖骨骨折の Craig 分類
(Zuckerman JD：Disorders of the Shoulder Diagnosis and Management：Shoulder Trauma 3rd ed. Lippincott Williams & Wilkins, 2014 をもとに作図)

　Craig は円錐靱帯損傷の有無と小児骨折，骨端離開を加えて，外側部骨折の Neer 分類 Type Ⅰ～Ⅲ と Allman 分類 Group Ⅲ（内側部骨折）を細分化した（図 14-3-6）．すなわち外側部骨折では Craig 分類の Type Ⅰ と Type Ⅲ は Neer 分類と同一で，Neer 分類 Type Ⅱ を Type ⅡA：遠位骨片に円錐靱帯，菱形靱帯が付着し近位骨片が上方へ転位するもの，Type ⅡB：近位骨片から円錐靱帯のみ剥離し上方へ転位するもの（いずれも不安定型骨折）に分け，さらに Type Ⅳ：小児の外側部の骨折で骨膜と靱帯の間には損傷がなく連絡は保たれ，鎖骨上面の骨膜の破損によって近位骨片が転位するもので，単純X線写真で肩鎖関節の偽脱臼 pseudodislocation を示す骨端離開を含む（図 14-3-7），Type Ⅴ：粉砕骨折で粉砕骨片にのみ烏口鎖骨靱帯が付着する不安定型骨折を追加した．内側部骨折は，Type Ⅰ：転位が少ないもの，Type Ⅱ：靱帯損傷によって転位するもの，Type Ⅲ：関節内骨折，Type Ⅳ：小児～青少年の骨端離開（Salter-Harris Type Ⅰ と Type Ⅱ（図 14-3-7）），Type Ⅴ：粉砕骨折に分類した．Craig 分類は細かいが，外側部骨折は Neer 分類の Type Ⅰ～Ⅲ と同一でわかりやすい．また外側部・内側部の粉砕骨折を Type Ⅴ，小児の骨折・骨端離開を Type Ⅳ に分類しすべてを網羅する．

　鎖骨の骨折部位と発生頻度および靱帯損傷による分類に対して，Robinson は骨折の転位を重視して分類し，骨幹部骨折では保存・手術療法の予後を反映する Edinburgh 分類を提唱した（図 14-3-8）．Edinburgh 分類は部位を Type 1：内側 1/5，Type 2：中央 3/5，Type 3：外側 1/5 とし，Type 2 を骨横径の 100％ を超える側方転

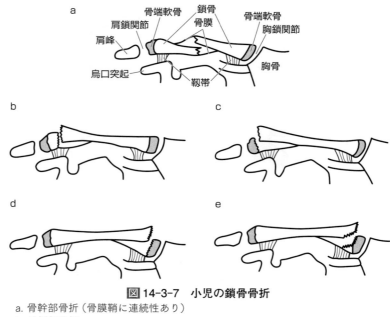

図 14-3-7　小児の鎖骨骨折
a. 骨幹部骨折（骨膜鞘に連続性あり）
b. 外側部骨折
c. 外側骨端離開（pseudodislocation, Salter-Harris 分類の Type I）
d. 内側骨端離開（Salter-Harris 分類の Type I）
e. 内側骨端離開（Salter-Harris 分類の Type II）
b & c：Craig 分類 Group II Type IV
d & e：Craig 分類 Group III Type IV

位の有無によってA, Bに二分し，さらに骨折形態で1, 2に二分した．Type 1とType 3は転位の有無でA, Bに二分し，さらに関節内骨折の有無で1, 2に二分している．Edinburgh 分類は主に中央部（骨幹部）の骨折（横骨折，斜骨折，粉砕骨折がそれぞれ1/3ずつを占める）で用いられる．このほかAO/OTA分類があり，内側端，骨幹部，外側端に分け，骨折の形態，関節内・外骨折，烏口鎖骨靱帯損傷の有無で分類されるが複雑で用いられることは少ない．

d 臨床所見・診断

骨幹部骨折では胸鎖乳突筋によって近位骨片は上方へ，遠位骨片は上肢の重力と大胸筋や広背筋による上腕の内方への牽引で，下方および内方へ転位（短縮）するとともに前方へ回転し，肩甲骨には内旋，前方傾斜，下制が生じる．この外見上の変形および腫脹，疼痛，限局性の圧痛などから一般に診断は容易で，転位が強いと骨折端が皮膚を突き上げることもある．外側部骨折，外側骨端離開における近位骨片の上方転位は肩鎖関節（亜）脱臼と，内側部骨折，内側骨端離開の遠位骨片の前方転位は胸鎖関節（亜）脱臼と類似した所見を呈する．しかし内側骨端離開の後方転位は，胸骨と関節を形成する内側骨端の外見上の位置は健側骨端と同じ位置にあることから，胸鎖関節後方脱臼との鑑別が可能である．骨端軟骨の骨化が完了するまでは骨端離開と関節脱臼の双方が生じる可能性があるが，13〜16歳以下では骨端離開のことが多い．

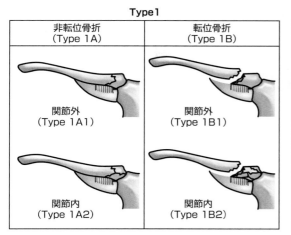
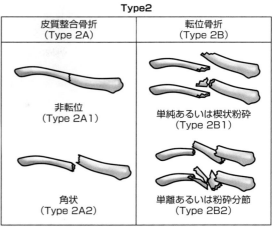
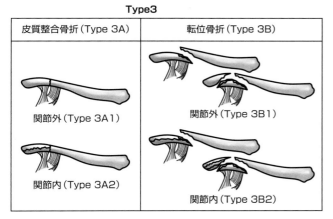

図 14-3-8　鎖骨骨折の Edinburgh 分類
特に臨床では中央部（骨幹部）骨折に用いられる．

(Zuckerman JD：Disorders of the Shoulder Diagnosis and Management：Shoulder Trauma 3rd ed. Lippincott Williams & Wilkins, 2014 をもとに作図)

外側部の関節内骨折の症状は腫脹と局限性圧痛のみのため，肩鎖関節損傷の Type I との鑑別は不可能である．幼小児では疼痛の部位と腫脹が不明で，疼痛のため受傷側の上肢を動かさない偽性麻痺と局所の圧痛のみ示すことがある．

単純X線写真による診断には前後撮影と 30〜45°仰角撮影が基本である．さらに外側部骨折では 10〜30°仰角撮影と腋窩撮影，内側部骨折では Rockwood による 40°仰角撮影（serendipity view, p.777）も有用である．短縮転位の程度は横骨折では明らかであるが，斜骨折では判然としないことが多く，両側鎖骨を1枚のフィルムに収めて撮影し患側と健側を比較する．CT は単純X線写真では見逃される確率が高い内側部骨折には必須の検査である（図 14-3-9）．また内・外側骨端離開と胸鎖・肩鎖関節脱臼，外側部関節内骨折と肩鎖関節損傷の Type I（捻挫）の鑑別にも有用である．しかし骨端核が未出現の時期の Salter-Harris 分類の Type I 骨端離開と脱臼の鑑別は難しい．三次元 CT 画像は骨折転位（特に粉砕骨折）を詳細に把握でき手術適応および術前計画に役立つ．

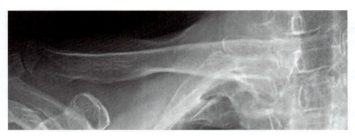

単純X線写真

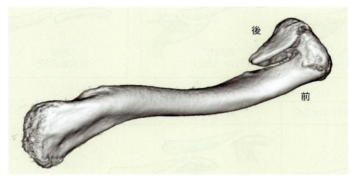

三次元CT画像

図 14-3-9　鎖骨内側部骨折（75歳，女性）
単純X線写真では内側部骨折は判然としないが，三次元CT（鎖骨の下面像）では明らかである．

e 治　療

　1960年代における鎖骨偽関節の発生率は保存療法が0.1～0.8％，手術療法が3.7～4.6％と，手術療法で高率であると報告されたため，基本的にほぼすべての例に保存療法が行われ，手術適応は開放骨折，神経・血管損傷の合併，多発外傷，肩甲骨外科頸骨折を伴うfloating shoulderなどに限られていた．しかし手術が多く行われるようになった1990年代以降に，完全転位（骨横径の100％を超える側方転位）がある骨幹部骨折の偽関節の発生率は保存療法で15～20％，手術療法で1～2％と手術療法がはるかに低率なことが判明した．近年では転位がない骨折には保存療法が行われるが，最小侵襲手術法や内固定材の進歩によって，骨折部位（骨幹部，外側部，内側部）と転位の程度（側方転位，長軸転位における短縮）と粉砕骨片の有無，疼痛や易疲労感と肩関節機能障害や肩関節周囲筋力・持久力の低下などを惹起する症候性の偽関節・変形癒合となる確率に加えて，治療期間あるいは社会復帰までの期間・年齢・活動性を勘案したうえで，手術療法を選択する機会が増加している．

　骨幹部骨折（16歳以上の成人）：約70％には骨折部に軽～重度の転位があり，平均で12 mm短縮（近位骨片と遠位骨片の間の長軸転位）している．成績不良の一因となる偽関節の発生には完全転位，15～20 mm以上の鎖骨の短縮，粉砕骨片，さらに高齢者，女性であることなどが影響する．Robinsonらは鎖骨骨折（868肩）に骨折部位，転位の有無，骨折形態にかかわらず保存療法を行った場合の偽関節の総発生率は6～

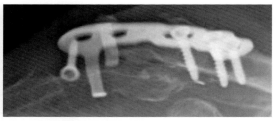

図 14-3-10　高齢者の鎖骨外側部骨折術後に生じた偽関節（84歳，男性）
外側部骨折を Scorpion® プレートで固定したが，プレートの脱転とスクリューの逸脱を認め偽関節となった．

7%で，このうちの完全転位または粉砕骨片のある骨幹部骨折（428肩）に限ると偽関節の発生率は20〜21%で3倍多く発生していたと報告した．保存・手術療法のいずれでも偽関節にならずに骨癒合すれば両者の治療成績に差は生じないとする報告がある一方で，完全転位がある骨折に保存療法を行うと骨癒合しても20〜25%に症候性の変形癒合が発生し，15〜20 mm以上の短縮癒合や30°以上の角状変形が生じているとこの確率がさらに高くなるとも報告されている（Hillenら，2010）．保存療法後の症候性の偽関節・変形癒合に対しては偽関節手術や変形治癒骨折矯正手術が行われるが，完全転位がある骨折に対して一次的に手術療法を適応した場合より良い成績は得られない．一方，手術療法は感染などの合併症をきたすリスクはあるが，偽関節・変形癒合の発生率は低く，症状は早期に改善し社会復帰，骨癒合は早く機能回復も良好である．したがって骨幹部骨折では完全転位があり，15〜20 mm以上の短縮が存在し，骨片が皮膚を突き上げている場合や3骨片以上の粉砕・分節骨折（Edinburgh分類 Type 2B1〜2）に対しては手術療法を適応する．さらに利き手側また機能的要求度の高い青壮年，早期のスポーツ復帰や美容的な要求がある場合にも手術が選択される．

外側部骨折：Neer 分類 Type I（安定型骨折）は保存療法で98%に良好な成績が得られる．Type II（不安定型骨折）は保存療法で30%が偽関節になり，高齢者ほど偽関節の発生率が高くなる．一方，手術療法での偽関節の発生は1〜2%と低率である．しかし高齢者では偽関節が生じてもその80%は肩関節機能障害が少なく無症候であり，手術を行うと骨粗鬆などにより内固定材が逸脱，脱転する例もあることから高齢者に限っては不安定型骨折でも手術療法は絶対的適応ではない（図14-3-10）．Neer 分類 Type III には保存療法を行う．鎖骨遠位端骨溶解症や変形性関節症が発生して保存療法で改善しない場合には二次的に鎖骨遠位端切除術を行う（附-9参照）．

内側部骨折：約30%の例は近位骨片と遠位骨片の間に10 mmを超える転位があり，約10%に関節内骨折を伴う．約70%の転位が10 mm以下の軽度な例に対する保存療法は，偽関節の発生率は約5%と少なく一般に成績は良好である（Throckmortonら，2007）．しかし肋鎖靱帯損傷が合併するために不安定で転位が骨横径の100%（あるいは10 mm）を超える完全転位骨折では15%が偽関節となり，このうちの半数が鎖骨の短縮や遠位骨片の前内側への突出による疼痛と機能障害が生じ症候性となる．仮に癒合しても著しい短縮や突出が遺残する可能性がある場合には手術を適応する必要がある（Sidhuら，2015）．

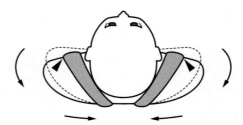

図 14-3-11 仰臥位による整復と鎖骨バンドの装着法
胸を張った状態で鎖骨バンドと肩峰の間には，1～2 横指が入る余裕がある程度に締める（矢頭）．

1）保存療法

成人（16 歳以上）の転位が少ない安定型の骨折には基本的に保存療法が行われる．

a）骨幹部骨折

局所の安静と骨折部のアライメントの保持を目的に鎖骨バンド，スリングが用いられる．仰臥位で両肩の緊張を抜かせて胸を張った状態で鎖骨バンドと肩峰の間に 1～2 横指の余裕がある程度に鎖骨バンド clavicle band を締め，これによって得られる整復位（アライメント）を維持する（図 14-3-11）．15 歳以上で鎖骨バンドとスリングのいずれかを装着した治療の比較では，鎖骨バンド装着後の初めの数日間はスリングより有意に強い疼痛があるが骨折部の軋音は抑制される．しかし，癒合時の短縮は鎖骨バンドで平均 9 mm（3～17 mm），スリングで平均 7.7 mm（0～24 mm）と両者間に有意差はなく，機能的予後も変わらないのでスリングの装着による治療のほうが簡便で早期に疼痛の軽減が得られるとする意見もある．いずれかを 6～8 週装着し橋渡し仮骨が出現したら積極的に可動域訓練を開始する．

b）外側部骨折

Neer 分類 Type I はスリングで固定し仮骨の出現を確認したら後療法を開始する．Type II にスリング固定を適応した場合は，仮骨の出現を待たずに急性期の症状が消退したら肩関節可動域訓練を開始する．Type III は Type II と同様に急性期はスリングで固定し，仮骨の出現を待たずに後療法を開始するが，骨癒合まで肩鎖関節面に圧力が加わる重量物の挙上動作や水平内転を禁止する．

c）内側部骨折

鎖骨バンド，スリングで 6～8 週固定する．4～5 ヵ月はコンタクトスポーツを禁止する．

2）手術療法

成人の転位が大きく不安定型骨折で，早期の日常生活動作への復帰を希望する場合，症候性の偽関節や変形の遺残が危惧される場合に手術療法が適応となる．

a）骨幹部骨折

内固定材には基本的に粉砕骨折にも対応でき，整復・固定後に十分な固定性が得られ後療法が早期に開始できるプレートやロッキングプレートを用いる．手術侵襲が少なく経皮的にも使用が可能な各種の髄内釘（径 3 mm の Kirschner 鋼線，中空スクリューなど）を用いてもよいが，回旋に対して不安定で短縮が生じやすいのでロッキ

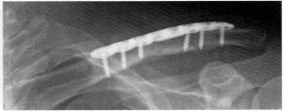
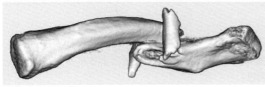

図 14-3-12　鎖骨骨幹部骨折（肋骨骨折合併）
　　　　　　（38歳，男性）
Edinburgh 分類，Type 2B2．ロッキングプレート固定を施行した．

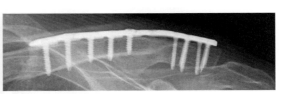

図 14-3-13　鎖骨外側部骨折（53歳，男性）
Craig 分類の Type Ⅴ．ロッキングプレート固定を施行した．

ングプレートより偽関節になる確率は高い．ロッキングプレートを鎖骨の上面に設置する場合には，ねじ山が浅いロッキングスクリュー周囲の骨孔が拡大し，ロッキングプレートとスクリューが一塊として引き抜けることがあるので，皮質骨スクリューによる圧迫固定を併用するか 2 号の縫合糸で鎖骨とロッキングプレートを締結する．

　鎖骨に沿い横切開し，骨折部を展開し骨片を整復して縫合糸や細い Kirschner 鋼線で仮固定してプレートやロッキングプレートで固定する（図 14-3-12）．骨折部の近位と遠位に各 3 本ずつスクリューを刺入する．前面設置より皮膚を刺激しない上面設置のほうが固定性にすぐれ簡便である．術後は 3 週スリングを用いる．プレートを用いると手術合併症がきわめて少なく，機能回復は良好で癒合が早く満足度は高い．16～60 歳の Edinburgh 分類 Type 2B の転位型骨折の術後の偽関節発生率は 1% である．

b）外側部骨折

　Craig 分類を参考に遠位骨片の長さ・粉砕の程度により，遠位骨片が長い場合には外側部ロッキングプレート（少なくとも遠位骨片に 2 本以上の bi-cortical screw の刺入が必要）（図 14-3-13）やスコーピオンプレート Scorpion® plate，遠位骨片が短く粉砕している場合は Kirschner 鋼線（2.0 mm）と軟鋼線（1.0 mm）（図 14-3-14），またはフックプレート hook plate を用いる（図 14-3-15）．Type ⅡB は骨折を固定すれば靱

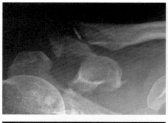
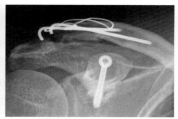
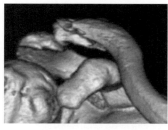

図 14-3-14　鎖骨外側部骨折（烏口突起骨折の合併による不安定型骨折）（57 歳，男性）
SSSC（p.738 参照）の double disruption でもある．saber cut 皮切で，2.0 mm Kirschner 鋼線と 1.0 mm 軟鋼線で鎖骨外側部骨折を整復固定し，径 5.0 mm のスクリューで烏口突起を固定した．

図 14-3-15　鎖骨外側部骨折（38 歳，男性）
Craig 分類の Type V．フックプレート固定を施行した．

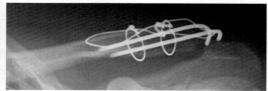

図 14-3-16　鎖骨外側部骨折（29 歳，男性）
Craig 分類の Type V．2.0 mm Kirschner 鋼線と 1.0 mm 軟鋼線で強固に固定できた．

帯は修復されるが，近位骨片と烏口突起の間を suture anchor，flip button（AC Tight-Rope®），人工靱帯，テープ材，スクリュー（あまり用いられない）で固定することもある．
　Kirschner 鋼線と軟鋼線を用いた骨片締結法（引き寄せ鋼線締結法 tension band wiring）は，鎖骨外側部を中心に前内方から後外方に斜切開を加え，肩鎖靱帯を温存しながら骨折部を展開し，Type II ではあらかじめ遠位骨片下に，Type V では烏口鎖骨靱帯が付着する骨片の下に軟鋼線，strong suture 糸（FiberWire® など）を通す（図 14-3-16）．近位骨片に軟鋼線を通した後，遠位・近位骨片を整復して外側端の前上方と後上方から Kirschner 鋼線を刺入し，軟鋼線，strong suture 糸を締結し，近位骨片にかけた軟鋼線で引き寄せ鋼線締結法を行う．

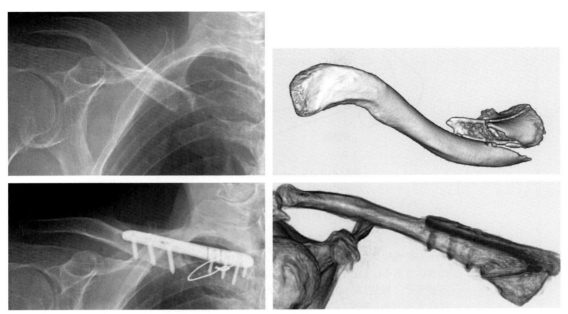

図 14-3-17 鎖骨内側部骨折（78歳，男性）
鎖骨外側部骨折用の clavicle wiring plate で固定した．

　　フックプレートで固定した場合とロッキングプレートで固定した場合の偽関節の発生率は変わらないが，肩峰の侵蝕が生じることのあるフックプレートで固定した場合は挙上を90°以下に制限し3〜6ヵ月で抜釘する．

c）内側部骨折

　　鎖骨内側部に沿う横切開で展開し，ロッキングプレート，フックプレートで固定するか，鋼線締結法や骨片縫合を行う（**図 14-3-17**）．強固な安定性が得られない場合は鎖骨バンドなどでの外固定を併用する．

附-5　小児鎖骨骨折・骨端離開

　　小児（15歳以下）では骨幹部骨折が90％を占め，その半数以上が7歳以下に生じる．小児の骨幹部骨折の半数に完全転位が生じるが，骨膜は損傷を免れて骨膜鞘の連続性は保たれることが多い．乳幼児では大部分が若木骨折のために完全に転位することは少ない．

　　鎖骨長径の成長は女性で9歳，男性では12歳に約80％完成する．骨幹部骨折はおおよそ10歳未満では転位があっても自家矯正されるので鎖骨バンドやスリング併用による保存療法が適応され，3〜4週固定する．また乳幼児では固定の必要はない．しかし7歳で骨幹部偽関節が生じてプレートを用いた偽関節手術が行われた報告もあり，保存療法中は厳密に経過を観察する必要がある．残りの成長期間が少ないため自家矯正が少ない10〜15歳では，健側比の15％の短縮（成人の20 mm の短縮に相当する），完全転位，Z状の第三骨片の存在，骨片による皮膚の突き上げ，粉砕骨折に対しては手術を考慮する．成長が終了に近づくほど大きな転位は許容できなくなる．小児の骨幹部骨折に対し手術により固定する場合はノンロッキングプレート固定が推奨される．径2 mm の Kirschner 鋼線を髄内釘として用いると弯曲や破断の危険がある．術後3週スリングで固定し，12週でスポーツへの復帰を許可する．

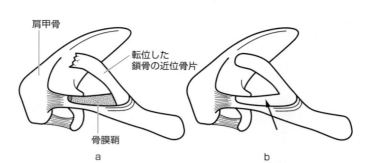

図 14-3-18 小児鎖骨骨折後の分岐鎖骨
a. 近位骨片が僧帽筋内へ転位する場合は整復する必要がある．
b. 骨膜鞘内に形成される鎖骨（矢印）と転位した鎖骨が分岐鎖骨となって肩関節の運動障害が生じる．

小児の転位の少ない外側部骨折，外側骨端離開は基本的に鎖骨バンドによる保存療法の適応である．しかし著しい転位がある外側骨端離開では，新しく骨膜鞘内に形成される鎖骨と，転位した鎖骨が分岐鎖骨（図 14-3-18）を形成し肩関節の運動障害が長期間持続するので，転位した近位骨片を手術により骨膜鞘内に還納し骨膜を縫合する．安定しない場合には骨端軟骨と骨幹端を縫合するか，Kirschner 鋼線で仮固定する．

鎖骨内側骨端離開はよくリモデリングされ，基本的に鎖骨バンドによる保存療法の適応で仮骨の出現まで固定する．しかし内側骨端離開の著しい後方転位で徒手整復が不能の場合には，手術が適応され整復して縫合糸で固定する．

附-6 鎖骨骨折後の偽関節

鎖骨骨折後の偽関節の発生部位は骨幹部が約 75％，外側部が約 25％で，骨折自体が少ない内側部に発生することはきわめて少ない．偽関節は保存・手術療法いずれにも発生し，まれに小児にも発生する．治療が必要な症候性偽関節と症状がなく偶然発見され治療が不要の無症候性偽関節がある．手術後に発生する症候性偽関節はほとんどが骨幹部である．単純X線写真では萎縮性偽関節と仮骨の多い増殖性偽関節に分けられ（図 14-3-19），保存・手術療法あるいは骨折部位にかかわらず両偽関節が発生するが，頻度は萎縮性が多い．いずれが強い症状を呈するかの一定した傾向はない．

骨幹部骨折の偽関節の症状は体幹と肩甲帯・上肢の連結の破綻により生じる脱力や肩関節の挙上制限，過使用時の疲労感・だるさ，筋力の低下，偽関節部の疼痛，不安定感などである．肩幅の短縮や肩下がりによる着衣のずれや，外観上の凸変形なども愁訴になる．増殖性偽関節により鎖骨と第 1 肋骨間が狭窄し，胸郭出口症候群が発症することがある．外側部骨折の偽関節の症状は肩関節運動時や患側下の側臥位での偽関節部の疼痛，鎖骨外側部の突出などであるが肩関節の挙上が制限されることは少ない．

症候性偽関節に対する保存療法は，二次的に生じた肩関節の可動域制限（特に骨幹部の偽関節）や肩甲帯周囲筋の筋萎縮に対して，可動域訓練や筋力強化などを行う．萎縮性偽関節は，この保存療法で無症候性になるとの報告があり高齢者には試みるべき方法である．超音波骨折治療は偽関節の癒合が得られても，転位は改善しないので変形癒合による症状が発生する可能性がある．

手術療法は鎖骨の短縮と変形を矯正し骨癒合させて症状を改善させることを目的とする．萎縮性偽関節は腸骨骨移植を併用し，増殖性偽関節は偽関節部の切除骨も移植骨として利用する．80〜90％の症例に満足が得られる．しかし手術を行っても 3〜8％は骨癒合が得られず再び偽関節となる．その多くは固定法など手術方法に原因がある．偽

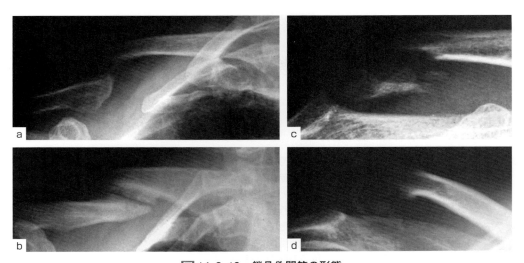

図 14-3-19 鎖骨偽関節の形態
a. 骨幹部萎縮性, b. 骨幹部増殖性, c. 外側部萎縮性, d. 外側部増殖性

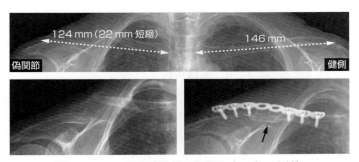

図 14-3-20 鎖骨骨幹部の偽関節（69 歳，女性）
5 年前に受傷し保存療法を受け肩下がりが遺残した．1 年 6 ヵ月前から肩関節可動域制限，引き続いて鎖骨痛が出現した．単純 X 線写真前後像で短縮を計測して腸骨移植（矢印）により鎖骨長を矯正しプレートで固定した．

関節手術を 3 回以上行い癒合が得られない場合には，遊離血管柄付腓骨移植（甲状頚動脈，外頚静脈の枝と縫合）を行う．

骨幹部の偽関節手術（図 14-3-20）：偽関節部を中心に骨膜下に鎖骨を展開し，偽関節部に介在する瘢痕組織や異常仮骨を掻爬，郭清し，骨折端を出し髄腔を開通させる．遠位骨片を押し上げるように整復する．整復位が得られると正常な鎖骨長が確保できることが多い．偽関節部に骨欠損がある場合はあらかじめ外表面上，単純 X 線写真，三次元 CT 画像などで患側の鎖骨の骨欠損部の長さを計算し，腸骨より骨片を採取し欠損部にはめ込むように移植し鎖骨上面をプレートで固定する．強固な固定性を得るためには遠位と近位骨片それぞれに 3 本以上のスクリューを用いる．さらに偽関節部のプレートの前・後面に on lay 骨移植を加えて strong suture 糸（Fiber wire®など）で締結し固定する．

外側部の偽関節手術：肩鎖靱帯を温存して偽関節部を展開・掻爬して髄腔を掘削する．近位・遠位骨片間の間隙に腸骨片・海綿骨を充填し Kirschner 鋼線と引き寄せ鋼線締結法で固定する．近位・遠位骨片間の固定にはフックプレートを用いてもよい．し

かし，遠位骨片がきわめて小さく萎縮が強い場合は切除して陳旧性肩鎖関節脱臼に準じた手術を行う．

内側部の偽関節手術：強固な内固定はきわめて困難で胸鎖関節再建術で行われる近位骨片切除と遠位骨片を安定化させる手術（鎖骨と胸骨間，または鎖骨と第1肋軟骨間の安定化手術）を行う．

附-7 鎖骨骨折の変形癒合

骨幹部骨折が15～20 mm あるいは健側比10%以上短縮癒合すると，レバーアームが短縮するために肩関節の挙上障害，肩峰下インピンジメント，易疲労感や持久力の低下，胸郭出口症候群などが出現する．すなわち鎖骨が約20 mm 短縮すると肩甲骨は前傾し，水平面では後方移動し，肩峰は内・下・前方へ変位し翼状肩甲が生じる．また鎖骨骨折部の上方突の変形では胸鎖関節を支点とする鎖骨外側端の上方への移動量が小さくなることによって，肩関節の挙上が制限される．

保存療法は三角筋の筋力訓練やストレッチングが行われる．手術療法は健側と同じ長さ，元の形態に戻す延長回旋骨切り術を行い，骨欠損部には骨移植を行いプレートで固定する．変形癒合後2年以内に手術を行うと成績は良いが，偽関節となる危険もある．外側部の著しい変形癒合でも肩関節の挙上制限が生じることがある．手術で改善は得られるが，機能は正常まで回復しない．

f 治療成績を左右する因子

偽関節や変形癒合が生じた場合に症候性となるか否かは遺残した転位や変形の程度に加えて年齢や活動性が影響する．高齢者や機能的要求が高くないなど活動性が低い場合は障害の訴えがないことが多い．一方，無症候性に経過したものが転職などにより活動性が高くなったり，運動を開始したり，局所に打撲を受けたり，肩関節拘縮が生じたことなどを契機に症候性になることがある．

保存療法では外観上の変形が，手術療法では術創の瘢痕が不満となることがある．また術後感染，不適切な手術による固定材料のゆるみ，皮膚への刺激，折損などが成績不良をもたらす．外側部骨折ではフックプレートを用いた場合，hook による肩峰の侵蝕や骨折，烏口鎖骨間にテープ材料や人工靱帯を用いた場合は骨侵蝕（cheese cut 現象）による鎖骨骨折がある．内側部骨折では Kirschner 鋼線による胸鎖関節をまたいだ固定後の折損，迷入なども成績不良の原因となる．骨折の部位や形態それぞれに適合し十分な強度がある内固定材を選択する必要がある．再骨折は保存療法では早期のスポーツ復帰，手術療法では早期の抜釘で生じることが多く，骨幹部の再骨折では近位骨片が下方，遠位骨片が上方へ逆方向に転位することがある（**図14-3-21**）．また偽関節になる確率も高い．内側部骨折・骨端離開の後方転位では縦隔損傷を合併することがあり，まれに骨幹部骨折の手術時に鎖骨下動・静脈損傷や仮性動脈瘤が生じることがある．鎖骨外側，内側部関節内骨折では，治療法にかかわらず二次性変形性関節症，骨溶解症が発生し疼痛が遷延することがある．

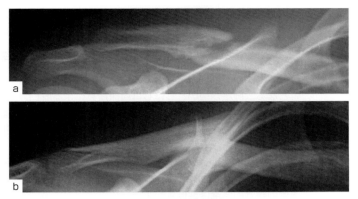

図 14-3-21　鎖骨再骨折での骨折転位
a. 17歳，男性．プレート固定の術後9ヵ月で抜釘し再骨折が生じた．
b. 20歳，男性．術後の再骨折で偽関節に進展した．
a, b ともに遠位骨片が頭側へ，近位骨片が尾側に転位している．

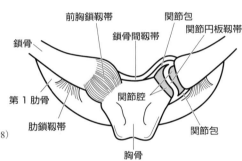

図 14-3-22　胸鎖関節の構造
（Rowe CR：The Shoulder. Churchill Livingstone, 1998）

附-8　胸鎖関節脱臼 dislocation of the sternoclavicular joint

　　胸鎖関節は鞍関節で二軸性関節であるが球関節としての機能もあり，関節は鎖骨内側端の面積の50％以下の関節面と胸骨の鎖骨切痕で形成され，胸鎖関節を支点に鎖骨は前額面において上下方向に40°，水平面において前後方向に35°，鎖骨の長軸を中心に30°回旋する．骨性の安定性は小さいが，前・後関節包，胸鎖靱帯（関節包靱帯），鎖骨間靱帯，関節円板靱帯および肋鎖靱帯により安定性が保たれる．前・後方向への安定性は強靱な後方関節包，前方への安定性には前方関節包も関与し，第1肋軟骨から鎖骨の内側端上方に付着して関節腔を二分する関節円板靱帯は肋鎖靱帯とともに上方への安定性を担っている（**図 14-3-22**）．胸鎖関節捻挫〜脱臼は肩甲帯の外傷の1〜2％，胸鎖関節脱臼は全脱臼の1％を占める．脱臼はその方向（前方，後方，あるいは上方），転位の程度（Grade 1：捻挫（解剖学的位置を保つ），Grade 2：胸鎖靱帯断裂（亜脱臼），Grade 3：胸鎖靱帯と肋鎖靱帯断裂（脱臼），Allman 1967），外傷の有無（外傷性（急性，陳旧性，反復性），非外傷性（肩関節挙上によって前方に（亜）脱臼する自発性など））により分類される．外傷性脱臼の原因には直達外力と介達外力があり，直達外力では前方から鎖骨内側端に外力が直撃して後方脱臼が生じる．圧倒的に多い介達外力では，肩の後外側に外力が加わり肩甲帯が前方移動することによって後方脱臼，前外

側に外力が加わり後方移動することによって前方脱臼が生じる．原因は自動車事故47%とスポーツ外傷31%と両者で約80%を占め，脱臼方向は前方が後方より3倍多い．転位の程度は捻挫（解剖学的位置が保たれている場合）と亜脱臼が70〜80%を占める．半数に肩甲骨骨折や胸郭損傷が合併する．捻挫や亜脱臼では圧痛や軽度の運動痛のみであるが，脱臼すると著明な運動痛が生じ，90°以上の肩関節挙上や肩すくめが困難となる．腫脹が強いとしばしば臨床所見による脱臼方向の診断が困難となる．後方には胸鎖関節から平均6mmと近接する腕頭静脈をはじめ重要な臓器がある．後方脱臼の約25%は縦隔内臓器（心・肺・大血管，気道，食道）損傷，腕神経叢の圧迫，心筋伝導障害，気胸，静脈うっ血などを伴う．

　通常の胸部単純X線写真の前後像では脱臼の方向は判定できず，Rockwoodによる40°仰角撮影（serendipity view）で脱臼方向が判明する（図14-3-23）．前方脱臼では患側の鎖骨内側端は健側より上方，後方脱臼では患側の鎖骨内側端は健側より下方に描出される．しかし確定診断にはCTが必須であり，脱臼方向，周囲組織との関係，合併損傷の有無の確認，鎖骨内側端自体が左右対称性に蝕知される内側端骨折とSalter-Harris分類のTypeⅡの骨端離開との鑑別などが可能である（図14-3-24）．またTypeⅠの骨端離開の診断にはMRIが有用である．骨端と骨幹端の癒合前における脱臼と骨端離開の頻度は，青少年において手術を行った69%中，脱臼は23%，骨端離開は46%であったとする報告，13〜18歳の48例の後方転位に手術療法を行った40例では，脱臼が20例，骨端離開が20例，徒手整復できた8例は骨端離開で，骨端離開の発生率が高いとの報告が多い．Rockwoodも13〜16歳以下では，脱臼はまれで関節は温存されていると報告している．

　治療は捻挫に対してはスリングまたは鎖骨バンドによる固定を3週，亜脱臼に対しては4〜6週行い，その後，後療法を開始する．脱臼に対してはまず48時間以内に全身麻酔下に徒手整復を行う．整復が得られ安定していれば結果はきわめて良好である．前方脱臼では患者を仰臥位とし肩甲骨間に砂嚢を置き上肢を90°外転，10〜20°水平外転位で牽引し，同時に鎖骨内側端を前方から圧迫して整復する．整復されればスリングと鎖骨バンドで6週固定する．不安定な場合は手術を行い，胸骨柄にアンカーを設置し関節包を縫縮する．後方脱臼では前方脱臼と同様の肢位で水平外転角度を増やし徒手整復を行う（図14-3-25）．整復されない場合には布鉗子で経皮的に鎖骨内側部を直接把持し前外方にひきだす．第1肋骨を梃子の支点として後方脱臼を整復する方法もある．整復が得られれば鎖骨バンドで6週固定する．後方脱臼は脱臼を放置すると後に血管圧迫，気管・食道瘻，胸郭出口症候群などの遅発性障害が生じることが多いので必ず整復する．整復位は超音波検査などを用いて確認し，徒手整復の不能例または関節が適合せず不安定でsnappingする場合（40〜50%）には観血的に整復して靱帯を一次修復し，縫合糸，テープ，プレート（Balser plateなど）などで固定する．プレートなど金属で胸鎖関節を固定した場合は，8〜12週後に抜釘するまで肩関節の運動を禁止する．Kirschner鋼線を用いる場合は遊走migrationしても重大な合併症が生じないように刺入方向を十分に注意する（図14-3-26）．後方脱臼の手術療法の術中に臓器を損傷する可能性は少ないが，事前に胸部外科の協力を得ておくことが必須である．術後に関節の安定性が得られれば90%以上に良好な結果が得られる．再（亜）脱臼や遺残した関節不安定性が症候性となった場合には胸鎖関節を安定化させる靱帯再建術を行う．非外傷性で原因が不明の脱臼は通常保存療法が適応されるが，脱臼による疼痛がある場合や肢位によって脱臼する場合には靱帯再建術を行うこともある．手術法は多数あるが，代表的な方法として鎖骨近位端を1cm切除して長掌筋腱あるいは関節円板靱帯で肋骨と鎖骨間を制動するRockwood法（1997），切除せず鎖骨下筋の腱成分で鎖骨と第1肋骨を固定するBurrows法（1951），半腱様筋腱で胸鎖関節を8字型に固定するSpencer法（2004）（図14-3-27）がある．

3 鎖骨骨折　777

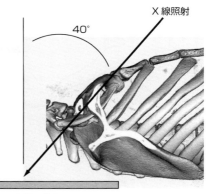

図 14-3-23　Rockwood による 40°仰角撮影
　　　　　　（serendipity view）

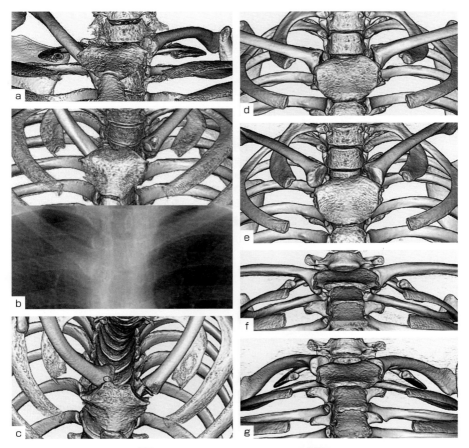

図 14-3-24　serendipity view の解釈
　a. 右後方脱臼　20 歳の serendipity view
　b. 同，20 歳の前後像
　c. 同，20 歳の 50°頭尾撮影（後方脱臼でも上方への転位を示す）
　d. 挙上時に右前方亜脱臼が生じる 15 歳の下垂位前後像
　e. 同，15 歳の挙上位前後像（大きな胸鎖関節の可動域を示す）
　f. 同，15 歳の下垂位 serendipity view
　g. 同，15 歳の挙上位 serendipity view（右前方亜脱臼が確認できる）

肩甲骨間に砂嚢などを置く

後方脱臼の徒手整復
a. 肩が後方に引かれるように肩甲骨間に砂嚢を置き，患側上肢を牽引しつつ水平外転させる．
b. もし整復されない場合は鎖骨内側部をつかんで引き上げる．
c. それでも整復されない場合は皮膚を消毒して清潔な先の尖った布鉗子か骨把持鉗子で経皮的に鎖骨を直接把持し，外上方に引き上げる．

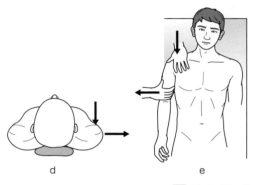

後方脱臼の内転整復法
肩甲骨間に砂嚢を置く．肩甲帯を外側に引き出しつつ下後方に圧迫し，第1肋骨をてことして後方に脱臼した鎖骨を整復する．
d. 頭側から見た力を加える方向
e. 正面から見た力を加える方向

図 14-3-25　胸鎖関節脱臼の徒手整復方法

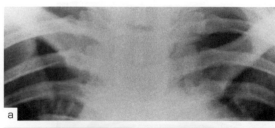
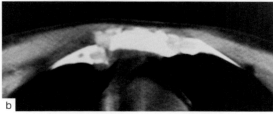
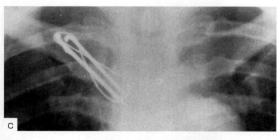

図 14-3-26　胸鎖関節後方脱臼の観血的整復固定
（50歳，女性）
右後方脱臼
a. 単純X線写真前後像は上方への転位を示す．
b. CT画像で，実際は後方脱臼であることが判明した．
c. 鎖骨内側部から胸鎖関節に至り下方に弯曲する皮切で進入し，観血的整復固定を施行した．

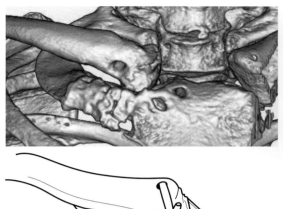
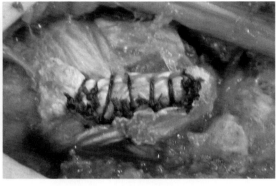

図 14-3-27　陳旧性胸鎖関節脱臼の靱帯再建術（60歳，女性）
右前方亜脱臼の症候性の関節不安定症．
鎖骨内側部から胸鎖関節に至り下方に弯曲する皮切で進入し，鎖骨内側端と胸骨の鎖骨切痕に，それぞれ2ヵ所の骨孔をあけ，半腱様筋腱を8字型に通して縛って胸鎖関節を固定した．

附-9　鎖骨遠位端骨溶解症 distal clavicular osteolysis（DCO）

　非外傷性鎖骨遠位端骨溶解症 atraumatic DCO（ADCO）と外側端の外傷に引き続き発生する外傷性鎖骨遠位端骨溶解症 posttraumatic DCO（PTDCO）がある．ADCO はバーベルを持ち上げるウエイト・トレーニングを行う運動選手に好発し，繰り返し加わる微小な外力による肩鎖関節滑膜の増殖，遠位端の虚血性壊死・骨修復機転の障害が原因となる．Johannes の報告によると上肢を高く挙上するオーバーヘッドスポーツ（バスケットボール，バレーボール，テニス，水泳など）とウエイト・トレーニングを行う 13～19 歳の青年では MRI 上で 6.5%（男性：女性＝3：1）に ADCO が発生している．PTDCO の原因となる急性外傷には Type Ⅰ～Ⅲ の肩鎖関節捻挫～（亜）脱臼（その 6% に DCO が発生）（図 14-3-28）や鎖骨外側部関節内骨折がある．非外傷性，外傷性ともにまず鎖骨外側端の軟骨下骨に微小骨折が発生し，その修復過程中に繰り返し微小な外力が加わり修復機転が遷延し，悪循環が形成され骨溶解へ進展する（図 14-3-29）．ADCO ではトレーニング中に突然疼痛が発生することが多く，PTDCO では外傷時から痛みが軽減せず持続する．局所の圧痛，トレーニングや重労働で増強する痛み，肩鎖関節を圧迫する肩関節の水平内転の強制による疼痛を認める．単純 X 線写真では発症初期には変化を認めず，数ヵ月後に鎖骨外側端の軟骨下骨が消失し，皮質骨の不整・侵蝕，軟骨下囊胞（腫），外側端の骨吸収に伴う肩鎖関節裂隙の開大へと進展する．また ADCO は PTDCO と異なり肩峰側に所見を認めない．骨シンチグラフィーでは発症初期から集積を認める．MRI でも発症初期から鎖骨外側端に骨髄浮腫が認められ，骨髄浮腫内には脂肪抑制画像，プロトン密度強調画像で低信号を示す軟骨下骨折線が 86% に見られる（図 14-3-29）．進行すると単純 X 線写真と同様の所見に加えて肩鎖関節水症，関節包の拡張，骨細片などを認める．鑑別診断としては副甲状腺機能亢進症，痛風，強皮症，関節リウマチなどがあげられる．治療は急性期には安静を基本とし，患部への圧迫・刺激を避けるためのトレーニング方法の変更や運動量の調節，鎮痛薬や抗炎症薬の内服，ときに診断の一助にもなる肩鎖関節内へのステロイド注射が対症的に行われる．早期に治療を開始すれば，若年者の ADCO では 90% が保存療法で回復する．しかし保存療法が無効で疼痛が持続し，運動を続行したい場合には鎖骨外側端

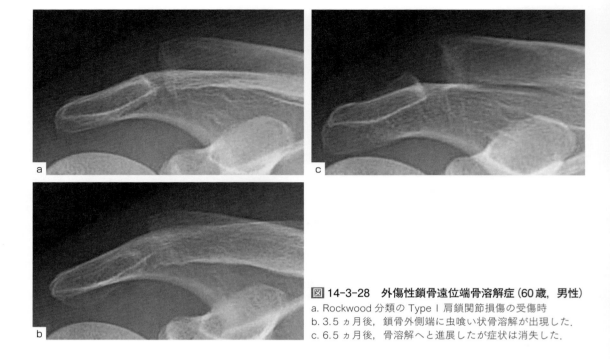

図 14-3-28 外傷性鎖骨遠位端骨溶解症（60歳，男性）
a. Rockwood 分類の Type I 肩鎖関節損傷の受傷時
b. 3.5ヵ月後，鎖骨外側端に虫喰い状骨溶解が出現した．
c. 6.5ヵ月後，骨溶解へと進展したが症状は消失した．

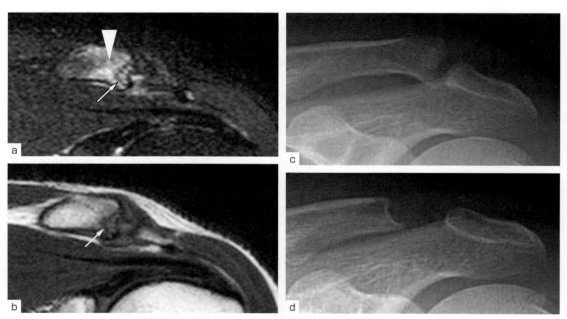

図 14-3-29 非外傷性鎖骨遠位端骨溶解症（46歳，男性）
44歳からジムでバーベル運動を開始し，2ヵ月前から疼痛が出現した．初診時の単純X線写真では異常を認めないが，MRI で骨髄浮腫（矢頭）と軟骨下骨折線（矢印）を認めた（a：T2 SPAIR，b：PD）．保存療法に反応せず，初診後2ヵ月で骨溶解が出現し（c），初診後3ヵ月で鎖骨遠位端切除術を施行し症状は消失した（d）．

と肩峰の接触をなくす鎖骨遠位端切除術が行われる．手術は鎖骨外側部骨折に準じた皮切で肩峰内側縁・肩鎖靱帯中央〜僧帽・三角筋間を横切開して鎖骨端を骨膜下に展開して10〜18mm（横切開部は骨切除後に縫合）の骨切除を行う．鏡視下手術では4〜8mmの少ない骨切除で有効との報告がある．鏡視下手術は運動への早期復帰が可能であるが，最終成績では両者の間に差はみられない．

参考文献

1) Ahrens PM et al：The Clavicle Trial：A Multicenter Randomized Controlled Trial Comparing Operative with Nonoperative Treatment of Displaced Midshaft Clavicle Fractures. J Bone Joint Surg **99-A**：1345-1354, 2017.

2) Asadollahi S et al：Acute medial clavicle fracture in adults：a systematic review of demographics, clinical features and treatment outcomes in 220 patients. J Orthop Traumatol **20**：24, 2019.

3) Bae DS et al：Chronic recurrent anterior sternoclavicular joint instability：results of surgical management. J Pediatr Orthop **26**：71-74, 2006.

4) Banerjee R et al：Management of distal clavicle fractures. J Am Acad Orthop Surq **19**：392-401, 2011.

5) Chaudhry S：Pediatric posterior sternoclavicular joint injuries. J Am Acad Orthop Surg **23**：468-475, 2015.

6) Ersen A et al：Comparison of simple arm sling and figure of eight clavicular bandage for midshaft clavicular fractures：a randomised controlled study. Bone Joint J **97-B**：1562-1565, 2015.

7) Fuglesang HFS et al：Plate fixation versus intramedullary nailing of completely displaced midshaft fractures of the clavicle：a prospective randomised controlled trial. Bone Joint J **99-B**：1095-1101, 2017.

8) Groh GI et al：Management of traumatic sternoclavicular joint injuries. J Am Acad Orthop Surg **19**：1-7, 2011.

9) Hillen RJ et al：Malunion after midshaft clavicle fractures in adults. Acta Orthop **81**：273-279, 2010.

10) Hohmann E et al：Treatment of Neer type II fractures of the lateral clavicle using distal radius locking plates combined with TightRope augmentation of the coraco-clavicular ligaments. Arch Orthop Trauma Surg **132**：1415-1421, 2012.

11) Johannes BR et al：Frequency, imaging findings, risk factors, and long-term sequelae of distal clavicular osteolysis in young patients. Skeletal Radiol **44**：659-666, 2015.

12) Jørgensen A et al：Predictors associated with nonunion and symptomatic malunion following non-operative treatment of displaced midshaft clavicle fractures-a systematic review of the literature. Int Orthop **38**：2543-2549, 2014.

13) Kassarjian A et al：Distal clavicular osteolysis：MR evidence for subchondral fracture. Skeletal Radiol **36**：17-22, 2007.

14) Kirby JC et al：Management and functional outcomes following sternoclavicular joint dislocation. Injury **46**：1906-1913, 2015.

15) Martetschläger F et al：Management of clavicle nonunion and malunion. J Shoulder Elbow Surg **22**：862-868, 2013.

16) McKee RC et al：Operative versus nonoperative care of displaced midshaft clavicular fractures：a meta-analysis of randomized clinical trials. J Bone Joint Surg **94-A**：675-684, 2012.

17) McKnight B et al：Surgical management of midshaft clavicle nonunions is associated with a higher rate of short-term complications compared with acute fractures. J Shoulder Elbow Surg **25**：1412-1417, 2016.

18) Murray IR et al：Risk factors for nonunion after nonoperative treatment of displaced midshaft fractures of the clavicle. J Bone Joint Surg **95-A**：1153-1158, 2013.

19) Netter FH：Atlas of Human Anatomy 6th ed. Saunders/Elsevier, 2014.

20） 岡崎愛未ら：ZipTight® とプレートを併用した鎖骨遠位端骨折の治療成績．東日本整災会誌 **29**：52-55，2017.

21） Pandya NK et al：Displaced clavicle fractures in adolescents：facts, controversies, and current trends. J Am Acad Orthop Surg **20**：498-505, 2012.

22） Ristevski B et al：The radiographic quantification of scapular malalignment after malunion of displaced clavicular shaft fractures. J Shoulder Elbow Surg **22**：240-246, 2013.

23） Robinson CM et al：Open reduction and plate fixation versus nonoperative treatment for displaced midshaft clavicular fractures：a multicenter, randomized, controlled trial. J Bone Joint Surg **95-A**：1576-1584, 2013.

24） Roedl JB et al：Frequency, imaging findings, risk factors, and long-term sequelae of distal clavicular osteolysis in young patients. Skeletal Radiol **44**：659-666, 2015.

25） Sabatini JB et al：Outcomes of augmented allograft figure-of-eight sternoclavicular joint reconstruction. J Shoulder Elbow Surg **24**：902-907, 2015.

26） 斉藤　篤：鎖骨骨折の保存的治療—ボディプランからみた鎖骨の特性—．千葉医学 **87**：39-48，2011.

27） 杉山公一ら：suture anchor を用いて観血的整復固定を行った外傷性胸鎖関節脱臼の1例．東日本整災会誌 **29**：73-76，2017.

28） Throckmorton T et al：Fractures of the medial end of the clavicle. J Shoulder Elbow Surg **16**：49-54, 2007.

29） Thut D et al：Sternoclavicular joint reconstruction--a systematic review. Bull NYU Hosp Jt Dis **69**：128-135, 2011.

30） Woltz S et al：Plate Fixation Compared with Nonoperative Treatment for Displaced Midshaft Clavicular Fractures：A Multicenter Randomized Controlled Trial. J Bone Joint Surg Am **99**：106-112, 2017.

31） Xu J et al：Operative versus nonoperative treatment in the management of midshaft clavicular fractures：a meta-analysis of randomized controlled trials. J Shoulder Elbow Surg **23**：173-181, 2014.

32） 山本真一：鎖骨中央部・外側（遠位端）骨折：本当の手術適応とは？　B J N **5**：455-460, 2015.

33） Zhang C et al：Comparison of the efficacy of a distal clavicular locking plate versus a clavicular hook plate in the treatment of unstable distal clavicle fractures and a systematic literature review. Int Orthop **38**：1461-1468, 2014.

34） Zuckerman JD：Disorders of the Shoulder Diagnosis and Management：Shoulder Trauma 3rd ed. Lippincott Williams & Wilkins, 2014.

4 胸骨骨折 fracture of the sternum

　骨折全体の0.1〜3％と発生はきわめてまれである．大部分は胸骨柄と胸骨体の結合部である胸骨柄結合から体部にかけて生じる．胸腔内臓器損傷や頭部外傷などを伴う場合には，その治療が優先される．

a 解剖・機能解剖

　胸骨は頭側から胸骨柄，胸骨体，剣状突起の3部分からなり，腸骨に次ぐ量の骨髄が存在する扁平骨である（図14-4-1）．胸骨柄の頭側縁には頸切痕，その両側には鎖骨切痕がある．鎖骨切痕は鎖骨と胸鎖関節を形成する．胸骨柄と胸骨体の間は胸骨柄結合で軟骨性に結合し皮下に角部として触れ（胸骨角），この両側に第2肋軟骨と胸肋関節を形成する関節面がある．胸骨体の両側の外側縁の肋骨切痕には第3〜7肋軟骨と胸肋関節を形成する関節面があり，尾側縁は剣状突起と軟骨性に結合する（胸骨剣結合）．胸骨の重要な付着筋には，胸骨頭側縁と鎖骨から起始する胸鎖乳突筋，胸骨外側縁と肋軟骨から起始する大胸筋の胸肋部がある．肋軟骨の内側面を下走する内胸動脈が胸骨を栄養する．胸骨は肋骨とともに胸椎の安定性に寄与しており，完全骨折が生じると胸椎の屈伸における安定性が約40％失われる．

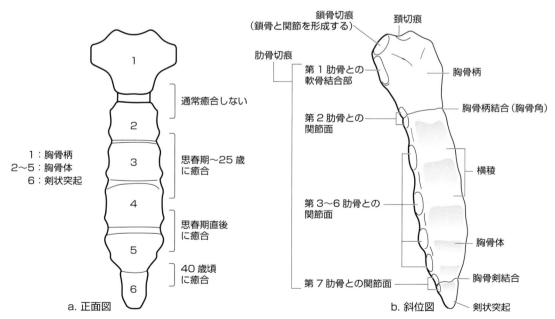

図14-4-1　胸骨の解剖図
a. 体部の頭側の骨化核は思春期を過ぎても癒合しないことがある．
b. 多くの肋骨が付着するので脊柱とともに胸郭の支柱となっている．
（Standring S：Gray's Anatomy：The Anatomical Basis of Clinical Practice 41th ed. Elsevier, 2016をもとに作図）

b 受傷機転

　胸骨骨折は胸壁に重度の直達外力が加わる胸部鈍的外傷の3〜8％に発生する．交通外傷が60〜90％，高所からの転落が40〜10％（Recinos, 2009）とこの両者が原因の大部分を占める．交通外傷では自動車乗車中の衝突事故によるシートベルト損傷が特徴的でその内の80％を占め，その60％は高齢者の運転による．シートベルト損傷の約30％は胸骨単独骨折である．シートベルトを装着するようになってから胸骨骨折は増加したが，重篤な合併骨折，心挫傷などの縦隔内臓器損傷はほとんど発生しなくなった．近年はエアバッグが整備されたことにより胸骨骨折自体も減少している．そのほか野球の硬球やコンタクトスポーツ中の肘などの直撃によっても生じる．

　介達外力では，頭〜背部や臀部を強打した際の体幹・胸椎の過屈曲による胸骨の圧迫や，過伸展による胸骨の離開によって生じる．その他，破傷風などの強い筋痙攣による筋付着部の裂離骨折，骨粗鬆や亀背がある高齢者が強く咳き込むことによって生じる不全骨折，スポーツ活動などによる体部の疲労骨折（全胸骨骨折の約0.5％），転移性腫瘍による病的骨折などがある．

c 骨折の形態・分類

　不完全骨折（しばしば膨隆骨折の形をとる）と完全骨折に分類される．胸骨柄に発生することは10％以下と少ないが，胸骨柄結合には多く発生して一般に胸骨柄（体）脱臼と称される．正面から見ると横骨折に見えることが多いが，側面から見ると直達外力が頭側に加わった場合には，頭側骨片が尾側骨片の背側へ転位し，尾側に加わった場合には逆の転位を呈する．介達外力の体幹・胸椎の過屈曲による軸圧では，骨折が胸骨柄結合から体部の頭側部に生じ，定型的には頭側骨片が尾側骨片の背側へ転位して脊椎椎体圧迫骨折が高率に合併する（図14-4-2）．

d 臨床所見・診断

　呼吸時に疼痛があり，局所に局限性の圧痛，腫脹，皮下出血，段差変形などが認められる．不完全骨折では心疾患や胸骨柄体部関節症との鑑別が必要なことがある．単純X線写真は側面像が完全骨折の診断に有用である．また胸部正面像は合併損傷（肋骨骨折や血・気胸）の診断に有用である．超音波画像診断は単純X線写真より骨折の診断率がやや高くなる．CT画像では不全骨折の診断が容易なため骨折の検出率が向上する（図14-4-3）．胸骨単独骨折が全体の26％を占めるが，多くは他の部位の骨折や臓器損傷が合併する（Odellら，2013）．合併骨折では肋骨70％，四肢29％，胸椎22％，頚椎13％，鎖骨11％，肩甲骨7％の順に多く，臓器損傷では肺挫傷30％，脳挫傷28％が多い（Yehら，2013）．特に直達外力で受傷して胸腔内臓器損傷が疑われる場合は酸素飽和濃度，心電図，心エコー，心筋組織損傷を反映する血清トロポニンT値の測定など数日間の心肺機能の監視が必要である．鑑別診断には，頚切痕の両側の頭側への隆起部（胸骨上軟骨）が胸骨から遊離し小さな骨（骨性残遺）となった胸上骨（5〜10％に存在）がある（図14-4-4）．胸上骨は単純X線写真では裂離骨折との鑑別が難しいがCT画像では鑑別は容易である．

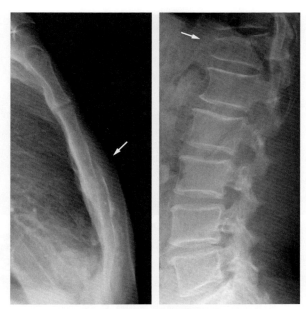

**図 14-4-2　胸骨体部骨折と第 12 胸椎圧迫骨折
（58 歳，男性）**
交通事故で体幹を過屈曲し受傷した．

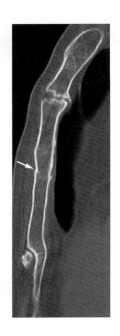

図 14-4-3　胸骨体部不完全骨折（79 歳，男性）
自転車のハンドルで前胸部を強打し，激痛が生じた．
不完全骨折が生じている（矢印）．

e 治　療

　胸骨骨折の 90％は保存的に治療される．転位がない単独骨折，および不完全骨折は肋骨骨折治療に準じて 3〜4 週バストバンドで固定し，胸郭の運動を抑えて骨折部の安定を図り疼痛を軽減させる．消炎鎮痛薬を併用することもある．観血的に整復・

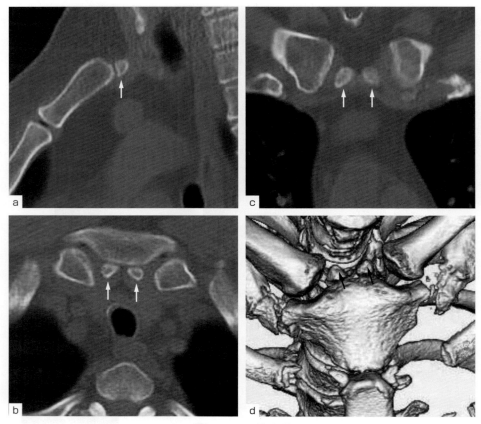

図 14-4-4　胸上骨
　a. CT 矢状断画像
　b. CT 水平断画像
　c. CT 前額断画像
　d. 三次元 CT 画像
　　（矢印：胸上骨）

内固定を要する症例は 10%以下である（Harston らは 6%と報告している）．

　胸腔内臓器の合併損傷がある場合はその治療が優先される．著しい疼痛や骨折部の不安定性による動揺胸郭，著しい転位などのために呼吸障害や胸郭変形の遺残が懸念される場合，また偽関節（発生率は 1%以下）となり呼吸時に著しい疼痛がある場合は手術が適応される．

　手術は新鮮骨折では正中縦切開で進入し骨膜を横切開して骨折部を展開し，骨片間にエレバトリウムを 2 本差し込み，梃の原理を応用して背側に落ち込んだ骨片を持ち上げて整復しロッキングプレート（胸骨関節固定ロッキングプレートなど）で固定する（図 14-4-5）．胸椎骨折を合併する場合は先に胸椎の整復・固定を行う．偽関節に対しては骨移植を行う．ロッキングプレート固定は縦隔の剥離が不要で侵襲が少なく固定性が良好である．ワイヤーでの固定はワイヤーの折損による出血などの合併症を起こすことがある．

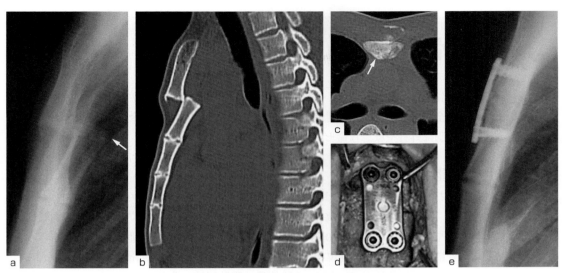

図 14-4-5　胸骨柄結合部の骨折（18歳，男性）
ラグビーでタックルされ肘が前胸部を直撃し受傷した．
a. 受傷時単純 X 線写真側面像：胸骨体が後方へ完全転位（矢印）
b. CT 矢状断画像
c. CT 水平断画像：後方へ転位する胸骨体（矢印）
d. 術中所見：整復後，頸椎前方固定用 locking plate で固定
e. 術後単純 X 線写真側面像

参考文献

1) Brookes JG et al：Sternal fractures：a retrospective analysis of 272 cases. J Trauma **35**：46-54, 1993.
2) Divisi D et al：Surgical management of traumatic isolated sternal fracture and manubriosternal dislocation. J Trauma Acute Care Surg **75**：824-829, 2013.
3) Harston A et al：Fixation of sternal fractures：a systematic review. J Trauma **71**：1875-1879, 2011.
4) Khoriati AA et al：Sternal fractures and their management. J Emerg Trauma Shock **6**：113-116, 2013.
5) Klei DS et al：Current treatment and outcomes of traumatic sternal fractures-a systematic review. Int Orthop **43**：1455-1464, 2019.
6) Odell DD et al：Israeli Trauma Group. Sternal fracture：isolated lesion versus polytrauma from associated extrasternal injuries-analysis of 1,867 cases. J Trauma Acute Care Surg **75**：448-452, 2013.
7) Otremski I et al：Fracture of the sternum in motor vehicle accidents and its association with mediastinal injury. Injury **21**：81-83, 1990.
8) Scheyerer MJ et al：Location of sternal fractures as a possible marker for associated injuries. Emerg Med Int 2013：407589, 2013.
9) Schulz-Drost S et al：Surgical fixation of sternal fractures：locked plate fixation by low-profile titanium plates-surgical safety through depth limited drilling. Int Orthop **38**：133-139, 2014.
10) Standring S：Gray's Anatomy：The Anatomical Basis of Clinical Practice 41th ed. Elsevier, 2016.
11) Wu LC et al：Sternal nonunion：a review of current treatments and a new method of rigid fixation. Ann Plast Surg **54**：55-58, 2005.
12) Yeh DD et al：Sternal fracture-an analysis of the National Trauma Data Bank. J Surg Res **186**：39-43, 2014.

5 肋骨骨折 fracture of the rib

　肋骨骨折は第 5〜8 肋骨（特に第 7 肋骨），肋軟骨骨折は第 7, 8 肋骨に多く発生し，骨折全体の 9％ を占め頻度が高い．胸腔内臓器損傷を伴う場合は胸壁損傷の一部として，胸部外科や救急救命センターで取り扱われる．

a 解剖・機能解剖

　左右 12 対の肋（硬）骨は長い扁平骨で胸腔内臓器を取り囲む（図 14-5-1）．背部で第 1, 11, 12 肋骨頭は同高位の胸椎，第 2〜10 肋骨頭は同高位と直上の 2 椎体と肋椎関節を形成する．第 1〜10 肋骨結節は同高位の胸椎横突起と肋横突関節を形成する．胸骨に直接つながる真肋の第 1〜7 肋骨の前方部分は硝子軟骨性の肋軟骨となり，第 1 肋軟骨は軟骨結合で，第 2〜7 肋軟骨は胸肋関節で胸骨外側縁と結合する．胸骨には直接つながらない仮肋の第 8〜12 肋骨の前方部分では，第 8〜10 肋軟骨は第 7 肋軟骨と肋骨弓を形成するが，第 11, 12 肋骨は浮遊肋で肋軟骨がなく自由端となる（図 14-5-2）．肋骨の後方には腸肋筋や上，下後鋸筋が停止し，肋間隙には内，外肋間筋，外側には第 1〜9 肋骨に起始し肩甲骨内側縁に停止する前鋸筋と第 5〜12 肋骨に起始する外腹斜筋，前上方には第 3〜5 肋骨に起始し烏口突起に停止する小胸筋，前

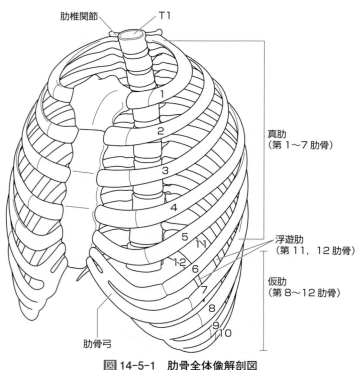

図 14-5-1　肋骨全体像解剖図

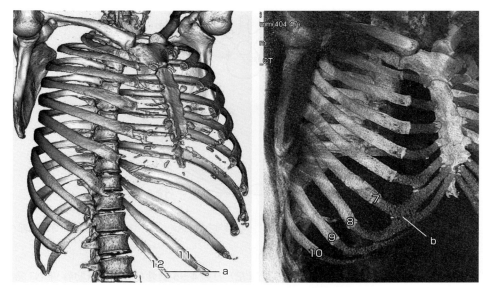

図 14-5-2　胸郭の三次元 CT 画像
a. 浮遊肋（11，12）
b. 肋骨弓（7〜10）

下方には第5〜7肋軟骨に起始する腹直筋が付着する．第1肋骨の前斜角筋と中斜角筋の停止部の間の鎖骨下動脈溝には鎖骨下動脈，その上方を腕神経叢が走行する．各肋骨の内側面の下縁の肋骨溝には頭側から尾側へ順に肋間静脈，肋間動脈，肋間神経が横走し，肋軟骨の内側面には内側から外側へ順に内胸静脈，内胸動脈が縦走する．前鋸筋の表面には支配神経の長胸神経が下走する．吸気時に肋骨は肋椎関節と肋横突関節を支点として全体が前上方に持ち上がり，胸郭の上方部分は前後径が下方部分は左右径が拡大する．

b 受傷機転

　直達外力では外力が加わった部位，介達外力では応力が集中する部位が骨折する（**図 14-5-3**）．高所からの転落，交通外傷などの高エネルギー外傷では複数の肋骨骨折が発生し，時に胸腔内臓器損傷を合併することがある．転倒して胸部を机や浴槽の角に打撲する，満員電車で圧迫される，蘇生術の心マッサージなどの低エネルギー外傷による骨折では臓器損傷の合併はまれである．骨粗鬆があり肋骨に弾力性がない高齢者では，くしゃみ，咳，寝返りなどでも骨折することがある．肋骨疲労骨折は疲労骨折全体の14％を占め，脛骨（44％）に次いで多く発生する．スポーツ活動により繰り返される肋骨付着筋の牽引や胸郭の捻転が負荷となり，野球，ソフトボール，ボート漕ぎ（漕艇），水泳，ゴルフ，ラクロス，フットボール，体操，重量挙げなどの種目別に，第1〜10肋骨の特異的な部位に肋骨疲労骨折が発生する．投球動作，特にオーバースローでは付着する前，中斜角筋と前鋸筋による牽引が原因となり，ほとんどが第1肋骨の脆弱部の鎖骨下動脈溝に発生する．ゴルフによる疲労骨折の約70％は肋骨に生じ，30〜40歳代の練習量が多い初心者に好発する．その80％は利き腕の

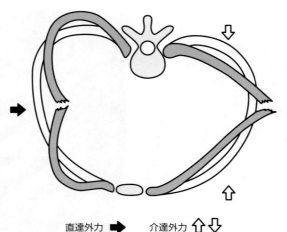

直達外力 ➡ 介達外力 ⇧⇩　　図 14-5-3　胸郭への外力と骨折

反対側（通常の右打ちでは左）の第4〜6肋骨の後外側（肋骨角）に発生する．スイングの反復により患側の前鋸筋が伸張され，繰り返される圧・張力が後外側へ集中することが原因となる．ボート漕ぎでは肋骨疲労骨折が最も高頻度に発生する．選手全体の9％に生じて一流選手ほど発生頻度が高い．その内80％は第4〜8肋骨の前〜後外側に発生し，前鋸筋，外腹斜筋，腹直筋の牽引や肋骨への直接負荷が原因となる．第11，12肋骨骨折はきわめてまれであるが付着筋による裂離（剥離）骨折の報告がある．分娩骨折として鎖骨骨折を受傷した場合には同側の肋骨後方正中部骨折をしばしば合併する．肋骨が柔らかく骨折しにくい3歳以下の肋骨骨折は幼児虐待 child abuse が強く疑われる．

c 骨折の形態・分類

直達外力による骨折は外力を受けた骨折部が胸郭内方凸に屈曲変形し，介達外力による骨折は応力が集中する離れた部位で骨折し骨折部が外方凸に変形する（図 14-5-3）．肋骨，骨軟骨接合部，肋軟骨いずれにも骨折は発生し，年齢に関係なく不完全骨折も多く生じる．疲労骨折 stress fracture はスポーツ種目別に発生する肋骨高位と部位（後，外，前方）に特徴がある．幼児虐待では後〜後側方の骨折が特徴的である．多発肋骨骨折では2〜3本以上の隣接する肋骨（または肋軟骨）が各2ヵ所以上で骨折（分節骨折）し，その部分の胸郭が支持性を失って不安定となり，自発呼吸の吸気時に陥凹して呼気時に突出する奇異性呼吸を示す動揺胸郭 flail chest となる場合がある．胸郭の前〜前側方の下方部分に生じやすく肺挫傷を伴うことが多い．まれなものでは胸骨の両側の前方肋骨または肋軟骨が多数骨折して胸郭動揺を示す胸骨フレイル sternal flail や，外側からの外力によって肩甲骨の対向面や後外側で複数の肋骨に分節骨折が生じ，その部分が胸郭内方へ落ち込んだままとなり，胸郭変形と肺挫傷が生じる胸壁内破 chest wall implosion がある．

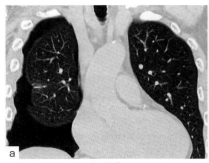 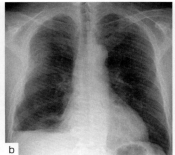 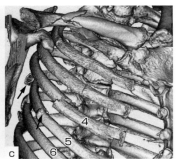

a. CT 画像　　　b. 単純 X 線写真　　　c. 三次元 CT 画像

図 14-5-4　多発肋骨骨折と血気胸（60 歳，男性）
単車運転中，乗用車と衝突し受傷
a. 気胸：右側の肺が縮小している．
b. 血胸：右側下方の血胸
c. 右第 4～6 肋骨骨折（第 5 肋骨は分節骨折（矢印）），鎖骨骨折を合併

d 臨床所見・診断

　低エネルギー外傷では体動，深呼吸，くしゃみ，咳で疼痛があり，骨折部に限局する圧痛や腫脹がみられる．転位が著しいと骨折端の触診が可能で軋音を感知することがある．高エネルギー外傷で骨折端が胸膜を破損すると咳嗽が持続し，肺損傷・挫傷，胸壁血管（肋間動・静脈や内胸動・静脈）損傷が合併すれば気胸，無気肺，皮下気腫，血胸が生じ，チアノーゼが生じて呼吸困難に陥ることがある（図 14-5-4）．多発肋骨骨折では動揺胸郭などによる呼吸困難のほかに，第 1～3 肋骨では腕神経叢，鎖骨下動・静脈損傷，第 8～11 肋骨では肝臓，脾臓，腎臓，横隔膜損傷などの重大な合併症を伴うことがある．第 1 肋骨の疲労骨折では肩甲部，頸部，鎖骨部に放散する疼痛，他の肋骨の疲労骨折ではそれぞれ特定の部分に胸痛を認めるためスポーツ活動の有無と種類を聴取することが胸腔内臓器疾患などとの鑑別診断に重要である（図 14-5-5）．

　肋骨の単純 X 線写真では骨折の 54％ が描出されず，臨床症状により診断されることが多い．超音波診断装置を用いて肋（軟）骨骨折を観察すると，骨皮質の段差や骨表面の血腫を確認することができるので診断に有用である．CT 画像は肋軟骨骨折を描出するほどの精度はないが，骨折診断と胸腔内臓器損傷の合併の有無の確認に有用である．骨シンチグラフィーは疲労骨折や肋軟骨骨折の確定診断に有用であるが，集積が複数みられる場合には転移性骨腫瘍を疑う必要もある．

　鑑別診断として，通常は片側の第 8～10 肋骨と胸骨の連結が緩み，肋骨がすべり出して過可動性を示して肋間神経を圧迫し，刺すような痛みが前胸部～背中に生じる肋骨すべり症候群 slipping rib syndrome，若い女性の片側の第 2～5 肋軟骨に疼痛があり，自然治癒する傾向がある非炎症性肋軟骨疾患である Tietze 症候群，80～90％ に両側胸鎖，胸肋関節の病変が存在して前胸部痛を認め，滑膜炎 synovitis，ざ瘡 acne，膿疱症 pustulosis，骨増殖症 hyperostosis，骨炎 osteitis が特徴の SAPHO 症候群がある．

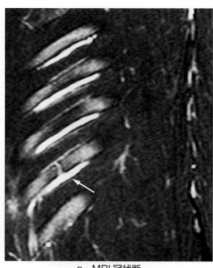
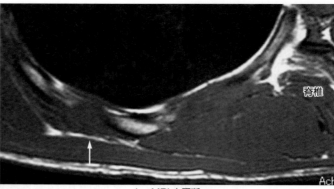

a. MRI 冠状断　　b. MRI 水平断

図 14-5-5　肋骨疲労骨折の MRI（17 歳，男性）
右オーバースローの野球投手．肋骨痛と腫脹があり，腫瘍の疑いで紹介され受診．MRI で骨折が確認され，右第 8 肋骨後外側と肩甲骨下角のインピンジメントによる疲労骨折（矢印）と診断し，保存療法により治癒した．

e 治　療

　低エネルギー外傷の肋骨骨折には保存療法が適応される．通常，バストバンドを呼気時に固定し，胸郭の過度の動きを抑制する．この胸郭の固定は骨癒合に対する効能はなく，反って呼吸を抑制して肺炎を合併しやすくなる．しかし，過度の締め付けを避け，腹式呼吸を促すことで骨折部の安静が得られ，疼痛は軽減する．おおよそ 3～4 週で疼痛は消失し，約 3 ヵ月で骨癒合が完成する（**図 14-5-6**）．高エネルギー外傷では整形外科が果たす役割は少ない．血胸では胸腔ドレナージが必要な場合があり，動揺胸郭では呼吸抑制の一因となる肋骨骨折と肺挫傷による疼痛に対して硬膜外持続ブロックや持続肋間神経ブロックが用いられ，奇異性呼吸にはレスピレーターによる陽圧呼吸が行われる．保存療法では動揺胸郭の 50～60％に疼痛や変形が遺残する．近年では開放骨折，転位がある多発骨折，広範な肺挫傷を伴わない動揺胸郭において，呼吸苦と激しい疼痛がある場合には症状を改善させる目的で手術が考慮される．手術には肋骨圧迫（ロッキング）プレートや肋骨髄腔内スプリントが用いられ，胸郭容量の回復とレスピレーターからの早期の離脱や肺炎の予防ができ，入院期間が短縮して予後が向上する．固定手術の際には長胸神経を損傷しないよう注意する必要がある．

　肋骨疲労骨折は low-risk 疲労骨折に含まれ，経過は良好で運動・活動量を管理することで一般に偽関節や完全骨折にはなりにくい．ボート漕ぎでは数週間の安静と前鋸筋訓練を行った後に徐々に復帰させる．疲労骨折が完全骨折になると骨癒合までに数ヵ月かかり，偽関節にもなりやすいので早期の対応が必要である．偽関節が生じても通常は無症状であるが，第 1 肋骨疲労骨折の増殖性偽関節により胸郭出口症候群や

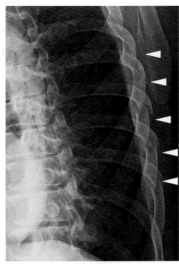
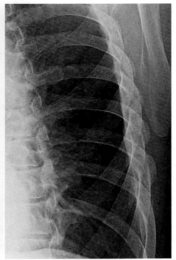

a. 受傷時　　　　　　　　b. 3ヵ月後

図 14-5-6　多発肋骨骨折の単純X線写真とその後の経過（44歳，男性）

左第5～9肋骨骨折（同側の腰椎横突起骨折，肩甲骨肋骨面裂離骨折を合併）
a. 受傷時の単純X線斜位像（矢頭：骨折部）
b. 受傷3ヵ月後に骨癒合完成

腕神経叢刺激症状が生じた場合には第1肋骨切除術による除圧が必要となることがある．慢性的に胸部の疼痛がある偽関節が多発肋骨骨折の一部分に，また合併損傷がない1本のみの骨折後にも生じることがある．この場合には偽関節部を展開し，腸骨を骨移植しロッキングプレートで固定する．

f 治療成績を左右する因子

　低エネルギー外傷による肋骨骨折の予後は一般に良好である．しかし疲労骨折が完全骨折に移行した場合または通常の骨折でも偽関節が生じることがある．鈍的な胸壁外傷を受けた患者では，年齢が65歳以上，肋骨骨折が3本以上，受傷前からの心肺疾患の存在，肺炎の併発などは予後不良因子として挙げられている．肋骨骨折の13％には胸壁損傷に関係した合併症が発生し，肋骨骨折の本数が多いほど頭部，上肢，胸腔内臓器損傷を合併する割合が増加し，肋骨骨折1本で5％，8本以上では30～40％が死亡するとの報告がある（Flagelら，2005）．平均80歳の高齢者では平均2.6（1～6）本の骨折で30％に肺合併症が発生し，全体では8％が死亡するとの報告もある（Barneaら，2002）．

参考文献

1) Barnea Y et al：Isolated rib fractures in elderly patients：mortality and morbidity. Can J Surg **45**：43-46, 2002.
2) Battle CE et al：Risk factors that predict mortality in patients with blunt chest wall trauma：a systematic review and meta-analysis. Injury **43**：8-17, 2012.
3) Dehghan N et al：Operative Stabilization of Flail Chest Injuries Reduces Mortality to That of Stable Chest Wall Injuries. J Orthop Trauma **32**：15-21, 2018.
4) Flagel BT et al：Half-a-dozen ribs：the breakpoint for mortality. Surgery **138**：717-723；discussion 723-725, 2005.
5) Fowler TT et al：Surgical treatment of flail chest and rib fractures. J Am Acad Orthop Surg **22**：751-760, 2014.
6) Gauger EM et al：Outcomes after operative management of symptomatic rib nonunion. J Orthop Trauma **29**：283-289, 2015.
7) Lafferty PM et al：Operative treatment of chest wall injuries：indications, technique, and outcomes. J Bone Joint Surg **93-A**：97-110, 2011.
8) McDonnell LK et al：Rib stress fractures among rowers：definition, epidemiology, mechanisms, risk factors and effectiveness of injury prevention strategies. Sports Med **41**：883-901, 2011.
9) Standring S：Gray's Anatomy：The Anatomical Basis of Clinical Practice 41th ed. Elsevier, 2016.

第15章

脊椎骨折

1 頚椎骨折 fracture of the cervical vertebra

　頚椎の骨折（脱臼）が疑われたら，まず局所の安静を保ち，理学所見と画像を中心に診断を確定し，可及的早期の治療に引き続き，リハビリテーションへのスムーズな移行，およびその後の社会復帰という治療が一貫して計画的に行われねばならない．特に重篤な脊髄麻痺を合併している症例では，麻痺自体の増悪のみならず，呼吸・循環を含めた全身状態の経時的推移に注意する必要がある．頚椎骨折の診断・治療ポイントは，

　a）神経損傷（脊髄・神経根）の合併の有無と程度を詳細に評価する．

　b）静的画像から不安定性を推察する．

　c）小児の頚椎損傷の大きな特徴は単純X線写真で異常がみられないことである．

　d）治療は保存的か，待機手術か，または緊急手術かを可及的早期に決定する．

　e）上位頚椎損傷は緊急手術の適応となることはまれである．

　f）神経組織に対する除圧と損傷脊椎の構築学的再建が手術の目的である．

　g）外傷後の後弯変形や遅発麻痺に対する評価を怠ってはならない．

a 解剖・機能解剖

　解剖学的に後頭骨，上位頚椎（環椎，軸椎），下位頚椎（C3からC7）はその関節形態と支持機構が大きく異なるため，両者を分けて考える必要がある．

1）後頭骨・環椎・軸椎の解剖・機能解剖（図15-1-1〜3）

　上位頚椎は前屈・後屈・側屈・回旋に際して一体として動き，環椎は後頭顆と軸椎間のベアリングとして機能する．

　環椎後頭関節は前後屈と側屈運動を許容するが，関節面の形状から回旋はできない．前後屈の可動域は13〜15°である．この関節は前環椎後頭膜（後頭骨と環椎前結節間を連結），歯尖靱帯（歯突起先端と大後頭孔前縁を連結），翼状靱帯（歯突起上部側面から起こり，上外方に向かい，後頭顆内面に付着する），蓋膜（斜台から起こり，環椎十字靱帯を上から覆い，横靱帯中央部を通り，後縦靱帯に移行する），および後環椎後頭膜（環椎後弓と大後頭孔後縁間に張る薄い膜で，この部では黄色靱帯を欠くため後方進入の際に硬膜損傷の危険がある）によって支持される（図15-1-1）．

　環軸関節は1個の正中環軸関節と2個の外側環軸関節からなり，回旋運動に適した構造である．回旋可動域は平均47°で頚椎の側方回旋域（約90°）の約半分を担う．

－795－

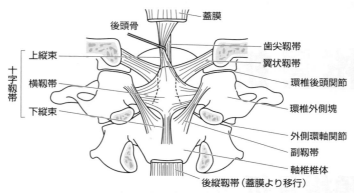

図 15-1-1　上位頚椎の靱帯連結（後方骨性成分は除去している）

種々の靱帯で連結されており，最も重要な靱帯は強靱な横靱帯である．この靱帯はあらゆる動きに際して歯突起を環椎の前弓後面に密着させる．環椎前弓後面と歯突起前面間の距離 atlantodental interval（ADI）は成人では 3 mm 以下，小児では 5 mm 以下に保たれている．この靱帯が損傷すると環軸関節の脱臼をきたす．環椎十字靱帯は歯突起を後面から覆う十字形の靱帯で，横靱帯と縦束からなる．縦束は横靱帯の中央から頭尾側に伸び，頭側は大後頭孔前縁，尾側は軸椎椎体後面に付着する．

2) 下位頚椎の解剖・機能解剖

下位頚椎の基本運動は椎骨の隣接尾側椎に対する平行移動（すべり sliding），傾斜 tilting（椎間に矢状面で角度がつくこと），および長軸に対する回旋 rotation である．これらは実際には複合運動となる．前後屈運動に際して C2/3 ではすべりがよくみられ，下位頚椎ほど傾斜が主体となる．椎体両後側方に鉤突起があり Luschka 関節を形成しているため前額面でのすべり（側方すべり）はほとんど起きないが，傾斜は矢状面・前額面において可能である．椎間関節面は 45° 前方に傾斜しているため矢状面の傾斜はすべりとの複合運動となる．前額面の傾斜は常に回旋と複合運動を起こす．側屈側の下関節突起は後下方へ，対側の下関節突起は前上方へ移動することによって自動的に側屈側への回旋が生じる．椎間関節面は前後屈を制限しない形状なので過度の前屈は前方脱臼を生じる．

靱帯連結は 5 つからなる．前縦靱帯は環椎前結節に起始し椎骨前面を縦走し，線維輪や椎体縁と強く結合するが，椎体中央部では比較的疎に結合している．後縦靱帯は歯突起後面で蓋膜（頭側は後頭骨〜PLL）から移行し椎体後面を縦走し，椎間板部では幅が広く線維輪や椎体縁と強く結合するが，椎体部では幅が狭く疎に結合している．黄色靱帯は椎弓間を連結し弾性線維に富んでいる．棘間靱帯は棘突起間を結合する靱帯で頚椎では弱い．棘上靱帯は頚椎では項靱帯といわれ，後頭骨外後頭隆起に起始し頚椎の全棘突起に停止する．

3) 椎骨動脈（図 15-1-4）

頚椎の外傷および手術を行ううえで，椎骨動脈は非常に重要である．椎骨動脈は左右の鎖骨下動脈から分岐し，通常 C6 高位で横突孔に入り頚椎の両側を上行する．C2 外側塊の高位で約 90° 外側に方向を変えた後 C2 横突孔から C1 横突孔を通過し，そ

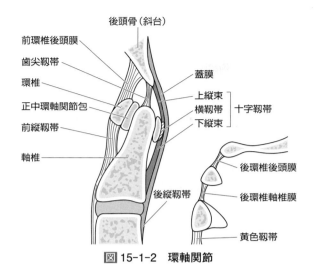

図 15-1-2　環軸関節

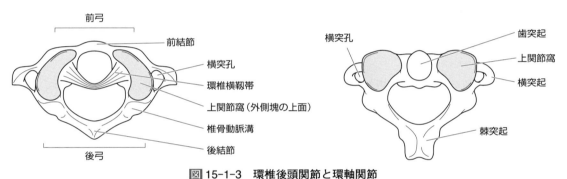

図 15-1-3　環椎後頭関節と環軸関節

の後再び約 90°屈曲し C1 側塊の外側を迂回して，後弓上面から後環椎後頭間膜，硬膜を貫いて脊髄に伴走しながら頭蓋内に入る．脊髄には分枝を出さないが，橋と延髄の境界付近で両側の椎骨動脈は合流し 1 本の脳底動脈となり小脳や脳幹を栄養する．頚椎の外傷では約 20～40％に椎骨動脈の損傷が合併するといわれているが，多くは無症候性である．ただし，損傷部位で形成された血栓による塞栓や椎骨動脈閉塞に伴う血行動態変化などにより，小脳，脳幹梗塞が発症することがある．また，上位頚椎では複雑な走行をしているので，手術の際はこれを損傷しないよう十分にその解剖を知っておく必要がある．

4）頚髄の内部構造（図 15-1-5）

脊髄横断面は中心部に位置する灰白質とその周囲に位置する白質に分かれる．灰白質には前角細胞をはじめ多くの神経細胞がみられ，白質には脳・脊髄・末梢神経を連絡する上行性（求心性）および下行性（遠心性）神経線維束が存在する．上行性線維束の代表として外側および前脊髄視床路があり，温痛覚や一部の触圧覚を中枢に伝える．後索には薄束と楔状束があり，触圧覚や位置覚を伝える．下行性線維束の代表として，随意運動を司る外側皮質脊髄路（錐体路）がある．これらの神経線維束にはそれぞれ支配する体の部位に応じた局在があり，概して体の頭側を支配する神経線維束ほど白

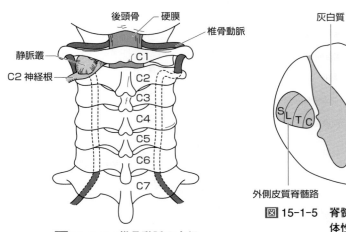

図 15-1-4 椎骨動脈の走行
椎骨動脈は通常 C6 高位で横突孔に入り上行する．C2 外側塊の高位で蛇行しながら C1 頭側で硬膜を貫通した後，頭蓋内に入る．図の左側は展開の際現れる静脈叢と C2 神経根を示している．

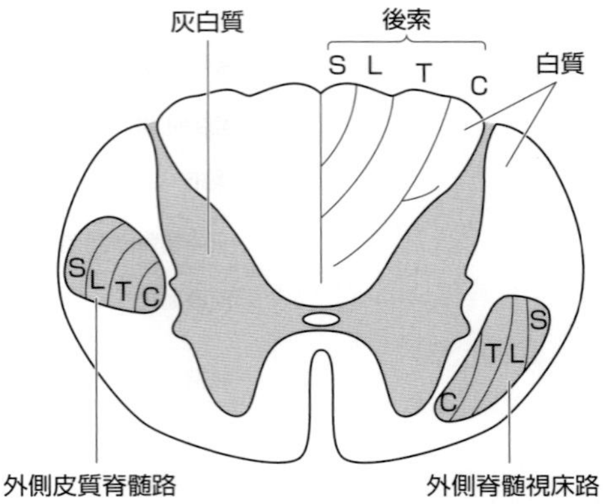

図 15-1-5 脊髄内（上部頚髄）の体性局在
右側が求心路，左側が遠心路を図示している．頚髄（C），胸髄（T），腰髄（L），仙髄（S）が層状に配列しているが，頭側に近いほど脊髄中央に位置している．

質の中心部に位置し，逆に尾側部分を支配する線維束程外側辺縁部に位置している．

附-1　ヘリコプター救急

　ヘリコプター救急とはヘリコプターを使った救急活動のことであり，自衛隊ヘリ，消防・防災ヘリ，ドクターヘリなどが運用されている．自衛隊ヘリは防災ヘリに比べ飛行能力が優れている軍用機であるため，気象条件が厳しく，ヘリポートに夜間照明がないなど，ヘリコプター救急体制に不安がある離島では通常自衛隊による急患搬送が行われている．消防・防災ヘリは1995年の阪神・淡路大震災で消防・防災用途のヘリが不足し，災害救助・救急活動に非常に支障をきたしたことからこのヘリの配置が促進されるようになり，最近では救急救命士の搭乗が望ましいとされている．ドクターヘリは1970年にドイツで誕生し，医師が搭乗したヘリが現場の患者のもとに向かうシステムで，急患の迅速な搬送という目的もあるが，第一の目的は重篤な患者が発生した場所に医師と看護師をいち早く派遣し，初期治療を早期に開始することにある．2007年には議員立法によりドクターヘリ法が制定され徐々にその活用が広まり，現在では救急重症患者のヘリ搬送はドクターヘリによることが多くなっている．

　阪神・淡路大震災を契機に，2005年に災害派遣医療チーム（disaster medical assistance team：DMAT）が厚生労働省の主導により発足した．医師，看護師，業務調整員（医師，看護師以外の医療職および事務職員）で構成され，大規模災害や多傷病者が発生した事故などの現場に，急性期（おおむね48時間以内）に活動できる機動性を持った専門的な訓練を受けた医療チームである．これまでJR福知山線脱線事故や新潟県中越地震，新潟県中越沖地震，東日本大震災などで出動している．

　頚椎骨折は重篤な麻痺を合併することが少なくないため，このような患者はヘリ搬送が望ましく，最近の総合せき損センター脊髄損傷救急患者の約半数はヘリ搬送である．ヘリは救急車に比し速やかな搬送が可能であり，患者の身体への振動が小さいため呼吸状態の悪化や麻痺の増悪が少ない．一方，夜間や雨天時などには運航できないなどの欠点もある．

b 受傷原因・受傷機転

　高齢化や自動車運転に関わる意識や環境の変化に伴い，頚椎・頚髄損傷の受傷原因にも変化が見られる．新宮らによる 1990～1992 年の全国的調査によると，新規脊損患者の平均年齢は 48.6 歳で完全麻痺患者が 33.7％ を占めていた．総合せき損センターが集計した福岡県データベースによると，2016 年では新規脊損患者平均年齢 66.7 歳，完全麻痺患者は 13.4％ であった．2018 年に日本脊髄障害医学会が行った全国規模の調査でも，新規脊損患者平均年齢 70 歳，完全麻痺患者は 11％ であり，頚髄損傷が約 90％ を占めていた．これらのデータは若年者の高エネルギー外傷による骨傷を伴う脊髄損傷の頻度が減少し，高齢者の転倒など低エネルギー外傷による非骨傷性頚髄損傷の頻度が増加傾向にあるということを示している．最近の非骨傷性頚髄損傷患者の調査では，約 30％ に飲酒に伴う転倒・転落が関与していた．飲酒を除くと高齢者の高所作業（剪定，はしご作業）中の転落が目立っている．

　個々の受傷機転に応じて，様々な頚椎・頚髄損傷が生じる．基本的に屈曲，伸展，側屈，圧縮，伸延，回旋，剪断の外力が組み合って頚椎・頚髄損傷が発生する．受傷機転を知ることは整復操作の手技や観血的治療の必要性を決めるうえで重要である．まず受傷時の状態や顔面頭部の創傷から受傷機転を推定することができる（例えば顔面や前額部に挫創があれば過伸展損傷を疑う）．画像に関しては，下位頚椎では Allen-Ferguson による分類で示される受傷機転がよく知られている（p. 805 参照）．現在では単純 X 線写真や CT による骨折型のみならず，MRI による椎間板や靱帯組織などの軟部組織損傷所見から受傷機転を類推することができる．ただし，2 つ以上の受傷機転が時間差で働き複雑な骨折型を示すこともまれではない．ハングマン骨折（C2）でよく用いられる Levine-Edward 分類では屈曲/伸展外力が時間差で加わる受傷機転が提唱されている（p. 804 参照）．

c 骨折の形態・分類

1）上位頚椎損傷

a）環椎骨折 fracture of the atlas

　後弓骨折（圧縮伸展力で生じる），前弓水平骨折（歯突起骨折に合併することが多く，前縦靱帯や長頚筋による裂離骨折である），Jefferson 骨折，側塊骨折，横突起骨折がある．

① 環椎後弓骨折 fracture of the posterior arch of the atlas

　後弓単独の骨折であり，単純 X 線写真正面像で環椎側塊は側方転位していない．先天性後弓癒合不全症は正常人の約 3％ にみられるが，その断端が骨皮質で覆われ滑らかであることが，本骨折との鑑別に参考となる．

② 環椎前弓水平骨折 horizontal fracture of the anterior arch of the atlas

　前縦靱帯と長頚筋の付着部である環椎前弓前結節が過伸展力によって裂離骨折したもので，単純 X 線写真側面像で前弓に水平な骨折線がみられる．

③ 環椎破裂骨折 Jefferson fracture（図 15-1-6）

　Jefferson（1920）が損傷病態について初めて報告して以来，環椎の破裂骨折に対し

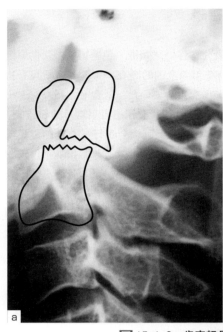
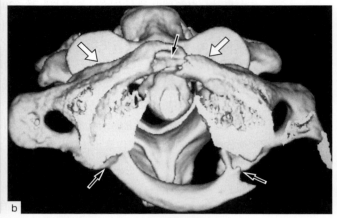

図 15-1-6 歯突起骨折と環椎破裂骨折（Jefferson 骨折）の合併
a. 歯突起は基部で骨折し（Anderson 分類II型）後方に転位している．
b. 三次元 CT 画像では環椎の前弓と後弓は骨折し（小矢印），さらに環軸椎外側関節面の離開が明瞭である（大矢印）．

その名前が使われるようになった．
　環椎の前弓と後弓の両者が骨折し，側塊が外側に転位する骨折型である．頭部からの圧迫外力（軸圧損傷）によって環椎側塊が後頭顆と軸椎外側関節間で挟撃されると，環椎側塊は外側の方が厚みのある楔状を呈するため外側に転位する．その結果，環椎の力学的弱点である前弓と後弓が骨折・離開する．骨折は脊柱管が開大する方向に転位するため脊髄損傷を合併することはきわめてまれである．見逃されることが少なくなく，また他の重大な頭部や脊椎外傷の合併損傷のこともある．特殊な例として，環椎後弓切除後に遅発性に前弓の骨折が生じ，結果として破裂骨折の形をとることがある．特に下位頚椎が強直している症例では注意すべき合併症である．
　特徴的な症状に乏しい．項部や頚部の疼痛や運動制限がみられ，斜頚位をとったり，両手で頭を支える行為などは本骨折を強く疑わせる．
　環軸椎部の開口位正面単純 X 線写真がスクリーニングとして重要であり，環椎側塊外側縁の側方転位に留意する．確定診断は CT にて行う．

附-2 環軸関節脱臼 atlantoaxial dislocation （図 15-1-7, 8）

　外傷性環軸関節脱臼と環軸関節脱臼骨折（歯突起骨折を合併）がある．環椎は前方，後方，あるいは回旋位に脱臼する．横靱帯は歯突起より強靱なため脱臼骨折の方が頻度が高い．さらに前方脱臼（骨折）は後方脱臼（骨折）よりも頻度が高い．環椎の側塊が軸椎の上関節面上を 45°以上回旋すると回旋脱臼を生じる．環軸関節回旋位固定と混同してはならない．成人で ADI が 3 mm 以上（小児 5 mm 以上）が環椎前方脱臼の指標とされており，前屈位の側面単純 X 線写真ではじめて診断されることもある．

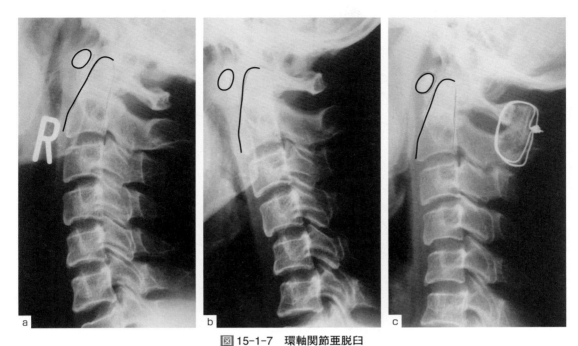

図 15-1-7　環軸関節亜脱臼
ADI は中間位で 2 mm (a)，前屈位で 8 mm (b) である．Brooks 法で環軸関節間を後方固定を行った (c)．

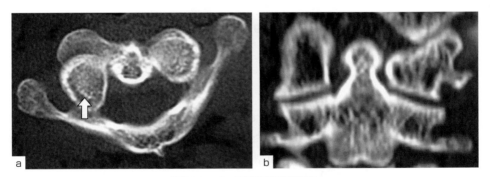

図 15-1-8　環軸関節亜脱臼
右 C1 側塊は後方に亜脱臼している．

b) 軸椎骨折・脱臼 fracture/dislocation of axis

軸椎の骨折は歯突起骨折とハングマン骨折が大半を占める．歯突起骨折は過屈曲で前方脱臼し，過伸展で後方脱臼する．歯突起骨 os odontoideum との鑑別が重要であるが，os odontoideum であれば骨片の角が丸みを帯びている．軸椎椎体の斜骨折と歯突起骨折やハングマン骨折が合併し，複雑な骨折型を生じることがある．

① 歯突起骨折 odontoid (dens) fracture

上位頸椎損傷の中では最も頻度の高い骨折であるが，麻痺を合併することはまれであるため見逃されていることも少なくない．すなわち受傷時にはなんら症状がなく，数日または数週後に後部痛や斜頸を呈してはじめて診断されることがある．一方，骨折した歯突起骨片とともに環椎が前方，後方，または側方へ転位することもまれでは

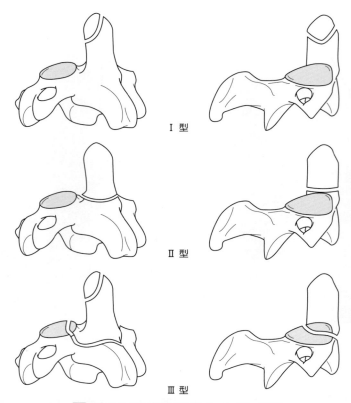

図 15-1-9　歯突起骨折の Anderson 分類
Ⅰ型：歯突起先端の剥離骨折，Ⅱ型：外側環軸関節高位（歯突起基部）での骨折，Ⅲ型：軸椎椎体部での骨折

(Anderson LD, et al：J Bone Joint Surg 56-A：1663-1674, 1974 を参考に著者作図)

なく，高度の脱臼骨折は致死的である．Andersonの分類（図 15-1-9）は，歯突起の骨折の部位によって3型に分けたもので，臨床上非常に有用である．最も頻度の高い外側環軸関節高位での骨折をⅡ型とし，それより頭側の翼状靱帯付着部の裂離骨折をⅠ型，尾側の軸椎椎体基部へいたる骨折をⅢ型とするものである．Ⅰ型，Ⅲ型は癒合しやすいが，Ⅱ型は遷延癒合や偽関節を起こしやすいので，治療方針の決定にこの分類が重要となる．ただしⅡ型とⅢ型の区分は必ずしも明確でなく，判断に迷うことがある．

附-3　頸椎動態撮影の必要性

頸椎外傷が疑われる場合，頸椎動態撮影が必要か否かは議論のあるところである．特に麻痺を合併した患者に対しては，安易に前・後屈位での動態撮影を行うことで神経麻痺を増悪させる可能性が危惧される．しかし，我々は単純X線撮影にて明らかな骨傷（脱臼・骨折）がない場合，環軸椎の不安定性や，頸椎前方脱臼における自然整復の鑑別，頸椎過伸展損傷における椎間動揺性などの評価に非常に有用であるので動態撮影が必要な場合は仰臥位のままで医師自ら慎重に動態撮影を行うべきである（伸展位は肩の下に枕を入れて行う）．頸部痛や四肢の神経症状に注意して透視下に行えばきわめて安全であり，われわれ1,000名を超す骨傷の明らかでない頸椎外傷患者に動態撮影を施

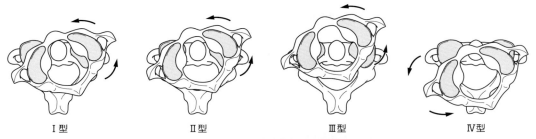

図 15-1-10　Fielding による環軸関節回旋位固定の 4 型分類
I 型：環椎の前方転位なし，II 型：3〜5 mm の前方転位を合併，III 型：5 mm 以上の前方転位を合併，
IV 型：後方転位を合併　　　　　　　（Fielding JW, et al：J Bone Joint Surg 59-A：37-44, 1977 を参考に著者作図）

行してきたが，これまで動態撮影自体で麻痺を悪化させたことはない．ただし，明らかな骨折／脱臼を伴う患者や意識障害のある患者には行うべきではない．

附-4　環軸関節回旋位固定 atlantoaxial rotatory fixation

Fielding の 4 型分類がよく用いられる（図 15-1-10）．誘因なしに生じたり，上気道感染に合併することが多いが，外傷が原因となることもある．"Cock Robin" position（頭部を側屈し反対側に回旋しやや前屈．コマドリ（が首を傾けている様子））を呈する．神経合併症はまれであり，開口位単純 X 線写真正面像が有用であるが，CT ではさらに明瞭となる（小児の環軸関節回旋位固定に関しては後述）．

② 軸椎関節突起間骨折（ハングマン骨折）

軸椎関節突起間骨折は絞首刑者の頚椎にみられるため（Wood-Jones, 1913），ハングマン骨折と名づけられた（Schneider, 1965）．頚椎損傷の中で頻発する骨折型であるが，実際は絞首刑時とはまったく異なる受傷機転で生じることが多く，自動車事故でハンドルやダッシュボードで顎や前額部を強打し，頚椎が過伸展を強制されたときに生じることが多い．軸椎の関節突起間部に後上方から前下方にいたる斜骨折となる．C2/3 椎間板も損傷され軸椎が前方亜脱臼することが多い．脊柱管は拡大するため脊髄損傷を合併することはまれである．Jefferson 骨折をしばしば合併する．瞬間的な過伸展牽引力で一過性の四肢麻痺を合併することもあるが，この外力が加わっている時間が長くなると脊髄は断裂し死にいたる．交通死亡事故の中では最も頻度の高い頚椎損傷型である．

骨折線が両側対称性にあれば側面単純 X 線写真で骨折部は離開して見えるので診断は容易である（図 15-1-11）．CT の矢状面再構成像は骨折線をより明瞭に描出できる．

項頚部痛を訴えるが特徴的な症状はない．脊髄症状を有する場合は他部位の損傷（特に中下位頚椎損傷）を合併している可能性もある．

Effendi 分類を改変した Levine-Edward の分類法は不安定性を評価するうえで有用である（図 15-1-12）．Type I は過伸展と軸圧により生じ，その後屈曲方向の反動が加わって Type II となる．Type IIa は過屈曲（屈曲伸延）外力，Type III は過屈曲で関節が脱臼した後，圧縮伸展方向の反動により生じると推測されている．

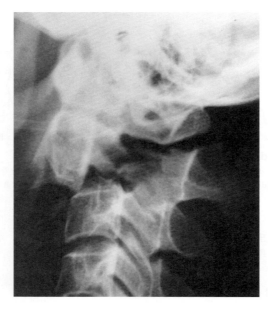

図 15-1-11　ハングマン骨折
C2 の関節突起間部が骨折のため離開し，椎体は著明に前方転位している（II型）．

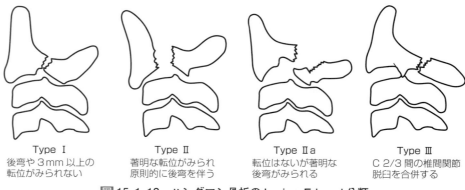

Type I
後弯や 3 mm 以上の転位がみられない

Type II
著明な転位がみられ原則的に後弯を伴う

Type IIa
転位はないが著明な後弯がみられる

Type III
C 2/3 間の椎間関節脱臼を合併する

図 15-1-12　ハングマン骨折の Levine-Edward 分類
（Levine AM, et al：J Bone Joint Surg 67-A：217-226, 1985 より著者作図）

2）下位頸椎損傷

　　Holdsworth は前方要素に加えて後方要素も損傷を受けたときに不安定型損傷とし，White は構築上の損傷に神経麻痺症状を加えて不安定性の程度を評価している．現在でも比較的よく用いられるのは Allen-Ferguson が示した受傷機転（外力の方向）に基づく分類である（図 15-1-13）．

① distractive extension（DE）injury（伸延伸展損傷）（図 15-1-14）

　　頸椎過伸展により生じる．前方への転倒転落などで生じることが多く，高齢者に多い．外傷の程度や元々の頸椎の状態（強直や狭窄の有無など）に応じて臨床的，画像的多様性がある．典型的な画像所見は当該椎間は若干の前方開きと後方すべりを呈し，MRI 上前縦靱帯や椎間板の損傷所見を示す．椎体の後方すべりは自然整復されていることも多い．また，強直性脊椎炎やびまん性特発性骨増殖症などの強直脊椎の

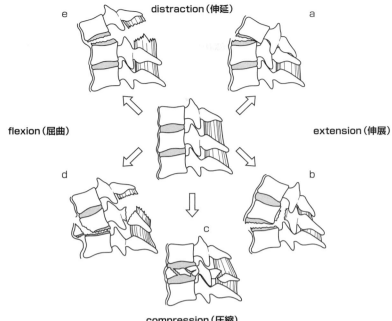

図 15-1-13　下位頚椎損傷の Allen-Ferguson 分類
a. distractive extension injury（伸延伸展損傷），b. compressive extension injury（圧縮伸展損傷），c. axial compression injury（軸圧損傷），d. compressive flexion injury（圧縮屈曲損傷），e. distractive flexion injury（伸延屈曲損傷）

伸展骨折もここに分類される．伸展外力が比較的低ければ単純 X 線写真や CT 上まったく異常が認められない場合も多いが，そのような症例を伸延伸展損傷に分類するか否かは議論の余地があり，定義に曖昧さが残っている．わが国で非骨傷性頚髄損傷と呼ばれる外傷のほとんどは，受傷機転から分類すれば伸延伸展損傷，または伸展損傷に属すると考えられる．すなわち，「非骨傷」と考えられる症例の多くで，前縦靱帯や椎間板の損傷が内在しているともいえる．非骨傷性頚髄損傷では中心性頚髄損傷の麻痺型をとることが多く，わが国では最も頻度の高い外傷性頚髄損傷である．

② compressive extension（CE）injury（圧縮伸展損傷）（図 15-1-15）

頚椎伸展状態で圧縮力（軸圧）が加わった場合に生じる．頚椎に対する圧縮力は，椎弓根，側塊，椎弓などの骨折を生じる．外力が強い典型例では椎弓根が骨折すると同時に，後方成分から分離した椎体は前方へ亜脱臼する．その場合，伸延屈曲損傷による前方脱臼と鑑別することが治療上重要である．その理由はこの椎弓根骨折を伴う椎体前方脱臼は 2 椎間病変であり，また，整復も頚椎伸展ではなく屈曲方向にベクトルを加える必要があるからである．

③ distractive flexion（DF）injury（伸延屈曲損傷）（図 15-1-16）

頚椎前方脱臼骨折であり，頚椎骨傷の中では最も頻度の高い損傷である．頚椎屈曲を強制されることにより，椎体の前方亜脱臼～脱臼を生じる．椎間関節の関節包や棘上棘間靱帯などの後方靱帯群は断裂する．前縦靱帯は断裂しない場合とする場合があ

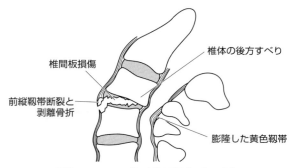

図 15-1-14　伸延伸展損傷（C3/4）

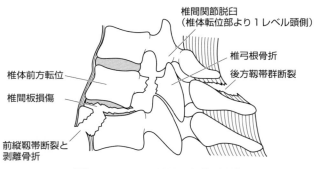

図 15-1-15　圧縮伸展損傷（C5）

る．典型的には椎間関節がロッキングするが，両側例よりも片側例の方が多い．前述した圧縮伸展損傷に伴う椎体前方脱臼と区別する必要がある．

④ compressive flexion injury（圧縮屈曲損傷）（図 15-1-17）

頚椎屈曲位で軸圧がかかった際に生じる．海やプールでの飛び込み時に生じやすい．上下の椎体前方がぶつかり合うことで，典型的には涙滴骨折といわれる上位椎体前下方の骨折と縦骨折が生じる．外力が強ければ同椎体は後方へ転位し，同時に後方靱帯群（棘上，棘間靱帯，後縦靱帯など）の断裂と椎弓骨折を生じる．

⑤ axial compression injury（軸圧損傷）（図 15-1-18）

椎体への圧縮力が比較的均等にかかった場合，椎体前壁と後壁の骨折が生じ，いわゆる破裂骨折の形となる．多かれ少なかれ椎体後壁は脊柱管内に突出する．先の涙滴骨折との区別が不明瞭なこともある．後方の靱帯群は基本的に温存される．

⑥ lateral flexion injury（側屈損傷）（図 15-1-19）

損傷椎間の屈曲，あるいは伸展損傷を合併することが多く，不安定性が強いため通常内固定術の適応である．

Allen-Ferguson の分類では上記の骨折型をさらに細分化しているが，やや煩雑で検者間再現性も比較的低いといわれている．そこで Patel らは新しい頚椎損傷の分類（subaxial cervical spine injury classification system：SLIC）を提唱した（表 15-1-1）．SLIC では，① 骨折形態（morphology），② 椎間板−靱帯損傷（disco-ligamentous com-

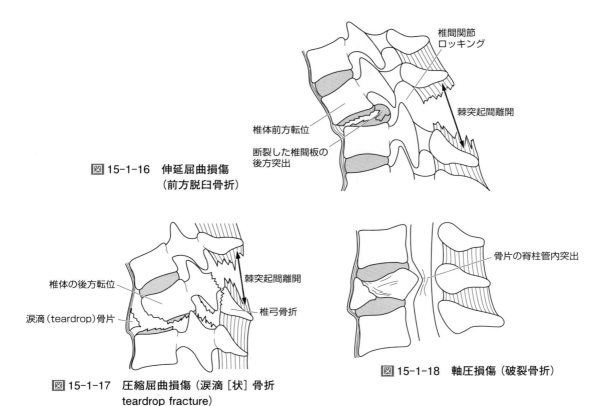

図 15-1-16 伸延屈曲損傷（前方脱臼骨折）

図 15-1-17 圧縮屈曲損傷（涙滴[状]骨折 teardrop fracture）

図 15-1-18 軸圧損傷（破裂骨折）

plex），③ 神経損傷の部位と程度（neurological status）の3つの病態で頚椎損傷を分類している．さらに損傷程度に応じた点数化を試み，保存治療・手術治療の目安としたことが特徴である．2016年Vaccaroらは，AOSpine groupと協力してAOSpine subaxial classification systemを提唱した．これは先に発表されていた胸腰椎部の新AO分類に準じているが，CT画像を基本として胸腰椎同様，Type A（椎体の compression injury），Type B（tension band injury），Type C（translation injury）と単純に分類した．ただ頚椎部の特徴として，椎間関節損傷に関する項目がType F（facet injury）として追加されたことが分類をやや複雑にしている．また若干の差異はあるが，神経学的所見（N0～N4）と後方靱帯群損傷などの修飾因子（M1～M4）を追加したことは胸腰椎AOSpine分類と同様である．これまでのところ良好な再現性が示されているが，外部の検証は今後の課題である．SLIC分類同様，受傷メカニズムに基づく分類ではないので，直感的に外傷形をイメージしにくい欠点がある．

3）その他の骨折

① 楔状圧迫骨折 wedge compression fracture

椎体の前上・下縁に生じる．椎体後方部は脊柱管内に転位しない．後方靱帯損傷はまれであり安定型損傷である．軽度のCF損傷の形をとることが多いが，他の不安定型損傷の一所見であることもあり注意を要する．

② 棘突起骨折 spinous process fracture

棘突起骨折は直達あるいは介達力で生じ，下位頚椎に多く，特にC6，C7に頻発す

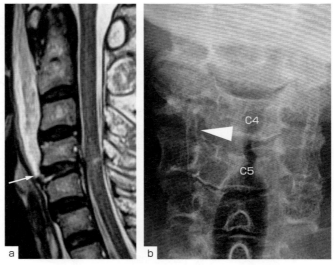

図 15-1-19　側屈損傷（C4/5）
→：C4/5 椎間板損傷
◀：C4/5 右椎間関節の側方開大

表 15-1-1　subaxial cervical spine injury classification (SLIC)

morphology	
no abnormality	0
compression	1
burst	2
distraction	3
rotation/translation	4

disco-ligamentous complex (DLC)	
intact	0
indeterminate	1
disrupted	2

neurological status	
intact	0
root injury	1
complete cord injury	2
incomplete cord injury	3
continuous cord compression	+1

骨折型（morphology），椎間板靱帯損傷（disco-ligamentous injury），および神経学的所見（neurological status）の3点から頸椎外傷を表現した．さらに点数化することにより，手術適応にも関連づけている（0〜2点：保存治療，5点以上：手術療法，3，4点は症例に応じて保存/手術療法）

る．介達力としては僧帽筋と菱形筋のくり返しの牽引力による clay-shoveler's fracture（1930年代のオーストラリアで，ショベルで深い水路堀をしていた際，頭上に持ち上げた粘着性の強い粘土がショベルから離れず，項部に激痛を訴え，作業の中止を余儀なくされた）がよく知られている．ゴルフスイングの際の棘突起骨折も同様な機転で生じる．

③ **側塊骨折** articular pillar fracture

過伸展圧縮力の作用が示唆されるが，屈曲伸延損傷の場合も起こりうる．さまざまな頸椎骨傷で生じうるが，頸椎アライメントが保たれている側塊の単独損傷の場合は局所症状（項頸部痛など）の原因となることがある．脊髄損傷を合併することはない．

④ 鉤状突起骨折　uncinate process fracture

　　　　椎体外側部の鉤突起の骨折は過側屈損傷によくみられる．神経症状を合併すること
はきわめてまれである．

⑤ 横突起骨折　transverse process fracture

　　　　単独骨折のほとんどは C7 である．

d 診　　断

1）画像診断

　　　　外傷性脊椎・脊髄損傷は，受傷機転を理解し臨床所見（特に神経学的所見）を把握
することで概括的診断を下すことができる．画像による静的構築学的異常の評価は比
較的容易であるが，動的不安定性の的確な評価は困難であることが多い．骨傷例での
動態撮影は原則として禁忌である．画像を得た時点での不安定性は受傷時のそれと必
ずしも同じではない．単純 X 線写真や CT によって，脊椎の構築学的破綻の状況と
その中に包含されている脊髄への圧迫程度を予想することができる．さらに MRI は，
脊髄自体の形態異常のみならず，その質的変化を捉えることが可能である．

　　　　急性期脊髄損傷患者では，全身状態と麻痺が刻々と変化する状況下で，体位変換を
行わずに短時間に的確な画像を得，可及的早期に治療を開始しなければならず，全身
合併症（脳・肺・消化器）や多発性骨傷（骨盤・四肢）にも注意を要する．なかでも非
連続性脊椎損傷（特に頚椎と胸椎・腰椎）や頭蓋頚椎移行部，頚胸椎移行部，仙椎部
損傷は見逃しやすい．撮影体位は背臥位とし側面撮影時にも側臥位とすべきでない．

a) 単純 X 線写真　plain radiography

　　　　スクリーニング検査として重要であるが，動態撮影が可能である場合は椎間不安定
性を評価できる．頚椎側面は両上肢を尾側に牽引して下位頚椎部まで描出すべきであ
る．上位頚椎部では開口位撮影を，頚胸椎移行部では泳者肢位撮影 swimmer
projection（p. 876 参照）を加えるべきである（図 15-1-20）．ほとんどの例の損傷部位
の診断はこれらの単純 X 線写真により可能である．明らかな骨傷がなければ非骨傷
性頚髄損傷の可能性が高いが，医師自身の手により慎重に透視下頚椎動態撮影を行
い，椎間動揺性を評価することが望ましい．この際頚椎伸展位は仰臥位のまま肩の下
に枕を入れて撮影する．頚椎動態撮影の最も重要なポイントは頚椎前方脱臼（DF 損
傷）の自然整復例（recoil injury）を鑑別することであるが，坐位での動態撮影にて初
めて判明することもある．

① 前後像

　　　　棘突起の配列異常に注目すべきである（図 15-1-21）．単一椎間での棘突起間の開
大や側方偏位は後方靱帯損傷を示唆する．側面像で脱臼の評価のしにくい下位頚椎部
ではこの棘突起のアライメントが診断の手がかりとなることが多い．椎体の側方転
位，椎弓根間距離の開大，椎間関節面の離開は脱臼や骨折の所見である．

② 側面像

　　　　椎体描出の撮影条件よりも電圧を多少低下させると，棘突起の鮮明な像を得ること
ができる．椎体と棘突起をそれぞれの撮影条件下で撮影することが望ましい．後弯変
形，椎体の前方または後方転位，棘突起間の開大，椎間関節のロッキングを読影す

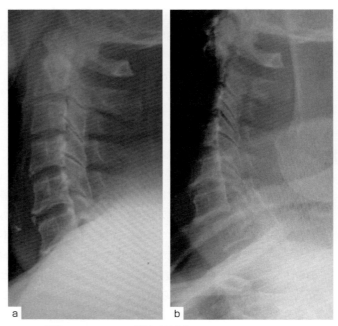

図 15-1-20　C6 脱臼骨折と swimmer projection
側面像では肩と重なり見逃しやすいが (a), swimmer projection
(b) で脱臼が明瞭となる (図 15-2-35, p. 876 参照).

る．椎体前方骨皮質の微細なゆがみや，損傷椎の頭側に頻度が高い終板の骨折を見逃してはならない．椎間板高の異常な狭小化は椎間板の損傷所見である．骨折椎体の後方骨皮質が脊柱管に突出しているか否かはきわめて重要であるが，骨片の突出部は椎弓根と重なっていることが多く，非損傷隣接椎体との比較読影が必要である．

b) コンピュータ断層撮影 computed tomography（CT）

短時間に MPR-CT（multiplanar recostruction-CT）や三次元画像（3D-CT）が得られるため，頚髄損傷を疑う症例では一般画像検査として CT 撮影を加える．環軸椎間の離開や回旋，歯突起骨折は一目瞭然であり（**図 15-1-22**），骨折椎体の後方突出や骨折椎弓の前方落ち込みによる脊柱管の狭窄程度が明瞭に描出される．しかし脊柱のアライメントの破綻のため，ガントリー角度によっては，転位や骨折の高位の評価が困難なことも少なくない．椎体の縦割れ所見は後方靭帯損傷を強く示唆する．また動態撮影での評価が必要な場合，単純 X 線では頚胸椎移行部病変がわかりにくいため，この部は CT（MPR-CT）画像を利用して動態撮影を行うとよい．椎骨動脈損傷が疑われる場合は造影 CT を撮影する．

c) 核磁気共鳴画像 magnetic resonance imaging（MRI）

脊髄の形態異常のみならず質的変化を把握できるとともに，神経学的予後の予測がある程度可能である．急性期の損傷脊髄の病理は経時的に変化するため，受傷から撮像までの時間により信号はさまざまに変化する．画像の評価には撮像時期を考慮することがきわめて重要である．脊髄以外にも，椎間板や靭帯，筋肉などの軟部組織の損傷，骨挫傷の評価に有用である．この場合 T2 STIR にて撮影すると評価しやすい．

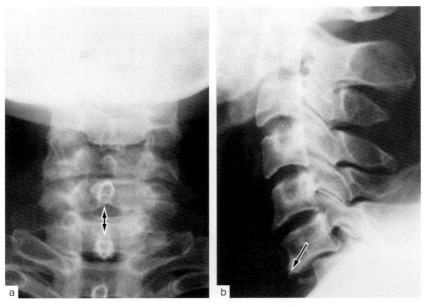
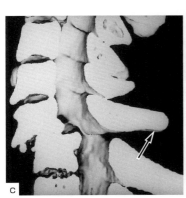
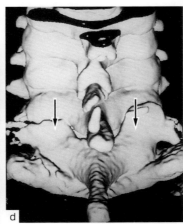
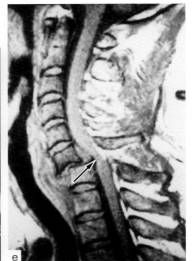

図 15-1-21 前方脱臼骨折
前後像（a）では C6/7 間で棘突起は離開し（矢印），側面像（b）では C6 椎体は前方脱臼している．三次元 CT 画像（c, d）では骨性の脊柱管は狭小化し，椎間関節は両側ロッキングしている（C6 下関節突起は C7 上関節突起を乗り越えて前方に転位嵌合：矢印）．MRI（e）では C6 椎体後面に迷入した椎間板を認める（矢印）．

また必要に応じて MR angiography を撮影することにより，椎骨動脈損傷を評価できるが，造影 CT と比べるとやや正確性に欠ける．頭蓋直達牽引中でも装置はチタン製を用い，砂嚢を重錘にすると MRI 撮像は可能である．頭蓋内合併損傷や椎骨動脈損傷による小脳/脳幹部梗塞が疑われる場合は頭部 MRI を撮影する．

2）損傷型と画像診断

a）上位頚椎損傷

開口位前後像で歯突起と環椎側塊間が非対称であれば，環軸関節回旋性脱臼を疑う

（図15-1-22, 23, 54（p.839参照））．本脱臼はFieldingにより4型に分類されている（図15-1-10）．環椎側塊外側縁が軸椎椎体外側縁より外側に転位していれば，環椎の前弓と後弓の骨折によって左右の環椎側塊が離開するJefferson骨折である．これらの損傷は撮影条件によって不明瞭なことがあるのでCTが有用である．側面像でADIが5 mm以上あれば，横靱帯の損傷による環軸関節前方脱臼である．いずれもCTで診断を確定できる．軸椎歯突起骨折は単純X線写真開口位前後像と側面像で診断でき，環椎とともに前方または後方に転位していることが多い．Andersonの分類法は臨床上有用である（図15-1-10）．軸椎椎体のやや後方に斜走する骨折は，軸椎関節突起間骨折（ハングマン骨折）で（図15-1-11），軸椎が前方に転位していることが多く，C2/3間での椎間板損傷や椎間関節のロッキングを合併することがある．

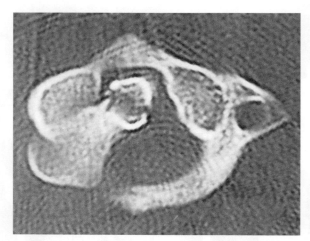

図 15-1-22　環軸関節回旋位固定（歯突起骨折を合併する）
CTで環軸椎間の回旋が明らかである．

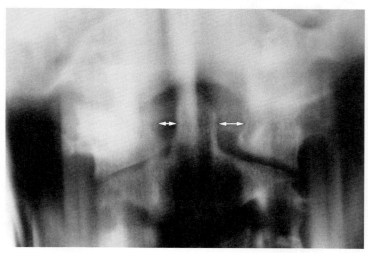

図 15-1-23　環軸椎回旋位固定
前後断層像で歯突起外側縁と軸椎側塊内側縁との距離が左右非対称であることが明瞭となる．

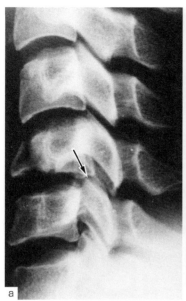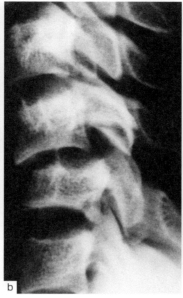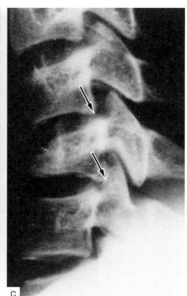

図 15-1-24　頚椎損傷と頚髄損傷
a. C5 の涙滴 [状] 骨折：C5 椎体は後方に転位しているが麻痺なし（矢印）
b. C5 脱臼：C5 椎体は前方に転位し，C5/6 間で棘突起は離開し椎間関節はロッキングし，不全麻痺を合併
c. C5 の涙滴 [状] 骨折：頭側椎間では C4 椎体は前方転位し，尾側椎間では C5 が後方転位し（矢印），それぞれの椎間で棘突起は離開しており完全横断性頚髄麻痺を合併

Levine-Edward の分類法は不安定性を評価するうえで有用である（図 15-1-12）．

b）下位頚椎損傷

受傷時または遅発性に合併する神経麻痺は，脱臼，骨折，軟部組織（椎間板・黄色靱帯）の脊柱管への嵌入により神経組織が挟撃されるために生じる．神経麻痺発症には，これらが単独もしくは重複して関与する．主たる病態を画像から把握し，臨床症状と比較検討するとき，その隔たりが大きいことが少なくない（図 15-1-24）．静的画像のみではもちろんのこと，動態撮影画像でも受傷時の損傷病態を再現できないからである．臨床所見と画像診断を駆使しその受傷メカニズムを推定することが必要である．

軟部陰影の異常は損傷を示唆する所見である．側面像における 6 mm 以上の retropharyngeal space（C2 椎体下縁より咽頭後壁までの距離），または 2 cm 以上の retrotracheal space（C6 椎体下縁より気管後壁までの距離）は，頚椎軟部支持機構損傷の一指標である（6 at 2, 2 at 6）．

① 脱　臼

椎間関節包の損傷により椎間関節が解剖学的位置関係から逸脱し，椎体間の椎間板高位での転位，あるいは両者の合併は脱臼である（伸延屈曲損傷）．椎間関節はロッキング（頭側脱臼椎の下関節突起が尾側椎の上関節突起の前方に転位し，その位置で嵌合する）し，椎体は前方に脱臼することが多い．棘突起間は離開開大し棘突起が前後像で側方へ偏位していれば，偏位側がロッキング側であり，偏位がなければ両側ロッキングである（図 15-1-25）．椎体が著しく前方に転位し椎体間でロッキングする

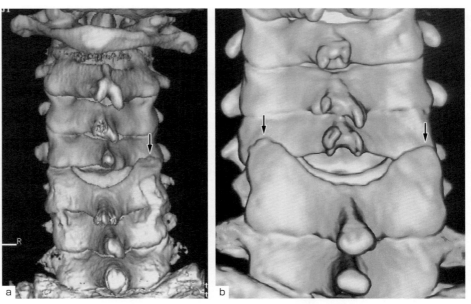

図 15-1-25 関節ロッキングを伴う頚椎前方脱臼（伸延屈曲損傷）
a. 片側ロッキング（↓），b. 両側ロッキング（↓↓）．片側ロッキングの方が頻度が高い．

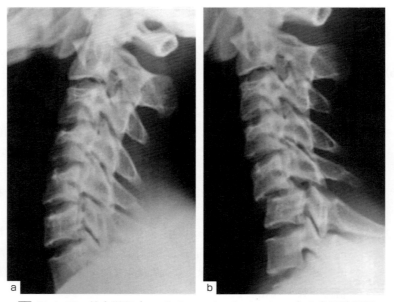

図 15-1-26 前方脱臼（recoil distractive flexion injury）の自然整復例
a. 中間位，b. 屈曲位（C5 の前方脱臼が判明）

こともある．受傷時に脱臼したにもかかわらず，単純X線写真撮像時に自然整復され脱臼所見のないことがある．いわゆる recoil injury である（**図 15-1-26**）．仰臥位における側方透視下での注意深い動態撮影，または後日坐位での撮影で確定診断を行う．

椎間関節がロッキングせず椎弓根や関節突起間部の骨折でも椎体間は転位する（圧

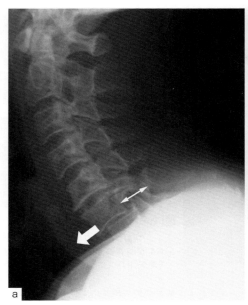
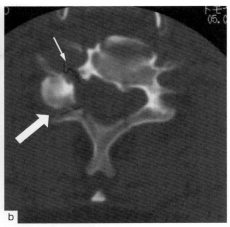

図 15-1-27 椎弓根骨折を伴う C6 前方脱臼（圧縮伸展損傷）
a. C6 椎体の前方すべりを生じるが、脊柱管は開大している（↔）．前方成分（椎体）は C6/7 間で偏位を生じているが、後方成分（椎間関節〜椎弓〜棘突起）は C5/6 間で偏位を生じており、2 椎間病変であることに注意
b. 右側椎弓根と椎弓の骨折があり（↑），C6 椎体は回旋しながら前方すべりを生じていることがわかる（⇧）．

縮伸展損傷）．棘突起間は開大するが，椎体間は尾側椎間で転位する．分離すべり症を想起すると理解しやすい．脱臼椎の椎弓は後方に転位するため脊柱管は比較的温存される（**図 15-1-27**）．

椎体の後方脱臼は涙滴（teardrop）型脱臼骨折である（圧縮屈曲損傷：**図 15-1-28**）．椎体前下縁に涙滴状の骨折を有する椎体が後方に転位する．棘突起間は当該椎間高位のみならず隣接頭側椎間で開大することがある．CT では椎体は正中部矢状面で縦骨折していることが多く，後方脱臼椎間ではあたかも骨折椎体が脊椎管内に嵌入しているかのような像を呈するが，これは後方脱臼椎体の後縁である．

② 椎体骨折

椎体骨折は 2 型に分類できる．椎体の中央から前方に骨折し，単純 X 線写真側面像で楔状を呈するのが圧迫骨折，圧迫骨折に椎体後方骨皮質の骨折を合併しかしこの骨片が後方突出するのが破裂骨折であり，前後像で椎弓根間距離が開大していることが少なくない．側面像では圧迫骨折と破裂骨折とを鑑別することは難しいこともある．また突出骨片の程度が重要であり，この際には CT がきわめて有用である．破裂骨折にしばしば観察される椎体中央部の縦骨折線（CT）は，後方要素断裂の合併頻度が高く不安定性の強いことを示唆する．隣接椎で脱臼と破裂骨折とを合併していることもある．

③ 椎間板の後方脱出

特に頚髄損傷では明らかな骨傷がなく，MRI で脊柱管の前方からの圧迫因子を認めることがある．椎間板と終板の一部の後方への突出である．既存の椎間板ヘルニア

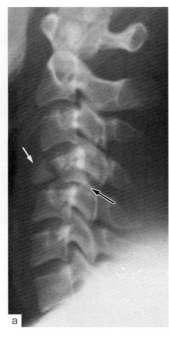
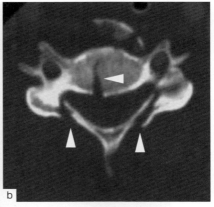

図 15-1-28 C4 涙滴骨片を伴う
　　　　　後方脱臼（圧縮屈曲損傷）
a. C4 涙滴骨片（白矢印）と椎体の後方脱臼
　（黒矢印）．C3/4 間で棘突起間の開大も認
　める．
b. 同椎体の縦骨折と椎弓骨折（△）が認めら
　れる．

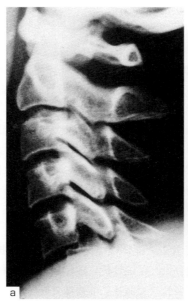
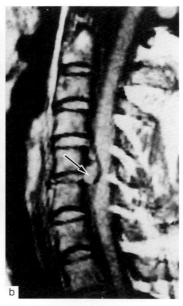

図 15-1-29 頚椎脱臼骨折と椎間板の後方脱出
a. C5 椎体は前方に転位している．
b. （a）の単純 X 線写真は他医のものであるが，当センター初診時にはす
　でに脱臼は自然整復されており，MRI では椎間板の後方突出による脊
　髄の圧迫が著明である（矢印）．

との鑑別がしばしば困難であるが，MRI にて前縦靱帯や椎間板の損傷像，軟部組織
の挫滅像などを参考にする．脱臼骨折においても，脱臼とともに椎間板の迷入が脊髄
への圧迫因子となっていることが少なくない（図 15-1-29）．

④ 単純 X 線写真上骨傷の明らかでない頚髄損傷

　　小児を除けばこのような例は頚椎に集中している．比較的高齢者に多く，わが国ではいわゆる非骨傷性頚髄損傷と呼ばれるものである．多くは過伸展損傷であるが，前方脱臼自然整復例（recoil injury）や椎間板の後方脱出を除外診断する必要がある．椎体前縁の小骨片や椎間のわずかな前方開大は，この椎間での過伸展損傷を示唆する（伸延伸展損傷，伸展損傷）．MRI では 70% 以上の症例で椎体前面に T2 高信号領域が認められ，軟部組織の挫滅や浮腫，あるいは血腫を推測させる．さらに約半数の症例で前縦靱帯や椎間板の損傷所見がみられる．このような軟部支持組織の損傷は，骨傷がなくても強い頚椎過伸展外力が加わったことを示している．このような MRI でしばしば認められる軟部外傷性変化は，頚椎症性脊髄症の急性増悪との鑑別にも重要である．また脊髄自体の信号変化で損傷高位を診断できる．脊椎症性変化や後縦靱帯骨化による脊柱管狭窄を合併している場合には，これらの最狭窄部は脊髄損傷高位と必ずしも一致せず，可動性を残している椎間が障害を受けやすい．全体としてみれば，年齢や変性程度にかかわらず C3/4 高位に頻度が高い（図 15-1-30, 31）．典型的には中心性頚髄損傷といわれる上肢に麻痺の強い不全麻痺を生じることが多いが，受傷時の伸展外傷力が大きければ完全麻痺を呈することもある．

e 臨床所見

　　脊髄/神経根症状を伴っている場合，麻痺の重症度は Frankel 分類を改変した American Spinal Cord Injury Association（ASIA）の impairment scale で表される（表 15-1-2）．肛門周囲の感覚，運動（肛門括約筋の随意収縮）を支配する領域は脊髄の辺縁部に位置し（図 15-2-31 参照），同部は最後まで障害を免れやすい部位である（仙部（髄）回避 sacral sparing）．完全麻痺か否かの判定はこの仙部（髄）回避まで消失しているか否かによるが，これは予後判定のうえで非常に重要である．完全麻痺例は麻痺改善がきわめて不良であるのに対して，不全麻痺はほとんどの例で何らかの麻痺改善が見込まれるからである．ただし超急性期（受傷後 72 時間以内）には完全麻痺の診断が困難なことが多い．一般には受傷後 72 時間以上経過し運動，知覚が完全に脱失していれば，その後の回復はきわめて不良である．しかし遅れて不全麻痺に移行する例が少数ながらあり，受傷後 8 週までは完全麻痺の診断は下すべきではない．したがって急性期の頚髄損傷の治療ではすべての症例が麻痺回復の可能性を秘めた不全麻痺であるとする心構えが必要である．特に受傷後早期に spinal shock から回復し下肢深部腱反射が出現する症例は，その後不全麻痺に移行する可能性が期待できる．脊髄の神経学的損傷高位（neurological level of injury：NLI）を決める key muscle は ASIA により表 15-1-3 のごとく定められている．重要なことは NLI は損傷を受けた脊髄レベルではなく，残存する最尾側の脊髄レベルで表記されることである．徒手筋力テスト MMT が 3 以上あればその脊髄レベルは残存していると定義される．例えば手関節伸展の MMT が 3 以上あり，それ以下（肘伸展以下）の MMT が 0 であれば，NLI は C6 となる．

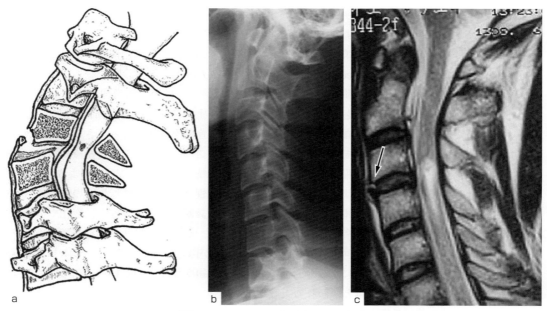

図 15-1-30　C3/4 非骨傷性頚髄損傷
a. 非骨傷性頚髄損傷の受傷機転は過伸展損傷が多く，前縦靱帯と椎間板が損傷するが後縦靱帯は損傷を免れ，C3 椎体が後方に転位することにより脊髄が圧迫される．
b. 単純 X 線写真では明らかな骨傷は明らかではない．
c. MRI の T2 強調画像では，C3/4 前縦靱帯が損傷し（矢印），同高位で脊髄内高信号がみられる．

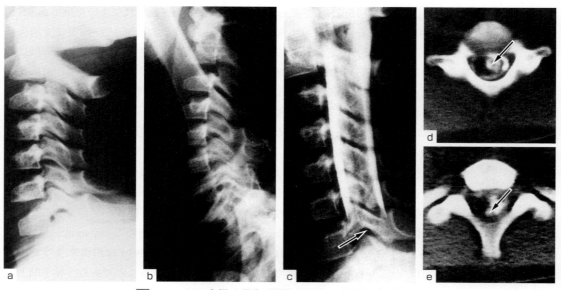

図 15-1-31　小児の骨傷の明らかでない頚髄損傷（7 歳）
通常の側面像（a）と swimmer projection（b）では異常は認めないが，脊髄造影（c）では C7 高位でブロックを呈し（矢印），その CT（d, e）では脊髄内に造影剤の漏出がみられる（矢印）．

表 15-1-2　American Spinal Cord Injury Association（ASIA）impairment scale

A	complete（完全麻痺）	仙髄領域（S4-S5）の運動，感覚完全麻痺
B	incomplete（不全麻痺）	脊髄障害レベル以下で運動完全麻痺，感覚不全麻痺
C	incomplete（不全麻痺）	脊髄障害レベル以下で運動不全麻痺 key muscle の半数以上で MMT2 以下
D	incomplete（不全麻痺）	脊髄障害レベル以下で運動不全麻痺 key muscle の半数以上で MMT3 以上
E	normal（麻痺なし）	運動感覚正常

表 15-1-3　神経学的損傷高位（neurological level of injury）と key muscle

neurological level	key muscle	neurological level	key muscle
C5	上腕二頭筋（肘屈曲）	L2	腸腰筋（股関節屈曲）
C6	橈側手根伸筋（手関節伸展）	L3	大腿四頭筋（膝伸展）
C7	上腕三頭筋（肘伸展）	L4	前脛骨筋（足関節背屈）
C8	深指屈筋（中指 DIP 屈曲）	L5	長母趾伸筋（母趾背屈）
T1	小指外転筋（小指外転）	S1	腓腹筋（足関節底屈）

徒手筋力テスト MMT が 3 以上ある最も尾側の脊髄レベルで損傷高位を表す

f 治　療

　頚椎損傷の治療の目的は，① 脊髄の二次損傷を防ぎ，② 早期離床とリハビリテーションを可能にすることである．そのために脊柱の支持性が失われていれば，可及的に解剖学的に整復して支持性の再獲得が必要であり，場合により脊髄の除圧術が必要となる．

　主損傷が骨組織か椎間板〜靱帯組織かによって治療法は異なるが，麻痺の有無も手術（内固定術や除圧術）を選択するか否かの判断基準となる．骨傷の中で転位が残ってもほとんど障害のない場合（棘突起骨折，横突起骨折など）や整復が比較的容易で骨癒合が良好な損傷（圧迫骨折，ハングマン骨折など）では，一般に保存療法が選択される．整復が容易であっても骨癒合が起こりにくい損傷（歯突起骨折の Anderson 分類のⅡ型など）では，手術療法の適応となることが多い．一方，環椎横靱帯損傷による環軸関節脱臼や後方靱帯損傷を合併した下位頚椎の脱臼骨折は，手術療法の適応となることが多い．

　脊椎損傷の病態のみならず，合併する神経麻痺の有無と程度によっても治療法やその時期が異なることも，本損傷を取り扱ううえでの特徴である．本項では陳旧例を除き新鮮外傷例の治療について述べる．

1）保存療法

　すべての頚椎損傷の治療は仰臥位での砂嚢またはカラーによる固定で始まる（**図 15-1-32**）．この状態で損傷病態を理学所見と画像情報から把握し，よりいっそう的確な治療法へと移る．頚椎のアライメントの乱れがあれば通常早期手術の適応とな

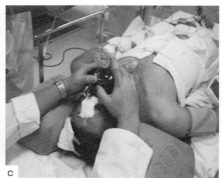
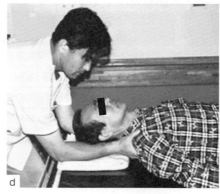
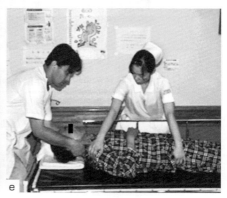

図 15-1-32　頚椎頚髄損傷に対する初期管理
頚部の安静を保つために背臥位で頭部を両側から砂嚢固定し(a)，レスピロメーター(b)を用いて肺換気量を測定する(c)．患者を移動させる際には，患者の両肩の下に手の平を挿入し両前腕で頭部を挟み込み，体位変換する必要があるときは，必ず助手と一緒に患者の身体を1枚の板のように動かす(d)．

る．何らかの理由で早期手術ができない場合や保存治療が選択される場合は頚椎牽引を行うこともある．2 kgから3 kgの重量で牽引する．この主目的は整復というよりは安静保持であるが，直達牽引により整復を目指す場合は重量を徐々に増加する．安静保持には頚椎固定装具も用いられる．種々の牽引法と装具があり，それぞれ損傷病態に応じて用いられる．

牽引法には頭蓋介達牽引法(Glisson牽引)，頭蓋直達牽引法(Crutchfield, Gardner, halo tractionなど)がある．介達牽引法では牽引力の増量は顎の痛みや開口制限のため適さず，かつ長期間(2週以上)の持続牽引にも問題がある．Glisson牽引は軽微な骨折や椎体の楔状圧迫骨折に対する局所の疼痛軽減処置，あるいは頭蓋直達牽引までの損傷部の一時的な安静保持が目的である．より強力かつ長期間の牽引法としては頭蓋直達牽引法が優れている．特にGardner装置は装着がきわめて簡便で固定力も強い(図15-1-33)．整復後に強固な固定を得たい場合はハローリングを装着し，これで牽引を行い，その後頭蓋輪胸郭牽引装置ハローベスト halo vestを装着すると便利である．ほとんどの骨折はこの牽引によってアライメントの整復は可能であるが，骨片が脊柱管内に陥入した破裂骨折などでは脊柱管の除圧までは期待できない．下位頚椎において椎間関節がロッキングした前方脱臼(特に片側ロッキング)の整復操作

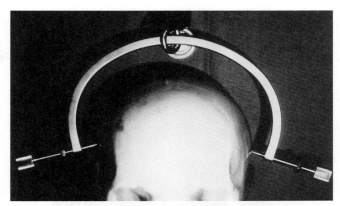

図 15-1-33　Gardner 直達牽引装置

は，患者の意識下に麻痺状態を観察しながら直達牽引で試みてもよい．徐々に牽引を増量する緩徐牽引法や急速牽引法によって整復する方法がある．ただし，靱帯機構の損傷の状態によっては（特に過伸展脱臼骨折では後方要素のみならず前縦靱帯損傷を合併する），牽引による整復法は脊髄に対して過牽引となり危険である（図 15-1-34）．いずれにせよ整復後は手術による内固定術が必要となる．

装具の中で簡便な頚椎カラー，フィラデルフィアカラー，オルトカラー，SOMI brace などによる固定力はいずれも大差はなく，主に前屈の制御目的で用いられる．ハローベストによる頭蓋輪胸郭牽引（図 15-1-35）は固定力に優れており牽引もある程度かけることができ，特に上位頚椎損傷に有効である．ただし，脊髄麻痺合併例に対しては，呼吸や胸部皮膚の管理面で問題がある．

附-5　脊髄損傷に対する再生医療

脊髄損傷に対する神経幹細胞移植の有効性が動物実験レベルで数多く報告されている中，2006 年京都大学の山中らにより人工多能性幹細胞（induced pluripotent stem cell：iPS 細胞）が世界で初めて報告された．これ以来，この分野の基礎的研究に拍車がかかっており，臨床的にも人への投与が開始されている．慶應義塾大学における脊髄損傷患者に対する iPS 細胞投与の他にも種々の間葉系幹細胞を経静脈的に投与する方法が実際に試されている．もはや脊髄損傷は不治の病ではない，という感を報道から受け取る人も少なくないと思われる．しかし，その細胞移植の「有効性」に関して，基礎研究者と脊髄損傷医療に携わる臨床医にはかなり大きなギャップが存在することも事実である．実験的に神経幹細胞で効果が確認されているのは，ほとんどが損傷後間もない時期に移植された不全麻痺の場合のみであり，慢性期の効果を示す報告はきわめて少ない．急性期においてもその効果は人において Frankel A を実用的な D にまで改善させるような劇的なものであるか疑問である．真に患者に福音をもたらす治療法確立のためには，解決しなければならない問題が山積みであり，脊髄損傷に対する基礎/臨床研究はようやく入り口に辿り着いたというのが実際であろう．

a）Jefferson 骨折

一般に靱帯損傷を合併しない安定型損傷であり，主に保存療法が行われる．神経損傷を合併する場合は，歯突起骨折や中下位頚椎の非骨傷性頚髄損傷などでの合併損傷

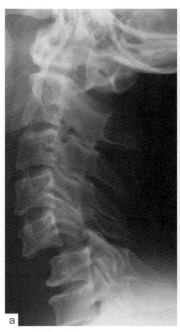
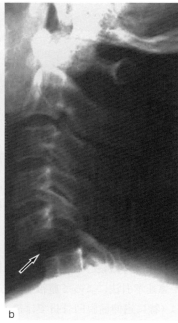

図 15-1-34 頚椎脱臼骨折（過牽引）
a. C5前方脱臼骨折の背臥位単純X線写真
b. 2 kg での Gardner 頭蓋直達牽引中の単純X線写真ではC5/6椎体間が開大している（矢印）．前縦靱帯損傷合併が推察される．このような症例では重錘の追加は過牽引となり麻痺が増悪する危険がある．

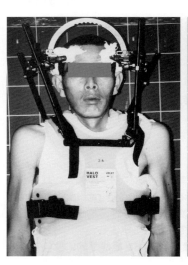
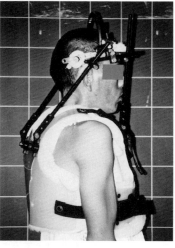

図 15-1-35 頭蓋輪胸郭牽引装置（Ace 社製）
牽引力のみならず任意の前後屈位の調整が可能である．チタン製であるためMRIの障害とならない．

をまず念頭におき精査する．環椎破裂骨折による脊柱管内血腫の有無を鑑別するうえでもMRIが有用である．他の身体部位の重篤な合併損傷を有する場合は，頚椎カラー固定のみで移送を行ってもよい．

　転位のない骨折はフィラデルフィアカラーによる固定を約6～8週間行う．側塊の側方転移や粉砕骨折があれば，局所麻酔でハローリングを装着し，中間位で頭蓋輪胸郭牽引装置を装着し起坐・歩行を許可する．頚椎のみならず他の部位の疼痛の有無などもチェックする．坐位での正面単純X線写真で軸椎側塊の側方転位の増強がみられれば頭蓋輪胸郭牽引装置に伸張力を加え調整する．可及的整復で十分である．受傷後8週で頚椎カラーに変更する．主にCTで経過を観察し骨癒合を待ってカラーを除

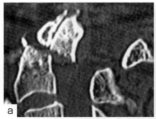
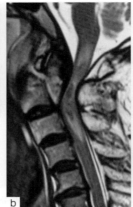
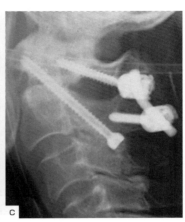

図15-1-36 歯突起骨折 Anderson Type Ⅱ
a. CT，b. MRIにて骨片の後方転位と脊髄損傷が明瞭である．
c. 後方よりC1-2整復固定術（Magerl法，およびC1 lateral mass screw＋C2 lamina screw）を施行

去し（受傷後12週），頚椎の自動運動を開始する．一般に骨癒合は良好である．可動域制限などの後遺障害はまれである．

　両側の環椎側塊が7mm以上側方に転位すると横靱帯が断裂していると考えられる（Spence, KF, 1970）．上記の保存療法で骨癒合を得た後，機能撮影で環軸椎の不安定性（環椎関節前方亜脱臼）が確認されれば，手術が適応され環軸椎間の後方固定術を施行する．

b）**軸椎歯突起骨折** dens fracture

　一般に保存療法が行われるが，偽関節をきたしやすいAnderson分類のⅡ型は早期の固定術を推奨する報告もある．特に麻痺合併例は強い臨床的不安定性が内在していることを示唆しており，固定術を考慮する要因となる（**図15-1-36**）．

　Ⅰ型は治療上特に問題なく，初期から頚椎カラーのみでよい．Ⅱ型とⅢ型は頭側の骨片は環椎とともに前方，後方，または側方に転位していることが多いため，正常な位置に整復することが骨癒合面でも重要である．ハローリングを装着し，牽引方向や牽引重量を変更しながら側面単純X線写真で整復位を確認する．ベストと連結する際に再転位することがまれではないので，患者を坐位にし，ハローリングを頭側に牽引した状態で連結するとよい．経時的に単純X線写真コントロールを行い微調整する．骨折部の離開は過牽引であり避けなければならない．12週で頚椎カラーに変更し，16週で骨癒合を確認しこれを除去する．受傷後6ヵ月時の骨癒合の遷延は偽関節と判定し，固定術の適応とする．特に高齢者にはハローベスト装着による合併症の危惧があり，また偽関節となっても臨床上大きな問題とならないこともしばしば認められるため，フィラデルフィアカラーなどによる簡便な外固定を選択することもある．

c）**ハングマン骨折** hangman fracture

　保存療法を原則とする．約25％の例に環椎破裂骨折を合併するが，この際はさらに保存療法が望ましい．

　X線透視や単純X線写真でアライメントや骨折部の離開が最小限となるようにハ

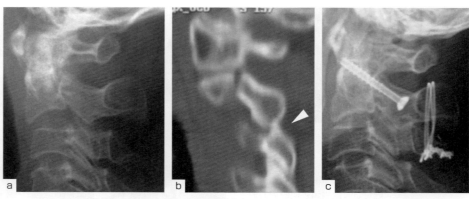

図 15-1-37　ハングマン骨折 (Levine-Edward 分類のⅢ型)
　a. 側面像にて C2/3 間の後弯変形が強い．
　b. CT にて C2/3 関節のロッキングがわかる．
　c. 後方整復固定術 (Magerl 法，および棘突起 wiring) を施行

　ローベストを装着する．転位が大きな場合は，ハローリングでの頭蓋直達牽引を中間位 2 kg で行い，可及的整復位を得た後にベストに連結する．受傷後 10 週で頚椎カラーに変更し，14 週でカラーを除去する．関節突起間部は骨折部が完全に密着しなくても骨癒合は良好で，C2/3 不安定性が側面単純 X 線写真で観察されることもまれであり，臨床的にも疼痛などの問題を残すことは少ない．
　きわめてまれであるが，Levine-Edward 分類のⅢ型で椎間関節ロッキングが解除されない症例は手術適応である．後方進入でロッキングをはずし後方固定を加える (図 15-1-37)．通常，緊急手術の必要性はなく待機手術となる．

2) 手術療法
a) 上位頚椎損傷
① 手術の適応と術式の選択
　急性期に緊急手術を要することはまれで，主としてハローベスト (頭蓋輪胸郭牽引装置) による初期治療後の待機手術となる．手術適応となる病態を列挙する．
　環軸関節脱臼 (環椎横靱帯損傷合併)：側面単純 X 線写真で ADI が 5 mm 以上で，神経学的異常所見または頑固な疼痛を合併．
　Jefferson 骨折 (環椎横靱帯損傷合併)：正面単純 X 線写真で両側の軸椎椎体外側縁と環椎側塊外側縁間距離の和が 6.9 mm 以上．
　環軸関節回旋位脱臼 (環椎横靱帯損傷合併)：一時的にでも神経合併症を有するか，または ADI が 4 mm 以上であり，保存的に整復およびその保持が得られない．
　軸椎歯突起骨折：保存的に骨癒合率の低い AndersonⅡ型では早期手術を検討してよい．特に麻痺合併例では強い不安定性が内在していること，および長期のハローベスト固定による合併症を避ける意味から内固定術が勧められる．
　軸椎関節突起間骨折：ハングマン骨折で C2/3 間の椎間関節ロッキングを合併 (Levine-Edward のⅢ型)．
② 手術手技
　ほとんどの症例は後方固定で対処可能である．後方進入時のために腹臥位へ体位変

換するときに脱臼増強の危険があり注意を要する．ハローベスト装着例では気管支ファイバーで気管内挿管を行い，次いで腹臥位にし，後方の2本の連結バーをはずし手術を行う．手術によっても固定性が不良の場合はこのハローベストを術後の外固定に用いる．

環軸椎間後方固定は外側環軸椎間の貫通スクリュー固定（Magerl法），あるいはC1外側塊スクリューとC2椎弓根スクリューを連結する方法が代表的である．古典的なMcGraw法，Galli法，Brooks法などのワイヤリングと骨移植のみ行う方法は比較的安全であるが，固定性は十分でなく術後の外固定に配慮する必要がある．現在ではMagerl法と組み合わせて行うことが一般的である．骨傷形態によっては後頭骨までの固定を要する．またC2に椎弓根スクリューなどの強固なアンカー設置が困難な場合はC3，またはそれ以下に固定を延長する必要がある．いずれにせよ術前造影CTで椎骨動脈の走行を確認しておく．

歯突起骨折に対する前方からの歯突起スクリュー固定は環軸関節の可動性を温存できる利点を有する．Anderson分類のII型は脊髄障害のない患者であっても，特に高齢者には長期のハローベスト装着に伴う合併症が多いこと，および偽関節率が高いことなどにより本法をより積極的に勧める報告もある．ただ，欧米と異なりわが国においてはハローベスト装着のまま長期の入院加療が可能であり，欧米で報告されるほどハローベストの合併症は高くない印象である．経口的環軸関節前方固定は環椎前弓，軸椎椎体，および側方環軸関節を骨移植によって固定する方法であるが，絶対的適応は限られている．

ⓐ Brooks法（図 15-1-7）

C1と後弓C2の椎弓下に左右それぞれ直径0.8 mmのdouble wire，またはチタンケーブルやポリエチレンテープ（Nesplon cable）を通過させ，腸骨の半層骨を2枚C1/2間にはさみ込むようにして締結する．比較的安全な手技であるが，椎弓下にガイドを通すときは脊髄を圧迫するリスクがあり十分な注意が必要である．

ⓑ Magerl法（図 15-1-36〜38）

ある程度整復位が得られており，椎骨動脈の軸椎内走行がいわゆるhigh-riding（頭側偏位）でなければ本法のよい適応となる．術前にハローベストなどで整復しておく．後方正中進入路でC1からC3を十分側方まで骨膜下に展開し，環椎後弓，環軸椎外側関節後面，C2/3椎間関節部を露出する．この際C1/2間の外側部の静脈叢に注意する．X線透視下に2 mmドリルをC2下関節突起尾側縁から椎弓根，外側関節を通過させ，C1側まで刺入し，次いでスクリューを挿入し固定する．椎骨動脈損傷を避けることが最大のポイントであるが，スクリューはなるべく関節突起間部の背側，内側を通すように心がける．

ⓒ 環椎外側塊スクリュー（図 15-1-36, 39）

環椎外側塊スクリューをC2椎弓根スクリューと組み合わせることでMagerl法に比べて自由度の高い整復操作を行うことができる．high-riding VAの例はMagerl法は適さないが，椎弓根横径も細いことが多いためC2椎弓根スクリューも適さないことが多い．この場合はC2に椎弓スクリューを利用することでC1-C2固定を行うことができる．あらかじめ造影CTにて椎骨動脈の走行異常がないことを確認してお

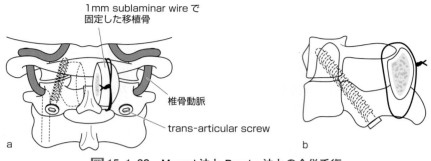

図 15-1-38　Magerl 法と Brooks 法との合併手術

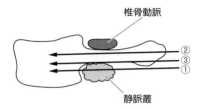

図 15-1-39　環椎外側塊スクリューの刺入経路
① Goel-Harms 法，② Tan 法，③ notch 法

く．環椎外側塊スクリュー挿入には直接外側塊にアプローチする，① Goel-Harms 法，後弓内を通って外側塊に挿入する，② Tan 法，その中間ともいえる，椎弓下面にスクリューのための「notch」を形成し挿入する，③ notch 法がある．

① Goel-Harms 法：後弓の下面にスクリューを設置するため椎骨動脈に対するリスクはきわめて少ないが，環軸椎間の静脈叢からの出血のコントロールに難渋することが多い．後弓後面をマイクロスパーテルなどで丁寧に剥離しながら透視下に外側塊後面に達したことを確認する．止血綿や吸引を有効に使いながらスクリュー刺入孔を剥離して，入口のみエアトームで穴をあける．その後は手回しドリルで透視下にドリリングを行う．Tan 法と比べてスクリューが骨内に収まる距離が短いため，なるべく長いスクリューを用いる（可能な限り前方の骨皮質をわずかに穿破する）．外側塊の外縁には椎骨動脈，前方には内頸動静脈が存在することに留意しながら剥離操作やスクリュー挿入を行う．

② Tan 法：CT 上後弓にある程度髄腔が存在すれば，Tan 法が第一選択と考える．必ず後弓上面はマイクロスパーテルなどで剥離し椎骨動脈を保護する．後弓下面も剥離して静脈叢を保護しながら透視下にエアトームで外側塊後縁付近までドリリングを行う．その後手回しドリルで Goel-Harms 法同様外側塊のドリリングを行う．Tan 法であれば後弓骨内でもスクリューを把持するため，外側塊の前方まで穿破する必要はない．

③ notch 法：基本的には Goel-Harms 法と同様であるが，スクリュー挿入孔がなるべく静脈叢にかからないように後弓下面にエアトームで notch を形成し，そこに沿わせるようにスクリューを挿入する．後弓の厚みが薄くても適応できるが，Tan 法同様後弓頭側の椎骨動脈を保護しながら大きく notch を形成することが静脈叢からの出血を軽減させるコツである．

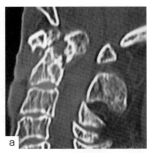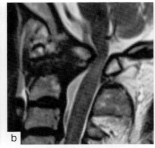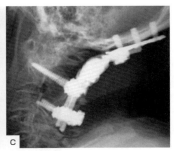

図 15-1-40　歯突起骨折 Anderson Type Ⅱ
a. CT, b. MRI T2 強調画像, c. 後頭骨～C1 自然癒合例で不全麻痺合併していたため後頭骨～C3 後方固定施行（C2：椎弓根スクリュー，C3 外側塊スクリュー）

ⓓ C2 椎弓根スクリュー／C2 椎弓スクリュー（図 15-1-36, 40）

CT で十分な椎弓根幅があることを確認しておく．high-riding VA（vertebral artery）であれば C2 椎弓根幅も狭いことが多い．下関節突起外縁～椎弓根内縁の中点付近が挿入点である．同部にエアトームで刺入孔を形成し，その後はプローブを用いて髄腔内を進める．スパーテルで椎弓根内縁を触知しながら，なるべく内縁に沿って頭側よりに挿入する．CT 上椎弓根スクリュー挿入が困難であれば C2 椎弓内にスクリューを挿入する．棘突起基部付近にエアトームで挿入孔を形成し，椎弓内のなるべく背側寄りにプローブを進める．椎弓スクリューの把持力は椎弓根スクリューに劣るため，なるべく長いスクリューを挿入するよう心がける．左右ともに椎弓スクリューを用いる場合は，補強のために椎弓下のワイヤーや Nesplon cable を締結しておくとよい．

ⓔ 後頭骨プレート

かつては Luque system を代表とする鋼線締結が主流であったが，現在はスクリュー・プレートシステムにとってかわっている．各社さまざまなシステムが存在するが，ポイントはなるべく後頭骨正中の厚い骨皮質（外後頭骨稜）にスクリューを設置することである．症例に応じて対側の骨皮質まで貫通させる．ただし，外後頭隆起付近には静脈洞交会～横静脈洞が存在するため，外後頭隆起より尾側でスクリューを挿入する．術前 CT などで外後頭隆起と内後頭隆起（静脈洞交会が存在）との位置関係を見ておくとよい．逆にあまり尾側にプレートを設置すると固定力と骨移植母床が不足しがちになる．

ⓕ 歯突起スクリュー固定法（図 15-1-42）

術前にハローベストで整復位を得ておく．手術台に仰臥位とし，単純 X 線写真コントロールでアライメントを再確認する．C3 高位で右頸部に横切開を加え前側方進入法で椎体前面に達する．X 線透視下に，まず Kirschner 鋼線を C2 椎体前隅角部の正中よりやや右側から骨折部を越え歯突起に挿入し，歯突起を固定する．次いで，海綿骨スクリューを正中から挿入し骨片を圧着する．術後はハローベストを 10 週間装着する．

b）下位頸椎損傷

① 手術の適応と術式の選択

脊髄の二次損傷をさけること，および可及的早期に離床しリハビリテーションへ移

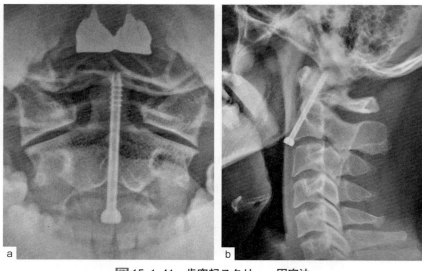

図 15-1-41　歯突起スクリュー固定法

行できるようにすることが基本である．今回の骨傷による脊髄の圧迫を伴う例（脱臼/骨折例）であれば，可能な限り早期の手術を考慮すべきである．Patel らは手術療法の指標も含めた下位頸椎損傷の分類（SLIC 分類）を提唱している（**表 15-1-1**）．彼らは椎体の骨折型や転位と同時に椎間板靱帯（disco-ligamentous complex）損傷の重要性を提唱しており，さらにこれに麻痺程度を加味して点数化し，総合点が 0〜2 点であれば保存療法，5 点以上は手術適応，3〜4 点であれば症例に応じて保存療法または手術療法を選択するとした．ただし，SLIC 分類では直感的に外傷型を想起しにくいという欠点がある．ここでは Allen-Feuguson 分類を基に総合せき損センターで行っている治療方針を中心に概説する．

ⓐ 伸延伸展（DE）損傷

脊髄損傷を伴う頸椎過伸展損傷は，椎間板や前縦靱帯などの軟部支持組織の損傷を伴っていることが多い．典型的な例では頸椎伸展位での単純 X 線写真側面像で椎体後方すべりや前方椎間の開大像を認める．わが国では非骨傷性頸髄損傷と呼ばれる損傷の多くがこの範疇に入ると考えられるが，非骨傷性頸髄損傷の中には MRI 上軟部組織損傷所見に乏しい例もあり，多様性（外力，軟部支持組織損傷，元来の変性・後縦靱帯骨化症による脊柱管狭窄，麻痺程度など）であると考えられる．いずれにせよ，受傷直後にしばしば認められる椎間不安定性に対しては，約 3 週間のフィラデルフィアカラー固定によりほとんどの例で椎間は安定化する（**図 15-1-42**）．ベッド上安静の必要はなく，カラー装着後早期にリハビリを開始し，離床を目指す．受傷前から脊髄症状が存在する例，麻痺がいったん改善した後，再増悪をきたす例に対しては椎弓形成術による除圧を施行する．それ以外の症例に対しては，脊髄除圧，特に早期除圧の有効性に関してはいまだ議論があり，除圧術の適応は慎重に判断すべきである．

ただし，強直性脊椎炎や強直性脊椎骨増殖症を合併する例では，過伸展損傷により

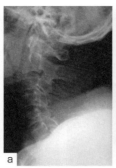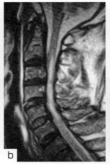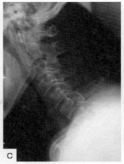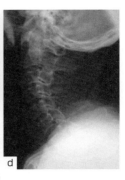

図15-1-42　非骨傷性頚髄損傷の保存療法例
a. 受傷時頚椎伸展位単純X線写真．C4/5前方開大とC4後方すべりを認める．
b. 受傷時MRI C4/5間で前縦靱帯と椎間板断裂を認める．フィラデルフィアカラー固定3週間治療後，麻痺はFrankel BからDに改善．c. 治療後屈曲位，d. 治療後伸展位 C4/5間の動きはほとんどない．

あたかも長管骨骨折のような不安定性を呈する．このような強直脊椎の伸展損傷例に対しては早期の後方固定術が適応となる．

ⓑ **伸延屈曲（DF）損傷**

いわゆる頚椎前方脱臼～亜脱臼で，しばしば椎間関節のロッキングを伴う．可及的早期の脱臼整復と内固定が必要である．整復時に注意すべき点は，整復に伴い脱出した椎間板ヘルニアや後方から脊柱管内に突出した損傷黄色靱帯などにより，まれに脊髄の圧迫が増強し麻痺の増悪をみることである（図15-1-29）．そのため意識下の非観血的整復術が一般的に安全とされている．この場合 Gardner 直達牽引に接続した重錘を徐々に増量することにより整復を試みる．通常2 kgより開始し，最大20 kgまでは比較的安全といわれている．しかし体格や頚部の筋量などによる個人差もあり，明確な安全域はない．特に前縦靱帯が損傷している場合は過牽引による脊髄二次損傷のリスクがあり注意を要する．いったん整復位が得られた場合には牽引を2～5 kgに減量し，速やかに内固定術を行う．この際回転ベッドを使用すると安全に腹臥位の体位をとることができる．

非観血的整復術では整復に時間を要することがあり，また整復不能例も少なからず存在すること，さらに過牽引のリスクがあることなどから，筆者らは患者の全身状態が許せば来院当日に速やかな手術による整復と同時に内固定術を施行してきた．あらかじめMRIを確認し，脱出ヘルニアが明らかに認められる場合など整復に伴う麻痺増悪のリスクがあると判断した場合は，一期的に後方整復固定後前方除圧固定を施行している．リスクが低いと判断した場合には後方整復固定術を単独で施行し（図15-1-43），万が一術中神経機能モニタリングで波形の異常が生じたり，術後麻痺増悪などが認められた場合は，後方除圧や前方除圧固定を追加する（図15-1-44, 45）．この治療方針で麻痺増悪が遺残した例は自検例では2.6％であり，いずれも完全麻痺例の麻痺レベル上行であった．一方，非観血的整復を行っている施設によると，完全麻痺例における麻痺上行の遺残は6.5％と報告されており，必ずしも筆者らの観血的整復術の成績が劣っているわけではない．後方固定は棘突起間ワイヤリング（Rogers法）

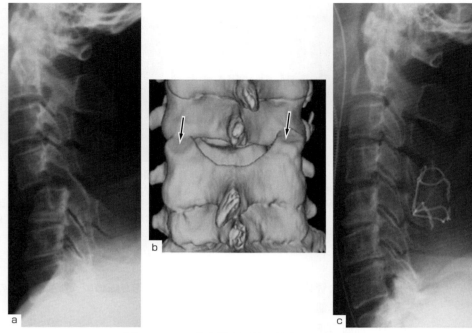

図 15-1-43　前方脱臼骨折に対する Rogers 法
a. C4 椎体は前方に脱臼する．
b. 両側椎間関節はロッキングしている．ロッキングの大きい右 C5 上関節突起の頭側 1/3 をドリルで切除し，C4/5 棘突起間を軽く開大するとロッキングは解除された．
c. C4/5 棘突起間ワイヤリング．術後の神経学的検査は重要で，異常があれば直ちに MRI で C4/5 椎間板の後方脱出の有無を確認し，必要時には直ちに前方除圧固定を行うべきである．

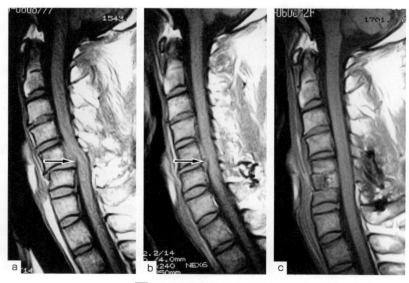

図 15-1-44　C5/6 脱臼骨折
Frankel D の不全麻痺であった．術前の MRI（a）では，C5 は前方に脱臼し，C5/6 椎間板の後方脱出がみられる（矢印）．b. 後方進入脱臼整復固定（Rogers 法）を施行し，良好な整復位が得られたが，左上腕三頭筋の筋力低下の増悪がみられたため直ちに MRI を撮像したところ，C5/6 椎間板の脊柱管脱出を認めたため（矢印），C5/6 前方除圧固定術を行った．c. 後方手術後 3 日の MRI では脊髄の圧迫は解除されており，増悪していた麻痺は改善した．

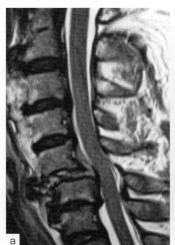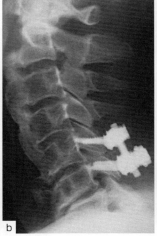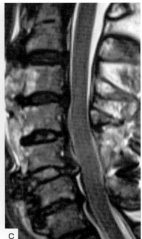

図 15-1-45　後方除圧を要した前方脱臼症例
a. C5 前方脱臼例（麻痺なし）
　　観血整復直後，術中 MEP の消失を認め後方除圧追加．その後 MEP は回復
b. 術後単純 X 線
c. 術後 MRI．ヘルニアを認めるが，脊髄の圧迫はない（術後麻痺なし）

か外側塊スクリューで十分であり，通常は C2，C7 以外は椎弓根スクリューを使う必要はない．

　来院時，時に脱臼が既に自然整復されている例もある．頚椎過伸展損傷と異なり伸延屈曲損傷の場合は保存治療では椎間安定化が得られないため，何らかの観血的内固定術が必要となる．このような前方脱臼の自然整復が見逃された場合，前方脱臼～亜脱臼が長期に遺残し遅発性神経麻痺を生じる原因となる．この場合は整復は困難であるばかりか，整復に伴うヘルニア脱出などによって神経麻痺増悪をきたすリスクが非常に高い．そのため陳旧例に対しては，まず前方アプローチで椎間板を搔爬切除しておく必要がある．その後，後方整復固定術を行い，最後に再度前方から椎間に骨移植を行う方法が安全確実である．

ⓒ 圧縮屈曲（CF）損傷
　典型的には涙滴骨片を伴い椎体が後方へ亜脱臼する．涙滴骨片を生じた椎体には通常縦骨折が生じており，また後方にもしばしば椎弓の縦骨折や後方靱帯群の損傷を生じている．そのため治療方針は，椎体骨折，および後方靱帯群損傷の程度を鑑みて決定する．明らかな涙滴骨片，椎体の転位，後方靱帯群の損傷がなく椎体圧迫骨折と類似したような例ではフィラデルフィアカラーによる保存治療が可能である．涙滴骨片を伴う場合や後方靱帯群に明らかな損傷がある場合は不安定性が強いため手術適応となる．椎体の粉砕度や圧潰が高度であれば，前方支柱の再建が必要となるため椎体亜全摘と腸骨移植を行う．この際後方靱帯損傷が軽微であれば，前方プレートによる固定の補強を行うことにより後方手術は不要となる（図 15-1-46）．逆に後方靱帯群の損傷が明らかで，椎体の縦骨折があっても前方支柱としての機能が期待できれば，後方から整復固定術を単独で行う（図 15-1-47）．椎体の粉砕度や転位が高度であれば，

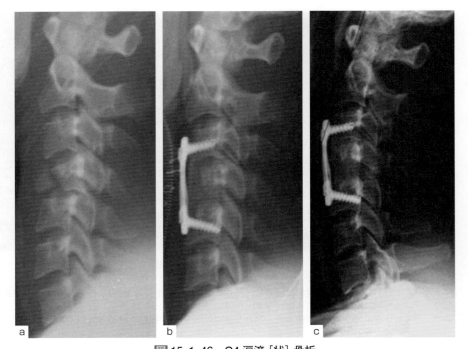

図 15-1-46　C4 涙滴［状］骨折
a. 術前（C3〜5後弯14°）．b. C4椎体亜全摘支柱骨移植，前方プレート併用術直後（後弯2°）．
c. 術後1年（後弯2°）

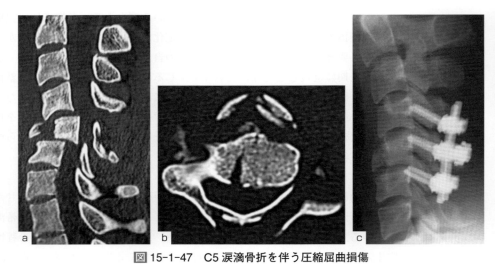

図 15-1-47　C5 涙滴骨折を伴う圧縮屈曲損傷
a. C5椎体の後方脱臼とC4-C5間の棘突起間開大を認める．b. C5椎体の縦骨折，その前方には涙滴骨片．c. C4-C6後方整復固定術後（外側塊スクリュー）

後方整復固定の後，前方アプローチにより椎体亜全摘と腸骨移植を一期的に施行する（図 15-1-48）．

時に典型的な涙滴骨折ではなく椎体破裂骨折の形をとっている例や，後方の椎間関節ロッキングが生じている例など複合損傷と考えられる例もあるが，基本的には同様

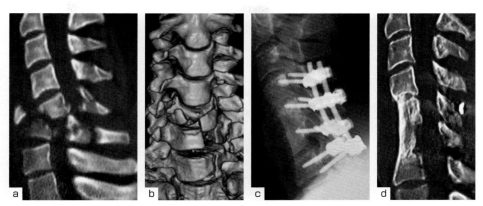

図 15-1-48　前方後方合併手術
a. C5 は涙滴骨片を伴い後方脱臼している．b. 特に C5, C6 で椎体の破壊が強い．c, d. 後方整復固定術＋C4-7 前方腸骨移植施行後

の治療方針でよい．

d 圧縮伸展（CE）損傷

　椎弓骨折単独例，あるいは転位のない軽微な外側塊の骨折はフィラデルフィアカラーによる保存的治療でよい．椎弓根骨折と同時に椎体の前方偏位を生じている典型例では手術を要する．この際注意すべき点は，圧縮伸展損傷における頚椎前方脱臼は，通常の頚椎屈曲に伴う前方脱臼（伸延屈曲損傷）と異なり 2 椎間病変であるということである．高頻度に転位している椎間の頭側椎間で椎間関節のロッキングや骨折を生じている．通常後方から整復固定術を行う．椎弓根骨折を生じている脊椎には外側塊スクリューが使用できないが，上下 2 椎に外側塊スクリュー（椎弓根スクリューであれば 1 椎～2 椎）を用いることで強固な固定性を得ることができる（**図 15-1-49**）．

e 軸圧損傷

　椎体破裂骨折の形をとるが，粉砕が軽微であればフィラデルフィアカラー固定による保存治療でよい．椎体粉砕の程度が強ければ，前方進入路により椎体の亜全摘と骨移植を行い，プレートで補強を行う．圧縮屈曲損傷の項で述べたように，時に椎体破裂骨折に椎体の転位や関節ロッキングを伴っているような複合損傷と考えられるような症例もある．この場合も涙滴骨折と同様，椎体の粉砕度と後方靱帯損傷の程度に応じて治療方針を決める．

② 手術手技

ⓐ 関節ロッキングを伴う伸延屈曲損傷に対する後方除圧整復固定（図 15-1-50, 51）

　頚椎前方脱臼のように椎間不安定性の強い例は，体位変換に伴う麻痺増悪のリスクを軽減するため，Wedge Turning Frame を回転させ腹臥位とする．この際 Gardner 直達牽引を用いて 2 kg 程度で牽引をかけておく．Mayfield 頭蓋支持器を用いるのであれば，カラー装着のまま体位変換を行う方が安全である．単純 X 線写真コントロールでアライメントを確認する．後方正中切開により棘突起・椎弓・椎間関節を必要最小限に展開する．術前に把握できない椎弓の骨折などもあるため慎重な展開を要する．椎間関節包の損傷状況や椎間関節のロッキング状態を観察する．特にロッキン

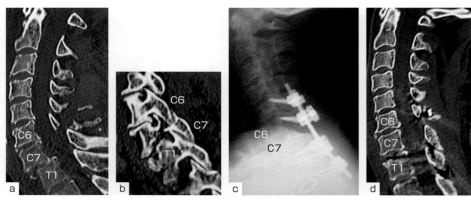

図 15-1-49　圧縮伸展損傷
a. C7 椎体の前方変位を認める，b. C7 椎弓根の骨折と C6/7 間での関節ロッキング，
c, d. C5, C6 外側塊スクリューと T1, T2 椎弓根スクリューを用いた後方整復固定術後

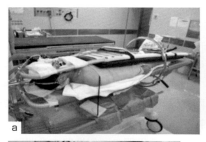

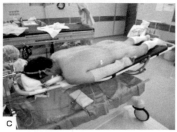

図 15-1-50　Stryker Wedge Turning Frame による体位変換
a. 全身麻酔，Gardner 牽引を施行後腹臥位ベッドをかぶせて頭部，体幹を挟む．b. 手術台を回転させ腹臥位とする．c. 背面ベッドをとりはずす．仰臥位に戻す際は逆の手技で行う．

　グした上関節突起の骨折や骨片の脊柱管内転位の有無などの検索を行い，必要があれば骨片の摘出を行う．椎弓骨折合併例で，これが脊柱管の狭窄因子となっていなければ切除は行わない．

　棘突起間を過度に開大したり，捻ったりすることによるロッキング解除は決して行わない．必要に応じてロッキング部の上関節突起の頭側端をエアトームで切除する．切除範囲は棘間をごく軽度開大するだけで整復が得られる程度とする．この操作は上関節突起を頭側端より少しずつ削り，棘間を軽く開大する操作を繰り返すことによって可能である．上関節突起の一部を温存することは整復後の安定性のうえで重要である．後方圧迫因子のないことを確認し，Rogers 法に準じ 0.8 mm 鋼線で棘突起間を締結する．原則として損傷椎間または前方除圧予定椎間のみの締結を行う（図 15-1-51b）．これにより屈曲力に対する安定化は得られるが，伸展力，回旋力，および側

1 頚椎骨折　835

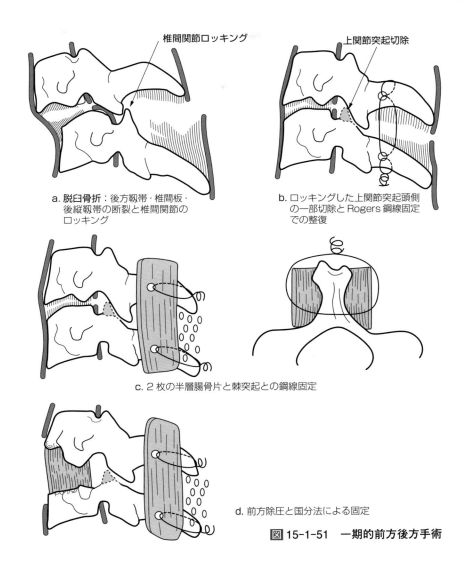

a. 脱臼骨折：後方靱帯・椎間板・後縦靱帯の断裂と椎間関節のロッキング

b. ロッキングした上関節突起頭側の一部切除とRogers鋼線固定での整復

c. 2枚の半層腸骨片と棘突起との鋼線固定

d. 前方除圧と国分法による固定

図 15-1-51　一期的前方後方手術

屈力に対しては十分な安定性は得られない．腸骨後部から半層の腸骨片と海綿骨を採取し，腸骨片棘突起を両側からはさむように鋼線で締結し固定する（図 15-1-51c）．海綿骨は棘突起間に充填する．

棘突起間鋼線固定の代わりに外側塊スクリューを使用してもよい（図 15-1-52）．この場合は外側塊外縁まで十分に展開し，外側塊中央よりわずかに内下方を挿入点とする．エアトームで挿入点に孔を穿った後，外上方に向けて用手的にドリリングを行う．骨質がよければ対側骨皮質を貫通させる必要はないが，不良であれば対側骨皮質をわずかに越えるサイズのスクリューを慎重に挿入する．C7外側塊は厚さが薄いため固定性が不良となりやすいため，C7に対してはなるべく椎弓根スクリューを使用する．この際C7横突孔に椎骨動脈が存在しないことを確認しておく．

ⓑ 涙滴骨片や椎体破裂骨折を伴う脱臼例に対する後方整復固定術

椎体が大きく転位している例は，前方アプローチによる整復は困難である．後方ア

836 各論　第15章　脊椎骨折

プローチによる整復を行うが，腹臥位の体位をとった時点で頸椎を牽引しつつ屈曲/伸展などの操作を加えて整復を試みる．単純X線写真コントロールである程度の整復位が得られていることを確認する．後方正中切開にて展開するが，骨折椎の上下の正常椎弓をまず剥離展開して損傷椎弓は最後に慎重に露出する．関節ロッキングがあれば，上記の方法で整復を行う．筆者らはC2，C7以外は基本的に外側塊スクリューを用いるが損傷椎の上下で2椎ずつアンカーを確保すれば十分な固定性が得られることが多い．ロッドを締結した後必要に応じてスクリュー間の圧縮 compression の操作を加える．椎体骨折を合併している場合は原則的にクロスリンクを設置し，棘突起や腸骨を用いて骨移植を行う．椎体の粉砕度が高く前方支柱としての機能が不十分であれば，この後に前方固定手術に移る．

ⓒ 前方除圧固定

Stryker Wedge Turning Frame を用いて後方手術を行う場合は，これを回転させ仰臥位とする．左斜切開，または横切開進入路で椎体前面に達する．前縦靱帯は過屈曲脱臼骨折では通常温存されているが，過伸展脱臼骨折では損傷していることが多い．前縦靱帯正中部に縦切開を加え椎体を展開する．椎間板の損傷は頭側端で生じていることが多い．損傷椎間板を摘出しながらエアトームを用いて損傷上下椎体をそれぞれ半分程度削開する．通常後縦靱帯は高頻度に損傷している．脊柱管内への椎間板や骨片の突出を十分に除圧することが重要で，特に損傷頭側椎体後方への椎間板の迷入に注意を要する．破裂骨折や涙滴〔状〕(teardrop) 脱臼骨折では椎体亜全摘による2椎間の前方除圧固定を行う．椎間を軽度開大し腸骨による支柱骨移植を行う．国分法に準じて半層骨を2枚挿入するか，あるいは腸骨全層骨を一塊として移植する．

附-6　ナビゲーション手術について

1994年以降，コンピュータナビゲーション手術は脊椎領域でも用いられるようになってきた．このコンピュータナビゲーションシステムとはコンピュータに取り込んだCT画像データから三次元仮想空間に画像を再構成し，手術器具が術前画像内でどの位置や方向に相当するかを示すことで，手術操作を術前計画どおりに誘導する装置である．主に後方手術でのスクリュー挿入点や挿入方向のコントロールに使用されており，手術の精度や安全性の向上に有用である．近年ではO-armなど術中CT画像を利用し，レジストレーションを行うことなくより正確なナビゲーションができるようになった．頸椎外傷では椎弓根スクリューや上位頸椎の各種スクリュー挿入のガイドとして利用することが多い（**図15-1-52**）．

ⓓ 後療法

棘突起ワイヤリングを施行した症例ではフィラデルフィアカラーを約3ヵ月間装着する．外側塊スクリューや椎弓根スクリューを用いた場合は症例に応じて外固定を短縮することができる．いずれにせよ翌日より病床でのリハビリテーションを開始するが，起立性低血圧防止のため早期にギャッジアップを始めることが肝要である．1週間以内の離床，リハビリテーションセンターへの移動を目指す．

g　小児頸椎・頸髄損傷の特異性と治療上の問題

小児の頸椎・頸髄損傷はまれであるが，成長過程での損傷であるため損傷形態の把

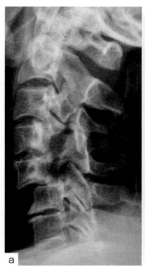 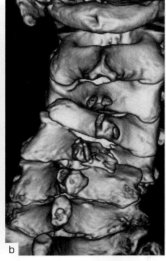 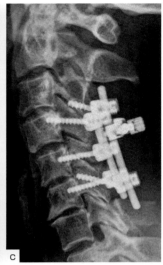

図 15-1-52　椎弓根スクリューを要した症例
a. 椎弓根骨折を伴う C5 前方脱臼
b. 術前 CT．片側の関節ロッキングあり．C3〜C4 の奇形も伴っている．
c. 術後単純 X 線

握と損傷脊椎の治癒過程には成人のそれと異なる点がある．診断と治療上の特徴について解説する．

1）解剖・機能解剖

　一般に頚椎の軟骨結合は 8〜10 歳で消失するため，10 歳以上の小児の頚椎損傷の治療は成人のそれとほとんど同様である．ただし軸椎歯突起の軟骨結合は 12 歳まで，椎体の環状骨端 ring apophysis は 25 歳ごろまで残存している．

　小児の頚椎の単純 X 線写真診断は，特に 10 歳以下の growth spurt（急速成長期）開始前の小児では，軟骨結合や骨化核のため，解剖学的破格と外傷の鑑別が難しいことがある．また四肢のように左右差を検討することもできない．疼痛のため患児の協力が得られず理学所見も捉えにくいことが多い．したがって，骨化過程や奇形について理解していることが必須である．

　頚椎は脊椎の中で最も可動域が大きく，小児ではさらに顕著である．外傷では不安定性の評価が最も重要なため，診断に苦慮することが少なくない．環軸関節では正常でも環椎横靱帯は軽度弛緩しており，椎間関節が水平化しているため，環椎前弓後面と歯突起前面との距離（ADI）が前屈位で 5 mm 以下であれば正常範囲内とされている．頻度は少ないが C3 でも同様なすべりがみられることがある．さらに幼小児では，後屈位の側面像で環椎の前結節が歯突起の骨化部を乗り越えているかのような像を呈することがあるため，これを歯突起の低形成と誤診することがある．

　頚椎の生理的前弯の消失や，逆に後弯形成などの弯曲異常をみることも多い．

2）小児の頚椎損傷の特徴

　小児の脊椎損傷はまれである．小児の脊椎は可撓性に富むためである．また骨端線離開をきたすことが多く，この損傷は椎体の成長に影響を及ぼす．椎体の圧迫骨折は

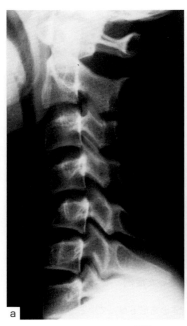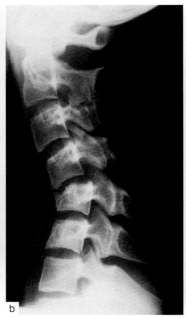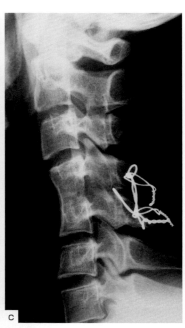

図 15-1-53　遅発性後弯変形（C5/6 椎間．15 歳，男子）
プールに飛び込み頭部を打撲した．受傷翌日初診．神経学的異常所見なし．
a. C5 と C6 に椎体骨折と，C5/6 の棘突起間の開大を認めた．
b. 3 ヵ月間カラー固定を施行するも次第に角状後弯変形をきたし，かつ運動時痛を訴えた．
c. 受傷後 8 ヵ月に前方後方同時手術を施行した．本症例はより早期の後方固定が望まれた．

自家矯正される可能性が高いが，軟骨や軟骨終板の損傷が高度であれば成長障害のため後弯変形をきたすことがある．一方損傷脊椎間の自然骨癒合は成人例に比しはるかに生じにくいといわれており，損傷椎間の安定化が遅れ，後弯（図 15-1-53）や遅発性神経麻痺が発生することがある．

受傷後，完全脊髄横断性麻痺にもかかわらず単純 X 線写真上異常がみられないことがあり，これは小児の脊椎損傷の大きな特徴である．小児は脊椎の可動性が非常に大きいためであり，脊髄損傷は脊髄の過度の伸張によって生じ，外的な圧迫によらないことがある．いわゆる SCIWORA（spinal cord injury without radiographic abnormality）と呼ばれる病態である（図 15-1-31）．また損傷脊椎の不安定性の評価も重要で，脊髄造影，CT，MRI が用いられることが多く，時には注意深い動態撮影も必要なことがある．神経麻痺がなくても頭部の打撲や顔面の裂傷があれば頚椎損傷を疑うべきである．単純 X 線写真上異常がなくても頚部痛を訴えればカラー固定を行い，疼痛が軽減した時点で動態撮影で不安定性の有無を評価すべきである．

小児の頚椎損傷は致命的なことが多い．これは成人では下位頚椎損傷が多いのに比し小児は上位頚椎損傷が多いためである．小児の頚椎損傷の特徴のひとつである．また上位頚椎部の奇形を合併していることがある（図 15-1-54）．

神経麻痺合併例では損傷高位以下の高度の脊柱変形を生じることがある．

小児の頚椎損傷に対する手術は基本的には成人のそれとなんら変わりはないが，骨癒合がきわめて早期に完成する．脊椎を展開するだけで骨癒合することが多いため，

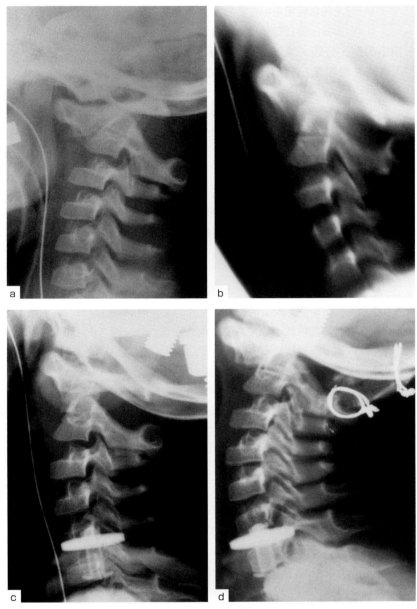

図 15-1-54　先天性歯突起分離と環軸関節脱臼（5 歳，女児．Down 症候群）

a, b. 乳母車から転落し，直後より呼吸不全麻痺と四肢麻痺をきたした．12 日目に気管内挿管およびレスピレーター装着下に当科に転院した．神経学的には，痛覚は比較的温存されており四肢は一様にわずかな自動運動が認められた．自発呼吸はわずかにみられるが補助呼吸を要した．先天性歯突起分離と環軸関節脱臼による上位頸椎損傷と診断した．

c. 全身麻酔下にハローベストを装置し，気管切開を行った．頭蓋直達牽引を 2 週間行い可及的整復位を得た．

d. ハローベストを装着下に後頭骨と C2 間の後方固定を施行した．脱臼位は残存するものの，術後 1 ヵ月で呼吸器から離脱し，3 ヵ月後には独歩可能となった．術後 3 ヵ月間ハローベストを装着し以後頸椎カラーに変更した．

840 各論 第15章 脊椎骨折

可及的に展開を小さくしないと予定した固定椎間の頭尾側まで骨癒合してしまうことがある．特に環軸椎の後方固定では後頭骨とC3以下を展開しないことが重要である．

3) 損傷の型・分類・診断・治療

a) 単純X線写真上骨傷が明らかでない損傷

単純X線写真上明らかな所見のない頚椎損傷は小児例の大きな特徴のひとつである．外的圧迫や不安定性を除外診断し，外固定による治療を行う．診断にはMRIがきわめて有用である．椎弓切除の適応はない．また脱臼骨折の自然整復例を鑑別する必要がある．

b) 頚椎捻挫

神経学的異常所見がなく，単純X線写真でも異常がなければ単なる捻挫の可能性が高いが，小児では単純X線写真上骨傷が明らかでない損傷が多いことに留意すべきである．カラー固定で疼痛が軽減した時点で動態撮影を行って最終的に診断すべきである．

c) 環椎後頭関節脱臼

前方と後方のすべての靱帯が損傷しているため椎骨動脈や脊髄の損傷を合併していることが多く致命的である．仮に生存例があったとしても頭蓋牽引は禁忌である．過牽引の危険性が大であり，成人同様ハローベスト（頭蓋輪胸郭牽引装置）による固定の後，後頭頚椎固定術を行う．

d) 環軸関節脱臼

小児では明らかな外傷がありADIが5mm以上であれば環軸関節の靱帯損傷を考慮すべきである．脱臼が高度であれば致命的である（**図15-1-54**）．後屈位頭蓋牽引で整復した後に，ハローベストで固定する．10週前後でハローベストを除去し，動態撮影で不安定性を評価する．不安定性が残存していれば整復位での環軸椎間の後方固定の適応となる．

e) 軸椎歯突起骨折

小児では通常軟骨結合部の損傷をきたす．歯突起基部と椎体間の軟骨結合は，4〜5歳では約半数にみられ，11歳でも約半数になおその痕跡がある．転位のない例では診断に難渋することがある．整復位でのハローベスト固定を行う．小児では頭蓋牽引を長期に行うべきではない．軟骨結合部をさらに離開させ偽関節を生じることがあるからである．成人とは異なり骨癒合は良好で偽関節も少なく，また成長障害もまれである．偽関節例では環軸関節の後方固定を検討する．

f) 環軸関節回旋位固定

小児の斜頚の原因として多くみられる．筋性斜頚や先天奇形などを鑑別しなければならない．単純X線写真による診断は決して容易でなく，開口位撮影やCT撮影が必要である．発症から3週以内の急性期であれば，消炎鎮痛剤の投与，カラー固定などで治癒することが多い．斜頚が改善しない場合は入院のうえGlisson牽引を行い，ある程度斜頚が改善した時点でカラー固定に変更する．

発症後2ヵ月以上経過した陳旧例では多くの場合C2外側塊の変形を伴い難治性となる．CTにて環椎の回旋，前方変位や側方傾斜の度合いをチェックすると同時に，外側塊の変形や環軸椎の癒合の有無も評価する．回旋脱臼位に適合するように外側塊

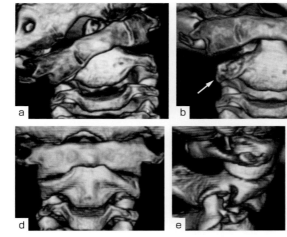
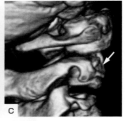

図15-1-55 環軸関節回旋位固定（Fielding Ⅲ型）に対する保存治療
a. 環椎は右前方に亜脱臼している．b, c. 全身麻酔下，ハローリング装着し可及的徒手整復施行．その後ハローベストにて牽引をかけ十分な整復位を得たが，C2右外側塊前方に骨欠損を認める（矢印）．d, e. 保存治療終了後3年，右外側塊欠損部はリモデリングされている．

の前方が潰れる変形を呈するが，これが整復阻害因子となる．このような陳旧例において整復位を得るためには，halo ringやGardner-Wellstongによる直達牽引（Gardner直達牽引）による持続直達牽引，あるいは全麻下にhalo ringを用いた徒手整復が必要となる．全麻下の徒手整復を試みる際は，脊髄モニタリングのもと透視を頻回に確認しながら行う．頸椎をやや伸展させたまま，halo ringで用手的に牽引をかけながら左右に回旋させる．ゆっくりと十分な時間をかけて行うことが重要である．以前は整復操作の後速やかに環軸椎固定術を施行していたが，石井らはhalo braceにて整復位を保持することで，変形した外側塊のリモデリングが比較的早期になされることを見いだした．小児に対して内固定術は極力避けるべきであり，徒手整復が得られた後はhalo braceによる保存療法を試みるべきである（図15-1-55）．halo braceは2ヵ月から3ヵ月間装着し，CTにて外側塊のリモデリングを確認した後カラーに変更する．保存治療に抵抗し，不安定性が残存する場合は環軸椎間の後方固定を行う．

g）軸椎関節突起間骨折

小児ではまれであり，麻痺の発生もまれである．C2～C3椎間板損傷を合併すると脱臼を生じることがある．8歳以下の正常児では40%に前屈位でのC2前方亜脱臼像を呈するため，この生理的亜脱臼と病的亜脱臼を鑑別する必要がある．前屈位側面単純X線写真で椎弓後縁の線が頭尾側椎間でずれなければ，生理的亜脱臼と診断できる．治療はハローベストで行う．

h）圧迫骨折

小児の椎体は正常でも楔状となっているため圧迫骨折との鑑別が困難なことがある．脊柱管の狭窄はないため神経麻痺の合併はない．通常安定型骨折であるためカラー固定で十分である．しかし，椎体の楔状化が高度な場合は後方靱帯の断裂を合併していることがあり高度の後弯変形をきたすことがある．したがって椎体の圧潰が高度なときは長期の経過観察を行い，後弯変形が進行していれば固定術を検討する．脱臼骨折の自然整復例が潜在していることがあるので注意を要する（図15-1-53）．

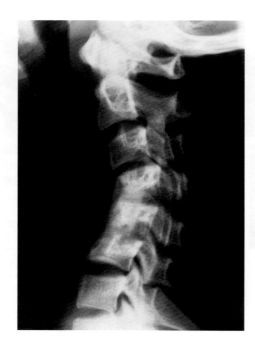

図 15-1-56　涙滴[状]骨折（12 歳, 女児）
乗用車同乗中衝突事故にあい当日入院. 第 6 頚髄節高位以下の完全麻痺. C5 涙滴[状]骨折. 直ちに C4-C6 の前方除圧固定を施行. 術直後は良好なアライメントが得られたが, 経過とともに後弯位をきたし骨癒合した. 成人例であれば, 後方固定の合併手術を施行してきた損傷型であった. 反省例である.

i) 破裂骨折

椎体後方骨皮質の骨折と骨片の脊柱管内嵌入をきたし, 神経麻痺の合併頻度も高い. これは CT で明瞭に描出される. 約半数に後方靱帯の断裂を合併している. 特に麻痺合併例では可及的早期の損傷椎体の亜全摘による 2 椎間の前方除圧固定術が望ましい.

j) 脱臼骨折

上位椎の前方転位と, 後方椎間関節の両側または片側のロッキングを呈する. 脱臼骨折の自然整復 (recoil) 例では, 単純 X 線写真上転位が見られないので不安定性の把握には注意を要する. 小児では椎間板が損傷することは少なく, 終板と椎体骨皮質間で損傷することが多い. 前方・後方同時除圧整復法が望ましい.

k) 涙滴[状]脱臼骨折

teardrop 骨片を有する椎体が後方転位し, 後方靱帯の損傷を合併している. 破裂骨折との明確な鑑別が困難な場合もある. 治療法は脱臼骨折に準じる (図 15-1-56).

参考文献

1) 鐙　邦芳ら：環椎外側塊スクリュー. 整・災外 49：361-369, 2006.
2) Abumi K et al：Transpedicular screw fixation for tramatic lesions of the middle and lower cervical spine：Description of the techniques and preliminary report. J Spinal Disorder 7：19-28, 1994.
3) Abumi K et al：Pedicle screw fixation for non-traumatic lesions of the cervical spine. Spine 22：1853-1863, 1997.
4) Allen BL et al：A mechanistic classification of closed, indirect fractures and dislocations of the lower cervical spine. Spine 7：1-27, 1982.
5) Anderson LD et al：Fracture of the odontoid process of the axis. J Bone Joint Surg 56-A：1663-1674, 1974.

6) Bedbrook GM：Stability of spinal fractures and fracture dislocations. Paraplegia **9**：23-32, 1971.

7) Böhler J Gaudermar KT：Anterior plate stabilization for fracture-dislocations of the lower cervical spine. J Trauma **20**：203-205, 1980.

8) Bohlman HH et al：Complication of treatment of fracture and dislocation of the cervical spine. Complications in orthopaedic surgery, 611-641, Lippincott, 1978.

9) Bohlman HH et al：Acute fractures and dislocations of the cervical spine：An analysis of three hundred hospitalized patients and review of the literature. J Bone Joint Surg **61-A**：1119-1142, 1979.

10) Bolger C et al：Image-guided surgery：Application to the cervical and thoracic spine and a review of the first 120 procedures. J Neurosurg (Spine 2) **92**：175-180, 2000.

11) Bremer AM et al：Internal metal plate fixation combined anterior interbody fusion in cases of cervical spine injuries. Neurosurg **12**：649-653, 1983.

12) Brooks AR et al：Atlanto-axial arthrodesis by the wedge compression method. J Bone Joint Surg **60-A**：279-284, 1978.

13) Brown JA et al：Cervical stabilization by plate and bone fusion. Spine **13**：236-240, 1988.

14) Burke DC：Traumatic spinal paralysis in children. Paraplegia **9**：23-32, 1971.

15) Burke DC et al：Traumatic spinal paralysis in children. Paraplegia **11**：268-276, 1974.

16) Capen DA et al：Surgical stabilization of the cervical spine；A comparative analysis of anterior spine fusions. Clin Orthop **196**：230-237, 1985.

17) Clark K：Positioning in radiology. Ilford, London, 1960.

18) Cloward RB：Treatment of acute fractures and fracture-dislocations of the cervical spine by vertebral-body fusion. J Neurosurg **18**：201-209, 1961.

19) De Oliveira JC et al：Anterior plate fixation of traumatic lesions of lower cervical spine. Spine **12**：324-329, 1987.

20) De Oliveira JC et al：Anterior reduction of interlocking facet in the lower cervical spine. Spine **4**：195-202, 1979.

21) Effendi B et al：Fractures of the ring of the axis；a classification based on the analysis of the 131 cases. J Bone Joint Surg **63-B**：319-327, 1981.

22) Fielding JW et al：Tear of the transverse ligament of the atlas. J Bone Joint Surg **56-A**：1683-1691, 1974.

23) Fielding JW et al：Atlanto-axial rotatory fixation. J Bone Joint Surg **59-A**：37-44, 1977.

24) Fielding JW et al：Fracture of the spine. Fractures in children. ed. by Rockwood, Vol.3, 683-705, Lippincott, 1984.

25) Forsyth HF et al：The advantages of early spine fusion in the treatment of fracture dislocation of the cervical spine. J Bone Joint Surg **41-A**：17-36, 1959.

26) Gallie WE：Fracture and dislocations of the cervical spine. Am J Surg **46**：495-499, 1939.

27) Griffiths ER et al：Growth problems in cervical injuries. Paraplegia **11**：277-284, 1974.

28) Hackney DB et al：Hemorrhage and edema in acute spinal cord compression. Demonstration by MR imaging. Radiology **161**：387-390, 1986.

29) Harrop JS et al：The cause of neurologic deterioration after acute cervical spinal cord injury. Spine **26**：340-346, 2001.

30) 林　浩一郎：頚椎の臨床解剖. 整形外科 **28**：153-168, 1977.

31) Holdsworth FW：Fractures, dislocations, and fracture-dislocations of the spine. J Bone Joint Surg **45-B**：6-20, 1963.

32) 石井　賢ら：上位頚椎―環軸関節回旋位固定―. 整・災外 **55**：45-51, 2012.

33) 伊藤達雄：上位頚椎損傷の治療. 脊椎脊髄 **6**：651-660, 1987.

34) Jefferson G：Fracture of atlas vertebrae. Br J Surg **7**：407-422, 1920.

35) Kawano O et al：How much time is necessary to confirm the diagnosis of permanent complete cervical spinal cord injury？ Spinal Cord **58**：284-289, 2020.

36) 香月正昭ら：中下位頚椎脱臼骨折における不安定性と麻痺．臨整外 **24**：492-496，1989.

37) 香月正昭ら：中下位頚椎における不安定性の評価．脊椎脊髄 **4**：543-549，1991.

38) 菊池哲次郎ら：腕神経損傷と頚髄損傷を同時に呈した2例．中部整災誌 **29**：317-319，1986.

39) Kirshblum SC et al：International standards for neurological classification of spinal cord injury (revised 2011). JSCM **34**：535-546, 2011.

40) 小橋芳浩ら：頚椎・頚髄損傷における軟部陰影の検討．整・災害外科 **36**：830-836, 1988.

41) 小林慶二：頚椎損傷．小児の骨折，泉田重雄編，整形外科 Mook **13**, 60-73，金原出版，1980.

42) 国分正一ら：頚椎前方固定術における我々の前方固定術式．日整会誌 **58**：501-502，1984.

43) Levine AM et al：The management of Traumatic spondylolisthesis of the axis. J Bone Joint Surg **67-A**：217-226, 1985.

44) MacGraw RW et al：Atlanto-axial arthrodesis. J Bone Joint Surg **55-B**：482-489, 1973.

45) Maeda T et al：Soft tissue damage and segmental instability in adult patients with cervical spinal cord injury without major bone injury. Spine **37**：E1560-E1566, 2012.

46) Magerl F et al：Stable posterior fusion of the atlas and axis by transarticular screw fixation. Cervical spine **1**（eds Kehr P）. 322-327, Springer-Verlag, 1987.

47) Miyakoshi N et al：A nationwide survey on the incidence and characteristics of traumatic spinal cord injury in Japan in 2018. Spinal Cord **59**：626-634, 2021.

48) 森　英治ら：頚髄損傷の MRI 画像と臨床像．臨整外 **26**：1163-1171，1991.

49) Murphy MJ et al：Surgical stabilization in acute spinal injuries. Clin North Am **60**：1035-1047, 1980.

50) Murphy MJ et al：Spinal instrumentation for stabilization and fusion of the cervical spine. Orthop Trans **7**：119, 1983.

51) 中西忠行ら：軸椎歯突起骨折に対する螺子固定．整・災外 **23**：399-406，1980.

52) 中野　昇ら：頚椎脱臼骨折に対する前方直達手術の経験．整形外科 **22**：782-790，1971.

53) Miyakoshi N et al：A nationwide survey on the incidence and characteristics of traumatic spinal cord injury in Japan in 2018. Spinal Cord **59**：626-634, 2021.

54) Newman P et al：Occipito-cervical fusion. An operative technique and indications. J Bone Joint Surg **51-B**：423-431, 1969.

55) 西川　節：椎骨動脈損傷の治療法．脊椎脊髄 **16**：385-389，2003.

56) Norrel H et al：Early anterior fusion for injuries of the cervical portion of the spine. JAMA **214**：195-530, 1970.

57) 大田秀樹ら：脊髄外傷と脊髄空洞症．日独医報 **36**：117-128，1991.

58) 大谷　清：小児脊椎・脊髄損傷．小児の骨折，泉田重雄編，整形外科 Mook **13**, 74-84，金原出版，1980.

59) Orozco DR et al：Osteosintesis en las fractures de raquis cervical. Revista Ortop Trauma **14**：285-288, 1970.

60) Patel AA et al：Classification and surgical decision making in acute subaxial cervical spine trauma. Spine **35**：S228-S234, 2010.

61) Perret G et al：Anterior interbody fusion in the treatment of cervical fracture dislocation. Arch Surg **96**：530-539, 1968.

62) 力丸俊一ら：頚髄損傷における完全麻痺の判断．日整会誌 **67**：S275，1993.

63) Rogers WA et al：Treament fracture-dislocation of the cervical spine. J Bone Joint Surg **24**：245-255, 1942.

64) Rogers WA et al：Fractures and dislocations of the cervical spine；An end-result study. J Bone Joint Surg **39-A**：341-376, 1957.

65) Ryerson EW et al：Dislocation of cervical vertebrae；Operative correction. JAMA **108**：468-470, 1937.

66) 坂井宏旭ら：高齢者の脊髄損傷─疫学調査，脊損データベース解析および脊損医療の課題─．MB Med Reha **181**：9-18，2015.

67) Sakou T et al：Occipitoatlantoaxial fusion utilizing a rectangular rod. Clin Orthop **239**：136-144, 1988.

68）佐々木邦雄ら：頚椎・頚髄損傷例における手術所見の検討―単純 X 線との比較および手術法の選択．臨整外 **18**：1228-1237，1983．

69）佐々木邦雄ら：レ線上骨傷の明らかでない頚髄損傷例に対する手術的治療の成績．臨整外 **21**：651-659，1986．

70）佐々木邦雄ら：脊椎損傷例における CT の有用性について．整形外科と災害外科 **32**：819-822，1984．

71）Savini R et al：The surgical treatment of late instability of flexion-rotation injuries in the lower cervical spine. Spine **12**：178-182, 1987.

72）Schneider RC et al："Hangman's fracture" of the cervical spine. J Neurosurg **22**：141, 1965.

73）芝 啓一郎ら：頚椎用プレートの使用経験．整形外科と災害外科 **34**：359-361，1985．

74）芝 啓一郎ら：頚椎損傷への instrumentation．脊椎インストルメンテーション，金田清志編，整形外科 Mook **6**，45-55，金原出版，1990．

75）芝 啓一郎ら：小児頚椎・頚髄損傷の特異性と治療上の問題点．手術 **45**：165-175，1991．

76）芝 啓一郎：脊椎腫瘍（転移性脊椎腫瘍を含む）．骨・軟部悪性腫瘍，福間久俊編，86-101，メジカルビュー社，1992．

77）芝 啓一郎ら：脊椎・脊髄損傷の画像診断の進め方．整形外科 Mook **65**，216-230，1993．

78）芝 啓一郎：脊髄および神経根の機能解剖，岩本幸英編，神中整形外科学下巻，改訂 23 版，p.32，南山堂，2013．

79）下川宣幸：C1 外側塊スクリュー刺入法―細い後弓への刺入法：Notch 法．脊椎脊髄 **25**：1071-1077，2012．

80）四宮謙一ら：頚椎前方固定術に対する sapphire screw and fibilar plate の使用経験．臨整外 **20**：473-480，1985．

81）Spence KF：Bursting atlantal fracture associated with rupture of the transverse ligament. J Bone Joint Surg **52-A**：543-549, 1970.

82）Stauffer ES et al：Fracture-dislocations of the cervical spine：Instability and recurrent deformity following treatment by anterior interbody fusion. J Bone Joint Surg **59-A**：45-48, 1973.

83）Stauffer ES et al：Fracture and dislocations of the spine. Part 1；The cervical spine. Fractures in adults. 998-1035, Lippincott, Philadelphia, 1984.

84）鈴木信正：頚椎疾患に対する Luque 法．医学のあゆみ **145**：4-6，1988．

85）Takahashi K et al：Induction of pluripotent stem cells from mouse embryonic and adult fibroblast cultures by defined factors. Cell **126**：663-676, 2006.

86）Tayler AR：Paraplegia in hyperextension cervical injuries with normal radiographic appearance. J Bone Joint Surg **30-B**：245-248, 1948.

87）角田信昭ら：新鮮頚椎脱臼（骨折）の治療；とくに前方後方同時所圧整復固定法について．別冊整形外科 **2**，297-305，金原出版，1982．

88）角田信昭ら：小児の脊椎・脊髄損傷とその治療．脊椎損傷，竹光義治編，整形外科 Mook **46**，205-222，金原出版，1986．

89）植田尊善ら：X 線上骨傷の明らかでない頚髄損傷の発生機序と不安定性の臨床的検討―MRI 所見を参考にして．臨整外 **24**：483-490，1989．

90）Vaccaro AR et al：AOSpine subaxial cervical spine injury classification system. Eur Spine J **25**：2173-2184, 2016.

91）Weidner A et al：Modification of C1-2 transarticular screw fixation by imageguided surgery. Spine **25**：2668-2674, 2000.

92）Welch WC et al：Frameless stereotactic guidance for surgery of the upper cervical spine. Neurosurgery **40**：958-963, 1997.

93）White AA et al：Clinical stability in the lower cervical spine. Spine **1**：15-27, 1976.

94）Williams B：Post-traumatic syringomyelia. An update. Paraplegia **28**：296-313, 1990.

95）Wood JF：The ideal lesion produced by judicial hanging. Lancet **1**：53, 1913.

96）米山芳夫ら：椎間板後方脱出が原因で頚椎脱臼整復後に脊髄麻痺の悪化をみた 1 例．臨整外 **18**：1311-1315，1983．

2 胸椎・腰椎骨折

a 解剖

　胸椎は12個，腰椎は5個あり，上位の7個の頚椎，下位の5個の仙椎が一塊となった仙骨と3〜4個の尾椎とともに脊柱を構成する．脊柱の正常配列は前額面で直線，矢状面で頚椎と腰椎が前弯，胸椎と仙椎，尾椎が後弯となる．矢状面では全体としてなだらかなS字状の生理的弯曲を形成する（図15-2-1）．脊柱には体幹の支持と運動および脊髄など神経組織の保護の役割がある．脊椎に骨折や脱臼が生じると体幹の支持性や可動性が損なわれ，さらに脊髄損傷など神経損傷を合併することがある．

1）椎　骨 vertebra

　胸椎の椎体は第1胸椎から第12胸椎まで順に横径が増す．前後径は第1胸椎から第4胸椎にかけて小さくなり，それより下位では再び順に大きくなる．胸椎椎体横断面の形状は上位4椎体は腎臓形で第5胸椎以下では前方がやや尖った心臓形となる．腰椎の椎体は腎臓形で前後径，横径とも尾側ほど大きさが増す．

　椎体後部から左右両側に椎弓根が出て椎弓へつながる．椎体後面，椎弓腹側，椎弓根内側で囲まれた椎孔には脊髄や馬尾が走行する．椎孔の形状は胸椎ではほぼ円形，

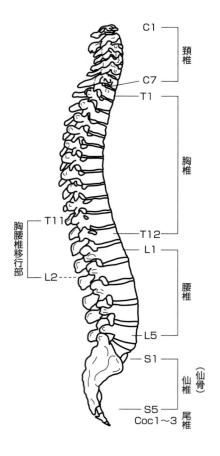

図 15-2-1　脊柱の矢状面配列

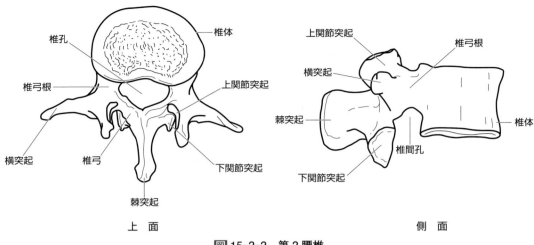

図 15-2-2　第 2 腰椎

腰椎では横径が増し三角形状となる．上下椎弓根の間（椎間孔）は脊髄神経根と神経根動・静脈の通路となる．椎弓には棘突起，左右の上・下関節突起および横突起の7個の突起が存在する（図 15-2-2）．後方正中に位置する棘突起は下位ほど大きく胸椎では先細りで尾側に傾斜し，腰椎では先端が短くなり水平化する．側方には1対の横突起が出る．横突起は胸椎では第11・12胸椎を除き肋骨とつながる．棘突起と横突起は筋の付着部となっている．椎間関節は上関節突起背側と下関節突起の腹側にある関節面で形成される．この椎間関節は関節面が硝子軟骨で，関節周囲が関節包と靱帯で囲まれる滑膜関節である．関節面の配列は第8胸椎までは前額面であるが，それ以下では矢状面に傾いていく．第12胸椎・第1腰椎間で矢状面に転じ第5腰椎・仙椎間で再び前額面になる．

2）椎間板 intervertebral disc

椎体上下面の骨終板は椎間板の軟骨終板と密に結合する．椎間板は軟骨終板，膠原線維からなる層状構造の線維輪，それによって囲まれるムコ多糖蛋白複合体と水分を主成分とするゲル状の髄核で構成される．髄核は大きな荷重負荷を緩衝・分散し衝撃を吸収し，線維輪に張力を及ぼすことにより脊柱を支持する機能がある．椎間板の椎体に対する体積比は，頸椎は 2：5，胸椎は 1：5，腰椎は 1：3 で可動域の小さい胸椎で最も低値をとる．

3）脊柱支持靱帯

脊柱支持靱帯は筋肉による姿勢保持の機能を補い，脊椎や脊髄への過度な負荷を制御する（図 15-2-3）．椎体前面には幅が椎間板部で狭く椎体部で広い3層構造を有する前縦靱帯が縦走する．椎体後面には椎体部で幅が狭くて厚く，椎間板部で広くて薄い2層構造の後縦靱帯が縦走し，それぞれ椎体の前面および後面を結合している．その深層は椎間板線維輪や椎体骨端核と密に結合し椎体中央部では結合は粗となる．胸椎部で最も厚い．椎弓間腹側は黄色靱帯により連結されその側方は関節包に移行する．弾性線維が豊富で後弯位である胸椎で最も厚い．黄色靱帯は軸椎より近位と仙椎には存在しない．棘間靱帯は棘突起間を，棘上靱帯は棘突起後方先端部を結合して縦

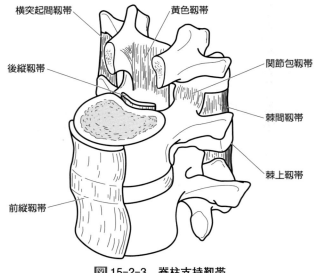

図 15-2-3 脊柱支持靭帯

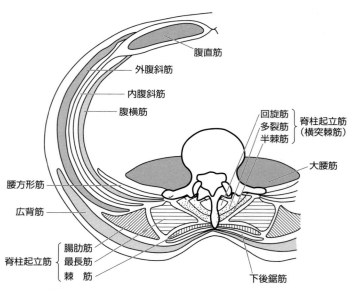

図 15-2-4 第 2 腰椎横断面における体幹支持筋群

走し，いずれも脊柱の屈曲を制御する．横突起間靭帯は横突起間を連結し深部の背筋群に密接する．椎間関節を構成する上・下関節突起には関節面に直行して走行する関節包靭帯が付着する．胸腰椎の関節包靭帯は頸椎に比べ短く緊張が強い．

4) 体幹支持筋群

脊柱周囲には多くの筋肉が縦横に走行し，脊柱の可動性と支持性を制御している（図 15-2-4）．背部筋群の表層は僧帽筋，広背筋，下後鋸筋が覆う．広背筋は第 7 胸椎以下の棘突起に起始し仙骨背面と腸骨稜に停止し，腰部では胸腰筋膜となり脊柱起立筋群を覆う．脊柱起立筋は表在性の腸肋筋，最長筋，棘筋と深在性の上層の半棘筋

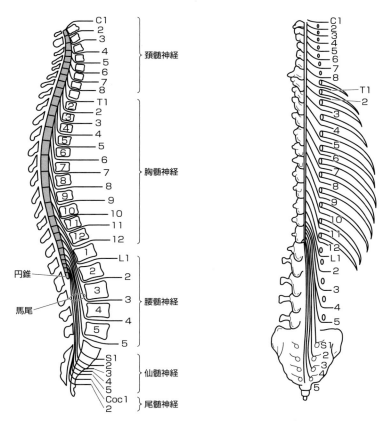

図 15-2-5 脊椎高位と脊髄，脊髄神経の走行

（胸部），多裂筋（腰部）と下層の回旋筋群からなる．これらの背筋群が脊柱の後屈，側屈，回旋運動を行う．腰部の側方には腰方形筋があり，側屈と呼吸運動の補助に働く．脊柱側方に接し縦走する大腰筋は第 12 胸椎椎体および腰椎横突起と椎間板に起始し大腿骨小転子に停止する．腰部前面では腹直筋，外・内腹斜筋，腹横筋が腹壁を形成し腹圧保持に働くとともに体幹の前屈，側屈，回旋を司る．

5) 脊髄および馬尾 spinal cord and cauda equina

脊髄は脊髄膜で覆われ環椎上縁より脊柱管内を下降する．最下端の脊髄円錐は胎生期では尾椎高位にあるが，成長とともに椎体高位との差が生じ小児では L3 椎体，成人では L1 椎体下端高位付近に存在する．脊髄の太さは均一でなく上肢を支配する頸部膨大部（C3-T2 椎体高位）と下肢を支配する腰部膨大部（T10-12 椎体高位）で太くなる．脊髄は各高位より左右に神経根を分岐する．神経根を分岐する脊髄内には 31 対の髄節（頸神経 8，胸神経 12，腰神経 5，仙神経 5，尾神経 1）がある．脊髄の前角からの前根と後角からの後根が合わさり 1 本の神経根となる．神経根は椎間孔内を走行し，近位では水平に近いが遠位に行くに従って斜走し，腰部膨大部以下ではほぼ垂直となり馬尾を形成する（図 15-2-5）．脊髄は周辺部の線維成分に富む白質と中央部の細胞成分に富む灰白質に分けられる．灰白質の中心には脊髄の中心部を縦に走る中心管があり，近位側は第四脳室に通じ遠位側は脊髄円錐に達し，中には脳脊髄液が頭

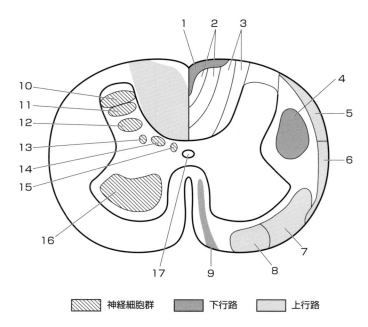

図 15-2-6 脊髄の内部構造

1. 中隔辺縁路 2. 薄束 3. 楔状束 4. 錐体側索路 5. 背側脊髄小脳路
6. 腹側脊髄小脳路 7. 外側脊髄視床路 8. 前脊髄視床路 9. 錐体前索路
10. 膠様質 11. 固有核 12. 後部索状灰白質 13. Stilling 核
14. 背核 15. 後連核 16. 前角細胞 17. 中心管

尾方向に流れる.

脊髄は前面の前正中裂,後面の後正中溝により左右対称をなす.灰白質は中間帯と左右に前角,後角をもつ H 字形を呈する.白質も同様に前索,側索,後索の 3 部分よりなる.白質の左右は前正中裂の基部で白質交連によって結合している (図 15-2-6).

a) 灰白質 cinerea

灰白質は神経膠細胞,膠原線維,線維芽細胞などの支持組織を除いては各種の神経細胞からなる.前角には前根を通って出る遠心性神経線維の細胞群 (運動神経細胞) があり,後角には求心性神経線維と接触構造を形成する細胞群 (感覚神経細胞) がある.前角の運動性神経細胞のうち中心部は体幹,外側部は四肢を支配する.痛覚,温度覚は外側脊髄視床路,触覚は前脊髄視床路を伝わる.平衡をつかさどる背核が最深部にあり,ここから背側脊髄小脳路が始まる.固有感覚を伝える後部索状灰白質は腹側脊髄小脳路を形成する.側角の外側に胸髄では交感神経細胞,仙髄では副交感神経細胞がある.

b) 白質 substantia alba

前索では下行路として錐体前索路または前皮質脊髄路 (非交叉性で筋肉運動をつかさどり,随意運動の約 20% が該当する) および前庭脊髄路 (姿勢制御に関与) が主要である.上行路では後根線維から触覚刺激を受け継ぐ前脊髄視床路がある.側索では下行路として外側皮質脊髄路 (錐体側索路) が主体であり,これは随意運動を支配す

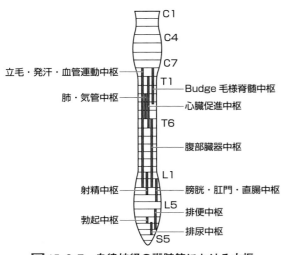

図15-2-7 自律神経の脊髄節における中枢
(Louir R：脊椎外科学，局所解剖学と手術進入法，大谷清訳，102-103，Springer-Verlag 東京，1985 をもとに作図)

図15-2-8 脊椎の動脈分布
T5-L4 の分節動脈は左右一対ずつ大動脈から直接分岐している．分節動脈は静脈とともに伴走し，その前枝と後枝はさらに神経も伴走している．
① 大動脈，② 分節動脈，③ 上・下行枝，④ 分節動脈前枝（肋間動脈），⑤ 分節動脈後枝（5a：内側後枝，5b 外側後枝），⑥ 脊髄枝，⑦ 前脊髄枝，⑧ 前根動脈，⑨ 前脊髄動脈
(Kirkaldy-Willis WH et al：Managing Low Back Pain 3rd ed. 14-15, 1994 をもとに作図)

る錐体路の80％を占め，延髄で錐体交叉して反対側の側索を下行し前角細胞に終わる．上行路には外側脊髄視床路（痛覚，温度覚を伝える側索の前側方を上行），背側脊髄小脳路や腹側脊髄小脳路がある．後索では楔状束と薄束が触覚，圧覚，二点識別覚，振動覚，位置覚，運動覚などをつかさどる．

6) 自律神経系 autonomic nervous system

自律神経は交感神経と副交感神経からなり，交感神経はT1-L2（3）から起始し，傍脊柱神経節や交感神経幹経由で脊髄神経に合流し，血管，汗腺，皮脂腺，立毛筋などを支配，また内臓神経を介して腹部内臓器を支配する．副交感神経は脳神経あるいはS2-4から起始し，後者は骨盤内臓器に分布し，交感神経とともに下腹神経叢を形成し，膀胱機能を支配する（図15-2-7）．

7) 脊椎・脊髄の血行

a) 脊椎の血行（図15-2-8, 9）

胸椎・腰椎は大動脈から分岐する肋間動脈や腰動脈などの髄節動脈 segmental medullary artery により栄養される．髄節動脈は胸膜壁に向かう前枝と後方に向かう後枝に分かれる．後枝はさらに椎間関節や背腰筋に分布するものと，椎間孔を通過するものに分かれる．後者は椎骨動脈 vertebral artery として神経根に沿って脊柱管内に入る枝と椎体後壁や椎弓前面に動脈叢を形成する枝に分かれ，両者とも硬膜，神経根，

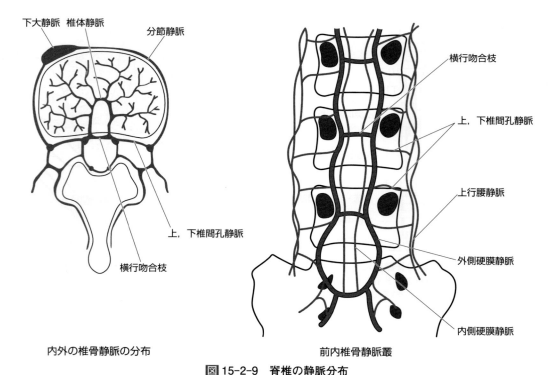

図 15-2-9　脊椎の静脈分布
（Kirkaldy-Willis WH et al：Managing Low Back Pain 3rd ed. 14-15, 1994 をもとに作図）

脊髄などを栄養する．椎弓や棘突起は髄節動脈後枝の枝で脊柱後方に分布する動脈叢および脊柱管内の動脈叢により栄養される．椎体は椎体後壁の脊柱管内動脈叢および椎体前・側壁に形成される外椎骨動脈叢からの穿通枝により栄養される．椎体内静脈は動脈に比べ容積は大きいが，ほぼ同様の分布様式で動脈と逆の道順を通る．椎体近傍には脊柱管内の内椎骨静脈叢，椎体周囲を取り囲む外椎骨静脈叢および椎体静脈がある．

b）脊髄の血行（図 15-2-10, 11, 12）

脊髄への血行は各高位ごとに主幹動脈から分岐する分節動脈の枝である根動脈から供給される．この分節動脈は頸椎では椎骨動脈から，胸腰椎では大動脈から主に分岐する．根動脈はほぼすべての神経根に沿って走行し，最終的に脊髄に血液を供給する根動脈を根脊髄動脈と呼ぶ．脊髄神経根の後根に沿って脊髄背側に達する後根脊髄動脈枝（dorsal medullary artery）は左右一対の後外側脊髄動脈（dorsolateral longitudinal artery）へ血流を供給する．一方，脊髄神経根の前根に沿って脊髄腹側正中に達する前根脊髄動脈（ventral medullary artery）は脊髄の主要な栄養血管となる正中の前脊髄動脈に流入する．根脊髄動脈の内，下部胸髄から脊髄円錐部に入る特に太い前根動脈は大前根動脈（Adamkiewicz動脈）と呼ばれる．大前根動脈（Adamkiewicz動脈）は約90％が第8胸椎から第1腰椎の分節動脈から分岐し，多くは左側から分岐していると報告されている．前脊髄動脈からは前脊髄裂を通って前溝動脈が分岐し，脊髄の腹側

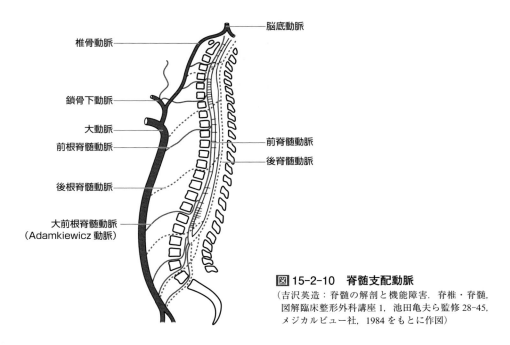

図 15-2-10 脊髄支配動脈
(吉沢英造：脊髄の解剖と機能障害．脊椎・脊髄，図解臨床整形外科講座 1，池田亀夫ら監修 28-45，メジカルビュー社，1984 をもとに作図)

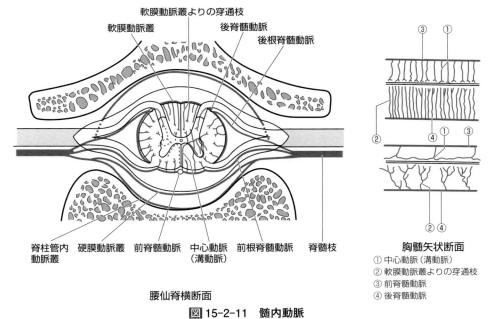

腰仙脊横断面

胸髄矢状断面
① 中心動脈（溝動脈）
② 軟膜動脈叢よりの穿通枝
③ 前脊髄動脈
④ 後脊髄動脈

図 15-2-11 髄内動脈

(吉沢英造：脊髄の解剖と機能障害．脊椎・脊髄，図解臨床整形外科講座 1，池田亀夫ら監修 28-45，メジカルビュー社，1984 をもとに作図)

2/3 に血流を供給する．静脈系は髄内静脈から脊髄表面を縦走する前後の脊髄静脈を介して脊髄中心部の血液は還流される．

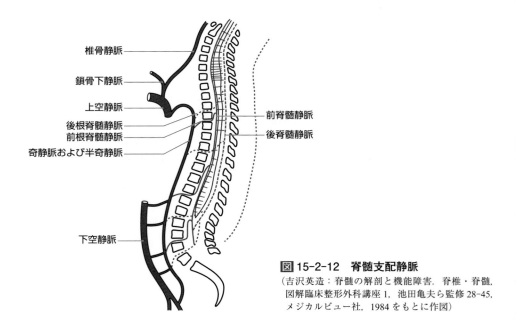

図 15-2-12　脊髄支配静脈
(吉沢英造：脊髄の解剖と機能障害．脊椎・脊髄，図解臨床整形外科講座 1，池田亀夫ら監修 28-45，メジカルビュー社，1984 をもとに作図)

b 機能解剖

1) 脊柱の機能単位と運動

脊柱の支持性と可動性は椎骨とこれを連結する椎間板，椎間関節および脊柱支持靱帯(内在性支持機構 intrinsic stabilizer)，および胸郭や腹壁と脊柱周囲筋群(外在性支持機構 extrinsic stabilizer)が総合的に機能することで制御されている．2個の椎骨とこれらを連結する内在性支持機構は，脊柱の支持性や運動性に関与する機能上の基本単位として脊柱機能単位 functional spinal unit (FSU) と称される．脊柱の運動は FSU を基本に XYZ の3座標軸における回旋運動と並進運動で表される(図 15-2-13)．体幹の屈曲と伸展は X 軸上での前方と後方の回旋運動(前屈，後屈)であり，左右の回旋と左右側屈はそれぞれ Y 軸上と Z 軸上の回旋運動である．垂直方向への上下運動つまり圧縮と伸延は Y 軸上の並進運動である．実際の脊柱運動はこれらの運動が単独に行われるのではなく，通常は2種類以上が複合している．このことが脊柱のもうひとつの重要な役割である脊髄保護機能を円滑にしている．また椎骨，特に椎間関節の形態や回旋中心の位置，さらに脊柱支持靱帯や筋群の解剖学的差異などにより運動様式は脊椎高位によって相違がある．頚椎，胸椎・腰椎の可動域を比較して示す(図 15-2-14)．

a) 胸椎 (T1-10)

胸椎の支持組織で特徴的なことは胸郭を構成する肋骨との関係である．第1から第10肋骨は胸椎前方では椎間高位で肋骨頭が上下の椎体と関節を形成し，放射状肋骨靱帯と関節内肋骨頭靱帯で補強されている．さらに後方では肋横突関節包と肋横突靱帯で胸椎横突起と密に結合している(図 15-2-15)．前方では第1から第7肋骨は肋軟骨関節を介して，また第8から第10肋骨では肋軟骨部が癒合して胸骨につながる．したがって肋骨先端が遊離し筋肉に終わる T11，T12 を除けば，胸椎は胸郭と連結す

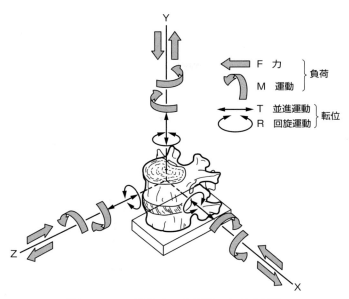

図15-2-13 脊柱の3座標軸における運動
X軸上の回旋運動は屈曲と伸展，Y軸上の回旋運動は左右回旋，Z軸上の回旋は左右側屈，Y軸上の並進運動は圧縮と伸延である．
(White III AA, Panjabi MM：Clinical biomechanics of the spine. 1990 をもとに作図)

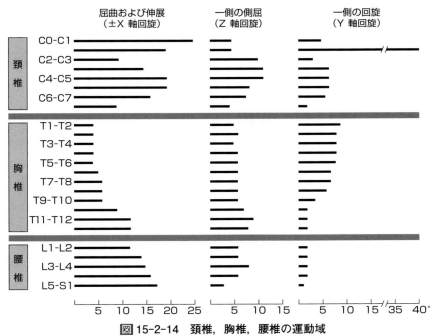

図15-2-14 頚椎，胸椎，腰椎の運動域
(White III AA, Panjabi MM：Clinical biomechanics of the spine. 1990 より)

ることで脊椎運動を制御し，力学的な安定性を得ている．
　近位および中位胸椎では，椎間関節が前額面配列であるため前方移動が制限され側屈と回旋に有利であるが，過度の運動は肋骨の存在により制御される．T9以下では

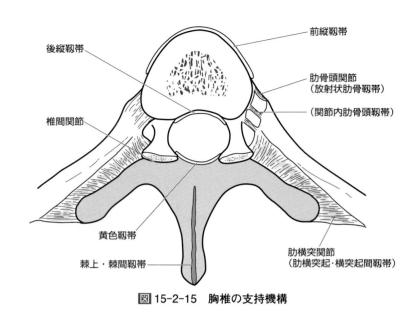

図 15-2-15　胸椎の支持機構

椎間関節面が矢状面に傾くため回旋より屈曲・伸展運動に適するようになる．さらに棘突起の水平化もこれを助ける．

b）胸腰椎移行部（T11-L2）

胸腰椎移行部は構築的に安定し運動性の小さい胸椎部と運動性の大きい腰椎部との移行部となる．さらに生理的後弯から前弯に移行するので機能的にも構築的にも複雑な負荷を受けやすい．椎間関節面はT12/L1から矢状面配列となるため屈曲，伸展，側屈に適するが回旋には不利である．椎体前方で脊椎支持に関与する大腰筋はT12椎体側方に起始し遠位ほど太いなどの理由から胸腰椎移行部は支持性が減弱するために骨折や脱臼の好発部位となる．

c）腰　椎（L3-5）

腰椎は脊柱の基部として大きな負荷を受け，支持性を要求されることから，椎体も大きく椎弓根や椎弓の強度も大きい．さらに支持靱帯もよく発達している．椎間関節は矢状面となり，屈曲・伸展運動域は大きいが回旋運動域は小さい．腰仙椎移行部（L5/S）の椎間関節の傾きは前額面となるため回旋負荷には弱くなるが，椎間板腔がほかより狭いことや腸腰靱帯の存在により安定性は高い．腰椎部では支持靱帯がよく発達しているのみならず，外在性支持機構である脊柱起立筋，傍脊柱筋や腰方形筋など後部筋群と前方の腹直筋，内外腹斜筋や腹横筋もよく発達している．さらに腹筋群横隔膜と共動し腹圧を上昇させることなどが腰椎負荷を軽減させている．

c 受傷機転

胸椎，腰椎の骨折，脱臼の受傷原因には，高所からの転落，転倒，大きな交通事故，重量物の衝突や下敷きなどがある．外力はその加わる方向により脊柱に屈曲力，伸展力，圧縮力，伸延力，回旋力，剪断力などに分けられるが，実際にはこれらが複合して作用することが多い．

d 胸椎・腰椎骨折の分類と歴史

　胸椎・腰椎骨折の分類は1929年にBöhlerが本骨折を圧迫骨折，屈曲伸延骨折，伸展骨折，剪断骨折，回旋骨折5つに分類したことに始まるとされている．

　1963年Holdsworthは後方靱帯複合体（黄色靱帯より後方に存在する靱帯群）が脊椎の安定性に大きく関与していることに注目し，軸性圧迫により椎間板終板が損傷し，椎間板髄核が瞬時的に椎体内に押し込まれ，椎体内圧が急激に上昇することにより椎体が破裂するように骨折するものを椎体破裂骨折と呼び，椎体が破裂するように粉砕しても後方靱帯複合体の損傷を伴わない骨折は安定であると報告した（図15-2-16）．その後Holdsworth，Whitesides，Dewaldらは，脊柱は前縦靱帯，椎体・椎間板，後縦靱帯などの前方要素（前方支柱 anterior column）と神経管から後方の椎弓，棘突起，後方靱帯複合体などの後方要素（後方支柱 posterior column）の2本の柱columnにより構成され（two column theory），前方要素は荷重を担い，後方要素は支持組織 tension bandとして機能する基本構造を有するとした．さらにBöhlerの分類に前方要素が破綻する椎体破裂骨折を加えた分類を提唱した．言い換えると前方要素の損傷である椎体圧迫骨折や破裂骨折は脊柱としての安定性は保たれるが，後方要素も損傷するスライス骨折，屈曲伸延肩損傷を伴う破裂骨折，脱臼を伴う剪断骨折，屈強伸延骨折は不安定性を伴うとした．しかし生体力学的実験により屈曲負荷ではすべての後方要素と一つの前方要素の損傷，伸展負荷ではすべての前方要素と一つの後方要素の損傷によって構築学的破綻が起きることが示され，two column theoryでは正確な安定性評価が不可能であることが示された．1983年Denisは400例余りの胸椎・腰椎骨折のCT画像を検討し，従来の前方要素（前方支柱）を二分し中央支柱（middle column）加えるthree column theoryを提唱し（図15-2-17），脊柱の不安定性は損傷された柱（column）の数によって決定され，three columnすべてが損傷された場合が最も不安定になるとした．このthree column theoryの妥当性と治療戦略上の合理性は現在でも認められている．

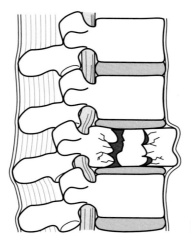

図15-2-16　破裂骨折

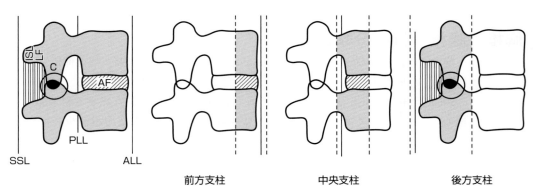

図 15-2-17　Denis による脊柱の 3 column theory
SSL：棘上靱帯　PLL：後縦靱帯　ALL：前縦靱帯　ISL：棘間靱帯　LF：黄色靱帯　C：椎間関節包　AF：椎間板線維輪
前柱は椎体と椎間板の前方 1/2 と前縦靱帯，中柱は椎体と椎間板の後方 1/2 と後縦靱帯，後柱は椎弓根と椎弓，椎間関節，椎間関節包，黄色靱帯，棘上・棘間靱帯からなる．
(Denis F：The three column spine and its classification of acute thoracolumbar spinal injuries. Spine 8：817-813, 1983 をもとに作図)

表 15-2-1　Denis 分類

1. minor 損傷（小損傷）	2. major 損傷（大損傷）	Denis の脊柱不安定性分類
1）横突起骨折 2）関節突起骨折 3）関節突起間部骨折 4）棘突起骨折	1）圧迫骨折（前方支柱のみの損傷） 2）破裂骨折（前方支柱＋中央支柱の損傷） 　A 型　上・下位の終板骨折を伴う 　B 型　上位終板骨折を伴う 　C 型　下位終板骨折を伴う 　D 型　回旋変形を伴う 　E 型　側方屈曲変形を伴う 3）シートベルト損傷 　1 椎間損傷（Chance 骨折） 　2 椎間損傷 4）脱臼骨折（前方支柱＋中央支柱＋後方支柱の損傷） 　椎間板高位損傷 　椎体高位損傷（屈曲回旋型，スライス骨折） 5）剪断型脱臼骨折	1 度不安定（構築性不安定性） 2 度不安定（神経学的不安定性） 3 度不安定（構築性不安定性＋神経学的不安定性）

1）Denis 分類（表 15-2-1）

　　　　　脊椎外傷形態を minor（小損傷）と major（大損傷）に分けた．minor は脊椎構造の破綻がわずかで不安定性を生じない後方要素の単独損傷として 1）横突起骨折，2）関節突起骨折，3）関節突起間部骨折，4）棘突起骨折があげられる．一方，major を 1）圧迫骨折：前方柱のみの損傷，2）破裂骨折：前方柱と中央柱の損傷，3）シートベルト型損傷（Chance fracture を含む）：前方支柱をヒンジとして中央支柱と後方支柱に伸延損傷生じる型，4）脱臼骨折：3 つ全ての支柱を損傷した最も不安定性を呈する骨折型の 4 型に分類した．2）の破裂骨折を A 型：上・下位の終板骨折を伴う，B 型：上位終板骨折を伴う，C 型：下位終板骨折を伴う，D 型：回旋変形を伴う，E 型：側方屈曲変形を伴う 5 型に分類した（図 15-2-18）．破裂骨折で最も多い型は B 型で，A 型と B 型で 60〜70％を占める．次に前方支柱が支点となり屈曲伸延力により後方

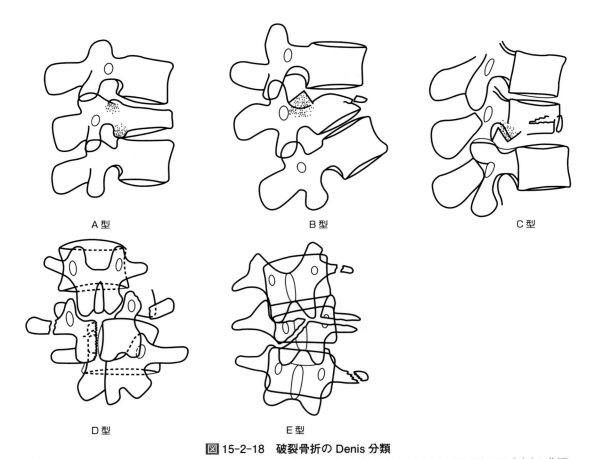

図 15-2-18 破裂骨折の Denis 分類
(Denis F：The three column spine and its classification of acute thoracolumbar spinal injuries. Spine 8：817-813, 1983 をもとに作図)

要素と中央支柱の損傷型（屈曲伸延型損傷）の 3）シートベルト損傷を 1 椎間損傷を 2型，2 椎間損傷を 2 型の 4 つのサブタイプに分類した．1 椎間の骨性要素のみを損傷したサブタイプは，1948 年に Chance が報告した椎体から棘突起までの水平方向の骨折である古典的 Chance 骨折である（図 15-2-19, 20）．最後に最も不安定な 3-column 損傷である 4）脱臼骨折は屈曲回旋外力により，椎間板高位で損傷する型と椎体高位で骨折（スライス骨折）する 2 つのサブタイプに分類した（図 15-2-21a, b）．他に剪断型脱臼骨折（Shear type of fracture-dislocation）には，背側からの剪断力により棘突起骨折から椎間板，前縦靱帯まで連続性に破綻し高率に対麻痺をきたす（図 15-2-21c）ものと，腹側からの剪断力により前縦靱帯から棘間靱帯までの 3-column すべての靱帯は損傷するが棘突起骨折は認めないものがある（図 15-2-21d）．その後，脊椎を 3-column theory に基づいた耐荷重容量 load-carrying capacity や瞬間回転軸 instantaneous axis of rotation のバイオメカニクス研究から，3-column theory の妥当性と治療戦略上の合理性は現在でも認められている．

また Denis はメジャーの中で手術適応の参考として脊柱不安定性を 3 つに分類した．
1）1 度不安定（構築性不安定性）：高度圧迫骨折に後柱（後方要素）の破綻が加わったシートベルト損傷．進行性後弯の危険性を伴う．

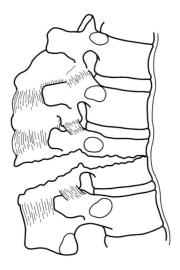

図 15-2-19　屈曲伸延損傷（Chance 骨折）
椎体から棘突起まで水平方向に骨折を生じている．

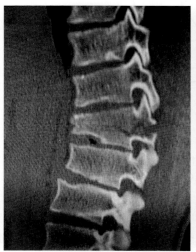 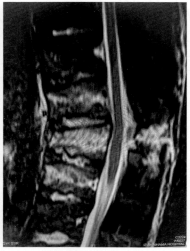

図 15-2-20　Chance 骨折の一例
受傷時の脊髄損傷は免れているが不安定性が高度な状態である．CT では椎体から椎弓根にかけての骨折線が，MRI ではそれに加えて後方要素の破綻がみとめられる．

2) 2 度不安定（神経学的不安定性）：受傷時には安定型破裂骨折でも，受傷後早期に脊柱管内への骨片突出により進行性に脊柱管が狭窄され，骨折治癒後に神経麻痺を惹起する．

3) 3 度不安定（構築性不安定性と神経学不安定性が合併するもの）：脱臼骨折や不安定型破裂骨折に代表される最も不安定な損傷．

これらの不安定性を有するものは手術適応とされ，特に 1 度不安定での潜在性の進行性後弯は見逃さないように注意を要する．この不安定性の観点を Denis 分類に当てはめると，1) 圧迫骨折は不安定に該当しないので基本的に保存治療を選択する．2) 破裂骨折に 30 度以上の後弯や神経障害を伴う場合は 1 度ないしは 2 度の不安定に該

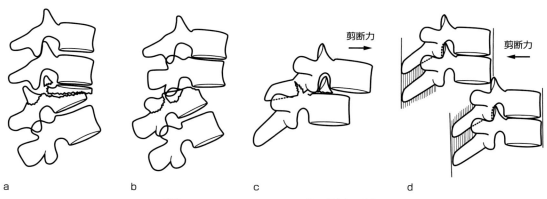

図 15-2-21　Denis による脱臼骨折の分類
　a. 椎体損傷型の屈曲回旋脱臼骨折
　b. 椎間板損傷型の屈曲回旋脱臼骨折
　c. 背側からの剪断力で発生する剪断脱臼骨折
　d. 腹側からの剪断力で発生する剪断脱臼骨折

〔Denis F：The three column spine and its classification of acute thoracolumbar spinal injuries. Spine 8：817-813, 1983 をもとに作図〕

当するため手術の適応となる．3）シートベルト型損傷で椎体や後方靱帯損傷（棘上，棘間靱帯損傷）を伴う例も1度ないしは2度の不安定のため手術の適応であり，4）脱臼骨折も3度の不安定に該当し生命予後と早期リハビリ介入のため手術適応である．

附7　脊椎不安定性の概念

　　　脊椎骨折による脊椎不安定性は，高度脊椎構造破綻か神経学的不安定性（麻痺）の存在もしくはその両者と理解されている．
　　　WhiteとPanjabiが提唱した概念で，臨床的不安定性 clinical instability とは，著しい変形，明らかな神経障害，高度の疼痛を惹起しない程度の生理的負荷でも脊柱が本来の安定性を維持できなくなった状態と定義した．言い換えると1）脊柱変形，2）神経障害，3）生理的な負荷に耐えられない程の脊椎安定性の破綻である．Denisは，この概念を応用して，前述の1度から3度の不安定を臨床的不安定性の指標として示した．

2）荷重分担分類（load sharing 分類）

　　　①椎体の粉砕，②骨片転位，③後弯矯正の3つの項目を基準に椎体の破壊の程度を項目ごとに1から3点を配点する荷重分担分類がMcCormackとGainesにより報告された（図15-2-22，表15-2-2）．3つの項目の合計を3点から9点まで点数化し，椎体破壊の程度と不安定性の程度の指標とした．6点以下なら椎弓根スクリューによる後方固定術を，7点以上なら前方支柱再建術を適応する．ただし診断医の経験により点数が一定しないことがある．また原著は術前の椎体の粉砕と骨片転位，手術による後弯矯正の程度と術後成績の関係を検討したものであり，厳密には術前の後弯変形は評価項目とはなっていない．2020年にレビュー論文で評価され現在も破裂骨折の手術法決定の指標の一つとして用いられる．

3）AO分類（包括的 Magerl 分類）

　　　1994年 Magerl らは1445例の胸腰椎骨折の単純X線写真と受傷機転から，AO骨

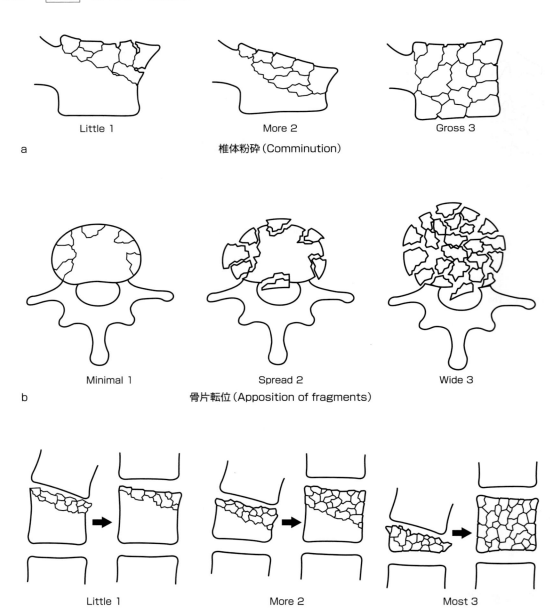

図 15-2-22 Load sharing Classification（荷重分担分類）

表 15-2-2

	1点	2点	3点
椎体粉砕 (comminution)	30%未満	30-60%	60%以上
骨片転位 (apposition of fragments)	1 mm 未満	2 mm	2 mm 以上
後弯矯正 (deformity correction)	3°以下	4-9°	10°以上

折分類の 3-3-3 式の分類法に基いた分類を示した．A 型：圧迫外力による前方柱（椎体）損傷 compression injuries（圧迫損傷），B 型：伸延外力による前方柱と後方柱の損傷 distraction injuries（伸延損傷），C 型：圧迫外力，伸延外力に回旋外力が加った外方向性損傷 anterior and posterior element injuries with rotation（回旋損傷）の 3 型に分類し A から C へ損傷程度は高度となる．さらに損傷部や骨折形態によるサブグループに基づき，53 パターンに細分した（**図 15-2-23**，**表 15-2-3**）．

後述の Thoracolumbar AO Spine Injury Score（TL AOSIS）の先駆けであり，生体工学 biomechanics 理論に基づいた優れた分類であるが，きわめて複雑である点が問題であった．

4) Thoracolumbar Injury Classification and Severity Score (TLICS), Thoracolumbar AO Spine Injury Score (TL AOSIS)

理想的な分類は，① 単純で，② 信頼性があり，③ 再現性が高く，④ 治療法を決定する上で有用な分類である．

2005 年 Vaccaro らの Spine Trauma Study グループが，骨折形態と神経損傷と靱帯支持組織損傷を点数化し，その点数に基づき手術法の適応を決定する TLICS 分類を報告した．AO の Magerl 分類を簡略化し，単純 X 線写真，CT，MRI の所見から，① 圧迫骨折：1 点，② 破裂骨折：2 点，③ 変位/回旋型：3 点，④ 伸延型：4 点の型に，後方靱帯複合体の損傷なし：0 点，軽度/中等度の損傷：2 点，高度な損傷：3 点とし，神経損傷状態を損傷なし：0 点，神経根損傷：2 点，脊髄・円錐部損傷：不完全損傷 2 点，完全損傷 3 点，馬尾神経損傷：3 点とそれぞれ点数化し，3 項目の合計点が 3 点以下なら保存治療，4 点なら状況に応じて手術を考慮し，5 点以上なら表に示すような至適な手術を選択する根拠とした．従来までは，安定・不安定型破裂骨折，脱臼骨折，シートベルト損傷，屈曲伸延骨折の骨折形態と神経損傷があるか否かで治療方針を決定していたが，点数化して手術適応を判断できる点が特徴的な分類である．

2013 年 AO Spine Spinal Cord Injury & Trauma Knowledge Forum と Vaccaro らは，汎用性が高く包括的な AO Spine Thoracolumbar Spine Injury Classification System（AOSTLIC/AO 分類）を提唱した．外傷性胸腰椎損傷の骨折形態を A：圧迫骨折，B：伸延骨折，C：回旋骨折の 3 つに分類した．A はさらに 5 つのサブタイプ，すなわち A0-軽微な骨折：椎体に骨折のない横突起骨折や棘突起骨折，A1-椎体楔状圧迫骨折：椎体後壁損傷のない上下いずれかの終板骨折，A2-Split or pincer-type：椎体後壁損傷を伴わない上下側終板骨折，A3-不全破裂骨折：上下一方の終板骨折を伴う破裂骨折で，椎弓の垂直骨折を伴うが tension band（前/後縦靱帯，黄色靱帯，椎間関節包，棘上/棘間靱帯，椎間関節）損傷は伴わない，A4-完全破裂骨折：上下の終板骨折と椎体破壊骨折を伴い，椎弓垂直骨折も通常伴うが tension band 損傷は伴わないものに分類した．Tension band の損傷であるタイプ B は 3 つのサブタイプ，すなわち B1-骨性損傷のみで靱帯・椎間板損傷を伴わない，骨性 tension band 単独伸延損傷（Chance 骨折），B2-タイプ A に後方靱帯複合体損傷を伴う，後方 tension band 損傷（シートベルト損傷），B3-前縦靱帯から全椎間板を損傷するか，骨折線の一部は椎体を通過して過伸展位をとる前方 tension band 損傷（過伸展損傷・脊椎強直疾患に頻繁

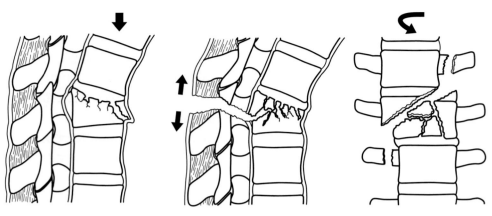

A. compression injuries（圧迫損傷）　B. distraction injuries（伸延損傷）　C. multidirectional injuries with translation（多方向性損傷）

図 15-2-23　胸椎・腰椎損傷の包括的分類（AO 分類）
（Magerl F et al：A comprehensive classification of thoracic and lumbar injuries. Eur Spine J 3：184-201, 1994 より）

表 15-2-3　包括的 Magerl 分類

Type	Group	Subgroup
A. compression injuries（圧迫損傷）	1. impaction fractures	1. endplate 2. wedge impaction 　　1. superior, 2. inferior, 3. lateral 3. vertebral body collapse
	2. split fractures	1. sagittal 2. coronal 3. pincer
	3. burst fractures	1. incomplete 　　1. superior, 2. lateral, 3. inferior 2. burst-split 　　1. superior, 2. lateral, 3. inferior 3. complete 　　1. pincer, 2. complete flexion, 　　3. complete axial
B. distraction injuries（伸延損傷）	1. posterior disruption predominately ligamentous	1. through the disc 2. with type A fracture
	2. arch fracture	1. transverse body fracture 2. thorough the disc 3. with type A fracture
	3. anterior disruption	1. posterior subluxation 2. through the arch 3. posterior dislocation
C. anterior and posterior element injuries with rotation（回旋損傷）	1. Type A with rotation	1. rotational wedge 2. rotational split 3. rotational burst
	2. Type B with rotation	1. B1 with rotation 2. B2 with rotation 3. B3 with rotation
	3. rotational	1. slice 2. oblique

（Magerl F et al：A comprehensive classification of thoracic and lumbar injuries. Eur Spine J 3, 184-201, 1994 より）

A；Compression fractures（圧迫骨折，破裂骨折など）

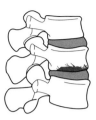

A1；wedge／impact fracture（圧迫骨折）

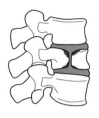
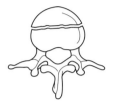

A0：棘突起，横突起骨折など　　　　A2；split／pincer type fracture

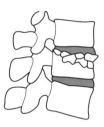
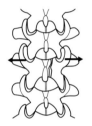

A3；incomplete burst fracture（一方の椎体終板損傷を伴う破裂骨折）

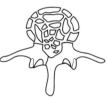
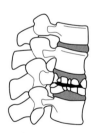
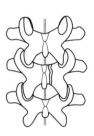

A4；complete burst fracture（上下の椎体終板破壊を伴う破裂骨折）

図 15-2-24 AO Spine Thoracolumbar Spine Injury Classification System（AOSTLIC）における形態学的分類（1）
（Vaccaro AR, et al：AOSpine thoracolumbar spine injury classification system：fracture description, neurological status, and key modifiers. Spine 38：2028-2037, 2013 をもとに作図）

に発生）に分類した．タイプCはすべての要素と面で転位を伴う損傷，すなわち前方から後方までのすべての骨と靱帯が損傷し高度転位を伴うタイプで，屈曲回旋脱臼骨折，剪断脱臼骨折，屈曲伸延脱臼骨折（スライス骨折）などを含むがサブタイプはない（**図 15-2-24, 25**）．

2016年同グループが前述のAOSTLICの骨折型に加え，神経損傷を6型に分けた

B；tension band injuries（椎体の変位を伴わない tension band 損傷）
　tension band；前／後縦靱帯，黄色靱帯，椎間関節包，棘上／棘間靱帯，椎間関節

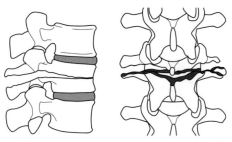

　B1；posterior transosseous disruption（後方での tension band 損傷．骨性損傷のみ）
　　Chance 骨折が有名

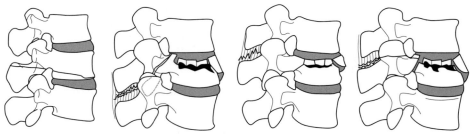

　B2；posterior ligamentous disruption（後方の tension band 損傷で靱帯・骨・関節包の複合損傷）
　　シートベルトタイプ損傷，破裂骨折を伴う屈曲伸延損傷など

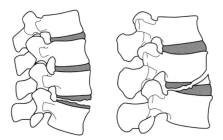

　B3；anterior ligamentous disruption（前方の tension band 損傷）
　　脊椎強直性疾患にみられるリバースチャンス骨折が有名

C；translation injuries（変位を伴う損傷すべて；脱臼骨折）
　屈曲回旋脱臼骨折，剪断脱臼骨折，屈曲伸延脱臼骨折など

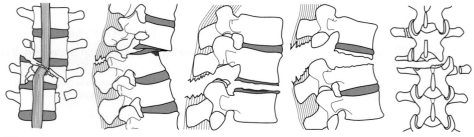

図 15-2-25　AO Spine Thoracolumbar Spine Injury Classification System（AOSTLIC）における形態学的分類（2）

（Vaccaro AR, et al：AOSpine thoracolumbar spine injury classification system：fracture description, neurological status, and key modifiers. Spine 38：2028-2037, 2013 をもとに作図）

The AO Spine Thoracolumbar Spine Injury Score (TL AOSIS) を報告した．N0：神経学的に正常，N1：一過性の神経損傷，N2：神経根損傷，N3：不全脊髄損傷や馬尾損傷，N4：完全脊髄損傷，意識障害や挿管例などで神経学的評価には限界がある状況をNXとした．さらに手術適応を考慮する重要な因子をMとして，M1：tension band損傷が不確実な例，M2：強直性脊椎炎，関節リウマチ，びまん性特発性骨増殖症，骨粗鬆症などの疾患を有するか，脊椎骨折高位に熱傷を合併するもの，多発外傷を合併するものに分類した．重症度スコアの詳細は，骨折型タイプのAは0-5点，タイプB1を5点，B2を6点，B3を7点，Cを8点，N神経学的所見は，順に0-4点，NXを3点とした．患者の特別な因子であるMは，M1を1点，M2を手術を検討するか，熱傷の場合は手術を回避するとした．この3項目の配点の総点数から，0-3点は保存療法，4-5点は患者背景やM2を考慮して治療方針を決定するとし，6点以上は手術適応とした．現在も本スコアリングシステムは，胸・腰椎骨折治療方針を合理的に決定しうるものと思われる．例えばA3：3点，N0：0点の神経損傷のない後方靱帯複合体が正常の破裂骨折は3点となり，原則伸展位装具による保存療法が適応される．

附8 強直性脊椎炎・びまん性特発性骨増殖症に合併した椎体骨折（図 15-2-26）

強直性脊椎炎（ankylosing spondylitis：AS）は脊椎・仙腸関節の炎症が主体の原因不明の自己免疫性疾患であり，病状の進行に伴い脊椎の強直をきたすことが多い．典型的な例はbamboo spineと呼ばれ，疫学調査ではわが国の患者数は約3万人と推定されている．しかし無症候の症例も多く実際の有病率は定かではない．一方，びまん性特発性骨増殖症（diffuse idiopathic skeletal hyperostosis：DISH）は加齢性変形に伴い脊椎の強直をきたす疾患であり，4椎体以上の強直を診断基準とする．DISHの有病率は加齢とともに増加している報告もある．これもASと同様に無症候に経過している症例は少なくない．

いずれの疾患も強直した脊椎は軽微な外傷により骨折を起こしやすく，特異な骨折形態をとることが知られている．これはAO分類のtype B3に相当し，3-columnがす

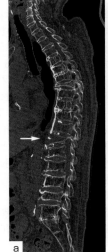
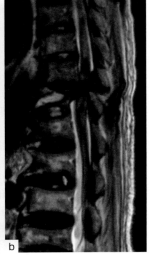

図 15-2-26 DISHに合併した椎体骨折の一例
CT（a）にて不安定性を示唆する3 column injuryとなる骨折線をみとめる．
MRI（b）では脊柱亜脱臼による高度な脊髄の圧迫所見をみとめる．

868 　各 論　第15章　脊椎骨折

べて同時に損傷する極めて不安定なタイプである．さらに強直した脊椎はレバーアーム
が長いことから骨折部の癒合はほとんど期待できない．そのため保存療法では骨折高位
の脊髄損傷と激痛をきたすので，TL AOSIS のスコアリングから見ても診断がつけば
早急に手術療法が推奨される．手術療法は後方固定術が主流であるが，長いレバーアー
ムを制動するためには上下3椎体ずつの長範囲の固定が必要になることが多い．その
ため本疾患の手術療法には展開を最小限にできる経皮的椎弓根スクリュー固定が有用で
ある．しかし強直した脊椎は椎体・椎弓根の海面骨が非常に疎になっており，スク
リューによる固定力が十分でない場合があること，ガイドワイヤーの前方穿破のリスク
が高くなる点が問題となる．

　画像診断の難しさも課題であり，初期の単純X線写真では診断困難なことも少なく
ない．特に強直した脊椎の骨折が疑われる症例の診断には CT の矢状面像が有用であ
る．また軽微な外傷では受傷直後の症状が軽度で後に遅発性麻痺や疼痛が出現すること
も少なくない．そのためしばしば医療機関の受診が遅れることがある．

　DISH に伴う骨折は高齢化に伴い今後も増加していくことが予想され，初診時に確実
に診断し適切な治療を行うことが重要である．

附9 骨粗鬆症性椎体骨折に関する最近のトピックス

1) 骨粗鬆症性椎体骨折

　前述した胸・腰椎骨折は交通事故や高所からの転落などの高エネルギー外傷が原因と
なる．骨粗鬆症に伴う脆弱性骨折の典型である骨粗鬆症椎体骨折は，立った姿勢からの
転倒かそれ以下の軽微な外力によって発生した骨折と定義され，受傷機転が不明なこと
も少なくない．前述した AOSTLIC 分類の A タイプ（圧迫骨折）が多いが，骨粗鬆症が
原発性か続発性か，骨密度の程度などにより経時的に高度後弯や遅発性麻痺を発症する
ことがあるので，AOSTLIC 分類で評価することはない．糖尿病による続発性骨粗鬆
性椎体骨折は骨脆弱性による椎体骨折で，骨密度が低下していない場合も多く注意を要
する．胸・腰椎椎体骨折の典型的な症状は，体動時の腰痛や寝返り時の腰痛などであ
る．単純X線写真で semiquantitative method：SQ 法（図 15-2-27）により椎体変
形が新鮮骨折と疑われる場合には経時的に単純X線写真を撮影し椎体変形の進行があ
れば診断が確定することもある．腰椎 MRI 撮影が可能であれば，T1 低輝度，STIR 高
輝度の像が得られれば診断可能である．腰痛を訴える骨脆弱性仙骨骨折もあるため，仙
骨まで撮影範囲を広くするべきである．

2) 偽関節

　長管骨の偽関節は，骨折部の感染，介在物，阻血などにより受傷1年以上経過後も
骨癒合が全く期待できない状態である．2012 年に日本骨形態計測学会を中心とする7
学会で構成した椎体骨折評価委員会が椎体骨折評価基準を改訂し，「偽関節は受傷から
9ヵ月が経過し，直近の3ヵ月にわたり治癒傾向の兆候がみとめられない場合とし，
クレフトの存在の有無は問わない」と定義した．

　胸腰移行部骨粗鬆症性椎体骨折における遷延治癒・偽関節の危険因子は，Tsujio ら
は受傷後早期の腰椎 MRI T2 強調像における椎体の高輝度限局型（confined high
type）と低輝度広範型（diffuse low type）であると報告している．Inose らも MRI
T1 強調像の低輝度広範型と T2 強調像の低輝度広範型と fluid タイプを危険因子とし
て報告しており，受傷早期の腰椎 MRI 評価は，骨粗鬆症性椎体骨折の予後を予測する
上で重要である．

3) 遅発性麻痺

　骨粗鬆症性椎体骨折後数週から数か月に胸腰移行部骨折は円錐上部症候群や円錐
（部）症候群（膀胱直腸障害のみを呈する），中下位腰椎骨折は馬尾症候群，神経根障害
を発症することがある．その原因は，retropulsive fragment（脊柱管内に隆起した後

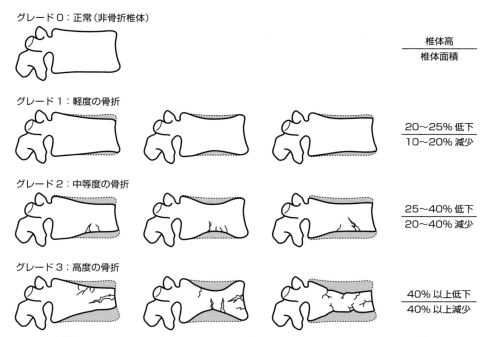

図 15-2-27　椎体の半定量的評価法（SQ 法：semiquantitative method）
骨折による椎体変形の程度を隣接椎体と比較した場合の椎体高もしくは椎体面積の減少率から判定する
（Genant HK et al：Vertebral fracture assessment using A semiquantitative technique. J Bone Miner Res. 8：1137-48, 1993 をもとに作図）

壁の転位骨片）による直接の圧迫のみならず，前述の遷延治癒・偽関節に認める椎体内クレフトによる仰臥位と腹臥位や前屈と後屈時の椎体および脊柱管の形態変化が遅発性麻痺の原因と考えられる．

附10　脱臼骨折　fracture dislocation

　　three column すべてが損傷されるため構築学的破綻も高度で神経損傷も合併しやすく最も不安定な損傷である．受傷機転により屈曲回旋脱臼骨折，屈曲伸延脱臼骨折，剪断脱臼骨折に分けられる．

①屈曲回旋脱臼骨折　flexion-rotation fracture dislocation
　　体幹を捻った状態で高所からの転落や背部の左右どちらか一方に重量物が落下した場合などに起こる．体幹に屈曲力と回旋力が加わって発生する．前柱と中柱では椎間板高位あるいは椎間板直下の椎体部が捻られるように骨折し回旋する（図 15-2-28）．ハムがスライサーで切られたように見えることからスライス骨折 slice fracture とも呼ばれる．後柱では椎間関節は回旋力により骨折し脱臼する．屈曲力が勝ると椎体前方転位を合併するが，そぎとられた椎体の一部は元の位置に残る．前縦靱帯は椎体から剥離し損傷を免れることもあるが，ほかの靱帯群は高率に損傷する．すべての脊椎骨折の中で最も不安定で神経損傷の合併頻度はきわめて高い．

②剪断脱臼骨折　shear-type fracture dislocation
　　歩行中，後方からトラックのバンパーが腰部に衝突し，腰部が前方へ押し出され，衝突部の上位が後方に転位するなどで発生する（図 15-2-29）．反対に前方への剪断力による損傷もある．

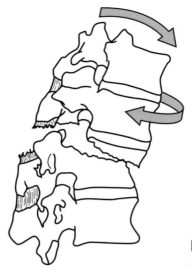

図 15-2-28　屈曲回旋脱臼骨折（slice 骨折）
屈曲力に回旋力が加わる．

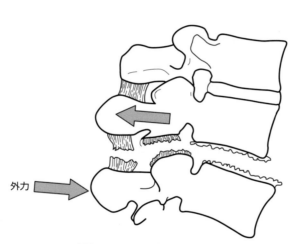

図 15-2-29　剪断脱臼骨折
前後方向の剪断力で発生する．

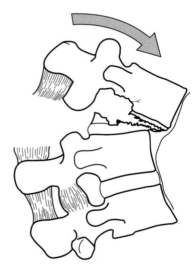

図 15-2-30　屈曲伸延脱臼骨折
屈曲力に伸延力が加わり，椎体が前方へ転位する．

③**屈曲伸延脱臼骨折** flexion-distraction fracture dislocation

　　受傷機転は屈曲伸延損傷と同じで2点式シートベルト着用中の事故のほかに体幹前屈位で背部に重量物が落下する場合に発生する．本損傷では線維輪の完全断裂により上位椎が亜脱臼または脱臼し前方転位する（図 15-2-30）．そのため脊柱管は変形し神経損傷を合併する．

e 臨床所見

　　胸腰椎椎体骨折は前述の通り高エネルギー外傷による骨折と脆弱性骨折では，受傷機転だけでなく臨床所見が大きく異なる．それぞれの特徴を把握することは治療方針の決定にきわめて有用である．

1）高エネルギー外傷による胸腰椎椎体骨折

高所からの転落，交通事故などに代表される高エネルギー外傷の場合は，致死的な外傷の治療が最優先される．そのため椎体骨折だけでなく，臓器損傷・血管損傷・頭部外傷の有無の可能性につき迅速かつ綿密な視診や触診，単純X線写真またエコーやCTなどで即時評価するべきである．これらは意思疎通困難な状態であっても有効である．胸腰椎椎体骨折には遠隔部位の多発骨折も生じ得る．また脊髄損傷を合併している場合は，麻痺により四肢・体幹の外傷による自覚症状が減弱・消失していることもある．

意識レベルが清明であれば，ほぼすべての症例で骨折部の強い疼痛を訴え叩打痛がある．体動により著しく痛みが増強し，歩行困難であることが多い．脊髄損傷の合併の有無が診断に重要であるが，疼痛により筋力低下や知覚障害の評価が難しいこともある．複数回の神経学的所見の評価が重要である．

2）脆弱性胸腰椎椎体骨折

尻餅など受傷機転が明確な場合もあるが，特に原因なく疼痛が生じることも少なくない．また疼痛がまったくなく，偶発的に陳旧性の椎体骨折を認めることもある．腰痛の部位は骨折部と必ずしも一致せず，受傷高位よりやや尾側に痛みが生じることも多い．また受傷部位の叩打で疼痛を訴えないこともあり，叩打痛が骨折の診断に必ずしも有用な所見とは言えない．

骨折部位に脊柱管狭窄を合併している場合は，神経症状の急激な悪化を生じやすい．骨癒合に伴い神経症状が緩和することがあるため，麻痺が明らかでなければ保存療法が推奨される．骨折部位の疼痛がほとんどなく，下肢痛のみを主訴に受診することもあるので，腰部脊柱管狭窄の急性増悪の際には骨折を鑑別する必要がある．

脆弱性骨折の場合は，受傷後数日から数週間で椎体の圧壊が進行することも多く，下肢の神経症状が急速に悪化することもある．また常に偽関節化する可能性があることを念頭に入れて経過観察する必要がある．

附11 胸椎・腰椎骨折，脱臼に合併する脊髄損傷

脊髄損傷の合併の有無は椎体骨折の治療成績に非常に大きな影響を与える．神経所見は経時的に変化するものも多く，その評価は複数回行うことが重要である．またいずれの所見も疼痛により評価困難となる可能性を念頭におく必要がある．

1）反　　射

反射は意識レベルが低下している患者でも所見をとることが可能であり臨床上重要である．一般に脊髄高位の骨折，脱臼では脊髄ショックが回復すると深部腱反射である膝蓋腱反射やアキレス腱反射が亢進する．一方で馬尾神経や神経根などの末梢神経高位の骨折，脱臼では深部腱反射は低下または消失する．表在性反射は脊髄損傷高位の診断に有用である．腹壁反射（上・中・下）の消失は，それぞれ第6〜9胸髄の損傷を示唆する．挙睾筋反射の消失は第1〜2腰髄の損傷，肛門反射の消失は第3〜5仙髄の損傷を示唆する．

Babinski徴候：Joseph Babinskiによって1896年に報告された．新生児や錐体路障害を有する患者で，足底外側をこすると母趾が背屈する徴候で反射の亢進を示す病的反射である．

Beevor徴候：Charles Edward Beevorによって1898年に報告された．仰臥位

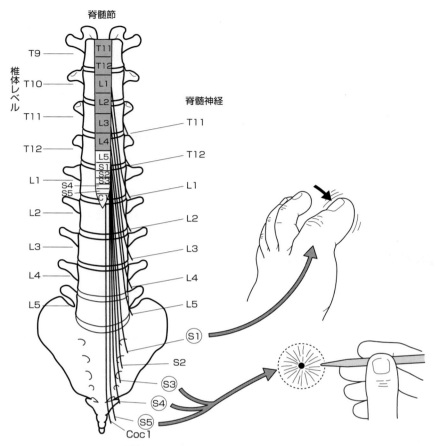

図 15-2-31　脊髄節支配と仙髄回避
S1 支配の足趾の底屈運動や S3〜5 支配の肛門反射や括約筋収縮があれば不全麻痺の徴候である．
(Meyer PR：Emergency room assessment：Management of spinal cord and associated injuries：Surgery of spine trauma. Meyer PR eds, 527-571, Churchill Livingstone, New York, 1989 をもとに作図)

の患者の頭部を挙上させると臍が上方に移動する徴候は胸椎 10-12 の，下方に移動する場合は T7-T10 の神経根・髄節障害で生じる．

2) 筋　力

下肢の自動運動の有無と筋力を評価する．膝関節や足関節の自動運動が不能でも第 1 仙髄支配の足趾の底屈運動や，第 3〜5 仙髄支配の肛門括約筋の自発的収縮が確認できれば，仙部（髄）回避 sacral sparing と考えられ麻痺の回復が期待できる（**図 15-2-31**）．

3) 皮膚感覚

皮膚感覚帯 dermatome は損傷高位を診断するうえで重要である．触覚の皮膚感覚帯は，温・痛覚より広いため，より鋭敏な温・痛覚を優先して検査する．第 4 胸髄：乳頭部，第 7 胸髄：季肋部，第 10 胸髄：臍部，第 1 腰髄：鼠径部などを目安に，おおよその損傷高位診断が可能である．肋間神経の損傷では支配域に一致した疼痛や感覚異常をきたす場合がある．急性期では損傷部位より 2〜3 髄節上位まで脊髄循環障害がおよぶので実際の損傷部位より高位で痛覚が障害されることが多い．

表 15-2-4 脊髄損傷急性期の合併症と予防

	病 態	症 状	対 策
呼吸器障害	換気不全 喀痰排出障害	呼吸困難，チアノーゼ CO_2 ナルコーシス，喘鳴	酸素，挿管，ネブライザー， 体位ドレナージ
循環系障害	出血 血管運動神経障害 起立性低血圧	血圧低下，チアノーゼ めまい	輸血，昇圧剤，酸素， 副腎皮質ステロイド，体位変換
消化器障害	イレウス 急性胃拡張	腹部膨満，悪心，嘔吐	絶食，中心静脈栄養
	消化管出血	下血	制酸剤，抗潰瘍薬
	排便障害	便秘	浣腸，摘便，緩下剤
泌尿器障害	排尿障害	尿閉，失禁	閉鎖式持続導尿， 無菌的間欠導尿
皮膚障害	体温調節障害	過高熱	アルコール清拭
		低体温	保温
	褥瘡	発赤，変色，壊死	体位変換，清拭，エアーマット

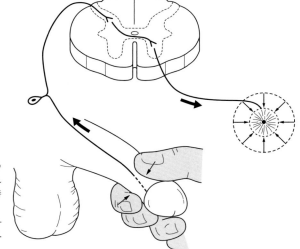

図 15-2-32 球海綿体反射
指を肛門に挿入し，亀頭を握ると肛門括約筋の収縮を感じる．脊髄損傷例で本反射が出現すれば脊髄ショックを離脱したことを示す．この時点で四肢麻痺があれば完全麻痺である．
(Guttman L：Spinal deformities in traumatic paraplegics and tetraplegics following surgical procedures. Paraplegia 7：38-49, 1969 をもとに作図)

4) その他の症候 (表 15-2-4)

脊髄ショック：受傷直後は損傷部以下は弛緩性麻痺となり，これを脊髄ショックという．脊髄ショックの多くは数時間から数週間で徐々に回復（約半数の患者で1週間以内）する．損傷高位以下の弛緩性麻痺の他，深部腱反射の消失，膀胱の弛緩性麻痺，麻痺性腸閉塞などの症状を呈する．脊髄ショックからの離脱は球海綿体反射や肛門反射の出現の有無で判断する（図 15-2-32）．

呼吸器障害：胸椎骨折による脊髄損傷により肋間筋麻痺が生じうる．頚髄支配である横隔神経は温存されるため，横隔膜性の呼吸は可能である．完全な肋間筋麻痺では肺活量は 2/3，1回換気量は 1/3 に減少するとされる．また肺損傷や，胸骨・肋骨などの胸郭構成体の損傷を伴うとさらに呼吸障害が増強する．

循環器障害：上位胸椎の障害では，第1～4胸髄に由来する心臓壁に分布する交感神

874 各論 第15章 脊椎骨折

表15-2-5 modified Frankel (Bradford) 分類

Grade	神経学的所見
A	損傷高位以下の運動・感覚機能の完全麻痺
B	損傷高位以下の完全運動麻痺，感覚のみ残存
C	損傷高位以下の非実用的な筋力の残存
D1	MMT3以上の筋力で膀胱直腸機能の麻痺
D2	MMT3〜4の筋力で膀胱直腸機能の障害
D3	MMT4〜5の筋力で膀胱直腸機能は正常
E	運動・感覚機能とも正常（反射異常はあっても良い）

表15-2-6 ASIA機能障害尺度

Grade	神経学的所見
A	完全麻痺（第4〜5仙髄髄節の運動・感覚機能の完全麻痺）
B	損傷高位以下の完全運動麻痺，感覚機能は第4〜5仙髄髄節を含め残存
C	不全麻痺，損傷高位以下の運動機能はわずかに残存（主要筋のMMT3未満が半数以上）
D	不全麻痺，損傷高位以下の運動機能は残存（主要筋のMMT3以上が半数以上）
E	運動・感覚機能とも正常

経の機能が低下し副交感神経優位となるため，徐脈や血管拡張による血圧低下を呈するいわゆる神経原性ショックを起こすことがある．気管吸引時などの刺激で迷走神経反射を起こし，突然の心停止をきたす場合があり注意が必要である．

　自律神経障害：血圧調整障害による起立性低血圧をきたす．皮膚血流の調節障害や発汗の調節障害により，高体温や低体温となることがある．血管運動障害による腸管蠕動障害，急性胃拡張などの消化器症状が起こりうる．また第5〜6胸髄より上位の脊髄損傷では，自律神経過緊張反射が起こりうる．膀胱の充満や腸管拡張，尿管カテーテルなどの刺激により，突発性の高血圧，徐脈，頭痛，発汗，鼻づまり，胸部苦悶，悪心・嘔吐などを呈することがある．

　排尿障害：脊髄損傷の程度により排尿の開始遅延，残尿感，尿閉などを呈する．受傷早期は通常尿管カテーテルが挿入されるので，評価が不能であることも多い．また尿管カテーテルの長期留置，既存の前立腺肥大などの泌尿器科疾患の影響を考慮する必要がある．

　関節拘縮および異所性骨化：麻痺や長期の安静のため，関節の可動域訓練ができず関節拘縮をきたす可能性がある．また過度の疼痛を伴う可動域訓練は異所性骨化の原因となる．

5）脊髄損傷の評価

　脊髄損傷の重症度の評価にはFrankel分類が広く用いられてきた．しかしFrankel分類は膀胱直腸障害の評価がないこと，Frankel Dの範囲が広く治療効果判定に反映されにくいなどの問題点があった．そのため，BradfordらはFrankel Dを3段階に分け，下肢筋力と膀胱直腸障害を追加しmodified Frankel分類を定義した（**表15-2-5**）．ASIA機能障害尺度はAmerican Spinal Injury Association (ASIA) とInternational Spinal Cord Society (ISCoS) が作成した分類で，Frankel分類の改善が図られている（**表15-2-6**）．また治療成績の判定にはASIA運動スコアすなわち下肢の主要筋の徒手筋力テストによる評価法が用いられ腸腰筋，大腿四頭筋，前脛骨筋，長母趾伸筋，腓腹筋の筋力を左右それぞれ5点満点で判定する．正常は25x2＝50点で，筋力の回復状態を評価する際に有用である．

附12 遅発性神経麻痺

　受傷直後に神経障害を伴わない場合でも，不安定性のある骨折では遅発性神経麻痺を呈する可能性がある．下肢の筋力低下，感覚異常，歩行障害，膀胱直腸障害，深部腱反射亢進，Babinski徴候などを評価する．特に強直性脊椎炎やびまん性特発性骨増殖症

では軽微な外傷で骨折をきたし，長管骨のように癒合した脊椎で骨折部が唯一の可動性を有するため，長いレバーアームによる高度な不安定性を呈しやすい．受傷時は腰背部の軽度な痛みのみで，単純X線写真でも骨折の有無を判断することが難しいため，診断が遅延することが少なくない．受傷から数ヶ月後に遅発性神経麻痺を呈することもあるので注意が必要である．

f 診 断

　脊椎骨折や脱臼骨折では，問診により受傷機転を把握することが診断上きわめて重要である．「尻餅をついた」など日常生活動作中に頻繁に起こる受傷機転の他，交通外傷や高所からの転落など高エネルギー外傷が原因の場合は，多発外傷の可能性を考慮しなくてはならない．本人からの聴取が困難な場合は目撃者等から情報を得る．

　体表の外傷の有無，部位，程度から一次エネルギーの負荷部位と程度を推定できることがある．疼痛，腫脹，圧痛，叩打痛，変形，疼痛による体幹の運動制限，起立・歩行の制限，合併する神経損傷による運動麻痺，感覚障害などの臨床所見は診断上極めて重要な情報となる．脊柱の不安定性を合併することが多いので，体幹を動かしての診察は最小限に留める．脊髄が存在する高位における骨折や脱臼では脊髄損傷の有無を診断する．脊髄損傷による障害は，modified Frankel 分類，ASIA 機能障害尺度などによりその程度を診断する．高齢者の骨粗鬆症性椎体骨折では，いわゆる「いつの間にか骨折」と表現されるように腰背部の疼痛が比較的軽度のため，歩行可能であったり日常生活が継続可能であったりする場合があるので注意を要する．ときには椎体骨折が新鮮例か陳旧例か診断に難渋することがある．

　単純X線写真，MRI，CT などの画像は骨折，脱臼，椎間板，靱帯など支持組織損傷等の詳細な診断にきわめて有用である．

1）単純X線写真（図 15-2-33, 34）

　単純X線写真撮像時における体位交換は，脊柱の安定性を確認するまでは最小限に留める．臨床的に損傷が疑われる部位を中心にまず正面像を撮影し，脊椎配列および形態を確認する．棘突起配列の回旋転位（屈曲回旋脱臼骨折，破裂骨折 Type D），棘突起間距離の拡大（シートベルト型損傷，屈曲伸延脱臼骨折），椎弓根間距離の拡大（破裂骨折）などの特徴的な所見を確認する．次いで側面像を撮影し，椎体骨折の形態や転位の程度を観察する．上位胸椎部は肩甲骨と重なるため側面像が読影しにくいため，一側上肢を挙上し他方を体幹の後側方に置く位置で撮像する（swimmer projection）（図 15-2-35）．腰椎横突起骨折は単純X線写真正面像で診断するが，腹部ガス像と重なり不明瞭となることがあるので注意する．正面・側面像で骨折や脱臼のおおよそが把握できるが，時に脱臼が自然整復され得ること，小児では靱帯可塑性によって単純X線写真で診断が難しい脊髄損傷が合併し得ること，また重複損傷の可能性についても注意する必要がある．斜位像は腰椎部の椎間関節突起や関節突起間部骨折の判定に有用である．単純X線写真上の異常所見は，骨端線の遺残，Hahn 溝（血管の出入部は成長期の脊椎側面X線で椎体前縁中央部に陥凹として写る）などの各種解剖学的破格，先天奇形，変性疾患，転移性脊椎腫瘍などによる異常にも注意する．陳旧性骨折との鑑別には，発症時期や臨床所見などを基に画像上の変形の程度，

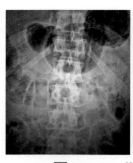
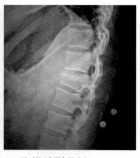

図 15-2-33　第12胸椎破裂骨折
単純X線写真．正面像で第12胸椎の椎体高の減弱，椎弓根間距離の拡大により破裂骨折が示唆される．側面像では明らかな脱臼を伴っていない．

図 15-2-34　L1/2 脱臼骨折
単純X線写真側面像で診断は容易である．

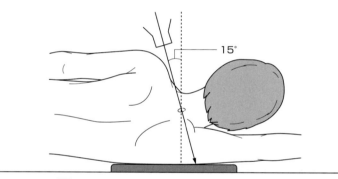

図 15-2-35　swimmer projection による撮影
頸胸椎移行部～上位胸椎側面像を得るのに有用である．

周辺骨棘などの修復性変化，隣接椎間板の2次性変化などを参考にする．胸椎骨折では肋骨骨折や鎖骨骨折の合併も多い．血胸・気胸の有無をみるために胸部正面の単純X線写真を，同様に胸腰移行部以下の損傷では腹部や骨盤正面の単純X線撮影も必要である．

2) CT（computed tomography）（図 15-2-36, 37）

骨折，脱臼およびその転位の有無や程度など，主に骨性要素の横断面，縦断面形態の把握に有用である．椎体や椎弓の骨折の他，関節突起の骨折，肋骨頭関節や肋横関節の損傷，また単純X線写真では診断が難しい上位胸椎の骨折や脱臼の診断に有用である．高エネルギー外傷では，頭部，頸椎，胸部，腹部，骨盤などの多発外傷を伴うことがあるため，全身CTによる速やかな評価が必要である．バイタルサインが不安定な場合には，血管損傷を合併している可能性もあるため造影CTによる出血巣の検索を行う．近年では多断面再構成法 multiplanar reconstruction（MPR）により冠状面

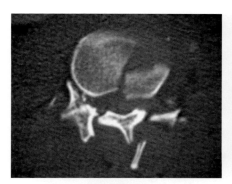

図 15-2-36　第 2 腰椎脱臼骨折
CT 水平断像

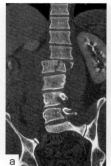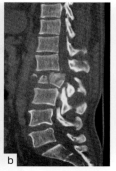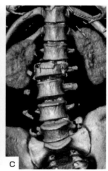

図 15-2-37　MPR による CT 冠状断像（a），矢状断像（b），3D-CT 像（c）
水平断像に比較し，骨折・脱臼の全体像や詳細な判定に有用である．

や矢状面での評価も可能である．さらに 3D-CT では 3 次元的な評価が可能で，これらの画像を総合的に判断することにより詳細に骨折，脱臼の診断を行うことが可能である．また横断面では判断が難しい脱臼骨折を見逃しにくいのも特徴である．ただし，非常に微小な骨折の読影には限界があることには注意する．

3) MRI (Magnetic resonance imaging)（図 15-2-38）

MRI は放射線被曝がないため非侵襲的で，仰臥位で撮像可能である．水平断像，冠状断像，矢状断像が得られ，骨折周辺の出血，炎症，浮腫も捉えることができるため，単純 X 線写真や CT で不明瞭な骨折を診断できることがある．また単純 X 線写真や CT では判定が難しい髄内変化（出血，浮腫，壊死など），あるいは脊柱支持靱帯損傷などの軟部組織の病態の把握に有用であり，脊椎・脊髄損傷の評価においてきわめて有用な画像検査法である．一方，小さい骨折片の描出は難しく，骨折形態の詳細を判定するには限界があること，閉所恐怖症の患者，強い円背により仰臥位が不可能な患者は撮像が難しいこと，体内に金属がある患者，MRI 非対応ペースメーカー留置中の患者など撮像不可能な場合があることなどの問題点もある．

受傷時および受傷後 1 ヵ月時の MRI で，骨折椎体内に T2 強調像で高信号を有する症例では，遷延治癒に移行しやすいことが報告されており，治療方針を決めるうえで有用である．

4) 脊髄造影（図 15-2-39）

MRI の出現により骨折・脱臼の急性期における役割は少なくなったが，脊髄造影は非イオン性低浸透圧造影剤の開発で副作用が少なくなり比較的安全に施行できる．CT-myelogram は骨片や椎間板などの神経圧迫因子と神経組織の関係を明瞭に描出できるため，手術治療の適応や術式選択にも有用である．またペースメーカー留置中の患者や閉所恐怖症の患者にも有用な画像検査法である．

g 治　　療

脊椎骨折の治療目標は脊柱が本来有する構築学的支持機能の再建と，正常な神経機能の確保にある．すなわち骨折，脱臼，支持組織の損傷によって生じた変形と不安定

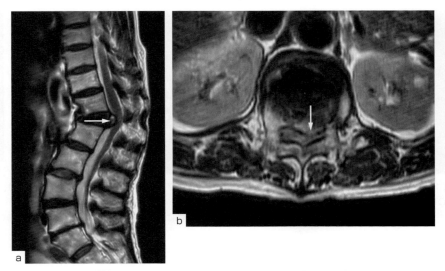

図 15-2-38　MRI（magnetic resonance imaging）
MRI T2 強調矢状断像（a）と水平断像（b）．第 1 腰椎椎体骨折による椎体の高度な変形と椎体後壁の突出により，脊髄円錐部が高度に圧迫されている．T2 強調像で，脊髄の一部は高信号（矢印）を呈している．

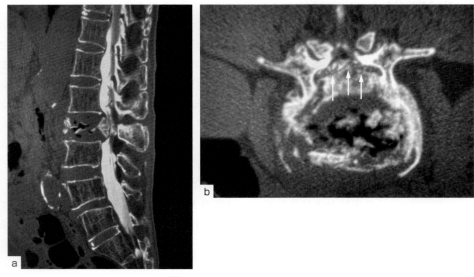

図 15-2-39　CT-myelogram
脊髄造影後 MPR による CT 矢状断像（a），水平断像（b）
第 2 腰椎椎体は高度に変形し，椎体内に cleft を生じており偽関節を示唆する所見である．また椎体後壁が脊柱管内に突出し，硬膜管および馬尾神経を高度に圧迫している．

性を解剖学的脊柱構造と機能的安定性に戻すことにより体幹の支持性と運動性を獲得し，神経損傷を合併している場合にはそれによる生理的機能障害と麻痺を可及的に回復させることである．

　治療方針の決定に重要なことは，骨折型分類による損傷の形態，損傷部位による機

能的特性，骨脆弱性の程度，神経損傷合併の有無と程度，受傷から経過時間，患者の年齢，全身状態，背景などさまざまな因子を総合的に検討することである．その結果，保存治療か手術療法を選択する．最近では早期離床・早期退院を目的とし，手術療法を選択することが少なくない．

1）保存療法

a）適応（安定型骨折で神経損傷の合併がない例）

anterior column 損傷や損傷程度によっては anterior＋middle column 損傷合併，posterior column 単独損傷など安定型損傷に対し保存療法が適応される．すなわち脊柱の構築学的破綻が軽度でかつ神経損傷の合併がない場合は保存療法の適応となる．

b）保存療法の治療方針

椎体骨折による変形に対する整復は骨脆弱性があると椎体整復後に整復の維持が困難のことが多く，再圧潰が生じるためあまり行わない．また骨強度が十分な例でも椎体高が80％以上保たれている場合は必ずしも整復を必要としない．

① 非骨粗鬆症例で椎体圧潰が軽度

若年者の椎体骨折の場合が多く通常は整復を必要としない．受傷後仰臥位安静を保ち，疼痛が軽減し離床可能な状態になったら硬性コルセットを装着し離床する．

② 非骨粗鬆症例で椎体圧潰率が比較的高度

胸椎下部，胸腰椎移行部の椎体骨折では骨折部の局所後弯に伴い代償性に腰椎部過大前弯を生じる．これらは後に腰背痛の原因となるので可及的に非観血的整復を行う．整復は反張位で行い，靱帯性整復（ligament-taxis）を利用し過伸展力を加えて整復操作を行う．反張位整復法には Böhler 法や吊り上げ法などがある（図 15-2-40）．

若年者の椎体骨折に行う外固定は，整復位の保持と椎体圧潰の防止を目的として体幹キャストまたは硬性装具を用いる．硬性装具には thoracic lumbar sacral orthosis (TLSO)（図 15-2-41），lumbar sacral orthosis (LSO)，フレーム型の伸展位硬性コルセットなどがあり，軟性装具には Damen コルセットがある．早期離床は椎体に対し圧迫力が負荷し矯正損失をきたすことがある．十分な矯正位を維持するためには通常 4～6 週のベッド上安静が必要である．

③ 骨粗鬆症に伴う椎体骨折

骨粗鬆症による骨脆弱性が存在する場合の保存療法は椎体骨折の整復は行わない．

Böhler 法　　　　　　　　吊り上げ法

図 15-2-40　反張位整復法の一例

（千葉一裕ら，骨粗鬆症性椎体骨折に対する保存療法の指針策定―多施設共同前向き無作為化比較パイロット試験の結果より―日整会誌 85：934-941．2011 より）

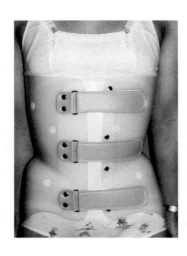

図 15-2-41　胸腰仙椎装具 TLSO
（thoracolumbosacral orthosis）

AOSTLIC分類でA1もしくはA2に分類される骨折が対象になる．日本整形外科学会の千葉らの報告によれば，骨粗鬆症性骨折に対する保存療法は臥床期間や外固定の有無による治療成績に有意差を認めなかった．しかし一部に偽関節例がみられることから胸腰椎移行部の骨折や椎体後壁損傷には画像検査を頻回に行い，椎体圧潰の有無や骨癒合の進行を確認する．症例によりテリパラチドや抗スクレロスチン抗体などの骨形成能を有する薬剤の投与を検討する．

④ posterior column 単独損傷

横突起骨折や棘突起骨折は疼痛に応じた治療を行い，多くは腰椎固定ベルトなどによる簡単な外固定を行えばよい．これらの骨折は仮に偽関節となっても通常は疼痛などの愁訴は残らない．一方，椎間関節突起骨折（主に下関節突起骨折）は遅発性の椎間不安定性をきたすことがあるので，確実な骨癒合を得るためには硬性装具を2～3カ月装用させる必要がある．椎間関節突起骨折で不安定性が残存しても，日常生活動作に影響する腰痛や神経症状が出現しない限り手術療法が適応になることはない．

2）手術療法

胸腰椎骨折で以下のような椎体不安定性を有する例には手術療法が適応となる．すなわち① 高度な椎体破壊と後方要素に損傷を伴う不安定型破裂骨折で神経損傷が合併もしくは遅発性に発生する危険性がある，② 楔状圧迫骨折で椎体圧潰率が50％以上あるいは20°以上の局所後弯があり，後方靱帯複合体損傷を伴いかつ神経症状が改善しないもしくは日常生活に影響する腰痛を長期に認める，③ 屈曲伸延損傷で後方離開や椎体骨折が中等度以上，④ 3-column損傷，⑤ 神経損傷を合併している後方要素単独損傷，⑥ 多椎体損傷（図15-2-42）などである．前述したVaccaroらTLICS分類を用いて，3項目の合計点が4点なら手術療法を検討し，5点以上なら手術療法を選択する．

手術療法の目的は脊柱の支持性獲得と神経損傷を合併している場合はその神経の除圧である．最近では早期離床を目指し手術療法が選択されることも少なくない．ただし骨脆弱性の強い例では強固な固定を行っても，固定上下端や隣接椎体に続発的に骨折をきたすことがある．また椎弓根スクリューのゆるみが生じることもある．その為

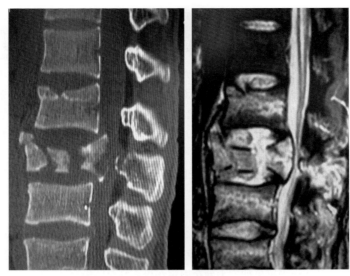

図 15-2-42 多椎体損傷（L2, L3 骨折）
連続した椎体の損傷は不安定性が強く固定術の適応となることが多い．

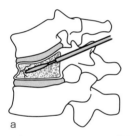
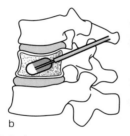

図 15-2-43 経皮的椎体形成術（balloon kyphoplasty）の手術手技（シェーマ）
a. 左右から潰れた椎体にバルーンを挿入する
b. 先端のバルーンを膨らませて椎体高を復元し，その際生じた空隙に骨セメントを充填する

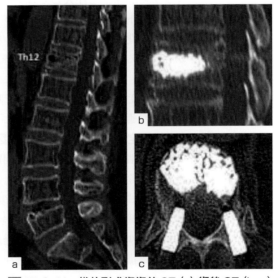

図 15-2-44 椎体形成術術前 CT（a）術後 CT（b, c）
椎体内に人工骨が十分に充填されている．人工骨の顆粒がもれないようキャップ状の人工骨でふたをすることもあるが必ずしも使用するものではない．

硬性コルセットを 6 カ月以上装着の上，腰椎の前後屈や回旋の制限を徹底するなど日常生活動作の制限も行い後療法を慎重に行う必要がある．以下に主な手術方法について述べる．

a）椎体形成術（図 15-2-43, 44）

AOSTLIC 分類 type A（A-1・2・3）の骨粗鬆症性椎体骨折の内，十分に保存療法

を行っても骨癒合が得られないか遅延する例が対象となる．手術は低侵襲化により経皮的に椎体形成術を行うことが可能となった．経皮的に低侵襲で椎体を整復し，整復後に生じた空隙にポリメタクリル酸メチル（polymethylmethacrylate：PMMA）骨セメント充填するのが主流だが，リン酸カルシウム骨セメント，ハイドロキシアパタイトなどを充填することもある．術後約1カ月軟性装具を装着する．骨セメントの充填を補助するために椎体内にステントを留置する手技も導入され，さらなる発展が期待される術式である．しかし術後合併症として隣接椎体の骨折が懸念されるため，並行して骨粗鬆症の治療を行うことが重要である．

b) 各種 instrumentation を用いた固定術（脊柱再建術）

現在の椎体骨折に対する手術療法は instrumentation を用いる方法が主流である．手術は腰背部痛を主訴とする例に対して行うこともあるが，多くは神経症状を呈する例，すなわち TL AOSIS で N2 か N3 である．instrumentation には椎弓根スクリューのほかにフックやサブラミナワイヤリングがある．骨脆弱性のために椎弓根スクリュー固定単独で十分な固定が得られない場合は，椎弓根よりも椎弓の固定性が期待できる症例もあり，フックやサブラミナワイヤリングを併用して固定を行う．また骨脆弱性に対しスクリュー強度を補う方法として，椎弓根スクリューの周囲にハイドロキシアパタイトを注入してスクリュー固定行う方法や椎弓根周囲にセメントを注入してセメントスクリュー固定を行うと固定強度を向上させることができる．また前方支柱の安定化のために椎体形成術，椎間ケージ，前方アンカーの使用など多くの選択肢が存在する．術後は整復位の保持とスクリューのゆるみを防止するために硬性装具を装着する．硬性装具を装着することにより早期離床は可能となる．硬性装具は術後約3ヵ月程度装着する．骨移植を行わないため，固定椎間の可動域の再獲得のために骨折椎体が癒合したら抜釘することもある．

① 後方除圧固定術（椎体形成術併用）（図 15-2-45）

椎体圧潰が高度な例や椎体偽関節例が適応となる．AOSTLIC 分類 A4 に行われる．後方から除圧と固定が同時に行える比較的簡便な方法である．骨折した椎体に対しては椎体形成術を行いある程度整復した状態で後側方固定を行う．骨移植が可能であり，術後硬性装具による外固定を3から6カ月程度行う．この術式の問題点はスクリューのゆるみなどにより術後矯正損失が起こりやすいことである．近年ではたとえ椎体後壁損傷があっても，骨折片の脊柱管占拠率が高くなければ脊柱安定性を獲得するために固定術のみを行い，除圧が不要という考えもある．

② 後方腰椎椎体間固定術（posterior lumbar interbody fusion：PLIF）

破裂骨折で主に椎体終板の下縁が損傷している例に行われる．AOSTLIC 分類で A3 に行われる．基本的には1椎間の損傷で，通常の PLIF（後方椎体間固定術）の手技で除圧と固定を行うことが可能である．大きめのケージを椎間に挿入すれば安定性の獲得は可能である．

③ 前後方固定術（図 15-2-46）

椎体の前方骨折部をケージで置換し，後方から椎弓根スクリューを用いて固定する方法である．適応は AOSTLIC 分類 A4 である．近年では側方経路腰椎椎体間固定術（lateral lumbar interbody fusion LLIF）を応用し前方ケージ挿入が可能となった．専

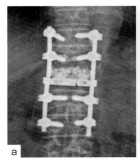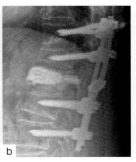

図 15-2-45　後方除圧固定術
不全麻痺を呈した骨粗鬆症性椎体骨折に対して椎体形成術を併用した後方除圧固定術を行った．

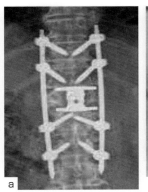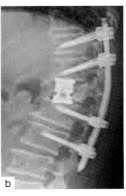

図 15-2-46　前後方固定術
椎体置換ケージを前方より挿入している．

用のレトラクターを用い，小切開で側方から低侵襲な手技で椎間ケージを挿入できる．また圧壊した椎体を置換せず，椎間板高位にのみケージを挿入する方法も安定性向上のために有用である．いずれの方法も経皮的椎弓根スクリュー（PPS）固定を併用することが可能であり，矯正損失が少なく術後成績も安定している．ただし前方と後方を分けて手術するので，手術時間が長く比較的高侵襲手術である．

④ 前方除圧固定術（図 15-2-47）

前後方固定術と同様に骨折椎体を直接前方からケージや自家骨で置換する方法である．損傷部位に直接アプローチできる利点からかつては比較的多く行われた手技である．近年は後方固定法の内固定材料が進歩し，後方との合併手術が増加しているが，病態によっては依然として有効な選択肢となりえる術式である．

⑤ 脊椎短縮術

脊椎前方固定術は手術侵襲が大きく特有の合併症があるため後方単独で固定できる方法が検討された．椎体骨切り術（pedicle subtraction osteotomy：PSO）を応用した脊椎短縮術が行われている．脊柱後弯矯正には優れるものの，骨折椎体とはいえ椎体骨切り術であり，出血量が多くなり手術侵襲が脊椎前方固定術に比べ必ずしも小さいとは言えないので適応を限って行われる．

⑥ 骨セメントとスクリューを用いた固定術

骨脆弱性を有する例に椎弓根スクリューを使用しても強固な固定力が得られないことがある．固定力を得るために椎弓根スクリューを経由してセメントを注入し椎体内に拡散させて固定力を獲得する方法である．わが国には導入されたばかりであるが，手術成績の向上に役立つと期待される．

⑦ 経皮的椎弓根スクリューによる後方固定術（図 15-2-48～51）

経皮的椎弓根スクリュー（percutaneous pedicle screw：PPS）は X 線透視下もしくは CT ナビゲーション（図 15-2-49）を用い，小切開にて Jamshidi® ニードルを刺入，ガイドワイヤーを設置してスクリューを挿入する手技である．上記の instrumentation 手術の際の椎弓根スクリューの挿入法として，高エネルギー外傷，脆弱性骨折のいずれにも使用可能である．PPS は小切開により周囲の軟部組織の損傷を最小限にして経

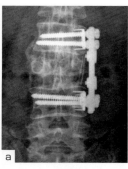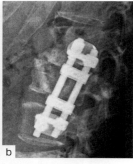

図 15-2-47 前方除圧固定術

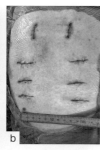

図 15-2-48 経皮的椎弓根スクリュー
スクリュー挿入の皮切は皮線に沿った横皮切が望ましい. 最頭側は長いロッドを使用する場合は縦皮切とすると挿入が容易である.

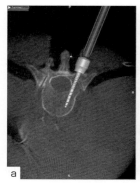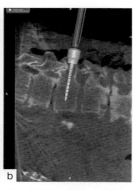

図 15-2-49 CT navigation によるスクリュー挿入
オープン法, PPS を問わずナビゲーションにより正確なスクリュー挿入が可能である. しかしリアルタイムの描出ではない点には注意が必要である.

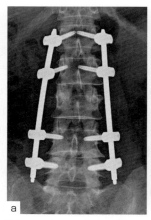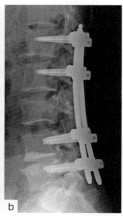

図 15-2-50 経皮的椎弓根スクリューによる後方固定術

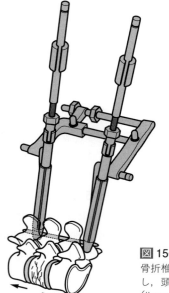

図 15-2-51 伸展力による椎体の整復
骨折椎体の上下の隣接椎体に椎弓根スクリューを挿入し, 頭尾側へ牽引することにより前・後縦靱帯の緊張 (ligamentotaxis) を用いて椎体を整復する.

皮的にスクリューを刺入できる低侵襲性が最大の特徴である．本法は周術期の出血量を大幅に減少し，死腔を作らないようにすることにより術後感染の発生率を低減させることができる．また PPS により椎体間に伸展力をかけることで骨折椎体を整復することも可能である（図 15-2-51）．

附 13　脱臼骨折の非観血的整復

　　脱臼骨折を非観血的に整復することは困難である．脊髄損傷合併例では，脊柱管の復元が脊髄圧迫因子を除去することに通じるので早期の手術的整復が望ましい．脱臼骨折は three column すべての損傷であるが，前方要素が比較的温存されていることが多いので通常は後方固定術が適応となる．

　　椎弓根スクリューを利用できれば short segment fusion も可能であるが，転位や破壊の著しい場合には頭・尾側に固定範囲を延長することも必要となる．

　　胸腰椎移行部以下の脱臼骨折で後方要素の破壊が少なく，椎体転位も軽微な場合は前方固定術が適応となることもある．

　　腰仙椎間の脱臼骨折は，椎弓根スクリューや骨盤スクリューを用いた後方固定術が第一選択となる．

附 14　胸椎高位の経皮的椎弓根スクリューの挿入法：GET（groove entry technique）法（図 15-2-52）

　　椎体骨折に対する PPS による治療は，手術の低侵襲化に有用である．腰椎で PPS は横突起を目安とし，頭尾側は横突起中央を刺入点とする．しかし胸椎では解剖学的に横突起が大きく背側に翼のように張り出しているため肋横突起上からの刺入は横突起の傾斜により，ニードルが正中方向に滑り落ちることが多い．従って刺入点は肋横突起基部の頭側で腹側に落ち込み肋骨頚にあたる部位に設定することで，安定して刺入することができ最適である（groove entry technique）．X 線透視下で椎弓根のおおよそ 2 時か 10 時の部位が刺入点になる．また同部位に適切に設置できればスクリューヘッドは横突起の張り出しの影響を受けない．

附 15　AS・DISH に対する椎体終板を貫通させるスクリュー挿入法（図 15-2-53）

　　AS（硬直性脊椎炎）・DISH（びまん性特発性骨増殖症）に合併した椎体骨折では，椎体が連続して癒合しあたかも長管骨のようになっており，その連続性の途切れた可動性のある骨折部で症状が出現する．また強直した椎体・椎弓根は海面骨が非常に疎になっており，スクリューの固定力が弱いことが課題である．この問題を解決する手段として，可動部位の上下 1 ないし 2 椎間の固定では十分な椎間固定性が得られないため，上下 3 椎間程度の長範囲の椎間固定術が必要となる．また椎弓根スクリューの固定力を向上させる工夫として，椎弓根スクリューを強直した椎体終板に向け刺入する方法，つまり dual endplates penetrating screw（DEPS）または transdiscal screw（TDS）固定法がある．強直した椎間を利用することで，既存の椎弓根スクリューよりも強固な固定力を得ることが可能であり，特に高齢者の症例では有用性が高い．

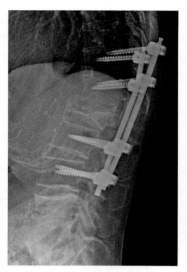

図 15-2-52　GET法による椎弓根スクリューの挿入法
腰椎では椎弓根に平行に，胸椎では頭側から下に向かう方向に刺入する．

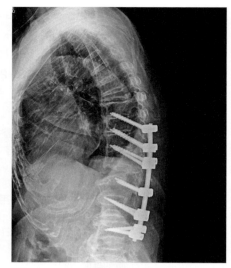

図 15-2-53　椎体終板を貫通させるスクリュー挿入法
通常の椎弓根スクリューより 10-15 mm 長いスクリューを使用する．

附-16　前方手術の合併症とその対策

肋間神経損傷：肋骨剥離を確実に骨膜下に行うこと，肋骨切離後に胸膜を剥離する際は肋間動・静脈とともに愛護的に骨膜ごと尾側へ展開する．

展開による神経損傷：大腰筋内の腸骨鼠径神経や陰部大腿神経などの腰神経叢，椎間孔から斜走する腰部神経根の損傷は椎体側方展開の際の大腰筋の縦切で発生しやすい．大腰筋は椎間板部で密に，椎体部で粗に結合しているので，大腰筋前縁から椎間板部を剥離しながら後方へ進み分節動・静脈を結紮後，後方へ骨膜下に展開するとよい．

大血管損傷：大動脈損傷は修復しうるが，大静脈損傷は血管壁がもろく，通常の縫合は困難である．胸腰椎移行部以下では左側進入とし大静脈に遭遇する機会を減少させることが大切である．万一に備えサテンスキー鉗子と静脈壁の被覆・縫合が可能なパッチを用意しておく．椎体中央部を横走する分節動・静脈は椎体側方で結紮する．前方すぎて大血管に近接すると，結紮糸がはずれた場合止血が困難となる．また除圧や instrumentation 操作中は大動脈と椎体前間にガーゼをパックして保護しておく．

遅発性大動脈瘤の防止には，先述のように instrumentation が大動脈と接する場合にはテフロンシートで被覆するほか，胸椎における右側進入では反対側骨皮質を貫通させたスクリュー先端が大動脈に接触しないようあらかじめ CT で血管走行を確認すること，確実な計測でスクリュー先端の突出を最小限とすることなどの注意が必要である．

胸管損傷：胸管は L2 前面の乳び槽から胸椎前右面を吻合しながら上行し T5 で走行は左側に移る．胸腔内でこれを損傷すれば乳び胸を合併する．乳び胸には厳重な脂肪食制限が必要となり，しかも消退しにくい．術野で透明液の流出を認めた場合は，損傷した乳び管を確実に展開し結紮に努め，乳び胸の発生を予防することが大切である．

2 胸椎・腰椎骨折　**887**

附-17　後方手術の合併症とその対策

神経障害：展開や整復に伴う神経損傷の増悪は当然回避されねばならない．脊柱管圧迫の原因となる骨片や軟部組織は整復の前に切除する．前縦靱帯断裂を伴うことの多い屈曲回旋脱臼骨折では過度の伸延力による整復を行うと神経組織も牽引されるので注意する．

椎弓根スクリューを併用する場合は，逸脱が最も問題となる．刺入点と刺入手技に習熟することが重要である．

instrumentation の折損：不適切な instrumentation が選択されれば instrumentation の緩みや折損，さらには偽関節につながる．

附-18　術者の放射線被曝について

スクリュー固定，椎体形成術，前方固定術などは，その術式の進歩による低侵襲化と同時に，術中透視を使用する頻度が多い．術者の過剰な被曝を避けるために透視画像は短時間照射を心がけることはきわめて重要である．また適切な放射線防護も術者自身を守るために必ず行うべきである（総論参照）．術中被曝には，散乱線被曝と手指の直接線被曝がある．Jones は，腰椎椎弓根スクリュー挿入１本あたりの手指の被曝は0.9 mGy であったと報告した．Kyphoplasty では手術時間が短くても連続照射を用いるため実効線量が 0.25 mSv と高いことが報告されている．また，放射線被曝は距離の２乗に反比例することが知られており，透視の管球から 5-10 cm の距離をとることで 25-45％ほど被曝量が低減化されたことも報告されている．放射線防護衣の徹底，短時間照射，また照射時に透視の管球から距離をとるなど被曝量の低減化対策が有用と考えられる．これらの対策が取られた最小侵襲腰椎椎体間固定術１例あたりの術者の被曝量は，水晶体 0.07 mSv，甲状腺 0.08 mSv，胸部 0.10 mSv，生殖器0.15 mSv，右中指 0.33 mSv，実効線量 0.06 mSv であったことが報告されている．

［謝辞］本項の改訂にあたり国際医療福祉大学　大伴直央にも協力いただいた．

参考文献

1) 阿部栄二：脊椎脊髄の機能解剖とアプローチ．実践編 胸椎・腰椎 胸椎・腰椎後方アプローチ その局所解剖と実際．脊椎脊髄ジャーナル **17**：482-488，2004.

2) Babinski JF：Sur le réflexe cutané plantaire dans certaines affections organiques du systèm nerveux central. Comptes Rendues de la Société de Biologie de Paris **3**：207-208, 1896.

3) Beevor CE：Diseases of the nervous system：a handbook for students and practitioners：HK Lewis, 1898.

4) Bradford DS, McBride GG：Surgical management of thoracolumbar spine fractures with incomplete neurologic deficits. Clin Orthop **218**, 201-216, 1987.

5) Denis F：Spinal instability as defined by the three-column spine concept in acute spinal trauma. Clin Orthop **189**, 65-76, 1984.

6) Denis F：The three column spine and its significance in the classification of acute thoracolumbar spinal injuries. Spine **8**：817-831, 1983.

7) Denis F et al：Acute thoracolumbar burst fractures in the absence of neurologic deficit. A comparison between operative and nonoperative treatment. Clin Orthop **189**, 142-149, 1984.

8) DeWald RL：Burst fractures of the thoracic and lumbar spine. Clin Orthop **189**, 150-161, 1984.

9) El Masry WS et al：Validation of the American Spinal Injury Association (ASIA) motor score and the National Acute Spinal Cord Injury Study (NASCIS) motor score. Spine **21**：614-619, 1996.

10) Filgueira EG et al：Thoracolumbar Burst Fracture：McCormack Load-sharing Classification：Systematic Review and Single-arm Meta-analysis. Spine **46**：E542-E550, 2021.

11) Frankel HL et al：The value of postural reduction in the initial management of closed injuries of the spine with paraplegia and tetraplegia. I. Paraplegia **7**：179-192, 1969.

12) Fukuda K et al：Minimally invasive anteroposterior combined surgery using lateral lumbar interbody fusion without corpectomy for treatment of lumbar spinal canal stenosis associated with osteoporotic vertebral collapse. J Neurosurg Spine, 1-9, 2021.

13) Funao H et al：Surgeons' exposure to radiation in single-and multi-level minimally invasive transforaminal lumbar interbody fusion；a prospective study. PLoS One **9**, e95233, 2014.

14) 船尾陽生ら：最小侵襲脊椎安定術 MISt の最前線．S2 alar-iliac (S2AI) screw 法の MISt への応用．整形外科最小侵襲手術ジャーナル，69-79，2018.

15) Genant HK et al：Vertebral fracture assessment using a semiquantitative technique. J Bone Miner Res **8**：1137-1148, 1993.

16) Guttmann L：Spinal deformities in traumatic paraplegics and tetraplegics following surgical procedures. Paraplegia **7**：38-58, 1969.

17) Holdsworth F：Fractures, dislocations, and fracture-dislocations of the spine. J Bone Joint Surg **52-A**：1534-1551, 1970.

18) Hoppenfeld S：Orthopaedic Neurology：a diagnostic guide to neurologic levels：Lippincott Williams & Wilkins, 1977.

19) Hosogane N et al：Surgical Treatment of Osteoporotic Vertebral Fracture with Neurological Deficit-A Nationwide Multicenter Study in Japan. Spine Surg Relat Res **3**：361-367, 2019.

20) Inose H et al：Risk Factors of Nonunion After Acute Osteoporotic Vertebral Fractures：A Prospective Multicenter Cohort Study. Spine **45**：895-902, 2020.

21) Ishii K et al：A Novel Percutaneous Guide Wire (S-Wire) for Percutaneous Pedicle Screw Insertion：Its Development, Efficacy, and Safety. Surg Innov **22**：469-473, 2015.

22) Ishii K et al：A Novel Groove-Entry Technique for Inserting Thoracic Percutaneous Pedicle Screws. Clin Spine Surg **30**：57-64, 2017.

23) 石井　賢ら：手術手技シリーズ (12) 最小侵襲脊椎安定術 (MISt)．Bone joint nerve **4**：541-546, 2014.

24) Isogai N et al：The surgical outcomes of spinal fusion for osteoporotic vertebral fractures in the lower lumbar spine with a neurological deficit. Spine Surg Relat Res **4**：199-207, 2020.

25) 磯貝宜広ら：低侵襲脊椎手術の合併症と Revision Surgery．経皮的椎弓根スクリュー (PPS) を用いた MISt 手技，MIS-TLIF の合併症と対策，Revision．整形外科最小侵襲手術ジャーナル，21-29，2016.

26) Jones DP et al：Radiation exposure during fluoroscopically assisted pedicle screw insertion in the lumbar spine. Spine (Phila Pa 1976) **25**：1538-1541, 2000.

27) Kaneda K et al：The treatment of osteoporotic-posttraumatic vertebral collapse using the Kaneda device and a bioactive ceramic vertebral prosthesis. Spine (Phila Pa 1976) **17**：S295-303, 1992.

28) Kepler CK et al：Reliability analysis of the AOSpine thoracolumbar spine injury classification system by a worldwide group of naive spinal surgeons. Eur Spine J **25**：1082-1086, 2016.

29) Lafuente DJ et al：Sacral sparing with cauda equina compression from central lumbar intervertebral disc prolapse. J Neurol Neurosurg Psychiatry **48**：579-581, 1985.

30) Louir R：脊椎外科学，局所解剖学と手術進入法，大谷　清訳，102-103，Springer-Verlag，1985.

31) Magerl F et al：A comprehensive classification of thoracic and lumbar injuries. Eur Spine J **3**：184-201, 1994.

32) Maynard FM Jr et al：International standards for neurological and functional classification of spinal cord injury. American Spinal Injury Association. Spinal Cord **35**：266-274, 1997.

33) McCormack T et al：The load sharing classification of spine fractures. Spine **19**：1741-1744, 1994.

34) Meyer Jr P：Fractures of the thoracic spine：T_1 to T_< 10. Surgery of spine trauma, 525-571, 1989.

35) Myer P：Emergency room assessment：management of spinal cord and associated injuries；in Surgery of spine trauma：Churchill Livingstone, New York, 1989.

36) Okada E et al：CT-based morphological analysis of spinal fractures in patients with diffuse idiopathic skeletal hyperostosis. J Orthop Sci **22**：3-9, 2017.

37) Rampersaud YR et al：Radiation exposure to the spine surgeon during fluoroscopically assisted pedicle screw insertion. Spine **25**：2637-2645, 2000.

38) Smith WD et al：Minimally invasive surgery for traumatic spinal pathologies：a mini-open, lateral approach in the thoracic and lumbar spine. Spine **35**：S338-346, 2010.

39) Takahashi S et al：Predicting delayed union in osteoporotic vertebral fractures with consecutive magnetic resonance imaging in the acute phase：a multicenter cohort study. Osteoporos Int **27**：3567-3575, 2016.

40) Takeuchi T et al：Results of Using a Novel Percutaneous Pedicle Screw Technique for Patients with Diffuse Idiopathic Skeletal Hyperostosis-The Single or Double Endplates Penetrating Screw（SEPS/DEPS）Technique. Spine Surg Relat Res **4**：261-268, 2020.

41) Tanaka M et al：Percutaneous transdiscal pedicle screw fixation for osteoporotic vertebral fracture：A technical note. Interdisciplinary Neurosurgery **23**：100903, 2021.

42) Theocharopoulos N et al：Occupational exposure from common fluoroscopic projections used in orthopaedic surgery. J Bone Joint Surg **85-A**：1698-1703, 2003.

43) Tsujio T et al：Characteristic radiographic or magnetic resonance images of fresh osteoporotic vertebral fractures predicting potential risk for nonunion：a prospective multicenter study. Spine **36**：1229-1235, 2011.

44) Vaccaro AR et al：A new classification of thoracolumbar injuries：the importance of injury morphology, the integrity of the posterior ligamentous complex, and neurologic status. Spine **30**：2325-2333, 2005.

45) Vaccaro AR et al：AOSpine thoracolumbar spine injury classification system：fracture description, neurological status, and key modifiers. Spine **38**：2028-2037, 2013.

46) Vaccaro AR et al：The surgical algorithm for the AOSpine thoracolumbar spine injury classification system. Eur Spine J **25**：1087-1094, 2016.

47) White III AA, Panjabi MM：Clinical biomechanics of the spine. 1990.

48) Whitesides TE Jr.：Traumatic kyphosis of the thoracolumbar spine. Clin Orthop **128**, 78-92, 1977.

49) 吉沢英造：脊椎の外科．大谷清ら編 35，医学書院，1981.

50) 吉沢英造：脊髄の解剖と機能障害．脊椎・脊髄，図解臨床整形外科講座 1，池田亀夫ら監修 28-45，メジカルビュー社，1984.

3 仙骨・尾骨骨折

a 解剖・機能解剖

　仙椎の数は4個から6個と個体差があるが通常は5個で，成人では一塊となり仙骨を形成する．正面では底辺を上とした二等辺三角形，側面では第2/3仙椎を頂点とする後方凸の弯曲を呈する（図15-3-1）．

　仙骨の前面は凹面となり4対の前仙骨孔が開き，前仙骨孔間には椎間板の遺残が横走する骨性隆起横線がみられる．仙骨孔の外側を外側塊といい第1仙椎で最も大きく仙骨翼と呼ばれる．仙骨の後面には前仙骨孔に相対して後仙骨孔が開く．後方正中には棘突起様の正中仙骨稜が縦に連なり下端は仙骨管裂孔となる．正中仙骨稜の外側に中間仙骨稜，後仙骨孔の外側に外側仙骨稜がある．これらの稜は脊柱多裂筋，起立筋，広背筋，仙腸靱帯などの付着部となっている．仙骨上部の第1仙椎は第5腰椎と前方は椎間板と前縦靱帯，後方は椎間関節と関節包，後縦靱帯，黄色靱帯，棘上・棘間靱帯で結合する．

　仙骨下端の第5仙椎は仙尾関節を介して4個（3または5個のこともある）の尾椎が一塊となった尾骨に連続する．仙尾関節前面は仙骨尖と尾骨底が，後面は下関節突起の遺残である仙骨角と尾骨角が相対している．第1尾椎には横突起の遺残や尾骨角があるが，それ以下の尾椎は椎体の遺残にすぎずこれらを欠く．仙尾関節は椎間板が介在し可動性があるが，加齢とともにしばしば強直化する．仙尾関節周囲は腹側仙尾靱帯，背側仙尾靱帯，側方仙尾靱帯，仙骨角と尾骨角を結合する靱帯で補強されている．仙骨側方では上位2椎（または3椎）の外側塊は耳状面となり腸骨と仙腸関節を形成し，下位の3椎（または2椎）は寛骨と相対する．仙腸関節は仙骨側が硝子軟骨，腸骨側が線維軟骨でおおわれた滑膜関節である．関節面には相対する陥凹と隆起があり前後屈，左右屈運動を許容するが回旋運動は制限されている．前面には前仙腸靱帯，後面には後仙腸靱帯，さらに腸腰靱帯，仙棘靱帯および仙結節靱帯の3つの副靱

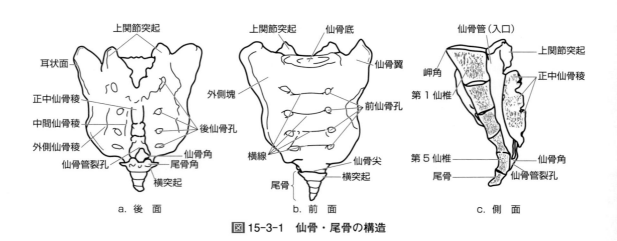

図15-3-1　仙骨・尾骨の構造

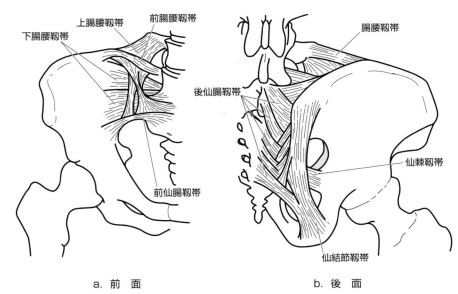

図 15-3-2　仙腸関節支持靱帯

帯が仙腸関節を間接的に支持しており安定性が高い（図 15-3-2）．

　仙骨の脊柱管は扁平な三角形で前後の仙骨孔とつながる．仙骨脊柱管内には馬尾，仙骨神経，尾骨神経が走る．また円錐から出た終糸は仙骨裂孔部で第 1 尾骨の背部に付着する．硬膜囊の末端は円錐形で通常 S2 椎体レベルで終わる（図 15-3-3a）．後根神経節はほかの部位では脊柱管の外側にあるのに対して，仙骨部では脊柱管内にある．それに伴い前根と後根が混合する仙骨神経は短く，すぐに後枝と前枝に分岐する．後枝は細く上位 4 本は後仙骨孔から，最下位は仙骨裂孔の下から出ていずれも仙骨部の皮膚知覚を支配する．前枝は太く上位 4 本は前仙骨孔から，最下位は仙骨と尾骨間から出て仙骨孔前方で枝分かれして神経叢を形成する．仙骨神経叢は第 4，5 腰神経と第 1～4 仙骨神経の前枝から構成され梨状筋前面で内腸骨動・静脈と尿管の後方にある．第 4，5 腰神経の前枝は第 1 仙骨神経と合して腰仙骨神経幹となり，下行して仙骨神経叢に加わる．仙骨神経叢からは坐骨神経，上殿神経，下殿神経，後大腿皮神経など殿部や下肢に分布する神経のほか，陰部神経，骨盤内臓神経など会陰と骨盤臓器に分布する神経が出る．陰部神経は会陰部を支配する重要な神経で第 2，3，4 仙骨神経からなり膀胱直腸機能，性機能をつかさどる．第 4，5 仙骨神経は尾骨神経の前枝とともに尾骨神経叢となり尾骨周囲の皮膚に分布する（図 15-3-3b）．骨盤部の自律神経系は交感神経幹と骨盤臓器や外生殖器に分布する神経叢の 2 系統あり，膀胱直腸機能と射精など性的能力に関与している．

　腰椎にかかる荷重は仙骨で二分され大部分は仙腸関節を経て下肢へ伝達されるが，残りは恥骨結合部へ至る．立位時は大腿仙骨弓，坐位時は坐骨仙骨弓を形成しバランスをとっている．

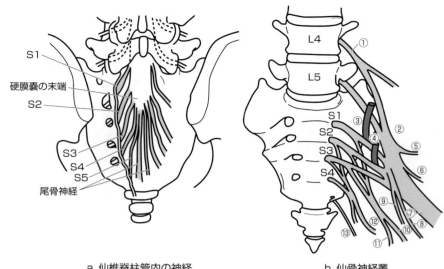

a. 仙椎脊柱管内の神経 b. 仙骨神経叢

図 15-3-3　仙椎・尾椎の神経

1. L4 神経根
2. 腰仙神経根
3. 上殿動脈
4. 下殿動脈
5. 上殿神経
6. 下殿神経
7. 坐骨神経
8. 大腿方形筋と下双子筋への神経
9. 内閉鎖筋と上双子筋への神経
10. 後大腿皮神経
11. 貫通皮神経
12. 陰部神経
13. S5 神経

(Esses SI, et al：Surgical anatomy and operative approaches to the sacrum. The Adult Spine：principles and practice. Frymoyer JW ed, 2095-2106, Raven Press, New York, 1991/Kristiansen TK：Fracture of the sacrum and coccygodynia. The Adult Spine：principles and practice. Frymoyer JW ed, 2145-2158, Raven Press, New York, 1991 よりをもとに作図)

b 受傷機転

　仙骨骨折の大部分は腰椎や骨盤，下肢に加わる強い介達外力によって発生する．したがって骨盤輪骨折を合併することが多く，その頻度は約半数と報告されている．高所からの飛び降りやダッシュボード損傷などで体幹や下肢の一側に軸圧力が作用すると，一部は骨盤輪へ伝達され一部は仙腸関節に伝達される．その結果，骨盤輪では前方の恥骨結合離開や恥骨，坐骨の骨折が起こることがあり，仙腸関節では脱臼，あるいは仙腸関節の強靱な安定性のためさらに周囲に伝達された力により腸骨や仙骨に骨折を生じる．同様に骨盤輪が圧迫された場合も前方部が損傷されやすく，外力が大きければ仙骨部に波及し仙骨骨折や仙腸関節脱臼を起こす．一方，仙骨単独骨折の頻度は低く全脊椎骨折の約5％と報告されており，その大部分は直達外力による．骨脆弱性を伴う高齢者の仙骨骨折はその頻度が増えており，低エネルギーや受傷機転が不明の外傷の場合も骨盤輪骨折の発生，合併には十分注意を要する．

　尾骨骨折はほとんどが机や階段の角など尖った物体で打撲した場合，尻もちをついた場合などで坐骨結節より先に尾骨を打撲する直達外力によって起こる．また分娩時に尾骨先端に外力が加わって骨折することもある．

c 骨折の分類

1) 仙骨骨折

仙骨骨折は骨折線の方向によって，縦骨折，斜骨折および横骨折に分類される．縦骨折の頻度が高い．横骨折の頻度は10％程度と少ないが神経損傷を合併しやすい特徴がある．横骨折の大部分は直達外力により仙腸関節の支持性を欠く下位のS3やS4に多くみられる．

a) Schmidek 分類 (図 15-3-4)

Schmidek は縦骨折を骨折部位により外側塊骨折，関節近傍骨折，開裂骨折，裂離骨折の4タイプに分類している．

b) Denis 分類 (図 15-3-5)

Denis は236例の仙骨骨折の分析から骨折部位を3つの区域に分類し，今日最も用いられている．

I型：仙骨翼および外側塊の骨折で頻度は約50％である．骨盤へ側方から外力が加わったときに発生する．後方の仙腸靱帯が温存されるので縦方向に転位していなければ安定型損傷とされる．神経損傷合併率は5.9％と少ないが，転位が大きければL5神経根や仙骨神経叢損傷を合併することがある．仙結節靱帯と仙棘靱帯が付着するS4部分の裂離骨折もI型に含まれる．さらに腹側および背側仙腸靱帯付着部の関節近傍でも剥離骨折が起こるが，通常前後からの外力やL5/S1の脱臼に伴って発生する．

II型：中央の脊柱管には及ばないが，1個以上の仙骨孔が含まれる骨折である．垂

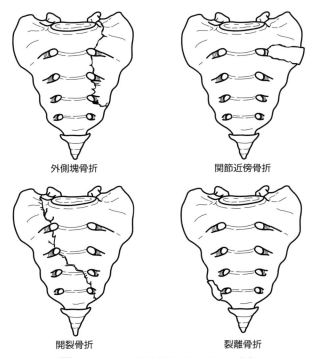

図 15-3-4 仙骨骨折の Schmidek 分類

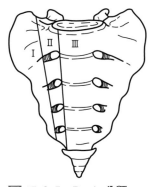

図 15-3-5 Denis 分類
仙骨骨折の骨折部位を3つに分けた．

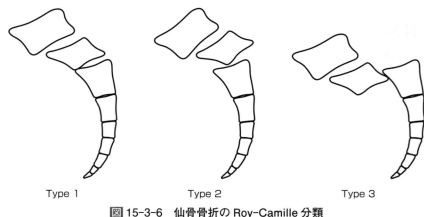

図 15-3-6　仙骨骨折の Roy-Camille 分類

直剪断力で発生し頻度は約 34％である．縦方向の転位が大きければ神経損傷を合併し多くは不可逆的で頻度は約 28％と報告されている．しかし第 3〜5 仙髄神経損傷が合併しても片側のみで反対側が温存されていれば膀胱直腸機能は維持されることが多い．

III 型：中央の仙骨脊柱管部の骨折である．ここに横骨折や L5/S1 の脱臼および脱臼骨折も含められるが頻度は 16％と低い．しかし神経損傷の合併は約 56％と高率で，高位の横骨折では麻痺は必発である．

c) Roy-Camille 分類（図 15-3-6）

仙骨骨折の横骨折を評価するための矢状面のアライメントによる分類である．アライメントに異常のない Type1，後弯変形をきたす Type2，脱臼位の Type3 に分類される．

d) AO/OTA 分類

Denis 分類は縦骨折のみ，Roy-Camille 分類は横骨折のみの二次元的な評価であることが課題であった．そこで臨床上頻度の高い左右の仙骨孔に沿った縦骨折に横線に沿った横骨折を伴う，H 型や U 型の骨折にも対応できるよう新たな分類として提唱された．さらに神経障害や合併損傷の程度を Neurology と Modifier と項目を分けて評価に追加した．

まず横骨折の Type A，片側の縦骨折である安定型骨盤輪骨折となる TypeB，複合損傷により腰椎まで含めて不安定型骨盤輪骨折となる Type C の 3 つの大分類に分け，それぞれに 3 から 4 つの中分類があり，さらに Neurology と Modifier が加味される（**表 15-3-1, 2**）．

通常 TypeB, C は骨盤輪骨折が合併するため治療方針には総合的な判断が求められる．多発外傷の場合は一期的な創外固定の後に内固定を追加することや，後方を脊椎インプラントで固定することも選択肢に含まれる．

e) Rommens 分類（p. 928 参照）

高齢者の脆弱性骨盤輪骨折（fragility fractures of the pelvis：FFPs）と若年者の高エネルギー外傷での骨盤輪骨折を同一の分類で評価することについては限界が指摘され

表15-3-1 AO/OTA 分類：Neurology

Type	
N0	神経脱落症状なし
N1	一過性の障害
N2	神経根障害
N3	馬尾症候群・不全脊髄損傷
N4	完全脊髄損傷
Nx	評価不可能

表15-3-2 AO/OTA 分類：Modifier

Type	
M1	軟部組織損傷
M2	骨代謝障害（AS/DISH など）
M3	前方骨盤輪損傷
M4	仙腸関節損傷

AS：ankylosing spondylitis 強直性脊椎炎
DISH：diffuse idiopathic skeletal hyperostosis びまん性特発性骨増殖症

表15-3-3 Postacchini 分類

Ⅰ型	尾骨が軽度前方に弯曲し，先端は下方を向く
Ⅱ型	弯曲がより強くなり，先端が前方を向く
Ⅲ型	第1/2 あるいは第2/3 尾椎間で急速に前方を向く
Ⅳ型	仙尾関節か第1/2 または第2/3 尾椎間で前方に亜脱臼する

ていた．若年者であれば保存療法で骨癒合が得られる骨折型であっても，骨脆弱性が強い高齢者では治療中に新たな骨折を生じる，いわゆる「骨折の連鎖」が起こる懸念があるためである．また受傷起点の違いは軟部組織損傷の程度にも直結するため，脆弱性骨盤骨折に限定した分類が求められていた．

Rommens ら（2013）が脆弱性骨盤骨折に対する新たな分類を提唱し，さらに分類に基づいた治療法を示した．これは骨盤輪の前方のみの骨折である Type Ⅰ，転位のない後方骨盤輪骨折の Type Ⅱ，転位した片側後方骨盤輪骨折の Type Ⅲ，転位した両側片側後方骨盤輪骨折の Type Ⅳに分類され，さらにそれらを細分化している．対応する治療方法として Type Ⅰは保存療法，Type Ⅱは経皮的固定術，Type Ⅲは手術による整復と内固定，Type Ⅳではそれらに加えて腰椎までの固定を追加することを推奨している．しかし保存療法の安静期間など具体的な記載はなく，骨脆弱性を伴う高齢者に対する手術治療成績は十分に検討されているとはいえず今後の課題である．

2）尾骨骨折

尾骨には多くの破格がみられるため，新鮮な骨折，脱臼なのか，あるいは破格なのか鑑別することはしばしば困難である．Postacchini は尾骨痛を訴えた症例を形態に基づき4型に分類し，これを外傷後の関節症や偽関節，脱臼や亜脱臼の変形治癒と関連づけた（表15-3-3）．新鮮外傷であるか否かは臨床症状と所見と画像所見を含めた詳細な検討が必要であるが，この分類は骨折や脱臼の形態把握の参考となる．

d 診　断

1）画像診断

a）単純 X 線写真

単純 X 線写真の骨盤正面像では仙骨は前傾することが多く，垂直転位がない限り

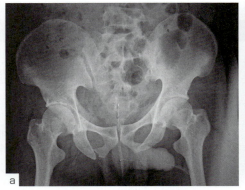
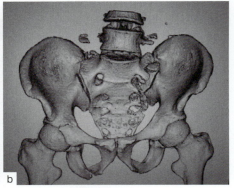

図 15-3-7　骨盤輪骨折
単純 X 線写真での右恥骨骨折と横突起骨折をみとめる (a). 3D-CT にてさらに両仙骨骨折・右寛骨臼骨折を認める. 不安定型骨盤輪骨折である (b).

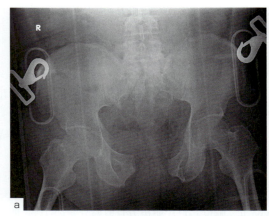
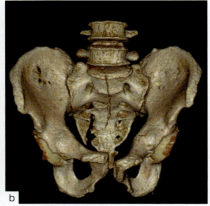

図 15-3-8　恥骨結合離開を合併した骨盤輪骨折
多発外傷による仙骨正中部, 右仙骨孔, 左恥, 坐骨の骨折と恥骨結合離開の合併損傷. 骨盤臓器損傷の合併は致死的であるため緊急に十分な評価を要する (a, b).

　単純 X 線写真正面像単独で骨折を診断することは容易ではない. X 線管球を 30°尾側に傾けることは, 仙骨孔の描出が良好となり骨折の検出に有用である. 側面像では仙骨横骨折, 尾骨骨折を診断することは可能であるが, 陳旧性骨折との鑑別には MRI が有用である.
　仙骨骨折は骨盤輪骨折であり, 他部位の骨折を合併することが多いので, 第 5 腰椎横突起骨折, 骨盤輪の前方を構成する恥骨・坐骨骨折, 仙骨孔の左右非対称がある場合には仙骨骨折の合併を疑い, CT や MRI などによる精査を行う必要がある (図 15-3-7, 8).
　それぞれには受傷機転により合併しやすい骨折型があり, 上記の骨折はいずれも仙骨の縦骨折の合併を疑う. また前方骨盤輪の骨折は転位が大きければ後方骨盤輪の骨折・脱臼の存在が強く疑われるので, 仙腸関節の脱臼も含めて精査を行う必要がある.

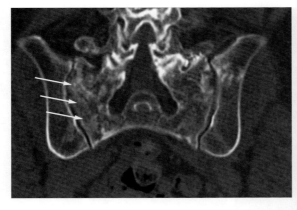
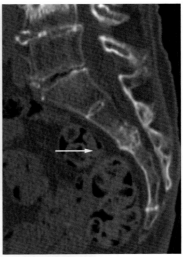

図 15-3-9　脆弱性骨折は仙骨海面骨の反応性の骨形成が出現する
亜急性期で診断されることも少なくない．

b) CT

高エネルギーによる多発外傷でも早急に評価できることが最大の利点である．骨条件での多断面再構成像（multiplaner reconstruction-CT：MPR-CT）はあらゆる方向の骨折線の感度が高いので，診断確定に非常に有用である．また高齢者の脆弱性骨折の場合は診断が遅れることがあるが，その場合は仙骨海綿骨に反応性骨形成を認めることが多い（図 15-3-9）．

c) MRI

MRI は新鮮骨折か陳旧性骨折の診断には有用であるが，仙骨骨折の形態診断においては CT に劣る．そのため MRI で仙骨骨折をみとめた場合は CT を追加する必要がある．

臨床では高齢者の坐骨神経痛の精査のために腰椎 MRI を撮影したときに，矢状断像で偶発的に仙骨骨折が診断されることは少なくない（図 15-3-10）．仙骨は矢状断像では端の所にあるので高齢者の坐骨神経痛の鑑別疾患として常に仙骨脆弱性骨折を念頭において読影しないと見逃しやすいので注意が必要である．

e 臨床所見

1）高エネルギー外傷による仙骨骨折

高エネルギー外傷では広範な軟部組織損傷，多臓器損傷，多発骨折を伴うことが多い．高度な転位を伴っていれば大血管損傷，神経損傷，尿管損傷などが合併することが多い．しかし仙骨骨折の転位は軽度であっても重要臓器損傷は十分に起こりえるので，CT による致死的損傷の評価が最優先である．垂直方向の転位であれば骨盤輪骨折と同様に内腸骨動脈や上殿動脈損傷を合併することが多く，緊急での血管内治療が最優先される．

Denis 分類Ⅱ・Ⅲ型では神経損傷による下肢痛，下肢筋力低下，膀胱直腸障害を合

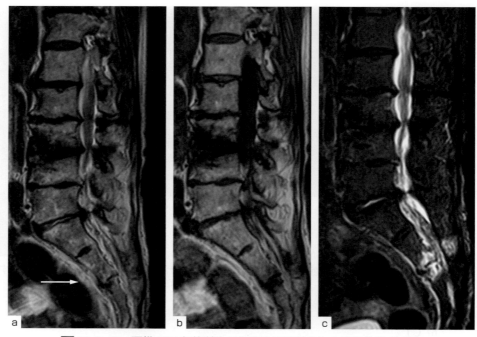

図 15-3-10 腰椎 MRI 矢状断像で偶発的に診断された仙骨骨折（矢印）
T2 強調像（a）ではわかりにくいこともあり，T1 強調像（b）や STIR（c）でのチェックが重要である．

併することがある．高エネルギー外傷の場合は局所の圧痛，腫脹などの評価は困難なことが多い．

2）脆弱性仙骨骨折

高齢者の脆弱性骨折は，椎体骨折と同様に受傷機転がはっきりしないことが少なくない．症状は仙骨部痛だけでなく，強い坐骨神経痛として出現することがあり，腰部脊柱管狭窄症を疑われた腰椎 MRI により仙骨骨折が判明することもある．通常の腰椎由来の神経症状に比べて疼痛が強い場合は鑑別診断として検討する必要がある．

また亜急性期には骨折に対する反応としてアルカリファスフォターゼが高値を示す．他に高齢者で同様の症状を示す疾患として転移性悪性骨腫瘍があり，併せて評価が必要である．

3）尾骨骨折

骨折部に限局した圧痛，叩打痛が認められる．皮下軟部組織が薄いために診断は比較的容易で，時に尾骨の異常可動性を触知することもある．

f 治　療

1）高エネルギー外傷による仙骨骨折

いずれの骨折型であっても転位のない場合は受傷後 6 週の免荷の後に荷重を開始する．しかし広範な軟部組織損傷を伴う骨盤輪骨折の場合は，疼痛と皮下血腫のコントロールを目的に創外固定による安定化が望ましい．また創外固定のかわりに脊椎内固定材料を用いて両腸骨スクリューとロッドで後方から固定する transiliac screw fixa-

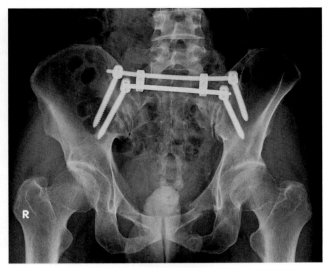

図 15-3-11 脊椎内固定材料による固定
仙骨骨折に対する transiliac screw fixation による両腸骨間での固定

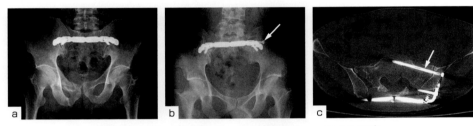

図 15-3-12 専用のプレート IS スクリューによる固定
専用のプレート（a）を使用した両腸骨間での固定．IS スクリュー（矢印）も症例によっては追加することがある（b, c）．

tion や専用のプレートを使用して内固定するのも有用な方法である（図 15-3-11）．初期固定力に優れているため臥床期間を短縮できる長所はあるが，荷重時期については明確な指針はない．また経皮的に腸骨の外側から仙腸関節を通して仙骨へスクリュー固定する IS スクリュー固定も広く行われている（図 15-3-12）．

垂直転位のある症例については腰椎部に経皮的椎弓根スクリューを併用することで転位を矯正する Galveston 変法や crab shaped fixation も有用である（図 15-3-13, 14）．しかし転位の矯正には限界があり，また骨脆弱性を伴う症例ではスクリューの緩みなどにも注意が必要である．

以前は内固定材料の皮下の突出などが問題となっていたが，内固定材料の小型化によって安全に行えるようになった．また経皮的椎弓根スクリューに代表される脊椎手術の低侵襲化は，創部感染や皮膚の離開などの合併症低減に大きく寄与している．

神経損傷を合併している症例は明らかな脊柱管内への骨の突出がなければ脊柱管の除圧は要しないことが多い．

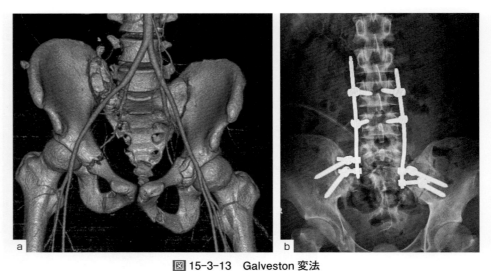

図15-3-13　Galveston変法
術前3D-CT（a）と術後単純X線写真（b）．垂直転位をある程度整復することが可能な手技である．

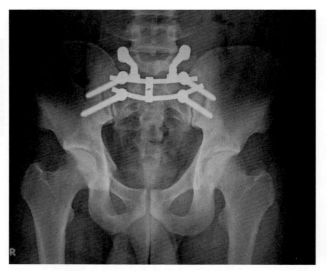

図15-3-14　Crab Shaped Fixation
Transiliac screw fixationに垂直方向の矯正を加えたもの．

2）脆弱性仙骨骨折

多くの症例は転位は少なく保存療法が適応される．しかし約6週間の免荷が必要であり，それ以前に荷重すると疼痛の悪化をきたすことが多い．近年では臥床期間短縮と合併症をさけるために高齢者の場合でも高エネルギー外傷に準じた手術療法の適応を広げている．Rommens分類を基にした手術適応の確立の試みもあるが，元々の骨脆弱性があるため内固定材料の引き抜けや緩みが懸念され，手術適応については一定の見解には至っていない．

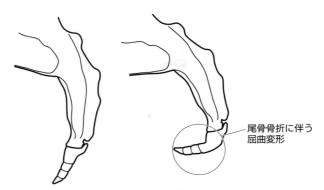

図 15-3-15　尾骨骨折後の屈曲変形

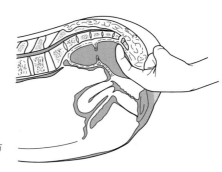

図 15-3-16　下位仙骨・尾骨骨折の徒手整復術
腹臥位として肛門に挿入した手指で末梢骨片を後方へ押して整復する．

3) 尾骨骨折（図 15-3-15）

　新鮮骨折で前方への屈曲変形が強い場合は肛門からの徒手整復の適応となる（図15-3-16）．骨片を強くつかみすぎることで直腸粘膜の損傷，穿孔をきたすこともある．

　外固定は不要であるが，坐位時にドーナツ型クッションを使用し荷重を坐骨結節部で受けるようにして疼痛と再転位を防ぐ．

　変形治癒し疼痛が継続する場合は切除術を行った報告もある．

　［謝辞］本項の改訂にあたり国際医療福祉大学 大伴直央にも協力いただいた．

参考文献

1) Denis F et al：Sacral fractures：an important problem. Retrospective analysis of 236 cases. Clin Orthop Relat Res **227**：67-81, 1988.
2) Esses S, DJ B：Surgical anatomy and operative approaches to the sacrum. The adult spine：principles and practice, Philadelphia：Lippincott-Raven. 2329-2341, 1997.
3) Kristiansen T：Fractures of the sacrum and coccygodynia. The adult spine：principles and practice Raven Press, 2145-2158, 1991.
4) Okuda A et al：Minimally invasive spinopelvic "crab-shaped fixation" for unstable pelvic ring fractures：technical note and 16 case series. J Orthop Surg Res **14**：51, 2019.
5) Postacchini F, Massobrio M：Idiopathic coccygodynia. Analysis of fifty-one operative cases and a radiographic study of the normal coccyx. J Bone Joint Surg **65-A**：1116-1124, 1983.

6) Rommens PM et al：Progress of instability in fragility fractures of the pelvis：An observational study. Injury **50**：1966-1973, 2019.

7) Rommens PM, Hofmann A：Comprehensive classification of fragility fractures of the pelvic ring：Recommendations for surgical treatment. Injury **44**：1733-1744, 2013.

8) Roy-Camille R et al：Transverse fracture of the upper sacrum. Suicidal jumper's fracture. Spine（Phila Pa 1976）**10**：838-845, 1985.

9) Schmidek HH et al：Sacral fractures. Neurosurgery **15**：735-746, 1984.

10) Urrutia J et al：An independent inter- and intraobserver agreement assessment of the AOSpine sacral fracture classification system. Spine J **21**：1143-1148, 2021.

11) Vaccaro AR et al：Description and Reliability of the AOSpine Sacral Classification System. J Bone Joint Surg **102-A**：1454-1463, 2020.

12) Wagner D et al：Fragility fractures of the sacrum：how to identify and when to treat surgically？ Eur J Trauma Emerg Surg **41**：349-362, 2015.

13) 渡辺惣兵衛ら：仙骨における insufficiency fracture. 整形外科災害外科 **40**：239-248，1997.

14) 山崎敦詞ら：尾骨骨折変形癒合に対して尾骨切除術を施行した1例. 整形外科 **65**：643-645, 2014.

第16章

骨盤・股関節骨折

1 骨盤骨折 fracture of the pelvis

　骨盤骨折はスポーツ損傷での急激な筋収縮によって生じる裂離骨折のような軽微なものから，交通事故や高所からの転落により骨盤輪の断裂をきたし，大量出血のため生命に影響するものまで受傷機転，損傷形態，重症度などがさまざまである．裂離骨折，骨盤輪の断裂を伴わないもの，骨盤輪の断裂を伴っても転位のないものは，保存療法で良好な結果を得ることができる．しかし骨盤輪の断裂を伴う場合には，受傷直後はまず出血対策を中心とした救命治療を行う必要がある．また全身状態が安定したあとは，骨盤輪の安定性を獲得することが重要で，手術的整復・内固定が必要となることが多い．

　骨盤骨折は多発外傷として発生することが少なくなく，治療は放射線科，脳外科，胸部外科，腹部外科，泌尿器科，ICUなど関連領域との密接な協力が不可欠である．

a 骨盤の解剖・機能解剖

　骨盤は仙骨を中心に左右に密接する寛骨から構成される（図16-1-1）．寛骨は腸骨，恥骨，坐骨から形成され，小児期にはこれらはY軟骨 triradiate cartilage により結合しているが，成人では癒合して単一骨となる．骨盤は正面から見ると仙骨が石橋のかなめ石のように安定性を与えているように見えるが，上方から見ると仙骨前方が広い

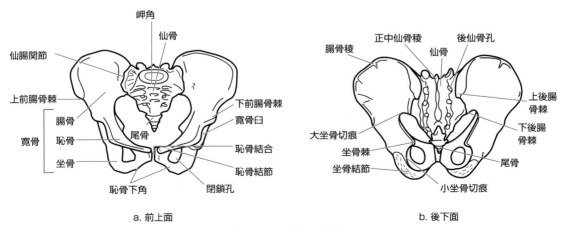

図 16-1-1　骨盤の解剖

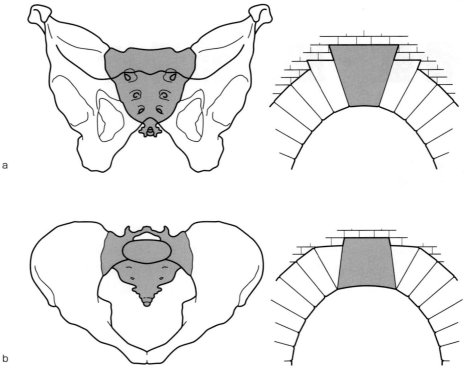

図16-1-2　仙骨の形状と骨盤輪安定性に対する影響
骨盤は正面から見ると仙骨が石橋のかなめ石のように安定性を与えているように見える(a)．しかし上方から見ると仙骨前方の幅が広いため垂直方向の力は仙骨を前方に転位させるように作用する(b)．
(Tile M：Biomechanics of the pelvic ring. Fractures of the pelvis and acetabulumn. 3rd ed, 32-45, Lippincott, 2003より)

ため垂直方向の力は仙骨を前方に転位させるように作用する．そのため骨盤は骨性にはまったく安定性はない(**図16-1-2**)．骨盤に安定性を与えているのは前方は恥骨結合，後方は左右の仙腸関節をまたぐ腸腰靱帯，前仙腸靱帯，後仙腸靱帯，仙結節靱帯，仙棘靱帯で，これらにより骨盤輪 pelvic ring が形成されている(**図16-1-3**)．特に後方の靱帯群は強靱で骨盤輪の安定性に大きく寄与しており，これが著しく損傷されると骨盤輪の不安定性を生じる．中でも仙腸靱帯は人体で最大の靱帯である．力学的にはその走行方向から仙結節靱帯は寛骨の頭尾方向への動きを，仙棘靱帯は外旋の動きを抑制している．また骨盤は脊柱からの荷重を仙腸関節から股関節を介して下肢に伝達するとともに，寛骨臼は大腿骨頭とともに股関節を構成し，重要な運動機能を担っている．さらに消化器，泌尿器・生殖器などの重要な内臓器および下肢への血管・神経を保護する働きもある．また骨盤は体幹や下肢の種々の筋肉や靱帯の付着部となっている．

仙腸関節は前方凸の耳介状の形状をしている．

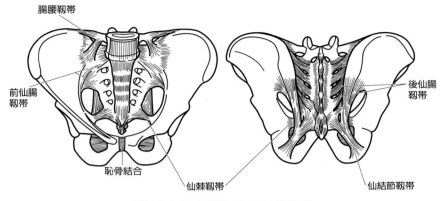

図 16-1-3　骨盤前方・後方靱帯群

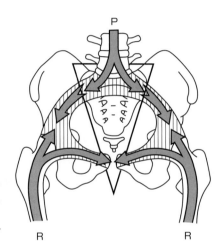

図 16-1-4　骨盤に作用する力
恥骨部には下肢からの反力の一部が両側より合し力の
バランスを保つ．恥骨部の起立歩行に関与する役割は
少ない．
（Kapandji IA：The physiology of the joints. 2nd ed, Vol 3, 57,
　Churchill Livingstone, 1979 より）

附-1　荷重伝達経路

　骨盤によって伝達される体重は，腰椎，仙骨および仙腸関節から骨盤輪後部内側を通り寛骨臼から大腿骨頭へと骨盤輪の後方要素を伝達する（図 16-1-4）．したがって恥骨枝を中心とした前方要素が体重負荷を伝達する比率はきわめて小さいが，この前方要素は骨盤輪の連続性を保つという重要な機能を担っている．骨盤輪の後方要素には圧迫力が，前方要素には張力がかかっている．Burgess らは骨盤の機能として，① 脊柱からの体重を両下肢に伝達する，② 姿勢と運動を保つための筋の付着部となる，③ 重要内臓器，血管，神経を収容，保護し腹圧を維持する，の 3 点をあげている．

1）骨盤腔内の血管（図 16-1-5）

　腹部大動脈は第 4 腰椎レベルで仙骨の前面に沿って下向する正中仙骨動脈を分岐したあと，左右の総腸骨動脈となる．総腸骨動脈は大腰筋の内側に沿って外側方に下り，仙腸関節前方で内腸骨動脈と外腸骨動脈に分岐する．内腸骨動脈は短く，大坐骨孔の上縁で骨盤腔と殿部に分布する壁側枝と内臓に分布する臓側枝となる．

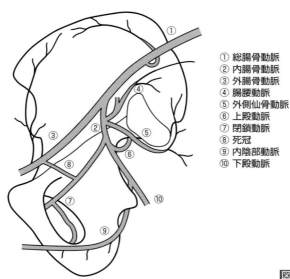

① 総腸骨動脈
② 内腸骨動脈
③ 外腸骨動脈
④ 腸腰動脈
⑤ 外側仙骨動脈
⑥ 上殿動脈
⑦ 閉鎖動脈
⑧ 死冠
⑨ 内陰部動脈
⑩ 下殿動脈

図 16-1-5 骨盤に分布する動脈

　壁側枝は，大腰筋の後側方より腸骨窩に至り腸骨翼，腸腰筋，腰方形筋，脊柱管に分布する腸腰動脈，仙骨外側部前面を下降し前仙骨孔を通って脊髄枝を分岐する外側仙骨動脈を分岐したあと，坐骨切痕を通り殿筋群に分布する上殿動脈，下殿動脈と閉鎖孔に至る閉鎖動脈に分かれる．上殿動脈は内腸骨動脈から出る枝のうち最大のものである．臓側枝は臍動脈，下膀胱動脈，精管動脈，中直腸動脈，内陰部動脈を分岐する．内陰部動脈は坐骨神経，下殿動脈とともに梨状筋下孔を通り骨盤外に出て，仙棘靱帯をまわり小坐骨切痕を通って再び骨盤内に入り会陰動脈と陰茎動脈に分かれる．これらの動脈は互いに複雑に吻合している．
　また外腸骨動脈の枝である下腹壁動脈と閉鎖動脈恥骨枝との交通枝が発達している場合がある（死冠 corona mortis）．

2）骨盤腔内の神経（図 15-3-3，p. 892 参照）

　第4腰神経下行枝と第5腰神経が合流して腰仙骨神経幹となり仙骨翼前面を下行し，梨状筋前面で第1～3仙骨神経前枝と合流し仙骨神経叢を形成する．仙骨神経叢からは骨盤部の筋肉への枝を出したあと，大坐骨孔を出て下肢に分布する．主な枝は坐骨神経，上殿神経，下殿神経，陰部神経である．なお大腿神経と閉鎖神経は腰神経叢に由来する．
　骨盤骨折により大腿神経が損傷すると大腿前面部の感覚障害と膝伸展力の低下を生じ，閉鎖神経が損傷すると内転筋の機能が低下し起立，歩行が障害される．上殿神経が損傷すると下肢外転筋力が低下し Trendelenburg 徴候が陽性となる．

附-2　大坐骨切痕と小坐骨孔

　骨盤仙坐骨切痕は仙骨結節後面から仙骨に広く付着する仙骨結節靱帯が一部を構成する孔を形成する．この孔は仙骨結節靱帯前方で仙骨前外側から仙骨棘に付着する仙棘靱帯より近位の大坐骨孔と遠位の小坐骨孔に分けられる．大坐骨孔には梨状筋，上・下殿動静脈，内陰部動脈，坐骨神経，上・下殿神経，陰部神経，後大腿皮神経が通る．

b 受傷機転

受傷時に加わるエネルギーの大きさにより高エネルギー骨折（骨盤輪骨折）と低エネルギー骨折（筋付着部裂離骨折や高齢者の転倒による骨折など）に分けられる．骨盤輪骨折では，受傷時に加わった力の大きさと方向が損傷形態を決定する．原因としては交通事故が最も多く，その他，高所からの転落，スポーツ，重量物の下敷きなどがある．また自殺企図による高所からの飛び降りも少なくない．骨盤輪骨折は多発外傷に伴うことが多く，多発外傷患者の約20％に骨盤輪骨折を伴っている．いいかえると骨盤輪骨折がある場合には多くの症例に他部位の損傷を伴っている．また大量出血により死に至ることもある．最近では高齢者の転倒による骨折や骨粗鬆症を基盤とした骨脆弱性骨盤輪骨折も増加している．骨盤骨折の頻度は全骨折中数％を占める．

筋付着部裂離骨折の多くは，成長軟骨層が力学的に弱いため，スポーツなどによる筋肉の急激な収縮により発生し，思春期の男子に多い．部位としては上前腸骨棘，下前腸骨棘，坐骨結節，小転子，腸骨稜に生じる．

c 骨折の分類

骨盤骨折は，骨盤輪の断裂の有無により大きく2つに分けられる．骨盤輪の断裂を伴わないものには，筋付着部裂離骨折，直達外力による腸骨翼骨折（Duverney骨折）や仙骨横骨折がある．

骨盤輪の断裂のあるものに対するLetournel-Judet分類は損傷部位に基づく分類で，損傷部位を特定して述べるのに便利である（図16-1-6）．現在でも次に述べる分類と組み合わせて，症例ごとの骨折状態を明確にするために用いられる．実際によく用いられる分類は，受傷機転と骨盤輪の安定性を考慮したAO/OTA分類とYoung-Burgess分類（Y-B分類）で，治療方針の決定と予後予測に役立つ．

1) AO/OTA分類

Pennal分類とTile分類を基礎とした分類で，骨盤後方部の損傷程度（部分破綻，完全破綻）から骨盤輪の安定性により分類している．

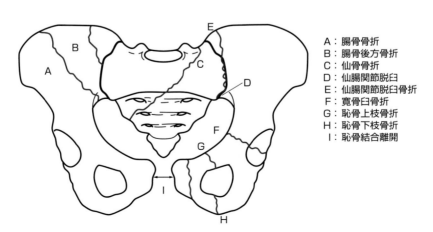

図16-1-6　骨盤輪骨折（Letournel-Judet分類）

A：腸骨骨折
B：腸骨後方骨折
C：仙骨骨折
D：仙腸関節脱臼
E：仙腸関節脱臼骨折
F：寛骨臼骨折
G：恥骨上枝骨折
H：恥骨下枝骨折
I：恥骨結合離開

Pennal 分類では骨折を生じる際に加わった外力の方向を，前後方向の圧迫 antero-posterior compression，側方からの圧迫 lateral compression，垂直剪断 vertical shear およびその複合したものとしている．前後方向の圧迫では恥骨結合が離開し，前仙腸靱帯は断裂して仙腸関節前方が開き寛骨は外旋する（open book）．しかし，ほかの靱帯群の断裂はないか軽微である．側方よりの圧迫では患側寛骨は内旋して恥骨部が骨折し，通常仙骨翼の圧迫骨折を伴う．この場合にも後方靱帯群の断裂は少ない．これらの骨折は回旋方向の不安定性はあるが，垂直方向の不安定性はない（部分不安定）．垂直剪断によるものは前方では恥骨結合の断裂または恥骨・坐骨骨折があり，後方では仙骨垂直骨折，仙腸関節脱臼，腸骨骨折のいずれか，骨盤後方部の重度の損傷を伴い，骨盤輪が破綻する．骨盤片側が頭側へ転位し，回旋方向および垂直方向ともに不安定である（完全不安定）．従来 Malgaigne 骨折と呼ばれたものはこれに該当する．

AO/OTA 分類（表 16-1-1，図 16-1-7）では，

Type A：骨盤後方靱帯群の断裂のまったくないもので，骨盤輪は安定しており，A1（筋付着部裂離骨折），A2（直達外力による腸骨，腸骨翼骨折または転位のない骨盤輪骨折），A3（仙骨もしくは尾骨の横骨折）に細分される．

Type B：後方靱帯群が一部断裂して回旋方向の不安定性を生じているが，垂直方向の安定性は保たれている．B1（片側の外旋方向への不安定性がある．前後方向への力によって生じる open book type の損傷），B2（片側の内旋方向への不安定性があるいわゆる lateral compression type の損傷），B3（両側の後方部分破綻）に分けられる．

Type C：後方靱帯群が完全に断裂したもので，回旋方向のみならず垂直方向への不安定性を伴う．C1（片側の損傷であり，損傷部が腸骨骨折である C1.1 と仙腸関節である C1.2 および仙骨である C1.3），C2（片側完全破綻，対側部分破綻），C3（両側完全破綻）に細分される．

表 16-1-1　AO/OTA 分類

Type	
A	安定型損傷，後弓正常
A1	裂離骨折
A2	腸骨翼骨折，転位のない骨盤輪骨折
A3	仙骨または尾骨の横骨折
B	部分安定型損傷，後弓不完全破綻（回旋不安定性あり，垂直方向は安定）
B1	片側，外旋 "open book"
B2	片側，内旋 "lateral compression"
B3	両側 B-type
C	不安定型損傷，後弓完全破綻（回旋，垂直とも不安定）"vertical shear"
C1	片側後弓完全破綻
C1.1	後弓破綻：腸骨
C1.2	後弓破綻：仙腸関節
C1.3	後弓破綻：仙骨
C2	片側後弓完全破綻，対側不完全破綻
C3	両側後弓完全破綻

（Orthopaedic trauma association committee for coding and classification：Fracture and Dislocation Compendium, J Orthop Trauma 10 Suppl 1：1-55, 1996 より）

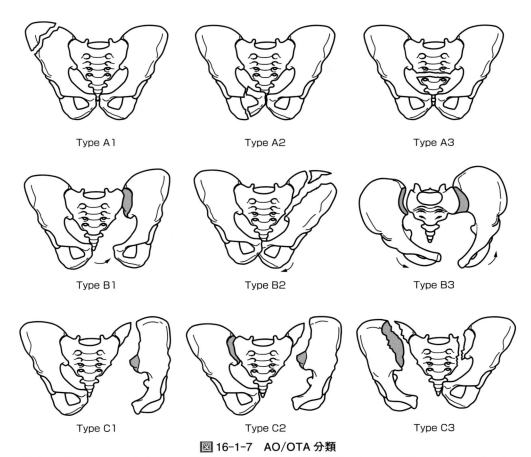

図 16-1-7　AO/OTA 分類
(Orthopaedic trauma association committee for coding and classification：Fracture and Dislocation Compendium, J Orthop Trauma 10 Suppl 1：1-55, 1996 を参考に作図)

2) Young-Burgess 分類

前後方向や側方からの圧迫でも転位が高度であると最終的には後方の完全破綻をきたして回旋，垂直方向ともに不安定となることを考慮して Pennal 分類と Tile 分類を改良，修正した分類である．後方部の損傷程度を詳細に評価しているので，蘇生の必要性，治療法の選択と予後予測に有用である．この分類は，受傷機転より前後方向の圧迫（APC），側方よりの圧迫（LC），垂直剪断（VS），複合損傷（LC+VS が多い）に分け，さらに APC と LC を骨盤後方の損傷程度により Type Ⅰ，Ⅱ，Ⅲ に細分化している（**表 16-1-2，図 16-1-8**）．

附-3　Malgaigne 骨折

垂直剪断力により生じる骨盤輪骨折で，狭義には前方での恥骨骨折と後方での腸骨垂直骨折を合併するものをいう．一般には骨盤前方での恥骨骨折や恥骨結合離開に，後方での仙骨垂直骨折や仙腸関節脱臼を伴うものを含める場合が多い．AO/OTA 分類の Type C や Young-Burgess 分類の VS に該当する．Malgaigne はフランスの外科医．

表 16-1-2 Young-Burgess 分類

AP compression (APC)：anterior injury=symphysis diastasis/rami fractures
　APC Ⅰ：minor opening of symphysis and SI joint anteriorly
　APC Ⅱ：opening of anterior SI, intact posterior SI ligaments
　APC Ⅲ：complete disruption of SI joint
LC：anterior injury=rami fractures
　LC Ⅰ：sacral fracture on side of impact
　LC Ⅱ：crescent fracture on side of impact
　LC Ⅲ：type Ⅰ or Ⅱ injury on side of impact with contralateral open book injury
Vertical shear (VS) type：
　Vertical displacement of hemipelvis with symphysis diastasis or rami fractures anteriorly, iliac wing, sacral facture, or SI dislocation posteriorly
Combined mechanism (CM) type：any combination of above injuries

(Young JW et al：Pelvic fractures：value of plain radiography in early assessment and management. Radiology 160：445-451, 1986 より)

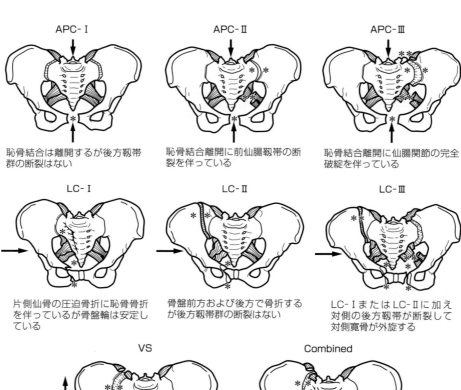

図 16-1-8 Young-Burgess 分類
＊：損傷部．矢印は作用した力の方向を示す．

(Young JW et al：Pelvic fractures：value of plain radiography in early assessment and management. Radiology 160：445-451, 1986 より)

d 診　　断

1）現病歴

受傷機転はきわめて重要で，本人から聴取できない時は救急隊などから情報を得る．交通事故や高所からの転落，重量物の直撃などは高エネルギー損傷と考えられ，また力の作用方向から骨折型を推測できることも少なくない．

2）身体所見

多発外傷患者では，まず必ず着衣を完全に取り除いて観察することが重要である．創傷の有無，骨盤が左右対称で変形がないか，脚長差，肢位，皮下出血などをみる．男性で尿道口より出血がある場合には尿道損傷を，女性で尿道や腟より出血がある場合には骨盤開放骨折の可能性を疑う必要がある．触診では腸骨稜を後方へ圧迫したのち，両外側より内側へ圧迫して安定性を調べることができるが，全身状態の不安定な患者では，出血を助長させる可能性があり禁忌である．合併する下肢骨折や膝関節靱帯損傷の有無も同時に診察する．意識のある患者では必ず神経学的評価を行う．

3）画像診断

骨盤は三次元的に複雑な形状をなすために，画像診断の難しい部位である．多発外傷の初期治療では，必ず骨盤前後像を撮影して骨盤骨折を見落とさないことが重要である．損傷状態の正確な把握には，CT，三次元CTが非常に有用であるが，単純X線写真を系統的に読影することにより初期治療に必要な大部分の情報を得ることができる．CTは骨盤後方部損傷の詳細な情報を与えてくれる．初期治療では全身状態の迅速な評価と救急救命治療を優先しなければならない．詳細な画像を得るため撮影に手間取り，救命治療の貴重な時間を費やしてはならない．

a）単純X線写真

前後像では骨盤輪の断裂の有無と部位，転位状態を診断する．読影の順序は，まず骨盤の左右対称性，閉鎖孔と腸骨翼の大きさ，坐骨結節，臼蓋荷重部および腸骨翼の高さの左右差，恥骨結合と脊柱中心軸との一致などをみる（図16-1-9）．次に前方か

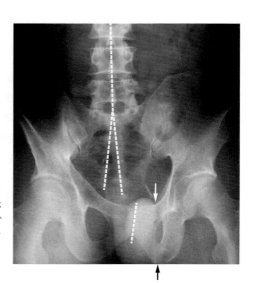

図16-1-9　lateral compression injury（AO/OTA分類 B2, Young-Burgess分類 LC-Ⅰ）

脊柱は正面で撮影されているが，右腸骨翼は小さく閉鎖孔は大きく写っており（寛骨の内旋を示す），恥骨結合は左へシフトしている．右側方からの外力による損傷である．左恥骨下枝も骨折している（黒矢印）．
腰椎棘突起を結ぶ線と恥骨結合が一致しない．

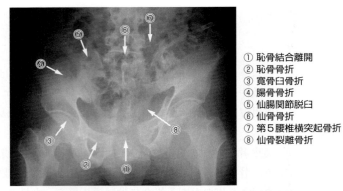

図 16-1-10　骨盤単純X線写真前後像の読影のポイント

① 恥骨結合離開
② 恥骨骨折
③ 寛骨臼骨折
④ 腸骨骨折
⑤ 仙腸関節脱臼
⑥ 仙骨骨折
⑦ 第5腰椎横突起骨折
⑧ 仙骨裂離骨折

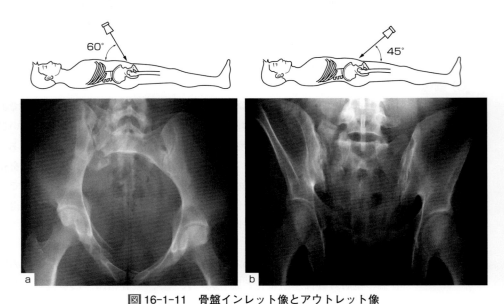

図 16-1-11　骨盤インレット像とアウトレット像
インレット像（a）はX線管球を撮影台に対し60°傾けて頭側から撮影し，アウトレット像（b）は45°尾側から撮影する．インレット像では骨盤後方部分の前後方向への転位を，アウトレット像では骨盤後方部分の上下方向への転位と仙骨の骨折状態をよく描出する．
症例は AO/OTA 分類 Type C1.3，Young-Burgess 分類 VS 損傷

ら系統的に読影し，恥骨結合離開，恥骨骨折，寛骨臼骨折，腸骨骨折，仙腸関節脱臼，仙骨骨折，第5腰椎横突起骨折，仙骨の靱帯付着部の裂離骨折をチェックする（図16-1-10）．恥骨結合離開が2.5 cm以上ある場合は前仙腸靱帯が損傷している．第5腰椎横突起骨折（腸腰靱帯付着部），仙骨の仙棘靱帯，仙結節靱帯付着部の裂離骨折は，骨盤輪の後方不安定性を示す．

骨盤インレット像 inlet view とアウトレット像 outlet view は患者を仰臥位としたまま撮影し，前者はX線管球を撮影台に対し60°傾けて頭側から撮影し，後者は45°尾側から撮影する．インレット像では骨盤後方部分の前後方向への転位が，アウトレット像では骨盤後方部分の上下方向への転位と仙骨の骨折状態がよく描出される（図16-1-11）．

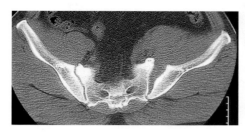

図 16-1-12 CT（AO/OTA 分類 B1，Young-Burgess 分類 APC 2）
左仙腸関節前方が大きく離開している．

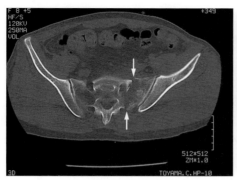

図 16-1-13 CT（AO/OTA 分類 C1.3，Young-Burgess 分類 VS）
左仙骨孔での骨折を認める．

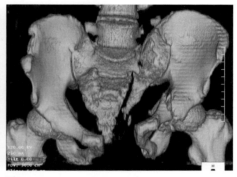

図 16-1-14 三次元 CT（図 16-1-13 と同一症例）
恥骨結合離開と左仙骨孔の骨折および左側骨盤の頭側への転位を認める．

全身状態が落ち着いている場合には，X線透視下に骨盤の安定性を評価することも有用である．

b）CT，三次元 CT

骨盤後方部の骨折と転位状態をよく描出し，正確な診断と安定性の評価に不可欠である．骨盤後方部分の転位が 1 cm 以上ある場合には，後方部分の靱帯はすべて断裂していると推定できる．また後腹膜腔血腫，腹腔内臓損傷の診断にも有用である（図 16-1-12，13）．三次元 CT（3D-CT）は骨折状態の把握に役立ち，特に術前計画に有用である（図 16-1-14）．

附-4　新鮮骨盤骨折の合併症の診断と治療の進め方

骨盤骨折の治療は骨折を安定させるとともに，合併損傷を的確に診断して同時に治療する必要がある．

1）出血性ショック hemorrhagic shock

骨盤輪骨折では大量出血を伴い出血性ショックに陥ることが少なくない．出血源は骨折部，内腸骨動脈の分枝や骨盤内の豊富な静脈叢である．そのため治療初期では出血に対する治療が最も重要である．搬入後直ちに呼吸，循環などの全身管理を行うとともに適切な輸液・輸血を開始する．骨盤骨折による出血性ショックは受傷後数時間を経て出現する場合もある．出血性ショックは循環血液量の減少によるものである．受傷初期には出血量が多くともヘモグロビン値の低下が少ないことがある．これは初期には循環血液量は減少するが，血液の希釈が起こらないためである．ヘモグロビン値の低下は循環

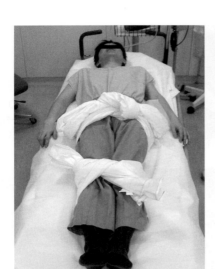
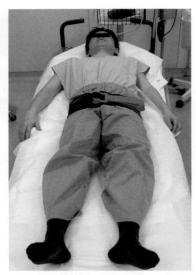

図 16-1-15　シーツラッピング　　　　図 16-1-16　pelvic binder

血液量を維持するため組織液が血中へ移行し，また輸液により血液が希釈されてヘモグロビン値が急速に低下するためである．このことを念頭において，治療中は常に出血に対する注意を払う必要がある．一般に骨盤後方部の損傷を伴う場合に出血量が多いが，必ずしも骨折部位や転位の大きさと出血量は相関しない．陰嚢や会陰部の広範囲の皮下出血は，骨盤内大量出血を示している．止血法としては，

シーツラッピング：骨盤と膝をシーツなどで縛り，骨盤輪を安定させ，下肢外旋による骨盤外旋を防止し出血を抑制する（図 16-1-15）．骨盤を縛る部位は，大転子高位である．

pelvic binder：大転子高位で一定の力でベルトを締めることにより骨盤を安定させ出血を抑制する（図 16-1-16）．

創外固定：骨折を整復して安定化することにより，骨折部からの出血を抑制する．動脈塞栓術，腹部，尿路の手術は創外固定後でも可能である（図 16-1-17）．

経カテーテル動脈塞栓術 transcatheter arterial embolization（TAE）：内腸骨動脈の分枝から出血することが多い．適切な輸液・輸血を行っても循環状態が安定しない場合には血管造影を行い，出血部位の診断と同時に塞栓術を行う．TAE は動脈からの出血に対しては有効であるが，出血の多くは静脈由来のものであり十分な止血の得られないこともある（図 16-1-18）．

ガーゼパッキング：小骨盤内にガーゼを詰め，静脈性の出血を抑制する．全身状態が落ち着いた後，数日後にガーゼを除去する（ガーゼは結びつけ 1 本としておくとよい）．

内臓損傷による出血がある場合：開腹術による止血が必要である．

大量輸血を行った場合には，電解質バランス，凝固能に注意し，DIC や脂肪塞栓，多臓器不全の危険を念頭に置く必要がある．

2）尿道・膀胱損傷

尿道口より新鮮な出血が認められる場合は後部尿道損傷の可能性が高く，その場合はバルーンカテーテルを挿入しても膀胱内に入らず，尿道の損傷部をさらに拡大する恐れがある．まず逆行性尿道造影を行い尿道断裂が認められれば尿道修復または膀胱瘻造設が必要である（図 16-1-19）．血尿がありバルーンカテーテルが容易に挿入できる場合は，腎損傷を疑い腎盂造影を行う．

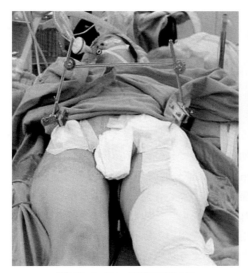

図 16-1-17　骨盤創外固定

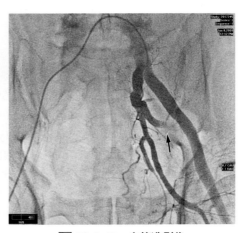

図 16-1-18　血管造影像
上殿動脈から造影剤が漏出している（矢印）．

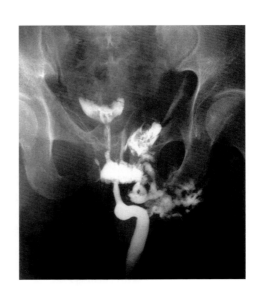

図 16-1-19　逆行性尿道造影像
後部尿道損傷による造影剤の漏出を認める．

3）腸管損傷
　　腸管損傷がある場合には開腹手術が必要となる．
4）横隔膜破裂
　　受傷時の腹圧により横隔膜破裂を伴う場合がある．胸部単純X線写真所見と呼吸困難，またはイレウス症状があれば手術が必要である．
5）意識障害
　　頭部外傷，ショック，脂肪塞栓などにより生じる場合もある．
6）神経損傷
　　仙腸関節脱臼や脱臼骨折では腰神経叢麻痺を伴う場合がある．また仙骨骨折では仙骨神経や仙骨神経叢損傷を伴うことが少なくない．自然回復がある程度期待できるが，麻痺が遺残する場合もある．手術による除圧の効果は不確実である．

7) 骨盤開放骨折

感染の危険性が非常に高いので，デブリドマン，洗浄を行って人工肛門を造設し，遠位の腸管は十分に洗浄することにより感染を予防する．

e 治　　療

1) 保存療法と手術療法の適応

骨盤輪の破綻をきたさない AO/OTA 分類 Type A はほとんどの場合，手術を必要としない．ただ腸骨骨折や仙骨横骨折で転位の著しいものには内固定を行う場合がある．回旋不安定性を伴う Type B の大部分および垂直不安定性を伴う Type C では，早期離床を図るため，また疼痛や変形のない骨盤を獲得するため，整復・固定を行い骨盤輪の安定性を再建しなければならない．そのためには受傷早期から最終的内固定を考慮した創外固定を行う．創外固定を用いる場合や人工肛門を造設する場合には最終的内固定の皮切に支障をきたさないように考慮する．人工肛門は横行結腸部に作成することが望ましい．

2) 受傷初期

創外固定は骨折部をある程度安定させ，出血抑制と疼痛の軽減が得られることから骨盤輪骨折の大部分（Type B および Type C）で初期治療の第一選択である．垂直剪断骨折である Type C は創外固定のみで十分な安定性を得ることは不可能で，全身状態が回復したあと後方部の内固定を行う．

附-5 骨盤骨折に対する創外固定法

骨盤創外固定は通常，骨盤前方部（腸骨稜または下前腸骨棘）にピンを刺入し，左右をフレームで連結する．Type B1 (open book) では外旋した両寛骨を閉じて整復する．Type B2 (lateral compression) は骨盤を閉じる操作を行うと転位がさらに増大するので固定保持のみを行う．Type C (vertical shear) は頭側への転位と回旋を矯正する．さらに Type C は近位後方への転位を整復するため創外固定に加えて下肢直達牽引を併用する必要がある．また血行動態の安定しない場合には，骨盤後方部の骨折・脱臼（仙骨骨折，仙腸関節脱臼）の固定を目的とした一時的創外固定器（pelvic C clamp など）も用いられる．

1) 骨盤前方創外固定法

体位は仰臥位とし，腸骨翼前方または下前腸骨棘部にピンを刺入する．ピンは通常 φ 5 mm，長さ 150〜200 mm のハーフピンを使用する．X線透視可能な手術台を使用することが望ましい．

a) 腸骨翼前方での固定（図 16-1-20）

上前腸骨棘と腸骨結節間に小皮切を加え，2 本のピンを腸骨内板と外板の間に刺入して固定する．腸骨稜の幅を確認して外側から内側方向へ約 45° 傾け，頭側から尾側方向へ刺入する．腸骨稜は外側へ張り出しているため，ピンは腸骨稜のやや内側寄りから刺入する．ピンが内，外板の間に刺入されないと固定性が著しく低下し，緩みや感染の原因となる．創外固定のフレームは形状による固定性の差は少ないので単純なものがよい．

b) 下前腸骨棘部での固定（図 16-1-21）

下前腸骨棘部で臼蓋上方にピンを刺入する．この部は骨の幅が広いためオリエンテーションがつけやすく固定性がよい．刺入部が深くなるのが欠点であるが，左右 1 本ずつ

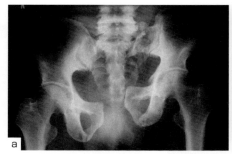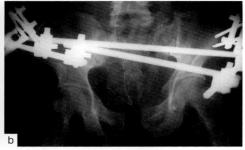

図 16-1-20 AO/OTA 分類 C1.3, Young-Burgess 分類 VS に対する創外固定
a. 骨盤単純 X 線写真前後像. 恥骨結合が離開し, 仙腸左側の骨折を認める.
b. ピンを腸骨翼に刺入し, 創外固定による整復と固定. 下肢直達牽引を併用した.

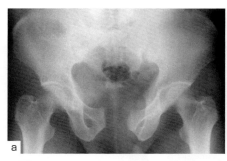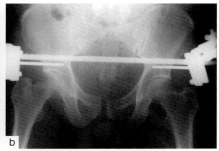

図 16-1-21 AO/OTA 分類 B1, Young-Burgess 分類 APC 2 に対する創外固定. ピンは下前腸骨棘より臼蓋上方に刺入
a. 骨盤単純 X 線写真前後像. 恥骨結合が離開し, 左仙腸関節が開いている.
b. 創外固定による整復と固定. ピンは下前腸骨棘やや外側より臼蓋上方に刺入

のピンで十分な固定性が得られる. 股関節内への誤刺入を避けるため X 線透視は不可欠である. 下前腸骨棘やや外側に横の小切開を加え, 皮下は縦方向に鈍的に分け大腿筋膜張筋の前方から下前腸骨棘に達する. その際, 外側大腿皮神経を損傷しないように注意する. 下前腸骨棘のやや外側でピンは体軸に対し 30～40°外側, やや頭側へ向け坐骨切痕方向へ刺入する. ピンとフレームは股関節が 90°屈曲できるように設置する.

teepee view (図 16-1-22): 骨盤 obturator oblique view をやや遠位 (約 20°) に振ると obturator-outlet view を得ることができ, 内側は腸骨内側面, 外側は腸骨外側面, 下方は大坐骨切痕で形成される下前腸骨棘外側から上後腸骨棘への腸骨髄腔が描出される. 涙滴形をしており, ちょうどインディアンのテントのように見えるので teepee view と呼ばれる. 骨盤輪骨折の下前腸骨棘での創外固定ピン刺入や前柱と後柱間の固定のスクリュー (LC2 screw) を刺入する際に必要な透視像である.

2) 骨盤後方創外固定法 (図 16-1-23)

骨盤後方で経皮的にピンを刺入して圧迫固定する pelvic C-clamp などの後方創外固定は, 出血性ショックを伴う Type C の重症例に対する止血のための緊急固定法であり, 固定力が不十分なことと感染を合併しやすいので, 回復期の継続的固定法としての適応はない.

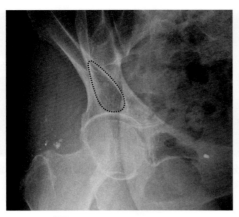

図 16-1-22　teepee view

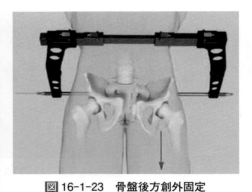

図 16-1-23　骨盤後方創外固定（pelvic C-clamp）
（Synthes社カタログより）

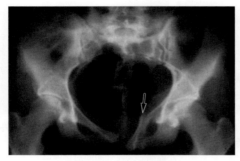

図 16-1-24　tilt 骨折
骨折した恥骨結節を含む恥骨上枝が前方へ回旋転位している.

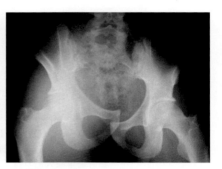

図 16-1-25　locked symphysis

附-6　恥骨・坐骨骨折の保存療法

　　　　　骨盤後方の破綻がない恥骨骨折や坐骨骨折は手術適応がなく，床上安静と疼痛の許す範囲での歩行を許可する．通常2〜3週の床上安静を要する．経過中，転位が起こらないことを単純X線写真で確認する．
　　　　　恥骨上枝が骨折して前方へ回旋する"tilt 骨折"は，恥丘や腟の痛みを生じ性交障害をきたすので，手術的整復固定が必要である（図 16-1-24）．また側方からの圧迫により寛骨が内旋し恥骨結合が重複する"locked symphysis"は，徒手整復が難しく手術的整復を必要とする（図 16-1-25）．

3）回復期

　　　　　骨盤骨折後の疼痛と機能障害は遺残変形（特に後方部）と強く相関する．そのため早期の整復と固定が望ましい．

a）前後方向の圧迫による骨折

　　　　　恥骨結合離開を伴ういわゆる open book type（Type B1）は，通常後方部の損傷は少なく安定しており，転位の少ないもの（APC-I）は保存的に固定バンドを用いて疼痛の許す範囲で荷重歩行を行う．恥骨結合の離開が大きい場合（2.5 cm 以上，APC-II）

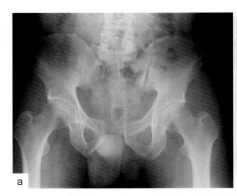
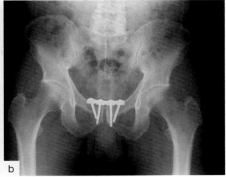

図16-1-26 AO/OTA分類B1に対する恥骨結合のプレート固定
　a. 骨盤単純X線写真正面像．恥骨結合，左仙腸関節が離開している．
　b. 術後．恥骨結合上面にプレートを当てて固定した．

は創外固定または恥骨結合のプレート固定を行う．恥骨のプレート固定は恥骨結合よりやや頭側の横切開 Pfannenstiel で展開する．白線 linea alba を縦切開して左右の腹直筋を分けて前方へ挙上し，プレートは恥骨の上面に当てる．腹直筋の恥骨への付着部は恥骨結節前方にあり，プレートをその後方に当てると，腹直筋を切離する必要はない．プレートは AO pelvic plate を用いる．この骨折は前方部の固定のみで十分な安定性が得られるので，術後は患者の疼痛の許す範囲で起坐，歩行を行う（図16-1-26）．恥骨結合には可動性があるため，恥骨結合を固定したプレートはスクリューの緩みやプレートの折損を生じる場合があり，症状があれば抜去が必要である．単純X線写真による恥骨結合離開の評価は骨盤輪の不安定性の評価としては十分ではなく，手術適応の判断は全身状態が安定したのち外旋方向へのストレス撮影を行って判断することが望ましい．前後方向の圧迫による骨折でも Young-Burges 分類 APC-Ⅲ では後仙腸靱帯まで断裂し，垂直不安定性も伴っており後方内固定が必要である．

b) 側方からの圧迫による骨折

Type B2（LC-Ⅰ）は寛骨が内旋し骨盤後方部が嵌入して安定している．通常，後仙腸靱帯は損傷されず垂直方向には安定しており，特に固定を必要とせずにベッド上安静をとるだけでよい場合が多い．しかし crescent 骨折（側方からの外力が大きく働くと腸骨が後方仙腸関節部で骨折し腸骨前方部は内旋する．仙骨に連なる腸骨後方部の骨片は三ケ月状となるため，crescent 骨折と呼ばれる．図16-1-29）による不安定性や高度な転位により下肢の短縮や回旋変形を伴う場合には，腸骨稜に外旋する力を加えるとともにあぐらをかくようにして股関節を外転・外旋して徒手整復を行う．整復の保持には一時的創外固定を行い，後に内固定を行う．

c) 垂直剪断骨折（Type C, VS）

骨盤に安定性を与えている後方部分が破綻した場合には，回旋とともに垂直不安定性を伴う．これは垂直剪断骨折（Type C, VS）のみならず，APC-Ⅲ や LC-Ⅱ，Ⅲ でも同様である．これらの骨折は保存療法では変形治癒をきたしやすく，疼痛，脚長差，回旋変形による歩容異常，坐位姿勢異常 sitting imbalance を後遺することが多い．骨盤輪の後方が破綻している場合は，前方でいかなる固定を行っても，骨盤輪の十分な安

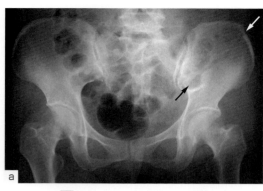 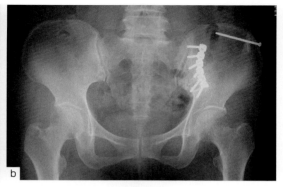

図 16-1-27　AO/OTA 分類 C1.1，Young-Burgess 分類 VS に対するプレート固定
　a. 骨盤単純X線写真正面像．左大坐骨切痕から腸骨稜にいたる骨折を認める．
　b. 術後．弓状線に沿うプレートと腸骨のラグスクリューによる固定

定性を獲得することはできず，後方部の内固定が必要である．後方の損傷部位（腸骨骨折，仙腸関節脱臼，仙骨骨折）に応じて内固定法を選択する．腸骨骨折はプレート固定が，仙腸関節脱臼は腸骨外側から仙骨にスクリューを刺入する iliosacral screw または前方プレート固定が，仙骨骨折は iliosacral screw や sacral bar あるいは後方のプレート固定が用いられる．さらに必要に応じて前方部の固定を行い，骨盤輪の安定性を獲得する．以下に後方部の損傷に対する内固定法とその適応を述べる．

① 腸骨骨折に対するプレート固定

　　垂直剪断骨折に伴う腸骨骨折は多くの場合，骨折線は坐骨切痕から腸骨稜に向かって走行しており，腸骨稜に沿う皮切により腸骨より腸骨筋と腹筋群を一塊として剥離し，骨盤内からプレート固定を行う．プレートは腸骨稜または弓状線部の bone stock のしっかりした部位に設置する（図 16-1-27）．腸骨翼中央部は薄くプレート固定に適さない．骨折線が一部仙腸関節を含み，近位は腸骨稜後方に走行する骨折 crescent fracture は，主に外側からの圧迫により生じる（LC-Ⅱ，Ⅲ）．一般には後方進入法により腸骨外側からプレートとラグスクリューによる固定が行われるが，前方から仙腸関節プレートを用いて固定すると軟部組織の侵襲が少なく，強固な固定が得られる．

② 仙腸関節脱臼，片側仙骨骨折に対するスクリュー固定：iliosacral screw fixation

　　適応は仙腸関節脱臼，転位の少ない片側仙骨骨折である．腸骨外板より第1，2仙椎椎体に向けスクリューを刺入して固定する方法で，通常は経皮的に行われる．体位は腹臥位，仰臥位のいずれでも可能である．患側下肢に強力な牽引を行って整復する．術中骨盤正面，inlet，outlet および側面の X 線透視下に手術を行う．ランドマークとなる仙骨孔，仙骨翼，脊柱管を透視下によく確認できることが不可欠であり，腸管のガス像が多く，これらのランドマークが不明な場合には手術は行えない．固定には中空スクリュー cannulated screw を用い，側面像で仙骨翼，脊柱管，第1仙骨孔を確認し，第1仙椎椎体へガイドピンを刺入する．ガイドピンをある程度進めたところで，正面，inlet，outlet 像でピンの位置を確認し，さらに椎体中央までガイドピンを進めたあとスクリューを刺入する（図 16-1-28）．

　　体格の大きい患者は第1仙椎に2本あるいは第1，2仙椎に各1本ずつスクリュー

1 骨盤骨折　921

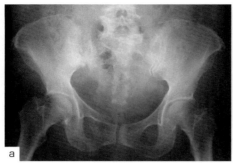
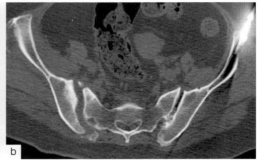
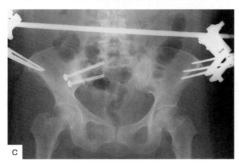

図 16-1-28　AO/OTA 分類 C1.2, Young-Burgess 分類 VS に対する iliosacral screw 固定
a. 骨盤単純X線写真正面像．右仙腸関節脱臼
b. CT．右仙腸関節が離開している．
c. iliosacral screw 2 本と前方創外固定を併用した固定

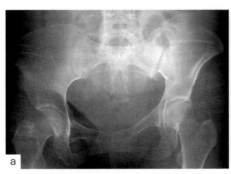
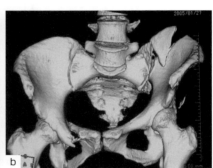
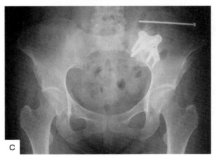

図 16-1-29　AO/OTA 分類 B2, Young-Burgess 分類 LC-3（crescent fracture）に対する仙腸関節前方プレート固定
a. 骨盤単純X線写真正面像．左仙腸関節脱臼骨折に右恥骨上下枝骨折を合併している．
b. 三次元 CT
c. 術後．仙腸関節プレートによる固定と腸骨のラグスクリュー固定

を入れることが可能であるが，通常は第 1 仙椎にスクリューを 1 本刺入して固定する．この方法は仰臥位で経皮的に行えば低侵襲で固定できるので，多発外傷や胸腹部損傷を合併している場合に有用な方法である．ただし，スクリューの刺入できる安全領域が狭いので，良好な整復が得られていること，透視下にランドマークが確認できることが不可欠である．

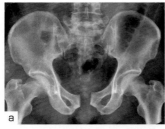
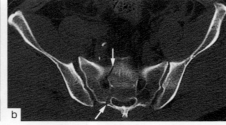
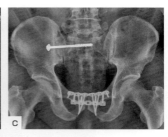

図 16-1-30　AO/OTA 分類 B1．Young-Burgess 分類 APC-Ⅱ に対する iliosacral screw と恥骨結合プレート固定
　　a．骨盤単純 X 線写真正面像．恥骨結合離開・右仙腸関節離開を認める．仙骨骨折は不明瞭
　　b．CT．仙骨右側 Denis zone 2 に骨折を認める（矢印）．
　　c．術後．iliosacral screw と恥骨結合プレート固定の併用

③ 仙腸関節脱臼に対する前方固定（図 16-1-29）

　　仙腸関節脱臼および前述した crescent fracture が適応となる．手術は仰臥位で患側下肢は消毒したストッキネットでおおい，術中自由に動かせるようにしておく．術中，股関節は屈曲位として腸腰筋の緊張をとる．腸骨稜に沿う皮切を用いて腸骨内板より腸骨筋を骨膜下に剥離して腸骨窩を展開し，仙腸関節前方に達する．仙腸関節前方，内側には第 5 腰神経があり，また総腸骨動脈が内・外腸骨動脈に分岐している．これらを損傷しないため剥離は必ず骨膜下に行う．仙骨翼の剥離は第 5 腰神経の損傷を避けるために，仙腸関節の内側約 1 横指までにとどめる．整復は腸骨稜および仙腸関節の腸骨側に刺入した Schanz ピンを用いて腸骨を操作し，さらに仙腸関節の仙骨側と腸骨側にスクリューを刺入し，スクリューヘッドを骨鉗子で把持して整復する．下肢直達牽引を併用することも有用である．固定には仙腸関節プレートを用いる．関節の骨性癒合を得るために，関節軟骨を切除し，関節裂隙に腸骨内板より骨移植を行う．仙骨側のスクリューは仙骨孔への誤刺入を避けるため X 線透視下に刺入する．固定後は吸引ドレーンを留置し，腸骨筋を腸骨稜に縫合して創を閉鎖する．仰臥位で手術が行えるため，多発骨折例にも有利である．さらに直視下に仙腸関節の整復が行えること，骨盤前方の固定が同時に可能なことが利点である．後療法は術後 2 週で部分荷重，6 週で全荷重を行う．

④ 仙骨骨折に対するスクリュー固定：iliosacral screw（図 16-1-30）

　　片側仙骨骨折に適応がある．両側骨折例では十分な固定が得られない．方法は仙腸関節スクリュー固定に準じる．

⑤ 仙骨骨折に対する後方プレート固定（図 16-1-31）

　　仙骨骨折に適応がある．腹臥位で上後腸骨棘外側約 2 横指に両側縦切開を加え，進入する．皮下で仙棘筋を剥離して左右の間をトンネルでつなぐ．整復は上後腸骨棘に刺入した Schanz ピンを用い，ポイント付き骨鉗子を腸骨稜後部と棘突起にかけて行う．固定に用いるプレートは AO pelvic plate を M 字状に形成して用いるか，専用プレート（M plate）を使用して両側腸骨後方を橋渡しして固定する．その際，仙骨棘突起を切離する必要がある．骨盤輪骨折では後方部の損傷が強く，皮膚が皮下で剥離して血行が不良になっている場合がある（Morel-Lavallee lesion）．その際には後方の大

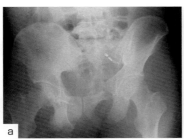
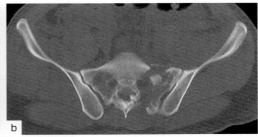
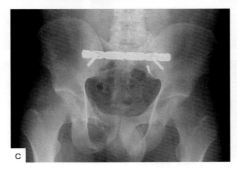

図16-1-31 AO/OTA分類 C1.3, Young-Burgess分類 VS に対する仙骨骨折後方プレート固定
a. 骨盤単純X線写真正面像．左仙骨骨折に左恥骨・上下枝骨折を合併している．
b. CT．仙骨左側の骨折が明らかである．
c. 術後．仙骨後方プレート固定（M plate）．前方創外固定を3週間併用した．

きい切開は皮膚壊死をきたす恐れがあるのでこの方法は選択できない．

⑥ 仙骨H字状，u字状骨折に対する instrumentation を用いた固定（図16-1-32）

仙骨H字状もしくはU字状骨折（spino-pelvic dissociation）に対して下位腰椎および第1仙椎もしくは腸骨後方に pedicle screw を刺入し，これをロッドで連結して固定する．特に仙骨両側骨折あるいは suicidal jumper's fracture といわれる仙骨のH字状骨折が適応である．

f 治療を左右する因子

骨盤骨折は転位が少ない場合には予後は良好である．しかし後方の不安定性を伴い転位の大きい場合は，保存療法では疼痛，変形の残存による下肢短縮，回旋変形，坐位での姿勢異常，性交障害など遺残障害が少なくない．現在は手術的整復・固定により多くの例で解剖学的整復が得られるようになった．しかし骨盤骨折は多発外傷に伴うことが多く，合併損傷や手術部位の軟部組織の状態不良などのため適切な時期に手術を行えず，不本意な結果となることもある．また解剖学的整復が得られたからといって合併する神経損傷による疼痛，泌尿・生殖器系損傷，消化管損傷による後遺症により，臨床成績は必ずしも良好でない場合も少なくない．

附-7 スポーツ損傷 sports injury と裂離骨折 avulsion fracture

筋腱付着部には骨化の独立中心部のない骨端 apophysis が存在し，成長期には成長軟骨板がある．特に骨盤部の成長軟骨は他の長管骨に比較して高年齢まで残存するため，力学的に弱く筋肉の急激な収縮や持続的牽引力により裂離骨折を起こしやすい．発生部位と付着する筋肉は，腸骨稜（内・外腹斜筋），上前腸骨棘（縫工筋，大腿筋膜張筋），下前腸骨棘（大腿直筋直頭），坐骨結節（半膜様筋，半腱様筋，大腿二頭筋および

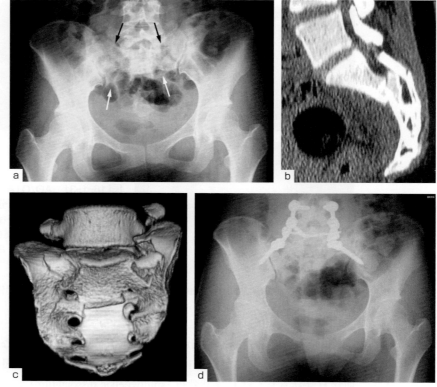

図 16-1-32　仙骨 H 字状骨折（spino-pelvic dissociation）に対する spinal instrumentation を用いた固定

a. 骨盤単純X線写真正面像．正面像では不明瞭ではあるが仙骨両側が骨折している（矢印）．
b. CT の MPR 像．第 2 仙骨レベルで骨折している．
c. 三次元 CT．H 字状骨折が明らかである．
d. 術後．spinal instrumentation を用い，両側腸骨に刺入した pedicle screw と腰椎を連結して固定

大内転筋），小転子（腸腰筋）である（**図 16-1-33**）．発生は 14〜16 歳の男子に多い．部位としては上前腸骨棘，下前腸骨棘，坐骨結節に多く発生する．診断は単純 X 線写真で行えるが，腸骨稜，上前腸骨棘，下前腸骨棘では正面像よりも健側 45°前斜位像（腸骨斜位）のほうが骨片をよく描出する．治療はほとんどの場合，保存療法が適応となる．多くの例で受傷前の競技レベルへの復帰が可能である．

1) 上前腸骨棘裂離骨折

ジャンプやランニングの際に股関節伸展，膝屈曲位で縫工筋が収縮することにより発生する．症状は急な鼠径部の痛みで発症し，股関節の屈曲，外転運動で疼痛が増強する．治療は股関節屈曲位での安静臥床を行い，疼痛の軽減とともに松葉杖部分荷重歩行を開始し，徐々に可動域訓練を行う．3〜4 週で日常生活に復帰できる．単純 X 線写真上仮骨形成を認めたら抵抗運動を行い，4〜6 週でジョギングを許可し，2〜3 ヵ月で競技に復帰させる．転位が大きい場合や早期のスポーツや学業復帰を望む場合には手術的整復・内固定を行う場合もあるが，保存療法に勝るとはいえない．

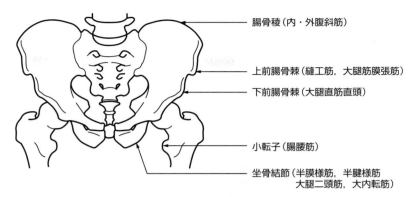

図 16-1-33 骨盤・股関節部の裂離骨折を起こしやすい apophysis と付着する筋肉

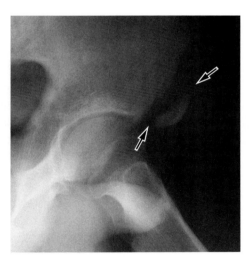

図 16-1-34 左下前腸骨棘裂離骨折（15歳，男子）
腸骨 45°斜位撮影．サッカーボールを強く蹴って発症（矢印）

2) 下前腸骨棘裂離骨折（図 16-1-34）

サッカーやラグビーなどボールを蹴る動作による大腿直筋の急激な筋収縮により発生する．大腿直筋は direct head が下前腸骨棘に，reflected head が関節包前上方に起始を持つため転位は少ない．症状は急激な鼠径部痛で股関節の自動屈曲で痛みが増強する．治療は上前腸骨棘裂離骨折と同様である．

3) 坐骨結節部裂離骨折

股関節屈曲位，膝伸展位でハムストリングスまたは大内転筋の急激な収縮または繰り返す収縮により生じ，体操，陸上競技（特にハードル）で発生しやすい．症状は急激な殿部痛で発症し，坐骨結節部に圧痛がある．また疼痛のため坐位がとれない．時間が経過し単純X線写真上旺盛な仮骨形成の見られるものは，悪性骨腫瘍との鑑別が必要である．治療は股関節伸展外旋位での床上安静のあと松葉杖歩行を5〜6週行う．

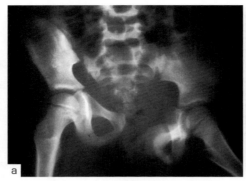
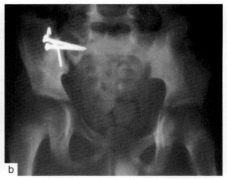

図 16-1-35　小児骨盤骨折（5歳，男児．車にひかれ受傷）
a. 骨盤単純X線写真正面像．恥骨結合が離開・転位し右仙腸関節が脱臼している．
b. 術後．後方アプローチにより整復固定した．

（Michel Oransky 先生（イタリア） 症例）

附-8　小児骨盤骨折　（図 16-1-35）

　小児の骨盤骨折の頻度は少ないが，成人同様，多発骨折の一部として発生し，死亡率，重症度（ISS），軟部組織の損傷に関しては成人と差がない．成人との違いは臼蓋のY軟骨 triradiate cartilage や腸骨稜などの成長軟骨があることである．また腸骨は特に骨が軟らかいため大きな力が加わっても骨折を起こさないことも少なくない．そのため単純X線写真所見で骨傷が認められなくとも重度の損傷を伴っている場合がある．診断では通常の単純X線写真に加えて CT が有用である．また軟骨の二次骨化を骨折と誤診しない注意が必要である．

　治療は年齢により異なり，思春期では成人に準じた治療が必要になる．幼児では多くは保存的に治療される．しかし骨盤輪の不安定型骨折は，以前は小児の自己矯正能力に期待して保存療法が行われたが，変形治癒による種々の障害を後遺するため手術的整復・内固定が行われるようになっている．内固定は小侵襲のスクリューまたはプレート固定を行う．また臼蓋のY軟骨の損傷は，臼蓋の変形をきたす可能性があり，手術により正確な整復を必要とする．

附-9　骨脆弱性骨盤骨折（fragility fracture, insufficiensy fracture of the pelvis）

　近年，高齢人口の増加とともに骨粗鬆症を基盤とした外傷を伴わない，もしくは低エネルギーによる脆弱性骨盤輪骨折が増加している．その特徴は骨粗鬆症を基盤として，主に転倒などによる低エネルギー損傷で発生する．症状は腰痛や仙腸関節部痛（下肢へ放散する痛み）であり，腰椎疾患と間違われることが少なくない．単純X線骨盤前後像では，骨盤後方部の損傷が見落とされることが少なくなく，診断には CT，MRI，骨シンチグラフィが非常に有用である（図 16-1-36）．高齢者で恥骨骨折のある場合には高頻度で仙骨骨折を伴う．骨脆弱性骨盤輪骨折は治療を行わないと骨折転位が進行することが少なくない．治療は多くの場合保存的に治療が可能である（図 16-1-36）．脆弱性骨折で早期に発見されたものでは，まず床上安静と疼痛に対する加療を行うとともに骨粗鬆症に対する治療を行う．骨粗鬆症の治療はビタミンDとビスフォスフォネート製剤を基本とするが，テリパラチドは早期の疼痛緩和，歩行能力の獲得が報告されている．受傷時から大きな転位のあるもの，保存療法を行っても疼痛が軽快しない場合，転位が増大する場合，偽関節となっている場合には内固定が行われる．手術適応の判断に

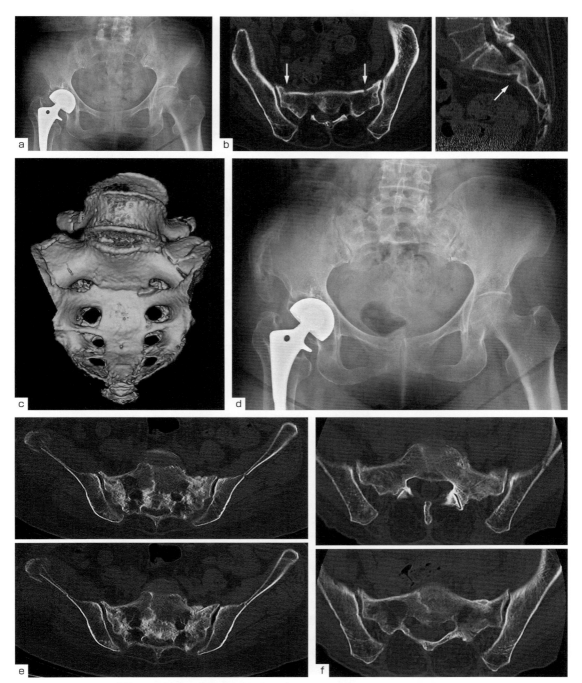

図 16-1-36　骨脆弱性骨盤骨折（86 歳，女性），Rommens 分類 IVb
a. 骨盤正面像．骨折は不明瞭
b. CT．仙骨翼両側に骨折を認める（矢印）．
c. 三次元 CT．U 字状骨折が明らか．
d. 受傷後 1 年．テリパラチドによる治療を行い，仙骨の骨癒合が得られた．右腸骨翼を骨折したが治癒している．
e. 受傷後 1 年 CT．仙骨の骨癒合が明らか．
f. 受傷後 5 年 CT．骨梁構造も回復している．

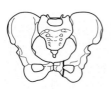
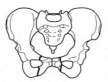
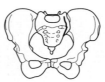
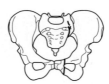
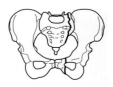

Ⅰa
前方片側の骨折

Ⅰb
前方両側の骨折

Ⅱa
転位のない仙骨片側の骨折

Ⅱb
転位のない仙骨翼片側圧迫骨折に恥骨上下枝の骨折を伴う

Ⅱc
転位のない仙骨翼片側骨折もしくは仙腸関節骨折あるいは腸骨骨折に恥骨上下枝の骨折を伴う

Ⅲa
側方からの圧迫により腸骨後方の転位のある骨折と恥骨上下枝の骨折を伴う

Ⅲb
仙腸関節損傷と恥骨上下枝の骨折を伴う

Ⅲc
仙骨片側の破綻と恥骨上下枝の骨折を伴う

Ⅳa
転位のある両側腸骨骨折もしくは仙腸関節骨折

Ⅳb
両側仙骨完全骨折

Ⅳc
両側後方破綻の組み合わせ

図 16-1-37　骨脆弱性骨盤骨折 Rommens 分類

(Rommens PL et al：Injury Int J Care Injured 44：1733-1744, 2013 より)

はRommens分類が有用である（図 16-1-37）．固定には腸骨骨折にはプレート，仙骨骨折には trans-iliac-trans-sacral bar（もしくはスクリュー固定）が主に使用される．恥骨骨折には逆行性スクリュー固定もしくはプレート固定が行われる（図 16-1-38）．

附-10　妊婦の骨盤骨折での問題点

　妊娠中の交通事故などによる骨盤骨折は，母体や胎児の生命に危険が及ぶことが少なくなく，妊婦の死亡率は10％で妊娠第3期でのリスクが高い．胎児の死亡率は胎盤早期剥離などのため妊婦よりさらに高く，重度外傷では50〜65％にもなる．また胎児が助かっても早産，低体重出産，脳性麻痺，発育障害のリスクが高くなる．予防として最も効果があるのは正しい位置でのシートベルト装着である．妊娠可能な女性の骨盤骨折では，尿検査による妊娠チェックが必要である．治療には婦人科，周産期医療の専門家の協力が不可欠である．超音波検査は胎児，胎盤の評価に有用である．単純X線撮影は通常の骨盤正面，inlet, outlet 撮影の被曝線量は少ないが，CTは被曝線量が多いので，関心領域を狭めるかスライス幅を大きくし被曝線量の減少に努める．母体とともに胎児の状態のモニタリングが不可欠である．治療は母体の救急蘇生を優先する．それにより胎児の救命率も上がる．救急時の固定は通常の骨盤輪骨折と同様である．しかし妊婦では肥大した子宮が下大静脈を圧迫し，心臓への血液灌流を障害し心拍量を減少させるので，左下側臥位（不可能ならば骨盤右側を15°ほど挙上）として，子宮を左側に寄せ下大静脈の圧迫を減らす．妊娠第3期で胎児が生きており，子宮破裂や胎盤剥離により出血のコントロールができない場合は，緊急帝王切開と必要により子宮全摘を行う．それ以外の場合では全身状態が安定した後の治療は通常の骨盤骨折に準じるが，安全に分娩可能となる少なくとも妊娠28週（できれば34週）まで内固定を行わず創外固定で対処することが必要な場合もある．しかし長期臥床によるリスクや手術時期遅延

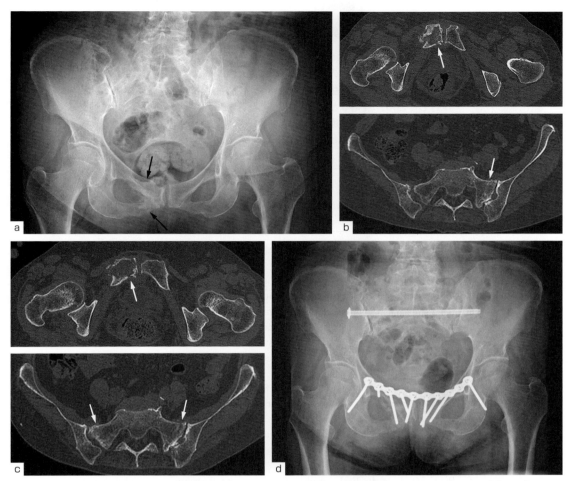

図 16-1-38 骨脆弱性骨盤骨折(74歳,女性.転倒受傷し,殿部痛がある.Rommens 分類 IIb)
a. 単純 X 線骨盤正面像.右恥骨骨折をみとめるが,仙骨の骨折は不明瞭である.
b. CT 像.右恥骨骨折をみとめ,画像からは時間の経過したものと思われる.左仙骨翼の骨折をみとめる.安静,テリパラチドを投与して経過を見た.
c. 4 週後.疼痛は軽快せず,左仙骨翼の骨折は明瞭になり,右仙骨翼の骨折もみとめる.右恥骨骨折部は透瞭化しており偽関節の状態である.Rommens 分類 IIIc に進行.
d. 内固定後.Trans-iliac-trans-sacral スクリュー固定と両側恥骨プレート固定を行った.疼痛は改善し,数日で歩行可能となった.

による整復不良のリスクに対する考慮も必要である.妊娠中は凝固能が亢進しているので血栓予防を行う.薬剤としてはヘパリン,低分子ヘパリンは胎盤関門を越えず胎児に移行しないので安全に使用できる.ワーファリンは,胎盤関門を越えて胎児に移行するので妊娠中は禁忌である.

附-11 **meralgia paresthetica（異常感覚性大腿痛症）**

別名 Bernhardt-Roth syndrome とも呼ばれる．種々の原因によって生じる外側大腿皮神経の障害で，その支配領域である大腿前外側部の感覚異常に灼熱性疼痛を伴うことが多い．筋力低下は生じない．外側大腿皮神経は前上腸骨棘内側で鼠径靱帯を貫いて走行しており，圧迫などにより発生することが多い．そのため外側大腿皮神経絞扼性障害とするものもある．原因としてはきつい衣服，肥満，妊娠，局所の外傷，手術による瘢痕，長時間の起立などにより生じる．治療は原因の除去と非ステロイド性抗炎症薬内服やステロイド局部注入で軽快する場合が多い．骨盤外傷では寛骨臼骨折に対する ilioinguinal approach で腸腰筋を内側に持続的に牽引すると外側大腿皮神経も牽引されて生じることがある．

参考文献

1) Amorosa LF et al：Management of pelvic injuries in pregnancy. Orthop Clin North **44-A**：301-315, 2013.
2) Ertel W et al：Control of severe hemorrhage using C-clamp and pelvic packing in multiply injured patients with pelvic ring disruption. J Orthop Trauma **15**：468-474, 2001.
3) Ganz R et al：The antishock pelvic clamp. Clin Orthop **267**：71-78, 1991.
4) Klinich KD et al：Fetal outcome in motor-vehicle crashes；effects of crash characteristics and maternal restraint. Am J Obstet Gynecol **198**：450.e1-9, 2008.
5) Pennal GF et al：Pelvic disruption；assessment and classification. Clin Orthop **151**：12-21, 1980.
6) Peichl P et al：Parathyroid hormone 1-84 accelerates fracture-healing in pubic bones of elderly osteoporotic women. J Bone Joint Surg **93-A**：1583-1587, 2011.
7) Rommens PM et al：Comprehensive classification of fragility fractures of the pelvic ring：Recommendations for surgical treatment. Injury Int J Care Injured **44**：1733-1744, 2013.
8) Rommens PM et al：When and How to Operate Fragility Fractures of the Pelvis？ Indian J Orthop **53**：128-137, 2019.
9) Routt ML Jr et al：Early results of percutaneous iliosacral screws placed with the patient in the spine position. J Orthop Trauma **9**：207-214, 1995.
10) Sagi HC：Pelvic ring fractures. 7th ed, Bucholz RW et al. pp.1415-1462, Lippincott Williams & Wilkins, 2010.
11) 澤口　毅：仙腸関節脱臼の手術的治療．別冊整形外科 **23**：128-135, 1993.
12) 澤口　毅：仙腸関節部損傷と固定術．関節外科 **18**：54-61, 1999.
13) Sullivan MP et al：Geriatric fractures about the hip：divergent patterns in the proximal femur, acetabulum, and pelvis. Orthopedics **37**：1517, 2014.
14) Tile M：Fractures of the pelvis and acetabulum. pp.10-21, pp.70-96, Williams & Wilkins, 1984.
15) Tile M：Pelvis. Manual of internal fixation. 3rd ed, Müller ME et al. pp.485-500, Springer-Verlag, 1991.
16) Tile M：Pelvic ring fractures：Should they be fixed？ J Bone Joint Surg **70-B**：1-12, 1988.
17) Yoo JI et al：Teriparatide treatment in elderly patients with sacral insufficiency fracture. J Clin Endocrinol Metab **102**：560-565, 2017.
18) 弓指恵一ら：骨盤骨折手術における単純 X 線透視像での最適な Teepee view の抽出法．臨整外 **56**：1181-1184, 2021.

2 寛骨臼骨折 fracture of the acetabulum

寛骨臼骨折は荷重関節である股関節内骨折であり，多くは交通事故，高所よりの転落などによる高エネルギー損傷として生じる．多発外傷に伴うことが多い．大腿骨頭骨折を伴うこともある．その発生頻度は少ない．また近年は骨粗鬆症を伴う高齢者の転倒により生じる例が増加している．関節面（特に荷重部）の転位が残存すると変形性関節症をきたしやすく予後不良である．これを防止し良好な股関節機能を獲得するためには，荷重関節面の解剖学的な整復が不可欠である．また大腿骨頭壊死は予後を不良にする重大な合併症である．

a 解剖・機能解剖

股関節は大腿骨頭とそれを受ける寛骨臼からなる球関節 ball and socket joint で，骨性に安定している．寛骨臼は半球状で中央下方のくぼみである寛骨臼窩 acetabular fossa は脂肪組織と滑膜におおわれ，それを取り巻く月状面 lunate surface は関節軟骨におおわれる．寛骨臼の辺縁には線維軟骨性の関節唇が付着し関節窩を深くしている．寛骨臼下縁の寛骨臼切痕 acetabular notch には横靱帯が架橋し，関節窩と骨頭を結ぶ大腿骨頭靱帯（円靱帯）ligamentum teres への血管はこの横靱帯内側を通って関節内に入っている．腸骨大腿靱帯 iliofemoral ligament，坐骨大腿靱帯 ischiofemoral ligament，恥骨大腿靱帯 pubofemoral ligament よりなる靱帯性関節包は強靱で，臼蓋辺縁で関節唇のすぐ外方から起こり，前方では大転子基部から転子間線に付着し，後方では転子間稜のやや近位で頚部に付着する（図 16-2-1）．

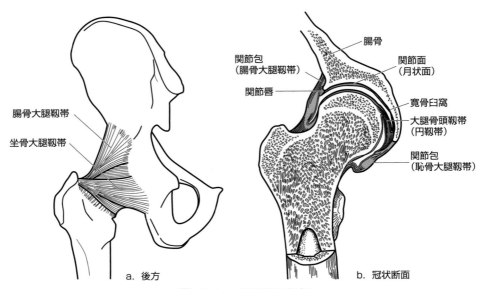

図 16-2-1　股関節の解剖

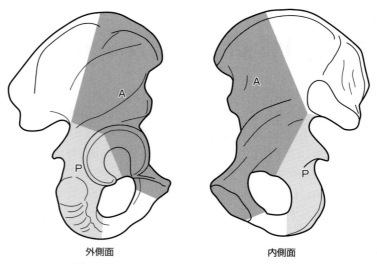

図 16-2-2　寛骨臼の前柱 (A) および後柱 (P)
(Judet R et al：Fractures of the acetabulum. Classification and surgical approaches for open reduction. J Bone Joint surg 46-A：1615-1646, 1964 より)

寛骨臼骨折は単に臼蓋関節面の骨折としてではなく，寛骨全体の骨折として理解することが診断，治療のうえでとくに重要である．この点から Judet & Letournel らは寛骨臼は腸骨稜前部から恥骨にいたる前柱 anterior column と，腸骨下部から坐骨にいたる後柱 posterior column により逆 Y 字状に取り囲まれて支持されており，これに前壁と後壁を加えたものを寛骨臼の構成要素とした．この概念は寛骨臼骨折を理解するうえで，また手術進入路の選択に非常に有用である（図 16-2-2）．

b 受傷機転

寛骨臼骨折は大転子部または膝部に加わった大きな外力が，大腿骨頸部または骨幹部から骨頭を介して寛骨臼に作用して生じる．その際に大腿骨の肢位，外力の加わる部位（大転子部，膝部）と方向によりさまざまな骨折型を生じる．大腿頸部から外力が加わった場合は股関節が外旋していれば前壁や前柱の骨折が，内旋していれば後壁や後柱の骨折を生じる（図 16-2-3）．骨幹部からの外力では股関節が屈曲していれば後方脱臼，後壁骨折またはその両者，外転していれば後柱や前柱の骨折を生じる．また外力が大きいほど骨折の転位や粉砕の程度が大きくなり，関節面の陥没を生じやすい．近年は骨粗鬆症のある高齢者で大きな外力を伴わなくても，転倒により寛骨臼骨折を生じることがある．その場合，前壁や前柱の骨折が多い．

c 分類

本骨折の分類法にはいろいろあるが，Letournel-Judet 分類が骨折状態を最も的確に表現している．

Letournel-Judet 分類は寛骨臼を構成する前柱，後柱，前壁，後壁の各々の骨折と横骨折の 5 型を基本骨折 elementary fracture とし，基本骨折の少なくとも 2 つ以上

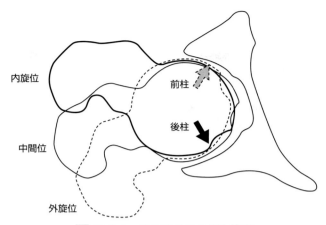

図 16-2-3　寛骨臼骨折の発生機序
骨折型は受傷時の骨頭の回旋位置の影響を受ける．頚部方向に力が加わった際には，股関節が外旋位であれば前壁や前柱の骨折が，内旋位であれば後壁や後柱の骨折を生じる．

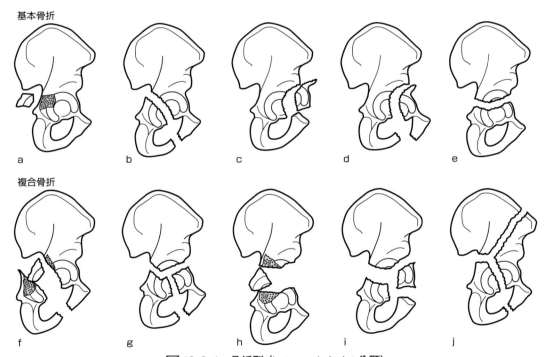

図 16-2-4　骨折型（Letournel-Judet 分類）
基本骨折：a. 後壁骨折，b. 後柱骨折，c. 前壁骨折，d. 前柱骨折，e. 横骨折
複合骨折：f. 後柱＋後壁骨折，g. T 字状骨折，h. 横骨折＋後壁骨折，i. 前方＋後方半横骨折，j. 両柱骨折
（澤口　毅：股関節脱臼骨折．水野耕作，糸満盛憲編．骨折治療学，227-238，南江堂，2000 より）

を重複する 5 つの骨折形態を複合骨折 associated fracture として合計 10 型に分類している（**図 16-2-4**）．複合骨折は後柱＋後壁骨折，横骨折に縦方向の骨折が合併した T 字状骨折，横骨折＋後壁骨折，前方＋後方半横骨折，両柱骨折に分類される．そのなかで両柱骨折は前柱，後柱がともに関節面を含み互いの連続性が断たれている骨折

934 各論 第16章 骨盤・股関節骨折

と定義される．両柱骨折はすべての関節面が腸骨後方部分との連続性を失っているのが特徴である．

附-12 股関節中心性脱臼 central dislocation of the hip joint

大腿骨頭が臼蓋底に強く衝突して臼蓋底が骨折し，骨頭とともに骨盤腔内に転位するものをいう．多くの場合自然に整復されるが，骨盤腔内に転位したままの状態をとる場合もある．必ず寛骨臼骨折を伴っているので，寛骨臼骨折の分類に従って治療法を選択する．

d 診　断

1）現 病 歴

受傷機転はきわめて重要で，病歴から高エネルギー損傷と判断できる場合が多い．また車の運転者か同乗者または歩行者であったか，高所からの転落かなどにより，肢位と外力の作用方向から骨折型を予測できることも少なくない．高齢者で転倒後に股関節痛を訴える場合には，大腿骨近位部骨折のみならず寛骨臼骨折の可能性も考えなくてはならない．

2）臨床所見

寛骨臼骨折は多発外傷に伴うことが多く，全身状態，合併損傷の有無および局所所見（特に創の有無）を評価する．通常，股関節部の強い疼痛を訴え，後方脱臼を伴う場合には下肢は短縮し，屈曲，内転，内旋位をとる．創傷の有無も重要で，術野になる場所に創傷がある場合は手術の時期を遅らせる必要がある．また閉鎖性軟部組織損傷である Morel-Lavellee lesion は閉鎖性の皮下のデグロービング（degloving）であり，大転子部に生じやすく血腫形成と脂肪壊死を伴い感染しやすい．そのためデブリドマンを行い，寛骨臼骨折の手術は待機が必要である．また四肢の骨折や血管・神経損傷の合併の有無の評価が必要である．後壁，後柱の骨折では坐骨神経損傷を伴うことが少なくなく，前壁，前柱骨折では大腿動・静脈の損傷を伴う場合がある．

3）画像診断

寛骨は立体的に複雑な形状をしているため，各種画像診断により骨折状態を正確に把握する必要がある．

a）単純 X 線写真（図 16-2-5）

① 前後像

① 前壁辺縁，② 後壁辺縁，③ 臼蓋荷重部，④ 涙痕（寛骨臼内壁），⑤ iliopectineal line（この断裂は前柱の骨折を示す），⑥ ilioischial line（この断裂は後柱の骨折を示す）を注意深く読影することにより骨折型をほぼ診断することができる．

② 斜位像

閉鎖孔斜位像 obturator oblique view は患側を撮影台より 45° 挙上して撮影し，① 閉鎖孔，② 前柱辺縁，③ 後壁辺縁，④ 関節面がよく描出される．腸骨斜位像 iliac oblique view は健側を撮影台より 45° 挙上して撮影し，① 腸骨翼，② 前壁辺縁，③ 後柱辺縁，④ 関節面がよく描出される．各画像における指標となる線をたどり，その不連続性により前・後壁と前・後柱の骨折を判断して骨折型を診断する．

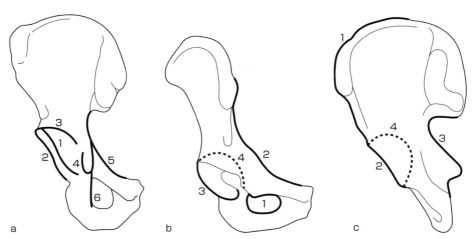

図 16-2-5　寛骨臼単純 X 線写真読影の指標
a. 前後像　1. 前壁辺縁，2. 後壁辺縁，3. 臼蓋荷重部，4. 涙痕（寛骨臼内壁），5. iliopectineal line，6. ilioischial line
b. obturator oblique view　1. 閉鎖孔，2. 前柱辺縁，3. 後壁辺縁，4. 関節面
c. iliac oblique view　1. 腸骨翼，2. 前壁辺縁，3. 後柱辺縁，4. 関節面

（Judet R et al：Fractures of the acetabulum. Classification and surgical approaches for open reduction. J Bone Joint surg 46-A：1615-1646, 1964 より）

附-13　spur sign

両柱骨折の obturator oblique view において，損傷されていない腸骨下端の外板が棘状に写るもので，両柱骨折に特徴的な所見である（図 16-2-6）．

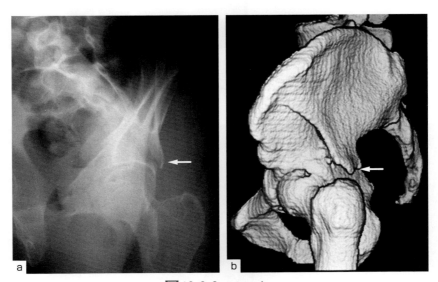

図 16-2-6　spur sign
両柱骨折の obturator oblique view において，損傷されていない腸骨下端の外板が棘状に写る（矢印）．両柱骨折に特徴的な所見である．
a. 単純 X 線写真斜位像
b. 三次元 CT

附-14 gull sign

臼蓋荷重部関節面の陥没骨折により，単純X線写真で荷重部の軟骨下骨がちょうどカモメが羽を広げて飛んでいるように見えるところから名づけられた（図16-2-7）．

b) 三次元CT

腸骨翼から仙骨レベル，臼蓋近位の前柱と後柱の接合部，臼蓋荷重部，股関節中央部，恥骨下枝，坐骨結節に及ぶまで前柱と後柱をそれぞれ連続的に追いかけて読影する．読影のポイントとしては，① 矢状面の骨折は横骨折成分を示している（図16-2-8a）．② 前額面の骨折は前柱と後柱の分離を示している（図16-2-8b）．③ 股関節高

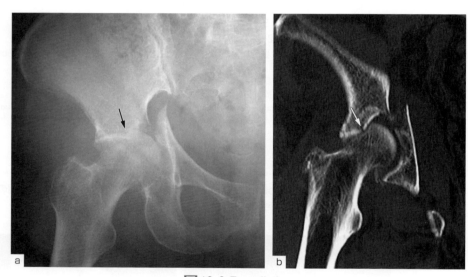

図 16-2-7 gull sign
臼蓋荷重部関節面の陥没骨折により，荷重部の軟骨下骨が，ちょうどカモメが羽を広げて飛んでいるように見える（a）．MPR画像ではgull signと大腿骨頭損傷はさらに明らかとなる（b）．

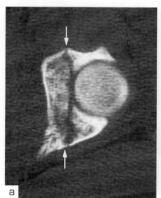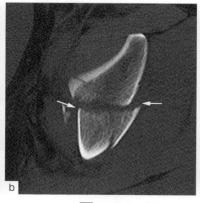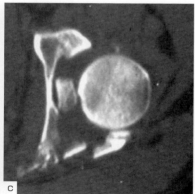

図 16-2-8 CT
a. 矢状面の骨折は横骨折成分を示す．
b. 前額面の骨折は前柱と後柱の分離を示す．
c. 関節内陥入骨片

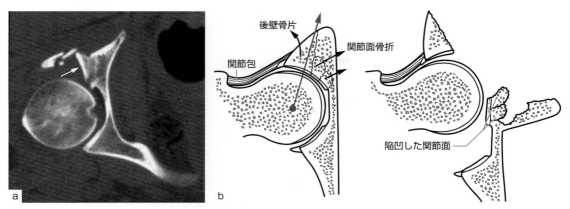

図 16-2-9　関節面陥没骨折 marginal impaction
a. marginal impaction（矢印）
b. 後方脱臼に伴う臼蓋関節面後方内側の陥没骨折発生機序

位では関節内骨片（図 16-2-8c），関節面の陥没骨折 marginal impaction，骨片の大きさと転位方向，大腿骨頭の転位をみる．関節面の陥没骨折は骨頭が後方へ脱臼する際，臼蓋関節面後方内側の陥没骨折（骨軟骨骨折）を生じるもので，関節面の不適合を生じ変形性関節症の原因となるため整復が必要である（図 16-2-9）．その頻度は 20〜40％と少なくない．この診断は CT 以外では不可能である．また axial CT を再構築した multiplaner reconstruction（MPR）による断層像は関節内骨片，関節面の陥没骨折（gull sign），骨頭損傷の診断に有用である（図 16-2-7b）．

　三次元 CT は骨折状態を明瞭に描出して骨折型を正確に把握でき，術前計画には不可欠である．また画像を部分的に消去できるので，片側損傷の場合には対側の重なりを避けるため，大腿骨頭を取り除いて骨盤片側のみを出力するとよい（図 16-2-10）．

　現在は三次元 CT で骨折の立体的で鮮明な画像が得られるので，単純 X 線写真や axial CT の読影が軽視されやすいが，三次元 CT はあくまで骨表面の形状を描出するのみであり，関節面の陥没などを見落としやすい．また術中に整復状態，スクリューの位置を確認できるのは，X 線透視のみであるので，股関節正面像，両斜位像の読影に精通しておくことが不可欠である．

c）透視下ストレス撮影

　単純X線写真や CT で転位の少ない骨折でも不安定な場合があり，透視下ストレス撮影は不安定性を評価し，内固定すべき症例を見いだすのに有用である．

e 治　　療

1）保存療法

　転位のない骨折は介達牽引を約 2 週行い，牽引中も股関節の運動を行う．4 週目より徐々に荷重歩行を行う．

　転位のある骨折でも荷重関節面と骨頭との位置関係が良好であれば保存療法を選択できる場合もある．その目安として Matta らは"roof arc measurement"を提唱した．これによると牽引を行わない状態の股関節単純 X 線写真正面像と両斜位像で骨頭中

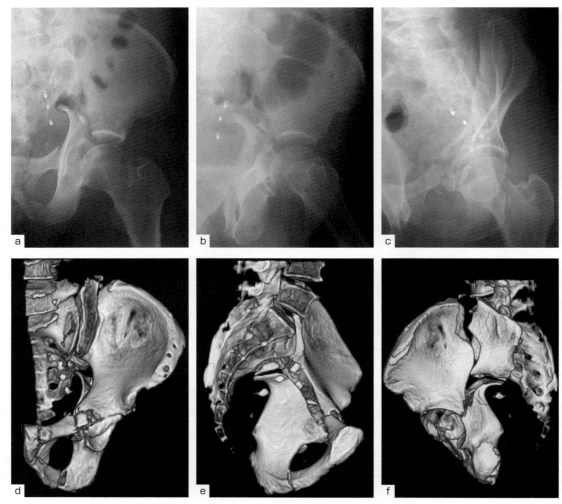

図 16-2-10　左両柱骨折（65 歳，男性）
a. 単純 X 線写真前後像
b. iliac oblique view
c. obturator oblique view
d〜f. 三次元 CT

心を通る垂線と骨頭中心と荷重関節面の骨折線を結ぶ線のなす角度がいずれも 45°以上であれば，臼蓋荷重部に対して骨頭は安定し適合性を保てるため保存療法を考慮してもよいとしている（図 16-2-11）．その後，Vrahas らは正面像で 45°以上，閉鎖孔斜位で 25°以上，腸骨斜位で 70°以上であれば保存療法を勧めている．この評価は後壁骨折や両柱骨折には当てはまらない．転位のある寛骨臼骨折で保存療法の適応となるのは，主に低位の前柱骨折，横骨折，T 字状骨折である．転位のある骨折に対し保存療法を行う場合は大腿骨遠位部または脛骨近位部で約 3〜4 週の下肢直達牽引後，徐々に股関節の可動域訓練と部分荷重歩行を許可し，受傷後約 3 ヵ月で全荷重とする（図 16-2-12）．大転子部での側方直達牽引は，手術を選択する可能性がある場合には感染の危険性が高くなるので勧められない．

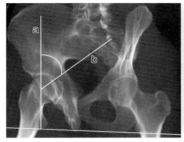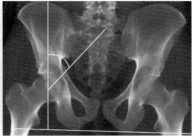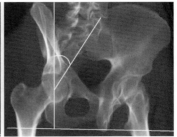

図 16-2-11　roof arc measurement

骨頭中心を通る垂線（a）と骨頭中心と荷重関節面の骨折線を結ぶ線（b）のなす角度．いずれも45°以上であれば，臼蓋荷重部に対して骨頭は安定し適合性を保てる．

（Matta JM：J Bone Joint Surg 78-A：1632-1645, 1996 より）

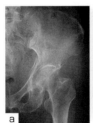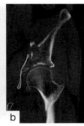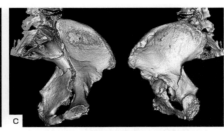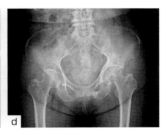

図 16-2-12　寛骨臼骨折保存治療例
a. 77歳，女性転倒受傷．受傷前独歩．前方＋後方半横骨折
b. CT 冠状断 MPR 像．臼蓋荷重部と骨頭の良好な関係が保たれている．
c. 3D-CT．前方＋後方半横骨折が明らかである．
d. 保存療法後1年．独歩で疼痛なく，変形性関節症も生じていない．

2）手術療法

寛骨臼骨折は荷重関節内骨折であり，関節面（特に荷重部）の転位が残存すると二次性変形性関節症を生じる．荷重関節面の整復が得られない場合には，手術的に関節面の解剖学的整復と強固な内固定を行い，早期関節運動を可能にしなければならない．

a）適　応

基本的には股関節の不安定性や不適合性があるものは手術的整復・内固定の適応である．すなわち徒手整復不能な脱臼骨折，荷重関節面の転位（2 mm 以上）がある場合，大きい後壁骨片のため関節不安定性がある場合，関節内骨片の存在などである．また坐骨神経麻痺を合併する場合には神経損傷の程度の確認と圧迫因子の除去のため，さらに同側大腿骨骨折や膝関節部の骨折，靱帯損傷などを合併する場合には，股関節の安定性を得るために手術適応となる．後壁骨折は後壁骨片の幅が関節面の50％を超える場合は手術の絶対適応である．後壁骨片の幅がそれ以下でも関節包の損傷のため不安定性がある場合は手術適応である．

手術時期は，徒手整復不能な脱臼骨折は骨頭血流を温存するために緊急に整復する必要がある．それ以外では全身状態が安定し，内部の出血が止まった受傷後数日から1週以内が望ましい．受傷3週以後は仮骨形成が起こり，整復が難しくなる．

940 各 論 第 16 章 骨盤・股関節骨折

b) 禁　忌

　　全身状態が安定しない場合，術野になる部位に創傷がある場合には手術を延期する必要がある．骨粗鬆症が高度な場合や骨折の粉砕が高度の場合には手術的整復が困難な場合もある．単純な骨折を除いて寛骨臼骨折の手術は決して容易ではないので，術者の技術と経験も適応を決めるうえで重要な要素である．手術を行って整復が得られない場合は，軟部組織の損傷を与えるだけでその結果は保存療法よりも劣ることを銘記すべきである．

c) 術前準備

　　手術は画像診断により骨折の正確な評価を行い，手術進入路，整復順序，内固定部位について術前計画を立てておくことが重要である．また手術に必要な特殊整復鉗子，内固定材料，回収血輸血装置，十分量の輸血などを準備する．深部静脈血栓を合併していることも少なくないので，術前に超音波，静脈造影 CT，MRI 静脈造影などでスクリーニングを行っておくことも必要である．

d) 手術進入法

　　手術進入法は単独ですべての骨折型に対応できるものはない．骨折型および転位の程度により手術進入法を選択しなければならない．また各手術進入法には展開可能な範囲と限界があることを理解して，骨折部の整復・固定操作が十分可能な展開を得る必要がある（図 16-2-13）．過去に前柱と後柱を同時に展開する種々の拡大進入法が試みられたが，出血が多く，感染，異所性骨化，神経麻痺，筋力低下，関節拘縮などの合併症が少なくないため，現在では特殊な例や陳旧例を除いてあまり用いられなくなっている．寛骨臼骨折の手術展開で重要なことは，必ず骨片に付着する内側もしくは外側の一方の軟部組織を温存することである．寛骨は本来，血行の豊富な骨であるが，骨折による損傷に加え手術で軟部組織を全部剥離された骨片は，血行障害により壊死や感染をきたしやすいので注意が必要である．

① 後方進入法　Kocher–Langenbeck approach（図 16-2-14）

　　坐骨切痕から坐骨基部にいたる後壁と後柱の展開が可能で侵襲が少ない．後壁骨折，後柱骨折，後壁＋後柱骨折，横骨折，横骨折＋後壁骨折，T 字状骨折が適応となる．側臥位または腹臥位で行う．後柱の整復に関しては腹臥位のほうが大腿の重さが外側への牽引力として作用するので整復が得やすい．大転子頂点と上後腸骨棘を結ぶ線の近位 2/3 より大転子を通り大腿骨軸方向へ皮切を加え，腸脛靱帯を縦切し大殿筋を鈍的に分けて展開する．短外旋筋は内側大腿回旋動脈を損傷しないように大転子より 1.5 cm 近位で切離して反転する．大殿筋の大腿骨付着部の近位を一部切離すると広い視野が得られる．術中は常に膝関節を屈曲して坐骨神経の緊張を避け損傷を予防する．寛骨臼骨折における後方侵入は，通常の人工股関節におけるそれと異なり，皮切を大きくし，短外旋筋の切離はより近位で行う．臼蓋上方まで展開する必要がある場合には側臥位で大転子を外転筋と外側広筋との連続性を保ったまま切離する trochanteric flip osteotomy を行う（図 16-2-14d, e）．

② 前方進入法　ilioinguinal approach（図 16-2-15）

　　仙腸関節から腸骨窩，腸恥隆起を経て恥骨上枝までの前柱内側面の大部分が展開できる．前壁骨折，前柱骨折，横骨折，前方＋後方半横骨折，両柱骨折が適応となる．

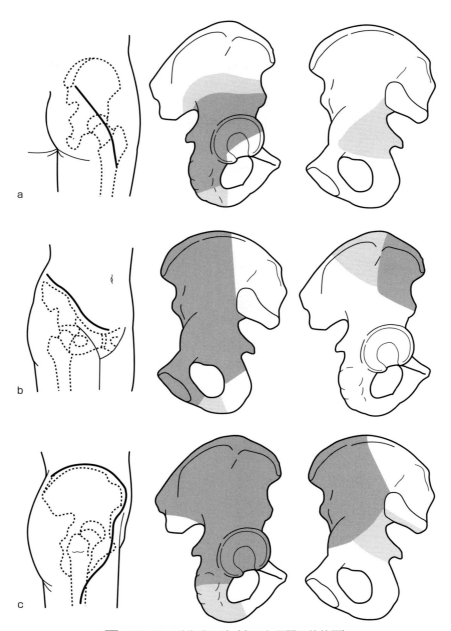

図 16-2-13 手術進入法（皮切と展開可能範囲）
a. 後方進入法（ただし，臼蓋上方から前方は trochanteric flip osteotomy を行った場合のみ展開可能）
b. 前方進入法 ilioinguinal approach
c. 拡大腸骨大腿進入法 extended iliofemoral approach
　濃いアミ部分は直視可能範囲，薄いアミ部分は触知可能範囲を示す．
（澤口　毅：骨盤と股関節部の外傷：寛骨臼骨折．越智光夫，糸満盛憲編　最新整形外科学大系 16巻　骨盤・股関節，348-359，中山書店，2006 より）

942 各論 第16章 骨盤・股関節骨折

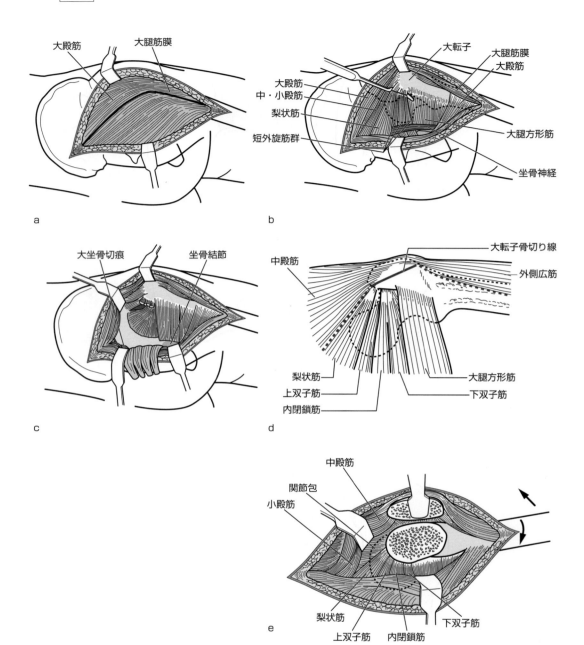

図 16-2-14 後方進入法

a. 筋膜切開
b. 短外旋筋群の切離
c. 後壁 後柱の展開
d. trochanteric flip osteotomy の大転子骨切り線．近位では中殿筋付着部最後方部のわずかに前方に至る．遠位では外側広筋起始部はすべて切離する大転子骨片に付着する．
e. 大腿骨を軽度屈曲，外旋する（矢印）ことにより，大転子は小殿筋を含めて前方に移動できる．小殿筋と梨状筋の間を分離し，関節包を展開するため小殿筋を上方へ剥離する．

(a～c/白濱正博：骨盤への進入法：posterior approach．越智光夫，糸満盛憲編 最新整形外科学大系 8 巻 手術進入法—下肢，112-117，中山書店，2009 より)

(d～e/澤口 毅：骨盤への進入法：transtrochanteric approach．越智光夫，糸満盛憲編 最新整形外科学大系 8 巻手術進入法—下肢，102-111，中山書店，2009 より)

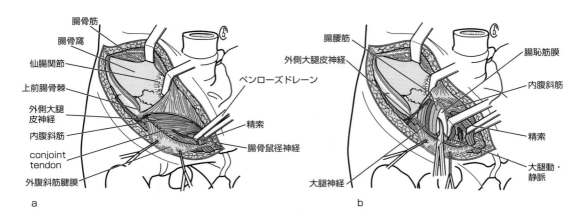
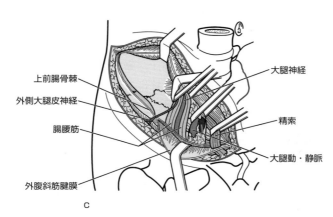

図 16-2-15 前方進入法 ilioinguinal approach
a. 腸骨筋の剥離と外腹斜筋腱膜の切開．点線は conjoint tendon を示す．
b. 腸恥筋膜の切離．腸恥筋膜を腸恥隆起を経て弓状線まで切離する．
c. 展開完了図

(澤口　毅：骨盤への進入法：ilioinguinal approach．越智光夫，糸満盛憲編　最新整形外科学大系 8 巻　手術進入法—下肢，76-84，中山書店，2009 より)

　仰臥位で腸骨稜前方 2/3 から上前腸骨棘を経て恥骨結合上方に至る皮切を加え，腸骨より腸骨筋と腹筋群を一塊として剥離し，上前腸骨棘内側で外側大腿皮神経を分離したあと，外腹斜筋腱膜を上前腸骨棘から正中まで切開する．さらに鼠径靱帯から内腹斜筋と腹横筋を切離した後，腸腰筋と大腿神経，大腿動・静脈，精索（女性では円靱帯）にそれぞれペンローズドレーンをかけて挙上する．股関節を屈曲・外旋位にして腸腰筋の緊張をとると広い視野が得られる．骨折の整復と固定は各構造物の間から行う．この進入法では関節面を直視下に整復することができないため，寛骨内面の骨折線を正確に整復することにより関節面の整復を得る．長所は前柱の良好な展開が得られることと，外転筋を剥離しないので術後筋力低下が少なく，異所性骨化の発生がないことである．この進入法では外側大腿皮神経が牽引されやすく，術後大腿部の知覚障害を残すことが多いのであらかじめ患者に説明しておく必要がある．

③ 前方＋後方進入法

　前後両柱の骨折を伴う複合骨折に対しては，前方進入法と後方進入法を併用して展

開する．側臥位で同時に2ヵ所から進入することも可能であるが，通常は仰臥位で前方進入法で前柱の再建を行ったのち，側臥位または腹臥位として後柱の再建を行う．前方＋後方半横骨折，T字状骨折，両柱骨折が適応となる．また手術に慣れれば，いずれかひとつの進入法から両柱の整復固定を行うことが可能なことが少なくない．

④ **拡大腸骨大腿進入法** extended iliofemoral approach（**図16-2-16**）

側臥位で腸骨稜より上前腸骨棘を経て大腿方向に至る皮切を加え，腸骨外面より大腿筋膜張筋，小殿筋，中殿筋を剥離したのち，中小殿筋の大転子付着部を切離するか大転子を切離する．次いで短外旋筋を切離する．これにより寛骨臼外側面の大部分を展開することができる．適応は横骨折，横骨折＋後壁骨折，T字状骨折，両柱骨折の一部および陳旧例である．必要に応じて腸骨内面より腸骨筋を剥離することによってさらに展開を拡大することができるが，腸骨に付着する筋肉をほとんど剥離するため骨片の血行を障害する可能性がある．

e) 整復および固定法

整復には bone hook，ポイント付骨鉗子，鋸歯型骨鉗子，Frabauf型骨鉗子，骨盤整復鉗子を用いる（**図16-2-17**）．また骨にあけたドリル孔や刺入したスクリューヘッドを利用して整復する（**図16-2-18**）．大転子部に加えた小切開から Schanz ピンまたは大腿骨頭抜去器を刺入して，術中牽引として利用する（**図16-2-19**）．関節面の解剖学的な整復を得ることが重要であるが，実際には正常な位置にある骨片（通常は仙骨に連続する寛骨後方部分）に対して転位した骨片を順次正確に整復する．整復後，直径2〜3mmの Kirschner 鋼線で仮固定をした後内固定を行う．内固定には AO reconstruction plate もしくは pelvic plate と直径 3.5mm スクリューを用いる（**図16-2-20**）．固定部位は腸骨稜，弓状線，坐骨切痕部や関節近傍の豊富な bone stock がある部位を利用する．創閉鎖前に X線透視装置を用いて正面および両斜位で整復と固定状態および関節内へのスクリューの誤刺入がないことを確認する（**図16-2-21, 22**）．

後壁骨折の整復・固定は後壁骨片の血行を障害しないために，付着する関節包を温存したまま骨頭側へ翻転し関節内を観察する．関節内の観察は骨頭を脱臼させることなく大転子に Schanz ピンまたは大腿骨頭抜去器を刺入して牽引を加えて行う．関節内骨片がある場合は，大きい骨片は整復・固定し，小さい骨軟骨片は除去する．関節面の陥没骨折がある場合は，陥没した関節面を含む骨片を大腿骨頭に合わせて整復し，それにより生じた骨欠損部に大転子部より海綿骨を採取し移植を行う（**図16-2-23**）．通常，骨移植を行ったあと後壁骨片の整復・固定を行えば，関節面骨片の固定は不要である．固定が必要な場合には軟骨下骨部で関節面に平行に2本の Kirschner 鋼線（直径1mm）で固定し，鋼線は骨片から突出しないよう切断後軽く打ち込んだあと後壁骨片を固定する．後壁骨片の固定はラグスクリューとプレートを臼蓋上方の腸骨健常部から後壁骨片を押さえるようにして坐骨結節部まで固定する．後壁骨片が薄い場合には spring plate 法を用いる（**図16-2-24**）．これは1/3円プレートをスクリュー孔部分で切断し，先端を曲げたものを骨折部から離れたスクリュー孔で固定して後壁骨片を押さえるようにしたあと，さらにこのプレートを reconstruction plate で押さえて固定する．1/3円プレートは spring 様に働き固定性がよい．この方法では後壁骨片自体にスクリューを刺入する必要がなく，関節内へのスクリューが穿孔する危険

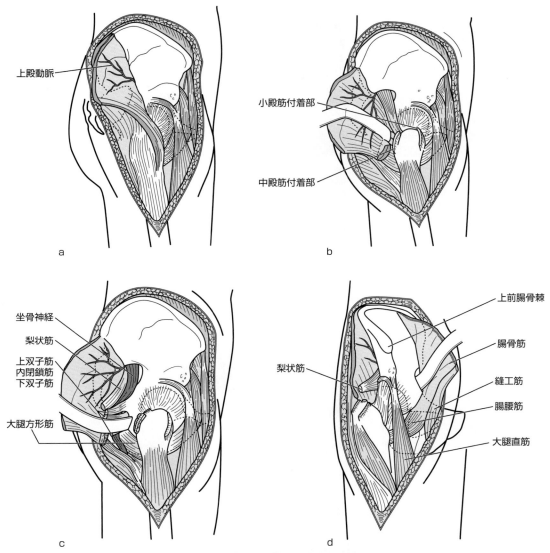

図 16-2-16　拡大腸骨大腿進入法 extended iliofemoral approach
a. 殿筋群と大腿筋膜張筋の腸骨外板よりの剝離
b. 中殿筋および小殿筋の大転子付着部よりの切離（大転子で骨切りしてもよい）
c. 短外旋筋群の切離
d. 腸骨窩の展開．必要に応じて，縫工筋と鼠径靱帯を上前腸骨棘より切離し，腹筋群と腸骨筋を一塊として内側による．

（藤原正利：骨盤への進入法：iliofemoral approach および extended iliofemoral approach. 越智光夫，糸満盛憲編　最新整形外科学大系 8 巻　手術進入法—下肢, 85-92, 中山書店, 2009 より）

性がない．後壁骨折が臼蓋上方まで及ぶ場合は，trochanteric flip osteotomy により大転子を切離して臼蓋上方を広く展開し，骨片を抑え込むように固定する（図 16-2-25）．

f）後療法

後療法は手術翌日より CPM 装置を用いて関節運動訓練を開始し，術後 1 週で坐位，車椅子，2 週後より松葉杖による足底接地歩行とプーリーによる可動域訓練を行う．

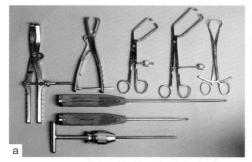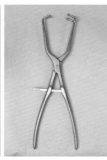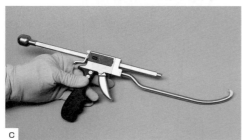

図 16-2-17 さまざまな整復鉗子
a. 上段左より Jungbluth 骨盤整復鉗子，Farabauf 型骨鉗子，2 つの骨盤整復鉗子，ポイント付き骨鉗子，下段は ball spike と Schanz ピンおよびユニバーサルチャック
b. 左 2 つは tong 型，右は asymmetric clamp
c. coaxial reduction forceps

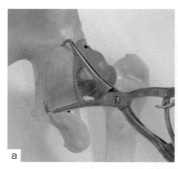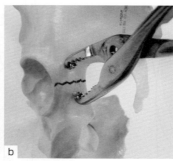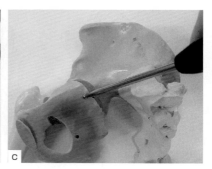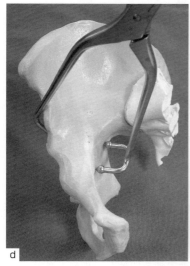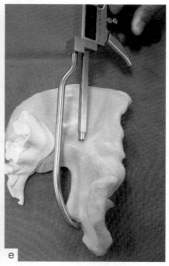

図 16-2-18 鉗子を用いた整復
a. 骨にあけたドリル穴を利用した後柱の整復
b. スクリューヘッドを利用した後柱の整復
c. 内側から外側に押して整復
d. 骨盤整復鉗子による後柱の整復
e. coaxial reduction forceps を用いた後柱の整復

2 寛骨臼骨折　　947

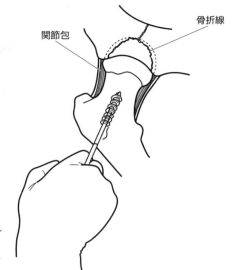

図 16-2-19　Schanz ピンによる術中牽引
大転子部に Schanz ピンや大腿骨頭抜去器を刺入して牽引する.
(澤口　毅：寛骨臼骨折に対する骨接合術の要点とコツ. 股関節外科の要点と盲点, 296-298, 文光堂, 2005 より)

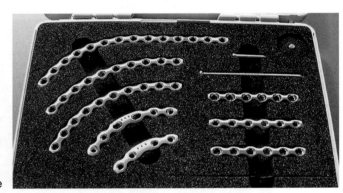

図 16-2-20　pelvic plate

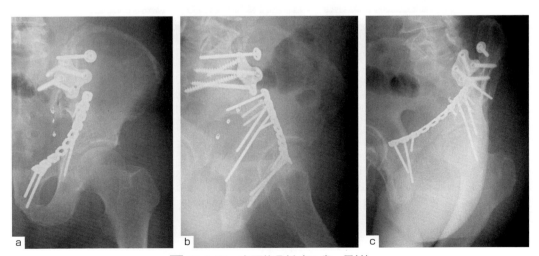

図 16-2-21　左両柱骨折 (65 歳, 男性)
図 16-2-10 の症例. ilioinguinal approach 単独による整復固定術後 2 年

948 各論 第16章 骨盤・股関節骨折

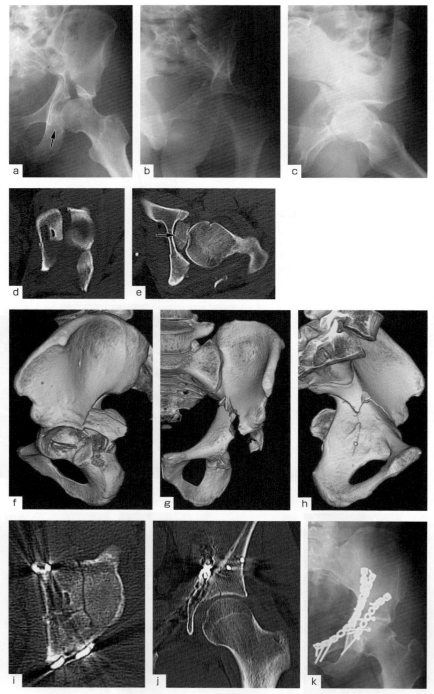

図 16-2-22　横骨折＋後壁骨折（28歳，男性）
　a. 前後像，関節内に骨片が陥入している（矢印）．
　b. obturator oblique view
　c. iliac oblique view
　d. CT，荷重部の骨折線
　e. CT，関節内に嵌頓した骨片（矢印）
f～h. 三次元 CT
i, j. 前方＋後方進入法により整復内固定を行った．術直後 CT，関節面の良好な整復が得られている．
　k. 術後2年．股関節の愁訴なく骨頭辺縁に骨棘形成を認めるが，関節裂隙の狭小化や骨頭壊死の所見はない．

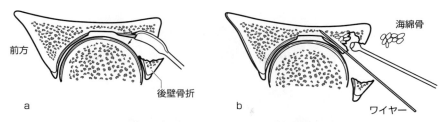

図 16-2-23 関節面陥没骨折の挙上と骨移植
a. 陥没した関節面をノミで整復する.
b. 整復し, kirschner 鋼線で仮固定をし関節面の背後に生じた骨欠損部に大転子から採取した海綿骨を移植する.
(澤口 毅:寛骨臼骨折に対する骨接合術の要点とコツ. 股関節外科の要点と盲点, 296-298, 文光堂, 2005 より)

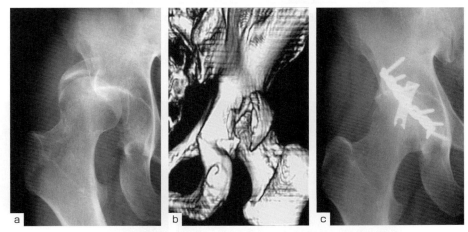

図 16-2-24 後壁骨折(35歳,男性) spring plate による後壁骨折の固定
a. 術前, b. 三次元 CT, c. 術後 3 年. 変形性関節症変化や骨頭壊死はなく無症状

荷重は 4〜6 週で部分荷重, 10〜12 週で全荷重とする.

g) 合併症

① 神経損傷

後方脱臼は坐骨神経損傷の合併が多く, 総腓骨神経領域の麻痺が多い. 手術によりさらに坐骨神経, 大腿神経, 上殿神経, 外側大腿皮神経などの麻痺を合併することがある. 特に坐骨神経麻痺は後方進入に際して, 常に膝を屈曲しレトラクターによる緊張がかからないように十分な配慮が必要である.

② 二次性変形性関節症

荷重部関節面の整復不良, 関節内骨片, 大腿骨頭の軟骨損傷や骨頭骨折を合併する場合に起こりやすい(図 16-2-26). しかし手術的に関節内骨片が除去され関節面の正確な整復が得られた場合にはその発生頻度は 5〜20% に減少するとされている.

③ 大腿骨頭壊死

後方脱臼に合併することが多く, 整復までに時間を経過した場合はその発生率が増加する. 術後は骨シンチグラフィー, MRI などにより遅発性骨頭圧潰が生じる以前

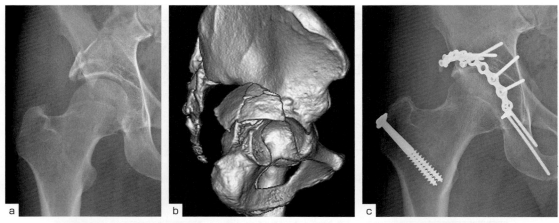

図 16-2-25　後上壁骨折（52歳，男性）trochanteric flip osteotomy による整復固定
a. 術前
b. 三次元 CT．後壁骨折が臼蓋上方まで及んでいる．通常の後方アプローチでは固定が困難
c. 受傷後2年．股関節の愁訴はなく変形性変化や骨頭壊死も認めない．

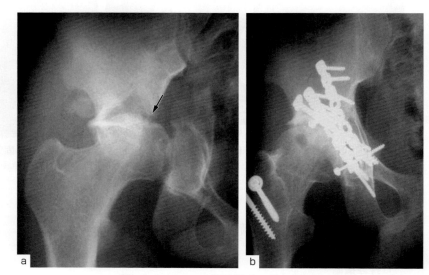

図 16-2-26　T字状骨折（19歳，男性）
大腿骨頭損傷合併による外傷後変形性股関節症
a. 術前．大腿骨頭荷重部損傷を合併（矢印）
b. 術後5年．関節裂隙は消失し，大腿骨頭の硬化および嚢胞形成を認める．

に早期診断を行い，骨頭回転骨切り術などの適切な治療により骨頭温存に努めることが重要である（図 16-2-27）．

h）予　後

寛骨臼骨折の手術，特に複合骨折の整復は容易ではなく，十分な経験を積んで解剖学的整復を得る技術を身につける必要がある．良好な整復（1～2 mm 以下の転位）が得られた場合には，70～80％に機能的に良好な成績を得ることができる．骨折型では後

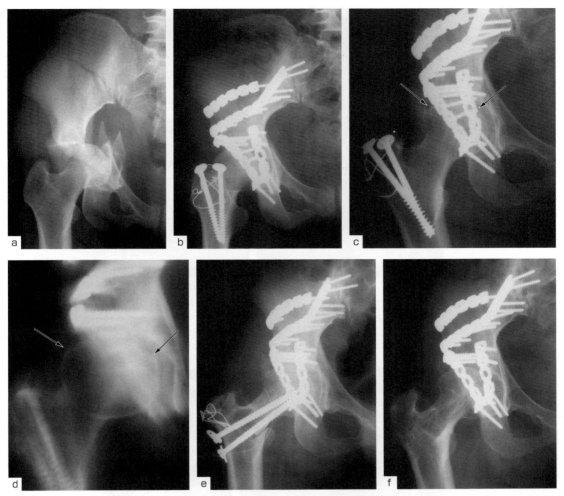

**図 16-2-27　外傷性大腿骨頭壊死に対する大腿骨頭回転骨切り術
（41歳，女性．中心性脱臼を伴う寛骨臼両柱骨折）**
 a. 受傷時股関節単純X線写真正面像
 b. 骨接合術後．良好な整復が得られている．
 c. 術後1年．疼痛が出現，大腿骨頭の圧潰を認める（矢印）．
 d. 断層撮影．大腿骨頭の圧潰が明らかである（矢印）．
 e. 大腿骨頭前方回転骨切り術後
 f. 術後10年．疼痛はなく，大腿骨頭の圧潰，二次性関節症変化ともに認めない．

柱＋後壁骨折や横骨折＋後壁骨折の予後が不良である．これら骨折型は骨折の粉砕や軟骨損傷が高度な例が多く，また骨頭壊死を合併しやすいことが原因として考えられる．

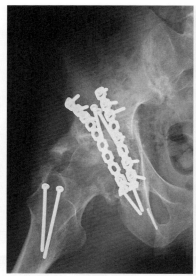
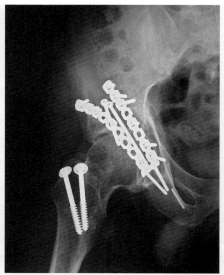

図 16-2-28 術後の異所性骨化

横骨折＋後壁骨折に対して後方進入法で内固定を行った．頭部外傷を伴い受傷後3ヵ月間の意識障害があった．
a. 術後1年，著しい異所性骨化を認め関節可動域制限が強い．
b. 初回手術後2年で，異所性骨化の切除を行い関節可動域の改善が得られた．

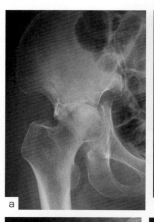
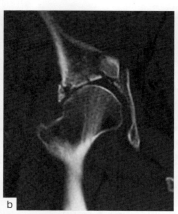
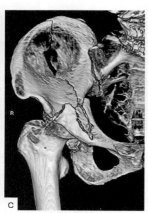
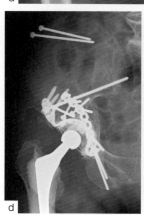
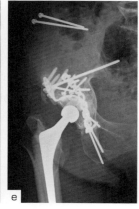

図 16-2-29 高齢者寛骨臼骨折に対する一期的人工関節置換術（73歳，女性．転倒により受傷．両柱骨折）

a. 骨盤単純X線写真正面像．両柱骨折（正面像では腸骨翼の骨折は不明瞭）とともに臼蓋荷重部の粉砕と陥没を認める．
b. MPR．臼蓋荷重部の粉砕と陥没，さらに骨頭損傷を認める．
c. 三次元CT．両柱骨折が明らか．
d. 術直後．まず仰臥位で腸骨稜に沿う皮切で前柱の整復とスクリューによる固定を行い，次に側臥位後方アプローチで後柱をプレートで固定した後，臼蓋側は切除骨頭を用いた骨移植を併用してK-Tプレートを用いた再建を行い，セメント使用人工関節で置換した．術後1週で歩行器歩行を開始した．
e. 術後2年半．良好な骨癒合が得られ，人工関節の緩みもない．疼痛なく1本杖歩行に支障はない．

附-15 異所性骨化

　　寛骨臼骨折手術後に7〜50%に発生し，とくに拡大腸骨大腿進入法や後方進入法また大転子切離例など外転筋を損傷するアプローチに好発する．また男性，脳損傷，脊髄損傷，手術の遅延，小殿筋の損傷も危険因子である．骨接合術中の予防として壊死した筋肉を切除することが有効である．前方進入法に伴う発生は少ない．異所性骨化は軽度では疼痛や可動域制限をきたすことは少ないが，高度になると可動域制限をきたし，切除を要する場合もある（図 16-2-28）．その際には，単純X線写真や骨シンチグラフィにより異所性骨化が成熟したことを確認して行う．術前に異所性骨化の位置と量および神経や血管との関係を評価しておくことが必要である．術後の予防法にはコンセンサスはなく，従来行われていたインドメタシン内服の効果は否定的な報告が増えている．発生リスクの高い場合や異所性骨化切除後には術後早期のX線照射（術後 48〜72 時間以内，7〜8 Gy 1 回照射）が有効であるが，益と害については患者によく説明する必要がある．

附-16 一期的人工股関節全置換術

　　近年，転倒などによる高齢者の寛骨臼骨折が増加しており，骨頭骨折，転位の高度な大腿骨頚部骨折，関節内粉砕骨折，臼蓋荷重部の高度の陥没，既存の関節症がある場合には長期の保存療法による歩行能力の低下を防止し，早期に歩行を可能にすることを目的に骨接合術を併用した一期的人工関節全置換術を行う場合がある（図 16-2-29）．

参考文献

1) Blokhuis TJ et al：Is radiation superior to indomethacin to prevent heterotopic ossification in acetabular fractures？：A systematic review. Clin Orthop Relat Res **467**：526-30, 2009.

2) Ferguson TA et al：Fractures of the acetabulum in patients aged 60 years and older：an epidemiological and radiological study. J Bone Joint Surg **92-B**：250-257, 2010.

3) Firoozabadi R et al：Heterotopic ossification in acetabular fracture surgery. J Am Acad Orthop Surg **25**：117-124, 2017.

4) Hak DJ et al：Diagnosis and management of closed internal degloving injuries associated with pelvic and acetabular fractures：the Morel-Lavallée lesion. J Trauma **42**：1046-1051, 1997.

5) Heeg M et al：Operative treatment for acetabular fractures. J Bone Joint Surg **72-B**：383-386, 1990.

6) Helft DL et al：Management of complex acetabular fractures through single nonextensile exposures. Clin Orthop **305**：58-68, 1994.

7) 神宮司誠也ら：外傷性大腿骨頭壊死に対する大腿骨頭回転骨切り術の治療成績. Hip Joint **23**：183-185, 1997.

8) Judet R et al：Fractures of the aceatbulum. Classification and surgical approaches for open reduction. J Bone Joint Surg **46-A**：1615-1646, 1964.

9) Kelly J et al：Surgical management of acetabular fractures – A contemporary literature review. Injury **51**：2267-2277, 2020.

10) 小林尚史ら：外傷性大腿骨頭壊死の早期予知と血管柄付き骨移植の経験. 関節外科 **9**：277-285, 1990.

11) Letournel E et al：Fractures of the acetabulum；Mechanics of acetabular farcture. pp.23-28, Springer-Verlag, 1993.

12) Letournel E et al：Fractures of the acetabulum；Posterior wall fracture. pp.67-88, Springer-Verlag, 1993.

13) Letournel E et al：Fractures of the acetabulum；Clinical and radiological results of operation within three weeks of injury. pp.565-581, Springer-Verlag, 1993.

14) Linstrom NJ et al：Anatomical and biomechanical analyses of the unique and consistent locations of sacral insufficiency fractures. Spine **34**：309-315, 2009.

15) McComic BP et al：Treatment modalities and outcomes following acetabular fractures in the elderly：a systematic review. Eur J Orthop Surg Traumatol **34**：649-659, 2022.

16) Matta JM：Fractures of the acetabulum；Accuracy of reduction and clinical results in patients managed operatively within three weeks after the injury. J Bone Joint Surg **78-A**：1632-1645, 1996.

17) Matta JM et al：Fractures of the acetabulum. A retrospective analysis. Clin Orthop **205**：230-240, 1986.

18) Mayo KA：Open reduction and internal fixation of fractures of the acetabulum. Clin Orthop **305**：31-37, 1994.

19) Mears DC et al：Extensile exposure of the pelvis. Contemp Orthop **6**：21-32, 1983.

20) Mears DC et al：Acute total hip arthroplasty for selected displaced acetabular fractures：two to twelve-year results. J Bone Joint Surg **84-A**：1-9, 2002.

21) Montgomery KD et al：The detection and management of proximal deep venous thrombosis in patients with acute acetabular fractures：a follow-up report. J Orthop Trauma **11**：330-336, 1997.

22) Moore KD et al：Indomethacin versus radiation therapy for prophylaxis against heterotopic ossification in acetabular fractures：a randomised, prospective study. J Bone Joint Surg **80-B**：226-259, 1998.

23) Reinert CM et al：A modified extensile exposure for the treatment of complex or malunited acetabular fractures. J Bone Joint Surg **70-A**：329-337, 1988.

24) Rowe CR et al：Prognosis of fractures of the acetabulum. J Bone Joint Surg **43-A**：30-59, 1961.

25) 澤口　毅：寛骨臼複合骨折に対する前方，後方合併アプローチと経大転子アプローチの比較．骨折 **18**：362-367，1996.

26) 澤口　毅ら：寛骨臼複合骨折に対する前方単独進入固定の経験．Hip Joint **30**：288-293，2004.

27) 澤口　毅ら：寛骨臼複合骨折の手術成績．骨折 **20**：395-400，1998.

28) 澤口　毅：寛骨臼骨折に対する Ilioinguinal approach．手術 **44**：1627-1633，1990.

29) 澤口　毅：寛骨臼骨折手術に伴う異所性骨化について．Hip Joint **18**：319-322，1992.

30) 澤口　毅：寛骨臼骨折の長期手術成績．骨折 **23**：86-90，2001.

31) 澤口　毅ら：寛骨臼骨折の手術アプローチについて．骨折 **14**：237-242，1992.

32) 澤口　毅：寛骨臼骨折の手術的整復・固定法．骨折 **15**：223-228，1993.

33) 澤口　毅ら：股関節後方脱臼骨折に対する spring plate 法の経験．骨折 **21**：47-49，1999.

34) 澤口　毅：股関節後方脱臼骨折の治療成績．Hip Joint **23**：367-371，1997

35) Senegas J et al：Complex acetabular fractures：a transtrochanteric lateral surgical approach. Clin Orthop **151**：107-114, 1980.

36) Siebenrock KA et al：Trochanteric flip osteotomy for cranial extension and muscle protection in acetabular fracture fixation using a Kocher-Langenbeck approach. J Orthop Trauma **12**：387-391, 1998.

37) Studer P et al：Pubic rami fractures in the elderly--a neglected injury？ Swiss Med Wkly **19**：w13859, 2013.

38) Tornetta P：Non-operative management of acetabular fractures. The use of dynamic stress views. J Bone Joint Surg **81-B**：67-70, 1999.

39) Vailas JC et al：Posterior acetabular fracture-dislocations：Fragment size, joint capsule, and stability. J Trauma **29**：1494-1496, 1989.

40) Vrahas MS et al：The effects of simulated transverse, anterior column and posterior column fractures of the acetabulum on the stability of the hip joint. J Bone Joint Surg **81-A**：966-974, 1999.

41) Yang RS et al：Traumatic dislocation of the hip. Clin Orthop **265**：218-227, 1991.

42) 弓削大四郎：新鮮寛骨臼骨折の外科的治療．整形外科 Mook **53**：180-201，1988.

43) Ziran N et al：Outcomes after surgical treatment of acetabular fractures：a review. Patient Safety in Surg **13**：1-19, 2019.

3 外傷性股関節脱臼 traumatic hip dislocation

　　股関節は本来骨形態的に安定した関節であり，さらに強靱な靱帯性関節包により補強されているため，脱臼は交通事故，転落，労働災害，激しいスポーツなどの高エネルギー外傷の結果として生じる．そのため他の部位の損傷を合併することが多い．

　　外傷性股関節脱臼は日常遭遇する機会が少なくない損傷であり，大腿骨頭血流の面から直ちに整復が必要である．長期的には軟骨損傷，大腿骨頭損傷による二次性変形性関節症や大腿骨頭壊死を後遺し，予後が不良となることが少なくないので注意深い長期間の経過観察が必要である．

a 受傷機転

　　後方脱臼は股関節屈曲内転位で膝（屈曲位）から大腿骨長軸方向に外力が作用して発生する．主に運転時のダッシュボード損傷として生じることが多い．前方脱臼は，恥骨上脱臼と恥骨下／閉鎖孔脱臼があり，前者は股関節外旋，過伸展が強制されて，後者は外転，外旋，屈曲が強制された際に生じる．

　　中心性脱臼は大転子部に加わった力が大腿骨頚部を介して作用して生じる．

b 分　類

　　外傷性股関節脱臼は大腿骨頭の臼蓋に対する位置によって後方脱臼，前方脱臼，中心性脱臼に分類される．このうち中心性脱臼は必ず臼蓋の骨折を伴うので，寛骨臼骨折として分類して治療するべきである．後方脱臼と前方脱臼では，10：1と後方脱臼が多い．後方脱臼は寛骨臼骨折，大腿骨頭骨折，大腿骨頚部骨折，大腿骨骨幹部骨折，膝靱帯損傷を合併することが少なくない．

　　後方脱臼の分類は，合併損傷を加味した Thompson-Epstein 分類や脱臼整復後の安定性に注目した Stewart-Milford 分類などがある（**図 16-3-1**，**表 16-3-1**）．そのうち Thompson-Epstein 分類Ⅴ型は大腿骨頭骨折を伴ったものである．大腿骨頭骨折に関しては Pipkin 分類が用いられる（**図 17-1-10**，p. 975 参照）．

　　前方脱臼は，脱臼した骨頭の位置により恥骨上脱臼と恥骨下脱臼（閉鎖孔脱臼）に分けられる（**図 16-3-2**）．

c 診　断

1）臨床所見

　　後方脱臼では患側下肢は屈曲，内転，内旋した肢位を，前方脱臼では患側下肢は伸展，外旋（恥骨上脱臼），または外転，外旋，屈曲（恥骨下／閉鎖孔脱臼）した肢位をとる（**図 16-3-3**）．しかし同側大腿骨頚部骨折や大腿骨骨幹部骨折を合併すると特徴的な肢位をとらず見過ごされることもあるので，大きい外傷では基本的に骨盤正面単純X線撮影を行うべきである．坐骨神経麻痺や同側膝靱帯損傷（特に後十字靱帯）を合併することも多く必ず確認する．

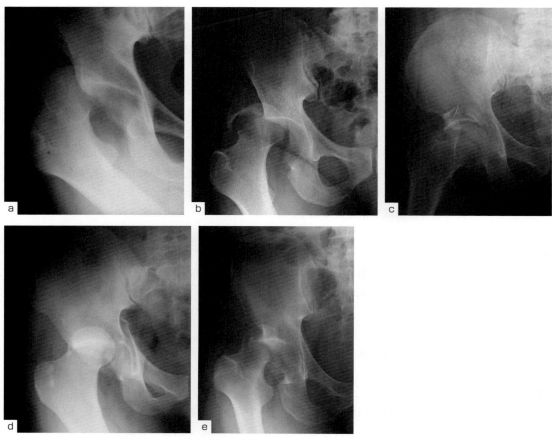

図 16-3-1　Thompson-Epstein 分類
a. Type Ⅰ：後方臼蓋縁の骨折はないか，あっても小さい骨片を伴うもの．
b. Type Ⅱ：後方臼蓋縁に大きな1つの骨折を伴うもの．
c. Type Ⅲ：後方臼蓋縁に粉砕骨折を伴うもの（大きな骨片を伴う場合と伴わない場合がある）．
d. Type Ⅳ：臼蓋底に骨折を伴うもの．
e. Type Ⅴ：骨頭骨折を伴うもの．

表 16-3-1　Stewart-Milford 分類

Type Ⅰ	simple dislocation without fracture
Type Ⅱ	dislocation with one or more rim fragments but with sufficient socket to ensure stability after reduction
Type Ⅲ	dislocation with fracture of the rim producting gross instability
Type Ⅳ	dislocation with fracture of the head or neck of the femur

2）画像診断

a）単純 X 線写真

　　通常，後方脱臼の診断は股関節単純 X 線写真前後像で容易であるが，後壁骨折を伴う場合には，後壁骨片の大きさを診断するために患側前骨盤 45°斜位像 obturator oblique view が有用である（図 16-3-4）．前方脱臼では正面像で関節裂隙の狭小化や大腿骨頭と涙痕像との距離の縮小を認めるが，見落とされやすいので斜位像（obtura-

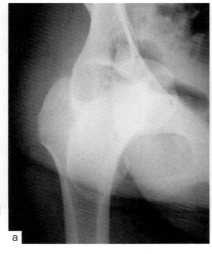
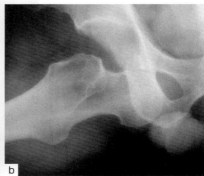

図 16-3-2　股関節前方脱臼
a. 恥骨上脱臼
b. 恥骨下脱臼（閉鎖孔脱臼）

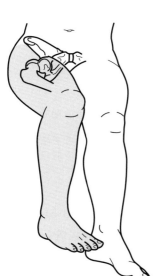
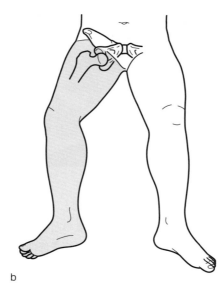

図 16-3-3　脱臼肢位
a. 後方脱臼の肢位
b. 前方脱臼の肢位
（白濱正博：股関節脱臼，股関節脱臼骨折．糸満盛憲編．整形外科大系 16. 360-368, 中山書店, 2006 より）

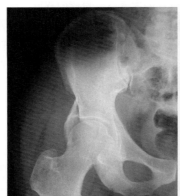
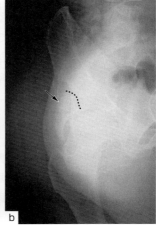

図 16-3-4　後方脱臼に伴う後壁骨折
a. 股関節正面像．後壁骨折は明らかであるが，あまり大きくないようにみえる．
b. obturator oblique view. 大きな後壁骨片が描出されている．

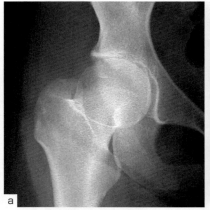
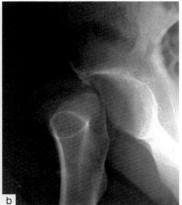

図 16-3-5　前方脱臼
a. 股関節正面像．関節裂隙の狭小化，大腿骨頭と涙痕像との距離の縮小を認める．
b. iliac oblique view．前方脱臼が明らかである．

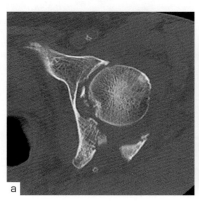
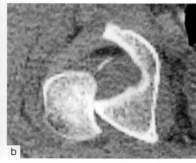

図 16-3-6　CT
a. 後壁骨折と小さな関節内骨片を認める．
b. 骨頭骨折を伴った大腿骨頭が後壁に引っかかり脱臼整復の障害となっている．

tor oblique view，iliac oblique view）を撮影し診断する必要がある（図 16-3-5）．整復後は関節裂隙や大腿骨頭と涙痕像との距離の左右差を比較する．健側に比べてこれらが大きくなっている場合は，関節内骨片が荷重部関節裂隙や関節窩に嵌頓している可能性が高い．

　b) CT

CT は後壁骨片の大きさ，粉砕の程度，関節内骨片の有無，骨頭骨折の診断に不可欠である（図 16-3-6，図 16-2-8 参照）．また関節面陥没骨折 marginal impaction の診断は CT でのみ可能である（図 16-2-9 参照）．CT の撮影はまず脱臼を整復したのちに行うべきである．三次元 CT は，後壁骨折や大腿骨頭骨折の部位，大きさ，粉砕の程度が把握できる（図 16-3-7）．

d　治　療

1）徒手整復法

大腿骨頭壊死の発生を防止するために，寛骨臼骨折の合併の有無にかかわらず直ちに脱臼の整復を行う．整復操作は常に麻酔下に十分な筋弛緩を得てゆっくりと牽引をかけながら愛護的に行い，急激に力を加える操作を避けることが大切である．

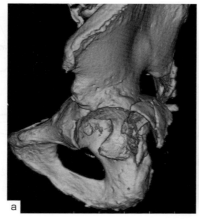
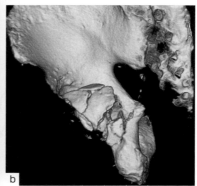

図 16-3-7　三次元 CT
a. 後壁関節面の粉砕を認める.
b. 後壁骨折の粉砕が明らかである.

a) 後方脱臼 (図 16-3-8, 9)

　　徒手整復法としては Watson-Jones 法, Stimson 法, Allis 法, Bigelow 法などがある. 多くは仰臥位にて助手に両側上前腸骨棘を抑えて骨盤を保持させ, 股関節, 膝関節を 90°屈曲し, 術者は下腿を抱えて上方に牽引し整復したのち下肢を伸展する. 徒手整復を 1〜2 回試みても整復されない場合には速やかに観血的整復に切り替える. 暴力的整復操作により骨頭の損傷や大腿骨頸部骨折を生じるとかえって予後を不良にする (図 16-3-10). 徒手整復で整復が得られない原因としては関節包や短外旋筋群が大腿骨頸部に引っかかり整復の障害となる場合, また骨片が関節内に嵌頓して整復を障害する場合などがある (図 16-3-11). 大腿骨頸部骨折や大腿骨骨幹部骨折を合併する場合は徒手整復の非適応で, 手術的に整復する必要がある.

b) 前方脱臼

　　仰臥位で助手に両側上前腸骨棘を抑えて骨盤を保持させ, 患肢を外上方へ牽引し, 大腿を内旋, 内転する逆 Bigelow 法や, 牽引を加えながら, 大腿部を外側に引いて内旋する Allis 法がある (図 16-3-9).

附-17　整復の確認

　　脱臼の整復後は単純X線写真と CT で関節の適合性と合併する後壁骨折や大腿骨頭骨折の有無を評価する. 特に小さな骨片でも荷重部に介在すると急速に二次性変形性関節症を生じるので, 画像を詳細に検討して確認されれば手術的に除去する必要がある. 手術までは直達牽引を行い, 軟骨損傷を防止する必要がある. また透視下に股関節を 90°まで屈曲, 内転し, 後方へ押して安定性を調べる dynamic stress view で不安定性が確認された場合には, 直達牽引を行い, 再脱臼を防止する.

附-18　徒手整復後の後療法

　　関節の適合性がよく, 安定していて合併する骨折がない場合, 小さな後壁骨折, 関節窩にのみ小さい骨片がある場合, Pipkin 1 型の骨頭骨折が良好に整復されている場合は保存療法の適応である. 整復後, 外転位で介達牽引 (2〜3 kg) を 1 週行う. 牽引中も外転位での股関節の運動は許可する. 単純な脱臼では長期免荷は不要で, 疼痛の程度に応じて早期全荷重を行う. 寛骨臼骨折を伴う場合には徐々に荷重を行い 6〜10 週で全荷重とする.

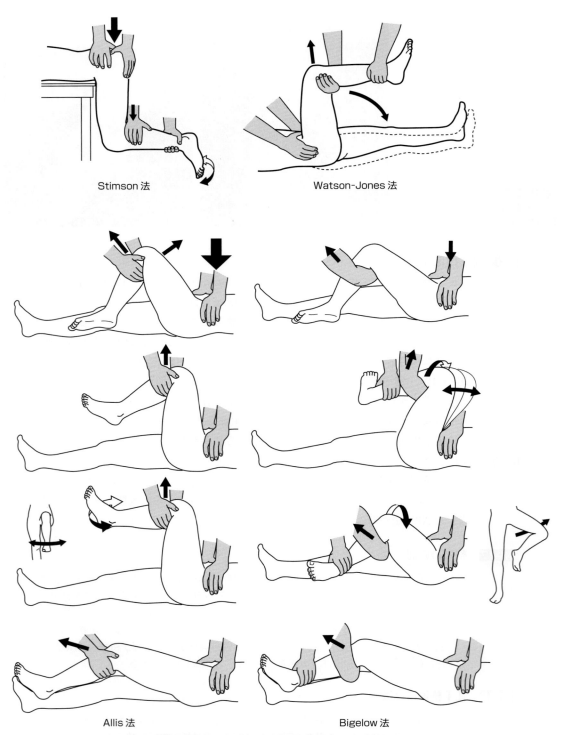

図 16-3-8 股関節後方脱臼に対する徒手整復法

(DeLee JC : Fracture and dislocation of the hip. Rockwood and Green's Fractures in adults. Vol 2, 4th ed, Rockwood JC et al, 1775-1776, Lippincott, 1996 より作図)

3 外傷性股関節脱臼　　*961*

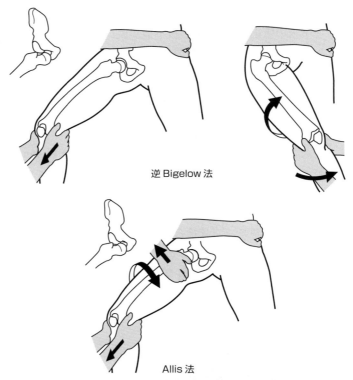

図 16-3-9　股関節前方脱臼に対する徒手整復法
(DeLee JC：Fracture and dislocation of the hip. Rockwood and Green's Fractures in adults. Vol 2, 4th ed, Rockwood JC et al, 1768-1769, Lippincott, 1996 より作図)

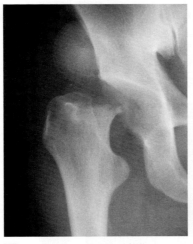

図 16-3-10　無理な徒手整復による大腿骨頚部骨折例
他医で容易に整復できないため3人がかりで無理に徒手整復を行い大腿骨頚部骨折を生じた．大腿骨頭は殿筋内にある（受傷時の写真は図 16-3-1a）．

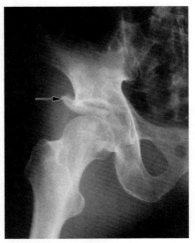

図 16-3-11　徒手整復により後壁の大きな骨片が関節荷重部に嵌頓した例

2) 手術療法

手術の適応は ① 徒手整復不能な脱臼，② 関節内陥入骨片（特に荷重部）の存在，③ 臼蓋関節面の陥没骨折の存在，④ 後壁骨片が大きく脱臼整復後も不安定性がある場合，⑤ 坐骨神経麻痺を合併する場合，である．また良好な整復が得られ安定している Pipkin 1 型の骨頭骨折を除いた骨頭骨折も手術適応である．後壁骨折を含め寛骨臼骨折を合併する場合の手術に関しては，寛骨臼骨折の項（p. 939）に詳しく述べたので参照されたい．

大腿骨頭骨折は骨折が骨頭荷重部を含まない Pipkin 1 型で徒手整復により良好な整復の得られない場合は切除する．骨頭窩を含まない遠位骨片は切除しても股関節の安定性に対する影響は少ない（図 16-3-12）．骨頭窩まで及ぶ大きな遠位骨片は，股関節の安定性を獲得するため骨接合術を行う（図 16-3-13）．骨折が骨頭荷重部を含む Pipkin 2 型では，骨接合術を行うが大腿骨頭壊死発生の可能性が高い（図 16-3-14）．手術進入路は後壁骨折がない場合は Dall 進入法，後壁骨折を伴う場合は trochanteric flip osteotomy（図 16-2-13 参照）を行って大腿骨頭血流を温存する．

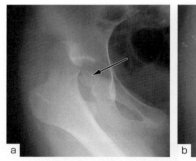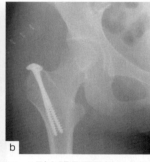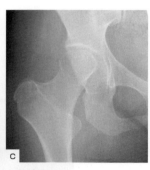

図 16-3-12　Pipkin 1 型大腿骨頭骨折を合併した後方脱臼
a. 受傷時股関節単純 X 線写真正面像
b. 大腿骨頭骨片切除後
c. 術後 16 年．二次性変形性関節症変化は認めない．

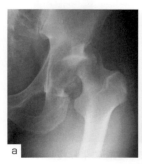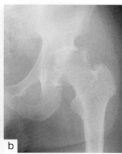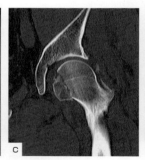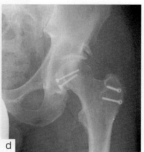

図 16-3-13　Pipkin 1 型大腿骨頭骨折を合併した後方脱臼
a. 受傷時股関節単純 X 線写真正面像．後方脱臼とともに骨頭窩を含む遠位の骨折を認める．
b. 脱臼整復後股関節単純 X 線写真正面像
c. CT の MPR 像．大腿骨頭骨折の整復は得られていない．
d. Dall 進入法により大腿骨頭を前方に脱臼させ骨接合を行った骨接合術後 1 年．骨癒合が得られ，二次性変形性関節症もない．

3 外傷性股関節脱臼　　**963**

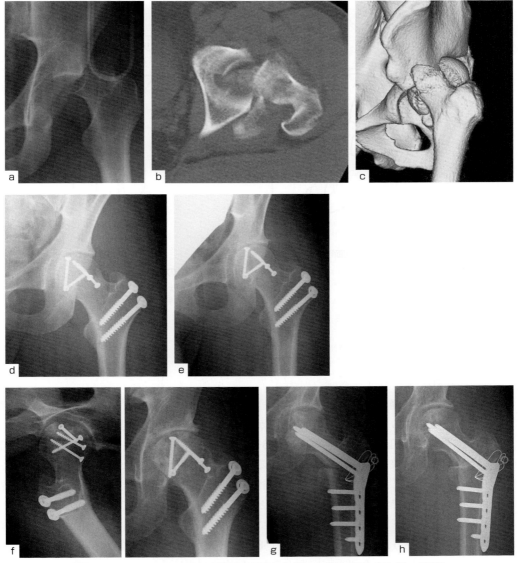

図 16-3-14　Pipkin 2 型大腿骨頭骨折を合併した後方脱臼（29 歳，男性）
a. 受傷時股関節単純 X 線写真正面像
b. CT．大腿骨頭の粉砕が明らかである．
c. 三次元 CT
d. 骨接合後．trochanteric flip osteotomy により大腿骨頭を前方に脱臼させ骨接合を行った．
e. 術後 6 ヵ月
f. 術後 3 年．骨癒合が得られているが，大腿骨頭壊死による骨頭の圧壊と二次性変形性関節症による関節裂隙の狭小化をきたしている．
g. 大腿骨頭前方回転骨切り術後
h. 術後 2 年半．壊死部の修復と関節裂隙の改善を認める．疼痛はなく，ADL 障害もない．

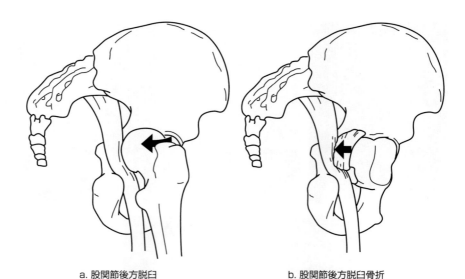

a. 股関節後方脱臼　　　　　　　　b. 股関節後方脱臼骨折
図16-3-15　坐骨神経麻痺の発生機序
a. 受傷時に大腿骨頭が坐骨神経を圧迫
b. 転位した後壁骨片が坐骨神経を圧迫

e 合併症と予後

1) 坐骨神経麻痺

　　坐骨神経麻痺は後方脱臼の10〜19％にみられ，単純な脱臼よりも脱臼骨折のほうが合併する頻度が高く，坐骨神経が大腿骨頭により直接圧迫されるか，転位した後壁骨片の圧迫により発生する（図16-3-15）．まれに脱臼を整復する際に，坐骨神経が関節内に挟まれ損傷することもある．そのため整復以前になかった坐骨神経麻痺が整復後に生じた場合には，手術的に神経の状態を確認する必要がある．坐骨神経は梨状筋レベルですでに総腓骨神経成分と脛骨神経成分に分かれており，足関節や足趾の背屈障害や下腿外側から足背にかけての感覚障害などの腓骨神経麻痺様の症状を呈することがあり，腓骨頭レベルでの圧迫による腓骨神経麻痺と鑑別する必要がある．予後は1〜2年で半数以上が回復するが，回復の程度は受傷時の麻痺の程度と相関し，完全麻痺は回復が不良である．麻痺の回復がない場合には，腱移行を考慮する必要がある．

2) 大腿骨頭壊死

　　外傷性股関節脱臼後に発生する大腿骨頭壊死は，後方脱臼に好発し10〜20％と報告されている．脱臼から整復までに時間と大腿骨頭壊死発生との相関は，整復までの時間が短いほど（6〜8時間）壊死の発生率が低くなるといわれている．大腿骨頭壊死の原因は受傷時に骨頭栄養血管が断裂するのではなく，脱臼位による血流障害であることが指摘されているので，その点からもできる限り早く整復する必要がある．大腿骨頭壊死が明らかとなった場合には，壊死の範囲とstageに応じて，保存療法，血管柄付き骨移植，大腿骨頭回転骨切り術，人工骨頭，人工関節全置換を選択する（図16-3-14）．

3) 二次性変形性関節症

二次性変形性関節症は主に後方脱臼後に発生し，特に臼蓋や骨頭骨折を伴う場合に発生しやすく，その頻度は10～40％といわれている．関節不安定性の残存，臼蓋荷重部嵌頓骨片，臼蓋関節面陥没骨折，大腿骨頭陥没骨折，大腿骨頭軟骨損傷，関節唇嵌頓などが原因となって生じる．また実験的には脱臼時間が長くなると軟骨細胞の障害を生じやすいとされている．

附-19　外傷性関節唇損傷

病態：スポーツなどで股関節伸展位に外旋が加わると関節唇前方が断裂する場合が多く，また股関節後方脱臼や脱臼骨折に伴い関節唇後方が断裂する場合がある．中心性脱臼では損傷される場合は少ない．断裂しても安定していれば強い症状を呈すること少ないが，内側に転位して骨頭と臼蓋の間に嵌頓すると疼痛を生じる．また亜脱臼症状を伴うこともある．

診断：後壁骨折の骨接合を行う場合は，後壁に関節包をつけたまま反転すれば容易に観察できる．診断には，MRI（単純もしくは関節造影）がCTに比較して診断率が高い．通常の撮影に加えて，大腿骨頚部軸に沿った画像や大腿骨頚部軸を中心として360回転した画像は関節唇損傷の診断に有用である．また股関節鏡も有用な診断法である．股関節脱臼後痛みが取れない場合には，股関節鏡を考慮してよい．しかし合併症を伴うことも少なくなく，手技に慣れた術者が行うべきである．小児では後方脱臼整復後のCTで骨頭の適合性がよくとも後壁の小さい骨片（fleck sign）がある場合は，後方関節唇損傷を伴っている．

治療：外傷性股関節唇損傷は，以前は切除されることが多かったが，近年はsuture anchorを用いた修復術が行われる．放置された場合の予後は，非外傷性の関節唇損傷と変わらず二次性変形性関節症へ進行する可能性がある．

参考文献

1) Blanchard C et al：Traumatic, Posterior Pediatric Hip Dislocations With Associated Posterior Labrum Osteochondral Avulsion：Recognizing the Acetabular "Fleck" Sign. J Pediatr Orthop **36**：602-607, 2016.

2) Brav EA：Traumatic dislocation of the hip. Army experience and results over a twelve-year period. J Bone Joint Surg **44**：1115-1134, 1962.

3) Clegg TH et al：Hip dislocations--epidemiology, treatment, and outcomes. Injury **41**：329-334, 2010.

4) Cross MB et al：Arthroscopic anterior and posterior labral repair after traumatic hip dislocation：case report and review of the literature. HSS J **6**：223-227, 2010.

5) Dall D：Exposure of the hip by anterior osteotomy of the greater trochanter. A modified anterolateral approach. J Bone Joint Surg **68-B**：382-386, 1986.

6) Dreinhöfer KE et al：Isolated traumatic dislocation of the hip. Long-term results in 50 patients. J Bone Joint Surg **76-B**：6-12, 1994.

7) Elliott J et al：Chondrocyte apoptosis in response to dislocation of the hip in the rat model. ANZ J Surg **76**：398-402, 2006.

8) Giannoudis P et al：Management, complications and clinical results of femoral head fractures. Injury **40**：1245-1251, 2009.

9) Kellam P et al：Systematic review and meta-Analysis of avascular necrosis and posttraumatic arthritis after traumatic hip dislocation. J Orthop Trauma **30**：10-16, 2016.

10) Khanna V et al：Hip arthroscopy：prevalence of intra-articular pathologic findings after traumatic injury of the hip. Arthroscopy **30**：299-304, 2014.

11) Korompilias AV et al：Vascularised fibular graft in the management of femoral head osteone-crosis：twenty years later. J Bone Joint Surg **91-B**：287-293, 2009.

12) Mandell JC et al：Arthroscopy after traumatic hip dislocation：A systematic review of in-tra-articular findings, correlation with magnetic resonance imaging and computed tomogra-phy, treatments, and outcomes. Arthroscopy **34**：917-927, 2018.

13) Newman JT et al：Hip arthroscopy for the management of trauma：a literature review. J Hip Preserv Surg **24**：242-8, 2015.

14) Pipkin G：Treatment of grade Ⅳ fracture-dislocation of the hip. J Bone Joint Surg **39-A**：1027-1042, 1957.

15) Sanders S et al：Traumatic hip dislocation-a review. Bull NYU Hosp Jt Dis **68**：91-96, 2010.

16) Schlickewei W et al：Hip dislocation without fracture：traction or mobilization after reduc-tion？ Injury **24**：27-31, 1993.

17) Sim SS：Circulatory and vascular changes in the hip following traumatic hip dislocation. Clin Orthop **140**：255-261, 1979.

18) Stabile KJ：Arthroscopic treatment of bucket-handle labral tear and acetabular fracture. Ar-throsc Tech **3**：e283-287, 2014.

19) Stewart MJ et al：Fracture-dislocation of the hip；an end-result study. J Bone Joint Surg **36-A**：315-342, 1954.

20) Thompson VP et al：Traumatic dislocation of the hip；a survey of two hundred and four cases covering a period of twenty-one years. J Bone Joint Surg **33-A**：746-778, 1951.

21) Tornetta P 3rd：Non-operative management of acetabular fractures. The use of dynamic stress views. J Bone Joint Surg **81-B**：67-70, 1999.

22) Vécsei V et al：Hip dislocation without bone injuries. Orthopade **26**：317-326, 1997.

23) Yue JJ et al：Posterior hip dislocations：a cadaveric angiographic study. J Orthop Trauma **10**：447-54, 1996.

第17章

下肢の骨折

1 大腿骨近位部骨折
fractures of the proximal part of the femur

2016 年 Gratton, Lynda & Scott, Andrew が出版した「LIFE SHIFT-100 年時代の人生戦略」に基づき，わが国でも翌 2017 年に人生 100 年時代構想推進室が時の内閣によって設置され，超高齢社会に関する議論が進められた．その中に「ある海外の研究では，2007 年に日本で生まれた子供の半数が 107 歳より長く生きると推計されており，日本は健康寿命が世界一の長寿社会を迎える．そのため人生 100 年時代に，高齢者から若者まで，全ての国民に活躍の場があり，全ての人が元気に活躍し続けられる社会，安心して暮らすことのできる社会をつくることが重要な課題となっている.」という記載がある.（人生 100 年時代構想会議中間報告より引用）

2018 年では，わが国での 100 歳以上（センテナリアン）の人口は 69,785 人で，全人口の 2000 分の 1 である．また 65 歳以上の高齢者は約 30% を占める超高齢社会となっている．多くの高齢者には骨粗鬆症やロコモティブシンドローム，運動器不安定症，フレイルなどが認められ，さらに大腿骨近位部骨折による疼痛や不動などが加わると認知症の発生や悪化，誤嚥性肺炎などさらなる合併症を引き起こすことがきわめて多い．この負のスパイラルを断ち切るために，特に大腿骨近位部骨折に対しては早期に適切な手術を施行し日常生活に復帰させることが大切となる．また少数ながら本骨折は交通事故や労災事故による若年者や小児にも発生する．この場合は将来的な後遺障害や離職や社会生活からの逸脱，成長障害などが懸念される．

本骨折によるこのようなリスクを低減するためには，その解剖学的，生理学的，生体力学的な特徴を学び基本的な手技を習熟し手術の原則を理解することが必要となる．

A 疾患概念

1940 年に出版された神中正一著「神中整形外科学」の初版では，大腿骨近位部骨折は，大腿骨頭骨折と大腿骨頚部骨折と転子単独骨折の 3 つに分けられ，「内側骨折は純関節嚢内骨折である」「骨折線の位置により内側骨折をさらに骨頭下骨折と中間部骨折の 2 つに分ける」「外側骨折は骨折線と両転子との関係より，転子間線にて離断する

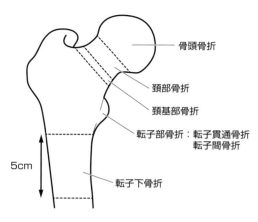

図 17-1-1　大腿骨近位部骨折の分類
a. 骨頭骨折（head fracture）
b. 頚部骨折（neck fracture）
c. 頚基部骨折（basi-cervical fracture, basal fracture of the femoral neck）
d. 転子部骨折（trochanteric fracture）：転子貫通骨折（pertrochanteric fracture）および転子間骨折（intertrochanteric fracture）
e. 転子下骨折（subtrotrochanteric fracture）
（大腿骨転子部骨折治療ガイドライン参照）

転子間骨折と転子貫通骨折に区別する」と記載されている．わが国ではこの定義が受け継がれ，これまで大腿骨頚部に発生する骨折を，大腿骨頚部内側骨折（あるいは関節内骨折），大腿骨転子部に発生する骨折を大腿骨頚部外側骨折（あるいは関節外骨折）と称し，両者を合わせて大腿骨頚部骨折と称することが多かった．なお Böhler（1929 年初版）の著書 "Die Technik der Knochenbruchbehandlung" では近位部の大腿骨骨折はすでに Schenkelhalbrüche と Brüche der Trochantergegend に区別されている．さらに遡って英国では，単純 X 線写真がなかった 1823 年，すでに大腿骨頚部骨折と転子部骨折が鑑別されなければならない重要性が Cooper によって提起されている．高齢化社会の到来とともに，骨粗鬆症患者の転倒骨折が社会問題化し，軽微な外力で高齢者に起こる骨折として hip fracture という用語が登場した．整形外科用語集（第 6 版）ではこれに大腿骨近位部骨折との邦語が附されている．しかし本章では高エネルギー外力による大腿骨骨頭骨折を含め 5 つに分類して記述する（図 17-1-1）．

a 解　剖

1）大腿骨近位部の構造と機能・機能解剖

前額面における大腿骨頚部軸と大腿骨骨幹部軸のなす角度を頚体角と呼ぶ．頚体角は成長とともに変化し，乳幼児で約 140°，成人で 125〜135°（128.1°）である．また大腿骨頚部は大腿骨骨幹部に対し前方に 16.7° 捻れており，これを前捻角という（図 17-1-2）．

骨標本の割面を調べると，健康人では大腿骨頚部内側の骨皮質は小転子にかけてかなり肥厚しており，Adams（アダムス）弓または大腿骨距 calcar femorale と呼ばれる（図 17-1-3）．さらに Adams 弓より大腿骨頭荷重面や大転子に向かい縦に走行する弓状の第一および第二圧迫骨梁や，大転子の遠位より大腿骨頭に向かう引っぱり骨梁がある．この骨梁構造は長期間のプラスチックキャスト固定や骨粗鬆症の進行で部分的に萎縮し消失する．高度の骨粗鬆症で最後まで残っているのは第一圧迫骨梁である．大腿骨頚部で第一，第二圧迫骨梁と引っぱり骨梁に囲まれた相対的に骨梁がまばらな逆三角形状の部分は Ward 三角と呼ばれる．健康成人の単純 X 線写真でも骨透過度の高い領域であるが，骨粗鬆症ではこの部分の骨密度が減少し，変形性股関節症では

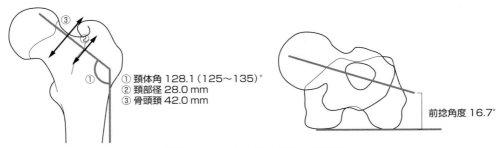

① 頚体角 128.1（125〜135）°
② 頚部径 28.0 mm
③ 骨頭頚 42.0 mm

前捻角度 16.7°

図 17-1-2　大腿骨近位部の骨形態

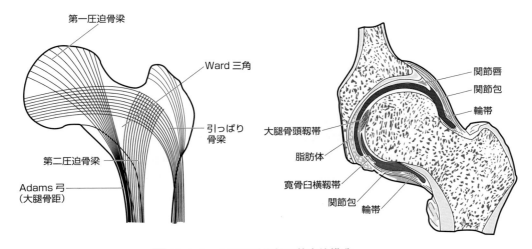

図 17-1-3　大腿骨近位部の基本的構造
（Bullough PG, et al：Orthopaedic Pathology, 花岡英弥訳, 1984 より改変）

増加する．大腿骨近位部は平地歩行でも体重の 3〜4 倍が加わる力学的負荷に対応した骨梁構造となっている．

　股関節は寛骨臼内に大腿骨頭が入る ball in socket の形態をとるため，高い安定性とともに大きな可動域を獲得している．また寛骨臼内の軟骨は馬蹄形で中央部分は脂肪組織でおおわれており，大腿骨頭靱帯が付着している．関節の辺縁には線維軟骨からなる関節唇があり関節の安定性に寄与している（図 17-1-3）．

　骨標本の表面を観察すると前面では大転子より小転子に向かって粗造となっている帯状部位が存在する．転子間線と呼ばれる部位であり，ここに腸骨大腿靱帯が付着する．後方は頚部の遠位から大きく盛り上がった転子間陵へ続くが，転子間陵のすぐ近位部は転子間陵より見ると極端に凹んだ形状となっており，いくつかの血管孔が開いている．この部位が転子間窩であり，前方に存在する転子間線とほぼ相対する位置にある．

　人が立位を維持し，片脚起立や歩行が可能なのは，股関節の外転筋群である中殿筋，大腿筋膜張筋，大殿筋，小殿筋などの働きによるもので，骨盤の横方向の安定性を保ち，支持脚側に骨盤を傾斜させることができるからである．中殿筋と小殿筋の働きは大腿骨頚部の長さによって影響を受ける．大殿筋は下肢最大の筋で歩行の際に体

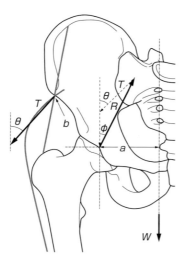

図 17-1-4　股関節合力の大きさと方向と条件下における負荷圧

a：骨頭中心と荷重ラインとの距離　b：骨頭中心と外転筋群までの距離　θ：外転筋群と荷重ラインとの角度
φ：大腿骨頭にかかる合力と荷重ラインとの角度　R：大腿骨頭にかかる合力
T：中殿筋群の筋力　W：体重
力のつり合いと骨頭中心におけるモーメントのつり合いより，

$$R = W\sqrt{\left(\frac{a}{b}\right)^2 + \frac{2a\cos\theta}{b} + 1}$$

（糸満盛憲編：最新整形外科学大系．16骨盤・股関節，p58, 中山書店，2006 より）

幹の前屈をも制御する．また歩行時に骨盤は立脚側の股関節を中心に内旋運動を強制されるが，これを制御する働きもある．

股関節は肩関節と同様に三次元空間での動きが可能である．これは椀状の寛骨臼と球形の大腿骨頭が ball in socket の形を成しているとともに周囲の靱帯と筋肉が巧妙に連動して関節を動かしているためである．このため大腿骨近位部骨折の治療に際しては，大腿骨頭に加わる合力の大きさや方向，周辺組織の破綻による支持力の低下など生体力学的側面が固定方法の選択や固定性の評価に重要となる．

大腿骨近位部に加わる合力は静止姿勢では体重のみが外力となる．その際の合力は関節モーメントの計算で算出できる（**図 17-1-4**）．一般的には片脚起立の負荷で大腿骨頭に加わる合力は体重の 2〜4 倍となる．これはこの姿勢を保持するための筋肉の作用がほとんどなく，また股関節伸展位の保持は強靱な股関節周囲靱帯が大きな役割を果たしているためである．

次に歩行を始めた場合には，動的な慣性力も加味して解析すると，ゆっくりした歩行では静止時と大きく変化することがないが，速度が増すと慣性力の影響を大きく受けるために関節合力は体重の 5〜7 倍に増加する．荷物を持ったときなどはさらに増加する．また骨頭の負荷圧も動作によって大きく変化し（**表 17-1-1**），大腿骨近位部骨折の治療に際してこれらのことを知っておくことが大切である．

2）関節包・靱帯

関節包の外側は線維組織，内側は滑膜組織で構成され，線維性関節包は寛骨臼の関節唇外縁と下方に連なる横靱帯に沿って付着し，遠位では前面は転子間線に，後面は頚部遠位 1/3 部に付着している．

前方は腸骨大腿靱帯，恥骨大腿靱帯，後方は坐骨大腿靱帯が取り巻いており，関節内では大腿骨頭靱帯が骨頭に付着している．特に前方の腸骨大腿靱帯は下前腸骨棘および寛骨臼上縁から転子間線に至る逆 Y 字状に広がっており，縦走線維束と横走線維束を有し，Y 靱帯と呼ばれている．全身で最も強靱な靱帯のひとつであり，股関節の過度の伸展を制限する．また恥骨大腿靱帯は，腸恥隆起と恥骨より小転子に至る靱

表 17-1-1　骨頭の負荷圧

活動性	負荷圧 (Mpa)
安静臥床	1.4
CPM 使用時	1.7
椅子からの立ち上がり	
38 cm	15.0
45 cm	13.1
56 cm	9.2
平行棒歩行	3.4
松葉杖免荷歩行	2.4
松葉杖部分荷重歩行	3.5
全荷重歩行	5.5
階段上り	10.2
ジョギング	7.7

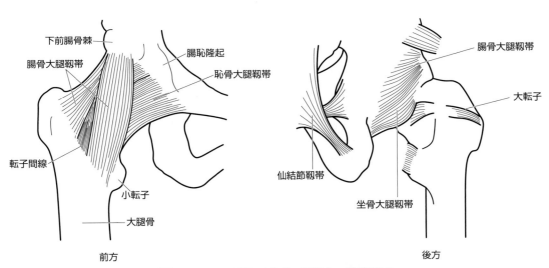

図 17-1-5　大腿骨近位部の関節包・靱帯構造

帯で大腿の外転や外旋を制限する．一方後方は坐骨大腿靱帯があり関節包の後面を補強しているが前方の靱帯と比較すると脆弱である（図 17-1-5）．

附-1　Weitbrecht 支帯（Weitbrecht retinacula）（図 17-1-6）

　Weitbrecht 支帯は大腿骨頚部に密着して走行し，解剖学的には 3 ヵ所に存在する．それゆえ retinacula と複数形になる．しかし，整形外科領域で Weitbrecht 支帯と呼ぶ場合には，通常，大腿骨頚部内側後方の支帯を指す．
　この支帯 retinaculum は頚部内側後方を骨に沿って縦に走る幅 8～15 mm，厚さ 4 mm 程度の扁平な帯状で，小転子近位の関節包付着部より大腿骨頭軟骨の直下に至

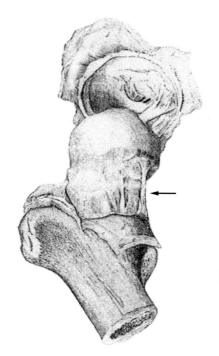

図 17-1-6 Weitbrecht 支帯（原図）(1742)
(Weitbrecht T：Syndesmologia sive Historia Ligamentorum Corporis Humani guam Secundum. Observationes Anatomicas Consinnavit et Figuris ad Objecta Reentia Adumbratis Illustravit：139-141. Petropoli Typographia Academiae Scientiarum, 1742 より）

る．表面は関節滑膜でおおわれ，この支帯の中を下支帯動脈 inferior retinacular artery が走行する．Noriyasu (1993) の解剖学研究では，Weitbrecht 支帯は男性の 94.8％，女性の 92.5％に確認され，形態が 2 種類あり，全長にわたり完全に band 状で大腿骨頸部の骨と密着しているものと（ほぼ 60％），band 形成が貧弱な支帯とに区別できると報告されている．大腿骨頸部骨折の転位の程度や予後を考えるうえで Weitbrecht 支帯の損傷の有無は重要で，Garden 分類の Stage IV ではこの支帯が完全に断裂し，重要な血行路が絶たれることとなる．

3）栄養血管

　大腿骨近位部を栄養する血管は，大腿深動脈より分枝している内側大腿回旋動脈，外側大腿回旋動脈であり，一部大腿骨頭靱帯の中心を走行する大腿骨頭靱帯動脈より供給されている．血流分布としては内側大腿回旋動脈が大腿骨頭の大部分に分布しているのに対し，外側大腿回旋動脈は大転子に分布する．大腿骨頭靱帯動脈は新生児・乳児では血流量が豊富であるが，3～7 歳頃に血流が一時的に途絶して後に再開する．高齢者では大腿骨頭内側の一部に分布するにすぎない．

　大腿骨頸部骨折の合併症である大腿骨頭壊死は内側大腿回旋動脈からの分枝である被膜下動脈が重要な鍵を握っている．内側，外側大腿回旋動脈の分枝は頸部において基部を取り囲むように吻合輪を形成し，関節包を貫通して被膜下に入り頸部より骨頭に到達している（図 17-1-7）．このうち後上血管束は関節包靱帯と骨に固定されていて損傷しやすい．この血管束は骨頭の 2/3 を栄養しており骨頭荷重面の血行のほとんどを占めている．

4）筋　肉

　大腿骨近位部に関与する筋肉は，主に股関節の屈曲に作用するのは腸腰筋，恥骨

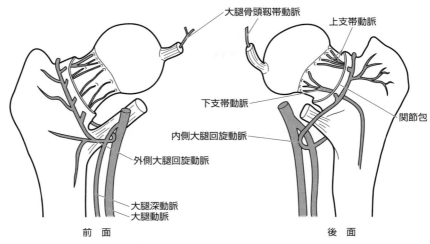

図 17-1-7　大腿骨頭の栄養血管

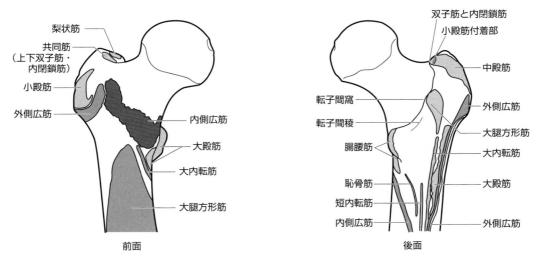

図 17-1-8　大腿骨近位部に付着する筋群

筋，縫工筋，大腿筋膜張筋，大腿直筋などで，主に伸展に作用するのは大殿筋，大内転筋などであるが，さらに膝関節伸展位では半腱様筋，半膜様筋，大腿二頭筋長頭が伸展の補助筋として働く．

　また股関節外転には中殿筋，小殿筋などが作用し，大腿筋膜張筋も補助をしている．一方内転は大・長・短内転筋が主体で薄筋，恥骨筋が補助をしている．内旋は小殿筋と大殿筋が，外旋は短回旋筋群（梨状筋，内外閉鎖筋，上下双子筋，大腿方形筋），大殿筋が作用している．大腿骨近位部骨折による転位もこれらの筋の牽引方向を考慮して整復操作が必要となる．たとえば大腿骨転子下骨折では，近位骨片は腸腰筋と中殿筋に牽引され屈曲，外転し，遠位骨片は内転筋群である短内転筋，長内転筋，大内転筋，腸腰筋に牽引され近位に転位し大殿筋により外旋した肢位をとる．これら筋群の近位部への付着部位を図示する（図 17-1-8）．

B 大腿骨頭骨折 fracture of the femoral head

a 疾患概念

　　交通事故や転落事故などの高エネルギー外傷により発生し，寛骨臼後壁骨折や大腿骨骨幹部骨折，膝関節靱帯損傷などを合併することがある．若・壮年男性に多くGiannoudisら（2009）の調査によると，大腿骨頭骨折450症例453股の平均年齢は38.9歳である．一般的に股関節脱臼を伴うことがほとんどであり，その部分に注目しすぎて隣接関節の損傷を見逃さないようにしなければならない．また，特殊な骨折形態として大腿骨頭軟骨下骨脆弱性骨折がある．

b 受傷機転

　　バイクによる転倒や自動車事故でのダッシュボード損傷により大腿骨長軸に外力が加わって発生する．多くは股関節屈曲位で，寛骨臼後壁の骨折とともに後方に脱臼する際に骨頭前方から内下方にかけて発生する剪断力が働き骨頭のスライス骨折を生じる．骨頭骨折は後方脱臼の7〜13％に合併するとされている．非常にまれであるが，前方脱臼時に骨頭骨折が生じることがある．またスキーなどで立ち木にぶつかって，開排位で過伸展を強要する外力により発生する（図17-1-9）．この際に骨頭の後方スライス骨折を生じた例は経験がない．寛骨臼が前方に開口していることがその理由と考えられる．

c 分類（Pipkin分類）

　　単純X線写真所見による分類で広く使用されている．この分類法は骨頭の分割骨折を骨折の部位や頸部骨折や寛骨臼骨折合併の有無で4つに分けている（図17-1-10）．

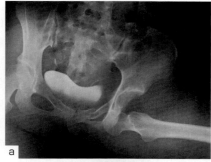
a 左大腿骨頭の閉鎖孔脱臼にて
患肢は屈曲，外転，外旋位をとる

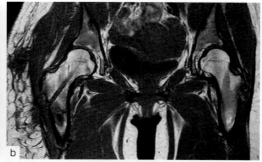
b 整復後のMRIでは骨頭壊死所見は認めない

図17-1-9　大腿骨頭前方脱臼（21歳，女性）
交通事故にて受傷．前方（閉鎖孔）脱臼．全身麻酔下に徒手整復．骨頭骨折，骨頭壊死や閉鎖神経麻痺などの合併症はない．

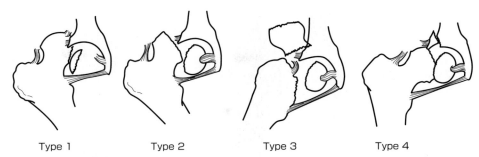

図 17-1-10　股関節脱臼を伴う大腿骨頭骨折の Pipkin 分類
Type 1：骨折線は中心窩より尾側に存在する
Type 2：骨折線は中心窩より頭側に存在する
Type 3：Type 1 または Type 2 骨折と頚部骨折が合併したもので骨頭は分節骨折を生じる
Type 4：Type 1 または Type 2 骨折と臼蓋辺縁の骨折を合併したもの

d 臨床症状と所見

　激しい股関節部の疼痛を訴え歩行不能で搬送されてくる．局所所見は患肢が短縮し股関節は屈曲位をとり，圧痛があり，自，他動運動が著しく制限される．Pipkin 分類の Type 1 と Type 2 では外傷性股関節後方脱臼の典型的な所見を示す．すなわち股関節は屈曲し患肢は内転・内旋し，短縮しバネ様固定を呈する．ただし Type 3 と Type 4 は骨折症状が主体のため患肢がバネ様固定を呈することはない．後方脱臼は坐骨神経損傷を合併することがあるので足部や足指の自動運動や感覚障害の有無を確認する．また整復時に坐骨神経損傷が発生することもあり注意を要する．前方脱臼を伴う骨頭骨折は血管損傷を伴いやすく触診による脈拍の確認が求められる．

e 診　　断

　肢位と症状から後方脱臼が想定されれば骨頭骨折を念頭において画像を見ることが必要となる．遊離骨片が関節内に遺残する場合は骨片を見逃しやすいので，CT 撮像が有用である．
　CT では，骨片のサイズ，粉砕程度，位置などが確認できる．また寛骨臼後壁骨折を伴う場合は臼蓋辺縁の関節内陥凹骨折（p.931 参照）や後壁骨折の大きさにより不安定性の評価も可能となる（図 17-1-11）．

f 治　　療

　解剖学的な整復，関節の安定性の再獲得と骨片などの関節内介在物の除去が目的となる．
　Type 1, 2 が Type 3, 4 より予後が良い．股関節脱臼を合併している場合はまず麻酔下に十分な筋弛緩を得て股関節脱臼の徒手整復を行う．
　Type 1（図 17-1-12）：股関節脱臼を徒手整復すると通常骨片は正常位置よりやや下方に転位することが多い．徒手的に整復後は牽引にて安静を図る．整復後の関節の適合性が悪い場合や関節内に骨片が介在している場合には観血的に整復・固定を行う．骨片が小さい場合は摘出する．

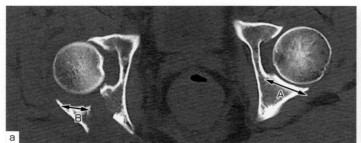
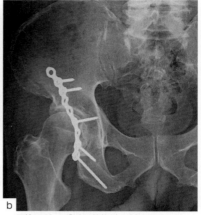

B/A 臼蓋後壁における骨片サイズと不安定性
<25%：不安定性なし
25〜50%：後方支持組織の破綻により不安定性が出現する
>50%：不安定性あり

骨片のサイズが臼蓋後壁に対して50%以上あり不安定性が強く出現しているため観血的整復内固定法を施行

図17-1-11　寛骨臼骨折の不安定性の指標（64歳，男性）
交通事故にて受傷．右寛骨臼後壁骨折

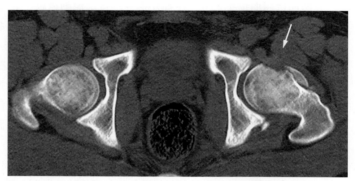

図17-1-12　大腿骨骨頭骨折　Pipkin分類Type 1症例（37歳，男性）
交通事故にて受傷

　Type 2：大腿骨頭窩を含む大きな骨片がある場合は観血的整復固定し，可及的早期に関節可動域訓練を開始できるようにする．後方進入路で入り筋間を分ければ筋内に骨頭が露出する．当然関節包は損傷しており容易に股関節へ到達できる．骨片が小さい場合は剔出する．しかし骨片を埋没型スクリューや吸収性スクリューで固定する場合は後方から骨折線に垂直に圧迫を加えるスクリュー刺入が困難な場合が多い．そのため，より確実な骨接合術の方法としては徒手整復後に改めて前方から進入して関節包を切開して直視下で骨頭骨片の整復，固定を行う．
　Type 3：徒手整復は頚部に残存した可能性のある血管を損傷する恐れがあるため繰り返し試みるべきではない．骨頭への血行はかなりの確率で障害されており骨頭壊死を起こす可能性が高く人工物置換の適応を考慮するが，若年者ではいったん整復および内固定を試みることが望ましい．他方，高齢者では一期的に人工骨頭置換術や人工関節手術を選択すべきである．

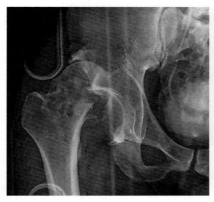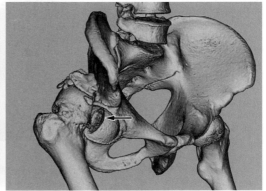

CTで大腿骨頭前内側部の骨折と後壁骨折が認められる

図 17-1-13　大腿骨骨頭骨折　Pipkin 分類 Type 4 症例（18歳，女性）
転落事故にて受傷．右寛骨臼脱臼骨折を合併．骨片が関節内に嵌入する（矢印）

Type 4：臼蓋後壁骨折を合併するものであるが，徒手整復時に臼蓋骨片が骨頭と臼蓋間に嵌入することがある（**図 17-1-13**）．原則として手術が必要である．後方侵入で骨頭骨折の整復固定と寛骨臼後壁骨片の整復固定を行う．骨頭骨片が小さい場合は剔出する．

g 合併症

股関節後方脱臼に合併する坐骨神経損傷は 8～19％ に合併すると報告されている．総腓骨神経の損傷が大きい．圧迫による阻血は，骨片による直達の損傷などが原因となる．特に神経組織は阻血には弱く緊急に脱臼を整復する必要がある．

膝関節部では受傷機転より膝蓋骨骨折，大腿骨・脛骨顆部骨折，靱帯損傷（特に後十字靱帯）を合併することが多い．

そのほかに異所性骨化，再脱臼，外傷後（二次性）変性性股関節症などがある．

附-2　大腿骨頭軟骨下脆弱性骨折（subchondral insufficiency fracture：SIF）

骨粗鬆症による脆弱な大腿骨頭に軽度の外力が加わり発症するもので，1996 年に提唱された．骨頭圧壊に進行する場合もあり，診断と治療が重要である．山本らは骨頭圧壊をきたし人工股関節が適応となった症例のうち 5～10％ は SIF は原因であったと報告している．

高齢女性に急性に発症することが多い．軽微な外力が原因で起こりうる．例えば重いものを持ち上げた，股関節を捻ったなど日常生活動作が受傷機転で発症する．当然歩行困難となるが単純 X 線写真では診断されないことも多い．したがって MRI が診断に非常に有用となる．骨シンチグラムではびまん性の取り込みを呈し診断根拠となる（**図 17-1-14**）．

骨頭に圧壊がない場合は安静，免荷を行うが（**図 17-1-15**），圧壊をきたした場合は比較的若年者には回転骨切り術，高齢者には人工股関節全置換術が適応となる（**図 17-1-16**）．

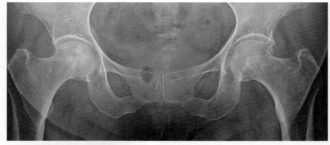

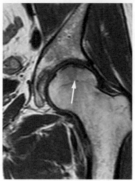

MRI：画像 T1WI，低信号域

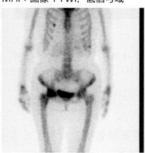
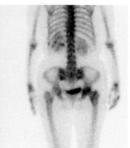

骨シンチグラム：びまん性の集積像

図 17-1-14　大腿骨頭軟骨下脆弱性骨折（70 歳，女性）
誘因なく左股関節痛出現．単純 X 線写真では明らかな crescent sign は認めないが，MRI で低信号域がみられる．

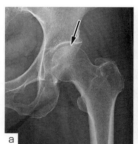
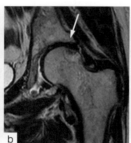
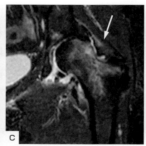
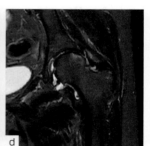

a．単純 X 線写真で骨頭に部分的な平坦化を認め，b．その部位に一致して MRI にて低信号域が出現している．c．また STIR 像では骨髄浮腫の所見も出現している

受傷半年後の MRI では受傷所見は消失している

図 17-1-15　大腿骨頭軟骨下脆弱性骨折における保存的治療（76 歳，女性）
SIF と診断し，3 ヵ月の荷重制限による保存療法で軽快する．

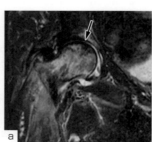
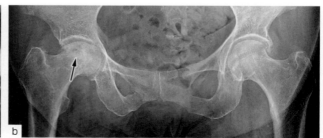

図 17-1-16　大腿骨頭軟骨下脆弱性骨折における圧壊（80 歳，女性）
初診時，右股関節痛で受診し SIF と診断（a）．杖歩行により経過を観察した．
3 ヵ月後に大腿骨頭の圧壊を認めた（矢印）．臼蓋にも一部脆弱性骨折を合併している（b）．

C 大腿骨頚部骨折 fracture of the femoral neck

a 疾患概念

　　大腿骨頚部骨折は通常関節包内に生じ，高齢者に好発する．また骨頭から大腿骨頚部にかけて特殊な血行動態を有し，大腿骨頚部で骨折が生じると滑膜性被膜下にある上支帯動脈 superior retinacular artery が損傷または骨折端により圧迫されることが多く，骨頭への血流の大部分が途絶され骨頭壊死に陥る．受傷後 6 ヵ月から 1 年後くらいに骨頭の圧壊が生じ，いわゆる遅発性分節圧潰 late segmental collapse となる．滑膜性被膜下の動脈損傷を直接評価することは困難であったが，最近は造影 MRI による評価法が報告されている．また動脈損傷の可能性の有無については Garden 分類の Stage がある程度指標となる．

b 分　　類

　　Garden 分類，Pauwels 分類，AO/OTA 分類などがある．一般には Garden 分類，AO/OTA 分類を用いることが多い．近年は非転位型と転位型に分け手術法を決める考え方もある．

1) Garden 分類（図 17-1-17）

　　1961 年 Garden は大腿骨頚部骨折を 4 段階に分類した．Stage Ⅰは不全骨折，Stage Ⅱは完全骨折で転位なし，Stage Ⅲは部分的に転位した完全骨折，Stage Ⅳは転位した完全骨折としている．Stage ⅠとⅡは頚部と骨頭の骨梁の関係性で判断するが，Stage ⅢとⅣは骨頭と寛骨臼の骨梁との関係性をみる．

附-3　三次元 CT を用いた Garden 分類

　　Garden は大腿骨頚部骨折は形態による分類より骨折部の転位の程度によって分けるのが妥当と考えた．Garden 分類の考え方は骨折形態による分類ではなく骨折部の転位の程度による分類である．骨片転位の程度や頚部後内側の Weitbrecht 支帯の損傷の有無で，単純 X 線写真前後像により 4 つの Stage に分類する（図 17-1-17）．近位骨片である大腿骨頭の骨梁の走行の乱れや骨折部の転位の程度で，遅発性分節圧潰や骨癒合不全の発生をある程度予測できる．しかし Stage Ⅰ, Ⅱ, Ⅲ, Ⅳを明確に分けることは実際には難しいこと，再現性が悪いことなどの問題点も指摘されている．また Stage Ⅰ, Ⅱと Stage Ⅲ, Ⅳの間に手術適応の分水嶺があるとする意見が多いことより，Stage Ⅰ, Ⅱを非転位型，Stage Ⅲ, Ⅳを転位型に分けることが多い．さらに Stage ⅢとⅣでは上支帯動脈の損傷の頻度はともに 85% 程度で骨頭壊死の発生頻度に差はないとの報告もある．しかし Stage ⅠとⅡを区別する必要は少ないが，Stage ⅢとⅣは区別すべきと中野は考えている．Stage ⅢとⅣにはすべて人工骨頭置換を行う方針であれば両者を区別する必要はないが，内固定術を選択するのであれば，Stage ⅢとⅣでは内固定術の難易度が違い，さらに実際には遅発性分節圧潰の発生頻度が異なるからである．

　　Garden の Stage 分類は，その考え方には多くの整形外科医師のコンセンサスが得られているが，その判定に関して再現性が悪いこと，Stage の概念と Stage 判定の方法には齟齬がある症例がしばしば存在するなどの大きな欠点がある．Garden が提唱した Stage の概念はそのままに，Stage 判定の手段については三次元 CT を用いた中野の判定法について解説する．

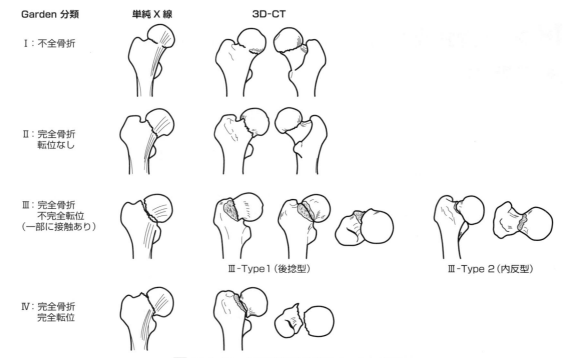

図 17-1-17　大腿骨頚部骨折の Garden 分類

　Stage Ⅰ：不完全な大腿骨頭下骨折である．単純 X 線写真での判定法は「大腿骨頭はやや外反し，外側で陥入している」とされているが，中野は「大腿骨頚部の骨皮質の一部は連続性が残存するもの」とするのが Garden の Stage Ⅰの趣旨に則ると考えている．「Stage Ⅰは外反していることが多いが，必ずしも外反しているとは限らず，三次元 CT で骨折部の皮質の一部が若木骨折様に連続しているもの」とする．

　Stage Ⅱ：転位のない完全な大腿骨頚部骨折である．嵌合しているようにみえることが多い（Stage Ⅰと Stage Ⅱに臨床的な違いがあるかどうか疑問である．骨癒合率や遅発性分節圧潰の発生率に差がみられないという報告が多く，Stage Ⅰ，Ⅱを合わせて非転位型とする意見もある）．中野は「大腿骨頚部の骨皮質が全周にわたって連続性が断たれているが骨片間の転位がほとんどないもの」とするのが Garden の Stage Ⅱの趣旨に則ると考えている．したがって「Stage Ⅱは三次元 CT で骨折部の皮質に全周にわたって骨折線が確認されるもの．骨折部で軽度の後屈などの転位は存在しうる」とする．

　Stage Ⅲ：完全骨折で骨片転位が明らかではあるが骨片間の転位は完全ではなく部分転位である．単純 X 線写真では骨頭の部分的な転位とともに第一圧迫骨梁が正常より水平方向へ走り，第一圧迫骨梁が寛骨臼の骨梁と不一致となっているようにみえるとされている．Stage Ⅲの解剖学的な考え方は大腿骨頚部内側後方にある Weitbrecht 支帯は通常断裂しておらず，両骨片間は Weitbrecht 支帯でつながっているとされている．Stage Ⅲの近位骨片の転位の方向について，一部の成書では骨頭が内反するものが図示され，別の成書では骨頭が頚部軸に対して後方回転しているものが図示されている．しかし骨片間の転位は完全ではなく，骨折前の部位同士が接触していると思われる症例を三次元 CT で観察すると，2 つの転位型が認められる．多いのは遠位骨片の外旋に連動する形で骨頭が体幹に対して外転・内旋し（頚部軸を基準にすると主に後捻，軽度の内反），すなわち後方骨折部を中心にヒンジ状に屈曲し，前方は開大している

Type 1（後捻型）であり，他のひとつは骨頭が体幹に対して外転転位のみ（頚部軸を基準にすると内反）している Type 2（内反型）である．内反型は Stage I の骨折や不顕性骨折では受傷直後歩行が可能で歩行による荷重を受けることによって経過とともに徐々に内反転位を起こしたのかもしれない．両者共に単純 X 線前後像では第一圧迫骨梁が正常より横に寝た方向へ走る．透視下に下肢を牽引するとこの支帯に引っ張られる形で大腿骨頭は整復される状態が確認できる．

　　Stage Ⅳ：完全骨折で，しかも骨片間が離開，転位し，大腿骨頭は回旋・内反転位がなく寛骨臼内で正常の位置にある．このことは単純 X 線写真前後像で，第一圧迫骨梁が寛骨臼の骨梁と走行が一致することで確認できる．CT や三次元 CT で検討すると，高齢者では骨折部の後方皮質は圧壊が認められ，整復されたとしても不安定な支持であることがわかる．遠位骨片は外旋し前方近位に転位する．Stage Ⅳ では大腿骨頚部をおおう皮膜が完全に断裂し，大腿骨頭への栄養血管が遮断される．同時に Weitbrecht 支帯も完全に断裂するため，大腿骨頭の回旋転位はなく正常の位置にある．大腿骨頭の回旋転位は単純 X 線写真で骨梁の走行によって判定されるが，20～30°以内の回旋転位では前後像での判定が難しい．大腿骨頭の骨折部下部に尖った皮質骨の spike があれば回旋転位の判断はより容易となる．中野らの研究では後方回旋は 45～60°以上ないと単純 X 線写真で判別することは困難である．回旋転位の判断には前後像とともに軸写像を合わせて判定する必要がある．Stage Ⅳ は頚部に対し骨頭が前後方向，上下方向共に平行移動し，これにより骨片間は完全に接触を失うか，あるいは違う部位同士が接触している．

　　Garden の Stage 分類は，原著は単純 X 線写真を提示しているが，その後の引用で多くの図が示されて原著の趣旨が誤って伝えられているきらいがある．中野の Stage 判定法は Garden 原著の Stage 分類の趣旨に則り，それを三次元 CT の画像を加えて解釈・表現したものである．

2）AO/OTA 分類

　　1987 年に AO（Arbeitgemeinshaft für Osteosynthesefragen）foundation がそれまで蓄積してきた骨折ファイルを元に AO 分類を提唱し世の中に出版した．その後，1996 年にはこの分類が米国整形外科外傷学会で検証され公認され，AO/OTA 分類となった．以来広く臨床で使用されその有用性も示されてきたが，2018 年に大幅に改訂され大腿骨頚部骨折についても大きな変更がなされた．

　　股関節は部位として 31 のコードが付与され，骨折部位として B が大腿骨頚部に相当する．頚部の中で骨折部位を subcapital, transcervical,basicervical に分けそれぞれ B1, B2, B3 とした．また部位ごとにサブグループに分けられており，Garden 分類 Stage 1 は B1.1，Stage 2 は B1.2，Stage 3, 4 は B1.3 に相当する．また B2 には qualification という細分類も採択されている．

3）Pauwels 分類

　　1935 年に提唱され，当初は骨折線の角度と大腿骨頭にかかる応力を圧迫力と剪断力に分けて考えられた．当初骨折線の角度は Type 1 は 30°まで，Type 2 は 50°まで，Type 3 は 50°以上とされていたが，オリジナルのイラストに 70°の数字が掲示されていたため,多くの論文で混同されて使用された．なかには 50°から 70°の角度を考慮しない論文もある．しかし改訂 AO 分類で，Type 3 は 70°以上とされている．ただこの角度は大腿骨の回旋の影響を大きく受けるため，正確な測定が困難である．ポイントとしては，股関節にかかる応力が剪断力や内反力に向かうような骨折角度を有する場合に注意することが重要である．さらに骨頭や頚部の径，頚体角によって実際の角

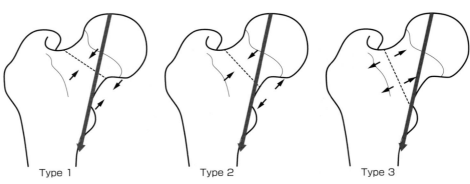

図 17-1-18 Pauwels 分類
骨折線の角度が垂直に向かうほど荷重ライン（太線）は骨折部内側を通るため，骨折部には圧迫力より剪断力と引っ張り応力が主体となる．

度が変化するため，個々のケースを注意深く検討することが必要である．
　生体力学的には頚部軸に対する骨折線が垂直方向に向かうほど荷重線は頚部内側を通るため，骨折部には圧迫力がかからず剪断力と引っ張り応力となる（図 17-1-18）．

c 受傷機転・臨床症状と所見・診断

　受傷機転の問診は診断上重要である．患者の多くは高齢者で，日常生活動作中の転倒，ベッドからの転落などで殿部や大腿骨大転子部を打撲することにより受傷することが多い．転倒しなくても，よろめいたり下肢が急に外旋したときなどの軽微な外力により骨折することもある．高齢者は骨粗鬆症が基盤に存在し大腿骨近位部の骨強度が減弱していることが多く，また骨皮質の幅や CT を用いた骨皮質構造の解析で，大腿骨頭部から頚部に移行する部位（骨頭下）は力学的に最も弱いことが明らかにされている．
　交通事故や高所からの転落などによる高エネルギー外傷による大腿骨近位部骨折は若・壮年層に発生する．
　股関節部の激しい疼痛，起立・歩行不能，自動運動不能，異常肢位・脚長差，限局性圧痛などの症状を呈する．しかし骨折の形態により疼痛が比較的軽度でかろうじて起立，歩行が可能なことがあるが，転子部の叩打痛，介達痛を認めたら本骨折を疑う（図 17-1-19）．
　診断はこれらの特徴的症状と画像による．単純 X 線写真は前後/側面像が基本となるが，疼痛のため患肢が外旋位をとることが多くこのまま単純 X 線写真撮影を行うと骨折線が明らかに描出されないことがある．前捻角を考慮して両下肢を約 15° 内旋位として正面像を撮影すると大腿骨頚部が正面となり骨折線を明らかにしやすい．骨折症状が明らかであるにもかかわらず単純 X 線写真で診断が困難な場合は不顕性骨折を疑い，CT や MRI を撮像してより詳しい情報を得る．

d 治　　療

　日本整形外科学会の大腿骨頚部/転子部骨折診療ガイドラインでは「Garden 分類の

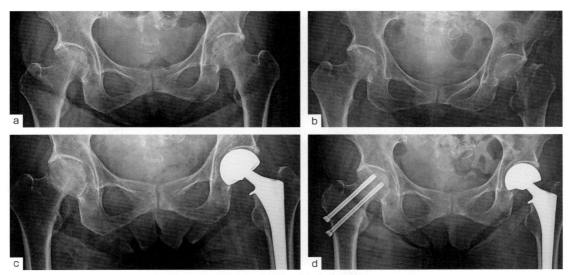

図 17-1-19 両側の不顕性頚部骨折（63歳，女性）

両股関節痛で受診．単純X線写真上，骨傷を確認できず帰宅した．
3週間後に左股関節痛が増強し救急搬送された．単純X線写真でGarden stage IV と診断され人工骨頭置換術を受けた．その1週間後に右股関節痛が出現し単純X線写真で大腿骨頚部骨折（Garden stage II）と診断され骨接合術を受けた．

Stage I と II では骨接合術を，Stage III と IV では人工物置換術を推奨する」とあるが，推奨に記載されている事項は必ずしもすべての患者に適応するとは限らず，患者が置かれた状況に基づいて骨折転位の程度，予測される合併症，年齢，全身状態，受傷前のADL，社会的背景などを十分に考慮し治療方針を決定する．

1）保存療法

保存療法で骨癒合を期待するには，非転位型であってもStage II はベッド上安静期間が1ヵ月以上必要で，治療中の転位や遷延治癒，偽関節の発生率が高いので，患者の全身状態，本人や家族の同意，診療側の受け入れ状況が許す限り手術療法を選択すべきである．しかし，麻酔や手術の侵襲により生命が危険に曝される確率が高い全身状態の場合，手術の同意が得られない場合は保存療法を行う．骨癒合が起こるまでは骨片転位が生じやすいこと，長期臥床は褥瘡，感染症，認知症，廃用症候群を合併しやすいことなどを十分認識する．

Garden分類の非転位型は保存療法が成功することもあるが，転位型は安静により骨癒合を得る可能性はほとんどない．転位型にやむを得ず保存療法を行う場合は，骨癒合を目標とせず，むしろ早期離床や車椅子移動を可能にできることを目標にしたほうがよい．十分な疼痛対策を行い可能な限り早期離床を図り，全身管理や廃用症候群を極力予防することに力を注ぐべきである．

2）手術療法

骨折部の安定性によって術式を選択する．一般的には前述のGarden分類に基づいて非転位型に骨接合術が適応される．転位型であっても若年者や全身状態不良の場合には骨接合術が適応となる．

内固定材としてはcannulated cancellous screw（CCS），sliding hip screw（SHS），

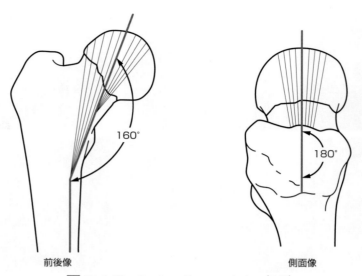

図 17-1-20 Garden alignment index (GAI)
正面像で骨幹部内側と骨梁中央，側面像では骨軸と骨梁中央のなす角度である．

フックピンなどが用いられる．この場合転位の少ない安定型に対しては整復操作を行うことなくその位置にて固定するが，後述するように内反や後捻などにより高度の転位がある場合は整復操作が必要となる．また，Garden 分類 Stage Ⅲ，Ⅳの転位型でも骨接合術を選択する場合には確実な整復を行う必要がある．

一方，転位型に関しては一定の年齢以上であれば人工物置換術が施行される．近年は比較的若年者の頚部骨折に対して人工股関節全置換術を実施する施設もある．従来の人工股関節と比較してボールの大径化によって脱臼率は改善されその耐用性も向上しているものの，その適応には慎重を要する．

a）整復（術前操作）

整復の指標は Garden alignment index (GAI) を用いることが多い（図 17-1-20）．これは正面像では骨幹部内側線と骨梁中央線，側面像では骨軸と骨梁中央線のなす角度である．それぞれ 160～180° で通常 180° が推奨されている．

外反，後屈が強い場合，例えば正面 GAI＞180° や側面 GAI＜165° で遅発性骨頭圧潰（LSC）が発生する可能性があるとの報告もある．牽引台上で愛護的に下肢を軽度屈曲，外転位で牽引する．その後内旋することにより多くの場合は整復可能である．特に Garden 分類 Stage Ⅲの場合は残存する Weitbrecht 靱帯を牽引することにより整復される．

大腿骨距内側部分の皮質骨を合わせてその位置で固定する．解剖学的に内側骨皮質をしっかり合わせることが大切である．一方，骨折部が咬合して整復が困難な場合には牽引台から外して，股関節を軽度外転，90° 屈曲して牽引を加え嵌入を外し，そのまま牽引をしながら伸展と内旋を加える Flynn 法や，軽度内転，90° 屈曲し牽引しその後外転を加えていく際に股関節の内旋で整復を確認できる Leadbetter 法などで整復する（図 17-1-21）．

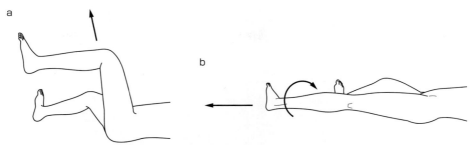

Flynn 法
a：股関節を軽度外転しながら愛護的に屈曲し，牽引して骨片の嵌入をはずす
b：牽引しながら股関節を伸展および内旋する

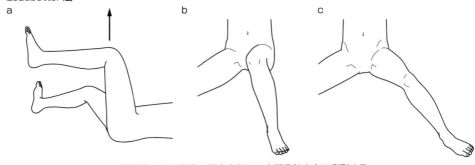

Leadbetter 法
a，b：股関節を 90°屈曲，軽度内転し，大腿骨軸方向に牽引する
c：股関節をゆっくり外転すると，股関節は内旋する

図 17-1-21　骨折が咬合した大腿骨頚部骨折における整復手技
（岡崎 敦：大腿骨頚部骨折の整復のコツ．関節外科 9：26，2018 より）

以上の操作を行っても整復がなされない場合は直視下に整復を行う．

b) 使用する内固定材料

基本的にピン・スクリュータイプ pin screw type とスライディングヒップスクリュータイプ sliding hip screw type がある．固定原理として前者は 2 点支持の 3 点固定，後者は 1 点支持の 2 点固定である．

① cannulated cancellous screw：CCS による内固定

大腿骨頚部小転子下縁レベルで大腿外側に皮切を加える．皮下組織を展開して X 線透視装置で確認しながら大腿骨外側骨皮質からの刺入点を決定する．この際小転子下縁レベルより遠位に刺入孔を作製すると術後骨折の危険性があるので注意を要する（図 17-1-22）．

3 本の CCS を用いて固定する場合はスクリュー頭部の位置が逆三角形の形をとるように挿入する．一本目のガイドピンを前後像では頚部下方に，側面像では頚部中央から骨頭中心に向かって刺入する．CCS の先端を骨折線を超え軟骨下骨まで刺入することが重要で，このスクリューによって骨頭の内反を防止する．固定の原理は 3 点固定である．力学的には大腿骨外側骨皮質の支持のみでは骨頭の支えは不十分である．そのため大腿骨外側骨皮質と頚部内側の 2 点で骨頭を支持するように固定する．

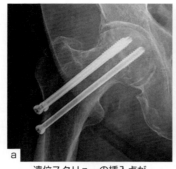
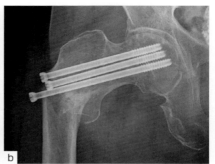

a 遠位スクリューの挿入点が小転子下縁レベルより遠位　b 術後に挿入部位での骨折を生じた症例

図 17-1-22　CCS による骨接合における合併症

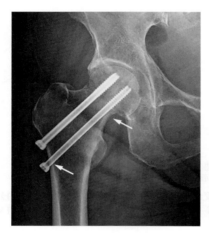

図 17-1-23　CCS による固定原理
大腿骨距内側骨皮質と大腿骨外側骨皮質の2点で固定することにより骨頭を支持し内反転位を制御する．同様に近位後方のスクリューも頚部後方内側骨皮質と大腿骨外側皮質骨で骨頭を支え後方転位を制御する．

同様の原理で2本目は近位部後方に刺入し後方の頚部骨皮質と大腿骨外側骨皮質の2点支持で骨頭の後方への転位を防ぐ．いずれの場合にもスクリューのスレッドは骨折線を超えていなければならない．特に，若年者の不安定型に使用する場合にはこの3点固定の原理をしっかりと守る必要がある（図17-1-23）．

② sliding hip screw：SHS による内固定

前述の CCS は骨構造を利用して角度安定性を獲得しているが，SHS は内固定材料自体が角度安定性を有しており，頚部内側 Adams 弓での骨性支持が得られない骨折形態でも骨頭の内反，後捻転位を防止することが可能である．

骨粗鬆症が高度の症例で，CCS 刺入後の骨折が危惧される場合や大腿骨外側骨皮質が著しく菲薄化している場合，また骨折線が小転子まで及んでいる Pauwels 分類 Type 3 に相当する剪断型が適応となる．

切開は外側に小転子上縁レベルを中心に大腿骨長軸に沿って加える．皮下組織，外側広筋を展開して大腿骨外側骨皮質に到達する．SHS におけるラグスクリューは正面で中央，側面で中央を通す必要があるが，頚部骨折に使用する場合には回旋防止スクリューが必要なため正面で頚部下方，側面で中央を目指す．スクリューは骨頭軟骨手前5mm程度までしっかりと刺入することが重要である．プレート固定にはあらか

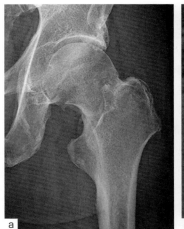
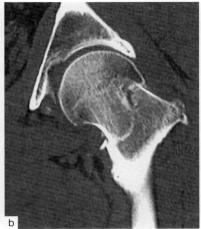
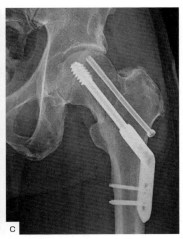

図17-1-24　角度安定性を有した内固定材料を用いた内固定
垂直剪断型の骨折で大腿骨距部分での内固定材料の固定が困難である．そのためスクリューの挿入方向がプレートによって規定されかつ維持される内固定材料を使用することが望ましい．

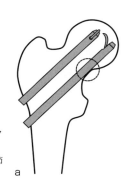
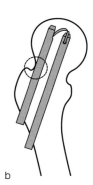

図17-1-25　フックピンによる内固定
図17-1-23の原理と同様．
遠位ピンのフックが上方に（a），近位ピンのフックが前方に向くように挿入する（b）．
（野々宮廣章：大腿骨頸部骨折に対する骨接合術．関節外科9：33，2018より）

じめ回旋防止スクリューを刺入しておき，ラグスクリュー刺入時の大腿骨頭の回旋を制御しておく（図17-1-24）．

③ フックピンによる内固定

　通常2本のフックピンで固定する．遠位ピンは骨頭の内反防止，近位ピンは後方転位を防止する役目を果たす．そのため，遠位ピンは頸部内側髄内皮質（Adams弓）に接するように刺入する．これらはCCSと同様に3点固定の2点支持の原理に沿う．手順としては遠位から操作することが基本であり，まずは遠位ガイドピンのドリリングを行う．この際に注意すべきことはフックピンの設置に際してドリル孔に骨屑が残っているとピンの刺入が妨げられるので，ドリル抜去の際には正回転で行うことである．次にフックの先端を適切な部位に位置することが重要で，遠位ピンのフックは上方に，近位ピンのフックは前方に向くように挿入する（図17-1-25）．

　フックピンの固定性に関しては，CCS3本とフックピン2本（ただし8 mm以上の間隔）は同程度の剛性を持つと報告されている．そのためにもフックの先端が骨頭の最も骨密度の高い部分に位置するように刺入する必要がある．また，フックピンそれ

988 　各 論　第 17 章　下肢の骨折

自体が骨折部に圧迫を加えるのではなく，自動運動・荷重による圧迫を期待して骨癒
合を促進する機構である．したがって麻痺患者や寝たきり患者は適応外となる．

④ 人工骨頭置換術

転位型で不安定性を有する場合に適応となり，手術には前方進入路と後方進入路が
ある．両進入路にはそれぞれ一長一短があり，後方進入路は高齢者で認知症や筋力低
下がある場合は前方進入路に比較して後方脱臼を生じる確率が高い．自験例および文
献によると脱臼発生率は 1〜3％である．脱臼後の安静による廃用や誤嚥性肺炎など
の合併症による死亡率は各報告とも 50％以上である．後方支持組織の破綻が脱臼の
要因であるという報告もあるが，認知症による病識の欠落が最も重要な誘因であると
もいわれている．他方，前方からの進入路では脱臼は生じにくいとされている．

したがって，近年では後方組織をなるべく温存する手技がとられており，代表的な
ものの一つに外旋筋群のうち梨状筋と内閉鎖筋，上下双子筋からなる共同腱を温存す
る人工骨頭置換術で conjoint tendon preserving posterior（CPP）進入路による手術が
ある．しかし，この進入路には手術時の骨折などの合併症も散見される．

・後方進入路：conjoint tendon preserving posterior（CPP）進入路

骨盤固定具などで固定し完全側臥位で行う．通常の後方進入の展開で関節包の後面
を露出する．次に短外旋筋群を同定して下双子筋と外閉鎖筋との間で関節包を切開す
る．外閉鎖筋を関節包と一塊にして大転子側付着部で L 字状の切開を加える．これ
により共同筋腱の下にある坐骨大腿靱帯の温存が可能となる．下層にある滑膜性関節
包に縫合糸をかけ，持ち上げながら切開を近位へ延長する．その際に関節唇が確認で
きるので損傷しないように関節縁を超えて切開する．人工骨頭設置後は，外閉鎖筋と
関節包を大転子部に Kirschner 鋼線で 2 ヵ所の孔を作り pull-out 法により縫合する．
さらに一塊として温存した下双子筋と側々縫合する．この方法により後方支持組織が
再建されるので脱臼の発生頻度を減じることができる．

脱臼肢位は通常の後方進入路とは異なり，屈曲，外転，内旋で臼蓋後下方から脱臼
が可能となる（loose pack 肢位）．

・前方進入路 antero lateral supine（ALS）（仰臥位もしくは側臥位）

ここでは仰臥位での ALS を紹介する．皮膚切開は中殿筋前縁が大腿骨に付着する
点を起始とし上前腸骨棘から後方に約 3 cm の部位に至る．中殿筋と大腿筋膜張筋と
の間を同定して筋膜を切開し関節包前方に到達する（図 17-1-26）．小殿筋と関節包
の間，腸骨関節包筋と関節包の間と下前腸骨棘内側にレトラクターをかけ関節包前面
を露出させる．このとき内側は股関節屈曲位を保ち鈍のレトラクターを用いて神経血
管損傷を防ぐことが重要である．次に関節包を H の字型に切開するが，この際には
十分に後外側まで切開を加えないと骨頭整復が困難となる．

整復操作は長軸に牽引するのみではいたずらに腸腰筋の緊張を招き困難となる．筆
者は 30° 程度屈曲位とし腸腰筋の緊張を弛め，内転，軽度内旋位で骨頭を臼蓋前外側
に誘導して骨頭を直接に押し込み整復する方法を行っている．人工骨頭のアウター
ヘッドは人工股関節のボールに比べ大きいので整復のために関節包前外側部分を切除
することが必要な場合も多い．ただしこの場合でも関節包前面の垂直線維を温存して
前方の安定性を温存することが重要である．また，展開の際は大転子より近位約

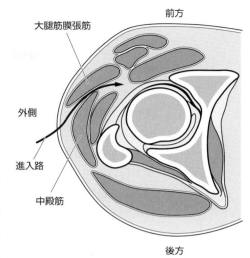

図 17-1-26 antero lateral supine approach による人工骨頭置換術
仰臥位で手術が行え，筋間を進入して局所を展開するため侵襲が少なく，術後リハビリテーションを早期より円滑に行える．また脱臼することがほとんどないため日常生活動作の制限は不要である．

5 cm に上殿神経の分枝が走行しているのでこれを損傷しないように注意する．

e 後療法

非転位型の骨接合の場合は早期随意荷重，関節可動域訓練，筋力強化訓練を行う．しかし転位型の場合は整復状態により経過をみながら部分荷重から開始する．Garden 分類 Stage Ⅲ，Ⅳでは部分荷重の期間を長めにし慎重に後療法を行う．人工骨頭置換術の場合には早期全荷重を許可し同時に上記リハビリテーションを開始する．特に前方侵入の場合には脱臼防止指導や処置を行う必要はない．

f 局所合併症

1) late segmental collapse：LSC 遅発性骨頭圧潰

大腿骨近位部の血行は特殊であり，頚部で骨折し血行が途絶すると骨頭荷重部は阻血性壊死に陥る．骨の荷重に対する強度は基質に依存しており，細胞が壊死しても直ちに骨の強度が低下するわけではなく，細胞の壊死により骨基質が次第に破壊され強度が低下する1年前後経過後より骨頭圧潰（late segmental collapse：遅発性骨頭圧潰）が発生する．Stage Ⅰ，Ⅱは上支帯動脈 superior retinacular artery が開存していることが多く，Stage Ⅲ は残存している可能性が，Stage Ⅳ は途絶していると考えられ，Stage Ⅰ，Ⅱ では骨頭圧潰の発生頻度は少なく，Stage が高くなるに従って骨頭圧潰の発生頻度が高くなる．

骨内細胞の壊死は血行途絶後数日以内に発生すると考えられるが，画像的に最も早く把握できるのは MRI であり，非造影 MRI でも数週後には異常所見がみられる．MRI で診断される骨頭壊死が小範囲であれば遅発性骨頭圧潰は発生せず，軽度の変形性関節症の発生にとどまることが多いが，壊死範囲が広ければ多くの症例で早晩圧潰が発生する．

2）偽 関 節

大腿骨頚部の周囲には強靱な軟部組織が欠損しており，内固定をした場合の固定性は骨同士の嚙み込みと内固定材料の強度に依存している．骨頭は海綿骨が密に詰まっているが，高齢者の頚部はいわば「がらんどう」であり，骨同士の接触は良好ではない．また頚部はくびれているため，体重を支え，かつ骨片が転位しないためには固定性がある複数の内固定材料を挿入する必要があるが困難なこともある．ただし骨同士の嚙み込みによる安定性は第三骨片を有する大腿骨転子部骨折よりむしろ良好であり，骨折部を正確に整復し，荷重歩行に耐え得る内固定材料で固定できれば，早期荷重歩行は可能であり，偽関節も発生しにくい．

3）内固定材料周辺骨折

内固定材料周辺で転子部骨折や転子下骨折を起こすことはまれではない．特にプレート部を有しない内固定材料では，挿入部位の孔が骨の強度低下を引き起こし，同部を起点として骨折が発生する．明確なエビデンスはないが，内固定材料の挿入部位が小転子より高位の場合は転子下骨折の発生が多いといわれており，刺入部位に注意する必要がある．

附-4　大腿骨頚部骨折の pit fall

中間部の骨折は純粋な関節包内骨折であり，正確な整復と強固な固定が得られないと骨癒合を得ることは困難である．転子部骨折や頚基部骨折と混同してはならない．またきわめてまれではあるが，頚部骨折と転子部骨折を合併した症例が存在する．骨癒合を得ることはきわめて困難であるため，人工骨頭置換術や人工股関節置換術が適応となる．初心者は転子部骨折に人工股関節置換術を用いることは，頚部骨折に対するそれより技術的に難しく，大転子をとどめるための内固定材料をしばしば必要とし，出血量も多いということを認識する必要がある．

D 大腿骨頚基部骨折 basal femoral neck fracture

a 疾患概念

大腿骨頚基部骨折は大腿骨頚部/転子部骨折診療ガイドライン 改訂第2版では「骨折線の一部が滑膜性関節包外にあり，靱帯性滑膜包の内部にあると思われる」と定義づけられている．

一方，海外では「転子間線の近位か転子間線に沿った骨折」とされ，双方ともその定義に相違があった．これは画像診断がわが国では多くはCTに基づくようになったこと，海外では単純X線写真での判定が主流であることが影響していると思われる．一方，最新のガイドラインである「大腿骨頚部/転子部骨折診療ガイドライン 改訂第3版」では，大腿骨頚基部骨折に関する記述は「定義が明確ではなく頚部骨折・転子部骨折のどちらにも分類できないものを頚基部骨折と呼んでいる」となり第2版で記載された頚基部骨折の内固定方法に関する記述は削除されている．ただ共通していることは頚基部骨折とおぼしき形態を有する骨折は回旋不安定性があり，一般的に骨接合術の成績は芳しくない．頻度としては多くの報告があるが，海外では3〜8％程度

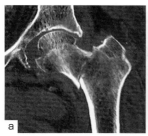
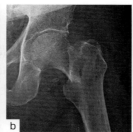
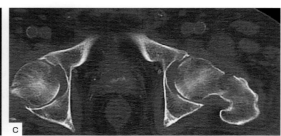
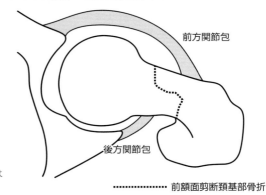

図 17-1-27　前額面剪断頚基部骨折の症例
骨折線は前額面で剪断方向に走っており，前方骨折線は関節包内で後方骨折線は関節包外にある．

とされ，わが国では CT が普及しているためであろうか 4～6％ との報告がある．一方，頚基部骨折でも前額面で剪断された骨折線を有する特殊な形態をとる骨折があることがわかった．これは頚部前方から後方にかけて斜走する骨折形態を呈する（図 17-1-27）．

附-5　中野の大腿骨頚基部骨折定義

中野は大腿骨頚基部骨折を，前方部骨折線は転子間線より近位にあり（転子間線は含まない），後方部の基本骨折線は転子間窩 intertrochanteric fossa の遠位部にあるものと定義した．これは解剖学的には，前方部の骨折線は靱帯性関節包，滑膜性関節包の内側に位置することを，後方部の骨折線は関節包の外側に位置することを意味している．したがって滑膜性関節包の内外にまたがった骨折といえる．この定義が可能となったのは，CT による MPR（multi-planar reconstruction，多断面再構成像）画像や三次元 CT 画像が容易に撮影されるようになったことと関係がある．

b　分　類

不全骨折以外はすべて不安定型骨折と考えられるが，詳細な分類はない．頚部前方部で骨性支持が得られるか否かによる不安定性と前方皮質に第三骨片を伴ったり粉砕状に骨折しているなどの要素を組み合わせて，1）第三骨片のない比較的安定型，2）後方皮質に第三骨片のある比較的安定型，3）前方皮質に第三骨片があったり，粉砕型骨折の高度不安定型に分類すると，骨接合術，人工骨頭置換術，人工股関節置換術などの治療適応を決定するうえで，かつその難易度を推定するうえで有用である．

992 　各 論 　第 17 章 　下肢の骨折

c 受傷機転，臨床症状と所見

　転子部骨折と比較して頚基部骨折は活動性の高い高齢者に発生することがやや多い．転位が軽度で安定性を有している場合（嵌入型など）は，疼痛があるにもかかわらず荷重や歩行が可能な場合もある．数日して不安定性が出現すると歩行困難となる．

　一方転位が大きい場合は不安定性も強く，受傷直後から荷重，歩行不能となり下肢は屈曲外転外旋をとることが多い．他動運動で疼痛が増強することは他の骨折と同様である．ただし本骨折は関節内骨折であるため大腿骨転子部骨折などの関節外骨折ほど疼痛の訴えは強くない．

d 診　　断

　単純 X 線写真のみでは大腿骨頚基部骨折の診断は困難なことが多い．ただし単純 X 線写真で内側大腿骨距が二重に見えることにより診断が可能となることがある．後方部の骨折線は基本骨折線だけの 2-part 骨折もあるが，転子部骨折と同様に転子間陵が 1 つあるいは複数の第 3 骨片となっている 3-part 骨折，4-part 骨折のことも多い．このため第 3 骨片を有する頚基部骨折の単純 X 線写真は転子部骨折ときわめて類似しており，単純 X 線写真のみでは見分けがつかない．CT による MPR 画像や三次元 CT 画像が必要である．

附-6 　大腿骨頚部骨折，頚基部骨折，転子部骨折の安定性の違い（靱帯付着と骨折線の関係）

　大腿骨の近位前方部には厚く強靱な腸骨大腿靱帯が付着し，近位後方部には転子間窩近傍に後方関節包からの貧弱な線維が付着している．

　頚部骨折転位型では近位骨片は関節内を浮遊した状態にあり，きわめて不安定である．大腿骨転子部骨折では前方部の骨折線をまたいで厚く強靱な腸骨大腿靱帯が付着することも多い．すなわち近位部骨片と遠位部骨片は強靱な靱帯でつながれた状態となっている．これにより骨片同士の転位はかなり大きくとも骨片間は比較的安定している．頚基部骨折では骨折部をまたぐ強固な軟部組織がないため不安定である．ただし，後方の靱帯は近位骨片に付いているため，頚部骨折転位型のごとく近位骨片が大きく回転することはまれである．靱帯付着の観点からみた骨片間の安定性という点では頚基部骨折は頚部骨折に近似して安定性が悪い．

　術後の骨片間の安定性は靱帯付着による安定性と骨折部の粉砕の程度に影響を受ける．頚部骨折転位型では靱帯の関与はないが骨折部が粉砕されていることは少ないため，正確な整復がなされるとかなりの安定性が得られる．転子部骨折では後方が粉砕され第三骨片が存在することが多く前方皮質のみあるいは内固定材料で支持を得ることになるが，靱帯の関与で安定性は良好である．頚基部骨折では骨折部の破壊は転子部骨折に類似し，靱帯性の支持性は頚部骨折に類似するため，術後の安定性は最も不安定である（図 17-1-28）．

e 治　　療

　骨癒合が得にくいため原則として保存療法の適応はない．

　元来，大腿骨頚基部骨折は慣例的に転子部骨折の亜型として治療されてきたため，角度安定性を有する内固定材料を使用し，最も用いられてきたのは SHS＋anti-rota-

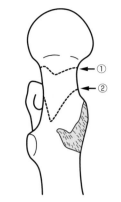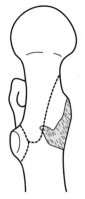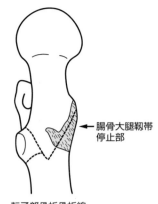

図 17-1-28　頚部骨折，頚基部骨折，転子部骨折の骨折線を内下方 45°より観察した場合の骨折線

①頚部骨折（骨頭下）骨折線
②頚部骨折（中間部）骨折線

頚基部骨折骨折線

転子部骨折骨折線

腸骨大腿靭帯停止部

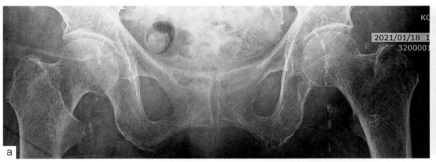

図 17-1-29　大腿骨頚基部骨折の内固定
a. SFN で回旋防止機能を持ったデザインやオプションを有する内固定材料であれば必ずしも適応外とはならない．
b. SHS と回旋防止スクリューによる内固定以外で回旋防止の機構を持つブレードタイプの内固定材料を使用している．

tion でありエビデンスはないものの，エキスパートオピニオンとしてガイドライン第2版では推奨されていた（図 17-1-29）．ただし，short femoral nail：SFN で回旋防止機能を持ったデザインやオプションを有する機種であれば必ずしも適応外とはならない．

　特に頚基部骨折として特殊な骨折形態を有する前額面剪断型を接合固定する場合は内反を矯正し，内旋して骨折部を接着した状態で固定することが必要である．問題は本骨折を頚部骨折と診断し，頚部骨折として骨接合術を施行した場合であり，その成績は不良である．

　前額面剪断型に関してネイルはラグスクリューの方向が規定されており，剪断力に抵抗できる位置にスクリューが設置できない場合も多く注意を要する．このような場合は回旋防止スクリューをしっかりと刺入できる型やフックタイプの内固定材料を推奨される．また粉砕している場合には人工骨頭置換術を選択することも多い．

E 大腿骨転子部骨折 fracture of the femoral trochanter

a 疾患概念

以前は関節外骨折として大腿骨頚部外側骨折と呼ばれていた．しかし解剖学的には完全な関節包外骨折ではない．ただ本骨折では大腿骨頭への影響はあまり考慮する必要がない．また疼痛や歩行不能，体動困難が長期間続くため，ほとんどの例が手術適応となる．予後改善のためには早期の手術で荷重に耐えられる安定性を獲得することが重要である．しかし多くの例では基礎に骨の脆弱性があり，健常な骨が外力によって最初に伸張側に骨折が生じる機序とは異なり圧迫側に骨折が発生する．大腿骨転子部骨折ではこの力学的弱点を内固定材料や手術法で解消することが必要となる．

b 分 類

大腿骨転子部骨折は一般に単純X線写真に基づく分類である．

1) Evans 分類（図 17-1-30）

1949 年 Evans が大腿骨転子間骨折の分類を提唱した．大腿骨内側骨皮質の損傷と整復位保持の 2 つの観点から分類したものである．骨折線の方向が小転子近傍より大転子に向かうものを Type I とし，小転子近傍より遠位外側骨皮質に向かうものをType II とした．

さらに Type I を内側骨皮質の骨折の有無と粉砕程度と牽引による整復の可否で 4 つのグループに分けた．そして内側骨皮質の骨折がないかあっても整復操作で整復位保持が可能なものを安定型とし，それ以外は不安定型とした．不安定型は内反変形を起こしやすい．

ただ，保存治療を前提とした分類法で系統的でなく骨折形態の特徴が曖昧で同一見解が得られにくいので，現在ではあまり使用されなくなった．

2) Jensen 分類（図 17-1-31）

Evans 分類を改変し，内側サポートに加えて後外側サポートに着目して安定性を評価した．この分類は純粋に骨折形態を評価しており，内外側に及ぶ骨折型は高度の不安定性を有する．

3) AO/OTA 分類

大腿骨頚部骨折と同様に 2018 年に大幅改訂され転子部骨折についても大きな変更がなされた．

A1 が simple pertrochanteric fracture で，subtype では A1.1 が大転子単純骨折，A1.2 が転子部での 2 パート骨折，A1.3 は主骨片が 1 つの小転子骨片を有する骨折で外側壁の厚みが 20.5 mm 以上としている．新分類では A2.1 が削除され A1.3 に組み入れられた．

A2 が multifragmental pertrochanteric fracture で，subtype では A2.2 は中間骨片が 1 つ，A2.3 は中間骨片が多骨片骨折となる．グループ A3 は intertrochanteric fracture で A3.1 は単純斜骨折，A3.2 は単純横骨折，A3.3 は楔状もしくは多骨片骨折と分類された．表記も「31-A1.1」から「31A1.1」へと新分類ではハイフンが省略されている．

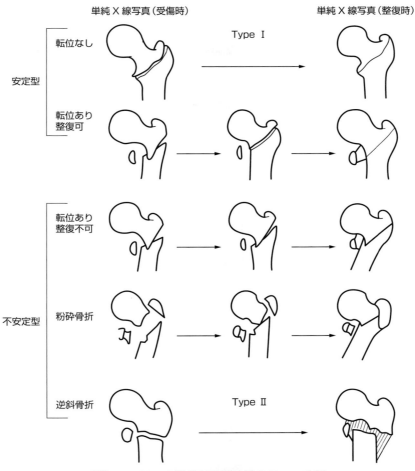

図 17-1-30　大腿骨転子部骨折の Evans 分類

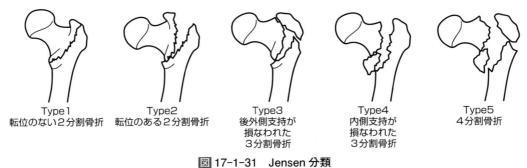

図 17-1-31　Jensen 分類

　A1.3 と A2 を分ける 20.5 mm の数字は，大転子部無名結節部から遠位へ 3 cm の地点で，135°の直線に沿った外側壁の厚さである．大転子の骨成分がどれだけ保たれているかで不安定性を評価している．

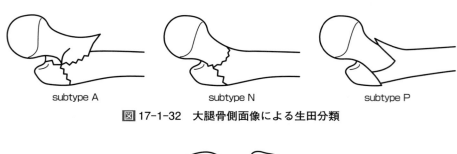

図 17-1-32　大腿骨側面像による生田分類

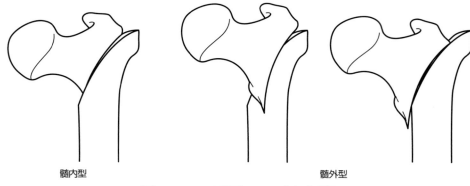

図 17-1-33　正面像による宇都宮分類

4）生田分類

大腿骨転子部後内側や外側の支持機構が破綻している場合に側面像でみた整復が重要とされた．Evans 分類に subtype として側面像所見を追加した分類法で，subtype A は近位骨片が前方に転位，subtype N は解剖位，subtype P は近位骨片が後方に転位した骨折で位置関係を評価する分類である（図 17-1-32）．

5）宇都宮分類

2005 年に発表された分類法で近位骨片が遠位骨片の中に嵌入しているものを髄内型，外に転位しているものを髄外型とした（図 17-1-33）．

小転子骨折の有無で，すなわち後内側の支持性の有無で不安定性が評価されてきたが，その後術中の整復状態次第では後外側の骨片を有する場合に，有意にスクリューの移動や骨折部の内方化が進行しカットアウトが生じるなどの合併症のリスクとなるとされ，この部位の支持性が注目され始めた．

6）3D-CT 分類（中野分類）

三次元 CT 画像を用いた大腿骨転子部骨折の分類である（図 17-1-34）．多くの症例では基本骨折線が小転子から大転子へ近位に向かい斜めに走る．この型を Evans 分類にならい Type I とする．少数例では基本骨折線は小転子より大転子遠位にかけて横あるいは遠位に向け走る．この型を Type II とする．

Type I は第三骨片の有無にかかわらず，小転子から大転子へ斜めに走る骨折線は，前面ではほとんどの症例で転子間線にある．後面の骨折線は転子間窩にあり，前面の骨折線はほぼ同じ前額断面上にある．骨折線は小転子部では小転子の前方で Adams 弓を横切り，小転子の前上方を転子窩へと進み，転子窩の最外側部を直線状に上行する．

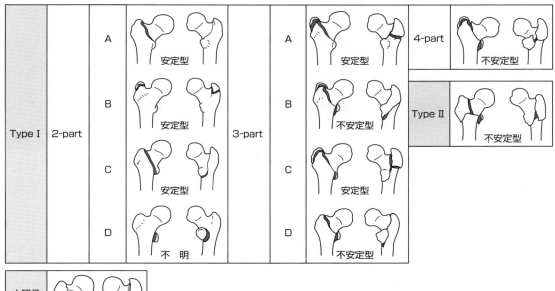

図 17-1-34 中野の三次元 CT 画像分類

そして，上方において双子筋・内閉鎖筋停止部で前方骨折線と連なる．この骨折線が単独の場合には，最も典型的な転子部骨折で2-part骨折となる．

TypeⅠでは前方部に二次骨折線が発生することはまれであるが，後方部にはしばしば基本骨折に加え，二次骨折線が転子間稜部を中心に発生する（図17-1-35）．言い換えれば前方部には第三骨片が存在することが少なく，後方部には第三骨片がしばしば発生する．二次骨折線はいずれも基本骨折線の外側に位置する．転子部骨折の骨片は，①骨頭骨片，②大転子骨片，③小転子骨片，④骨幹部骨片の4-partからなっている．つまり4-partを数学的に順列組み合わせを行うとその組み合わせは，2-partで6型，3-partで6型，4-partで1型の13型となる．しかし臨床的に存在する骨折型は9型であり，そのうちTypeⅠ2-part-A, TypeⅠ3-part-A, TypeⅠ3-part-B, TypeⅠ4-part型の頻度が高い．

小転子より骨幹部外側へ，横あるいは遠位に向け基本骨折線が走る症例をTypeⅡとする．近位側はほぼ一塊となっている場合と複数の骨片に分かれている場合がある．近位側骨片が一塊となり，骨折線が小転子より遠位外側へ走ると典型的なEvans分類のTypeⅡすなわち純粋なreversed oblique typeとなる．しかしこのような例は比較的少なく，近位骨片が多少なりとも粉砕されている症例が多い．内側の骨折部位は小転子を含むことも小転子の下のこともあるが，小転子の上のことが多いので転子下骨折には分類されないものが多い．

c 受傷機転・臨床症状と所見

高齢者が転倒して発生することがほとんどで，初診時に患肢は伸展外旋肢位を取る

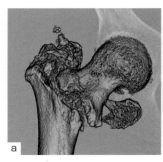 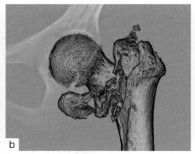 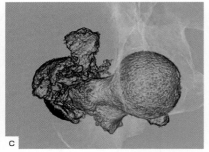

図 17-1-35　不安定性の著しい 4-part 骨折
後方の基本骨折に加え，二次骨折線が転子間稜部を中心に生じている．

ことが多い．自動運動は不能であり，疼痛も強く他動的運動にて増強する．
時には骨折部の転位の程度により下肢が 2，3 cm 短縮したり，患部の腫脹や皮下出血を認めることがある．

附-7 転子部骨折と関節包との関係

Type Ⅱでは前方部の骨折線も後方部の骨折線も関節包の外側に存在するが，Type Ⅰの多くは，後方部では骨折線は関節包の外側に位置するが，前方部では靱帯性関節包すなわち腸骨大腿靱帯の停止部と骨折線が重なっている．つまり，Type Ⅰの転子部骨折は，滑膜性関節包より外側にあるが，靱帯性関節包の内外にまたがった骨折であり純粋な関節包外骨折ではない．Type Ⅰの転子部骨折では前方部が基本骨折線だけの場合は，2 つの骨片は強靱な靱帯でつながれた状態となっているため，骨片間の安定性は基本的には良好であり，適切な手術がなされると手術成績は安定している．しかし，Type Ⅱの転子部骨折では骨片間をつなぐ強固な靱帯は存在せず，Type Ⅰより安定性が悪く，手術成績もやや不良である．

d 診　　断

高齢者が転倒後に股関節部の疼痛，下肢短縮，外旋肢位が認められ歩行不能となれば大腿骨頸部骨折とともに大腿骨転子部骨折である確率が高い．しかし転位がない場合や認知機能が低下している場合は，疼痛の局在がはっきりせず骨折を見逃すこともあるので注意を要する．いずれの場合も転倒歴が聴取できれば，単純 X 線写真により確認することが大切である．また通常の 2 方向単純 X 線写真で骨折線がはっきりしない場合は両下肢を約 15° 内旋した肢位で単純 X 線写真正面像で確認する．不顕性骨折には MRI や CT が有用である．

e 治　　療

1）保存療法

転位のない場合には保存治療を選択することも可能であるが，重篤な合併症があり手術侵襲に耐えられない場合に限る．臥床による合併症を予防するためにも，早期離床，早期に日常生活への復帰をするために，転位を認めない骨折であっても，原則的には観血的内固定を行う．早期の手術が生存率や入院期間の短縮に影響を及ぼし，合

併症のコントロールが良好な結果を得るとされ，48時間以内の手術が推奨されている（Grade B）．一方，以前行われていた術前の牽引は有害無益とされている．

2）手術療法
① 内固定材料の選択

骨接合術に使用する内固定材料には sliding hip screw（SHS），short femoral nail（SFN），intramedullary nail（IN）がある（図17-1-36）．SFN は SHS と比較すると lever arm が短く力学的に有利とされているが，髄腔狭小例や弯曲が強い例には使用が困難である．一方，intramedullary nail は以前より Ender nail が頻用されていたが，最近は手術の難易度や合併症の観点から，本手術手技の経験豊富な術者に限られるようになった（ガイドライン初版2005年にすでに記載されている）．またSFN か SHS のいずれを用いるべきかという点に関しては，2010年頃の報告では，内固定材料周囲骨折，治療コスト，X線被曝量などで SHS の優位性を示すものが散見されたが，その後は双方とも成績に差がないとされている．ガイドラインでも双方の使用を推奨している（GradeA）．

SHS は骨頭に荷重がかかった際に，スクリューのスライディング機構で骨折部に圧迫力が加わる．このとき大転子部には内固定材料の支えがないので，荷重に耐え得る十分な骨性の支持が不可欠なため，SHS は安定型骨折に適応される．一方，SFN は骨頭に荷重がかかると骨折を介して内固定材料自体に荷重が伝わる．すなわちネイル自体が近位骨片を支えるのでより不安定な骨折に対応することができる（図17-1-37）．

遠位骨片の内方移動に対する支持力が必要な場合には，外側壁を捉えることのできない SHS ではなく生体力学的にも優位な SFN を使用すべきである．このタイプの骨

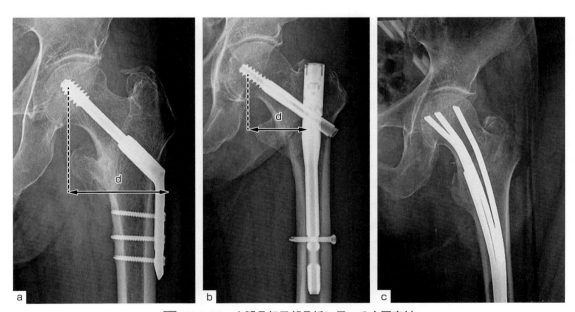

図17-1-36　大腿骨転子部骨折に用いる内固定材
a. sliding hip screw（SHS），b. short femoral nail（SFN），c. intramedullary nail（IN）
SHS に比べて SFN では荷重中心とインプラントの lever arm（d）が短く，荷重に対して有利である．

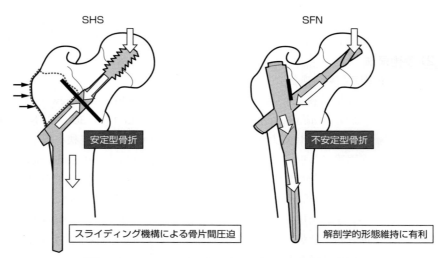

図 17-1-37　骨折部の安定性による内固定材料の選択
SHS は後外側支持機構が破綻している不安定型の骨折においてはスライディングによる近位骨片を支持できないため，後外側支持機構が温存されている安定型が適応となる．一方，SFN は内固定材料自体がスライディングによる近位骨片を支えることができるため，後外側支持機構が破綻している不安定型にも適応となる．

折に SHS を使用する場合には大転子の支持が必要である．内固定材料自体が遠位骨片の内方を制御する必要があり，trochanter plate SHS が使用される．また，転子下に骨折線が及んでいる場合には long nail が選択され，良好な成績が報告されている．

② 整復法と内固定法

　整復操作は術後の荷重に対して耐久できること，内固定材料の破損を生じさせないことが重要である．それには骨折部の骨自体の接触を最大限得られる整復操作が必要で，これにより早期の骨癒合を得ることができる．整復の目標は頚体角，回旋，骨軸で内反変形，短縮を避けることである．特に内反変形は骨頭への負荷の増大やモーメントアームの増大をきたし内固定材料破損の原因となる（図 17-1-38）．また良好な整復位が得られても，後内側部の骨性支持のない場合や外側支持機構の破綻をきたしている場合は，高度の不安定性が残存するため術後に再転位を生じる可能性が高い．一般的に前内側の骨片は一塊として残っていることが多く，その部分を重ね合わせること（over lap）によってスライディングを抑制することができる．すなわち生田分類の Type A, 宇都宮分類の髄外型の形態にすることである．

　整復は Evans 分類 Type I は下肢を内旋すると骨片は整復される．Type II は下肢を内旋させる必要はなく，症例によっては外旋位を取ることが必要なこともある．また牽引しすぎると近位骨片の内反転位を増強させやすい．徒手的に大転子部を内側に圧迫することによって整復位が得られない場合には，小切開を加えて直接的に整復を行うこともある．

　手術下の整復にはエレバトリウムや Kirschner 鋼線または専用の整復器を用いる方法が報告されている（図 17-1-39）．また over lap が困難な場合，整復位が保持でき

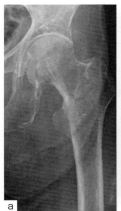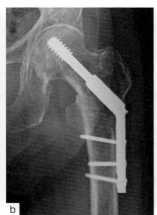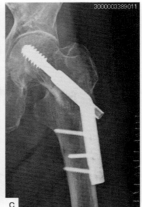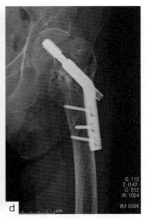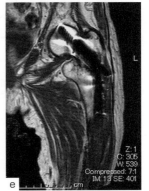

図 17-1-38　高度のテレスコープと内反転位の症例
わずかに内反位での固定であったが，このインプラントではテレスコープを抑止できず，回旋転位とともに内反転位も増強してカットアウトに至った．

ず再転位する場合には腸骨大腿靱帯と骨折線の位置関係が原因のことがあり，同靱帯の前内側付着部を剝離する操作が必要となることがある．動脈損傷の合併率は 0.2％ と報告されているが，外傷そのものによる損傷以外に整復操作，ドリリングなど手術操作によるものも含まれている（図 17-1-40）．

　内固定材料の固定に関してはスクリュー先端の位置が重要であることが指摘されている．すなわちスクリュー先端が正面，側面において中心に位置することが必要で，この設置位置が主圧迫骨梁を確実に把持でき，また骨頭回旋のリスクを減少させる．スクリュー先端が骨頭中心からどの位置にあるかを確認する指標として tip apex distance（TAD）があり（図 17-1-41），この値が小さいほうが骨頭先端の中央に位置していることになる．ガイドラインでは TAD＜20 mm が推奨されている．

a）sliding hip screw（SHS）固定術
　仰臥位で牽引台を使用して術前に徒手的に整復操作を行う．この操作で良好な整復位が得られた場合はその状態で手術を開始する．得られない場合は手術中に直視下で整復操作を行う．まずは前述の進入路で大腿骨骨幹部外側に到達する．アングルガイドを用いて 2.0 mm ドリル先で外側骨皮質を開窓し，そこから 2.5 mm ガイドピンを骨頭中心にめがけて軟骨下骨まで刺入する．

　イメージで適切な位置にあることを確認したのちに長さの計測を行い計測値より

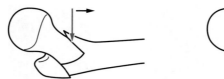

イメージで確認しながらKirshner鋼線や専用のデバイス(網矢印)を骨折部に刺入して遠位に倒して整復し,留置(仮固定)する

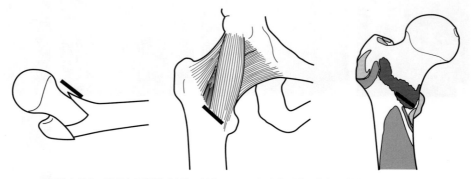

骨折線を越えて腸骨大腿靱帯が遠位に付着している場合(黒帯),整復が維持できないことがあり,これを切離する必要がある

図 17-1-39　前内側部の整復方法

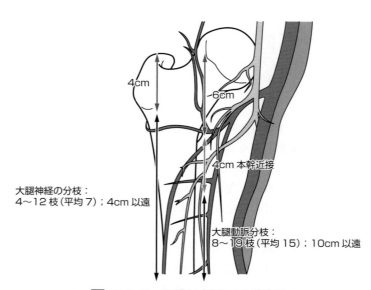

図 17-1-40　大腿骨近位部の血管走行
前内側の本操作では大腿深動脈はすぐ近くを走行しているため不用意な操作は厳禁である.

10 mm減じた値でトリプルリーマーをセットする.リーミングの際にはトリプルリーマーの一番手前の刃で外側骨皮質の遠位部もしっかりリーミングしておく.
　これがなされないとチューブプレートが浮いたり,無理に叩き込むと骨皮質が割れたりすることがある.作成した孔よりセンタリングスリーブを用いてタップを行う.
　ラグスクリュー挿入はTレンチと大腿骨骨幹部が平行となる位置で終了する.次

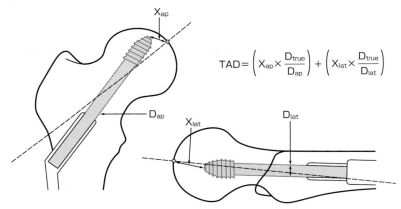

図 17-1-41　tip apex distance（TAD）の算出方法
単純 X 線画像でスクリュー先端と骨頭頂点との距離を算出

にセンタリングスリーブを除去してチューブプレートをインパクターにて設置する．最後に遠位の横止めスクリューで固定し，必要があれば骨片間圧迫のためのコンプレッションスクリューを使用することもある．

b）近位髄内釘法　short femoral nail

仰臥位で牽引台を使用するが，内固定材料の刺入に支障がないように上体を健側に10～15°程度傾けておく．また患肢も10°程度内転させておく．

術前の整復が基本であるが，困難な場合には SHS と同様に術中に整復操作を行う．大転子頂部より 2～3 cm 中枢に切開を加える．筋膜を切離して大転子を触知する．次に刺入孔の作成であるが，基本的には内固定材料自体のベンド角に合わせて中心軸よりやや外側が望ましい．また前後は大腿骨髄腔の延長上で作成する．多くは前方 1/3 付近となる．ガイドワイヤーを刺入して近位部のリーミングを行う．軟部組織をスリーブで保護しながら近位部のリーミングを行うが，この際に骨折部よりリーマーが刺入されると骨折部の開大を招くため中空形状を有するホローリーマーを用いることもある．

髄腔のリーミングは 0.5 mm サイズで愛護的に一定の速度で行うことが重要であり，粗暴な操作は骨壊死などを引き起こすことがあるので注意する．予定サイズより 1.0 mm 程度のオーバーリング後に内固定材料を挿入する．またロングネイルを挿入する際には，まずはインサーションハンドルを前方に，すなわちネイル弯曲を内方に向けておき，最峡部を超えたところから徐々にインサーションハンドルを外側に誘導する．ただし最峡部で大腿骨とネイルの弯曲が一致することが多いので，無理やりハンドルを捻る必要はない．

内固定材料が適切な位置に設置できれば，続いてエイミングアームを設置してラグスクリューもしくはブレードを挿入する．最後に遠位をロッキングスクリューで固定する．

c）intramedullary nail（Ender ピン）固定法

膝関節の関節裂隙より中枢内側に大腿骨顆部近位端を中心に縦切開を加える．筋鉤

で内側広筋を前方に排し大腿骨顆上部を展開する．この部に横走する内側上膝動脈を同定して凝固止血する．ここより約1cm近位部がEnderピンの刺入部となる．まず縦3cm横1.5cm程度に骨皮質を開窓しEnderピンを刺入する．最も多い合併症は術中の顆上骨折である．これを防止するために骨穴は後方より，そして中枢側に作成しないようにする．またピンの刺入に際しては大腿骨顆上部に緩衝ゴム付鉗子をかけ骨折の進展を予防するとともに，Enderピンの遠位部を大腿骨後方に曲げておく．このことによって大腿骨顆上部前方への応力集中を低減させる．

Enderピンの先端部分はまずはスタンダードピンとして直線状のもの，次に内反ピンとして先端部を内方に曲げておくもの，最後に前捻ピンとして先端に前捻を付けたものの順番に刺入する．まずは後方骨皮質にあてがうのがスムースに刺入できるコツである．

また先端部分を用いて骨折部の転位を整復できることがこの髄内ピンの大きな特徴である．骨頭部分に関しては正面側面ともEnderピンが分散していることが理想的であるが，最低限V字型に開くようにする必要がある．大腿骨近位部は上述の3本のピンで固定することが可能であるが，遠位部での逸脱があるため髄腔部には占拠率2/3以上となるブロッカーピンの挿入が必要となる．

後療法に関しては，膝可動域訓練をむやみに行うと術後の医原性骨折をきたすことがあるので注意が必要である．また骨粗鬆症が高度な症例は術後ピンが膝関節内へ逸脱することがあるので注意深い観察が必要となる．

f 合併症

① 感染

感染の発生率についてガイドラインでは次のように報告されている．「SSI発生率は0.2〜10.0％（深部感染0.2〜4.9％，表層感染0.9〜5.1％）である．術式別には，骨接合術では0.2〜3.9％，人工骨頭置換術では0.6〜10.0％（深部感染1.2〜4.9％，表層感染1.5〜5.1％）と報告されている．日本ではSSI発生率は0.6〜3.7％と報告されている」（大腿骨頚部/転子部骨折診療ガイドライン：改訂3版　第8.4章より）．

② 過度のテレスコープ over telescope

現在一般に使用されている内固定材料の多くはslidingによって骨片間が接触，圧迫され骨癒合を促進するように設計されている．しかし過度のtelescopeが起こりやすく遷延治療の原因となる．5〜10mm以上をover telescopeと定義することが多い．手術時に骨折部の骨性の接触を得ておかないと発生しやすい．また骨性接触が得られない骨折形態の場合には内固定材料選択や整復操作に工夫を要する．

③ カットアウト，カットスルー

カットアウト：インプラントが骨頭上方を破砕し骨頭に突出するもの．
カットスルー：インプラントが骨頭表面の中心付近を穿破し骨頭外へ突出するもの．
整復と内固定材料の設置や選択に問題があると合併する場合が多い．また骨折部の離開の残存やカットアウトなどの合併があると遷延癒合となり最終的には内固定材料の折損をきたすことがある（図17-1-42）．

1 大腿骨近位部骨折

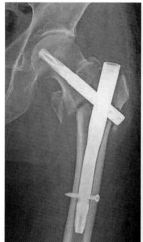
手術後にも後内側の支持が得られず，高度のテレスコープをきたした

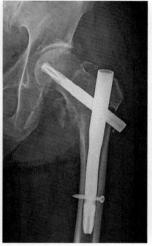

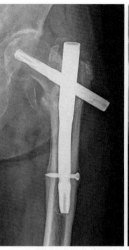
また，その後内固定材料にてテレスコープは抑制されたが，回旋転位を生じた

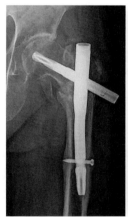
結果内反が増強して，内固定材料破綻につながった

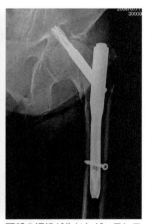
頚部の短縮が生じたが，テレスコープせずに骨頭を穿破するカットスルーを引き起こした

図 17-1-42 内固定材料破損，カットスルー

g 後療法

　安定型の場合には即時の随意荷重を許可する．不安定型でも手術により骨性接触が獲得できた場合には随時荷重を許可する．荷重による骨折部への圧迫により骨折部が安定するまで荷重時に疼痛を訴えることが多いので，随時荷重とすることが重要である．また不安定型で手術による骨性接触獲得に不安がある場合には，部分荷重から開始するが，超高齢社会における認知機能低下を有している患者の場合には荷重コントロールが困難であり免荷とならざるを得ないことがある．

h 予後

　歩行能力は年齢とともに受傷前より低下することが多い．ある調査では予後に与え

1006 各 論 第17章 下肢の骨折

る影響は年齢と受傷前の歩行能力が最も大きく，合併症や骨折型，手術自体の影響は
少ないとされている．また1年以内の死亡率はわが国では10％前後，海外では10～
30％と報告され，術後短期における死因としては肺炎の合併が最も多い．合併症の有
無，男性，高齢，受傷前より低い歩行能力，認知症などが生命予後を悪化させる要因
であると報告されている．一方局所的合併症は比較的少なく，偽関節の発生率は0.8
～2.9％，骨頭壊死による圧潰は0.3～1.2％に認められる．

F 大腿骨転子下骨折 fracture of the subtrochanteric femur

a 疾患概念と受傷機転

　　大腿骨転子下骨折は大腿骨転子部と骨幹端部すなわち小転子の遠位端から末梢側
5 cm まで（Seinsheimer の分類），または大腿骨近位1/3までの骨折と定義されている．
若年者では交通事故や労災事故などの高エネルギー外傷によるものが多く，高齢者で
は転倒時に大転子付近を打撲することによって生じる．骨折線が転子部から転子下へ
拡大するものが主体である．生体力学的には転子下は内側に圧迫力，外側に伸張力が
加わり応力が集中する部位である．また近位骨片は付着する筋群の作用により，外
転，屈曲，外旋転位を起こす．遠位骨片は内転，頭側転位をきたすことが多く整復と
その保持が困難な骨折である．

b 分　類

　　Russell-Taylor 分類や AO/OTA 分類などがあるが，わが国でよく用いられている
のは Seinsheimer 分類である．本分類はプレート固定を想定したもので，骨片の数に
よって5つの Type に分け，さらに骨折の部位，骨折線の走行により細分されている
（図 17-1-43）．
　　Russell-Taylor 分類はネイル固定を想定した分類である（図 17-1-44）．

c 臨床症状と所見

　　本骨折では筋の作用によって大きく転位することが多い．近位骨片は中殿筋，腸腰
筋，外旋筋群によって外転・屈曲・外旋位をとる．一方，遠位骨片は内転筋群によっ
て内転位をとり多くは短縮をきたしている．疼痛も激しく，大腿近位部から中央部に
かけて著明な腫脹と皮下出血を認める．骨折部からの大量に出血をきたす場合もあ
り，全身状態の推移に注意が必要である．
　　患者年齢層は転子部骨折が遠位に延伸した高齢者に発生するものと，高エネルギー
外傷による比較的若年者に発生するものがある．後者の場合には合併症の検索も重要
である．

d 診　断

　　単純 X 線写真により診断する．内側骨皮質の損傷の有無，髄腔のサイズ，骨片は
付着する筋の作用する方向により特徴的な転位を示す．すなわち，近位骨片は中殿筋

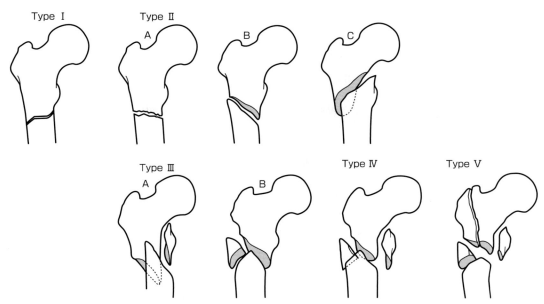

図 17-1-43　大腿骨転子下骨折の Seinsheimer 分類

Type I 　転位がないもの，あっても 2 mm 以内のもの（骨折形態にかかわらない）
Type II 　A：横骨折　B：小転子遠位の螺旋骨折　C：小転子近位の螺旋骨折
Type III 　A：小転子が第三骨片となっているもの　B：外側壁が第三骨片を有するもの
Type IV 　4 part 骨折
Type V 　粉砕骨折で骨折線が大転子まで及んでいるもの

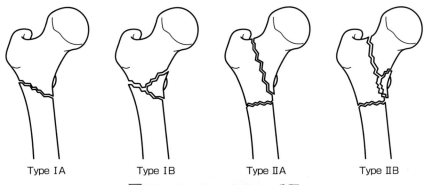

図 17-1-44　Russell-Taylor 分類

Type IA：骨折線は小転子より遠位，大腿骨骨幹部峡部に向かう
Type IB：小転子は骨折し，骨折線は遠位に向かう，大転子や梨状窩には骨折はなし
Type IIA：梨状窩に骨折線はあるが，小転子には認めない
Type IIB：上記に加えて小転子を含む内側骨皮質が破綻している

（普久原朝海：大腿骨転子下骨折．Orthopaedics 33，70，全日本病院出版会，2020 より）

など外転筋群と腸腰筋の作用で外転，屈曲，外旋し，遠位骨片は内転筋群の作用で内転しさらに近位に転位することが多い．また CT により不顕性の骨折線や骨片の転位程度を確認する．

e 治療

　保存療法が適応となる症例はきわめて少ない．手術療法における内固定材料には nail または髄内釘が用いられる．転子部から転子下にかけて骨折線が存在し，骨折端の遠位端が比較的近位にある場合は short femoral nail のミドルタイプかロングタイプで固定する．高齢者では髄腔が広いので大きな径の nail を選択できる機種がよい．また内反位での固定は避けねばならない．整復が良好に行われても，刺入部位が不適切な場合は整復位を保持することが難しい．つまり大転子頂点より外側からの刺入は，SFN は近位部にベンド部分があるので大腿骨骨軸に一致せず，挿入によって内反転位をきたす方向に力が作用するので，外側からの刺入は避けねばならない．

　基本的に閉鎖的に行うが，骨折部の整復が困難な場合や内側骨片の整復を必要とするときは局所を展開する場合がある．ケーブルなどを用いて整復位の保持と内固定材料設置時の再転位を防止することも必要となる．一方，良好な整復位で固定ができない場合にはプレート固定を行う．Type 3A や Type 4 などの内側骨皮質が破綻している骨折，術後内転筋筋力による二次的近位骨片の内反転位や遠位骨片の内方化が起こりやすく，スクリュー引き抜き外力に抵抗できる locking plate，locking screw を使用することが必要となる．ただし大腿骨に使用する locking system は耐荷重性が強く，骨片間の長軸上接触がない状態では骨癒合が遷延する可能性がある（図 17-1-45）．

f 後療法

　大腿骨転子部骨折術後は内固定と整復状態によるが，内側骨皮質が接触し十分強固な固定が得られた場合は早期全荷重歩行が可能である．内側骨皮質に第三骨片がある不安定型や粉砕型では骨癒合の状態を確認しながら慎重に荷重を行う．

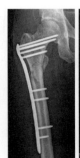 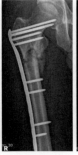 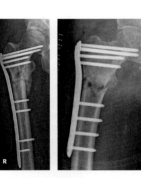  

術直後　　術後3ヵ月　　術後半年　　　　術後直後　　術後3ヵ月　　術後半年（癒合不全）

髄腔狭小例で SFN が使用不可能であったが，強い固定性で骨癒合が得られた　　　大腿骨に使用するロッキングシステムは耐荷重性が強く，長軸上で骨片間の接触がない状態は癒合が遷延する傾向がある

図 17-1-45　SFN や髄内釘にて対応困難な症例
内転筋力による近位骨片の二次的内反転位や遠位骨片の内方化により発生するスクリュー引き抜き外力に抵抗できるようなロッキングプレート，ロッキングスクリューが必要となる．

1 大腿骨近位部骨折　*1009*

附-8　大腿骨転子下の非定型骨折 atypical fracture of the subtrochanteric fracture

大腿骨小転子から骨幹部に至る円錐状の骨幹端部に発生する骨折であるが，受傷原因が非外傷性で，ビスフォスフォネートの長期間内服例に報告がある．前駆症状として疼痛があることが多く，骨折型は横骨折か短い斜骨折を示す．両側性に発生することがある．大腿骨転子下の非定型骨折 atypical fracture あるいは骨代謝の観点より SSBT（severely suppressed bone turnover）と呼ばれる．この病態は 2008 年から報告され，頻度は 2.3/10,000 人/年といわれており，経口ビスフォスフォネートとの関連性に関心が集まっているが詳細は不明である．両側発生例を検討した結果，本骨折が疑われる場合，対側の大腿骨の精査（単純 X 線写真で仮骨形成がみられることがある）が必要とされている．治療は髄内釘固定を行う．

G 小児大腿骨近位部骨折
fracture of the proximal part of the femur in children

a 疾患概念

小児骨折で大腿骨近位部骨折の発生頻度は 1% 未満でまれな骨折である．本骨折は骨端線を含む軟骨が多くの部分を占めているので，頚体角をはじめとした大腿骨近位部の形態が発育とともに変化していくことが特徴である．また骨端線が損傷した場合は，成長障害が出現するので治療は困難となる．

小児期における大腿骨頭への血流は，骨端線が閉鎖するまで髄内血行はなく被膜下動脈からのみの供給である．特に 4～7 歳頃は骨頭靱帯からの血流は途絶しており，頚部骨折は高率に合併症を招く．大腿骨大転子の裂離骨折（骨端線離開）は単独で，または外傷性股関節脱臼時に合併することがある．

b 受傷機転

交通事故や遊具からの転落によって起こることが多い．小児虐待が受傷原因であったとの報告もある．

c 分　　類

一般に Delbet-Colonna 分類が用いられる（図 17-1-46）．
Type Ⅰ：大腿骨頭骨端線離開．頚部の小骨片を伴うこともある．
Type Ⅱ：大腿骨頚部骨折．多くは転位を伴う．
Type Ⅲ：大腿骨頚基部骨折
Type Ⅳ：大腿骨転子貫通骨折

斉藤らの 165 例を集計した調査によると，発生率は Type Ⅰは 4.7%，Type Ⅱは 35.8%，Type Ⅲは 44.2%，Type Ⅳは 15.8% で，海外の報告ともほぼ一致している．Type Ⅱ，Ⅲは内反股や遷延治癒などの合併症の発生率が高い．Type Ⅳは関節外骨折で骨軸変形以外の合併症は少ない．

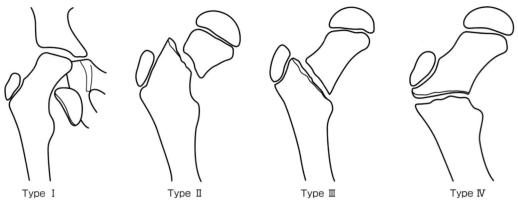

図 17-1-46　小児大腿骨近位部骨折の Delbet-Colonna 分類

d 臨床症状と所見

　　　　　高所よりの転落や交通事故によるものが多く，高エネルギー外傷であり，合併症の検索が必要である．特に内臓損傷などを見逃さないことが重要となる．
　　　　　患肢は内転・外旋位をとり，自動運動は不能となる．軽度の短縮と他動での疼痛の増強を認める．また小児期に特有の骨端損傷を合併することがあるため，早期の診断治療が重要である．

e 診　　断

　　　　　著しい疼痛のための起立，歩行が不能となる．小児の場合は受傷機転を聴取するのは難しくまた診察の協力も得にくいので，診断は単純 X 線写真が基本となるが，CT はきわめて有用である．Type Ⅰ，Ⅱで転位が少ない場合は大腿骨頭すべり症との鑑別が必要である．

f 治　　療

　　　　　小児の骨形成能を勘案すると転位がない場合は保存治療が適応となる．しかし外固定は患児に大きな負担をかけるので，近年は積極的に観血的内固定を行い外固定を避けることが多い．徒手整復は麻酔下に徒手牽引を加えながら下肢を外転・内旋させる Whitman 法が用いられる（図 17-1-47）．整復後はプラスチックキャスト固定を行う．整復後，経過中に転位が生じたり増大することが少なくないので，特に年長児では Kirschner 鋼線などのスムーズピンで固定することが多い．この際 Type Ⅰ以外はピンは骨端線を貫通させないことが原則である．ただし，固定性が得られない場合はやむを得ず骨端線を貫通させざるを得ない．固定力を考慮に入れたうえで可能な限り径の細いスムーズピンを選択する．動物実験モデルによると骨端部に 7％以上の骨性架橋 physewal bar が形成されると成長障害が生じるとされている．10 歳児の大腿骨遠位骨端部は直径 3.2 mm の Kirschner 鋼線を刺入して生じる骨性架橋は 7％に相当する．
　　　　　徒手整復が困難な場合は無益に整復操作を繰り返さずに観血的整復を行う．内固定材料は Kirschner 鋼線やチタン合金中空スクリューを用い，骨癒合後は必ず抜去する．

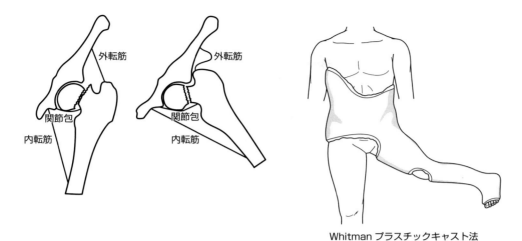

図 17-1-47 Whitman 整復固定法

(神中正一:神中整形外科学初版より)

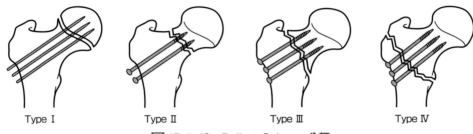

図 17-1-48 Delbet-Colonna 分類

2歳以下:キャスト
2歳以上:Type I スムースピンで内固定(骨端線は貫通する)
Type II, III, IV スクリュー固定(骨端線は貫通しない)

　Type I:転位があれば徒手的整復と股関節スパイカキャスト hip spica cast により外固定を行う．解剖学的整復位が保持できない場合は Kirschner 鋼線による固定を考慮する．徒手的整復が困難な場合は観血的整復・固定を行う．

　Type II:転位がない場合は保存治療が可能であるが，多くは手術療法が適応となり骨端線直下までスクリューを挿入し固定する．外固定を併用するほうが無難である．

　Type III:保存治療も可能であるが，矯正損失，内反変形をきたすことが多い．手術は Type II と同様に行う．

　Type IV:ベッド上牽引や股関節スパイカキャスト hip spica cast による保存療法が可能であるが，年長児や多発外傷のために初期整復は行えなかった場合には観血的整復，内固定が適応となる(図 17-1-48).

g 予　後

　合併症はすぐに出現しないので成長が終了するまで長期の経過観察が必要である．Type I は大腿骨頭壊死，骨端線早期閉鎖，偽関節をきたしやすい．Type II は Type I

よりは予後は良好であるが，骨端線早期閉鎖，偽関節が発生することがある．大腿骨頭壊死の発生頻度が高いとする報告が多く，受傷時の転位の程度が影響すると考えられている．Type Ⅲは骨頭壊死も起こり得る．同様に偽関節，内反変形などが発生する．Type Ⅳは骨頭壊死や骨端線早期閉鎖の発生は少ないが，高率に変形癒合が起こる．特に内反股の発生には注意を要する．

　大腿骨骨頭壊死の発生頻度は，関節内骨折ではほとんど転位のない場合でも 17〜47％と報告されている．遷延治癒や内反股は整復が不十分な保存療法が行われた場合に発生しやすく，最近は手術療法を適応することが多くなるに従って減少している．

参考文献

1) 安倍晋三ら：人生 100 年時代構想会議中間報告，平成 29 年 12 月．
http://www.kantei.go.jp/jp/singi/jinsei100nen/pdf/chukanhoukoku.pdf.

2) Alicja J Bojan et al：3066 consecutive Gamma Nails. 12 years experience at a single centre. BMC Musculoskelet Disord 26；11, 133, doi：10.1186/1471-2474-11-133, 2010.

3) American Academy of Orthopaedic Surgeons（AAOS）Board of Directors：Management of Hip Fracture in the Elderly Evidence-Based Clinical Practice Guideline, 2014.

4) Anderson E et al：Evans' classification of trochanteric fractures：an assessment of the interobserver and intraobserver reliability. Injury 21：377-378, 1990.

5) Mallick A, Parker MJ：Basal fractures of the femoral neck：intra- or extra-capsular. Injury 35：989-993, 2004.

6) Bangil M et al：Subchondral insufficiency fracture of the femoral head. Rev Rhum Engl Ed 63：859-861, 1996.

7) Barquet A et al：Intertrochanteric-subtrochanteric fractures：treatment with the long Gamma nail. J Orthop Trauma 14：324-328, 2000.

8) Blewitt N and Mortimore S：Outcome of dislocation after hemiarthroplasty for fractured neck of the femur. Injury 23：320-322, 1992.

9) Chia-Yun Chen et al：Surgical treatment of basicervical fractures of femur—A prospective evaluation of 269 patients. J Trauma Injury, Infection, and Critical Care 64：427-429, 2008.

10) Colonna PC：Fracture of the neck of the femur in children. Am J Surg 6：793-797, 1929.

11) Crabtree N et al：Intracapusular hip fracture and region-specific loss of femoral cortical bone analysis by peripheral quantitative computed tomography. J Bone Miner Res 16：1318-1328, 2001.

12) Enocson A et al：Dislocation of hemiarthroplasty after femoral neck fracture：better outcome after the anterolateral approach in a prospective cohort study on 739 consecutive hips. Acta orthop 79：211-217, 2008.

13) Forlin E et al：Transepiphyseal fractures of the neck of the femur in very young children. J Pediatr Orthop 12：164-168, 1992.

14) 冨士川恭輔，鳥巣岳彦：大腿骨近位部骨折，骨折・脱臼，第 4 版：2018，南山堂．

15) 福井尚志ら：大腿骨頚部/転子部骨折の予後．整・災外 53：893-902，2010．

16) Garden RS：Stability and union in subcapital fractures of the femur. J Bone Joint Surg 46-B：630-647, 1964.

17) Garden RS：Malreduction and avascular necrosis in subcapital fractures of the femur. J Bone Joint Surg 53-B：183-197, 1971.

18) Gautier E et al：Anatomy of the medial femoral circumflex artery and its surgical implications. J Bone Joint Surg 82-B：679-683, 2000.

19) Giannoudis PV et al：Management, complications and clinical results of femoral head fractures. Injury 40：1245-1251, 2009.

20) Hagino H et al：Insufficiency of the femoral head in patients with severe osteo-porosis：report of 2 cases. Acta Orthop Scand **70**：87-89, 1999.

21) 原田育成ら：大腿骨頚部内側骨折後の上被膜下動脈の損傷—Garden 分類の問題点．整形外科 **50**：125-131，1999.

22) 広岡拓也ら：大腿骨近位部骨折術後の再手術要因．整形外科 **72**：318-321，2021.

23) Hodge WA et al：Contact pressures from an instrumented hip endoprosthesis. J Bone Joint Surg **71-A**：1378-1386, 1989.

24) Hsu CE et al：Lateral femoral wall thickness. A reliable predictor of post-operative lateral wall fracture in intertrochanteric fractures. Bone Joint J **95-B**：1134-1138, 2013.

25) Huang X et al：Proximal femoral nail versus dynamic hip screw fixation for trochanteric fractures：a meta-analysis of randomized controlled trials. Scientific World Journal, doi：10.1155/2013/805805, 2013.

26) Hui C et al：Femoral fracture in children younger than three years. The role of nonaccidental injury. J Pediatr Orthop **28**：297-302, 2008.

27) 井手尾勝政ら：大腿骨頭骨折の治療経験．整外と災外 **65**：518-522，2016.

28) Iwakura T et al：Breakage of a third generation gamma nail：a case report and review of the literature. Case Rep Orthop, doi：10.1155/2013/172352, 2013.

29) Jensen JS, Michaelsen M：Trochanteric Femoral Fractures Treated with McLaughlin Osteosynthesis, Acta orthop. Scand **46**：795-803, 1975.

30) Keene GS, Parker MJ：Hemiarthroplasty of the hip-The anterior or posterior approach？ A comparison of surgical approaches. Injury **24**：611-613, 1993.

31) Ko CK et al：Enhanced soft tissue repair using locking loop stitch after posterior approach for hip hemiarthroplasty. J Arthroplasty **16**：207-211, 2001.

32) 小久保吉恭ら：大腿骨頚部骨折に対する骨接合術の治療成績．整形外科 **72**：849-851，2021.

33) Lazarides MK et al：Iatrogenic arterial trauma associated with hip joint surgery：an overview. Eur J Vasc Surg **5**：549-556, 1991.

34) Leadbetter GW：A treatment for fracture of the neck of the femur. Reprinted from J Bone Joint Surg **20**：108-113, 1938. Clin Orthop Relat Res **399**：4-8, 2002.

35) 前原　孝ら：日本人高齢女性における大腿骨形態の特徴—3D-CT を用いた計測—．骨折 **34**：451-455，2012.

36) Mäkelä EA et al：The effect of trauma to the lower femoral epiphyseal plate. An experimental study in rabbits. J Bone Joint Surg **70-B**：187-191, 1988.

37) Matre K et al：TRIGEN INTERTAN intramedullary nail versus sliding hip screw：A prospective, randomized multicenter study on pain, function, and complications in 684 patients with an intertrochanteric or subtrochanteric fracture and one year of follow-up. J Bone Joint Surg **95-A**：200-208, 2013.

38) McElvenny RT：The imediate treatment of intracapsular hip fracture. Clin Orthop **10**：289-325, 1957.

39) MPL van der Sijp et al：Surgical Approaches and Hemiarthroplasty Outcomes for Femoral Neck Fractures：A Meta-Analysis. J Arthroplasty **33**：1617-1627, 2018.

40) 中野哲雄：大腿骨転子部骨折に対する sliding hip screw の要点と盲点．整形外科 Knack & Pitfalls 股関節外科の要点と盲点，280-285，文光堂，2005.

41) 中野哲雄：高齢者大腿骨転子部骨折の理解と 3D-CT 分類の提案．MB Orthop **19**：39-45，2006.

42) 那須亨二ら：大腿骨頚部内側骨折に対する McElvenny 整復法の試み．骨折 **14**：85-89，1992.

43) 日本整形外科学会診療ガイドライン委員会：大腿骨頚部/転子部骨折診療ガイドライン 改訂第2版，p.10，南江堂，2011.

44) 日本整形外科学会診療ガイドライン委員会：大腿骨頚部/転子部骨折診療ガイドライン 改訂第3版，p.9，106，南江堂，2021.

45) 野々宮廣章ら：大腿骨頚部内側骨折に対するハンソンピンシステムによる治療経験．骨折 **23**：389-393，2001.

46) Noriyasu S et al：On the morphology and frequency of Weitbrecht's retinacula in the hip joint,Okajimas Folia Anat Jpn **70**：87-90, 1993.

47) Nowakowski AM et al：Classification of femoral neck fractures according to Pauwels：interpretation and confusion-Reinterpretation：a simplified classification based on mechanical considerations. J Biomed Sci Eng **3**：638-643, 2010.

48) 越智龍弥ら：大腿骨頸部 Garden stage Ⅲ：骨接合術か人工骨頭置換術か．別冊整形外科 **37**：96-99, 2000.

49) Palm H et al：Integrity of the lateral femoral wall in intertrochanteric hip fractures：an important predictor of a reoperation. J Bone Joint Surg **89-A**：470-475, 2007.

50) Parker MJ, Helen HG Handoll：Pre-operative traction for fractures of the proximal femur in adults. Cochrane Database Syst Rev **19**：doi：10.1002/14651858.CD000168.pub2, 2006.

51) Paton RW, Hirst P：Hemiarthroplasty of the hip and dislocation. Injury **20**：167-169, 1989.

52) Pipkin G：Treatment of grade IV fracture-dislocation of the hip. J Bone Joint Surg **39-A**：1027-1042, 1957.

53) Rafael JS et al：Dislocation of the bipolar hemiarthroplasty：rate, contributing factors, and outcome. Clin Orthop Relat Res **442**：230-238, 2006.

54) 斉藤聡彦ら：小児大腿骨頸部骨折の保存療法と手術療法．整・災外 **48**：1117-1124, 2005.

55) 佐藤哲夫ら：大腿骨頸部内側骨折における修復血行の進入─側面像による整復位との関連について─．骨折 **17**：404-409, 1995.

56) 坂巻豊教ら：小児の大腿骨頸部骨折．整形外科 MOOK **13**：175-186, 1980.

57) 下村哲史：小児大腿骨頸部骨折の成因と治療．整・災外 **48**：1093-1098, 2005.

58) Thomsen NO et al：Observer variation in the radiographic classifiacation of fractures of the neck of the femur using Garden's system. Int Orthop **20**：326-329, 1996.

59) 徳永真巳：大腿骨頸基部骨折の定義・頻度・特徴・特殊型．関節外科 **37**：995-1002, 2018.

60) 山本卓明ら：大腿骨頭軟骨下脆弱性骨折─診断，治療法と予後に関する検討．Hip Joint **33**：599-602, 2007.

61) Yamamoto T et al：Histopathological prevalence of subchondral insufficiency fracture of the femoral head. Ann Rheum Dis **67**：150-153, 2008.

62) Wada M et al：Use of Osteonics UHR hemiarthroplasty for fractures of the femoral neck. Clin Orthop Relat Res **338**：172-181, 1997.

63) Watson ST et al：Outcomes of Low-Energy Basicervical Proximal Femoral Fractures Treated with Cephalomedullary Fixation. J Bone Joint Surg **98-A**：1097-1102, 2016.

2 大腿骨骨幹部骨折
fracture of the femoral shaft

　大腿骨は人体中最大，最強の長管骨であり，支持骨格として荷重，歩行など日常生活の基本動作に最も重要である．大腿骨骨幹部の骨折は通常きわめて強大な外力によって生じ，多発外傷の合併も少なくない．

　大腿骨は臨床的には骨頭部，頸部，転子部，転子下部，骨幹部，顆上・顆部に区分され，骨折はどの部分にも生じ，通常骨折は大腿骨の部位名を冠して呼称される（図17-2-1a）．それぞれの部位によって骨折の形態は異なるため治療法も異なる．

　骨幹部骨折は青・壮年に多くみられるので，治療は積極的に早期社会復帰を目指し，障害のない下肢機能の回復を図らなければならない．

大腿骨骨幹部の範囲
① 転子下部と骨幹部の境界（図17-2-1b）
　Tronzoは大腿骨転子下部骨折の上限を小転子の遠位を通る水平線と定義している．この上限線は一般に容認されている妥当な境界である．さらにTronzoは転子下部骨

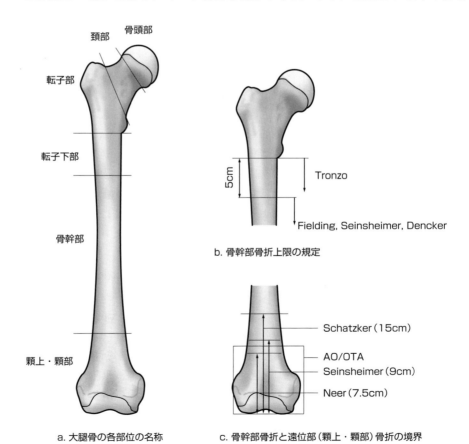

図17-2-1　大腿骨の部位

a. 大腿骨の各部位の名称
b. 骨幹部骨折上限の規定
c. 骨幹部骨折と遠位部（顆上・顆部）骨折の境界

折の下限を大腿骨の狭部中枢部として，Fielding は小転子の下端より遠位側 2 インチ（約 5 cm），Seinsheimer，Dencker らは同様に 5 cm と定義している．AO/OTA 分類では転子下部の名称はなく，小転子の遠位を通る水平線より遠位を骨幹部 diaphyseal segment とし，骨幹部をさらに proximal，middle，distal zone に 3 分している．このようにみると小転子より遠位側 5 cm を骨幹部の上限とすることが妥当と考えられる．

② 骨幹部と顆上部の境界（図 17-2-1c）

大腿骨遠位部もまた分類により範囲の定義に相違がある．Neer は大腿骨膝蓋関節面近位縁より 3 インチ（約 7.5 cm），Seinsheimer は 9 cm，Schatzker は 15 cm 近位側に境界線を設けている．AO/OTA 分類では大腿骨遠位部を大腿骨顆部の最大骨横径の平行四辺形で囲まれる範囲と定義し，骨の長さにかかわらず当てはめることができる点は評価される．Schatzker の大腿骨遠位 1/3 を包含する分類を除きほかの定義には大差ない．したがってここでは AO/OTA 分類の範囲規定を採用して骨幹部の下限とする．

顆上部と顆部を明確に区分するのは難しいので顆上・顆部とする．

a 解剖・機能解剖

大腿骨骨幹部は前方凸の緩い弯曲を呈し，荷重に対して衝撃を緩和する形態をなす．後面には筋肉の付着部である粗線 linea aspera が走る．断面では骨皮質は厚く剛性を高める構造を呈し，特に中央 1/3 では最も厚く骨髄腔は最も狭く，近位と遠位に行くに従って骨皮質は次第に薄くなり骨髄腔は拡大する．

大腿骨骨幹部に付着する筋肉は，大殿筋が粗線近位部の殿筋粗面に，内転筋群が粗線内側部に短・長・大内転筋の順で広い範囲に，また外転筋は中殿筋が大転子の先端から外側面に，小殿筋が中殿筋の腱に被われて大転子の前面に付着する．臨床的に重要なのは内転筋で，骨幹部近位部骨折（転子下骨折）は，近位骨片は中・小殿筋により屈曲・外転し腸腰筋により外旋し，遠位骨片は内転筋群によって近位側へ引き寄せられる転位をする（図 17-2-2a）．また骨幹部遠位部骨折（顆上骨折）は，近位骨片は腸腰筋や内転筋群により外旋・内転し，遠位骨片は骨盤より下腿に付着する筋群の収縮により近位側へ転位し，かつ腓腹筋の作用により屈曲する定型的な転位の形態を呈する（図 17-2-2b）．骨幹部にはそのほかに内側，外側，中間広筋，大腿二頭筋短頭が起始しているが，骨折に関連した臨床的意義は少ない．

大腿部の主要血管である大腿動・静脈，大腿深動・静脈は近位部では大腿前内側の大腿三角を通り，中央部では内転筋管 adductor canal，Hunter canal 内を通過して大腿の後面に回り膝窩動・静脈となる．

大腿骨骨幹部は直接血管と接触しないので，骨折によりこれら主要動・静脈が損傷される危険は少ない（図 17-2-3）．大腿骨の血液供給は大腿深動脈の貫通動脈の分枝が大腿骨粗線のほぼ中央にある栄養孔から入り，骨髄腔内で上下に分かれて主血行路となる．

大腿神経は大腿動脈に沿い，大腿骨転子部近位で内側部を伏在静脈に沿って走行する伏在神経を分枝したあと，大腿前面部を下降し大腿部にある股関節伸筋群を支配す

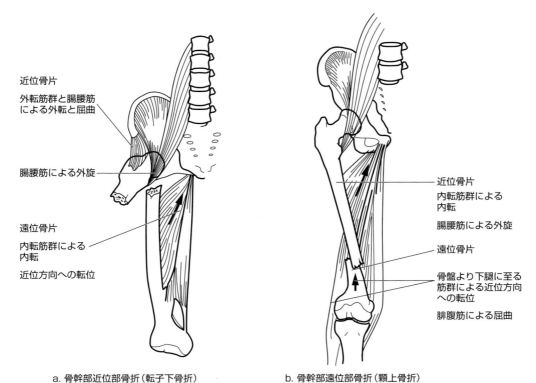

a. 骨幹部近位部骨折（転子下骨折）　　b. 骨幹部遠位部骨折（顆上骨折）

図 17-2-2　大腿骨骨折の部位と筋群の作用による定型的骨片転位

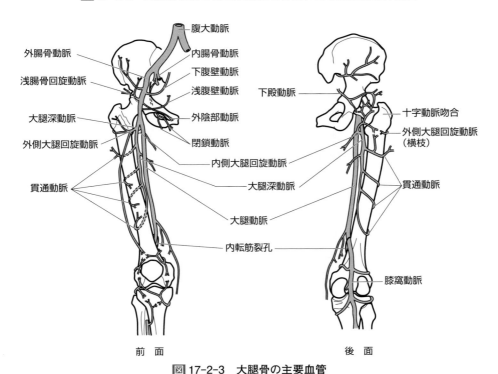

前　面　　　　　　　　　　後　面

図 17-2-3　大腿骨の主要血管

(Moore KL, et al：Clinically Oriented Anatomy. 5th ed, 佐藤達夫ら監訳：臨床のための解剖学，590，メディカル・サイエンス・インターナショナル，2008 より)

1018 各論 第17章 下肢の骨折

る．皮枝は大腿前面部に分布する．外側部を下降する大腿外側皮神経は大腿外側部に分布し筋枝を含まない．大腿後面ほぼ中央を下降する坐骨神経は人体最大の神経で，大腿二頭筋長頭に被われ股関節屈筋群に筋枝を出しながら膝窩部近位で総腓骨神経と脛骨神経に分かれる．

附-9 長管骨の血流

骨膜には豊富な毛細血管が分布しており，一般に正常の長管骨は皮質骨の外側 1/3 は骨膜からの毛細血管により栄養され，内側 2/3 は栄養動脈から内骨膜を通して血液の供給を受けているとされるが，骨折後は骨膜からの血行が旺盛となり骨折治癒過程に大きく関与している．実際に骨幹部骨折に対して骨髄腔をリーミングして髄内釘による骨接合術を行う場合は，内骨膜も削られ髄内の血行はほとんど破壊されるにもかかわらず骨は栄養障害に陥ることはない．一方プレートによる骨接合術で外骨膜を広く剥離すると骨癒合が阻害されることは日常的に経験することであり，一般に骨折治療に際して外骨膜を可及的に温存することが重要である．松本は長管骨の骨皮質の外側は骨膜血管より栄養され，なんらかの理由で骨髄血管が損傷された場合，骨膜血管から骨髄に向かって求心性の血行が生じると報告している．しかし，骨折の治癒過程における皮質骨の血行動態の変化についてはいまだ明確な見解が得られていない．しかし過度の骨髄腔のリーミングを避けて骨髄内血行を可及的に温存することは骨折治療上望ましい．

b 受傷機転

大腿骨骨幹部骨折は強大な外力が作用して生じる代表的骨折であり直達外力によることが多い．多発外傷の合併もみられ，生命予後，下肢機能の点から重篤な外傷である．初期に適切な治療がなされなければ，下肢の短縮，変形癒合，膝関節の拘縮などの障害を残しやすい．

自動車またはバイク運転中の事故，歩行中の事故など交通外傷によるものが多く，骨粗鬆症を伴った高齢者は転倒によっても骨折を生じる．近年では非定型大腿骨骨折や先行する人工関節・骨接合内固定材料周辺で骨折するインプラント（内固定材料）周囲骨折の症例が増加している．

合併損傷は頭，胸，腹部損傷が多くみられ，他部位の骨折の合併も少なくない．大腿骨骨幹部骨折は開放骨折は少なくないが，血管，神経損傷の合併は比較的少ない．

c 骨折の分類

1) AO/OTA 分類

この分類では大腿骨骨幹部骨折はコードが 32 であり，さらに骨折の部位（近位，中央，遠位），骨折線の走行（横，斜，螺旋）および粉砕の程度により分類される（図2-2-9 p.46 参照）．この分類法は全身の四肢骨折が網羅されているので，共通の分類法として学会発表，論文などで今日では最も汎用されている（**表17-2-1**）．

2) Winquist-Hansen 分類（**図17-2-4**）

髄内釘法による治療を目的として骨折の粉砕の程度により4型に分類したものである．

Type 0：粉砕のないもの

Type I：わずかに粉砕を認めるが，骨皮質は少なくとも 75% は接触しているもの

Type II：蝶形の第三骨片を認めるが，骨皮質は少なくとも 50% は接触し，回旋転

表 17-2-1　AO/OTA 分類　大腿骨骨幹部（32-）

A：simple	32A1：spiral
	32A2：oblique（≧30°）
	32A3：transverse（＜30°）
B：wedge	—
	32B2：intact wedge
	32B3：fragmentary wedge
C：multifragmentary	—
	32C2：intact segmental
	32C3：fragmentary segmental

a：proximal
b：middle
c：distal

   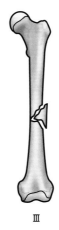 

　0　　　　Ⅰ　　　　Ⅱ　　　　Ⅲ　　　　Ⅳ

図 17-2-4　Winquist-Hansen 分類

　　　　位の整復位および骨長が保持できるもの
　Type Ⅲ：大きな蝶形の第三骨片があり骨皮質の接触部分が少なく，回旋転位の整
　　　　復位および骨長の保持が困難なもの
　Type Ⅳ：高度に粉砕し，骨長を保つ骨皮質の接触はまったく認めないもの．分節
　　　　骨折である
　　Winquist はこの分類とは別に節状骨折，近位部および遠位部骨折を骨折線の形状
から横骨折，斜骨折，螺旋骨折，粉砕骨折に分け，髄内釘による骨接合に際し Type
Ⅲ と Ⅳ に対しては横止めスクリュー固定が必要であると述べている．

3）青柳分類（図 17-2-5）

　　わが国でよく利用されている．骨折の粉砕の程度により 6 型に分けられ，ほとんど

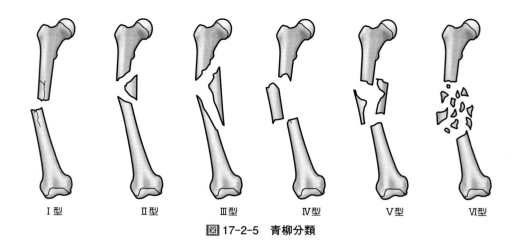

図 17-2-5　青柳分類

すべての骨折がいずれかの型に当てはめられる．
　Ⅰ型：第三骨片のない骨折．縦割れの骨折線がみられてもよい
　Ⅱ型：小蝶形の第三骨片を認めるが骨長保持は可能であるもの
　Ⅲ型：大きな蝶形の第三骨片を認め，骨皮質の接触がなく変形・短縮が生じる恐れ
　　　　のあるもの
　Ⅳ型：節状骨片を有するもの
　Ⅴ型：節状骨片がさらに分裂したもの
　Ⅵ型：射創骨折などの狭義の粉砕骨折

4）Park 分類（図 17-2-6）

　　　　　骨折の部位による分類である．近年，Park は骨幹部骨折を isthmus 部に骨折がある isthmal fracture と isthmus 部の近位および遠位に骨折が位置する non-isthmal fracture に大別し，さらに isthmus 部の近位を supra-isthmal fracture，遠位を infra-isthmal fracture と呼称することを提言した．これは従来の骨幹部を 3 分割して近位，中央，遠位 1/3 としたものと違い，骨幹部骨髄腔の形態に着目した分類である．一般的に supra-isthmal 部は infra-isthmal 部より短い．isthmal-fracture は十分な太さの髄内釘で安定した固定が得られるが，non-isthmal fracture とりわけ infra-isthmal fracture は最大の太さの髄内釘を挿入しても骨折部骨髄腔を十分に満たせず，遠位骨片の内外反・屈曲伸展・回旋に対する不安定性が残存するため骨癒合に不利益な剪断力がかかる．この剪断力を低減させるためには，ねじれの位置から 3 本以上の遠位横止めスクリューを挿入できる機種の選択，Poller screw, transmedullary support screw の使用などの特別な配慮が必要である．その手術手技は後述する．

　　　　　以上が代表的な骨折分類である．過去には，大腿骨骨幹部骨折の治療として髄内釘の横止めスクリューを追加するしかないかを骨折型により選択する議論がなされていたが，現在は横止めスクリュー固定を加える方法が主流となっている．しかし合併症として遅延治癒，偽関節，屈曲変形，回旋変形，下肢短縮，膝関節拘縮などを防止する点で骨折型分類に基づく治療が必要である．

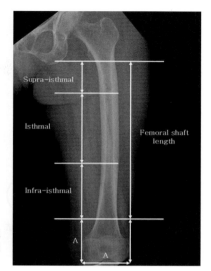

図 17-2-6　大腿骨骨折位置での Park 分類
まず isthmal と non-isthmal に分け，近位を supra-isthmal，遠位を infra-isthmal とする．均等に 3 分割するのではなく，個人差もあるが通常は supra より infra が長い．

附-10　infra-isthmal fracture

　大腿骨骨幹部 isthmus より遠位に骨折線が位置するものを呼称する．髄腔が急に広がる位置にあるので，単純な髄内釘固定では骨折部にかかる剪断力を制御することができないために偽関節発生の危険因子となりうる．Watanabe は遠位骨片長が大腿骨長の 43％以下であると偽関節のオッズ比 6.40 になることを示している．
　治療上遠位骨片と髄内釘間の固定の強化が重要である．固定力を強化するためには，多方向（ねじれの方向）から 3 本以上の横止めスクリューが挿入できる機種を選択する必要がある．最近では遠位横止めスクリュー自体を髄内釘に固定できる機種もあり，遠位骨片-髄内釘間の固定力向上に寄与している．さらに blocking screw (transmedullary support screw) の使用も推奨される．
　infra-isthmal nonunion に対しては後述するが，通常の exchange nailing より augmentation plating のほうが有効である．

d 治　　療

1）保存療法と治療法の変遷

　過去には大腿骨骨幹部骨折に対しては外固定，鋼線牽引などによる保存療法が適応されることが一般的であった．外固定による保存療法は骨盤より下腿遠位部までプラスチックキャストで長期間固定するために患者に与える負担がきわめて大きく，固定が長期間に及ぶと周囲の関節の拘縮などの合併症が発生しやすく，日常生活動作はもとより社会復帰がきわめて遅延するうえに，骨折部の固定性が不十分，管理・看護など医療側の負担も大きいなど欠点がきわめて多い．
　現在は髄内釘固定手術，低侵襲手術の導入，内固定材の開発と進歩などにより，小児例や全身状態不良など特殊な例を除いては原則的に手術療法が適応されるようになり，大腿骨骨幹部骨折の治療成績は飛躍的に向上した．

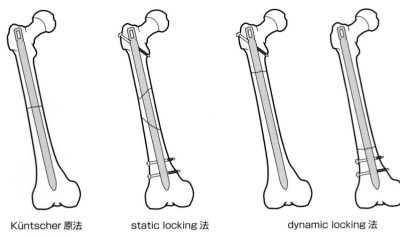

Küntscher 原法　　static locking 法　　dynamic locking 法

図 17-2-7　各種髄内釘固定法

2) 手術療法

　　大腿骨骨幹部骨折の骨接合法は髄内釘固定法とプレート固定法が主流で，いずれも進歩・改良され，骨膜血行を温存し，しかも軟部組織の損傷を避け十分な固定性を獲得する方法として，LISS（less invasive stabilization system）が導入され，さらにMIPO（minimally invasive plate osteosynthesis）の概念から，骨幹部の高度の粉砕骨折や骨幹端部の骨折に対しプレートが骨と直接接触固定がなくても骨折部を固定することが可能なロッキングプレートが採用されるようになった．これは従来の骨の形状に合わせて骨に定着させて固定するプレート固定法とはまったく異なる理論で生まれた骨折固定法である．この方法は骨壁に直接金属が接触していないので，骨膜の損傷が避けられる．ロッキングプレートの構造はプレートとスクリューが結合され角度安定性をもたらすので，創外固定法と同様な固定方法である．

　　以上のように長管骨骨折の骨接合法としては髄内釘法と，従来のプレート固定法に替わりロッキングプレート法が導入され，プレート固定法による治療法の選択の範囲は大幅に拡大してきた．しかし大腿骨骨幹部骨折に対しては可及的に髄内釘固定法で，しかも閉鎖性に行うことがまずは選択すべき治療法である．

a）髄内釘固定法（図 17-2-7）

　　閉鎖性髄内釘固定法は大腿骨骨幹部骨折の第一選択的治療法として確立されている．本法の最大の利点は骨折部を開創しないことである．手術による軟部組織の新たな侵襲や骨膜の剥離が避けられるので，骨折治癒および下肢機能温存上きわめて有利となる．髄内釘固定法により強固な固定が得られ，早期の関節運動，荷重歩行が可能となり，早期社会復帰が達成される．髄内釘固定法は横止めスクリュー固定法の併用により，骨折型に関係なくすべての骨折に応用することができる．しかし本法を行うには牽引手術台，X 線透視装置，駆動式リーマーが必要である．

① 髄内釘単独固定法（Küntscher 原法）の適応

　　髄内釘を単独で使用するもので，骨髄を大きくリーミングして最大径の髄内釘を打ち込み，骨折端の相互接触に髄内釘の発条力を加味して安定した内固定を獲得するの

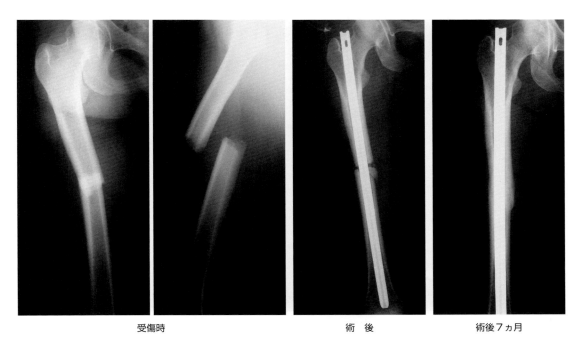

| 受傷時 | 術後 | 術後7ヵ月 |

図 17-2-8 Küntscher 式髄内固定法（37歳，女性）

が Küntscher 原法（**図 17-2-8**）であるが，横止め式髄内釘が一般化した現在ではその適応はほとんどなく，歴史的な意味合いしかもたない．

適応は部位的には大腿骨の中央 1/3 の骨折，骨折型では Winquist のⅠ型，Ⅱ型，青柳のⅠ型，Ⅱ型とされていた．

② 髄内釘固定法＋横止めスクリュー固定法の適応

基本的には骨幹部のすべての骨折が適応となるが，髄腔が狭い例，既存のインプラントがあり髄内釘が挿入できない例や骨端線が閉じていない例は適応外である．短縮や回旋を防止する横止めスクリュー固定法には static locking 法と dynamic locking 法の 2 つの方法がある．

static locking 法とは骨折の上下に横止めスクリュー固定を行い，短縮，回旋を完全に防止する方法であるが，骨折部に恒常的圧迫力は加わらない（**図 17-2-9**）．一方，dynamic locking 法は髄内釘の楕円形をした dynamic hole に横止めスクリューを挿入することで，回旋を制御しながらも骨折部に圧迫力がかかる固定方法である．しかし多くの髄内釘は dynamic hole はひとつしかないので，横止めスクリューは 1 本しか使用できない．したがって十分に安定性をもった内固定は困難で骨折部に剪断力がかかる危険性がある．いわゆる dynamization については後述する．骨幹近位部骨折では近位骨片のみ，遠位部骨折では遠位骨片のみの横止めスクリュー固定により十分に固定性が得られる場合には必ずしも static locking の必要はないとの意見もあったが，現在では骨癒合に最も悪影響を与える骨折部の剪断力を低減させるためには遠位，近位ともに横止めスクリューを使用するのが主流である．

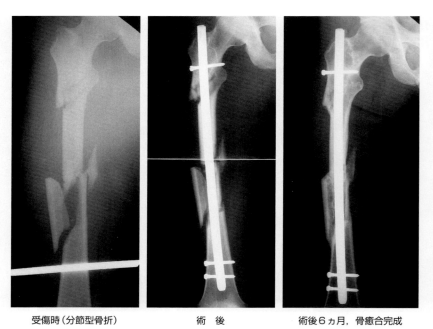

受傷時（分節型骨折）　　　術後　　　術後6ヵ月，骨癒合完成

図 17-2-9　横止め式髄内固定法（static locking 法）（39 歳，男性）

③ 閉鎖性髄内釘固定法の手技
ⓐ 手術の時期

　　骨折の合併症として最も注意を要するのは脂肪塞栓である．高度の粉砕骨折，多発骨折では特にその危険がある．また髄内釘挿入時のリーミングにより脂肪塞栓を誘発する恐れを鑑み，手術の時期は受傷後5～7日がよいとされてきた．しかしリーミングは脂肪塞栓の発生に影響がないことが判明して以来，早期（24時間以内）に手術を行ったほうがよいとする意見もある．多発外傷の合併がある場合は患者の管理上早期に手術すべきであるとされている．近年，外傷に伴う深部静脈血栓症 deep venous thrombosis（DVT）が致死的肺塞栓を招来する危険性が指摘され，基本的には早期に手術を行って早期離床による肺塞栓の合併の予防を図るべきである．しかし脂肪塞栓は受傷後36時間を経過すると発生の危険性はまれであることが判明し，さまざまな理由で早期に手術ができない場合では腫脹が強い時期は鋼線牽引で可及的に整復位を保ちながら待機し，受傷5～7日後に十分に態勢を整えて手術を行うことは骨折治癒の点からも決して不利ではない．牽引の重錘は体重の約1/7を目安とするが，成人男子では通常6～7kgである．牽引を保存療法に利用する場合には過牽引は禁忌であるが，手術の前処置として行う場合にはやや過剰気味に牽引するほうが術中の整復操作がしやすい．開放骨折や多発外傷例では一時的に創外固定を使用して骨折部の安定性を獲得し，全身状態の改善を優先させ，最終的骨接合を行う（damage control orthopaedics の概念）治療法が一般的である（図 17-2-10）．

　　創外固定から内固定への転換に関しては，2週間以上創外固定の装着を余儀なくされた場合は一期的髄内釘手術は感染の危険性がある．特に大腿骨は軟部組織の厚みが

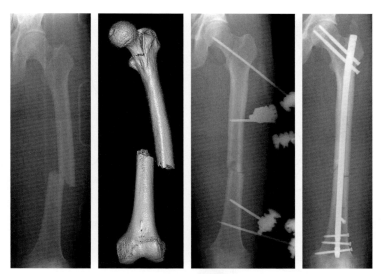

図 17-2-10　大腿骨近位部骨折と骨幹部骨折合併例（47 歳，男性）
広範囲熱傷，外傷性大動脈解離，顔面多発骨折，外傷性くも膜下出血，L2-4 横突起骨折を合併していた．まずは創外固定で damage control を行い，受傷後 8 日目に髄内釘手術を施行した．
（福山市民病院　寺田忠司先生の症例）

あり，創外固定ピン刺入してから 1 週くらいも経過すると刺入部は湿潤してくることが多いので，なるべく早い時期に内固定へ移行する．内固定への移行に時間を要した場合にはいったん創外固定を除去してピン刺入創の治癒を待ち髄内釘手術を行うか，プレート骨接合術を行うかを選択することになるが，ピンの抜去から手術までの待機期間に関しては統一した見解は得られていない．

ⓑ 順行性髄内釘固定　antegrade intramedullary nailing

1）体　位

わが国では順行性髄内釘固定手術は仰臥位で牽引手術台を使用して行うことが多い．仰臥位は回旋転位の整復は膝関節を指標として容易であるが，釘の刺入部位の決定が困難である．そのために体幹を反対側に側屈させるか下肢を内転位とするなどの工夫を要する．側臥位牽引手術台手術は股関節を軽度屈曲，内転位とすることにより髄内釘の挿入点の展開が容易であるが，回旋転位のコントロールが難しく，また体位をとるのが煩雑なためあまり施行されていない（図 17-2-11）．

2）整　復

術野の消毒を行う前に骨折の整復を試みる．術前に良好な整復位を得ることがガイドピンの挿入を容易にする．受傷早期（24 時間以内）に手術を行う場合には整復はそれほど困難ではないが，受傷 3〜4 日後は最も腫脹が著しいので整復操作は困難である．整復に際しては骨長の短縮，回旋転位に気をつけなければならない（図 17-2-12）．牽引は強すぎると軟部組織の緊張を高め，かえって整復操作を困難にする．X 線透視装置で 2 方向透視下に骨折部を徒手的に整復する．骨折端同士の接触が得られたら牽引を少し緩めてその位置で固定する．短縮転位のために整復が困難の場合に

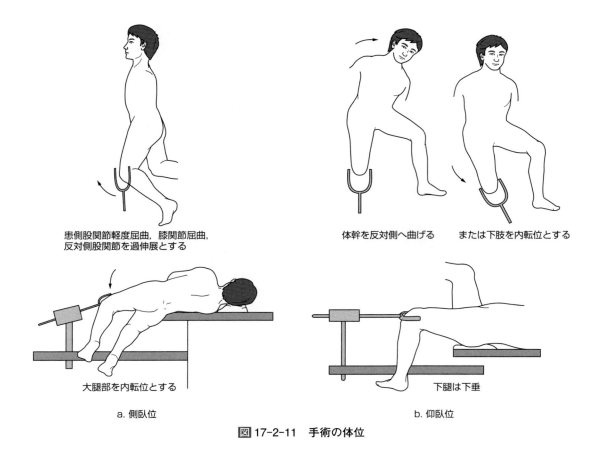

患側股関節軽度屈曲，膝関節屈曲，反対側股関節を過伸展とする　　体幹を反対側へ曲げる　　または下肢を内転位とする

大腿部を内転位とする　　　　　　　　　　　　　　　下腿は下垂

a. 側臥位　　　　　　　　　　　　　　　　b. 仰臥位

図 17-2-11　手術の体位

は，骨折部の皮膚に小切開を加え透視下に無菌的にエレバトリウムを差し込み，テコの作用を利用して整復する．

　側臥位での手術の場合は回旋転位には特に注意を要する．大腿骨顆部で鋼線牽引を行うと整復操作には便利で，整復後の肢位の固定も容易であるが，実際には体位取りが煩雑でありあまり施行されていない．

3）挿入点 entry point の作製

　大転子の近位部に 5～7 cm（患者の肥満度により長さを加減する）の皮切を加え大殿筋筋膜を切開し，筋を線維方向に鈍的に分けて大転子先端を指で確認する．挿入点は髄腔中央の垂直線上の大転子頂点と梨状筋が付着する転子窩の二つがある．転子窩周囲は骨質が良好で straight nail を髄腔に真っすぐ挿入しやすい．しかし最近では挿入点作製による骨頭栄養血管損傷の危険性の回避や展開の容易さなどを考慮して挿入点を大転子頂点とすることが多くなっている（図 17-2-13）．刺入部が外側に寄ると髄内釘を挿入する際に釘の先端が骨幹部内側皮質に当たり挿入が困難となったり，新たな骨折を生じる危険がある．また supra-isthmal fracture では内反変形や外側骨皮質にギャップを形成することがあるので挿入点の決定はきわめて重要である．挿入点作製用のガイドワイヤーを刺入して中空ドリルで挿入点を開窓する．大転子頂点は比較的骨質が軟らかくオウル awl でも開窓できるが，転子窩は骨質が硬く用手的にオウ

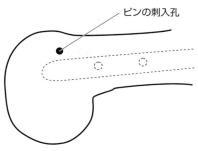

図 17-2-12　鋼線牽引用ピン刺入部位
髄内釘挿入の支障のない部を選ぶ．

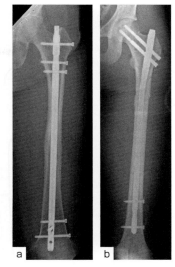

図 17-2-13　順行性髄内釘の挿入点
a. 転子窩から straight nail を挿入
b. 大転子頂部から軽度外反がついた髄内釘を挿入
（b. 府中市民病院　小川健一先生の症例）

ルで開窓するのは困難である．

4）刺入口 entry point からのガイドワイヤーの挿入

　術前に整復が得られていると刺入口 entry point からのガイドワイヤーの挿入はそれほど難しくない．X 線透視装置でワイヤーが正確に髄腔内に入っていることを確認する．骨折端同士の接触が得られず転位が残っている場合には近位骨片のみリーミングし，あらかじめ用意しておいた細い髄内釘や整復用の中空の整復用器具を近位骨片内にガイドワイヤーとともに挿入して，近位骨片を調節しながら遠位骨片の髄腔を探りガイドワイヤーを挿入する（図 17-2-14）．ガイドワイヤーの先端が顆部中心に入っていることが大切である．ガイドワイヤーが顆部中心に位置しないと偏心性にリーミングされて内・外反変形や屈曲伸展変形を残すことになる（図 17-2-15）．ガイドワイヤーが遠位骨片中心に入らない場合は先端を少し曲げて顆部中央に誘導して軟骨下骨に軽く打ち込みリーミングするとよい．しかし髄腔が広い場所ではガイドワイヤー進行方向に遊びが多く，必ずしも遠位骨片の中央に誘導することは容易ではない．これを解決する方法として Krettek は Poller（blocking）screw technique を報告した．髄腔が広い部位でガイドワイヤーひいては髄内釘が偏心性に挿入されると長軸方向の変形が生じるが，変形の凹側で isthmus 内壁の延長線上に Poller screw を挿入すると（図 17-2-16），遠位骨片の中央にガイドワイヤーを誘導でき，髄内釘を挿入することで自動的に整復位が獲得できる優れた方法である．しかしスクリューでガイドワイヤーもしくは髄内釘をコントロールする際には，機会は 1 回しかないので最も効果的な部位にスクリューを挿入する必要がある．もし髄内釘挿入に干渉して打ち直す必要が生じたときは操作が煩雑であり，医原性骨折の原因となりかねない．それを考えると blocker pin technique が有用である．これはスクリューの代わりに 2.0 mm か

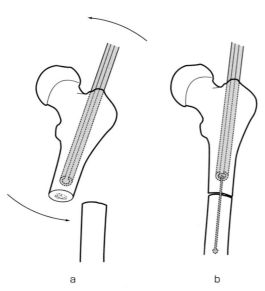

図 17-2-14 細い髄内釘を用いた整復
a. 近位骨片に髄内釘を挿入し，テコの原理で整復する．
b. 整復位にてガイドピンを挿入する．

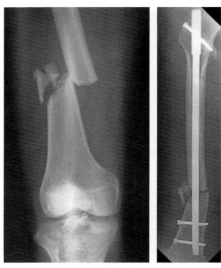

図 17-2-15 髄内釘の偏心性挿入に伴う外反変形
infra-isthmal fracture で遠位骨片の中心に髄内釘が挿入されておらず，著明な外反変形をきたしている．

（順天堂大学静岡病院　最上敦彦先生の症例）

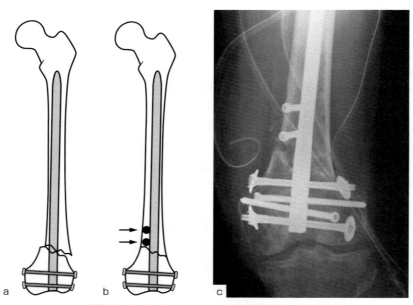

図 17-2-16 Poller screw による転位の整復
a. 大腿骨遠位骨幹部骨折を逆行性髄内釘固定をしている図である．髄腔内径が広く，内側凹の変形が生じている．
b. 変形の凹側に isthmus 内壁の延長線上にスクリューを挿入することで遠位骨片のアライメントをコントロールできる．
c. Poller screw は術中の転位の整復に役立つのみならず，術後の遠位骨片の安定性にも transmedullary support screw として寄与する．

（順天堂大学静岡病院　最上敦彦先生の症例）

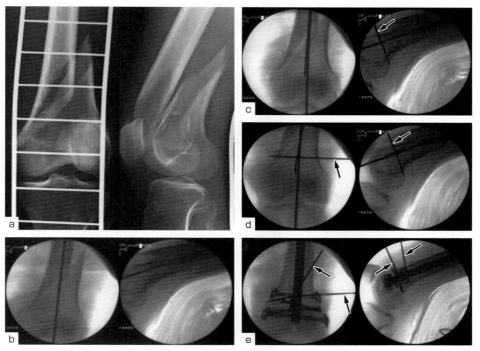

図 17-2-17 blocker pin technique によるガイドワイヤーの誘導と転位の整復（69 歳，男性）
a. infra-isthmal fracture，b. ガイドワイヤー挿入だけで整復されない，c. 正面（前後方向），
d. 側面（左右方向）から blocker pin（矢印）を刺入，e. 髄内釘挿入で整復位を獲得して遠位横止めスクリューを刺入した．　　　　　　　　　　　　　　　　　　（順天堂大学静岡病院　最上敦彦先生の症例）

　2.5 mm の Kirschner 鋼線を前後方向に（もしくは左右方向に）刺入して blocker pin とし ガイドワイヤーを意図する方向に誘導する方法である（**図 17-2-17**）．前後方向に刺入した blocker pin は内外反変形の整復に，また左右方向に刺入した blocker pin は矢状面変形の整復にも役立つ．また Kirschner 鋼線は適度な弾性を有するので，髄内釘挿入時に干渉することを避けられる．最近，骨折線と長管骨長軸の交差部でその鋭角を有するブロックに，髄内釘の太さにあわせて blocker pin（もしくは Poller screw）を挿入する（**図 17-2-18**）と効果的で非常に有用である．

　blocker pin は術中の一時的使用であり，横止めを完了後に抜去するため術後に継続して安定性をもたらすことはできない．そこで横止め後に同部位にスクリューを刺入して transmedullary support screw として術後の安定性を増強する方法（**図 17-2-16b**）もある．

5）髄腔リーミング

　術前に健側大腿骨の単純 X 線写真を用いて髄内釘の太さと長さをあらかじめ計測しておく．目盛りが描写されるスケールを置いて撮影すれば拡大率を考慮せずに正確な長さを計測することができる．髄腔の拡大は flexible reamer を用い，成人例では通常 9 mm から始め，0.5 mm ずつ太いものに代えてリーミングを行い，予定した髄内釘の径より 1 mm 太い径まで拡大する．通常は骨皮質内壁をリーマーが"カラカラ"と硬い音で削る感触が得られるまでリーミングする．

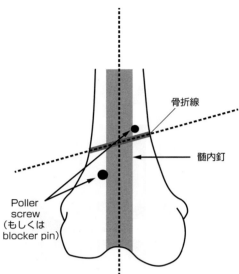

図 17-2-18　Poller screw の刺入場所の決定方法
長管骨骨軸と骨折線が交差することで，骨折端が 4 つのパートに分けられる．そのうち鋭角を呈するパートに髄内釘の太さを考慮して blocker pin（もしくは Poller screw）を刺入すると意図する整復位が得られる．
（Hannah A, et al：Injury 45：1011-1014, 2014 をもとに著者作図）

6）髄内釘の挿入

　髄内釘の挿入深度は骨折線の位置にもよるが，通常は膝蓋骨上縁程度がよい．infra-isthmal fracture ではできる限り深く挿入したほうが好ましいが，前後方向の横止めスクリューを刺入する際に膝蓋骨が干渉しないように刺入孔の位置を考慮して深さを決定する．

　縦割れのある分節型の骨折や高度に粉砕した骨折は，近位骨片をリーミングした後，中間の粉砕部はリーマーを回転させずに通過させ，遠位骨片に到達して再びリーミングを行う．

　髄内釘の挿入は先端にリーマーストッパーのないガイドピンに入れ替えて予定した髄内釘を打ち込む．最初は用手的に髄内釘をガイドワイヤーに沿って挿入し引き続きハンマーで打ち込むが，多くの場合髄内釘先端が内側および前方の骨皮質にあたり引っかかる．X 線透視装置で確認しながら髄内釘近位部を持ち上げさらに内側に押し込んで髄腔内を通過させるとうまく挿入される．また骨折部を通過するときに遠位骨折端に髄内釘先端が引っかかることがある．髄内釘の挿入が滞ったときに力任せにハンマーで打ち込むと医原性骨折を起こすことがあるので，円滑に挿入できない時は X 線透視装置で確認しながら少しずつ挿入する必要がある．

7）横止めスクリューの挿入

　以前は横骨折や短い斜骨折では，回旋転位をできるだけ整復しておき，まず遠位から横止めして，最終的に近位骨片の回旋転位の調整を行っていた．そのうえで引き抜き方向に髄内釘を打ち出す（バックストローク）ことで骨折部を可及的に密着させながら，近位部横止めスクリューを挿入していた．しかし最近の解剖学的形状の大転子エントリーの髄内釘では，近位骨片の回旋を髄内釘挿入後に変更することが困難であり，まずは近位骨片をターゲットガイド越しに横止めスクリュー挿入を行い，そのうえで遠位骨片の回旋を整復して遠位部横止めスクリューを挿入する．遠位部横止めの前に牽引を緩めて十分な骨折部の接触を獲得することが大切である．近位部横止めス

2 大腿骨骨幹部骨折　**1031**

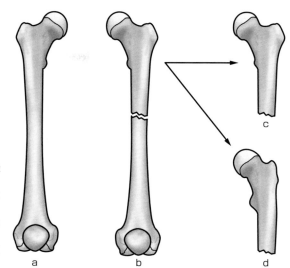

図 17-2-19　lesser trochanter shape sign
a. 健側で膝蓋骨を正面にして健側の小転子の形状を記録する．
b. 患側の膝蓋骨を正面にして健側の小転子と同じ形状に患側の小転子を合わせると回旋転位の整復ができる．
c. 小転子の見え方が小さいときは近位骨片は内旋している．
d. 小転子の見え方が大きいときには近位骨片は外旋している．

クリューに compression screw を使用できる機種は，横止めスクリュー固定の後に骨折部に圧迫を加えることができるので有用である．

　この際回旋転位には十分注意することが大切である．回旋転位の診断には Krettek の提唱する lesser trochanter shape sign，cortical step sign，diameter difference sign を利用するとよい．lesser trochanter shape sign は，まず術前に健肢を膝蓋骨正面にして大腿骨近位の透視像を残しておく．術中に患肢も同様に膝蓋骨正面とした時の小転子の見え方を参考に健側透視像に合わせて近位骨片の回旋を決定する．小転子は後内側に存在するため，近位骨片が外旋していれば健側より大きく，内旋していれば小さく見えることを利用している（**図17-2-19**）．Krettek はこの方法により回旋転位が 5°以内が 76％（38/50 例），6〜10°が 20％（10/50 例），11〜15°が 2％（1/50 例），16〜20°が 2％（1/50 例）であり，98％の例が 15°以内であったと報告している．cortical step sign は近位骨片と遠位骨片との皮質骨の厚さを比較して評価し，diameter difference sign は同様に近位と遠位骨片の直径を比較して評価する方法である（**図17-2-20**）が，横骨折か短い斜骨折にしか応用できず精度は低いとされ術中の応用は繁雑である．

　近位の横止めスクリュー固定は髄内釘近位端にターゲットデバイスが装着されるようになっているので，透視を必要とせずに横止め固定が可能である．遠位の横止めスクリュー固定にも器具またはガイドを用いる方法があるが，器具（ガイド）を用いなくても可能である．X 線透視装置を患肢の側面像が出るように設置して，スクリュー刺入孔が上下・前後にずれがなく正円となるように微調整して固定する（**図17-2-21**）．横止めスクリュー孔の直上の皮膚に小切開を加え，骨錐を長軸方向から斜めに正円像の中心に当たるように骨に押しつけて立て，電動ドリルがすべらないように刻みをつける．ドリルを髄内釘を貫通して反対側の皮質まで穿孔させる．X 線透視装置によりドリルが髄内釘を貫通していることを確認しスクリューを挿入する．

図 17-2-20 cortical step sign (a) と diameter difference sign (b)
横骨折や短い斜骨折の際に参考にできる．
a. 近位と遠位骨片の皮質骨の厚さを比較して回旋を評価する．
b. 近位と遠位骨片の直径を比較して回旋を評価する．いずれも近位と遠位骨片で一致すれば回旋転位がないと判断する．

縦長楕円形像：骨長軸方向の入射角のズレ

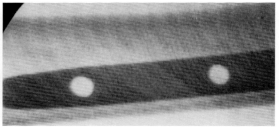

正円形：正しい入射角

横長楕円形像：骨横軸方向の入射角のズレ

図 17-2-21 遠位横止めスクリュー孔の透視像

ⓒ 逆行性髄内釘固定 retrograde intramedullary nailing
1）適 応
　大腿骨骨幹部骨折に対しては順行性髄内釘手術が標準的な治療法である．しかし同側の大腿骨頸部骨折，転子部骨折，骨盤・寛骨臼骨折，脛骨骨折，膝蓋骨骨折の合併例や両大腿骨骨折例，高度肥満例，多発外傷例などでは逆行性髄内釘手術の適応がある（図 17-2-22, 23）．一方膝関節内を展開するため，ひとたび感染が起こると化膿性膝関節炎を発症する危険性もあり，また非荷重部ではあるが開窓部の一部が膝関節軟骨にかかるという欠点もある．Swiontkowski が最初に報告して30 年以上経過しているが，正しい手技による逆行性手術が著しい膝関節機能障害を惹起するという報告はない．

2 大腿骨・骨幹部骨折　**1033**

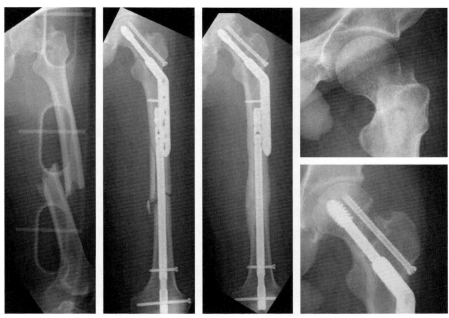

図 17-2-22　大腿骨近位部骨折と骨幹部骨折の合併例（26歳，男性）
まずは通常の手術台で逆行性髄内釘で骨幹部骨折を内固定し，引き続き牽引手術台で sliding hip screw で近位部骨折を内固定した．　　　（筑後市立病院　吉田健治先生の症例）

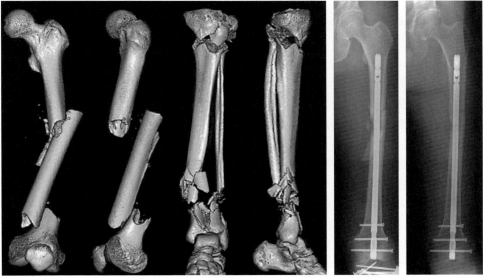

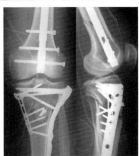

図 17-2-23　大腿骨骨幹部分節骨折と脛骨骨幹部分節開放骨折の合併例（59歳，男性）AO32-C2.2 と AO42-C3.2（Gustilo ⅢC）
大腿骨骨幹部分節骨折，floating knee，下腿は脛骨遠位骨折部で前脛骨動脈，後脛骨動脈，脛骨神経損傷がある．大腿骨分節骨折は逆行性髄内釘固定を行い，脛骨近位部を骨接合し，下腿遠位は切断した．
（福山市民病院　寺田忠司先生の症例）

1034 各論 第17章 下肢の骨折

順行性と逆行性髄内釘手術を比較する報告は後ろ向き研究と前向き研究があるが，おおむね骨癒合に関して差はないという結果である．膝痛は逆行性に多く，股関節周囲の痛みが順行性に多いという報告がある一方，膝痛の頻度には差はないという報告もある．また BMI が 30 を超すような高度肥満例では，逆行性手術のほうが手術時間や X 線照射時間が有意に短かったと報告されている．

2) 体　位

仰臥位で X 線透過性の手術台で行う．膝窩部に枕を置き膝関節を軽度屈曲位とする．

3) entry point 挿入点の作製

膝蓋腱内側縁に沿って切開を加える．膝蓋腱縦切開でもよい．関節包を切開し X 線透視装置観察下に挿入点作製用のガイドワイヤーを前後像で顆間窩中心，側面像で Blumensaat line の前縁から骨幹軸に沿って刺入する．プロテクションスリーブを使用して膝関節軟部組織を保護しつつ中空ドリルで挿入点を開窓する．

4) 整復およびガイドワイヤーの挿入

遠位骨片の中心からガイドワイヤーを挿入できるため，整復は順行性より容易である．順行性手術に準じて回旋転位や長軸の変形の整復を行いながらガイドワイヤーを挿入する．infra-isthmal fracture では blocker pin の使用が有効である．

5) 髄腔リーミング

順行性手術に準じる．

6) 髄内釘の挿入

髄内釘の挿入深度は骨折線の位置や合併する骨折にもよるが，通常は小転子上縁とする．高齢者に対しては，将来的に大腿骨近位部骨折を起こす可能性もあるため，short stem 人工骨頭や髄内釘・CHS などのスペースを残しておくほうがよいとする意見もある．

近位部骨折を合併しているときは近位の内固定子に合わせて長さを決定する．その他は順行性手術に準じる．

7) 横止めスクリューの挿入

横骨折や短い斜骨折では，回旋が正しいことを確認した後にまず近位から横止めする．近位スクリューは順行性手術で述べた free hand technique で行うが，前後方向に刺入することが多く，後方の坐骨神経を損傷しないように注意する．そして引き抜き方向に髄内釘を打ちもどすこと（バックストローク）で骨折部を可及的に密着させて遠位部横止めスクリューを挿入する．髄内釘が膝関節内に突出することは絶対に避けなければならない．そのためにバックストロークを見越して挿入深度は慎重に決定する必要がある．多くの機種はエンドキャップにより長さを調節できるので，関節内に突出しないようにやや深めに挿入してバックストロークをかけ，挿入点における安定性を確保するために長さが足りない分をエンドキャップで補う．

遠位横止めはターゲットデバイスを用いて行うが，大腿骨顆部横断面は前が狭く後ろが広い台形をしているので，X 線透視装置でよく確認して必要以上に長いスクリューを使用しないように注意する．スクリューの突出は術後の膝痛の原因となりうる．

2 大腿骨骨幹部骨折 *1035*

ⓓ 後療法

　　術後外固定は不要である．手術翌日から大腿四頭筋訓練，膝関節運動訓練を開始する．足関節の底背屈運動は深部静脈血栓症（DVT）予防のためにも積極的に行わせる．通常術後 1 週後より部分荷重を開始し，患者が耐えられれば荷重量を増し，2～3 週で全荷重歩行が可能となる．骨折粉砕の程度によって荷重開始を 2～3 週遅らせる．髄内釘の抜去は術後少なくとも 1 年を経過して骨癒合の完成を確認してから行う．最近の欧米の論文では若年者以外では釘の抜去は必要ないとされている．

附-11 　軸圧負荷 dynamization の考え方

　　日本整形外科学会用語集によると dynamization は軸圧負荷と訳されている．すなわち骨折部に屈伸・内外反方向の曲げ応力や回旋応力が加わらずに純粋に軸方向にのみ負荷がかかる状態を指していると考えられる．

　　しかし，髄内釘治療において現状ではいくつかの異なった状況で dynamization（もしくは dynamic）という表現が使用されている．渡部や山路によると元来 dynamization は De Bastiani が Orthofix 創外固定器を開発して提唱した dynamic axial fixator がもたらす dynamic axial loading の概念である．これは創外固定器で曲げ力と回旋力を制御したうえで，テレスコープ機能を創外固定器にもたせることによって可能となる純粋な軸圧負荷を，術後一定期間をおいて仮骨形成を確認した後に加えることで，さらなる仮骨形成を促進し骨折の癒合に有利に働かせることが目的であり実に納得しやすい．

　　また骨片のどちらか一方，通常は骨片の短いほうのみに横止めスクリュー固定を行い，骨折面に常時圧迫力すなわち軸圧負荷 dynamization を作用させることにより骨折の癒合促進を図る方法を dynamic nailing と称し（**図 17-2-24, 25**），過去にはよく行われていた．しかし横止めスクリューによる固定の代わりに isthmus で髄内釘そのものを把持し固定するので，回旋力や曲げ力を十分にコントロールできないため現在ではあまり推奨されない．

　　髄内釘に楕円ホールを有する機種は多く，骨折部から離れた位置で楕円ホールに横止めスクリューを挿入することで屈曲力と回旋力を制御しながら軸圧負荷をかける固定を通常の static locking に対して dynamic locking という．短縮変形が生じにくい横骨折や短い斜骨折で骨片長がより長い骨片側には有効との意見もあるが，楕円ホールは一つしかなく必然的に骨片に挿入するスクリューは 1 本ということになり，屈曲力や回旋力を十分に制御できないことが予想される．

　　横止め髄内釘が導入された初期には，術後 2～3 ヵ月経過時に横止めスクリューを抜去して骨折部に軸圧負荷を加える行為も dynamization と呼称され，骨折治療を促進するとされていた．この手技の有効性は "dynamization" を加えた時期の骨折部の安定性に左右され，回旋力や曲げ力を制御できるほどの十分な仮骨が形成されていなければ横止めスクリューを抜去することで固定力が低下する（**図 17-2-26**）．そのため "dynamization" を施行しても骨癒合は 60％弱にしか獲得できず，高度の短縮変形をきたしたとする報告もある．遷延癒合状態にあった症例で横止めスクリューが折損することで軽度の短縮変形が生じ骨癒合を得ることを臨床的に経験するが，いわゆる意図していない "dynamization" と考えられる．この骨癒合も同様にある一定の条件下でのみ起こる現象であり，また折損したスクリューは回旋力制御に対しては若干の効果を残しているかもしれない．

　　渡部が大腿骨骨幹部骨折の偽関節の要因を詳細に検討し，主な原因は開放骨折，AO/OTA 分類 Type C 骨折，骨折部位がより遠位，髄内釘の遠位髄腔占拠率が低い，dynamic 固定状態（横止めスクリューを抜去する意図的な dynamization，横止めス

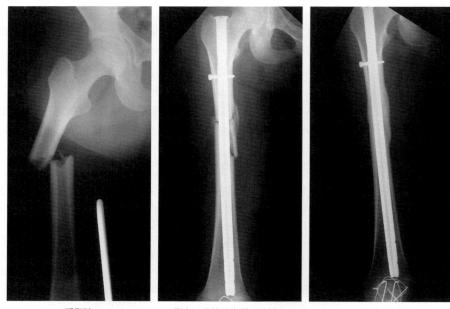

受傷時　　　　術中，遠位骨皮質の破損を　　　術後1年
　　　　　　　きたし近位横止めを併用

図 17-2-24　近位横止め式髄内固定法（dynamic nailing 法）(20歳, 男性)

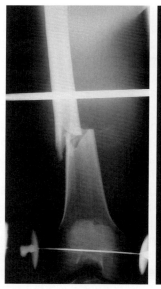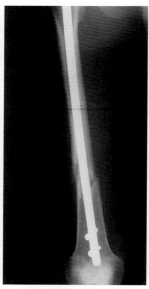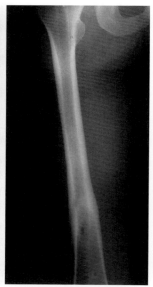

受傷時　　　　髄内釘＋遠位端横止めにて　　　術後1年にて抜釘
　　　　　　　骨接合

図 17-2-25　遠位横止め式髄内固定法（dynamic nailing 法）(20歳, 男性)

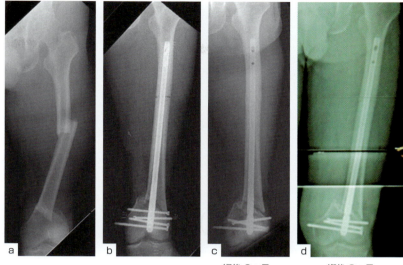

図 17-2-26
顆上骨折と骨幹部骨折の分節骨折（58歳，男性）
a. 大腿骨分節骨折．
b. 逆行性髄内釘固定を行うが，骨幹端部の整復と安定性が不良である．
c. 術後 6 ヵ月．近位横止めスクリューを抜去する dynamization を施行．軸圧負荷による骨癒合促進を意図したものと思われる．
d. 術後 8 ヵ月．dynamization を行うことでより不安定性が増加し，骨折部に剪断力が生じ骨癒合は得られていない．
（順天堂大学静岡病院　最上敦彦先生の症例）

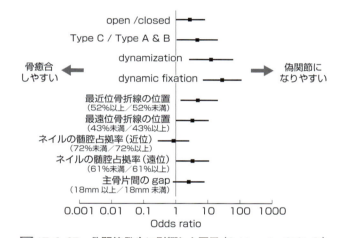

図 17-2-27　偽関節発生に影響した因子（Odds ratio, 95% CI）
（渡部欣忍ら：大腿骨骨幹部骨折に対する髄内釘固定後偽関節：case-control study による発生因子の検討．骨折 32：782-785, 2010 より）

クリューの折損，dynamic nailing，dynamic locking を含む）であると報告している．骨癒合を促進する目的で行われる意図的な dynamization が偽関節群の 33% に行われているのに対して，骨癒合が得られた対照群では 4% にしか行われていなかった．また偽関節群の実に 63% が dynamic 固定状態であるのに対し，対照群ではわずか 6% であったことは，広義の dynamization が必ずしも骨折治療に良い影響を与えるものではないことを示している（図 17-2-27）．

b）Ender ピンによる髄内固定法（図 17-2-28）

Ender 法は数本の flexible な釘を閉鎖性に骨髄内へ打ち込み骨折部を固定する方法である．本来，大腿骨転子部骨折の治療法として開発されたが，下肢長管骨骨幹部骨折の治療法として使用されることもあった．

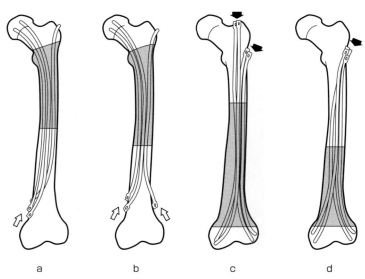

図 17-2-28　Ender ピンの適応範囲および刺入方法
a, b. 逆行性刺入法，c, d. 順行性刺入法
灰色部分は適応範囲，矢印は刺入孔を示す．

　皮膚切開が小さく，軟部組織を損傷する危険性も少なくきわめて侵襲が小さい方法である．また手術器具が単純であるため，準備も簡便で緊急手術にも対応しやすい．
　Ender 法の最大の利点は強固な髄内釘手術法と異なり，固定材料が flexible であるため術後荷重により骨折部に早期から適当な微細運動 micromotion が加わり骨折治癒に不可欠な仮骨形成が促進されるといわれている．しかし長軸方向の固定性を有さず，またその flexible な特性により，短縮変形や角状変形治癒をきたすという欠点もある．現在では横止め髄内釘の発展に伴い，肺損傷を伴う多発外傷例などで限定的に使用されている．

c）プレート固定法

① 従来のプレート固定法 conventional plating

　プレート固定法の利点は骨折を直視下に解剖学的整復を確認できることである．また牽引手術台，X 線透視装置などの特殊な設備を必要としない．しかし骨折部を開創するため，粉砕骨片の整復のため骨膜剥離や軟部組織の侵襲などで骨片が壊死に陥りやすく，骨癒合の遅延，偽関節の発生率も高くなる．プレートの折損，抜去後の再骨折などの術後合併症の頻度も髄内釘よりも多く，現在では髄内釘による内固定が第一選択である．
　さらに角度安定性を有し，スクリュー逸脱によるプレート固定の破綻をきたしにくいロッキングプレートの発展に伴い，従来型プレートによる内固定は現在ではほとんど行われていない．

② ロッキングプレート固定法 locking plating

　大腿骨骨幹部骨折に対する骨接合材料は髄内釘が第一選択であるが，髄腔が狭い例，過去の疾患や外傷で髄腔閉鎖や高度な骨変形を呈している例，抜去できない既存の内固定材料が存在する例，肺損傷があり髄腔リーミングを施行しないほうが好まし

い例など髄内釘が使用できない症例では，ロッキングプレート固定法を選択する．

最近では特に人工関節周囲骨折が増加しており，人工股関節置換術後のステム先端周囲での大腿骨骨幹部骨折例はロッキングプレート固定のよい適応である．この場合，ステム先端より骨折線遠位には3本以上の2皮質を貫通したロッキングスクリュー固定が可能であるが，近位は鋼線締結や1皮質ロッキングスクリューを併用して内固定している．

通常は大腿骨骨幹部外側にプレートを設置する．大腿骨の前弯形状に適合するようにあらかじめ弯曲がつけられたプレートが使用しやすく，前述した人工股関節ステム先端周囲骨折では，大腿骨遠位用ロッキングプレートを上下逆にして使用することにより，転子部に数本のロッキングスクリューを刺入することが可能となり内固定力の向上に寄与している．

しかし髄内釘ほど固定性が強固ではないので，仮骨形成を観察しながら荷重開始時期を決定する必要があり，通常は術後6週前後から部分荷重を開始している．

ⓐ ロッキングプレートの適応

大腿骨骨幹部骨折に対する手術療法の第一選択は髄内固定法（インターロッキングネイル法）である．それは生体力学的には荷重軸近くに内固定材料が位置することや骨折部の骨膜血行が障害されにくいという生物学的利点による．しかし以下のような理由で髄内釘固定法が適応にならない場合にのみプレート固定法が選択される．すなわち，

① 人工股・膝関節置換術後や骨折を固定する内固定材料がすでに挿入されており，髄内釘の挿入が不可能な場合（図 17-2-29）．具体的には大腿骨のステム周囲骨折で，ステムの緩みを認めない症例（Vancouver 分類 type B1 と type C）や逆行性ネイルの挿入不可な機種が使用されている人工膝関節周囲骨折で，骨折部位が骨幹部である症例に適応される．

② 骨折線が関節面あるいは関節近傍に及んでおり，髄内釘挿入時に骨折部の転位を増強させ骨片離開が生じると判断される場合（図 17-2-30）．

③ 受傷時から術前までに脂肪塞栓症を発症したか，もしくは重度の肺挫傷が合併しており髄腔リーミングの際に脂肪塞栓症を生じることが危惧される場合．

④ 股関節あるいは膝関節部に深部感染が存在し，髄内釘挿入によって感染の髄腔内播種の危険性がある場合．

などである．

ロッキングプレートの開発により，従来のプレート固定法の合併症発生率を減少させることが可能となったが，その適応が拡大したのではないことを銘記しておく必要がある．若年女性などで髄腔が狭いことを理由にインターロッキングネイル挿入不能例などという報告がある．X線透視装置による正確な髄内釘挿入部位の選択とわずかなリーミングで髄内釘の挿入は可能である（図 17-2-31）．

ⓑ ロッキングプレートの利点

ロッキングプレートはプレートとスクリューが強固に固定されるため，骨折部の安定性が通常のプレートと比べて比較的長期間保たれる．しかしながら，いかなる内固定材料を使用しても骨癒合が得られなければ，いつかは内固定材料の破損を生じる．

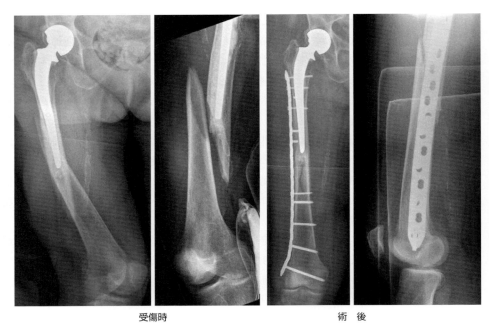

受傷時　　　　　　　　　　術　後

図 17-2-29　人工股関節置換術後周囲骨折に対するロッキングプレートによる整復・固定

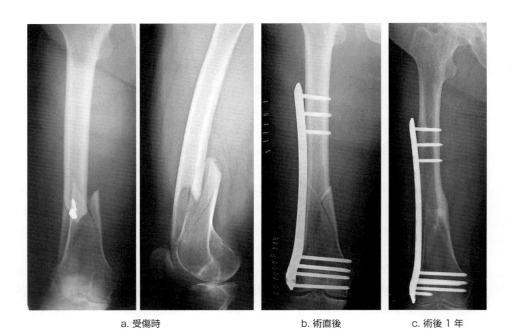

a. 受傷時　　　　　　b. 術直後　　　　　c. 術後 1 年

図 17-2-30　ロッキングプレートの適応

骨折線が関節近傍に及んでおり（a），髄内釘挿入に伴い骨折部の離開が生じる可能性があるのでロッキングプレートを用いた MIPO 法を行った（b）．良好な仮骨形成を伴って骨癒合した（c）．

2 大腿骨骨幹部骨折　**1041**

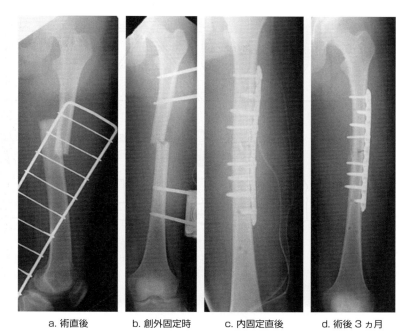

a. 術直後　　b. 創外固定時　　c. 内固定直後　　d. 術後3ヵ月

図 17-2-31　ロッキングプレートの適応（髄腔狭小例）

術前計測で髄腔径が 6.5 mm と狭かったため，ロッキングプレートが使用された（c）が間隙をつくったために骨癒合が遷延化し，プレートの弯曲が生じている（d）．

　早期に骨癒合を得るために重要なことは骨折部の安定性の獲得であり，また絶対的安定性を目的にプレート固定を行った場合，プレートの 180°対側の骨折部の離開は応力集中を招き，固定の破綻をきたす可能性が高くなる．そのためプレート対側に間隙をつくらないことであるが，骨折部に粉砕を認めない AO/OTA 分類の Type A の骨折に最もこの原則が当てはまる（**図 17-2-31**）．獲得した良好な整復位の保持にロッキングスクリューの使用は有利に働く．すなわち骨がプレートに引き寄せられることがないので，骨に対するプレートの正確な適合性を得る必要がないためである．さらにロッキングプレート使用例での生理的負荷はあたかも体内に挿入した創外固定法のごとく，プレート-スクリューを介して伝達するためにその固定力は骨質による影響を受けにくい（**図 17-2-32**）．つまり著明な骨粗鬆がある骨折でも比較的固定力が維持される．

ⓒ ロッキングプレートの実際
　1）術前計画
　　使用する内固定材料の種類，長さはあらかじめ決めておく必要がある．基本的には骨幹部骨折に対しては AO 規格ならば broad locking compression plate が望ましい．narrow plate では内固定材料の破損をきたしやすい．
　　術前計画のポイントは，
　（1）骨折部の内固定の際，骨折部にいかなる動きも許容しない絶対的安定性を目的とするのか，わずかな動きを許容し仮骨形成を伴った骨癒合を期待する相対的安定性

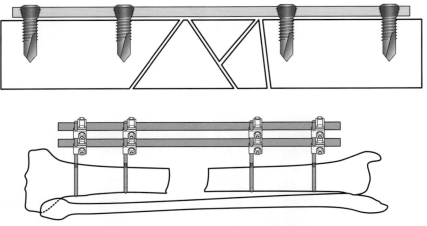

図 17-2-32　ロッキングプレートの概念
体内に挿入した創外固定と考えてよく，まったく新しい固定法の概念．
骨質が正常なら，対側皮質骨を貫通しなくても，ほぼ同等の固定力があることが，
実験的に示されている．
図示されたロッキングスクリューはモノコルチカル・セルドリルスクリューである．
ドリルは不要でスクリュー長も計測する必要はない．

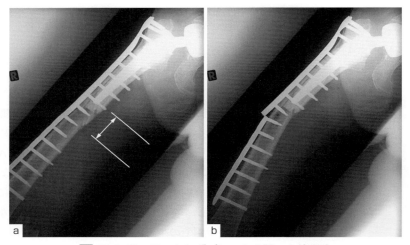

図 17-2-33　ロッキングプレートの誤った使用法
a. 人工股関節置換術後周囲骨折に対してロッキングプレートを用いて観血的整
復術を施行したが，すべてのプレートホールにロッキングスクリューを挿入
したために応力集中を認めた（矢印）．
b. 術後早期に内固定材料の破損を生じた．

を目的とするのかを術前にしっかりと計画する．骨折部に粉砕を認めない単純骨折例で絶対的安定性を目指す場合，プレート対側にギャップを残さないことが重要であり，粉砕骨折例で相対的安定性を目的とする場合，応力集中を防止することが内固定材料破損や癒合不全の防止に必要となる（図 17-2-33）．

　（2）骨折部の整復・内固定は観血的整復内固定法（ORIF）で行うか，経皮的最小侵襲プレート固定法（MIPO）で行うか決めておく．具体的には骨折部の粉砕がなく，

**表17-2-2　ロッキングプレートで相対的安定性を獲得するための
プレートの長さとスクリュー数の指標**

- 骨粗鬆症がある場合，ラグスクリューでは絶対的安定性は得られない
- 十分に長いプレートを使用する（＞3/4 of diaphyseal length）
  　→各主骨片に少なくとも5穴はスクリューを使用
- small/no gap：
  　→骨折部位ではプレートの3～4穴にはスクリューを挿入しない
  　→主骨片に3～4本のbi-corticalスクリューを使用する
- large gap/comminuted Fx：
  　→スクリューを骨折線に可能な限り近づける
  　→主骨片に4～5本のbi-corticalスクリューを使用する

骨折部周辺の軟部組織の状態が良好な症例ではORIFが選択される．骨折部が粉砕し，軟部組織が悪い場合はMIPOが選択される．

（3）それぞれの固定法に応じたプレートの長さ，スクリュー挿入部位，スクリューの本数を決めておく（**表17-2-2**）．

2）後療法

創部には原則的にドレーンを留置し48時間前後で抜去する．可及的早期に股・膝関節可動域訓練を開始する．荷重は骨折部にギャップをつくらない絶対的安定性を目的に固定した場合は6週目から部分荷重を開始し，10～12週で全荷重とする．相対的安定性を目的に固定した場合は，同様に6週目から部分荷重を開始するが，以降の荷重負荷増加は骨折部の仮骨形成により決定する．

3）合併症

a）非感染性偽関節

大腿骨骨折に対して髄内釘固定術後の偽関節，遷延癒合の発生率は0～15％といわれている．危険因子には細い髄内釘（アンリームドネイル含む），抗炎症薬，開放骨折，多骨片を有する骨折，喫煙，infra-isthmal fracture，横止めスクリューの折損を含むdynamizationなどが挙げられている．

以前より仮骨の強度や剛性は骨折部の固定性が関与することは明らかにされていたが，EpariはＲの長管骨モデルを用い，剪断力が骨癒合にとって最も悪影響を与えることを示した．多くの大腿骨骨幹部骨折偽関節は骨折部に加わる剪断力を十分に制御できない結果生じている．

一般的に偽関節nonunionは単純X線写真による診断では増殖性hypertrophic typeと萎縮性atrophic typeに分けられ，hypertrophic typeは固定力不足，atrophic typeは骨の生物活性不足が主原因と考えられている．

hypertrophic typeでは骨折部を安定化させる，すなわち骨折部にかかる剪断力を発生させないような内固定を行うべきであり，そのためには髄内釘の太さ，髄内釘と骨との固定が重要である．大腿骨峡部の偽関節に対しては使用されている髄内釘より1～2 mm大きくリーミングし，1～2 mm太い髄内釘に入れ替える方法（髄内釘交換exchange nailing）が有効である．髄内釘の剛性はネイル外径の4乗に比例するため，太いネイルを使用することで髄内釘の剛性を上げることができる．またリーミングの際に生じる骨屑は骨癒合を促進する（**図17-2-34**）．

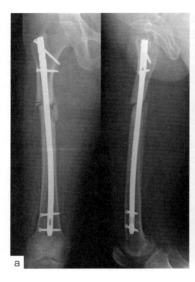
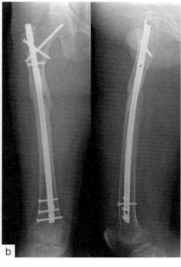

図 17-2-34　exchange nailing（46歳，男性）

術後6ヵ月で偽関節と診断し，exchange nailing 施行した．
a. 初回手術は J-AFN（Depuy-Synthes）：径 11 mm×長さ 380 mm（リーミング 8〜12 mm）を使用した．
b. exchange nailing では Natural nail GT femoral（Zimmer Biomet）：径 13 mm×長さ 380 mm（リーミング 12〜15 mm）を使用した．exchange nailing 後4ヵ月で骨癒合した．
（福山市民病院　寺田忠司先生の症例）

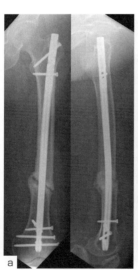
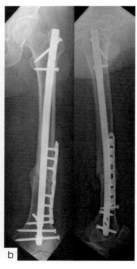

図 17-2-35　augmentation plating と自家腸骨移植（66歳，男性）

術後1年で偽関節（infra-isthmal nonunion）と診断し，augmentation plating と自家腸骨移植を施行した．
a. 初回手術は Expert AFN-J（Synthes）：径 13 mm×長さ 380 mm を使用した．ねじれの方向から3本の遠位横止めがなされ，Poller screw による安定化もはかられていたが，術後1年で偽関節となった．骨折部の仮骨形成は良好な hypertrophic nonunion であり，遠位固定を工夫したにもかかわらず infra-isthmal fracture 部に加わる剪断力が骨癒合阻害因子と考えられる．
b. 固定力を上げることで骨癒合すると考え，髄内釘はそのままで偽関節部を展開し augmentation plating（Narrow LC-LCP 8穴）を施行した．自家腸骨移植を外側に行ったが，旺盛な架橋仮骨は内側に生じている．augmentation plating のみで固定力を上げるだけでも骨癒合に導けたとも考えられる症例である．手術後6ヵ月で骨癒合した．
（福山市民病院　寺田忠司先生の症例）

一方，infra-isthmal nonunion では髄内釘を入れかえを行い髄内釘の剛性を上げても，遠位骨片と髄内釘との固定力が不良であれば骨癒合に導けない．髄内釘を入れかえる場合には遠位骨片に2方向から3本以上の横止めスクリューが挿入できる機種を選択する必要がある．また変形治癒や短縮変形がない infra-isthmal hypertrophic nonunion の場合は，髄内釘固定はそのままにしてロッキングプレートによる固定追加（augmentation plating）も有用である（**図 17-2-35**）．むしろ侵襲や骨癒合の観点から髄内釘を入れかえるより augmentation plating のほうが優れているという報告もある．萎縮性偽関節では生物活性を高めるために骨移植などが必要となる．

b）感　染

感染例の多くは開放骨折で Gustilo 分類の Type Ⅲ（**表 2-2-1**，p. 47 参照）であるが，

まれに皮下骨折に対する髄内釘固定術後にみられる．これは術中感染または術後の手術創汚染によるものである．安静と抗菌薬の投与により鎮静することもあるが，深部感染の診断がつけば髄内釘を抜去せざるをえない．従来は閉鎖性に髄腔内の炎症性肉芽組織を十分に掻爬するために髄内釘の径より大きく髄腔をリーミングして，その上で抗菌薬入りセメントの留置を行い，完全に感染治癒後に再度髄内釘による骨接合を行うのが一般的であった．

附-12 持続的局所抗生物質灌流法

近年，持続的に高濃度の抗生物質を骨髄内に直接投与することで，圓尾により緩みのない内固定材料を温存しながら感染制御する持続的局所抗生物質灌流法（continuous local antibiotics perfusion：CLAP）が報告されている．整形外科領域では intramedullary antibiotics perfusion：iMAP と intra-soft tissue antibiotics perfusion：iSAP がある．骨折部の近位と遠位に骨皮質を貫通し髄腔に至る灌流針を留置し，それぞれの灌流針からゲンタマイシン 60 mg を生理食塩水 50 mL に溶解し，2 mL/時で 2 週間程度持続的に投与する．排液管から陰圧で吸引することで，骨髄内と骨外の感染巣に有効にゲンタマイシンを高濃度で灌流させる方法である．本法により高濃度のゲンタマイシンを局所に移行させることで耐性菌をも制圧でき，MIC の 100〜1000 倍にもなる MBEC（minimum biofilm eradication concentrations）を超える濃度を移行させることでバイオフィルムの制圧も可能となると述べている．

c）変形治癒

① 短縮変形

中央 1/3 の骨折であっても，骨折が長い斜骨折または螺旋骨折の場合に術後に短縮を生じることがある．単純な横骨折以外は static locking を行うべきである．

② 回旋変形

術中回旋転位の整復には十分注意して髄内釘を挿入しなければならない．特に側臥位で手術を行う場合には注意を要する．

d）横止めスクリューの折損

遠位骨片横止め固定用スクリューは実験的には力学的に 1 本のスクリューで捻り・軸圧に十分に耐えられるとされているが，不安定型の骨折では髄内釘を介してスクリューにかかる負荷を予測することができないので，原則的に 2 本以上使用するほうがよい．折損スクリューの先端部の摘出は困難である．

e）髄内釘の折損

まれに髄内釘の弯曲・折損がみられる．髄内釘の折損は偽関節を意味し，大部分は偽関節部で次に横止めスクリュー穴部で折損する．

附-13 折損髄内釘の抜去法

偽関節部の骨軸が真っすぐでかつ中空髄内釘であれば，さほど大きな問題はない．挿入部からまず近位の髄内釘を抜釘し，折損釘遠位部の抜去は抜去用フックを釘の先端に引っかけてハンマーで叩き出す．近位部の髄腔をリーマーで拡大しておくと抜去は比較的容易である．もし偽関節部が大きく転位していれば整復位をとりながら近位からの抜去を試みるが，もし不可能であれば偽関節部を展開して直接抜去を行う必要がある．

図 17-2-36　broken solid nail extraction set
a. 残存折損釘の周囲にスペースを作製するクラウン状のリーマー．
b. スペースに折損釘把持器を挿入．
c. 把持して抜去する．

　リーミングを必要としない非中空のアンリームド充実性髄内釘では，折損釘近位部を抜釘した後に近位を 4 mm 大きくリーミングして，専用のクラウン状のリーマーで遠位折損釘の周囲にスペースを確保し，専用の遠位折損釘把持器を装着して抜去するセットがある（**図 17-2-36**）．また大腿骨顆部を開窓して摘出する方法も報告されている．著者は遠位横止め部で充実性髄内釘が折損していた例に対して，膝関節切開下に逆行性髄内釘挿入部作製の要領で遠位から X 線透視装置下に折損釘中心に向けてガイドワイヤーを刺入して中空ドリルで開窓し近位から遠位に打ち出し抜去した経験がある．
　横止めスクリューが折損することもしばしば起こる．スクリュー折損は髄内釘の境界部で起こり，内側と外側のいずれかで起こる．折損部が内側であれば，折損部までのスクリューは通常のドライバーで抜去することで髄内釘そのものの抜去にはあまり影響がない．残った折損スクリューは Steinmann ピンで内側にたたき出すことが推奨されているが，著者は Steinmann ピンで折損スクリューを押しながらパワードリルで回転させることにより円滑に内側に抜けることを経験している．外側で折損している際には，ドライバーで折損部までのスクリューを抜去してから，同様に折損部より内側部分を内側に抜いた後に髄内釘を抜去する．荷重がかかり折損スクリューが著しく斜めになっている場合は，髄内釘を軽度抜去することでスクリューを真っすぐにすることができるので，その後にスクリュー抜去を試みるとよい．内側に抜けたスクリューは小切開により摘出可能である．

附-14　大腿骨頚部骨折の合併

　大腿骨骨幹部骨折と同側の大腿骨頚部骨折の合併は決してまれではなく，3〜10％の頻度で発生する．受傷後の通常の単純 X 線写真前後像は大腿骨頚部骨折の近位骨片が外旋していること，また同骨折の転位が小さいか，ほとんどないことが多いために見逃されることがある．CT を撮像し大腿骨頚部も詳細に評価することにより診断されることもある．しかし O'Tool の 88 例（大腿骨頚部骨折あり例 28 例，なし例 60 例）の報告では，股関節単純 X 線写真前後像の感度が 51％に対して骨盤 CT 横断像の感度は 64％とさほど良好でないことを示している．また髄内釘手術終了後に大腿骨頚部の透視像を確認し，さらに単純 X 線写真股関節前後像を確認した後に清潔手術器械を降ろすような注意深さを持ってしても，2003 年からの 5 年間で 3％の見逃しがあったということから，頚部骨折の合併を 100％診断することは難しいので，術前のしっかりとした患者説明が必要であろう．

頚部骨折合併例は，中空海綿骨スクリュー，Hansson ピン，sliding hip screw などで内固定し，骨幹部骨折は逆行性髄内釘で固定することで良好な成績が報告されている（**図 17-2-22** 参照）．順行性髄内釘で骨頭方向に 2 本のスクリューが挿入できるいわゆる reconstruction mode を有する器種もある（**図 17-2-13** 参照）が，頚部骨折の骨癒合不良や髄内釘挿入に伴う頚部骨折の転位などが報告されている．

附-15　非定型大腿骨骨折 atypical femoral fracture（AFF）

近年，大腿骨転子下および骨幹部に発生する特徴的な臨床症状と画像所見を呈する骨折として，非定型大腿骨骨折が注目されている．

AFF の定義は米国骨代謝学会のタスクフォースレポートが用いられる（**表 17-2-3**）．大腿骨小転子遠位部直下から顆上部の直上までに生じる骨折のうち，以下の主たる特徴のなかから少なくとも 4 項目を満たすことが必要である．1）外傷なしか，立った高さからの転倒のような軽微な外傷に関連する，2）骨折線は外側骨皮質に始まり多くは横走するが，大腿骨内側に及ぶ際には斜め方向になる場合もある，3）完全骨折では両側骨皮質を貫通し，内側スパイクを認めることがある．不完全骨折では外側のみに生じる，4）骨折は粉砕なしか，わずかな粉砕のみである，5）骨折部外側骨皮質の外骨膜または内骨膜に限局性の骨皮質の肥厚（"beaking（くちばし様）"あるいは"flairing（炎様）"）が生じる．これらに加えて，1）骨幹部の全体的な骨皮質の肥厚，2）片側または両側の鼠径部または大腿部の鈍痛またはうずく痛みといった前駆症状，3）両側の不完全または完全大腿骨骨幹部骨折，4）骨折の癒合遅延，といった臨床上の所見がみられることがある．骨吸収抑制剤（ビスフォスフォネートやデノスマブ）の長期にわたる過度のリモデリング抑制は，骨質劣化を招き AFF のリスクとなる可能性が指摘されている．しかし AFF は単一の病因によって説明されるものではなく，その危険因子は骨吸収抑制剤，ステロイド使用，関節リウマチ，大腿骨弯曲，糖尿病などがあり，これらのリスクが多重化した際に骨折を起こす可能性がある．日本整形外科学会骨粗鬆症委員会の 2019 年調査結果では 601 例（男性 45 例，女性 556 例）が報告されているが，ビスフォスフォネート使用例が 380 例，非使用例が 221 例である．

以下，2015 年の日整会による AFF 診療マニュアルから抜粋する．

表 17-2-3　非定型大腿骨骨折の定義（米国骨代謝学会タスクフォース 2013 より）

本骨折は大腿骨小転子遠位直下から顆上部の直上までに生じる骨折と定義され，下記 5 つの大項目のうち，<u>少なくとも 4 項目を満たすことが必要である</u>．小項目は認められなくてもよいが，ときにこれらの骨折と関連を認める．

大項目
1. 外傷なしか，立った高さからの転倒のような軽微な外傷に関連する．
2. 骨折線は外側骨皮質に始まり多くは横走するが，大腿骨内側に及ぶ際には斜め方向になる場合もある．
3. 完全骨折では両側骨皮質を貫通し，内側スパイクを認めることがある；不完全骨折では外側のみに生じる．
4. 骨折は粉砕なしか，わずかな粉砕のみである．
5. 骨折部外側骨皮質の外骨膜または内骨膜に，限局性の骨皮質の肥厚（くちばし様"beaking"あるいは炎様"flaring"）が生じる．

小項目
1. 骨幹部の全体的な骨皮質の肥厚
2. 片側または両側の鼠径部または大腿部の鈍痛またはうずく痛みといった前駆症状
3. 両側の不完全または完全大腿骨骨幹部骨折
4. 骨折の癒合遅延

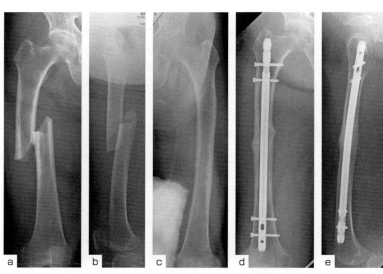

図 17-2-37 非定型大腿骨骨折(81歳,女性)
ビスフォスフォネート内服中に軽微な外力で受傷した.
a, b. 外側は横骨折で内側で骨折線が斜めになる.
c. 健側大腿骨は外弯を呈し,多発性の外側骨皮質肥厚を認める.
d, e. 順行性髄内釘固定後6ヵ月に骨癒合している.

　軽微な外力で骨幹部位横骨折が生じた場合は本骨折を疑う必要がある.また不完全骨折では鼠径部痛や大腿部痛などの前駆症状がある場合もある.前述のとおり骨吸収抑制剤(ビスフォスフォネートやデノスマブ)の影響を受けると考えられているので,投与中に大腿部痛や鼠径部痛を訴えた際には単純X線写真検査などを行う必要がある.また片側にAFFを認めたときには反対側の検査も行うほうがよい.骨吸収抑制剤はいったん投与を中止することが勧められている.
　骨吸収抑制剤に関しては投与開始から3～5年経過したころに休薬対象者かどうかを検討し,該当者に対しては休薬を奨励する報告がみられるが,非常にまれな合併症であるためにまだまだ議論の余地はあると思われる.
　大腿骨転子下完全骨折例は極力解剖学的整復を得たうえでガンマネイル型髄内釘による内固定,顆上骨折は逆行性髄内釘,骨幹部骨折は大腿骨の弯曲を考慮して適合内固定材料を決定することが勧められている.最近の複数の報告をみると強力な固定性を有する横止め順行性髄内釘の使用が標準的である(**図 17-2-37**)が,大腿骨外弯に合わせて通常の挿入点である転子窩より外側の大転子部に挿入点を作製するなどの工夫が必要である.強く外弯している大腿骨に対しては逆行性髄内釘が有用である.髄内釘を外旋させることで,逆行性髄内釘が有する前弯を大腿骨の外弯に沿わせるように挿入することが可能となる(**図 17-2-38, 39**).すでに内固定材料で固定されている例では,十分な長さのロッキングプレートの使用も検討する.また不完全骨折例に対して保存療法を選択する際には,手術に至る可能性が約50%以上あることを念頭におくべきである.
　手術療法による大部分の例が骨折前の活動レベルに復帰可能であるが,骨癒合期間は通常の骨折に比較して遷延し,偽関節も生じやすいと考えられている.
　保存療法でも手術療法でもテリパラチドの投与は有効であるとの報告が散見されるが,質の高い報告はなくエビデンスは確立していないのが現状である.

2 大腿骨骨幹部骨折　1049

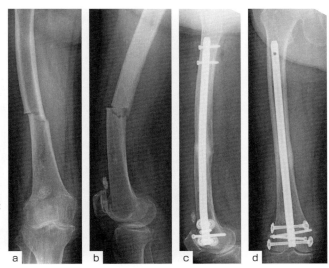

図 17-2-38　逆行性髄内釘症例
非定型大腿骨骨幹部骨折（87 歳，女性）．a, b 軽微な外力で骨折をきたした．
c, d 逆行性髄内釘による内固定後 6 ヵ月．髄内釘を外旋させて大腿骨の弯曲に沿わせて挿入している．

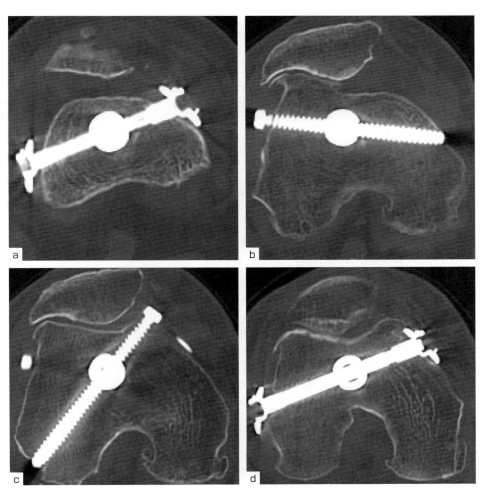

図 17-2-39　逆行性髄内釘症例（CT 像）
図 17-2-38 の症例の CT 像．a, b, c, d の順で近位から遠位の横止めスクリューを描出している．
通常のスクリュー刺入方向より外旋しているのがわかる．

 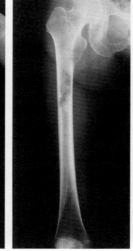 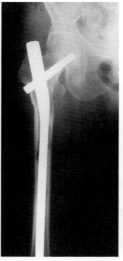

病的骨折に対する　　　　大腿骨がん転移に対する予防的髄内釘法
static locking

図 17-2-40　がん転移による病的骨折
（元国立福岡中央病院　篠原典夫先生の症例）

表 17-2-4　Mirels score

点数	部位	疼痛	X線所見	占拠病変のサイズ
1	上肢	軽度	骨硬化性	<1/3
2	下肢	中等度	混合型	1/3-2/3
3	大腿骨転子部	動作時痛	骨溶解性	>2/3

占拠病変のサイズは長管骨の直径に対する大きさを評価している．
12点満点で，骨折をきたす割合は7点以下だと5％，8点では15％，9点以上であれば33％であった．

附-16　がん転移による病的骨折

　保存療法では骨癒合は期待できない．可及的早期に骨折前の日常生活に復帰させるためには腫瘍組織を遠位部へ押し込む危険性はあるが，リーミングをしないで横止めスクリュー固定を併用した髄内釘法を行うのがよい．また骨折に至らなくても腫瘍性骨侵蝕が骨横径の50％以上を占める場合には，予防的に髄内固定を勧める報告もある（図17-2-40）．また術後早期に荷重できるように骨欠損部に骨セメントを充填し，髄内釘固定をする方法は効果的である．Mirelsは長管骨の転移性骨腫瘍に関して，部位・疼痛程度・X線写真所見・大きさで点数（Mirels score：12点満点）をつけた．骨折をきたす割合はMirels score7点以下だと5％，8点では15％，9点以上であれば33％であった．9点以上であれば切迫骨折であり，放射線治療に先立ち予防的内固定が必要であることを示した（表17-2-4）．

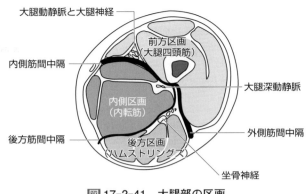

図 17-2-41 大腿部の区画

附-17 大腿部の急性区画症候群 acute compartment syndrome (ACS)

　急性区画症候群は下腿および前腕で発生することが多いが，きわめてまれに大腿部にも発生することがある．交通外傷や高所からの転落などでは強力な外力が大腿部に加わるので，骨折がない場合にも急性区画症候群が発生することがあり，また鋼線牽引，髄内釘による骨折固定後にも発生するという報告がある．

　大腿部は前，後，内側の3つの区画に分けられる（**図 17-2-41**）．それぞれの区画によって症状発現に特徴がある．共通した症状は大腿部の激しい疼痛，筋緊張を伴った著明な腫脹であり，診察上は筋肉の伸展による疼痛の増強，感覚障害などである．動脈遠位部の拍動は障害されない場合が多い．疑わしい場合には区画内圧を測定する．下腿と異なり大腿は容積が大きいので区画内圧の危険境界値は30～45 mmHgと一定しない．30 mmHgを危険境界値とする報告が多く，臨床所見と区画内圧より手術適応を決定すべきである．

　前方区画：大腿四頭筋を包含しているので，股関節伸展位で膝関節を屈曲させると疼痛を生じ，大腿神経支配領域の皮膚感覚障害がみられる．

　後方区画：ハムストリングスを包含しているので，股関節屈曲位で膝関節を伸展させると疼痛が増強し，坐骨神経の障害は腓骨神経，脛骨神経の感覚障害として出現する．

　内側区画：股関節を外転させると内転筋の伸展により疼痛が出現する．大腿近位内側部で閉鎖神経領域の皮膚感覚異常が出現する．

　臨床所見および区画内圧測定により急性区画症候群の診断が確定した場合は，直ちに除圧手術を施行すべきである．手術は大腿外側部に縦切開を加え，大腿筋膜を切開して前方区画を除圧する．次いで外側広筋を前内方へ排除して後方区画との境界の筋間隔壁を切開して後方区画を除圧する．術後皮膚は開放のままとし，2～3日経過をみて腫脹の消退後に閉鎖する．

参考文献

1) 青柳孝一ら：大腿骨骨幹部粉砕骨折の分類と治療．整形外科 **32**：1826-1828，1981.

2) 天児民和：骨折治療の歴史．骨折 **7**：106-127，1985.

3) Astion DJ et al：Avascular necrosis of the capital femoral epiphysis after intramedullary nailing for a fracture of the femoral shaft. A case report. J Bone Joint Surg **77-A**：1092-1094, 1995.

4) Bone LB et al：Early versus delayed stabilization of femoral fractures. A prospective randomized study. J Bone Joint Surg **71-A**：336-340, 1989.

5) Bostman O et al：Incidence of local complications after intramedullary nailing and after plate fixation of femoral shaft fractures. J Trauma **29**：639-645, 1989.

6) Brinker MR et al：Exchange nailing of ununited fractures. J Bone Joint Surg **89-A**：177-188, 2007.

7) Browner BD：Pitfalls, errors and complications in the use of locking Küntscher nail. Clin Orthop **212**：192-208, 1986.

8) Brunback RJ et al：Intramedullary nailing of open fractures of the femoral shaft. J Bone Joint Surg **71-A**：1324-1331, 1989.

9) Brunback RJ et al：Intramedullary nailing of femoral shaft fractures. Part III：Long-term effects of static interlocking fixation. J Bone Joint Surg **74-A**：106-112, 1992.

10) Buchholz RW et al：Fatigue fracture of interlocking nail in the treatment of fractures of the distal part of the femoral shaft. J Bone Joint Surg **69-A**：1391-1399, 1987.

11) Buchholz RW et al：Fractures of the shaft of the femur. J Bone Joint Surg **73-A**：1561-1566, 1991.

12) Chapman MW：The role of intramedullary fixation in open fractures. Clin Orthop **212**：26-34, 1986.

13) Christie J et al：Intramedullary locking nails in the management of femoral shaft fractures. J Bone Joint Surg **70-B**：206-210, 1988.

14) Danis R：Théorie et Pratique de l'Osteosynthèse. Masson, Paris, 1947.

15) DeBastiani G et al：The treatment of fractures with a dynamic axial fixator. J Bone Joint Surg **66-B**：538-545, 1984.

16) Dencker H：Shaft fracture of the femur. Acta Chir Scand **130**：173-184, 1965.

17) Douglass HO et al：Treatment of pathologic fractures of long bones excluding those due to breast cancer. J Bone Joint Surg **58-A**：1055-1061, 1976.

18) 江川卓哉ら：ビスホスホネート製剤服用中に発生した非定型大腿骨骨折5例の検討．骨折 **38**：980-982，2016.

19) Epari DR et al：Timely fracture-healing requires optimization of axial fixation stability. J Bone Joint Surg **89-A**：1575-1585, 2007.

20) Fielding JW et al：Subtrochanteric fractures. Surg Gynec Obstet **122**：556-560, 1966.

21) Franklin JL et al：Broken intramedullary nails. J Bone Joint Surg **70-A**：1463-1471, 1988.

22) Fulkerson E et al：Fixation of diaphyseal fractures with a segmental defect：a biomechanical comparison of locked and conventional plating techniques. J Trauma **60**：830-835, 2006.

23) Giannoudis PV et al：Removal of the retained fragment of broken solid nails by the intramedullary route. Injury **32**：407-410, 2001.

24) Grosse A et al：Open adult femoral shaft fracture treated by early in-tramedullary nailing. J Bone Joint Surg **75-B**：562-565, 1993.

25) Gustilo RB et al：The management of open fractures. J Bone Joint Surg **72-A**：199-304, 1990.

26) Hajek PH et al：The use of one compared with two distal screws in the treatment of femoral shaft fractures with interlocking intramedullary nailing. J Bone Joint Surg **75-A**：519-525, 1993.

27) Hakeos WM et al：Plate fixation of femoral nonunions over an intramedullary nail with autogenous bone grafting. J Orthop Trauma **25**：84-89, 2011.

28) Hannah A et al：A novel technique for accurate Poller（blocking）placement. Injury **45**：1011-1014, 2014.

29) 星子　亘ら：生物学的にみた圧迫骨接合術. 骨折 **4**：42-48, 1982.

30) Hoskins W et al：Nails or plates for fracture of the distal femur? Bone Joint J **98-B**：846-850, 2016.

31) Huang KC et al：Evaluation of methods and timing in nail dynamisation for treating delayed healing femoral shaft fractures. Injury **43**：1747-1752, 2012.

32) 池間正英ら：大腿骨骨幹部骨折に対する逆行性髄内釘の検討. 骨折 **38**：385-387, 2016.

33) Incano SJ et al：Retrieval of a broken intramedullary nail. Clin Orthop **210**：201-202, 1986.

34) 井上重洋ら：人工股関節置換術後の大腿骨骨折の治療経験. 骨折 **15**：229-232, 1993.

35) 糸満盛憲総編集：AO 法. 骨折治療 第 2 版, 医学書院, 2010.

36) Jain P et al：Cephalomedullary interlocked nail for ipsilateral hip and femoral shaft fractures. Injury **35**：1031-1038, 2004.

37) 神田彰男ら：髄内釘固定の整復補助における Kirschner wire を使用した blocker pin の有用性. 骨折 **29**：603-607, 2007.

38) 加藤大介ら：下肢長管骨骨折に対する MIPO. 整形外科最小侵襲ジャーナル **32**：49-57, 2004.

39) Kempf I et al：Closed locked intramedullary nailing. Its application to comminuted fractures of the femur. J Bone Joint Surg **67-A**：709-720, 1985.

40) Kempf I et al：The treatment of non-infected pseudarthrosis of the femur and tibia with locked intramedullary nailing. Clin Orthop **212**：142-154, 1986.

41) 小牧　亘ら：非定型大腿骨骨折の検討. 骨折 **38**：704-708, 2016.

42) Krettek C et al：Removal of a Broken Solid Femoral Nail：a Simple Push-out Technique. A Case Report. J Bone Joint Surg **79-A**：247-251, 1997.

43) Krettek C et al：Intraoperative control of axes, rotation and length in femoral and tibial fracture. Technical note. Injury **29** suppl.3：S-C29-39, 1998.

44) Krettek C et al：The use of Poller screws as blocking screws in stabilizing tibial fractures treated with small diameter intramedullary nails. J Bone Joint Surg **81-B**：963-968, 1999.

45) Küntscher G：Marknagelung von Knochenbrüchen. Arch Klin Chir **200**：443-455, 1940.

46) Küntscher G：Praxis der Marknagelung. Friedrich Karl Schattauer Verlag, Stuttgart, 1962.

47) Küntscher G（天児民和訳）：髄内釘の実際. 永井書店, 1964.

48) 町田拓也ら：インターロッキングエンダー法. 図説エンダー法, 142-152, 南江堂, 1999.

49) 前原秀夫ら：Gustilo Type III の新鮮開放骨折に対する一次的内固定術の治療経験. 骨折 **15**：127-132, 1993.

50) 松村福広：骨折治療におけるプレート固定・髄内釘・創外固定—それぞれのよさと使い分け. 整形外科 **68**：1296-1302, 2017.

51) 松村福広：大腿骨骨幹部骨折：ギャップはどこまで許されるのか? Bone Joint Nerve **5**：573-580, 2015.

52) 松村福広：大腿骨骨幹部骨折. 整形外科 Surgical Technique **5**：25-30, 2015.

53) 松本義康：長管骨の血液供給に関する実験的研究. 医学研究 **35**：196-212, 1965.

54) 松浦晃正ら：当院における非定型大腿骨骨折の検討. 骨折 **38**：406-409, 2016.

55) 圓尾明弘：手外傷, 開放骨折, 術後感染, 偽関節治療における現状と課題, 骨接合後の感染, 骨髄炎の治療. 関節外科 **39**：118-125, 2020.

56) 圓尾明弘：低侵襲手術における感染対策マニュアル Ⅱ. 骨関節感染症の治療 骨接合後感染に対する iMAP, iSAP 法の実際. 整外最小侵襲術誌 **98**：75-83, 2021.

57) Merck H et al：Metastasis size in pathologic femoral fractures. Acta Orthop Scand **59**：151-154, 1988.

58) Mirels H：Metastatic disease in long bones. A proposed scoring system for diagnosing impending pathologic fractures. Clin Orthop Relat Res **249**：256-264, 1989.

59) Miyakoshi N et al：Healing of bisphosphonate-associated atypicall femoral fractures in patients with osteoporosis：a comparison between treatment with and without teriparatide. J Bone Miner Metab **33**：553-559, 2015.

60) Mubarak SD et al：Acute compartment syndromes：Diagnosis and treatment with the aid of the wick catheter. J Bone Joint Surg **60-A**：1091-1095, 1978.

61) Müller ME et al：Manual der Osteosynthese-AO Technik. Springer-Verlag, Berlin, 1969.

62) Müller ME et al：The Comprehensive Classification of Fractures of Long Bones. 128-137, Springer-Verlag, New York, 1990.

63) Neer CS：Supracondylar fractures of adult femur. J Bone Joint Surg **49-A**：591-613, 1967.

64) 日本整形外科学会骨粗鬆症委員会：非定型大腿骨骨折 2019 年登録例調査結果．日整会誌 **95**：282-284，2021.

65) 日本整形外科学会骨粗鬆症委員会：非定型大腿骨骨折診療マニュアル．日整会誌 **89**：959-973，2015.

66) 大野尚徳ら：大腿骨 infra-isthmal fracture に対する順行性髄内釘での治療経験と問題点．骨折 **36**：682-684，2014.

67) Ostrum RF et al：Prospective comparison of retrograde and antegrade femoral intramedullary nailing. J Orthop Trauma **14**：496-501, 2000.

68) Ostrum RF et al：Distal third femoral fractures treated with retrograde femoral nailing and blocking screws. J Orthop Trauma **23**：681-684, 2009.

69) Ostrum RF et al：A critical analysis of the eccentric starting point for trochanteric intramedullary femoral nailing. J Orthop Trauma **22**：S25-S30, 2008.

70) O'Tool RV et al：Diagnosis of femoral neck fracture associated with femoral shaft fracture：blinded comparison of computed tomography and plain radiography. J Orthop Trauma **27**：325-330, 2013.

71) Park J et al：The treatment of nonisthmal femoral shaft nonunions with IM nail exchange versus augmentation plating. J Orthop Trauma **24**：89-94, 2010.

72) Papakostidis C et al：Femoral-shaft fractures and nonunions treated with intramedullary nails：the role of dynamisation. Injury **42**：1353-1361, 2011.

73) Patzakis MJ et al：Infection following intramedullary nailing. Clin Orthop **212**：182-191, 1986.

74) Ricci WM et al：Retrograde versus antegrade nailing of femoral shaft fractures. J Orthop Trauma **15**：161-169, 2001.

75) Ryan JR et al：Prophylactic internal fixation of the femur for neoplastic lesions. J Bone Joint Surg **58-A**：1071-1074, 1976.

76) 酒枝和俊ら：ビスホスホネート長期内服患者に生じた両側非定型大腿骨骨折に対して一期的に観血的手術を行った 1 例．骨折 **38**：786-789，2016.

77) 佐藤　徹：ロッキングプレートのコツと pitfall・その対処法．整形外科最小侵襲手術ジャーナル **46**：76-81，2008.

78) Schwartz JT et al：Acute compartment syndrome in the thigh. J Bone Joint Surg **71-A**：392-400, 1989.

79) Seinsheimer F：Subtrochanteric fractures of the femur. J Bone Joint Surg **60-A**：300-306, 1978.

80) Seinsheimer F：Fractures of the distal femur. Clin Orthop **153**：169-179, 1980.

81) Stedtfeld HW et al：The logic and clinical applications of blocking screws. J Bone Joint Surg **86-A** suppl.2：17-25, 2004.

82) Stoffel K et al：Biomechanical testing of the LCP-how can stability in locked internal fixators be controlled？ Injury **34**：11-19, 2003.

83) Swiontkowski MF et al：Ipsilateral fractures of the femoral neck and shaft. J Bone Joint Surg **66-A**：260-268, 1984.

84) Tarlow SD et al：Acute compartment syndrome in the thigh complicating fracture of the femur. J Bone Joint Surg **68-A**：1439-1443, 1986.

85) 寺田忠司ら：大腿骨 infra-isthmal fracture に対する順行性髄内釘の治療成績と問題点．骨折 **35**：138-141，2013.

86) Thometz JG et al：Osteonecrosis of the femoral head after intramedullary nailing of a fracture of the femoral shaft in an adolescent. J Bone Joint Surg **77-A**：1423-1426, 1995.

87) Tornetta P et al：Antegrade or retrograde reamed femoral nailing. A prospective, randomized trial. J Bone Joint Surg **82-B**：652-654, 2000.

88) Tucker MC et al：Results of femoral intramedullary nailing in patients who are obese versus those who are not obese：A prospective multicenter comparison study. J Orthop Trauma **21**：523-529, 2007.

89) Watanabe Y et al：Infra-isthmal fracture is a risk factor for nonunion after femoral nailing：a case-control study. J Orthop Sci **18**：76-80, 2013.

90) 渡部欣忍ら：大腿骨骨幹部骨折に対する髄内釘固定後偽関節：case-control study による発生因子の検討. 骨折 **32**：782-785, 2010.

91) 渡部欣忍：骨折治療とバイオメカニクス. 達人が教える外傷骨折治療. 糸満盛憲, 戸山芳昭編, p.1～9, 全日本病院出版会（東京）, 2012.

92) 渡部欣忍：大腿骨骨幹部骨折（順行性髄内釘固定）. 骨折 髄内固定治療マイスター. 澤口 毅編, p.154～167, メジカルビュー社（東京）, 2016.

93) Watson JT et al：Ipsilateral femoral neck and shaft fractures. Clin Orthop Relat Res **399**：78-86, 2002.

94) Webb LX et al：Intramedullary nailing and reaming for delayed union or non-union of the femoral shaft. Clin Orthop **212**：133-141, 1986.

95) Winquist RA et al：Comminuted fractures of the femoral shaft treated by intramedullary nailing. Orthop Clin North America **11**：633-648, 1980.

96) Wu CC：The effect of dynamization on slowing the healing of femur shaft fractures after interlocking nailing. J Trauma **43**：263-267, 1997.

97) 山路哲生ら：長管骨骨折に対する Ender pin 固定法. 整・災外 **40**：1117-1123, 1997.

98) 山路哲生ら：Dynamization の仮骨形成促進. 整・災外 **45**：305-310, 2002.

99) 山本 真ら：髄内釘による骨折手術—理論と実際—. 南江堂, 1989.

100) 山裏耕平ら：骨髄点滴からの予防的高濃度抗菌薬投与による開放骨折の治療. 骨折 **39**：915-919, 2017.

101) 安田金蔵：大腿骨偽関節. 整形外科 MOOK **22**：240-253, 1982.

102) 吉田健治：大腿骨骨幹部骨折（逆行性髄内釘固定）. 骨折 髄内固定治療マイスター. 澤口 毅編, p.168～188, メジカルビュー社（東京）, 2016.

103) Zenke Y et al：Study of atypical femoral fracture cases coupled in a multicenter study. J UOEH **38**：207-214, 2016.

3 大腿骨遠位部骨折 fracture of the distal femur

大腿骨遠位部骨折の治療は骨折の治癒のみならず膝関節機能の回復・維持に努める必要がある．合併しやすい二次性変形性膝関節症と膝関節可動域制限は，労働能力のみならず日常生活動作にも大きな障害をきたしやすい．これを予防するためには，基本的に関節面および下肢軸の解剖学的整復，強固な内固定，早期膝関節運動訓練，筋力強化訓練の開始が必須であるため近年は主として手術療法が適応される．

附-18 大腿骨遠位部

大腿骨遠位部は通常大腿骨骨幹端部と顆部を指すが曖昧にされていることが多い．Neer は関節面より3インチ（約7.5 cm），Seinsheimer は9 cm までを大腿骨遠位部と定義している（図17-3-1）．AO グループは大腿骨遠位部の最大横径の平行四辺形の占める部位を遠位部骨折の範囲としている．AO グループ定義は骨の大きさに関係なく定義することができるという利点がある．

a 解剖・機能解剖

大腿骨遠位部は脛骨近位部，膝蓋骨とともに膝関節を構成する．管状の大腿骨骨幹部は遠位に行くに従って扇状に広がり，内・外側顆上部，顆部へと移行する．顆部は関節面側から見ると前方が狭く後方が広い台形状をなし，前面は膝蓋関節面となり膝蓋骨と大腿膝蓋関節を形成する（図17-3-2）．遠位端部は内・外側顆に分かれ，両顆間部は深く陥凹し顆間窩 intercondylar fossa を形成し，その底部側面は前・後十字靱帯の起始部となる．大腿骨内・外側上顆にはそれぞれ内側側副靱帯，外側側副靱帯近位部が付着する．大腿骨内側顆内側壁は顆部後方が関節面に対して傾斜しているため，前方の幅が狭くなっている（図17-3-3）．

大腿骨顆部関節面は2つの球状をなし，脛骨関節面と大腿脛骨関節を形成する．この関節は骨形態的に不適合なため靱帯，半月板などにより静的安定性を得ている．

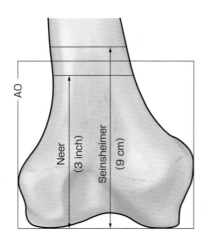

図17-3-1 大腿骨遠位部の範囲の規定
（単純X線写真による実測比較）

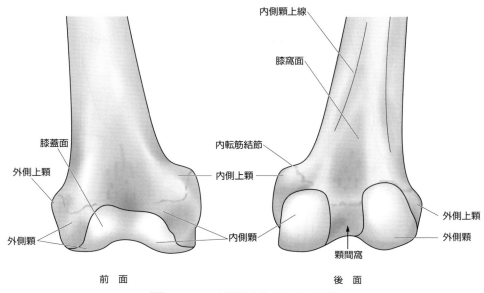

図 17-3-2 大腿骨遠位部の骨性解剖

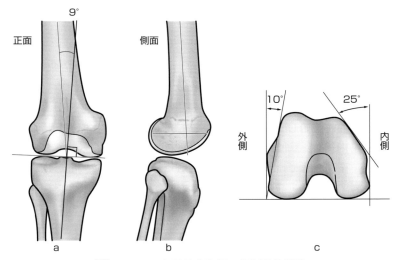

図 17-3-3 大腿骨遠位部の解剖学的特徴
a. 正面像で関節面は大腿骨軸に対して平均 9° 外側に傾斜している．
b. 側面像で大腿骨軸は顆部前後径の前方に位置する．
c. 内側顆内側壁は顆部後方関節面に対して傾斜しているため前方のほうが幅が狭い．

　大腿骨遠位部の形態の解剖学的特徴は，前後像で関節面は大腿骨軸に対し外側に平均 9° 傾斜し，側面像では大腿骨軸は顆部の前後径の前方 1/3 を通過することである．前後像において大腿骨頭中心と足関節中心を結ぶ下肢機能軸（Mikulicz line）は膝関節中央を通過し，大腿骨と脛骨の長軸がなす角（大腿脛骨角 femoro-tibial angle：FTA）は平均男性 178°，女性 176° である．

　大腿骨内側顆近位側に大内転筋が停止し，大腿骨内・外側顆上部に腓腹筋内・外側

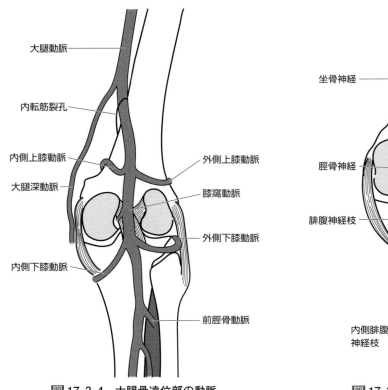

図 17-3-4　大腿骨遠位部の動脈

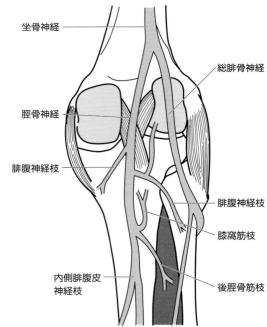

図 17-3-5　大腿骨遠位部の神経

頭が起始している．したがって大腿骨顆上部骨折が生じると遠位骨片は内転筋により内反し，腓腹筋および膝関節屈筋群により後方へ転位する．近位骨片は大腿四頭筋に牽引されて遠位骨片の前方に乗りかかるように転位し短縮（騎乗転位）が生じる．

　大腿動・静脈は内転筋裂孔を通り膝窩動・静脈となり，大腿骨遠位部の後面に沿って下降する．大腿骨顆部には無数の血管進入孔があり，膝窩動脈から分岐した内・外側上膝動脈の分枝が骨内に進入する．したがって大腿骨遠位部はきわめて血行が豊富で骨癒合には有利である．大腿骨顆上骨折で遠位骨片が後方に大きく転位すると，骨折端が膝窩動脈を損傷することがある．主要血管損傷の合併率は約3%と報告されている（図17-3-4）．

　大腿骨後面に沿って下降する坐骨神経は，遠位部でそのまま直下する脛骨神経と，大腿二頭筋長頭の内側縁に沿って外側に向かって走行する総腓骨神経に分岐する．後者は腓骨頭後面を回って下腿の後外側を下降する（図17-3-5）．大腿骨遠位部骨折に神経損傷を合併することはきわめてまれで約1%と報告されている．

b 受傷機転

　大腿骨遠位部骨折は性別，年齢，受傷機転などにより骨折形態に相違がある．好発年齢は青・壮年者と高齢者の二峰性となり，前者は男性が多くその1/3は多発外傷を合併している．後者は女性が多い．発生率は大腿骨骨折全体の4〜7%である．

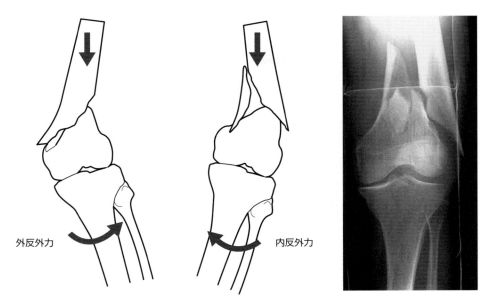

図 17-3-6　大腿骨遠位部骨折の受傷機転
外・内反外力に軸圧が加わると圧迫側に第三骨片が生じる．

　受傷機転は転倒，比較的低所からの転落など低エネルギー外傷によるものと，交通外傷，高所からの転落などの高エネルギー外傷によるものがある．外力の方向は一般的に軸荷重に内・外反，回旋，屈曲などが加わったものがある．第三骨片は圧迫側に生じ，内側にみられることが多い（図 17-3-6）．人工膝関節周囲骨折は前方骨皮質のnotch を起点に生じることが報告されている．

c 骨折の分類

1) Neer 分類

　1967 年 Neer は遠位骨片の転位方向によって骨折型を分類したが，関節内骨折は考慮されていない．また高エネルギー外力による粉砕骨折の分類には適さないことから，現在ではほとんど使用されなくなっている（図 17-3-7）．

2) AO/OTA 分類

　AO/OTA 分類は治療法の選択，予後の予見という点で優れた分類法であり現在最も使用されている．大腿骨遠位部のコードは 33 である．関節面に骨折線が及ばない場合は Type A に分類され，骨折の粉砕の程度によって細分化される．骨折線が関節面に及ぶが部分的で関節面の一部と骨幹部の連続性が保たれている場合は Type B に分類される．骨折の部位が固定の難易度に相関するため，Type B1 は外側顆骨折，Type B2 は内側顆骨折，Type B3 は後顆骨折（Hoffa 骨折または冠状骨折 coronal fracture）と分類される．Type C は関節部と骨幹部の連続性が完全に断たれている骨折型である．関節面および骨幹端部の粉砕の程度によって細分化されている（図 17-3-8）．

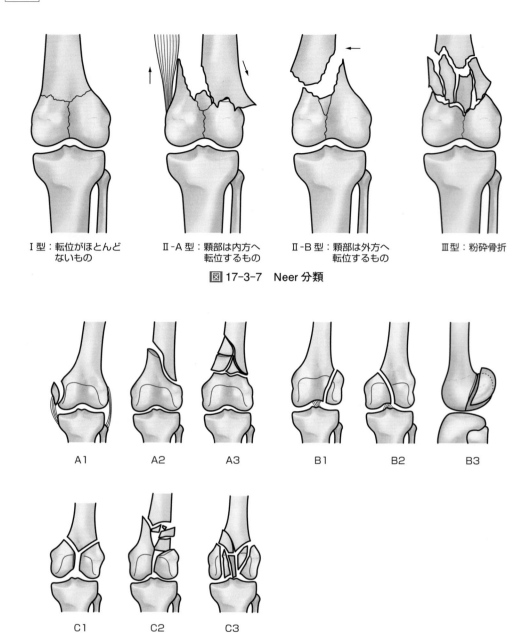

図17-3-7 Neer分類

I型：転位がほとんどないもの
II-A型：顆部は内方へ転位するもの
II-B型：顆部は外方へ転位するもの
III型：粉砕骨折

図17-3-8 AO/OTA分類（33-）

d 診断

　　大腿骨遠位部骨折の診断は比較的容易である．すなわち，明らかな受傷機転に加え，臨床的には歩行困難，局所の疼痛，腫脹，肢位異常や変形，異常可動性などの臨床所見によって診断され，さらに2方向撮影，必要に応じて斜位像を含めた単純X線写真によって骨折部位および形態が明らかとなる．関節内骨折の詳細な情報を把握するにはCTさらには三次元CTが有用である．血管損傷が疑われる場合はドップラー超音波

検査や動脈造影が必須となる．急性区画症候群の合併はまれではあるが重篤な後遺障害を残すので迅速な診断と治療が必須である．関節面の骨折は脛骨近位部骨折ほど粉砕状となることは少ない．単独後顆骨折は少ないが見逃されることがあるので診断には慎重を要する．

　神経・血管損傷は開放骨折では診断が容易であるが，皮下骨折ではしばしば見逃されることがある．足背動脈における脈拍を調べることで血管損傷を感覚異常，関節・足趾の自動運動により神経損傷の合併を確認することができる．骨折の転位が大きな症例では，血管内膜損傷後の血栓形成による循環障害が数日経過後に徐々に出現することがあるので，初診時のみの診察だけでなく経時的なチェックが必要である．転位の大きな症例では大腿四頭筋腱や膝蓋腱損傷合併の可能性を考慮する必要がある．高エネルギー外力による大腿骨遠位部骨折に合併する膝関節靱帯損傷を初診時に正しく診断することは難しい．したがってその診断には骨折部の固定後に膝関節不安定性の有無を確認することが重要である．MRI は靱帯損傷，半月板損傷，不顕性骨折occult fracture，骨軟骨骨折の診断に有用である．

e 治　　療

　最近は内固定材料の進歩，低侵襲プレート固定法，逆行性髄内固定法などの導入により早期リハビリテーションの開始，早期社会復帰を図るために手術療法が主体となった．

1）保存療法

　保存療法は治療中に骨折部の転位をきたしやすく，長期間の外固定は膝関節拘縮および筋群の萎縮を惹起し，膝関節機能障害，社会復帰の遅れをもたらすなどの大きな短所がある．小児例では早期に骨癒合すること，骨癒合後に変形に対する自家矯正が期待できることなどにより牽引療法が適応されることが多い．成人の転位の許容範囲は前額面で角状変形 5～7° 以内，矢状面で 10° 以内とされ，骨折部の短縮も 1 cm 以内は治療成績に影響を与えない．

a) プラスチックキャスト固定法 plastic cast

　骨折部の転位が軽度で安定な骨折は患者の全身状態や年齢，骨質を考慮してプラスチックキャスト固定による保存療法が選択される場合がある．この際注意すべき点は固定中に骨折部の転位をきたさないようにすることである．そのためにプラスチックキャストの近位端が大腿骨の近位部をしっかりと固定すること，膝関節を良肢位より深めに 45～60° 屈曲して固定することが重要である．これはハムストリングスhamstrings の牽引による遠位骨片の屈曲転位を防止するためである．一般的に肥満患者や皮膚に外傷のある患者には適応されない．小児骨折では股関節スパイカキャストhip spica cast による外固定法がある．

　治療経過中は腫脹の軽減に合わせてプラスチックキャストを巻き替えを行い，単純X 線写真により整復位が維持されていること，仮骨形成の状態を観察する．通常 6 週固定ののちに膝関節可動域訓練を開始する．部分荷重は十分な骨癒合と膝伸展力が得られた後に開始する．全荷重は 10～12 週で可能となる．

図 17-3-9　cast-brace 法
大腿部プラスチックキャストは骨折部を含み，顆上部をよく形状に合わせ大腿骨近位部，足関節直上部まで固定する．
接手は多中心性 polycentric なものを用いる．
膝関節 70°屈曲可能なようにプラスチックキャストを切除する．

b) 牽引法 traction

小児の大腿骨遠位部骨折で牽引によって良好な整復位が得られた場合，仮骨形成がみられるまで 3～4 週牽引療法を行う．

一般的には 5, 6 歳以上は直達牽引が行われる．手術療法によって比較的強固な固定が得られるために，成人に対する牽引療法は一般的ではない．開放骨折の場合は牽引法は骨折部の不安定性のために軟部組織の修復が遅れるので初期固定には関節部を架橋した創外固定を行い，感染の可能性がおさまった後に内固定を行う方法が一般的である．

c) 装具療法 brace

保存療法，手術療法のいずれが選択されても，骨癒合が完成していない状態で膝関節運動訓練を開始する場合は装具を装着する．従来から行われている cast-brace 法は大腿部と下腿部にプラスチックキャストを別々に巻き，両者をロック付き多軸継手 polycentric hinge unit で膝関節部を連結し膝関節運動訓練を行うものである（図 17-3-9）．プラスチックキャストを熱可塑性のプラスチック製装具にすればより軽量となり取り外しが可能となる．

2) 手術療法

手術療法の目的は関節面の不整，回旋転位，アライメント不良などの解剖学的整復と強固な内固定とそれによる早期膝関節運動訓練，筋力強化訓練の開始である．これにより患者の負担が軽減し，早期社会復帰が期待される．

従来，骨折部を大きく展開し骨折転位を直視下に整復し内固定する方法がとられていたが，近年骨および周辺軟部組織の血行を温存する生物学的固定 biological fixation 法が行われるようになった．また関節面の整復およびその確認に関節鏡を用いることが多い．

a) 髄内釘固定法

大腿骨顆部用髄内釘 intramedullary supracondylar（IMSC）nail に代表される横止め

3 大腿骨遠位部骨折　　1063

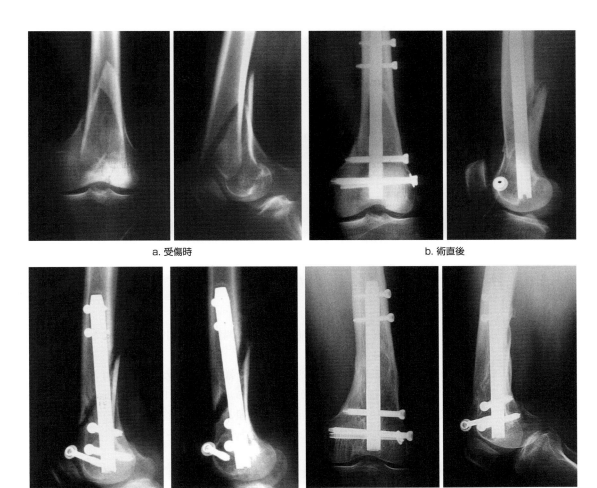

a. 受傷時
b. 術直後
c. 術後3ヵ月
d. 術後7ヵ月
e. 術後3年

図 17-3-10　Type C1
b. IMSC nail によって整復内固定を行ったが反張位固定となった．
c, d. 反張位が自然整復されるとともに骨折部にギャップを生じた．
e. 患者は疼痛がないため再手術を望まず経過観察し骨癒合を得ている．

髄内釘 interlocking nail 法は低侵襲で比較的強固な固定力が得られるので良好な治療成績が報告されている．本法は経皮的に挿入が可能で，軟部組織に対する侵襲が小さく骨への血行を阻害することもないので，早期に良好な仮骨形成，骨癒合を得ることが可能である．また比較的強固な固定力が得られるので術後早期から膝関節運動訓練，筋強化訓練を開始することができる．膝関節屈曲位で髄内釘を挿入するので，腓腹筋の緊張がとれ遠位骨片の屈曲転位の整復位が得やすい．しかし弯曲のない髄内釘を選択すると矢状面における変形をきたしやすく（図 17-3-10b），また幅の広い顆部から挿入するため，螺旋骨折や長斜骨折例では整復に難渋し，骨癒合が遷延化することがある（図 17-3-10c, d）．また膝関節部から挿入するので関節内骨折例では骨片間が離開し関節面の転位を生じる可能性があり，特に AO/OTA 分類の Type C の例では注意を要する．主骨折線が遠位の例ではロッキングスクリューを2本挿入できない

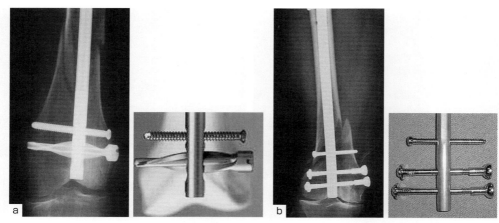

図 17-3-11　大腿骨顆部用髄内釘（IMSC nail）の使用例
a. 髄内釘と遠位ロッキングスクリューが固定される AO distal femoral nail（DFN）
b. ワッシャー付顆部用スクリューを用いた IMSC nail

こともあり，スクリューが緩むと髄内釘基部が関節内に突出してくることが危惧されるので適応には十分注意する．

近年では高度な骨粗鬆例でも有効な固定力を維持するために，髄内釘と遠位ロッキングスクリューで固定するタイプが使用される（図 17-3-11a）．また関節面に骨折線が及ぶ AO/OTA 分類の Type C 骨折でも，外顆と内顆が圧着できるようにワッシャー付顆部用スクリューの使用が可能な髄内釘もある（図 17-3-11b）．

① 適　応

AO/OTA 分類の Type A のすべての骨折型，顆部の粉砕を認めない Type C1，C2 が手術適応となる．しかしながら IMSC nail 使用に際しては骨折部位も検討しなければならない．すなわち主骨折線が遠位のために遠位ロッキングスクリューが 2 本挿入できない場合は矢状面における不安定性を生じる可能性があるので適応にならない．AO distal femoral nail（DFN）は spiral blade 使用により，骨折線が遠位に位置し spiral blade のみが挿入可能な症例でも，ある程度の角状安定性が得られる（図 17-3-12）．

人工膝関節置換術後の大腿骨遠位部骨折では使用されている人工膝関節の機種，骨折部位，骨折型などを考慮して内固定法が選択されるが，IMSC nail は第一選択に考慮してよい．

大腿骨遠位部・骨幹部の二重骨折も IMSC nail のよい適応である（図 17-3-12）．

② 整復法

顆部は髄腔の幅が広いために髄内釘の挿入によって整復位が改善することはない．したがって髄内釘挿入前に良好な整復位を獲得しておく必要がある．膝関節を 30～60°屈曲位とし 2 方向の X 線透視装置で整復位を確認する．膝窩部に X 線透過性のある枕を使用し，矢状面の整復度によって枕の高さを調整する．

髄内釘挿入前に整復位を得ていることが必須のため，整復に対する種々の工夫が報告されている．

代表的な整復法を述べる．

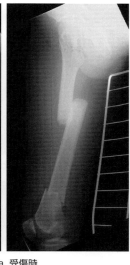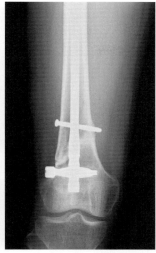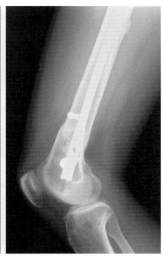

a. 受傷時　　　　　　　　　　　　　　　b. 術後3ヵ月

図 17-3-12　大腿骨遠位部・骨幹部の二重骨折に対する IMSC nail 使用例
a. 大腿骨遠位部・骨幹部の二重骨折は IMSC nail のよい適応である．
b. 遠位骨片に spiral blade しか挿入されていないが良好な骨癒合を得た．

ⓐ joy stick 法
　　遠位骨片に Schanz ピンを刺入しこれにより骨片を操作して整復を図る．Schanz ピンは外上顆部の粉砕のない部位を選択して前方から後方に刺入する（図 17-3-13a）．

ⓑ AO distractor 法
　　近位骨片と遠位骨片に髄内釘挿入の妨げにならないように Schanz ピンを刺入して，これに distractor を固定して短縮とアライメントを整復し髄内釘を挿入する（図 17-3-13b）．

ⓒ ball pusher を用いた整復法
　　転位している骨片を ball pusher でコントロールしながら整復する．新たな医原性骨折を生じないように皮質骨の硬い骨幹部に力を加える（図 17-3-13c）．

ⓓ Poller screw（blocker pin）法
　　ガイドワイヤーか髄内釘挿入時に整復位が得られなかった場合，髄内釘の誤った挿入方向を打ち消すように blocker pin を挿入する．髄内釘挿入後に blocker pin を Poller screw に変えることも可能である（図 17-3-13d）．

③ 手術手技
　　整復後に髄内釘の挿入を行うが挿入部位は前後像で大腿骨顆部の中心，側面像で大腿骨顆間窩線（Blumensaat line）の前縁と前方皮質骨の交点で後十字靱帯起始部の約 5～10 mm 前方である．髄内釘遠位の彎曲の程度によって，至適挿入部位が若干異なる．すなわち髄内釘に彎曲がない場合は至適挿入部位が矢状面で若干前方に位置する．至適部位を開口後にガイドワイヤーを髄腔に挿入し，必要に応じて最小限のリーミングを行う（図 17-3-14）．骨折部位と骨幹部の髄腔内径を考慮して髄内釘のサイズを選択し髄内釘を挿入する．髄内釘の挿入深度を確認し，遠位からインターロッキ

a. joy stick 法

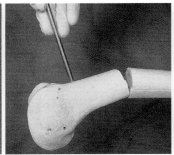

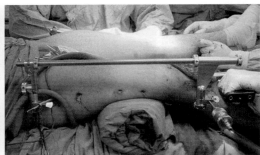
b. AO distractor 法

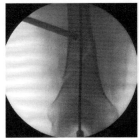
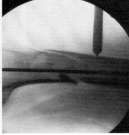
c. ball pusher を用いた整復法

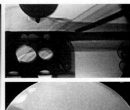
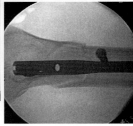
d. blocker pin を用いた整復法

図 17-3-13　大腿骨遠位部骨折に対する整復法
a. Schanz ピンを遠位骨片に挿入し joy stick 法で整復する．
b. AO distractor を用いて整復位を保持しながら髄内釘を挿入する．
c. ball pusher はできるだけ皮質骨の硬い部位に当てる．
d. Steinmann ピンや Schanz ピンを blocker pin として整復に用いる．ピンは Poller screw に変更した．

ングスクリューを挿入する．髄内釘の全長が 20 cm 以下の場合は，近位骨片のロッキングスクリューは target device を使用して挿入が可能である．25 cm 以上の髄内釘を選択するとしばしば target device を用いての近位ロッキングスクリューの挿入が不可能な場合がある．この場合，術中 X 線透視装置下にスクリューの挿入を行う必要がある．髄内釘の挿入によってアライメントの矯正を期待する場合，骨折線が骨幹部に及んでいる例では大腿骨峡部に達する長さの髄内釘を選択する必要がある．

④ 後療法

　　良好な治療成績を得るためには，いかなる内固定法を選択しても術後早期の関節運動訓練を行うことが必須である．術直後は膝伸展機構の拘縮を予防するために Braun 架台などを使用して膝関節 60〜80°屈曲位とする．荷重歩行は IMSC nail を使用しても無制限に許可すべきではない．術後 4〜6 週から部分荷重を開始し，骨癒合の進行と髄内釘やインターロッキングスクリューの緩みに注意しながら負荷を増加する．荷重負荷により骨折部やインターロッキングスクリュー挿入部に疼痛を訴える場合には固定性が不十分か部分荷重に耐え得る骨癒合が得られていない可能性がある．通常術後 10〜12 週で全荷重が可能となる．

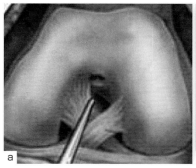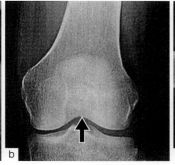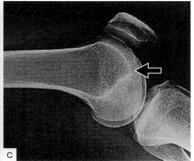

図 17-3-14 IMSC nail のエントリーポイント
a. IMSC nail の挿入部位は PCL 起始部のすぐ前方
b. 単純 X 線写真上は正面像で大腿骨軸の中央
c. 側面像で Blumensaat line の前縁と前方皮質骨の交点

b）プレート固定法

近年ロッキングプレートの開発により大腿骨遠位部骨折の手術療法にプレートが使用される頻度が増加している．これまで使用されてきたアングルプレートは角状安定性を有していたが，プレートとブレードが一体型のために手術手技に習熟を要し，アライメント不良例が散見された．近年多方向に挿入可能なロッキングスクリューの使用により，手術手技の簡便化と骨粗鬆症合併症例でも十分な固定性が得られるようになった．

① 適　応

骨折型別にみると，AO/OTA 分類のすべての Type C 骨折，髄内固定法が不可能な Type A 骨折，いかだ rafting 効果を期待した内・外側顆（Type B2, B1）骨折，支持 buttress 効果を期待する Type B3（Hoffa 骨折，coronal fracture）などが適応となる．

また人工膝関節周囲骨折 periprosthetic fracture は，大腿骨コンポーネントの形態により IMSC nail の挿入が不可能な症例が増加しており，このような症例ではプレート固定が絶対的適応となる．人工股関節置換術施行例でも骨折が大腿骨遠位部に生じた症例では応力集中を避けるためにも IMSC nail の使用は好ましくない．したがって，たとえ骨折部位が人工股関節の大腿骨ステムと大きく離れていてもプレート固定が適応されるべきである（図 17-3-15）．

② 手術手技

ⓐ 進入路

骨折型によって進入路を使い分ける．すなわちすべての Type A，部分関節内骨折の Type B1 および Type B3，完全関節内骨折では関節面の粉砕を認めない Type C2 などは標準的外側進入路で展開を行う．関節面の粉砕を認める Type C3 や内側顆の大きな転位を伴う症例では外側傍膝蓋進入路を用いる（図 17-3-16a）．関節面の内側部を観察したい場合は皮切を外側に置き，関節面は内側傍膝蓋進入路により観察する．これにより内側顆骨片は軟部組織に牽引されないので整復が容易となる．関節面全体の観察が必要な場合や整復操作が困難な場合は，展開の途中で脛骨粗面部を切り離し膝関節伸展機構を翻転する方法がある．脛骨粗面部の再固定は 2 本の 40 mm 海綿骨ス

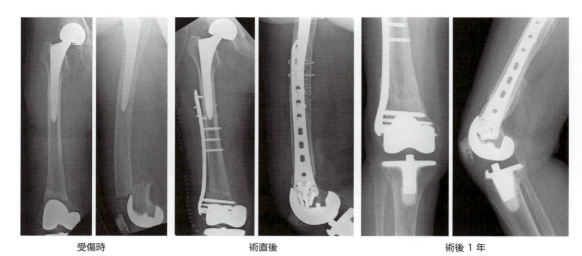

図 17-3-15　人工股関節・膝関節周囲骨折の治療
人工股関節や人工膝関節置換術後骨折例は応力集中を避けることが必須である．このため内固定材料はプレートを用い大腿骨ステム先端を超える長さのものを選択する必要がある．

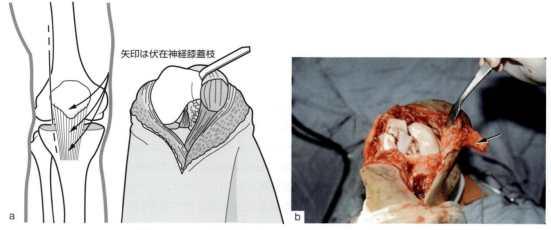

図 17-3-16　外側傍膝蓋進入路による膝関節面の展開
a. 皮切と展開．b. 展開を拡大する場合は脛骨粗面（矢印）を切離し膝関節伸展機構を翻転する．

クリューで行う（**図 17-3-16b**）．
ⓑ 関節面の整復，固定
　　関節面の骨折は直視下に解剖学的整復を図る．関節軟骨は解剖学的整復位と絶対的安定性を得ることで線維性軟骨による修復が期待できる．関節面を含んだ骨片を整復後ラグスクリューで固定し一塊とする．次いでこの骨片を骨幹部と固定するが，骨幹端部が粉砕している例では個々の骨片を解剖学的位置に整復するのではなく，アライメントと骨長を整復することに努め軟部組織の剝離は最小限にとどめることが重要である．
　　大腿骨遠位部骨折に対する低侵襲プレート固定術 minimally invasive plate osteo-

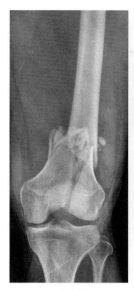

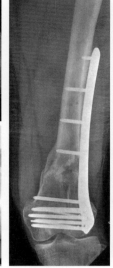
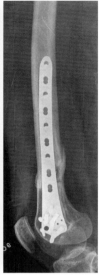

a. 受傷時　　　　b. 関節面整復後 MIPO 法施行　　　　c. 術後8ヵ月

図 17-3-17　MIPO 法の実際
Type C2 に対して関節面は直視下に整復後，前方を2本のスクリューで固定し（a, b），骨幹端部骨折は MIPO 法を用いて固定した．良好な仮骨形成によって早期に骨癒合した（c）．

synthesis (MIPO) は，軟部組織の侵襲が少なく血行が温存され骨癒合が得られやすいので一般的になった．AO/OTA 分類の Type A は骨折部の近位側と遠位側にそれぞれ 3～5 cm の皮切を加え，骨折部を展開することなく骨膜外にエレバトリウムで軟部組織を骨に沿いトンネル状に剥離し，プレートを挿入しスクリューでまず遠位骨片を固定する．必要があればプレートの近位側を把持して整復し近位骨片をスクリューで固定する．騎乗位型骨折がある場合は膝関節を 70～90°屈曲すると整復しやすい．整復状態，プレートの位置は X 線透視装置で確認する．

Type C はまず関節面を解剖学的に整復・固定した後に上記同様に固定する．プレートはあらかじめ健側の単純 X 線写真を用いて骨形態に合わせておく（**図 17-3-17**）．

附-19　AO/OTA 分類での大腿骨遠位部骨折型別治療法

1) Type A1

骨幹端部に粉砕を認めない Type A1 は，特に高齢者においては転倒などの低エネルギー外力によって生じ，螺旋骨折や長斜骨折の形態をとることが多い．この骨折型はラグスクリューとプレートによる固定により安定性と解剖学的整復位が得られる（**図 17-3-18**）．一方 IMSC nail では正確な整復位を得ることは困難であるが，X 線透視装置で透視下に長さ，軸，回旋変形を整復すれば良好な治療成績を得ることが可能で，正確な解剖学的整復は必ずしも必要でない．横骨折や短斜骨折ではプレート固定法，IMSC nail 法のいずれも適応されるが，後者を適応することが多い．

2) Type A2

顆部用プレートを用いる場合，プレート対側にギャップを生じると骨折部が不安定と

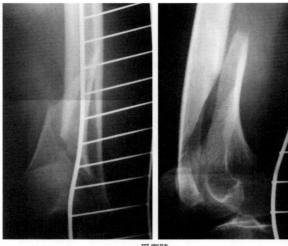

受傷時

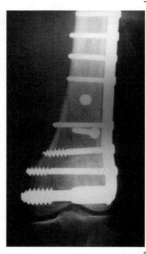
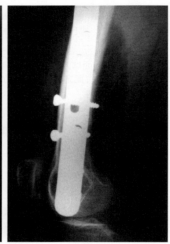

術直後

図17-3-18　Type A1 大腿骨遠位部螺旋骨折
ラグスクリューとDCSによって解剖学的整復と強固な内固定が得られている．この点で螺旋骨折や長斜骨折にはIMSC nailより顆部用プレートのほうが適応がある．

なり骨癒合が遷延することが多い．しかし解剖学的整復にこだわるあまりに内側部の剥離を過度に行わないことが重要である．このためにポイントコンタクト骨鉗子とラグスクリューを用い骨折部周辺軟部組織の温存に努める．

　IMSC nailを用いる場合は骨幹端楔状骨片の整復を閉鎖的に行うことは困難であるが，整復のために骨折部を展開することは髄内固定法の利点を損なうために通常は行わない．主骨片間の整復・固定が得られていれば，この楔状骨片は良好な仮骨形成によって骨癒合が得られる．楔状骨片の転位が大きく整復が望ましいと判断された場合は，Kirschner鋼線もしくはSteinmannピンを用いて経皮的に骨片を押し込むようにして整復するとよい．

3）Type A3

　骨幹端部の粉砕を伴うType A3は粉砕の程度，部位，骨質，術者の技量によって解剖学的整復を目指すかどうか選択するべきである．過度の軟部組織の剥離は骨折部への

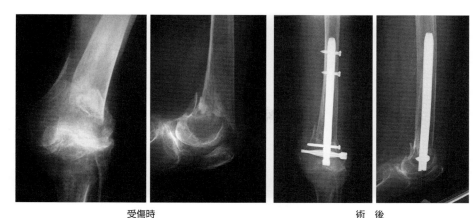

受傷時　　　　　　　　　　　　術　後
図 17-3-19　Type A3 に対する IMSC nail による固定

血行障害，ときにはそれによる骨壊死を引き起こし，例えわずかな骨折部のギャップでさえも骨癒合の遷延化や抜釘後の再骨折を生じやすい．骨折部にギャップを生じ仮骨形成が乏しいかみられない場合には緩みや再転位を認めないうちに骨移植を行う必要がある．

MIPO 法は良好な仮骨形成によって骨癒合を得ることが可能である．

IMSC nail は Type A3 が最もよい適応で，近位と遠位の主骨片にロッキングスクリューがそれぞれ 2 本挿入されれば比較的強固な固定性が得られ架橋プレートと同様に良好な仮骨形成によって骨癒合を得ることができる（図 17-3-19）．

4) Type B1, B2

部分関節内骨折である Type B1 および B2 は海綿骨スクリューによって良好な固定性が得られる．この場合の注意点はスクリューを骨折面に対して垂直に挿入すること，骨折線をスクリューのネジ山が越えること，最低 2 本のスクリューで固定することなどである．また骨粗鬆例ではスクリュー先端が対側皮質骨を貫けば固定性を増大する．ワッシャー付スクリューを骨折線近位部より挿入すれば，buttress 効果によって遠位骨片の再転位を防止することが可能である．

5) Type B3

骨折線が主として前額面に走る本骨折は，骨折部が展開しにくいこと，スクリュー挿入部が関節面にかかりやすいこと，またスクリューの先端が関節面に突出しやすいことなどにより治療は困難を伴うことが多い．骨質の強い青・壮年例ではラグスクリューによる固定で十分であるが，骨粗鬆が強い例ではスクリューにより整復位が保たれないことがあるので，後方に buttress プレートを用い骨折部の再転位を防止することが必要である（図 17-3-20, 21）．

6) Type C1, C2

関節面の粉砕を伴わない Type C1 と C2 は，まず骨折部を展開し直視下に関節面の解剖学的整復を行う．整復後は 1 ないし 2 本の 6.5 mm 海綿骨スクリューで固定する．この際重要なことは顆部固定用スクリューが骨幹端部を固定する内固定材料と干渉しないことである（図 17-3-22）．骨幹端部の固定は顆部用プレートあるいは IMSC nail が選択されるが，IMSC nail は骨折部から挿入するため骨折部の再転位をきたす可能性が高いので，一般的にはプレート固定法が選択される．骨幹端部が粉砕する Type C2 では，個々の骨片の整復にはこだわらず骨軸と長さの整復を行う．特に骨粗鬆症を合併した粉砕骨折ではロッキングプレートの使用により比較的強固な固定性が保たれる（図 17-3-17）．アライメントの矯正損失も生じにくく，現状では最も優れた内固定材料といえる．

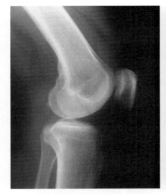
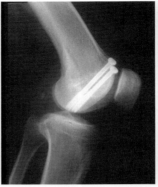
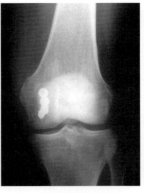

受傷時：側面像　　　　　　　　　　　6.5 mm 海綿骨スクリューによる固定

図 17-3-20　Type B3（coronal fracture ①）
骨折面に対し垂直方向にスクリューを挿入する．
ネジ山が骨折線を越えると有効な圧迫力を加えることが可能である．

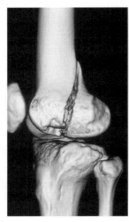
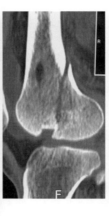
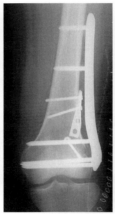
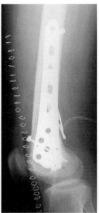

受傷時：三次元 CT 画像　　　　　　　　　　術直後

図 17-3-21　Type B3（coronal fracture ②）
1/3 円プレートを 90°捻り後方の buttress プレートによって固定した．ロッキングプレートによるいかだ rafting 効果（角状安定性を持ったロッキングスクリューが数体並んでいる様子）も追加した．

7）Type C3

　関節面の粉砕を伴う Type C3 では関節面の整復・内固定を慎重に行うことが重事である．このためには大きな視野を得ることが必要なので，関節内骨折部位と粉砕の程度によって骨折部位へは内側あるいは外側傍膝蓋進入路を選択する（図 17-3-23）．関節面の展開が不十分な場合は脛骨結節を切り離し，膝関節伸展機構を翻転する方法が選択されることもある．この場合術後に伸展機構の癒着，膝蓋骨低位をきたしやすいので，早期に関節運動訓練を開始する必要がある（図 17-3-16）．
　転位した関節面を解剖学的に整復し Kirschner 鋼線で仮固定した後，6.5 mm 径スクリューで固定する．スクリューは骨幹端部を固定するプレートと干渉しない部位に挿入する必要がある（図 17-3-23）．関節内主骨片固定のために通常 2〜3 本のスクリューが用いられる．小さな骨片は 3.5 mm あるいは 4.0 mm 径の小骨片用スクリューで固定する．関節軟骨を含む骨片が小さすぎてスクリューによる固定挿入が困難な場合は関

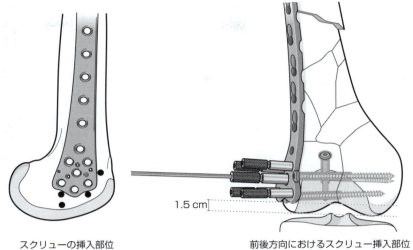

図 17-3-22　Type C
関節面を含む遠位骨片を後に用いるプレートに干渉しない部位にスクリューを挿入して固定する（●の位置）.

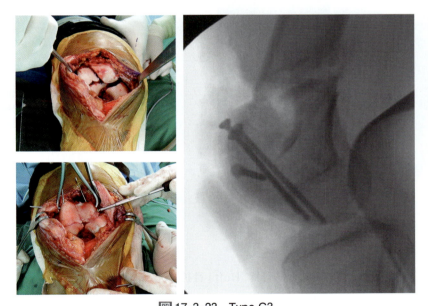

図 17-3-23　Type C3
骨折部位によって進入路を変える必要がある．
本例は内側後方に転位した骨片を認めたために内側傍膝蓋進入路を用いた．

節面からポリ乳酸性の吸収ピンを用いて固定するとよい．
　関節面の骨片を一塊とした後に骨幹部と固定を行う．関節面を含む遠位骨片と骨幹部の整復はできる限り骨折部周辺の血行温存に努める．このため骨幹端部の展開は行わず間接的整復法を行う MIPO 法が適している（図 17-3-24）．本骨折は IMSC nail の適応はない．現状では角状安定性のある顆部用ロッキングプレートが使用されることが最も多い．

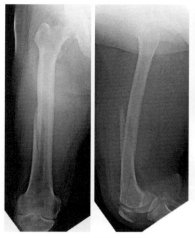

a. Type C 骨折：受傷時

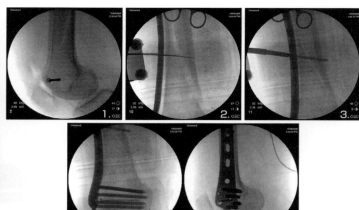

b. 整復，内固定の実際

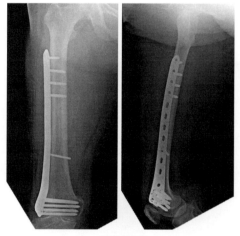

c. 術後5カ月

図 17-3-24　Type C 骨折の articular block と骨幹部骨片との間接的整復法
b. 1. スクリューによる関節面の整復，2. MIPO 法にてプレートを挿入後 Kirschner 鋼線による仮固定，3. ラグスクリューによる固定，4. 術直後
c. ほぼ解剖学的に整復され，絶対的安定性が得られたために仮骨形成はみられずに骨癒合した．

附-20　大腿骨単顆冠状骨折（Hoffa 骨折，coronal fracture）

　　大腿骨内側顆または外側顆の単独骨折は割裂型と冠状型があるが，冠状型骨折は比較的まれである．本骨折は関節面を横断する転位を生じているので解剖学的整復が必要である．整復の際には遠位骨片に付着している軟部組織を温存し，骨片の壊死の合併を防止する．通常2本のスクリュー（cannulated Herbert screw）で固定するが，スクリューの先端が関節面に突出しないように挿入部位の選択が重要である．

f 合併症
1）開放創

　　大腿骨遠位部の開放骨折は低エネルギー外力によって生じた骨折端が皮膚を貫き外界に穿通して生じたものと，高エネルギー外力による軟部組織の重篤な直接損傷を合

併したものに大別される．golden time 内に十分なデブリドマンが行われ，内固定材料と骨折部の被覆が可能な場合には一期的内固定が選択されるが，わずかでも感染の危険性がある場合は，膝関節を架橋した創外固定法を選択する．ピンの挿入部位はその後の内固定部位を考慮して慎重に決定する．軟部組織の修復が必要な場合はできるだけ早期に計画的に行う必要があり，いたずらにピンの挿入期間が長引くほどピン挿入部位の感染を生じる可能性が高くなる．遅くとも2週以内に内固定に変更することが望ましい．

2) 靱帯損傷

靱帯は内・外側側副靱帯損傷と前・後十字靱帯損傷の合併を考慮する．診断は靱帯付着部剥離骨片を伴う場合は単純X線写真あるいはCTで明らかとなるが，一般的には骨折部の内固定後に診断が下される．受傷直後のMRIは靱帯損傷を明らかにするが通常的に行われるとは限らない．剥離骨折例は内固定時に同時に固定することが望ましいが，靱帯損傷を合併している場合はまず骨折治療を優先し，必要に応じて二次的に靱帯再建術または遅延修復術 delayed repair を検討する．

3) 血管損傷

血管損傷は大腿骨遠位部骨折の2〜3％に合併すると報告されている．損傷機転は直達外傷による開放創を伴うものと，転位した骨片による主要血管の損傷に大別される．また血管の内膜損傷により血栓が形成され，遅発性に血管が閉塞され血流障害を生じることがあるので，経時的に循環動態を観察する必要がある．動脈造影によって血流の途絶や漏出が確認されれば確定診断となる．骨折部の転位が大きい場合は愛護的な牽引と整復操作により，外側から主要血管を圧迫していた骨片が整復され血流が再開することや，反対に最初は開通していた血管内膜に血栓が形成され次第に血流が途絶する場合が考えられるからである．

主要血管損傷に対しては血管縫合術あるいは静脈を用いた血管移植術が行われる．

4) 変形癒合 malunion

一般的に10°を超える角状変形は荷重線の異常を生じるため，膝関節機能障害を惹起することがある．外反変形は内反変形より膝関節に障害をもたらすことが少ない．内反変形は内側型変形性膝関節症を惹起しやすい．

いずれにしても，ロッキングプレートによる内固定は整復位の保持という点では通常のプレートより優れているが（図17-3-25），大腿骨内側部に大きな骨欠損がある場合はロッキングプレートにより内固定した場合に，経過中の内反変形発生の防止に関しては論議がある．

骨軸の変形に対する矯正手術は一期的矯正手術と漸次矯正手術がある．大腿骨遠位部に創外固定法を用いると膝関節の可動域制限は必発であり，できる限り早期に膝関節運動を開始できる矯正術が望ましい．Sangeorzanが発表した三次元骨切り術は短縮も含めて，すべての変形を1平面の骨切りで解決しようとする方法で大腿骨遠位部骨折の変形を矯正するには優れた方法である（図17-3-26）．

5) 二次性変形性膝関節症

大腿骨遠位部変形治療骨折による二次性変形性膝関節症は，関節面の不整，不安定性，骨軸の異常で生じる．長期間の追跡調査がないためにどの程度の変形遺残が許容

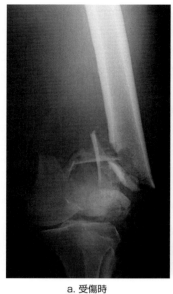
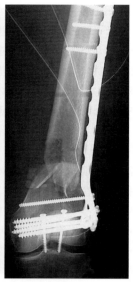

a. 受傷時　　b. 術直後

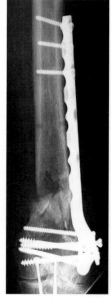
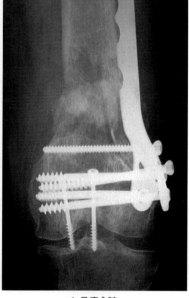

c. 術後5ヵ月　　d. 骨癒合時

図 17-3-25　内固定後内反変形発生例
a. Type C3
b. a に対して non-locking plate で固定
c. プレート対側に骨欠損を生じると経過中に著明な内反変形を生じる．
d. 骨癒合したが最終的には変形癒合となった．

されるのか明らかではない．

若年者で変形による強い疼痛が持続する場合は骨切り術，高齢者の場合は人工膝関節置換術が適応となる．

6）遷延治癒・偽関節

従来のプレートによる内固定術の遷延治癒・偽関節の発生率は約30％といわれていた．近年ロッキングプレートを使用した MIPO 法による治療成績は，93～100％に骨癒合が得られると報告されている．同様に IMSC nail を選択する場合も髄内釘と

3 大腿骨遠位部骨折　*1077*

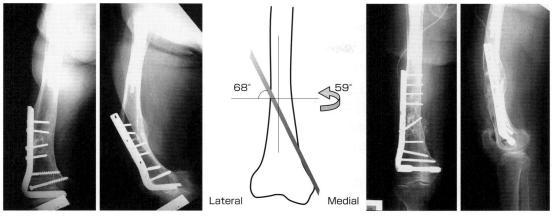

図 17-3-26　大腿骨遠位部骨折に対する一期的矯正骨切り術
a. 術後短縮 2.5 cm，前方凸 34°，外側凸 14°，外旋変形 15°の変形癒合が残存した．
b, c. a に対し水平面から 68°，矢状面から 59°傾け骨切り術を行った．骨切り面をずらして延長しすべての変形が一期的に矯正された．

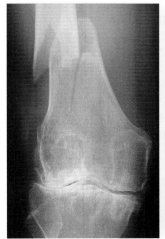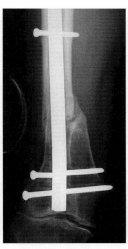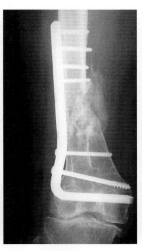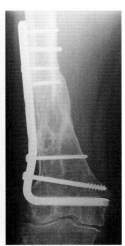

a. 受傷時　　　　b. 1年後（不安定性を認める）　　　c. 再手術後 6 週目　　　　d. 1年後

図 17-3-27　IMSC nail 後の偽関節例に対するプレート再固定例
a. Type A2 に対して IMSC nail で内固定．b. 1年経過しても骨癒合が得られなかった．
c. 内固定材料の抜去後 95° blade plate による再固定術と自家骨移植術施行．d. 1年後骨癒合は得られた．

インターロッキング機構が強固に固定され角状安定性を保持できるように選択すべきである．いずれの内固定材料を選択しても荷重歩行は骨癒合の状態を観察しながら行うべきで，早期の全荷重歩行は癒合不全や内固定材料の破損につながる．骨癒合が遷延化した場合は内固定材料の緩みを認める前に自家海綿骨移植術を行い，固定性が不十分な場合は内固定材料の追加，変更が必要となる（図 17-3-27）．

7）膝関節拘縮

大腿骨遠位部骨折に最も生じやすい合併症は膝関節拘縮である．その予防のため早期膝関節運動訓練を開始することが必要なことはいうまでもないが，術直後の安静肢位を膝関節 45〜60°屈曲位に保持して膝関節伸展機構の拘縮を予防することが重要である．術後 3 週以上外固定を行うと膝関節の拘縮が避けられないため，外固定が不要な強固な内固定を行うことが必須である．術後 8〜10 週までに 90°以上の屈曲位が得られなければ，将来膝関節の可動域にかなりの障害を残すことが予測される．膝関節拘縮が残存した場合は愛護的な徒手関節授動術あるいは観血的関節授動術が行われる．

附-21　人工膝関節置換術後の大腿骨遠位部骨折

人工膝関節置換術後の大腿骨遠位部骨折の発生頻度は 0.5〜2.5% と報告されているが，最近は増加傾向にあり決して無視できない骨折である．骨折の直接原因は転倒によるものが多いが，高齢（骨粗鬆），関節リウマチなど骨脆弱性の背景因子のほか，術中の大腿骨顆部前方骨皮質の過度の骨切り（anterior notch），UHMWPE 摩耗細粉による骨溶解 osteolysis などが危険因子とされている．大腿骨金属コンポーネントの stress shielding による骨萎縮が易骨折性の原因となるとの指摘もある．この場合骨折は軽度の外傷によって発生することから，術後長期間安定している人工膝関節置換例の重篤な合併症になる可能性が高い．

大腿骨コンポーネントの緩みを生じている場合は再置換術が選択される．緩みを認めない場合は骨接合術が選択されるが，近年スタビライザー付の内固定材料が使用されることが多い．また大腿骨コンポーネントの形態によっては IMSC nail の挿入（図 9-2-3, p.220 参照）が不可能な症例が増えてきている．このため最近は骨粗鬆症を合併していても強固な固定が可能な大腿骨遠位部用ロッキングプレートシステムを使用することが一般的になった．骨折部が粉砕している場合は MIPO 法のよい適応となり（図 17-3-28），粉砕のない骨折ではできるだけ解剖学的整復を目指す．いずれの場合も軟部組織の剥離は最小限にとどめ，骨および周辺軟部組織の血行はできるだけ温存することが重要である．

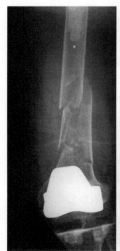 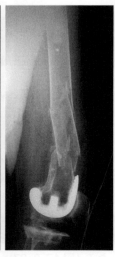 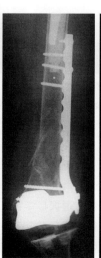 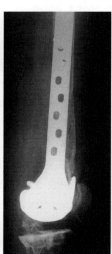 

受傷時　　　　　　　　　　　　　　　　術後 10 週目

図 17-3-28　粉砕した人工膝関節周囲骨折に対する MIPO 法による内固定
10 週後良好な仮骨形成とともに骨癒合が得られた．

参考文献

1) Aglietti P et al：Fracture of the distal femur. Surgery of the Knee. 413-448, Insall JN ed, Churchill Livingstone, New York, 1984.

2) Althausen PL et al：Operative stabilization of supracondylar femur fractures above knee arthroplasty：A comparison of four treatment methods. J Arthroplasty **18**：834-839, 2003.

3) 青柳孝一：大腿骨遠位部骨折. 関節外科 **18**：567-577, 1989.

4) Ayers DC：Supracondylar fracture of distal femur proximal to a total knee replacement. AAOS Instructional Course Lecture **46**：197-203, 1997.

5) Browner BD et al：Immediate closed antegrade Ender nailing of femoral fracture in polytrauma patients. J Trauma **24**：921-927, 1984.

6) David SM et al：Comparative biomechanical analysis of supracondylar femur fracture fixation：locked Intramedullary nail versus 95-degree angled plate. J Orthop Trauma **11**：344-350, 1997.

7) Egund N et al：Deformities, gonarthrosis and function after distal femoral fractures. Acta Orthop Scand **53**：963-974, 1982.

8) Firoozbakhsh K et al：Mechanics of retrograde nail versus plate fixation for supracondylar femur fractures. J Orthop Trauma **9**：152-157, 1995.

9) Frankhauser F et al：Minimal-invasive treatment of distal femoral fractures with the LISS：a prospective study of 30 fractures with a follow up of 20 months. Acta Orthop Scand **75**：56-60, 2004.

10) Frigg R et al：The development of the distal femur Less Invasive Stabilization System（LISS）. Injury **32**：24-31, 2001.

11) Giles JB et al：Supracondylar-inter-condylar fractures of the femur treated with a supracondylar plate and lag screw. J Bone Joint Surg **64-A**：864-870, 1982.

12) Guy P et al：CT-based analysis of the geometry of the distal femur. Injury **29**：16-21, 1998.

13) 服部順和ら：大腿骨顆上骨折の観血的治療. 整・災外 **23**：1009-1021, 1980.

14) Henry SL et al：Management of supracondylar fractures of the femur with the GSH supracondylar nail：The percutaneous technique. Technique in Orthopaedics **9**：189-194, 1994.

15) Herscovici D Jr et al：Retrograde nailing of the femur using an intercondylar approach. Clin Orthop Relat Res **332**：98-104, 2001.

16) 生田拓也：大腿骨遠位端骨折. Supracondylar 髄内釘. 新 OS NOW **2**：40-49, 1999.

17) 生田拓也ら：大腿骨遠位端骨折に対する IMSC の問題点. 骨折 **23**：518-522, 2001.

18) Janzing HMJ et al：The retrograde intramedullary nail：Prospective experience in patients older than sixty-five years. J Orthop Trauma **12**：330-333, 1998.

19) Johnson KD：Internal fixation of distal femoral fractures. Instructional Curse Lectures **36**：437-448, 1987.

20) 金山竜沢ら：大腿骨顆部・顆上骨折に対する生物学的プレート固定. 骨折 **23**：531-535, 2001.

21) Kinzl L：大腿骨遠位部：AO 法骨折治療. 第 2 版, 571-580, 医学書院, 2003.

22) Kolmert L et al：Epidemiology and treatment of distal femoral fractures in adults. Acta Orthop Scand **53**：957-962, 1982.

23) Kregor PJ et al：Treatment of distal femur fractures using the less invasive stabilization system：surgical experience and early clinical results in 103 fractures. J Orthop Trauma **18**：509-520, 2004.

24) Krettek C et al：Transarticular joint reconstruction and indirect plate osteosynthesis for complex distal supracondylar femoral fractures. Injury **28**：31-41, 1997.

25) Lenthe GH et al：Stress shielding after total knee replacement may cause bone resorption in the distal femur. J Bone Joint Surg **79-B**：117-122, 1997.

26) Leung KS et al：Interlocking intramedullary nailing for supracondylar and intercondylar fractures of the distal part of the femur. J Bone Joint Surg **73-A**：332-340, 1991.

27) 松尾真嗣ら：大腿骨顆部・顆上部骨折に対する AO distal femoral nail（DFN）の使用経験. 骨折 **25**：289-292, 2003.

28) Mintzer CM et al：Bone loss in the distal anterior femur after total knee arthroplasty. Clin Orthop **260**：135-143, 1990.

29) 宮澤慎一ら：全人工膝関節周囲骨折の治療経験．骨折 **25**：356-360，2003.

30) Mize RD et al：Surgical treatment of displaced comminuted fractures of the distal end of the femur. An extensile approach. J Bone Joint Surg **64-A**：871-879, 1982.

31) Mooney V et al：Cast-brace treatment for fractures of the distal part of the femur. J Bone Joint Surg **51-A**：1563-1578, 1970.

32) 森川圭造ら：超高齢者の大腿骨顆上骨折に対する治療—Dynamic Condylar Screw を用いた最小侵襲プレート固定法（MIPO）の応用．骨折 **22**：237-240，2000.

33) Müller ME et al：The comprehensive classification of fractures of long bones. Springer-Verlag, Heidelberg, New York, 1990.

34) Neer CS II et al：Supracondylar fracture of the adult femur. A study of one hundred and ten cases. J Bone Joint Surg Am **49**：591-613, 1967.

35) Ostrum RF et al：Indirect reduction and internal fixation of supracondylar femur fractures without bone graft. J Orthop Trauma **9**：278-284, 1995.

36) Ritter MA et al：Anterior femoral notching and ipsilateral supracondylar femur fracture in total knee arthroplasty. J Arthroplasty **3**：185-187, 1998.

37) Sangeorzan BJ et al：Mathematically directed single-cut osteotomy for correction of tibial malunion. J Orthop Trauma **3**：267-275, 1989.

38) 佐藤　徹ら：CT に期待すること：骨折の画像診断—CT で何を報告するか—．画像診断 **26**：736-743，2006.

39) 佐藤　徹ら：大腿骨遠位部粉砕骨折に対する MIPO 法の治療経験．骨折 **27**：72-75，2005.

40) 佐藤　徹ら：大腿骨顆部・顆上骨折に対する angle plate と IMSC nail の比較検討．骨折 **23**：567-573，2001.

41) 佐藤　徹：E. 膝関節：大腿骨遠位部骨折：四肢関節部骨折治療実践マニュアル．MB Orthop **14**：156-164，2001.

42) 佐藤　徹ら：膝関節後顆骨折に対する後方 buttress plate の治療経験．中部整災誌 **50**：877-878，2007.

43) Schatzker J et al：Supracondylar fractures of femur. Clin Orthop Relat Res **138**：77-83, 1979.

44) Schütz M et al：Minimmaly invasive fracture stabilization of distal femoral fractures with the LISS：a prospective multicenter study. Injury **32**：48-54, 2001.

45) Seinsheimer S III：Fracture of the distal femur. Clin Orthop **153**：169-179, 1980.

46) 高田直也：大腿骨遠位部骨折に対する MIPO 法と TAPO 法．骨・関節・靱帯 **18**：701-706，2005.

47) 高原康弘ら：人工膝関節置換術後の大腿骨顆上骨折．関節外科 **18**：1064-1071，1999.

48) 富谷真人ら：人工膝関節置換術後の stress shielding による骨萎縮と大腿骨遠位部骨折発生の相関について．日本人工膝関節学会誌 **31**：187-188，2001.

49) 上原正也ら：逆行性髄内釘を用いた骨粗鬆症を伴う大腿骨顆上骨折の治療経験．骨折 **22**：252-256，2000.

50) Weight M et al：Early results of the less invasive stabilization system for mechanically unstable fractures of the distal femur (AO/OTA types A2, A3, C2 and C3). J Orthop Trauma **18**：503-508, 2004.

51) Wong MK et al：Treatment of distal femoral fractures in the elderly using a less-invasive-plating technique. Int Orthop **29**：117-120, 2005.

52) 山本龍二ら：大腿骨顆部骨折（coronal fr. を含む）．整形外科 Mook **53**：213-223，1988.

53) 山崎　謙ら：大腿骨顆上骨折に対する最小侵襲プレート固定術（minimally invasive plate osteosynthesis）の治療経験．骨折 **26**：648-652，2004.

54) 山崎　謙：高齢者の大腿骨顆上骨折に対する MIPO の適応．骨・関節・靱帯 **18**：691-700，2005.

55) Zickel RE et al：Zickel supracondylar nails for fractures of the distal end of the femur. Clin Orthop **212**：79-88, 1977.

4 膝蓋骨骨折 fracture of the patella

膝蓋骨骨折は全骨折の約1%を占め，直達外力または介達外力により発生する．主に若い世代に多く，統計学的には男性が約65%を占める．左右差はなく両側骨折はまれである．

a 解剖・機能解剖

膝蓋骨は膝伸展機構の中央にあり，膝関節の伸展力を能率的に機能させる lever armの形成に役立っている．形態は逆三角形をなし，前面はほぼ平坦で，後面（関節面）は全体に凸状をなし，関節面は膝蓋骨の全面の中枢側約3/4を占める．関節面は幅が広いやや凹状を呈する外側関節面 lateral facet と幅が狭い凸状を呈する内側関節面 medial facet に分けられ，さらに後者は内側固有関節面 medial facet proper と垂直関節面 vertical facet（または odd facet）に分けられる（図17-4-1）．

膝蓋骨は近位側は大腿四頭筋腱，内・外側広筋，内・外側は内・外側膝蓋支帯および内・外側膝蓋大腿靱帯，そして遠位側は膝蓋腱によって固定され，膝関節の屈伸運動に伴い大腿骨膝蓋関節面および大腿骨顆間窩を滑走する．特に内側膝蓋大腿靱帯（medial patello-femoral ligament：MPFL）は膝蓋骨安定化機構として重要である．膝蓋大腿関節の適合性を保つために，膝蓋骨は膝関節の屈伸運動中に回転（frontal rotation），回旋（vertical rotation, transverse rotation, horizontal rotation）などの自転運動を行う（図17-4-2）．

膝蓋大腿関節の接触面 contact area は膝関節の屈曲角度により移動し，膝関節伸展

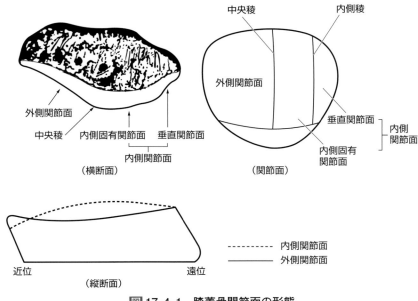

図17-4-1 膝蓋骨関節面の形態

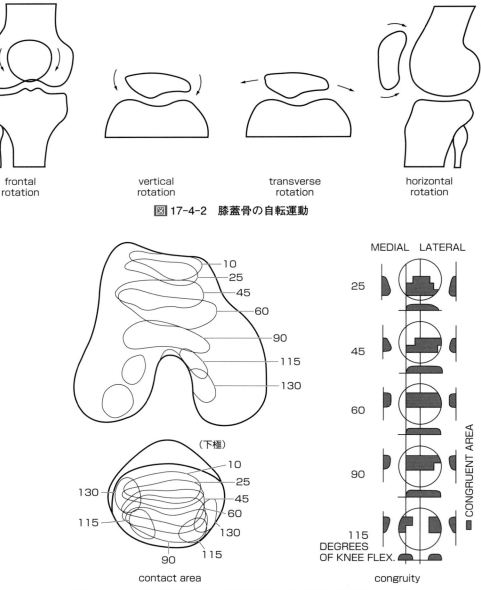

図 17-4-3　大腿骨脛骨関節の屈伸運動に伴う膝蓋大腿関節の接触面（contact area）の位動相と関節適合性（congruity）

（Fujikawa K：Engineering in Med 12：3-21, 1983 より引用）

位では，膝蓋骨の関節面は大腿骨膝蓋関節面の近位側にある脂肪体に接触する．屈曲20°ではじめて膝蓋骨関節面遠位側が大腿骨膝蓋関節面の近位側に接触する．膝関節が屈曲するに従い，膝蓋骨関節面上の接触部は上行し，90°屈曲位で膝蓋骨関節面の最上部に至る．さらに屈曲が進むと，膝蓋骨関節面上の接触面は外側関節面の外側と垂直関節面に二分し次第に下降していく．大腿骨膝蓋関節面上の接触面は膝関節の屈曲に伴い下降し，90°以上の屈曲位では顆間窩に入り内・外側に分かれる（図 17-4-3）．

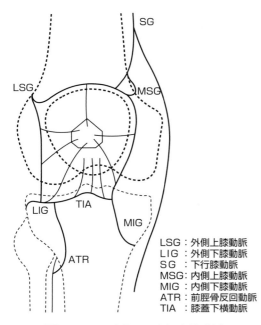

図 17-4-4 膝蓋骨の血行動態（右）

LSG：外側上膝動脈
LIG：外側下膝動脈
SG ：下行膝動脈
MSG：内側上膝動脈
MIG：内側下膝動脈
ATR：前脛骨反回動脈
TIA：膝蓋下横動脈

図 17-4-5 sleeve fracture
遠位骨片はほとんど軟骨で，わずかに後面の卵の殻状の骨性部分が付着していることがある．

膝蓋骨は環状の血管網によって取り囲まれている．この血管網は上外側から入る外側上膝動脈，下外側から入る外側下膝動脈，上内側から入る下行膝動脈，内側上膝動脈からなる．外側上膝動脈は膝蓋骨上縁に沿い，大腿四頭筋腱の前面を横走する分枝により下行膝動脈，内側上膝動脈と吻合し，外側下膝動脈は膝蓋腱の後面を通る膝蓋下横動脈により内側下膝動脈と吻合する．また外側上（下）膝動脈および内側上（下）膝動脈は，それぞれ膝蓋骨の内・外側縁に沿って走る動脈によって吻合している．前脛骨反回動脈は外側下膝動脈に分枝を送り血流を供給している．

これらの環状血管網は膝蓋骨前面に血管を送り，さらに細血管となり膝蓋骨前面から 10 ないし十数個の骨孔を通って骨内に進入する．

以上のように膝蓋骨への血管は主に中央部および遠位部より骨内に進入するため，膝蓋骨遠位 1/2 は血行が比較的豊富であるが，近位側 1/2 は血行がやや乏しい（図 17-4-4）．

b 受傷機転

膝蓋骨骨折は直達外力または介達外力で発生し，粉砕骨折は直達外力，横骨折は介達外力によるといわれているが，外力が作用したときの肢位が骨折型を決める重要な要因となっている．実際には成人は転倒，ダッシュボード損傷などの前方からの直達外力によることが多い．

小児で膝蓋腱により膝蓋骨下極に強い牽引力が加わると，力学的に脆弱な骨・軟骨境界部で破断するため膝蓋骨下端部の軟骨部が骨部より裂離する骨折が発生する．sleeve fracture と呼ばれる．膝蓋骨後面の骨性部分がわずかに裂離することがあるが骨折片の大部分が軟骨のため単純 X 線写真に描出されないことが多く，看過されがちである（図 17-4-5）．膝蓋骨が高位をとることで診断される．

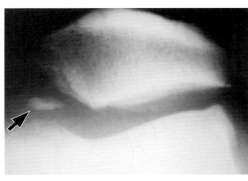 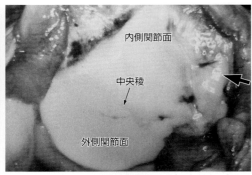

図 17-4-6 膝蓋骨内側関節面遠位部の骨軟骨骨折（矢印）

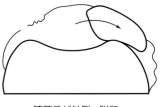  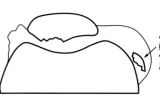

図 17-4-7 剪断性骨軟骨骨折（tangential osteochondral fracture）

　また特殊な受傷機転として膝関節軽度屈曲位で回旋が加わったときに，膝蓋骨が外側に脱臼し，反射的に大腿四頭筋が強く収縮するために筋力により膝蓋骨が急激に整復され，その際膝蓋骨の関節面（中央稜から内側部）が大腿骨外側顆稜に接線方向にぶつかり，剪断力 shear force により剪断性骨軟骨骨折 tangential osteochondral fracture が発生する（図 17-4-6, 7）．まれに脱臼時に骨折することがある．基礎に膝蓋骨不安定性の素因があることが多い．

c 骨折の分類

　膝蓋骨骨折は骨折の形態によって基本的に縦骨折，横骨折，粉砕（星状）骨折に，また骨折の程度により亀裂骨折，離開骨折，粉砕骨折に分類される（図 17-4-8）．粉砕骨折，裂離骨折は膝蓋骨の遠位側に発生することが多い．まれに内側膝蓋大腿靱帯付着部の裂離骨折，膝蓋骨関節面の陥没骨折がある．特殊なものに前述した剪断性骨軟骨骨折，スリーブ骨折 sleeve fracture などがある．

附-22　小児膝蓋骨下極の裂離骨折 sleeve fracture／fracture with sleeve avulsion

　Houghton（1979）の報告を嚆矢とする小児膝蓋骨下極裂離骨折である．6〜9歳前後の小児が転倒あるいは高所より勢いよくジャンプして着地した際に，大腿四頭筋が急激に収縮すると膝蓋骨下極に膝蓋腱による強い牽引力が加わり，同部の未骨化軟骨部分が関節軟骨，時には関節面側の薄い骨片を伴って骨部分より裂離骨折を起こすことがある．小さな骨性部分と大部分を占める軟骨部分があたかも袖（sleeve）のように裂離す

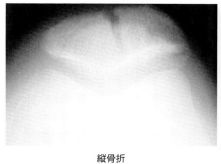
縦骨折

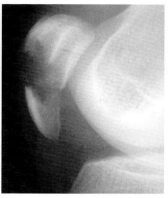
横骨折

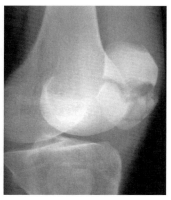
粉砕(星状)骨折

図 17-4-8　膝蓋骨骨折の分類

ることから，一般に膝蓋骨スリーブ骨折と呼称される．単純X線写真では卵の殻状の薄い骨片として表現されるにすぎないので看過されやすい．小児膝蓋骨スリーブ骨折はまれであり，真鍋らの報告によると全膝蓋骨骨折 155 例のうち 3 例（1.9％）を占めるにすぎない．

いわゆる小児膝蓋骨スリーブ骨折は厳密には sleeve fracture と fracture with sleeve avulsion (periostal sleeve avulsion) に分けられる．小児膝蓋骨下極は，前面は大腿四頭筋腱膜表層—膝蓋腱表層が連続しているために強靱であるが，関節面側（後面）にはこれがなく脆弱なため avulsion は関節面側で起こる（前面の腱性組織は損傷する）．これが sleeve fracture である．このとき裂離する軟骨に関節面側の薄層状軟骨下骨が付着している．一方，fracture with sleeve avulsion (periostal sleeve avulsion) は膝蓋骨の前面の腱性組織を伴った小骨片の裂離骨折で，解剖学的構造からもきわめてまれである．病態の異なる両者は混同されることが多い．

通常，局所の限局性圧痛，腫脹，膝関節伸展障害，膝蓋骨高位などの臨床所見と単純X線写真所見（膝蓋骨高位と下極部の小骨片）により診断される．裂離骨片を伴わない場合は看過されることが多い．また小児では膝蓋骨が完全に骨化していないので，膝蓋骨の高位判定が困難な場合には健側の単純X線写真と比較するとよい．

治療は基本的に一次修復術を行うが，損傷が高度で膝蓋骨の近位側への転位が大きい場合には，膝蓋骨上縁から脛骨粗面をワイヤーで固定する一次的補強を行うか，時には大腿四頭筋腱中央部を柵状に，または表層 1/2 を取り，翻転して膝蓋腱に縫着する補強術を行う．

附-23　膝蓋骨上極裂離骨折　cup fracture

小児膝蓋骨上極裂離骨折はきわめてまれである．下極裂離骨折よりやや高齢の 14～15 歳に，ジャンプして膝関節軽度屈曲位で着地した際に発生する．受傷機転は下極裂離骨折と同様である．通常軟骨片は伴わない．吉峰らは単純X線写真上で裂離骨片が膝蓋骨中枢側に帽子状に描出されるため cup fracture と呼称した．膝蓋骨は低位を呈する．

成人の場合は慢性腎不全が大腿四頭筋腱膝蓋骨付着のアミロイドーシスを合併し，脆弱化により大腿四頭筋腱損傷と同時に膝蓋骨付着部に裂離骨折を生じることが多い．

治療は大腿四頭筋腱断裂に準じて行う．

1086 各 論 第 17 章 下肢の骨折

d 臨床症状

関節血症による著明な腫脹と骨折部に限局性圧痛がある．疼痛のため膝関節運動は著しく障害され，離開した横骨折の場合は骨片間に間隙を触れ膝関節自動完全伸展が不能となる．軋音がある．

e 診 断

外傷の既往と局所の疼痛，関節血症，限局性の圧痛，膝関節自動完全伸展障害などの臨床所見により診断は容易である．ただし亀裂骨折の場合は打撲などとの鑑別が必要である．

単純X線写真は通常の2方向撮影（膝蓋骨正面撮影と膝関節正面撮影とは異なる）に，もし膝関節屈曲が可能であれば軸射像 skyline view を撮影する．単純X線写真上，分裂膝蓋骨との鑑別診断が重要で，通常分裂膝蓋骨は膝蓋骨の上外側にみられ関節血腫を伴うことはない．

スリーブ骨折 sleeve fracture は膝蓋骨高位の有無に注意し，要すれば両側の単純X線写真側面像を撮影し健側の膝蓋骨の位置と比較をする．

剪断性骨軟骨骨折はほとんどが膝蓋骨外側脱臼時に発生するので，疼痛，関節内出血による腫脹と共に膝蓋骨の内側部に限局する圧痛が特徴的である．反復性脱臼で自然整復された場合は，疼痛や腫脹が見られないことが多いので注意を要する．先天性膝蓋骨外側不安定性を基盤とすることが多いので健側の膝蓋骨外側不安定性の存在が診断上参考となる．単純X線写真上骨折片が描出されないことがある．MRI，直視下で観察できる関節鏡検査は確定診断にきわめて有用である（図 17-4-6, 7）．

f 治 療

1) 保存療法

骨片間に離開がない場合，膝蓋支帯に損傷がないかあっても軽微な場合には転位が起こらず保存療法の適応となる．通常は膝関節伸展位で cylinder 型プラスチックキャストまたは伸展位固定装具で固定を行う．足関節は固定しない．しかし cylinder 型プラスチックキャストはその重量により下へずり落ちやすいので，膝関節を 10° 位屈曲して固定する方法もある．荷重歩行は可能である．保存療法が適応される骨折の場合は通常固定期間は約 4 週である．

2) 手術療法

a) 手術適応

転位のある横骨折，粉砕骨折では膝蓋支帯も断裂し，徒手整復は不可能なので手術の適応となる．縦骨折も骨折部の離開のあるものは，血行障害を起こしやすいので手術療法の適応となることが多い．

b) 手術法

皮膚切開は一般に膝蓋骨中央部の横切開が用いられる．この切開は膝蓋骨の内側から外側まで良好な展開が得られるが，横骨折では皮膚切開線と骨折線が一致すること，早期関節運動訓練に不利であることなどの短所もある．正中縦切開，内または外

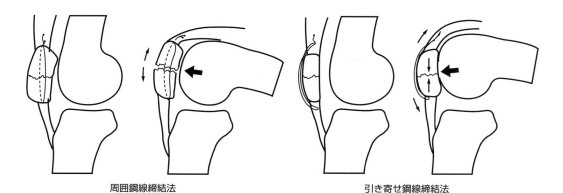

周囲鋼線締結法
膝蓋骨周囲を輪状に締結する

引き寄せ鋼線締結法
膝蓋骨前面で締結する

図 17-4-9　膝蓋骨骨折に対する引き寄せ鋼線締結法

側傍膝蓋切開などが用いられることもある．縦切開は膝蓋骨を十分に展開するためにはやや大きくなるが，大腿四頭筋腱や膝蓋腱まで展開が必要になった場合には容易に切開を延長することができる．

　膝蓋骨骨折は引き寄せ鋼線締結法 tension band wiring (Zuggurtung) 法のよい適応である．膝蓋骨を整復しその周囲を鋼線で固定すると (周囲鋼線締結法) 膝関節屈曲時に大腿四頭筋が緊張し骨折の前方部は離開する．一方，膝蓋骨前面に鋼線を通し，骨折部を引き寄せ圧迫するように締結 (引き寄せ鋼線締結法) すると，膝関節屈曲時に骨折部を離開させようとする力を吸収するばかりではなく，膝蓋骨は大腿顆間窩の方向に引かれて軸方向の圧が加わり骨折面に動的圧迫力が作用し，骨癒合が促進される (図 17-4-9)．

　さらに骨折部の強固な固定を図るときには，Kirschner 鋼線を 2 本長軸に平行に刺入し，これに鋼線をかける締結法を行う．最近は金属製鋼線の代わりにポリエチレン製ケーブルや吸収製ケーブルを用いる方法が報告されている．また Kirschner 鋼線の代わりにスクリューを用いることもある (図 17-4-10)．最近は締結に用いる鋼線が Kirschner 鋼線からはずれるのを防止できる内固定子 (pin and sleeve system) が開発されている (図 17-4-11 〜 13)．

　縦骨折に対してはスクリューのみで固定することができる．

　粉砕骨折では鋼線による固定時に主骨片間の接触が不十分で整復位が維持できない場合は，あらかじめ膝蓋骨前面をミニプレートで固定する方法が報告されている．

　膝蓋骨尖 (下極) の骨折や sleeve fracture の場合は，鋼線を近位側は大腿四頭筋腱の中を膝蓋骨の上縁に沿って通し膝蓋骨の前面で交叉させ，遠位側は脛骨粗面に固定する方法を用いる．膝蓋骨下極粉砕骨折で骨折片が関節面を含まない場合には，骨片を摘出し近位骨片を直接膝蓋腱に固定することもある (図 17-4-14, 15)．

　膝蓋骨の剪断性骨軟骨骨折で骨軟骨片が大きい場合は整復し吸収ピンで固定する．小さい場合は，関節鏡視下に摘出し外側支帯解離を，Q 角が大きく再脱臼の可能性の高い場合，脱臼を繰り返す場合は，脛骨粗面の内方移行術などの遠位部でのリアライメント distal realignment を図る手術を追加する．

1088　各論　第17章　下肢の骨折

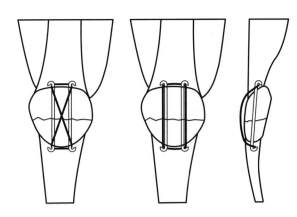
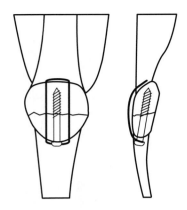

Kirschner鋼線と鋼線による固定　　　　スクリューと鋼線による固定

図17-4-10　横骨折に対する各種の鋼線締結法
スクリュー，Kirschner鋼線を併用することが多い．

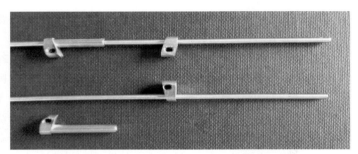

図17-4-11　pin and sleeve system

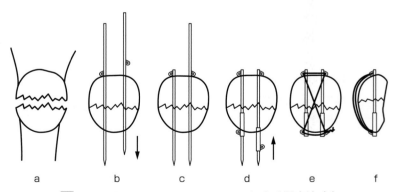

図17-4-12　pin and sleeve systemによる固定法（1）
a. 膝蓋骨骨折．b, c. 整復しフック付きKirschner鋼線を2本刺入しピンをフックの上縁でカットする．d. フック付きスリーブをKirschner鋼線を通して打ち込み器で打ち込み余分の鋼線をカットする．e, f：ワイヤーをそれぞれのフックの孔に通し，膝蓋骨前面で交叉するように固定する（fは側面像）．

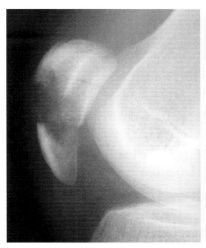
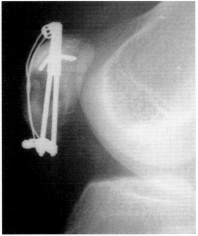

図 17-4-13　pin and sleeve system による固定法（2）

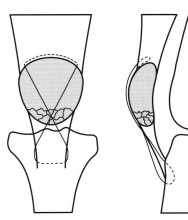

図 17-4-14　膝蓋骨尖（下極）骨折に対する鋼線締結法

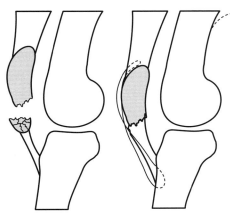

図 17-4-15　膝蓋骨尖（下極）骨折部摘出後鋼線締結法

附-24　膝蓋骨骨折に対する最小侵襲手術　minimally invasive surgery

　近年，膝蓋骨骨折に対しても手術侵襲を可及的に少なくする工夫が行われている．膝蓋骨上極と下極に小切開を加え，膝蓋骨上縁に接するように大腿四頭筋腱内に鋼線を刺入し，次いで鋼線の両端を膝蓋骨前面皮下に交叉するように通し，さらに一方の鋼線端を膝蓋骨下縁に接するように膝蓋腱を通して締結する方法である．粉砕骨折の場合は，さらに膝蓋骨内・外側に小切開を加えて膝蓋骨周囲に鋼線を通して締結する．

　pin and sleeve system を用いると鋼線の両端を曲げる必要がないので，操作は容易となる．

g 後 療 法

引き寄せ鋼線締結法を行った場合には，術後3〜4日は膝関節軽度屈曲位で外固定を行い，歩行時には松葉杖を用いて免荷する．

大腿四頭筋強化訓練は手術翌日から開始する．

伸展位で外固定（プラスチックキャスト，膝関節伸展位装具）を行う場合は疼痛に応じて早期に荷重を開始する．

手術侵襲による腫脹や疼痛が軽減したら，CPM装置を用いて関節可動域訓練を開始する．膝関節の可動域は疼痛に合わせて徐々に増大させる．

h 術後成績を左右する因子

膝蓋大腿関節は大腿脛骨関節の屈伸運動に伴い受動的に膝蓋骨が大腿骨膝蓋関節面上を滑走すると同時に，膝蓋大腿関節の良好な適合性を保つために，膝蓋骨自体も自転運動を行うという複雑な運動体を構成している．したがって骨折による転位や関節面の変形は後に膝蓋大腿関節症による疼痛をもたらす．

また膝蓋骨の近位1/2と遠位1/2は血行動態が異なり，前者は後者に比較して血管分布が少ない．したがって最も頻繁にみられる横骨折の場合，近位骨片は骨壊死に陥る可能性があるが，臨床的には膝蓋骨横骨折後の血液循環障害による近位骨片の壊死はまれとされている．この病態についてはWatson-Jonesの報告を嚆矢とするが，Scapinelliの162例の横骨折手術例のうち約25％に単純X線写真上近位骨片になんらかの程度の骨壊死像を観察している．しかし，この骨壊死像は重症度に関係なくほぼ全例において6ヵ月後には回復し骨癒合を果たしている．

膝蓋骨横骨折を観血的に治療する場合には，膝蓋骨の近位骨片への血行は膝蓋骨周辺を取り囲む環状血管網が膝蓋骨前面から進入し，膝蓋骨尖（下極）からの血管網は遠位骨片に血行を供給しているにすぎないので，整復操作に際して膝蓋骨前面部の血管を損傷せぬように注意することが骨癒合を早期に得るために重要である．

また膝蓋骨上外縁部骨折，膝蓋骨外縁部縦骨折は血行がきわめて乏しいので骨癒合が得にくい．したがって骨片が小さい場合には摘出術の適応も考慮する必要がある．

附-25 膝蓋骨骨折偽関節

膝蓋骨骨折後の偽関節は比較的まれで2つの原因がある．ひとつはいわゆる狭義の偽関節で，もうひとつは不十分な内固定により術後経過中に近位骨片と遠位骨片が大きく離開したために骨癒合が得られなかったものである．前者に対しては骨折面を十分に新鮮化し，引き寄せ締結法により固定する．すでに引き寄せ締結法を行ったが偽関節を形成した場合には，両骨片間にまたがるように中央部に骨溝を掘り，腸骨稜などから採取した骨片を移植し，再度引き寄せ締結法により十分な内固定を行う．後者の場合は近位骨片が大きく中枢側に転位しており，遠位骨片まで引き下げるのが困難なことがある．この場合には大腿四頭筋腱から内・外側広筋と膝蓋支帯を一度切離すると引き下げることができ，骨折面を新鮮化し両骨片を引き寄せ鋼線締結法で固定した後に内・外側広筋を大腿四頭筋腱に縫着する．この場合は骨移植は不要のことが多い．

内固定が確実であれば術後早期からCPM装置を用いて関節可動域訓練を開始することができる．

附-26 二次性膝蓋大腿関節症

骨折の形態が複雑であるほど関節面の不適合による二次性変形性関節症を合併しやすい．立ち上がり時，階段昇降時，長時間歩行後に膝蓋大腿関節部に疼痛が出現し，その治療に難渋することがある．

附-27 膝蓋骨摘出術

以前は粉砕状骨折の場合は膝蓋骨摘出術が行われたこともあった．しかし膝蓋骨摘出後は大腿四頭筋の萎縮が回復しないこと，それに伴い膝関節伸展機構の力が著しく減少し，伸展不全を生じること，大腿脛骨関節に二次性変形性変化や関節不安定性をもたらすことなどさまざまな重大な合併症を惹起することが明らかにされてからは，膝蓋骨摘出術を行うことはほとんどなくなった．膝蓋骨を摘出するとその部分は著しく菲薄化するため大腿四頭筋腱膜の中央部を短冊状に前後2層に切り，その前方部を反転して菲薄部を補強する．AOグループは可及的に膝関節伸展機構を残しつつ，膝蓋骨摘出後の欠損部は大腿四頭筋腱と膝蓋腱を直接縫合することを勧めている．これにより膝関節伸展機構は少し短縮するが，muscle preloadを増加させる利点がある．骨片が少しでも残っていると膝蓋骨のlever arm機能を保つことができる．

また，膝蓋骨が欠損していると，将来人工関節置換術が必要となった場合に手術操作はきわめて困難になる．

参考文献

1) Bishay M：Sleeve fracture of upper pole of patella. J Bone Joint Surg **73-B**：339, 1991.
2) Bostman A et al：Comminuted displaced fractures of the patella. Injury **13**：196-202, 1981.
3) Bostman A et al：Fractures of the patella treated by operation. Arch Orthop Trauma Surg **102**：78-81, 1983.
4) Bostman A：Fractures of the patella. A study of 422 patellar fractures. Acta Orthop Scand **143**（suppl）：1-80, 1983.
5) Camarda L：FiberWire tension band for patellar fractures. J Orthop Traumatol **47**：75-80, 2016.
6) Crock HV：The arterial supply and venous drainage of the bone of the human knee joint. Anat Rec **144**：199-218, 1962.
7) 土居通泰ら：膝蓋骨骨折の内固定法（土居）．整形外科 Mook 増刊 **1-E**：13-16, 1983.

8) Dowd GS：Marginal fractures of the patella. Injury **14**：287-291, 1982.
9) Duthie HL et al：The results of partial and total excision of the patella. J Bone Joint Surg **40-B**：75, 1958.
10) Fujikawa K et al：Biomechanics of patello-femoral joint. Part-1. A study of the contact and congruity of the patello-femoral compartment and movement of the patella. Engineering in Med **12**：3-21, 1983.
11) Fujikawa K et al：Reconstruction of the extensor apparatus of the knee with the Leeds-Keio ligament. J Bone Joint Surg Br **76**：200-203, 1994.
12) 冨士川恭輔ら：膝蓋骨骨折に対する pin and sleeve system による手術法について．整形外科 **8**：631-635, 1997.
13) 冨士川恭輔：膝関節の tangential osteochondral fracture．泉田・矢部編，エース整形外科学，631-635, 南山堂, 1990.
14) 冨士川恭輔ら：膝関節の tangential osteochondral fracture．関節外科 **4**：281-288, 1985.
15) 冨士川恭輔：小児の骨折．膝関節損傷．整形外科 Mook No.13．205-225, 金原出版, 1980.
16) Gardner MJ et al：Complete exposure of the articular surface for fixation of patellar fractures. J Orthop Trauma **19**：118-123, 2005.
17) Garr EL et al：Degenerative changes following experimental patellectomy in the rabbit. Clin Orthop **92**：296, 1973.
18) Haajanen J：Fractures of the patella. One hundred consecutive cases. Ann Chir Gynecol **70**：32-35, 1980.
19) Houghton GR：Sleeve fractures of the patella in children. J Bone Joint Surg **61-B**：165-170, 1979.
20) Houghton GR et al：Sleeve fractures of the patella in children：a report of three cases. J Bone Joint Surg **61-B**：165-168, 1979.
21) Huang LK et al：Fractured patella. Operative treatment using the tension band principle. Injury **16**：343-347, 1985.
22) 井出亮太ら：膝蓋骨粉砕骨折に対してミニプレートとポジショニングスクリューによる固定法を用いた 3 例．関東整災誌 **51**：463-468, 2020.
23) 加納洋輔ら：膝蓋骨陥没骨折の 1 例．関東整災誌 **52**：136-140, 2021.
24) Lindor RA et al：Patellar Fracture with Sleeve Avulsion. N Engl J Med **375**：e49, 2016.
25) 真鍋尚至ら：小児における膝蓋骨剝離骨折の治療経験．臨整外 **45**：755-759, 2010.
26) 松本亮紀ら：膝蓋骨骨折に対する超高分子量ポリエチレン製ケーブルの使用経験．整形外科 **68**：1356-1359, 2017.
27) Melvin JS et al：Patella fractures and extensor mechanism injuries. Court-Brown CM, et al：Rockwood and Green's Fractures in Adults. 8th ed. Wolters Kluwer. Philadelphia, 2269-2302, 2015.
28) 森川圭造：膝蓋骨骨折の手術治療．Monthly Book Orthopaedics **16**：20-26, 2003.
29) Peeples RE et al：Function after patellectomy. Clin Orthop **132**：180, 1978.
30) Scapinelli R：Blood supply of the human patella. Its relation to ischemic necrosis after fracture. J Bone Joint Surg **49-B**：563-570, 1967.
31) 高橋　徹ら：膝蓋骨下極骨折に対する治療経験．整形外科 **59**：1086-1089, 2008.
32) Veselko M et al：Inferior patellar pole avulsion fractures：osteosynthesis compared with pole resection. Surgical technique. J Bone Joint Surg **87-A** (Suppl 1 Part 1)：113-121, 2005.
33) 吉峰史博ら：若年者の膝蓋骨近位端剝離骨折の 1 例．整・災外 **31**：867-870, 1988.
34) 湯浅伸也ら：膝蓋骨骨折に対し吸収性骨接合材及び吸収糸を用いた引き寄せ締結法による治療経験．整外と災外 **63**：862-863, 2014.

5 膝蓋骨脱臼 dislocation of the patella

膝蓋骨は内側，外側広筋の腱膜である内側，外側膝蓋支帯により固定され，これらの支帯は関節包に密着する．内側支帯のほぼ中央部は厚いバンド状になり，膝蓋骨内側縁部と大腿骨内側上顆付近を結合し内側膝蓋大腿靱帯（medial patello-femoral ligament：MPFL）と呼ばれ，膝蓋骨外側偏位を抑制する最も重要な支持組織である．

2度以上脱臼したものを反復性膝蓋骨脱臼，膝関節を屈伸する度に脱臼するものを習慣性膝蓋骨脱臼といういわゆる先天性素因のある膝蓋骨脱臼は日常の臨床で遭遇することが比較的多いが，純粋な外傷性膝蓋骨脱臼はまれである．しかし両者は正しく鑑別されずに混同されることが多い．いずれも膝蓋骨は外側に脱臼するが，先天性素因のある膝蓋骨脱臼は膝蓋骨の特に外側方向の不安定性が高度で，軟部支持組織の素因以外に膝蓋骨の形態，大腿骨膝蓋関節面の形成不全，時に膝蓋骨高位が基盤にある．初回脱臼は小学校高学年頃に多く，大きな外傷を伴わずに膝関節軽度屈曲位で下腿を固定した状態で大腿を強く内旋した際に発生する．一度起こると繰り返すことが多く，2度以上発生した場合に反復性膝蓋骨脱臼という．脱臼が大腿四頭筋の反射性緊張により自然整復されることが少なくなく，この時に膝蓋骨中央稜内側部，時に大腿骨外側顆縁の剪断性骨軟骨骨折 tangential osteochondral fracture を生じることがある．

一方，外傷性膝蓋骨脱臼は上記の先天性素因はなく，初期治療が正しく行われると反復性になることはない．また自然整復されることが少ないので，剪断性骨折を合併することはない．

a 受傷機転

下腿，足部が固定され，膝関節軽度屈曲位で体幹，大腿を内旋した際に先天性素因がある場合は容易に，また膝蓋部に内側から大きな外力が加わった時には外傷性脱臼が発生する．ラグビーやアメリカンフットボールでタックルを受けた時，野球でベースに滑り込み，ベースに足を引っかけたまま相手選手とぶつかった時などに発生する．

b 分　類

関節外脱臼：関節包が損傷し，膝蓋骨が関節包外に脱臼する．ほとんど外側脱臼で，膝蓋骨が大腿骨外側顆を乗り越えて外側に転位するものである．

膝蓋骨内側支持機構が損傷され，特に内側膝蓋大腿靱帯が完全に断裂している場合には，膝蓋骨を整復しても tilting が残存することが多い．

関節内脱臼：関節包の損傷がなく膝蓋骨は関節包内にとどまる．大腿骨膝蓋関節面に対して膝蓋骨が水平位に転位する．大腿四頭筋腱が膝蓋骨から裂離・損傷する場合は膝蓋骨関節面が近位側を向き，膝蓋腱が裂離・損傷する場合は遠位側を向く（図17-5-1）．

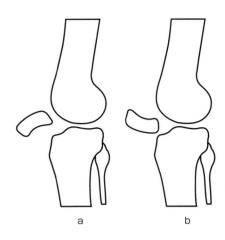

図 17-5-1　膝蓋骨関節内脱臼（水平脱臼）
a. 膝蓋骨関節面は脛骨関節面を向くように転位し膝蓋腱の断裂を伴う．
b. 膝蓋骨関節面は近位を向くように転位し大腿四頭筋腱の断裂を伴う．

膝関節伸展機構が損傷した場合は，前者の場合には膝蓋骨がそのまま遠位に，後者の場合には近位に逸脱する．この場合は通常膝関節伸展機構損傷（大腿四頭筋腱断裂，膝蓋腱断裂）と診断し膝蓋骨脱臼とはいわない．

c 臨床症状

関節外外側脱臼が大部分である．先天性素因がある膝蓋骨外側脱臼は，自然整復され腫脹も少ないが，素因のない場合は自然整復されないことが多く，膝蓋骨は外側に転位して触れ，膝関節前方部の変形を認める．腫脹，皮下出血，疼痛，膝蓋骨内側部の圧痛が著明である．内側膝蓋大腿靱帯を含めて膝蓋骨内側支持機構が完全に断裂すると，徒手整復しても膝蓋骨の解剖学的整復位が保てないことがある．

関節内脱臼は，膝蓋骨の底（上極）または尖（下極）が突出しているのを触れることができる．

d 治　　療

外傷性膝蓋骨脱臼の多くの症例は徒手整復が容易であるが，整復位が保てないこともある．整復が得られた後2〜3週膝関節伸展位でプラスチックキャスト固定を行う．その後はさらに4週動的膝蓋骨固定装具を装着し可動域訓練，大腿四頭筋訓練を行う．

徒手整復されても整復位が保てない場合は手術が適応される．内側膝蓋大腿靱帯をよく展開して一次修復をし，内側膝蓋支帯を縫合する．必要に応じて外側膝蓋支帯の切離を追加する．約2週プラスチックキャスト固定後，後療法を行う．初期治療が正しく行われた場合は，再脱臼することはほとんどない．これは先天性素因に基づく（反復性）膝蓋骨脱臼との相違点である．

先天性素因に基づく反復性膝蓋骨脱臼に対しては内側膝蓋大腿靱帯の再建，またはそれとともに関節外手術（脛骨粗面内方移行術）を行う．

Cofield らは50例の膝蓋骨脱臼を保存的に治療し約30％に再発を経験しているが，治療法，年齢，性別，受傷機転と予後は関連しないと報告し，初期には保存療法を勧めている．Larsen らは79例中22例は筒状プラスチックキャストで，57例は弾力包帯固定で保存的に治療し，再脱臼は治療法とは関係なく20歳以下の症例ではほとん

ど再脱臼はみないとし，まず保存療法を適応し，再脱臼例に手術を行うとしている．再発を多く報告するシリーズには多くの先天性素因を有する膝蓋骨脱臼が含まれていると考えられる．

関節内脱臼は徒手整復は困難で通常観血的整復が適応される．とくに内側膝蓋大腿靱帯の修復は重要である．損傷が高度の場合は再建術を行う．膝関節伸展機構（大腿四頭筋腱，膝蓋腱）損傷を合併しているので，それらの修復も同時に行う．

参考文献

1) Aud G：Downward dislocation of the patella. J Am Med Assn **78**：1457-1458, 1922.
2) Brady TA et al：Intraarticular horizontal dislocation of the patella. J Bone Joint Surg **47-A**：1393-1396, 1965.
3) Brown KP：Intraarticular dislocation of the patella. Edinburgh Med J **31**：403-406, 1924.
4) Cheesman WS：Dislocations of the patella with rotation on the horizontal axis. Ann Surg **41**：107-114, 1905.
5) Cofield RH et al：Acute dislocation of the patella：Results of conservative treatment. J Trauma **17**：526-531, 1977.
6) Conlan T et al：Evaluation of the medial soft-tissue restraints of the extensor mechanism of the knee. J Bone Joint Surg **75-A**：682-693, 1993.
7) Despotidis V et al：Intra-articular horizontal dislocation of the patella：a rare injury and review of the literature. BMJ Case Rep **13**：e232249, 2020
8) Duthon VB：Acute traumatic patellar dislocation. Orthop Traumatol Surg Res **101**：S59-67, 2015.
9) Feneley RC：Intra-articular dislocation of the patella. J Bone Joint Surg **50-B**：653-655, 1968.
10) Fujikawa K et al：Biomechanics of the patello-femoral joint. Part-I A study of the contact and congruity of the patello-femoral compartment and movement of the patella. Engineering in Medicine **12**：3-21, 1983.
11) Murakami Y：Intra-articular dislocation of patella. Clin Orthop **171**：139, 1982.
12) Nomura E：Classification of lesions of the medial patello-femoral ligament in patellar dislocation. Int Orthop **23**：260-263, 1999.
13) Nomura E et al：Medial patellofemoral ligament restraint in lateral patellar translation and reconstruction. Knee **7**：121-127, 2000.
14) 野村栄貴ら：内側膝蓋大腿靱帯の機能解剖．臨整外 **28**：5-10，1993.
15) 野村栄貴ら：反復性膝蓋骨脱臼に対する内側膝蓋大腿靱帯再建術後の長期成績．膝 **30**：67-70, 2005.
16) 山岡康浩ら：膝蓋骨脱臼に対する MPFL 再建術の治療成績—外傷性脱臼例，習慣性脱臼例の比較，JOSKAS **38**：182-183，2013.
17) 野村栄貴ら：新鮮膝蓋脱臼に伴う内側膝蓋大腿靱帯損傷の手術所見．膝 **17**：102-106, 1991.
18) Nwachukwu BU et al：Surgical versus conservative management of acute patellar dislocation in children and adlescents：a systematic review. Knee Surg Sports Traumatol Arthrosc **24**：760-767, 2016.
19) Sallay PI et al：Acute dislocation of the patella. A correlative pathoanatomic study. Am J Sports Med **24**：52-60, 1996.
20) Schneller S et al：Traumatic dislocation of the patella. A radiographic investigation. Acta Radiol Suppl **336**：1-160, 1974.

6 脛骨近位部骨折 fracture of the proximal tibia

A 脛骨顆部骨折 fracture of the tibial condyle

脛骨顆部は大腿骨顆部とともに大きな可動域を有する大腿脛骨関節を構成し，その形態上の特徴と大きな荷重や外力が加わりやすいこと，さらに両骨は強靱な靱帯により固定されていることなどから，複雑な骨折を生じやすい．これらの骨折により関節面の不適合，変形，下肢軸の異常及び関節の不安定性などをきたすと膝関節として大きな機能障害が惹起され，将来変形性関節症を発症することが多い．脛骨顆部骨折の治療の基本は，関節面，脛骨（下肢）軸の解剖学的整復，関節安定性及び関節可動域の確保である．

脛骨顆部骨折に対して以前は保存療法が行われることが少なくなかったが，近年は観血的に可及的に解剖学的整復を図り，強固な内固定を行い，早期に関節可動域訓練，筋肉強化訓練を開始する方法が主流となり予後は著しく向上している．特にロッキングプレート locking plate が開発されてからは，従来骨折部の両面から固定する dual plating 法が行われた症例に対して，ロッキングプレートはスクリューとプレートが固定されるために骨折部の一側のみ固定する single plating 法が可能となり手術侵襲が小さくなった．また手術侵襲をさらに小さくするために，最小侵襲プレート固定 minimally invasive plating osteosynthesis（MIPO）が利用されるようになり，さらに関節鏡視下に陥没した関節面を押し上げて整復し，rafting 法（附-29 参照）により関節面の安定を確保し，骨欠損部に骨または人工骨を充填する方法も一般化されている．

長野は脛骨近位部から骨幹部に及ぶ骨折に対しては，まず関節面の整復を行い，創外固定器，スクリューなどで固定し，軟部組織の修復を待って（平均 11.6 日）二期的に MIPO 法による強固な内固定を行う方法を報告している．しかしロッキングプレート，MIPO はすべての脛骨顆部骨折に適応されるものではなく，限界もあるので本法の理論をよく理解して適応すべきである．

a 解剖・機能解剖

脛骨顆部は重要な荷重関節である膝関節（大腿脛骨関節）の遠位側を構成し，骨幹部より近位に向かって扇状に広がりその底辺にあたる関節面は 2 つの凸状の大腿骨顆部を受け，両者は関節内・外の強靱な靱帯によって固定されている．大腿骨顆部関節面と脛骨顆部関節面の間には，荷重伝達機能を担う線維性軟骨からなる内・外側半月板が介在する．

脛骨顆部関節面は内・外側関節面と中央の非関節部である顆間隆起（脛骨内・外側顆間結節）に分けられる．

脛骨外側関節面は矢状面では軽度に凸状を，前額面ではわずかに凹状か平面を呈する．内側関節面は矢状面，前額面ともに凹状を呈し，外側関節面より大きい（図 17-6-1, 2）．前額面では内・外関節面を結んだ線は脛骨長軸とほぼ直交する．矢状面では

6 脛骨近位部骨折　*1097*

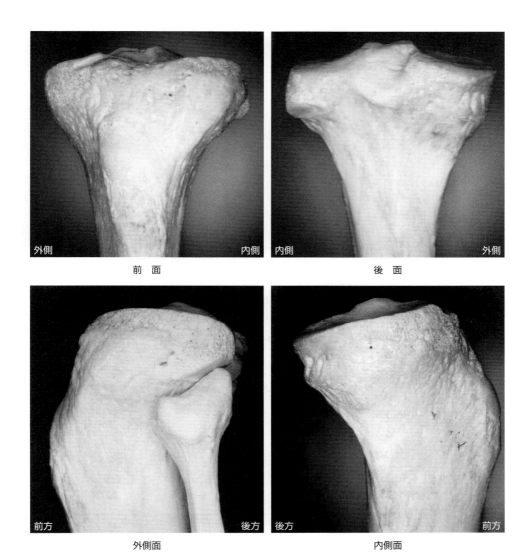

図 17-6-1　脛骨顆部の形態

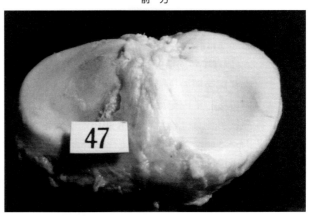

図 17-6-2　脛骨顆部関節面の形態

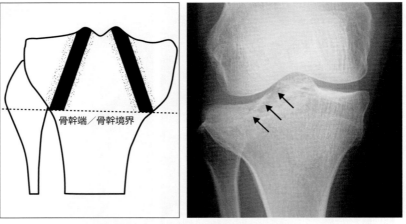

図 17-6-3　脛骨顆部力学的抵抗減弱部
矢印は減弱部に沿う骨折線

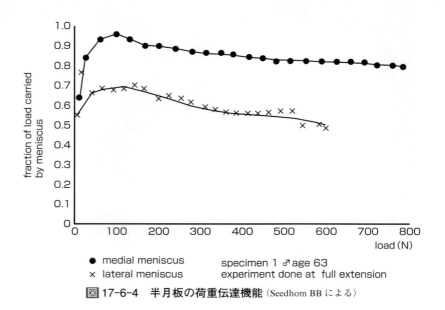

図 17-6-4　半月板の荷重伝達機能（Seedhom BB による）

　関節面は脛骨長軸に対して 9〜13°後方に傾斜する．実験的には大腿脛骨角 femoro tibial angle（FTA）が 172〜175°（軽度外反）で下肢機能軸が膝関節の中央を通っても，荷重は内側関節面の負荷が大きくなる．このことは脛骨顆部の軟骨下骨組織の骨梁密度が外側に比して内側のほうが高いことでも裏づけられている．したがって脛骨顆部は構造的に外側前 2/3 部が最も弱い．また解剖学的に骨梁の走行からみると，顆間隆起の内・外側縁から骨幹端遠位側骨皮質に引いた線付近が抵抗減弱部となり骨折線が走りやすい（**図 17-6-3**）．
　大腿脛骨関節面の荷重は大部分は半月板を介するが，一部は直接関節面を介している．Seedhom の実験によると膝関節伸展位で内側は荷重の 70〜90％，外側は 60〜70％が半月板を介して伝達されている（**図 17-6-4**）．戸松の silicon rubber casting 法

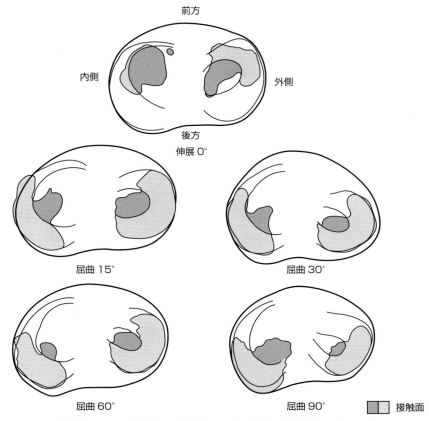

図 17-6-5　膝関節屈伸運動における荷重面の移動 (戸松による)

を用いた実験によると，荷重面は膝関節最大伸展位では脛骨関節面の前方にあり，屈曲とともに後方に移動する．荷重面の面積は伸展 0〜15° 付近で約 20 cm^2 と最大となり，屈曲するに従い減少し 90〜100° 屈曲位では 11 cm^2 となる（図 17-6-5）．

外側顆間結節よりやや前方にある内側顆間結節前方部には内側半月板前角，後方部には内側半月板後角，中央部には前内側線維と後外側線維からなる前十字靱帯が付着し，外側顆間結節前方部には外側半月板前角，後方部には外側半月板後角が付着している．

後十字靱帯の一部は外側顆間結節後方に，一部は関節外脛骨顆部後面に付着し，前十字靱帯より太く強靱なため脛骨付着部剥離骨折が発生しやすい．

内側側副靱帯前縦走線維（浅層）は大腿骨内側上顆と脛骨内側顆を結び，膝関節伸展位から屈曲位まで常に緊張性を保つのに対し，外側側副靱帯は大腿骨外側上顆と腓骨頭を結び，中間部で膝窩筋腱と強靱な線維で連結し膝関節伸展位付近では緊張するが，40° 以上屈曲位では膝関節に内反力が加わったときに緊張する．

膝関節部は膝動脈網といわれるように，大腿動脈から直接分岐する下行膝動脈を中心に，内，外側上膝動脈，内，外側下膝動脈，前，後脛骨反回動脈，さらに外側大腿回旋動脈が加わりクモの巣状の network を作り，血行はきわめて豊富である（図 17-6-6）．

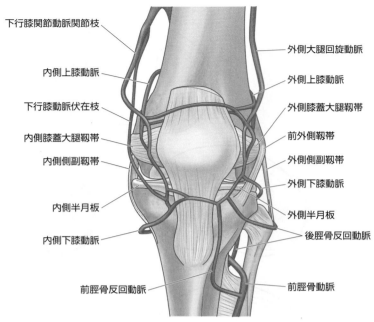

図 17-6-6 膝関節周辺の動脈分布

　大腿部の後面中央を下降する坐骨神経は，膝関節裂隙よりやや中枢部で総腓骨神経と脛骨神経に分かれる．脛骨神経は脛骨後動脈とともに下腿後面を下降するが，総腓骨神経は膝関節高位で後外側に向かい腓骨頭の後方に接しながら知覚枝を分枝し下腿の伸筋群に入る．また大腿神経の分枝である伏在神経は膝関節の前内側を下降する知覚枝である．これらの神経は脛骨顆部骨折に合併して損傷することは希であるが治療中に損傷することがある．特に腓骨神経は外固定中にプラスチックキャストと腓骨頭に圧迫され，又伏在神経は内側傍膝蓋皮切により切断されることが多いので注意を要する．

b 受傷機転

　脛骨顆部の解剖学的特徴，外力の大きさと方向（内反，外反，圧迫，それらの組み合わせ）および受傷時の膝関節の肢位によって，おおよその骨折形態が決定する．

　渡部によると脛骨近位部の骨梁の構造特性により，骨端接合部より遠位は剪断力に対して弱いため楔状（split）骨折が生じやすい．また軟骨下骨および顆部海綿骨は圧迫力に対してショックアブソーバーとして機能するため，強力な軸圧負荷が関節面に加わった場合，荷重部直下の海綿骨には剪断力が発生しにくく，関節軟骨─軟骨下骨─海綿骨が一塊として陥没する（compression）．したがって粉砕しない場合は陥没部を一塊として整復できることが多い．

1）外側顆骨折

　脛骨外側顆骨折は通常膝関節外反，圧迫力によって生じる．

　膝関節の外反が強制されて球状の大腿骨外側顆が脛骨外側顆を衝撃的に圧迫する

と，脛骨顆間隆起外側部から外下方に斜走する骨折 sliding fracture が生じる．外側顆関節面の損傷は少ない．外反力がさらに大きい場合にはその衝撃により，骨折片が遠位側に転位する．しばしば腓骨頭骨折，内側側副靱帯さらに十字靱帯損傷を合併することがあり，脛骨顆部は内側に亜脱臼する．

大腿外側顆縁が脛骨関節面を衝撃した場合には裂離（split）型骨折または関節面の陥没型骨折（粉砕する）を生じる．ときに内側側副靱帯，十字靱帯損傷を合併すると外側側副靱帯が弛緩したり外側半月板が圧挫されることがある．これらのいずれの骨折型でも内側顆に第2の骨折線が入り両側顆骨折となることがある（図 17-6-7, 8）．

■2) 内側顆骨折

内側顆骨折の発生機序も内，外反の相違はあるがほぼ外側顆骨折に準じる．ただし若年者では膝関節は生理的に外反位をとっていること，内側顆部関節面は解剖学的骨稜配列が外側に比して強化されていること，膝関節には外反外力に比較して内反外力が加わりにくいことなどから，内側顆骨折は外側顆骨折より起きにくい．

Kennedy らは実験的に膝関節の屈曲角度を変えながら脛骨関節面に外反力，外反力＋圧迫力，圧迫力，圧迫力＋外反力を加えて骨折の発生機序を検討した．外反力が加わるときには脛骨外側顆の裂離（split）型，裂離・陥没（split depression）型，陥没（depression）型またはこれらの複合した骨折が生じ，圧迫力の場合には陥没型となり，膝関節の屈曲角度が増すにつれて荷重面が後方に移動するので，骨折部位も後方へ移動することを報告した（図 17-6-9）．

外反力が加わると内側側副靱帯が緊張し hinge となり（nut cracker theory），特に膝関節伸展位では裂離・陥没型骨折となり得るが，屈曲位では外反力が加わっても内側側副靱帯の hinge action が弱く裂離・陥没型とはならない．圧迫力が同時に加わった場合には靱帯損傷の合併は起きにくく，陥没型骨折となるという意見もある．裂離型骨折は若い世代に起こりやすく，陥没型骨折は骨粗鬆症を伴う高齢者に起こりやすく，比較的軽微な外傷で生じ粉砕状になることが多い．通常両側顆部陥没型骨折は起きない．

c 骨折の分類

骨折の分類は治療法と予後を示唆し，かつ単純なものでなくてはならない．脛骨顆部骨折はいろいろな形態をなすために，多くの分類法が用いられてきた．基本的には骨折の発生部位からは，外側顆型，内側顆型，両側顆型に分類され，骨折の形態からは，裂離（split）型，陥没（depression）型，裂離・陥没（split depression）型に分類される．これらの頻度については多くの報告があり，おおよそは外側顆型が 60（55〜70）%，内側顆型が 15（10〜20）%，両側顆型が 25（20〜30）%である．しかし脛骨顆部骨折は各症例それぞれ異なった複雑な形態をとるために実際には明確に分類するのは困難なことが多い．

臨床で通常用いられる脛骨顆部骨折の分類の基礎となり頻用されるのは Hohl の分類で，その他 AO/OTA 分類，Rasmussen 分類，Schatzker 分類がある．これらはいずれも骨折の形態に基づく分類である．また Luo らによる脛骨顆部後部の（剪断）骨折を正しく評価するために脛骨プラトー部位別分類法がある．

各論 第17章 下肢の骨折

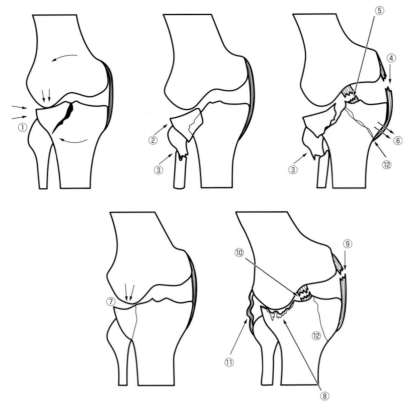

図 17-6-7 脛骨顆部骨折の発生機序
①関節面は温存される．②外力が大きいと骨折片が圧迫され遠位へ転位．③しばしば腓骨頭骨折を合併．④内側側副靱帯損傷の合併．⑤前十字靱帯損傷の合併．⑥脛骨内側顆が内側へ亜脱臼することがある．⑦脛骨外側顆の split 型骨折．⑧脛骨外側顆関節面の粉砕骨折．⑨⑩内側側副靱帯，前十字靱帯損傷の合併．⑪外側側副靱帯の弛緩．⑫脛骨内側顆の骨折→両顆骨折

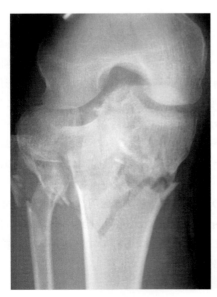

図 17-6-8 脛骨外側顆骨折→内側顆骨折発生例

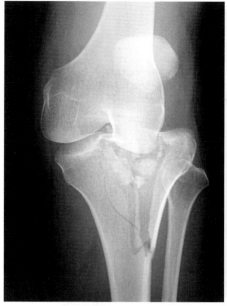 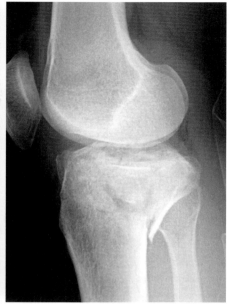
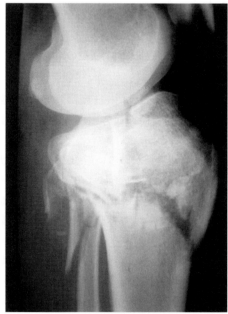 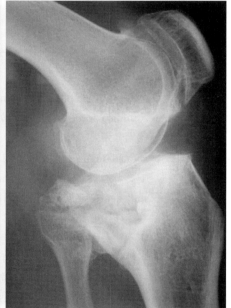

外反力＋圧迫力によるsplit depression型骨折　　　脛骨顆部後部の圧迫力による骨折

膝関節伸展位付近における圧迫力による骨折　　　膝関節屈曲位における圧迫力による骨折

図17-6-9　外力と脛骨顆部骨折の発生形態

1) Hohl分類

　　　　Hohlは805例の脛骨顆部骨折を基にその単純X線写真所見からundisplaced（非転位型）とdisplaced（転位型）に大別し，後者を骨折の程度と関節面の破壊によってlocal depression型（さらにcentral depressionおよびsplit depressionに細分類），total de-

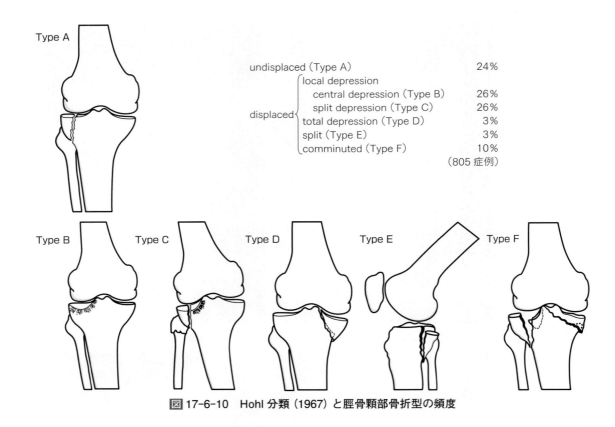

図 17-6-10 Hohl 分類（1967）と脛骨顆部骨折型の頻度

pression 型，split 型，comminuted upper end of tibia 型に分類した（図 17-6-10）．

undisplaced 型は，転位が 3 mm 以内で関節面の損傷もきわめて軽微である．時に側副靱帯，十字靱帯損傷を合併することがある．

local depression 型は圧迫により軟骨下骨がいろいろな程度に粉砕状に骨折するものである．そのうちの central depression 型は圧迫により骨折部はモザイク状になり，split depression 型は脛骨顆部骨折片の外（内）側部は外（内）方へ裂離し，大なり小なりその中心側に陥没が生じるもので，この型の外側顆骨折は内側側副靱帯損傷を合併することが多い．

total depression 型は関節面の損傷がないかきわめて軽微なのが特徴であるが，骨折片が外（内）方，下方に転位するので膝関節の軸変形（内反・外反変形）を伴いやすい．

split 型は頻度は少なく，また通常脛骨顆部の中央部（顆間部）陥没骨折はみられない．

comminuted 型は T 骨折，Y 骨折ともいわれ，いわゆる両側顆骨折である．関節面の破壊も高度で半月板損傷を合併することが多い．骨変形による不安定性が強い（図 17-6-11）．

Hohl は後にさらに細分した分類法を発表し，depression と compression を使い分けている（図 17-6-12, 13）．

2) Rasmussen 分類

骨折の部位と形態を組み合わせた分類法で，Hohl 分類法とともに現在臨床で頻用されている．まず骨折の部位を外側関節面，内側関節面，両側関節面（両顆）に分け，

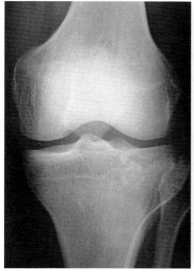
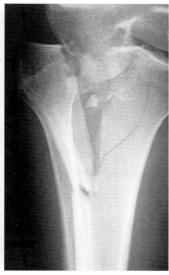
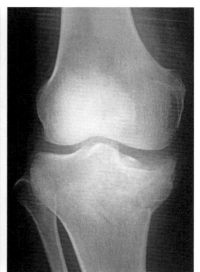

central depression　　　split depression　　　total depression

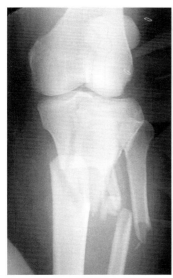
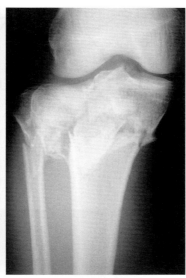

split（脛骨骨幹部骨折を伴う）　　　comminuted

図 17-6-11　脛骨顆部の骨折型（Hohl 1967）

それぞれを split 型，split compression 型，compression 型に分類する方法である．骨折の形態に関しては基本的に Hohl の分類と同様である．

3) Schatzker 分類（図 17-6-14）

骨折の形態による分類法である．

Type I（pure cleavage fracture）：いわゆる split 型で顆部が裂離する．若年者に多い．

Type II（cleavage combined with depression）：split depression 型で顆部の裂離と関節面の陥没が合併する．比較的高齢者に多い．

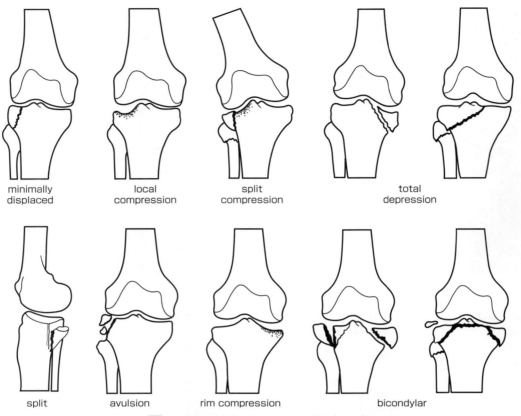

図 17-6-12　改訂された Hohl 分類 (1997)
depression と compression を使い分けている.

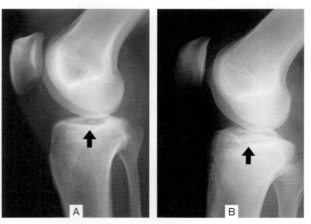

図 17-6-13　関節面の骨折形態
（A：compression．B：depression）
compression は側面の骨皮質に骨折が及び顆部全体が転位する depression は関節面の陥没骨折で骨折線は側面の骨皮質に及ばない.

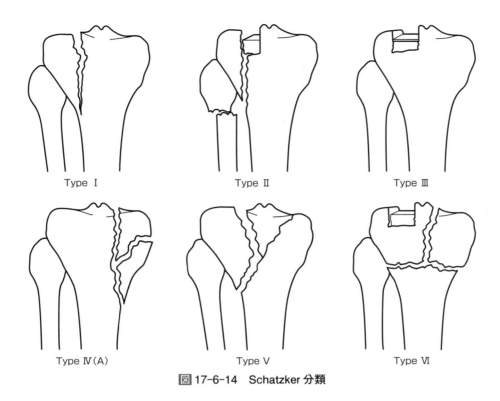

図 17-6-14　Schatzker 分類

Type Ⅲ（central depression）：外側関節面の中央部の陥没骨折で関節面以外の骨皮質には損傷が及ばない．最も頻度が高く高齢者に多くみられる．

Type Ⅳ：内側関節面の骨折で 2 型に細分される．Type Ⅳ-A は内側関節面がいろいろな大きさで楔状に裂離するもので若年者にみられる．Type Ⅳ-B は内側関節面が陥没するもので高齢者にみられるがまれである．

Type Ⅴ：両顆骨折である．

Type Ⅵ：脛骨顆部で骨幹端部と骨幹部を分けるように横走する骨折線が入り，内・外側顆の一方または両顆に陥没を伴う．

4） Moore 分類（図 17-6-15）

膝関節部の骨折，脱臼 132 例に基づく分類法である．この分類では脛骨顆部骨折は不安定性を伴うという理由で脱臼-骨折（fracture-dislocation）として捉えている．

Type 1：裂離骨折 split fracture-dislocation で最も頻繁に発生する．内側関節面，後内側関節面を含み，骨折線は関節面より後下方に向かって走るので骨片は不安定で膝関節を屈曲すると遠位側へ転位する．腓骨頭茎状突起の裂離骨折を伴うことが多い．

Type 2：顆部全体骨折 entire plateau fracture-dislocation で，内・外側顆に発生し骨折線は対側の顆間隆起に始まる．さらに 3 つに細分類され，Grade-1 は転位がないもの，Grade-2 は骨片を残して脛骨が外方へ脱臼，亜脱臼するもの，Grade-3 は脛骨の外方脱臼と外側顆の圧迫骨折を合併し，腓骨茎状突起骨折を伴うことがある．

Type 3：顆部辺縁関節面高位裂離骨折 rim avulsion fracture-dislocation で骨片は近位側へ転位する．Gerdy 結節，腓骨茎状突起裂離骨折を合併することがある．

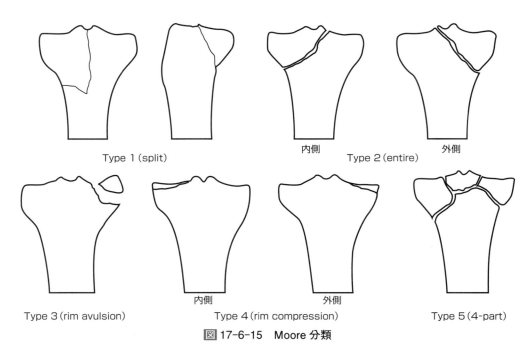

図 17-6-15　Moore 分類

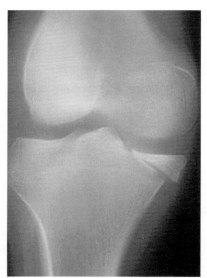

図 17-6-16　Moore 分類 Type 4 (rim compression)

脛骨内側顆縁の圧迫（圧挫）による骨折．骨片は末梢内側に転位し関節面は脱臼する．
Hohl 分類 (revised) は圧迫と圧挫を分け，これは圧迫 compression である．

　Type 4：辺縁圧迫脱臼骨折 rim compression fracture-dislocation で，内側または外側顆部縁の圧迫（圧挫）骨折である（図 17-6-16）．圧迫骨折を受けた骨片が遠位側に転位する点で Type 3 とは異なる．内側の場合は腓骨茎状突起，十字靱帯付着部裂離骨折を合併することがある．外側の場合は腓骨頚部骨折，内側側副靱帯損傷を合併することがある．
　Type 5：4 部粉砕脱臼骨折 4-part fracture-dislocation で，両側顆の粉砕骨折に加えて顆間隆起骨折を伴う．腓骨茎状突起，腓骨頚部，腓骨頭骨折を合併することは多いが，靱帯損傷の合併はまれである．

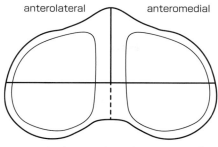

図 17-6-17 Three column classification (Luo)

5) AO/OTA 分類

脛骨・腓骨近位部骨折の形態は各症例ごとに異なるといえるほど多彩なため，すべての骨折を各分類に当てはめることができない．AO/OTA 分類はまず骨折の部位を A-type（関節（面）外骨折），B-type（部分的に関節（面）内骨折），C-type（関節（面）内骨折）に大別し，さらに部位/形態による細分類をし，すべての骨折型を含む分類法であるがきわめて複雑である．

附-28 Luo の three column classification（図 17-6-17）

従来脛骨顆部後内，外側部の骨折は観察しにくいため看過される傾向にあったが，近年画像診断の進歩によりその頻度は決して少なくないことが明らかになった．Luo らは脛骨顆部後内，外側部骨折を正しく評価するために，脛骨プラトーを部位別に lateral，medial，posterior（posterior はさらに posterolateral，posteromedial）に分ける three column classification を行い，それぞれの column への進入経路，固定法を選択する治療方針を報告している．

d 臨床症状

新鮮例では疼痛，変形，膝関節可動域制限，軋音および膝関節血症，皮下出血による腫脹がある．関節血症は最も頻繁にみられる症状で，穿刺による血液は「脂肪滴が混入した血液」といわれているが，脂肪滴の確認は必ずしも容易ではない．split 型骨折で転位がまったくない場合，辺縁裂離骨折で関節外の場合には関節血症がきわめて軽度，または伴わないこともある．圧痛の局在を慎重に検索することは骨折部位の診断上重要である．

関節の不安定性は合併する靱帯損傷が原因となるものと，骨折による関節面の変形が原因となるものがある．後者による場合は主として内・外反不安定性であるが，関節の屈曲角度を変えながら検索することによって関節面のどの部位に変形が起きているかを診断することができるが新鮮例で疼痛が著しい場合はこの手技は困難である．

脱臼を伴わない骨折の場合には血管・神経束損傷の合併はまれである．Rasmussen の 260 例のシリーズでは，2.3％の腓骨神経麻痺，0.3％の血管損傷の合併が報告されている．

1110 各 論 第 17 章 下肢の骨折

e 診 断

　受傷機転，臨床所見，単純 X 線写真，CT，三次元 CT，MRI，MPR（multiplanar reconstruction）などを中心とした画像による情報によって診断する．以前は断層 X 線写真が頻用されたが，CT 撮像が一般化した現在は使用されることはほとんどない．

1）単純 X 線写真

　関節面を含む脛骨顆部骨折の診断では，骨折の部位と転位の程度を知ることが治療方針を計画するうえで最も重要である．

　一般に脛骨顆部骨折の単純 X 線写真診断は膝関節正面像，側面像の 2 方向撮影によって行われるが，脛骨関節面は後方に 9〜13° 傾斜しているために，通常撮影される正面像では depression 型骨折による関節面の変形を正確に把握できないことが少なくない．関節面の陥没の程度は関節面の正常部分，または対側（内側または外側）関節面の高位を基準として診断する．しかし実験的には実際に関節面が 10 mm 陥没している場合に，単純 X 線写真では照射 X 線の入射角によって 6〜14 mm に表現される．一般に関節面の陥没の程度は過小評価されることが多い．一方，split 型，split depression 型骨折で骨折した顆部が外方へ広がるように転位した場合にその程度を診断するときには，大腿顆部横径を基準として計測する方法，健側脛骨顆部横径を基準として計測する方法がある．関節面より 10 mm 近位側の大腿骨顆部横径は脛骨顆部最大横径にほぼ等しい．

2）断層 X 線写真

　断層写真は単純 X 線写真では読影できない骨折線の走行方向，関節面の陥没部位と程度などを知ることができる．

3）CT/MRI/三次元 CT/ 三次元 MRI

　CT，MRI では水平面横断像も見ることができるので関節面に広がる転位，bursting，陥没部位などの多くの情報が得られる．また MRI は半月板，靱帯損傷などの合併損傷，特に三次元 CT は膝関節をいずれの方向からも立体的に観察することができるので正確な診断，治療計画をたてるうえできわめて有用である（図 17-6-18，19）．単純 X 線写真では表現されない骨折，転位が CT，MRI によって明らかになることも少なくない．

4）関 節 鏡

　関節鏡により直視下に関節面の損傷程度のみならず，半月板，靱帯損傷の有無を診断することができる．

f 治 療

　Hohl は関節面の転位が 3〜4 mm 以内の undisplaced 型は保存療法を，local depression 型，split depression 型で陥没が 8 mm 以内，split 型で骨片が大きくかつ外方への転位がわずかなものは保存療法，これ以上の転位があり膝関節伸展位（付近）で 5° 以上の側方動揺性があれば手術適応としている．

　total depression 型，split 型，特に内側顆後方の前額面における split 型は内固定を

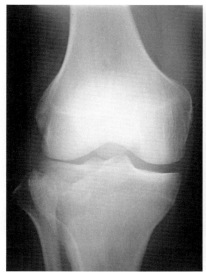
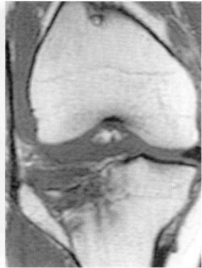

単純X線写真 　　　　　　　　　MRI

図 17-6-18　AO/OTA 分類 B-3-1 型骨折
MRI で関節面の陥没と split の状態が明確に判明する．

要する．従来，comminuted（両側顆粉砕）型は観血的にも整復，内固定が困難なので可及的に徒手整復を行い，traction mobilization（鋼線牽引下に膝関節運動を行う）による保存療法が行われてきた．Apley らは関節面の陥没による欠損部は線維軟骨が充填され荷重を支えるとし，ほとんどの骨折に対し保存療法を適応した．しかし保存療法は長期間の入院と臥床を要するという大きな短所がある．

一方，Burri らは良好な関節機能の確保は関節面の解剖学的整復と強固な内固定にあるとし手術療法を主張している．

以上のごとく，以前は脛骨顆部骨折に対する治療法は，保存療法，手術療法の意見が分かれていたが，転位を伴う骨折では保存療法は骨癒合およびそれに引き続くリハビリテーションに長期間を要し，変形治癒による関節の不安定性や二次性変形性関節症に発展するなどの問題点が多い．したがって現在では CT，三次元 CT，MRI により病態を正確に把握し，さらに LCP などの内固定材料の進歩により手術により解剖学的整復を図り強固な内固定を行い，早期に関節可動域訓練を開始する方法が一般的である．

手術の適応は，局所の変形のみではなく下肢軸のアライメントなど関節外要素を含めて検討すべきである．

また CPM 装置は手術侵襲による関節拘縮を合併する機会を著しく減少できるので，手術療法をますます盛んにしている．一方内固定を信頼するあまり早期荷重を行い再転位を生じることもあるので，荷重に関しては慎重であらねばならない．

1）undisplaced 型骨折

undisplaced 型骨折は内側顆後部骨折を除いては骨片の安定性は比較的良好である．急性期に合併する関節血症を穿刺吸引し，プラスチックキャスト固定（または副子固

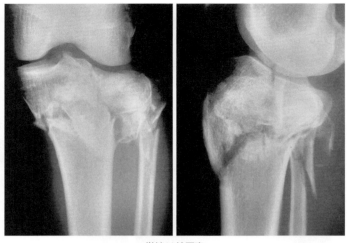
単純 X 線写真

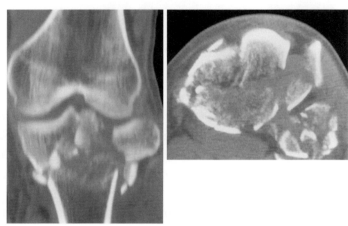
CT

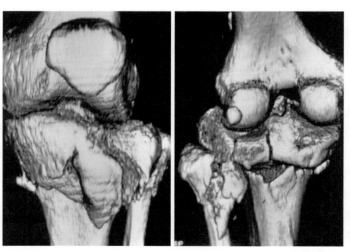
三次元 CT

図 17-6-19　comminuted 型骨折
三次元 CT により骨折の部位・転位の状態が明確になる．

定）や膝関節固定装具などにより局所の安静・固定および免荷を保つ．3～4週外固定後に徐々に関節可動域訓練を開始する．荷重は単純X線写真により骨性癒合の完成を確認してから開始する．

受傷機転，外傷の程度などにより半月板損傷が疑われたら，早期にMRIや愛護的に関節鏡検査を行い診断を確定し，半月板に対して必要に応じた処置を行う．半月板辺縁裂離損傷は保存療法により治癒する可能性が高い．

内側側副靱帯損傷の合併は，限局性の圧痛点，徒手検査による不安定性の有無などの臨床所見とストレスX線写真，MRIなどの画像所見により診断する．通常外固定による保存療法が行われる．十字靱帯損傷の合併は，まず骨折の治療を優先し骨癒合が完成後，筋力，関節可動域が回復してから必要に応じて二次的に手術適応を検討するのが基本である．

転位がないきわめて軽度の場合でも，早期から筋力訓練，関節可動域訓練を開始するためには手術による内固定を行うことが多い．顆部骨折片直上に2～3cmの皮膚切開を加え，X線透視下にKirschner鋼線をガイドとして中空スクリュー固定を行う．骨片の回旋転位を防止するために必ず2本以上のスクリューを用いる．骨片が比較的小さく2本のスクリューを刺入する余裕がない場合には，1本はKirschner鋼線を用いる（図17-6-20, 21）．

2) displaced 型骨折

a) split 型骨折

外方，外下方に転位のあるsplit型骨折で徒手的な圧迫により整復が可能なものは，整復位を保ちつつ小切開を加えてKirschner鋼線で仮固定し中空スクリューを用いて固定する．

関節面を含む小さい骨片が骨折部に嵌入し整復が困難な場合には，関節鏡視下か前外（内）側膝蓋下部より後外（内）下方に向かう弧状の皮膚切開を加え，骨折部を展開し，関節内より嵌入している小骨片を整復し固定する．この際に関節内より関節面高位の転位がないことを確認する必要がある．X線透視装置，関節鏡を用いればより確実である．

b) total depression 型骨折

内側顆骨折の多くは骨折線が後下方に斜走しtotal depression型骨折となる．骨片は後下方に転位し不安定である．特に内側顆後部の骨折は不安定なので内固定を行う．

total depression型骨折は内・外反の軸変形を伴うことが多いが，通常は顆部に付着する軟部組織に大きな損傷がないので，牽引を加えることにより整復される．この場合には持続牽引療法により整復後にプラスチックキャスト固定を行うこともあるが，骨片が不安定のためプラスチックキャスト内で再転位を起こす率が高い．また早期可動域訓練を開始するためにも手術療法が勧められる．

前内側膝蓋下部から後内方に弧状の皮膚切開を加え骨折部を，さらに関節内から骨折部を展開する．下内側より骨片を押し上げるように整復し関節内より関節面に転位のないことを確認しスクリューまたは支えプレートbuttress plateにより固定を行う（図17-6-21）．

関節内操作は関節鏡視下に行うことが多い．

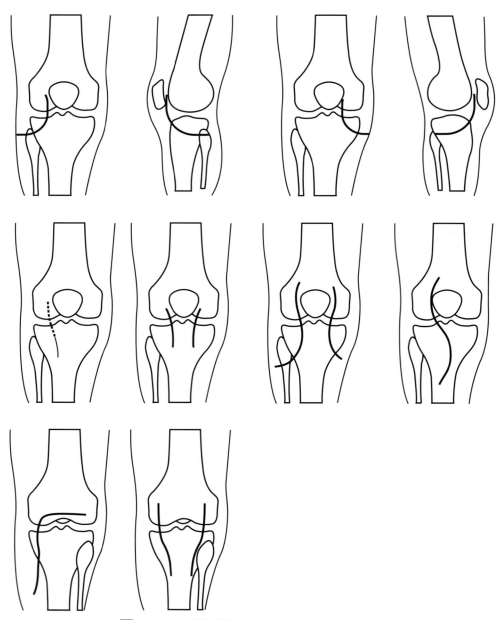

図 17-6-20 脛骨顆部骨折に用いられる皮膚切開法

c) central depression 型骨折

local depression 型骨折は外側顆に発生し，内側顆に起こることはまれである．陥没の起こる部位は受傷時の膝関節の角度により前方部，中央部，後方部とさまざまである．陥没した骨片は徒手整復，牽引などで整復されることはない．以前は前方部で関節面より 3〜4 mm 以上，中央部，後方部で 5 mm 以上の陥没があり，不安定性を伴う場合は観血的に解剖学的整復を図るとされていたが，近年では転位が軽度であっても観血的に整復を行い，強固な内固定により早期に可動域リハビリテーションを開始す

6 脛骨近位部骨折

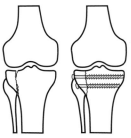

undisplaced 型骨折
小切開で骨折部をスクリュー2本で固定し，外固定を行わない

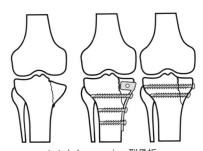

total depression 型骨折
整復しプレートまたはスクリューで固定

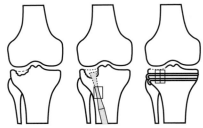

central depression 型骨折
顆部直下の骨皮質を開孔し impactor で陥没部を押し上げ整復する．骨欠損部に骨片を移植し Kirschner 鋼線で固定する

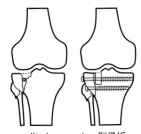

split depression 型骨折
骨片を整復・固定後欠損部には骨移植を行う

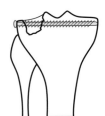
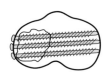

central depression 型骨折
整復した関節面直下に複数のスクリューを平行に刺入し関節面を下支えする（rafting technique）

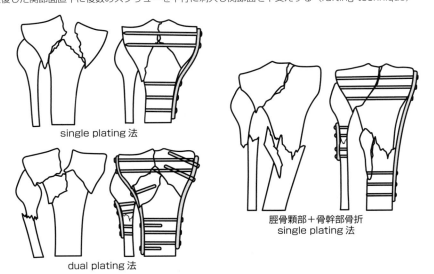

single plating 法

dual plating 法

脛骨顆部＋骨幹部骨折
single plating 法

図 17-6-21 脛骨顆部骨折の手術法

1116 各論 第17章 下肢の骨折

るようになった．不安定な関節面を含んでいる場合には rafting 法により関節面を下支えするようにする．関節面の陥没はのちに変形性関節症に発展するので，関節鏡視下に関節面の整復を図ることが多い．

外側顆前外側部下方に 3〜4 cm の皮膚切開を加え，骨皮質に 1.5×2 cm の窓を開け，ここから骨折部に向かって弯曲した impactor を挿入し陥没した部分を押し上げて整復する（**図 17-6-21**）．関節鏡により関節面の整復状態をみながら押し上げを調節する．整復後は骨折下部に骨欠損ができるので，腸骨稜より採取した骨片を十分に充填する．同種骨，人工骨を用いてもよい（**図 17-6-22, 23**）．

附-29 rafting technique

脛骨プラトー陥没骨折は，関節面を整復するとその下面に骨欠損を生じ，通常欠損部を自家骨，人工骨で充填するが，早期関節運動を行うには支持性が不十分で関節面が再陥没することがある．整復した関節面の十分な支持，固定力を確保するために関節面直下に複数のスクリューを平行に挿入し関節面を支持する方法を rafting technique という．rafting technique は，ロッキングプレートが開発されてからはスクリューがプレートに強固に固定されるようになり普及した．またスクリューを前後方向，側方向の2方向から井桁状に挿入する方法を Sharp (#) technique（前原）という．これらの方法により脛骨プラトー骨折整復術後早期関節運動訓練が可能となった．

なお raft とは筏の意味である．

d) split depression 型骨折

本骨折はまず外反外力によって外側顆に split 型骨折が起き骨片は外方に転位し，残った関節面に大腿顆部による圧迫が加わり陥没骨折が起こる．重要なことはまず split 型骨折により外方に広がった骨片を解剖学的位置に整復することである．その後に陥没部を整復し骨欠損を生じたら骨移植を行う．

前外側膝蓋下部より後下方に向かう弧状の皮膚切開を加える．前外側から関節内を展開する．切開は必要に応じて後方へ延長し，腸脛靱帯の後縁から進入することもあるが十分な展開は得にくい．

骨折部を関節面まで展開し，遠位側を hinge として骨片を開くように一度転位させ，骨折部に陥没，嵌入している関節面を正常の高位まで起こしながら骨片を整復する．骨片を完全に軟部組織から剥離するとむしろこの操作は困難となる．骨片をスクリューで固定し骨欠損部に骨・人工骨移植を行う．split 型骨折で骨片が粉砕状の場合やより強固な固定を要する場合には，支えプレート（T 型，L 型プレート）で固定する．陥没部の関節面の整復状態を確認するには関節鏡を併用することが多い（**図 17-6-24, 25**）．

陥没部が広範で関節面が粉砕状に骨折し関節面の整復が得られない場合には，腸骨より採取した骨片を移植し一次的に関節面を形成する．

陥没骨折が半月板におおわれる部に及んでいる場合には，冠状靱帯を半月板の脛骨付着部（前角）を温存したまま関節面に沿って横切し，半月板を近位側に持ち上げ，直視下または関節鏡視下に関節面の整復を行ったのちに冠状靱帯を元どおりに縫着する．

半月板損傷を合併しているときは同時に一次縫合術を行う．

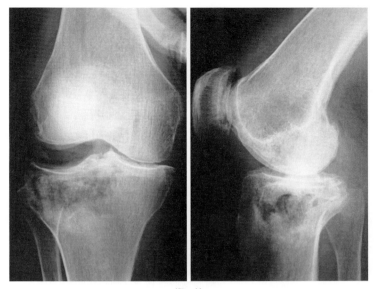

術　前

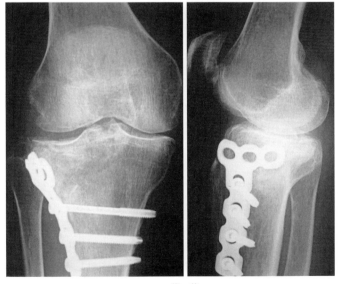

術　後

図 17-6-22　central depression 型骨折
陥没した関節面を関節鏡視下に関節外より押し上げ骨移植を施行．外側顆は粉砕状のためスクリューを用いずプレートで外方への転位を抑える．

e) comminuted 型骨折

　本骨折は骨折線が脛骨顆間隆起を中心に，内・外側顆内，外方に向かって下降するように走るが，しばしば骨片は粉砕状となり転位を伴う．約50％に顆部直下または脛骨骨幹部の骨折を伴うという報告もある．原因が交通外傷の場合は開放骨折となることが多い．
　両側顆粉砕骨折で関節軟骨の損傷が高度で転位を伴う例は，観血的にも整復や十分

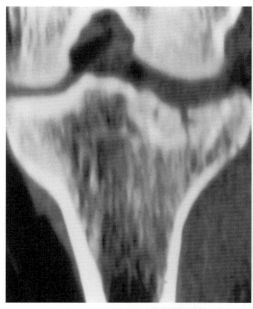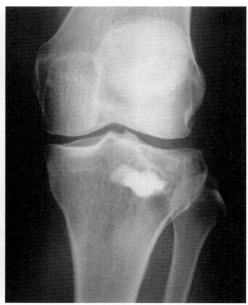

図 17-6-23　central depression 型骨折
関節面を押し上げて整復したのち，空隙に人工骨移植を行う．

な固定性を得ることが困難なために創外固定法が適応される．また開放骨折の場合は，創外固定を用いてまず創の治療を行い，二次的に骨折に対する手術を行う．粉砕骨折に対する Apley 法は，踵骨で鋼線牽引を行いながら膝関節可動域訓練を行うことにより骨軸を整しながら間接的に骨折の整復をはかる方法であるが最終的には手術に至ることが多い．

　プラスチックキャストや装具による外固定は，不安定な骨折の転位を増強させる可能性が高いので適応とはならない（図 17-6-26）．

　骨片が比較的大きく関節軟骨の損傷が軽度の場合は，内，外側膝蓋骨上縁部より膝蓋骨内，外側縁に沿い膝蓋腱内，外側縁を下降し，脛骨粗面部にいたる二条の逆八字型の皮膚切開を加え，外側は前脛骨筋を剝離し脛骨内，外側顆を展開する．内側は後内側切開で展開することもある．内側切開は外側切開より短くし，伏在神経の損傷をさけ皮膚の血行を温存する．脛骨骨幹部に骨折がある場合は，外側切開のみを必要に応じて延長する．

　後内側からの展開は，腹臥位で膝窩部中央で関節面の 1〜1.5 cm 近位側で関節面に平行に内側顆縁に至り，そこから下降する逆 L 字型切開を加える（Burks approach）．横走する皮切を逆に外側に延長すると外側顆後面を展開できるが，外側関節面な観察は難しい．徳永，普久原らは，外側関節面の観察には関節鏡を併用するために投げ出し Burks approach（図 17-6-29）を推奨している．

　関節面と骨軸の整復を主眼におき，まず内・外側顆の転位の軽度の方から 1 本ずつスクリューを互いに前後にずらして刺入し顆部を固定する．骨クランプ，脛骨ボルトを用いて内・外側から同時に締めつけるように整復，固定を図ることもある．必要が

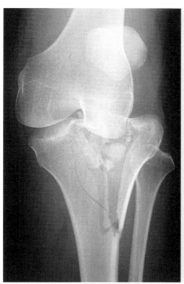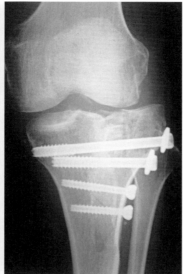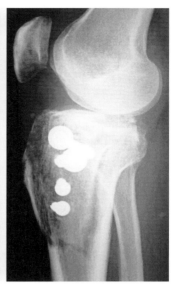

図 17-6-24　split depression 型骨折
関節面陥没部を関節外より押し上げ，外側に転位した骨片を整復しスクリューで固定する．

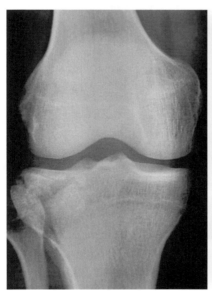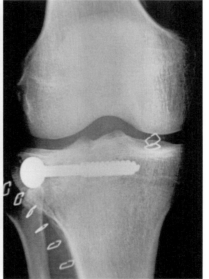

図 17-6-25　split depression 型骨折
split により外方へ転位した骨折．depression により陥凹した関節面を鏡視下整復しスクリューで固定する．

あれば，ほかの骨片を Kirschner 鋼線やスクリューで固定しながら解剖学的形態を整えていく．最後に支えプレートで全体を固定する．ロッキングプレートは一側のみの固定で十分強固な固定性が得られることが多い．一側のみの固定は術後の皮膚の緊張を防止するが，最近は菲薄に作られた小型のプレートが開発されているので内外両側

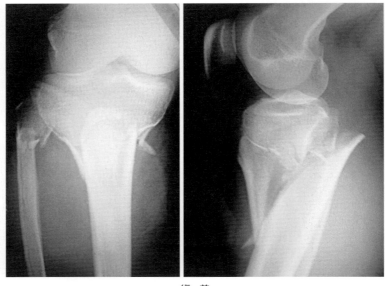

術　前

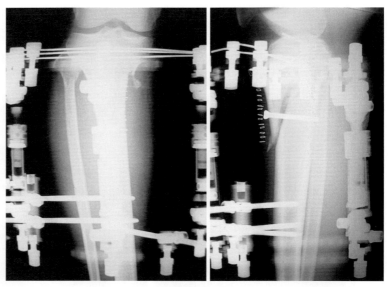

術　後

図 17-6-26　創外固定器による整復・固定

から固定することができる（図 17-6-27, 28）.
　粉砕状の骨折が骨幹部に及んでいる場合には，顆部の整復，内固定を行い創外固定を併用する．十分な視野を確保するために脛骨粗面を切離し伸展機構を近位側に翻転する方法があるが，脛骨顆部全体が粉砕状に骨折している場合は，脛骨粗面の再固定に難渋することがあるので注意を要する．膝蓋腱をZ切開し骨折部を展開し，整復・固定後に縫合する方法もある．

6 脛骨近位部骨折   1121

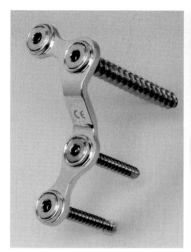

図 17-6-27　小型ロッキングプレートとスクリュー
小型な HTO 用プレートおよびスクリューであるが骨折にも用いることができる．スクリューはプレートに強固に固定される．
（泉工医科工業株式会社提供）

図 17-6-28　脛骨近位部骨折用ロッキングプレート
多軸スクリューとロッキングナットの組み合わせにより角度安定性が得られ，キャンセラスクリューの使用により骨片間に圧迫をかけることが可能．
（NCB PT プレーティングシステム　ジンマー株式会社提供）

附-30　脛骨顆部後方部骨折に対する「投げ出し Burks approach（徳永，普久原）」（図 17-6-29）

　本来脛骨顆部後方骨折は頻度が少ないとされていたが画像診断の進歩により両顆骨折には内側顆，外側顆後方部の剪断骨折が高率（50％以上）に発生し，多くは関節面の転位を伴っていることが明らかになった．脛骨顆部後方部の展開には後外・内側切開が用いられるが，外側顆後部関節面の観察はきわめて困難であるため関節鏡が併用されることが多い．この場合は徳永，普久原らは患者を仰臥位とし，股関節を外旋・外転させ下

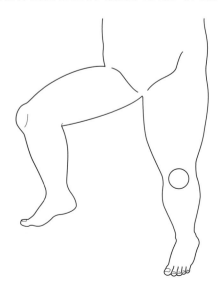

図 17-6-29　投げ出し Burks approach（徳永，普久原）

肢を投げ出す肢位（投げ出しBurks approach）を推奨している．
　この肢位の特長は，下肢を伸展させると前外側からの展開も可能となり，体位を変換することなく前方から関節鏡を挿入することができる．

附-31　脛骨プラトー陥没骨折に対する石黒法

　石黒は新鮮脛骨プラトー陥没骨折に対してKirschner鋼線の反張力を利用した保存療法を行い良好な結果を報告している（図17-6-30, 31）．

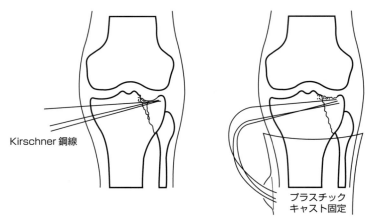

図17-6-30　石黒法によるKirschner鋼線の反張力を利用した整復法（1）

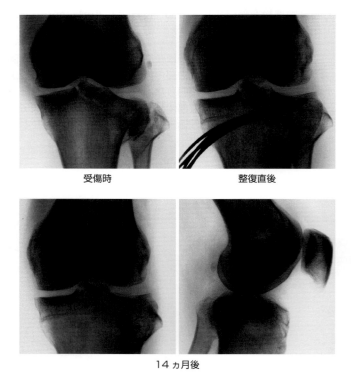

図17-6-31　石黒法によるKirschner鋼線の反張力を利用した整復法（2）

局所麻酔下にX線透視装置を用い，2.0〜2.3 mm Kirschner鋼線を脛骨近位端顆部から陥没骨片下に3〜6本扇状に刺入する．下腿上中1/3から足部にかけてプラスチックキャスト固定を行い，骨外のKirschner鋼線を下腿軸に沿って遠位に彎曲させ先端をプラスチックキャスト内に埋め込む．陥没部はKirschner鋼線の反張力により徐々に整復されそのまま固定される．

関節可動域訓練は整復後より開始し，Kirschner鋼線は8週後に抜去する．荷重は単純X線写真により骨癒合を確認してから行うが，通常2〜2.5ヵ月後より許可する．

附-32 rim（関節面辺縁）型骨折

rim型骨折はrim avulsion骨折とrim compression骨折に分けることができる．

rim avulsion骨折は膝関節に強い内反または外反が加わったときに関節包または内側側副靱帯深層付着部で裂離骨折が生じる．

rim compression骨折は，同様に膝関節内・外反により大腿骨顆部辺縁が脛骨関節面縁を衝撃することにより発生する．同一関節内に裂離骨折と圧迫骨折が生じていることもある．靱帯性，骨性不安定性が強い場合には観血的治療が適応される（図17-6-16）．

附-33 Segond骨折

膝関節に大きな回旋力，外反力が加わったときに外側関節包靱帯の脛骨付着部に生じる裂離骨折をいう．骨折に対する治療は不要であるが，通常前十字靱帯損傷，ときに外側支持機構損傷を合併しているので靱帯に対する治療法が適応となる（図17-6-32）．

Segond骨折の存在は前十字靱帯損傷を示唆していると考えてよい．

附-34 脛骨顆間隆起・結節骨折

脛骨顆間隆起・結節骨折は膝関節過伸展，過屈曲，回旋，または内・外反などを起こす大きな外力によるが，過伸展，過屈曲は脛骨顆間隆起骨折を，回旋は脛骨結節骨折を生じるとされている．

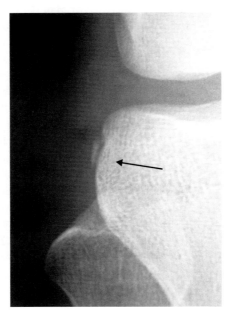

図17-6-32 Segond骨折

表 17-6-1 脛骨顆間隆起骨折の型別発生頻度

	小児	大人	総計	%
I 型	12	7	19	27.5
II 型	25	11	36	52.2
III + III$^+$ 型	10	4	14	20.3

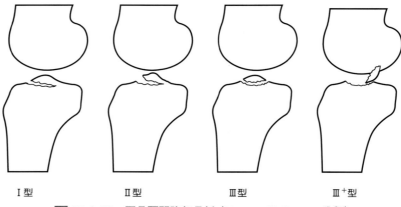

図 17-6-33 脛骨顆間隆起骨折（Meyers-McKeever 分類）
I 型：ほとんど転位なし．骨癒合良好．II 型：前方 1/3～1/2 が上方に転位しクチバシ状となる．III 型：剥離骨片は完全に離開する．III$^+$ 型：剥離骨片は高度に離開し翻転する．軟骨面が剥離部に向かうため骨癒合は得られない．

　　Meyers らの 69 例の報告によると，67.1% は小児に発生しその主な原因は自転車からの転落，交通外傷である（表 17-6-1）．また脛骨顆間隆起骨折を 4 つの型に分類している．

Meyers-McKeever 分類（図 17-6-33）
　　単純 X 線写真による分類である．
　　I 型：剥離骨片の転位が軽微で骨片の前方部のみがわずかに浮き上がるもの
　　II 型：剥離骨片の転位はあるがその後方部は母床と連続しているもの
　　III 型：剥離骨片が母床より完全に遊離しているもの
　　III$^+$ 型：剥離骨片が完全に遊離し翻転するもの
　　さらに Zariczyj は，剥離骨片が粉砕したものを IV 型としてこれに加えている．
　　治療に関しては Meyers は I，II 型は保存療法，III，III$^+$ 型は手術療法を適応している．保存療法における固定肢位は，Blount, Sharrard, Meyers は膝関節軽度屈曲位，Tachidjan は強い屈曲位，Clarke, Smillie, Rang は伸展位，Bakalium は過伸展位を推奨している．冨士川は前十字靱帯前内側線維は 30°屈曲位で緊張性がやゝ減少することから軽度屈曲位で脛骨顆部を後方に押し込みながら固定する方法を推奨している．
　　手術療法は骨片を整復し，pull-out wiring，pinning，また骨片が比較的大きい場合はスクリューで固定する．いずれの場合も前十字靱帯付着部を固定するようにする．III，III$^+$ 型で骨片が大きく，特に整復が不十分であると，小児の場合は骨片が過成長し遅発性に膝関節の完全伸展障害が出現することがある（図 17-6-34）．

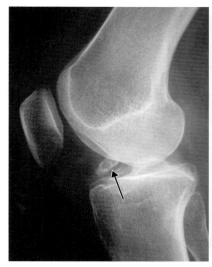 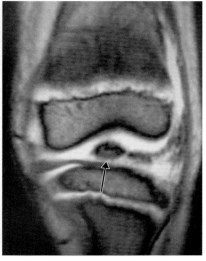

成人例（Ⅲ型）　　　　　　　　　小児例（Ⅲ型）

図 17-6-34　脛骨顆間隆起（前十字靱帯付着部）裂離骨折

附-35　後十字靱帯付着部剥離骨折（図 17-6-35）

　脛骨顆間隆起骨折が小児に多いのに対し，脛骨後十字靱帯付着部剥離骨折は成人に発生する．骨片が大きく膝関節屈曲障害を合併する場合，関節不安定性が明らかな場合，また鳥巣によると内側半月板後角が骨片に付着していることが多いので骨片が 5 mm 以上離開している場合には観血的整復固定術の適応を考慮せねばならない．

　手術法は膝窩部に S 状切開または Burks approach によりを加え，後部関節包を展開し関節包に縦切開を加える．後十字靱帯の側方から後十字靱帯の一部を付着した剥離骨片を展開し，スクリューで整復固定をする．骨片が分節または粉砕している場合は，後十字靱帯とともに骨片をステープルで固定するか，後十字靱帯に鋼線をかけ前方に引き抜き鋼線固定を行う（**図 17-6-36**）．関節鏡視下に整復固定を行うこともある．

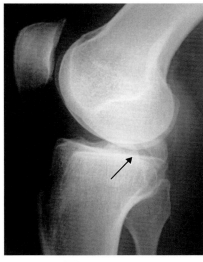 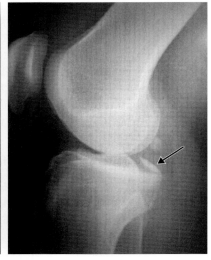

図 17-6-35　後十字靱帯付着部剥離骨折の単純 X 線写真

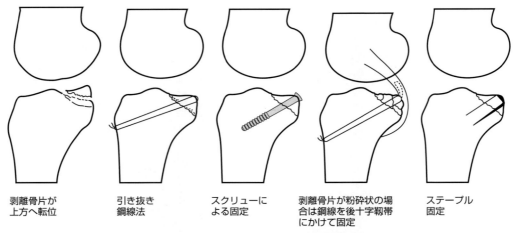

剥離骨片が上方へ転位　　引き抜き鋼線法　　スクリューによる固定　　剥離骨片が粉砕状の場合は鋼線を後十字靱帯にかけて固定　　ステープル固定

図 17-6-36　後十字靱帯付着部剥離骨折

附-36　骨挫傷 bone bruise

膝関節に外傷を受けたときに，MRI 検査を行うと軟骨下骨（骨端部に及ぶこともある）に単純 X 線写真では表現されない bone bruise と呼ばれる骨内異常像が描出されることが少なくない．これは骨髄の出血，浮腫，ときには骨稜微小骨折を表現しているといわれており，MRI 上 T1 強調像では高輝度の骨髄内に低輝度に，T2 強調像では出血や浮腫の程度によって低輝度から高輝度に造影される（図 2-1-4，表 2-1-1，p. 35 参照）．関節軟骨面には肉眼的にも画像上も異常所見は認めないことが多い．数週から数ヵ月後にこの像は自然に消失する．特別な治療は必要ない．

前十字靱帯損傷時には特に大腿骨または脛骨外側顆に bone bruise の合併をみることが多い．

附-37　ファベラ骨折 fabella fracture

ファベラ fabella は腓腹筋外側頭腱内に存在する直径約 10 mm の種子骨である．単純 X 線側面像で膝関節後外側部に約 30% に認められる（種子骨の骨化は 3 歳頃始まり 20 歳頃完了する）．きわめてまれに膝関節伸展位で後外側から直達外力を受けた時に骨折する．受傷直後は打撲傷と診断され，後に膝関節屈伸時に局所の間欠性疼痛が残存するために診断されることが多い．膝関節後外側に直達外力を受けた後に膝関節屈曲から伸展する際に後外側部の頑固な疼痛が残存する場合には，本骨折を疑う必要がある．疲労骨折の報告もある．診断には局所の限局性圧痛の存在とともに単純 X 線写真撮影，CT，MRI が有用である．治療は通常保存療法を行うが，頑固な疼痛が残存する場合は摘出術を行う．

附-38　脛骨顆部脆弱性骨折 insufficiency fracture

骨粗鬆症などの骨の粘弾性を低下させる基礎疾患が存在すると，本来は骨折を生じない程度の日常生活上の外力によって骨折が生じることがあり脆弱性骨折と呼ばれる．脊椎椎体の不全骨折は日常臨床でよく遭遇するが，最近脛骨における例も報告されるようになった．

外傷機転の記憶がなく急に膝関節痛が出現し，単純 X 線写真上異常はないが，3〜4

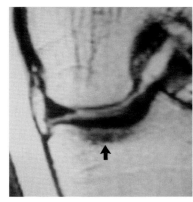
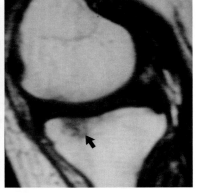

図 17-6-37　脛骨内側顆の脆弱性骨折（内側関節面型）(MRI)

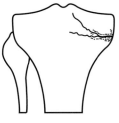

a. 内側型 (62.5％)

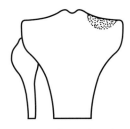
b. 内側関節面型 (25％)

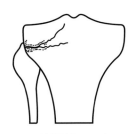
c. 外側型 (12.5％)
n=16

図 17-6-38　脛骨顆部脆弱性骨折の分類と発生頻度（小林らによる）
a. 脛骨内側顆関節面より1〜1.5cm遠位側で関節面に平行または斜めに走る骨折線を認める．
b. 脛骨内側顆関節面に近接して骨折を認める．
c. 内側型と同様の骨折線を脛骨外側顆に認める．

週後に骨折線または骨折修復性骨増殖像が現れる．MRIには初期でも明瞭な骨折線が描出される（図17-6-37）．

小林らによると，骨折型は内側型，内側関節面型，外側型に分類され内側型が最も多い（図17-6-38）．二次性変形性膝関節症における脛骨内反変形の原因のひとつとなる可能性がある．

B 脛骨粗面骨折　fracture of the tibial tuberosity

脛骨粗面骨折は膝関節屈曲位と同時に大腿四頭筋が急激に収縮・緊張した場合（高所からジャンプをし着地するなど），特に足部が固定されている場合に発生しやすい．全体的に発生頻度は少ないが，小児に多く成人には少ない．圧倒的に男児に多い．小児の場合は骨端線損傷となる．

a 分　類

　通常は骨折の部位および転移の程度から3型に分ける Watson-Jones の分類が用いられる．まれに膝関節伸展機構の牽引力に大きな直達，介達外力が加わった場合に，骨折線が脛骨近位骨端線に沿って後方にまで及ぶことがあることから，Ryu はこの骨折型をⅣ型として Watson-Jones の分類に加えた（**図 17-6-39, 40**）．Ryu のⅣ型は Salter-Harris 骨端線損傷分類のⅠ，Ⅱ型となる．Aerts らはさらに詳細に分類している（**図 17-6-41**）．

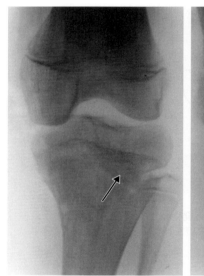
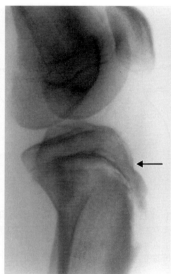
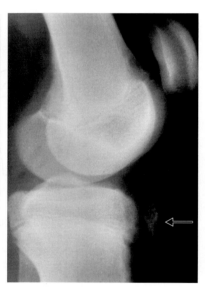

図 17-6-39　脛骨粗面骨折

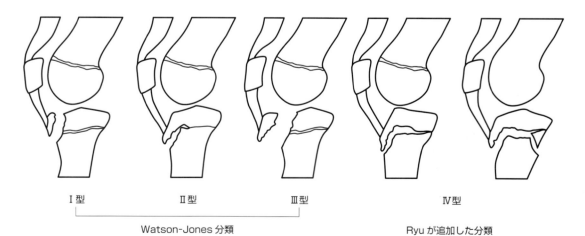

図 17-6-40　Watson-Jones 分類
Ryu は Watson-Jones 分類に Salter-Harris Ⅰ, Ⅱ型に相当する骨端線損傷をⅣ型として加えた．

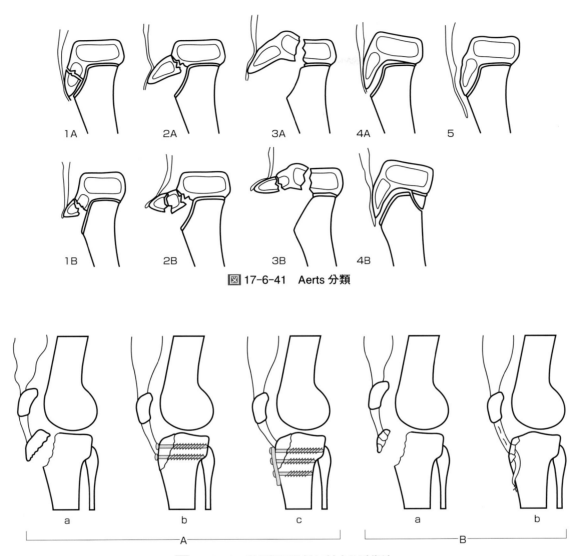

図 17-6-41　Aerts 分類

図 17-6-42　脛骨粗面骨折に対する手術法
A：a. 脛骨粗面裂離骨折，b. スクリューによる整復固定術，c. 小プレートによる整復固定術
B：a. 脛骨粗面粉砕骨折，b. 膝蓋腱に銅線を用いる引き抜き銅線固定

b 治　　療

　　多くの場合転移があるので手術療法が適応となる．骨片が大きい場合にはスクリューで固定するが，固定力を増すためにスクリューが脛骨後方の皮質に達するようにする．小プレートを用いるとさらに固定力は増す．骨片が分節している場合には膝蓋腱に銅線を通し引き抜き銅線固定を行う．引き寄せ銅線締結法 tension band wiring を用いることもある（図 17-6-42）．

1130　各論　第17章　下肢の骨折

c 予後と合併症

予後は良好である．Watson-Jones II, III型で脛骨近位骨端線前方部の整復が不十分であると，後に脛骨関節面前方部の前傾傾斜を遺残し反張膝となることがある．半月板損傷，膝蓋骨下極骨折，膝蓋腱損傷の合併が報告されているので手術の際に関節鏡を用いて関節内の合併症を確認する．

7 膝関節脱臼 dislocation of the knee joint

膝関節脱臼は下腿，足部が固定された状態で，交通外傷，スポーツ外傷または高所よりの転落などの際にきわめて高エネルギー外力が膝関節に加わった際に生じるが，発生はまれである．高度の複合靱帯損傷，血管，神経損傷が合併することが多い．

a 分 類

大腿骨に対する脛骨の転位方向によって5型に分類する（図17-7-1, 2）．

1）前方脱臼

大腿骨に対して脛骨が前方に転位する脱臼である．Kennedyによると足部を地面に固定し膝関節を伸展した状態で，前方より大腿下部に強い外力が加わると，膝関節が過伸展を強制され前方脱臼が生じる．過伸展が50°以上になると膝窩動脈損傷を合併する頻度が高くなる．

2）後方脱臼

大腿骨に対して脛骨が後方に転位する脱臼である．膝関節90°屈曲位で前方より強い外力が脛骨前面近位部に加わるいわゆるダッシュボード損傷によって発生することが多い．

3）外方脱臼

大腿骨に対して脛骨が外方に転位する脱臼である．膝関節が外反位または下腿が固定された状態で大腿下部に外側から強い外力が加わったときに発生する．

4）内方脱臼

大腿骨に対して脛骨が内方に転位する脱臼である．下腿が固定された状態で大腿下部内側に膝関節の内反を強制する外力が加わったときに生じるが，しばしば同時に回旋力が加わることが多い．

5）回旋脱臼

後外側への回旋脱臼が最も多いとされている．下腿を固定した状態で大腿とともに体幹が回旋する場合に発生する（図17-7-3）．

これらの脱臼の頻度は前方および後方脱臼が50〜70％を占めるといわれているが，Greenらの245例の集計では，前方脱臼31％，後方脱臼25％，外側脱臼13％，内側脱臼3％，回旋脱臼4％で20％は不明であったという．

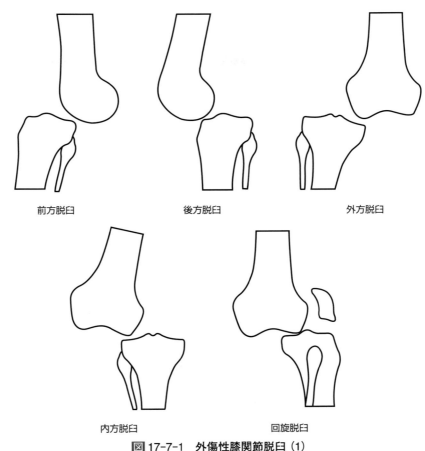

前方脱臼　　　　　後方脱臼　　　　　外方脱臼

内方脱臼　　　　　回旋脱臼

図 17-7-1　外傷性膝関節脱臼（1）

b 診　　断

膝関節脱臼の診断は先行する大きな外傷と変形により容易で，さらに単純X線写真を中心とした画像により確定される．

c 臨床症状

1）腫　脹

軟部組織の損傷が高度で広範に及ぶために著しい腫脹を認める．関節包も損傷されるために関節血症はほとんど関節内に貯留せず関節外に流出するので，腫脹は膝関節周辺にびまん性に広範囲に及ぶのが特徴である．

2）変　形

大腿骨に対し脛骨顆部が脱臼位にあるため突出し著しい変形を呈する．特に回旋脱臼は大腿に対し下腿が90°屈曲回旋した変形をとるのできわめて特徴的である．

3）不安定性

前・後十字靱帯を含み膝関節の主要靱帯の大部分が損傷するため，多方向性の高度の不安定性を示し解剖学的に整復できてもその位置を維持するのが困難である．

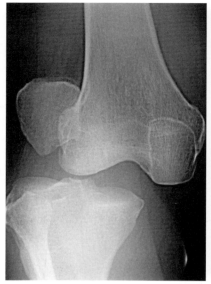
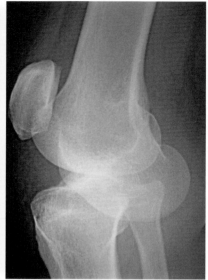

外方脱臼

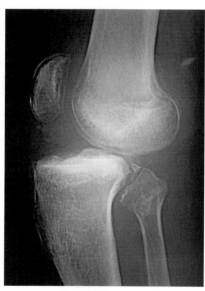
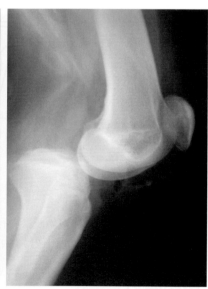

前方脱臼　　　　　　　　　　　　後方脱臼

図17-7-2　外傷性膝関節脱臼（2）

4) 合併症

外傷性膝関節脱臼の合併症で最も重篤なものは血管・神経損傷である．一般に外傷性膝関節脱臼全体の20～30％に膝窩動脈損傷が合併するといわれているが，膝窩動脈は内転筋腱裂孔から膝窩部に進入しヒラメ筋腱弓から進出するために上下を軟部組織で固定されている．したがって前方脱臼，後方脱臼の際に本動脈損傷を合併することが多く，約40％の合併率の報告もあるが実際にはもう少し少ない．

動脈損傷による血行障害は受傷時に同時に起こるものと，受傷時は血管の伸展など

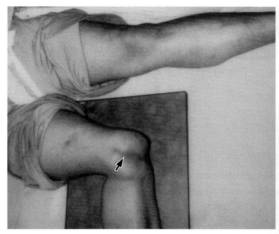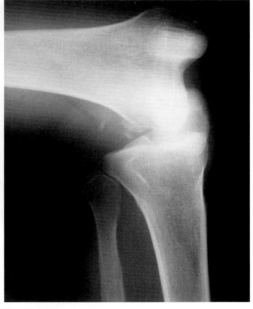

図 17-7-3　膝関節回旋脱臼
大腿骨外側顆がボタン孔状に関節包外に逸脱することが多く，視診上膝関節中央部が陥凹する（矢印）のが特徴的所見である．

で内膜のみ損傷し，時間が経過後に血栓が形成され二次的に血行障害が起こる場合がある．したがって受傷時に血行が認められても少なくとも受傷後1週は十分な観察を行い，血行障害の疑いがあったら直ちに血管造影を行うべきである．

腓骨神経損傷の合併は報告により異なるが15〜30%とされている．多くは広範囲に及ぶ軸索断裂で予後は不良である．

d 治　療

膝関節脱臼は，回旋脱臼を除き通常徒手整復は容易で医療機関を訪れたときにはすでに自然整復されていることがある．一方整復位の保持を放すとすぐに再脱臼し整復位の維持が困難なこともある．早期に合併する靱帯を中心とした軟部組織の修復を勧める意見もあるが，大きな外傷による高度の損傷と急性炎症を伴う関節にさらに大きな手術侵襲を加えると，術後著しい関節可動域制限を残しリハビリテーションに苦労する．さらに関節が可動域を回復するとともに不安定性が出現することが多い．特に高度の屈曲拘縮は不安定性以上の機能障害をもたらしその治療に難渋する．

新鮮時には，解剖学的整復後約20°屈曲位で2〜3週間プラスチックキャスト固定を行い，可及的に関節包を中心とした軟部組織の修復を図り，その後4〜5週間可動式硬性装具を着用しながら関節可動域訓練を行う．外傷性炎症が十分に消退し可動域が得られたのちに残存する不安定性に対して靱帯再建術を行う．整復位の維持が困難な場合には一時的に膝関節中心部でKirschner鋼線を用いてcross pinningを行うこともある．

回旋脱臼は，大腿骨顆部が関節包を破り関節包外にボタン孔状に逸脱し嵌頓するた

1134 各論 第17章 下肢の骨折

め徒手整復は不可能で，手術的整復術の適応となる．

膝窩動脈損傷が診断されたら直ちに血管移植などの手術療法を行う．総腓骨神経損傷に対する一次的修復術，神経移植術は予後が不良なことが多く，通常は2～3ヵ月経過観察後に病態に応じて二次的に神経剥離術，移植術を行う．

参考文献

1) Abdalla F et al：Avulsim of the tibial condyle in skining. Am J Sports Med **10**：368-370, 1982.
2) Aerts BR et al：Classification of proximal tibial epiphysis fractures in children：Four clinical cases. Injury **46**：1680-1683, 2015.
3) 赤丸智之ら：脛骨顆部に発生した insufficiency fracture の5例．整・災外 **42**：175-179，1999．
4) Apley A：Fractures of the lateral tibial condyle treated by skeletal traction and early mobilization. J Bone Joint Surg **38-B**：699-708, 1956.
5) 麻生伸一ら：Bone bruise—その定義と重要性．整・災外 **42**：109-116，1999．
6) Barei DP et al：Frequency and fracture morphology of the posteromedial fragment in bicondylar tibial plateau fracture patterns. J Orthop Trauma **22**：176-182, 2008.
7) Blokker C et al：Tibial plateau fractures：An analysis of the results of treatment in 60 patients. Clin Orthop **171**：104-108, 1984.
8) Bloom MH：Traumatic knee dislocation. Campbell's Operative Orthopaedics. Crenshaw AH ed, 1633-1640, CV Mosby Co, St Louis, 1987.
9) Buchko GM et al：Arthroscopy assisted operative management of tibial plateau fractures. Clin Orthop **332**：29-36, 1996.
10) Burks RT et al：A simplified approach to the tibial attachment of the posterior cruciate ligament. Clin Orthop Relat Res **254**：216-219, 1990.
11) Choi NH et al：Tibial tuberosity avulsion fracture combined with meniscal tear. Arthroscopy **15**：766-769, 1999.
12) Christie MJ et al：Tibial tuberosity avulsion fracture in adlescents. J Pediatr Orthop **1**：391-394, 1981.
13) Cospari R et al：The role of arthroscopy in the management of tibial fractures. Arthroscopy **1**：76-82, 1984.
14) Crock HV：The arterial supply and venous drainage of the bone of the human knee joint. Anat Rec **144**：199-218, 1962.
15) Davidson D et al：Partial sleeve fractures of the tibia in children: an unusual fracture pattern. J Pediatr Orthop **22**：36-40, 2002.
16) DeCoster T et al：Cast brace treatment of proximal tibial fractures：A ten-year follow-up study. Clin Orthop **231**：196-204, 1988.
17) Dias J et al：Computerized axial tomography for tibial plateau fractures. J Bone Joint Surg **69-B**：84-88, 1987.
18) Dovey H et al：Tibial condyle fractures：A follow-up of 200 cases. Acta Orthop Scand **137**：521-531, 1971.
19) Duwelius P et al：Closed reduction of tibial plateaue fractures：A comparision of functional and roentgenographic end results. Clin Orthop **230**：116-126, 1988.
20) Egol KA et al：Staged management of high-energy proximal tibial fractures（OTA Types41）：the results of a prospective, standardized protocol. J Orthoped Trauma **19**：448-455, 2005.
21) Egol KA et al：Treatment of complex tibial plateau fractures using the less invasive stabilization system plate：clinical experience and a laboratory comparison with double plating. J Trauma **57**：340-346, 2004.
22) Frosch KH et al：A new posterolateral approach withour fibula osteotomy for the treatment of tibial plateau fractures. J Orthop Trauma **24**：515-520, 2010.

23）冨士川恭輔：小児の骨折．泉田重雄編，膝関節損傷，整形外科 MOOK，No.13，205-225，金原出版，1980.

24）冨士川恭輔ら：膝関節の tangential osteochondral fracture．関節外科 **4**：281-288, 1985.

25）普久原朝海：後方剪断骨片に対する後方アプローチ（Burks approch）の応用．整形外科 Surgical Technique **6**：282-290，2016.

26）Gausewitz S et al：The significance of early motion in the treatment of the tibial plateau fractures. Clin Orthop **202**：135-138, 1985.

27）Georgiadis GM：Combined anterior and posterior approaches for complex tibial plateau fractures. J Bone Joint Surg **76-B**：285-289, 1994.

28）Gill TJ et al：Arthroscopic reduction and internal fixation of tibial plateau fractures. Clin Orthop **383**：243-249, 2001.

29）Gosling T et al：Single lateral locked screw plating of bicondylar tibial plateau fractures. Clin Orthop **439**：207-214, 2005.

30）Green NE et al：Vascular injuries associated with dislocation of the knee. J Bone Joint Surg **59-A**：236-239, 1977.

31）Hohl M：Fractures of the knee. Part I Fractures of the proximal tibia and tibula. Fractures in Adults. Rockwood Jr CA et al ed, 1725-1761, JB Lippincott, Philadelphia, 1991.

32）Hohl M et al：Fractures of the tibial condyle；a clinical and experimental study. J Bone Joint Surg **38-A**：1001-1018, 1956.

33）Hohl M et al：Treatment methods in tibial condylar fractures. J Bone Joint Surg **49-A**：1455-1467, 1967.

34）Hohl M：Tibial plateau fractures. WB Saunders, 1997.

35）生田拓也ら：脛骨粗面剥離骨折の治療経験．整形外科と災害外科 **66**：55-57，2017.

36）Ishiguro T et al：A new method of closed reduction using the spring action of Kirschrner wires for fractures of the tibial plateau. A preliminary report J Jap Orthop Ass **60**：227-236, 1986.

37）Jennings J：Arthroscopic management of tibial plateau fractures. J Arthroscopy **1**：160-168, 1985.

38）金子倫也ら：脛骨近位骨端線離開の 4 例．中部整災誌 **61**：275-276，2018.

39）金山竜沢：脛骨近位端骨折―関節切開法―．MB Orthop **16**：28-34, 2003.

40）河合従之ら：外傷性膝関節脱臼について．整・災外 **25**：804-808, 1982.

41）川崎　拓：MRI が診断に有効であった不顕性骨折（occult fracture）の 6 例．整形外科 **48**：1711-1714，1997.

42）Kennedy JL：Complete dislocation of the knee joint. J Bone Joint Surg **45-A**：889-904, 1963.

43）小林　誠：外側プラトー骨折（関節切開による ORIF）．整形外科 Surgical Technique **6**：262-268，2016.

44）小林龍生ら：膝周辺の insufficiency fracture．整・災外 **40**：229-237, 1997.

45）小林龍生ら：脛骨内顆不全骨折の 2 例．整形外科 **44**：1354-1357, 1993.

46）櫛部英郎ら：Insufficiency fracture について．中部整災誌 **38**：469-470, 1995.

47）Larsson S et al：Use of injectable calcium phosphate cement for fracture fixation：a review. Clin Orthop **395**：23-32, 2002.

48）Lasinger O et al：Tibial condylar fractures：A twenty-year follow oup. J Bone Joint Surg **68-A**：13-19, 1986.

49）Lee HG：Avulsion fracture of the tibial attachment of the cruciate ligaments. Treatment by operative reduction. J Bone Joint Surg **29**：460, 1937.

50）Lefrak EA：Knee dislocation. An illusive cause of critical anterial occulsion. Arch Surg **Ⅲ**：1021, 1976.

51）Levi JH et al：Fracture of tibial tubercle. Am J Sports Med **4**：254-263, 1976.

52）Lobenhoffer P et al：Use of an injectable calcium phosphate bone cement in the treatment of tibial plateau fractures：a prospective study of twenty-six cases with twenty-month mean follow-up. J Orthop Trauma **16**：143-149, 2002.

53）Lowe JA et al：Surgical techniques for complex proximal tibial fractures. J bone Joint Surg **93-A**：1548-1599, 2011.

54) Luo CF et al：Three-column fixation for complex tibial plateau fractures. J Orthop Trauma **24**：683-692, 2010.

55) 前原　孝ら：後方骨片を伴った脛骨プラトー骨折に対してラフティングテクニックを用いた新しい内固定法．骨折 **35**：886-889, 2013.

56) 前原　孝：ラフトテクニックの応用：Sharp (#) technique．整形外科 Surgical Technique **6**：298-307, 2016.

57) Martinez A et al：Closed fractures of the proximal tibia treated with a function brace. Clin Orthop **417**：293-302, 2003.

58) Marwah V et al：The treatment of fractures of the tibial plateau by skeletal traction and early mobilization. Intn Orthop **9**：217-221, 1983.

59) 松原　統ら：脛骨内側顆疲労・圧迫骨折による acute painful knee joint の3例—内側型変形性膝関節症の進行因子としての考察．膝 **10**：17-21, 1984.

60) 松本健一郎ら：脛骨粗面剥離骨折に半月板損傷を合併した1例．骨折 **33**：212-215, 2010.

61) Mazone CG et al：Arthroscopic management of tibial plateau fractures：an unselected series. lfm J Orthop **28**：508-515, 1999.

62) McLennan JG：The role of arthroscopic surgery in the treatment of the intercondylar eminence of the tibia. J Bone Joint Surg **41-A**：209-222, 1959.

63) Messmer P et al：New stabilization techniques for fixation of proximal tibial fractures (LISS/LCP). Ther Umsch **60**：762-767, 2003.

64) Meyers MH et al：Follow up notes on articles previously published in the journal：Traumatic dislocation of the knee joint. J Bone Joint Surg **57-A**：430-433, 1975.

65) Meyers MH et al：Fractures of the intercondylar eminence of the tibia. J Bone Joint Surg **41-A**：209-222, 1959.

66) Meyers MH et al：Traumatic dislocation of the knee joint. J Bone Joint Surg **53-A**：16-29, 1971.

67) Michael S et al：Percutaneous methods of tibial plateau fixation. Clin Orthop **375**：60-68, 2000.

68) 三倉勇関ら：腸脛靱帯剥離骨折．臨整外 **11**：49-55, 1976.

69) 三倉勇関ら：前十字靱帯付着部剥離骨折により膝関節伸展障害を呈した2症例．膝 **9**：140-144, 1984.

70) Mitchell JI：Dislocation of the knee. J Bone Joint Surg **12**：640-642, 1930.

71) 宮本俊之：脛骨プラトー骨折 (C タイプ) に対するダブルプレーティング．整形外科 Surgical Technique **6**：277-281, 2016.

72) Moore TM：Fracture-Dislocation of the Knee. Clin Orthop **156**：129-144, 1981.

73) Moore TM et al：Roentgenographic measurement of tibial plateau depression due to fracture. J Bone Joint Surg **56-A**：155-160, 1974.

74) Müller ME et al：Mannual of internal fixation. Springer-Verlag, Berlin, 1991.

75) 長野博志：脛骨近位部骨折．関節外科 **29**：430-440, 2010.

76) 長野博志ら：脛骨近位部骨折に対する MIPO の適応と限界．骨・関節・靱帯 **18**：707-713, 2005.

77) 永田義紀ら：外傷性膝関節脱臼の治療経験．整・災外 **32**：1347-1355, 1989.

78) 中村立一ら：不顕性脛骨高原骨折の8例．整・災外 **41**：1583-1588, 1998.

79) 中田　研ら：脛骨近位端骨折の手術療法—鏡視下法—．Monthly Book Orthopaedics **16**：35-42, 2003.

80) 野田知之："脛骨プラトー骨折"．骨折に対する整復術・内固定術．OS Now instruction No28 (東京メジカルビュー社)：83-92, 2014.

81) 野田知之ら：後方剪断骨片を伴う脛骨近位端骨折における後方アプローチの有用性．骨折 **29**：368-372, 2007.

82) Ogden JA et al：Development of the tibial tuberosity. Anat Rec **182**：431-446, 1975.

83) Ogden JA et al：Fractures of the tibial tuberosity in adlescents. J Bone Joint Surg **62-A**：205-215, 1980.

84) Pandya NK et al：Tibial tubercle fractures：complications, classification, and the need for intra-articular assessment. J Pediatr Orthop **32**：749-759, 2012.

85) Pisitkul P et al：Complications of locking plate fixation in complex proximal tibial fractures. J Orthoped Trauma **21**：83-91, 2007.

86) Pretell-Mazzini J et al：Outcomes and Complications of Tibial Tubercle Fractures in Pediatric Patients：A Systematic Review of the Literature. J Pediatr Orthop **36**：440-446, 2016.

87) Quintan AG et al：Posterolateral dislocation of the knee with capsular interposition. J Bone Joint Surg **40-B**：660-668, 1958.

88) Rafii M et al：Computed tomography of the tibial plateau fractures. Am J Radiol **142**：1181-1186, 1984.

89) Rasmussen P et al：Tibial condylar fractures. J Bone Joint Surg **55-A**：1331-1350, 1973.

90) Reckling FW et al：Acute knee dislocation and their complications. J Trauma **9**：181-190, 1969.

91) Ricci WM et al：Treatment of complex proximal tibial fractures with the less invasive skeletal stabilization system. J Orthop Trauma **18**：521-527, 2004.

92) Roman PD et al：Traumatic dislocation of the knee：A report of 30 cases and literature review. Orthop Rev **16**：33-39, 1987.

93) Ruffolo MR et al：Complications of high-energy bicondylar tibial plateau fractures treated with dual plating through 2 incisions. J Orthoped Trauma **29**：85-90, 2015.

94) Ryu RK et al：An unusual avulsion fracture of the proximal tibial epiphysis. Case report and proposed addition to the Watson-Jones classification. Clin Orthop Relat Res **194**：181-184, 1985.

95) Sarminento A et al：Fractures of the proximal tibia and tibial condyles. A clinical and laboratory comparative study. Clin Orthop **145**：136-145, 1979.

96) Savoie F et al：Tibial plateau fractures：A review of operative treatment using AO technique. Orthopaedics **10**：745-750, 1987.

97) Schatzker J et al：The tibial plateau fracture. The Toronto experience 1968-1975. Clin Orthop **138**：94-104, 1979.

98) Schulak K et al：Fractures of tibial plateaus：A review of the literature. Clin Orthop **109**：166-177, 1975.

99) Schütz M et al：Stabilization of proximal tibial fractures with the LIS-System：early clinical experience in Berlin. Injury **34**（Suppl 1）：30-35, 2003.

100) Shepherd L et al：The prevalence of soft tissue injuries in nonoperative tibial plateaue fractures as determined by magnetic resonance imaging. J Orthop Trauma **16**：628-631, 2002.

101) Shieldo JM et al：Traumatic dislocation of the knee. Experience at the Massachusetts General Hospital. J Trauma **9**：192-215, 1987.

102) 新藤正輝：血管損傷を伴う膝周辺骨折の診断と治療. Monthly Book Orthopaedics **16**：60-66, 2003.

103) Sirkin MS, et al：Percutaneous methods of tibial plateau fixation. Clin Orthop **375**：60-68, 2000.

104) Sisto DJ et al：Complete knee dis location. Clin Orthop **198**：94-101, 1985.

105) Sohn HS et al：Incidence and fracture morphology of posterolateral fragments in tibial plateau fractures. J Orthoped Trauma **29**：91-97, 2015.

106) Solomon LB et al：Posterolateral and anterolateral approaches to unicondylar posterolateral tibial plateau fracturess：A comparative study. Injury **44**：1561-1568, 2013.

107) Solomon LB et al：Posterolateral transfibular approach to Tibial Plateau Fractures：Technique, Results, and rationale. J Orthop Trauma **24**：505-514, 2010.

108) Stevens DG et al：The long-term functional outcome of operatively treated tibial plateau fractures. J Orthop Trauma **15**：312-320, 2001.

109) Sullivan DJ et al：Natural history of a type 3-fracture of the intercondylar eminence in an adult. Am J Sports Med **17**：132-133, 1989.

110) Taylor AR et al：Traumatic dislocation of the knee. J Bone Joint Surg **54-A**：96-101, 1972.

111) Thomsen PB et al：Stability and motion after traumatic dislocation of the knee. Acta Orthop Scand **55**：278-283, 1984.

112) 徳永真巳：外側プラトー骨折（関節鏡視下整復内固定）. 整形外科 Surgical Technique **6**：269-276, 2016.

113) 徳永真巳：脛骨プラトー骨折：関節内骨折. 関節外科 **32**：142-156, 2013.

114) 徳永真巳：脛骨プラトー骨折の治療成績・鏡視応用法と関節切開法との比較. 膝 **25**：196-200, 2001.

115) 徳永真巳ら：Posterior columm 損傷を伴う脛骨プラトー骨折に対する前方アプローチの限界と

1138 各論　第17章　下肢の骨折

　　　　　　　　後方アプローチの適応. 骨折 **36**：436-473, 2014.
116) Torisu T：Isolated avulsion fracture of the tibial attachment of the posterior cruciate ligament. J Bone Joint Surg **59-A**：68-72, 1977.
117) 鳥巣岳彦ら：小児の脛骨顆間隆起単独骨折の治療経験. 膝 **2**：156, 1976.
118) 土屋明弘：膝関節靱帯附着部剥離骨折の治療. Monthly Book Orthopaedics **16**：43-49, 2003.
119) 月村泰規ら：外傷性膝関節脱臼の治療経験. 膝 **20**：87-90, 1995.
120) Waddell J et al：Fractures of tibial plateau：A review of 95 patients and comparision of treatment methods. J Trauma **21**：376-381, 1981.
121) Waldrop J et al：Fractures of the posterolateral tibial plateau. Am J Sports Med **16**：492-498, 1988.
122) 渡部惣兵衛ら：Insufficiency fracture —その意義と重要性. 整・災外 **40**：213-217, 1997.
123) 渡部欣忍ら：脛骨プラトー骨折—バイオメカニクスと手術療法—. 整・災害 **49**：563-573, 2001.
124) 渡部欣忍ら：応力波伝播からみた脛骨プラトー骨折発生のメカニズム. 日臨バイオメカニクス会誌 **19**：381-386, 1998.
125) Watson-Jones：Injuries of tibial tubercle. In Fractures and Joint Injuries 5th ed. vol2 1047-1050, Churchill Livingstone, 1976.
126) Weaver MJ et al：Fracture pattern and fixation type related to loss of reduction in bicondylar tibial plateau fractures. Injury **43**：864-869, 2012.
127) 依光正則：脛骨外側プラトー骨折：後外側アプローチの応用. 整形外科 Surgical Technique **6**：291-297, 2016.
128) 吉田　顕ら：脛骨外側剥離骨折の病態. 臨整外 **24**：1033-1041, 1989.
129) Zaricznyj B et al：Avulsion fractures of the tibial eminence treatment by open reduction and pinning. J Bone Joint Surg **59-A**：1111-1114, 1977.

8 腓骨頭骨折 fracture of the fibular head

　　　腓骨頭骨折は脛骨顆部骨折, 靱帯損傷に合併して起こることが多い. 特に前者の場合には腓骨神経損傷の合併に注意する必要がある. 膝関節に強い内反力が作用すると外側側副靱帯, 大腿二頭筋腱が付着する腓骨茎状突起剥離単独骨折が生じる (**図17-8-1**). 剥離骨片が大きく近位側に転位している場合は, Segond 骨折との鑑別が必要である. 多くは保存的に治療されるが, 腓骨神経損傷が合併している場合, 外側支持機構の不安定性がある場合には手術療法が適応となる.

　　　陳旧性裂離骨折で骨片が近位側に転位している場合でも比較的容易に骨片を引き下ろし, 整復することが可能である.

附-39 近位脛腓関節脱臼 (図17-8-2)

　　　近位脛腓関節の約60％は膝関節と交通する. 腓骨頭前面および後面は厚い関節包靱帯によりおおわれ, 腓骨茎状突起および腓骨頭外側面は外側側副靱帯・大腿二頭筋腱が付着している. 腓骨頭は膝関節伸展位では後方に, 屈曲位では前方にわずかに移動する. また足関節底屈時に回旋する.

　　　近位脛腓関節脱臼はまれで回旋外力によって生じるといわれているが, 通常は膝関節周辺の他の外傷に合併することが多く, 単独脱臼の急性期には症状が明確でないために看過されることが多い.

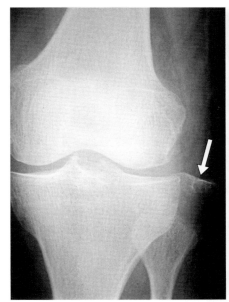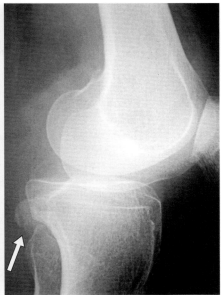

図 17-8-1　腓骨頭単独剥離骨折

1) 解　剖

　Ogden は近位脛腓関節を腓骨の関節面の傾斜角に基づき horizontal 型と oblique 型に分類した（図 17-8-3）. 前者は水平面に対し関節面の傾きが 20°以下のもので, 関節面の面積が広く運動性が大きい. 後者は, 関節面の傾きが 20°以上でその面積は狭く, 運動性も horizontal 型に比し小さいので前者に比べると脱臼しやすく, Ogden によると約 70% は oblique 型に発生するという.

2) 分　類

　Ogden は近位脛腓関節脱臼を亜脱臼と脱臼に分け, さらに後者を後外側型, 前外側型, 近位型に分類し, その頻度は脱臼 43 例中それぞれ亜脱臼 23.3%, 前外側型脱臼 7.0%, 後外側型脱臼 67.4%, 近位型脱臼 2.3% と後外側型が最も多く, 近位型が最も少ない（図 17-8-4, 表 17-8-1）.

3) 受傷機転

　外側側副靱帯が緊張しているときは腓骨頭が固定されているので脱臼しにくい. したがって受傷機転は回旋外力か外側側副靱帯の緊張がとれる膝関節屈曲位, または外側側副靱帯が損傷した場合に発生するといわれているが詳細は不明である. 直達外力, 回旋動作による場合は, 関節包と近位後脛腓靱帯が損傷し後内側脱臼が起こりやすい. 近位脱臼は単独で起こることはなく足関節の脱臼骨折に合併する. そのほか股関節脱臼が合併するという報告もある.

　Ogden は亜脱臼を原因が明らかでない特発性亜脱臼と外傷性脱臼が完全に整復されずに遺残した場合に分けておりその病態が一様でないことを示している.

4) 臨床症状・診断

　近位脛腓関節脱臼の存在の意識があれば, 局所の運動時痛, 腓骨頭限局性の圧痛, 変形（腓骨頭の突出）, 脛腓関節の不安定性などの臨床所見により診断は比較的容易である. 時に足関節の強い背屈で局所に疼痛を訴えることがある.

　新鮮外傷時に腓骨神経損傷を合併することは少ないが, 陳旧例で不安定性のあるものは間欠的, または慢性的知覚障害, 放散痛を訴えることがある.

　単純 X 線写真, ストレス X 線写真, CT 画像などにより診断は確定する.

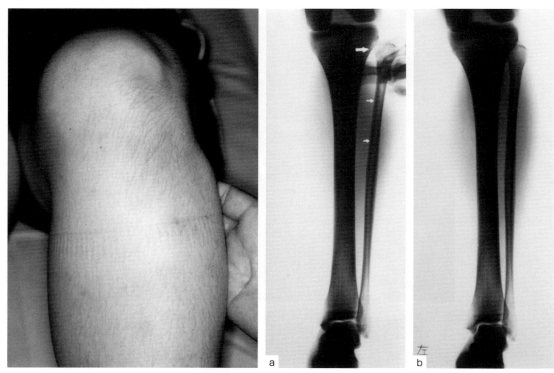

図 17-8-2 近位脛腓関節前外側脱臼
単純 X 線写真. a. 徒手整復前, b. 徒手整復後

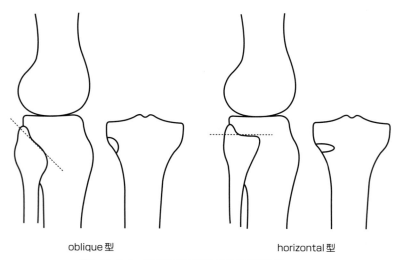

図 17-8-3 近位脛腓関節の形態分類（Ogden）

5）治　療

　新鮮前外側脱臼は徒手整復が容易である．膝関節を屈曲し，腓骨頭を解剖学的位置に向かって母指で圧迫すると整復感とともに整復される．約2～3週足関節を含めて外固定を行う．後内側脱臼は新鮮例でも徒手整復が困難で手術療法が適応となることが多い．陳旧例で自覚症状が乏しい場合には積極的な治療は不要である．疼痛に対しては1～2回のステロイドの注入が功を奏することがある．

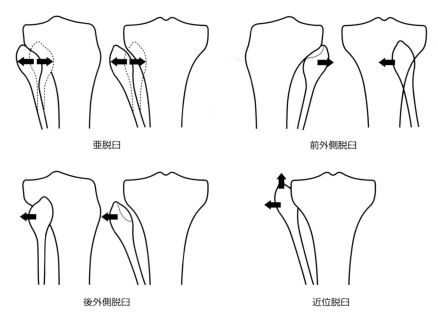

図 17-8-4　近位脛腓関節脱臼の分類（Ogden）

表 17-8-1　近位脛腓関節脱臼発生頻度

1925 Lyle	anterior 27	posterior 3	upward 2		total 32
1974 Ogden	anterolateral 29	posteromedial 3	superior 1	subluxation 10	43
1983 その他	anterolateral 28	posteromedial 6	superior 3	subluxation 8	45
total	84	12	6	18	120

a) 観血的整復術

腓骨頭を中心に縦切開を加える．腓骨神経を展開し常に直視下におくようにする．関節包や靱帯が関節内に嵌入している場合は除去し整復する．整復位が維持できたら関節包，靱帯を一次的に修復する．2～3週の外固定を行う．整復位が維持できない場合には，Kirschner 鋼線で仮固定をし術後4週で抜去する．

b) 人工靱帯による固定術（野本法）

主として陳旧例に適応するが，スポーツ選手などで早期復帰を望む例では新鮮例に適応することもある．

脛骨粗面外縁に沿う約 3 cm，および腓骨頭上に約 4 cm の皮切を加える．腓骨頭下部に前外側から後内側に腓骨神経を損傷しないように横走する骨トンネルを穿つ．次いで脛骨粗面外縁部から腓骨頭下部高位にその前後に向かって骨トンネルを穿つ．これらのトンネルに scaffold 型人工靱帯 tape（Leeds-Keio：KL-15）を通し，腓骨頭整復位で靱帯を脛骨前面でステープル2本で固定する．術後外固定は不要で，患者の希望に従ってスポーツ復帰を許可してよい（図 17-8-5）．

c) 近位脛腓関節固定術

特発性亜脱臼，陳旧性脱臼で不安定性，疼痛が頑固に続く例に適応されたが，近位脛腓骨関節を固定すると足関節部で外果の回旋運動を障害するので最近ではあまり行われ

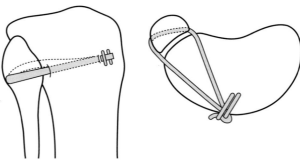

図 17-8-5　scaffold 型人工靱帯 tape (Leeds-Keio) による固定術 (野本法)

ない．後外側縦切開により腓骨頭と腓骨神経を展開し，脛腓関節軟骨面を切除した後に，スクリューで関節を固定する．腓骨骨幹部上中 1/3 高位で腓骨を 1〜1.5 cm 切除し，足関節に対する影響を除去する．

d) 腓骨頭切除術

適応は関節固定術とほぼ同様であるが，足関節への影響を考えて関節固定術より腓骨頭切除術を適応する意見もある．しかし腓骨頭には外側側副靱帯，大腿二頭筋腱をはじめ多くの重要な後外側支持機構が付着しているのでそれらの処理が複雑で困難となり問題点が少なくない．

参考文献

1) 阿部　均ら：両側近位脛腓関節習慣性脱臼の一例．東京膝関節研究会誌 3：39-45, 1983.
2) Anderson K：Dislocation of the superior tibiofibular joint. Injury 16：494-498, 1985.
3) Crothers OD et al：Isolated acute dislocation of the proximal tibiofibular joint. J Born Joint Surg 55-A：181-183, 1973.
4) Giachino AA：Recurrent dislocations of the proximal tibiofibular joint. Report of two cases. J Bone Joint Surg 68-A：1104-1106, 1986.
5) Gray DJ et al：Prenatal development of the human knee and superior tibiofibular joint. Am J Anat 86：235-387, 1950.
6) Harrison R et al：Dislocation of the upper end of the fibula. J Bone Joint Surg 41-B：114-120, 1959.
7) Mamound A et al：Proximal tibiofibular joint dislocation：a rare entity. BMJ Case Rep 12：e227953, 2019.
8) 野本　聡ら：Scaffold 型補強用 mesh (Leed-Keio) による脛腓関節脱臼の 1 治験例．整・災外 33：1207-1210, 1990.
9) Ogden JA：Subluxation and dislocation of the proximal tibiofibular joint. J Bone Joint Surg 56-A：145-154, 1974.
10) Owen R：Recurrent dislocation of the superior tibiofibular joint. J Bone Joint Surg 50-B：342-345, 1968.
11) Parkes JC et al：Isolated acute dislocation of the proximal tibiofibular joint. J Bone Joint Surg 55-A：177-180, 1973.
12) 柴崎昌浩ら：両側上位脛腓関節亜脱臼の一症例．東京膝関節研究会誌 2：94-99, 1981.
13) Sijbrandij S：Instability of the proximal tibio-fibular joint. Acta Orthop Scand 49：621-626, 1978.
14) Thomason PA et al：Isolated dislocation of the proximal tibiofibular joint. J Trauma 26：192-195, 1986.
15) Weinert CR Jr et al：Recurrent dislocation of the superior tibiofibular joint. Surgical stabilization by ligament reconstruction. J Bone Joint Surg 68-A：126-128, 1986.

9 脛骨骨幹部骨折 fracture of the tibial shaft

　脛骨骨幹部骨折は四肢長管骨骨折で最も頻度が高く，日常遭遇することの多い骨折である．骨折端の接触が得られていれば長期間を要するものの外固定により骨癒合が得られるという Watson-Jones の言葉がしばしば成書に引用されて，基本的には保存療法で十分骨癒合が得られるとされてきた．しかし手術療法は確実な内固定により術後早期から関節可動域訓練や筋力訓練が可能となり，社会復帰も早いという大きな利点がある．また本骨折は青・壮年者に多発するので，治療法による患者の身体的，精神的，社会的得失を十分考慮し近年は手術療法が行われることが多い．

　一般に脛骨骨幹部の範囲は単純X線写真で皮質骨がみられる部分を指す．AO/OTA分類は骨幹部を明確に定義している．すなわち脛骨顆部の最大横径の平方に含まれる範囲を脛骨近位部とし，骨幹部はその下限以下とし，遠位部も同じく脛骨遠位部の最大横径の平方で囲まれる範囲を除くとしている（図17-9-1）．実際に脛骨近位部骨折は，骨折と同時に膝関節構成体の損傷の合併の有無が予後に影響し，脛骨近位部骨折と骨幹部骨折とは治療法の選択は根本的に異なる．脛骨遠位部の骨折もまた足関節の損傷を伴うことが多く，治療には特別の配慮がなされなければならない．骨幹部骨折は軟部組織の損傷を除けば，骨折そのものによる関節障害をきたすことは少ない．

　脛骨骨幹部は中央の骨髄腔の狭い部分とその近位側および遠位側の骨髄腔拡大部の3つに区分される．Johner-Wruhs は中央部を骨髄腔の最小横径プラス1mmまでと定義している．

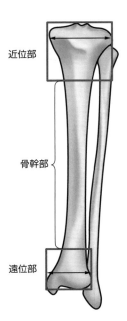

図 17-9-1　AO/OTA 分類による脛骨骨折の区分
近位部，遠位部はそれぞれ脛骨の横径の平方で囲まれる部分と規定している．それ以外が骨幹部である．

a 解剖・機能解剖

　脛骨骨幹部横断面は内側面，外側面，後側面からなる三角形を呈する．内側面は皮膚と皮下組織のみでおおわれており，外側面との境界である前縁および内縁を皮下に触知できる．外側面と後面の境界は骨間縁であり，腓骨との間にはほぼ全長にわたり強靱な骨間膜が付着している．骨間膜は下腿の前方の区画と後方の区画を明確に区分しており，近位に前脛骨動・静脈，遠位に腓骨動・静脈が通る孔が開いている以外，前・後区画の交通はない．脛骨の外側面の近位 2/3 から前脛骨筋が起始し，後面の近位部から中央部にヒラメ筋，後脛骨筋，長趾屈筋の順で起始している．骨幹部の遠位 1/3 にはどの面にも筋肉の付着はない（図 17-9-2）．

　脛骨骨幹部の栄養は前脛骨動脈から骨膜に分布する血管網と脛骨後面近位部のヒラメ筋起始部にある栄養孔から入る後脛骨動脈の分枝による骨内血行によってまかなわれている（図 17-9-3）．骨内に入った分枝は 3 本の上行枝と 1 本の下行枝に分かれる．従来，骨幹遠位 1/3 部の骨折は骨内血行が遮断され，かつ骨周辺に筋肉の付着がないので周辺からの血液供給も十分でなく骨癒合過程は著しく阻害されるといわれてきた．正常な脛骨では栄養血管による骨内の血行は骨皮質の栄養に重要な役割を果たしているが，骨折で骨内血行が遮断されると骨膜性の血行が旺盛となり骨折による骨内血行の循環不全を代償する．Sarmiento の保存療法の成績では，骨幹遠位 1/3 部における偽関節発生率は 1% 以下である．また髄内釘による骨接合術を行った場合には，骨髄内血行はリーミングによりさらに遮断されるにもかかわらず骨癒合が大きく妨げられることはない．したがって骨折部を安定させ骨膜の損傷を防止することが脛骨骨幹部骨折の治療では重要である．

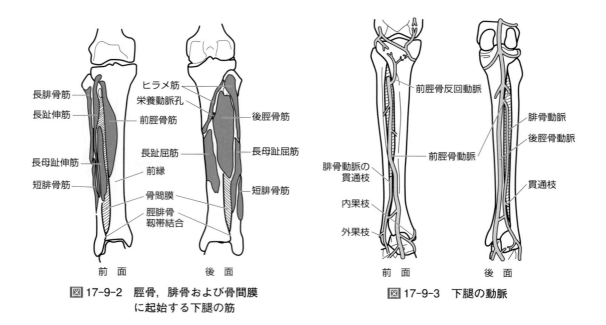

図 17-9-2　脛骨，腓骨および骨間膜に起始する下腿の筋

図 17-9-3　下腿の動脈

b 受傷機転

脛骨骨幹部骨折は交通外傷などによる強力な直達外力が原因となる場合が多く，開放骨折や多発外傷の合併もみられる．このように大きな直達外力による骨折の形態は横骨折または粉砕骨折であることが多い．高所からの転落のように軸圧の外力が作用しない限り骨幹部骨折が足関節に及ぶことはまれである．一方スポーツ中，歩行中などで足部が固定された状態で捻転力が加わるとそれほど大きな外力でなくても介達外力により螺旋または斜骨折が生じる．代表的な例はスキーによる螺旋骨折である．

c 骨折の分類

1) Johner-Wruhs 分類（図 17-9-4）

この分類は骨折形態，外力，受傷機転を一括して図示し，AO/OTA 分類の基となっている．Johner-Wruhs は創外固定法を含む手術療法を行った 291 骨折について，内固定法の選択，合併症，予後を検討して，治療成績は受傷機転と骨折型に左右されることを強調している．骨折が骨幹部に限局しているものおよび主骨折が骨幹部にありこれから骨折線が骨端部へ波及しているものを対象としている．骨折の程度により A 群，B 群，C 群に分け，B 群，C 群になるほど骨折形態は複雑となる．

A 群：単純骨折（simple）

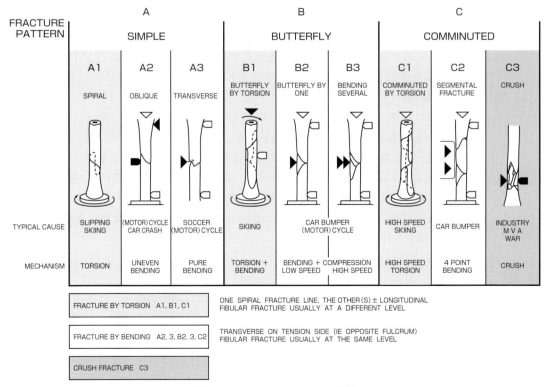

図 17-9-4　Johner-Wruhs 分類

（Johner R, et al：Classification of tibial shaft fractures and correlation with results after rigid internal fixation. Clin Orthop 178：7-25, 1983 をもとに作図）

表 17-9-1　AO/OTA 分類　脛骨骨幹部 (42−)

A : simple	42A1 : spiral	
	42A2 : oblique (≧30°)	a : proximal
	42A3 : transverse (<30°)	
B : wedge	—	
	42B2 : intact wedge	b : middle
	42B3 : fragmentary wedge	
C : multifragmentary	—	c : distal
	42C2 : intact segmental	
	42C3 : fragmentary segmental	

B群：蝶形の第3骨片を有する骨折 (butterfly)

C群：さらに強い外力が作用して生じる粉砕骨折 (comminuted)

　各群の1型は骨折形態が螺旋骨折であり，代表的外力としてスキーにおける転倒をあげ，捻転力が介達外力として作用して生じる．腓骨骨折が合併する場合は脛骨の骨折部位とは異なった高位に腓骨骨折が生じる．2型，3型はバイクや自動車事故などでみられることが多く直達外力が作用して生じる．腓骨骨折は同じ高位にみられる．C3はより強力な外力の作用により生じるとし発生機序を分けている．

2) AO/OTA 分類 (表 17-9-1)

　過去には種々の分類法が存在したが，現在では AO/OTA 分類が一般的である．AO/OTA 分類は Johner-Wruhs 分類を基礎に骨折形態をさらに3分した分類法である．近位部，遠位部はそれぞれ脛骨の横径の正方形で囲まれる部分と規定され，それ以外が骨幹部である．2018年に改訂されて，従来脛骨腓骨骨幹部骨折で一緒に分類されていたがそれぞれ別の分類となった．脛骨骨幹部骨折のコードは42である．骨折分類に軟部組織の損傷を加味してはいない．A は単純骨折，B は楔状骨片を有する骨折，C は多骨片骨折とされている．

d 診　断

　脛骨骨幹部の前内側面は皮膚の直下にあるので，局所の腫脹，皮下出血，疼痛，限局性圧痛，変形，異常可動性などから骨折の診断は容易であるが，正確な診断には単純 X 線写真が不可欠である．脛骨と腓骨の骨折高位が異なることが少なくないので下腿全長の撮影が必要である．通常は正面，側面の2方向撮影を行うが，より詳細な骨折形態の診断には斜位撮影を追加することもある．開放骨折の場合には早急に創の処置を行う．その際，軟部組織の損傷の程度の診断，特に神経，血管損傷合併の有無を診断しなければならない．血管損傷が疑わしい場合には動脈造影を行う．

e 治　　療

1) 新鮮皮下骨折

　　脛骨骨幹部骨折の治療適応は保存療法と手術療法に意見が分かれるが，前述したように患者の身体的，精神的，社会的得失を十分考慮していずれの治療法を選ぶか柔軟に対応しなければならない．いずれの治療法を選択しても可及的早期の機能回復を目的とする．そのためには多少とも残存する可能性のある変形，脚長差，ときには関節可動域制限などが骨癒合後に患者の日常生活，労働能力を障害しないように，また美容上の問題を残さないように整復の許容範囲を熟知しておかねばならない．一般的な許容範囲は，単純 X 線写真正面像で骨短縮 1 cm 以内，外反変形 10°，内反変形 5° 以内，側面像で前，後屈曲変形 10° 以内，また回旋変形 10° 以内である．保存療法では特にこれらの許容範囲を念頭において治療する必要があり，手術療法では感染の危険，軟部組織損傷の拡大に対する配慮を要する．

　　現在行われている治療法は，cast-brace 法，創外固定法，プレート固定法，髄内固定法などである．大腿部から足部までプラスチック包帯固定する従来の方法は，ごく限られた症例にのみ適応される．実際には確実な整復と強固な内固定により治療期間の短縮を図るために手術療法を行うことが多く，創外固定法は開放骨折に適応されることが多い．

a) 保存療法

　　Sarmiento が機能装具法を提唱する以前は，徒手整復後に大腿部から足部までのギプス包帯による外固定法または下腿の経皮鋼線固定にギプス包帯 pin and plaster を行い早期に荷重させる方法がとられていたが，現在は Sarmiento に準じた cast-brace 法が主に行われる．Sarmiento は本法はすべての脛骨骨幹部骨折に適応されるとしているが，一般には ① 転位のない骨折，② 転位があっても徒手整復により安定した整復位が維持できる横骨折，③ 腓骨骨折を伴わない螺旋骨折，④ 骨短縮が 1 cm 以内の短斜骨折などが適応とされている．開放骨折では Gustilo-Anderson 分類の Type Ⅲ-A までが適応となる．

　　受傷直後にプラスチック包帯固定を行う報告もあるが，骨折の程度が軽微であっても単純 X 線写真では，軟部組織の損傷の判定はできないので下腿全周をプラスチック包帯に巻き込むことは重篤な循環障害を合併することがあるので危険である．受傷直後は大腿後面から足部までプラスチック包帯による副子固定または，軽量のガラス線維による副子固定を行うか，転位を伴う骨折は鋼線牽引で可及的に整復し，腫脹が消退してからプラスチック包帯固定を行うほうが安全である．減脹したら（通常受傷 2 週後）PTB（patellar tendon bearing）プラスチック包帯を巻く（図 10-4-6 参照）．

　　PTB プラスチック包帯のみで治療する場合は，骨折の形態，安定性などにより異なるが，骨癒合が得られるまで 6～12 週間の装着が必要である．骨折の再転位や短縮が生じないと判断される場合には装着後 3，4 週で着脱可能な PTB 装具に変更する．プラスチック包帯装着後は経時的に単純 X 線写真を撮影し整復位が保たれていることを確認する．再転位が生じた場合は手術療法に変更する．

1148 各論 第 17 章 下肢の骨折

b) 手術療法

　従来，脛骨骨幹部骨折は保存療法を選択することが少なくなかったが，内固定材料，手術手技の改良と進歩，早期関節運動，筋力強化運動の開始，早期日常生活への復帰が可能，外固定が不要などの大きな利点を有する手術療法が一般的となった．特に同側大腿骨骨折合併例（浮遊膝骨折 floating knee fracture），転位を伴った関節内骨折の合併，多発外傷により全身管理を要する例，腓骨骨折を伴わない徒手整復困難例，分節型骨折などは手術療法の適応となる．手術法の選択は症例により異なるが，一般的に髄内釘固定法は手術侵襲が小さく早期荷重歩行が可能で関節の可動域制限をきたすことがきわめて少ないので適応されることが多い．

　開放骨折や多発外傷例では一時的に創外固定を使用して骨折部の整復位と安定性を獲得し，軟部組織損傷や全身的合併症改善後に内固定を行う damage control orthopaedics（p. 235 参照）の概念が一般的となっている．創外固定から内固定への転換に関しては，2 週間以上創外固定の装着を余儀なくされた場合は，一期的髄内釘手術は感染の危険性があるとの意見がある．その際はいったん創外固定を除去してピン刺入創の治癒を待ち髄内釘手術を行うか，プレート骨接合術を行うかを選択するが，抜ピンから手術までの待機期間に関しては統一した見解は得られていない．

① 閉鎖性髄内釘固定法 closed intramedullary nailing

　骨幹中央部の横骨折，短斜骨折に対しては骨髄腔をリーミングして髄内釘で固定する Küntscher 原法（図 17-9-5）が行われていたが，現在では骨癒合を阻害する骨折部に加わる剪断力や回旋力をできるだけ軽減するために横止め髄内釘による内固定法が標準的である（図 17-9-6）．むしろ現在は原法の Küntscher 釘の準備は容易ではない．Küntscher 原法ではアンダーリーミングをしてクローバー釘の発条力で横止めなしに骨癒合に有害な回旋を防止するが，現在ではオーバーリーミングして円筒型の髄内釘を使用するために，回旋は横止めスクリューで固定する必要がある．特に近位や遠位の髄腔拡大部の骨折，分節骨折には横止めスクリュー固定を行う static locking 法を行う（図 17-9-7, 8）．

　適応の絶対条件は，近位と遠位の骨片に少なくとも 2 本以上の横止めスクリューの挿入が可能であることである．近位端や遠位端など不安定性が強い骨折型に対しては，多方向から複数の横止めスクリューの挿入が可能な機種を選択する．

　最峡部骨幹部骨折は，至適径髄内釘を挿入することで整復位を獲得できる．遠位骨幹部骨折は，髄腔拡大部になるので髄内釘を挿入するだけでは良好な整復位は得られにくいので，ガイドワイヤーを遠位骨幹部中央に刺入する必要がある．さらに後述する Poller screw や blocker pin などの併用も考慮すべきである．近位骨幹部骨折は膝蓋下部進入路 infrapatellar approach の際に膝関節を屈曲すると膝伸展機構に牽引されて近位骨片が伸展方向へ転位するので（図 17-9-9），これを防止するために髄内釘挿入時に Poller screw や blocker pin などを併用する整復位保持のための対応が必要である（図 17-9-10）．

　また X 線透視装置で整復位や骨軸を確認するときには膝関節を伸展位近くまで伸ばす必要があるが，この操作によりしばしば術中に整復位の保持が困難となる．1996 年に Tornetta は脛骨近位骨幹部骨折に対し膝関節伸展位で髄内釘を挿入する方法

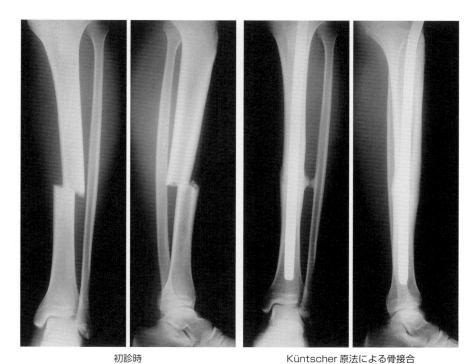

初診時　　　　　　　　　Küntscher 原法による骨接合

図 17-9-5　骨幹中央部骨折（24 歳，男性）

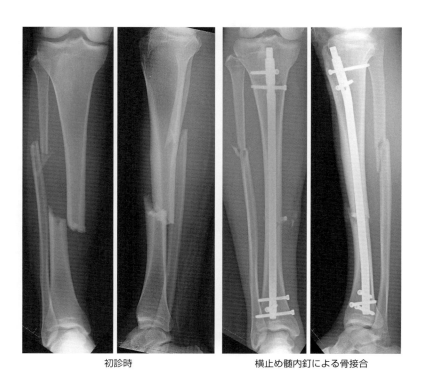

初診時　　　　　　　　　横止め髄内釘による骨接合

図 17-9-6　骨幹中央部骨折（20 歳，男性）

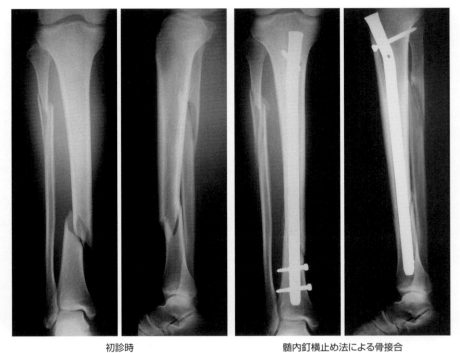

初診時　　　　　　　　　髄内釘横止め法による骨接合

図 17-9-7　スポーツ外傷での螺旋骨折（31歳，男性）

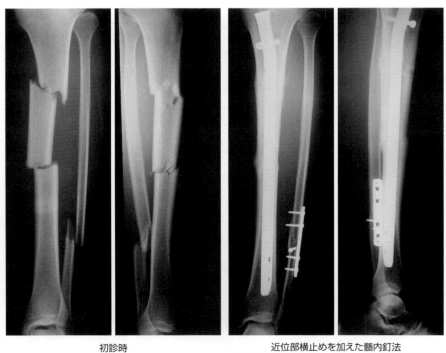

初診時　　　　　　　　　近位部横止めを加えた髄内釘法
　　　　　　　　　　　　腓骨は遠位1/3骨折のためプレート固定を行った

図 17-9-8　分節骨折（29歳，男性）

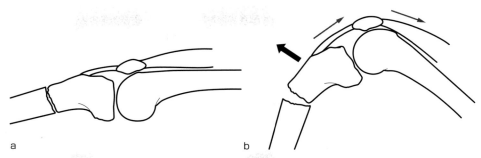

図 17-9-9　近位骨幹部骨折の転位
a. 伸展位では整復位を保持できる．
b. 屈曲すると伸展機構に牽引されて，容易に伸展変形（前方凸変形）が生じる．

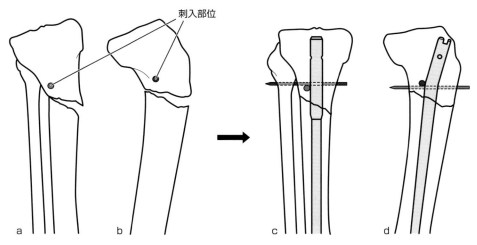

図 17-9-10　近位骨幹部骨折に対する blocker pin の応用
a. 前後像
b. 側面像：それぞれ 2～2.4 mm Kirschner 鋼線を刺入して blocker pin とする．
c. 髄内釘挿入後前後像：左右方向に刺入した blocker pin の効果で前額面の整復位が得られる．
d. 側面像でも同様に前後方向に刺入した blocker pin の効果で整復位が得られる．

（semi-extended approach）を初めて報告し，従来の髄内釘挿入に必要な膝関節屈曲に伴う再転位を解決した．Tornetta 法は内側傍膝蓋関節切開を加えて膝蓋骨を外側に亜脱臼させる関節内アプローチであったが，その後 Kubiak らは滑膜性関節包を温存する関節外アプローチとして膝蓋骨の可動性を考慮して内側および外側から進入する傍膝蓋アプローチ（medial or lateral parapatellar approach）を報告した．いずれも膝関節を屈曲せずに髄内釘の挿入が可能となり，徒手的な整復位の保持と X 線透視装置による骨軸の確認が容易となった．

　semi-extended approach は当初の傍膝蓋アプローチに代わり膝蓋骨近位から大腿四頭筋腱を貫通して挿入する膝蓋上アプローチ suprapatellar approach に発展し（図 17-9-11），2014 年に初めて Sanders によりその良好な成績が報告された．

　膝蓋大腿関節を通して髄内釘を挿入するため，関節軟骨の損傷が危惧されるが，

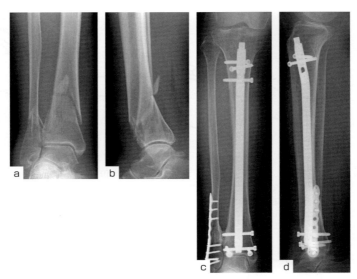

図 17-9-11 遠位骨幹部骨折に対する suprapatellar approach の応用（80 歳，女性）
 a. 前後像
 b. 側面像：遠位骨幹端髄腔拡大部での骨折である．
 c. 術後前後像
 d. 術後側面像：suprapatellar approach を応用して，仰臥位膝軽度屈曲位で遠位骨片のアライメントを保ちながら X 線透視下に髄内釘の刺入が可能であった．

　Gelbke らの屍体研究では suprapatellar approach のほうが infrapatellar approach より膝蓋大腿関節軟骨に対する髄内釘の接触圧は高いが，関節軟骨に損傷を与えるほどではなかったと報告している．また安樂ら，前川ら，倉田ら，Sanders らの臨床報告では，関節軟骨厚の 50％以下の膝蓋大腿関節軟骨損傷は 10〜50％で発生するものの，術後 1 年以上の経過でも臨床症状は呈さないことが報告されているが，短期の観察結果のためさらに長期の経過を検討する必要がある．

　直視下でなく関節内から X 線透視装置下に盲目的に挿入点を作製するために関節内軟部組織損傷が危惧されるが，Eastman らの屍体研究によると内側顆間隆起より外側に挿入点を作製すると内側半月板損傷を避けられるとしている．

　関節を切開するので特に開放骨折例に対する適応は感染による化膿性関節炎を合併する危惧があり，検討を要するが，過去の報告では相当数が開放骨折例にも施行されており，最近の Mitchell らの 139 例の報告では症例の 87％を Gustilo 分類の Type 2 と 3 が占めているにもかかわらず化膿性膝関節炎の合併はなかった．

　しかし suprapatellar approach による抜釘は困難で，新しい皮切を加え infrapatellar approach で抜釘せざるを得ないという欠点がある．

　近年わが国でも膝蓋上アプローチの欠点を踏まえて，傍膝蓋進入による関節外アプローチの報告がみられる．安田らは内側膝蓋支帯のみ切開し，滑膜性関節包を温存した内側傍膝蓋アプローチを報告し，膝蓋大腿関節軟骨損傷やリーミングに伴う骨屑が関節内に残存する問題を解決した．鈴木らは当初は内側傍膝蓋アプローチを選択して

いたが，内側支帯・内側膝蓋大腿靱帯が強固で膝蓋骨の亜脱臼位を得ることが難しい．一般的髄内釘挿入点が外側顆間隆起の内側になるため内側からだとアライメント不良となる症例がある．内側膝蓋大腿靱帯を修復するが将来的に膝蓋骨不安定性が遺残する危惧がある．内側の伏在神経膝蓋下肢損傷の可能性があることなどを理由に，積極的に外側傍膝蓋アプローチを選択している．寺田らは外側傍膝蓋皮切を膝蓋腱外側縁として従来より遠位に皮切を置き，膝蓋下脂肪体と膝蓋腱の間から進入することにより関節包損傷を軽減できるように工夫しており，筆者は寺田法に準じて髄内釘挿入部を展開している．

ⓐ 膝蓋下アプローチによる横止め髄内釘 infrapatellar approach

手術手技：麻酔は主に腰椎麻酔または硬膜外麻酔を用いる．患者を背臥位とし大腿部に止血帯を固定する．牽引手術台を使用する場合は股関節屈曲位とし大腿遠位部に支持器を置き，膝関節は 90°以上屈曲する．牽引手術台を使用するときは術前の肢位をとるのが煩雑なので牽引手術台を使用する機会は減少している．実際には牽引手術台を使用せずに通常の手術台上で約 120°の膝屈曲を得られる枕を使用することが多い．また高く挙上した手術台縁より下腿を下垂する肢位でも手術は可能である．

膝蓋骨下極から脛骨粗面の直上まで縦切開を加える．膝蓋腱を中央で縦切し髄内釘を挿入する正中進入法，膝蓋腱の内側または外側に切開を加え挿入孔を開ける方法などがあるが，髄内釘の弯曲と骨髄腔内との適合性，横止めスクリューの挿入などを考えると正中進入法が適している．

近位脛骨髄腔中心の延長上の膝蓋腱を線維方向に縦切開する．至適髄内釘挿入点は正しい前後像（脛骨外側顆の外側縁が腓骨頭の中央に位置するのが目安となる）で脛骨近位端骨髄腔中心（平均的には外側顆間隆起のやや内側）で，側面像で脛骨近位端前縁角である．この部位を awl で開孔するか，膝関節を強く屈曲して挿入孔作製用ガイドワイヤーを髄腔方向に刺入し中空ドリルで開窓する．awl を使用する際には後方皮質方向に骨孔を穿つのではなく，手元をできるだけ後方に倒して awl 先が前方皮質に向かうくらいで挿入するとよい．刺入点が前方に寄りすぎると髄内釘挿入時に脛骨骨皮質の前方に亀裂が入りやすい．

髄腔ガイドワイヤーは先端を軽く J 字状に曲げておく．刺入点からガイドワイヤーを刺入するときには後方皮質で滑るようにガイドワイヤー先端を前方に向けておく．骨折部ではこの曲がったガイドワイヤーの先端を回しながら遠位髄腔内に誘導し，さらに遠位骨片の骨端線痕跡を越えるまで挿入しておく．

しかし髄腔が広い部位ではガイドワイヤーの進行方向に遊びが多く，必ずしも遠位骨片の中央に誘導することは容易ではない．これを解決する方法として Krettek は Poller（blocking）screw technique を報告した．髄腔が広い部位でガイドワイヤーひいては髄内釘が偏心性に挿入されると長軸方向の変形が生じるが，変形の凹側で最狭部内壁の延長線上に Poller screw を挿入する（**図 17-2-16, 17** 参照）と遠位骨片の中央にガイドワイヤーを誘導でき，その後に髄内釘を挿入することで自動的に整復位が獲得できる優れた方法である．しかしスクリューでガイドワイヤーもしくは髄内釘をコントロールする際には，ほぼ一発勝負で最も効果的な部位にスクリューを刺入する必要がある．もし，髄内釘挿入に干渉して打ち直す必要が生じたときには操作が煩雑

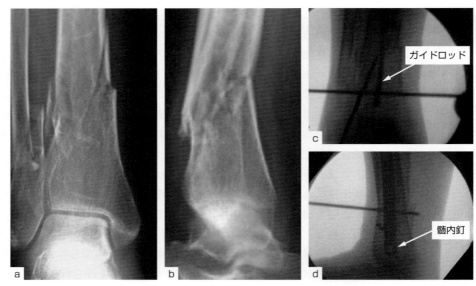

図 17-9-12　遠位骨幹部骨折に対する blocker pin の応用
a. 前後像
b. 側面像：髄腔拡大部での骨折である．
c. 術中X線透視前後像：ガイドロッドを blocker pin で遠位骨片中央に誘導した．
d. 術中X線透視側面像：左右方向に刺入した blocker pin で矢状面のアライメントも良好である．

となり，医原性の骨折の原因となりかねない．それを考慮すると blocker pin technique が有用である．これはスクリューの代わりに 2.0 mm か 2.5 mm の Kirschner 鋼線を前後方向に（もしくは左右方向に）刺入して blocker pin としガイドワイヤーを意図する方向に誘導する方法である（**図 17-9-12**）．前後方向に刺入した blocker pin は内外反変形の整復に，また左右方向に刺入した blocker pin は矢状面変形の整復にも役立つ．また Kirschner 鋼線は適度にしなるので，髄内釘挿入時に干渉するのを避けられる．最近，骨折線と長管骨長軸の交点でその鋭角部に blocker を挿入すると（**図 17-2-18 参照**），効果的であることが報告され非常に有用である．

blocker pin は術中の一時的使用であり横止めを完了した後に抜去するため，術後に継続的安定性をもたらすことはできない．横止め後に同部位にスクリューを刺入して transmedullary support screw として術後の安定性を維持する方法（**図 17-2-16 参照**）は有用である．

腓骨骨折を伴わない骨折で徒手整復ができずガイドワイヤーの挿入が困難な例では，骨折部内側に小切開を加えエレバトリウムで転位を整復し遠位骨片にガイドワイヤーを誘導する．リーミングを行う前に整復状態をX線透視装置で確認する．細いリーマーから 0.5 mm ごとに太くして，骨皮質内壁を"カラカラ"と硬い音で削る感触を得るまでリーミングし，この時のリーマー径より 1 mm 細い髄内釘を選択する．リーマーにより髄腔を拡大するというよりリーマーで至適髄内釘径を決定する．新たな骨折を生じないように操作には注意する．縦割れのある分節型の骨折や高度に粉砕した骨折は，近位骨片をリーミングした後，中間の粉砕部はリーマーを回転させずに通過させ，遠位骨片に到達した後に再びリーミングを行う．

回旋転位に注意しながら髄内釘を挿入する．膝蓋骨正面のときに足関節を背屈 0°
にして第二趾先端が真上となる状態が正しい回旋の目安である．髄内釘の近位部は膝
関節屈伸時に膝蓋腱を損傷しないように骨内に確実に埋める．横止めスクリューの順
番は近位を先にする方法と遠位を先にする方法がある．遠位を先にする場合は横骨折
や短い斜骨折では，回旋が正しいことを再確認した後に固定する．遠位部の横止めス
クリューの刺入は X 線透視下に行う．その後に引き抜き方向に髄内釘を打ちもどす
ことで骨折部を可及的に密着させ，再度回旋を調節して近位部を横止めスクリューで
固定する．近位部の横止めスクリュー固定は使用する機種専用の target device を用い
れば容易である．下腿下垂位で手術を行う場合は，スクリュー固定時に下腿を水平に
持ち上げなければならない．この際遠位骨片が回旋し回旋転位を残すことがあるので
十分注意が必要である．近位を先にする場合は，前述の target device を用いて近位横
止めスクリューを刺入し，回旋を調節した後足底から圧迫力を加えて両骨折端を密着
させて，X 線透視下に遠位横止めスクリューを刺入する．

　　後療法：外固定は必要としない．手術侵襲による影響が鎮静したら早期より関節運
動訓練，筋力訓練，荷重歩行を開始する．主骨片同士の皮質骨の接触がある安定した
骨折は，早期の荷重訓練は可能であるが，分節型や粉砕型など不安定な骨折では仮骨
形成を待ち，術後 4～6 週以降に荷重訓練開始するのが一般的である．

ⓑ **膝蓋上アプローチによる横止め髄内釘** suprapatellar approach

　　手術手技：麻酔は主に腰椎麻酔または硬膜外麻酔を用いる．患者を背臥位とし大腿
部に止血帯を固定する．牽引手術台を使用せずに通常の手術台上で膝関節が約 20° の
軽度屈曲位を得られるように枕を使用する．

　　膝蓋骨上縁中央から近位 1 cm の位置から 2～3 cm の縦切開を加える．そのまま大
腿四頭筋腱と関節包を縦切開する．筋鉤で膝蓋骨を持ち上げながら専用ガイドスリー
ブを大腿骨滑車に沿わせて挿入する．膝蓋大腿関節に張り出した滑膜脂肪体が干渉す
る場合は鋏刀で鋭的に切開する．膝蓋下脂肪体を貫通してイメージ下にガイドスリー
ブを関節外至適挿入点へ誘導し，挿入点作製用ガイドワイヤーを刺入する．膝蓋骨を
軽度外側にずらすとガイドスリーブが挿入しやすい場合がある．また縦切開を四頭筋
腱の内側よりにすることで膝蓋大腿関節の空間が狭い場合に膝蓋骨内側関節包に切開
を広げることができる（**図 17-9-13**）．

　　挿入孔を作製後は infrapatellar approach と同様に手術を進めるが，専用ガイドス
リーブが不適切な位置でリーミングや髄内釘打ち込みを行うと膝蓋大腿関節軟骨を損
傷する恐れがあるので注意する．

ⓒ **外側傍膝蓋アプローチによる横止め髄内釘** lateral parapatellar approach

　　麻酔と体位の準備は膝蓋上アプローチと同様である．術前に膝蓋骨が十分に内側に
偏位可能であることを確認しておく．膝蓋腱外側縁に沿った約 6 cm の縦切開を加え
る．膝蓋腱の外側縁で外側伸筋支帯を切開する．膝蓋腱と膝蓋下脂肪体の間を剥離す
ると髄内釘挿入点である脛骨近位前面が直視下に確認できる．透視下に骨幹軸を確認
して挿入点作製用ガイドワイヤーを刺入する．刺入点作製後は infrapatellar approach
と同様に手術を進める．本アプローチのための特別な道具は不要で髄内釘の標準機器
で手術は可能である．

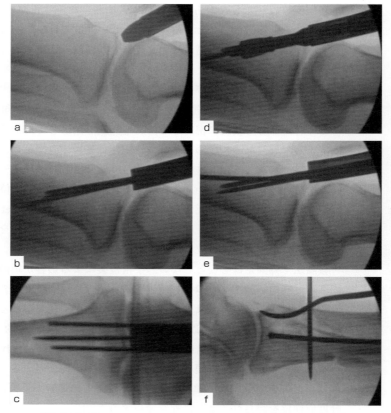

図 17-9-13　suprapatellar approach　（図 17-9-12 の症例）
a. ガイドスリーブを挿入点まで導入する．
b, c. ガイドスリーブを Kirschner 鋼線で固定し，挿入点作製用ガイドワイヤーを刺入する．
d. 中空リーマーで挿入点を作製，e. 挿入点より髄内釘ガイドワイヤーを挿入
f. 術中は膝はほぼ伸展位でアライメント保持しながらイメージが使える．遠位骨片を小切開からエレバで整復している．

ⓓ Ender ピンによる髄内釘固定法

　　Ender ピンの利点は，① 閉鎖的に手術が行える，② 髄腔のリーミングが不要で内骨膜血行を障害することが少ない，③ 手術手技が簡便である，④ 骨長を保持し回旋，屈曲変形を防止できる，⑤ 釘の持つ撓屈性固定力により早期荷重歩行が可能である，などがあげられる．一方，欠点として髄内釘横止め法に比較して固定性が不十分であること，釘が脱転してきて皮膚を突き上げやすいなどがあげられる．したがって，不安定型の骨折では PTB プラスチック包帯固定または装具を併用するほうが変形治癒を予防する観点から好ましい．適応は Küntscher 型髄内釘とほぼ同様に行われていたが，横止め式髄内釘の発達に伴い最近では多発外傷例や骨端線が閉じていない小学校高学年や中学生の脛骨骨幹部骨折に適応がある（図 17-9-14）．

　　手術手技：患者の体位，患肢の固定などは髄内釘固定法に準じる．Ender ピンは脛骨近位部の両側から刺入するので刺入孔の位置は慎重に決定する必要がある．刺入孔

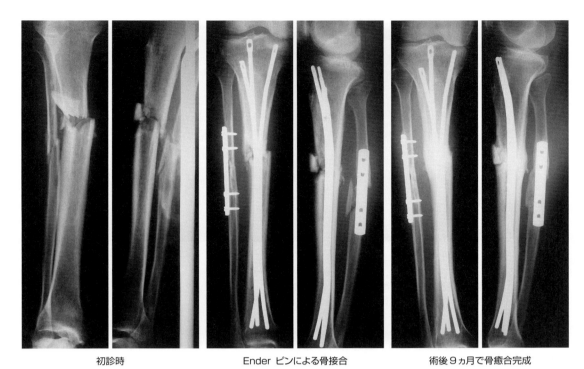

初診時　　　　　　Ender ピンによる骨接合　　　　　術後9ヵ月で骨癒合完成

図 17-9-14 Ender ピンによる髄内釘固定法（61歳，男性）

は内側は関節面より約 2 cm 遠位，脛骨前後径のほぼ中央部で鵞足付着部のやや近位とする．骨端線が開存している例はイメージで刺入部位が骨端線より遠位であることを確認する．外側も前後径のほぼ中央部で Gerdy 結節の 1 cm 遠位部とする．原法では骨皮質は awl で開窓するが，Kirschner 鋼線を強斜位に刺入し 6～7 mm の中空ドリルで骨皮質に斜めに開窓すると刺入と打ち込みが容易となる．内，外側いずれから最初の釘を入れるかは骨折の形態による．遠位骨片に Ender ピンが入りやすい側を選び，釘が遠位骨片内に刺入されたら，最後まで打ち込まずに骨折の内・外反転位，回旋転位を整復し，その位置を保ちながら反対側より第 2 の釘を打ち込み，その後に最初のピンを最後まで打ち込む．何本入れるかは髄腔の広さ，ピンの太さによるが，できれば 3 本刺入したほうが固定性はよいとされる．分節型の骨折では中央の骨片までまず両側から Ender ピンを刺入して，近位と中央部の骨片を整復したあと，前述の操作で遠位骨片を固定する．回旋変形と内・外反変形をきたさないように注意する．

後療法：固定性は横止め式髄内釘ほど強固ではないので，安定型でもアライメント保持のために十分な仮骨が形成されるまで短下肢装具による外固定を行ったほうがよい．早期より膝関節運動訓練，膝屈伸筋力訓練を，術後 1 週間程度で装具装着下に部分荷重を開始し次第に負荷量を増していく．固定性が不十分な例では PTB 装具を装着して荷重を許可する．

② **従来のプレート固定法** conventional plating

プレート固定法の利点は骨折による転位を直視下に解剖学的に整復できることである．また牽引手術台や X 線透視装置などの特殊な設備を必要としない．しかし骨折

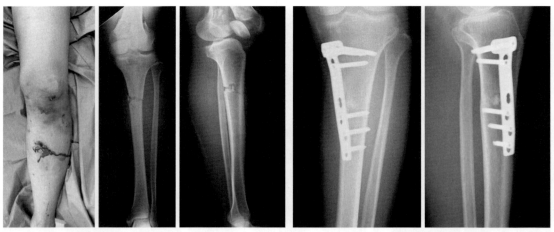

a. 受傷時　　　　　　　　　　　　　　　b. 内固定後5ヵ月

図 17-9-15　下腿骨骨折例
a. 脛骨近骨幹部近位1/3の開放骨折は創外固定後にTomofixを用いたMIPO法で治療した．
b. 術後5ヵ月で良好な骨癒合を認める．

部を開創するため，粉砕骨片の整復のための骨膜剝離や軟部組織の侵襲などで骨片が壊死に陥ることがあり，骨癒合の遅延，偽関節の発生率も高くなる．プレートの折損，抜去後の再骨折などの術後合併症の頻度も髄内釘より多い．

さらに角度安定性を有し，スクリュー逸脱によるプレート固定の破綻をきたしにくいロッキングプレートの発展に伴い，従来型プレートによる内固定は現在ではほとんど行われていない．

③ ロッキングプレート固定法　locking plating

脛骨骨幹部皮下骨折に対する手術療法の第一選択はインターロッキングネイル法であるが脛骨骨幹端部または関節面に及ぶ皮下骨折はロッキングプレートのよい適応である．ロッキングプレートは軟部組織の状態が悪い症例でも，脛骨の外側に minimally invasive plate osteosynthesis（MIPO）法を行うことで比較的安全に使用することができる．ロッキングプレートの持つ角状安定性によって，本来の設置位置である脛骨内側にプレートを置かなくても安定性と整復位を確保することが可能となったからである．

脛骨近位1/3の骨幹部骨折に対するインターロッキングネイル法は整復位保持と近位骨片の固定性に問題を生じ，しばしば変形癒合や癒合不全などの合併症を生じる．このため脛骨近位1/3より近位部の骨折ではプレートが選択されることが多い（図17-9-15）．従来のAO法は骨折部を展開し，解剖学的に整復後，強固な内固定を行い一次的に骨癒合を獲得することを目標にしていた．しかし本法は軟部組織の過度の侵襲を生じ，さらに dynamic compression plate（DCP）を使用する場合にはプレート下面の骨壊死と骨吸収を生じることがある．したがって，特に粉砕骨折例では整復操作はできるだけ愛護的に行うことが望ましい．間接的整復法は骨折部を展開することなく，創外固定やポイントコンタクト整復鉗子，ボールスパイクプッシャーなどを用いて整復する方法である．可及的に骨折部周辺の軟部組織の血行を温存し，ロッキン

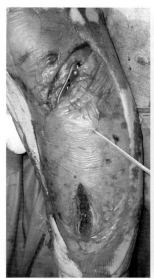 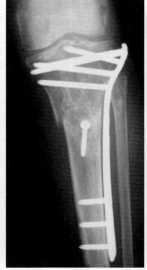 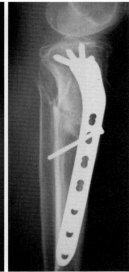

MIPO法による固定　　　　　　　　　　術後4ヵ月

図 17-9-16　脛骨近位部〜骨幹部骨折に対しMIPO法を用いた
　　　　　　ロッキングプレート固定
　　　　　　矯正損失がなく骨癒合も良好である.

　グプレートを用いたMIPO法で整復・内固定することの有用性が報告されている.
　従来のプレートはプレートとスクリュー間に緩みを生じやすく, 早期に内固定力の破綻を生じることがある. その結果再転位と骨癒合の遷延化を起こすことがある. ロッキングプレートは角状安定性を有するためにこのような問題が生じにくい. プレートの固定力は骨質に依存しないので, 著しい骨粗鬆症合併例でも比較的固定性が保たれる. また脛骨近位部骨折(脛骨顆部骨折)の骨折線が骨幹部まで及んでいる例では内・外側にプレート固定を行う必要がある. 通常脛骨骨幹部骨折に対しては張力側である内側にプレートを置いて固定するのが原則である. 骨折部内側の軟部組織の状態が悪くプレートを置くことにより皮膚壊死や感染が危惧されるために, やむを得ず圧迫側である外側を1枚のプレートのみで固定すると内反変形の原因となりやすいが, ロッキングプレートを用いることにより外側のみの固定でも十分な固定力を得ることが可能である(図17-9-16). 外側にロッキングプレートを設置する場合では内側に3.5 mm LCP (locking compression plate)もしくはリコンストラクションLCPの使用が可能かどうか考慮する必要がある(図17-9-17). 軟部組織の状態がよい場合は内側のロッキングプレート固定のみで十分である.

ⓐ 脛骨骨幹端部骨折に対するロッキングプレート固定法

　脛骨骨幹部骨折に対する内固定法の第一選択はインターロッキングネイル法である. しかしながら髄内釘挿入部位に感染創もしくは皮膚壊死などがある場合や骨折線が関節面に及ぶ場合, さらには螺旋骨折もしくは長斜骨折が髄内釘の挿入に伴って転位を生じる可能性が高い場合は, MIPO法によるロッキングプレートがよい適応になる(図17-9-18).

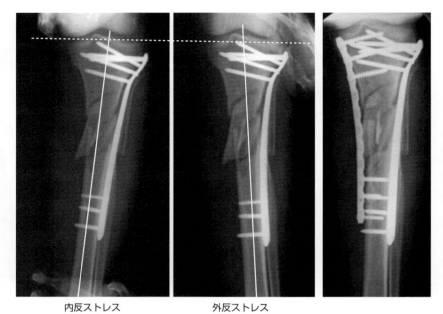

内反ストレス　　　　外反ストレス

図 17-9-17　ロッキングプレート使用の原則
外側ロッキングプレートのみでは内外反ストレスで異常可動性が認められたため，内側ロッキングプレートを追加した．

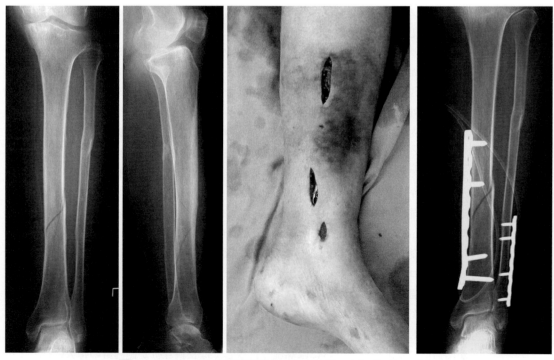

図 17-9-18　知覚神経障害患者に対するロッキングプレート法
転位のない脛骨骨幹部螺旋骨折であるが，知覚神経障害をきたしている SMON 患者のため，プラスチックキャスト固定は禁忌である．LCP を用いた MIPO 法を行った．

ⓑ 脛骨遠位骨幹部骨折に対するロッキングプレート固定法

　　脛骨遠位部の内側面は遠位部に向けて約15°内旋しており，DCPを用いた場合に著しい回旋変形を生じることが知られている．また，遠位部の角状変形は近位部と比較して内・外反変形の許容範囲は狭く，5°以上の変形は機能障害を生じるとされている．そのためにDCPを使用する場合は脛骨遠位部の形状に合わせて正確にプレートを曲げておく必要がある．またロッキング機能のないプレートは角度安定性を持たないために固定性にも問題を生じる．それに対しロッキングプレートはプレート固定時の骨との密着を必要としないので，整復位を損なうことなく内固定が可能である．したがって脛骨遠位用のロッキングプレートを用いると，あらかじめ骨の解剖学的弯曲に合わせて曲げておく必要がない．ただしプレートと脛骨の間が離れすぎて皮下にプレートが突出することは避けるべきである．軟部組織の状態が悪い場合は一期的に内固定しようとはせずにまず創外固定でアライメントを整えてから骨折部の固定性を獲得することが重要である．骨折部を創外固定で安定化すると同時に腓骨の内固定を行うと安定性が増すので，早期に腫脹の軽減を図ることが可能である．創外固定のピンの位置はプレートに干渉しないように考慮する．骨軸の整復が得られていれば，MIPO法によるロッキングプレートの挿入が容易となる．骨接合のポイントは骨折部の粉砕を認めない骨折例ではプレートの対側に大きなギャップをつくらないことである．粉砕骨折例でも骨折部のギャップの許容範囲は大腿骨よりも狭いことを念頭に置く必要がある．二次的骨癒合を期待したMIPO法では良好な仮骨形成を伴って骨癒合する（**図17-9-19**）．しかし骨幹端部用ロッキングプレートを使用し，3.5 mm径ロッキングスクリューを使用した場合は荷重は慎重に行う必要がある．痛みがないからといって早期に制限なく全荷重を行うと，プレートとスクリューの結合部でスクリューの折損を生じることがある（**図17-9-20**）．

　　後療法：術後は早期に膝および足関節の可動域訓練を開始する．一次的骨癒合を目指して解剖学的整復が得られた場合は，術後5～6週で部分荷重を開始し，10週で全荷重とする．一方，二次的骨癒合を目的とした場合は，荷重は骨折部の仮骨形成によって決められる（**図17-9-20**）．

④ **創外固定法**

　　創外固定法は貫通ピンまたはhalf pin固定法など種々考案され，固定ピンによる軟部組織の侵襲は少なくなったが，骨幹部皮下骨折の初期治療としての適応は少ない．創外固定法は最小侵襲的な骨固定法であるといわれるがピン刺入部の感染の危険は避けられず，骨癒合まで装置を装着する不便（外見上，衣服の着脱，入浴など）を考慮すると，golden timeを過ぎて来院した例で，保存療法では安定性不良，手術的治療では感染の危険性が高い開放骨折に対する初期固定，または偽関節などに適応は限られる（**図17-9-21**）．

■ **2）開放骨折** open fracture

　　下腿は開放骨折が最も好発する部位である．開放創に対しては直ちに創の洗浄，デブリドマンがなされなければならない．開放骨折の治療は開放創の大きさと皮膚および軟部組織の損傷の程度，受傷からの経過時間，創部汚染の程度などによって異なる．開放骨折の程度はGustiloの分類が基準となる．Gustilo分類（**表2-2-1**，p. 47参照）

1162 　各論　第17章　下肢の骨折

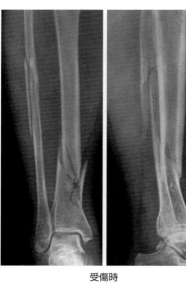
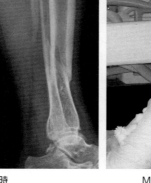
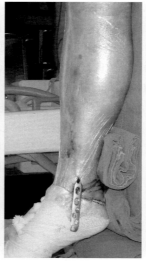
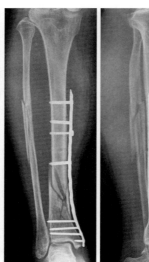

受傷時　　　　　　　MIPO法の実際　　　　　　　術直後
a

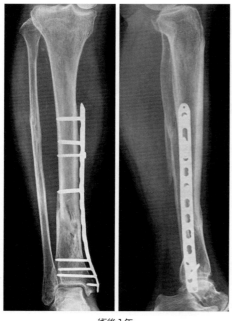

術後1年
b

図 17-9-19　ロッキングプレートによる MIPO 法
a. 脛骨骨幹部遠位1/3骨折に対し narrow LCP4.5/5.0 を用いた MIPO 法を施行した例
b. 良好な仮骨形成を伴って骨癒合した．

は初診時に分類するのではなく，確定的デブリドマン後に最終判断し過小評価しないようにすることが重要である．

　Gustilo 分類の Type Ⅰ：Type Ⅰの開放骨折であれば閉鎖的骨折と同様の治療戦略を立てても感染率に差はないと考えられているが，骨折端の汚染は否定できないので，創を拡大して骨折部の十分な洗浄，デブリドマンを行う．汚染がなければ通常の脛骨骨幹部の治療法を選択することになる．抗菌薬の使用も閉鎖骨折と同様の期間と量とする．

9 脛骨骨幹部骨折

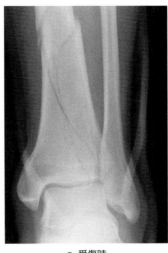
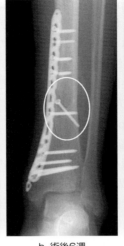
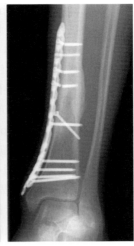

a. 受傷時　　　　　b. 術後6週　　　　c. 術後6ヵ月

図 17-9-20　ロッキングスクリュー破損例
a. 直接的骨癒合を目標に脛骨遠位骨幹端部用ロッキングプレートで内固定を行った．
b. 術後6週で内固定材料破損を生じた（白丸）．
c. 外固定を3週間追加して骨癒合を得た．

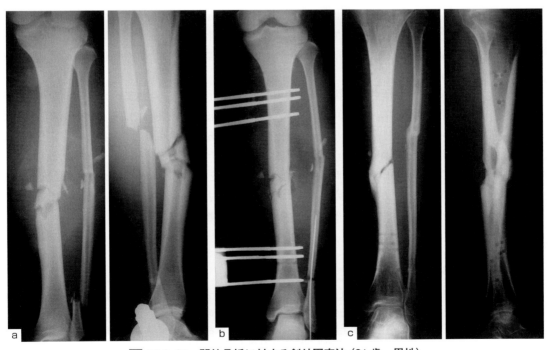

図 17-9-21　開放骨折に対する創外固定法（21歳，男性）
a. golden time を過ぎて来院したため創処置にとどめた．
b. 創外固定法を施行．腓骨遠位部骨折は Kirschner 鋼線による髄内固定を行った．
c. 7ヵ月後，創外固定を除去した．

1164 各論 第17章 下肢の骨折

　　Gustilo 分類の Type Ⅱ：汚染がなければ閉鎖性の脛骨骨幹部と同様な治療法を選択することが可能であるが，創処置と同時に骨接合術を行うか否かの判断は困難なことが多い．作用外力も大きく，軟部組織の損傷，骨折の程度も Type Ⅰ よりも重度であり，取り扱いには注意を払う必要がある．高エネルギーな外力で生じた開放骨折であれば後述する急性区画症候群への観察を怠ってはならない．抗菌薬は Type Ⅰ と同様に閉鎖骨折と同程度の使用期間とする．

　　Gustilo 分類の Type Ⅲ：

　　Type Ⅲ-A とは骨組織を軟部組織で覆うことができる広範囲軟部損傷を伴う開放骨折である．皮膚欠損を伴ったとしても筋肉組織や脂肪組織で骨や腱を被覆できれば Type Ⅲ-A である．固定法として一期的髄内釘固定法を行う報告もあるが，感染率はさらに高くなるので創の状態を十分に観察して慎重に適応を選ばなければならない．初回デブリドマン後に皮膚欠損を生じる場合は陰圧閉鎖療法（NPWT）管理とし，必要に応じて追加のデブリドマンを行う．追加デブリドマンは壊死した組織を確実に切除する必要があり，初期評価と異なり実際は Type Ⅲ-B となる症例も存在する．

　　Type Ⅲ-B とは骨組織を軟部組織で覆うことができない広範囲軟部組織損傷と欠損を伴う開放骨折である．初期治療として創外固定法が用いられることが多い．骨組織が軟部組織で覆われていないため，マイクロサージャリー手技を用いた軟部再建術を行うか骨短縮を行うことで軟部の余裕をもたせて骨組織を被覆する手技が必要となる．また広範囲の骨欠損を生じる場合は，骨折の部位，骨欠損量，軟部組織の欠損程度や感染の有無に応じて創外固定を用いた仮骨延長法，血管柄付き骨移植術，もしくは Masquelet 法（抗生剤含有セメント留置後誘導膜内二期的骨移植法）により対処する．

　　Type Ⅲ-C は主要血管が損傷された開放骨折であり，阻血時間が 6 時間を越えると高度な機能障害が残る可能性が高くなったり末梢側が壊死に陥ることがある．患肢を救うためには 1 秒でも早い血行再開が必要である．創外固定で骨折部の安定化を図った後に血管の再建を行う．緊急避難的に点滴チューブをシャントチューブとして使用して損傷肢の血流を一時的に回復させる手段を用いる場合があるが出血に注意する必要がある．たとえ患肢が温存されても骨折に対する二次的治療はきわめて困難で長期間を要する．また感染率が 30% を超すことも考慮されなければならない．

附-40　軟部組織の損傷

　　脛骨の前内側面は皮膚および皮下組織のみでおおわれているので，直接外力を受けやすくかつ皮膚損傷を生じやすいので開放骨折の頻度も高い．前述したように骨折治療の予後に影響する因子は骨折の転位・程度，軟部組織の損傷の程度および感染の有無などであるが，特に軟部組織の損傷の程度は治療法選択の点からも重要である．

　　脛骨骨幹部皮下骨折も局所の高度の腫脹，水疱形成など軟部組織の状態によっては直ちに手術が行えないなど治療が制限されることがある．保存的にプラスチックキャスト固定を行う場合にも，二次的に軟部組織の損傷を助長しないように配慮すべきである．特に強大な鈍力による直達外力や自動車のタイヤによる轢轢創 run-over injury などでは急性区画症候群，皮膚壊死の発生およびその範囲など受傷直後には判定ができない

9 脛骨骨幹部骨折 **1165**

表17-9-2　Tscherne-Ostern による軟部組織損傷の判定基準

0度	軟部組織の損傷はほとんどない
1度	皮膚の表層剥離および軟部組織の軽度ないし中等度の損傷
2度	深層部に及ぶ限局した皮膚・筋肉の汚染創
3度	広範囲の皮膚・筋肉の挫滅

要素も少なくない.

　Tscherne-Ostern 分類の判定基準は皮下骨折に合併した軟部組織損傷の程度の判定に有用である（**表 17-9-2**，**図 2-2-10** 参照）.

f 合併症

1) 急性区画症候群 acute compartment syndrome

　外傷による出血，浮腫などにより区画の内圧が上昇して，循環が障害され急性区画症候群が発生することがある. 放置されると筋肉は壊死に陥り不可逆性の拘縮をきたす.

　下腿は急性区画症候群の好発部位で，特に骨折を伴う場合は皮下骨折，開放骨折いずれの場合にも生じ得る.

　下腿は前方区画，側方区画，後方深層区画，後方浅層区画の 4 区画に分けられる. 前方区画障害が多いが，後方深層区画障害の合併がみられることがあるので診断には注意を要する. 症状は激しい疼痛が初発し障害された区画に一致して腫脹が著しく，筋肉は緊満し遠位部の運動，感覚障害がみられる. 血管拍動は保たれることが多いので診断根拠とはならない. 疑わしい場合には区画内圧を測定する. 30 mmHg 以上（正常値 10 mmHg 以下）あれば明らかに異常であり，また拡張期血圧と区画内圧の差が 30 mmHg 以下であれば，細血管による区画内軟部組織の循環が障害されている可能性がある. 激しい自発痛があり筋肉の他動伸張で強い疼痛誘発があり，さらに区画圧の上昇を認める際には，緊急に筋膜切開〔術〕fasciotomy を行い区画内圧を下げ筋肉群を阻血状態から解放し不可逆性の変化を回避する処置を行う. 軟部組織の損傷が高度の場合は骨幹部であっても創外固定器を用いた一時的外固定を行う. 副子による外固定を行う場合は，固定後の症状の観察を行う. 全周のプラスチックキャスト固定は禁忌である. 前方区画および側方区画の除圧には前外側の切開，後方区画の 2 つの区画には後内側の切開を行い，開放創には陰圧閉鎖療法 NPWT を使用することで軟部の腫脹の軽減を図り，症状消退後に縫合閉鎖または皮膚移植を行う.

2) 変形癒合

　保存療法の場合に起こりやすく，内反 5°，外反 10°，前後の角状変形 10°，回旋 10° 以内に整復することが大切である. 変形を放置すれば二次性変形性膝・足関節症を惹起することがある（**図 17-9-22**）. 変形が高度の例には矯正骨切り術を行う（**図 17-9-23**）.

3) 遷延治癒・偽関節

　開放骨折や感染を合併した骨折は癒合不全を生じやすい. 現在は治療法の改善により保存療法も手術療法も遷延治癒・偽関節の合併率は著しく低下している. 皮下骨折

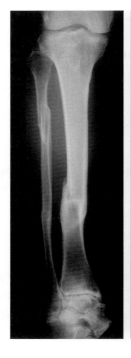
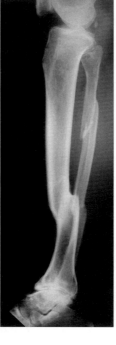

図 17-9-22 下腿骨骨折変形癒合による二次性変形性足関節症（66歳，男性）
18年前に脛骨，腓骨骨幹部骨折．保存療法により変形癒合し二次性変形性足関節症を生じる．

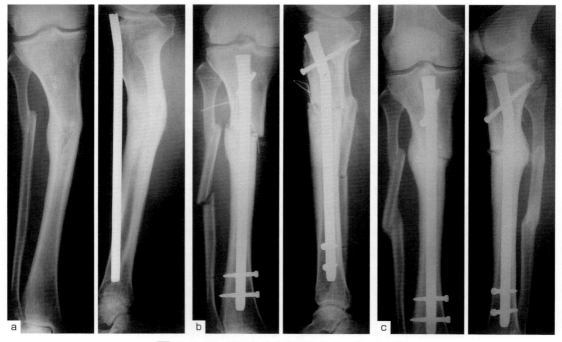

図 17-9-23 下腿骨骨折変形癒合（59歳，男性）
a. 初診時単純X線写真：骨折部にて外反20°，後方凸19°の変形癒合をきたしていた．
b. 腓骨を骨切り後，脛骨の矯正骨切り術後髄内釘横止め法にて固定
c. 術後1年の単純X線写真：骨癒合良好

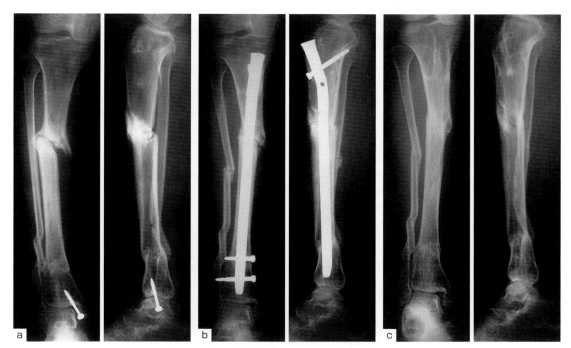

図 17-9-24　脛骨骨折偽関節（54歳，女性）
a. 初診時単純X線写真
b. 腓骨骨幹部の骨切り後髄内釘横止め法にて骨接合した．骨移植は行っていない．
c. 術後1年6ヵ月．抜釘後単純X線写真

　と開放骨折との治療成績を比較すると，Gustiloの広範な調査では，遷延治癒，偽関節の発生率は皮下骨折で2.6％であるのに対して，開放骨折は11.7％と高率である．遷延治癒，偽関節に対する治療法は，一般に非感染性の例に対しては髄内釘横止めスクリュー固定法または骨移植を併用したロッキングプレート固定法が用いられる（図17-9-19，24）．皮質むき手術 decortication による局所の血管新生を促し骨癒合能を活性化させる方法もとられる．感染例に対しても髄内釘による治療を行う報告もみられるが，治癒率は大腿骨に比して脛骨では悪く60％程度にとどまる．髄内釘を抜去して骨髄炎治療に専念せざるを得ない症例もあるので感染例に対する髄内釘固定の適応には慎重を要する．

参考文献

1) Alho A et al：Locked intramedullary nailing for displaced tibial shaft fractures. J Bone Joint Surg **72-B**：805-809, 1990.
2) 安樂喜久ら：上膝蓋アプローチを用いた脛骨髄内釘術における膝関節鏡視所見について．骨折 **36**：362-365, 2014.
3) Avilucea FR et al：Suprapatellar intramedullary nail technique lowers rate of malalignment of distal tibia fractures. J Orthop Trauma **30**：557-560, 2016.
4) Court-Brown CM et al：Closed intramedullary tibial nailing, its use in closed and type I open fractures. J Bone Joint Surg **72-B**：605-611, 1990.

5) Della Rocca GJ et al：External fixation versus conversion to intramedullary nailing for definitive management of closed fracture of the femoral and tibial shaft. J Am Acad Ortop Surg **14**：S131-135, 2006.

6) Eastman JG et al：The retropatellar portal as an alternative site for tibial nail insertion：A cadaveric study. J Orthop Trauma **24**：659-664, 2010.

7) Gelbke MK et al：Suprapatellar versus infra-patellar intramedullary nail insertion of the tibia：A cadaveric model for comparison of patellofemoral contact pressure and forces. J Orthop Trauma **24**：665-671, 2010.

8) Gershuni DH et al：Fracture of the tibia complicated by acute compartment syndrome. Clin Orthop **217**：221-227, 1987.

9) Giannoudis PV et al：Masqulet technique for the treatment of bone defects：tips-tricks and future directions. Injury **42**：591-598, 2011.

10) Gustilo RB：Fractures of the tibia and fibula. Fractures and Dislocation, Gustilo RB, et al ed, Mosby, St Louis, 901-944, 1993.

11) Hannah A et al：A novel technique for accurate Poller（blocking）placement. Injury **45**：1011-1014, 2014.

12) 林　泰夫ら：脛骨骨幹部骨折に対する機能的装具療法の検討．骨折 **16**：469-475, 1994.

13) Inaba K et al：Multicenter evaluation of temporary intravascular shunt use in vascular trauma. J Trauma Acute Care Surg **80**：359-364, 2016.

14) Johner R et al：Classification of tibial shaft fractures and correlation with results after rigid internal fixation. Clin Orthop **178**：7-25, 1983.

15) 神田彰男ら：髄内釘固定の整復補助における Kirschner wire を使用した blocker pin の有用性．骨折 **29**：603-607, 2007.

16) Kakar S et al：Open fractures of the tibia treated by immediate intramedullary tibial nail insertion without reaming：a prospective study. J Orthop Trauma **21**：153-157, 2007.

17) Kellam JF et al：Fracture and dislocation classification Compendium 2018. J Orthop Trauma **32** suppl.：S53〜55, 2018.

18) Kempf I et al：The treatment of non-infected pseudarthrosis of the femur and tibia with locked intramedullary nailing. Clin Orthop **212**：145-154, 1986.

19) Klemm KW：Treatment of infected pseudarthrosis of the femur and tibia with an interlocking nail. Clin Orthop **212**：174-181, 1986.

20) Krettek C et al：The use of Poller screws as blocking screws in stabilizing tibial fractures treated with small diameter intramedullary nails. J Bone Joint Surg **81-B**：963-968, 1999.

21) Krettek CH：Intraoperative control of axes, rotation and length in femoral and tibial fractures technical note. Injury **29**：29-39, 1998.

22) 倉田佳明ら：Suprapatellar approach による脛骨髄内釘 —膝蓋大腿関節損傷の検討—．骨折 **38**：437-440, 2016.

23) 前川尚宜ら：Supra-patelar approach による脛骨髄内釘固定法．骨折 **34**：634-637, 2012.

24) Malizos KN et al：Free vascularized fibular grafts for reconstruction of skeletal defects. J Am Acad Orthop Surg **12**：360-369, 2004.

25) 松倉　登ら：Ender 釘による脛骨骨幹部骨折の治療の理論と成績．整形外科 MOOK **59**：99-108, 1989.

26) McConnell T et al：Tibial portal placement：The radiographic correlate of the anatomic safe zone. J Orthop Trauma **15**：207-209, 2001.

27) Mitchell PM et al：No incidence of postoperative knee sepsis with suprapatellar nailing of open tibia fractures. J Orthop Trauma **30**：Epub ahead of print, 2016.

28) 宮崎明久ら：脛骨骨幹部骨折に対する髄内釘固定法の比較検討．骨折 **17**：164-170, 1995.

29) 最上敦彦：脛骨近位端・骨幹部・遠位端骨折．OS nexus 1 膝・下腿の骨折・外傷の手術．宗田大編，p.38-57，メジカルビュー，2015.

30) Nicoll EA：Fractures of the tibial shaft. A survey of 705 cases. J Bone Joint Surg **46-B**：373-387, 1964.

31) Paley D et al：Ilizarov bone transport treatment for tibial defects. J Orthop Trauma **14**：76-85, 2000.
32) Rorabeck CM et al：Anterior tibial compartment syndrome complicating fractures of the shaft of the tibia. J Bone Joint Surg **58-A**：549-550, 1976.
33) Sanders RW et al：Semiextended intramedullary nailing of the tibia using a suprapatellar approach：Radiographic results and clinical outcomes at a minimum of 12 months follow-up. J Orthop Trauma **28** suppl.：S29-S39, 2014.
34) Sarmiento A：A functional below-knee cast for tibial fractures. J Bone Joint Surg **49-A**：855-875, 1964.
35) Sarmiento A et al：Prefabricated functional braces for the treatment of fractures of the tibial diaphysis. J Bone Joint Surg **66-A**：1328-1339, 1984.
36) 佐藤達夫ら監訳：臨床のための解剖学. メディカル・サイエンス・インターナショナル, 2008.
37) 佐藤 徹：開放骨折に対する conversion method. MB Orthop **22**：45-52, 2009.
38) SPRINT investigators：Randomized trial of reamed and undreamed intramedullary nailing of tibial shaft fractures. J Bone Joint Surg **90-A**：2567-2578, 2008.
39) Stedtfeld HW et al：The logic and clinical applications of blocking screws. J Bone Joint Surg **86-A** suppl. 2：17-25, 2004.
40) 鈴木雅生ら：外側傍膝蓋アプローチで髄内釘固定術を行った脛骨骨折の治療経験. 骨折 **39**：730-735, 2017.
41) 寺田忠司ら：脛骨骨幹部骨折に対する lateral parapatellar approach による髄内釘固定. 骨折 **42**：1020-1023, 2020.
42) Tornetta P et al：Semiextended position of intramedullary nailing of the proximal tibia. Clin Orthop **328**：185-189, 1996.
43) Wiss D et al：Flexible medullary nailing of tibial shaft fractures. J Trauma **26**：1106-1112, 1986.
44) Yang EC et al：Treatment of isolated type I open fractures；Is emergent operative debridement necessary? Clin Orthop Relat Res **410**：289-294, 2003.
45) 安田知弘ら：脛骨骨折に対する髄内釘を用いた semiextended position による治療-Extra-articular technique を用いて-. 骨折 **35**：951-955, 2013.
46) 安田知弘ら：Trigen Meta-Nail を用いた semiextended position による脛骨骨幹部骨折の治療経験. 骨折 **34**：436-440, 2012.
47) 横山一彦：開放骨折の初期治療. 運動器外傷治療学. 糸満盛憲ほか編. 67-89, 医学書院, 2009.

ロッキングプレート法
1) Borrelli J Jr et al：Extraosseous blood supply of the tibia and the effects of different plating techniques：a human cadaveric study. J Orthop Trauma **16**：691-695, 2002.
2) Gosling T et al：Single lateral locked screw plating of bicondylar tibial plateau fractures. Clin Orthop **439**：207-214, 2007.
3) Leung FK et al：Application of minimally invasive locking compression plate in treatment of distal tibial fractures. Zhongguo Xiu Fu Chong Jian Wai Ke Za Zhi **23**：1323-1325, 2009.
4) Oh CW et al：Distal tibial metaphyseal fractures treated by percutaneous plate osteosynthesis. Clin Orthop **408**：286-291, 2003.
5) Phisitkul P et al：Complications of locking plate fixation in complex proximal tibial injuries. J Orthop Trauma **21**：83-91, 2007.
6) Ricci WM et al：Treatment of complex proximal tibial fractures with the less invasive skeletal stabilization system. J Orthop Trauma **18**：521-527, 2004.

1170　各論　第17章　下肢の骨折

10 腓骨骨幹部骨折 fracture of the fibular shaft

a 解剖・機能解剖

　　腓骨は脛骨と平行に並び，脛骨とは近位脛腓関節，骨間膜，遠位脛腓骨靱帯結合の3部位で機能的に連結している（**図17-9-2**参照）．腓骨の遠位部すなわち外果は内果より1.5 cm長く足関節の安定性に重要な役割を果たしている．近位脛腓関節，遠位脛腓骨靱帯結合はともに動きは少ないが，足関節の背屈，回旋運動に柔軟に対応する．骨間膜は脛骨と腓骨の骨縁間を連結し，主として脛骨から腓骨へ外側下方に走る線維で構成され，下腿の前区画と深部後区画を区分し，中足部，足指の運動筋が起始する．すなわち前区画からは主として伸筋群が起こり，後区画から屈筋群が起こる．膝窩動脈は前脛骨動脈と後脛骨動脈に分かれ，前脛骨動脈は骨間膜近位の血管裂孔を貫通し，深腓骨神経とともに骨間膜の前面を下行するが，腓骨骨幹部が前脛骨動脈から血液の供給を受けることはない．腓骨骨幹部の血液供給は骨幹部中央やや近位部にある腓骨栄養孔に入る後脛骨動脈から分枝した腓骨栄養動脈による．腓骨骨幹中央部は下肢の支持，足関節の安定化などの機能を有するが，実際は臨床的に重要性に乏しいため，偽関節治療に栄養動脈を含めた骨片として血管柄つき骨移植の供与部として用いられることが多い．

　　腓骨の遠位部は脛骨とともに距腿関節窩 ankle mortise を形成し足関節の安定性に重要である．腓骨骨幹部骨折の転位が足関節の機能に影響を及ぼさない限り，臨床的には骨幹部骨折に対する積極的治療の意義は少ない．

b 骨折の分類

1）AO/OTA 分類（表17-10-1）

　　AO/OTA分類は従来脛骨腓骨骨幹部骨折として一緒に分類されていたが2018年に改訂されて脛骨と腓骨を分けて分類するようになった．腓骨骨幹部骨折のコードは4F2である．4F2Aが単純骨折で4F2Bが楔状を有するもしくは多骨片骨折とされている．

c 治　　療

　　保存療法と手術療法とがある．

1）単独骨折

　　下腿外側からの直達外力により腓骨骨幹部単独骨折が生じる．局所の腫脹，限局した圧痛，歩行時痛などが認められる．治療法は腓骨骨折の高位によって異なる．遠位1/3より遠位側の骨幹部骨折は足関節の安定化に重要なので，腓骨の骨長を解剖学的に整復する必要がある．手術的にプレート固定が適応となる．術後は下腿から足部までのプラスチックキャスト固定を1〜2週間行い，その後は着脱可能な可動式足関節部固定装具に代え足関節の運動を開始する．荷重歩行は術後2週間より部分荷重を許

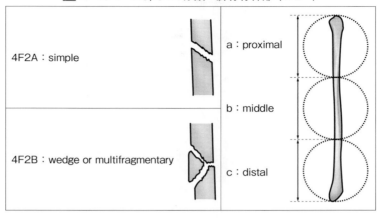

表 17-10-1　AO/OTA 分類　腓骨骨幹部（4F2−）

可し可及的に漸次全荷重とする．骨幹部の遠位 1/3 より近位側骨折例では保存療法が適応される．前述のようなプラスチックキャストまたは装具を装着して局所の安静を図る．早期荷重が骨折に影響することはない．骨癒合には 6〜8 週間を要するが，外固定は約 2〜3 週間で除去して足関節の運動訓練を行う．時に単純 X 線写真で変形治癒を認めることがあるが，下肢機能障害を残すことはない．

2）骨幹部骨折と遠位脛腓骨靱帯結合離開の合併

　腓骨骨幹部遠位 1/3 の骨折に遠位脛腓骨靱帯結合 tibiofibular syndesmosis の損傷を合併することはまれではない．すなわち AO 分類 44-C 型，Lauge-Hansen 分類の pronation-eversion 型の骨折である．脛骨内果骨折または三角靱帯の断裂を合併する．

　治療法は腓骨骨長と骨軸と回旋を整復することが必要であり，手術的に骨折部を解剖学的に整復してプレート固定を行う．脛骨内果骨折は腓骨を解剖学的に整復固定したのちにスクリューまたは引き寄せ締結法により骨接合を行う（図 17-10-1）．

　遠位脛腓骨靱帯結合離開と腓骨近位骨幹部骨折の合併を Maisonneuve 骨折と称し，脛腓間骨間膜損傷は腓骨骨折部まで及び脛腓間の不安定性が強い．本骨折では安定した足関節の再建を第一目的として脛腓骨靱帯結合を修復する．腓骨近位骨幹部骨折は積極的治療は不要なことが多く，時に Kirschner 鋼線による髄内釘固定を行うことがある（図 17-10-2）．

　腓骨と内果骨折を整復・固定したのちに術中 X 線透視装置で距腿関節窩像 ankle mortise 像（距骨内側と外側の関節裂隙が同じ幅になる肢位での足関節撮影のこと．足関節正面から約 10°程度内旋するが，再現性に乏しいので X 線透視下に撮像するのが理想的である）で内側関節裂隙（medial clear space）を評価する．静的な状態で 4 mm 以上もしくは天蓋部の裂隙幅以上の開きがあれば，三角靱帯深層が断裂して距骨が外側亜脱臼を呈していると診断できる．さらには動的評価として外旋ストレス検査（距腿関節窩像をみながら足関節を外旋する）を行い，medial clear space の開きの有無を確認する．脛腓骨靱帯結合の離開も同様に静的/動的に距腿関節窩像で評価する．動的評価では外旋ストレス検査や腓骨にフックを掛けて外側に牽引する外側ストレス検査が有用である．筆者は距腿関節窩像をみながら外旋ストレス検査を行い，

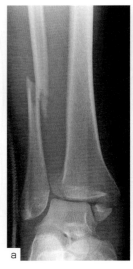
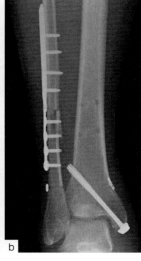

図 17-10-1　AO 分類 44-C 型（32 歳，男性）
a. 腓骨骨幹部は脛腓骨靱帯結合より近位で横骨折，内果は距骨に牽引されて転位し，脛腓骨靱帯結合は破綻している．
b. 腓骨はプレート固定，内果はスクリュー固定とし，脛腓骨靱帯結合はスーチャーボタンで固定した．

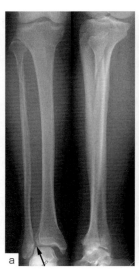
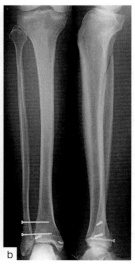

図 17-10-2　Maisonneuve 骨折（45 歳，男性）
a. 術前：足関節 medial clear space の開大，脛腓骨靱帯結合の離開（矢印），距骨の外側亜脱臼を認めると同時に腓骨近位に斜骨折を認める．
b. 後果をスクリュー固定し，脛腓骨靱帯結合を 3.5 mm スクリュー 2 本で 3 皮質固定（皮質骨を 3 回貫く固定）を行った．術後 10 週で抜釘し部分荷重を開始した．

medial clear space と脛腓骨靱帯結合の両者を観察している．いずれも個人差があるので理想的には手術前に健側の距腿関節窩像を確認し，外旋ストレス検査による medial clear space の開きや脛腓間結合の動きを確認しておくとよい．評価の後に離開がなければ特に修復の必要はないが，脛腓骨靱帯結合が離開する動きがあれば修復が必要である．動きの程度を定量的にとらえるのは困難であるが，Ramsey らが屍体実験で示したように，距骨が外側に 1 mm 亜脱臼すると天蓋部の接触面積が 40% 減少することから，微細な変化でも疑わしければ固定する（**図 17-10-3**）．

　脛腓骨靱帯結合固定には一般的にはスクリュー固定が行われている．腓骨を脛骨に整復して骨把持鉗子で圧迫を加え，positioning screw として 4.5 mm か 3.5 mm 径の皮質骨スクリュー 1 本ないし 2 本で固定する（**図 17-10-2**）．この整復は困難なこと

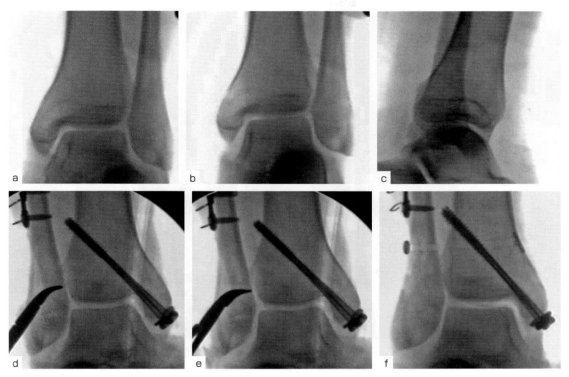

図 17-10-3 術中透視像（図 17-10-1 の症例）

a. 健側距腿関節窩像．b. 健側外旋ストレス検査・medial clear space は若干開くが，これを固有の緩さとする．脛腓骨靱帯結合は動きがない．
c. 健側の正しい側面像．距骨体部が重なってきれいなドーム状を呈する位置で撮像する．この腓骨の位置を正常の位置とする．
d. 腓骨プレート固定，内果スクリュー固定を行った後の距腿関節窩像
e. さらにペアンで外側ストレス検査を行い，1〜2 mm であるが脛腓骨靱帯結合の動きを認める．
f. 脛腓骨靱帯結合をスーチャーボタン固定した後の外旋ストレス検査．脛腓骨靱帯結合の動きは消失した．

が多い．約 50％に整復不良による障害を残すという報告もある．正確な整復位を得る方法も報告されているが，実際には術前に健側の正側面を撮像して同じ位置に整復固定する．当然腓骨は外・内側骨皮質を貫くが，脛骨内側骨皮質を貫くかどうかでは議論が分かれる．最近ではスーチャーボタンで脛腓骨靱帯結合を固定する専用内固定材が市販されている（**図 17-10-1**）．

術後は約 3 週間下腿から足部までのプラスチックキャスト固定を行い，その後は下腿の側面および足底部に U 字型のプラスチックキャストを当て，足関節の内外反，回旋運動を防止しつつ底背屈運動のみを許可する．同様の目的で可動式足関節固定装具も使用される．脛腓骨靱帯結合をスクリュー固定した場合は，原則的に 8〜12 週で抜釘して荷重を開始する．早期荷重はスクリュー折損の原因になるが，3 皮質固定では若干の動きを許容するため 4 皮質固定よりスクリュー折損は少ないとされている．スーチャーボタン固定では内固定材の破損の危険性はなく，スクリューより早期荷重が可能との報告もあるが確定的ではない．通常 3〜4 週間で部分荷重を許可している．

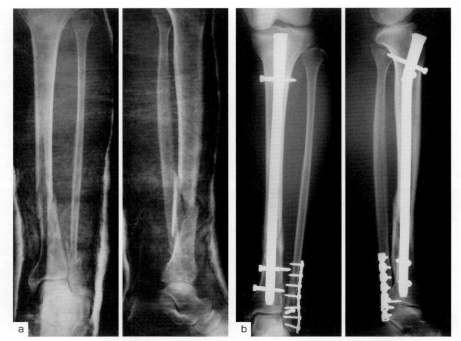

図 17-10-4　骨幹部遠位部骨折（53 歳，男性）
a. 脛骨骨幹部骨折に外果近位部骨折を伴う．
b. 外果の回旋転位を整復しプレート固定後脛骨は横止め髄内釘により骨接合を行う．
　6ヵ月後骨癒合が得られた．

3) 腓骨骨幹部骨折と脛骨骨幹部骨折の合併

直達外力，介達外力を問わず，脛骨骨折と腓骨骨幹部骨折が合併する例は多い．直達外力では腓骨骨折は脛骨骨折と同じ高位に生じる．開放創があっても腓骨が開放骨折となることはまれである．回旋力が加わった介達外力による骨折では脛骨と腓骨の骨折高位は異なる．脛骨骨幹部骨折に合併した腓骨骨幹部骨折に対して手術療法が適応となるのは，①脛骨骨折が不安定型であり，腓骨の骨接合により脛骨の骨長，安定性が保たれて脛骨骨折の骨接合に有利である，②腓骨骨幹部骨折が遠位 1/3 より遠位部にあり骨片転位により足関節に障害を及ぼす，③ pilon 骨折に合併している場合である．骨幹中央部の骨折はプレート固定または Kirschner 鋼線による髄内釘固定法が適応される．骨幹遠位部の骨折は解剖学的に整復したのちプレート固定法が適応される（図 17-10-4）．また脛骨内反型骨折では腓骨には牽引力が加わり単純骨折を呈するので，通常，鋼線による髄内釘固定が行われるが，脛骨外反型骨折では腓骨には圧迫力がかかり短縮を伴う多骨片骨折を呈することが多いので，プレートによる解剖学的整復内固定を要する．

4) 疲労骨折

腓骨疲労骨折の発生頻度は報告により異なるが全疲労骨折の 5～16％ で脛骨，中足骨に続いて 3 番目に多い．岩噌は関東労災病院スポーツ整形外科の 1981～2002 年までの 22 年間における疲労骨折登録は 845 例であり，そのうち腓骨疲労骨折は 94 例

（11％）であったと報告している．

　近位 1/3 と遠位 1/3 が好発部位で，骨にかかる荷重が原因ではなく筋力により腓骨がくり返したわむことが直接の原因であると考えられている．佐々田らはウサギ跳びでは腓骨近位 1/3 を頂点に弦運動が繰り返され，特に外側にたわむことと，さらにウサギ跳び時に大腿後面と下腿後面が衝突し衝撃を与えることが疲労骨折の原因となると述べている．一方ランニングでは足底筋により腓骨が内側にたわむために骨折を起こすと考えられている．よって近位 1/3 疲労骨折は跳躍型疲労骨折，遠位 1/3 疲労骨折は疾走型疲労骨折と称されている．

　症状は運動時の痛みと圧痛である．日常生活動作時痛や骨折に伴う腫脹はないことも多い．初期には単純 X 線写真所見はほとんど認めないが，経過が長い例では骨膜反応や線状硬化像を確認できることもある．当初は不顕性骨折のことが多い．問診などで疲労骨折を疑った場合は積極的に MRI 検査を行い，MRI で STIR 高信号を呈することで確定診断する．骨シンチグラフィーも有用である．

　治療は保存的治療が大部分を占め，外固定を必要とする症例はまれである．原因であるスポーツを中止して経過を観察し，臨床症状と単純 X 線写真所見をもとにスポーツへの復帰を決めるのが一般的である．岩噌はジョギング開始まで平均 5.5 週，完全復帰までは平均 8.7 週であったと報告している．

参考文献

1) 安藤謙一ら：下腿骨骨幹部骨折に対する Ender nailing 法―開放骨折，遷延治癒，偽関節を中心として．臨整外 **19**：545-552, 1984.
2) Brukner P et al：Stress fracture：A review of 180 cases. Clin J Sports Med **6**：85-89, 1996.
3) Cotton JM et al：Transosseus fixation od the distal tibiofibular syndesmosis：comparison of an interosseous suture and nendobutton to traditional screw fixation in 50 cases. J Foot Ankle Surg **48**：620-630, 2009.
4) Fermio JE et al：Varus external rotation stress test for radiographic detection of deep deltoid ligament disruption with and without syndesmotic disruption：A cadaveric study. FAI **34**：251-260, 2013.
5) Freuler F et al：Cast Manual for Adults and Children. 67-68, Springer-Verlag, New York, 1979.
6) Gardner MJ et al：Malreduction of the tibiofibular syndesmosis in ankle fractures. FAI **27**：788-792, 2006.
7) Grenier S et al：APTF：Anteroposterior tibiofibular ratio, A new reliable measure to assess syndesmotic reduction. J Orthop Trauma **27**：207-211, 2013.
8) Gustilo RB：Fractures of the tibia and fibula. Fractures and Dislocation, Gustilo RB, et al ed, Mosby, St Louis, 901-944, 1993.
9) Gustilo RB et al：The management of open fractures. J Bone Joint Surg **72-A**：299-304, 1990.
10) 服部順和ら：開放性大腿骨・下腿骨に対する髄内釘固定．骨折 **10**：270-274, 1988.
11) 岩噌弘志ら：アスリートの疲労骨折．総説．臨床スポーツ医学 **2**：351-356, 2010.
12) 岩噌弘志：【下腿の諸問題】腓骨疲労骨折の診断と治療．関節外科 **30**：771-775, 2011.
13) 加藤大介ら：下肢長管骨骨折に対する MIPO．整形外科最小侵襲手術ジャーナル **32**：49-57, 2004.
14) Kellam JF et al：Fracture and dislocation classification Compendium 2018. J Orthop Trauma **32** suppl.：S62, 2018.
15) 小竹伴照ら：スポーツに起因する疲労骨折の検討．整スポ会誌 **11**：491-493, 1992.
16) Laflamme M et al：A prospective randomized multicenter trial comparing clinical outcomes of patients treated surgically with a static or dynamic implant for acute ankle syndesmosis rupture. J Orthop Trauma **29**：216-223, 2015.

17）Lloyd J et al：Revisiting the concept of talar shift in ankle fractures. FAI **27**：793-796, 2006.

18）Maisonneuve M：Recherches sur la fracture du péroné. Arch Gen Med **7**：165-187, 1840.

19）Markolf KL et al：Syndesmosis fixation using dual 3.5 mmand 4.5 mm screws with tricortical and quadricortical purchase：a biomechanical study. FAI **34**：734-739, 2013.

20）Matheson GO et al：Stress fractures in Athletes. Am J Sports Med **15**：46-58, 1987.

21）Müller ME et al：The Comprehensive Classification of Fractures of Long Bone. 158-169, Springer-Verlag, New York, 1990.

22）内藤正俊：急性型 compartment 症候群. 別冊整形外科 **10**：116-121, 1986.

23）Ostern HJ et al：Pathophysiology and classification of soft tissue injuries associated with fractures. Fractures with Soft Tissue Injuries. 1-9, Tscherne H, et al ed, Springer-Verlag, Berlin, 1984.

24）Ramsey PL et al：Changes in tibiotalar area of contact caused by lateral talar shift. J Bone Joint Surg **58-A**：356-357, 1976.

25）Sagi HC et al：The functional consequence of syndesmotic joint malreduction at a minimum 2-year follow-up. J Orthop Trauma **26**：439-443, 2012.

26）佐々田　武ら：両側性腓骨疲労骨折. 災害医学 **9**：357-364, 1966.

27）杉浦保夫ら：光弾性実験における疾走型脛骨疲労骨折の Biomechanical study. 整・災外 **26**：1851-1855, 1997.

28）Summers HD et al：A reliable method for intraoperative evaluation of syndesmotic reduction. J Orthop Trauma **27**：196-200, 2013.

29）田中　正：下肢長管骨骨折に対する MIPO —整復・固定手技と注意点. 整形外科最小侵襲ジャーナル **32**：59-64, 2004.

30）田中　正ら：下肢長管骨骨折に対するプレート法の適応と限界. 臨整形 **36**：1141-1147, 2001.

31）鳥巣岳彦ら：P.T.B. 免荷ギプスの試み. 臨整外 **2**：777-782, 1967.

32）Tscherne H et al：Die Klassifizierung des Weichteilschadens bei offenen and geschlossenen Frakturen. Unfallheilkunde **85**：111-115, 1982.

33）弓削大四郎：偽関節の治療. Decortication. 整形外科 MOOK **22**：95-113, 1982.

11 足関節部骨折（脱臼）
fracture (dislocation) of the ankle

　足関節部では内，外，後果骨折，脛骨遠位部の天蓋部骨折，脱臼骨折，骨折を伴わない脱臼が生じる．小児では成長軟骨板（骨端線）損傷を伴うことがある．

a 解　剖
1）骨・靱帯

　足関節（距腿関節）は脛骨遠位部（内果および天蓋部），腓骨遠位部（外果），距骨により構成され，内果と外果からなる果間関節窩（mortise：ほぞ穴）に距骨滑車（tenon：ほぞ）がはまり込み安定した蝶番関節を構成している（図 17-11-1）．脛骨骨幹端部の骨皮質は薄く比較的密な海綿骨が存在するが，軟骨下骨から近位 3 cm の範囲には軸圧に抵抗できる骨質はない．

　外果は前距腓靱帯 anterior talofibular ligament，踵腓靱帯 calcaneofibular ligament，後距腓靱帯 posterior talofibular ligament により距骨および踵骨と連結され，内果は三角靱帯 deltoid ligament により距骨および舟状骨と連結される．三角靱帯は浅層（脛踵部，脛舟部），深層（前・後脛距部）に分けられる．

　遠位脛腓間は脛骨前外側の Chaput 結節から腓骨遠位前方の切痕（Wagstaffe 結節）に走行する前下脛腓靱帯 anterior inferior tibiofibular ligament，後下脛腓靱帯 posterior inferior tibiofibular ligament，骨間靱帯 interosseous ligaments，骨間膜 interosseous membrane で靱帯結合（syndesmosis）し，距腿関節の安定性が保たれている（図 17-11-2）（足関節部の靱帯については足部骨折の項，p. 1226 参照）．Tourné らの報告より骨間靱帯は短く，強靱で，ピラミッド状を呈し，腓骨側は腓骨先端から 34.5 mm（32.4〜36.6 mm）から 70.4 mm（66.7〜74.1 mm）の範囲に，脛骨側は脛骨天蓋部中央から 9.3 mm（8.3〜10.2 mm）から 49.4 mm（45.4〜53.3 mm）の範囲に付着し，脛腓間

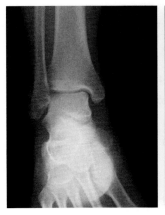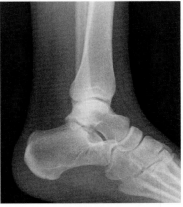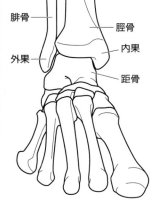

図 17-11-1　足関節部の解剖（1）

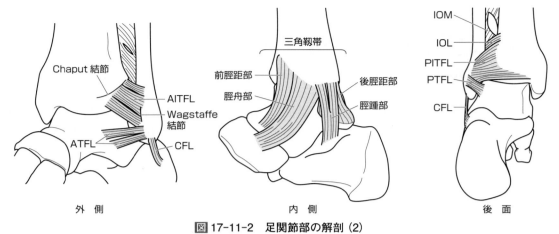

図 17-11-2　足関節部の解剖（2）

前距腓靱帯 anterior talofibular ligament（ATFL），踵腓靱帯 calcaneofibular ligament（CFL），後距腓靱帯 posterior talofibular ligament（PTFL），前下脛腓靱帯 anterior inferior tibiofibular ligament（AITFL），後下脛腓靱帯 posterior inferior tibiofibular ligament（PITFL），骨間膜 interosseous membrane（IOM），骨間靱帯 interosseous ligament（IOL）

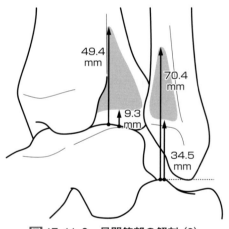

図 17-11-3　足関節部の解剖（3）
脛骨腓骨骨間靱帯付着様式
（Tourné Y et al：Orthopaedics & Traumatology：Surgery & Research 105：S275-S286, 2019 をもとに作図）

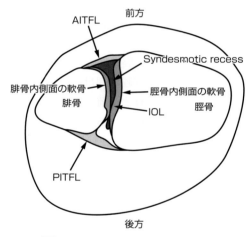

図 17-11-4　足関節部の解剖（4）
遠位脛腓間の水平断．前方は軟骨面で接する滑膜関節，中央部は synovial plica が存在
（Hermans JJ et al：Journal of Anatomy 217：633-645, 2010 をもとに作図）

を連結している（図 17-11-2, 3）．さらに脛腓間の接触面は 2 つに分かれる．前方は厚さ 4 mm，前後 8 mm の軟骨面で接する滑膜関節が，中央部は V 型の synovial plica（滑膜ひだ）が存在する（図 17-11-4, 5）．

内果は前小丘と後小丘に分かれ，その間は小丘間溝である．外果は内果より約 1 cm 遠位かつ後方に位置する．

2）筋・腱

足関節部に筋の起始部，停止部はない．前方に上・下伸筋支帯，内側に屈筋支帯，外側に腓骨筋支帯がありその下を外在筋が走行する．

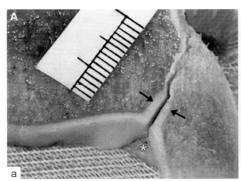 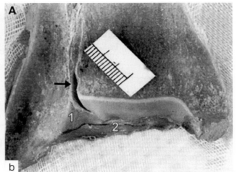

図 17-11-5　足関節部の解剖（5）
a. 軟骨面で接する滑膜関節（黒矢印）
b. 中央部になると synovial plica が存在（黒矢印）

　　上・下伸筋支帯の下を前脛骨筋腱，長母趾，長趾伸筋腱，第3腓骨筋腱，屈筋支帯の下を後脛骨筋腱，長母趾長趾，屈筋腱，腓骨筋支帯の下を長・短腓骨筋腱が走行する．後方はアキレス腱と足底筋腱が走行する．

3) 血　管

　　足関節部は前・後脛骨動脈，腓骨動脈で支配される．
　　前脛骨動脈は下腿遠位 1/3 で前脛骨筋と長母趾伸筋の間を腓骨神経深枝と前脛骨静脈とともに下行し，足関節中央で足背動脈となる．足関節近位で前内果動脈，前外果動脈を分枝する．
　　後脛骨動脈は内果後方を回り長趾屈筋腱，長母趾屈筋腱の間を下行し足底に達する．
　　腓骨動脈は下腿遠位 1/3 で前・後腓骨動脈に分枝する．前腓骨動脈は前外果動脈と吻合し，後腓骨動脈は後外果動脈となる（図 17-11-6）．
　　静脈は表在性と深在性に分けられる．表在性の外果後方の小伏在静脈と内果前方の大伏在静脈は網目状に吻合する．深在性は前・後脛骨動脈，腓骨動脈に伴走する．

4) 神　経

　　浅腓骨神経は長・短腓骨筋の間を下行し，内側足背皮背神経，中足背皮神経に分かれ足背の感覚をつかさどる．
　　伏在神経は足関節内側と後方の知覚をつかさどる．
　　腓腹神経は小伏在静脈に伴走し，腓腹神経より分枝する外側足背皮神経は足関節外側，外側踵骨枝は後方の感覚をつかさどる（図 17-11-7）．

b　機能解剖

　　果間関節窩の脛骨天蓋部は荷重を伝達するが，矢状断では約 10° 前方開きとなり前方へは不安定な構造である．しかし果間関節窩と距骨滑車は前方の横径は後方の横径より約 3〜5 mm 大きく後方すぼみの台形を呈し，背屈時には横径の大きい距骨滑車の前方部分が果間関節窩に入り込み安定する（図 17-11-8）．
　　内・外果は足関節の安定性を保つ．内果は前後方向に長く上下方向に短いが，外果は前後方向に短く内果より遠位に約 1 cm 長い．腓骨は脛骨の腓骨切痕に対して，前

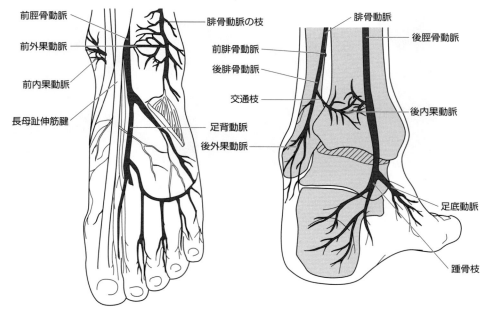

図 17-11-6　足関節の動脈分布
(Hamilton WC：Traumatic disorders of the ankle. 9, Fig. 1. 15, Springer-Verlag, New York, etc, 1984 より)

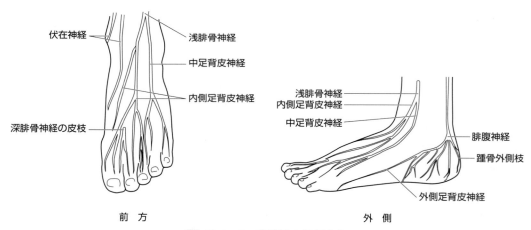

前　方　　　　　　　　　　　外　側

図 17-11-7　足関節の神経分布
(Hamilton WC：Traumatic disorders of the ankle. 11, Fig. 1. 18, Springer-Verlag, New York, etc, 1984 より)

後/内外側/内外旋方向の組み合わせにより関節面がさまざまな方向に移動し（**図 17-11-9**），足関節背屈時に外側・上方，底屈時に内側・下方へ移動し，動きのない内果と協調し距骨の安定性を保つ．つまり内果は静的安定機構 static stabilizer，外果は動的安定機構 dynamic stabilizer として機能する（**図 17-11-10**）．外果は荷重による動きもある．荷重時には後脛骨筋，長腓骨筋，長母趾屈筋が緊張し，近位で付着する腓骨を約 2.4 mm 引き下げ，果間関節窩を深くし立位時の外側支持を強化する．また歩行時の足関節への負荷は体重の 4〜5 倍で，腓骨は静的な状態で体重の約 16％ を腓骨関

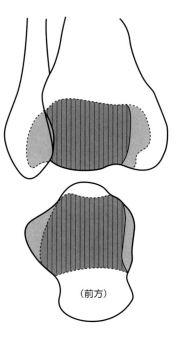

図 17-11-8　脛骨遠位（上）と距骨滑車（下）の関節面
果間関節窩と距骨滑車は前方の幅が後方より広くなった台形を呈する.
(Sanders RW et al：Pilon fractures. Chapter 36. 8th ed. Surgery of the Foot and Ankle. Coughlin MJ et al ed, 1941-1971, Mosby, Philadelphia より)

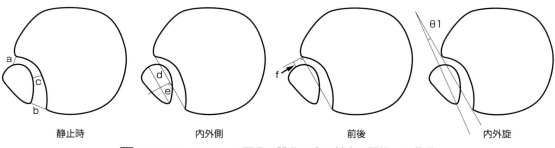

図 17-11-9　CT による脛骨の腓骨切痕に対する関節面の移動
a：腓骨切痕最前縁と腓骨の最前面との距離
b：腓骨切痕最後縁と腓骨の最後面との距離
c：腓骨切痕中央部における脛腓骨間距離
d：腓骨切痕最前縁と最後縁を結んだ線上の中央からの垂線と腓骨前方部分の距離
e：腓骨切痕最前縁と最後縁を結んだ線上の中央からの垂線と腓骨後方部分の距離
f：腓骨切痕最前縁と最後縁を結んだ線上の腓骨切痕最前縁からの垂線と腓骨最前面との距離
θ1：腓骨切痕最前縁と最後縁を結んだ線と腓骨最前面と最後面を結んだ線のなす角（内旋ではマイナス）
(Nault ML et al：CT scan assessment of the syndesmosis：a new reproducible method. J Orthop Trauma 27 (11)：638-641, 2013 より)

節面で支える．腓骨が外側に 1 mm 偏位するだけで距腿関節接触面積は 42％減少する．

　足関節の運動軸は，内果先端の 5 mm 遠位の点と外果先端の 3 mm 遠位かつ 8 mm 前方の点を結ぶ線上にあり，この軸は脛骨の中心軸とは 82±3.6°の軽度内反位にある（**図 17-11-11**）．いわゆる足関節（距腿関節＋距骨下関節）の正常可能域は背屈 20°，底屈 45°（可動域 65°）であるが，その約 75％は距腿関節が行っている．

　後方の PITFL と PTFL は強靱だが，前方の ATFL は脆弱な靱帯で内がえし捻挫時に最も損傷を受けやすい．CFL は背屈，ATFL は底屈で下腿長軸とほぼ平行になり，

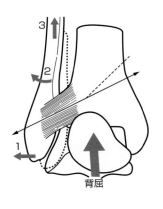
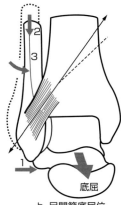

a. 足関節背屈位　　b. 足関節底屈位

図 17-11-10　足関節背屈, 底屈時の腓骨の動き
底・背屈に伴い腓骨が動き安定性を保っている. 腓骨の1：内・外側への動き, 腓骨は足関節背屈時は中枢側へ, 底屈時は末梢側への動き, 回旋の動き (回旋についてはまだ結論は得られていない). 脛腓靱帯の走向角度は底背屈位でそれぞれ変化する (↔).
(Kapandji IA：カパンジー機能解剖学Ⅱ下肢. 原著第6版, 塩田悦仁訳, 175, 医歯薬出版, 2010 より)

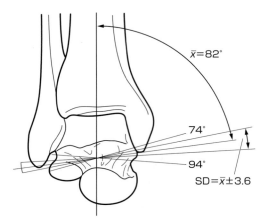

図 17-11-11　足関節運動軸
(Stiehl JB：Inman's joints of the ankle. 2nd ed. 21-38, Williams & Wilkins, Baltimore, 1976 より)

外側支持の役割を担う. ATFL の最下縁線維と CFL の最前縁線維は底・背屈運動で最も等張性を維持する (図 17-11-2).

　9つの外在筋の機能は, 距腿関節と距骨下関節の運動軸との関係からみると理解しやすい (図 17-11-12). 下腿三頭筋, 後脛骨筋, 長趾, 長母趾屈筋は足関節には底屈, 距骨下関節には内がえし, 前脛骨筋, 長趾, 長母趾伸筋は足関節には背屈に作用するが, 距骨下関節には前脛骨筋は内がえし, 長趾伸筋は外がえし, 長母趾伸筋は足部の肢位により内がえしにも外がえしにも作用する. 長・短腓骨筋は足関節には底屈, 距骨下関節には外がえしに作用する.

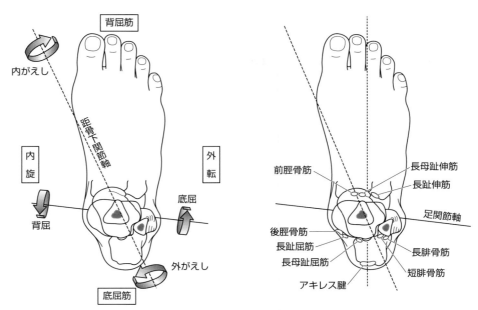

図 17-11-12　距腿関節，距骨下関節の運動軸と腱の関係
(Mann RA. In American Academy of Orthopaedic Surgeons：Atlas of Orthotics. 3rd ed. CV Mosby, 1997 より改変)

A　足関節果部骨折　fracture of the malleolus

a　分　類

　Lauge-Hansen（L-H）分類（図 17-11-13）と Danis-Weber（AO/OTA）分類（図 17-11-14）が代表的であるが，これらは部分的に重複する．

　2009 年 Haraguchi は，L-H 分類の回外-外旋 supination-external rotation（SER）損傷は回外 supination 位ではなく回内 pronation 位で生じるという新たな知見を発表した（附-41，p. 1187 参照）．

1) Lauge-Hansen（L-H）分類

　切断肢による実験に基づき受傷時の肢位と外力の作用方向から骨折型を分類した．最初の記載は「受傷時の足部の肢位」，次の記載は「距腿関節内で距骨にかかる力の方向」としている．足部が回外位や回内位に固定され，下腿に内旋や垂直方向の外力が加わると，相対的に距骨は外旋 external rotation，内転 adduction，外転 abduction し骨折や靱帯損傷が生じる．L-H 分類は時代の変遷とともに原著と異なる部分もあるが，現在は図 17-11-13 が一般的である．

　L-H 分類の骨折型と Stage の検者間，検者内の再現性は低い．

　回外-外旋 supination-external rotation（SER）損傷は最も頻度が高い（図 17-11-15）．実験による SER 損傷モデルの作製は困難とされ，術中の整復操作で本損傷が回外位で整復される事実はこれを裏付ける．

　回外-内転 supination-adduction（SA）損傷は距骨が内果を突き上げる方向に働き内

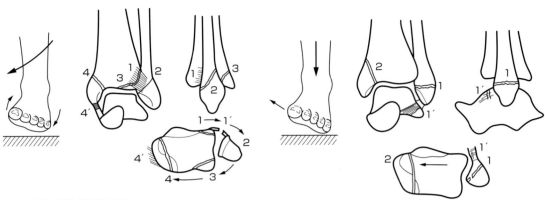

回外-外旋(SER)損傷
Stage 1. 前脛腓靱帯損傷またはその付着部の裂離骨折
Stage 2. 脛腓骨靱帯結合部レベルの螺旋骨折
Stage 3. 後脛腓靱帯損傷または後果骨折
Stage 4. 三角靱帯損傷または内果の横骨折

回外-内転(SA)損傷
Stage 1. 外果の横骨折または外側靱帯損傷
Stage 2. 内果の垂直骨折

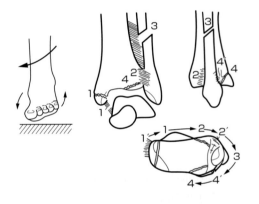

回内-外旋(PER)損傷
Stage 1. 内果の横骨折 or 三角靱帯損傷
Stage 2. 前脛腓靱帯・骨間膜損傷, 裂離骨折
Stage 3. 脛腓骨靱帯結合部レベルより近位の
　　　　 螺旋骨折または斜骨折
Stage 4. 後果骨折または後脛腓靱帯損傷

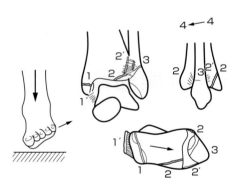

回内-外転(PA)損傷
Stage 1. 内果の横骨折または三角靱帯損傷
Stage 2. 後果骨折, 前後脛腓靱帯損傷
Stage 3. 脛腓骨靱帯結合部レベルの斜骨折または粉砕骨折

図 17-11-13　Lauge-Hansen 分類
(仁木久照:足関節部外傷の診断と治療―足関節果部骨折の診断と治療―関節外科 23:36-48, 2004 より)

果は垂直方向に骨折し，距骨滑車や天蓋部内側の骨軟骨骨折を伴うことがある（図17-11-16）．SA 損傷は AO/OTA 分類では脛骨遠位部骨折に分類されている．
　回内-外旋 pronation-external rotation（PER）損傷の整復とその保持は困難で予後は最も悪い（図 17-11-17）．内果骨折あるいは三角靱帯断裂，腓骨近位の腓骨小頭近くの螺旋骨折で脛腓骨靱帯結合部および骨間膜の損傷を伴うものを Maisonneuve 骨折と呼ぶ．PER 損傷 Stage 4 の亜型である（図 17-11-18）．
　回内-外転 pronation-abduction（PA）損傷では天蓋部外側の骨軟骨骨折に注意する．

11 足関節部骨折（脱臼） **1185**

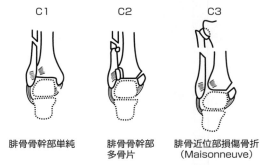

図 17-11-14　Danis-Weber 分類（AO/OTA 分類）
（Malleolar Segment. Journal of Orthop Trauma 32：S65-S70, 2018 より）

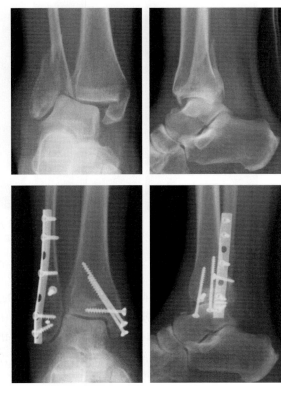

図 17-11-15　SER 損傷（57歳，女性）
上段：脛腓骨結合部近位の腓骨螺旋骨折と内果骨折を伴う Stage 4 の SER 損傷
下段：観血的整復内固定術後

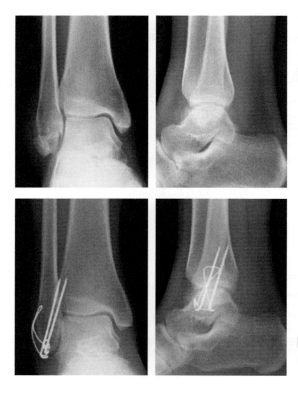

図 17-11-16　SA 損傷（53 歳，女性）
外果の横骨折に対し，観血的整復固定術を行う．

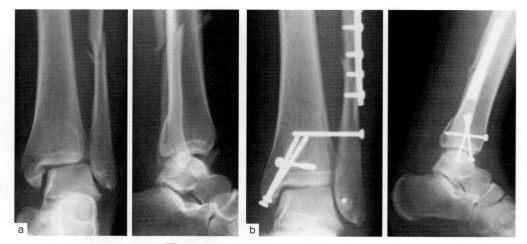

図 17-11-17　PER 損傷（25 歳，男性）
内果骨折例（a）．内固定後に脛腓間の不安定性を認めたため脛腓間固定を追加（b）

腓骨が粉砕している場合は解剖学的整復が困難である．

2) Danis-Weber 分類（AO/OTA 分類）

1972 年 Weber は Danis の分類（1949 年）を改変し，腓骨骨折と靱帯結合部との関係から A, B, C の 3 型に分類した．頻度は B＞A＞C 型の順である（図 17-11-14）．
AO グループはそれを細分化した．A 型は L-H 分類の SA 損傷 Stage 1, 2, 3 に，B

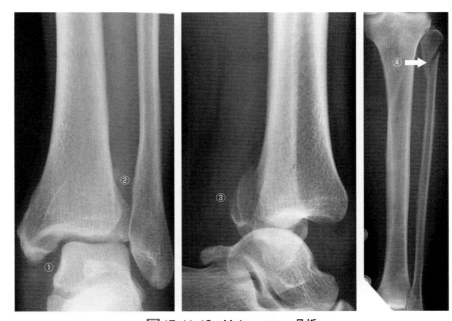

図 17-11-18　Maisonneuve 骨折
① 内側関節裂隙の開大（三角靱帯損傷），② 脛腓間離開，③ 後果骨折，④ 腓骨近位での骨折

型は SER 損傷 Stage 2, 3, 4 あるいは PA 損傷 Stage 3 に，C 型は PER 損傷 Stage 3, 4 あるいは PA 損傷 Stage 3 に相当する．

附-41　受傷機転および骨折型分類に関する新たな知見

　　2009 年 Haraguchi らは足関節骨折の発生機序を再検討し，ほとんどすべての果部骨折は回内位で発生し得ること，骨折の型は受傷時の足部の肢位の違い（supination か pronation か）ではなく，受傷時に足関節にかかる外旋モーメントと外転モーメントの割合の違いによることを示し，果部骨折を"外旋骨折"と"外旋-外転骨折"の2つに分類した．"外旋骨折"は従来の L-H 分類 SER 損傷（回外-外旋骨折）あるいは Danis-Weber 分類 B 型，"外旋-外転骨折" は PER 損傷あるいは C 型とみなしている．

附-42　人名のついた骨折

　　足関節部の骨折には人名のついた骨折が多く，Pott 骨折，Maisonneuve 骨折，Tillaux 骨折，Leforte 骨折，Cotton 骨折，Bosworth 骨折などがある．Wilson の論文よりその歴史的な背景を含めて紹介する．

1）Pott 骨折

　　1768 年に発刊された Some Few General Remarks on Fracture and Dislocation の中で，Pott は外果の先端から 2～3 インチ近位における腓骨の骨折と三角靱帯の断裂と距骨の外側への亜脱臼を記載したが，これは足関節骨折について臨床所見と病態を関係づけたはじめての報告とされている（**図 17-11-19**）．Dupuytren は屍体を用いて足関節骨折の実験を行った最初の人であるが，Pott の骨折を実験的に観察したことを報告している．しかし Ashhurt と Bromer は屍体実験からこの骨折は実在しないと報告した．一般に呼ばれている Pott 骨折は内果と外果の骨折，すなわち両果骨折である．

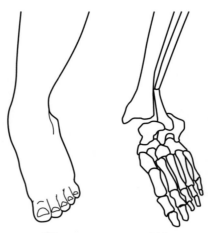

図 17-11-19　Pott 骨折
(Wilson FC : The pathogenesis and treatment of ankle fractures : historical studies. Instr Course Lect 39 : 73, 1990 より)

2) Maisonneuve 骨折

Dupuytren の弟子の Maisonneuve は 1840 年代に足関節骨折を生じる外力の中で外旋外力の重要性を最初に指摘し，骨折と靱帯損傷の関係を明らかにした．遠位脛腓靱帯断裂を伴った腓骨近位の骨折を Maisonneuve 骨折と呼ぶ．この骨折は回内-外旋骨折の Stage 4 にあたる．

3) Tillaux 骨折

Tillaux が 1848 年に報告した脛骨下端前面の前脛腓靱帯が付着している結節からの裂離骨折を Tillaux 骨折と呼ぶ．また小児の足関節部骨折では脛骨遠位部の外側部の骨端離開 (Salter-Harris Ⅲ型) を Tillaux 骨折と呼ぶことがある．

4) Leforte 骨折

Wagstaffe が 1876 年に報告し，Leforte が 1886 年に詳述した外果の前脛腓靱帯付着部の裂離骨折を Leforte 骨折と呼ぶ．

5) Cotton 骨折

Cotton は 1912 年内果，外果，後果の骨折を新しい骨折型として報告した．以来この三果骨折は Cotton 骨折と呼ばれる．

6) Bosworth 骨折

Bosworth は 1947 年腓骨の骨折に遠位脛腓靱帯の断裂が合併し，腓骨の近位骨片が脛骨の後果の後方に転位し，骨間膜に嵌頓している骨折を報告した．この骨折は回外-外旋骨折である．徒手的に整復することは難しく手術療法を要し Bosworth 骨折と呼ばれる．

b 臨床所見と症状

受傷直後から骨折部に一致した疼痛，腫脹，皮下出血，限局性圧痛を伴い荷重歩行は困難である．転位の少ない内・外果の単独の骨折では歩行可能なこともある．転位が大きい場合，内・外反変形を呈する．

内・外側靱帯部の圧痛，腫脹，不安定性を必ず確認する．

内側や脛腓骨靱帯結合部に所見があれば，下腿全長の単純 X 線写真撮影を行い，Maisonneuve 骨折 (図 17-11-18) を見逃さないようにする．足関節の単純 X 線写真のみで腓骨の骨折の有無を判断してはならない．

c 診　断

上記の臨床所見にもとづき下記の画像所見により診断を確定する．

1) 単純X線写真

診断と治療方針の決定に単純X線写真は必須である．正確な足関節前後像，側面像，距腿関節窩撮影（mortise view：足関節15〜20°内旋位前後像）で骨折部位，骨折型，脛腓骨靱帯結合離開，内側関節裂隙の開大，距骨の外側脱臼の有無を観察する．脛腓間の形態には個人差があるので健側も同条件で撮影し比較することもある．

2) ストレスX線写真

三角靱帯損傷を圧痛，腫脹のみで診断してはならない．単純X線写真で腓骨骨折以外に骨傷がない場合，三角靱帯損傷の有無の評価が必要である．ストレス撮影が有用で，ストレス（または内・外反ストレス）下のX線写真で健側と比較し2 mm以上の離開を陽性とする（図 17-11-20）．

3) 関節造影

軽微な脛腓骨靱帯結合部損傷では，関節造影で足関節内から脛腓骨靱帯結合部への造影剤の漏れが確認できる．

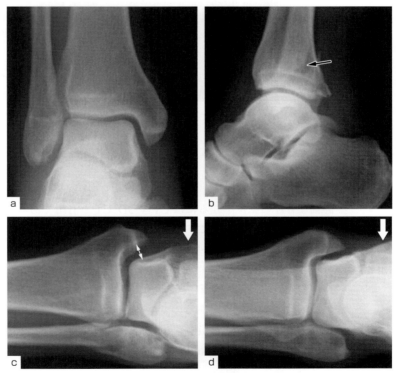

図 17-11-20　外果単独骨折例

単純X線写真側面像（b）で外果骨折を認めるが（矢印），正面像（a）では転位も内側関節裂隙の開大もみられない．ストレス（白矢印）を加えると内側関節裂隙が4 mmを超え（矢印），三角靱帯損傷が診断される（c）．この場合は外果の観血的整復・内固定術が必要である．健側ではストレス下でも内側関節裂隙は開大しない（d）．

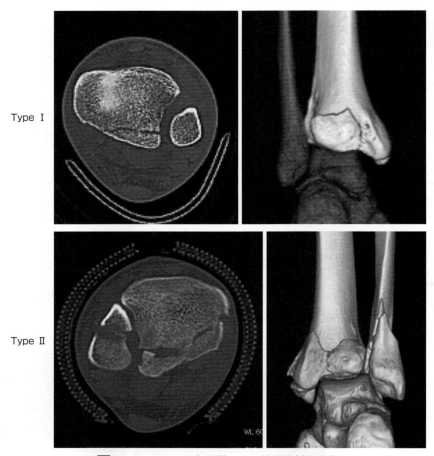

図 17-11-21　CT 水平断による後果骨折の分類

4) CT

詳細な骨片の転位を知るにはCTや3D-CTが有用である．特に後果骨折の骨折線は多様でその正確な診断に有用である．内果にまで達する後果骨折の頻度は後果骨折全体の20％と高い（図 17-11-21）（附-44　CT水平断による後果骨折の分類）．

5) MRI

合併する靱帯損傷の診断にきわめて有用である．距骨骨折に伴う軟骨損傷は後に疼痛の原因になる可能性があるので，必要があればMRIを撮像する．しかしBoraiahは足関節骨折に伴う軟骨損傷はMRIで高頻度に捉えられるが必ずしも臨床成績とは関連がないことを示し，Stufkensらは関節鏡所見のほうが骨軟骨損傷をより正確に捉えられると述べている．

AITFL損傷の診断には横断像に対し斜め45°で靱帯に直行するMRI像は擬陽性を減らし，靱帯の肥厚，蛇行，不全，完全断裂が診断できる（図 17-11-22）．

また骨間膜損傷の有無と範囲の評価も可能だが，骨間膜損傷の高さと骨折の高さが必ずしも相関しないという報告もある．

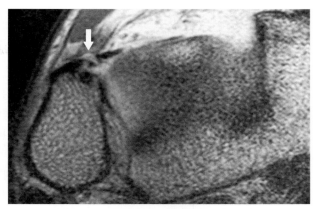

図 17-11-22　AITFL 損傷（矢印）の MRI
AITFL の連続性が途絶している．

附-43　脛腓間距離の計測（図 17-11-23）

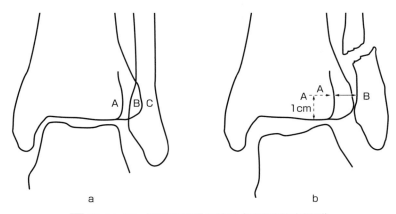

図 17-11-23　脛腓間距離の計測（距腿関節窩撮影）
a. A：脛骨後結節外縁，B：腓骨遠位部内縁，C：脛骨前結節外縁，
　AB：脛腓間距離
b. 日本人の正常 AB は平均 3.4mm（2.0〜5.5mm）．腱側と比較し 2mm 以上
　離開のあるものを靱帯結合離開とする．

附-44　CT 水平断による後果骨折の分類（図 17-11-21）

　　後果骨折を伴う果部骨折は伴わない骨折より治療成績が劣る．後果骨折の整復固定の基準や固定方法についてはいまだ議論がある．Haraguchi は新鮮屍体による実験で後果骨折の病態を解析し，さらに CT 水平断で後果骨折を Type Ⅰ〜Ⅲ に分類した．後果骨折の診断には CT が必須である．
　　　Type Ⅰ　posterolateral-oblique type（天蓋後外側を中心とした三角形の骨折）
　　　Type Ⅱ　medial-extension type（骨折が内果上方まで及んでいるもの）
　　　Type Ⅲ　small shell type（天蓋後方辺縁の薄い骨折）
　Type Ⅱ はしばしば見逃され，最も予後が悪い．

d 治　療

1）保存療法

a）適　応

転位のない内果の単独骨折，内側の損傷（内果骨折または三角靱帯断裂）がない外果単独骨折（＝重力ストレス撮影陰性）は保存療法を選択する．H-A 分類の SA 損傷 Stage 1 は足関節外側靱帯断裂あるいはその付着部の骨折であり保存療法でよい．

b）整復，固定，後療法

透視下に整復位と安定性を確認し，整復が得られた肢位で下腿足部 MTP 関節までプラスチックキャスト固定を行う．3 週で良肢位に戻し全4～6 週の固定を行う．保存療法適応例は安定型のため再転位することはほとんどない．受傷後 8 週で全荷重を許可する．

2）手術療法

a）手術適応

転位のある内果の単独骨折，内果骨折を伴う外果骨折，内果骨折はないが重力ストレス撮影で内側関節裂隙が 4 mm 以上開大する外果の単独骨折は手術療法を選択する．

b）手術のタイミング

受傷直後で腫脹がない場合は直ちに手術が可能だが，腫脹が出現したあとは一次閉鎖が困難なので手術は待機する．水疱形成がある場合は消退するまで手術は行わない．

c）進入路

内果骨折は内果中央の縦皮切，外果骨折は腓骨遠位部のやや後方より骨軸に沿って約 5～10 cm の縦皮切にて進入する．

d）整復と内固定

整復，内固定は腓骨から行う．**表 17-11-1** に骨折型別の内固定法を示す．

表 17-11-1　骨折型による内固定法の選択

骨折型	外　果	内　果
SER	圧迫スクリュー＋プレート固定（図 17-11-24b） （靱帯付着部裂離骨片小骨スクリュー固定）	海綿骨スクリュー 2 本 引き寄せ鋼線締結法 （骨片が小さい場合）
SA	引き寄せ鋼線締結法（図 17-11-24a）	海綿骨スクリュー 2 本 （骨折線に直交し天蓋と平行に刺入）
PER	プレート固定 （靱帯付着部裂離骨片小骨スクリュー固定）	海綿骨スクリュー 2 本 引き寄せ鋼線締結法 （骨片が小さい場合）
PER	脛腓骨靱帯結合スクリュー固定あるいはスーチャーボタン固定 （足関節良肢位で皮質骨スクリューによる three cortex あるいは four cortex 固定あるいはスーチャーボタン固定）	
PA	プレート固定 （靱帯付着部裂離骨片小骨スクリュー固定）	海綿骨スクリュー 2 本 引き寄せ鋼線締結法 （骨片が小さい場合）

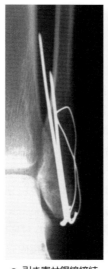 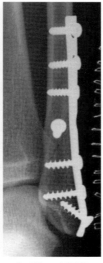 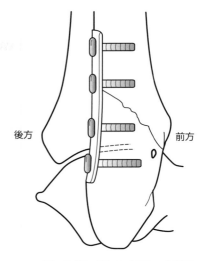

a. 引き寄せ鋼線締結固定　　b. プレート固定　　c. アンチグライディングプレート固定

図 17-11-24　外果の各種固定法

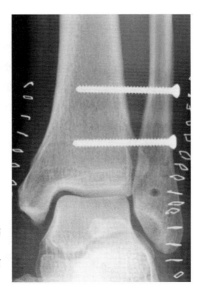

図 17-11-25　Maisonneuve 骨折に対する脛腓骨靱帯結合スクリュー固定
脛腓間を整復後に固定するため positioning screw とも呼ばれる．

① 腓骨の整復と固定

　　内側の損傷（三角靱帯断裂あるいは内果骨折）がある場合の外果骨折は内固定を要する．腓骨の短縮，回旋，内・外反を整復し解剖学的位置で強固に内固定する．固定法には引き寄せ鋼線締結法（**図 17-11-24a**），圧迫スクリューとプレート固定法（**図 17-11-24b**），アンチグライディングプレート（後方"滑り止め"プレート）固定法（**図 17-11-24c**）がある．

　　Maisonneuve 骨折では腓骨遠位を整復鉗子で牽引し間接的に整復し，遠位脛腓間を皮質骨スクリューで固定する（脛腓骨靱帯結合スクリュー）（**図 17-11-25**）．腓骨骨折

1194 　各 論　第 17 章　下肢の骨折

自体は固定しない（附-46 参照）.

② 後果の整復と固定

後果は腓骨と PITFL で靱帯結合しているので，腓骨を整復すれば自然に整復され原則として内固定は不要である. しかし単純 X 線側面像で骨片が脛骨遠位部関節面の 25％以上を占める大きさの場合は二次性関節症の発生頻度が高くなるので，前方あるいは後方から圧迫スクリューで固定する（図 17-11-26）.

最近では，大きさにかかわらず後果を整復固定し，後果に付着する PITFL を介して脛腓間結合の安定化を図るほうが脛腓間結合スクリュー固定よりも生体工学的に勝るという考え方がある. また Type Ⅱ（medial-extension type）は，内側から整復してスクリューで固定する. この場合，後果骨折はしばしば 2 つに分かれていることがあるが，その場合は内側骨片のみ固定する. 一方，Type Ⅰ（posterolateral-oblique type）は解剖学的整復が容易であること，関節面の陥没に対する対応が可能であることから，前方からの圧迫スクリューより後外側進入路による整復固定が有利である.

③ 内果の整復と固定

外果骨折を伴う場合および内果の単独骨折でも転位が大きい場合は手術を行う.

骨片が大きい場合（supracollicular fracture）は海綿骨スクリュー 2 本で，骨片が小さい場合や骨質が悪い場合は引き寄せ鋼線締結法で固定する.

SA 損傷 Stage 2 は OTA 分類では脛骨遠位部骨折に分類され，脛骨関節面の圧潰を伴う場合は関節面の整復と骨移植を行う.

e) 関節鏡による整復位と軟骨損傷の評価と処置

関節鏡では整復位の評価や合併する距骨軟骨損傷の診断と治療が同時にできる（図 17-11-27）. 観血的整復・内固定時に軟骨損傷に対するドリリングやマイクロフラクチャー法などの手術を同時に行う.

距骨の前方，外側あるいは内果の軟骨損傷は臨床症状に影響する.

附-45　三角靱帯断裂

単純 X 線写真で外果の単独骨折のみの場合には必ずストレス撮影を行い，三角靱帯断裂の有無を確認する. 外果単独骨折の場合，三角靱帯が温存されていれば保存療法でよいが，三角靱帯断裂を合併する場合は外果の内固定が必要である. 外果を内固定しても不安定性を有する症例に対し，三角靱帯修復で治療成績が改善するという報告が少数ある. しかし，足関節果部骨折における三角靱帯修復に関する明らかなエビデンスはないとする報告が大多数であり，三角靱帯の縫合は術後の拘縮の原因になるので必要ない. 内果骨折で骨片が小さい場合（anterior colliculus fracture）は三角靱帯深層が断裂している（図 17-11-28）.

附-46　脛腓骨靱帯結合離開

脛腓骨靱帯結合 tibiofibular syndesmosis の不安定性を伴う場合は，脛腓間固定が必要である. 固定にはスクリュー（脛腓骨靱帯結合スクリュー），生体吸収性スクリュー，脛腓間ステープル，Ilizarov リング固定，syndesmotic hook，Kirschner 鋼線などを用いる方法，遊離移植腱による靱帯形成などがあるが，スクリュー固定の報告が多い. 最近ではスーチャーボタン（suture button）による脛腓間固定の成績が多

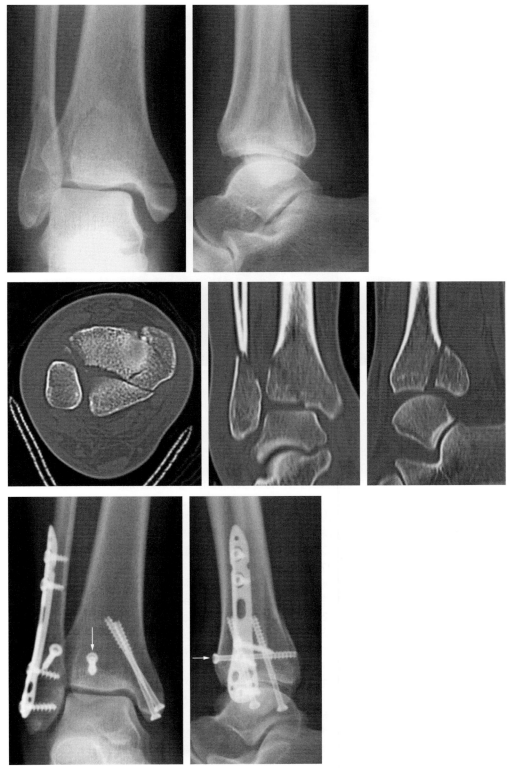

図 17-11-26　関節面（天蓋部）の25％以上を占める後果（内果）骨折に対する前方からの圧迫スクリューによる固定（矢印）

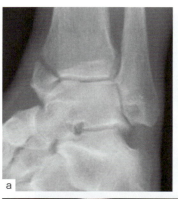
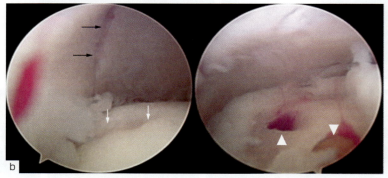

図 17-11-27　内果骨折例
単純 X 線写真（a）．関節鏡による内果骨折の転位（黒矢印）と距骨軟骨損傷（白矢印）の診断（b 左）．内果骨折に対するスクリュー固定と同時に，距骨軟骨損傷部にマイクロフラクチャー法（白三角）を施行（b 右）

数報告されている（図 17-11-29）．
　脛腓骨靱帯結合スクリューは抜去の必要性や折損の合併症もあるため，その適応は適切でなければならない．Boden の指針がおおよその目安となり，内側の損傷様式で治療方法が異なる．内果骨折の場合には内果の内固定で三角靱帯は温存され，距骨は安定しさらに脛腓骨靱帯結合も安定するため，原則として脛腓骨靱帯結合固定は不要である．三角靱帯断裂の場合は，腓骨骨折が関節面から 4.5 cm 以上近位の場合にのみ脛腓間固定を行う（図 17-11-18, 25）．
　しかし骨折部の高さと骨間膜の断裂の高さが必ずしも一致しないことや，内果骨折でも骨片が小さい場合（anterior colliculus fracture）には，三角靱帯の深層は断裂している（図 17-11-28）などの理由により Boden の基準が当てはまらないこともある．このため術中の不安定性の評価が重要である．評価方法は，①スプレッターによる脛腓間の開大，②bone hook（hook test）や母指による腓骨の前後方向の動き（正常では 1～2 mm ぐらい），③術中の外旋ストレス X 線写真撮影（内側関節裂隙の 2 mm 以上の開大は不安定性を示唆）などである．しかし実際には，脛腓間の 1～2 mm の動きを術中透視やストレス X 線写真で確認することは困難で，不安定性の評価は直視下に行われるべきである．
　また脛腓間の整復位の確認も直視下のほうが望ましく，脛骨遠位前外側と腓骨前内側の関節軟骨の位置関係で評価するのがより正確である．鏡視下でも同様である（Mercedes sign）．
　Boden の基準で脛腓間固定が不要と判断されたにもかかわらず，健側と比べて脛腓

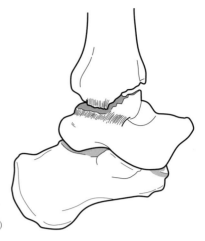

図 17-11-28　anterior colliculus fracture の際の三角靱帯深層の断裂
(Tornetta P et al：J Bone Joint Surg 82-A：843-848, 2000 より)

　骨靱帯結合が離開している場合は腓骨骨折の整復が不十分であることに起因することが多いので，腓骨の整復の良否をもう一度確認する．
　AO/OTA 分類 type B に対する脛腓間固定については，脛腓間スクリュー固定を行った群と行わなかった群での比較で臨床成績や単純 X 線写真による評価に差はないとする報告がある．またストレスを加えなければ脛腓靱帯結合は整復位にあり，通常は開大を残さずに治癒するので，type B に脛腓間固定は必要ない．
　したがって脛腓骨靱帯結合固定の絶対的適応は，腓骨骨折を伴わない三角靱帯損傷＋脛腓骨靱帯結合部損傷＋距骨の外側転位（脛腓間離開）と Maisonneuve 骨折（図 17-11-18, 25）であるが，次の点についてはまだ議論がつきない．

1) 高位と方向について
　原則として圧迫スクリューを用いない．高位は天蓋部より 2.5〜4 cm 近位で脛腓骨靱帯結合部を貫かず，関節面と平行かつ後方から前方に 20〜30°傾けて刺入する（図 17-11-30）．

2) スクリューの本数について
　皮質骨スクリュー 4.5 mm 1 本と 3.5 mm 2 本では臨床成績に差はない．しかし Maisonneuve 骨折には 2 本必要である（図 17-11-25）．

3) three cortex か four cortex かについて
　靱帯結合部の生理的な運動を残す three cortex（図 17-11-31）と安定性を目指す four cortex で臨床成績の差はない．しかし four cortex 固定はスクリュー破損の率が高い．

4) スクリュー径について
　3.5 mm 径より 4.5 mm 径のほうが力学的強度は高いが，通常は腓骨の太さで決定する．

5) 固定時の足関節の肢位について
　以前は背屈位で固定すべきとされてきたが，最近の報告から腓骨の解剖学的整復位が得られていれば中間位で問題はない．

6) 吸収性か非吸収性スクリューかについて
　抜去が不要な吸収性スクリューの報告が散見されるがコストパフォーマンスで劣る．臨床成績は同等とする報告がある．

7) スクリューの抜去と荷重時期について
　荷重で破損しても臨床症状には影響がないので，three cortex 固定では必ず抜去の必要はないといえる．しかし four cortex 固定の場合は 6〜8 週間で抜去すべきであろう．プラスチックキャスト副子固定下であれば早期から荷重は可能とする意見もある．

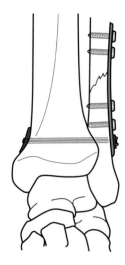
図 17-11-29 スーチャーボタンによる
脛腓間固定

8) スクリューかスーチャーボタンかについて

スクリュー固定は整復位の獲得や正常の足関節運動を妨げるなどの問題点が指摘されている．一方，スーチャーボタンはスクリューに比べて剛性が低く，生理学的環境が得られやすく，靱帯の治癒に有利であるという報告がある．臨床成績については，スクリュー固定と同等とする報告や，スーチャーボタンのほうが優れているという報告がある．その理由として整復位不良例が少なく，整復損失がなく，再手術率や合併症が少ないことがあげられる．スーチャーボタンについては，5 年を超える長期成績の報告がいまだない．

9) スーチャーボタンの問題点

推奨されるスーチャーボタンの締結の具体的数値はなく術者の力加減に委ねられ，脛腓間が過整復されることがある．一方，経時的にスーチャーボタン周囲に緩みが生じ，過整復が整復されることも指摘されている．また脛腓間の再転位が術後 CT で判明することがあり，スーチャーボタンのたわみやすい性質が原因とされている．さらに至適な刺入方向や必要な本数など，いまだ未解明の点がある．

10) 前下脛腓靱帯 AITFL の補強について

脛腓間スクリュー固定と AITFL 修復＋補強術（AITFL 脛骨付着部にアンカーを挿入し，ポリエチレン・ポリジオキサノン縫合糸を腓骨プレートに縫合した手技）の前向きランダム比較研究において，臨床成績は同等であったが，補強術のほうがスクリュー固定よりも整復不良例が少なく，合併症率も低く，早期リハビリが可能であったとする報告がある．一方，脛腓間をスーチャーボタンで固定し，AITFL をスーチャーテープで補強する方法では回旋安定性が増し，腓骨の矢状面変位も制動できたとする報告がある．またスーチャーボタン固定では獲得できなかった脛腓間の安定性を，スーチャーテープによる AITFL の解剖学的補強術の追加で獲得できたとする報告もある．いずれにしても AITFL の修復は脛腓間の安定性に大きく影響する．

e 後療法

骨折型による一般的な後療法を図 17-11-32 に示す．

三角靱帯損傷がなく，内果が強固に固定されていれば早期の足関節運動訓練は始めてよい．三角靱帯損傷がある場合はこれが修復する 3 週前後は関節運動訓練を控えたほうがよい．大きな後果骨片がある場合には早期の荷重は控える．

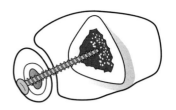

図 17-11-30　脛腓骨靱帯結合スクリューの方向
後方から 20〜30°前方に傾けて刺入．
(Müller ME et al：Malleolar fractures. Manual of internal fixation 3rd ed, 595-612, 1991 より)

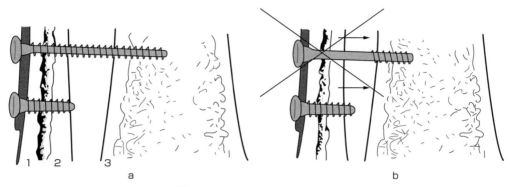

図 17-11-31　three cortex 固定
a．皮質骨スクリューによる three cortex 固定．b．海綿骨スクリューでは脛腓間に圧迫がかかる．
1：腓骨外側皮質，2：腓骨内側皮質，3：脛骨外側皮質
(Müller ME et al：Malleolar fractures. Manual of internal fixation 3rd ed, 595-612, 1991 より)

　C 型でもプラスチックキャスト副子固定下であれば 3 週で部分荷重を開始するという意見もある．

f 合併症

1) 骨粗鬆症
　スクリューが効かずに強固な固定ができない場合は引き寄せ鋼線締結法とし，外固定と免荷の期間を長くする．ロッキングプレートシステムの使用も考慮する．

2) 糖尿病，末梢血管障害
　感染のリスクは糖尿病で 2.3 倍，末梢血管障害で 1.65 倍高くなる．

3) その他
　創感染 1.44％，切断 0.16％，肺塞栓 0.34％という報告がある．

g 治療成績の評価

1) 治療成績評価

a) 客観的評価基準（医療側からの評価法）
　計量心理学的検証を経た日本足の外科学会 足関節・後足部判定基準（JSSF ankle/hindfoot scale）を用いる（表 17-11-2）．医療側からの臨床評価法である．

b) 主観的評価基準（患者立脚型評価法）
　自己記入式足部足関節評価質問票（Self-Administered Foot Evaluation Questionnaire，SAFE-Q）は，日本整形外科学会と日本足の外科学会が独自に開発し，「妥当

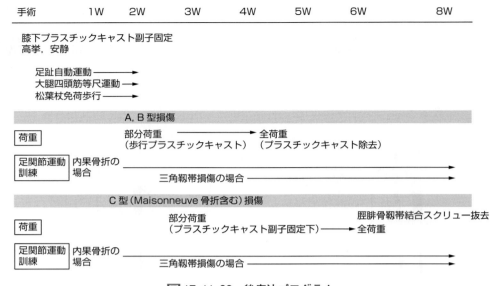

図 17-11-32　後療法プログラム
後果骨片が大きい場合には早期の荷重は控える．
(仁木久照：足関節部外傷の診断と治療 —足関節果部骨折の診断と治療— 関節外科 23：36-48, 2004 より改変)

性」と「信頼性」について計量心理学的検証を経た足部足関節領域で世界最初の自己記入式評価質問票である．足部，足関節領域であれば疾患は問わず，健康人にも使用できる．

今後の臨床研究は prospective な手法が主体となり，治療成績評価も主観的評価が必須になる．そこで問題になるのが，これまで使用されてきた客観的評価法との整合性である．しかし客観的評価は主観的評価と必ずしも合致するものではない．したがって治療成績評価の概念が確立するまでは JSSF スケール (表 17-11-2) と SAFE-Q (図 17-11-33) の2つを併用し，両面から吟味，評価していく必要がある．

2) 単純X線写真評価

整復の確認には mortise view が有用である (図 17-11-34, 35)．
ほかに Burwell (表 17-11-3) や Cedell (表 17-11-4) の基準もある．
脛腓骨靱帯結合部は解剖学的なバリエーションに富み，単純X線写真撮影時の足部の回旋角度により計測値が変わるので，単純X線写真による脛腓骨靱帯結合離開の診断は容易ではない．

3) CT による評価

CT は足部の回旋角度を排除でき離開の評価を正確にできる．遠位脛腓間の距離は前後で異なり，前方は後方よりわずかに狭い．

h 治療成績を左右する因子

1) 骨折型による影響

外果単独骨折は距腿関節の不適合は生じない．SER 損傷 Stage 4 では三角靱帯断裂のほうが内果骨折より臨床成績はよい．後果骨折 Type Ⅱ (medial-extension type) は

表17-11-2 日本足の外科学会 足関節・後足部判定基準（JSSF ankle/hindfoot scale）

疼痛（40点）[1]　　　/40

	自発痛・運動時痛	日常生活時	スポーツ・重労働時	（参考：疼痛対策の有無）	
なし	まったくなし	なし	なし	（なし）	40
軽度	時々運動時痛あり	なし	あり	（なし）	30
中等度	常に運動時痛あり	すべての動作時にあり	かなりあり	（時々必要）	20
高度	常に自発痛あり	かろうじて歩行できる	（痛みで）できない	（常に必要）	0

機能（50点）　　/50

活動の制限	
すべての活動に支障なし	10
日常生活には支障はないが，レクリエーション程度の活動に支障あり	7
日常生活，レクリエーションに支障あり	4
日常生活，レクリエーションに著明な支障あり	0
連続最大歩行可能距離[2]	
600 m 以上	5
400 m 以上 600 m 未満	4
100 m 以上 400 m 未満	2
100 m 未満	0
路面の状況	
どの路面でも問題なし	5
凸凹道，階段，斜面でやや困難	3
凸凹道，階段，斜面はかなり困難，またはできない	0
歩容異常	
なし，またはあってもわずか	8
あきらかな異常はあるが歩行は可能	4
著明な異常があり歩行が困難	0
矢状面可動域（他動的背屈＋底屈の総計）[3]	
正常，あるいは軽度の制限　　　　（30°以上）	8
中等度の制限　　　　　（15°以上30°未満）	4
著明な制限　　　　　　　　　　（15°未満）	0
後足部可動域（他動的回外＋回内の総計）[4]	
正常，あるいは軽度の制限（健側の75%以上）	6
中等度の制限　　　（健側の25%以上75%未満）	3
著明な制限　　　　　　（健側の25%未満）	0
足関節と後足部の安定性（前方引き出しあるいは内外反ストレスによる不安定性の有無）[5]	
安定	8
不安定	0

アライメント（10点）　　　　　　　　　　　　　　　　　　　　　　　　　　　　　　　　　　　　　　　/10

良	蹠行性足[6]，変形なし	10
可[7]	蹠行性足，軽度〜中等度の変形	5
不可[7]	非蹠行性足，高度の変形	0

計　　/100

脚注

[1]　あてはまる項目のうち最も低い点数で選ぶ.

[2]　連続して休まずに歩行できる最大限の距離.

[3]　基本軸を腓骨，移動軸を足底面とし，足関節屈曲位で計測する.

[4]　基本軸を下腿への垂直線，移動軸を足底面とし，膝関節屈曲位で計測する.

[5]　前方引き出しあるいは内外反ストレスでのエンドポイントで，抵抗感がある場合は「安定」，ない場合を「不安定」，とする.

[6]　「蹠行性足」とは，歩行時に足底接地が可能な足のことをいう.

[7]　徒手的に矯正が可能な場合は「可」，不可能な場合は「不可」，とする.

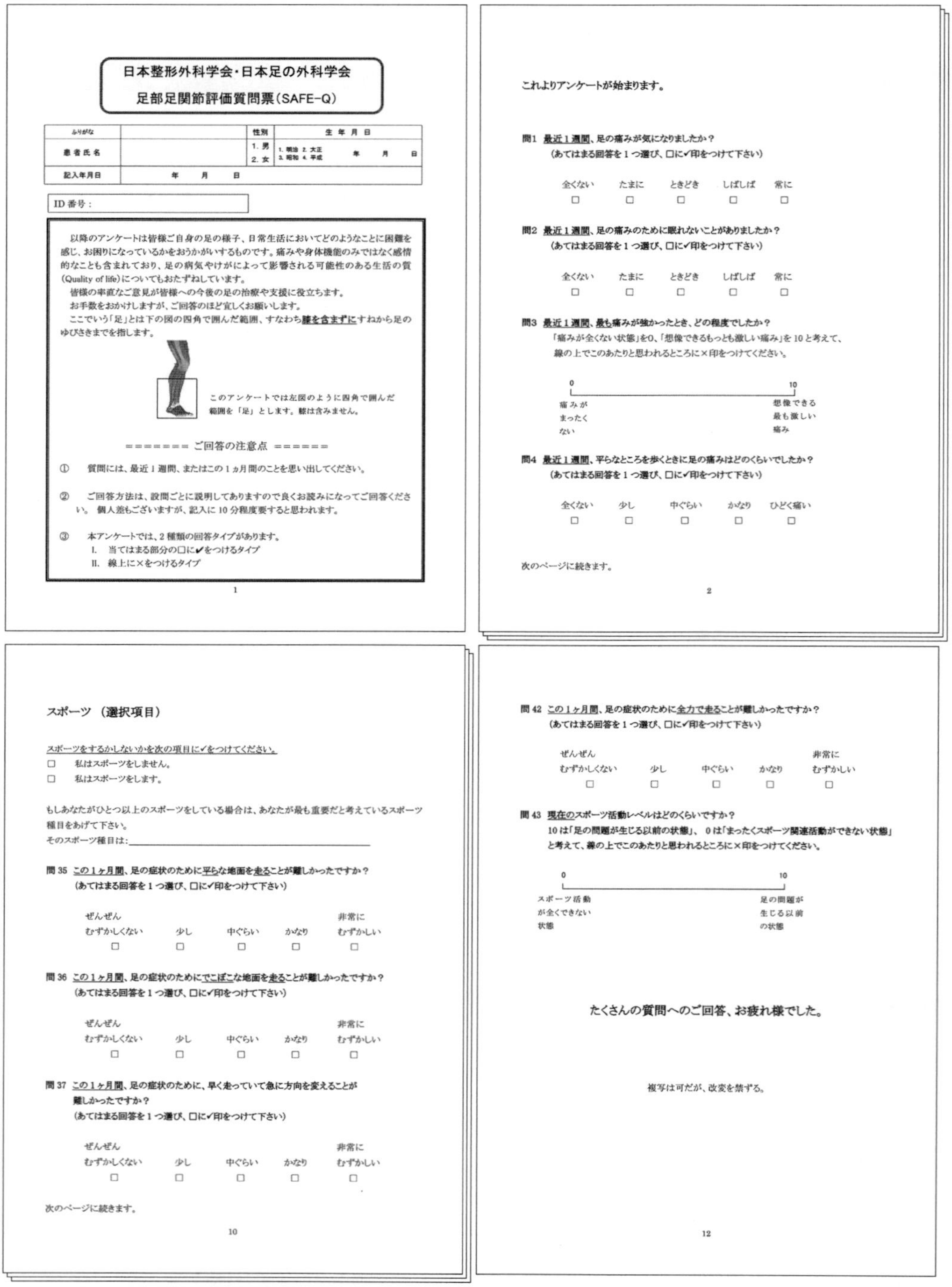

1202 各 論 第17章 下肢の骨折

図 17-11-33 足部足関節評価質問票（SAFE-Q）の一部

（日本整形外科学会診断・評価等基準委員会／日本足の外科学会診断・評価等基準委員会：自己記入式足部足関節評価質問票 Self-Administered Foot Evaluation Questionnaire（SAFE-Q）作成報告書. 日整会誌 87：451-487, 2013）

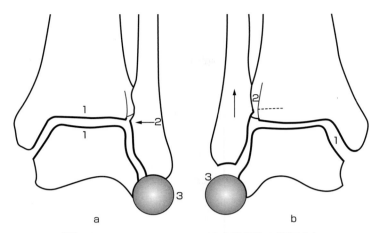

図 17-11-34　mortise view での整復位の指標（1）
a. 1：距腿関節裂隙が平行，2：腓骨のスパイクが距骨の軟骨下骨の高位レベル（"足関節のシェントン線"），3：距骨外側縁と腓骨遠位部が一つの円上に位置．1〜3 のうち 2 つ以上を満たせば適合性良好と評価する．
b. 1：距腿関節裂隙が平行でない．特に距骨外側偏位による内側関節裂隙の開大，2：腓骨のスパイクが距骨の軟骨下骨の高位レベルより上方にある（"足関節のシェントン線"の不整），3：距骨外側縁と腓骨遠位部が一つの円上に位置しない．1〜3 がみられれば適合性なしと評価する．
（Weber BG et al：Clin Orthop Rel Res 199：61-67, 1985 より改変）

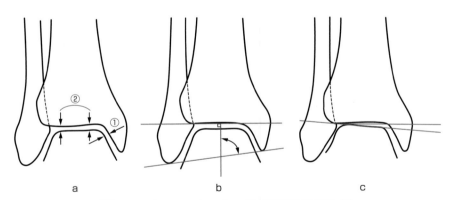

図 17-11-35　mortise view での整復位の指標（2）
a. ①内側関節裂隙 4mm 以下，②距腿関節裂隙は内外側の差が 2mm 以内，
b. talocrural angle（天蓋を通る線と内外果を結ぶ線のなす角度）83±4°で健側差が 2°以内，c. talar tilt angle が 2°未満，が良好な整復位の指標
（Michelson JD：Fractures about the ankle. JBJS 77-A：142-152, 1995 より）

しばしば見逃され予後が悪い．三果骨折や開放骨折例では骨折と軟部組織損傷（靱帯損傷を含む）が広範囲で，のちに変形性関節症を呈すると，骨切り術，関節固定などの再手術率が高い．

2）腓骨の転位による足関節への影響

問題となる腓骨変形は外旋と短縮である．

Burwell らは骨折型に関係なく 2mm 以上の転位は変形治癒を残すと述べている（表

表 17-11-3　Burwell による整復の単純 X 線写真評価基準

anatomical
内果と外果の骨片の内側および外側への転位がない 内果と外果の骨片の 1 mm 以内の長軸方向への転位 後果の骨片の 2 mm 以内の近位方向への転位 距骨の転位がない
fair
内果と外果の骨片の内側および外側への転位がない 外果の骨片の 2〜5 mm の後方への転位 後果の骨片の 2〜5 mm の近位方向への転位 距骨の転位がない
poor
内果と外果の骨片の転位 外果の骨片の 5 mm 以上の後方への転位 後果の骨片の 5 mm 以上の転位 距骨の転位

（山本晴康：足関節部の骨折（脱臼）．骨折・脱臼，第 2 版，881-908，南山堂，2005 より）

表 17-11-4　Cedell による整復の単純 X 線写真評価基準

損傷要素	anatomical	good	poor
腓骨遠位骨片	転位なし	わずかな回旋	外側，近位前方への転位 顕著な回旋 外反位
内果骨片	転位なし	わずかな回旋．1 mm 以内の前方あるいは後方への転位	1 mm 以上の前方あるいは後方への転位．外側あるいは内側への転位 顕著な回旋 外反位
三角靱帯断裂	距骨の転位なし	距骨の転位なし	距骨の外側への転位あるいは外反位
後果骨片	転位なし	関節面の 1/4 以内の大きさの骨片が 2 mm 以内近位前方に転位	1/4 以内の大きさの骨片が 2 mm 以上近位前方に転位あるいは転位のある 1/4 以内の大きさの骨片

（山本晴康：足関節部の骨折（脱臼）．骨折・脱臼，第 2 版，881-908，南山堂，2005 より）

17-11-3）．腓骨が 30° 外旋すると距腿関節の接触面積は 30〜50％減少し単位面積あたりの負荷圧が増大し，腓骨が 2 mm 以上短縮，外側転位あるいは 5° 以上外旋すると足関節にかかる負荷圧は外側が有意に増加し内側は減少する．

　変形治癒は腓骨の動的な機能に影響し，歩行の際の腓骨と骨間膜による足関節の外側支持機構が破綻する．

3）関節軟骨損傷の合併（図 17-11-36）

　SER，PER 損傷 Stage 4 では Stage 1 あるいは Stage 2 の 8.1〜9.7 倍の頻度で軟骨損傷が合併する．関節内遊離体は PER 損傷 Stage 4 に最も多い（44％）．距骨の前方と外側，内果の骨軟骨骨折例では二次性変形性関節症発生の頻度が増大する．

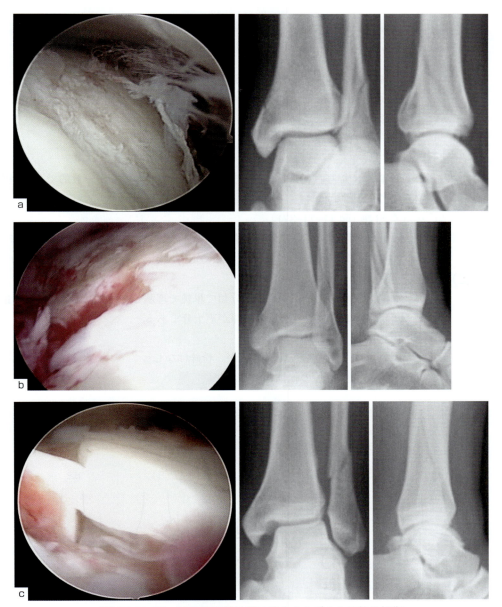

図 17-11-36　足関節果部骨折に伴うさまざまな骨軟骨損傷
a, b. SER 損傷に合併する距骨骨軟骨損傷
c. PER 損傷に合併する距骨骨軟骨損傷軟骨全層の損傷を認める.

4) 早期運動訓練の効果

早期関節運動訓練は早期復帰を希望する青壮年には有効だが，軟部組織の状態が悪い場合や感染のリスクがある場合は術後にプラスチックキャスト固定をしたほうがよい.

5) 再手術について

術後 5 年以内に関節固定や関節置換術の再手術を行う率は 0.96％ と低いが，三果骨折と開放骨折例では 5.29 倍高くなる.

B 脛骨天蓋骨折 fracture of the tibial plafond

脛骨遠位の関節面を含んだ足関節の骨軟骨骨折を，1911年にDestotが"pilon"骨折，1950年にBoninが"plafond"骨折として紹介した．1968年にRüediが分類，治療，予後をはじめて報告した．

a 骨折の分類

単純X線写真によるAO/OTA分類とRüediの分類が一般的であるが両者とも検者間の再現性は低い．

1) AO/OTA分類（図17-11-37）

近年汎用されている分類である．骨片の数，骨折型の複雑さ，関節に及ぶ場合はその範囲で分類する．A，B，Cの順に重傷度が，1，2，3の順に粉砕度が増す．

2) Rüedi分類（図17-11-38）

関節面の粉砕の程度による分類で単純で理解しやすい．しかしType ⅡとType Ⅲは再現性が低く治療計画には情報が不十分である．

Type Ⅰ：骨片の転位なし
Type Ⅱ：骨片の転位はあるが，粉砕はなし
Type Ⅲ：骨片の転位と粉砕あり

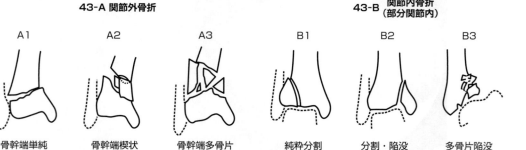

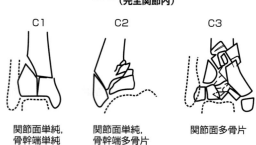

図17-11-37 AO/OTA分類 43-Tibia/Fibula Distal
（Tibia. Journal of Orthop Trauma 32：S49-S60, 2018 より）

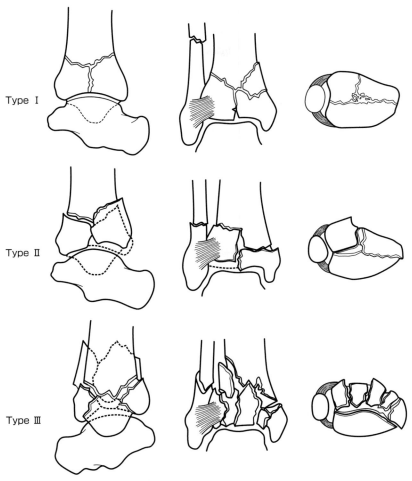

図 17-11-38 Rüedi 分類
(Rüedi TP et al：Clin Orthop 138：105-110, 1979 より)

附-47　pilon（ピロン）骨折

　"pilon"とは仏語で先端が太くなっている杵状のもので"物を打つ道具"の意味である．臨床的に"pilon tibial"は脛骨遠位端の部位の形態的な呼称である．一方"plafond"は仏語で"天井"の意味で，日本語では"天蓋"と訳され脛骨遠位関節面のほぼ水平の部分を指す．したがって pilon 骨折といえば脛骨天蓋の損傷だけでなく，骨端部の海綿骨の損傷，果上部の皮質骨の骨折を伴うものを指す．

附-48　骨折に伴う軟部組織損傷の分類

　軟部組織損傷の程度が予後を左右するためその術前評価が重要である（**図 17-11-39**）．
　閉鎖骨折（皮下骨折）における軟部組織損傷分類（Tscherne による）
　　Grade 0：軟部組織損傷がないか，ごくわずか
　　Grade I：表在性の擦過傷や内側から骨片で圧迫された挫傷

Grade Ⅱ：直達外力で深部汚染を伴う擦過傷や局所的な皮膚，筋の挫傷．切迫した区画症候群が含まれる

Grade Ⅲ：広範な皮膚挫傷，筋組織の損傷，皮下組織の裂離．明らかな区画症候群や血管損傷も含む

b 受傷機転と頻度

スポーツにより下腿の回旋で生じる低エネルギー low-energy 損傷と，高所からの転落や交通外傷による軸圧によって生じる高エネルギー high-energy 損傷に大別でき後者によることが多い．

頻度は全脛骨骨折の 7～10％，下肢の骨折の 1％以下とされる．pilon 骨折のうち 45％は交通外傷による高エネルギー損傷である．高エネルギー損傷では 85％に腓骨骨折を伴い，治療はきわめて困難である．

一方，近年は骨粗鬆症を伴う高齢者の活動性が高くなったため低エネルギー損傷が増加している．骨折型は比較的単純でも，糖尿病，血管疾患の合併，ステロイド剤などの長期服用により軟部組織の条件が悪いことが多く治療は長期間を要する．しかし骨片数や転位は少ないので，軟部組織に有利な治療法を用いれば良好な成績が得られる（図 17-11-39）．

c 診　　断

■1）単純 X 線写真

腓骨骨折の有無，骨折の部位と骨片の数，関節面の粉砕の程度，距腿関節，距腓関節，脛腓間結合を観察する．Rüedi 分類 C 型では 90％以上に腓骨骨折を認める．その場合は天蓋の一部が AITFL あるいは PITFL で腓骨に付着しているか否かを確認しこれを目安に整復する．

距骨の骨軟骨骨折については報告がなく長期成績への影響も不明である．

■2）CT，三次元 CT

CT は術前計画に必須である（図 17-11-39～43）．移動や撮像時の操作は軟部組織損傷の悪化を防ぐため，可能であれば創外固定で骨折部を安定化したあとのほうが望ましい．

d 治　　療

■1）保存療法

骨片の転位が軽度の場合はプラスチックキャスト固定の適応である．転位がある場合はプラスチックキャスト固定による保存療法の結果は不良である．

■2）手術療法

Pilon 骨折は一つの方法では対応できない．

重度な軟部組織損傷を伴わない Rüedi 分類 A，B 型には，解剖学的整復と機能の早期回復を目指して受傷後 12～24 時間以内に最小侵襲手術を選択する．低エネルギー損傷の成績は良好である（図 17-11-40）．

Rüedi 分類 C 型，Tschene 分類 Grade Ⅲ あるいは開放骨折には二期的術式（2 stage-protocol）が原則である．1 st stage には創外固定による一時的な足関節架橋固定

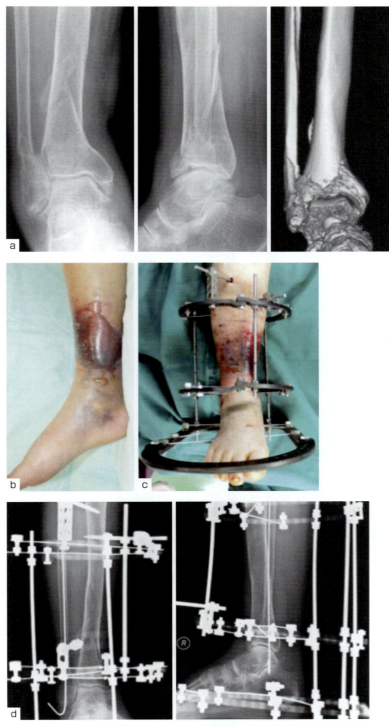

図 17-11-39　骨粗鬆症を合併する高齢者例（AO/OTA 分類 43-C2）
単純 X 線写真と三次元 CT（a）．糖尿病と下肢動脈閉塞症を合併．高度の水疱形成を認める（b）．軟部組織への影響を最小限にするために Ilizarov 創外固定器を用い足関節を架橋して固定（c, d）

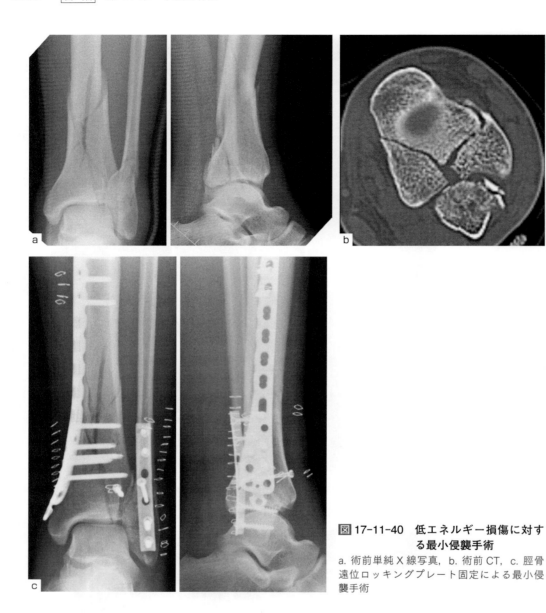

図 17-11-40　低エネルギー損傷に対する最小侵襲手術
a. 術前単純 X 線写真，b. 術前 CT，c. 脛骨遠位ロッキングプレート固定による最小侵襲手術

temporary bridging external fixation，2 nd stage には生物学的骨接合術 biological osteosynthesis あるいは足関節を架橋しない創外固定が用いられる．

a) **1 st stage：創外固定による一時的な関節架橋固定**（図 17-11-41）

　　　創外固定で 1〜2 週間程度関節架橋固定後，腓骨の整復とプレート固定を行い軟部組織の修復を待機する．腓骨の髄内釘固定は角状変形，回旋，短縮が生じる可能性がある．

b) **2 nd stage ①：生物学的骨接合術** biological osteosynthesis

　　　低侵襲プレート固定術 minimal invasive percutaneous osteosynthesis/minimal invasive percutaneous plate osteosynthesis/minimal invasive locking plate osteosynthesis（MIPO/MIPPO/MILPO）と呼ばれ，皮切を最小限とし骨膜を温存しながら骨折部を架橋し軟

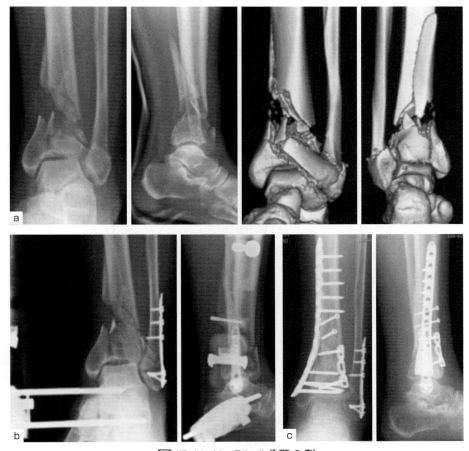

図 17-11-41　Rüedi 分類 C 型
a. 術前単純 X 線写真と三次元 CT
b. 1 st stage として創外固定による一時的関節架橋固定と腓骨プレート固定
c. 2 nd stage として脛骨遠位ロッキングプレート固定（骨欠損部にはβ-TCP を使用）

部組織の損傷を最小限にする，いわゆる"biological（生物学的）"な内固定法である．

c) 2 nd stage ②：創外固定

　　足関節を架橋しないリング型創外固定器が汎用される（図 17-11-42）．リング型創外固定器には Ilizarov 型（図 17-11-39，42），ハイブリッド型があるが，足関節を架橋する単支柱型（図 17-11-40）に比べ，間接的な整復，早期運動や荷重（図 17-11-42），変形矯正も可能である．Ilizarov 型とハイブリッド型に予後成績に差はなく，内固定材料の選択は軟部組織損傷の状況と術者の選択による．

1212　各論　第17章　下肢の骨折

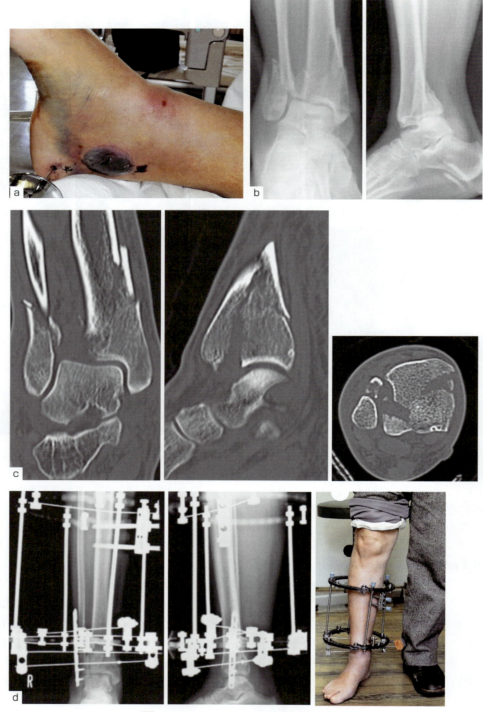

図 17-11-42　リング型創外固定器使用例
a. 術前にみられた内果後方の水疱形成
b. 術前単純X線写真
c. 術前CT
d. 術後，足関節を架橋しないIlizarov型創外固定器により早期関節運動訓練開始

11 足関節部骨折（脱臼） **1213**

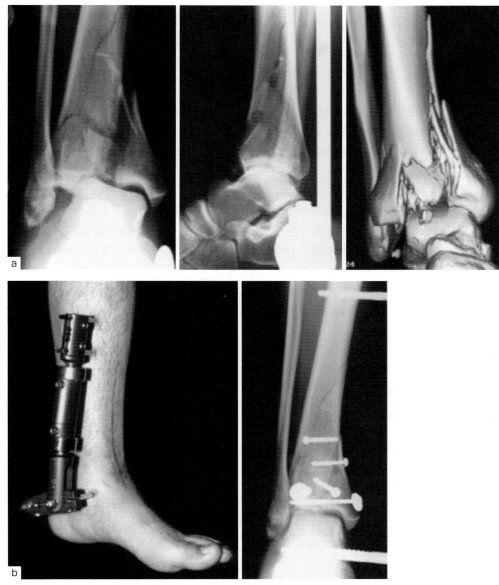

図 17-11-43 単支柱型創外固定器使用例
a. 術前単純 X 線写真と三次元 CT
b. 術後．単支柱型創外固定器による足関節架橋固定

附-49　MATILDA 法

　創外固定を用いて整復と固定を行う Multidirectional ankle traction using Ilizarov external fixator with long rod and distraction arthroplasty in pilon fractures（MATILDA）法の報告がある．MATILDA 法とは，リング型創外固定を利用した多方向への靱帯性牽引により，軟部組織に大きな負担をかけず（大きな皮膚切開をおかず）に整復固定を行い，体外からの貫通ワイヤー固定によるリング型創外固定で強固に

固定する方法である．助手が最近位のリングを把持し，術者が踵骨を固定したフットリングを底屈・背屈，内反・外反，内旋・外旋して愛護的に，時間をかけて整復を行う．閉鎖的な操作で整復できない場合は，皮膚に切開をおいて展開する．

e 合併症

感染，遷延治癒，偽関節，二次性変形性足関節症が主な合併症である．

14 日以内の 2 stage-protocol で深部感染の率を 3.4％に減らしたという Sirkin らの報告があり，感染の回避にも 2 stage-protocol は有効である．

f 予後

予後を左右するのは骨折型，軟部組織損傷の程度，受傷から受診までの期間（特に開放骨折の場合），患者の全身状態と法令順守，合併する外傷，術者の経験である．骨軟骨損傷，区画症候群の合併も影響する．高エネルギー損傷では受傷時すでに関節軟骨の細胞死が生じているという報告がある．

包括的健康関連 QOL 評価法である SF-36 による検討では，Pilon 骨折患者は同年代の健康人より有意に低く，骨盤骨折，AIDS，糖尿病，冠動脈疾患患者よりも低い．

附-50 小児の足関節部骨折

小児足関節部骨折では骨端線損傷を伴う．

骨幹端部骨折の有無にかかわらず骨折線が骨端および成長軟骨板を横切り転位している場合，関節の不適合が残存する場合は手術適応となる．成長軟骨板と関節面の解剖学的整復位の獲得には，Kirschner 鋼線固定よりも骨片間圧迫スクリュー固定が好ましい．

Salter-Harris Ⅰ型：脛骨あるいは腓骨成長軟骨板離開だが，単純 X 線写真上，異常所見を認めないことがあり，この場合には MRI が有用である（図 17-11-44a）．

Salter-Harris Ⅱ型：転位がある場合は骨片間に骨膜が陥入していると徒手的な整復は困難である．骨幹端部の骨折線を横断する 1〜2 本の圧迫スクリューで固定する（図 17-11-44b）．

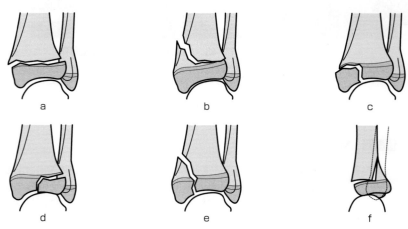

図 17-11-44　小児の足関節部骨折
（Journal of Orthopaedic Trauma 32：S117-S140, 2018 より）

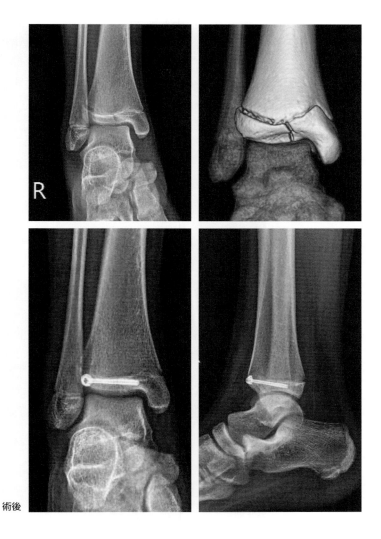

図 17-11-45　Tillaux 骨折　術後

　Salter-Harris Ⅲ型：内果側の骨折（図 17-11-44c）と Tillaux 骨折（図 17-11-44d, 45）がある．Tillaux 骨折は脛骨骨端の外側の 1/2 の損傷である．12～13 歳の小児では，遠位脛骨成長軟骨板の内側は閉鎖し外側は閉鎖していないため，外旋による AITFL の牽引で生じる．整復後骨端部を海綿骨スクリューで固定する．
　Salter-Harris Ⅳ型：骨折線が成長軟骨板を横切るので正確な整復と確実な固定が必要である．成長軟骨板の上下に各 1 本のスクリューを挿入する（図 17-11-44e）．整復が不十分な場合は変形が生じる．
　Salter-Harris Ⅴ型：高所からの落下による圧迫骨折で，変形が生じてからはじめて診断されることがある．成長軟骨板の肥大軟骨層が損傷されるので成長障害や変形が生じる．
　triplane 骨折：足関節に特有で，骨端部を矢状面と冠状面で垂直に横断し，成長軟骨板を水平に剪断し骨幹端部の後方骨片を冠状面で垂直に分断するものである．つまり骨折線が 3 平面に及び，単純 X 線写真正面像では Salter-Harris Ⅲ型，側面像ではⅡ型を示す（図 17-11-44f, 46）．受傷機転は底屈損傷である．CT，三次元 CT は術前計画に有用で（図 17-11-46），骨幹端部，骨端部の圧迫スクリューは骨折面を考慮して正しく挿入されなければならない．腓骨の内固定は通常不要である．

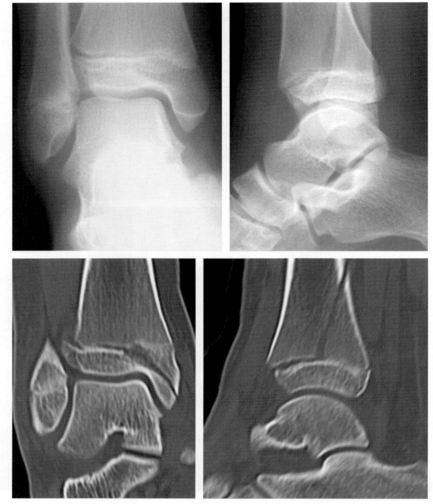

図 17-11-46　triplane 骨折（13 歳，女性）

C 足関節脱臼　dislocation of the ankle

　足関節ではまれに骨折を伴わずに脱臼のみが生じることがある．
　受傷機転は尖足位で内側あるいは前内側への外力が加わり生じる．
　受傷後早期であれば麻酔下に徒手整復は比較的容易である．整復法は長軸方向に牽引しながら内がえしあるいは外がえしの力を加える．
　予後は不安定性あるいは二次性関節症性変化の有無に影響される．不安定性の予防には靱帯再建術も考慮する．

参考文献

A. 足関節果部骨折

1) Aitken GK et al：Indentation stiffness of the calcaneus bone in the distal human tibia. Clin Orthop Rel Res **201**：264-270, 1985.

2) Andersen MR, Figved W：Use of Suture Button in the Treatment of Syndesmosis Injuries. JBJS Essent Surg Tech **8**：e13, 2018.

3) Anderson MR et al：Randomized Trial Comparing Suture Button with Single Syndesmotic Screw for Syndesmosis Injury. J Bone Joint Surg **100-A**：2-12, 2018.

4) Beumer A et al：Radiographic measurement of the distal tibiofibular syndesmosis has limited use. Clin Orthop Rel Res **423**：227-234, 2004.

5) Blom RP et al：Posterior malleolar fracture morphology determines outcome in rotational type ankle fractures. Injury **50**：1392-1397, 2019.

6) Boden SD et al：Mechanical considerations for the syndesmosis screw. A cadaver study. J Bone Joint Surg **71-B**：1548-1555, 1989.

7) Boraiah S et al：Osteochondral lesions of talus associated with ankle fractures. Foot Ankle Int **30**：481-485, 2009.

8) Borrelli J Jr et al：Extraosseous blood supply of the tibia and the effects of different placing techniques：A human cadaveric study. J Orthop Trauma **16**：691-695, 2002.

9) Burwell HA et al：The treatment of displaced fractures at the ankle by rigid internal fixation and early joint movement. J Bone Joint Surg **47-B**：634-660, 1965.

10) Cedell CA：Supination-outward rotation injuries of the ankle. Acta Orthop Scand **110**, 1967.

11) Chissell HR et al：The influence of adiastasis screw on the outcome of Weber type-C ankle fractures. J Bone Joint Surg **77-B**：435-438, 1995.

12) Curtis MJ et al：Tibiotalar contact and fibular malunion in ankle fractures. A cadaver study. Acta Orthop Scand **63**：326-329, 1992.

13) Dabash S et al：Adding deltoid ligament repair in ankle fracture treatment：Is it necessary？ A systematic review. Foot Ankle Surg **25**：714-720, 2019.

14) Danis R：Les fractures malleolairs. Danis R ed, Theorie et pratique de l' osteosynthese. 133-165, Masson et Cie, Paris, 1949.

15) Dikos GD et al：Normal tibiofibular relationship at the syndesmosis on axial CT imaging. J Orthop Trauma **26**：433-438, 2012.

16) Duchesneau S et al：The Maisonneuve fracture. J Foot Ankle Surg **34**：422-428, 1995.

17) Elgafy H et al：Computed tomography of normal distal tibiofibular syndesmosis. Skeletal Radiol **39**：559-564, 2010.

18) Gardner MJ et al：Fixation of posterior malleolar fractures provides greater syndesmotic stability. Clin Orthop Rel Res **447**：165-171, 2006.

19) Gill JB et al：Comparison of manual and gravity stress radiographs for the evaluation of supination-external rotation fibular fractures. J Bone Joint Surg **89-A**：994-999, 2007.

20) Goetz JE et al：Biomechanical Comparison of Syndesmotic Repair Techniques During External Rotation Stress. Foot Ankle Int **39**：1345-1354, 2018.

21) Gosselin-Papadopoulos N et al：Direct visualization of the syndesmosis for evaluation of syndesmotic disruption：A cadaveric study. OTA Int **1**：e006, 2018.

22) Griend VR et al：Fractures of the ankle and the distal part of the tibia. Instr Course Lect **46**：311-321, 1997.

23) Hahn DM et al：Malleolar fracture. AO principles of fracture management. 559-581, Thieme, Stuttgart, New York, 2000.

24) Hansen M et al：Syndesmosis fixation：analysis of shear stress via axial load on 3.5-mm and 4.5-mm quadricortical syndesmotic screws. J Foot Ankle Surg **45**：65-69, 2006.

25) Haraguchi N et al：A new interpretation of the mechanism of ankle fracture. J Bone Joint Surg **91-A**：821-829, 2009.

26) 原口直樹：足関節果部骨折. Ⅱ アドバンストピックス 1. 外傷性疾患. 日本足の外科学会 監修, 足の外科テキスト, 南江堂, 54-59, 2018.

27) 原口直樹：足関節果部骨折 AO/OTA type B における脛腓骨靱帯結合損傷の考え方. MB Orthop **33**：57-62, 2020.

28) Haraguchi N, Armiger RS：Mechanism of posterior malleolar fracture of the ankle：A cadaveric study. OTA Int **3**：e060, 2020.

29) Haraguchi N et al：Pathoanatomy of posterior malleolar fractures of the ankle. J Bone Joint Surg **88-A**：1835, 2006.

30) Hermans JJ et al：Anatomy of the distal tibiofibular syndesmosis in adults：a pictorial essay with a multimodality approach. J Anat **217**：633-645, 2010.

31) Hermans JJ et al：The additional value of an oblique image plane for MRI of the anterior and posterior distal tibiofibular syndesmosis. Skeletal Radiol **40**：75-83, 2011.

32) Hisateru Niki et al：Validity and reliability of a self-administered foot evaluation questionnaire (SAFE-Q). J Orthop Sci **18**：298-320, 2013.

33) Hoiness P et al：Tricortical versus quadricortical syndesmosis fixation in ankle fractures：a prospective, randomised study comparing two methods of syndesmosis fixation. J Orthop Trauma **18**：331-337, 2004.

34) Honeycutt MW, Riehl JT：Effect of a Dynamic Fixation Construct on Syndesmosis Reduction：A Cadaveric Study. J Orthop Trauma **33**：460-464, 2019.

35) Kapandji IA：関節の生理学Ⅱ下肢. 原著第5版, 荻島秀男監訳, 166-167, 医歯薬出版, 1999.

36) Kaukonen JP et al：Fixation of sudesmotic ruptures in 38 patients with a malleolar fracture：a randomized study comparing a metallic and bioabsorbable screw. J Orthop Trauma **19**：392-395, 2005.

37) Kortekangas T et al：A prospective randomized study comparing TightRope and syndesmotic screw fixation for accuracy and maintenance of syndesmotic reduction assessed with bilateral computed tomography. Injury **46**：1119-1126, 2015.

38) Lambert KL：The weight-bearing function of the fibula. J Bone Joint Surg **53-A**：507, 1971.

39) Lauge-Hansen N：Fractures of the ankle. II. Combined experimental-surgical and experimental-reontgenologic investigations. Arch Surg **60**：957-985, 1950.

40) Lee JS et al：Biomechanical comparison of suture-button, bioabsorbable screw, and metal screw for ankle syndesmotic repair：A meta-analysis. Foot Ankle Surg **27**：117-122, 2021.

41) Lee S et al：Deltoid Ligament Rupture in Ankle Fracture：Diagnosis and Management. J Am Acad Orthop Surg **27**：e648-e658, 2019.

42) Leonataritis N et al：Arthroscopically detected intra-articular lesions associated with acute ankle fractures. J Bone Joint Surg **91-A**：333-339, 2009.

43) Lindsjo U：Classification of ankle fractures：the Lauge-Hansen or the AO system. CORR **199**：12-19, 1985.

44) Lubberts B et al：Arthroscopically measured syndesmotic stability after screw vs. suture button fixation in a cadaveric model. Injury **48**：2433-2437, 2017.

45) Mann RA：American Academy of Orthopaedic Surgeons：Atlas of Orthotics. 3rd ed, CV Mosby, 1997.

46) Manjoo A et al：Functional and radiographic results of patients with syndesmotic screw fixation：implications for screw removal. J Orthop Trauma **24**：2-6, 2010.

47) Marti RK et al：Malunited ankle fracture. J Bone Joint Surg **72-B**：709-713, 1990.

48) McKenzie AC et al：A Systematic Review and Meta-Analysis on Treatment of Ankle Fractures With Syndesmotic Rupture：Suture-Button Fixation Versus Cortical Screw Fixation. J Foot Ankle Surg **58**：946-953, 2019.

49) Michelson JD et al：Ankle fractures：The Lauge-Hansen classification revisited. CORR **345**：198-205, 1997.

50) Michelson JD et al：Examination of the pathologic anatomy of ankle fractures. J Trauma **32**：65-70, 1992.

51) Michelson JD：Fractures about the ankle. J Bone Joint Surg **77-A**：142-152, 1995.

52) Michelson JD：Fractures of the ankle. Orthopaedic Knowledge Update：Foot and Ankle, 193-203, AAOS, Illinois, 1994.

53) Michelson JD et al：Syndesmotic ankle injury. J Orthop Trauma **32**：10-14, 2018.

54) Miller AN et al：Direct visualization for syndesmotic stabilization of ankle fractures. Foot Ankle Int **30**：419-426, 2009.

55) Miller AN et al：Posterior malleolar stabilization of syndesmotic injuries is equibalent to screw fixation. Clin Orthop Rel Res **468**：1129-1135, 2010.

56) Moody ML et al：The effect of fibular and talar displacement on joint contact areas about the ankle. Orthop Rev **21**：741-744, 1992.

57) Moore JA Jr et al：Syndesmosis fixation：a comparison of three and four cortices of screw fixation without hardware removal. Foot Ankle Int **27**：567-572, 2006.

58) 松村福広：Zip Tight を用いたシンデスモーシス損傷の治療. MB Orthop **33**：71-80, 2020.

59) Müller ME et al：Malleolar fractures. Manual of internal fixation 3rd ed, 595-612, Springer-Verlag, NewYork, Berlin, Heidelberg, 1991.

60) Naqvi GA et al：Fixation of ankle syndesmotic injuries：comparison of tightrope fixation and syndesmotic screw fixation for accuracy of syndesmotic reduction. Am J Sports Med **40**：2828-2835, 2012.

61) Nault ML et al：CT scan assessment of the syndesmosis：a new reproducible method. J Orthop Trauma **27**：638-641, 2013.

62) Nielson JH et al：Radiographic measurements do not predict syndesmotic injury in ankle fractures：an MRI study. Clin Orthop Rel Res **436**：216-221, 2005.

63) Nielson JO et al：Lauge-Hansen classification of malleolar fractures：An assessment of the reproducibility in 118 cases. Acta Orthop Scand **61**：385-387, 1990.

64) 仁木久照：足関節部外傷の診断と治療 —足関節果部骨折の診断と治療—. 関節外科 **23**：36-48, 2004.

65) Niki H et al：Development and reliability of a standard rating system for outcome measurement of foot and ankle disorders I：development of standard rating system. J Orthop Sci **10**：457-465, 2005.

66) Niki H et al：Development and reliability of a standard rating system for outcome measurement of foot and ankle disorders II：Interclinician and intraclinician reliability and validity of the newly established standard rating scales and Japanese Orthopaedic Association rating scale. J Orthop Sci **10**：466-474, 2005.

67) 仁木久照ら：委員会報告. 日本整形外科学会診断・評価等基準委員会, 日本足の外科学会診断・評価等基準委員会. 自己記入式足部足関節評価質問票 Self-Administered Foot Evaluation Questionnaire (SAFE-Q). 日整会誌 **87**：451-487, 2013.

68) No authors listed：Malleolar Segment. J Orthop Trauma **32**：S65-S70, 2018.

69) 野坂光司ら：高齢者でこそ有用な足関節周囲骨折における MATILDA 法. 臨整外 **57**：43-49, 2022.

70) Ono A et al：Arthroscopically assisted treatment of ankle fractures：arthroscopic findings and surgical outcomes. Arthroscopy **20**：627-631, 2004.

71) Orthopaedic Trauma Association Committee for Coding and Classification：Fracture and dislocation compendium. J Orthop Trauma **10**：5-9, 1-154, 1996.

72) Ozeki S et al：Simultaneous strain measurement with determination of a zero strain reference for the medial and lateral ligamens of the ankle. Foot Ankle Int **23**：825-832, 2002.

73) Pakarinen HJ et al：Syndesmotic fixation in supination-external rotation ankle fractures：a prospective randomized study. Foot Ankle Int **35**：988-995, 2014.

74) Parker AS et al：Biomechanical Comparison of 3 Syndesmosis Repair Techniques With Suture Button Implants. Orthop J Sports Med **6**：1-6, 2018.

75) Ramsey PL et al：Changes in tibiotalar area of contact caused by talar shift. J Bone Joint Surg **58-A**：356, 1976.

76) Raeder BW et al：Better outcome for suture button compared with single syndesmotic screw for syndesmotic injury：five-year results of a randomized controlled trial. Bone Joint J **102-B**：212-219, 2020.

77) Rüedi TP et al：AO Principle of Fracture Management. Thieme, Stuttgart, 2000.

78) Salameh M et al：Outcome of primary deltoid ligament repair in acute ankle fractures：a meta-analysis of comparative studies. Int Orthop **44**：341-347, 2020.

79) Sanders D et al：Improved Reduction of the Tibiofibular Syndesmosis With TightRope Compared With Screw Fixation：Results of a Randomized Controlled Study. J Orthop Trauma **33**：531-537, 2019.

80) Sanders RW et al：Pilon fractures. Chapter 36, 8th ed, Surgery of the Foot and Ankle, Coughlin MJ et al ed, 1941-1971, Mosby, Philadelphia, 2006.

81) Schock HJ et al：The use of gravity or manual-stress radiographs in the assessment of supination-external rotation fractures of the ankle. J Bone Joint Surg **89-B**：1055-1059, 2007.

82) Schon JM et al：Defining the three most response and specific CT measurements of ankle syndesmotic malreduction. Knee Surg Sports Traumatol Arthrosc **27**：2863-2876, 2019.

83) Shoji H et al：Suture-button fixation and anterior inferior tibiofibular ligament augmentation with suture-tape for syndesmosis injury：A biomechanical cadaveric study. Clin Biomech (Bristol, Avon) **60**：121-126, 2018.

84) Scranton PE Jr et al：Dynamic fibular function：A new concept. Clin Orthop Rel Res **118**：76-81, 1976.

85) Soo Hoo NF et al：Complication rates following open reduction and internal fixation of ankle fractures. J Bone Joint Surg **91-A**：1042-1049, 2009.

86) Sproule JA et al：Outcome after surgery for Maisonneuve fracture of the fibula. Injury **35**：791-798, 2004.

87) Stauffer RN et al：Force and motion analysis of the normal, diseased, and prosthetic ankle joint. Clin Orthop **127**：189-196, 1977.

88) Stiehl JB：Inman's joints of the ankle. 2nd ed, 21-38, Williams & Wilkins, Baltimore, 1976.

89) Stoffel K et al：Comparison of two intraoperative assessment methods for injuries to the ankle syndesmosis. A cadaveric study. J Bone Joint Surg **91-A**：2646-2652, 2009.

90) Stufkens SA et al：Cartilage lesions and the development of osteoarthritis after internal fixation of ankle fractures. A prospective study. J Bone Joint Surg **92-A**：279-286, 2010.

91) Stufkens SA et al：Long-term outcome after supination-external rotation type-4 fractures of the ankle. J Bone Joint Surg **91-B**：1607-1611, 2009.

92) Sun H et al：A prospective, randomized trial comparing the use of absorbable and metallic screws in the fixation of distal tibiofibular syndesmosis injuries：mid-term follow-up. Bone Joint J **96-B**：548-554, 2014.

93) Sun Xu et al：Dose routinely repairing deltoid ligament injuries in type B ankle joint fractures influence long term outcomes？ Injury **49**：2312-2317, 2018.

94) 高倉義典：足の解剖，足の機能解剖．高倉義典ら編，図説足の臨床．改訂版．12-27，メジカルビュー社，1998.

95) 高倉義典：足の解剖．高倉義典ら編，足部診療ハンドブック．6-12，医学書院，2000.

96) 田中　正：骨折分類：生物学的意義．糸満盛憲編，AO法骨折治療．34-42，医学書院，2003.

97) 寺本篤史ら：スーチャーテープを用いたシンデスモーシス損傷の治療．MB Orthop **33**：81-86, 2020.

98) Thomas G et al：Early mobilization of operatively fixed ankle fractures：a systematic review. Foot Ankle Int **30**：666-674, 2009.

99) Thompson MC et al：Biomechanical comparison of syndesmotic fixation with 3.5- and 4.3-millimeter stainless steel screws. Foot Ankle Int **21**：736-741, 2000.

100) Thordarson DB et al：The effect of fibular malreduction on contact pressures in an ankle fracture malunion model. J Bone Joint Surg **79-A**：1809-1815, 1997.

101) Tornetta P 3rd et al：Competence of the deltoid ligament in bimalleolar ankle fractures after medial malleolar fixation. J Bone Joint Surg **82-A**：843-848, 2000.

102) Tornetta P III et al：Reducing the Syndesmosis Under Direct Vision：Where should I Look? J Orthop Trauma **33**：450-454, 2019.

103) Tourné Y et al：Diagnosis and treatment of tibiofibular syndesmosis lesions. Orthop Traumatol Surg Res **105**：S275-S286, 2019.

104) van den Bekerom MP et al：Operative aspects of the syndesmotic screw：Review of current concepts. Injury **39**：491-498, 2008.

105) Wake J, Martin KD：Syndesmosis Injury From Diagnosis to Repair：Physical Examination, Diagnosis, and Arthroscopic-assisted Reduction. J Am Acad Orthop Surg **28**：517-527, 2020.

106) Wang Q et al：Fibula and its ligaments in load transmission and ankle joint stability. Clin Orthop **330**：261-270, 1996.

107) Weber BG：Die Verletzungen des obersen Sprunggelenkes. 2nd ed, Verlag Hans Huber, Bern, Stuttgart, Wien, 1972.

108) Weber BG et al：Corrective lengthening osteotomy of the fibula. Clin Orthop Rel Res **199**：61-67, 1985.

109) Westermann RW et al：The effect of suture-button fixation on simulated syndesmotic malreduction：a cadaveric study. J Bone Joint Surg **96-A**：1732-1738, 2014.

110) Wood AR et al：Kinematic Analysis of Combined Suture-Button and Suture Anchor Augment Constructs for Ankle Syndesmosis Injuries. Foot Ankle Int **41**：463-472, 2020.

111) Xenos JS et al：The tibiofibular sudesmosis. Evaluation of the ligamentous structures, methods of fixation, and radiographic assessment. J Bone Joint Surg **77-A**：847-856, 1995.

112) Yablon IG：Occult malunion of ankle fractures-A cause of disability in the athlete. Foot Ankle **7**：300-304, 1987.

113) Yamaguchi K et al：Operative treatment of syndesmotic disruptions without use of a syndesmotic screw：a prospective clinical study. Foot Ankle Int **15**：407-414, 1994.

114) 山本晴康：足関節部の骨折（脱臼）．骨折・脱臼．第 2 版，881-908，南山堂，2005.

115) 吉峰史博：腓骨変形治癒の足関節に対する影響—片脚立位と歩行立脚期における足関節の接触面積と圧分布—．日整会誌 **69**：460-469，1995.

116) Zhan Y et al：Anterio-inferior tibiofibular ligament anatomical repair and augmentation versus trans-syndesmosis screw fixation for the syndesmotic instability in external-rotation type ankle fracture with posterior malleolus involvement：A prospective and comparative study. Injury **47**：1574-1580, 2016.

117) Zhang P et al：A systematic review of suture-button versus syndesmotic screw in the treatment of distal tibiofibular syndesmosis injury. BMC Musculoskelet Disord **18**：286, 2017.

B. 脛骨天蓋骨折

1) Babis GC et al：Distal tibial fractures treated with hybrid external fixation. Injury **41**：253-258, 2010.

2) Bacon S et al：A retrospective analysis of comminuted intra-articular fractures of the tibial plafond：open reduction and internal fixation versus external Ilizarov fixation. Injury **39**：196-202, 2008.

3) Barei DP et al：Is the absence of an ipsilateral fibular fracture predictive of increased radiographic tibial pilon fracture severity? J Orthop Trauma **20**：6-10, 2006.

4) Bonin JG：Injuries to the Ankle. William Heinemann, London, 1950.

5) Borrelli J Jr et al：Pilon fractures：assessment and treatment. Orthop Clin North **33-A**：231-245, 2002.

6) Bourne RB：Pilon fractures of the distal tibia. Clin Orthop Rel Res **240**：42-46, 1989.

7) Calori GM et al：Tibial pilon fractures：Which method of treatment? Injury, Int J Care Injured **41**：1183-1190, 2010.

8) Cetik O et al：Arthroscopy-assisted combined external and internal fixation of a pilon fracture of the tibia. Hong Kong Med J **13**：403-405, 2007.

9) Collinge CA et al：Percutaneous plating in the lower extremity. J Am Acad Orthop Surg **8**：211-216, 2000.

10) Dirschl DR et al：A critical assessment of factors influency reliability in the classification of fractures, using fractures of the tibial plafond as a model. J Orthop Trauma **11**：471-476, 1997.

11) Giotakis N et al：Segmental fracutures of the tibia treated by circular external fixation. J Bone Joint Surg **92-B**：687-692, 2010.

12) Heim U：Morphological features for evaluation and classification of pilon tibial fractures. Major Fractures of the Pilon, the Talus, and the Calcaneus, Tscherne H et al ed, 29-41, Springer-Verlag, Berlin, 1993.

13) Kralinger F et al：Arthroscopially assisted reconstruction and percutaneous screw fixation of a pilon fracture. Arthroscopy **19**：45, 2003.

14) Leung F et al：Limited open reduction and Ilizarov external fixation in the treatment of distal tibial fractures. Injury **35**：278-283, 2004.

15) Marsh JL et al：Fractures of the tibial plafond. Instr Course Lect **56**：331-352, 2007.

16) McCormack RG et al：Ankle fractures in diabetics. Complications of surgical management. J Bone Joint Surg **80-B**：689-692, 1998.

17) Murray MM et al：The death of articular chondrocytes after intra-articular fracture in humans. J Trauma **56**：128-131, 2004.

18) Nehme A et al：Arthroscopically assisted reconstruction and percutanous screw fixation of a pilon tibial malunion. J Foot Ankle Surg **46**：502-507, 2007.

19) No authors listed：Tibia. J Orthop Trauma **32**：S49-S60, 2018.

20) Nozaka K et al：Effectiveness of Ilizarov external fixation in elderly patients with pilon fractures. J Orthop Sci **26**：254-260, 2021.

21) 野坂光司ら：高齢者でこそ有用な足関節周囲骨折における MATILDA 法．臨整外 **57**：43-49, 2022.

22) Oh JK et al：Hybrid external fixation of distal tibial fractures：new strategy to place pins and wires without penetrating the anterior compartment. Arch Orthop Trauma Surg **124**：542-546, 2004.

23) Okcu G et al：Intra-articular fractures of the tibial plafond. A comparison of the results using articulated and ring external fixators. J Bone Joint Surg **86-B**：868-875, 2004.

24) Orthopaedic Trauma Association Committee for Coding and Classification：Fracture and dislocation compendium. J Orthop Trauma **10**：5-9, 1-154, 1996.

25) Othman M et al：Results of conservative treatment of "pilon" fracutures. Orthop Traumatol Rehabil **5**：787-794, 2003.

26) Piper KJ et al：Hybrid external fixation in complex tibial plateau and plafond fractures：Australian audit of outcomes. Injury **36**：178-184, 2005.

27) Pollak AN et al：Outcomes after treatment of high-energy tibial plafond fractures. J Bone Joint Surg **85-A**：1893-1900, 2003.

28) Rüedi TP et al：Intra-articular fractures of the distal tibial end. Helv Chir Acta **35**：556-582, 1968.

29) Rüedi TP et al：The operative treatment of intra-articular fractures of the lower end of the tibia. Clin Orthop Rel Res **138**：105-110, 1979.

30) Sirkin M et al：A staged protocol for soft tissue management in the treatment of complex pilon fractures. J Orthop Trauma **13**：78-84, 1999.

31) Sirkin M et al：A staged protocol for soft tissue management in the treatment of complex pilon fractures. J Orthop Trauma **18**：S32-38, 2004.

32) Sirkin M et al：The treatment of pilon fractures. Orthop Clin North **32-A**：91-102, 2001.

33) Swiontkowski MF et al：Interobserver variation in the AO/OTA fracture classification system for pilon fractures：Is there a problem? J Orthop Trauma **11**：467-470, 1997.

34) Tscherne H et al：Fractures With Soft Tissue Injuries. Monograph, 1-58, Springer-Verlag, Berlin, 1984.

35) Vasiliadis ES et al：Advantages of the Ilizarov external fixation in the management of intra-articular fractures of the distal tibia. J Orthop Surg Res **4**：35, 2009.

36) Watson JT：Tibial pilon fractures. Tech Orthop **11**：150-159, 1996.

37) 山本晴康：足関節部の骨折（脱臼）．骨折・脱臼．第2版，881-908，南山堂，2005.

38) Yued MA et al：Fixation of tibila pilon fractures with percutanous cannulated screws. Injury **35**：284-289, 2004.

C. 足関節脱臼

1) Bouis K et al：Magnetic resonance imaging of clinically suspected Salter-Harris I fracture of the distal fibula. Injury **41**：852-856, 2010.

2) No authors listed：AO Pediatric Comprehensive Classification of Long Bone Fractures (PCCF). J Orthop Trauma **32**：S117-S140, 2018.

3) Launay F et al：Ankle injuries without fracture in children. Prospective study with magnetic resonance in 116 patients. Rev Chir Orhtop Reparatrice Appar Mot **94**：427-433, 2008.

4) Tinnemans JG et al：The triplane fracture of the distal tibial epiphysis in children. Injury **12**：393-396, 1981.

5) 山本晴康：足関節部の骨折（脱臼）．骨折・脱臼．第2版，881-908，南山堂，2005.

12 足部骨折 fracture of the foot

a 解　剖

1）骨・関節

　足部は遠位から第1〜5末節骨，第2〜5中節骨，第1〜5基節骨および中足骨，内側（第1），中間（第2），外側（第3）楔状骨，立方骨，舟状骨，距骨，踵骨で構成される．中足骨以遠は前足部，楔状骨，立方骨および舟状骨は中足部，距骨と踵骨は後足部と呼ばれる（図17-12-1）．

　第4趾や第5趾（小趾）では中節骨と末節骨が癒合していることがあり，第5中節骨は37%で末節骨と癒合している．第1〜3中足骨は基部でそれぞれ第1〜3楔状骨と，第4，5中足骨は立方骨と足根中足関節を形成し，それらを統合してLisfranc関節と呼ばれる．舟状骨および立方骨は対峙する近位側で距骨および踵骨と関節面を形成しており，Chopart関節と呼ばれる．

　距骨は下腿から受けた荷重を踵部と中足部へ分散させる役割を担う．距骨の背側は滑車状の形態をし，脛骨遠位端と距腿関節を形成する（図17-12-2）．距骨内側は内果と，外側は外果との間に関節を，底側は踵骨との間に距骨下関節を形成する（図17-12-2）．距骨の距腿関節および距骨下関節を形成する部分は体部と呼ばれる．距

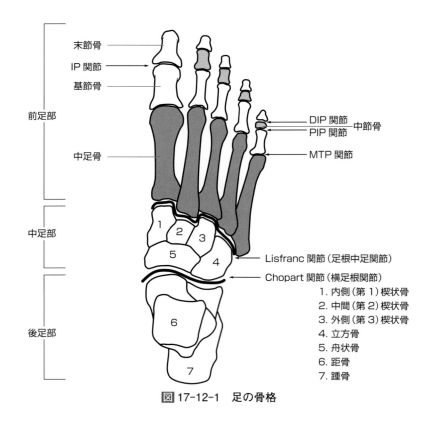

図17-12-1　足の骨格

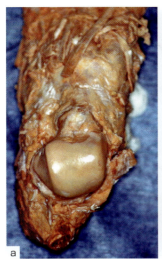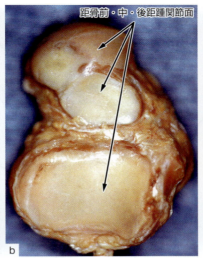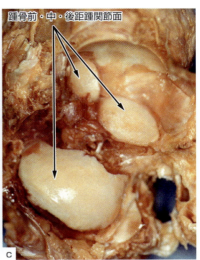

図 17-12-2　後足部の骨・関節解剖
a. 距腿関節の距骨滑車関節面．b. 距骨底面．踵骨との間に関節面を形成する．踵骨に対する距骨関節面（矢印）
c. 距骨摘出後の踵骨背面．前，中，後距踵関節面を形成する．

骨の遠位側の形態は球面状で舟状骨と距舟関節を形成し距骨頭部と呼ばれ，頭部と体部との間は距骨頚部と呼ばれる．距骨は表面積の約 60％を硝子軟骨で覆われており，骨膜血行に乏しい短骨で骨折により距骨壊死をきたすことが多い．踵骨は下肢荷重軸の下端にあって，近位では距骨との間に前，中，後距踵関節を形成し（図 17-12-2），前方は立方骨と踵立方関節を形成する．荷重歩行時は繰り返し床面からの衝撃を受け，外傷に遭遇することが多い．

種子骨は腱の停止部や急激に走行を変える部分において腱内で骨化した小骨片で，第 1 中足骨下ではほぼすべての成人で認められる．長腓骨筋腱が立方骨付近を走行する部位では os peroneum と呼ばれ，約 20％の成人で認められるとされている．後脛骨筋腱が舟状骨に停止する部位の種子骨では外脛骨 accessory navicular と呼ばれ，23％に認められる．他にも母趾 IP 関節底側や第 5 中足骨頭下，前脛骨筋腱停止部付近にみられることもある．

2）靱　帯

隣接する足根骨はそれぞれ靱帯により結合され固定，安定化され，靱帯による結合の破綻は骨折や脱臼などの重度外傷に直結する．距踵間は足根洞前方内側から起始し距骨頚部底側に停止する頚靱帯，足根洞より広く起始し距骨頚部底側に停止する骨間距踵靱帯，外側，後方，内側距踵靱帯が存在し強固に連結されている（図 17-12-3a〜e）．距舟靱帯は距舟関節を補強する形で背側を連結している．踵舟間は隣接していないので関節面を形成しないが，この間隙は背内側および底側踵舟靱帯と第 3 靱帯で連結されており表面は線維軟骨で覆われている（ばね靱帯線維軟骨複合体）（図 17-12-3f）．ばね靱帯線維軟骨複合体は距骨の前・中距踵関節面とともに距骨頭との間で関節を形成し，足臼蓋と呼ばれる．踵立方間は内側，背側，底側の踵立方靱帯により連結される．さらに踵骨前方突起から舟状骨外側および立方骨内側を連結する 2 本の

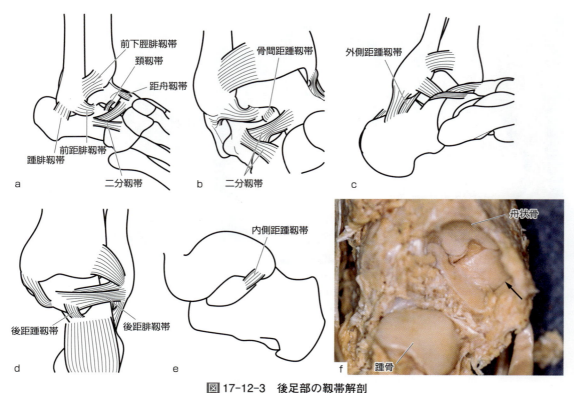

図 17-12-3　後足部の靱帯解剖
f. 足臼蓋．踵骨，舟状骨間に存在する間隙には線維軟骨に覆われたばね靱帯が存在する（矢印）．

線維群が存在し，二分靱帯 bifurcate〔d〕ligament と呼ばれる．足根骨間は背側足根靱帯により，中足骨間は背側中足靱帯により連結される．足根中足関節もそれぞれ関節包を補強する靱帯性の結合で安定化されている．特に内側楔状骨−第2中足骨間を連結する靱帯は Lisfranc 靱帯と呼ばれ，この部位の安定性に大きく貢献している．

3) 筋・腱

足関節の主な背屈力源は前脛骨筋，長母趾伸筋，長趾伸筋，第3腓骨筋などで，前脛骨筋腱は主として内側楔状骨の内側から底側に停止するため，この筋の作用だけであれば足関節は内反しながら背屈する（図 17-12-4）．長母趾伸筋，長趾伸筋は足趾の背屈動作を介して足関節を背屈させる．第3腓骨筋は足関節の背屈に加えて外反作用も併せ持つ．

足関節の主な底屈力源は下腿三頭筋と後脛骨筋で，後者の作用は底屈に加えて内反にも働く．下腿三頭筋は最大の底屈力源で腓腹筋とヒラメ筋により構成される．踵骨への停止部に向けてアキレス腱を形成する．長腓骨筋腱は外果下縁に沿って走行し，立方骨外側を回旋するように底側にまわり，内側楔状骨の底側と第1中足骨の基部底側に停止する．そのため足関節の底屈に加えて外がえしにも働く．長趾屈筋腱，長母趾屈筋腱はそれぞれ足趾の底屈を介して足関節を底屈させる．足根骨に起始と停止を持つ内在筋には母趾外転筋/内転筋，短母趾屈筋，短趾伸筋/屈筋，小趾外転筋，短小趾屈筋，背側/底側骨間筋，虫様筋，足底方形筋がある（図 17-12-5）．

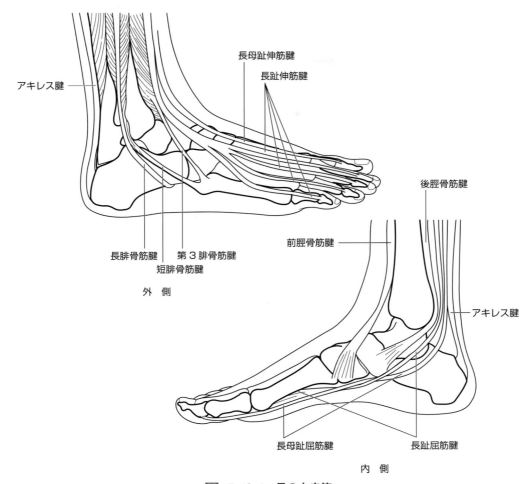

図 17-12-4 足の在来筋

4) 神経・血管

　足関節付近を走行する神経には脛骨神経，浅・深腓骨神経，腓腹神経，伏在神経やそれらの分枝が存在する．脛骨神経は内果後縁で足根管を走行し，内側踵骨枝を分岐した後に内側足底神経，外側足底神経に分かれて足底の感覚を支配する（図 17-12-6）．
　総腓骨神経の分枝である浅腓骨神経は足関節付近で内側，中間足背皮神経に分岐し，時にはさらに分枝しながら足背の感覚を支配する（図 17-12-6）．深腓骨神経も総腓骨神経の分枝であるが，足背の感覚支配は第 1，2 趾間部に限局する．腓腹神経は外果後縁を走行し，足背から踵部外側の感覚を支配する．伏在神経は主として下腿内側の感覚を支配するが，遠位では一部内果以遠にまで達する（図 17-12-7）．
　前脛骨動脈は距舟関節付近で外側足根動脈を分岐し足背動脈となり動脈弓を形成しつつ足趾へ血液を供給する．後脛骨動脈は足底で内側足底動脈，外側足底動脈に分岐し，深足底動脈弓を形成し，足趾の底側へ血液を供給する（図 17-12-8）．
　静脈では内果前方に存在する大伏在静脈と外果付近に存在する小伏在静脈は，足部

1228　各論　第17章　下肢の骨折

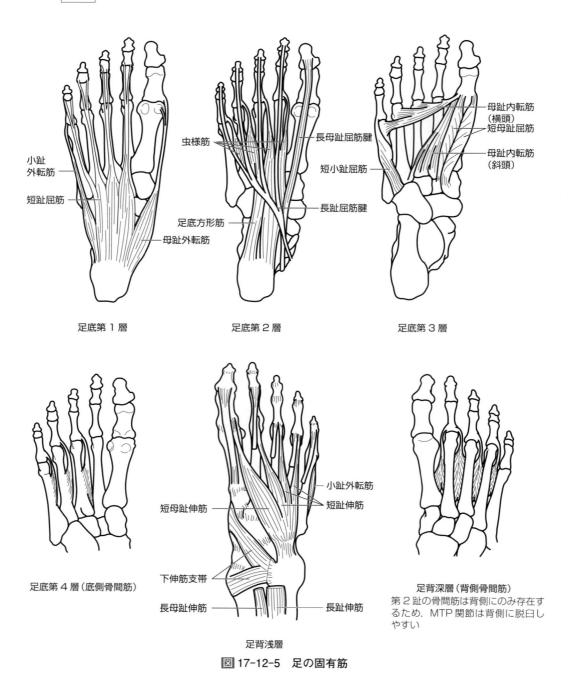

図 17-12-5　足の固有筋

浅層の静脈還流に重要な役割を担っているため，骨折治療を含めた足部疾患の観血的治療に際してできる限り温存することが望ましい．

b 機能解剖

1) 足　部

足部には21個の足根骨が存在し，体重による負荷に対する床面からの反力に効果

12 足部骨折　　*1229*

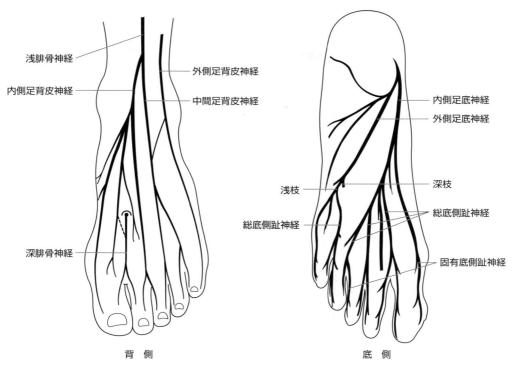

図 17-12-6　足部の神経分布

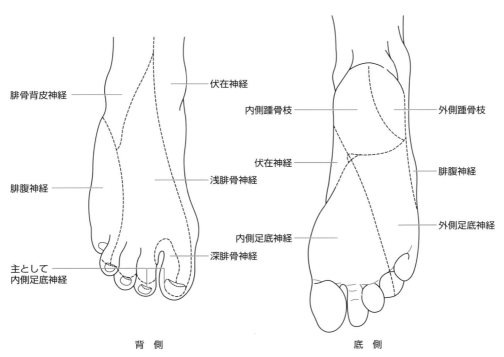

図 17-12-7　足部の感覚神経支配領域

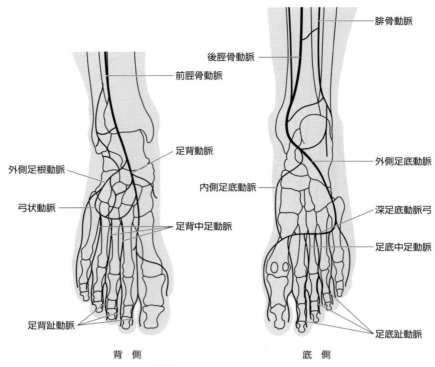

図 17-12-8 足部の動脈

的に対応するために足部骨格の配列はアーチ構造を形成している．踵骨から距骨，内側楔状骨から第1中足骨に至る内側縦アーチと，踵骨立方骨から第5中足骨に至る外側縦アーチ，さらに足の長軸方向に垂直な横アーチが存在する．これら足部アーチ構造を保持するために重要な役割を担うのが踵骨結節に起始し基節骨に停止する足底筋腱膜である．中足趾節間関節（MTP 関節）を背屈させると足底筋腱膜が緊張するため足部縦アーチが高くなる巻き上げ機現象（windlass mechanism）が生じる（図 17-12-9）．この現象は歩行サイクルにおいて趾離床 toe off 時に出現しこれにより底屈筋力をより効率的に床面に伝えることができ歩容を安定させる．

2) 距骨下関節

距骨下関節は前・中・後距踵関節で形成され，踵部へ向かう荷重の伝達の主要な役割を担うのは後距踵関節である（図 17-12-2）．関節面は曲面状を呈しており，後足部の底背屈だけでなく，後脛骨筋腱や長腓骨筋腱の作用により内外反運動が可能となっている．一方前・中距踵関節は距舟関節とともに中足部への荷重の伝達を担っている．

3) Chopart 関節

距舟関節と踵立方関節を合わせて Chopart 関節と呼び，距舟関節は遠位凸の球関節，踵立方関節は近位凸の鞍関節で，底背屈だけでなく内・外反や内・外がえしなど足部の3次元的な運動を可能にしている（図 17-12-1）．

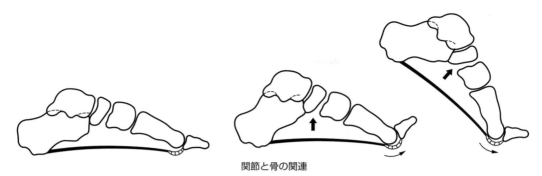

関節と骨の関連

足趾を背屈させると足底腱膜の巻き上げ機現象により足部アーチが上昇する

巻き上げ機

図 17-12-9 足底腱膜による足の巻き上げ機現象（windlass mechanism）

4) Lisfranc 関節

第1〜5足根中足関節（TMT関節）を合わせて Lisfranc 関節と呼ぶ（図 17-12-1）．第1中足骨は内側楔状骨と，第2中足骨は中間楔状骨と，第3中足骨は外側楔状骨と TMT 関節を形成する．第4，5中足骨は立方骨と関節を形成する．Lisfranc 関節は第2 TMT 関節で近位に突出しており，ほぞ様の形状を呈して脱臼を予防している．矢状面方向にわずかに可動性を有するが，第1，5 TMT 関節では内・外転方向にも可動性を有する．この関節の脱臼は第2中足骨基部骨折を合併することが多い．

5) 中足趾節間関節（MTP 関節），趾節間関節（IP 関節）

MTP 関節は中足骨と基節骨を連結する関節で，IP 関節は基節骨と中節骨を連結する近位趾節間（PIP）関節および中節骨と末節骨間を連結する遠位趾節間（DIP）関節からなり，主として矢状面方向での可動性を有する（図 17-12-1）．

A 距骨骨折 fracture of the talus

距骨骨折は転落や交通外傷などの高エネルギー外傷によって生じることが多く，距腿関節や距骨下関節の脱臼を伴うことも少なくない．足関節果部骨折を伴うことも多く，治療に難渋することも多い．転位を伴う骨折では距骨壊死に陥る場合があり，治療はさらに困難になる．

a 解　剖

距骨は脛骨の下端関節面，内果関節面，腓骨の外果関節面，踵骨の距踵関節面および舟状骨の距舟関節面と関節を形成しており，表面積の約60％を硝子軟骨におおわ

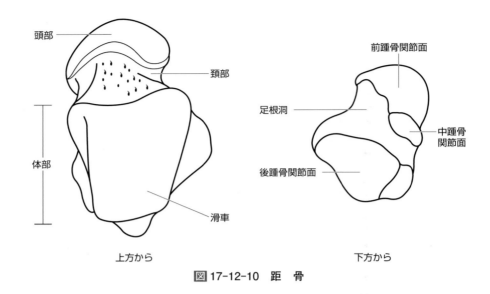

図 17-12-10　距　骨

れている．脛骨からの荷重を踵骨に伝達する距骨体部と，遠位で舟状骨に伝達する距骨頭部およびそれらを連結する距骨頚部に分かれる．距骨体部の上面は距骨滑車と呼ばれる関節面で，前方から後方に向けて幅が狭くなる（図 17-12-10）．頚部の底側は踵骨と骨間距踵靱帯により強固に連結しており，関節面のないこの部分は足根洞と呼ばれ，神経終末が多く存在する．距骨頭部は主として舟状骨との間で距舟関節面を形成するが，底側では前，中距踵関節面を形成し，また踵舟間の間隙を埋めるばね靱帯線維軟骨複合体との間の関節面も形成している（図 17-12-3）．

　距骨の血行は前脛骨動脈，後脛骨動脈，腓骨動脈から供給される．まず後脛骨動脈から分枝した足根管動脈は三角靱帯へも分枝を送り距骨内側部の一部を栄養する．この動脈は足根洞内で腓骨動脈の貫通枝とともに足根洞動脈を形成し，距骨体部の大部分を栄養している．距骨の頚部は前脛骨動脈から分枝した足背動脈，足根洞動脈さらに腓骨動脈から血行を受けている．距骨の循環動態は Mulfinger らによって詳細に観察され，わかりやすく報告された（図 17-12-11）

b 受傷機転

　距骨骨折は交通外傷や転落などの高エネルギー外傷により受傷することが多い．外力の加わり方によって骨折部位は異なり，距骨頚部骨折，体部骨折，距骨滑車骨軟骨骨折に分かれる．

1) 距骨頚部骨折（図 17-12-12）

　足部が背屈を強制されることにより，脛骨下端前方部が距骨頚部に衝突して生じる．自動車運転中の衝突事故に際して，アクセルやブレーキを強く踏み込んだ際にも生じることがある．

2) 距骨体部骨折（図 17-12-13）

　高所からの転落などに際して，距骨体部に圧迫力と剪断力が加わることにより発生する．また，外力が伝達する方向が前額面に加わる場合と矢状面に加わる場合で骨折

12 足部骨折　**1233**

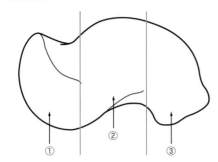

距骨を内側からみた図で，以下の断面図の領域を示す

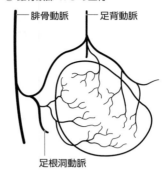

① 距骨頭部 1/3 の血行

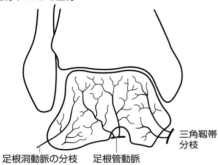

② 距骨中 1/3 の血行

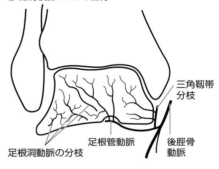

③ 距骨後部 1/3 の血行

冠上面での血行

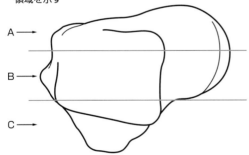

距骨を上方よりみた図で，以下の断面図の領域を示す

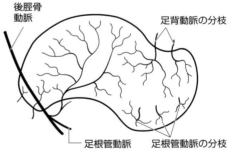

① 距骨内側 1/3（A の部分）の血行

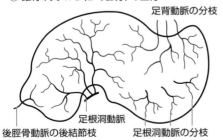

② 距骨中央 1/3（B の部分）の血行

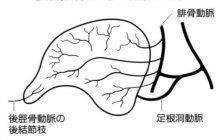

③ 距骨外側 1/3（C の部分）の血行

矢状面での血行

図 17-12-11　距骨の血行模式図
（Mulfinger らによる）

線の方向が異なる．さらに受傷時の足関節肢位により骨折形態が異なる．足関節の底屈が強制されると距骨の後突起が脛骨後方の関節縁と踵骨の間に挟まれ骨折をきたす．距骨下関節で内がえしを強いられつつ急激に背屈力が加わると，外側突起部に力が集中して骨折を起こす．また，距骨下関節の脱臼骨折の場合は外側突起の裂離骨折を合併することが多い．

3) 距骨滑車骨軟骨骨折

荷重時の足関節に底屈，内がえしが強制されることにより，滑車の内側後方が脛骨天蓋面と衝突することにより発生することが多い．

足関節が背屈した状態で内がえしが強制された場合には距骨滑車外側前方が腓骨の外果関節面と衝突し，その剪断力により軟骨骨折が生じる（図 17-12-14）．

C 分類

距骨骨折に関する分類は一般的に距骨頚部骨折には Hawkins 分類が，体部骨折には Sneppen 分類を改良した Mann 分類が，距骨滑車骨軟骨骨折は Berndt & Harty 分類が用いられる．

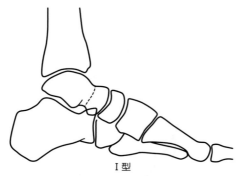

I 型
骨折部には転位はなく，距腿および距踵関節の脱臼は認められない．下方と側方からの血行は保たれる

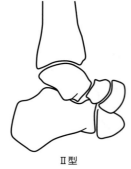

II 型
骨折部に転位を生じ，距踵関節は亜脱臼ないしは脱臼し，3 本の主な栄養動脈のうち 2 本（前脛骨動脈および腓骨動脈からの分枝）が損傷する

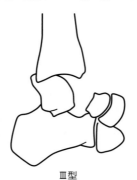

III 型
骨折部は大きく転位し，距踵関節と距腿関節は脱臼し，すべての栄養動脈が損傷する

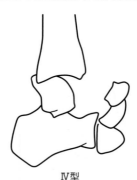

IV 型
距骨頚部が骨折し足関節および距踵関節が脱臼し，距骨頭が距舟関節で脱臼している

図 17-12-12　距骨頚部骨折の分類（Hawkins 分類）

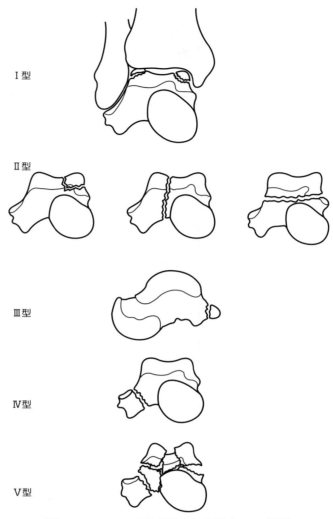

図 17-12-13　距骨体部骨折の分類（Mann 分類）

1）距骨頸部骨折：Hawkins 分類（図 17-12-12）

骨折の転位や脱臼の有無による分類である．
- Ⅰ型：距骨頸部の転位のない骨折
- Ⅱ型：距骨頸部が骨折し距骨下関節が脱臼もしくは亜脱臼している
- Ⅲ型：距骨頸部が骨折し足関節および距骨下関節が脱臼している
- Ⅳ型：距骨頸部が骨折し足関節および距骨下関節が脱臼し，距骨頭が距舟関節で脱臼している

2）距骨体部骨折：Mann 分類（図 17-12-13）

距骨頸部にかかる剪断力の方向や骨折型によって分類した Sneppen 分類に距骨滑車部の骨軟骨骨折を加えた分類である．
- Ⅰ型：滑車部の圧迫や剪断力による骨軟骨骨折

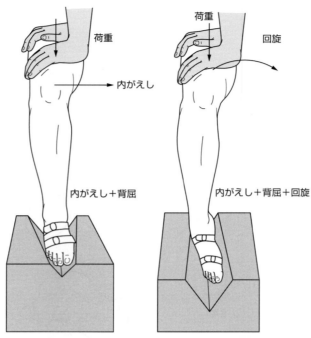

図 17-12-14 距骨滑車骨軟骨骨折の受傷機転
(Berndt et al：J Bone Joint Surg 41-A：988, 1959 より)

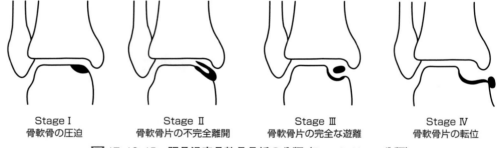

図 17-12-15 距骨滑車骨軟骨骨折の分類（Berndt-Harty 分類）

Ⅱ型：3種の骨折（圧迫骨折，前額面剪断骨折，矢状面剪断骨折）が含まれる
Ⅲ型：後結節骨折
Ⅳ型：外側結節骨折
Ⅴ型：粉砕骨折

3) 距骨滑車骨軟骨骨折：Berndt-Harty 分類（図 17-12-15）

Berndt および Harty により滑車部骨軟骨骨折の発生機序に基づく分類である．
Stage Ⅰ：小範囲の軟骨下骨組織の圧迫
Stage Ⅱ：不完全な骨軟骨片の離開
Stage Ⅲ：骨軟骨片は完全に遊離しているが，損傷部にとどまっている
Stage Ⅳ：遊離した骨軟骨片が損傷部から転位している

d 診　　断

1）臨床所見

　　骨折では足関節から距骨下関節にかけて著明な腫脹と疼痛が出現する．転位や脱臼を認める場合には外観上の変形も認められる．高度変形により皮膚への血流が障害される症例では蒼白になり，時間を経ると水疱を形成する．また，腫脹が著明な場合や神経を直接圧迫している場合には足部の感覚障害が出現する．距骨体部が後方に脱臼した場合には骨片により長母趾屈筋が引き延ばされ母趾が屈曲位に固定され，伸展不能となる Naumann 徴候を認めることがある．距骨骨折に伴う腓骨筋腱脱臼では，外果先端の剥離骨折を示す fleck sign を示すことがある．

2）画像診断

　　初期診断には足関節単純 X 線写真正面および側面の 2 方向撮影を行う（図 17-12-16）．骨折線が不鮮明な場合には斜位像も撮影し評価する．特に高エネルギー外傷の場合には距骨骨折以外にも足関節果部骨折や踵骨骨折など周辺骨折の観察もできるよう，斜位像を追加することもある．冠状断，矢状断および水平断での評価に加えて3D-CT 画像を構成することにより，転位の程度を評価することが可能になる．CTは診断や評価にきわめて有用である．（図 17-12-16）．

　　距骨滑車骨軟骨骨折は距骨内側後方に病変を有することが多い．一般的な単純 X線正面像に加えて足関節底屈位正面像を撮影する．また MRI を撮影し，軟骨の評価や軟骨下骨の状態を判定する．

e 治　　療

1）距骨頚部骨折

　　転位のない Hawkins 分類の I 型は 6〜8 週プラスチックキャスト固定を行う．6 週程度の免荷を行ったうえで距骨壊死がみられないようであれば荷重を開始する．骨折に伴う一過性の虚血状態においては，修復機転として再骨化，血管新生と骨折部近傍の壊死骨の再吸収が行われる．初期の単純 X 線写真では壊死骨や周囲の骨組織は正常骨組織と大差がないが，時間の経過とともに周囲の健常な骨組織を含めて再吸収され，一過性の骨量減少状態となる．この際に生じる単純 X 線写真における骨透亮像を Hawkins 徴候（図 17-12-17）と呼ぶが，この Hawkins 徴候がみられない場合には不可逆な距骨壊死を疑い MRI 検査にて判定する．一方，完全に壊死に陥った部分には血流が再開されないため再吸収は行われない．したがって壊死部分は骨粗鬆状態にある周囲組織に比べて単純 X 線写真上，骨硬化像を示す．

　　転位がある場合にはまず腰椎麻酔下や神経伝達麻酔下に徒手整復を行う．膝を屈曲位にして下肢を処置台から下垂させる．一方の手で前足部を把持しもう一方の手で踵部を握る．前足部を底屈すると同時に踵部を外反させて整復する．徒手整復後は X線写真で整復状態を確認し 5〜6 週間のプラスチックキャスト固定を行う．

　　徒手整復が不成功に終わった Hawkins 分類の II 型や転位の大きな III 型は手術的整復術を行う．また転位のみられない I 型であっても転位予防を目的に経皮的にスクリュー固定を行う場合もある．整復に際しては術後の距骨体部壊死およびアライメン

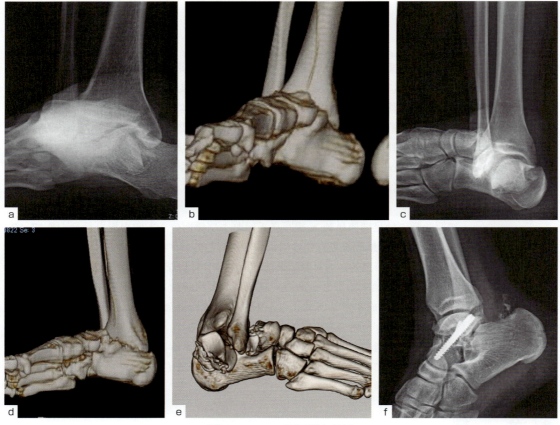

図 17-12-16　距骨脱臼骨折

a. 単純 x 線足関節正面像．距骨は脱転しているため脛骨遠位関節面と脛腓間の重なりをもとに正面像を撮影した．距骨脱臼に伴い足部は全体として内反位をとるため，後足部を評価できない．
b. 3D-CT 像．単純 x 線正面像と同等の撮影肢位になるよう再構築した．距骨下関節脱臼により足部は内反位をとる．
c. 単純 x 線足関節側面像．足部の肢位を基準に撮影した．足部は側面として評価できるが，遠位脛腓間のアライメントは正確な側面像とは異なる．
d. 足関節側面像に対応する 3D-CT 像．距骨脱臼骨折に伴い，足部が内反しているため，内側からでは距骨は確認できない．
e. 外側からみた 3D-CT 像．距骨体部は骨折し，踵骨の外側まで完全に脱転している．
f. 観血的整復固定術後．中空圧迫螺子にて固定されている．

ト不良による距骨下変形性関節症への進行を予防するために，正確な解剖学的整復を得るように努めなければならない．その際，本来解剖学的に少ない距骨体部への血流を温存するために，三角靱帯および足根洞部への操作はできる限り愛護的に行う．Hawkins 分類のⅡ型では遠位骨片が内反していることが多いので，まず内果関節面の前方から進入する．整復が不十分な場合は中央部を走行する足背動脈や深腓骨神経を温存し頚部外側にも縦切開を加えて進入，展開する．整復後は骨折面を密着させるために，中空圧迫海綿骨スクリューを挿入する．スクリューの挿入方向は種々ある（図17-12-18）が，手術的に整復した場合には術野から挿入し，経皮的に挿入する場合には後方から挿入する手技が一般的である．後方から挿入する場合には長母趾屈筋腱や脛骨神経，後脛骨動静脈を避ける目的からアキレス腱の外側から挿入する．術後は

12 足部骨折

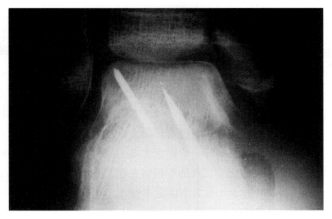

図 17-12-17　Hawkins 徴候
距骨頸部骨折（Hawkins 分類II型）術後2ヵ月で関節部の軟骨下骨に骨萎縮像が認められる．Hawkins 徴候陽性である．

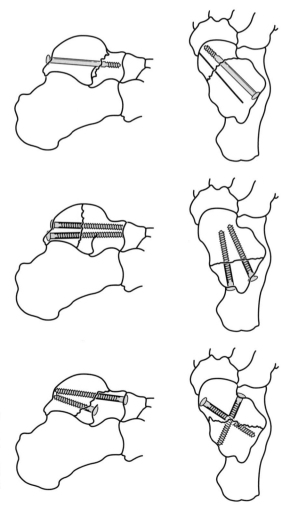

図 17-12-18　距骨骨折の整復固定法
距骨頸部骨折では，距骨後方で神経・血管束を避ける位置から，骨折線に垂直に海綿骨螺子を挿入する．
体部骨折では，頸部内・外側からも刺入できるが，距舟関節面の可動性を損ねないよう注意する．

基本的に8週プラスチックキャスト固定を行うが，壊死が生じていないことが確認できれば約6週を経過した時点から徐々に荷重を開始する．

2) 距骨体部骨折

原則的には距骨頚部骨折の治療法に準ずる．転位のない場合はプラスチックキャスト固定を，転位がある場合は可及的早期に手術的整復術を行う．前方ならびに後方からの進入で整復困難な場合は，内果を骨切りして骨折部に達する．転位した骨片には関節包や靱帯の一部が付着したままのことが多いが，それらを剥離せずに温存しながら整復し，スクリューで固定する（図17-12-18）．術後の骨壊死の予防には整復操作を愛護的に行い，二次的な損傷を起こさないようにすることが重要である．術後は8週プラスチックキャスト固定を行う

3) 距骨滑車骨軟骨骨折

単純X線写真およびCTなどによるBerndt-Harty分類のStageに基づき治療方針をたてる．

Stage Ⅰ：約6週間のプラスチックキャスト固定またはPTB装具による免荷を主とした治療を行う．

Stage Ⅱ：急性期症例では6週間の免荷プラスチックキャスト固定を行う．骨癒合の進行が認められない場合は関節鏡視下に病変部の穿孔術を行う．さらなる軟骨の損傷を防ぐ目的から逆行性に穿孔術を行う場合もある．

Stage Ⅲ：10代の若年者の場合では保存的に骨癒合が得られることもあるが，成人例では手術的整復術が必要となることが多い．内側病変に対してはStage Ⅰ，Ⅱと同様の保存療法を行うが，無効例や外側病変に対しては手術治療を計画する．病変部の面積が $150\,mm^2$ 以下であれば関節鏡視下に軟骨片を摘出し，コンドロピックを用いて軟骨下骨の骨穿孔（骨髄刺激法）を行う．病変部がそれ以上の大きさであれば自家骨軟骨移植術を行う．また病変部が骨軟骨片の場合は骨接合術も適応できる．脛骨下部より採取した3～4本の楊子状の細い骨釘で骨軟骨片を固定する．生体吸収性のあるポリ-L-乳酸（PLLA）ピンを用いて固定することもある．

Stage Ⅳ：手術的に整復・固定を行うが骨軟骨片が小さければ鏡視下に摘出して欠損部を骨穿孔する．骨片が大きい場合には骨釘やPLLAピンで固定する．慢性期に移行し，骨軟骨片が関節遊離体となっている場合は摘出し骨軟骨柱移植術を行う．術後は4週間程度のプラスチックキャスト固定を行う．プラスチックキャスト除去後は可動域訓練を行いつつ部分荷重歩行を開始し，術後約2ヵ月で全荷重を許可する．

f 後　療　法

頚部骨折で転位がないものは，プラスチックキャスト固定を行いつつ，6週間の免荷の後に部分荷重を開始し徐々に荷重を増加させる．プラスチックキャスト除去後は足関節および距骨下関節の自・他動運動を開始する．転位があるものでは整復後6週間のプラスチックキャスト固定の後に自動運動から開始する．荷重歩行はHawkins徴候を確認しながら判断する．骨硬化像を示しHawkins徴候がみられない場合には固定と免荷を兼ねたPTB装具を装着させて免荷期間を延長し骨硬化が消失するのを待つ．最近ではMRIの普及により骨壊死の診断が容易となり早期から骨折部の血行

状態が観察できる．外傷性骨壊死の場合は早急な骨破壊は起こらないので症状や画像診断をもとにまず保存療法で経過をみる．

体部骨折の場合も同様に整復後にキャスト固定を行い，6週間程度経過した後にHawkins徴候を確認し骨吸収を認める場合（陽性）は距骨壊死には至っていないと判断し運動療法および荷重を開始する．一方Hawkins徴候が陰性の場合は骨壊死を発症していると考えられるので，足関節−距骨下関節同時固定である後足部固定術や全人工距骨置換術を検討する．

g 治療成績を左右する因子

距骨骨折の予後を左右する大きな因子は，骨壊死の発生と二次性変形性関節症への進展である．骨壊死の発生には骨折型が関連しており，二次性変形性関節症には転位や整復の程度が関連する．

1) 骨折部位

骨折部位により予後はある程度決定される．距骨頚部骨折のうちHawkins分類のⅠ型は骨壊死を合併する頻度はきわめて少なく0〜13％と報告されている．この型で壊死が起こる場合には距骨下関節の亜脱臼を考えなければならないとの報告もある．Ⅱ，Ⅲ型は脱臼を伴うために，距骨を栄養する3本の重要な血管のうち何本損傷しているかが予後を決定する（図17-12-11）．近年では治療体系の構築により壊死に至る症例は減少傾向にあり，2000年代以降のメタアナリシスではⅡ型での壊死の発生率は20.7％，Ⅲ型では44.8％とされている．

体部骨折は転位の小さい頚部骨折に比してはるかに骨壊死の発生頻度は高く，3大栄養血行のうち何本損傷されたかによる．Mann分類で粉砕骨折のⅤ型では壊死の発生頻度はきわめて高く，整復時から距骨下関節固定術を適応するという意見もある．

2) 整復操作

整復操作も予後を左右する．観血的な整復では術野の展開などに伴って局所の血流を障害する可能性が高くなるので，転位が小さい場合はできる限り徒手整復を行う．

一方で観血的に整復を行う必要がある場合にはできるだけ早期に行い，転位した骨片に付着する靱帯や関節包は可及的に温存し愛護的に整復する．前方からの進入のみでは展開が不十分な場合には脛骨の内果を骨切りして展開し，最も重要な栄養血管が走行する三角靱帯を温存しつつ整復操作を行う．

3) 骨 壊 死

距骨壊死は本骨折の最も重大な合併症であり予後に多大な影響を与える．キャスト固定中や除去後に，単純X線写真上骨壊死の初期像である骨硬化が認められる場合には外固定や免荷期間を延長する．この際PTB装具が最も便利で有用である．近年MRIにより骨壊死の合併を早期に診断することが可能となった（図17-12-19）．しかし単純X線写真で血行の改善が示唆されるHawkins徴候が認められても，MRIで血行不良を示すこともあるので繰り返して検査を行う必要がある．

単純X線写真やMRIにより明らかな壊死が診断されても，距骨の場合は急速に陥没や破壊が起こることはない．したがって骨壊死が消失しHawkins徴候が出現するまで外固定や免荷による保存療法を継続することが多い．24ヵ月の免荷を継続し骨

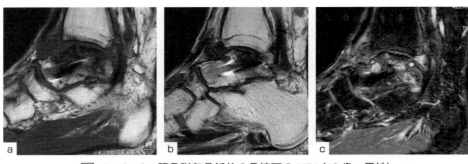

図 17-12-19 距骨脱臼骨折後の骨壊死の MRI（42 歳, 男性）
T1 強調像で低信号（a），T2 強調像でも低信号を示し（b），STIR 像では低信号と高信号が共存する（c）.

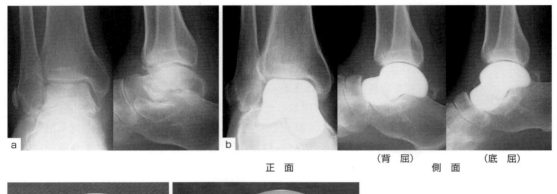

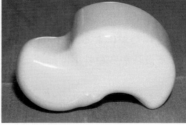

正面　　　　（背屈）側面（底屈）

図 17-12-20 外傷性距骨体部壊死に対する人工距骨置換術
a. 体部骨折後の壊死（骨硬化がみられ底部の一部が破壊されている）
b. 人工距骨置換術後 3 年（可動域は良好で，正座も可能）
c. アルミナセラミック製人工距骨

硬化が消失したという報告もある一方で，長期にわたる免荷は日常生活への影響が大きいことから 6 ヵ月以上にわたり壊死像が残存し，壊死範囲が限局される場合には壊死に至っている関節の固定術を検討する．一方壊死範囲が広範に及ぶ場合には，健側距骨の CT データに基づき作成した人工距骨による置換術を行う（図 17-12-20）．

4）二次性変形性関節症

距骨骨折後に生じる二次性変形性関節症も予後を左右する．

二次性変形性関節症は距骨下関節に発生することが多く，距腿関節に出現することは比較的少ない．二次性距骨下関節症の原因は受傷時の亜脱臼や脱臼の整復不良によることが多い．したがって，この予防のためには正確な解剖学的整復をせねばならない．距腿関節症は距骨壊死後に滑車部が陥没して関節不適合となって発症する．

初期の関節症による疼痛に対しては保存的に足底挿板の装着や足根洞および後距踵間関節内へのステロイド注入が有効なこともある．進行例では距骨下関節固定術が適応される．

5) 距骨下関節脱臼

距骨下関節の脱臼は栄養血管の損傷をきたすため，治療成績に大きく影響する．時に完成脱臼である HawkinsⅢ型では 44.8％に距骨壊死が生じるとされている．

B 踵骨骨折 fracture of the calcaneus

踵骨は脛骨から距骨を通して伝わる荷重を踵部へ伝達する役割を担う．全体重による荷重を受けるので，外傷に遭遇する可能性も高い．本骨折は単純 X 線写真における解剖学的な整復程度と愁訴や臨床成績が必ずしも一致せず，整形外科医にとって治療が困難な骨折のひとつである．

a 解剖・機能解剖

踵骨は最大の足根骨であり，後方の結節（tuberosity）を除くと薄い骨皮質に囲まれた殻の中に海綿骨が充満しているという特殊性がある．後方の踵骨隆起には強靱なアキレス腱と足底筋腱が付着して，隆起自体は力のレバーアームとして足部の底背屈運動に関与している．踵骨は他の足根骨に比較して関節面の占める割合が少なく，関節面は中央から前半分に存在するのみである．上面は距骨との間に前・中・後の３つの距骨下関節を形成し，後足部の底背屈に加えて内外反動作を可能にする．前方は立方骨と鞍関節である踵立方関節面を形成し，中足部での複雑な運動を可能にしている（図 17-12-21）．

内部の骨梁構造は距骨からの圧迫応力に対応して，距踵関節面下から踵骨隆起を通って足底に放散するものと，アキレス腱と足底筋腱の引っぱり応力に対応して足底からアキレス腱付着部に向けて弓状に走行するものからなる．距踵関節後関節面（以下「後距踵関節面」と略す）の前下方に骨梁が粗となっている部分があり，この部分をその形状から中立三角 neutral triangle という（図 17-12-22）．踵骨前方突起先端と後距踵関節面の最高点を結ぶ直線と，後距踵関節面の最高点から踵骨結節の最上位端を結ぶ長線を Böhler 角といい，正常値は 20〜40°で転位の程度を評価する．

踵骨の内側は脛骨動脈から分枝した踵骨枝および内側足底動脈から血液を供給され，外側は腓骨動脈から血行を受けている．したがって踵骨が壊死に陥ることは少ない．足底や内側の皮下組織は厚く血行も良好であるが，外側は薄く血行が悪いため術後に皮膚の壊死をきたしやすく踵骨骨折の手術の際には注意を要する．

b 受傷機転

受傷機転は高所から転落または飛び降りによるものが圧倒的に多く，足底から踵部への直達外力による．骨萎縮や骨粗鬆症の著しい高齢者などでは階段を踏み外しただけでも骨折を起こすことがある．受傷機転により骨折形態が決まるので受傷機転と骨折型は深く関連する．また骨粗鬆症を基礎疾患に持つ高齢者では明らかな受傷機転のない脆弱性骨折（insufficiency fracture）や骨粗鬆症骨折（osteoporotic fracture），強いアキレス腱の牽引により生じる嘴状骨折（beak fracture；踵骨隆起水平骨折）をきた

1244　各論　第17章　下肢の骨折

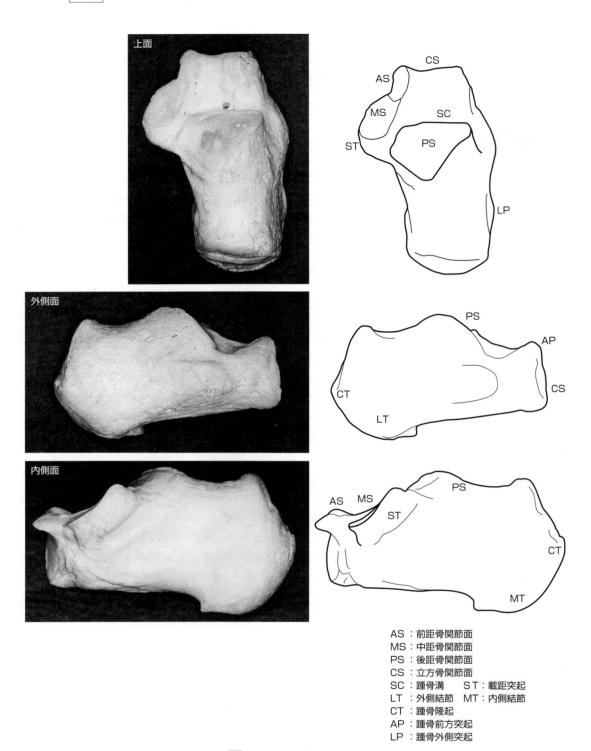

図 17-12-21　踵骨の解剖

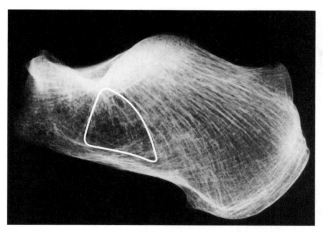
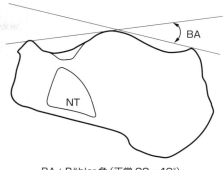

BA：Böhler 角（正常 20〜40°）
NT：中立三角 neutral triangle

図 17-12-22　踵骨の単純 X 線写真側面像と骨梁構造

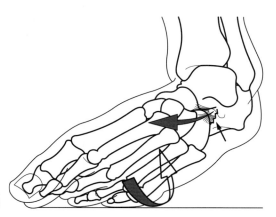

図 17-12-23　踵骨前方突起骨折（関節外）の発生機序
足部の内がえしが強制されて裂離骨折（↑印）が生じる．
（Degan より）

すことがある．また若年者でも長距離走などによる繰り返す運動負荷により疲労骨折（stress fracture）を起こすことがある．

　関節外骨折は裂離骨折が主で，発生機序は後方では足部が固定された状態で大きな背屈力がアキレス腱にかかり，その付着部である踵骨隆起の水平裂離骨折が生じる．前方では足部の内がえしが強制されると，Chopart 関節部の二分靱帯に大きな力がかかり前方突起の裂離骨折をきたす（図 17-12-23）．

c 分　類

　踵骨骨折はさまざまな骨折形態を示すため，治療方針の決定には適切な分類が必要で，最も重要なのはその分類によって骨折の治療適応と予後が示唆できることである．いずれの分類も後距踵関節を含むもの（関節内骨折）と含まないもの（関節外骨折）に大別しており，代表的なものには Essex-Lopresti 分類（図 17-12-24），Böhler 分類，Watson-Jones 分類（図 17-12-25）などがある．Essex-Lopresti は踵骨骨折のうち関節外骨折は 25〜30％，関節内骨折は 70〜75％を占め，前者は一般に予後は良好で，後者はさまざまな骨折形態を示し予後は悪いことが多いとしている．

1246 各論 第17章 下肢の骨折

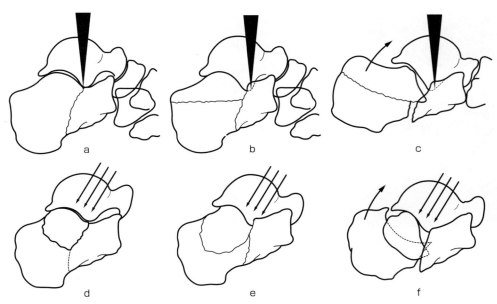

図17-12-24 骨折のEssex-Lopresti分類による舌状型,陥没型骨折のバリエーション
舌状型骨折：a, b, c
　a. 距骨に強力な力が加わって外側突起が斧のように働いて骨折を起こす.
　b. 外側突起がさらに下がり,踵骨外壁に骨折線をつくる.
　c. 踵骨突起が近位に転位する.
陥没型骨折：d, e, f
　d. 前上方から関節面に力が加わり陥没する．関節面の後方に二次性骨折線をつくる.
　e. 関節骨片は踵骨内の外側部に陥没する.
　f. 骨片はさらに転位して踵骨隆起が近位に転位する.

1) Essex-Lopresti 分類（図17-12-24）

① **骨折が後距踵関節に及ばないもの**
　　踵骨外側突起骨折
　　骨折が踵立方関節に及ぶもの
② **骨折が後距踵関節に及ぶもの**
　　転位のないもの
　　舌状型
　　陥没型
　　載距突起単独骨折
　　粉砕型

　Essex-Lopresti 分類は受傷機転から分類しており理解しやすい．まず骨折が後距踵関節に及ばないものと及ぶものに分け，前者を踵骨外側突起骨折と踵立方関節に及ぶ骨折に細分し，後者を転位のないものと転位のあるもの（舌状型，陥没型，載距突起単独骨折，粉砕型）に細分している．これらの骨折型は受傷機転と相関する.

　舌状型は足部が底背屈中間位にあるとき距骨滑車部に垂直に力が加わり，距骨の外側突起がちょうど斧のように働いて足根洞の外側から骨折が生じる．さらに強い外力がかかると，踵骨の外側壁から足底部まで貫通し後方に走る二次性骨折が起こる．後

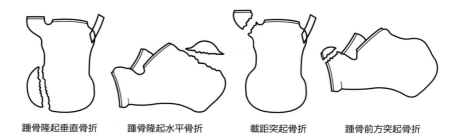

踵骨隆起垂直骨折　　踵骨隆起水平骨折　　載距突起骨折　　踵骨前方突起骨折

関節外骨折

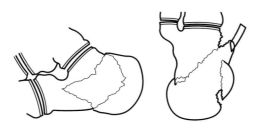

骨折は関節の近くにあるが関節面に達していないもの

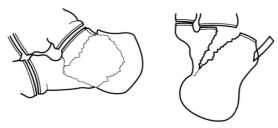

骨折が関節面に達し踵骨の外側半分が転位しているもの

関節全体が粉砕しているもの

関節内骨折または関節内骨折に準ずる骨折

図 17-12-25 Watson-Jones 分類

距踵関節面が沈み込むとともに，踵骨後方に働くアキレス腱による牽引力により後方の隆起部が上方に転位する．

　陥没型は足部が背屈位にあるときに，後距踵関節部に一種の剪断力が加わり生じる．二次性骨折線が後関節面のすぐ後方に生じ，さらに大きな力が加わると後関節面の外側部分を含む骨片が外側壁の内側の海綿骨内に陥没する．最後は隆起部が上方に著しく転位して中央部の骨片はさらに陥没する（**図 17-12-24**）．

1248　各 論　第 17 章　下肢の骨折

2) Böhler 分類

① 踵骨隆起の上端の骨折

② 踵骨隆起の内側突起骨折

③ 載距突起の単独骨折

④ 踵骨体部骨折で転位のないもの

⑤ 踵骨体部骨折で後距踵関節面の外側半分が距骨に対して転位しているもの

⑥ 踵骨体部骨折で全関節面が転位しているもの

⑦ 踵骨体部骨折で関節面の外側半分が脱臼し，踵立方関節の亜脱臼を伴うもの

⑧ 踵骨体部骨折に前方突起の粉砕骨折を伴うもの

3) Watoson-Jones 分類（図 17-12-25）

① 関節外骨折で後距踵関節に関係のない骨折

踵骨隆起垂直骨折

踵骨隆起水平骨折

載距突起骨折

踵骨前方突起骨折

② 関節内骨折または関節内骨折に準ずる骨折（後距踵関節に関係のある骨折）

骨折は関節の近くにあるが関節面に達していないもの

骨折が関節面に達し踵骨の外側半分が転位しているもの

関節全部が粉砕しているもの

4) Sanders 分類（図 17-12-26）

近年の CT および 3D-CT をはじめとする画像診断の急速な進歩により，踵骨骨折における詳細な骨片の数や転位の把握が可能となり，治療法の選択や治療結果の評価が容易になった．すなわち，術前の骨折の状況を立体的に捉えることができるようになり治療法に大きな変化をもたらした．その代表的なものが Sanders 分類で，現在広く用いられつつある．

Type Ⅰ：骨折線の数とは関係なく骨片転位のないもの

Type Ⅱ：1 本の骨折線を認めるもの

Type Ⅲ：2 本の骨折線を認めるもの

Type Ⅳ：3 本の骨折線を認めるもの

それぞれにおいて，骨折線が後距踵関節面の外側 1/3 に存在するものを A，中央 1/3 に存在するものを B，内側 1/3 に存在するものを C とし，それらを組み合わせて表記する．

d 診　　断

1) 受傷機転・臨床所見

高所から転落や飛び降り，階段の踏み外しなど踵部に直達外力がかかる特徴的な受傷機転があり局所の疼痛，腫脹，圧痛，変形などの所見を示す場合に踵骨骨折が強く疑われる．特に踵部の内外側の著しい腫脹と皮下出血は特徴的である．踵骨隆起部の水平骨折では足関節内外果の後方部が腫脹し，載距突起の単独骨折の場合は内果の直下に著しい腫脹がみられる．踵骨前方突起骨折では外果と第 5 中足骨基部を結んだ線

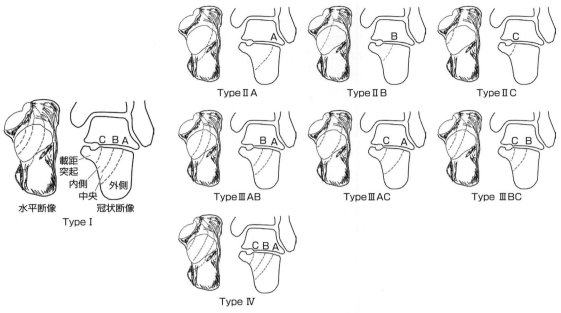

図 17-12-26　CT 画像による Sanders 分類
Type Ⅰ：骨折線の数とは関係なく骨片転位のないもの
Type Ⅱ：1 本の骨折線
Type Ⅲ：2 本の骨折線
Type Ⅳ：3 本の骨折線，粉砕骨折
A, B, C は骨折線の位置を示す

(Sanders R et al：Clin Orthop 290：87-95, 1993 より)

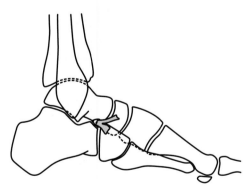

図 17-12-27　踵骨前方突起骨折
圧痛は外果と第 5 中足骨基部を結んだ線の中点の 2 cm 上方に存在する．

の中点の 2 cm 近位，すなわち前距腓靱帯の 2 cm 前方遠位に著しい圧痛点が存在する（図 17-12-27）．

　高所から飛び降りる際には両側踵部で着地することが少なくない．一側に高度な骨折がある場合は，他側の軽微な骨折が看過されることがあるので，必ず両側診察することが重要である．ランニングを趣味とし，無月経あるいは骨粗鬆症を基礎疾患に持つ女性が踵部痛を主訴に受診した場合には疲労骨折を疑って画像検査を進める．

2）画像診断

　単純 X 線写真は側面像と軸射像だけでなく，後距踵関節がよく観察できる Anthonsen 撮影を行う（図 17-12-28）．患側下の側臥位とし，下腿をさらに 40°外旋さ

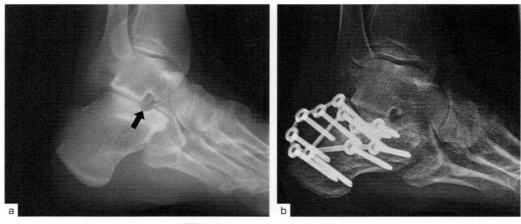

図 17-12-28　Anthonsen 撮影
a. 中および後距踵関節面が明確に描出され，その中間に足根洞が確認される（矢印）．
b. 術後の後距踵関節面における整復の評価にも用いられる．

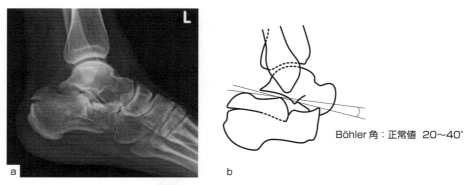

図 17-12-29　舌状形踵骨骨折
a. 単純 X 線側面像．b. Böhler 角：踵骨前方突起と後距踵関節の後縁を結ぶ直線と，後距踵関節後縁と踵骨隆起の近位端を結ぶ直線のなす角で，正常値は 20〜40°

せる．X 線は尾側に向け 20°俯角をつけ照射する．側面像は後距踵関節の沈み込みが観察され，Böhler 角はその沈み込みの程度を表現する（図 17-12-22, 29）．また隆起部の水平骨折および垂直骨折もよくわかる．軸射像では外側壁の突出度および内側の骨折の有無や転位の程度が観察され，外側壁の接線と踵部内側縁と載距突起内側縁を結ぶ線のなす角である Preis 角で表現される（図 17-12-30）．Preis 角が大きい場合，踵骨外側壁が膨隆しており，腓骨筋腱を圧迫することがある．断層 X 線写真や CT は骨折の詳細な状態を知るうえできわめて有用である（図 17-12-31）．

前方突起骨折は側面像では読影できないこともあり，斜位像や CT が必要になる．また背底像でも確認できることがあるので必要に応じて撮影を行う．疲労骨折や不顕性骨折を疑う場合には CT や MRI が有用である．

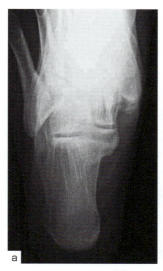
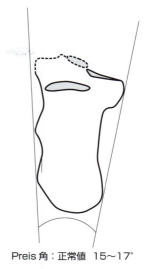

b　Preis角：正常値　15〜17°

図 17-12-30　Preis 角
a. 踵骨軸射像. b. Preis 角：踵骨外側壁の接線と，踵部内側縁と載距突起内側縁を結ぶ直線のなす角で，正常値は 15〜17°

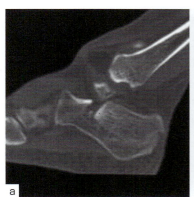
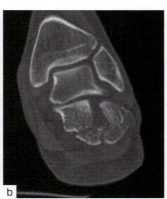
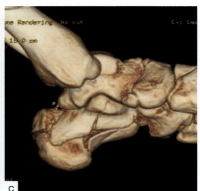

図 17-12-31　踵骨骨折における CT 像
CT 像．a. 矢状断．b. 冠状断．c. 3D 画像

e 治　　療

　本骨折の形態は複雑で治療終了後も長期間にわたって歩行時痛，特に不整地歩行時痛などの愁訴を残すことも少なくない．また骨折の程度あるいは整復の程度と臨床症状が必ずしも一致しないことなどを念頭に置いて患者への丁寧な説明が必要である．

　残存する疼痛の原因も多彩で，後距踵関節の整復状態以外にも，踵骨外壁膨隆による腓骨筋腱腱鞘炎，足根洞内の靱帯断裂や滑膜炎など軟部組織に原因を求める報告も散見される．

　このような種々の報告から，解剖学的整復よりも早期に関節運動を開始して機能的に良好な成績を得ることを目的とした保存療法も行われている．

1252 各 論 第 17 章　下肢の骨折

1) 関節外骨折

a) 保存療法

　　踵骨隆起部水平骨折および垂直骨折で転位がない場合は保存療法が適応されプラスチックキャスト固定を行う．また転位が軽度な場合にも，徒手整復を行いプラスチックキャスト固定を行う．この際骨折部にアキレス腱による牽引力がかからないよう足関節は尖足位に固定する．約 4 週間のプラスチックキャスト固定後はアーチサポート型の足底板を装着する．そのためプラスチックキャストを更新する際にあらかじめ採型しておく．プラスチックキャスト除去後は自動可動域訓練を開始し徐々に他動可動域訓練を加える．荷重は疼痛の許す範囲で徐々に増加させる．

　　前方突起骨折は通常ほとんど転位が認められないので，新鮮例ではプラスチックキャスト固定を約 4 週行う．

b) 手術療法

　　転位が著しく徒手整復により整復できない場合は手術療法が適応される．しかし，関節外骨折の場合は整復が不十分であっても疼痛などの愁訴を残さない場合もある．転位が残存したアキレス腱付着部を含む隆起上部骨折や距骨頭が落ち込んだ載距突起骨折では術後機能障害をきたすこともあるので手術療法の適応になる．内固定にはスクリューやプレートを用いる．

　　アキレス腱付着部を含む隆起部の裂離骨折はアキレス腱の後方より進入し，整復後アキレス腱を貫通してスクリューで骨片間を強固に固定する．

　　前方突起骨折はしばしば看過されて陳旧性となり疼痛が持続するためにはじめて診断されることがある．その場合は観血的整復術が必要になる．皮切は前距腓靱帯の 2 cm 前下方を中心に前後に約 4 cm 加え，浅腓骨神経の外側皮神経に留意して進入する．短趾伸筋を内外に避けて踵骨前方突起部に到達する．骨片が小さい場合は整復・固定するよりも骨片除去術が除痛には優れている．大きい場合には偽関節部を郭清し，ミニスクリューで固定する．

2) 関節内骨折

a) 保存療法

① 早期運動療法

　　早期運動療法は Lance らによって報告された．早期踵関節運動は関節拘縮と骨萎縮を防止し，さらに後距踵関節の転位をある程度整復しようとする方法である（図 17-12-32）．

　　Lance 法：徒手整復後，外固定はせずに足部の底背屈を中心とする運動を開始し，免荷は 12 週と長期に行う保存療法である．

② 徒手整復法

　　大本法：患者を伏臥位とし，患側膝関節を約 90° 屈曲位として助手は患肢を処置台に押し付けるように把持する．術者は患者の足元に立ち，踵部を両掌で包み込むように両手指を組む．内反動作にて外側の皮質骨が部分的に整復され，その部位を支点にしてすみやかに外反動作を行うことにより内側も一部整復される．牽引を加えながらこの動作を繰り返すことにより徐々に整復位が獲得される．術者は手関節を動かし，骨折部が内・外反するように操作する．下肢全体が揺れ動くと有効な内・外反力が働か

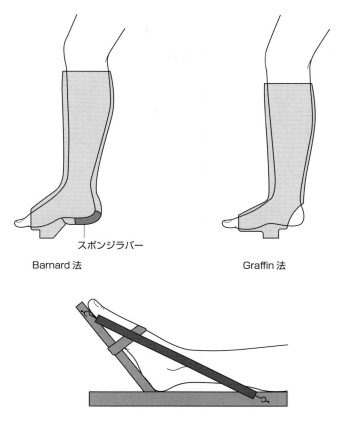

図 17-12-32 早期運動療法

ないため，助手は術者の牽引に対抗して大腿部が浮き上がったり回旋しないように固定する（図 17-12-33）．

b）手術療法
① 経皮ピンニング法

Westhues 法：患側上の半側臥位で手術を行う．この体位では術中の X 線透視下により側面像だけでなく，股関節を開排させることにより踵骨軸射像も確認できる．近位側に転位した踵骨隆起骨片に後方より径 3〜5 mm の Kirschner 鋼線または Steinmann ピンを刺入し X 線透視下に刺入した鋼線またはピンを底側方向に押し下げて整復する．整復が得られたらそのまま釘を距骨まで刺入し，鋼線ごとプラスチックキャスト固定を 4 週行う．プラスチックキャスト固定終了時に鋼線を抜去する（図 17-12-34）．

仲井間法：Westhues 法と同様に Kirschner 鋼線を 2 本刺入し足関節運動をしながら整復した後に，プラスチックキャスト固定を行う方法である．

北田法：同様に Kirschner 鋼線と足底板を併用する方法である（図 17-12-35）．

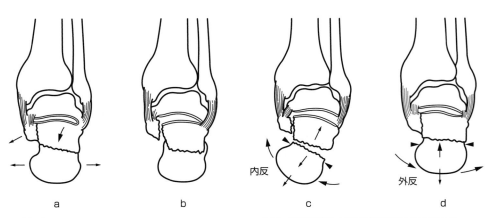

a. 受傷時
b. 後距骨関節面を有する骨片は体部骨片に落ち込んでいる
c. 内反．距踵関節の内反は踵腓靱帯の緊張により骨折部で起こり落ち込みが整復される
d. 外反．遠位の体部骨片が後距骨関節面を有する骨片を押し上げ，整復する

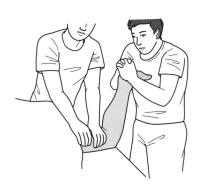
患側膝関節を約90°屈曲位として助手は患肢大腿部を押さえ，術者は患者の足元に立ち踵部を両掌で包み込むように両手指を組む

牽引を加えながら速い内・外反を繰り返す．術者は手関節を動かし骨折部が内・外反するように操作する．下肢全体が揺れ動くと有効な内・外反力が働かない

患肢大腿遠位部は台より離れるようにする（矢印）

図 17-12-33 大本法による徒手整復法

② **観血的整復固定術**

転位が大きく，整復が困難な症例に対しては観血的整復固定術を行う．観血的整復固定術は展開方法により大きく2種類に分けられる．

1) **拡大 L 字状皮切を用いた観血的整復固定術**

踵後外側で遠位・後面を頂点とした L 字状の皮切を行い，長短腓骨筋腱を腱鞘ごと上方に圧排するか腱鞘を切開して進入する．踵腓靱帯を切開すると後距踵関節が現れる．まず踵骨内に陥没している後関節面をエレバトリウムで持ち上げて距骨の関節面に合わせるように整復する．次いで膨隆した踵骨外側壁を押し込み，整復した関節面を外壁で支えて再陥没を防止する．この際支えとなる外壁の支持性が悪い場合にはステープルや Kirschner 鋼線で上部と固定したり，Kirschner 鋼線やスクリューを用

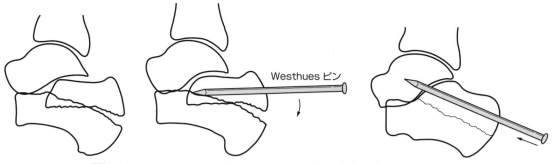

図 17-12-34　Westhues（Steinmann）ピンによる整復法（Westhues 法）

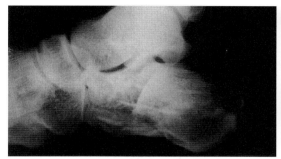

術前

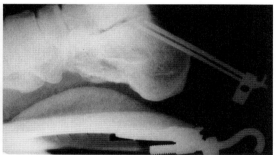

術直後　足底挿板を装着している

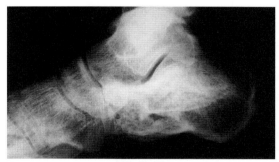

術後6ヵ月

図 17-12-35　北田法による整復術
Westhues 法と同様に 2 本のネジ切り Kirschner 鋼線を刺入し底面方向に押し上げて陥没した骨片を整復し，後方に露出した鋼線と足底挿板につけたフックを太い複数の輪ゴムで固定する．ゴムの張力による自然整復力を図る方法である．

いて内側壁と固定する（図 17-12-36）．また，各種の踵骨骨折用プレートを用いて内側壁と強固に固定し，早期から運動を行う方法も行われている（図 17-12-37）．関節面の整復後に生じた踵骨内の骨欠損部に骨移植を行って関節面の陥没を防ぐ方法もある．術後 4 週プラスチックキャスト固定を行う．

2）足根洞アプローチを用いた観血的整復固定術

近年では踵骨骨折に対しても最小侵襲手技の確立が進んでいる．特に重要なのは距骨下関節面の整復であるとの考えのもと，足根洞から後距踵関節面に至る約 5 cm の皮切で後距踵関節面を展開する．整復した後に MIPO 法に準じてプレートを挿入しスクリュー固定を行う．この手技を可能にする骨形状に沿った専用のプレートも開発されている（図 17-12-38）．

各論 第17章 下肢の骨折

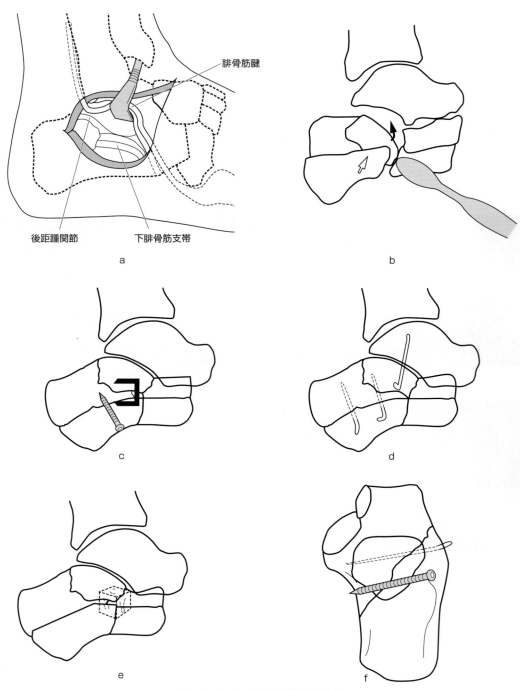

図 17-12-36 観血的整復固定術
a. 腓骨先端を中心に弧状の皮切を行い，長短腓骨筋腱を上方によけ，踵腓靱帯を切離して後関節に達する．
b. 陥没した後距骨関節面をエレバトリウムで持ち上げて整復（黒矢印），外側に膨隆した外側壁を押し込む（白矢印）．
c. ステープルとスクリューを使用した固定
d. Kirschner 鋼線による固定．陥没した後距骨関節面を上部の後関節面に合わせて一時的に固定する．
e. 整復した後距骨関節部の保持のため腸骨からの骨移植を行う．
f. 近位側からみた Kirschner 鋼線とスクリューの刺入方向

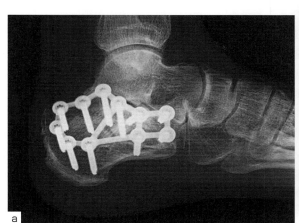
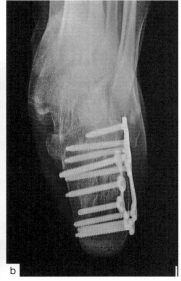

図 17-12-37　拡大 L 皮切によるプレート固定
a. 側面像. b. 軸射像

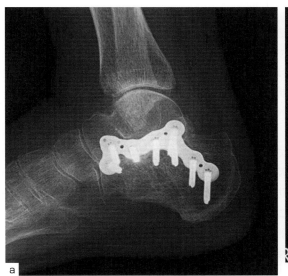
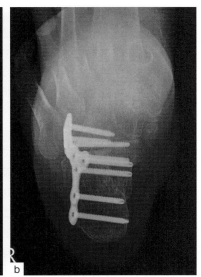

図 17-12-38　足根洞アプローチを用いたプレート固定
小侵襲ではあるが，後距踵関節面の整復は確実に行える．
a. 側面像. b. 軸射像

f 後療法

　　早期運動療法や徒手整復法などの保存療法，または経皮的に鋼線を刺入して整復する方法では，外固定の有無にかかわらず荷重の開始は受傷後または術後 5〜6 週以降とする．

　　荷重開始前にあらかじめ足底挿板を作製しておき，荷重開始時に装着させる．装着

期間の目安は3ヵ月とする.

　足部の運動療法は足関節の底背屈運動に加えて，距踵関節が担う足部の内・外がえし運動を十分に行う.　本骨折後の合併症として内・外がえし運動が制限され，正座や胡坐が不可能になることが多い.　そのために術後の距踵関節の可動域制限を防止する目的で早期運動療法を推奨する意見もある.

　一方，観血的整復固定術を行った症例では，荷重の管理が行えるようであれば必ずしも外固定を必要としない.　数日間のプラスチック副子による局所の固定，安静の後，後足部の可動域訓練を早期運動療法の手法に準じて積極的に行う.　約2週経過後より部分荷重を開始し，約4週で全荷重を許可する.

　本骨折の問題点は解剖学的な整復が得られているにもかかわらず，長期間疼痛が残存する場合が多いことである.　しかしこの疼痛は歩行や運動療法の継続，骨萎縮の消退とともに徐々に軽減する.　したがって疼痛が残存しているからといって受傷後6ヵ月前後で距踵関節固定術を行うのは早計で，少なくとも1年間は運動療法を中心に経過を観察すべきである.

g 治療成績を左右する因子

　治療成績は骨折型，整復状態，外固定の期間，後療法などにより左右される.

1) 骨 折 型

　骨折が後距踵関節に及ばない型は保存療法により予後は比較的良好である.　しかし高齢者の嘴状骨折では骨癒合が遷延する場合や，手術療法においても内固定材のカットアウトなどがしばしば発生し，機能回復が遅れることがある.　後距踵関節面に及ぶ陥没骨折や舌状骨折は疼痛が残存することが多い.　粉砕骨折の場合は一般に予後は不良である.

2) 整復状態

　関節に及ぶ骨折では整復の程度が治療成績に大きく影響する.　関節面が著しく陥没している場合は可及的に挙上して距骨関節面に合わせ，膨隆した外側壁を押し込んで関節面の再陥没を防止する.　その際の整復・固定が不十分な場合には術後に再度関節面の落ち込みが起こり成績を悪くする.

　粉砕骨折は可及的に骨片を整復して踵骨の高さを保ち，後に行う可能性の高い距踵関節固定術の際の移植骨量を少なくするように努める.

3) 術後プラスチックキャストや副子による外固定期間

　外固定期間が長期に及べば，骨萎縮と関節可動域制限を生じ成績は不良となる.　踵骨は大部分が海綿骨からなるので骨癒合は良好で，骨折後2週を経ると一部で骨癒合が起こり始めている.　手術的に整復を行い関節面下に空洞ができている場合でも，外固定は4週で十分であり可動域獲得のための運動を開始する.

4) 後 療 法

　距骨下関節の拘縮は成績を左右する.　距骨下関節の内・外がえし運動が制限を受けると不整地歩行時に疼痛が出現する.　正座や胡坐ができなくなることもあり患者にとって大きな不満となる.　早期からの運動療法はきわめて重要で足部の底背屈および内・外がえし運動は遅くとも受傷後4週から開始すべきである.

5) 術後皮膚壊死

踵骨骨折では外側L字状皮切を用いることがあるが，術後に皮膚壊死を生じることがある．術中に皮弁を挙上する際には，皮下脂肪を確実に残して展開することが必要である．皮膚壊死が生じた場合には持続陰圧吸引療法により肉芽形成を促し上皮化を目指すか，局所皮弁形成術により一期的に創の治癒を目指す．

附-51　距踵関節固定術

後距踵関節が粉砕状に骨折して転位が著しい場合には，当初から距踵関節固定術が行われることもある．しかし一般的には可及的整復を図り，骨癒合が得られて歩行を始めた後に疼痛の程度を十分に観察してから固定術を行う．新鮮例に対しては固定の方法の困難さおよび術後の著しい骨萎縮などのために基本的には避けるべきである．

1）柏木法

外側から進入し腓骨筋腱を上方に圧排して後距踵関節を展開する．距骨の関節面と膨隆した踵骨の関節面を切除し，腸骨から採取した骨片を移植する方法である．同時に膨隆した外側壁を切除して整復し，切除した骨片も移植骨として利用する（図17-12-39）．

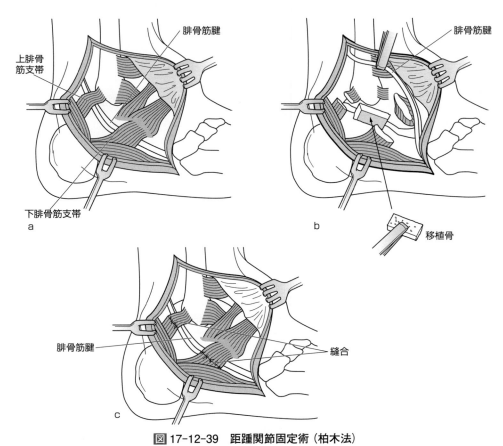

図17-12-39　距踵関節固定術（柏木法）
a. 外果を中心に腓骨筋腱に沿って弧状切開を行う．
b. 腓骨筋支帯を切離して腓骨筋腱を近位側によけ，距骨と踵骨の関節軟骨を切除し，腸骨より移植骨を採取して挿入する．
c. 腓骨筋支帯を縫合する．

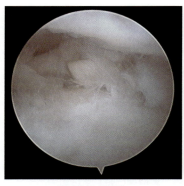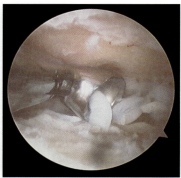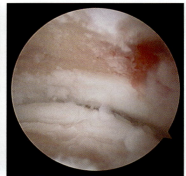

鏡視直後(術前)　　　　関節軟骨切除中　　　　関節軟骨切除後

鏡視所見

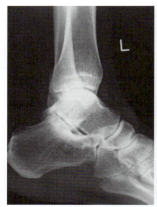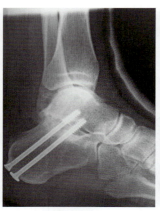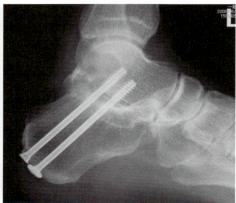

術前(踵骨骨折後)　　　　術直後　　　　術後1ヵ月半

スクリュー固定

図17-12-40　鏡視下距骨下関節固定術(52歳,男性)

2) Gallie法

後方からアキレス腱の外側より進入して,後距踵関節部に足根洞に達する溝を作製して骨移植を行う.

3) 鏡視下距骨下関節固定術 arthroscopic subtalar arthrodesis

関節鏡の最近の手技および器具の進歩により,踵骨骨折後の関節固定術にも鏡視下手術が導入されつつある.しかし視野がきわめて狭いため,足部の牽引法や鏡の挿入および残存する関節軟骨切除に経験を必要とする.踵骨後方突起部から距骨に向けて海綿骨用スクリュー2本で固定するのが一般的で骨癒合も良好である(図17-12-40).骨欠損が大きく骨移植が必要な場合には関節部を展開して行う.

附-52　踵骨骨折後のCRPS(Sudeck骨萎縮)

踵骨骨折後にその骨折の程度にはあまり関連なく,著しい疼痛と腫脹を伴って骨萎縮が生じる.交感神経系の反射による複合性局所疼痛症候群(CRPS)の部分症状とも考えられ,疼痛が長期間持続し治療に難渋する.

C 足根骨脱臼骨折 dislocation fracture of tarsal bone
Chopart 関節脱臼骨折 dislocation fracture of Chopart joint

a 解剖・機能解剖

　　Chopart 関節は横足根関節とも呼ばれ，前方凸の球関節である距舟関節と後方凸の鞍関節である踵立方関節により形成される．自由度の高い関節で，前足部の底背屈，内外転，内・外がえし運動を可能にさせる．三次元的に複雑な関節面で，高い精度で適合していることと，足根骨同士が靱帯結合で連結されていることから，強い外力がかからない限り脱臼は起こらない．踵骨と舟状骨の間隙には骨性の支持組織が存在しない部分があり，線維軟骨で覆われたばね靱帯が存在する．舟状骨と踵骨の前・中距踵関節面およびばね靱帯で構成される球面状の足臼蓋が距骨頭を包み込む形で安定化させている．ばね靱帯とその底側を走行する後脛骨筋腱による支持機構が破綻すると扁平足や距舟関節の脱臼を引き起こす．Chopart 関節，とりわけ距舟関節は脛骨から距骨に伝わった荷重を前足部に伝達する役割を担っている．内側の縦アーチの構造が崩れると著しい疼痛の原因になるため，遠位側に存在する Lisfranc 関節とともに，この部位の骨折や脱臼にはアーチ構造を考慮したアライメントの解剖学的整復が重要である．

b 受傷機転

　　交通事故，特に単車の事故により受傷することが多く，また高所からの転落など大きな外力が加わると起こる．頻度は比較的少ない．前足部に大きな内転力や内がえし力が働くと舟状骨と立方骨は内側に脱臼する．その際，舟状骨は中央か外側で骨折し，立方骨は外側の一部が踵骨前縁で剪断骨折を起こす．

　　前足部に大きな外転力もしくは外がえし力が加わると，舟状骨と立方骨は外側に転位する．舟状骨は後脛骨筋が付着しているためにその付着部で裂離骨折を生じ，立方骨もしくは踵骨前部には圧迫骨折が生じる．

　　足部が底屈位にあり，中足骨頭部に大きな外力が加わると軸圧型を，前足部に底屈力が加わると底屈型が生じる．

c 分　類

　　Chopart 関節の脱臼骨折は脱臼の方向や外力のかかり方に基づいて，Main と Jowett が詳細に分類している．

1）内側型

　　内転や内がえしの力が舟状骨もしくは距骨頭に加わり，立方骨か踵骨の裂離骨折を伴って脱臼が起こる捻挫型が多い．

2）軸圧型

　　足部が底屈位にあるとき長い中足骨を通じて強力な軸圧が加わり，それが楔状骨に伝達されて舟状骨の骨折を伴った脱臼を起こす．

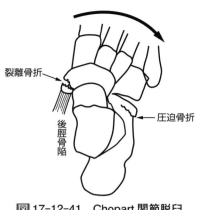

図 17-12-41　Chopart 関節脱臼（外側型）

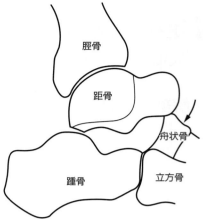

図 17-12-42　Chopart 関節脱臼（底屈型）
距舟関節と距踵関節が脱臼し，踵立方関節は正常である．

3）外側型

外転や外がえしの大きな外力によって前足部が外側に転位し，舟状骨の裂離骨折と立方骨または踵骨の圧迫骨折を伴う捻挫型（図 17-12-41）と，高所からの転落などの大きな外力によって距舟関節と距踵関節が脱臼し，踵立方関節は正常に保たれる回旋型がある．

4）底屈型

底屈位で高所から転落した際に前足部が大きな外力で底屈を強制されて起こる．前足部が Chopart 関節で足底に脱臼する場合と，距舟関節と距踵関節が脱臼し，踵立方関節が正常なものがある（図 17-12-42）．

5）粉砕型

単車の事故によることが多い．舟状骨および立方骨が粉砕し，ときに距骨骨頭や踵骨前方部にも骨折が及ぶ．

d 診　断

交通外傷や足部の轢断など明確な受傷機転があり，疼痛を伴い外観上も腫脹や強い変形を認めれば足根骨脱臼骨折を疑う．初期診断には単純 X 線写真を用いるが，少なくとも正面像，側面像と射位像の 3 方向撮影を行い，複雑に重なり合う足根骨のわずかな骨折も見逃さないよう注意する．強い臨床症状を呈しているにもかかわらず骨折が判明しない場合には CT 撮影を行う．CT は転位のない骨折線を発見するためにはもちろんのこと，脱臼骨折をきたしている場合の整復動作や術式決定にもきわめて有用である．

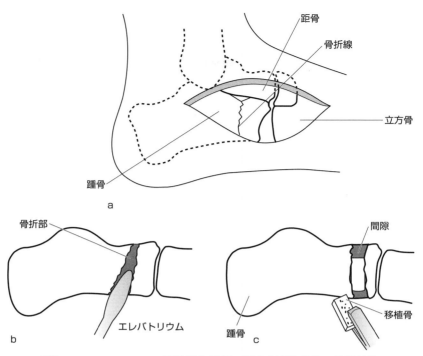

図 17-12-43 Chopart 関節脱臼骨折の踵立方関節整復・骨移植術
a. 外側皮切により踵立方関節を展開する．
b. 圧迫骨折部をエレバトリウムで整復する．
c. 整復後の骨折部の間隙に腸骨からの骨移植を行う．

e 治 療

1) 保存療法

麻酔下に徒手整復を行い，整復状態を X 線透視画像で確認する．整復が得られても不安定な場合には Kirschner 鋼線で経皮的に固定する．しかしばね靱帯などの軟部組織を重度に損傷していることが多いため，観血的治療を要することが多い．

2) 手術療法

転位があり徒手整復が困難な場合は手術療法の適応となる．

皮切は外側型には外側進入法を，内側型には内側進入法を用いる（**図 17-12-43**）．骨折部直上で皮切を加え，内側皮切は前脛骨筋と大伏在静脈に，外側皮切は外側足背皮神経に留意する．解剖学的整復が得られれば Kirschner 鋼線やスクリューで内固定を行う．しかし内側に裂離骨片が残存していたり，外側進入のみでは整復が不十分な場合は内側からも進入する．立方骨や踵骨前方部の圧迫骨折は，立方骨や踵骨の骨折片および関節面の整復後に生じた骨欠損部には骨移植を行う（**図 17-12-43**）．ときには踵立方関節固定術も行われる．

舟状骨の粉砕型で舟状骨の解剖学的幅が確保できない場合は骨移植を行って，距骨および楔状骨間を固定する．

f 後療法

術後は4～5週のプラスチックキャスト固定の後，2ヵ月間は足底挿板を装着させる．プラスチックキャスト固定期間中は足趾の運動を十分に行わせる．

g 治療成績を左右する因子

舟状骨は縦アーチの頂点を構成しているので荷重時に大きな力がかかるため，転位が残り偽関節になると疼痛のために歩行に障害をきたすことが多い．したがって正しい解剖学的な整復を要する．舟状骨の骨片が複数ある場合はこの部位の変形性関節症発生の頻度が高く予後は不良である．本脱臼骨折には長期の足底挿板の装着が必要になる．

Lisfranc 関節脱臼骨折 dislocation fracture of Lisfranc joint

a 解剖・機能解剖

Lisfranc 関節は中足骨と内側，中間，外側の3つの楔状骨および立方骨とで構成する関節である．内側（第1），中間（第2），外側（第3）楔状骨がそれぞれ第1・2・3中足骨基部と，立方骨が第4・5中足骨基部と関節を形成している．中間楔状骨は短く，その分第2中足骨基部が長く，内側・外側楔状骨間にはさまれることにより，水平面での安定性が保たれている．楔状骨や立方骨と中足骨とは平面関節を構成しており，それぞれに強靱な靱帯によって連結され安定性を確保している（図17-12-44）．この部での横断面をみると，中間楔状骨または第2中足骨基部を頂点とするアーチ構造を形成し，体重による垂直方向の負荷に耐えている（図17-12-45）．

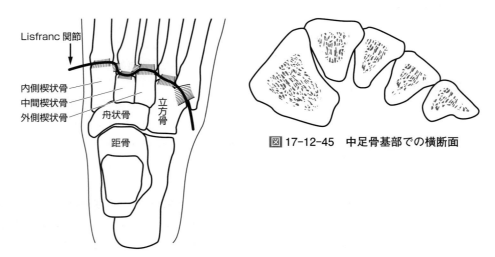

図17-12-44　Lisfranc 関節を支持する靱帯
強靱な靱帯と第2中足骨が長く，内側および外側楔状骨の間にはさまれることにより安定が保たれている．

図17-12-45　中足骨基部での横断面

12 足部骨折　*1265*

b　受傷機転

Lisfranc 関節での外傷は重量物が足に落下するような直達外力か，足部が底屈位で中足骨に遠位から軸方向に伝わる大きな介達外力により生じる（図 17-12-46, 47）．後者はジャンプ動作における着地や転落の際に生じることが多い（図 17-12-47）．

Wiley は前足部に外転力と底屈力が加わって起こると述べ，Wilson は底屈力に内・外がえしの回旋力が加わって起こると報告した．

c　分　類

Lisfranc 関節脱臼骨折は Quénu and Küss により提唱され，Hardcastle や Myerson により改変された分類が用いられる（図 17-12-48）．

1）全　型

第 1〜5 中足骨以遠が一塊として脱臼するもので，外側に脱臼する場合と背側もしくは底側に脱臼する場合がある．第 2 中足骨基部が骨折していることが多い．

2）部 分 型

母趾列もしくは第 2〜5 趾（lessor toe）が足根中足（TMT）関節で脱臼する．前者を内側型脱臼，後者を外側型脱臼に分類する．内側型は第 1 TMT 関節で脱臼する場合と，舟状楔状関節で脱臼する場合に細分される．外側型は母趾列は正常で，lessor toe はすべて外側に脱臼する場合と第 2，3 TMT 関節のみで脱臼する場合に細分される．

3）分 岐 型

全型と部分型があり，全型では第 2〜5 TMT 関節がすべて外側に脱臼する．部分型では母趾は内側に，第 2，3 TMT 関節が外側に脱臼する．母趾列が第 1 TMT 関節で脱臼する型と舟状楔状関節で脱臼する場合に細分される．

d　診　断

Lisfranc 関節部を中心に著しい腫脹，皮下出血，疼痛および変形が認められる．診断には単純 X 線写真背底像と側面像だけでなく斜位像も有用である．脱臼が軽微な場合や，すでに整復位にある場合には看過されやすい．健側の単純 X 線写真との比較や CT にて評価することにより診断する．脱臼の方向によっては神経障害や前足部への血流障害をきたすことがある．初期治療に際しては末梢循環や知覚障害の有無を必ず確認する．

e　治　療

1）保存療法

腰椎麻酔または神経伝達麻酔下に前足部を牽引しながら X 線透視下に整復する．その際脱臼によっては内・外転のみならず回旋も加える．整復後に関節部の異常可動性を触知する場合は整復位が不安定であるので，Kirschner 鋼線などで経皮的に固定する（図 17-12-49）．

2）手術療法

徒手整復が不可能な場合や，骨片が介在して良好な整復位が得られない場合には観

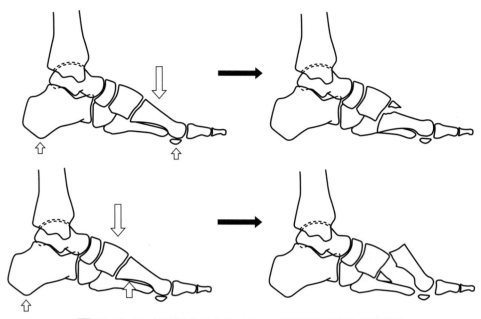

図 17-12-46 直達外力による Lisfranc 関節脱臼骨折の受傷機転
背側から中足骨に直達外力がかかると底側に脱臼し，楔状骨に直達外力がかかると背側に脱臼する．
(Myerson MS et al：Foot Ankle 5：225-242, 1986)

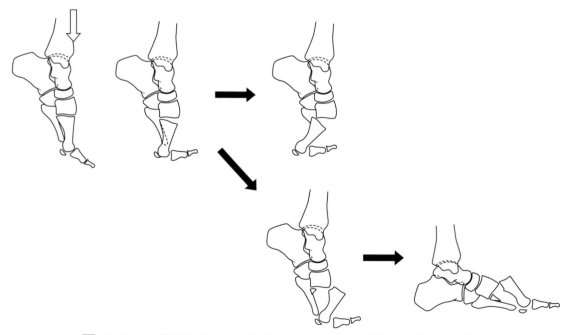

図 17-12-47 軸方向に伝わる介達外力による Lisfranc 関節脱臼骨折の受傷機転
(Myerson MS et al：Foot Ankle 5：225-242, 1986)

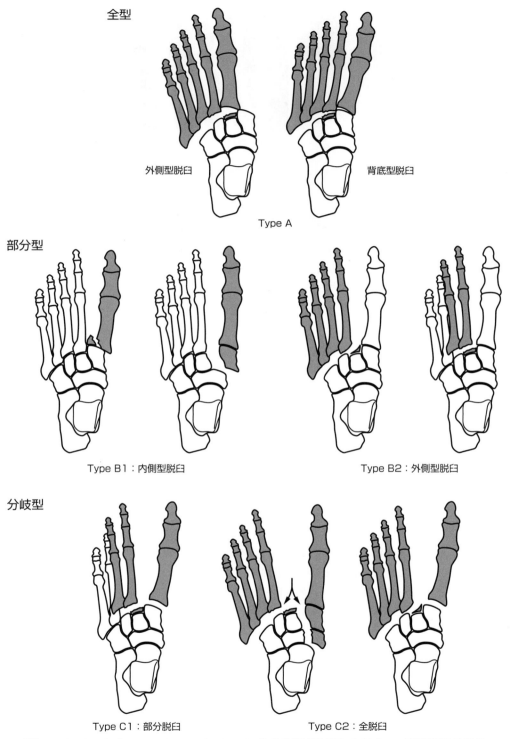

図 17-12-48　Quénu and Küss，Hardcastle らの分類を改変した Lisfranc 関節脱臼骨折の Myerson 分類

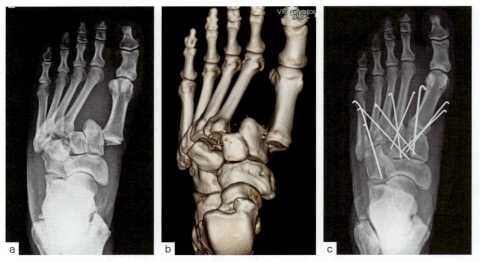

図 17-12-49　Lisfranc 関節脱臼骨折．分岐型，Type C2
a. 単純 X 線背底像．b. 3D-CT 像．c. 整復および鋼線固定後

血的に整復する．いずれの損傷型においても骨片が小さく，骨片間を強固に固定するのは困難で，Kirschner 鋼線による関節の一時固定を行う．

　全型の場合は第1・2楔状骨間に加えた内側縦皮切と立方骨から第4中足骨に至る外側縦皮切で進入する．前者は母趾固有足背神経に，後者は外側足背皮神経に注意する．内側から第1中足骨を第1楔状骨に合わせて整復し Kirschner 鋼線で固定する．第2中足骨はほとんどの例で基部で骨折しており，手術のポイントは第2中足骨基部の整復にある．これが解剖学的位置に整復されるとほかの整復は容易である．固定にはスクリューや Kirschner 鋼線を使用する（図 17-12-50）．次いで外側から第3・4・5中足骨の脱臼を整復し，Kirschner 鋼線で固定する．ときに前脛骨筋腱が楔状骨間に嵌入して整復障害になっている場合がある．

　約6週後に鋼線を抜去するが，不安定性が残る場合や疼痛が遷延する場合には二次的に Lisfranc 関節固定術を行う．この場合は疼痛が存在する関節の直上で皮切を加えて展開し，関節軟骨を掻爬し海綿骨を移植した後に，ヘッドレスコンプレッションスクリューまたはロッキングプレートで固定する．

f 後療法

　術後はプラスチックキャスト固定を4～5週行う．その後は足底挿板を3ヵ月以上装着させる．プラスチックキャスト固定中はしばしば合併する伸筋・屈筋の癒着を防止するため常に足趾の運動を指導する．

g 治療成績を左右する因子

　Lisfranc 関節の要になっている第2中足骨基部骨折の整復が成績を左右する．長期の経過で変形性関節症に進展することが多いので，この関節部を免荷するために足底挿板を3ヵ月以上装着させる．

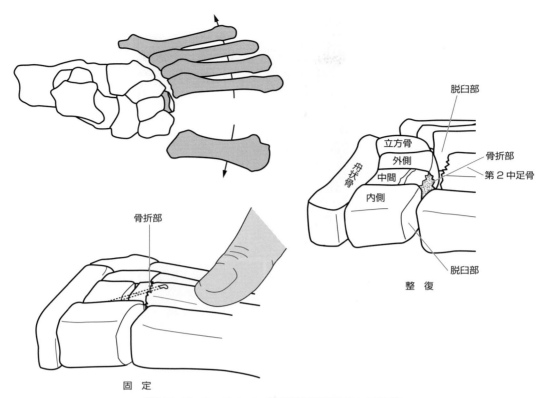

図 17-12-50 Lisfranc 関節脱臼骨折整復・固定術
第1中足骨を第1楔状骨に合わせて整復固定する．第2中足骨の骨折部を整復し Kirschner 鋼線で固定する．

その他の足根骨脱臼骨折 dislocation fracture of the tarsal bones

a 解剖・機能解剖

　　舟状骨，立方骨と3つの楔状骨は互いに強固に靱帯で結合しているため非常に安定している．距舟関節は球関節であり，踵立方関節は鞍関節である．関節面を形成する面積は広く，良好な適合性を持つ関節のため容易には脱臼しない．また舟状楔状関節や足根中足関節は平面関節であるが，互いに靱帯結合しているため強い安定性を有している．

b 受傷機転

　　解剖学的特徴により足根骨は単独で脱臼することは珍しく，症例報告が散見される程度である．舟状骨や楔状骨は足部の内側縦アーチの高い位置に存在するため，重量物の落下など直達外力による外傷が原因で脱臼することがある（図 17-12-51）．立方骨は単独で完全に脱臼することは少なく，踵立方関節の亜脱臼が報告されている．また足根骨の脱臼は大部分が骨折を伴う．

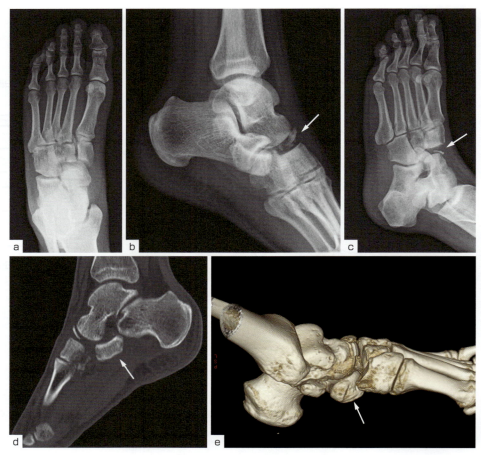

図 17-12-51　舟状骨脱臼
a. 単純 X 線背底像では病変部は不明瞭．側面像（b）および斜位像（c）にて舟状骨の欠損が確認できる（矢印）．矢状断 CT 像（d）および 3D-CT 像（e）にて底側に落ち込んだ舟状骨が確認される（矢印）．

c 分　　類

舟状骨や内側楔状骨は脱臼方向により内側型，底側型，背側型に分類される．

1）内側型
靱帯性結合が破綻する外力を生じた際に，後脛骨筋腱に牽引され内側に脱臼する．

2）底側型
底側に向けての強力な直達外力により生じる（図 17-12-51）．

3）背側型
転落の際に底側から直達外力がかかった場合に生じる．
また中間楔状骨と外側楔状骨は脱臼の方向により底側型と背側型に分かれる

d 診　　断

中足部に著しい腫脹，皮下出血，疼痛を認める．診断には単純 X 線写真背底像と側面像および斜位像を用いる．脱臼の方向や X 線の照射角度によっては診断が困難

な場合もあるので，必ず複数方向からの単純X線写真を撮影し評価する（**図 17-12-51a～c**）．CT は確定診断や治療方法の決定に有用なので，高エネルギー外傷で本症が疑わしい場合には積極的に撮影する（**図 17-12-51d, e**）．

e 治　　療

1）保存療法

腰椎麻酔もしくは神経伝達麻酔下に徒手整復を行うが整復困難な場合が多いので，手術療法を行うことが多い．

2）手術療法

脱臼した足根骨直上に皮切を加えて展開するが，良好な視野を確保し愛護的に整復操作を行えるように少し長めの切開を加え，整復のために必要最小限に骨膜を剥離し整復する．舟状骨脱臼で後脛骨筋腱や距骨頭に接するばね靱帯に損傷がある場合は同時に修復する．整復後は整復位を維持するために Kirschner 鋼線にて固定する．

f 後 療 法

術後はプラスチックキャスト固定を 4～5 週行う．術後 6 週から部分荷重を行い，術後 10 週で全荷重を開始する．足底挿板を 3 ヵ月装着させる．Kirschner 鋼線は約 8 週で抜去する．

g 治療成績を左右する因子

舟状骨，楔状骨，立方骨は骨膜を介して栄養される短骨なので，脱臼治療に際して特に注意すべきは壊死である．術後は定期的に MRI を撮影し，壊死の存在を確認する．圧壊を伴う壊死が発生した場合には骨移植を併用した関節固定術を行う．

附-53　足根骨骨折

舟状骨，立方骨と 3 つの楔状骨からなる足根骨は強い直達外力や捻挫により骨折を起こす．いずれも単独で受傷することはまれであり，ほかの骨折や脱臼を伴うことが多い．転位の大きいほかの骨折に注目するために，足根骨骨折を見逃すことがあるので注意を要する．

舟状骨は距骨からの軸圧により関節内骨折を起こすことがある．保存療法では疼痛などの愁訴を残すことも多く，近年開発されたアナトミカルプレートを用いた観血的治療が適応される．距舟関節面の整復が不十分な場合には外傷性関節症に至り，関節固定術を余儀なくされることもあるので，急性期に確実に整復し強固に固定する．

立方骨は足部の外転を強制する外力により圧迫骨折を起こすことがある．転位が小さい場合には診断に苦慮することもあり，CT 画像や MRI を撮影し慎重に読影する．治療は転位が大きい場合には骨移植を併用した観血的治療を行う．

楔状骨は単独で損傷することはまれで，前述の Lisfranc 関節脱臼を伴うことが多い．前足部の内反や底屈を強制する外力により，靱帯の剥離骨折を起こすことがある．ギプス固定による保存療法で治療を行うが，骨片による愁訴が残る場合には骨片摘出術を行うことがある．

1272 各論 第17章 下肢の骨折

D 中足骨骨折 fracture of metatarsus

a 解剖・機能解剖

　　第1・2・3中足骨はそれぞれ内側，中間，外側楔状骨と，第4・5中足骨は立方骨と関節を形成する．第2中足骨が最も長く第1中足骨が最も短い．5本の中足骨で横アーチを形成し，Lisfranc関節に近い基部では第2中足骨基部が内側，外側楔状骨にはさまれ頂点となっている（図17-12-44）．遠位部はそれぞれの基節骨と中足趾節間関節（metatarsophalangeal：MTP関節）を形成している．

　　中足骨から趾骨にかけては短趾屈筋，短趾伸筋，小趾外転筋，虫様筋，骨間筋など多くの足部固有筋が存在する．特に第1中足骨には短母趾屈筋，短母趾伸筋，母趾外転筋，母趾内転筋が付着する．

b 受傷機転

　　足背への重量物の落下や，自動車の車輪に轢かれるなど受傷原因はほとんど直達外力である．足部の内がえしが強制され短腓骨筋に牽引されるとその付着部である第5中足骨基部裂離骨折（下駄骨折）が起こる．また中足骨には疲労性骨障害が多い．第5中足骨骨幹部近位での疲労骨折はJones骨折と呼ばれ，ランニングやジャンプ動作の繰り返しにより発症することが多い．

c 分　　類

　　骨幹部の骨折は直達外力の大きさにより，亀裂骨折から粉砕骨折までさまざまである．この部の骨折は一般的には足底部の固有筋の牽引力と足趾の底屈力の大きさによって背側凸の変形を生じやすい．中足骨頚部骨折はしばしば多発性で筋力の作用により底側に転位をきたしやすい．

d 診　　断

　　腫脹，皮下出血，疼痛，限局性圧痛があり単純X線写真により診断される．亀裂骨折の場合は，疼痛，腫脹も軽度でときに看過されることもある．

e 治　　療

　　骨幹部骨折は背側凸の変形を，頚部骨折は底側への転位が多いためにそのまま変形治癒するとMTP関節部足底に胼胝を形成しやすい．

1) 保存療法

　　転位のない場合または徒手整復により整復された場合はプラスチックキャスト固定を行う．ときに牽引療法も行われる．

2) 手術療法

　　徒手整復後に骨折部が不安定な場合や，骨折部に骨間筋や屈・伸筋腱が嵌頓して徒手整復が不可能な場合は観血的整復が適応される．皮切は足背の中足骨間で縦に加え，伸筋腱や足背の血管および神経を圧排し骨折部を展開する．Kirschner鋼線を遠

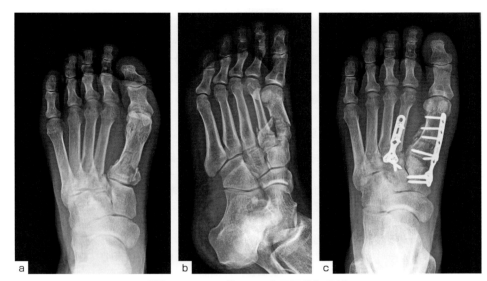

図 17-12-52　第 1, 2 中足骨基部骨折
a. 単純 X 線背底像．b. 斜位像．c. 術後背底像

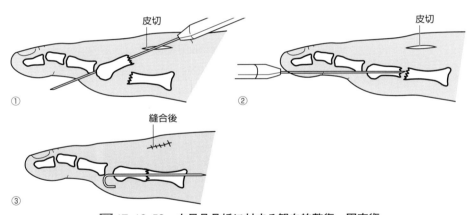

図 17-12-53　中足骨骨折に対する観血的整復・固定術

位骨片から刺入して髄内に留置する手技やプレートで固定する方法が用いられる（図 17-12-52, 53）．第 5 中足骨基部列離骨折では引き寄せ鋼線締結法で固定を行うことがある．また Jones 骨折では第 5 中足骨基部から髄内に向けてスクリューを挿入する手技を用いることが多い．

f 後療法

プラスチックキャストや副子による外固定を約 4 週行う．Jones 骨折では術後外固定を行わずに，手術創が安定次第，早期に訓練を開始しすみやかに競技復帰を試みることも多い．

g 治療成績を左右する因子

骨折部に筋腱がはさみ込まれている場合には，転位が軽度でも骨癒合が得られないので手術療法の適応となる．この部位での骨折は整復により正しいアライメントが得られれば，骨癒合後の予後は良好である．

附-54 疲労骨折と脆弱性骨折

中足骨に起こる疲労骨折は軍隊で長距離の行軍を行った際（行軍骨折）や長距離走などで発生する．最近では発育期のスポーツ選手に多い．第2・3中足骨頸部に起こりやすい．地面からの衝撃力と足底筋群の牽引力の作用によって足アーチにくり返したわみが生じて起こるとされている．

1) 診 断

疼痛が出現後，比較的早期に受診した場合は局所の圧痛のみで，単純X線写真には骨折の所見が認められないことが多い（図17-12-54）．したがって，初期には運動の種類と程度，外傷歴の有無，圧痛部位などから診断する．2～3週後の再受診時に再撮影した単純X線写真で骨折線や仮骨形成を認め，はじめて骨折が診断されることが少なくない．早期診断にはMRIが有用である（図7-3-11, 12, p.180参照）．

2) 治 療

スポーツを中止させ局所安静をとらせることによって骨癒合が得られる．疼痛が著しい場合は外固定を行うこともある．

3) 予 後

運動の中止ができれば予後は良好である．

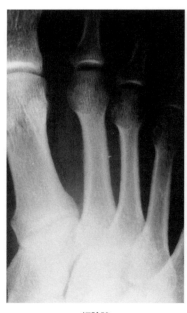 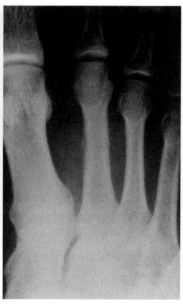 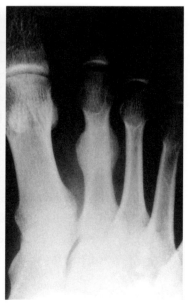

初診時　　　　　　　1週間後　　　　　　　2ヵ月後

図17-12-54　中足骨疲労骨折（サッカー選手，17歳，男子）

初診時の単純X線写真では骨折は認められない．1週後に仮骨形成が認められ骨折が判明した．2ヵ月後には旺盛な仮骨の形成を認める．

附-55　第5中足骨基部骨折

第5中足骨骨折は多くの分類がなされているが統一した見解が得られていない．Mannの分類が代表的である．

① 基部骨幹移行部の新鮮骨折
　a．転位（−）
　b．転位（＋），粉砕型

② 過去に外傷歴のある基部骨幹部骨折

③ 基部骨折
　a．中足立方関節を含まない
　b．中足立方関節を含む

　第5中足骨基部骨折は下駄骨折ともいわれ，足部が内がえしを強制されて短腓骨筋に大きな牽引力がかかり，付着部である第5中足骨基部が裂離骨折をきたす．足関節捻挫と同様の受傷機転で起こるために発生頻度は中足骨骨折では最も多い．

　診断は足の捻挫をしたという受傷機転と第5中足骨基部を中心に腫脹，皮下出血，疼痛および限局性圧痛が存在する．単純X線写真により診断は明らかとなるが，亀裂骨折の場合には背底像で骨折線は認められず斜位像で発見されることがある．

　治療は保存療法が主体で3〜4週のプラスチックキャスト固定により骨癒合が認められ予後は良い．

　Jones骨折はRobert Jones自身が1906年に第5中足骨基部の骨折を受傷し，同様の6例とともに発表して以来呼ばれるようになったが混同して使用されることが多い．その後の解釈で中足骨基部から15〜20 mm遠位の骨幹部骨折を指す．難治性となって偽関節を生じることが多い．過労性骨障害のひとつとしても挙げられスポーツ選手に多い．発生頻度の高い基部骨折（下駄骨折）との鑑別を要する．

　日常の歩行時には軽微であるが運動時に疼痛が著しくなる．初期単純X線写真では骨膜反応のみで，骨折線が認められないこともある．多くの場合，骨癒合が遷延化して骨硬化像が認められる（図17-12-55）．

　治療は初期には保存療法も適応になるが，骨硬化像が存在して偽関節形成が考えられる場合は手術療法を行う．手術的に海綿骨用スクリューやKirschner鋼線とLambotte鋼線による引き寄せ締結法によって固定する．ときには骨移植術も行われる．

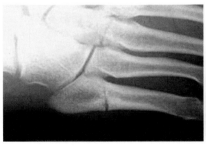 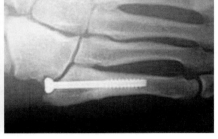

　　　　術　前　　　　　　　　　　術後6ヵ月

図17-12-55　第5中足骨疲労骨折（Jones骨折；サッカー選手，外傷歴なし）

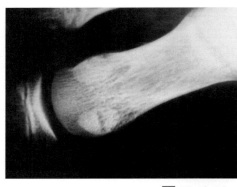
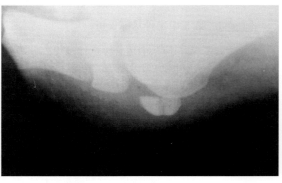

図 17-12-56　二分種子骨（外傷歴なし）

附-56　種子骨骨折

　直達外力によるものと介達外力によるものがあり，前者は高所からの転落や重量物がMTP 関節部に落下して生じ，後者の内側種子骨骨折は母趾が背屈回内位に強制されて起こる．新鮮例は疼痛と腫脹が著しく単純 X 線写真により診断は容易である．しかし，種子骨には二分（図 17-12-56），壊死，離断性骨軟骨炎などいろいろな病態があり鑑別診断が必要になるが，後者 2 疾患の鑑別は困難で最終的には病理組織学的所見による．
　治療は原則として保存的にプラスチックキャスト固定を 1 ヵ月行う．長期に骨癒合が遷延して疼痛が持続する場合は種子骨の摘出を行う．

E 趾骨骨折　fracture of the toe

a 解剖・機能解剖

　第 2～5 趾は基節骨，中節骨，末梢骨からなり中足骨と基節骨の間で足根中足（MTP）関節，基節骨と中節骨の間で近位趾節間（proximal interphalangeal：PIP）関節，中節骨と末梢骨の間で遠位趾節間（distal interphalangeal：DIP）関節を形成する．母趾のみ中節骨はなく基節骨と末梢骨で趾節間（interphalangeal：IP）関節を形成する．第 4・5 趾はときに母趾と同様に 2 関節のことがある．

b 診断・治療

　疼痛，腫脹，局所の圧痛に加えて変形を伴う．単純 X 線写真で診断は明らかになる．脱臼の場合は 2 方向撮影により診断される（図 17-12-57）．
　転位のある場合でも多くの場合では徒手整復が試みられる．解剖学的整復位が得られれば副子固定を行う．骨折部を挟んで上下 2 関節を固定することが原則であるが，足趾での固定は不安定になることが多いため，中足部以遠で足部から足趾の形状に適合するように副子を細工し固定する．隣接趾とともに固定するとより安定性が増す．中節骨以遠であれば隣接趾との buddy taping も有効であるが，骨折部での整復位保持には特に注意する．また趾尖部への血流障害にも注意して施行する．関節内骨折で転位がみられる場合や筋腱が介在して徒手整復が不可能なときには，観血的に整復

12 足部骨折　　**1277**

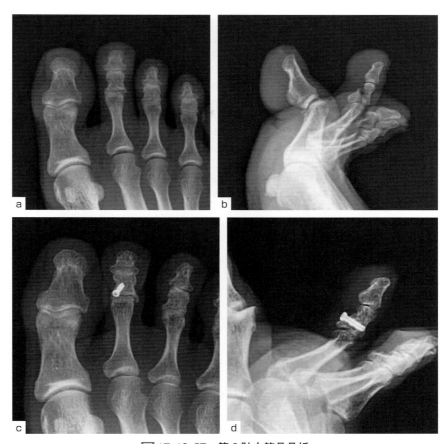

図 17-12-57　第 2 趾中節骨骨折
単純 X 線写真背底像（a）では明瞭ではないが，側面像（b）では転位のある骨折が確認できる．底側からのアプローチで観血的に整復固定を行った．
c. 術後背底像．d. 術後側面像

する（**図 17-12-57**）．転位骨片の直上で皮切を加えて展開し，整復障害となっている介在物を除去したうえで骨片を整復し，スクリューや鋼線などの内固定材料で固定する．

　MTP 関節および PIP 関節の脱臼も一般的には徒手整復される．しかし，種子骨が関節間に介在する場合は手術的な整復を要する．整復後は罹患関節を含んだ上下 2 関節の範囲で副子固定を 2〜3 週行う．

1278　各論　第17章　下肢の骨折

参考文献

1) Ahmad J et al：Current concepts review：talar fractures. Foot Ankle Int **27**：475-482, 2006.

2) 天野喜崇ら：内側型距骨下関節完全脱臼に対して保存的治療を行いスポーツに復帰した1例. 整形外科 **72**：1363-1366, 2021

3) Beavis RC et al：Avulsion fracture of the calcaneal tuberosity：a case report and literature review. Foot Ankle Int **29**：863-866, 2008.

4) Berndt AL et al：Transchondral fractures（Osteochondritis dissecans）of the talus. J Bone Joint Surg **41-A**：988-1020, 1959.

5) Böhler L：Diagnosis, pathology and treatment of fractures of the os calcis. J Bone Joint Surg **13**：75-89, 1931.

6) Coltart WD：Aviator's astragalus. J Bone Joint Surg **34-B**：545-566, 1952.

7) Davidson AM et al：A review of twenty-one cases of transchondral fracture of the talus. J Trauma **7**：378-415, 1967.

8) Degan D：Surgical excision for anterior process fractures of the calcaneus. J Bone Joint Surg **64-A**：519-524, 1982.

9) Dodd A et al. Outcomes of Talar Neck Fractures A Systematic Review J Orthop Trauma **29**：210-215, 2015.

10) Essex-Lopresti P：Fractures of the os calcis. The Mechanism, reduction technique, and results in fractures of the os calcis. British J Surg **39**：395-419, 1951.

11) Fischer S et al：Surgical experience as a decisive factor for the outcome of calcaneal fractures using locking compression plate：results of 3 years. Arch Orthop Trauma Surg **141**：1691-1699, 2021.

12) Gellmann M：Fracture of the anterior process of the calcaneus. J Bone Joint Surg **33-A**：382-386, 1951.

13) Grear BJ：Review of Talus Fractures and Surgical Timing. Orthop Clin North Am **47**：625-637, 2016.

14) 荻野哲男ら：踵骨骨折. MB Orthop **28**：217-213, 2015.

15) Hardcastle PH et al：Injuries to the tarsometatarsal joint；Incidence, classification and treatment. J Bone Joint Surg **64-B**：349-356, 1982.

16) Hawkins LG：Fractures of the neck of the talus. J Bone Joint Surg **52-A**：991-1002, 1970.

17) Helal B et al：The Foot. 31-65, Churchill Livingstone, London, 1988.

18) Higgins TF et al：Diagnosis and treatment of fractures of the talus：a comprehensive review of the literature. Foot Ankle Int **20**：595-605, 1999.

19) Isbister, JFSC：Calcaneo-fibular abutment following crush fracture of the calcaneus. J Bone Joint Surg **56-B**：274-278, 1974.

20) 柏木大治：踵骨骨折の診断と治療. 整形外科 **15**：1213-1229, 1964.

21) 金澤和貴：距骨骨折の診断と治療. 整形外科 Surgical Technique **7**：266-272, 2017.

22) Katsui R et al：Ceramic Artificial Talus as the Initial Treatment for Comminuted Talar Fractures. Foot Ankle Int **41**：79-83, 2020.

23) 川畔雄大ら：踵骨関節内骨折に対する MIPO 法の治療成績. 骨折 41 1092-1096, 2019.

24) Khazen G et al：Sinus talsi approach for calcaneal fractures. The new gold standard？ Foot Ankle Clin N Am **25**：667-681, 2020.

25) 北田　力：踵骨骨折に対するアーチサポート法. 足部の外傷. 175-184, 南江堂, 1988.

26) Lance EM et al：Fractures of the os Calcis；treatment by early mobilization. Clin Orthop **30**：76-90, 1963.

27) Lance EM et al：Fracture of the os Calcis；a follow-up study. J Trauma **4**：15-56, 1964.

28) Main BJ et al：Injuries of the midtarsal joint. J Bone Joint Surg **57-B**：89-97, 1975.

29) Mann RA：Surgery of the foot. 1-30, 569-653, 656-798, CB Mosby, St. Louis, 1986.

30) Melenevsky Y et al：Talar Fractures and Dislocations：A Radiologist's Guide to Timely Diagnosis and Classification. Radiographics **35**：765-779, 2015.

31）百武紘司ら：Fleck sign がリスフラン関節損傷の治療成績に及ぼす影響．整形外科と災害外科 **70**：522-525，2021.

32）Mulfinger GL et al：The blood supply of the talus. J Bone Joint Surg **52-B**：160-167, 1970.

33）Myerson MS et al：Fracture dislocations of the tarsometatarsal joints：end results correlated with pathology and treatment. Foot Ankle **6**：225-242, 1986.

34）仲井間憲成ら：我々の開発した踵骨骨折の治療法．中部整災誌 **22**：1204-1206，1978.

35）長谷康弘，堀井恵美子：徒手整復困難であった母趾指節間関節脱臼の2例．整形外科 **72**：234-237，2021.

36）大本秀行ら：踵骨骨折の保存的治療．足部の外傷．164-174，南江堂，1988.

37）Pathria MN et al：Isolated dislocation of the tarsal navicular：a case report. Foot Ankle **9**：146-149, 1988.

38）Ponkilainen VT et al：Incidence and Characteristics of Midfoot Injuries. Foot Ankle Int **40**：105-112, 2019.

39）Richter M et al：Chopart joint fracture-dislocation：initial open reduction provides better outcome than closed reduction. Foot Ankle Int **25**：340-348, 2004.

40）Salama R et al：Functional treatment of intra-articular fractures of the calcaneus. Clin Orthop **115**：236-240, 1976.

41）Sanders R et al：Operative treatment in 120 displaced intraarticular calcaneal fractures, results using prognostic computed tomography scan classification. Clin Orthop **290**：87-95, 1993.

42）笹島功一：外側拡大L皮節による整復固定術．整形外科 Surgical Technique **6**：534-538, 2016.

43）Sneppen O et al：Fracture of the body of the talus. Acta Orthop Scand **48**：317-324, 1977.

44）高倉義典ら：改訂3版 図説足の臨床．16-32，234-259，264-268，メジカルビュー社，2010.

45）高倉義典：距骨離断性骨軟骨炎の治療．J Joint Surg **11**：667-674，1992.

46）高倉義典：足関節の機能解剖と診断．整・災外 **33**：787-795，1990.

47）高倉義典ら：踵骨前方突起単独骨折について．整形外科 **29**：235-240，1978.

48）鶴田ら：足の外科研究会誌 **2**：50-51，1981.

49）Vallier HA et al：A new look at the Hawkins classification for talar neck fractures：which features of injury and treatment are predictive of osteonecrosis？J Bone Joint Surg **96-A**：192-197, 2014.

50）Vallier HA et al：Talar neck fractures：results and outcomes. J Bone Joint Surg **86-A**：1616-1624, 2004.

51）早稲田明生：距骨骨折．関節外科 **31**：350-352, 2012.

52）渡邉耕太ら：距骨骨折に対する手術療法．整形外科 Surgical Technique **3**：57-67, 2013.

53）Watson-Jones R：Fractures and joint injuries. 1157-1175, Churchill Livingstone, New York, 1976.

54）Westhues H：Eine neue Behandlungmethode der Calcaneusfrakturen. Z Chir **62**：995-1002, 1935.

55）Wiley JJ：The mechanism of tarsometatarsal joint injuries. J Bone Joint Surg **53-B**：474-482, 1971.

56）Wilson DW：Injuries of talo-metatarsal joints；etiology, classification and results of treatments. J Bone Joint Surg **54-B**：677-686, 1972.

日本語索引

ページ数の太字は主要解説箇所を示す.

あ

アーチファクト 175
　──, CT 176
　──, MRI 181
　──, X線断層撮影 175
アームスリング 240
アキュトラックスクリュー 672
アキレス腱 1226
アクチンフィラメント 15
アスピリン 252
アダムス弓 968
アナトミカルロッキングプレート
　　　　　　　　515, 567
アナフィラキシー・ショック 253
アミロイドーシス 37
アライメント不良 161
アルカリフォスファターゼ 13
アルミ副子 242
アロディニア 205, 644
アングルプレート 1067
アンチグライディングプレート固定
　法 1193
アンリームドネイル 1043
青柳分類 1019
足の骨格 1224
足の在来筋 1227
亜脱臼 **56**
圧挫症候群 191
圧縮強度 143
圧縮屈曲損傷 806
　──, 治療方針 831
圧縮伸展損傷 805
　──, 治療方針 833
圧痛 160
圧電気現象 6
圧迫型骨端 338
圧迫骨折 43
圧迫包帯 241
軋轢創 1164

い

イオン化カルシウム 28
イメージ増倍管 174
イリザロフ法 247
インスリン欠乏 72
インターロッキングネイル 100
インテグリン 73
インピンジメント症候群 **204**, 277
生田分類 996
遺残骨核 172
萎縮性偽関節 55, 1044
異所性骨化 71, **202**, 483, 953
　──の局所徴候 202
　──の早期発見 175
異常可動性 164
異常感覚性大腿痛症 930
移植骨採取 146
移植材料 141
異痛症 205
異方性 5
一次海綿骨層 339
一次骨髄 21
一次性骨癒合 63, 73
一過性神経伝導障害 640
一過性伝動障害 198
一期的人工股関節全置換術 953
一期的髄内釘手術 1024
陰圧閉鎖療法 1164
陰部神経 891

う

烏口肩峰靱帯 390
　──移行術 755
烏口鎖骨関節 731
烏口鎖骨靱帯 750, 763
　──縫合 753

烏口上腕靱帯 390
烏口突起 390
　──（基部）骨折 737
　──・鎖骨間固定 753
烏口突起骨折 733, 745, 750, 770
埋め込み移植 149
内がえし 1234
宇都宮分類 996
上のせ移植 148
運動機能障害 165
運動器不安定症 378, 967
運動神経細胞 850

え

エストロゲン 29
エレバトリウム 475, 623
壊死性筋膜炎 274
泳者肢位撮影 809, 876
栄養管 8
栄養孔 8
栄養動脈 18
腋窩神経 390
　──の走行 392
　──麻痺 198, 394
遠位脛腓骨靱帯結合 1170
遠位指節間関節 1276
遠位斜走束 600
遠位手根骨 667
遠位手根列 664
遠位橈尺関節 599, 605
　──の支持機構 651
遠位橈尺関節脱臼 604, 613, 643, 650
　──の分類 657
遠位橈尺関節背側脱臼 651
遠位横止め式髄内固定法 1036
円回内筋 441, 603
塩基過剰 159
炎症期 64
炎症性サイトカイン 75
円靱帯 931

1282 索 引

円錐靱帯　750
円筒型プレート　89, 91

お

オートクリン作用　14
オステオカルシン　13, 27
オッペンハイマー副子　250
オピオイド　260
　　——系鎮痛薬　261
オリーブワイヤー　298
横隔膜破裂　915
横骨折　42, 933, 1145
　　——, 中手骨骨幹部　691
黄色靱帯　796, 847
横靱帯　796
横走靱帯　438
横足根関節　1224, 1261
横転（側方転位）　312
横突起　847
　　——間靱帯　848
横突起骨折　809
横紋筋融解【症】　191
応力遮蔽　92, 218
応力腐食割れ　111
大本法, 踵骨骨折　1252
小川のショックスコア　159
おじぎ運動　405

か

ガーゼパッキング　914
カーボン線維強化プレート　98
ガイドスリーブ　1155
ガイドワイヤーの挿入　1027
カウザルギー　205, 644
ガス壊疽　193, 275
ガス分析　159
カットアウト　1004
カットスルー　1004
カラードプラ超音波画像法　179
カルシウム　3
　　——代謝　28
カルシトニン　29

ガンマネイル　101
下位頚椎の基本運動　796
下位頚椎損傷
　　——, Allen-Ferguson 分類　805
　　——, 画像診断　813
　　——, 形態・分類　804
　　——, 手術療法　827
下角骨折　737
顆間窩　1056
果間関節窩　1177, 1179
下関節上腕靱帯　390
下関節突起　847
嗅ぎタバコ窩　161, 669
過牽引　829
過呼吸　158
仮骨　65
　　——延長　288, 356
　　——過剰形成　286
仮骨形成　**68**
　　——期　65
下肢機能軸　1057
下肢骨折, 部位別頻度　320
下肢静脈血栓塞栓症　164
下支帯動脈　972
荷重関節　1096
荷重伝達経路　905
荷重分担分類　861
下垂指　605
化生　11
過成長　333
仮性麻痺　313
下前腸骨棘　970
下前腸骨棘裂離骨折　332, 343, 925
下腿の筋　1144
下腿の区画　1165
下腿三頭筋　1226
下腸腰靱帯　891
下方脱臼, 肩関節　409
可動関節　56
過労性骨障害　36
仮肋　788
外果　1177
外仮骨癒合　62
回外-外旋損傷　1183

回外-内転損傷　1183
外脛骨　1225
開口位撮影　171, 809
外骨膜　11
外骨膜性骨化　52
外在性支持機構　854
介在層板　5
塊状圧迫包帯　241
塊状移植　149
外傷性肩関節拘縮　419
外傷性関節唇損傷　965
外傷性頚髄損傷　805
外傷性股関節後方脱臼　975
外傷性股関節脱臼　955
　　——, Stewart-Milford 分類　955
　　——, Thompson-Epstein 分類　955
外傷性膝関節脱臼　1131
外傷性骨壊死　1241
外傷性骨化性筋炎　202
外傷性骨折　36
外傷性鎖骨遠位端骨溶解症　779
外傷性膝蓋骨脱臼　1093
外傷性脊椎・脊髄損傷　809
外傷性脱臼　56
　　——, 肘関節　568
外傷性脱臼骨折　56
外傷性肘関節拘縮　578
外傷性変形性関節症　206
外旋-外転骨折　1187
外旋骨折　1187
外旋法　411
回旋　796
回旋脱臼, 膝関節　1130
回旋転位　42
　　——, 基節骨骨折　706
　　——の判定法　466
回旋変形の矯正　296
回旋変形癒合　277
開窓キャスト　246
外側顆核　445, 486
外側顆間結節前方部　1099
外側顆骨折, 大腿骨遠位部　1059

日本語 **1283**

外側下膝動脈　1083
外側関節面，膝関節　1081
外側肩甲棘骨折　735
外側骨端軟骨板　760
外側膝蓋支帯　1094
外側尺側側副靱帯　439
　　——損傷　574
外側上（下）膝動脈　1083
外側上顆核　445
外側進入路，肘関節　453
外側脊髄視床路　851
外側仙骨動脈　906
外側足底神経　1227
外側足底動脈　1227
外側側副靱帯　439
　　——複合体　439, 561, 574
外側側副靱帯損傷　1075
　　——，肘関節　574
外側（第3）楔状骨　1224
外側大腿皮神経絞扼性障害　930
外側半月板　1099
外側皮質脊髄路　850
外側傍膝蓋進入路　1067
介達外力　33, 423
介達牽引法　247, 330, 820
介達痛　161, 169
外転挙上法　412
外転筋　1016
回内-外旋損傷　1184
回内-外転損傷　1184
外反角の計測　449
外反肘　449, 497
解剖学的プレート　97
解剖頚　390
解剖頚骨折　391, 416, 732
開放骨折　38
　　——，下腿　1161
　　——，大腿骨遠位部の　1074
　　——，橈骨遠位端　634
　　——，末節骨　725
　　——のGHOIS重症度評価表　273
開放性髄内釘固定法　99
開放創　270
開放脱臼　57

開放脱臼骨折　57
外方脱臼，膝関節　1130
蓋膜　795
海綿骨　6, 146, 369, 1243
　　——スクリュー　87, 622, 1071
　　——の骨折治癒　63
海綿骨梁　7
外来小手術　251
角状変形　767
拡大腸骨大腿進入法　941
下垂指　605
下前腸骨棘　970
下前腸骨棘裂離骨折　343
肩関節　389, 408
　　——，下方脱臼　409
　　——，後方脱臼　409
　　——，垂直脱臼　409
　　——，前方脱臼　408
　　——，直立脱臼　409
肩関節下方（垂直）脱臼骨折整復法
　　　　　　　　　　　　　　413
肩関節拘縮　420
肩関節前方脱臼整復法　411, 413
肩関節脱臼　**408**
　　——，後方進入路　417
肩関節脱臼骨折　**408**
滑車　436
　　——核　445
　　——切痕　435, 437
滑膜関節　847, 890
滑膜性偽関節　51, 54, 283
感覚障害　165
感覚神経細胞　850
含気骨　10
寛骨　890
寛骨臼　931
　　——窩　931
　　——下縁　931
寛骨臼骨折　**931**
　　——，Letournel-Judet分類　933
　　——，後方進入法　940
　　——，前方進入法　940
　　——の発生機序　933
寛骨臼切痕　931

寛骨臼の後柱　932
環指基節骨骨幹部骨折　708
環軸関節　795
環軸関節回旋位固定　803, 812
　　——，小児　840
環軸関節回旋位脱臼　824
環軸関節前方脱臼　812
環軸関節脱臼・脱臼骨折　800
環軸関節脱臼，小児　840
間質内成長　21
冠状骨折　1059
環状骨端，椎体　837
干渉スクリュー　88
干渉螺子　755
冠状面骨折　526
乾食　106
関節架橋固定　1210
関節窩骨折　732
関節可動域障害　201
関節外骨折　41, 515
　　——，橈骨遠位端　615
関節外脱臼，膝蓋骨の　1093
関節鏡下骨接合術，肘関節　544
関節鏡視下手術，橈骨遠位端　632
関節血腫　492
関節血症　165, 1086
関節拘縮・強直　201
関節造影　325
関節突起骨折　858
関節内rim骨折　634
関節内骨折　41, 57, 165
　　——，橈骨遠位端　615
関節内脱臼，膝蓋骨の　1093
関節内粉砕Colles骨折　625
関節内粉砕Smith骨折　619
関節内癒着　201
関節軟骨　8
　　——の損傷　1151
関節包　998
関節包内骨折　990
完全関節内骨折　515
完全骨折　40, 617
　　——，胸骨　784
完全脱臼　56

1284　索　引

完全麻痺　874
　──の診断　817
感染性偽関節　55
　──の治療　289
環椎　795
　──外側塊スクリュー　826
環椎後弓骨折　799
環椎後頭関節　795
環椎後頭関節脱臼，小児　840
環椎骨折　799
環椎十字靱帯　796
環椎前弓水平骨折　799
環椎破裂骨折　799
貫通ピン　1161
　──式骨延長器　356
冠動脈ステント留置　252
嵌入転位　42
陥没骨折　41
陥没骨片　712
間葉　20
　──系幹細胞　69
　──性脊椎　21

██████　き　██████

キャストカッター　244
奇異性呼吸　790, 792
偽関節
　──，萎縮性　55
　──，下腿骨折　1165
　──，滑膜性　54
　──，感染性　55
　──，欠損　55
　──，肩甲骨下角骨折　747
　──，鎖骨骨折　771
　──，膝蓋骨骨折　1091
　──，尺骨茎状突起　661
　──，舟状骨　676
　──，上腕骨外側顆骨折　499
　──，上腕骨骨幹部骨折　433
　──，上腕骨内側上顆骨折　508
　──，増殖性　54
　──，大腿骨骨幹部骨折　1043
　──，末節骨骨折　725

　──の診断　184
　──の治療　278
　──の定義　50
　──の分類　52
　──の分類，骨シンチグラフィー
　　による　53
偽関節腔　53
偽関節手術，鎖骨外側部　776
偽関節手術，鎖骨内側部　776
気胸　197
基質小胞　25
騎乗位型骨折　623
騎乗転位　42, 1058
偽性動脈瘤　195
偽性麻痺　765
基節骨，足　1224
基節骨基部骨折　334, **709**
基節骨頚部骨折　333, **719**
基節骨骨幹部骨折　705
基節骨骨折　**705**
基節骨骨頭　720
基節骨粉砕骨折　708
偽脱臼　763
気道確保　237
機能装具　426
　──療法　248
亀裂骨折　42
北田法，踵骨骨折　1253
逆 Bennett 骨折　701
逆 Bigelow 法　961
逆行性髄内釘　1032
　──固定法　287
虐待による骨折　323
臼蓋関節面陥没骨折　965
臼蓋後壁骨折　977
臼蓋骨折　211
臼蓋の Y 軟骨　926
球海綿体反射　873
球関節　931
吸収性内固定材料　114
弓状動脈　390
急性下腿静脈血栓症　161, 192
急性期合併症　189
急性局所麻酔薬中毒　255

急性区画症候群　161, 169, **195**, 268
　──，下腿部　1165
　──，上腕　478
　──，前腕　606
　──，大腿部　1051
急性コンパートメント症候群　**195**
急性塑性弯曲　40, 588
急性肺〔血栓〕塞栓症　192
急性反射性骨萎縮　205
挙睾筋反射　871
距骨　1231
　──壊死　1237
距骨下関節　1230
　──固定術　1242
距骨滑車　1177
距骨滑車骨軟骨骨折　1236, 1237
　──，Berndt-Harty 分類　1236
距骨頚部骨折　1235
　──，Hawkins 分類　1234
　──の分類　1234
距骨骨折　**1231**
　──の整復固定法　1239
距骨骨軟骨損傷　1205
距骨体部骨折　1235
　──，Mann 分類　1235
距舟関節　1225, 1230, 1261
距踵関節　1231, 1243
　──後関節面　1243
　──固定術　1259
距腿関節　1182
　──症　1242
距腿関節窩　1170
　──撮影　1191
胸郭の捻転　789
胸腔ドレナージ　238
胸腔内臓器損傷　734, 784
胸骨　783
　──角　783
胸骨剣結合　783
胸骨骨折　**783**
胸骨フレイル　790
胸骨柄　783
　──（体）脱臼　784
　──結合　784

日本語　**1285**

胸骨柄体部関節症　784
胸鎖関節　774
　——の構造　775
胸鎖関節（亜）脱臼　764
胸鎖関節脱臼　775
　——，Burrows 法　776
　——，Rockwood 法　776
　——，Spencer 法　776
　——，徒手脱臼整復　778
胸鎖靱帯断裂（亜脱臼）　775
胸鎖乳突筋　760
鏡視下距骨下関節固定術　1260
胸上骨　784
胸髄神経　849
矯正骨切り術　277, 356, 1165
強直性脊椎炎　828
共同腱　729, 757
胸椎　846
胸椎骨折　**846**
胸背神経　729
胸壁　784
　——内破　790
胸腰仙椎装具　880
胸腰椎移行部　856
胸腰椎損傷，Denis 分類　858
棘下筋腱　390
棘間靱帯　796, 848
局所陰圧閉鎖療法　270, 290
局所出血　238
局所麻酔法　252
　——，橈骨遠位端骨折　621
局所麻酔薬カクテル注射　260, 262
棘上筋腱　390
棘上靱帯　796, 848
棘突起　809, 847
棘突起骨折　807
局所循環障害　163
距骨　1224
　——の血行　1232
距骨滑車　1232
距骨滑車骨軟骨骨折　1234
距骨脱臼骨折　1238
近位脛腓関節　1138
　——固定術　1142

近位脛腓関節脱臼　1138
　——，Ogden 分類　1141
近位骨幹端　394
近位骨折端　470
近位指節間関節　1276
近位手根骨　667, 683
近位手根列　664
近位髄内釘法　1003
近位橈尺関節　599, 604
　——支持機構　440
近位部横止めスクリュー固定　1030
筋牽引力　423
筋性斜頸　840
金属アレルギー　112
　——性接触性皮膚炎　113
金属症　83, 114
金属製内固定材料　82
　——の種類　85
　——の問題点　106
金属疲労　107
金属腐食　106
緊張性気胸　158, 197, 237
筋弁付き骨移植　144
筋膜切開〔術〕　268, 479, 1165

■■■■■■■■ く ■■■■■■■■

クラビクルバンド　242
クロピドグレル硫酸塩　252
区画　195
　——内圧測定　196
空気止血帯　207, 253
楔開き骨切り術　93, 356
屈曲回旋脱臼骨折　869
屈曲回内筋群　441
屈曲型骨折（Smith 骨折）　613, 616
屈曲型骨折，上腕骨顆上　460
屈曲骨折　43
屈曲伸延損傷　860
屈曲伸延脱臼骨折　870
屈曲転位　42
屈筋腱断裂　680
屈曲回旋脱臼骨折　869
屈曲伸延脱臼骨折　870

くる病　28

■■■■■■■■ け ■■■■■■■■

外科頸　390
外科頸骨折　398, 733
下駄骨折　1275
経カテーテル塞栓術　198
経肩甲棘頚部骨折　732, 741
脛骨　1170
脛骨遠位骨幹部骨折　1161
脛骨遠位部骨折　1143
脛骨顆間隆起骨折　1123
　——，Meyers-McKeever 分類
　　　　　　　　　　　　　1124
脛骨顆部　1096
　——関節面　1096
脛骨顆部後方骨折　1121
脛骨顆部骨折　**1096**
　——，AO/OTA 分類
　——，central depression 型
　　　　　　　　　　　　1114, 1117
　——，comminuted 型　1112
　——，depression 型　1110
　——，displaced 型　1113
　——，Hohl 分類　1103
　——，local depression 型　1114
　——，Moore 分類　1107
　——，Rasmussen 分類　1104
　——，Schatzker 分類　1105
　——，split depression 型　1116
　——，split 型　1113
　——，total depression 型　1113
　——，undisplaced 型　1111
　——の発生機序　1102
脛骨顆部脆弱性骨折　1126
脛骨顆部全体骨折　1107
脛骨顆部辺縁関節面高位裂離骨折
　　　　　　　　　　　　　1107
脛骨外側顆骨折　1100
脛骨外側関節面　1096
脛骨外反型骨折　1174
脛骨近位骨幹部骨折　1148
脛骨近位部骨折　1143, **1096**

脛骨近位部骨折
　——，Stuart-Hanssen 分類　221
　——，人工膝関節置換術後　220
脛骨骨幹端部骨折　1159
脛骨骨幹部骨折　**1143**，1174
　——，AO/OTA 分類　1146
　——，Johner-Wruhs 分類　1145
脛骨骨幹部の範囲　1143
脛骨神経　1227
経骨髄的整復固定法　537
経骨髄輸液　237
脛骨粗面骨折　**1127**
　——，Aerts 分類　1129
　——，Watson-Jones 分類　1128
脛骨粗面裂離骨折　333
脛骨天蓋骨折　**1206**
　——，AO/OTA 分類　1206
　——，Rüedi 分類　1206
脛骨内果骨折　1171
脛骨内側顆骨折　1101
脛骨内側関節面　1096
脛骨内反型骨折　1174
脛骨腓骨骨間靱帯　1177
脛骨付着部剥離骨折　1099
脛骨プラトー陥没骨折　1116
　——，石黒法　1122
経カテーテル動脈塞栓術　914
傾斜　796
形状記憶合金　111
頚髄神経　849
頚髄の内部構造　797
頚体角　968
頚椎　846
頚椎・頚髄損傷　799
　——，小児　836
頚椎過伸展損傷　828
頚椎カラー　823
頚椎骨折（脱臼）　**795**
頚椎前方脱臼骨折　805
頚椎損傷の治療　819
頚椎動態撮影　802
頚椎捻挫，小児　840
脛腓間距離の計測　1191
脛腓骨靱帯結合　1172

——固定　1196
——スクリュー　1193
——離開　1194
経皮的 Kirschner 鋼線固定　396
経皮的スクリュー固定法　622
経皮的ピン固定　199
経皮的鋼線（ピン）固定術　255，621
経皮的鋼線刺入法　690
経皮的神経ブロック　254
経皮的椎弓根スクリュー　883
経皮的椎体形成術　881
血管柄付き骨移植　144，288
　——，舟状骨偽関節　675
血管柄付き皮弁　270
血管新生因子　71，75
血管造影検査　183
血管損傷　193
血管輪　20
血胸　197
結合織内骨化　3，21，65
血行途絶　160
楔状圧迫骨折　807
楔状骨　1224，1269
楔状骨折　1100
楔状骨切り術　481
月状骨　666
　——の動き　666
　——窩　634
　——関節面　612
　——周囲不安定症　683
月状骨骨折　681
月状骨周囲脱臼　684
月状骨脱臼　684
月状三角骨関節　664
血清カルシウム　28
欠損偽関節　55，287
血中カテコールアミン値　158
牽引型骨端　338
牽引性組織誘導法　295
牽引法の種類　247
牽引療法　246
　——の適用　248
肩甲下筋腱　390
肩甲下神経　390

肩甲下動脈　731
肩甲関節窩　389
肩甲関節窩骨折　737
肩甲胸郭解離　747
肩甲胸郭関節　731
肩甲棘骨折　222，733
肩甲骨　729
　——の機能解剖　729
肩甲骨解剖頚骨折　743
肩甲骨関節窩　408
肩甲骨関節窩骨折　410，416
肩甲骨頚部骨折　733
肩甲骨骨折　**729**
　——，Goss 分類　733
　——，Ideberg 分類　733
　——，Judet の後方進入　740
　——，Ogawa 分類　733
　——，後方三角筋分離進入　742
　——，三角筋大胸筋間進入　742
　——，僧帽筋分離進入　742
　——，リバース型人工肩関節全置
　　換術後　225
肩甲骨体部骨折　733
肩甲上神経　390，729
　——麻痺　745
肩甲上動脈　731
肩甲上腕関節　389
肩甲帯周囲筋　753
肩甲帯損傷　749
肩甲帯の脱臼　749
肩鎖関節　749
　——固定　753，758
肩鎖関節亜脱臼　764
肩鎖関節脱臼　**749**，765
　——，Rockwood 分類　751
肩鎖靱帯　749
腱鞘炎　645
腱性槌指　721
減張切開　269，479
腱板　390
　——断裂　394，409，732
腱皮下断裂　640
肩峰　390
　——偽関節　747

肩峰下インピンジメントの原因 733

肩峰下滑液包 390, 404

肩峰下脱臼 750

肩峰骨 733

肩峰骨折 222, 733

こ

コバルト・クローム合金 83

コブラ型プレート 96

コラーゲン 4, 26
——架橋 369
——細線維 27
——ハイブリッド人工骨 126

ゴルジ装置 13

ゴルジ腱器官 667

コンディラープレート 97

コンパートメント 195

コンピュータ断層法 176

コンピュータナビゲーション手術 836

股関節 955
——痛 983

股関節後方脱臼 960

股関節前方脱臼 961

股関節中心性脱臼 934

呼気終末陽圧法 239

呼吸促迫 158

呼吸抑制 792

後環椎後頭膜 795

後距踵関節 1243

後斜走靱帯 438

高圧酸素療法 273

高エネルギー外傷 762, 789, 974, 1010, 1234

高エネルギー多発外傷 265

後下脛腓靱帯 1177

後回旋動脈 390

後外側回旋不安定性 571, 574

後顆骨折 1059

後果骨折分類, CT 水平断による 1191

交感神経 851

恒久性脱臼 57

後距腓靱帯 1177, 1226

抗凝固療法 263

抗菌縫合糸 128

抗菌薬 259
——の予防的投与 259
——含有人工骨 129

抗菌薬含有骨セメント 128, 271
——髄内釘 84

行軍骨折 36, 1274

後脛骨動脈 1170, 1179, 1227, 1232

抗血小板薬 252

硬膏 233

後骨間神経麻痺 441, 588

後根脊髄動脈 852

後十字靱帯 1099
——損傷 1075

後十字靱帯付着部剥離骨折 1125

後縦靱帯 796

高周波容量電気刺激法 282

拘縮, 手関節の 643

鉤状結節 438

鉤状突起 437, 555

鉤状突起骨折 541, **555**, 809
——, O'Driscoll 分類 557
——, Regan (-Morrey) 分類 556

孔食 106

項靱帯 796
——の石灰化 809

硬性仮骨 69
——期 65

後仙腸靱帯 891, 904

鋼線締結法 87, 259

後足部 1224
——の靱帯解剖 1226

叩打痛 161

後柱骨折 933

強直性脊椎炎 867

後天性脱臼 56

後頭骨 795
——プレート 827

鉤突窩 437

後内方アプローチ, 筋膜切開 269

広背筋 848

後腹膜血腫 197

後壁骨折 933, 949

後方区画, 大腿部 1051

後方支柱 857

後方除圧整復固定 833

後方除圧固定術, 腰椎 882

後方深層区画, 下腿部 1165

後方深層区画障害 1165

後方進入路, 人工骨頭置換術 988

後方進入路, 肘関節の 450

後方滑り止めプレート固定法 1193

後方浅層区画, 下腿部 1165

後方脱臼
——, 肩関節 409
——, 胸鎖関節 776
——, 股関節 955
——, 膝関節 1130
——, 肘関節 571
——の手術 776

後方脱臼骨折, 肘関節 568

後方プレート固定, 仙骨骨折 922

後方腰椎椎体間固定術 882

硬膜外持続ブロック 792

硬膜外麻酔 253, 261

肛門反射 166, 872

絞扼性神経障害 747

高齢者骨折 367

高齢者の転倒 907

後弯変形 838

骨 Paget 病 37

骨萎縮 29, 1239
——型偽関節 283

骨移植 139, 286
——の現状 153

骨壊死 189
——, 大腿骨頭 972
——, 距骨体部 205

骨塩 13

骨延長術 356

骨芽細胞 11, 13, 69, 368

骨改変 65

骨格牽引 330

骨間距踵靱帯 1232

骨間靱帯 1177

索引

骨間膜　1177
骨幹　9
骨幹端　9
　　──静脈　339
　　──動脈　18, 339
骨幹端骨折　40, 359
骨幹部骨折　41
骨切り術　284
骨吸収抑制剤　379, 1048
骨グラ蛋白　27
骨形成　141
　　──蛋白質　27, 141
　　──不全症　37, 312
骨欠損型偽関節　53
骨減少〔症〕　17
骨原性細胞層　11
骨硬化　1237
骨挫傷　35, 179, 326
骨細管　5, 15
骨細胞　5, 14
骨質の劣化　368
骨腫瘍　37
骨充填剤　123
骨小腔　5, 15
骨侵蝕　774
骨靱帯環　439
骨シンチグラフィー
　　　　　　53, 170, 181, 326
骨髄穿刺液局所注入　291
骨髄内リーミング　284
骨髄浮腫　978
骨性架橋　355
骨脆弱性骨盤骨折　926
　　──, Rommens 分類　928
骨脆弱性骨盤輪骨折　907
骨折　33
　　──, Barton　613
　　──, Bennett　698
　　──, Bosworth　1188
　　──, Colles　613
　　──, Cotton　1188
　　──, Duverney　907
　　──, Galeazzi 類似　652, 655
　　──, Hoffa　1059, 1074

　　──, Hume　315
　　──, Jefferson　812, 821
　　──, Jeffery 型　534
　　──, Leforte　1188
　　──, Maisonneuve
　　　　　　1171, 1188, 1193
　　──, Malgaigne　909
　　──, Monteggia　580
　　──, pilon　1174, 1206, 1207
　　──, plafond　1206
　　──, Pott　1187
　　──, rim avulsion　1123
　　──, rim compression　1123
　　──, Roland　700
　　──, Segond　1123, 1138
　　──, slice　870
　　──, Smith　613
　　──, T・Y 型　515
　　──, T 型　487
　　──, T 字　42
　　──, Tillaux　1188, 1215
　　──, tilt　918
　　──, triplane　1215
　　──, Vancouver Type AG　212
　　──, Vancouver Type AL　212
　　──, Vancouver Type B1　212
　　──, Vancouver Type B2　212
　　──, Vancouver Type B3　213
　　──, Vancouver Type C　216
　　──, Y 字　42
　　──, スライス　869
　　──, スリーブ　1084
　　──, ハングマン　799, 803, 823
　　──, ピロン　1207
　　──, ボクサー　691
　　──, モンテジア　332
　　──, 圧迫　43
　　──, 烏口突起
　　　　　　733, 745, 750, 770
　　──, 烏口突起（基部）　737
　　──, 横　42, 933, 1145
　　──, 横突起　809
　　──, 下角　737
　　──, 下前腸骨棘　332

　　──, 下前腸骨棘裂離　343, 925
　　──, 外傷性　36
　　──, 外旋　1187
　　──, 外旋-外転　1187
　　──, 外側肩甲棘　735
　　──, 開放　38, 1161
　　──, 解剖頚　391, 732
　　──, 解放脱臼　57
　　──, 寛骨臼　**931**
　　──, 冠状　1059
　　──, 冠状面　516
　　──, 関節窩　732
　　──, 関節外　41, 515
　　──, 関節突起　858
　　──, 関節内　41, 57
　　──, 関節内 rim　634
　　──, 関節包内　990
　　──, 完全　40, 617
　　──, 完全関節内　515
　　──, 環椎　799
　　──, 環椎後弓　799
　　──, 環椎前弓水平　799
　　──, 環椎破裂　799
　　──, 陥没　41
　　──, 騎乗位型　623
　　──, 基節骨　**705**
　　──, 基節骨基部　334, **709**
　　──, 基節骨頚部　333, **719**
　　──, 基節骨骨幹部　705
　　──, 亀裂　42
　　──, 臼蓋　211
　　──, 臼蓋関節面陥没　965
　　──, 臼蓋後壁　977
　　──, 距骨　**1231**
　　──, 距骨滑車骨軟骨　1236
　　──, 距骨頚部　1235
　　──, 距骨体部　1235
　　──, 胸骨　**783**
　　──, 棘突起　807
　　──, 屈曲　43
　　──, 屈曲回旋脱臼　869
　　──, 屈曲型　613
　　──, 屈曲伸延脱臼　870
　　──, 外科頚　398, 733

骨折

——, 下駄　1275

——, 経肩甲棘頚部　732, 741

——, 脛骨遠位骨幹部　1161

——, 脛骨遠位部　1143

——, 脛骨顆間隆起　1123

——, 脛骨顆部　**1096**

——, 脛骨顆部後方　1121

——, 脛骨顆部脆弱性　1126

——, 脛骨顆部全体　1107

——, 脛骨顆部辺縁関節面高位裂離
　　　　　　1107

——, 脛骨外側顆　1100

——, 脛骨外反型　1174

——, 脛骨近位骨幹部　1148

——, 脛骨近位部　1143, **1096**

——, 脛骨骨幹端部　1159

——, 脛骨骨幹部　**1143**

——, 脛骨粗面　**1127**

——, 脛骨粗面裂離　333

——, 脛骨天蓋　**1206**

——, 脛骨内果　1171

——, 脛骨内側顆　1101

——, 脛骨内反型　1174

——, 脛骨付着部剥離　1099

——, 脛骨プラトー陥没　1116

——, 頚椎　**795**

——, 楔状　1100

——, 楔状圧迫　807, 880

——, 月状骨　681

——, 肩甲関節窩　737

——, 肩甲棘　733

——, 肩甲骨　**729**

——, 肩甲骨解剖頚　743

——, 肩甲骨頚部　733

——, 肩甲骨体部　733

——, 肩甲骨疲労　732

——, 肩峰　733

——, 後顆　1059

——, 行軍　36, 1274

——, 後十字靱帯付着部剥離　1125

——, 鉤状突起　541, 555, 809

——, 後柱　933

——, 後壁　933

——, 高齢者　367

——, 骨幹端　40

——, 骨幹部　40

——, 骨軟骨　33, 41

——, 骨盤　375, **903**

——, 骨盤開放　911

——, 骨盤輪　907

——, 坐骨　918

——, 坐骨結節部裂離　925

——, 鎖骨　**760**

——, 鎖骨外側部　767

——, 鎖骨骨幹部　769

——, 鎖骨内側部　766

——, 最峡部骨幹部　1148

——, 自家筋力による　423

——, 趾骨　**1276**

——, 歯突起　802

——, 軸椎関節突起間
　　　　803, 824, 841

——, 軸椎歯突起　823, 840

——, 嘴状　1243

——, 膝蓋骨　**1081**

——, 膝蓋骨下極粉砕　1087

——, 膝蓋骨外縁部縦　1090

——, 膝蓋骨上外縁部　1090

——, 膝蓋骨上極裂離　1085

——, 膝蓋骨スリーブ　1085

——, 斜　42, 1145

——, 射創　39

——, 尺骨近位部　547

——, 尺骨茎状突起
　　　　615, 642, 658

——, 尺骨頚部　642

——, 尺骨骨幹部単独　609

——, 手根骨　**664**

——, 手指骨　**690**

——, 種子骨　1276

——, 縦　42

——, 舟状骨　**668**

——, 踵骨　**1243**

——, 踵骨前方突起　1249

——, 上前腸骨棘　332

——, 上前腸骨棘裂離　924

——, 掌側 Barton　613

——, 小児膝蓋骨下極裂離　1084

——, 小児膝蓋骨スリーブ　1085

——, 小児上腕骨遠位部　**460**

——, 小児上腕骨顆上　**460**

——, 小児上腕骨外側顆　489

——, 小児上腕骨内側顆　501

——, 小児上腕骨内側上顆　505

——, 小児足関節部　1214

——, 小児大腿骨近位部　1009

——, 小児長管骨　333

——, 小児橈骨頚部　533

——, 小児肘関節部　445

——, 上腕骨遠位部　435, 515

——, 上腕骨遠位部完全関節面
　　　　　　519

——, 上腕骨遠位部骨幹端　515

——, 上腕骨顆上　332, 460, 515

——, 上腕骨外側　332

——, 上腕骨外側顆　489, **526**

——, 上腕骨滑車　526

——, 上腕骨近位部　372, **389**

——, 上腕骨骨幹部　**422**

——, 上腕骨小頭　526

——, 上腕骨通顆　515

——, 上腕骨内側　332

——, 上腕骨内側顆　501, **526**

——, 人工膝関節周囲　1067

——, 新鮮皮下　240

——, 伸展型　613

——, 垂直剪断　919

——, 脆弱性　37, 367, 371

——, 脊椎　**795**

——, 前額面　516

——, 仙骨　**890**

——, 仙骨 H 字状　924

——, 仙骨横　907

——, 剪断　43

——, 剪断性骨軟骨
　　　　1084, 1087, 1093

——, 剪断脱臼　869

——, 前柱　933

——, 前壁　933

——, 前腕骨近位部　435

——, 走者　36

骨折

———, 側塊 808
———, 足関節果部 **1183**
———, 足関節部 **1177**
———, 足根骨 1271
———, 足部 **1224**
———, 多発 42, 168
———, 多発肋骨 197, 790
———, 第1・第5中手骨基部 698
———, 第1肋骨疲労 792
———, 第4中手骨骨幹部 693
———, 第5中足骨基部 1275
———, 大結節 399, 409
———, 大腿骨遠位部 219, **1056**
———, 大腿骨遠位部開放 1074
———, 大腿骨顆上部 1058
———, 大腿骨近位部 373, 967
———, 大腿骨頚基部 **990**
———, 大腿骨頚部 968, **979**
———, 大腿骨頚部外側 968
———, 大腿骨骨幹部 **1015**
———, 大腿骨ステム周囲 211
———, 大腿骨単顆冠状 1074
———, 大腿骨転子下 973, **1006**
———, 大腿骨転子下完全 1048
———, 大腿骨転子部 990, **994**
———, 大腿骨頭 **974**
———, 大腿骨頭軟骨下脆弱性
　　　　　　　　　　　977
———, 大菱形 677
———, 単純 38
———, 単発 41
———, 恥骨 918
———, 中指基節骨基部 710
———, 中手骨 **690**
———, 中手骨基部 **698**
———, 中手骨頚部 **696**
———, 中手骨骨幹部 691
———, 中手骨骨頭 **696**
———, 中節骨 **705**, 1277
———, 中節骨基部粉砕 713
———, 中節骨頚部 333, **719**
———, 中足骨 **1272**
———, 肘頭 332, 547

———, 肘頭脱臼 547
———, 腸骨垂直 909
———, 腸骨翼 907
———, 陳旧性 Monteggia 588
———, 椎体 371, 815
———, 橈骨遠位端 **612**
———, 橈骨遠位端伸展型 613
———, 橈骨遠位部 372
———, 橈骨近位部 533
———, 橈骨茎状突起 613
———, 橈骨頚部
　　　　　　332, 533, 538, 547
———, 橈骨骨幹部単独 609
———, 橈骨骨端部 63
———, 橈骨頭 332, **538**, 540
———, 特発 37
———, 突発 37
———, 内果 1192
———, 二重 41
———, 捻転 43
———, 破裂 43, 842
———, 背側 Barton 613
———, 背側天蓋状 634
———, 剥離 43
———, 皮下 38
———, 非外傷性 762
———, 尾骨 890
———, 腓骨近位骨幹部 1171
———, 腓骨茎状突起剥離単独
　　　　　　　　　　　1138
———, 腓骨骨幹部 **1170**
———, 腓骨頭 **1138**
———, 腓骨疲労 1174
———, 微小 35
———, 非定型大腿骨
　　　　　　77, 375, 1047
———, 疲労 36, 367
———, 病的 36
———, 不完全 40, 784
———, 不顕性
　　　34, 40, 327, 669, 982, 1175
———, 部分関節内 515
———, 浮遊膝 1148
———, 複雑 39

———, 粉砕 42, 1145
———, 粉砕 Colles 616
———, 粉砕 Smith 616
———, 分節 41, 790, 975
———, 分娩 312, 422, 762, 790
———, 閉鎖 38
———, 膨隆 40, 310, 784
———, 末節骨 **721**
———, 末節骨開放 **725**
———, 末節骨基部掌側 **724**
———, 末節骨基部背側 **721**
———, 末節骨粗面 725
———, 豆状骨 682
———, 夜警棒 609
———, 有鉤骨 679
———, 螺旋 42, 691, 1145
———, 隆起 617
———, 両果 1187
———, 両側顆粉砕 1117
———, 両柱 935
———, 涙滴［状］807
———, 裂離 43, 737, 1107
———, 肋軟骨 788
———, 肋骨 **788**
———, 肋骨疲労 789, 792
———, 若木 40, 310, 617, 771
———の合併症 189
———の症候 157
———の初期診断 167
———の定義 33
———の分類 35
———血腫 161
骨折治癒過程, 海綿骨 63
骨折治癒過程, 皮質骨 61
骨折治療史 233
骨折リエゾンサービス 377
骨接合術 286
———, 上腕骨近位部骨折 401
骨セメント 123, 882
———ビーズ・ロッド 289
———補強 PFNA 105
骨前駆細胞 339
骨穿孔術 283
骨粗鬆症 17, 29, 368, 371, 967

日本語　　**1291**

骨粗鬆症リエゾンサービス　377
骨粗鬆症性骨折　367
骨粗鬆症性椎体骨折　868
骨増殖型偽関節　283
骨層板　3
骨代謝　27, 73
骨端　9, 338
骨単位　3
骨端核　445, 733
骨短縮術　358
骨端線　309, 338, 358
　　──の機能　339
　　──の成長障害　358
　　──固定術　357
　　──早期閉鎖　358
骨端線損傷　33, 40, 309, **338**, 358
　　──，新生児　314
　　──の診断　351
　　──の統計　341
骨端線閉鎖不全　554
骨端動脈　18, 339
　　──の血行　359
骨端軟骨板　338
骨端部骨折　40
骨端離開　33
　　──，遠投競技による　554
　　──，小児の　649
骨伝導　123, 141
骨頭圧潰　989
骨頭壊死　410, 979, 989, 1012
骨内骨折　34
骨軟化症　29
骨軟骨骨折　33, 41
骨軟骨腫　359
骨年齢　23
骨囊腫　359
骨盤アウトレット像　912
骨盤インレット像　912
骨板移植　148
骨盤開放骨折　911
骨盤骨折　**903**
　　──，AO/OTA 分類　907
　　──，高齢者　375
　　──，小児　926

──，妊婦　928
骨盤整復鉗子　944
骨盤仙坐骨切痕　906
骨盤創外固定　915
骨盤の解剖　903
骨盤輪　904
　　──の断裂　903, 907
骨盤輪骨折　896, 907
　　──，Letournel-Judet 分類　907
骨バンク（骨銀行）　149
骨皮質の肥厚　1047
骨片間圧迫固定　86, 89
骨片の転位　42
骨補填材料　129
骨膜　3, 11
　　──，小児の　309
　　──血管網　19
骨密度　8, 369
骨癒合不全　361
　　──の定義　**50**
　　──の診断　184
　　──の治療　278
骨誘導　141
骨溶解　212
骨リモデリング　368
骨量減少　9, 368
骨梁　63
　　──中央線　984
骨梁構造　369
　　──，大腿骨近位部　968
混合骨　10
根脊髄動脈　852
根動脈　852

■■■■■■　**さ**　■■■■■■

鎖骨　760
　　──バンド　768, 771
　　──の横径成長　760
　　──の長径成長　760
　　──遠位端骨溶解症　780
　　──遠位端切除術　781
　　──偽関節の形態　773
鎖骨外側部骨折　769

鎖骨骨幹部骨折　769
鎖骨骨折　**760**
　　──，Allman 分類　763
　　──，Craig 分類　763
　　──，Edinburgh 分類　765
　　──，Neer 分類　763
　　──，偽関節　772
　　──，小児　764
　　──，新生児　313
　　──の変形癒合　774
鎖骨再骨折　775
鎖骨枝　760
鎖骨上神経孔　761
鎖骨内側部骨折　766, 771
鎖骨両端脱臼　752
坐位姿勢異常　919
坐骨結節部裂離骨折　925
坐骨骨折　918
坐骨神経　1018
　　──損傷　977
坐骨神経麻痺　949, 955
　　──の発生機序　964
坐骨大腿靱帯　931, 970
叉状鋼線固定法　621
挫滅四肢　235, 251, 271
挫滅症候群　191
挫滅創　270
災害派遣医療チーム　798
載距突起骨折　1252
最峡部骨幹部骨折　1148
再骨折，高齢者　379
最小侵襲手術　251
最大骨量　368
細片移植　148
細胞療法　291
細網細胞　12
撮影肢位　173
三角巾　426
　　──固定法　240
三角筋胸筋溝　404
三角筋粗面　422
三角筋裂離骨折　225
三角骨　664
三角靱帯　1177, 1232

1292 索　引

三角靱帯損傷　1189, 1192
三角線維軟骨複合体
　　　　613, 633, 651, 666
三次元 CT 画像分類（中野分類）
　　　　996
三次元画像構築法　177
散乱線被曝　174

し

シーツラッピング　914
シートベルト型損傷　784, 858, 875
シャーピー線維　11
シンメトリープレート　629
肢芽　21
自家矯正　310, 352
自家筋力による骨折　423
自家骨移植（新鮮）　142
自家骨採取方法　146
　　──，脛骨からの採取　147
　　──，髄腔からの採取　147
　　──，腸骨からの採取　146
　　──，腓骨からの採取　147
自家脂肪組織　355
死冠　906
磁気共鳴画像　179
死腔　269
止血帯麻痺　207
　　──の原因　207
自己記入式足部足関節評価質問票
　　　　1199
自己整復法，肩関節脱臼　414
自己調整鎮痛（PCA）　253
　　──法　261
指交叉　691
趾骨骨折　**1276**
指骨ピン　714
指骨用プレート固定　692
自在継手型関節　667
示指 MP 関節屈曲位ロッキング
　　　　703
示指 MP 関節背側脱臼　704
支持プレート　98
嘴状骨折　1243

指神経ブロック　253
趾節間関節　1276
施設内骨バンク　149
歯尖靱帯　795
刺創　161
持続硬膜外ブロック法　261
持続直達牽引　841
持続末梢神経ブロック　261
持続肋間神経ブロック　792
自動介助運動　579
児童虐待防止法　322
歯突起骨　801
歯突起骨折　802
　　──，Anderson 分類　802
歯突起スクリュー固定法　827
指背腱膜腱帽　706
脂肪塞栓　1024
脂肪塞栓症候群　189
　　──の診断基準　190
　　──の予防と治療　239
脂肪体徴候　324
脂肪滴　165, 1109
脂肪抑制画像　180
趾離床　1230
自律神経系　851
軸圧損傷　807
　　──，治療方針　833
軸圧痛　169
軸圧負荷　73, 1035
　　──術　286
軸骨格　9
軸性脱臼　650
軸椎関節突起間骨折　803, 824
　　──，小児　841
軸椎骨折・脱臼　801
軸椎歯突起骨折　823
　　──，小児　840
　　──，保存療法　823
軸転（屈曲転位）　312
軸変形癒合　277
膝窩動脈　1170
　　──損傷　1130
膝蓋腱断裂　1094
膝蓋骨　1081, 1093

　　──の関節面　1081
　　──の血行動態　1083
　　──の自転運動　1081
　　──固定器　292
　　──摘出術　1091
膝蓋骨下極粉砕骨折　1087
膝蓋骨外縁部縦骨折　1090
膝蓋骨骨折　**1081**
　　──，人工膝関節置換術後　221
　　──の分類　1085
　　──最小侵襲手術　1089
膝蓋骨上外縁部骨折　1090
膝蓋骨上極裂離骨折　1085
膝蓋骨スリーブ骨折　1085
膝蓋骨脱臼　**1093**
膝蓋大腿関節の接触面　1081
湿食　106
疾走型疲労骨折　1175
膝動脈網　1099
下殿動脈　906
斜骨折　42, 1145
　　──，中手骨骨幹部　691
射創骨折　39
尺骨　599
　　──過矯正骨切り術　589
　　──外側縁　448
　　──近位部　435
尺骨近位部骨折　**547**
　　──，Colton 分類　548
尺骨茎状突起骨折　613, 642, 658
　　──の分類　658
尺骨頚部骨折　642
　　──，Biyani 分類　642
尺骨鉤状突起　437
尺骨鉤状突起骨折　**555**
尺骨骨幹部骨折　**599**
尺骨骨幹部単独骨折　609
尺骨神経　600
　　──麻痺　476, 525, 680
尺骨切痕　612
尺骨短縮術　645, 658
尺骨中央軸　448
尺骨突き上げ症候群　649
尺骨頭　599

尺骨動脈　441, 600
尺骨プラス変異　649
尺骨変異　612
尺側傾斜　612
　　──角　645
尺側手根屈筋　441
尺側連結靱帯　668
灼熱痛　644
手根管症候群　640, 684
手根骨運動単位　664
手根骨骨折　**664**
手根骨尺側偏位　687
手根骨脱臼　683
手根骨中央関節不安定症　687
手根靱帯　666, 668
手根中央関節　668
手根中手骨比　644
手根不安定症　686
　　──の診断　686
手指 PIP 関節の構造　710
手指骨骨折　**690**
種子骨, 足　1225
種子骨骨折　1276
種子骨の運動単位　665
手術療法　**251**
　　──, 小児骨折　331
周囲環　11
周囲鋼線締結法　1087
習慣性肩関節脱臼　414
習慣性膝蓋骨脱臼　1093
習慣性脱臼　57
銃剣状変形　614
縦骨折　42
舟状月状骨関節　664
舟状月状骨靱帯損傷　683
舟状月状骨靱帯再建術　687
舟状月状骨離開　644
舟状骨　668, 1224
　　──関節面　612
　　──の血流　675
舟状骨骨折　668
舟状骨脱臼　1270
重症外傷患者　235
縦転（長径短縮）　312

修復期　64
重力ストレス撮影　1192
出血性ショック　158, 237, 913
術後の疼痛管理　260
術前リハビリテーション　375
術中骨折　200
循環血液量減少性ショック　158
循環障害　193
　　──, 橈骨遠位端骨折による
　　　　　　　　　　　　　639
循環動態評価　237
順行性髄内釘固定　1025
純チタン　83
上位頚椎　795
上位頚椎損傷　799
　　──, 画像診断　811
　　──, 形態・分類　799
　　──, 手術療法　824
小円筋　390
上関節上腕靱帯　390
上関節突起　847
掌屈転位型骨折　617
小結節　390
踵骨　1243
　　──の解剖　1244
踵骨骨折　**1243**
　　──, Böhler 分類　1248
　　──, Essex-Lopresti 分類　1246
　　──, Sanders 分類　1248
　　──, Watson-Jones 分類　1248
踵骨前方突起骨折　1249
踵骨隆起水平骨折　1243
小指 PIP 関節橈側側副靱帯断裂
　　　　　　　　　　　　　714
上肢骨折, 部位別頻度　320
上支帯動脈　979
　　──開存　989
　　──損傷　979
硝子軟骨　890
掌尺屈位　620, 643
小切開整復法　623
上前腸骨棘裂離骨折　332, 924
掌側 Barton 骨折　613, 626
掌側傾斜　612

掌側傾斜角　645
掌側転位, 基節骨骨折　706
掌側ロッキングプレート固定法
　　　　　　　　97, 629, 641
上腸腰靱帯　891
小殿筋　1016
上殿神経損傷　906
上殿動脈　906
小児
　　──の虐待　322, 1009
　　──の骨盤骨折　926
　　──の鎖骨骨折　764
　　──の脊椎損傷　838
　　──の長骨　309
　　──の疲労骨折　333
小児 Galeazzi 類似損傷　605
小児頚椎・頚髄損傷　836
小児骨折　**309**
　　──の診断　320
　　──の治療　330
　　──の統計　316
　　──の部位別頻度　318
小児鎖骨骨端離開　771
小児膝蓋骨下極裂離骨折　1084
小児膝蓋骨スリーブ骨折　1085
小児上腕骨遠位骨端離開　**484**
小児上腕骨遠位部骨折　**460**
小児上腕骨顆上骨折　**460**
小児上腕骨顆上骨折屈曲型　484
小児上腕骨外側顆骨折　**489**
小児上腕骨外側上顆骨折　511
小児上腕骨内側顆骨折　**501**
小児上腕骨内側上顆骨折　505
小児足関節部骨折　1214
　　──, Salter-Harris 分類　1214
小児大腿骨近位部骨折　**1009**
　　──, Delbet-Colonna 分類　1010
　　──, Whitman 法　1011
小児肘内障, 回外法　594
小児肘内障, 回内法　594
小児橈骨頚部骨折　**533**
小児肘関節, MRI　448
小児肘関節, 関節造影　448
小児肘関節, 超音波画像　448

小児肘関節部骨折・脱臼　445
上皮小体ホルモン　17, 28
踵腓靱帯　1177, 1226
小伏在静脈　1227
静脈確保　237
静脈血栓塞栓症　262
静脈性出血　238
静脈洞　19
静脈内局所麻酔法　253
踵立方関節　1262
上腕筋縦割進入法　457
上腕骨遠位骨端離開　484
　――，神中分類　485
上腕骨遠位端骨折用ロッキングプ
　レート　518
上腕骨遠位部　435
上腕骨遠位部完全関節面骨折　519
上腕骨遠位部骨幹端骨折　515
上腕骨遠位部骨折　435, 515
　――，AO/OTA 分類　516
　――，小児　460
上腕骨顆上骨折　332, 460, 515
　――，Bahk 分類　465
　――，Gartland 分類　464
　――，循環障害　477
上腕骨顆上部　460
上腕骨外顆骨端線損傷　361
上腕骨外側顆偽関節　499
　――の分類　499
上腕骨外側顆骨折　332, 489
　――，Jakob 分類　491
　――，Milch 分類　490
　――，Song 分類　491
　――，Wadsworth 分類　489
　――，小児　489
　――，成人　526
上腕骨外側上顆　441
上腕骨滑車骨折　526
上腕骨近位部骨折　389
　――，AO/OTA 分類　393
　――，Neer 分類　392
　――，高齢者　372
　――の治療原則　396
上腕骨骨幹部骨折　422

　――，新生児　314
上腕骨骨折，人工肩関節置換術後
　　　　　　　　　　　　　222
上腕骨骨頭　402
上腕骨小結節骨折　409
上腕骨小頭　436
上腕骨小頭骨折　526
上腕骨小頭・滑車骨折　530
上腕骨大結節骨折　409
上腕骨中央軸　448
上腕骨通顆骨折　515
上腕骨頭　402, 408
上腕骨内旋変形　483
上腕骨内側顆骨折　501
　――，Kilfoyle 分類　502
　――，Milch 分類　502
　――，小児　501
　――，成人　526
上腕骨内側上顆　437, 505
　――偽関節　508
上腕骨内側上顆骨折　332
　――，小児　505
上腕骨の回旋運動　432
上腕骨の筋付着部位　424
上腕三頭筋　441
　――腱縦割法　453
　――切離法　453
　――内・外側進入法　452
上腕動脈　441
　――損傷　474, 477
上腕二頭筋　440
　――腱膜　440
　――長頭腱　390, 415
植皮術　270
ショック症候　158
伸延屈曲損傷　805
　――，治療方針　829
伸延伸展損傷　804
　――，治療方針　828
新関節　51
新規生体材料　85
神経学的損傷高位　817
神経血管柄付き皮弁移植　270
神経原性ショック　237

神経損傷　198
神経断裂　198
神経伝導検査，inching 法　640
神経病性関節症　37
神経ブロック　252
心原性ショック　160
人工関節周囲骨折　376
　――，肩関節　222
　――，股関節　211
　――，足関節　227
　――，膝関節　218
　――，肘関節　226
人工距骨置換術　1242
人工股関節置換術　211, 990
　――後周囲骨折　1040
人工骨移植　143
人工骨頭置換術　211, 402, 988
　――，橈骨頭骨折　544
人工骨の種類　143
人工足関節置換術　227
人工多能性幹細胞　30
人工膝関節周囲骨折　1067
人工膝関節置換術　218, 1078
人工肘関節置換術　226
診査手術　185
新生骨梁骨組織　66
新鮮開放骨折の治療　265
新鮮開放創　266
新鮮骨盤骨折　913
新鮮皮下骨折　240
　――，脛骨骨幹部骨折　1147
靱帯損傷　199
心タンポナーデ　158, 237
伸展回外筋群　441
伸展型骨折（Colles 骨折）　613
伸展型骨折，上腕骨顆上　460
深部静脈血栓症　208, 262, 1024
　――予防　376
真肋　788

████████ す ████████

スーチャーボタン　1173, 1198
スクリュー　87

日本語　　**1295**

――，仙腸関節　922
――の逸脱　95
――固定　257
スコーピオンプレート　769
ステープル　98
ステロイド関節症　37
ステンレス鋼　81
ステンレス製プレート　98, 112
ストレス X 線写真撮影　171, 325
スピードトラック　247, 330
スプーン型プレート　96
スポーツ障害　554
スライス骨折　869
スリーブ骨折　315, 1084
スリング　768
頭蓋介達牽引法　820
頭蓋直達牽引法　820
頭蓋輪郭胸郭牽引　821
　――装置　840
随意性脱臼　57
髄核　847
髄腔　10
　――ガイドワイヤー　1153
　――リーミング　1029
水酸アパタイト　123
錐体前索路　850
垂直関節面，膝関節　1081
垂直牽引法（三枝による）　468
垂直剪断骨折　919
垂直脱臼，肩関節　409
髄内固定法　256
　――，Ender ピンによる　1037
　――の合併症　239
髄内釘　99
　――の挿入　1030
　――の抜去　1035
　――固定術後の遷延癒合　1043
　――固定法，Ender ピン　1156
　――固定法，大腿骨遠位部骨折
　　　　　　　　　　　　　　1062
　――固定法，大腿骨骨幹部骨折
　　　　　　　　　　　　　　1022
髄内リーミング　99
水平脱臼，膝関節　1094

水疱　161
　――形成　164
隙間腐食　106
すべり　796

██████ **せ** ██████

セフェム系抗菌薬　265
セメント線　5
セメントロングステム　212
セーラム二重管　290
ゼロ変異　612, 648
ゼロポジション　412
正円孔プレート　89, 91
静止層　23, 338
脆弱性胸腰椎椎体骨折　871
脆弱性骨折　37, 49, 367, 371
生体活性骨セメント　129
生体内吸収性セメント　124
正中神経　441, 600
　――麻痺　476, 640
成長軟骨板　10, 23, 309, 338
　――損傷　501
　――の分断　550
静的圧迫プレート　98
静的安定機構　1180
整復鉗子　946
生物学的骨接合術　1210
生物学的反応残存型偽関節　52
生物学的反応消失型偽関節　52
生命徴候　157, 237
生理的弯曲，橈骨・尺骨の　599
脊髄　849
　――空洞症　37
　――くも膜下麻酔　252
　――造影　877
脊髄損傷　821
　――，胸椎・腰椎骨折による
　　　　　　　　　　　　　　871
　――の評価　874
脊髄瘻　37
脊柱　846
　――の運動　854
脊柱機能単位　854

脊柱起立筋　848
脊柱支持靱帯　847
脊椎骨折　**795**
脊椎短縮術　883
脊椎の血行　851
脊椎不安定性，脊椎骨折による　861
石灰化層　24
石灰化軟骨細胞層　339
石膏ギプス包帯　243
積極的保存療法　61
折損髄内釘の抜去法　1045
切断肢再接着　276
切断術の選択　271
線維芽細胞増殖因子　29
線維性骨　21
　――異形成　359
　――組織　65
線維層　11
遷延治癒
　――の診断　184
　――の治療　278
　――の定義　**50**
　――骨折　50
前下脛腓靱帯　1177
前回旋動脈　390
前外側進入路，上腕骨近位部　396
前外方アプローチ，筋膜切開　268
前額面骨折　516
前環椎後頭膜　795
前距腓靱帯　1177, 1226
前脛骨動脈　1170, 1179, 1227, 1232
前脛骨反回動脈　1083
前後分散脱臼，肘関節　571
前後方固定術　882
仙棘靱帯　891, 904
仙結節靱帯　891, 904
仙骨　890
　――角　890
仙骨 H 字状骨折　924
仙骨横骨折　907
仙骨骨折　**890**, 920
　――，Denis 分類　893
　――，Roy-Camille 分類　893
　――，Schmidek 分類　893

索 引

仙骨神経　891
　　──叢　906
仙骨尖　890
仙骨翼　890
前根脊髄動脈　852
浅指屈筋　442
前斜走靱帯　438
前十字靱帯損傷　1075, 1123
前縦靱帯　796
前上腕回旋動脈　731
全身性過敏反応　253
全身性関節弛緩症　687
全身麻酔用鎮痛薬　261
仙髄神経　849
前脊髄視床路　850
前仙腸靱帯　891, 904
全層骨　146
前足部　1224
剪断骨折　43
剪断性骨軟骨骨折
　　　　　43, 1084, 1087, 1093
剪断損傷　550
剪断脱臼骨折　869
前柱骨折　933
仙腸関節　891
　　──支持靱帯　891
仙腸関節脱臼　920
仙腸靱帯　904
前腸腰靱帯　891
仙椎　846, 890
前庭脊髄路　850
先天性多発性関節拘縮症　312
先天性脱臼　56
先天性橈骨頭脱臼　592
先天性無痛覚症　37
前捻角　968
浅腓骨神経　1179
前皮質脊髄路　850
前壁骨折　933
前方区画，下腿部　1165
前方区画，大腿部　1051
前方区画障害　1165
前方固定，仙腸関節脱臼　922
前方除圧固定　831, 883

前方進入路，人工骨頭置換術　988
前方進入路，上腕骨近位部　396
前方進入路，肘関節　456
前方脱臼
　　──，肩関節　408
　　──，胸鎖関節　776
　　──，股関節　955
　　──，膝関節　1130
　　──，肘関節　568, 571
前方支柱　857
前腕回旋障害　643
前腕回内外可動域制限　600
前腕骨　599
前腕骨近位部骨折　435
前腕骨骨幹部骨折　**599**
　　──，AO/OTA 分類　601
前腕双極損傷　56
前腕の解剖　601

そ

阻血性拘縮　479
塑性弯曲　310
粗線　1016
粗面小胞体　13
造影剤　177
爪下血腫　272
創外固定材料の破損　109
創外固定法　**130, 292**
　　──，関節外 Colles 骨折　627
　　──，脛骨骨幹部骨折　1161
　　──，骨盤骨折　916
　　──，成人橈骨遠位端骨折　626
　　──の短所　131
　　──の長所　131
装具療法　248
走者骨折　36
増殖（細胞）層　23
増殖期細胞　69
増殖性偽関節　54, 792
増殖軟骨細胞層　339, 352
総腸骨動脈　905
総腓骨神経　1227
創閉鎖　269

僧帽靱帯　750
側塊骨折　808
足関節　1226
　　──・後足部判定基準　1199
　　──の内がえし　1236
　　──の運動軸　1181
　　──の底屈　1234
足関節果部骨折　**1183**
　　──，AO/OTA 分類　1185
　　──，Danis-Weber 分類　1185
　　──，Lauge-Hansen（L-H）分類
　　　　　　　　　　　　　1183
足関節骨折の発生機序　1187
足関節脱臼　**1216**
足関節内果骨折，人工関節置換術後
　　　　　　　　　　　　　　227
足関節部骨折（脱臼）　**1177**
足関節部の解剖　1177
足臼蓋　1225
側屈損傷　806
足根骨骨折　1271
足根骨脱臼骨折　**1261**, 1269
　　──の分類　1261
足根洞　1232
　　──アプローチ　1255
足根中足関節　1224, 1231, 1269
塞栓形成術　183
足背動脈　1227
側副靱帯索状部　710
側副靱帯扇状部　710
足部骨折　**1224**
側方区画，下腿部　1165
側方脱臼，肘関節　568
側方転位　42
外がえし　1230

た

ダーツスローモーション　667
ダーマトーム　270
ダイナミックコンプレッションプ
　　レート（DCP）　89, 93
ダイパンチ骨片　613
ダッシュボード損傷　955, 974, 1130

日本語　**1297**

多角的鎮痛法　252, 260
多孔度　6
多断面再構成法　177, 615, 991
多発外傷　157, 160, 235, 911
多発骨折　42, 157, 168
多発性骨髄腫　37
多発肋骨骨折　197, 790
打撲傷　391
第 1 CM 関節脱臼骨折　698
第 1 中手骨基部骨折　698
第 1 尾骨　891
第 1 肋骨疲労骨折　792
第 2 CM 関節脱臼　702
第 2 肩関節　390
第 2 手根中手関節　690
第 2 中手骨骨頭骨折　696
第 2 中足骨基部　1268
第 3 CM 関節脱臼　702
第 3 骨片　1146
第 3 手根中手関節　690
第 3 腓骨筋　1226
第 4 中手骨骨幹部斜骨折　693
第 5 CM 関節脱臼骨折　701
第 5 中手骨基部骨折　698
第 5 中足骨基部骨折　1275
第一圧迫骨梁　968
第三骨片　991
体液喪失（脱水）　158
体幹ギプス症候群　245
体幹支持筋群　848
大結節　390
大結節骨折　416
代謝性骨疾患　37
大腿脛骨角　1057, 1098
大腿脛骨関節　1096
大腿骨　1015
　──の主要血管　1017
大腿骨遠位部　1056
　──の神経　1058
　──の動脈　1058
大腿骨遠位部開放骨折　1074
大腿骨遠位部骨萎縮　218
大腿骨遠位部骨折　**1056**
　──, AO/OTA 分類　1059

──, Neer 分類　1059
──, Su 分類　219
──, 人工膝関節置換術後
　　　　　　　　219, 1078
大腿骨顆間窩線　1045
大腿骨顆上部骨折　1058
大腿骨顆部関節面　1056
大腿骨顆部用髄内釘　1062
大腿骨距　968
大腿骨近位部の構造　968
大腿骨近位部骨折　**967**
　──, 高齢者　373
　──, 小児　1009
大腿骨頚基部骨折　**990**
大腿骨頚部　979
大腿骨頚部外側骨折　968
大腿骨頚部骨折　968, **979**
　──, AO/OTA 分類　981
　──, Garden 分類　979
　──, Pauwels 分類　981
大腿骨頚部軸　968
大腿骨頚部内側骨折　968
大腿骨頚部内側後方支帯　971
大腿骨骨幹部　1016
　──の範囲　1015
　──軸　968
大腿骨骨幹部骨折　**1015**
　──, AO/OTA 分類　1018
　──, 青柳分類　1019
　──, 新生児　314
　──, ロッキングプレート固定法
　　　　　　　　　　　1038
大腿骨ステム周囲骨折　211
　──, Vancouver 分類　211
大腿骨単顆冠状骨折　1074
大腿骨転子下完全骨折　1048
大腿骨転子下骨折　973, **1006**
　──, Russell-Taylor 分類　1007
　──, Seinsheimer 分類　1007
大腿骨転子部骨折　990, **994**
　──, AO/OTA 分類　994, 996
　──, Evans 分類　994
　──, Jensen 分類　994
　──, 生田分類　996

──, 宇都宮分類　996
──, 中野の三次元 CT 画像分類
　　　　　　　　　　　996
大腿骨頭壊死　951, 955, 964
大腿骨頭骨折　**974**
　──, Pipkin 分類　975
大腿骨頭靱帯　931
大腿骨頭前方脱臼　974
大腿骨頭軟骨下脆弱性骨折　977
大腿骨頭の栄養血管　972
大腿骨内側顆特発性骨壊死　367
大腿骨内側顆内側壁　1056
大腿神経　1016
　──損傷　906
大腿直筋　973
大腿四頭筋腱断裂　1094
大殿筋　1016
大菱形骨骨折　677
大菱形骨体部骨折　678
大菱形中手関節　690
大菱形骨稜部骨折　678
脱臼　**56**
　──, PIP 関節掌側　716
　──, 亜　56
　──, 遠位橈尺関節　643, 650
　──, 外傷性　56, 568
　──, 外傷性股関節　**955**
　──, 外傷性膝蓋骨　1093
　──, 開放　57
　──, 環軸関節　800
　──, 環軸関節前方　812
　──, 環軸椎関節　840
　──, 完全　56
　──, 環椎後頭関節　840
　──, 胸骨柄（体）　784
　──, 胸鎖関節　775
　──, 胸鎖関節（亜）　764
　──, 近位脛腓関節　1138
　──, 月状骨　684
　──, 月状骨周囲　684
　──, 肩鎖関節　**749**, 765
　──, 肩鎖関節（亜）　764
　──, 肩峰下　750
　──, 股関節中心性　934

1298　索　引

——，恒久性　57
——，後天性　56
——，鎖骨両端　752
——，軸性　650
——，膝蓋骨　**1093**
——，手根骨　683
——，習慣性　57
——，習慣性肩関節　414
——，習慣性膝蓋骨　1093
——，舟状骨　1270
——，小児肘関節部　445
——，随意性　57
——，生理的亜　841
——，先天性　56
——，先天性橈骨頭　592
——，足関節　**1216**
——，陳旧性　57
——，椎体の後方　815
——，橈骨頭　580,**591**
——，橈骨頭単独　591
——，反復性　57
——，反復性肩関節　414
——，反復性膝蓋骨　1093
——，膝関節　**1130**
——，膝関節回旋　1130
——，膝関節外方　1130
——，膝関節後方　1130
——，膝関節前方　1130
——，膝関節内方　1130
——，肘関節　568
——，肘関節後方　555,571
——，病的　56
——，病的亜　841
——，分散　56,568
——，閉鎖　57
——，離開　56
——，腕橈関節　580,585
——の定義と分類　56
——整復の原理　412
——方向，肘関節の　568
脱臼骨折　33
——，4 部粉砕　1108
——，C5 前方　822
——，Chopart 関節　1261

——，CM 関節内　685
——，Essex-Lopresti　592,652
——，Galeazzi　654
——，Lisfranc 関節　**1264**
——，Monteggia　580,591
——，PIP 関節　710
——，PIP 関節掌側　714
——，PIP 関節背側　710
——，涙滴（teardrop）型　815
——，外傷性　56
——，肩関節　408
——，環軸関節　800
——，屈曲回旋　869
——，屈曲伸延　870
——，頚椎前方　805
——，剪断　869
——，足根骨　**1261**,1269
——，第 1 CM 関節　698
——，第 5 CM 関節　701
——，椎体の　869
——，肘頭　547,566,583
——，肘関節　567
——，辺縁圧迫　1108
——分類，Denis による　861
縦アーチ，足　1230
短骨　10
——の骨折　333
短縮変形　277
単純 X 線写真撮影　170
単純関節内骨折　616
単純骨折　38
弾性固定　56
弾性装具　579
弾性率可変型チタン合金　85
断層 X 線写真　325,614
単発骨折　41
弾発指　645
弾発抵抗　56
短母趾屈筋　1228
弾力包帯固定　619

■■■■■■　**ち**　■■■■■■

チアノーゼ　158

チタン合金　82,83
地域骨銀行（地域骨バンク）
　　　　　　　　　　142,149
恥骨下脱臼　955
恥骨結合離開　896,912,918
恥骨骨折　918
恥骨上脱臼　955
恥骨大腿靱帯　931,970
地図状陰影　35
遅発性分節圧潰　979
遅発性合併症　201
遅発性腱断裂　**204**
遅発性骨頭圧潰　984,989
遅発性尺骨神経麻痺　498
——の原因　332
遅発性神経麻痺　831
遅発性分節圧潰　979
緻密骨　3,10
——の血管構築　20
——のリモデリング　18
中央溝　437
中央支柱　857
中央手関節　664
中関節上腕靱帯　390
中間（第 2）楔状骨　1224
中間分層植皮　270
中空型髄内釘　99
中空スクリュー　258,515,622
中指 MP 関節屈曲位ロッキング
　　　　　　　　　　　　703
中指基節骨基部骨折　710
中実型髄内釘　100
中手骨　690
——・手指骨骨折の治療　690
中手骨基部骨折　698
中手骨頚部骨折　**696**
中手骨骨幹部骨折　691
中手骨骨折　**690**
中手骨骨頭骨折　**696**
中心静脈圧　160
中心性脱臼，股関節　955
中節骨，足　1224
中節骨基部粉砕骨折　713
中節骨頚部骨折　333,**719**

中節骨骨折　705, 1277
中足骨　1224, 1264
中足骨骨折　**1272**
中足骨脆弱性骨折　1274
中足骨疲労骨折　1274
中足趾節間関節　1231
中足部　1224
中殿筋　1016
肘頭窩　437
肘頭核　445
肘頭滑車切痕　444
肘頭骨切り法　453
肘頭骨折　332, 547
　　――, Mayo 分類　548
　　――, Wilkins 分類　549
　　――, 小児　549
肘頭骨端核　550
肘頭骨端線閉鎖不全　555
肘頭先端切除術　550
肘頭脱臼骨折　547, 566, 583
　　――の分類　566
肘頭粉砕骨折　554
肘内障　594
中胚葉　20
肘部管症候群　442
中立三角　1243
中和プレート　98
超音波ガイド下神経ブロック
　　　　　　　　253, 261
超音波検査　177
　　――, 小児　325
超音波弾性描写法　178
長管〔状〕骨　9, 1015
　　――の血流　1018
長管骨骨折, Chapman 分類　602
腸管損傷　915
長径成長　333, 339
長骨　9
　　――の血行　19
腸骨　890
　　――からの採取　146
　　――骨移植　772
腸骨骨折　920
腸骨斜位像　934

腸骨垂直骨折　909
腸骨大腿靱帯　931, 969, 970, 992
腸骨翼骨折　907
長軸転位　42
長掌筋　441
蝶番関節　1177
長母指伸筋腱の断裂　641
跳躍型疲労骨折　1175
腸腰筋　973
腸腰靱帯　891, 904
腸腰動脈　906
直達外力　33, 423
　　――による骨折　193
直達牽引　247, 330, 1062
直プレート　90
直立脱臼, 肩関節　409
陳旧性 Monteggia 骨折　588
陳旧性脱臼　57

つ

吊り上げ法　879
吊り下げハンギングキャスト　245
椎間関節のロッキング　812, 829
椎間板　847
椎弓　847
椎弓根　847
　　――間距離　875
　　――スクリュー　882
椎弓根骨折　805
椎孔　847
椎骨動脈　797
槌指　721
椎体圧潰　879
椎体骨切り術　883
椎体骨折　815
　　――, 高齢者　371
椎体内静脈　852
椎体の圧迫骨折　837
椎体の後方脱臼　815
椎体破裂骨折　857
使いすぎ症候群　36
突き指　721
爪損傷　272

テーピング　241
テイコプラニン　260
テタノブリン　265, 275
デノスマブ　379, 1047
デブリドマン　266
テリパラチド　78, 289, 926, 1048
テレスコープ現象　1003
低エネルギー外傷　789, 799
低出力超音波パルス　76
　　――療法　280, 289
低侵襲固定システム　89
低侵襲プレート固定術　1068, 1210
締結鋼線　86
底側踵舟靱帯　1225
転位　42
転移性骨腫瘍　791
電気刺激療法　282
電気的仮骨　282
転子間窩　991
転子間線　969
点状出血　189
電食　106
転倒の危険因子　369
転倒防止　379
殿部痛　169

と

トキソイド　265, 275
ドクターヘリ　798
トリアージュ　236
徒手整復法　246
　　――, 下方（垂直）脱臼　413
　　――, 後方脱臼　412
　　――, 前方脱臼　411
　　――, 脱臼骨折　414
　　――, 中手骨頚部骨折　697
徒手整復経皮的鋼線固定法, 上腕骨顆上骨折　470
徒手脱臼整復法, 胸鎖関節脱臼
　　　　　　　　　　　778

徒手脱臼整復法，股関節後方脱臼
　　　　　　　　　　960
徒手脱臼整復法，股関節前方脱臼
　　　　　　　　　　961
努力性呼吸　238
投球骨折　43
凍結肩　201
橈骨　599
　──遠位関節面　612
橈骨遠位端骨折　**612**
　──，AO/OTA 分類　616
　──，Frykman 分類　615
　──，Gartland 分類　615
　──，Melone 分類　615
　──，Thomas 分類　616
　──，斎藤分類　616
　──，高齢者　372
　──，小児　617
　──，成人　616
　──，変形治癒　645
　──の形態　616
　──の治療成績評価　650
　──ロッキングプレート　97
橈骨遠位端伸展型骨折　613
橈骨窩　437
橈骨近位部　435
橈骨近位部骨折　533
　──，Peterson 分類　533
　──，Salter-Harris 分類　533
橈骨茎状突起骨折　613
橈骨頚部骨折　332, 533, **538**, 547
橈骨骨幹部骨折　**599**
橈骨骨幹部単独骨折　609
橈骨骨端部骨折　63
橈骨軸　486
橈骨手根関節　668
橈骨神経　424, 441, 600
　──溝　422
　──深枝　605
　──麻痺　198, 430, 476
橈骨頭　436, 604
　──・頚部骨折用ロッキングプ
　　レート　542
　──の亜脱臼，脱臼　588

　──核　445
　──骨折用ロッキングスクリュー
　　　　　　　　　　539
橈骨頭骨折　332, **538**, 540
　──，Mason 分類　539
橈骨頭脱臼　332, 580, **591**
橈骨動脈　441, 600
橈尺骨癒合症　609
同種骨移植　142, 149
豆状骨骨折　682
橈側手根屈筋　441
橈側連結靱帯　668
等張性筋力訓練　753
疼痛　160
動的圧迫プレート　98
動的安定機構　1180
動的副子　250
糖尿病性神経障害　37
動脈血ガス分析　192
動脈性出血　238
動脈瘤様骨嚢腫　359
動揺胸郭　197, 238, 786, 790
特発骨折　37
特発性上腕骨内反症　361

■■■■■■■■ な ■■■■■■■■

ナックルベンダー副子　250
ナロープレート　92
投げだし Burks approach　1121
内陰部動脈　906
内果　1177
内果骨折　1192
内固定材料　81
　──の破損　108
　──の歴史　81
内固定術　255
内骨膜　11
内在性支持機構　854
内側（尺側）側副靱帯　438
内側顆核　502
内側顆骨折，大腿骨遠位部　1059
内側関節面，膝関節　1081
内側区画，大腿部　1051

内側固有関節面，膝関節　1081
内側骨端軟骨板　760
内側膝蓋支帯　1094
内側膝蓋大腿靱帯　1093
内側上（下）膝動脈　1083
内側上顆核　445, 487
内側進入路，肘関節　458
内側足底神経　1227
内側足底動脈　1227
内側側副靱帯　508, 1099
　──の断裂形態　570
内側側副靱帯損傷　1075, 1113
　──，肘関節　575
内側半月板　1099
内側傍膝蓋進入路　1067
内腸骨動脈　905
内転筋　1016
内軟骨腫　359
内反角の計測　449
内反股　1009
内反後内側回旋不安定性　575
内反肘　448, 480, 497
　──の治療　480
　──の病態　480
内方脱臼，膝関節　1130
内側（第 1）楔状骨　1224
中野の三次元 CT 画像分類　996
楢林鎮山　234
軟骨下骨　8
軟骨芽細胞腫　359
軟骨原基　21
軟骨細胞　12, 69
軟骨性外骨腫　359
軟骨内骨化　21, 65, 760
軟骨粘液線維腫　359
軟骨膜　24
　──輪　339, 347
軟性仮骨　70
　──期　65
軟部組織損傷　193, 1164
　──の分類　47, 1207

日本語　　**1301**

に

二次骨化核　21
二次性距骨下関節症　1242
二次性膝蓋大腿関節症　1091
二次性変形性関節症　206, 965
二次性変形性膝関節症　1056, 1075
二重骨折　41
二分種子骨　172, 1276
二分靱帯　1226
日常生活動作　368
乳児の骨折　319
尿道・膀胱損傷　914
尿道カテーテル　238
尿路損傷　200
妊婦骨盤骨折　928

ね

ネスプロンケーブルシステム　86
熱傷痕　391
捻転骨折　43
捻転ストレス　432
捻髪音　200

は

ハーフピン　298
バイクリル（商品名）　273
バイタリウム　81, 83
ハイドロキシアパタイト
　　　　　　　　　　27, 118, 629
　──／コラーゲン複合体コーティ
　　ングチタン　85
　──／ポリ乳酸複合材料　118
パケット　6
バストバンド　426
パチーニ小体　667
バックストローク　1034
パッチテスト　114
バットレスプレート　96
ハバース管　3, 61
ハバース系　3

ハプテンアレルギー　112
パルス電磁場法　282
パルスオキシメータ　263
パルスドプラ超音波検査　164
ハローベスト　839
ハローリング　823
ハングマン骨折　799, 803
　──, Levine-Edward 分類法
　　　　　　　　　　　　　804
　──, 保存療法　823
　──の分類　804
バンコマイシン　260
破骨細胞　15, 368
波状縁　15
破傷風　275
　──, テタノブリン　275
　──, トキソイド　275
　──, 抗破傷風免疫グロブリン
　　　　　　　　　　　　　275
馬尾　849
破裂骨折　43, 842
胚芽層　11, 23
胚芽軟骨細胞層　338, 352
背屈型骨折　629
肺水腫　160
背側 Barton 骨折　613, 616
背側斜走線維　600
背側手根骨間靱帯　666
背側脊髄小脳路　851
背側仙腸靱帯　893
背側天蓋状骨折　634
背側橈骨手根靱帯　666
背側プレート固定　629
灰白質　850
廃用性骨萎縮　29
廃用症候群　375
白質　850
剝離骨折　43
橋渡し仮骨　50, 61, 140, 162, 278
梯状針金副子（Cramer 副子）　242
発育異常　172
ばね靱帯　1226, 1261
板間層　10
半月状骨片像　529

半月板損傷　1113
半月板辺縁裂離損傷　1113
反射性交感神経性ジストロフィー
　　　　　　　　　　205, 644
絆創膏牽引　330
絆創膏固定法　241
半層骨　146
反張位整復法　879
反張膝　1130
反復性肩関節脱臼　414
反復性膝蓋骨脱臼　1093
反復性脱臼　57, 419

ひ

ビーチチェアーポジション　742
ピアノキーサイン　652, 751
ビスフォスフォネート
　　　　77, 379, 926, 1009, 1047
ビタミン D　28, 926
ヒッププロテクター　379
ヒト脱灰骨基質　127
ヒラメ筋　1226
ピロン骨折　1207
ピン刺入部感染　268
非イオン性低浸透圧造影剤　877
非オピオイド系鎮痛薬　261
非ステロイド性抗炎症薬　73, 75
非炎症性肋軟骨疾患　791
皮下気腫　200
皮下血腫　161
皮下骨折　38
非外傷性骨折　762
非外傷性鎖骨遠位端骨溶解症　780
非感染性偽関節　54, 1043
引き寄せ鋼線締結法　73, 86, 258
　──, 鎖骨骨折　770
　──, 膝蓋骨骨折　1087
　──, 上腕骨顆上骨折　496, 515
　──, 上腕骨内側上顆骨折　508
　──, 足関節部　1193
　──, 肘頭骨折　551
被虐待児症候群　322

尾骨　890
　——角　890
　——神経　891
　——底　890
尾骨骨折　**890**
　——，Postacchini 分類　895
　——の徒手整復術　901
腓骨　1170
　——筋腱腱鞘炎　1251
　——神経損傷（→総腓骨神経）
　　　　　　　　　　　　　　1138
　——神経麻痺（→総腓骨神経）
　　　　　　　　　　　　　　964
　——切痕　1179
　——動脈　1179, 1232
腓骨近位骨幹部骨折　1171
腓骨茎状突起剥離単独骨折　1138
腓骨骨幹部骨折　**1170**, 1174
腓骨頭骨折　**1138**
腓骨頭切除術　1142
腓骨疲労骨折　1174
皮質骨　3, 369
　——スクリュー　88
　——多孔化　370
皮質むき手術　286
微小骨折　35, 179
微小血管外科　270
尾髄神経　849
非骨傷性頚髄損傷
　　　　　　799, 805, 817, 828
肥大（細胞）層　23
肥大軟骨細胞層　339
尾椎　846
引っかけ整復法　620, 623
非定型骨折，大腿骨転子下　1009
非定型大腿骨骨折　77, 375, 1047
皮膚牽引　330
腓腹筋　1226
腓腹神経　1179
皮弁移植法　270
疲労骨折　36, 49, 367
　——，肩甲骨　732
　——，疾走型　1175
　——，小児　333

　——，跳躍型　1175
　——，中足骨　1273
　——，肋骨　789
　——の MRI 分類　49
膝関節
　——可動域制限　1056
　——血症　1109
　——拘縮　1077
膝関節脱臼　**1130**
　——，回旋脱臼　1130
　——，外方脱臼　1130
　——，後方脱臼　1130
　——，前方脱臼　1130
　——，内方脱臼　1130
肘関節　435
　——，外側進入路　453
　——，後方進入路　450
　——，後方脱臼　555, 571
　——，前方脱臼　568
　——，側方脱臼　568
　——，内側進入路　458
　——，皮膚切開　450
　——，分散脱臼　568
　——の運動　443
　——の回転軸　438
　——の靱帯　439
　——の単純 X 線写真　435
　——授動術　579
　——靱帯損傷　574
肘関節脱臼　**567**
　——の発生機序　568
　——の分類　568
肘関節脱臼骨折　555, **567**
肘関節不安定症の原因　555
肘関節部骨折・脱臼，小児　445
びまん性特発性骨増殖症　867
冷汗　158
病的骨折　37
　——，がん転移　1050
病的脱臼　56
病歴聴取　167
頻脈　158

■■■■■　ふ　■■■■■

ファイバーワイヤー　86
ファイブロネクチン　73
ファベラ　1126
ファベラ骨折　1126
フィラデルフィアカラー　823
フォーク状変形　162, 614
フックピン　987
フックプレート　755
プラス変異　612
プラスチック性内固定材料　98
プラスチック包帯　1147
プラスチックキャスト　243, 246
　——固定，距骨頚部骨折　1237
　——固定法　1061
　——副子固定　467
フレイル　967
プレート　89
　——の折損　95
　——固定　256
　——固定法，前腕骨骨幹部骨折
　　　　　　　　　　　　　　609
フレッティング　107
プロスタグランジン　74
プロテオグリカン　13, 26
付加成長　11, 21
不完全骨折　40
　——，胸骨　784
不顕性骨折
　　　34, 40, 327, 669, 982, 1175
不顕性骨端線損傷　327
不銹鋼線　354
浮腫　206
腐食　106
不全麻痺　874
附属骨格　9
不動態膜　107
部分関節内骨折　515
浮遊膝骨折　1148
浮遊肋　788
振り子運動　396
複合移植　149

日本語　**1303**

副交感神経　851
副甲状腺ホルモン　77
複合性局所疼痛症候群　161, 205
　　──の治療　291
複合性不安定症　56
副骨　172
伏在神経　1179
複雑骨折　39
副子固定法　242
副靱帯　439
腹部大動脈　905
腹壁反射　871
分岐鎖骨　772
粉砕 Colles 骨折　616
粉砕 Smith 骨折　616
粉砕関節内骨折　616
粉砕骨折　42, 1145
分散脱臼　56, 568
分節骨折　41, 790, 975
分節動脈　852
分層植皮法　270
分娩骨折　312, 392, 422, 762, 790
分娩麻痺　313

へ

ペチジン塩酸塩　261
ヘパリン　252
ヘマトクリット（Hct）値　158
ヘモグロビン尿　191
ヘリコプター救急　798
ペンタゾシン　261
閉鎖孔斜位像　934
閉鎖孔脱臼　955
閉鎖骨折　38
閉鎖神経損傷　906
閉鎖性髄内釘固定法　99, 1024, 1148
閉鎖脱臼　57
閉鎖動脈　906
閉塞性ショック　237
辺縁圧迫脱臼骨折　1108
変形性股関節症　950
変形性足関節症　227
変形性手関節症　672

変形癒合　162
　　──, 鎖骨骨折　774
　　──の治療　277
扁平骨　10

ほ

ボクサー骨折　691, 696
ポビドンヨード　251
ポリ-L-乳酸　115
ポリグリコール酸（PGA）　117
ポリジオキサノン（PDS）　117
ポリペプチドホルモン　29
ホンダサイン　367
母指 MP 関節尺側側副靱帯損傷
　　　　　　　　　　　　717
母指 MP 関節靱帯損傷　716
母指 MP 関節橈側側副靱帯損傷
　　　　　　　　　　　　718
母指 MP 関節ロッキング　703
母趾外転筋　1228
母趾内転筋　1228
保存療法　**240**
　　──, 小児骨折の　330
包括的 Magerl 分類　861
方形回内筋　603
方形靱帯　439
蜂巣炎　275
包帯固定法　240
膨隆骨折　40, 310, 784
ほぞ　1177
　　──穴　1177
骨
　　──の横径成長　24
　　──の強度　369
　　──の血管　18
　　──の構造　3
　　──の再生医療　30
　　──の細胞移植治療
　　──の細胞外基質　26
　　──の神経　20
　　──の長径成長　23
　　──の発生・成長　20
　　──の分類　9

ま

マイナス変異　612
マルゲーニュ圧痛　161
前田式創外固定器　293
巻き上げ機現象　1230
巻包帯　233
膜性骨化　21, 760
膜内骨化　65
末梢神経損傷　422
末梢神経ブロック　253
末節骨, 足　1224
末節骨開放骨折　**725**
末節骨基部掌側骨折　**724**
末節骨基部背側骨折　**721**
末節骨骨折　**721**
末節骨粗面骨折　**725**

み・む・め

ミオグロビン尿　191
メカニカルストレス　368
無機塩　27
無腐性骨壊死　205, 363
免荷歩行ギプス　244

も

モスキート鉗子　238
モデリング　17
モルヒネ塩酸塩　261
モンテジア骨折　332
毛細血管再充満時間　194
網状植皮　270
網状伸縮包帯　241

や

夜警棒骨折　609
山元の計測法　482

ゆ

有角プレート　97
有機基質　26
有鉤骨鉤骨折　679
有鉤中手関節　690
有痛性偽関節　642
遊離移植法　270
遊離血管柄付腓骨移植　773
遊離骨移植　144, 288

よ

幼児虐待　391, 790
幼児の骨折　319
幼若骨　310
腰神経叢麻痺　915
腰髄神経　849
腰仙骨神経幹　906
腰椎　846
腰椎骨折　**846**
腰方形筋　849
陽電子放射断層撮影　182
翼状肩甲　747
翼状靱帯　795
横アーチ, 足　1230
横止め髄内釘　428
　──, 膝蓋下アプローチ　1153
　──法　1062
横止めスクリュー　1030
　──固定法　1023

ら

ラグスクリュー　88, 257
螺旋骨折　42, 423, 691, 1145

り

リーマーイリゲーションアスピレー
　ション　147
リバース型人工肩関節全置換術
　　　　　222, 403, 732, 737

リモデリング　17, 65
　──期　64
リン酸カルシウム系セメント
　　　　　123, 143
リン酸カルシウム系セラミックス
　　　　　125
リン代謝　28
リング型創外固定器　298, 1211
リン酸三カルシウム　124
離開脱臼　56
立方骨　1264
隆起骨折　617
両果骨折　1187
両側顆粉砕骨折　1117
両柱骨折　935
輪状靱帯　439, 559
　──断裂　580
臨床的偽関節　51
臨床的不安定性　861
隣接指テープ固定　706
輪帯　969

る・れ

ルフィーニ終末　667
レジン創外固定法　133
レバーアーム　440
レミフェンタニル　261
涙滴型脱臼骨折　815
涙滴［状］骨折　807, 842
涙滴骨片　831
冷凍ボーンバンクマニュアル　150
軋音　164, 169
裂離骨折　43, 903, 1107
　──, 肩甲骨　733, 737
　──, 鎖骨　750
　──, 小児膝蓋骨下極　1084
　──, スポーツ損傷　923

ろ

ロコモティブシンドローム
　　　　　378, 967

ロッキング
　──, 示指 MP 関節屈曲位　703
　──, 手指関節　702
　──, 中指 MP 関節屈曲位　703
　──, 椎間関節　812, 829
　──, 母指 MP 関節　702
　──の原因　702
ロッキングコンプレッションプレート
　　　　　89, 94
ロッキングスクリュー　1071
　──の折損　95
ロッキングプレート　1067
　──固定法, 脛骨遠位骨幹部骨折
　　　　　1161
　──固定法, 脛骨骨幹端部骨折
　　　　　1159
　──固定法, 大腿骨骨幹部骨折
　　　　　1038
ロック付き多軸継手　1062
ロングステム　212
肋軟骨　788
肋軟骨骨折　788
肋間筋麻痺　873
肋間神経損傷　886
肋骨　788
　──弓　788
　──すべり症候群　791
　──付着筋　789
肋骨骨折　**788**
肋骨疲労骨折　792

わ

ワイヤー（鋼線）　86
若木骨折　40, 310, 614, 617, 771
腕神経叢　729
　──損傷　747
　──麻痺　406
腕橈関節　443
腕橈関節脱臼　580, 585
腕橈骨筋　441

外国語索引

A

α, β-TCP 124
abbreviated injury score (AIS) 160
abnormal mobility 164
abnormal posture 168
AC Tight-Rope® 770
acceleration effects 76
accessory bone 172
accessory collateral ligament (ACL) 439
accessory navicular 1225
accrochage 620
Ace-Fischer 創外固定法 132
acetabular fossa 931
acetabular notch 931
acquired dislocation 56
acromioclavicular joint 749
——, classification 751
——, dislocation 749
—— instability score (AJIS) 758
acromion 390
acrylic cement 127
ACS の 5P 徴候 (5P's) 196
actin filament 15
active assistive movement 579
activity of daily living (ADL) 368
acute compartment syndrome (ACS) 195, 1051, 1165
acute complications 189
—— of fracture 41
acute deep vein (venous) thrombosis (DVT) 192
acute local anesthesia toxicity 255
acute longitudinal radioulnar dissociation (ALRUD) 592
acute plastic bowing 40, 591
acute pulmonary [thrombo] embolism (P [T] E) 192

Adamkiewicz 動脈 852
Adams 弓 968
adhesive bandage 241
advanced glycation end products (AGEs) 369
Aerts 分類 (脛骨粗面剥離骨折分類) 1129
Allen-Ferguson 分類 805
Allis 法 (股関節脱臼) 959
Allman 分類 (鎖骨骨折) 763
allodynia 205, 291, 644
allograft 142
American Spinal Cord Injury Association (ASIA) 817, 874
amputation 271
anal reflex 166
analgesia 260
anaphylaxis 253
anatomical locking plate 515
anatomical neck 390
anatomical plate 97
anatomical snuff box 161, 669
anckle band 242
Anderson 分類 802
angiography 183
angle plate 97
angular deformity 277
angular displacement 736
angular malunion 277
anisotropy 5
ankle band 242
ankle mortice 1170
ankylosing spondylitis (AS) 867
annular ligament (AL) 439
antegrade intramedullary nailing 1025
anterior band 439
anterior colliculus fracture 1196
anterior column 857, 932
anterior humeral circumflex artery 390

anterior inferior tibiofibular ligament (AITFL) 1177
anterior oblique ligament (AOL) 438
anterior talofibular ligament (ATFL) 1177
antero lateral supine (ALS) 988
anteroposterior compression 908
Anthonsen 撮影法 170, 1250
antibiotic-loaded cement 128
antimicrobial drug 271
antimicrobial prophylaxis (AMP) 259
anti-platelet drug 252
AO (Arbeitgemeinschaft für Osteosynthesefragen) 981
AO distal femoral nail (DFN) 1064
AO distractor 法 1045
AO pelvic plate 922
AO reconstruction plate 944
AO soft tissue classification 45
AO/OTA 分類 44
——, 脛骨顆部骨折 1109
——, 脛骨骨幹部骨折 1146
——, 脛骨天蓋骨折 1206
——, 骨端線損傷 349
——, 骨盤骨折 907
——, 上腕骨遠位部骨折 516
——, 上腕骨近位部骨折 393
——, 前腕骨骨幹部骨折 601
——, 足関節果部骨折 1185
——, 大腿骨遠位部骨折 1059
——, 大腿骨頚部骨折 981
——, 大腿骨骨幹部骨折 1018
——, 大腿骨転子部骨折 994
——, 橈骨遠位端骨折 616
——, 腓骨骨幹部骨折 1170
apatite wollastonite glass ceramics 143
apophyseal avulsion fracture 343
apophyseal fracture 343

apophysis 10
appendicular skeleton 9
appositional growth 11, 21
arcade of Frohse 441, 601
arcuate artery 390
arm sling 240
arthrography 325
arthroscopic assisted reduction
　　　　　　　　　　　633
arthroscopic subtalar arthrodesis
　　　　　　　　　　　1260
arthroscopic surgery 632
articular cartilage 8
articular fracture 8
articular pillar fracture 808
artificial bone graft 143
ASIA（脊髄麻痺） 819
associate fracture 933
atlantoaxial dislocation 800
atlantodental interval（ADI） 796
atlas fracture 799
atraumatic DCO（ADCO） 779
atrophic nonunion 55
atypical femoral fracture（AFF）
　　　　　　　　77, 375, 1047
atypical fracture of the
　subtrochanteric fracture 1009
augmentation plating 1044
autocrine 作用 14
autograft 142
autonomic nervous system 851
avascular osteonecrosis 205
avascular necrosis
　　——, complication 205
　　—— of femoral head 979
　　—— of talus 1241
　　—— of the distal femur 681
avulsion fracture 43, 923
axial compression injury 806
axial skeleton 9
axillary nerve 390

B

β-TCP（β-tricalcium phosphate）
　　　　　　　　　　　143
　　——配向連通多孔体 124
β型チタン合金 85
Böhler 分類 1248
Böhler 法 879
Bado 分類 581
Bahk 分類 465
ball and socket joint 931
ball in socket の形態 970
ball pusher 1045
balloon kyphoplasty 881
bamboo spine 867
band（wrap, belt） 242
bandage 240
Barnard 法 1253
Barton 骨折 613
basal femoral neck fracture
　　　　　　　　41, 968, 990
base excess 159
battered child syndrome 322
Baumann 角 448
bayonet deformity 614
beak fracture 1243
beaking 39, 1047
bending fracture 43
Bennett 骨折 698
Berndt-Harty 分類 1236
Bernhardt-Roth syndrome 930
bi-cortical screw の刺入 769
bicipital groove 390
bicipitolateral approach 452
bicondylar fracture 1177
Bier block 253
bifurcate〔d〕ligament 1226
Bigelow 法 959
biocompatibility 111
biological chamber 144, 288
biological osteosynthesis 1210
bipartite sesamoid 172
bipolar dislocation 592

—— of the forearm 56
bipolar hip arthroplasty（BHA）
　　　　　　　　　　　211
bipolar injury 56
birth fracture 312
Biyani 分類 642
blister 161
block graft 149
blocker pin 1029, 1045, 1148, 1154
blood gas analysis（BGA） 159
Blumensaat line 1034, 1045
body cast 245
Böhler 234, 240, 283
Böhler 角 1243, 1250
Böhler 整復法 879
bone age 23
bone atrophy 29
bone bank 142, 149
bone bruise 34, 179, 326, 1126
bone canaliculus 5, 15
bone Gla protein（BGP） 27
bone graft 139, 286
bone hook 944, 1196
bone lamella 3
bone lining cells 11
bone metabolism 27
bone mineral density（BMD） 8
bone morphogenetic protein（BMP）
　　　　　　　　14, 27, 141, 288
bone remodeling phase 64
bone scintigraphy 181, 326
bone strength 369
bone trabeculae 63
bone transport 288, 295
Bosworth 骨折 1188
Bowers 法 645
boxer's fracture 691
Boyd の進入法 453
Braun［下肢］架台 246, 1066
bridging callus 61, 140, 162, 278
bridging 型創外固定 626, 634
broad locking compression plate
　　　　　　　　　　　1041
Brooker Tibial System 101

外国語　**1307**

Brooks 法　825, 826
Bryan-Morrey approach　452
Bryant 牽引　247
buckle fracture　40, 310
buddy taping　241, 706
bulky dressing　241
Burrows 法　776
burst〔ing〕band　242
burst fracture　43, 864
Burwell 基準　1200
buttress plate　96, 562, 1071

C

C-arm fluoroscopy　173, 251
c-Jun N-terminal kinase（JNK）
　　17
C2 前方亜脱臼像　841
C5 前方脱臼骨折　822
Ca metabolism　28
calcaneal spur　1243
calcaneofibular ligament（CFL）
　　1178
calcar femorale　968
calcar length　394
calcitonin　29
calcium phosphate cement（CPC）
　　143
callotasis　288
callus distruction　288
cam effect　535
cancellous bone screw　87
cannulated cancellous screw（CCS）
　　983
cannulated screw
　　258, 515, 622, 920
cannulated Herbert screw　1074
cap fracture　315
capillary loop　339
capillary refilling time　195
capitellum　436
Caputo safe zone　542
carbon fiber reinforced plate
　（CFRP）　98

carcinogenicity　111
cardiac shock　160
cardiac tamponade　158
carpal height ratio　644
carpal instability　686
carpal tunnel syndrome　640
carrying angle　449
cartilagenous anlage　21
cast-brace 法　1062, 1147
casting　243
cast saw injury　244
cast syndrome　245
cast with windows　246
cauda equina　849
causalgia　205
CCEF（capacitively coupled
　electric field）stimulation　282
Cedell 基準　1200
cell therapy　291
cement line　5
cement-in-cement 法　212
central column　665
central dislocation of the hip joint
　　934
central groove　437
central venous pressure（CVP）
　　160
cerclage wiring　86, 256
Chance 骨折　859, 860
Chapman 分類　602
Chaput 結節　1178
chauffeur's fracture　613, 621
checkrein deformity　204
cheese cut 現象　774
chest wall implosion　790
child abuse　322, 790
chinese finger trap　621
chip graft　148
chondrocyte　12
Chopart 関節　1224, 1230, 1261
Chopart 関節脱臼骨折　1261
cinerea　850
circular cylinder 型プラスチック
　キャスト固定　541

circulatory disturbance
　　163, 193, 639
clavicle band　242
clay-shoveler's fracture　808
clinical instability　861
closed dislocation　57
closed fracture　38
closed intramedullary nailing
　　99, 1148
CM 関節内脱臼骨折　685
Co-Cr-Mo 合金　82
coapteur　89
cobra plate　96
Cock Robin position　803
collagen　26
Colles 骨折　162, 205, 613, 640
　——の徒手整復法　620
color flow Doppler US　179
Colton 分類　547
column theory　520, 666
comminuted fracture　42
compact bone　3, 10
compartment syndrome　248
complete dislocation　56
complete fracture　40
complex elbow instability　540, 561
complex fracture of the distal
　humerus　519
complex instability　56
complex regional pain syndrome
　（CRPS）　205, 644
　——の治療　291
composite graft　149
compound fracture　38
compression fracture　43
compressive extension（CE）injury
　　805
compressive flexion injury　806
computed tomography（CT）　176
condylar plate　97
congenital analgesia　37
congenital dislocation　56
congruity method　654

1308 索 引

conjoint tendon 729, 737, 757
—— preserving posterior (CPP) 988
constant score 758
contrast medium 177
continuous local antibiotic perfusion (CLAP) 290
conventional plating 1157
conventional X-ray tomography 175
CORA (center of rotation angle) 法 295
coracoacromial ligament 390
coracohumeral ligament 390
coracoid transfer 745
cord-like portion of the collateral ligament 710
corner fracture 323
corona mortis 906
coronal fracture 1059, 1067, 1074
coronal shear fracture 526
coronoid fossa 437
coronoid process 437
corrosion 106
cortical bone 3
cortical bone screw 87
cortical step sign 1031
Cotton-Loder 肢位 620, 637, 643
Cotton 骨折 1188
crab shaped fixation 899
Craig 分類 763
Cramer 副子 242
creatine phosphokinase (CPK) 196
crepitation 164, 169, 200
crescent fracture 920
crescent sign 978
crevice corrosion 106
criss-cross fixation 621
cross finger 691
CRPS TypeI 644
crush syndrome 191
CT (computed tomography) 326
CT angiography (CTA) 177, 192

cup fracture 1085
cut out 1004
cyanosis 158
cyclooxygenase-2 (Cox-2) 74
cylinder 型プラスチックキャスト 1086

D

D-dimer 263
débridement 266
décortication 55, 286
damage control orthopaedics (DCO) 235, 1024, 1148
Damen corset 879
Danis-Weber 分類 1185
dart throw motion 667
De Bastiani 式骨延長器 356
De Bastiani 創外固定器 294
dead space 269
deep vein (venous) thrombosis (DVT) 208, 376, 1024
defect nonunion 55, 287
deformity 162, 168
degloving 257
delayed complications 201
delayed tendon rupture 204
delayed union 50
Delbet-Colonna 分類 1010
deltoid ligament 1177
demineralized bone matrix (DBM) 127
Denis 分類 858, 893
dens fracture 823
Denuće ligament 439
depressed fracture 41
dermatome 270
Desault 包帯 241
developmental anomaly 172
diabetic neuropathy 37
diameter difference sign 1031
diaphyseal fracture 41
diaphysis 9
diarthrodial joint 56

die-punch fragment 613
diffuse idiopathic skeletal hyperostosis (DISH) 867
digital nerve block 253
dimple sign 706
dinner fork deformity 162, 614
diploe 10
disaster medical assistance team (DMAT) 798
DISI (dorsal intercalated segment instability) 686
——変形 671
dislocation fracture
—— of Chopart joint 1261
—— of Lisfranc joint 1264
—— of the tarsal bone 1269
dislocation
—— of the acromioclavicular joint 749
—— of the ankle 1216
—— of the carpal bones 683
—— of the distal radioulnar joint 643, 650
—— of the elbow 567
—— of the lunate 684
—— of the patella 1093
—— of the radial head 591
—— of the shoulder joint 408
—— of the sternoclavicular joint 775
displaced fracture 392
distal clavicular osteolysis (DCO) 779
distal interphalangeal (DIP 関節) 1224, 1276
distal oblique bundle 600
distal radioulnar joint (DRUJ) 604
distal realignment 1087
distraction 779
——osteogenesis 288
distractive extension (DE) injury 804
distractive flexion (DF) injury 805
disuse bone atrophy 29

外国語　**1309**

divergent dislocation　56　568

dorsal medullary artery　852

dorsal oblique cord　600

dorsolateral longitudinal artery
　　　　852

double fracture　41

double-tiered subchondral support
　法（DSS 法）　632

drainage of the thoracic cavity
　　　　238

drilling　283

drop finger　605

dry corrosion　106

dual plating 法　1096

Dubberley 分類　528

Duverney 骨折　907

dynamic axial fixator（DAF）　294

dynamic axial loading　1035

dynamic compression plate（DCP）
　　　　89, 93, 1158

dynamic locking　1022, 1035

dynamic splint　250, 579

dynamic stabilizer　1180

dynamic stress view　959

dynamic 型創外固定器　626

dynamization　73, 286, 1035

E

echo-guided nerve block　261

ectopic（heterotopic）ossification
　　　　71, 202

Edinburgh 分類　765

edema　206

Eggers 型プレート　91

elastic bandage　240

elastic fixation　56

electrical stimulation　282

elongation over a nail（EON）　299

embolization　183, 239

en ［do］chondral ossification　21, 65

Ender ピン
　81, 103, 256, 428, 1003, 1037, 1156
　──髄内釘固定法　1156

endosteum　11

entire plateau fracture-dislocation
　　　　1107

entrapment neuropathy　747

entry point　1027

epicenter method　656

epiphyseal artery　18

epiphyseal fracture　40

epiphyseal injury　33

epiphyseal line　338

epiphyseal plate　10, 309, 338

epiphyseal separation of the distal
　humerus　484

epiphyseal vessels　339

epiphyseolysis　33

epiphysis　9, 338

Esmarch 駆血帯　253

Essex-Lopresti（E-L）脱臼骨折
　　　　592, 652

Essex-Lopresti 分類　1246

estrogen　29

Evans の回内説　582

Evans 分類　45, 994

exchange nailing　1044

expansion hood　706

exploratory surgery　185

extended iliofemoral approach　941

extension lag　218

external fixation　255, 626

extra long plate　636

extra-articular/extra-capsular
　fracture　41

extracellular matrix of the bone
　　　　26

extraphyseal fracture　359

extrinsic stabilizer　854

F

fabella　1126
　── fracture　1126

fan-like portion of the collateral
　ligament　710

FARS（Fast, Reliable, and Safe）法
　　　　412

fasciotomy　268, 1165

fat embolism syndrome（FES）
　　　　189, 239

fat pad sign　324, 447, 534

fat suppression image　180

fatigue fracture　36, 367

femoro tibial angle（FTA）
　　　　1057, 1098

Fernandez 法　645, 671

fiber wire　86, 770

fibro-osseous ring　439

fibroblast growth factor（FGF）
　　　　14, 71

fibrous layer　11

fibular tendon dislocation　1227

Fielding 分類　803

figure-of-8 bandage　241

fissure fracture　42

fistulography　289

flail chest　197, 238, 790

flap　270

flat bone　10

fleck sign　965, 1237

flexible reamer　1029

flexion-distraction fracture
　dislocation　870

flexion-extension column　665

flexion-rotation fracture dislocation
　　　　869

flip button　754, 770

floating elbow　426

floating knee fracture　1148

floating shoulder　738, 762, 766

floating ribs　788

floating 徴候テスト　633

fluoroscopy　255

Flynn 法　985

FOOSH（fall on an outstretched
　hand）injury　33

Foucher 法　698

Frabauf 型骨鉗子　944

fracture
— blister 164
— dislocation 33
— dislocation of the shoulder joint 408
— healing 63, 1177
— hematoma 161
— liaison service (FLS) 377
— of the acetabulum 931
— of the atlas 799
— of the calcaneus 1243
— of the carpal bones 664
— of the cervical vertebra 795
— of the clavicle 760
— of the coccyx 890
— of the coronoid process 555
— of the distal femur 1056
— of the distal humerus 435
— of the distal part of the radius 612
— of the distal phalanx 721
— of the femoral head 974
— of the femoral neck 979
— of the femoral shaft 1015
— of the femoral trochanter 994
— of the fibular head 1138
— of the fibular shaft 1170
— of the foot 1224
— of the hook of hamate 679
— of the humeral shaft 422
— of the lumbar vertebra 846
— of the lunate 681
— of the malleolus 1183
— of the metacarpal bones 690
— of the metatarsus 1272
— of the middle phalanx 705
— of the olecranon 547
— of the patella 1081
— of the pelvis 903

— of the phalangeal bones 690
— of the pisiform 682
— of the posterior arch of the atlas 799
— of the proximal humerus 389
— of the proximal part of the femur 967
— of the proximal part of the femur in children 1009
— of the proximal phalanx 705
— of the proximal radius 533
— of the proximal radius and ulna 435
— of the proximal tibia 1096
— of the proximal ulna 547
— of the radial 599
— of the radial head 538
— of the radial head in children 533
— of the radial neck in children 533
— of the rib 788
— of the sacrum 890
— of the scaphoid 668
— of the scapula 729
— of the sternum 783
— of the subtrochanteric femur 1006
— of the talus 1231
— of the thoracic vertebra 846
— of the tibial condyle 1096
— of the tibial plafond 1206
— of the tibial shaft 1143
— of the tibial tuberosity 1127
— of the toe 1276
— of the trapezium 677
— of the ulnar shaft 599
— of the ulnar styloid process 658

— of ulnar styloid 642
— void 139
— with sleeve avulsion 1084
— (dislocation) of the ankle 1177
— /dislocation of axis 801
fragility fracture 37, 367, 371
— of the pelvis 926
Frankel の5段階分類 874
free grafting 270
fretting 107
— corrosion 106
frontal tilt 462
frozen shouder 201
Frykman 分類 615
functional bracing 248, 426
functional spinal unit (FSU) 854

G

γ-nail 101, 256
Galeazzi equivalent lession 605
Galeazzi 骨折 605
Galeazzi 脱臼骨折 654
Galeazzi 類似骨折 652, 655
Gallie 法 1260
galvanic corrosion 106
Galveston 変法 899
Ganga Hospital Open Injury Score (GHOIS) 48
Garden alignment index (GAI) 984
Garden の Stage 分類 45
Garden 分類 979
Gardner 直達牽引装置 821
Gartland 分類 463, 615
gas gangrene 275
Gerdy 結節 1157
Gipsbinde 243
Girdlestone 手術 988
glenohumeral joint 389
glenoid cavity 389
glenoid involvement 737
glenopolar angle (GPA) 737

外国語　**1311**

Glisson 牽引　820, 840
Goel-Harms 法　826
Golgi apparatus　13
Golgi tendon organ　667
Goss 分類　733
Graffin 法　1253
greater sigmoid notch　435
greater tuberosity　390
greenstick fracture　40, 310
groove entry technique (GET)
　　　　　　　　　　　885
Grosse & Kempf 髄内釘　100
growth plate　10, 23, 309, 338
gull sign　936
gunshot fracture　39
Gustilo 開放骨折分類　47, 1161

H

Hüter-Volkmann の法則　312
Hüter 三角　447
Hüter 線　447
HA/PLLA 複合材料　118
habitual dislocation　57
Hackethal 集束釘　428
half pin　1161
half-moon sign　529
halo vest　820
hanging cast　245, 425
hangman fracture　823
Hannover 骨折分類　48, 271
Hansson ピン　101
hardware failure　202
Haversian canal　3, 61
Haversian system　4
Hawkins 徴候　1237
Hawkins 分類　1234
head fracture　968
head splitting fracture　402
headless screw　541
helical CT　615
hemarthrosis　165
hemi-resection interpositional
　arthroplasty　645

hemorrhagic shock　158, 237, 913
hemothorax　197
Henry の進入法（路）　456, 529
Henry の前方進入　587
Herbert screw　672
Herbert 分類　669
hip fracture　968
hip protector　379
Hippocrates　233
Hippocrates 法　233, 412
history of the external fixator　292
history taking　167
H-L 分類　1183
Hoffa 骨折　1059, 1067, 1074
Hoffmann 創外固定　132, 294
Hohl 分類　45, 1103
Homans 徴候　164
hook plate　769
hook test　1196
horizontal fracture of the anterior
　arch of the atlas　799
horizontal rotation　462
Hotchkiss の進入法　458
Howship lacuna　15
Hume 骨折　315
hydroxyapatite (HA)
　　　　　13, 27, 118, 123, 143
hyperbaric oxygen therapy
　(HBOT)　273
hypertrophic nonunion　54
hypovolemic shock　158

I

Ideberg 分類　733
iliac oblique view　934, 958
iliofemoral ligament　931
ilioinguinal approach　930, 941
iliosacral screw　920
　── fixation　920
Ilizarov distraction　247
Ilizarov 骨移動術　288
Ilizarov 式骨延長器　356
Ilizarov 創外固定　81, 132, 295

image intensifier　174
immobilization　240
impaction bone graft　212
impairment scale　817
impingement syndrome　204
IMSC nail　1070
incomplete dislocation　56
incomplete fracture　40
indirect pain　161
induced membrane　288
induced pluripotent stem cell (iPS
　細胞）　30
infected nonunion　55
　── reconstruction　289
inferior glenohumeral ligament
　　　　　　　　　　　390
inferior retinacular artery　972
inflammatory phase　64
infra-isthmal fracture　1020
infra-isthmal hypertrophic
　nonunion　1044
infra-isthmal nonunion　1044
infrapatellar approach　1148, 1153
infraspinatus tendon　390
initiation effects　76
inlay graft　149
inorganic matrix　27
instantaneous axis of rotation　859
institutional bone bank　149
instrumentation 手術　883
insufficiency fracture
　　　　37, 49, 367, 371, 1126, 1243
　── of the pelvis　926
insulin-like growth factor 1
　(IGF-1)　75
inter tubercular groove　390
intercalated segment　665
intercondylar fossa　1056
interference screw　88, 755
interleukin-1 (IL-1)　75
interleukin-6 (IL-6)　75
interlocking nail
　　　　　　100, 256, 286, 1062

intermittent pneumatic
　compression　263
internal fixation　255
interosseous ligaments（IOL）　1177
interosseous membrane（IOM）
　　　　　1177
interphalangeal（IP 関節）
　　　　　1224, 1276
IP 関節屈曲拘縮　690
IP 関節伸展位　690
interstitial growth　21
interstitial lamella　5
intertrochanteric fossa　991
intertrochanteric fracture　968
intervertebral disc　847
intra-capsular fracture　41
intracompartmental pressure（ICP）
　　　　　196
intrafocal pin　473
intrafocal pinning 法　623
intramedullary nail（IN）　256, 999
intramedullary reaming　284
intramedullary rod　99
intramedullary supracondylar
　（IMSC）nail　1062
intramembranous ossification
　　　　　3, 21, 65
intraoperative fracture　200
intravenous regional anesthesia
　　　　　253
intrinsic stabilizer　854
ischiofemoral ligament　931
isthmal fracture　1020

J

Jakob 分類　491
Jefferson 骨折　43, 799, 812
　――，保存療法　821
Jeffery 型骨折　534
Jeffery 型損傷　505, 547
Jensen 分類　994
jersey finger　722
Johner-Wruhs 分類　1145

joint contracture/ankylosis　201
Jones 骨折　1275
joy stick 法　1045
JSSF ankle/hindfoot scale　1201
Judet 創外固定器　293
Judet の後方進入　740
Jupiter 分類　566, 584

K

Küntscher 型髄内釘　239, 1156
Küntscher 原法　99, 1022, 1148
Küntscher 式髄内固定法　1023
Küntscher 法　85, 256
Kapandji 法　400, 623
Kaplan の進入法（路）　454, 529
Kienböck 病　681
Kilfoyle 分類　502
King 法　499
Kirschner 鋼線
　　　　81, 86, 257, 354, 1070, 1087
　――，石黒法　1122
　――の刺入位置　475
　――の遊走　758
　――髄内固定法（小川法）　400
knuckle bender splint　250
Kocher 法　412
Kocher-Langenbeck approach　940
Kocher の進入法　454, 541, 587

L

lacuna　5, 15
lag screw　88, 257
Lambotte 鋼線　81
Lambotte 創外固定器　293
Lance 法　1252
Langenskiöld 法　355
Langer 皮膚割線　396
Latarjet 法　415
late segmental collapse（LSC）
　　　　　979, 989
lateral collateral ligament complex
　　　　　439

lateral compression　908
　―― injury　911
lateral condyle fracture of the
　humerus　489
lateral displacement　463
lateral facet　1081
lateral flexion injury　806
lateral lumbar interbody fusion
　（LLIF）　882
lateral mobile column　665
lateral para-olecranon approach
　　　　　453
lateral ulnar collateral ligament
　（LUCL）　439
　――損傷　574
Lauge-Hansen（L-H）分類
　　　　　45, 1171, 1183
LC-DCP（limited contact-dynamic
　compression plate）　256
Leadbetter 法　985
Leforte 骨折　1188
less invasive stabilization　212
　―― system（LISS）　89, 92, 1022
lesser trochanter shape sign　1031
lesser tuberosity　390
Letournel-Judet 分類　907, 933
Letts 分類　585
lever arm　440, 1081
Levine-Edward 分類法　804
ligamentotaxis　884
ligamentous injury　199
ligamentum teres　931
limb bud　21
limb lengthening　277
limb salvage　271
linea aspera　1016
Lisfranc 関節　1224, 1231, 1264
Lisfranc 関節脱臼骨折　1264
Lister 結節部　640
little leaguer's elbow　506
little leaguer's shoulder　392
load sharing 分類　861
local anesthesia　252

local anesthetic cocktail injection 260, 262

locked symphysis 918

locking compression plate (LCP) 89, 93, 256, 1159

locking head screw (LHS) 93

locking plating 1038, 1158

locomotive syndrome 378

longitudinal fracture 42

longitudinal growth of the long bone 23

low-intensity pulsed ultrasound (LIPUS) 76, 280

lumbar sacral orthosis (LSO) 879

lunatum facet 612

lymphocyte transformation test (LTT) 113

M

M plate 922

macrophage colony stimulating factor (MCSF) 16, 75

Madelung 変形 162, 361, 649

Magerl 法 825

magnetic resonance imaging (MRI) 179, 326

Maisonneuve 骨折 1171, 1184, 1188, 1193

malalignment 161

Malgaigne tenderness 161

Malgaigne 圧痛 169

Malgaigne 骨折 909

Malgaigne 創外固定器 292

malleolar fracture 1199

mallet finger 722

malunion 162, 277, 645

management of surgical site infection (SSI) 264

mangled extremity 235, 251, 271

manipulation 202

Mann 分類 1235, 1275

manual reduction 246

march fracture 36

marginal impaction 937

Mason 分類 539

Masquelet technique 145, 288

MATILDA 法 1213

matrix vesicle 23

maximum ulnar bow (MUB) 587

May anatomical bone plate 96

Mayfield の発生機序 683

Mayo 分類 226, 547

McGraw 法 825

medial condyle fracture of the humerus 501

medial epicondyle fracture of the humerus 505

medial facet 1081

—— proper 1081

medial nerve injury 640

medial oblique compression fracture 556

medial patello-femoral ligament (MPFL) 1093

medial rotation column 665

mediolateral displacement 736

medullary cavity 10

Melone 分類 615

membranous ossification 65

meralgia paresthetica 930

mesenchymal cell 20

mesenchymal vertebrae 21

mesenchyme 20

mesoderm 20

metal allergy 112

metal fatigue 107

metallosis 83, 114

metaphyseal artery 18

metaphyseal fracture 40

metaphyseal vessels 339

metaphysis 9

metaplasia 11

metatarsophalangeal (MTP 関節) 1276

methicillin-resistant Staphylococcus aureus (MRSA) 260

Meyers-McKeever 分類 1124

microfracture 35, 179

microvascular surgery 269

midcarpal instability 644, 687

middle column 857

middle glenohumeral ligament 390

Mikulicz line 1057

Milch 分類 489, 502

Milch 法 412, 645

milking maneuver 472

minimally displaced fracture 394, 418

minimally invasive plate osteosynthesis (MIPO) 1022, 1068, 1096, 1158

minimally invasive surgery (MIS) 251

minus variant 612

mixed or irregular bone 10

modeling 17

modified Frankel 分類 874

monoaxial locking plate (MLP) 632

Monotube Triax (Stryker) 創外固定器 294

Monteggia equivalent lesion 581

Monteggia 骨折 332, 580, 604

——, Bado 分類 581

——, Jupiter 分類 584

Monteggia 損傷 581

Monteggia 脱臼骨折 580, 591

Moore 分類 1107

morcellised cancellous bone 288

—— autograft 145

Morel-Lavallée 徴候 164, 934

Morrey 分類 555

morselized graft 148

mortise 1177

—— view 1203

motor disturbance 165

MP 関節屈曲位 690

MP 関節伸展拘縮 690

MR angiography 811

MTP 関節 1224

multidisciplinary care 375
multifragmental pertrochanteric
　fracture 994
multifragmentary fracture 43
multimodular analgesia 252, 260
multiplanar reconstruction (MPR)
　　　　　　　　　　　991
multiplanar reconstruction-CT
　(MPR-CT) 177, 614
multiple fracture 42, 168
multiple injury 157, 160, 235
multiple organ failure (MOF) 192
multiple rib fracture 197
musculoskeletal ambulation
　disability symptom complex
　(MADS) 378
myoglobin 191

N

nail injury 272
Naumann 徴候 1237
neck fracture 968
necrosis
　——, apophyseal necrosis 343
　——, avasucular necrosis 273
　——, bone marrow necrosis
　　　　　　　　　　　284
　——, ischemic necrosis 974
necrotizing fasciitis 274
Neer 分類 45, 763, 1059
　——, 上腕骨近位部骨折 392
negative pressure wound therapy
　(NPWT) 270
neoarthrosis 51
nerve block 253
nerve injury 198
neurapraxia 198, 640
neurogenic shock 237
neurological level of injury (NLI)
　　　　　　　　　　　817
neuropathic arthropathy 37
neurotmesis 198
neutral triangle 1243

NF-kappa B 17
nightstick fracture 609
Nitinol 111
non bridging 型創外固定法 626
non-articulating zone 541
non-isthmal fracture 1020
nonunion 50, 361, 1044
notch sign 41
notch 法 826
NSAIDs 74
nut cracker theory 1101
nutrient artery 18
nutrient canal 8
nutrient foramen 8

O

O'Driscoll 分類 556
Oberst 麻酔法 253
oblique fracture 42
obstructive shock 237
obturator oblique view 935, 956
obturator-outlet view 917
occult fracture 34, 40, 326
occult intraosseous fracture 34
odd facet 1081
odontoid (dens) fracture 801
Ogden 分類 309, 347, 1141
oil red O 染色 165
OK サイン 477
old dislocation 57
olecranon fossa 437
ONI elbow system 520
onlay graft 148
open book type 918
open dislocation 57
open fracture 38, 1161
open fracture dislocation 57
open intramedullary nailing 99
open wedge osteotomy 93
opioid 260
Oppenheimer splint 250
Ortho-SUV 創外固定器 297
Orthofix 創外固定器 133, 295, 1035

orthosis 248
os acromiale 733
os odontoideum 172, 801
os peroneum 1225
os tibiale externum 172
os trigonum 172
osteoblast 11, 13
osteocalcin 27
osteochondral fracture 33, 41
osteoclast 15
osteoconduction 123, 141
osteocyte 5, 14
osteogenesis 141
osteogenic or cambium layer 11
osteoinduction 141
osteolysis 212, 767
osteomalacia 29
osteomyelitis 289
osteon 4
osteonectin 27
osteopenia 9, 17
osteoporosis 9, 17, 29
Osteoporosis Liaison Service
　(OLS®) 377
osteoporotic fracture
　　　　　　　367, 371, 1243
osteoprogenitor cell 339
osteosynthesis 286
osteotomy 284
OTA 開放骨折分類 272
oval ring 667
over telescope 1004
over the top 法 458, 559
overuse syndrome 36

P

P metabolism 28
Pacini corpuscle 667
packet 6
pain 160
palmar tilt 612, 645
Palmer 分類 678
Papineau（パピノ）法 290

外国語　**1315**

paprika sign　289

parathyroid hormone (PTH)
　13, 29

Park 分類　1020

Parkhill 創外固定器　293

passive streching of muscle group
　195

patella partita　172

pathologic [al] fracture　37

pathological dislocation　56

patient in one piece　236

Patric test　169

Pauwels 分類　981

PC-Fix (point contact fixator)　91

peak bone mass　368

pedicle screw　923

pedicle subtraction osteotomy
　(PSO)　883

pelvic binder　914

pelvic C clamp　916

pelvic plate　944

pelvic ring　904

PEMF (pulsed electromagnetic
　field) stimulation　282

Pennig 創外固定器　300

perched position　571

percutaneous pedicle screw (PPS)
　883

percutaneous pinning
　199, 255, 621, 690

percutaneous screw fixation　622

perichondrial groove of Ranvier
　339

perichondrial ring　11, 339, 347

perichondrium　21

periostal sleeve avulsion　1085

periosteal capillary network　19

periosteum　3, 11, 309

periprosthetic fracture　1067

permanent dislocation　57

persistent ossification center　172

pertrochanteric fracture　968

petechiae　189

Peterson の整復法　537

Peterson 分類　349, 533

pharmacodynamics (PD)　259

pharmacokinetics (PK)　259

physeal fracture　338

physis　10, 309, 338

piano key sign　652, 751

piezoelectricity　6, 282

pilon 骨折　1174, 1206

pin and sleeve system　1087

pin prick　264

pin tract infection　204

pin-site infection　268

pink pulseless hand　478

pinless 創外固定器　293

Pipkin 分類　974

pitting corrosion　106

pivot shift test　571, 574

plafond 骨折　1206

plaster　233

—— bandage　243

—— cast　243

—— of Paris　233

—— sore　243

—— window　246

plastic bowing [fracture]　310

plastic cast　243, 1061

plate　89

—— (rod) graft　148

—— fixation　256

platelet derived growth factor
　(PDGF)　68

plus variant　612

PMMA 骨セメント　127

pneumatic bone　10

pneumothorax　197

Poirier 腔　667

Poller screw
　1027, 1045, 1148, 1153

poly-L-lactic acid (PLLA)　115

polyaxial locking plate (PLP)　632

polycentric hinge unit　1062

polymethylmethacrylat (PMMA)
　骨セメント　882

popliteal artery 損傷　1130

positive end-expiratory pressure
　(PEEP)　239

positron emission tomography
　(PET)　176, 182

post traumatic contracture of the
　elbow　578

post-traumatic DCO (PTDCO)
　779

Postacchini 分類　895

posterior band　439

posterior column　857, 932

posterior displacement　463

posterior humeral circumflex
　artery　390

posterior inferior tibiofibular
　ligament　1177

posterior lumbar interbody fusion
　(PLIF)　882

posterior oblique ligament (POL)
　438

posterior talofibular ligament
　(PTFL)　1177

postero-lateral rotatory instability
　(PLRI)　556, 571, 574

posttraumatic infection　204

posttraumatic osteoarthritis　206

Pott 骨折　1187

Preis 角　1251

pressure bandage　241

pressure epiphysis　10, 338

primary bone healing　63

primary spongiosa　21, 339

primary stabilizer　438

pronation-abduction (PA) 損傷
　1184

pronation-eversion 型骨折　1171

pronation-external rotation (PER)
　損傷　1184

proteoglycan　26

proximal femoral nail antirotation
　(PFNA)　105

proximal interphalangeal (PIP 関節)
　1224, 1276

PIP 関節掌側脱臼　716

PIP 関節掌側脱臼骨折　714
PIP 関節側方脱臼　715
PIP 関節背側脱臼骨折　710
proximal migration　463
proximal part of the femur　967
pseudodislocation　763
pseudofracture → Looser zone
　　　　　278
PT-INR　263
PTB (patellar tendon bearing) プラ
　スチック包帯　1147
pubofemoral ligament　931
Pucker's sign　470
pull off 型, 上腕骨外側顆骨折　489
pulled elbow　594
pulmonary embolism　192, 239
pulsatile irrigation　266
pulse oximeter　237
pulsed Doppler ultrasonography
　　　　　164
pulseless pink hand　460
push off 型, 上腕骨外側顆骨折
　　　　　489
push up 動作　645

████████ Q ████████

quadrate ligament　439
quadrilateral space　729

████████ R ████████

radial collateral ligament (RCL)
　　　　　439
radial fossa　437
radial head　436
radial shortening　645
radioulnar line method　656
radioulnar synostosis　609
rafting technique　1116
rafting 法　1096
Rancho Cube　298
Rang's version　347
Rang 分類　347

range of motion (ROM) 障害　201
Rasmussen 分類　1104
receptor activator of NF-kappa B
　ligand (RANKL)　16
recoil distractive flexion injury
　　　　　814
recoil injury　814
reconstruction mode　1047
recurrent dislocation　57
reflex sympathetic dystrophy
　(RSD)　205, 644
Regan (-Morrey) 分類　555
regional bone bank　149
relaxation incision　269
remodeling　17　310, 535
reparative phase　64
repetitive physical loading　359
replantation　276
resting zone　338
reticular cell　12
retinoic acid　75
retrograde intramedullary nailing
　　　　　287, 1032
retroperitoneal hematoma　197
retropharyngeal space　813
retrotracheal space　813
reversed Colles 骨折　617
reverse Chance fracture　859
rhabdomyolysis　191
rickets　28
rim avulsion fracture-dislocation
　　　　　1107
rim avulsion 骨折　1123
rim compression fracture-
　dislocation　1108
rim compression 骨折　1123
ring apophysis　837
Ring 分類　528
Robert-Jones 包帯　1275
Robertson 3 方向牽引法　714
Rockwood 分類　751
Rockwood 法　776
Rogers 法　830, 834
Roland 骨折　700

roller bandage　233
Rommens 分類　928
roof arc measurement　937
rotation　796
rotational malunion　277
rotator cuff　390
round hole plate　89
Roy-Camille 分類　894
Rüedi 分類　1206
Ruffini ending　667
ruffled border　15
rugger jersey finger　724
run-over injury　1164
runner's fracture　36
rugger jersey finger　750
Rush ピン　102, 256
Russe 撮影法　170
Russe 法　671
Russell-Taylor 髄内釘　101
Russell-Taylor 分類　1007
RUST 指数　50

████████ S ████████

sacral bar　920
sacral sparing　817, 872
safety position　690
sagittal tilt　462
Salama 法　1253
Salter-Harris 分類
　　　　309, **345**, 485, 533, 547, 1214
──Ⅳ型　358
──Ⅴ型　358
Sanchez-Sotelo-Morrey 分類　226
Sanders 分類　49, 1248
SAPHO 症候群　791
Sarmiento 機能〔的〕装具　609, 1147
Sauvé-Kapandji 法　645, 658, 688
scaphoid facet　612
scaphoid shift テスト　686
scapula Y 撮影　410
scapular plane　419
scapulothoracic dissociation　747
Schanz ピン　922, 944, 1045

外国語　*1317*

Schatzker 分類　1105

Schmidek 分類　893

SCIWORA (spinal cord injury
without radiographic abnormality)
838

Scorpion® plate　769

screw　87

———, cancellous bone screw　87

———, cannulated screw　258

———, cortical bone screw　87

———, Herbert screw　672

———, lag screw　88, 257

——— fixation　257

second look　270

sedation　260

segmental fracture　41

Segond 骨折　1123, 1138

Seinsheimer 分類　1007

Self-Administered Foot Evaluation
Questionnaire (SAFE-Q)　1199

self-reinforced rod：SR-PGA rod
114

semiquantitative method (SQ 法)
869

semitubular plate　89

sensory disturbance　165

sequence　17

serendipity view　765, 776

sesamoid bone　172

severely suppressed bone turnover
(SSBT)　1009

shape-memory alloy　111

Sharp technique　1116

Sharpey fiber　11

shear-type fracture dislocation
869

shearing fracture　43

short femoral nail (SFN)
993, 999, 1003

short segment fusion　885

shortening　463

——— deformity　277

sigmoid notch　435, 612

silver fork deformity　162

simple fracture　38

simple pertrochanteric fracture
994

single fracture　41

single plating 法　1096

single-photon emission computed
tomography (SPECT)　176

sinusoid　19

sitting imbalance　919

skeletal traction　247

skin flap grafting　270

skin grafting　270

skin traction　247

skyline view　1086

SLAC (scapholunate advanced
collapse) wrist　672

sleeve fracture
315, 511, 1083, 1085

slice fracture　527, 869

sliding　796

——— hip screw (SHS)　983, 999

slipping rib syndrome　791

small bone　10

Smith safe zone　542

Smith 骨折　613

SNAC (scaphoid nonunion
advanced collapse) wrist　672

snapping finger　645

soft spot　446

Song 分類　491

Spencer 法　776

spinal cord　848

spinal instrumentation　924

spino-pelvic dissociation　923

spinous process fracture　807

spiral blade　1045

spiral fracture　42

splint〔age〕　242

split fracture-dislocation　1107

split-thickness graft　270

spongy bone　6

spontaneous fracture　37

spontaneous osteonecrosis of the
knee (SONK)　367

spoon plate　96

sports injury　923

spring plate　944

spur sign　935

stab wound　161

stainless steel pin　354

staple　98

static locking 法　1151, 1022

static stabilizer　1180

Steinmann ピン
81, 102, 256, 1046, 1070

Stener lesion　716

sternal flail　790

Stewart-Milford 分類　955

Stimson 法　412, 959

stockinette Velpeau 固定　426

straight nail　1026

straight plate　90

stress corrosion cracking　111

stress fracture　36, 49, 790, 1245

stress shielding　92, 216

stress view radiography　171

stress-related　359

strong suture 糸　770

strut allograft-augmented plate
fixation　212

Stuart-Hanssen 分類　221

Su 分類　219

subacromial bursa　390

subaxial cervical spine injury
classification system (SLIC)　806

subchondral bone　8

subchondral insufficiency fracture
(SIF)　977

subcutaneous emphysema　200

subcutaneous hematoma　161

subcutaneous tendon rupture　640

subluxation　56

subscapular nerve　390

subscapularis tendon　390

substantia alba　850

subtrotrochanteric fracture　968

subungual hematoma　272

Sudan 染色　165

1318 索　引

Sudeck 骨萎縮　205, 1260
suicidal jumper's fracture　923
superior band　439
superior glenohumeral ligament
　　　　　　　　　　390
superior retinacular artery　979
superior shoulder suspensory
　complex (SSSC)　738
supination-adduction (SA) 損傷
　　　　　　　　　　1183
supination-external rotation (SER)
　損傷　1183
supra-isthmal fracture　1020
supracollicular fracture　1194
supracondylar fracture of the
　humerus　460, 515
supracondylar rotational fracture
　　　　　　　　　　333
suprapatellar approach　1152, 1155
suprascapular nerve　390
supraspinatus tendon　390
SURESHOT (商品名)　258
surgical neck　390
surgical site infection (SSI)　260
suture anchor　415, 575, 770
suture button　754
swan neck deformity　723
swimmer projection　809, 876
syndesmosis　1177, 1194
synovial pseudoarthrosis　51, 53, 54
syringomyelia　37

━━━━━ T ━━━━━

T-shaped plate　96
Taft score　758
tamponade　158
Tan 法　826
tangential osteochondral fracture
　　　　　　　　43, 1084
taping　241
Taylor and Scham の進入法（路）
　　　　　　　　459, 559
Taylor spatial frame (TSF)　296

teardrop sign　477
teardrop fracture　807
teardrop 骨片　842
teepee view　917
telescope　1004
tenderness　160
tendinous mallet finger　721
tenon　1177
　── band wiring
　　73, 86, 258, 551, 770, 1087, 1129
tension pneumothorax　158, 197, 237
teres minor tendon　390
terrible triad injury (TTI)
　　　　　　　541, 561, 571
tetanus　275
The reamer/irrigator/aspirator
　(RIA) system　147
the second shoulder joint　390
Thomas splint　247
Thomas 分類　616
Thompson-Epstein 分類　955
Thoracolumbar AO Spine Injury
　Score (TL AOSIS)　863
Thoracolumbar Injury
　Classification and Severity Score
　(TLICS)　863
three column classification　1109
three column theory　857
three dimensional computed
　tomography (3D-CT)　177
throwing fracture　43
Thurston Holland fragment　345
tibiofibular syndesmosis
　　　　　　　1170, 1194
Tietze 症候群　791
Tillaux 骨折　1188, 1215
tilt 骨折　918
tilting　796
Tinel 徴候　198, 477, 640
tip apex distance (TAD)　1001
TNF receptor associate factor
　(TRAF)　17
toe off　1230
torsion fracture　43

torus fracture　40, 310
total hip arthroplasty (THA)　211
tourniquet paralysis　207
traction　246
　── epiphysis　10, 338
　── mobilization　1111
trans-iliac-trans-sacral bar　928
transcatheter arterial embolization
　(TAE)　914
transcondylar fracture of the
　humerus　515
transforming growth factor β
　(TGF β)　14, 68
transmedullary support screw
　　　　　　　　1029, 1154
transverse fracture　42
transverse growth of the long bone
　　　　　　　　　　24
transverse ligament (TL)　438
transverse process fracture　809
trauma series　394
traumatic dislocation　56
traumatic fracture　36
　── dislocation　56
traumatic hip dislocation　955
traumatic myositis ossificans　202
Trendelenburg 徴候　906
triage　236
triangular fibrocartilage complex
　(TFCC)　613, 666
triangular sling　240
tricalcium phosphate　124
triceps reflecting anconeus pedicle
　(TRAP)　453
triplane 骨折　1215
triradiate cartilage　903, 926
trochanteric flip osteotomy
　　　　　　　940, 942, 962
trochanteric fracture　968
trochlea　436
True-Flex ネイル　607
TrueLok-Hexapod (TL-HEX) 創外
　固定器　297
Tscherne 分類　47, 161

外国語 **1319**

Tscherne-Ostern 分類の判定基準　1165
tumor necrosis factor（TNF）-α　17
two column theory　857
two-dimensional intraosseous wiring（Two-DIOW）　706
T 型骨折　487, 515
T 型プレート　96, 629
T 字骨折　42, 933

U

ulnar inclination　612, 645
ulnar variant（variance）　612
ulnocarpal abutment syndrome　649
ultrasonic elastography　178
ultrasonography（US）　177, 325
ultrasound-guided nerve block　253
uncinate process fracture　809
unilateral 型創外固定器　267
urogenital injury　200
U-slab 法　425

V

vacuum assisted closure　291
valgus impacted fracture　393
Vancouver 分類　211
varus posteromedial rotational instability　575
varus posteromedial rotatory injury　562
vascular endothelial growth factor（VEGF）　71
vascular injury　193
vascular loop　20
vascularized bone graft　288

vascularized flap　270
Velpeau 包帯　241
venous cut-down　237
ventral medullary artery　852
vertebra　846
vertical facet　1081
vertical shear　908
VISI（volar intercalated segment instability）　686
——型手根不安定症　686
vital sign　157, 237
Vitallium　81
volar lunate facet（VLF）　634
Volkmann 管　5, 20
Volkmann 拘縮　196, 460, 478
voluntary dislocation　57

W

Waddell の三徴/Waddell's triad　321
Wadsworth 分類　489
Wagstaffe 結節　1177
Walker 分類　677
Ward 三角　968
watershed line　632
Watson-Jones 分類　1128, 1248
Watson-Jones 法　959
Watson-Ballet 分類　676
Weber の偽関節分類　52
wedge compression fracture　807
wedge turning frame　833
Weitbrecht 支帯　971, 981
Well's score　164, 193, 263
Westhues 法　1253
wet corrosion　106
Whiteside の needle-manometer 法　196
Whitman 法　1011

Wilkins 分類　547
windlass mechanism　1230
Winquist-Hansen 分類　1018
Wolff の法則　73, 312
wound closure　269
wound lavage　266
woven bone　21, 65
Wright-Cofield 分類　222

X

X-ray fluoroscopy　173
X 線透過性整復台　473
X 線断層撮影検査　175, 280
X 線透視法　173, 255

Y

Y-nail　101
Young-Burgess 分類　909
Y 字型構造　439
Y 字骨折　42
Y 靱帯　970
Y 軟骨　903

Z

Zaidemberg 法　675
Zanca view　752
zero position　412
zero variant　612, 648
zone of calcified cartilage cell　339
zone of germinal cartilage cell　338
zone of hypertrophic cartilage cell　339
zone of proliferating cartilage cell　339
Zuggurtung 法　258, 1087

数字のつく用語

1-part 骨折　392
2-part 骨折　392
3-part 骨折　392
4-part 骨折　392

2 細胞現象理論　65
4-part 外反嵌入骨折　392
4-part fracture-dislocation　1108
4C 徴候　267
4 部粉砕脱臼骨折　1108
40°仰角撮影　765, 776
5P 徴候　196, 479

8 の字包帯　241
90°屈曲位牽引法　470
Ⅰ型コラーゲン　13
120°ヒッププレート　98
130°アングルプレート　98

略語索引

略　語	外国語	ページ
3D-CT	three dimensional computed tomography	177
ACL	accessory collateral ligament	439
ACS	acute compartment syndrome	195, 1051, 1165
ADI	atlantodental interval	796
ADL	activity of daily living	368
AFF	atypical femoral fracture	77, 375, 1047
AGEs	advanced glycation end products	369
AIS	abbreviated injury score	160
AITFL	anterior inferior tibiofibular ligament	1177
AJIS	acromioclavicular joint instability score	758
AL	annular ligament	439
ALRUD	acute longitudinal radioulnar dissociation	592
ALS	antero lateral supine	988
AMP	antimicrobial prophylaxis	259
AO	Arbeitgemeinschaft für Osteosynthesefragen	981
AOL	anterior oblique ligament	438
AS	ankylosing spondylitis	867
ASIA	American Spinal Cord Injury Association	817
ATFL	anterior talofibular ligament	1177
BGA	blood gas analysis	159
BGP	bone Gla protein	27
BHA	bipolar hip arthroplasty	211
BMD	bone mineral density	8
BMP	bone morphogenetic protein	14, 27, 141, 288
CCEF	capacitively coupled electric field	282
CCS	cannulated cancellous screw	983
CE	compressive extension	805
CFL	calcaneofibular ligament	1178
CFRP	carbon fiber reinforced plate	98
CLAP	continuous locsl antibiotic perfusion	290
CORA	center of rotation angle	295
Cox-2	cyclooxygenase-2	74
CPC	calcium phosphate cement	143
CPK	creatine phosphokinase	196

略　語	外国語	ページ
CPP	conjoint tendon preserving posterior	988
CRPS	complex regional pain syndrome	205, 644
CT	computed tomography	176, 326
CTA	CT angiography	177, 192
CVP	central venous pressure	160
DAF	dynamic axial fixator	294
DBM	demineralized bone matrix	127
DCO	damage control orthopaedics	235, 1024, 1148
DCO	distal clavicular osteolysis	779
DCP	dynamic compression plate	89, 93, 1158
DE	distractive extension	804
DF	distractive flexion	805
DFN	distal femoral nail	1064
DIP	distal interphalangeal	1224, 1276
DISH	diffuse idiopathic skeletal hyperostosis	867
DISI	dorsal intercalated segment instability	686
DMAT	disaster medical assistance team	798
DRUJ	distal radioulnar joint	604
DSS	double-tiered subchondral support	632
DVT	deep vein (venous) thrombosis	192, 376, 1024
E-L	Essex-Lopresti	592, 652
EON	elongation over a nail	299
FARS	fast reliable and safe	412
FES	fat embolism syndrome	189, 239
FGF	fibroblast growth factor	14, 71
FLS	fracture liaison service	377
FOOSH	fall on an outstretched hand	33
FSU	functional spinal unit	854
FTA	femoro tibial angle	1057, 1098
GAI	Garden alignment index	984
GET	groove entry technique	885
GHOIS	Ganga Hospital Open Injury Score	48
GPA	glenopolar angle	737
HBOT	hyperbaric oxygen therapy	273
ICP	intracompartmental pressure	196
IGF-1	insulin-like growth factor 1	75
IL-1	interleukin-1	75

略語　**1323**

略　語	外国語	ページ
IL-6	interleukin-6	75
IMSC	intramedullary supracondylar	1062
IN	intramedullary nail	256, 999
IOL	interosseous ligaments	1177
IOM	interosseous membrane	1177
IP	interphalangeal	1276
iPS 細胞	induced pluripotent stem cell	30
JNK	c-Jun N-terminal kinase	17
LC-DCP	limited contact-dynamic compression plate	256
LCP	locking compression plate	89, 256, 1159
L-H	Lauge-Hansen	45, 1171, 1183
LHS	locking head screw	93
LIPUS	low-intensity pulsed ultrasound	76, 280
LISS	less invasive stabilization system	89, 92, 1022
LLIF	lateral lumbar interbody fusion	882
LSC	late segmental collapse	979, 989
LSO	lumbar sacral orthosis	879
LTT	lymphocyte transformation test	113
LUCL	lateral ulnar collateral ligament	439
MADS	musculoskeletal ambulation disability symptom complex	378
MCSF	macrophage colony stimulating factor	16, 75
MIPO	minimally invasive plate osteosynthesis	1022, 1068, 1096, 1158
MIS	minimally invasive surgery	251
MLP	monoaxial locking plate	632
MOF	multiple organ failure	192
MPFL	medial patello-femoral ligament	1093
MPR	multiplanar reconstruction	991
MPR-CT	multiplanar reconstruction-CT	177, 614
MRI	magnetic resonance imaging	179, 326
MRSA	Methicillin-resistant Staphylococcus aureus	260
MTP	metatarsophalangeal	1276
MUB	maximum ulnar bow	587
NLI	neurological level of injury	817
NPWT	negative pressure wound therapy	270
PA	pronation-abduction	1184
PC-Fix	point contact fixator	91

略　語	外国語	ページ
PD	pharmacodynamics	259
PDGF	platelet derived growth factor	68
PEEP	positive end-expiratory pressure	239
PER	pronation-external rotation	1184
PET	positron emission tomography	176, 182
PFNA	proximal femoral nail antirotation	105
PIP	proximal interphalangeal	1224, 1276
PK	pharmacokinetics	259
PLIF	posterior lumbar interbody fusion	882
PLLA	poly-L-lactic acid	115
PLP	polyaxial locking plate	632
PLRI	postero-lateral rotatory instability	556, 571, 574
PMMA	polymethylmethacrylat	882
POL	posterior oblique ligament	438
PPS	percutaneous pedicle screw	883
PSO	pedicle subtraction osteotomy	883
PTB	patellar tendon bearing	1147
PTDCO	post-traumatic DCO	779
P [T] E	pulmonary [thrombo] embolism	192
PTFL	posterior talofibular ligament	1177
PTH	parathyroid hormone	13, 29
RANKL	receptor activator of NF-kappa B ligand	16
RCL	radial collateral ligament	439
RICE	Rest, Icing, Compression, Elevation	236
ROM	range of motion	201
RSD	reflex sympathetic dystrophy	205, 644
SA	supination-adduction	1183
SCIWORA	spinal cord injury without radiographic abnormality	838
SER	supination-external rotation	1183
SFN	short femoral nail	993, 999, 1003
SHS	sliding hip screw	983, 999
SIF	subchondral insufficiency fracture	977
SLAC	scapholunate advanced collapse	672
SLIC	subaxial cervical spine injury classification system	806
SNAC	scaphoid nonunion advanced collapse	672
SONK	spontaneous osteonecrosis of the knee	367
SPECT	single-photon emission computed tomography	176

略　語	外国語	ページ
SQ 法	semiquantitative method	869
SSBT	severely suppressed bone turnover	1009
SSI	management of surgical site infection	264
SSI	surgical site infection	260
SSSC	superior shoulder suspensory complex	738
TAD	tip apex distance	1001
TAE	transcatheter arterial embolization	914
TFCC	triangular fibrocartilage complex	613, 666
TGFβ	transforming growth factor β	14, 68
THA	total hip arthroplasty	211
TL	transverse ligament	438
TL AOSIS	Thoracolumbar AO Spine Injury Score	863
TLICS	Thoracolumbar Injury Classification and Severity Score	863
TNF-α	tumor necrosis factor-α	17
TRAF	TNF receptor associate factor	17
TRAP	triceps reflecting anconeus pedicle	453
TSF	Taylor spatial frame	296
Two-DIOW	two-dimensional intraosseous wiring	706
US	ultrasonography	177, 325
VEGF	vascular endothelial growth factor	71
VISI	volar intercalated segment instability	686
VLF	volar lunate facet	634

[編者略歴]
冨士川恭輔（ふじかわ　きょうすけ）
1964 年慶應義塾大学医学部卒業，1965 年慶應義塾大学大学院（医学部）入学，1969 年同修了，同年 4 月慶應義塾大学医学部整形外科学助手．川崎市立川崎病院整形外科医員，足利赤十字病院整形外科副部長，佐野厚生病院整形外科部長を経て慶應義塾大学医学部整形外科学教室卒後訓練担当主任（助手）．1981 年英国 Leeds 大学大学院（工学部）修了，1981 年慶應義塾大学医学部整形外科学教室講師，1990 年同助教授，1994 年防衛医科大学校整形外科学講座主任教授（教務部長併任），2004 年同退官．
日本整形外科学会専門医，日本整形外科学会名誉会員

鳥巣岳彦（とりす　たけひこ）
1965 年九州大学医学部医学科卒業，1970 年九州大学大学院修了，2005 年独立行政法人労働健康安全機構 九州労災病院院長，2014 年国家公務員共済組合連合会 新別府病院顧問．
1983 年日本整形外科学会専門医，2007 年日本整形外科学会名誉会員，2010 年日本リウマチ学会名誉会員，2016 年 ICD 制度協議会認定医，2017 年日本リハビリテーション医学会功労会員

骨折・脱臼

2000 年 1 月 13 日　1 版 1 刷	© 2023
2018 年 6 月 1 日　4 版 1 刷	
2020 年 6 月 15 日　　　 2 刷	
2023 年 5 月 20 日　5 版 1 刷	

編　者
　冨士川恭輔　　鳥巣岳彦
　（ふじかわきょうすけ）（とりすたけひこ）

発行者
　株式会社　南山堂　代表者　鈴木幹太
　〒113-0034　東京都文京区湯島 4-1-11
　TEL 代表 03-5689-7850　www.nanzando.com

ISBN 978-4-525-32005-8

JCOPY　〈出版者著作権管理機構　委託出版物〉
複製を行う場合はそのつど事前に（一社）出版者著作権管理機構（電話 03-5244-5088，FAX 03-5244-5089, e-mail: info@jcopy.or.jp）の許諾を得るようお願いいたします．

本書の内容を無断で複製することは，著作権法上での例外を除き禁じられています．また，代行業者等の第三者に依頼してスキャニング，デジタルデータ化を行うことは認められておりません．